D1432885

LA BIBLE
DE JÉRUSALEM

L'initiative de cette traduction et sa mise en œuvre sont dues à Th.-G. CHIFFLOT, O. P.

Comité de direction : R. DE VAUX, O. P. – P. BENOIT, O. P. – Mgr L. CERFAUX – Chanoine É. OSTY, P. S. S. – A. ROBERT, P. S. S. – J. HUBY, S. J. – P. AUVRAY, de l'Oratoire – É. GILSON, de l'Académie française – H.-I. MARROU, membre de l'Institut – Gabriel MARCEL, membre de l'Institut – Albert BÉGUIN – Michel CARROUGES.

Principaux collaborateurs : F.-M. ABEL, O. P. – P. AUVRAY, de l'Oratoire – A. BARUCQ, S. D. B. – P. BENOIT, O. P. – M.-É. BOISMARD, O. P. – F.-M. BRAUN, O. P. – H. CAZELLES, P. S. S. – B. COUROYER, O. P. – L.-M. DEWAILLY, O. P. – P. DORNIER, P. S. S. – H. DUESBERG, O. S. B. – J. DUPONT, O. S. B. – A. FEUILLET, P. S. S. – A. GELIN, P. S. S. – J. GELINEAU, S. J. – A. GEORGE, S. M. – J. HUBY, S. J. – C. LARCHER, O. P. – R. LECONTE – S. LYONNET, S. J. – P. DE MENASCE, O. P. – D. MOLLAT, S. J. – É. OSTY, P. S. S. – R. PAUTREL, S. J. – B. RIGAUX, O. F. M. – A. ROBERT, P. S. S. – R. SCHWAB – C. SPICQ, O. P. – J. STEINMANN – R. TOURNAY, O. P. – J. TRINQUET, P. S. S. – R. DE VAUX, O. P. – A. VINCENT.

Les révisions des éditions de 1973 et 1998 ont été assurées par : R. DE VAUX, O. P. – P. BENOIT, O. P. – D. BARRIOS-AUSCHER – L.-M. DEWAILLY, O. P. – R. TOURNAY, O. P. – M.-É. BOISMARD, O. P. – P. AUVRAY, de l'Oratoire – P.-E. BONNARD – F. DREYFUS, O. P. – R. FEUILLET, P. S. S. – J. STARCKY – J.-M. DE TARRAGON, O. P. – J. TAYLOR, S. M. – D. BARRIOS-AUSCHER – J.-N. ALETTI, S. J. – J. BRIEND – L. DEVILLERS, O. P. – P. GARUTI, O. P. – M. GILBERT, S. J. – J. LOZA, O. P. – J. MURPHY-O'CONNOR, O. P. – R. TOURNAY, O. P. – B. VIVIANO, O. P.

La présente édition reproduit le texte de l'édition major de la Bible de Jérusalem dans sa nouvelle édition de 1998, intégralement revue, corrigée et revêtue de l'Imprimatur.

Les introductions de cette édition ont été abrégées par A. THOMAS à partir du texte de l'édition major.

Les lecteurs peu familiers de la Bible ou désireux de travailler sur le texte auront intérêt à se reporter à une bible avec introductions et notes.

LA BIBLE
DE JÉRUSALEM

traduite en français sous la direction de
l'École biblique de Jérusalem

LES ÉDITIONS DU CERF
29, bd La Tour-Maubourg, 75007 Paris
www.editionsducerf.fr
PARIS
2011

Imprimé en France

Imprimatur
Rome, le 30 septembre 1999,
en la fête de saint Jérôme,
cardinal Pierre Eyt,
président de la Commission doctrinale
des évêques de France

ISBN 978-2-204-08381-2

Table générale

L'ANCIEN TESTAMENT

LE NOUVEAU TESTAMENT

Table
de la Bible hébraïque

Le canon de la Bible hébraïque, fixé par les juifs de Palestine vers l'ère chrétienne, est conservé par les juifs modernes et, pour l'Ancien Testament, par les protestants. Il ne contient que les livres hébreux, à l'exclusion des livres écrits ou conservés en grec et des suppléments grecs d'Esther et de Daniel.

La Bible hébraïque compte vingt-quatre livres et est divisée en trois parties, dans l'ordre suivant :

Table
de la Bible grecque

La Bible grecque des Septante, destinée aux juifs de la Dispersion, comprend, dans un ordre qui varie selon les manuscrits et les éditions :

1. les livres de la Bible hébraïque, traduits en grec avec des variantes, des omissions et des additions (importantes dans les livres d'Esther et de Daniel) ;

2. des livres qui n'appartiennent pas à la Bible hébraïque (mais dont plusieurs reflètent un original hébreu ou araméen) et qui sont entrés dans le Canon chrétien (« deutérocanoniques ») ; les Églises catholique et orthodoxe les regardent comme inspirés au même titre que les livres de la Bible hébraïque. Ils sont mentionnés en italique dans la liste qui suit ;

3. des livres qui, bien que parfois utilisés par les Pères ou les anciens écrivains ecclésiastiques, n'ont pas été reçus par les Églises chrétiennes (ouvrages « apocryphes »). Ils sont mentionnés entre crochets dans la liste qui suit.

À l'exception de ces livres apocryphes, la liste de la Bible grecque est aussi (dans un ordre différent) celle de l'Ancien Testament reçu par l'Église, dont la table des p. 8-9 a donné le contenu selon l'ordre habituel.

Nous donnons ci-dessous la liste des livres de la Bible grecque des Septante, telle qu'on la trouve dans l'édition de Rahlfs.

I. LÉGISLATION ET HISTOIRE.

La Genèse.
L'Exode.
Le Lévitique.
Les Nombres.
Le Deutéronome.

Josué.
Les Juges.
Ruth.
Les quatre « livres des Règnes » :
    I et II = Samuel ; III et IV = Rois.

Les Paralipomènes, I et II (= Chroniques).
[Esdras I] (apocryphe).
Esdras II (= Esdras-Néhémie).

Esther, *avec fragments propres au grec.*
Judith.
Tobie.

Maccabées I et II [plus III et IV apocryphes].

II. POÈTES ET PROPHÈTES.

Les Psaumes.
[Odes].
Les Proverbes de Salomon.
L'Ecclésiaste.
Le Cantique des Cantiques.
Job.
Sagesse de Salomon (Livre de la Sagesse).
L'Ecclésiastique (« Sagesse de Sirach »).
[Psaumes de Salomon].

Les Douze petits Prophètes (« Dodékaprophéton »), dans l'ordre suivant :
    Osée, Amos, Michée, Joël, Abdias, Jonas, Nahum, Habaquq, Sophonie, Aggée, Zacharie, Malachie.
Isaïe.
Jérémie.
Baruch (= Baruch **1-5**).
Les Lamentations.
Lettre de Jérémie (= Baruch **6**).
Ézéchiel.
Suzanne (= Daniel **13**).
Daniel **1-12** (**3** 24-90 *est propre au grec*).
Bel et le Dragon (= Daniel **14**).

Avertissement

Les traductions ont été faites à partir des textes originaux, hébreux, araméens et grecs. Pour l'Ancien Testament, on suit le texte massorétique, c'est-à-dire le texte hébreu établi aux VIIIe-IXe s. ap. J.-C. par des savants juifs, qui en ont fixé la graphie et la vocalisation. C'est le texte que reproduisent la plupart des manuscrits. Lorsque celui-ci présente des difficultés insurmontables, on s'est aidé d'autres manuscrits hébreux ou des versions anciennes, grecque, syriaque et latine principalement. Pour les livres grecs de l'Ancien Testament (« deutérocanoniques ») et pour le Nouveau Testament, on a utilisé le texte établi à l'époque moderne par un travail critique sur les principaux témoins manuscrits de la tradition, également avec l'aide des versions anciennes. Quand la tradition offre plusieurs formes du texte, la leçon la plus sûre a été choisie. Les passages considérés comme des gloses sont entre parenthèses dans le texte.

Dans cette édition, on s'est efforcé de réduire la diversité des traductions que des termes ou des expressions identiques de l'original recevaient parfois dans les éditions précédentes. On a toutefois tenu compte de l'ampleur de sens de certains termes hébreux ou grecs, dont il n'est pas toujours possible de trouver un unique équivalent français. On a tenu compte aussi des exigences du contexte, sans oublier qu'une traduction mot pour mot et par trop littérale peut quelquefois ne rendre qu'imparfaitement compte du sens réel d'une phrase ou d'une expression. Cependant, les termes techniques dont le sens est bien univoque sont toujours rendus par le même équivalent français. Lorsqu'il le fallait, on a préféré la fidélité au texte à une qualité littéraire qui ne serait pas celle de l'original.

La transcription des noms propres a été unifiée de manière à reproduire aussi exactement que possible la forme que ces noms possèdent en hébreu ou en grec, tout en évitant les lettres pointées ou les signes spéciaux réservés aux ouvrages techniques. (Toutefois, pour les noms de lieux ou de personnes très connus, on a retenu les formes francisées traditionnelles, parfois assez éloignées de l'original : ainsi trouvera-t-on Samarie et non Shomrôn, Isaïe et non Yeshayahu, Jean et non Iôannès.)

Dans l'Ancien Testament, la numérotation des chapitres (chiffres gras) et des versets (chiffres maigres en exposant) suit toujours l'hébreu.

On trouvera dans cette traduction le nom de Dieu sous la forme Yahvé. Cette forme, utilisée depuis un certain temps dans nombre de traductions françaises, pose quelques problèmes.

On sait que, dans l'hébreu primitif, seules les consonnes étaient notées. Les voyelles placées tardivement par les Massorètes sont celles du mot adonaï (« seigneur »), que l'on devait prononcer, le Nom de Dieu étant considéré comme trop saint pour être proféré.

La vocalisation « Yahvé » est une reconstruction hypothétique d'un nom dont la prononciation réelle n'était plus connue. Il en va de même de la vocalisation « Jéhovah », plus proche de celle d'adonaï mais qui ne correspond pas mieux à la forme primitive.

Plusieurs solutions ont été envisagées, pour marquer le caractère imprononçable du nom divin. Certaines traductions ont substitué à ce nom la formule « le Seigneur » (à la manière de la Septante, qui traduisait Kurios, et de la Vulgate, qui traduisait Dominus) ou encore « l'Éternel ».

D'autres se contentent de supprimer les voyelles, restituant simplement le tétragramme YHWH.

Nous avons conservé ici la forme courante Yahvé, mais, en situation de lecture publique, et plus encore dans un cadre liturgique, il est recommandé de dire plutôt « le Seigneur ».

Dans le texte comme dans les références, les chiffres gras désignent toujours les numéros de chapitre, les chiffres maigres les numéros de verset.

La référence Is 7 14 renvoie au livre d'Isaïe, chapitre 7, verset 14. La référence Is 7 14, 16 renvoie aux versets 14 et 16. La référence Is 7 14-21 renvoie à tout le passage compris entre les versets 14 et 21.

Lorsqu'un passage d'un livre biblique cite un autre texte biblique, les mots cités sont en italique.

Lorsque deux passages bibliques ont entre eux une relation littéraire, soit que l'un soit la « source » de l'autre, soit que tous deux aient une source commune, on renvoie de l'un à l'autre par une référence précédée du signe = lorsque ces deux passages (« doublets ») appartiennent au même livre, ou du signe || lorsque ces deux passages (« parallèles ») appartiennent à deux livres différents.

Le sigle ↗ indique que le texte est cité ou réutilisé dans un livre biblique plus récent, en particulier dans le Nouveau Testament.

AT Ancien Testament   Chap. chapitre
NT Nouveau Testament   s suivant(s)
LXX Bible grecque des Septante p parallèles(s)

Table alphabétique
des livres

L'ANCIEN TESTAMENT

Le Pentateuque

Introduction

Contenu. Composition littéraire. – Les cinq premiers livres de la Bible composent un ensemble que les Juifs ont appelé la « Loi », la Tora. On divisa son texte en cinq rouleaux : de là vient son nom de Pentateuque (*penta* = cinq). La version grecque de la Bible, la Septante, a nommé les volumes d'après leur contenu : Genèse (qui débute par les origines du monde), Exode (qui commence par la sortie d'Égypte), Lévitique (qui contient la loi des prêtres de la tribu de Lévi), Nombres (à cause des dénombrements des chapitres **1-4**), Deutéronome (la « seconde loi »). Mais, en hébreu, les Juifs désignaient, et désignent encore, chaque livre par le premier mot, ou par le premier mot important, de son texte : *Beréshit*, « Au commencement », *Shemôt*, « Voici les noms », *Wayyiqra'*, « Yahvé appela », *Bemidbar*, « Yahvé parla à Moïse dans le désert », *Debarîm*, « Voici les paroles ».

Deux ensembles forment la **Genèse**. Les chapitres **1-11** entendent remonter aux origines du monde : création de l'univers et de l'homme, chute originelle, perversité croissante des humains châtiée par le Déluge, Noé et le repeuplement de la terre. Les chapitres **12-50** évoquent la figure des grands ancêtres : Abraham, l'homme de la foi, les patriarches Isaac, Jacob, auquel Dieu renouvelle les promesses de l'alliance concédées à Abraham, les douze fils de Jacob – ancêtres des douze tribus d'Israël. Onze chapitres sont centrés sur Joseph, l'homme de la sagesse.

Les trois livres suivants forment un autre bloc où, dans le cadre de la vie de Moïse, sont relatés la formation du peuple élu et l'établissement de sa loi sociale et religieuse.

L'**Exode** développe deux thèmes principaux : la délivrance d'Égypte, **1-15,** et l'Alliance au Sinaï, **19-40,** reliés par celui de la marche au désert, **15-18**. À peine conclu, le pacte est rompu par l'adoration du veau d'or, mais Dieu pardonne et renouvelle l'Alliance. Les chapitres **25-31** et **35-40** racontent la construction de la tente, lieu de culte à l'époque du désert.

Le **Lévitique** est de caractère presque uniquement législatif. Il contient : un rituel des sacrifices, le cérémonial d'installation des prêtres, les règles relatives au pur et à l'impur, le rituel du grand jour des Expiations, la « loi de sainteté » et son calendrier liturgique, les conditions de rachat des personnes, des animaux et des biens consacrés à Yahvé. Il se termine par des bénédictions et des malédictions.

Les **Nombres** reprennent le thème de la marche au désert. Recensement du peuple et départ du Sinaï, **1-4,** dédicace du Tabernacle, **7,** célébration de la seconde Pâque, marche vers Cadès, d'où est faite une tentative malheureuse pour pénétrer en Canaan par le sud, **9-14**, arrivée dans les steppes de Moab, en face de Jéricho, **20-25**, victoire sur les Madianites, fixation des tribus de Gad et de Ruben en Transjordanie, **31-32**. Une liste résume les étapes de l'Exode, **33**. Autour de ces narrations sont groupées des ordonnances qui complètent la législation du Sinaï ou qui préparent l'installation en Canaan.

Le **Deutéronome** est un code de lois civiles et religieuses, **12-26**, enchâssé dans des discours de Moïse qui rappellent les grands événements de l'Exode, du Sinaï et de la conquête commençante, dégagent leur sens religieux, soulignent la portée de la Loi et exhortent à la fidélité. **31-34** sont des pièces sur la fin de Moïse et la mission de Josué.

Les textes du Pentateuque ont leur origine dans un passé que nous ne connaissons que de manière limitée et les questions en suspens restent nombreuses. La connaissance des littératures des peuples du Proche-Orient ancien nous aide à reconnaître à la fois l'amplitude des traditions littéraires et le caractère relativement récent du milieu culturel qui a donné naissance aux textes bibliques. La formulation qui nous est parvenue est le résultat d'un long processus de fixation. On peut discerner à travers les répétitions, les doublets, les histoires combinées quatre courants de tradition.

Le livre du Deutéronome se détache clairement du reste du Pentateuque. Il se caractérise par son style oratoire et sa doctrine constamment affirmée : entre tous les peuples, Dieu, par pure complaisance, a choisi Israël comme son peuple, mais cette élection et le pacte qui la sanctionne ont pour condition la fidélité d'Israël à la loi de son Dieu et au culte légitime qu'il doit lui rendre dans un sanctuaire unique. Le Deutéronome est le point d'aboutissement d'une tradition apparentée à certaines traditions du Royaume du Nord (Israël) et au courant prophétique, notamment au prophète Osée. Le livre peut avoir existé déjà vers 622-621 av. J.-C. Mais il a pu être composé sous Josias (640-609) pour servir son dessein de réforme. Certaines additions doivent être mises en rapport avec la rédaction ou la révision de l'ensemble qui va de Josué à la fin des Rois et qu'on nomme « Histoire deutéronomiste » ; elles ont pu être faites pendant l'exil babylonien (587-538) ou même après celui-ci.

L'apport de la « tradition sacerdotale » à la forme définitive du Pentateuque est considérable. Les textes législatifs ou institutionnels constituent la part principale de cette tradition, qui porte un intérêt spécial à l'organisation du sanctuaire, aux sacrifices et aux fêtes, à la personne et aux fonctions d'Aaron et de ses descendants. C'est celle des prêtres du temple de Jérusalem. Elle a préservé des éléments anciens mais elle ne s'est constituée que pendant l'Exil et ne s'est imposée qu'après le retour. L'« écrit de base » en est la « Loi de sainteté », Lv **17-26**.

Y avait-il quelque chose d'écrit, des documents précis, avant l'apport des deutéronomistes et des prêtres de Jérusalem ? Si des traditions orales ont existé, le moment des premières fixations littéraires ne commence vraisemblablement que vers le VIIIᵉ s. av. J.-C. Ces traditions utilisant comme noms divins soit « Élohim » soit « Yahvé » on les a appelées « élohistes » et « yahvistes ». Ces traditions, du nord et du sud, ont conflué vers Jérusalem où on les a partiellement unifiées. Ce qui explique que des récits, et même des prescriptions légales, se trouvent en double exemplaire et aussi que les perspectives soient différentes. Ce travail de fixation se fit sur plusieurs générations et n'est pas celui d'un seul écrivain.

Sous une forme imagée et avec un réel talent de la narration, les traditions yahvistes donnent une réponse profonde aux graves questions qui se posent à tout homme et elles témoignent d'un sens très élevé du divin. L'« histoire nationale » qu'elles racontent souligne l'intervention de Dieu, qui a appelé Abraham, a sauvé les Israélites de l'Égypte et les a conduits pour leur donner la Terre Promise. Les traditions élohistes sont moins considérables et moins unifiées. Elles ne commencent qu'avec l'histoire des ancêtres. Jacob – comme chez Osée – joue un rôle central. Dans les traditions élohistes, la morale est plus exigeante et on peut noter aussi le souci de souligner la distance qui sépare Dieu et l'homme.

Les récits et l'histoire. – Les récits et les lois du Pentateuque ne sont pas en premier lieu un livre d'histoire et il ne faut pas attribuer aux auteurs bibliques des perspectives de biographes ou d'historiens modernes. Les traditions du Pentateuque étaient le patrimoine vivant d'un peuple à l'histoire ancienne et mouvementée qui lui donnaient le sentiment de son unité et étaient le soutien de sa foi. Les auteurs bibliques parlent du passé, souvent à des siècles de distance, principalement pour en tirer une leçon pour le présent.

Sous la forme littéraire du « mythe » – un récit fait de manière imagée et symbolique –, l'auteur des onze premiers chapitres de la Genèse, reprenant telle ou telle tradition, explique comment sont venus à l'existence le monde et toutes ses créatures et pourquoi nous, les hommes, nous sommes tels que nous sommes. Il tente de donner une réponse à des questions comme celle de l'origine du péché ou de la souffrance humaine. Le reste du Pentateuque, depuis Abraham jusqu'à la mort de Moïse, a un caractère différent. L'histoire patriarcale est une histoire de famille, populaire et religieuse qui affirme : il y a un Dieu qui a formé un peuple et lui a donné un pays. L'insuffisance des données bibliques et l'incertitude de la chronologie extrabiblique ne permettent pas à l'historien moderne de se prononcer sur l'historicité des événements racontés.

La législation. – Le Pentateuque groupe l'ensemble des prescriptions qui réglaient la vie morale, sociale et religieuse du peuple. Les lois ont été adaptées aux conditions changeantes des milieux et des temps. Cela explique qu'on rencontre des éléments antiques et des formules qui témoignent de préoccupations nouvelles. Israël a été également tributaire de ses voisins : certaines dispositions se retrouvent dans les Codes mésopotamiens, le Recueil des lois assyriennes ou le Code hittite, et l'influence cananéenne se fit aussi sentir.

Le Décalogue, les « Paroles » ou « Dix Paroles », est la loi fondamentale, morale et religieuse, de l'Alliance de Yahvé avec Israël. Il est donné deux fois, Ex **20** 2-17 et Dt **5** 6-21, avec des variantes qui trahissent des retouches. Si rien, en principe, ne s'oppose à l'origine mosaïque du Décalogue, nous ne pouvons vraiment pas la prouver.

Le Code de l'Alliance, Ex **20** 22 – **23** 33, fait partie des traditions. Cette collection de préceptes répond à une situation postérieure à l'époque de Moïse. C'est le droit d'une société de pasteurs et de paysans.

Le Code deutéronomique, Dt **12** 1 – **26** 15, reprend une partie des lois du Code de l'Alliance, mais il les adapte aux changements de la vie économique et sociale. Dès son premier précepte, il s'oppose au Code de l'Alliance sur un point important en imposant la loi de l'unité du lieu de culte. Il a le souci de la protection des faibles et rappelle constamment les droits de Dieu sur sa terre et sur son peuple.

Bien que le Lévitique n'ait reçu sa forme définitive qu'après l'Exil, il contient des éléments fort anciens, ainsi les prohibitions alimentaires ou les règles de pureté ; le cérémonial tardif du grand jour de l'Expiation superpose une conception très élaborée du péché à un vieux rite de purification. Les chapitres **17-26** forment un ensemble que l'on appelle la Loi de Sainteté qui, éditée au cours de l'Exil, a d'abord existé séparément du Pentateuque. Elle groupe des éléments de diverses époques.

Sens religieux. – La religion de l'Ancien Testament, comme celle du Nouveau, est une religion fondée sur la croyance en la révélation de Dieu à des hommes et sur ses interventions dans l'histoire. Le Pentateuque, qui retrace l'histoire de ces relations de Dieu avec le monde, est le fondement de la religion juive. Il est le livre des promesses : la promesse faite à Abraham, Isaac et Jacob atteint tout le peuple qui est issu d'eux. Yahvé a élu Israël et fait de lui un peuple, son peuple, par un choix gratuit poursuivi à travers toutes les infidélités. Ces promesses sont garanties par une alliance : au peuple qu'il s'est choisi, Dieu donne sa Loi. Celle-ci l'instruit de ses devoirs, règle sa conduite et prépare l'accomplissement des promesses.

Ces thèmes de la Promesse, de l'Élection, de l'Alliance et de la Loi continuent de courir dans tout l'Ancien Testament. Car le Pentateuque n'est pas complet en lui-même : il dit la promesse mais non la réalisation, puisqu'il s'achève avant l'entrée en Terre Promise.

La Genèse

1. Les origines du monde et de l'humanité

I. DE LA CRÉATION AU DÉLUGE

L'œuvre des six jours. 2 4-25.
↗ Jn 1 1-3. ↗ Col 1 15-17. He 1 2-3.

1 [1]Au commencement, Dieu créa le ciel et la terre. [2]Or la terre était vide et vague, les ténèbres couvraient l'abîme et un souffle de Dieu agitait la surface des eaux.

[3]Dieu dit : « Que la lumière soit » et la lumière fut. [4]Dieu vit que la lumière était bonne, et Dieu sépara la lumière et les ténèbres. [5]Dieu appela la lumière « jour » et les ténèbres « nuit ». Il y eut un soir et il y eut un matin : premier jour.

[6]Dieu dit : « Qu'il y ait un firmament au milieu des eaux et qu'il sépare les eaux d'avec les eaux » et il en fut ainsi. [7]Dieu fit le firmament, qui sépara les eaux qui sont sous le firmament d'avec les eaux qui sont au-dessus du firmament, [8]et Dieu appela le firmament « ciel ». Il y eut un soir et il y eut un matin : deuxième jour.

[9]Dieu dit : « Que les eaux qui sont sous le ciel s'amassent en un seul endroit et qu'apparaisse le continent » et il en fut ainsi. [10]Dieu appela le continent « terre » et la masse des eaux « mers », et Dieu vit que cela était bon.

[11]Dieu dit : « Que la terre verdisse de verdure : des herbes portant semence et des arbres fruitiers donnant sur la terre selon leur espèce des fruits contenant leur semence » et il en fut ainsi. [12]La terre produisit de la verdure : des herbes portant semence selon leur espèce, des arbres donnant selon leur espèce des fruits contenant leur semence, et Dieu vit que cela était bon. [13]Il y eut un soir et il y eut un matin : troisième jour.

[14]Dieu dit : « Qu'il y ait des luminaires au firmament du ciel pour séparer le jour et la nuit ; qu'ils servent de signes, tant pour les fêtes que pour les jours et les années ; [15]qu'ils soient des luminaires au firmament du ciel pour éclairer la terre » et il en fut ainsi. [16]Dieu fit les deux luminaires majeurs : le grand luminaire comme puissance du jour et le petit luminaire comme puissance de la nuit, et les étoiles. [17]Dieu les plaça au firmament du ciel pour éclairer la terre, [18]pour commander au jour et à la nuit, pour séparer la lumière et les ténèbres, et Dieu vit que cela était bon. [19]Il y eut un soir et il y eut un matin : quatrième jour.

[20]Dieu dit : « Que les eaux grouillent d'un grouillement d'êtres vivants et que des oiseaux volent au-dessus de la terre contre le firmament du ciel » et il en fut ainsi. [21]Dieu créa les grands monstres marins et tous les êtres vivants qui glissent : les eaux les firent

grouiller selon leur espèce, et toute la gent ailée selon son espèce, et Dieu vit que cela était bon. ²²Dieu les bénit et dit : « Soyez féconds, multipliez, emplissez l'eau des mers, et que les oiseaux multiplient sur la terre. » ²³Il y eut un soir et il y eut un matin : cinquième jour.

²⁴Dieu dit : « Que la terre produise des êtres vivants selon leur espèce : bestiaux, bestioles, bêtes sauvages selon leur espèce » et il en fut ainsi. ²⁵Dieu fit les bêtes sauvages selon leur espèce, les bestiaux selon leur espèce et toutes les bestioles du sol selon leur espèce, et Dieu vit que cela était bon.

²⁶Dieu dit : « Faisons l'homme à notre image, comme notre ressemblance, et qu'ils dominent sur les poissons de la mer, les oiseaux du ciel, les bestiaux, toutes les bêtes sauvages et toutes les bestioles qui rampent sur la terre. »

²⁷Dieu créa l'homme à son image,
   à l'image de Dieu il le créa,
   homme et femme il les créa.

²⁸Dieu les bénit et leur dit : « Soyez féconds, multipliez, emplissez la terre et soumettez-la ; dominez sur les poissons de la mer, les oiseaux du ciel et tous les animaux qui rampent sur la terre. » ²⁹Dieu dit : « Je vous donne toutes les herbes portant semence, qui sont sur toute la surface de la terre, et tous les arbres qui ont des fruits portant semence : ce sera votre nourriture. ³⁰À toutes les bêtes sauvages, à tous les oiseaux du ciel, à tout ce qui rampe sur la terre et qui est animé de vie, je donne pour nourriture toute la verdure des plantes » et il en fut ainsi. ³¹Dieu vit tout ce qu'il avait fait :

cela était très bon. Il y eut un soir et il y eut un matin : sixième jour.

2 ¹Ainsi furent achevés le ciel et la terre, avec toute leur armée. ²Au septième jour Dieu avait terminé tout l'ouvrage qu'il avait fait et, le septième jour, il chôma, après tout l'ouvrage qu'il avait fait. ³Dieu bénit le septième jour et le sanctifia, car il avait chômé après tout son ouvrage de création.

⁴ᵃTelle fut l'histoire du ciel et de la terre, quand ils furent créés.

La formation de l'homme et de la femme. 1 1–2 4.

⁴ᵇAu temps où Yahvé Dieu fit la terre et le ciel, ⁵il n'y avait encore aucun arbuste des champs sur la terre et aucune herbe des champs n'avait encore poussé, car Yahvé Dieu n'avait pas fait pleuvoir sur la terre et il n'y avait pas d'homme pour cultiver le sol. ⁶Toutefois, un flot montait de terre et arrosait toute la surface du sol. ⁷Alors Yahvé Dieu modela l'homme avec la glaise du sol, il insuffla dans ses narines une haleine de vie et l'homme devint un être vivant.

⁸Yahvé Dieu planta un jardin en Éden, à l'orient, et il y mit l'homme qu'il avait modelé. ⁹Yahvé Dieu fit pousser du sol toute espèce d'arbres séduisants à voir et bons à manger, et l'arbre de vie au milieu du jardin, et l'arbre de la connaissance du bien et du mal.

¹⁰Un fleuve sortait d'Éden pour arroser le jardin et de là il se divisait pour former quatre bras. ¹¹Le premier s'appelle le Pishôn : il contourne tout le pays de Havila, où il y a l'or ; ¹²l'or de ce pays est pur et là se trouvent le bdellium et la pierre de cornaline.

¹³Le deuxième fleuve s'appelle le Gihôn : il contourne tout le pays de Kush. ¹⁴Le troisième fleuve s'appelle le Tigre : il coule à l'orient d'Assur. Le quatrième fleuve est l'Euphrate. ¹⁵Yahvé Dieu prit l'homme et l'établit dans le jardin d'Éden pour le cultiver et le garder. ¹⁶Et Yahvé Dieu fit à l'homme ce commandement : « Tu peux manger de tous les arbres du jardin. ¹⁷Mais de l'arbre de la connaissance du bien et du mal tu ne mangeras pas, car, le jour où tu en mangeras, tu mourras. »

¹⁸Yahvé Dieu dit : « Il n'est pas bon que l'homme soit seul. Il faut que je lui fasse une aide qui lui soit assortie. » ¹⁹Yahvé Dieu modela encore du sol toutes les bêtes sauvages et tous les oiseaux du ciel, et il les amena à l'homme pour voir comment celui-ci les appellerait : chacun devait porter le nom que l'homme lui aurait donné. ²⁰L'homme donna des noms à tous les bestiaux, aux oiseaux du ciel et à toutes les bêtes sauvages, mais, pour un homme, il ne trouva pas l'aide qui lui fût assortie. ²¹Alors Yahvé Dieu fit tomber une torpeur sur l'homme, qui s'endormit. Il prit une de ses côtes et referma la chair à sa place. ²²Puis, de la côte qu'il avait tirée de l'homme, Yahvé Dieu façonna une femme et l'amena à l'homme.

²³Alors celui-ci s'écria :
« Pour le coup, c'est l'os de mes os et la chair de ma chair !
Celle-ci sera appelée "femme", car elle fut tirée de l'homme, celle-ci ! »

²⁴C'est pourquoi l'homme quitte son père et sa mère et s'attache

à sa femme, et ils deviennent une seule chair.

²⁵Or tous deux étaient nus, l'homme et sa femme, et ils n'avaient pas honte l'un devant l'autre.

Le récit du paradis. ↗ Rm 5 12-21.

3 ¹Le serpent était le plus rusé de tous les animaux des champs que Yahvé Dieu avait faits. Il dit à la femme : « Alors, Dieu a dit : Vous ne mangerez pas de tous les arbres du jardin ? » ²La femme répondit au serpent : « Nous pouvons manger du fruit des arbres du jardin. ³Mais du fruit de l'arbre qui est au milieu du jardin, Dieu a dit : Vous n'en mangerez pas, vous n'y toucherez pas, sous peine de mort. » ⁴Le serpent répliqua à la femme : « Pas du tout ! Vous ne mourrez pas ! ⁵Mais Dieu sait que, le jour où vous en mangerez, vos yeux s'ouvriront et vous serez comme des dieux, qui connaissent le bien et le mal. » ⁶La femme vit que l'arbre était bon à manger et séduisant à voir, et qu'il était, cet arbre, désirable pour acquérir le discernement. Elle prit de son fruit et mangea. Elle en donna aussi à son mari, qui était avec elle, et il mangea. ⁷Alors leurs yeux à tous deux s'ouvrirent et ils connurent qu'ils étaient nus ; ils cousirent des feuilles de figuier et se firent des pagnes.

⁸Ils entendirent le pas de Yahvé Dieu qui se promenait dans le jardin à la brise du jour, et l'homme et sa femme se cachèrent devant Yahvé Dieu parmi les arbres du jardin. ⁹Yahvé Dieu appela l'homme : « Où es-tu ? » dit-il. ¹⁰« J'ai entendu du ton pas dans le jardin, répondit

l'homme ; j'ai eu peur parce que je suis nu et je me suis caché. » [11]Il reprit : « Et qui t'a appris que tu étais nu ? Tu as donc mangé de l'arbre dont je t'avais défendu de manger ! » [12]L'homme répondit : « C'est la femme que tu as mise auprès de moi qui m'a donné de l'arbre, et j'ai mangé ! » [13]Yahvé Dieu dit à la femme : « Qu'as-tu fait là ? » Et la femme répondit : « C'est le serpent qui m'a séduite, et j'ai mangé ! »

[14]Alors Yahvé Dieu dit au serpent : « Parce que tu as fait cela, maudit sois-tu entre tous les bestiaux

et toutes les bêtes sauvages.
Tu marcheras sur ton ventre et tu mangeras de la terre

tous les jours de ta vie.
[15]Je mettrai une hostilité entre toi et la femme,

entre ton lignage et le sien.
Il t'écrasera la tête

et tu l'atteindras au talon. »
[16]À la femme, il dit :
« Je multiplierai les peines de tes grossesses,

dans la peine tu enfanteras des fils.
Ta convoitise te poussera vers ton mari

et lui dominera sur toi. »
[17]À l'homme, il dit : « Parce que tu as écouté la voix de ta femme et que tu as mangé de l'arbre dont je t'avais interdit de manger,

maudit soit le sol à cause de toi !
À force de peines tu en tireras subsistance

tous les jours de ta vie.
[18]Il produira pour toi épines et chardons et tu mangeras l'herbe des champs.

[19]À la sueur de ton visage
tu mangeras ton pain,
jusqu'à ce que tu retournes au sol,
puisque tu en fus tiré.
Car tu es glaise
et tu retourneras à la glaise. »
[20]L'homme appela sa femme « Ève », parce qu'elle fut la mère de tous les vivants. [21]Yahvé Dieu fit à l'homme et à sa femme des tuniques de peau et les en vêtit. [22]Puis Yahvé Dieu dit : « Voilà que l'homme est devenu comme l'un de nous, pour connaître le bien et le mal ! Qu'il n'étende pas maintenant la main, ne cueille aussi de l'arbre de vie, n'en mange et ne vive pour toujours ! » [23]Et Yahvé Dieu le renvoya du jardin d'Éden pour cultiver le sol d'où il avait été tiré. [24]Il bannit l'homme et il posta devant le jardin d'Éden les chérubins et la flamme du glaive fulgurant pour garder le chemin de l'arbre de vie.

Caïn et Abel.

4 [1]L'homme connut Ève, sa femme ; elle conçut et enfanta Caïn et elle dit : « J'ai acquis un homme de par Yahvé. » [2]Elle donna aussi le jour à Abel, frère de Caïn. Or Abel devint pasteur de petit bétail et Caïn cultivait le sol. [3]Le temps passa et il advint que Caïn présenta des produits du sol en offrande à Yahvé, [4]et qu'Abel, de son côté, offrit des premiers-nés de son troupeau, et même de leur graisse. Or Yahvé agréa Abel et son offrande. [5]Mais il n'agréa pas Caïn et son offrande, et Caïn en fut très irrité et eut le visage abattu. [6]Yahvé dit à Caïn : « Pourquoi es-tu irrité et pourquoi ton visage est-il abattu ? [7]Si tu es bien disposé, ne relèveras-tu pas la tête ? Mais si tu n'es pas bien disposé, le péché n'est-il pas à la porte, une bête tapie qui te convoite, pourras-tu la dominer ? » [8]Cependant Caïn dit à son frère Abel : « Allons dehors », et, comme ils étaient en pleine campagne, Caïn se jeta sur son frère Abel et le tua.

[9]Yahvé dit à Caïn : « Où est ton frère Abel ? » Il répondit : « Je ne sais pas. Suis-je le gardien de mon frère ? » [10]Yahvé reprit : « Qu'as-tu fait ! Écoute le sang de ton frère crier vers moi du sol ! [11]Maintenant, sois maudit et chassé du sol fertile qui a ouvert la bouche pour recevoir de ta main le sang de ton frère. [12]Si tu cultives le sol, il ne te donnera plus son produit : tu seras un errant parcourant la terre. » [13]Alors Caïn dit à Yahvé : « Ma peine est trop lourde à porter. [14]Vois ! Tu me bannis aujourd'hui du sol fertile, je devrai me cacher loin de la face et je serai un errant parcourant la terre ; mais, le premier venu me tuera ! » [15]Yahvé lui répondit : « Aussi bien, si quelqu'un tue Caïn, on le vengera sept fois » et Yahvé mit un signe sur Caïn, afin que le premier venu ne le frappât point. [16]Caïn se retira de la présence de Yahvé et séjourna au pays de Nod, à l'orient d'Éden.

La descendance de Caïn.

[17]Caïn connut sa femme, qui conçut et enfanta Hénok. Il devint un constructeur de ville et il donna à la ville le nom de son fils, Hénok. [18]À Hénok naquit Irad, et Irad engendra Mehuyaël, et Me-huyaël engendra Metushaël, et Metushaël engendra Lamek. [19]Lamek prit deux femmes : le nom de la première était Ada et le nom de la seconde Çilla. [20]Ada enfanta Yabal : il fut l'ancêtre de ceux qui vivent sous la tente et ont des troupeaux. [21]Le nom de son frère était Yubal : il fut l'ancêtre de tous ceux qui jouent de la lyre et du chalumeau. [22]De son côté, Çilla enfanta Tubal-Caïn : il fut l'ancêtre de tous les forgerons en cuivre et en fer ; la sœur de Tubal-Caïn était Naama.

[23]Lamek dit à ses femmes :
« Ada et Çilla, entendez ma voix,
femmes de Lamek, écoutez ma parole :
J'ai tué un homme pour une blessure,
un enfant pour une meurtrissure.
[24]C'est que Caïn est vengé sept fois,
mais Lamek, septante-sept fois ! »

Seth et ses descendants.

[25]Adam connut sa femme ; elle enfanta un fils et lui donna le nom de Seth, car, dit-elle, « Dieu m'a accordé une autre descendance à la place d'Abel, puisque Caïn l'a tué. » [26]Un fils naquit à Seth aussi, et il lui donna le nom d'Énosh. Alors on commença à invoquer le nom de Yahvé.

Les Patriarches d'avant le déluge. Ch 1 1-4.

5 [1]Voici le livret de la descendance d'Adam :

Le jour où Dieu créa Adam, il le fit à la ressemblance de Dieu. [2]Homme et femme il les créa, il les bénit et leur donna le nom d'« Homme », le jour où ils furent créés.

³Quand Adam eut cent trente ans, il engendra un fils à sa ressemblance, comme son image, et il lui donna le nom de Seth. ⁴Le temps que vécut Adam après la naissance de Seth fut de huit cents ans et il engendra des fils et des filles. ⁵Toute la durée de la vie d'Adam fut de neuf cent trente ans, puis il mourut.

⁶Quand Seth eut cent cinq ans, il engendra Énosh. ⁷Après la naissance d'Énosh, Seth vécut cent sept ans et il engendra des fils et des filles. ⁸Toute la durée de la vie de Seth fut de neuf cent douze ans, puis il mourut.

⁹Quand Énosh eut quatre-vingt-dix ans, il engendra Qénân. ¹⁰Après la naissance de Qénân, Énosh vécut huit cent quinze ans et il engendra des fils et des filles. ¹¹Toute la durée de la vie d'Énosh fut de neuf cent cinq ans, puis il mourut.

¹²Quand Qénân eut soixante-dix ans, il engendra Mahalaléel. ¹³Après la naissance de Mahalaléel, Qénân vécut huit cent quarante ans et il engendra des fils et des filles. ¹⁴Toute la durée de la vie de Qénân fut de neuf cent dix ans, puis il mourut.

¹⁵Quand Mahalaléel eut soixante-cinq ans, il engendra Yéred. ¹⁶Après la naissance de Yéred, Mahalaléel vécut huit cent trente ans et il engendra des fils et des filles. ¹⁷Toute la durée de la vie de Mahalaléel fut de huit cent quatre-vingt-quinze ans, puis il mourut.

¹⁸Quand Yéred eut soixante-deux ans, il engendra Hénok.

¹⁹Après la naissance d'Hénok, Yéred vécut huit cents ans et il engendra des fils et des filles. ²⁰Toute la durée de la vie de Yéred fut de neuf cent soixante-deux ans, puis il mourut.

²¹Quand Hénok eut soixante-cinq ans, il engendra Mathusalem. ²²Hénok marcha avec Dieu. Après la naissance de Mathusalem, Hénok vécut trois cents ans et il engendra des fils et des filles. ²³Toute la durée de la vie d'Hénok fut de trois cent soixante-cinq ans. ²⁴Hénok marcha avec Dieu, puis il disparut, car Dieu l'enleva.

²⁵Quand Mathusalem eut cent quatre-vingt-sept ans, il engendra Lamek. ²⁶Après la naissance de Lamek, Mathusalem vécut sept cent quatre-vingt-deux ans et il engendra des fils et des filles. ²⁷Toute la durée de la vie de Mathusalem fut de neuf cent soixante-neuf ans, puis il mourut.

²⁸Quand Lamek eut cent quatre-vingt-deux ans, il engendra un fils. ²⁹Il lui donna le nom de Noé, car, dit-il, « celui-ci nous apportera, dans notre travail et le labeur de nos mains, une consolation tirée du sol que Yahvé a maudit ». ³⁰Après la naissance de Noé, Lamek vécut cinq cent quatre-vingt-quinze ans et il engendra des fils et des filles. ³¹Toute la durée de la vie de Lamek fut de sept cent soixante-dix-sept ans, puis il mourut.

³²Quand Noé eut atteint cinq cents ans, il engendra Sem, Cham et Japhet.

Fils de Dieu et filles des hommes.

6 ¹Lorsque les hommes commencèrent d'être nombreux sur la face de la terre et que des filles leur furent nées, ²les fils de Dieu trouvèrent que les filles des hommes leur convenaient et ils prirent pour femmes toutes celles qu'il leur plut. ³Yahvé dit : « Mon esprit ne demeurera pas dans l'homme, puisqu'il est chair ; sa vie ne sera que de cent vingt ans. » ⁴Les Nephilim étaient sur la terre en ces jours-là (et aussi dans la suite) quand les fils de Dieu s'unissaient aux filles des hommes et qu'elles leur donnaient des enfants ; ce sont les héros du temps jadis, ces hommes fameux.

II. LE DÉLUGE

↗ Si **16** 7. ↗ Ba **3** 26s. ↗ Sg **14** 6-7. ↗ Mt **24** 37 sp. ↗ 1 P **3** 20s.

La corruption de l'humanité.

⁵Yahvé vit que la méchanceté de l'homme était grande sur la terre et que son cœur ne formait que de mauvais desseins à longueur de journée. ⁶Yahvé se repentit d'avoir fait l'homme sur la terre et il s'affligea dans son cœur. ⁷Et Yahvé dit : « Je vais effacer de la surface du sol les hommes que j'ai créés – depuis l'homme jusqu'aux bestiaux, aux bestioles et aux oiseaux du ciel –, car je me repens de les avoir faits. » ⁸Mais Noé avait trouvé grâce aux yeux de Yahvé.

⁹Voici l'histoire de Noé :

Noé était un homme juste, intègre parmi ses contemporains, et il marchait avec Dieu. ¹⁰Noé engendra trois fils, Sem, Cham et Japhet. ¹¹La terre se pervertit au regard de Dieu et elle se remplit de violence. ¹²Dieu vit la terre : elle était pervertie, car toute chair avait une conduite perverse sur la terre.

Préparatifs du déluge.

¹³Dieu dit à Noé : « La fin de toute chair est arrivée, je l'ai décidé, car la terre est pleine de violence à cause des hommes et je vais les faire disparaître de la terre.

¹⁴Fais-toi une arche en bois résineux, tu la feras en roseaux et tu l'enduiras de bitume en dedans et en dehors. ¹⁵Voici comment tu la feras : trois cents coudées pour la longueur de l'arche, cinquante coudées pour sa largeur, trente coudées pour sa hauteur. ¹⁶Tu feras à l'arche un toit et tu l'achèveras une coudée plus haut, tu placeras l'entrée de l'arche sur le côté et tu feras un premier, un second et un troisième étages.

¹⁷« Pour moi, je vais amener le déluge, les eaux, sur la terre, pour exterminer de dessous le ciel toute chair ayant souffle de vie : tout ce qui est sur la terre doit périr. ¹⁸Mais j'établirai mon alliance avec toi et tu entreras dans l'arche, toi et tes fils, ta femme et les femmes de tes fils avec toi. ¹⁹De tout ce qui vit, de tout ce qui est chair, tu feras entrer dans l'arche deux de chaque espèce pour les garder en vie avec toi ; qu'il y ait un mâle et une femelle. ²⁰De chaque espèce d'oiseaux, de chaque espèce de bestiaux, de chaque espèce de toutes les bestioles du sol, un couple viendra avec toi pour que tu les gardes en vie. ²¹De ton côté, procure-toi de tout ce qui se mange et

fais-en provision : cela servira de nourriture pour toi et pour eux. » ²²Noé agit ainsi ; tout ce que Dieu lui avait commandé, il le fit.

7 ¹Yahvé dit à Noé : « Entre dans l'arche, toi et toute ta famille, car je t'ai vu seul juste à mes yeux parmi cette génération. ²De tous les animaux purs, tu prendras sept paires, le mâle et sa femelle ; des animaux qui ne sont pas purs, tu prendras un couple, le mâle et sa femelle ³(et aussi des oiseaux du ciel, sept paires, le mâle et sa femelle), pour perpétuer la race sur toute la terre. ⁴Car encore sept jours et je ferai pleuvoir sur la terre pendant quarante jours et quarante nuits et j'effacerai de la surface du sol tous les êtres que j'ai faits. » ⁵Noé fit tout ce que Yahvé lui avait commandé.

⁶Noé avait six cents ans quand arriva le déluge, les eaux sur la terre.

⁷Noé – avec ses fils, sa femme et les femmes de ses fils – entra dans l'arche pour échapper aux eaux du déluge. ⁸(Des animaux purs et des animaux qui ne sont pas purs, des oiseaux et de tout ce qui rampe sur le sol, ⁹un couple entra dans l'arche de Noé, un mâle et une femelle, comme Dieu avait ordonné à Noé.) ¹⁰Au bout de sept jours, les eaux du déluge vinrent sur la terre.

¹¹En l'an six cent de la vie de Noé, le second mois, le dix-septième jour du mois, ce jour-là jaillirent toutes les sources du grand abîme et les écluses du ciel s'ouvrirent. ¹²La pluie tomba sur la terre pendant quarante jours et quarante nuits.

¹³Ce jour même, Noé et ses fils, Sem, Cham et Japhet, avec la femme de Noé et les trois femmes de ses fils, entrèrent dans l'arche, ¹⁴et avec eux les bêtes sauvages de toute espèce, les bestiaux de toute espèce, les bestioles de toute espèce qui rampent sur la terre, les volatiles de toute espèce, tous les oiseaux, tout ce qui a des ailes. ¹⁵Auprès de Noé, entra dans l'arche un couple de tout ce qui est chair, ayant souffle de vie, ¹⁶et ceux qui entrèrent étaient un mâle et une femelle de tout ce qui est chair, comme Dieu le lui avait commandé.

Et Yahvé ferma la porte sur Noé.

L'inondation.

¹⁷Il y eut le déluge pendant quarante jours sur la terre ; les eaux grossirent et soulevèrent l'arche, qui fut élevée au-dessus de la terre. ¹⁸Les eaux montèrent et grossirent beaucoup sur la terre et l'arche s'en alla à la surface des eaux. ¹⁹Les eaux montèrent de plus en plus sur la terre et toutes les plus hautes montagnes qui sont sous tout le ciel furent couvertes. ²⁰Les eaux montèrent quinze coudées plus haut, recouvrant les montagnes. ²¹Alors périt toute chair qui se meut sur la terre : oiseaux, bestiaux, bêtes sauvages, tout ce qui grouille sur la terre, et tous les hommes. ²²Tout ce qui avait une haleine de vie dans les narines, c'est-à-dire tout ce qui était sur la terre ferme, mourut. ²³Ainsi disparurent tous les êtres qui étaient à la surface du sol, depuis l'homme jusqu'aux bêtes, aux bestioles et aux oiseaux du ciel : ils furent effacés de la terre et il ne resta que Noé et ce qui était avec lui dans

l'arche. ²⁴La crue des eaux sur la terre dura cent cinquante jours.

La décrue.

8 ¹Alors Dieu se souvint de Noé et de toutes les bêtes sauvages et de tous les bestiaux qui étaient avec lui dans l'arche ; Dieu fit passer un vent sur la terre et les eaux désenflèrent. ²Les sources de l'abîme et les écluses du ciel furent fermées ; – la pluie fut retenue de tomber du ciel ³et les eaux se retirèrent petit à petit de la terre ; – les eaux baissèrent au bout de cent cinquante jours ⁴et, au septième mois, au dix-septième jour du mois, l'arche s'arrêta sur les monts d'Ararat. ⁵Les eaux continuèrent de baisser jusqu'au dixième mois et, au premier du dixième mois, apparurent les sommets des montagnes.

⁶Au bout de quarante jours, Noé ouvrit la fenêtre qu'il avait faite à l'arche ⁷et il lâcha le corbeau, qui alla et vint en attendant que les eaux aient séché sur la terre. ⁸Alors il lâcha d'auprès de lui la colombe pour voir si les eaux avaient diminué à la surface du sol. ⁹La colombe, ne trouvant pas un endroit où poser ses pattes, revint vers lui dans l'arche, car il y avait de l'eau sur toute la surface de la terre ; il étendit la main, la prit et la fit rentrer auprès de lui dans l'arche. ¹⁰Il attendit encore sept autres jours et lâcha de nouveau la colombe hors de l'arche. ¹¹La colombe revint vers lui sur le soir et voici qu'elle avait dans le bec un rameau tout frais d'olivier ! Ainsi Noé connut que les eaux avaient diminué à la surface de la terre. ¹²Il attendit

encore sept autres jours et lâcha la colombe, qui ne revint plus vers lui.

¹³C'est en l'an six cent un, au premier mois, le premier du mois, que les eaux séchèrent sur la terre. Noé enleva la couverture de l'arche ; il regarda, et voici que la surface du sol était sèche !
¹⁴Au second mois, le vingt-septième jour du mois, la terre fut sèche.

La sortie de l'arche.

¹⁵Alors Dieu parla ainsi à Noé : ¹⁶« Sors de l'arche, toi et ta femme, tes fils et les femmes de tes fils avec toi. ¹⁷Tous les animaux qui sont avec toi, tout ce qui est chair, oiseaux, bestiaux et tout ce qui rampe sur la terre, fais-les sortir avec toi : qu'ils pullulent sur la terre, qu'ils soient féconds et multiplient sur la terre. » ¹⁸Noé sortit avec ses fils, sa femme et les femmes de ses fils ; ¹⁹et toutes les bêtes sauvages, tous les bestiaux, tous les oiseaux, toutes les bestioles qui rampent sur la terre sortirent de l'arche, une espèce après l'autre.

²⁰Noé construisit un autel à Yahvé, il prit de tous les animaux purs et de tous les oiseaux purs et offrit des holocaustes sur l'autel. ²¹Yahvé respira l'agréable odeur et il se dit en lui-même : « Je ne maudirai plus jamais la terre à cause de l'homme, parce que les desseins du cœur de l'homme sont mauvais dès son enfance ; plus jamais je ne frapperai tous les vivants comme j'ai fait.

²²Tant que durera la terre,
semailles et moisson,
froidure et chaleur,
été et hiver,

jour et nuit
ne cesseront plus. »

Le nouvel ordre du monde.

9 ¹Dieu bénit Noé et ses fils et il leur dit : « Soyez féconds, multipliez, emplissez la terre. ²Soyez la crainte et l'effroi de tous les animaux de la terre et de tous les oiseaux du ciel, comme de tout ce dont la terre fourmille et de tous les poissons de la mer : ils sont livrés entre vos mains. ³Tout ce qui se meut et possède la vie vous servira de nourriture, je vous donne tout cela au même titre que la verdure des plantes. ⁴Seulement, vous ne mangerez pas la chair avec son âme, c'est-à-dire le sang. ⁵Mais je demanderai compte du sang de chacun de vous. J'en demanderai compte à tous les animaux et à l'homme, aux hommes entre eux, je demanderai compte de l'âme de l'homme.

⁶Qui verse le sang de l'homme, par l'homme aura son sang versé.

Car à l'image de Dieu l'homme a été fait.

⁷Pour vous, soyez féconds, multipliez, pullulez sur la terre et la dominez. »

⁸Dieu parla ainsi à Noé et à ses fils : ⁹« Voici que j'établis mon alliance avec vous et avec vos descendants après vous, ¹⁰et avec tous les êtres animés qui sont avec vous : oiseaux, bestiaux, toutes bêtes sauvages avec vous, bref tout ce qui est sorti de l'arche, tous les animaux de la terre. ¹¹J'établis mon alliance avec vous : tout ce qui est ne sera plus détruit par les eaux du déluge, il n'y aura plus de déluge pour ravager la terre. »

¹²Et Dieu dit : « Voici le signe de l'alliance que j'institue entre moi et vous et tous les êtres vivants qui sont avec vous, pour les générations à venir : ¹³je mets mon arc dans la nuée et il deviendra un signe d'alliance entre moi et la terre. ¹⁴Lorsque j'assemblerai les nuées sur la terre et que l'arc apparaîtra dans la nuée, ¹⁵je me souviendrai de l'alliance qu'il y a entre moi et vous et tous les êtres vivants, en somme toute chair, et les eaux ne deviendront plus un déluge pour détruire toute chair. ¹⁶Quand l'arc sera dans la nuée, je le verrai et me souviendrai de l'alliance éternelle qu'il y a entre Dieu et tous les êtres vivants, en somme toute chair qui est sur la terre. »

¹⁷Dieu dit à Noé : « Tel est le signe de l'alliance que j'établis entre moi et toute chair qui est sur la terre. »

III. DU DÉLUGE À ABRAHAM

Noé et ses fils.

¹⁸Les fils de Noé qui sortirent de l'arche étaient Sem, Cham et Japhet ; Cham est le père de Canaan. ¹⁹Ces trois-là étaient les fils de Noé et à partir d'eux se fit le peuplement de toute la terre.

²⁰Noé, le cultivateur, commença de planter la vigne. ²¹Ayant bu du vin, il fut enivré et se dénuda

à l'intérieur de sa tente. 22Cham, père de Canaan, vit la nudité de son père et avertit ses deux frères au-dehors. 23Mais Sem et Japhet prirent le manteau, le mirent tous deux sur leur épaule et, marchant à reculons, couvrirent la nudité de leur père ; leurs visages étaient tournés en arrière et ils ne virent pas la nudité de leur père. 24Lorsque Noé se réveilla de son ivresse, il apprit ce que lui avait fait son fils le plus jeune. 25Et il dit :

« Maudit soit Canaan !

Qu'il soit pour ses frères
l'esclave des esclaves ! »

26Il dit aussi :

« Béni soit Yahvé,
le Dieu de Sem,
et que Canaan soit son esclave !

27Que Dieu mette Japhet au
large,
qu'il habite dans les tentes de
Sem,
et que Canaan soit son esclave ! »

28Après le déluge, Noé vécut trois cent cinquante ans. 29Toute la durée de la vie de Noé fut de neuf cent cinquante ans, puis il mourut.

La table des nations.

10 1Voici la descendance des fils de Noé, Sem, Cham et Japhet, auxquels des fils naquirent après le déluge :

2Fils de Japhet : Gomer, Magog, les Mèdes, Yavân, Tubal, Moshek, Tiras. 3Fils de Gomer : Ashkenaz, Riphat, Togarma. 4Fils de Yavân : Élisha, Tarsis, les Kittim, les Dananéens. 5À partir d'eux se fit la dispersion dans les îles des nations.

Tels furent les fils de Japhet,

d'après leurs pays et chacun selon sa langue, selon leurs clans et d'après leurs nations.

6Fils de Cham : Kush, Miçrayim, Put, Canaan. 7Fils de Kush : Séba, Havila, Sabta, Rama, Sabteka. Fils de Rama : Sheba, Dedân.

8Kush engendra Nemrod, qui fut le premier potentat sur la terre. 9C'était un vaillant chasseur devant Yahvé, et c'est pourquoi l'on dit : « Comme Nemrod, vaillant chasseur devant Yahvé. » 10Les soutiens de son empire furent Babel, Érek, Akkad et Kalneh, au pays de Shinéar. 11De ce pays sortit Ashshur, et il bâtit Ninive, Rehobot-Ir, Kalah, 12et Rèsèn entre Ninive et Kalah (c'est la grande ville).

13Miçrayim engendra les gens de Lud, de Anam, de Lehab, de Naphtuh, 14de Patros, de Kasluh et de Kaphtor, d'où sont sortis les Philistins.

15Canaan engendra Sidon, son premier-né, puis Hèt, 16et le Jébuséen, l'Amorite, le Girgashite, 17le Hivvite, l'Arqite, le Sinite, 18l'Arvadite, le Çemarite, le Hamatite ; ensuite se dispersèrent les clans cananéens. 19La frontière des Cananéens allait de Sidon en direction de Gérar, jusqu'à Gaza, puis en direction de Sodome, Gomorrhe, Adma et Çeboyim, et jusqu'à Lésha.

20Tels furent les fils de Cham, selon leurs clans et leurs langues, d'après leurs pays et leurs nations.

21Une descendance naquit également à Sem, l'ancêtre de tous les fils de Éber et le frère aîné de Japhet.

22Fils de Sem : Élam, Ashshur, Arpakshad, Lud, Aram. 23Fils d'Aram : Uç, Hul, Géter et Mash.

²⁴Arpakshad engendra Shélah et Shélah engendra Eber. ²⁵À Éber naquirent deux fils : le premier s'appelait Péleg, car ce fut en son temps que la terre fut divisée, et son frère s'appelait Yoqtân. ²⁶Yoqtân engendra Almodad, Shéleph, Haçarmavet, Yérah, ²⁷Hadoram, Uzal, Diqla, ²⁸Obal, Abimaël, Sheba, ²⁹Ophir, Havila, Yobab ; tous ceux-là sont fils de Yoqtan. ³⁰Ils habitaient à partir de Mesha en direction de Sephar, la montagne de l'Orient.

³¹Tels furent les fils de Sem, selon leurs clans et leurs langues, d'après leurs pays et leurs nations. ³²Tels furent les clans des descendants de Noé, selon leurs lignées et d'après leurs nations. Ce fut à partir d'eux que les peuples se dispersèrent sur la terre après le déluge.

La tour de Babel. ↗ Sg 10 5. ↗ Ac 2 5-12. ↗ Ap 7 9-10.

11 ¹Tout le monde se servait d'une même langue et des mêmes mots. ²Comme les hommes se déplaçaient à l'orient, ils trouvèrent une vallée au pays de Shinéar et ils s'y établirent. ³Ils se dirent l'un à l'autre : « Allons ! Faisons des briques et cuisons-les au feu ! » La brique leur servit de pierre et le bitume leur servit de mortier. ⁴Ils dirent : « Allons ! Bâtissons-nous une ville et une tour dont le sommet pénètre les cieux ! Faisons-nous un nom et ne soyons pas dispersés sur toute la terre ! » ⁵Or Yahvé descendit pour voir la ville et la tour que les hommes avaient bâties. ⁶Et Yahvé dit : « Voici que tous font un seul peuple et parlent une seule langue, et tel est le début de leurs entreprises ! Maintenant, aucun dessein ne sera irréalisable pour eux. ⁷Allons ! Descendons ! Et là, confondons leur langage pour qu'ils ne s'entendent plus les uns les autres. » ⁸Yahvé les dispersa de là sur toute la face de la terre et ils cessèrent de bâtir la ville. ⁹Aussi la nomma-t-on Babel, car c'est là que Yahvé confondit le langage de tous les habitants de la terre et c'est de là qu'il les dispersa sur toute la face de la terre.

Les Patriarches d'après le déluge.

¹⁰Voici la descendance de Sem :
Quand Sem eut cent ans, il engendra Arpakshad, deux ans après le déluge. ¹¹Après la naissance d'Arpakshad, Sem vécut cinq cents ans et il engendra des fils et des filles.

¹²Quand Arpakshad eut trente-cinq ans, il engendra Shélah. ¹³Après la naissance de Shélah, Arpakshad vécut quatre cent trois ans et il engendra des fils et des filles.

¹⁴Quand Shélah eut trente ans, il engendra Éber. ¹⁵Après la naissance de Éber, Shélah vécut quatre cent trois ans et il engendra des fils et des filles.

¹⁶Quand Éber eut trente-quatre ans, il engendra Péleg. ¹⁷Après la naissance de Péleg, Éber vécut quatre cent trente ans et il engendra des fils et des filles.

¹⁸Quand Péleg eut trente ans, il engendra Réu. ¹⁹Après la naissance de Réu, Péleg vécut deux cent neuf ans et il engendra des fils et des filles.

²⁰Quand Réu eut trente-deux

ans, il engendra Serug. ²¹Après la
naissance de Serug, Réu vécut
deux cent sept ans et il engendra
des fils et des filles.
²²Quand Serug eut trente ans, il
engendra Nahor. ²³Après la naissance de Nahor, Serug vécut deux
cents ans et il engendra des fils et
des filles.
²⁴Quand Nahor eut vingt-neuf
ans, il engendra Térah. ²⁵Après la
naissance de Térah, Nahor vécut
cent dix-neuf ans et il engendra
des fils et des filles.
²⁶Quand Térah eut soixante-dix
ans, il engendra Abram, Nahor et
Harân.

La descendance de Térah.

²⁷Voici la descendance de
Térah :

Térah engendra Abram, Nahor
et Harân. Harân engendra Lot.
²⁸Harân mourut en présence de
son père Térah dans son pays natal, Ur des Chaldéens. ²⁹Abram et
Nahor se marièrent : la femme
d'Abram s'appelait Saraï ; la
femme de Nahor s'appelait Milka, fille de Harân, qui était le père de Milka et de Yiska. ³⁰Or Saraï était stérile : elle n'avait pas
d'enfant.
³¹Térah prit son fils Abram, son
petit-fils Lot, fils de Harân, et sa
bru Saraï, femme d'Abram. Il les
fit sortir d'Ur des Chaldéens pour
aller au pays de Canaan, mais, arrivés à Harân, ils s'y établirent.
³²La durée de la vie de Térah
fut de deux cent cinq ans, puis il
mourut à Harân.

2. Histoire des patriarches

I. CYCLE D'ABRAHAM

Vocation d'Abraham. ↗ Sg 10 5.
↗ Ac 7 2-3. ↗ He 11 8s.

12 ¹Yahvé dit à Abram : « Quitte ton pays, ta parenté et la
maison de ton père, pour le pays
que je t'indiquerai. ²Je ferai de toi
un grand peuple, je te bénirai, je
magnifierai ton nom ; sois une bénédiction !
³Je bénirai ceux qui te béniront,
je réprouverai ceux qui te mau-
diront.
Par toi se béniront
tous les clans de la terre. »
⁴Abram partit, comme lui avait
dit Yahvé, et Lot partit avec lui.
Abram avait soixante-quinze ans

lorsqu'il quitta Harân. ⁵Abram
prit sa femme Saraï, son neveu
Lot, tout l'avoir qu'ils avaient
amassé et le personnel qu'ils
avaient acquis à Harân ; ils se mirent en route pour le pays de Canaan et ils y arrivèrent.
⁶Abram traversa le pays jusqu'au lieu saint de Sichem, au
Chêne de Moré. Les Cananéens
étaient alors dans le pays. ⁷Yahvé apparut à Abram et dit :
« C'est à ta postérité que je donnerai ce pays. » Et là, Abram bâtit un autel à Yahvé qui lui était
apparu. ⁸Il passa de là dans la
montagne, à l'orient de Béthel, et

il dressa sa tente, ayant Béthel à l'ouest et Aï à l'est. Là, il bâtit un autel à Yahvé et il invoqua son nom. ⁹Puis, de campement en campement, Abram alla au Négeb.

Abraham en Égypte. = **20**. = **26** 1-11.

¹⁰Il y eut une famine dans le pays et Abram descendit en Égypte pour y séjourner, car la famine pesait lourdement sur le pays. ¹¹Lorsqu'il fut près d'entrer en Égypte, il dit à sa femme Saraï : « Vois-tu, je sais que tu es une femme de belle apparence. ¹²Quand les Égyptiens te verront, ils diront : "C'est sa femme", et ils me tueront et te laisseront en vie. ¹³Dis, je te prie, que tu es ma sœur, pour qu'on me traite bien à cause de toi et qu'on me laisse en vie par égard pour toi. » ¹⁴De fait, quand Abram arriva en Égypte, les Égyptiens virent que la femme était très belle. ¹⁵Les officiers de Pharaon la virent et la vantèrent à Pharaon ; et la femme fut emmenée au palais de Pharaon. ¹⁶Celui-ci traita bien Abram à cause d'elle : il eut du petit et du gros bétail, des ânes, des esclaves, des servantes, des ânesses, des chameaux. ¹⁷Mais Yahvé frappa Pharaon de grandes plaies, et aussi sa maison, à propos de Saraï, la femme d'Abram. ¹⁸Pharaon appela Abram et dit : « Qu'est-ce que tu m'as fait ? Pourquoi ne m'as-tu pas déclaré qu'elle était ta femme ? ¹⁹Pourquoi as-tu dit : "Elle est ma sœur !" en sorte que je l'ai prise pour femme. Maintenant, voilà ta femme : prends-la et va-t'en ! » ²⁰Pharaon le confia à des hommes qui le reconduisirent à la frontière, lui, sa femme et tout ce qu'il possédait.

Séparation d'Abraham et de Lot.

13 ¹D'Égypte, Abram avec sa femme et tout ce qu'il possédait, et Lot avec lui, remonta au Négeb. ²Abram était très riche en troupeaux, en argent et en or. ³Ses campements le conduisirent du Négeb jusqu'à Béthel, à l'endroit où sa tente s'était dressée d'abord entre Béthel et Aï, ⁴à l'endroit de l'autel qu'il avait érigé précédemment, et là, Abram invoqua le nom de Yahvé.

⁵Lot, qui accompagnait Abram, avait également du petit et du gros bétail, ainsi que des tentes. ⁶Le pays ne suffisait pas à leur installation commune : ils avaient de trop grands biens pour pouvoir habiter ensemble. ⁷Il y eut une dispute entre les pâtres des troupeaux d'Abram et ceux des troupeaux de Lot (les Cananéens et les Perizzites habitaient alors le pays). ⁸Aussi Abram dit-il à Lot : « Qu'il n'y ait pas discorde entre moi et toi, entre mes pâtres et les tiens, car nous sommes des frères ! ⁹Tout le pays n'est-il pas devant toi ? Sépare-toi de moi. Si tu prends la gauche, j'irai à droite, si tu prends la droite, j'irai à gauche. »

¹⁰Lot leva les yeux et vit toute la Plaine du Jourdain qui était partout irriguée – c'était avant que Yahvé ne détruisît Sodome et Gomorrhe – comme le jardin de Yahvé, comme le pays d'Égypte, jusque vers Çoar. ¹¹Lot choisit pour lui toute la Plaine du Jourdain et il émigra à l'orient ; ainsi ils se séparèrent l'un de l'au-

tre : ¹²Abram s'établit au pays de Canaan et Lot s'établit dans les villes de la Plaine ; il dressa ses tentes jusqu'à Sodome. ¹³Les gens de Sodome étaient de grands scélérats et pécheurs contre Yahvé.

¹⁴Yahvé dit à Abram, après que Lot se fut séparé de lui : « Lève les yeux et regarde, de l'endroit où tu es, vers le nord et le midi, vers l'orient et l'occident. ¹⁵Tout le pays que tu vois, je le donnerai à toi et à ta postérité pour toujours. ¹⁶Je rendrai ta postérité comme la poussière de la terre : quand on pourra compter les grains de poussière de la terre, alors on comptera tes descendants ! ¹⁷Debout ! Parcours le pays en long et en large, car je te le donnerai. » ¹⁸Avec ses tentes, Abram alla s'établir aux Chênes de Mambré, à Hébron, et là, il érigea un autel à Yahvé.

La campagne des quatre grands rois.

14 ¹Au temps d'Amraphel roi de Shinéar, d'Aryok roi d'Ellasar, de Kedor-Laomer roi d'Élam et de Tidéal roi des Goyim, ²ceux-ci firent la guerre contre Béra roi de Sodome, Birsha roi de Gomorrhe, Shinéab roi d'Adma, Shémééber roi de Çeboyim et le roi de Béla (c'est Çoar).

³Ces derniers se liguèrent dans la vallée de Siddim (c'est la mer du Sel). ⁴Douze ans ils avaient été soumis à Kedor-Laomer mais, la treizième année, ils se révoltèrent. ⁵En la quatorzième année, arrivèrent Kedor-Laomer et les rois qui étaient avec lui. Ils battirent les Rephaïm à Ashterot-Qarnayim, les Zuzim à Ham, les Émim dans la plaine de Qiryatayim, ⁶les Horites dans les montagnes de Séïr jusqu'à El-Parân, qui est à la limite du désert. ⁷Ils firent un mouvement tournant et vinrent à la Source du Jugement (c'est Cadès) ; ils battirent tout le territoire des Amalécites et aussi les Amorites qui habitaient Haçaçôn-Tamar. ⁸Alors le roi de Sodome, le roi de Gomorrhe, le roi d'Adma, le roi de Çeboyim et le roi de Béla (c'est Çoar) s'ébranlèrent et se rangèrent en bataille contre eux dans la vallée de Siddim, ⁹contre Kedor-Laomer roi d'Élam, Tidéal roi des Goyim, Amraphel roi de Shinéar et Aryok roi d'Ellasar : quatre rois contre cinq ! ¹⁰Or la vallée de Siddim était pleine de puits de bitume ; dans leur fuite, le roi de Sodome et le roi de Gomorrhe y tombèrent, et le reste se réfugia dans la montagne. ¹¹Les vainqueurs prirent tous les biens de Sodome et de Gomorrhe et tous leurs vivres, et s'en allèrent.

¹²Ils prirent aussi Lot et ses biens (le neveu d'Abram), et s'en allèrent ; il habitait Sodome. ¹³Un rescapé vint informer Abram l'Hébreu, qui demeurait aux Chênes de l'Amorite Mambré, frère d'Eshkol et d'Aner ; ils étaient les alliés d'Abram. ¹⁴Quand Abram apprit que son parent était emmené captif, il leva ses partisans, ses familiers, au nombre de trois cent dix-huit, et mena la poursuite jusqu'à Dan. ¹⁵Il les attaqua de nuit en ordre dispersé, lui et ses gens, il les battit et les poursuivit jusqu'à Hoba, au nord de Damas. ¹⁶Il reprit tous les biens, et aussi son parent Lot et ses biens, ainsi que les femmes et les gens.

Melchisédech. Ps 110 4. ↗ He 5-7.

¹⁷Quand Abram revint après avoir battu Kedor-Laomer et les rois qui étaient avec lui, le roi de Sodome alla à sa rencontre dans la vallée de Shavé (c'est la vallée du Roi). ¹⁸Melchisédech, roi de Shalem, apporta du pain et du vin ; il était prêtre du Dieu Très-Haut. ¹⁹Il prononça cette bénédiction :

« Béni soit Abram par le Dieu Très-Haut

qui créa ciel et terre,

²⁰et béni soit le Dieu Très-Haut

qui a livré tes ennemis entre tes mains. »

Et Abram lui donna la dîme de tout.

²¹Le roi de Sodome dit à Abram : « Donne-moi les personnes et prends les biens pour toi. » ²²Mais Abram répondit au roi de Sodome : « Je lève la main devant Yahvé, le Dieu Très-Haut qui créa ciel et terre : ²³ni un fil ni une courroie de sandale, je ne prendrai rien de ce qui est à toi, et tu ne pourras pas dire : "J'ai enrichi Abram." ²⁴Rien pour moi. Seulement ce que mes serviteurs ont mangé et la part des hommes qui sont venus avec moi, Aner, Eshkol et Mambré ; eux prendront leur part. »

Les promesses et l'alliance divines. 12 2, 7. 13 14-17. = 17.

15 ¹Après ces événements, la parole de Yahvé fut adressée à Abram, dans une vision :

« Ne crains pas, Abram ! Je suis ton bouclier, ta récompense sera très grande. »

²Abram répondit : « Mon Seigneur Yahvé, que me donnerais-tu ? Je m'en vais sans enfant... »
³Abram dit : « Voici que tu ne m'as pas donné de descendance et qu'un des gens de ma maison héritera de moi. » ⁴Alors cette parole de Yahvé lui fut adressée : « Celui-là ne sera pas ton héritier, mais bien quelqu'un issu de ton sang. » ⁵Il le conduisit dehors et dit : « Lève les yeux au ciel et dénombre les étoiles si tu peux les dénombrer » et il lui dit : « Telle sera ta postérité. » ⁶Abram crut en Yahvé, qui le lui compta comme justice.

⁷Il lui dit : « Je suis Yahvé qui t'ai fait sortir d'Ur des Chaldéens, pour te donner ce pays en possession. » ⁸Abram répondit : « Mon Seigneur Yahvé, à quoi saurai-je que je le posséderai ? » ⁹Il lui dit : « Va me chercher une génisse de trois ans, une chèvre de trois ans, un bélier de trois ans, une tourterelle et un pigeonneau. » ¹⁰Il lui amena tous ces animaux, les partagea par le milieu et plaça chaque moitié vis-à-vis de l'autre ; cependant il ne partagea pas les oiseaux. ¹¹Les rapaces s'abattirent sur les cadavres, mais Abram les chassa.

¹²Comme le soleil allait se coucher, une torpeur tomba sur Abram et voici qu'un grand effroi le saisit. ¹³Yahvé dit à Abram : « Sache bien que tes descendants seront des étrangers dans un pays qui ne sera pas le leur. Ils y seront esclaves, on les opprimera pendant quatre cents ans. ¹⁴Mais je jugerai aussi la nation à laquelle ils auront été asservis et ils sortiront ensuite avec de grands biens. ¹⁵Pour toi, tu t'en iras en paix avec tes pères, tu seras enseveli dans une vieillesse heureuse. ¹⁶C'est à la quatrième génération qu'ils reviendront ici, car jusque-là l'iniquité des Amorites n'aura pas atteint son comble. »

¹⁷Quand le soleil fut couché et que les ténèbres s'étendirent, voici qu'un four fumant et un brandon de feu passèrent entre les animaux partagés. ¹⁸Ce jour-là Yahvé conclut une alliance avec Abram en ces termes :

« À ta postérité je donne ce pays,
du Fleuve d'Égypte jusqu'au Grand Fleuve,
le fleuve d'Euphrate, ¹⁹les Qénites, les Qenizzites, les Qadmonites, ²⁰les Hittites, les Perizzites, les Rephaïm, ²¹les Amorites, les Cananéens, les Girgashites et les Jébuséens. »

Naissance d'Ismaël.

16 ¹La femme d'Abram, Saraï, ne lui avait pas donné d'enfant. Mais elle avait une servante égyptienne, nommée Agar, ²et Saraï dit à Abram : « Vois, je te prie : Yahvé n'a pas permis que j'enfante. Va donc vers ma servante. Peut-être obtiendrai-je par elle des enfants. » Et Abram écouta la voix de Saraï.

³Ainsi, au bout de dix ans qu'Abram résidait au pays de Canaan, sa femme Saraï prit Agar l'Égyptienne, sa servante, et la donna pour femme à son mari, Abram. ⁴Celui-ci alla vers Agar, qui devint enceinte. Lorsqu'elle se vit enceinte, sa maîtresse ne compta plus à ses yeux. ⁵Alors Saraï dit à Abram : « Tu es responsable de l'injure qui m'est faite ! J'ai mis ma servante entre tes bras et, depuis qu'elle s'est vue enceinte, je ne compte plus à ses yeux. Que Yahvé juge entre moi et toi ! » ⁶Abram dit à Saraï : « Eh bien, ta servante est entre tes mains, fais-lui comme il

te semblera bon. » Saraï la maltraita tellement que l'autre s'enfuit de devant elle.

⁷L'Ange de Yahvé la rencontra près d'une certaine source au désert, la source qui est sur le chemin de Shur. ⁸Il dit : « Agar, servante de Saraï, d'où viens-tu et où vas-tu ? » Elle répondit : « Je fuis devant ma maîtresse Saraï. » ⁹L'Ange de Yahvé lui dit : « Retourne chez ta maîtresse et sois-lui soumise. » ¹⁰L'Ange de Yahvé lui dit : « Je multiplierai beaucoup ta descendance, tellement qu'on ne pourra pas la compter. » ¹¹L'Ange de Yahvé lui dit :

« Tu es enceinte et tu enfanteras un fils,
et tu lui donneras le nom d'Ismaël,
car Yahvé a entendu ta détresse.
¹²Celui-là sera un onagre d'homme,
sa main contre tous, la main de tous contre lui,
il s'établira à la face de tous ses frères. »

¹³À Yahvé qui lui avait parlé, Agar donna ce nom : « Tu es El-Roï », car, dit-elle, « Ai-je encore vu ici après celui qui me voit ? » ¹⁴C'est pourquoi on a appelé ce puits le puits de Lahaï-Roï ; il se trouve entre Cadès et Bérèd.

¹⁵Agar enfanta un fils à Abram, et Abram donna au fils qu'enfanta Agar le nom d'Ismaël. ¹⁶Abram avait quatre-vingt-six ans quand Agar lui fit père d'Ismaël.

L'alliance et la circoncision. = 15.

17 ¹Lorsque Abram eut atteint quatre-vingt-dix-neuf ans, Yahvé lui apparut et lui dit :

« Je suis El Shaddaï, marche en

ma présence et sois parfait. ²J'institue mon alliance entre moi et toi,
et je t'accroîtrai extrêmement. »
³Et Abram tomba la face contre
terre.

Dieu lui parla ainsi :
⁴« Moi, voici mon alliance avec
toi : tu deviendras père d'une multitude de nations. ⁵Et l'on ne t'appellera plus Abram, mais ton nom
sera Abraham, car je te fais père
d'une multitude de nations. ⁶Je te
rendrai extrêmement fécond, de
toi je ferai des nations, et des rois
sortiront de toi. ⁷J'établirai mon
alliance entre moi et toi, et ta race
après toi, de génération en génération, une alliance perpétuelle,
pour être ton Dieu et celui de ta
race après toi. ⁸À toi et à ta race
après toi, je donnerai le pays où
tu séjournes, tout le pays de Canaan, en possession à perpétuité,
et je serai votre Dieu. »

⁹Dieu dit à Abraham : « Et toi,
tu observeras mon alliance, toi et
ta race après toi, de génération en
génération. ¹⁰Et voici mon alliance qui sera observée entre moi et
vous, c'est-à-dire ta race après
toi : que tous vos mâles soient circoncis. ¹¹Vous ferez circoncire la
chair de votre prépuce, et ce sera
le signe de l'alliance entre moi et
vous. ¹²Quand ils auront huit
jours, tous vos mâles seront circoncis, de génération en génération. Qu'il soit né dans la maison
ou acheté à prix d'argent à quelque étranger qui n'est pas de ta
race, ¹³on devra circoncire celui
qui est né dans la maison et celui
qui est acheté à prix d'argent.
Mon alliance sera marquée dans
votre chair comme une alliance
perpétuelle. ¹⁴L'incirconcis, le

mâle dont on n'aura pas coupé la
chair du prépuce, cette vie-là sera
retranchée de sa parenté : il a violé mon alliance. »
= 18 9-15.

¹⁵Dieu dit à Abraham : « Ta femme Saraï, tu ne l'appelleras plus Saraï, mais son nom est Sara. ¹⁶Je la
bénirai et même je te donnerai d'elle un fils ; je la bénirai, elle deviendra des nations, et des rois de peuples viendront d'elle. » ¹⁷Abraham
tomba la face contre terre, et il se
mit à rire car il se disait en lui-
même : « Un fils naîtra-t-il à un
homme de cent ans, et Sara qui a
quatre-vingt-dix ans va-t-elle enfanter ? » ¹⁸Abraham dit à Dieu :
« Oh ! qu'Ismaël vive devant ta face ! » ¹⁹Mais Dieu reprit : « Non,
mais ta femme Sara te donnera un
fils, tu l'appelleras Isaac, et j'établirai mon alliance avec lui, comme une alliance perpétuelle, et avec
sa descendance après lui. ²⁰En faveur d'Ismaël aussi, je t'ai entendu : je le bénis, je le rendrai fécond,
je le ferai croître extrêmement, il
engendrera douze princes et je ferai
de lui une grande nation. ²¹Mais
mon alliance, je l'établirai avec
Isaac, que va t'enfanter Sara, l'an
prochain à cette saison. » ²²Lors-
qu'il eut fini de lui parler, Dieu remonta d'auprès d'Abraham.

²³Alors Abraham prit son fils Ismaël, tous ceux qui étaient nés dans
sa maison, tous ceux qu'il avait acquis de son argent, bref tous les mâles parmi les gens de la maison
d'Abraham, et il circoncit la chair
de leur prépuce, ce jour même,
comme Dieu le lui avait dit. ²⁴Abraham était âgé de quatre-vingt-dix-
neuf ans lorsqu'on circoncit la
chair de son prépuce ²⁵et Ismaël,

son fils, était âgé de treize ans lorsqu'on circoncit la chair de son prépuce. ²⁶Ce jour même furent circoncis Abraham et son fils Ismaël, ²⁷et tous les hommes de sa maison, enfants de la maison ou acquis d'un étranger à prix d'argent, furent circoncis avec lui.

L'apparition de Mambré.

18 ¹Yahvé lui apparut aux Chênes de Mambré, tandis qu'il était assis à l'entrée de la tente, au plus chaud du jour. ²Ayant levé les yeux, voilà qu'il vit trois hommes qui se tenaient debout près de lui ; dès qu'il les vit, il courut de l'entrée de la tente à leur rencontre et se prosterna à terre. ³Il dit : « Monseigneur, je t'en prie, si j'ai trouvé grâce à tes yeux, veuille ne pas passer près de ton serviteur sans t'arrêter. ⁴Qu'on apporte un peu d'eau, vous vous laverez les pieds et vous vous étendrez sous l'arbre. ⁵Que j'aille chercher un morceau de pain et vous vous réconforterez le cœur avant d'aller plus loin ; c'est bien pour cela que vous êtes passés près de votre serviteur ! » Ils répondirent : « Fais donc comme tu as dit. »

⁶Abraham se hâta vers la tente auprès de Sara et dit : « Prends vite trois boisseaux de farine, de fleur de farine, pétris et fais des galettes. » ⁷Puis Abraham courut au troupeau et prit un veau tendre et bon ; il le donna au serviteur qui se hâta de le préparer. ⁸Il prit du caillé, du lait, le veau qu'il avait apprêté et plaça le tout devant eux ; il se tenait debout près d'eux, sous l'arbre, et ils mangèrent.

= **15** 2-4. = **17** 15-21.

⁹Ils lui demandèrent : « Où est Sara, ta femme ? » Il répondit :

« Elle est dans la tente. » ¹⁰L'hôte dit : « Je reviendrai vers toi l'an prochain ; alors, ta femme Sara aura un fils. » Sara écoutait, à l'entrée de la tente, qui se trouvait derrière lui. ¹¹Or Abraham et Sara étaient vieux, avancés en âge, et Sara avait cessé d'avoir ce qu'ont les femmes. ¹²Donc, Sara rit en elle-même, se disant : « Maintenant que je suis usée, je connaîtrais le plaisir ! Et mon mari qui est un vieillard ! » ¹³Mais Yahvé dit à Abraham : « Pourquoi Sara a-t-elle ri, se disant : Vraiment, vais-je encore enfanter, alors que je suis devenue vieille ? ¹⁴Y a-t-il rien de trop merveilleux pour Yahvé ? À la même saison l'an prochain, je reviendrai chez toi et Sara aura un fils. » ¹⁵Sara démentit : « Je n'ai pas ri », dit-elle, car elle avait peur, mais il répliqua : « Si, tu as ri. »

¹⁶Les hommes se levèrent de là et se dirigèrent vers Sodome. Abraham marchait avec eux pour les reconduire.

L'intercession d'Abraham.

¹⁷Yahvé s'était dit : « Vais-je cacher à Abraham ce que je vais faire, ¹⁸alors qu'Abraham deviendra une nation grande et puissante et que par lui se béniront toutes les nations de la terre ? ¹⁹Car je l'ai distingué, pour qu'il prescrive à ses fils et à sa maison après lui de garder la voie de Yahvé en accomplissant la justice et le droit ; de la sorte, Yahvé réalisera pour Abraham ce qu'il lui a promis. » ²⁰Donc, Yahvé dit : « Le cri contre Sodome et Gomorrhe est bien grand ! Leur péché est bien grave ! ²¹Je vais descendre pour voir s'ils ont fait tout ce qu'indique le

cri qui est monté vers moi ; sinon, je le saurai. »

²²Les hommes partirent de là et allèrent à Sodome. Abraham se tenait encore devant Yahvé. ²³Abraham s'approcha et dit : « Vas-tu vraiment supprimer le juste avec le pécheur ? ²⁴Peut-être y a-t-il cinquante justes dans la ville. Vas-tu vraiment les supprimer et ne pardonneras-tu pas à la cité pour les cinquante justes qui sont dans son sein ? ²⁵Loin de toi de faire cette chose-là ! de faire mourir le juste avec le pécheur, en sorte que le juste soit traité comme le pécheur. Loin de toi ! Est-ce que le juge de toute la terre ne rendra pas justice ? » ²⁶Yahvé répondit : « Si je trouve à Sodome cinquante justes dans la ville, je pardonnerai à toute la cité à cause d'eux. »

²⁷Abraham reprit : « Je suis bien hardi de parler à mon Seigneur, moi qui suis poussière et cendre. ²⁸Mais peut-être, des cinquante justes en manquera-t-il cinq : feras-tu, pour cinq, périr toute la ville ? » Il répondit : « Non, si j'y trouve quarante-cinq justes. » ²⁹Abraham reprit encore la parole et dit : « Peut-être n'y en aura-t-il que quarante », et il répondit : « Je ne le ferai pas, à cause des quarante. »

³⁰Abraham dit : « Que mon Seigneur ne s'irrite pas et que je puisse parler : peut-être s'en trouvera-t-il trente », et il répondit : « Je ne le ferai pas, si j'en trouve trente. » ³¹Il dit : « Je suis bien hardi de parler à mon Seigneur : peut-être s'en trouvera-t-il vingt », et il répondit : « Je ne détruirai pas, à cause des vingt. » ³²Il dit : « Que mon Seigneur ne s'irrite pas et je

parlerai une dernière fois : peut-être s'en trouvera-t-il dix », et il répondit : « Je ne détruirai pas, à cause des dix. »

³³Yahvé, ayant achevé de parler à Abraham, s'en alla, et Abraham retourna chez lui.

La destruction de Sodome.

19 ¹Quand les deux Anges arrivèrent à Sodome sur le soir, Lot était assis à la porte de la ville. Dès que Lot les vit, il se leva à leur rencontre et se prosterna, face contre terre. ²Il dit : « Je vous en prie, Messeigneurs ! Veuillez descendre chez votre serviteur pour y passer la nuit et vous laver les pieds, puis au matin vous reprendrez votre route », mais ils répondirent : « Non, nous passerons la nuit sur la place. » ³Il les pressa tant qu'ils allèrent chez lui et entrèrent dans sa maison. Il leur prépara un repas, fit cuire des pains sans levain, et ils mangèrent.

⁴Ils n'étaient pas encore couchés que la maison fut cernée par les hommes de la ville, les gens de Sodome, depuis les jeunes jusqu'aux vieux, tout le peuple sans exception. ⁵Ils appelèrent Lot et lui dirent : « Où sont les hommes qui sont venus chez toi cette nuit ? Amène-les-nous pour que nous en abusions. »

⁶Lot sortit vers eux à l'entrée et, ayant fermé la porte derrière lui, ⁷il dit : « Je vous en supplie, mes frères, ne commettez pas le mal ! ⁸Écoutez : j'ai deux filles qui sont encore vierges, je vais vous les amener : faites-leur ce qui vous semble bon, mais, pour ces hommes, ne leur faites rien, puisqu'ils sont entrés sous l'om-

bre de mon toit. » ⁹Mais ils dirent : « Ôte-toi de là ! » Et ils ajoutèrent : « En voilà un qui est venu en étranger, et il fait le juge ! Eh bien, nous te ferons plus de mal qu'à eux ! » Ils le pressèrent fort, lui Lot, et s'approchèrent pour briser la porte. ¹⁰Mais les hommes sortirent le bras, firent rentrer Lot auprès d'eux dans la maison et refermèrent la porte. ¹¹Quant aux hommes qui étaient à l'entrée de la maison, ils les frappèrent de berlue, du plus petit jusqu'au plus grand, et ils n'arrivaient pas à trouver l'ouverture.

¹²Les hommes dirent à Lot : « As-tu encore quelqu'un ici ? Un gendre, tes fils, tes filles, tous les tiens qui sont dans la ville, fais-les sortir de ce lieu. ¹³Nous allons en effet détruire ce lieu, car grand est le cri qui s'est élevé contre eux à la face de Yahvé, et Yahvé nous a envoyés pour les exterminer. » ¹⁴Lot alla parler à ses futurs gendres, qui devaient épouser ses filles : « Debout, dit-il, quittez ce lieu, car Yahvé va détruire la ville. » Mais ses futurs gendres crurent qu'il plaisantait.

¹⁵Lorsque pointa l'aurore, les Anges insistèrent auprès de Lot, en disant : « Debout ! prends ta femme et tes deux filles qui se trouvent là, de peur d'être emporté par le châtiment de la ville. » ¹⁶Et comme il hésitait, les hommes le prirent par la main, ainsi que sa femme et ses deux filles, pour la pitié que Yahvé avait de lui. Ils le firent sortir et le laissèrent en dehors de la ville.

¹⁷Comme ils le menaient dehors, il dit : « Sauve-toi, sur ta vie ! Ne regarde pas derrière toi et ne t'arrête nulle part dans la Plaine, sauve-toi à la montagne, pour n'être pas emporté ! » ¹⁸Lot leur répondit : « Non, je t'en prie, Monseigneur ! ¹⁹Ton serviteur a trouvé grâce à tes yeux et tu as montré une grande miséricorde à mon égard en m'assurant la vie. Mais moi, je ne puis pas me sauver à la montagne sans que m'atteigne le malheur et que je meure. ²⁰Voilà cette ville, assez proche pour y fuir, et elle est peu de chose. Permets que je m'y sauve – est-ce qu'elle n'est pas peu de chose ? – et que je vive ! » ²¹Il lui répondit : « Je te fais encore cette grâce de ne pas renverser la ville dont tu parles. ²²Vite, sauve-toi là-bas, car je ne puis rien faire avant que tu n'y sois arrivé. » C'est pourquoi on a donné à la ville le nom de Çoar.

²³Au moment où le soleil se levait sur la terre et que Lot entrait à Çoar, ²⁴Yahvé fit pleuvoir sur Sodome et sur Gomorrhe du soufre et du feu venant de Yahvé, depuis le ciel, ²⁵et il renversa ces villes et toute la Plaine, tous ses habitants et la végétation du sol. ²⁶Or la femme de Lot regarda en arrière, et elle devint une colonne de sel.

²⁷Levé de bon matin, Abraham vint à l'endroit où il s'était tenu devant Yahvé ²⁸et il jeta son regard sur Sodome, sur Gomorrhe et sur toute la Plaine, et voici qu'il vit la fumée monter du pays comme la fumée d'une fournaise !

²⁹Ainsi, lorsque Dieu détruisit les villes de la Plaine, il s'est souvenu d'Abraham et il a retiré Lot du milieu de la catastrophe, dans le renversement des villes où habitait Lot.

Origine des Moabites et des Ammonites.

[30]Lot monta de Çoar et s'établit dans la montagne avec ses deux filles, car il n'osa pas rester à Çoar. Il s'installa dans une grotte, lui et ses deux filles. [31]L'aînée dit à la cadette : « Notre père est âgé et il n'y a pas d'homme dans le pays pour s'unir à nous à la manière de tout le monde. [32]Viens, faisons boire du vin à notre père et couchons avec lui ; ainsi, de notre père, nous susciterons une descendance. » [33]Elles firent boire, cette nuit-là, du vin à leur père, et l'aînée vint s'étendre près de son père, qui n'eut conscience ni de son coucher ni de son lever. [34]Le lendemain, l'aînée dit à la cadette : « La nuit dernière, j'ai couché avec mon père ; faisons-lui boire du vin encore cette nuit et va coucher avec lui ; ainsi, de notre père nous susciterons une descendance. » [35]Elles firent boire du vin à leur père encore cette nuit-là, et la cadette s'étendit auprès de lui, qui n'eut conscience ni de son coucher ni de son lever. [36]Les deux filles de Lot devinrent enceintes de leur père. [37]L'aînée donna naissance à un fils et elle l'appela Moab ; c'est l'ancêtre des Moabites d'aujourd'hui. [38]La cadette aussi donna naissance à un fils et elle l'appela Ben-Ammi ; c'est l'ancêtre des Bené-Ammon d'aujourd'hui.

Abraham à Gérar. = 12 10-20. = 26 1-11.

20 [1]Abraham partit de là pour le pays du Négeb et demeura entre Cadès et Shur. Il vint séjourner à Gérar.

[2]Abraham dit de sa femme Sara : « C'est ma sœur » et Abimélek, le roi de Gérar, fit enlever Sara. [3]Mais Dieu visita Abimélek en songe, pendant la nuit, et lui dit : « Tu vas mourir à cause de la femme que tu as prise, car elle est une femme mariée. » [4]Abimélek, qui ne s'était pas approché d'elle, dit : « Mon Seigneur, vas-tu aussi tuer un innocent ? [5]N'est-ce pas lui qui m'a dit : "C'est ma sœur", et elle, oui elle-même, a dit : "C'est mon frère" ? C'est avec une bonne conscience et des mains pures que j'ai fait cela ! » [6]Dieu lui répondit dans le songe : « Moi aussi je sais que tu as fait cela en bonne conscience, et c'est encore moi qui t'ai retenu de pécher contre moi ; aussi n'ai-je pas permis que tu la touches. [7]Maintenant, rends la femme de cet homme : il est prophète et il intercédera pour toi afin que tu vives. Mais si tu ne la rends pas, sache que tu mourras sûrement, avec tous les tiens. »

[8]Abimélek se leva tôt et appela tous ses serviteurs. Il leur raconta toute cette affaire et les hommes eurent grand-peur. [9]Puis Abimélek appela Abraham et lui dit : « Que nous as-tu fait ? Quelle offense ai-je commise contre toi pour que tu attires une si grande faute sur moi et sur mon royaume ? Tu as agi à mon égard comme on ne doit pas agir. » [10]Et Abimélek dit à Abraham : « Qu'est-ce qui t'a pris d'agir ainsi ? » [11]Abraham répondit : « Je me suis dit : Pour sûr, il n'y a aucune crainte de Dieu dans cet endroit, et on va me tuer à cause de ma femme. [12]Et puis, elle est vraiment ma sœur, la fille de mon père mais non la fille de ma mère, et elle

est devenue ma femme. ¹³Alors, quand Dieu m'a fait errer loin de ma famille, je lui ai dit : Voici la faveur que tu me feras : partout où nous arriverons, dis de moi que je suis ton frère. »

¹⁴Abimélek prit du petit et du gros bétail, des serviteurs et des servantes et les donna à Abraham, et il lui rendit sa femme Sara. ¹⁵Abimélek dit aussi : « Vois mon pays qui est ouvert devant toi. Établis-toi où bon te semble. » ¹⁶À Sara il dit : « Voici mille pièces d'argent que je donne à ton frère. Ce sera pour toi comme un voile jeté sur les yeux de tous ceux qui sont avec toi. » ¹⁷Abraham intercéda auprès de Dieu et Dieu guérit Abimélek, sa femme et ses servantes, pour qu'ils puissent avoir des enfants. ¹⁸Car Yahvé avait rendu stérile tout sein de la maison d'Abimélek, à cause de Sara, femme d'Abraham.

Naissance d'Isaac.

21 ¹Yahvé visita Sara comme il avait dit et il fit pour elle comme il avait promis. ²Sara conçut et enfanta un fils à Abraham déjà vieux, au temps que Dieu lui avait dit. ³Au fils qui lui naquit, enfanté par Sara, Abraham donna le nom d'Isaac. ⁴Abraham circoncit son fils Isaac, quand il eut huit jours, comme Dieu lui avait ordonné. ⁵Abraham avait cent ans lorsque lui naquit son fils Isaac. ⁶Et Sara dit : « Dieu m'a donné de quoi rire, tous ceux qui l'apprendront me souriront. » ⁷Elle dit aussi :

> « Qui aurait dit à Abraham
> que Sara allaiterait des enfants !

car j'ai donné un fils à sa vieillesse. »

Renvoi d'Agar et d'Ismaël. = 16.

⁸L'enfant grandit et fut sevré, et Abraham fit un grand festin le jour où l'on sevra Isaac. ⁹Or Sara aperçut le fils né à Abraham de l'Égyptienne Agar, qui jouait, ¹⁰et elle dit à Abraham : « Chasse cette servante et son fils, il ne faut pas que le fils de cette servante hérite avec mon fils Isaac. » ¹¹Cette parole déplut beaucoup à Abraham, à propos de son fils, ¹²mais Dieu lui dit : « Ne te chagrine pas à cause du petit et de ta servante, tout ce que Sara te demande, accorde-le, car c'est par Isaac qu'une descendance perpétuera ton nom, ¹³mais du fils de la servante je ferai une nation car il est de ta race. » ¹⁴Abraham se leva tôt, il prit du pain et une outre d'eau qu'il donna à Agar, et il mit l'enfant sur son épaule, puis il la renvoya.

Elle s'en fut errer au désert de Bersabée. ¹⁵Quand l'eau de l'outre fut épuisée, elle jeta l'enfant sous un buisson ¹⁶et elle alla s'asseoir vis-à-vis, loin comme une portée d'arc. Elle se disait en effet : « Je ne veux pas voir mourir l'enfant ! » Elle s'assit vis-à-vis et elle se mit à crier et à pleurer.

¹⁷Dieu entendit les cris du petit et l'Ange de Dieu appela du ciel Agar et lui dit : « Qu'as-tu, Agar ? Ne crains pas, car Dieu a entendu les cris du petit, là où il était. ¹⁸Debout ! soulève le petit et tiens-le ferme, car j'en ferai une grande nation. » ¹⁹Dieu dessilla les yeux d'Agar et elle aperçut un puits. Elle alla remplir l'outre et fit boire le petit.

²⁰Dieu fut avec lui, il grandit et demeura au désert, et il devint un tireur d'arc. ²¹Il demeura au désert de Parân et sa mère lui choisit une femme du pays d'Égypte.

Abraham et Abimélek à Bersabée. = 26 15-33.

²²En ce temps-là, Abimélek et Pikol, chef de son armée, dirent à Abraham : « Dieu est avec toi en tout ce que tu fais. ²³Maintenant, jure-moi ici par Dieu que tu ne me tromperas pas, ni mon lignage et parentage, et que tu auras pour moi et pour ce pays où tu es venu en hôte la même bienveillance que j'ai eue pour toi. » ²⁴Abraham répondit : « Oui, je le jure ! »

²⁵Abraham fit reproche à Abimélek à propos du puits que les serviteurs d'Abimélek avaient usurpé. ²⁶Et Abimélek répondit : « Je ne sais pas qui a pu faire cela : toi-même ne m'en as jamais informé et moi-même je n'en ai rien appris qu'aujourd'hui. » ²⁷Abraham prit du petit et du gros bétail et le donna à Abimélek, et tous les deux conclurent une alliance. ²⁸Abraham mit à part sept brebis du troupeau, ²⁹et Abimélek lui demanda : « Que font là ces sept brebis que tu as mises à part ? » ³⁰Il répondit : « C'est pour que tu acceptes de ma main ces sept brebis, afin qu'elles soient un témoignage que j'ai bien creusé ce puits. » ³¹C'est ainsi qu'on appela ce lieu Bersabée, parce qu'ils y avaient tous deux prêté serment.

³²Ils conclurent une alliance à Bersabée. Abimélek et Pikol, chef de son armée, se levèrent et ils retournèrent au pays des Philistins. ³³Abraham planta un tamaris à Bersabée et il y invoqua le nom de Yahvé, Dieu d'Éternité. ³⁴Abraham séjourna longtemps au pays des Philistins.

Le sacrifice d'Abraham. ↗ Sg 10 5. ↗ Si 44 20. ↗ He 11 17s. ↗ Jc 2 21-22.

22 ¹Après ces événements, il arriva que Dieu éprouva Abraham et lui dit : « Abraham ! » Il répondit : « Me voici ! » ²Dieu dit : « Prends ton fils, ton unique, que tu chéris, Isaac, et va-t'en au pays de Moriyya, et là tu l'offriras en holocauste sur une montagne que je t'indiquerai. »

³Abraham se leva tôt, sella son âne et prit avec lui deux de ses serviteurs et son fils Isaac. Il fendit le bois de l'holocauste et se mit en route pour l'endroit que Dieu lui avait dit. ⁴Le troisième jour, Abraham, levant les yeux, vit l'endroit de loin. ⁵Abraham dit à ses serviteurs : « Demeurez ici avec l'âne. Moi et l'enfant nous irons jusque là-bas, nous adorerons et nous reviendrons vers vous. »

⁶Abraham prit le bois de l'holocauste et le chargea sur son fils Isaac, lui-même prit en mains le feu et le couteau et ils s'en allèrent tous ensemble. ⁷Isaac s'adressa à son père Abraham et dit : « Mon père ! » Il lui répondit : « Me voici, mon fils ! » Il reprit : « Voici le feu et le bois, mais où est l'agneau pour l'holocauste ? » ⁸Abraham répondit : « C'est Dieu qui pourvoira à l'agneau pour l'holocauste, mon fils », et ils s'en allèrent tous deux ensemble.

⁹Quand ils furent arrivés à l'endroit que Dieu lui avait indiqué, Abraham y éleva l'autel et disposa le bois, puis il lia son fils Isaac et le

mit sur l'autel, par-dessus le bois. [10]Abraham étendit la main et saisit le couteau pour immoler son fils.

[11]Mais l'Ange de Yahvé l'appela du ciel et dit : « Abraham ! Abraham ! » Il répondit : « Me voici ! » [12]L'Ange dit : « N'étends pas la main contre l'enfant ! Ne lui fais aucun mal ! Je sais maintenant que tu crains Dieu : tu ne m'as pas refusé ton fils, ton unique. » [13]Abraham leva les yeux et vit un bélier, qui s'était pris par les cornes dans un buisson, et Abraham alla prendre le bélier et l'offrit en holocauste à la place de son fils. [14]À ce lieu, Abraham donna le nom de « Yahvé pourvoit », en sorte qu'on dit aujourd'hui : « Sur la montagne, Yahvé apparaît. »

[15]L'Ange de Yahvé appela une seconde fois Abraham du ciel [16]et dit : « Je jure par moi-même, parole de Yahvé : parce que tu as fait cela, que tu ne m'as pas refusé ton fils, ton unique, [17]je te comblerai de bénédictions, je rendrai ta postérité aussi nombreuse que les étoiles du ciel et que le sable qui est sur le bord de la mer, et ta postérité conquerra la porte de ses ennemis. [18]Par ta postérité se béniront toutes les nations de la terre, parce que tu m'as obéi. »

[19]Abraham revint vers ses serviteurs et ils se mirent en route ensemble pour Bersabée. Abraham résida à Bersabée.

La descendance de Nahor.

[20]Après ces événements, on annonça à Abraham que Milka elle aussi avait enfanté des fils à son frère Nahor : [21]son premier-né Uç, Buz, le frère de celui-ci, Qemuel, père d'Aram, [22]Késed, Hazo, Pildash, Yidlaph, Bétuel [23](et Bétuel engendra Rébecca). Ce sont les huit enfants que Milka donna à Nahor, le frère d'Abraham. [24]Il avait une concubine, nommée Réuma, qui eut aussi des enfants : Tébah, Gaham, Tahash et Maaka.

La tombe des Patriarches.

23 [1]La vie de Sara fut de cent vingt-sept ans – durée de la vie de Sara – [2]et elle mourut à Qiryat-Arba – c'est Hébron – au pays de Canaan. Abraham entra faire le deuil de Sara et la pleurer.

[3]Puis Abraham se leva de devant son mort et parla ainsi aux fils de Hèt : [4]« Je suis chez vous un étranger et un résident. Accordez-moi chez vous une possession funéraire pour que j'enlève mon mort et l'enterre. » [5]Les fils de Hèt firent cette réponse à Abraham : [6]« Monseigneur, écoute-nous plutôt ! Tu es un prince de Dieu parmi nous : enterre ton mort dans la meilleure de nos tombes ; personne ne te refusera sa tombe pour que tu puisses enterrer ton mort. »

[7]Abraham se leva et s'inclina devant les gens du pays, les fils de Hèt, [8]et il leur parla ainsi : « Si vous consentez que j'enlève mon mort et que je l'enterre, écoutez-moi et intercédez pour moi auprès d'Éphrôn, fils de Çohar, [9]pour qu'il me cède la grotte de Makpéla, qui lui appartient et qui est à l'extrémité de son champ. Qu'il me cède pour sa pleine valeur, en votre présence, comme possession funéraire. » [10]Or Éphrôn était assis parmi les fils de Hèt, et Éphrôn le Hittite répondit à Abraham au su des fils de Hèt, de tous ceux qui fran-

chissaient la porte de sa ville : [11]« Non, Monseigneur, écoute-moi ! Je te donne le champ et je te donne aussi la grotte qui y est, je te fais ce don au vu des fils de mon peuple. Enterre ton mort. »

[12]Abraham s'inclina devant les gens du pays [13]et il parla ainsi à Éphrôn, au su des gens du pays : « Si seulement tu voulais m'écouter ! Je donne le prix du champ, accepte-le de moi, et j'enterrerai là mon mort. » [14]Éphrôn répondit à Abraham : [15]« Monseigneur, écoute-moi plutôt : une terre de quatre cents sicles d'argent, entre moi et toi, qu'est-ce que cela ? Enterre ton mort. » [16]Abraham donna son consentement à Éphrôn et Abraham pesa à Éphrôn l'argent dont il avait parlé au su des fils de Hèt, soit quatre cents sicles d'argent ayant cours chez le marchand.

[17]Ainsi le champ d'Éphrôn, qui est à Makpéla, vis-à-vis de Mambré, le champ et la grotte qui y est sise, et tous les arbres qui sont dans le champ, dans sa limite, [18]passèrent en propriété à Abraham au vu des fils de Hèt, de tous ceux qui franchissaient la porte de sa ville. [19]Puis Abraham enterra Sara, sa femme, dans la grotte du champ de Makpéla, vis-à-vis de Mambré – c'est Hébron –, au pays de Canaan. [20]C'est ainsi que le champ et la grotte qui y est sise furent acquis à Abraham des fils de Hèt comme possession funéraire.

Mariage d'Isaac.

24 [1]Abraham était alors un vieillard avancé en âge, et Yahvé avait béni Abraham en tout. [2]Abraham dit au plus vieux serviteur de sa maison, le régis-seur de tous ses biens : « Mets ta main sous ma cuisse. [3]Je te fais jurer par Yahvé, le Dieu du ciel et de la terre, que tu ne prendras pas pour mon fils une femme parmi les filles des Cananéens au milieu desquels j'habite. [4]Mais tu iras dans mon pays, dans ma parenté, et tu choisiras une femme pour mon fils Isaac. » [5]Le serviteur lui demanda : « Peut-être la femme ne voudra-t-elle pas me suivre dans ce pays-ci : faudra-t-il que je ramène ton fils dans le pays d'où tu es sorti ? » [6]Abraham lui répondit : « Garde-toi bien de ramener mon fils là-bas. [7]Yahvé, Dieu du ciel, qui m'a pris de ma maison paternelle et du pays de ma parenté, qui m'a dit et qui m'a juré qu'il donnerait ce pays-ci à ma descendance, Yahvé enverra son Ange devant toi, pour que tu prennes une femme de là-bas pour mon fils. [8]Et si la femme ne veut pas te suivre, tu seras quitte du serment que je t'impose. En tout cas, ne ramène pas mon fils là-bas. » [9]Le serviteur mit sa main sous la cuisse de son maître Abraham et il lui prêta serment pour cette affaire.

[10]Le serviteur prit dix des chameaux de son maître et, emportant de tout ce que son maître avait de bon, il se mit en route pour l'Aram Naharayim, pour la ville de Nahor. [11]Il fit agenouiller les chameaux en dehors de la ville, près du puits, à l'heure du soir, à l'heure où les femmes sortent pour puiser. [12]Et il dit : « Yahvé, Dieu de mon maître Abraham, sois-moi propice aujourd'hui et montre ta bienveillance pour mon maître Abraham ! [13]Je me tiens

près de la source et les filles des gens de la ville sortent pour puiser de l'eau.

¹⁴« La jeune fille à qui je dirai : "Incline donc ta cruche, que je boive" et qui répondra : "Bois et j'abreuverai aussi tes chameaux", ce sera celle que tu as destinée à ton serviteur Isaac, et je connaîtrai à cela que tu as montré ta bienveillance pour mon maître. »

¹⁵Il n'avait pas fini de parler que sortait Rébecca, qui était fille de Bétuel, fils de Milka, la femme de Nahor, frère d'Abraham, et elle avait sa cruche sur l'épaule. ¹⁶La jeune fille était très belle, elle était vierge, aucun homme ne l'avait approchée. Elle descendit à la source, emplit sa cruche et remonta. ¹⁷Le serviteur courut au-devant d'elle et dit : « S'il te plaît, laisse-moi boire un peu d'eau de ta cruche. » ¹⁸Elle répondit : « Bois, Monseigneur » et vite elle abaissa sa cruche sur son bras et le fit boire. ¹⁹Quand elle eut fini de lui donner à boire, elle dit : « Je vais puiser aussi pour tes chameaux, jusqu'à ce qu'ils soient désaltérés. » ²⁰Vite elle vida sa cruche dans l'auge, courut encore au puits pour puiser et puisa pour tous les chameaux. ²¹L'homme la considérait en silence, se demandant si Yahvé l'avait ou non mené au but.

²²Lorsque les chameaux eurent fini de boire, l'homme prit un anneau d'or pesant un demi-sicle et, à ses bras, deux bracelets pesant dix sicles d'or, ²³et il dit : « De qui es-tu la fille ? Apprends-le-moi, je te prie. Y a-t-il de la place chez ton père pour que nous passions la nuit ? » ²⁴Elle répondit :

« Je suis la fille de Bétuel, le fils que Milka a enfanté à Nahor » ²⁵et elle continua : « Il y a, chez nous, de la paille et du fourrage en quantité, et de la place pour gîter. » ²⁶Alors l'homme se prosterna et adora Yahvé, ²⁷et il dit : « Béni soit Yahvé, Dieu de mon maître Abraham, qui n'a pas ménagé sa bienveillance et sa bonté à mon maître. Yahvé a guidé mes pas chez le frère de mon maître ! »

²⁸La jeune fille courut annoncer chez sa mère ce qui était arrivé. ²⁹Or Rébecca avait un frère qui s'appelait Laban, et Laban courut au-dehors vers l'homme, à la source. ³⁰Dès qu'il eut vu l'anneau et les bracelets que portait sa sœur et qu'il eut entendu sa sœur Rébecca dire : « Voilà comment cet homme m'a parlé », il alla vers l'homme et le trouva encore debout près des chameaux, à la source. ³¹Il lui dit : « Viens, béni de Yahvé ! Pourquoi restes-tu dehors, quand j'ai débarrassé la maison et fait de la place pour les chameaux ? » ³²L'homme vint à la maison et Laban débâta les chameaux, il donna de la paille et du fourrage aux chameaux et, pour lui et les hommes qui l'accompagnaient, de l'eau pour se laver les pieds.

³³On lui présenta à manger, mais il dit : « Je ne mangerai pas avant d'avoir dit ce que j'ai à dire », et Laban répondit : « Parle. » ³⁴Il dit : « Je suis le serviteur d'Abraham. ³⁵Yahvé a comblé mon maître de bénédictions et celui-ci est devenu très riche : il lui a donné du petit et du gros bétail, de l'argent et de l'or, des serviteurs et des servantes, des cha-

meaux et des ânes. [36]Sara, la femme de mon maître, lui a, quand elle était déjà vieille, enfanté un fils, auquel il a transmis tous ses biens. [37]Mon maître m'a fait prêter ce serment : "Tu ne prendras pas pour mon fils une femme parmi les filles des Cananéens dont j'habite le pays. [38]Malheur à toi si tu ne vas pas dans ma maison paternelle, dans ma famille, choisir une femme pour mon fils" ! [39]J'ai dit à mon maître : "Peut-être cette femme n'acceptera pas de me suivre", [40]et il m'a répondu : "Yahvé, en présence de qui j'ai marché, enverra son Ange avec toi, il te mènera au but et tu prendras pour mon fils une femme de ma famille, de ma maison paternelle. [41]Tu seras alors quitte de ma malédiction : tu seras allé dans ma famille et, s'ils te refusent, tu seras quitte de ma malédiction." [42]Je suis arrivé aujourd'hui à la source et j'ai dit : "Yahvé, Dieu de mon maître Abraham, montre, je te prie, si tu es disposé à mener au but le chemin par où je vais : [43]je me tiens près de la source ; la jeune fille qui sortira pour puiser, à qui je dirai : S'il te plaît, donne-moi à boire un peu d'eau de ta cruche, [44]et qui répondra : Bois toi-même et je puiserai aussi pour tes chameaux, ce sera la femme que Yahvé a destinée au fils de mon maître." [45]Je n'avais pas fini de parler en moi-même que Rébecca sortait, sa cruche sur l'épaule. Elle descendit à la source et puisa. Je lui dis : "Donne-moi à boire, s'il te plaît !" [46]Vite, elle se déchargea de sa cruche et dit : "Bois, et j'abreuverai aussi tes chameaux." J'ai bu et elle a abreu-

vé aussi mes chameaux. [47]Je lui ai demandé : "De qui es-tu la fille ?" Et elle a répondu : "Je suis la fille de Bétuel, le fils que Milka a donné à Nahor." Alors j'ai mis cet anneau à ses narines et ces bracelets à ses bras, [48]et je me suis prosterné et j'ai adoré Yahvé, et j'ai béni Yahvé, Dieu de mon maître Abraham, qui m'avait conduit par un chemin de bonté prendre pour son fils la fille du frère de mon maître. [49]Maintenant, si vous êtes disposés à montrer à mon maître bienveillance et bonté, déclarez-le-moi, sinon, déclarez-le-moi, pour que je me tourne à droite ou à gauche. »

[50]Laban et Bétuel prirent la parole et dirent : « La chose vient de Yahvé, nous ne pouvons rien dire en bien ou en mal. [51]Rébecca est là devant toi : prends-la et pars, et qu'elle devienne la femme du fils de ton maître, comme a dit Yahvé. » [52]Lorsque le serviteur d'Abraham entendit ces paroles, il se prosterna à terre devant Yahvé. [53]Il sortit des bijoux d'argent et d'or et des vêtements, qu'il donna à Rébecca ; il fit aussi de riches cadeaux à son frère et à sa mère.

[54]Ils mangèrent et ils burent, lui et les hommes qui l'accompagnaient, et ils passèrent la nuit. Le matin, quand ils furent levés, il dit : « Laissez-moi aller chez mon maître. » [55]Alors le frère et la mère de Rébecca dirent : « Que la jeune fille reste avec nous une dizaine de jours, ensuite elle partira. » [56]Mais il leur répondit : « Ne me retardez pas, puisque c'est Yahvé qui m'a mené au but : laissez-moi partir, que j'aille chez

mon maître. » ⁵⁷Ils dirent : « Appelons la jeune fille et demandons-lui son avis. »

⁵⁸Ils appelèrent Rébecca et lui dirent : « Veux-tu partir avec cet homme ? » Et elle répondit : « Je veux bien. » ⁵⁹Alors ils laissèrent partir leur sœur Rébecca, avec sa nourrice, le serviteur d'Abraham et ses hommes. ⁶⁰Ils bénirent Rébecca et lui dirent :

« Notre sœur, ô toi, deviens des milliers de myriades !

Que ta postérité conquière la porte de ses ennemis ! »

⁶¹Rébecca et ses servantes se levèrent, montèrent sur les chameaux et suivirent l'homme. Le serviteur prit Rébecca et partit.

⁶²Isaac était revenu du puits de Lahaï-Roï, et il habitait au pays du Négeb. ⁶³Or Isaac sortit pour se promener dans la campagne, à la tombée du soir, et, levant les yeux, il vit que des chameaux arrivaient. ⁶⁴Et Rébecca, levant les yeux, vit Isaac. Elle sauta à bas du chameau ⁶⁵et dit au serviteur : « Quel est cet homme-là, qui vient dans la campagne à notre rencontre ? » Le serviteur répondit : « C'est mon maître » ; alors elle prit son voile et se couvrit.

⁶⁶Le serviteur raconta à Isaac toute l'affaire qu'il avait faite. ⁶⁷Et Isaac introduisit Rébecca dans la tente de sa mère Sara : il la prit et elle devint sa femme et il l'aima. Et Isaac se consola de la perte de sa mère.

La descendance de Qetura. ‖ 1 Ch 1 32-33.

25 ¹Abraham prit encore une femme, qui s'appelait Qetura. ²Elle lui enfanta Zimrân,

Yoqshân, Medân, Madiân, Yishbaq et Shuah. – ³Yoqshân engendra Sheba et Dedân, et les fils de Dedân furent les Ashshurites, les Letushim et les Léummim. – ⁴Fils de Madiân : Épha, Épher, Hanok, Abida, Eldaa. Tous ceux-là sont fils de Qetura.

⁵Abraham donna tous ses biens à Isaac. ⁶Quant aux fils de ses concubines, Abraham leur fit des présents et les envoya, de son vivant, loin de son fils Isaac, à l'est, au pays d'Orient.

Mort d'Abraham.

⁷Voici la durée de la vie d'Abraham : cent soixante-quinze ans. ⁸Puis Abraham expira, il mourut dans une vieillesse heureuse, âgé et rassasié de jours, et il fut réuni à sa parenté. ⁹Isaac et Ismaël, ses fils, l'enterrèrent dans la grotte de Makpéla, dans le champ d'Éphrôn fils de Çohar, le Hittite, qui est vis-à-vis de Mambré. ¹⁰C'est le champ qu'Abraham avait acheté aux fils de Hèt ; là furent enterrés Abraham et sa femme Sara. ¹¹Après la mort d'Abraham, Dieu bénit son fils Isaac, et Isaac habita près du puits de Lahaï-Roï.

La descendance d'Ismaël. ‖ 1 Ch 1 29-31.

¹²Voici la descendance d'Ismaël, le fils d'Abraham, que lui enfanta Agar, la servante égyptienne de Sara. ¹³Voici les noms des fils d'Ismaël, selon leurs noms et leur lignée : le premier-né d'Ismaël Nebayot, puis Qédar, Adbéel, Mibsam, ¹⁴Mishma, Duma, Massa, ¹⁵Hadad, Téma, Yetur, Naphish et Qédma. ¹⁶Ce sont là les

fils d'Ismaël et tels sont leurs noms, d'après leurs douars et leurs camps, douze chefs d'autant de clans.

[17]Voici la durée de la vie d'Ismaël : cent trente-sept ans. Puis il expira ; il mourut et il fut réuni à sa parenté. [18]Il habita depuis Havila jusqu'à Shur, qui est à l'est de l'Égypte, en allant vers l'Assyrie. Il s'était établi à la face de tous ses frères.

II. CYCLE D'ISAAC ET DE JACOB

Naissance d'Ésaü et de Jacob.

[19]Voici l'histoire d'Isaac fils d'Abraham.

Abraham engendra Isaac. [20]Isaac avait quarante ans lorsqu'il épousa Rébecca, fille de Bétuel, l'Araméen de Paddân-Aram, et sœur de Laban l'Araméen. [21]Isaac implora Yahvé pour sa femme, car elle était stérile : Yahvé l'exauça et sa femme Rébecca devint enceinte. [22]Or les enfants se heurtaient en elle et elle dit : « S'il en est ainsi, à quoi bon ? » Elle alla donc consulter Yahvé, [23]et Yahvé lui dit :

« Il y a deux nations en ton sein,

deux peuples, issus de toi, se sépareront,

un peuple dominera un peuple,

l'aîné servira le cadet. »

[24]Quand vint le temps de ses couches, voici qu'elle portait des jumeaux. [25]Le premier sortit : il était roux et tout entier comme un manteau de poils ; on l'appela Ésaü. [26]Ensuite sortit son frère et sa main tenait le talon d'Ésaü ; on l'appela Jacob. Isaac avait soixante ans à leur naissance.

[27]Les garçons grandirent : Ésaü devint un habile chasseur, courant la steppe, Jacob était un homme tranquille, demeurant sous les tentes. [28]Isaac préférait Ésaü car le gibier était à son goût, mais Rébecca préférait Jacob.

Ésaü cède son droit d'aînesse.

[29]Une fois, Jacob prépara un potage et Ésaü revint de la campagne, épuisé. [30]Ésaü dit à Jacob : « Laisse-moi avaler ce roux, ce roux-là ; je suis épuisé. » – C'est pourquoi on l'a appelé Édom. – [31]Jacob dit : « Vends-moi d'abord ton droit d'aînesse. » [32]Ésaü répondit : « Voici que je vais mourir, à quoi me servira le droit d'aînesse ? » [33]Jacob reprit : « Prête-moi d'abord serment » ; il lui prêta serment et vendit son droit d'aînesse à Jacob. [34]Alors Jacob lui donna du pain et du potage de lentilles, il mangea et but, se leva et partit. Ainsi Ésaü méprisa son droit d'aînesse.

Isaac à Gérar. = 12 10-20. = 20.

26 [1]Il y eut une famine dans le pays – en plus de la première famine qui eut lieu du temps d'Abraham – et Isaac se rendit à Gérar chez Abimélek, roi des Philistins. [2]Yahvé lui apparut et dit : « Ne descends pas en Égypte ; demeure au pays que je te dirai. [3]Séjourne dans ce pays-ci, je serai avec toi et te bénirai. Car c'est à toi et à ta race que je donnerai tous ces pays-ci et je tiendrai le serment que j'ai fait à ton père Abraham. [4]Je rendrai ta postérité nombreuse comme les étoiles du ciel, je lui donnerai tous ces pays et par ta postérité se béniront toutes les nations de la terre, [5]en retour de l'obéissance d'Abraham, qui a gardé mes observances, mes commandements, mes règles et mes lois. » [6]Ainsi Isaac demeura à Gérar.

[7]Les gens du lieu l'interrogèrent sur sa femme et il répondit : « C'est ma sœur. » Il eut peur de dire : « Ma femme », pensant : « Les gens du lieu me feront mourir à cause de Rébecca, car elle est belle. » [8]Il était là depuis longtemps quand Abimélek, le roi des Philistins, regardant une fois par la fenêtre, vit Isaac qui caressait Rébecca, sa femme. [9]Abimélek appela Isaac et dit : « Pour sûr, c'est ta femme ! Comment as-tu pu dire : "C'est ma sœur" ? » Isaac lui répondit : « Je me disais : je risque de mourir à cause d'elle. » [10]Abimélek reprit : « Qu'est-ce que tu nous as fait là ? Un peu plus, quelqu'un du peuple couchait avec ta femme et tu nous chargeais d'une faute ! » [11]Alors Abimélek donna cet ordre à tout le peuple : « Quiconque touchera à cet homme et à sa femme sera mis à mort. »

[12]Isaac fit des semailles dans ce pays et, cette année-là, il moissonna le centuple. Yahvé le bénit [13]et l'homme s'enrichit, il s'enrichit de plus en plus, jusqu'à devenir extrêmement riche. [14]Il avait des troupeaux de gros et de petit bétail et de nombreux serviteurs. Les Philistins en devinrent jaloux.

Les puits entre Gérar et Bersabée. = 21 25-31.

[15]Tous les puits que les serviteurs de son père avaient creusés, – du temps de son père Abraham, – les Philistins les avaient bouchés et comblés de terre. [16]Abimélek dit à Isaac : « Pars de chez nous, car tu es devenu beaucoup plus puissant que nous. » [17]Isaac partit donc de là et campa dans la vallée de Gérar, où il s'établit. [18]Isaac creusa de nouveau les puits qu'on avait creusés aux jours de son père Abraham et que les Philistins avaient bouchés après la mort d'Abraham, et il leur donna les mêmes noms que son père leur avait donnés.

[19]Les serviteurs d'Isaac creusèrent dans la vallée et ils trouvèrent là un puits d'eaux vives. [20]Mais les bergers de Gérar entrèrent en dispute avec les bergers d'Isaac, disant : « L'eau est à nous ! » Isaac nomma ce puits Éseq, parce qu'ils s'étaient querellés avec lui. [21]Ils creusèrent un autre puits et il y eut encore une dispute à son propos ; il le nomma Sitna. [22]Alors il partit de là et creusa un autre puits, et il n'y eut pas de dispute à son propos ; il le nomma Rehobot et dit : « Maintenant Yahvé nous a donné le champ libre pour que nous prospérions dans le pays. »

[23]De là il monta à Bersabée. [24]Yahvé lui apparut cette nuit-là et dit :

« Je suis le Dieu de ton père Abraham.

Ne crains rien, car je suis avec toi.

Je te bénirai, je multiplierai ta postérité,

en considération de mon servi-
teur Abraham. » ²⁵Il bâtit là un autel et invoqua
le nom de Yahvé. Il dressa là sa
tente. Les serviteurs d'Isaac forè-
rent un puits.

Alliance avec Abimélek. = 21
22-23.

²⁶Abimélek vint le voir de Gé-
rar, avec Ahuzzat son familier et
Pikol le chef de son armée. ²⁷Isaac
leur dit : « Pourquoi venez-vous à
moi, puisque vous me haïssez et
que vous m'avez renvoyé de chez
vous ? » ²⁸Ils répondirent : « Nous
avons bien vu que Yahvé était
avec toi et nous avons dit : Qu'il
y ait un serment entre nous et toi
et concluons une alliance avec
toi : ²⁹jure de ne nous faire aucun
mal, puisque nous ne t'avons pas
molesté, que nous ne t'avons fait
que du bien et t'avons laissé partir
en paix. Maintenant, tu es un béni
de Yahvé. » ³⁰Il leur prépara un
festin, et ils mangèrent et burent.
³¹Levés de bon matin, ils se fi-
rent un serment mutuel. Puis Isaac
les congédia et ils le quittèrent en
paix. ³²Or ce fut ce jour-là que les
serviteurs d'Isaac lui apportèrent
des nouvelles du puits qu'ils creusaient et ils lui dirent : « Nous
avons trouvé l'eau ! » ³³Il appela
le puits Sabée, d'où le nom de la
ville, Bersabée, jusqu'à maintenant.

Les femmes hittites d'Ésaü.

³⁴Quand Ésaü eut quarante ans,
il prit pour femmes Yehudit, fille
de Bééri le Hittite, et Basmat, fille
d'Élôn, le Hittite. ³⁵Elles furent un
sujet d'amertume pour Isaac et
pour Rébecca.

Jacob surprend la bénédiction d'Isaac.

27 ¹Isaac était devenu vieux et
ses yeux avaient faibli jus-
qu'à ne plus voir. Il appela son
fils aîné Ésaü : « Mon fils ! » lui
dit-il, et celui-ci répondit :
« Oui ! » ²Il reprit : « Tu vois, je
suis vieux et je ne connais pas le
jour de ma mort. ³Maintenant,
prends tes armes, ton carquois et
ton arc, sors dans la campagne et
tue-moi du gibier. ⁴Apprête-moi
un régal comme j'aime et appor-
te-le-moi, que je mange, afin que
mon âme te bénisse avant que je
meure. » – ⁵Or Rébecca écoutait
pendant qu'Isaac parlait à son fils
Ésaü. – Ésaü alla donc dans la
campagne chasser du gibier pour
son père.

⁶Rébecca dit à son fils Jacob :
« Je viens d'entendre ton père dire à ton frère Ésaü : ⁷"Apporte-
moi du gibier et apprête-moi un
régal, je mangerai j'aime et te bénirai
devant Yahvé avant de mourir."
⁸Maintenant, mon fils, écoute-moi
et fais comme je t'ordonne. ⁹Va
au troupeau et apporte-moi de là
deux beaux chevreaux, et j'en préparerai un régal pour ton père,
comme il aime. ¹⁰Tu le présenteras à ton père et il mangera, afin
qu'il te bénisse avant de mourir. »
¹¹Jacob dit à sa mère Rébecca :
« Vois : mon frère Ésaü est velu,
et moi j'ai la peau bien lisse.
¹²Peut-être mon père va-t-il me tâ-
ter, il verra que je me suis moqué
de lui et j'attirerai sur moi la malédiction au lieu de la bénédic-
tion. » ¹³Mais sa mère lui répondit : « Je prends sur moi ta
malédiction, mon fils ! Écoute-

moi seulement et va me chercher les chevreaux. » ¹⁴Il alla les chercher et les apporta à sa mère qui apprêta un régal comme son père aimait. ¹⁵Rébecca prit les plus beaux habits d'Ésaü, son fils aîné, qu'elle avait à la maison, et en revêtit Jacob, son fils cadet. ¹⁶Avec la peau des chevreaux elle lui couvrit les bras et la partie lisse du cou. ¹⁷Puis elle mit le régal et le pain qu'elle avait apprêtés entre les mains de son fils Jacob.

¹⁸Il alla auprès de son père et dit : « Mon père ! » Celui-ci répondit : « Oui ! Qui es-tu, mon fils ? » ¹⁹Jacob dit à son père : « Je suis Ésaü, ton premier-né, j'ai fait ce que tu m'as commandé. Lève-toi, je te prie, assieds-toi et mange de ma chasse, afin que ton âme me bénisse. » ²⁰Isaac dit à Jacob : « Comme tu as trouvé vite, mon fils ! » – « C'est, répondit-il, que Yahvé ton Dieu m'a été propice. » ²¹Isaac dit à Jacob : « Approche-toi donc, que je te tâte, mon fils, pour savoir si, oui ou non, tu es mon fils Ésaü. »

²²Jacob s'approcha de son père Isaac, qui le tâta et dit : « La voix est celle de Jacob, mais les bras sont ceux d'Ésaü ! » ²³Il ne le reconnut pas car ses bras étaient velus comme ceux d'Ésaü son frère, et il le bénit. ²⁴Il dit : « Tu es bien mon fils Ésaü ? » Et l'autre répondit : « Oui. » ²⁵Isaac reprit : « Sers-moi et que je mange de la chasse de mon fils, afin que mon âme te bénisse. » Il le servit et il mangea, il lui présenta du vin et il but. ²⁶Son père Isaac lui dit : « Approche-toi et embrasse-moi, mon fils ! » ²⁷Il s'approcha et embrassa son père, qui respira l'odeur de ses vêtements. Il le bénit ainsi :

« Oui, l'odeur de mon fils
est comme l'odeur d'un champ fertile
que Yahvé a béni.
²⁸Que Dieu te donne
la rosée du ciel
et les gras terroirs,
froment et vin en abondance !
²⁹Que les peuples te servent,
que des nations se prosternent devant toi !
Sois un maître pour tes frères,
que se prosternent devant toi les fils de ta mère !
Maudit soit qui te maudira,
Béni soit qui te bénira ! »

³⁰Isaac avait achevé de bénir Jacob et Jacob sortait tout juste de chez son père Isaac lorsque son frère Ésaü rentra de la chasse. ³¹Lui aussi apprêta un régal et l'apporta à son père. Il lui dit : « Que mon père se lève et mange de la chasse de son fils, afin que ton âme me bénisse. » ³²Son père Isaac lui demanda : « Qui es-tu ? » – « Je suis, répondit-il, ton fils premier-né, Ésaü. » ³³Alors Isaac fut secoué d'un très grand frisson et dit : « Qui donc est le chasseur qui a chassé du gibier et me l'a apporté ? J'ai mangé de tout avant que tu ne viennes et je l'ai béni, et il restera béni ! » ³⁴Lorsque Ésaü entendit les paroles de son père, il cria avec beaucoup de force et d'amertume et dit à son père : « Bénis-moi aussi, mon père ! » ³⁵Mais celui-ci répondit : « Ton frère est venu par ruse et a pris ta bénédiction. » ³⁶Ésaü reprit : « Est-ce parce qu'il s'appelle Jacob qu'il m'a supplanté ces deux fois ? Il avait pris mon droit d'aînesse et voilà maintenant

qu'il a pris ma bénédiction ! Mais, ajouta-t-il, ne m'as-tu pas réservé une bénédiction ? » ³⁷Isaac, prenant la parole, répondit à Ésaü : « Je l'ai établi ton maître, je lui ai donné tous ses frères comme serviteurs, je l'ai pourvu de froment et de vin. Que pourrais-je faire pour toi, mon fils ? » ³⁸Ésaü dit à son père : « Est-ce donc ta seule bénédiction, mon père ? Bénismoi aussi, mon père ! » Et Ésaü se mit à pleurer. ³⁹Alors son père Isaac prit la parole et dit :

« Loin des gras terroirs
    sera ta demeure,
loin de la rosée qui tombe du ciel.
  ⁴⁰Tu vivras de ton épée,
    tu serviras ton frère.

Mais, quand tu t'affranchiras, tu secoueras son joug de dessus ton cou. »
= 27 46. 28 5.

⁴¹Ésaü prit Jacob en haine à cause de la bénédiction que son père avait donnée à celui-ci et il se dit en lui-même : « Proche est le temps où l'on fera le deuil de mon père. Alors je tuerai mon frère Jacob. » ⁴²Lorsqu'on rapporta à Rébecca les paroles d'Ésaü, son fils aîné, elle fit appeler Jacob, son fils cadet, et lui dit : « Ton frère Ésaü veut se venger de toi en te tuant. ⁴³Maintenant, mon fils, écoute-moi : pars, enfuis-toi chez mon frère Laban à Harân. ⁴⁴Tu habiteras avec lui quelque temps, jusqu'à ce que se détourne la fureur de ton frère, ⁴⁵jusqu'à ce que la colère de ton frère se détourne de toi et qu'il oublie ce que tu lui as fait ; alors je t'enverrai chercher là-bas. Pourquoi vous per-

drais-je tous les deux en un seul jour ? »

Isaac renvoie Jacob chez Laban. = 27 41-45.

⁴⁶Rébecca dit à Isaac : « Je suis dégoûtée de la vie à cause des filles de Hèt. Si Jacob épouse une des filles de Hèt comme celles-là, une des filles du pays, que m'importe la vie ? »

28 ¹Isaac appela Jacob, il le bénit et lui fit ce commandement : « Ne prends pas une femme parmi les filles de Canaan. ²Lèvetoi ! Va en Paddân-Aram chez Bétuel, le père de ta mère, et choisistoi une femme de là-bas, parmi les filles de Laban, le frère de ta mère. ³Qu'El Shaddaï te bénisse, qu'il te fasse fructifier et multiplier pour que tu deviennes une assemblée de peuples. ⁴Qu'il t'accorde, ainsi qu'à ta descendance, la bénédiction d'Abraham, pour que tu possèdes le pays dans lequel tu séjournes et que Dieu a donné à Abraham. » ⁵Isaac congédia Jacob et celui-ci partit en Paddân-Aram chez Laban, fils de Bétuel l'Araméen et frère de Rébecca, la mère de Jacob et d'Ésaü.

Autre mariage d'Ésaü.

⁶Ésaü vit qu'Isaac avait béni Jacob et l'avait envoyé en Paddân-Aram pour y prendre femme, et qu'en le bénissant il lui avait fait ce commandement : « Ne prends pas une femme parmi les filles de Canaan. » ⁷Et Jacob avait obéi à son père et à sa mère et était parti en Paddân-Aram. ⁸Ésaü comprit que les filles de Canaan étaient mal vues de son père Isaac ⁹et il alla chez Ismaël et prit pour fem-

me – en plus de celles qu'il avait – Mahalat, fille d'Ismaël, le fils d'Abraham, et sœur de Nebayot.

Le songe de Jacob. ↗ Sg **10** 10.

¹⁰Jacob quitta Bersabée et partit pour Harân. ¹¹Il arriva d'aventure en un certain lieu et il y passa la nuit, car le soleil s'était couché. Il prit une des pierres du lieu, la mit sous sa tête et dormit en ce lieu. ¹²Il eut un songe : Voilà qu'une échelle était dressée sur la terre et que son sommet atteignait le ciel, et des anges de Dieu y montaient et descendaient ! ¹³Voilà que Yahvé se tenait devant lui et dit : « Je suis Yahvé, le Dieu d'Abraham ton ancêtre et le Dieu d'Isaac. La terre sur laquelle tu es couché, je la donne à toi et à ta descendance. ¹⁴Ta descendance deviendra nombreuse comme la poussière du sol, tu déborderas à l'occident et à l'orient, au septentrion et au midi, et tous les clans de la terre se béniront par toi et par ta descendance. ¹⁵Je suis avec toi, je te garderai partout où tu iras et te ramènerai en ce pays, car je ne t'abandonnerai pas, que je n'aie accompli ce que je t'ai promis. » ¹⁶Jacob s'éveilla de son sommeil et dit : « En vérité, Yahvé est en ce lieu et je ne le savais pas ! » ¹⁷Il eut peur et dit : « Que ce lieu est redoutable ! Ce n'est rien de moins qu'une maison de Dieu et la porte du ciel ! » ¹⁸Levé de bon matin, il prit la pierre qui lui avait servi de chevet, il la dressa comme une stèle et répandit de l'huile sur son sommet. ¹⁹À ce lieu, il donna le nom de Béthel, mais auparavant la ville s'appelait Luz. ²⁰Jacob fit ce vœu : « Si Dieu est avec moi et me garde en la route où je vais, s'il me donne du pain à manger et des habits pour me vêtir, ²¹si je reviens sain et sauf chez mon père, alors Yahvé sera mon Dieu ²²et cette pierre que j'ai dressée comme une stèle sera une maison de Dieu, et de tout ce que tu me donneras je te payerai fidèlement la dîme. »

Jacob arrive chez Laban.

29 ¹Jacob se mit en marche et alla au pays des fils de l'Orient. ²Et voici qu'il vit un puits dans la campagne, près duquel étaient couchés trois troupeaux de petit bétail : c'était à ce puits qu'on abreuvait les troupeaux, mais la pierre qui en fermait l'ouverture était grande. ³Quand tous les troupeaux étaient rassemblés là, on roulait la pierre de sur la bouche du puits, on abreuvait le bétail, puis on remettait la pierre en place sur la bouche du puits. ⁴Jacob demanda aux bergers : « Mes frères, d'où êtes-vous ? » et ils répondirent : « Nous sommes de Harân. » ⁵Il leur dit : « Connaissez-vous Laban, fils de Nahor ? » – « Nous le connaissons », répondirent-ils. ⁶Il leur demanda : « Va-t-il bien ? » Ils répondirent : « Il va bien, et voici justement sa fille Rachel qui vient avec le troupeau. » ⁷Jacob dit : « Il fait encore grand jour, ce n'est pas le moment de rentrer le bétail. Abreuvez les bêtes et retournez au pâturage. » ⁸Mais ils répondirent : « Nous ne pouvons le faire avant que soient rassemblés tous les troupeaux et qu'on roule la pierre de sur la bouche du puits ; alors nous abreuverons les bêtes. »

⁹Il conversait encore avec eux lorsque Rachel arriva avec le troupeau de son père, car elle était bergère. ¹⁰Dès que Jacob eut vu Rachel, la fille de son oncle Laban, et le troupeau de son oncle Laban, il s'approcha, roula la pierre de sur la bouche du puits et abreuva le bétail de son oncle Laban. ¹¹Jacob donna un baiser à Rachel puis éclata en sanglots. ¹²Il apprit à Rachel qu'il était le parent de son père et le fils de Rébecca, et elle courut en informer son père. ¹³Dès qu'il entendit qu'il s'agissait de Jacob, le fils de sa sœur, Laban courut à sa rencontre, il le serra dans ses bras, le couvrit de baisers et le conduisit dans sa maison. Et Jacob lui raconta toute cette histoire. ¹⁴Alors Laban lui dit : « Oui, tu es de mes os et de ma chair ! » et Jacob demeura chez lui un mois entier.

Les deux mariages de Jacob.

¹⁵Alors Laban dit à Jacob : « Parce que tu es mon parent, vas-tu me servir pour rien ? Indique-moi quel doit être ton salaire. » ¹⁶Or Laban avait deux filles : l'aînée s'appelait Léa, et la cadette, Rachel. ¹⁷Les yeux de Léa étaient doux, mais Rachel avait belle tournure et beau visage ¹⁸et Jacob aimait Rachel. Il répondit : « Je te servirai sept années pour Rachel, ta fille cadette. » ¹⁹Laban dit : « Mieux vaut la donner à toi qu'à un étranger ; reste chez moi. » ²⁰Donc Jacob servit pour Rachel, pendant sept années qui lui parurent comme quelques jours, tellement il l'aimait. ²¹Puis Jacob dit à Laban : « Accorde-moi ma femme car mon temps est accompli, et que j'aille vers elle ! » ²²Laban réunit tous les gens du lieu et donna un banquet. ²³Mais voici qu'au soir il prit sa fille Léa et la conduisit à Jacob ; et celui-ci s'unit à elle ! – ²⁴Laban donna sa servante Zilpa comme servante à sa fille Léa. – ²⁵Le matin arriva, et voilà que c'était Léa ! Jacob dit à Laban : « Que m'as-tu fait là ? N'est-ce pas pour Rachel que j'ai servi chez toi ? Pourquoi m'as-tu trompé ? » ²⁶Laban répondit : « Ce n'est pas l'usage dans notre contrée de marier la plus jeune avant l'aînée. ²⁷Mais achève cette semaine de noces et je te donnerai aussi l'autre comme prix du service que tu feras chez moi pendant encore sept autres années. » ²⁸Jacob fit ainsi : il acheva cette semaine de noces et Laban lui donna sa fille Rachel pour femme. – ²⁹Laban donna sa servante Bilha comme servante à sa fille Rachel. – ³⁰Jacob s'unit aussi à Rachel et il aima Rachel plus que Léa ; il servit chez son oncle encore sept autres années.

Les enfants de Jacob.

³¹Yahvé vit que Léa n'était pas aimée et il la rendit féconde, tandis que Rachel demeurait stérile. ³²Léa conçut et elle enfanta un fils qu'elle appela Ruben, car, dit-elle, « Yahvé a vu ma détresse ; maintenant mon mari m'aimera. » ³³Elle conçut encore et elle enfanta un fils ; elle dit : « Yahvé a entendu que je n'étais pas aimée et il m'a aussi donné celui-ci » ; et elle l'appela Siméon. ³⁴Elle conçut encore et elle enfanta un fils ; elle dit : « Cette fois, mon mari s'attachera à moi, car je lui ai donné trois fils », et elle l'appela Lé-

vi. ³⁵Elle conçut encore et elle enfanta un fils ; elle dit : « Cette fois, je rendrai gloire à Yahvé » ; c'est pourquoi elle l'appela Juda. Puis elle cessa d'avoir des enfants.

30 ¹Rachel, voyant qu'elle-même ne donnait pas d'enfants à Jacob, devint jalouse de sa sœur et elle dit à Jacob : « Fais-moi avoir aussi des enfants, ou je meurs ! » ²Jacob s'emporta contre Rachel et dit : « Est-ce que je tiens la place de Dieu, qui t'a refusé la maternité ? » ³Elle reprit : « Voici ma servante Bilha. Va vers elle et qu'elle enfante sur mes genoux : par elle j'aurai moi aussi des enfants ! » ⁴Elle lui donna donc pour femme sa servante Bilha et Jacob s'unit à celle-ci. ⁵Bilha conçut et enfanta à Jacob un fils. ⁶Rachel dit : « Dieu m'a rendu justice, même il m'a exaucée et m'a donné un fils » ; c'est pourquoi elle l'appela Dan. ⁷Bilha, la servante de Rachel, conçut encore et elle enfanta à Jacob un second fils. ⁸Rachel dit : « J'ai lutté contre ma sœur les luttes de Dieu et je l'ai emporté » ; et elle l'appela Nephtali.

⁹Léa, voyant qu'elle avait cessé d'avoir des enfants, prit sa servante Zilpa et la donna pour femme à Jacob. ¹⁰Zilpa, la servante de Léa, enfanta à Jacob un fils. ¹¹Léa dit : « Par bonne fortune ! » et elle l'appela Gad. ¹²Zilpa, la servante de Léa, enfanta à Jacob un second fils. ¹³Léa dit : « Pour ma félicité ! car les femmes me féliciteront » ; et elle l'appela Asher.

¹⁴Étant sorti au temps de la moisson des blés, Ruben trouva dans les champs des pommes d'amour, qu'il apporta à sa mère, Léa. Rachel dit à Léa : « Donne-moi, s'il te plaît, des pommes d'amour de ton fils », ¹⁵mais Léa lui répondit : « N'est-ce donc pas assez que tu m'aies pris mon mari, pour que tu prennes aussi les pommes d'amour de mon fils ? » Rachel reprit : « Eh bien, qu'il couche avec toi cette nuit, en échange des pommes d'amour de ton fils. » ¹⁶Lorsque Jacob revint des champs le soir, Léa sortit à sa rencontre et lui dit : « Il faut que tu viennes vers moi, car je t'ai pris à gages pour les pommes d'amour de mon fils », et il coucha avec elle cette nuit-là. ¹⁷Dieu exauça Léa, elle conçut et elle enfanta à Jacob un cinquième fils ; ¹⁸Léa dit : « Dieu m'a donné mon salaire, pour avoir donné ma servante à mon mari » ; et elle l'appela Issachar. ¹⁹Léa conçut encore et elle enfanta à Jacob un sixième fils. ²⁰Léa dit : « Dieu m'a fait un beau présent, cette fois mon mari m'honorera, car je lui ai donné six fils » ; et elle l'appela Zabulon. ²¹Ensuite elle mit au monde une fille et elle l'appela Dina.

²²Alors Dieu se souvint de Rachel, il l'exauça et la rendit féconde. ²³Elle conçut et elle enfanta un fils ; elle dit : « Dieu a enlevé ma honte » ; ²⁴et elle l'appela Joseph, disant : « Que Yahvé m'ajoute un autre fils ! »

Comment Jacob s'enrichit.

²⁵Lorsque Rachel eut enfanté Joseph, Jacob dit à Laban : « Laisse-moi partir, que j'aille chez moi, dans mon pays. ²⁶Donne-moi mes femmes, pour lesquelles je t'ai servi, et mes enfants, et que je m'en aille. Tu sais bien quel ser-

vice j'ai accompli pour toi. » [27]Laban lui dit : « Si j'ai trouvé grâce à tes yeux... J'ai appris par les présages que Yahvé m'avait béni à cause de toi. [28]Aussi, ajouta-t-il, fixe-moi ton salaire et je te payerai. » [29]Il lui répondit : « Tu sais bien de quelle façon je t'ai servi et ce que ton bien est devenu avec moi. [30]Le peu que tu avais avant moi s'est accru énormément, et Yahvé t'a béni sur mes pas. Maintenant, quand travaillerai-je aussi pour ma maison ? » [31]Laban reprit : « Que faut-il te payer ? » Jacob répondit : « Tu n'auras rien à me payer : si tu fais pour moi ce que je vais dire, je reprendrai la conduite de ton troupeau.

[32]« Je passerai aujourd'hui dans tout ton troupeau. Sépares-en tout animal noir parmi les moutons et ce qui est tacheté ou moucheté parmi les chèvres. Tel sera mon salaire, [33]et mon honnêteté portera témoignage pour moi dans la suite : quand tu viendras vérifier mon salaire, tout ce qui ne sera pas moucheté ou tacheté parmi les chèvres, ou noir parmi les moutons, sera chez moi un vol. » [34]Laban dit : « C'est bien ; qu'il en soit comme tu as dit. » [35]Ce jour-là, il mit à part les boucs rayés et tachetés, toutes les chèvres mouchetées et tachetées, tout ce qui avait du blanc, et tout ce qui était noir parmi les moutons. Il les confia à ses fils [36]et il mit trois jours de chemin entre lui et Jacob. Et Jacob faisait paître le reste du bétail de Laban.

[37]Jacob prit des baguettes fraîches de peuplier, d'amandier et de platane et il les écorça de bandes blanches, mettant à nu l'aubier qui était sur les baguettes. [38]Il mit les baguettes qu'il avait écorcées en face des bêtes dans les auges, dans les abreuvoirs où les bêtes venaient boire, et les bêtes s'accouplaient en venant boire. [39]Elles s'accouplèrent donc devant les baguettes et elles mirent bas des petits rayés, mouchetés et tachetés. [40]Quant aux moutons, Jacob les mit à part et il tourna les bêtes vers ce qui était rayé et tout ce qui était noir dans le troupeau de Laban. Ainsi il se constitua des troupeaux à lui, qu'il ne mit pas avec les troupeaux de Laban. [41]De plus, chaque fois que s'accouplaient les bêtes robustes, Jacob mettait les baguettes devant les yeux des bêtes dans les auges, pour qu'elles s'accouplent devant les baguettes. [42]Quand les bêtes étaient chétives, il ne les mettait pas, et ainsi ce qui était chétif fut pour Laban, ce qui était robuste fut pour Jacob. [43]L'homme s'enrichit énormément et il eut du bétail en quantité, des servantes et des serviteurs, des chameaux et des ânes.

Fuite de Jacob.

31 [1]Jacob apprit que les fils de Laban disaient : « Jacob a pris tout ce qui était à notre père et c'est aux dépens de notre père qu'il a constitué toute cette richesse. » [2]Jacob vit à la mine de Laban qu'il n'était plus avec lui comme auparavant. [3]Yahvé dit à Jacob : « Retourne au pays de tes pères, dans ta patrie, et je serai avec toi. » [4]Jacob fit appeler Rachel et Léa aux champs où étaient ses troupeaux, [5]et il leur dit : « Je vois à la mine de votre père qu'il n'est plus à mon égard comme auparavant, mais le Dieu de mon père a été avec moi. ⁶Vous savez vous-mêmes que j'ai servi votre père de toutes mes forces. ⁷Votre père s'est joué de moi, il a changé dix fois mon salaire, mais Dieu ne lui a pas permis de me faire du tort. ⁸Chaque fois qu'il disait : "Ce qui est moucheté sera ton salaire", toutes les bêtes mettaient bas des petits mouchetés ; chaque fois qu'il disait : "Ce qui est rayé sera ton salaire", toutes les bêtes mettaient bas des petits rayés, ⁹et Dieu a enlevé son bétail à votre père et me l'a donné. ¹⁰Il arriva, au temps où les bêtes entrent en chaleur, que je levai les yeux et je vis en songe que les boucs en passe de saillir les bêtes étaient rayés, tachetés ou tavelés. ¹¹L'Ange de Dieu me dit en songe : "Jacob", et je répondis : "Oui." ¹²Il dit : "Lève les yeux et vois : tous les boucs qui saillissent les bêtes sont rayés, tachetés ou tavelés, car j'ai vu tout ce que Laban te fait. ¹³Je suis le Dieu de Béthel, où tu as oint une stèle et où tu m'as fait un vœu. Maintenant debout, sors de ce pays et retourne dans ta patrie." »

¹⁴Rachel et Léa lui répondirent ainsi : « Avons-nous encore une part et un héritage dans la maison de notre père ? ¹⁵Ne sommes-nous pas considérées par lui comme des étrangères, puisqu'il nous a vendues et qu'il a ensuite mangé notre argent ? ¹⁶Oui, toute la richesse que Dieu a retirée à notre père est à nous et à nos enfants. Fais donc maintenant tout ce que Dieu t'a dit. »

¹⁷Jacob se leva, fit monter ses enfants et ses femmes sur des chameaux, ¹⁸et poussa devant lui tout son bétail, – avec tous les biens qu'il avait acquis, le bétail qui lui appartenait et qu'il avait acquis en Paddân-Aram, – pour aller chez son père Isaac, au pays de Canaan. ¹⁹Laban était allé tondre son troupeau et Rachel déroba les idoles domestiques qui étaient à son père. ²⁰Jacob abusa l'esprit de Laban l'Araméen en ne lui laissant pas soupçonner qu'il fuyait. ²¹Il s'enfuit avec tout ce qu'il avait, il partit, passa le Fleuve et se dirigea vers le mont Galaad.

Laban poursuit Jacob.

²²Le troisième jour, on apprit à Laban que Jacob s'était enfui. ²³Il prit ses frères avec lui, le poursuivit sept jours de chemin et l'atteignit au mont Galaad. ²⁴Dieu visita Laban l'Araméen dans une vision nocturne et lui dit : « Garde-toi de dire à Jacob quoi que ce soit. » ²⁵Laban rejoignit Jacob qui avait planté sa tente dans la montagne, et Laban planta sa tente au mont Galaad.

²⁶Laban dit à Jacob : « Qu'as-tu fait d'abuser mon esprit et d'emmener mes filles comme des captives de guerre ? ²⁷Pourquoi as-tu fui en secret et m'as-tu abusé au lieu de m'avertir, pour que je te reconduise dans l'allégresse et les chants, avec tambourins et lyres ? ²⁸Tu ne m'as pas laissé embrasser mes fils et mes filles. Vraiment, tu as agi en insensé ! ²⁹Il serait en mon pouvoir de vous faire du mal, mais le Dieu de votre père, la nuit passée, m'a dit ceci : "Garde-toi de dire à Jacob quoi que ce soit." ³⁰Maintenant, tu es donc parti,

parce que tu languissais tellement après la maison de ton père ! Mais pourquoi as-tu volé mes dieux ? » ³¹Jacob répondit ainsi à Laban : « J'ai eu peur, je me suis dit que tu allais m'enlever tes filles. ³²Mais celui chez qui tu trouveras tes dieux ne restera pas vivant : devant nos frères, reconnais ce qui est à toi chez moi, et prends-le. » Jacob ignorait en effet que Rachel les avait dérobés. ³³Laban alla chercher dans la tente de Jacob, puis dans la tente de Léa, puis dans la tente des deux servantes, et il ne trouva rien. Il sortit de la tente de Léa et entra dans celle de Rachel. ³⁴Or Rachel avait pris les idoles domestiques, les avait mises dans le palanquin du chameau et s'était assise dessus ; Laban fouilla toute la tente et ne trouva rien. ³⁵Rachel dit à son père : « Que Monseigneur ne voie pas avec colère que je ne puisse me lever en ta présence, car j'ai ce qui est coutumier aux femmes. » Laban chercha et ne trouva pas les idoles.

³⁶Jacob se mit en colère et prit à partie Laban. Et Jacob adressa ainsi la parole à Laban : « Quel est mon crime, quelle est ma faute, que tu te sois acharné après moi ? ³⁷Tu as fouillé toutes mes affaires : as-tu rien trouvé de toutes les affaires de ta maison ? Produis-le ici, devant mes frères et tes frères, et qu'ils jugent entre nous deux ! ³⁸Voici vingt ans que je suis chez toi, tes brebis et tes chèvres n'ont pas avorté et je n'ai pas mangé les béliers de ton troupeau. ³⁹Les animaux déchirés par les fauves, je ne te les rapportais pas, c'était moi qui compensais leur perte ; tu me les réclamais,

que j'aie été volé de jour ou que j'aie été volé de nuit. ⁴⁰J'ai été dévoré par la chaleur pendant le jour, par le froid pendant la nuit, et le sommeil a fui mes yeux. ⁴¹Voilà vingt ans que je suis dans ta maison : je t'ai servi quatorze ans pour tes deux filles et six ans pour ton troupeau, et tu as changé dix fois mon salaire. ⁴²Si le Dieu de mon père, le Dieu d'Abraham, le Parent d'Isaac, n'avait pas été avec moi, tu m'aurais renvoyé les mains vides. Mais Dieu a vu mes fatigues et le labeur de mes bras et, la nuit passée, il a rendu son jugement. »

Traité entre Jacob et Laban.

⁴³Laban répondit ainsi à Jacob : « Ces filles sont mes filles, ces enfants sont mes enfants, ce bétail est mon bétail, tout ce que tu vois est à moi. Mais que pourrais-je faire aujourd'hui à mes filles que voici et aux enfants qu'elles ont mis au monde ? ⁴⁴Allons, concluons un traité, moi et toi..., et que cela serve de témoin entre moi et toi. »

⁴⁵Alors Jacob prit une pierre et la dressa comme une stèle. ⁴⁶Et Jacob dit à ses frères : « Ramassez des pierres. » Ils ramassèrent des pierres et en firent un monceau et ils mangèrent là, sur le monceau. ⁴⁷Laban le nomma Yegar Sahadûta et Jacob le nomma Galéed. ⁴⁸Laban dit : « Que ce monceau soit aujourd'hui un témoin entre moi et toi. » C'est pourquoi il le nomma Galéed, ⁴⁹et Miçpa, parce qu'il dit : « Que Yahvé soit un guetteur entre moi et toi, quand nous ne serons plus en vue l'un de l'autre. ⁵⁰Si tu maltraites mes filles ou si

tu prends d'autres femmes en sus de mes filles, et que personne ne soit avec nous, vois : Dieu est témoin entre moi et toi. » ⁵¹Et Laban dit à Jacob : « Voici ce monceau que j'ai entassé entre moi et toi, et voici la stèle. ⁵²Ce monceau est témoin, la stèle est témoin, que moi je ne dois pas dépasser ce monceau vers toi et que toi tu ne dois pas dépasser ce monceau et cette stèle, vers moi, avec de mauvaises intentions. ⁵³Que le Dieu d'Abraham et le Dieu de Nahor jugent entre nous. » Et Jacob prêta serment par le Parent d'Isaac, son père. ⁵⁴Jacob fit un sacrifice sur la montagne et invita ses frères au repas. Ils prirent le repas et passèrent la nuit sur la montagne.

32 ¹Levé de bon matin, Laban embrassa ses petits-enfants et ses filles et les bénit. Puis Laban partit et retourna chez lui. ²Comme Jacob poursuivait son chemin, des anges de Dieu l'affrontèrent. ³En les voyant, Jacob dit : « C'est le camp de Dieu ! » et il donna à ce lieu le nom de Mahanayim.

Jacob prépare sa rencontre avec Ésaü.

⁴Jacob envoya au-devant de lui des messagers à son frère Ésaü, au pays de Séïr, la steppe d'Édom. ⁵Il leur donna cet ordre : « Ainsi parlerez-vous à Monseigneur Ésaü : "Ainsi parle ton serviteur Jacob : J'ai séjourné chez Laban et je m'y suis attardé jusqu'à maintenant. ⁶J'ai acquis bœufs et ânes, petit bétail, serviteurs et servantes. Je veux en faire porter la nouvelle à Monseigneur, pour trouver grâce à ses yeux." »

⁷Les messagers revinrent auprès de Jacob en disant : « Nous sommes allés vers ton frère Ésaü. Lui-même vient maintenant à ta rencontre et il a quatre cents hommes avec lui. »

⁸Jacob eut grand peur et se sentit angoissé. Alors il divisa en deux camps les gens qui étaient avec lui, le petit et le gros bétail et les chameaux. ⁹Il se dit : « Si Ésaü se dirige vers l'un des camps et l'attaque, le camp qui reste pourra se sauver. » ¹⁰Jacob dit : « Dieu de mon père Abraham et Dieu de mon père Isaac, Yahvé, qui m'as commandé : "Retourne dans ton pays et dans ta patrie et je te ferai du bien", ¹¹je suis indigne de toutes les faveurs et de toute la bonté que tu as eues pour ton serviteur. Je n'avais que mon bâton pour passer le Jourdain que voici, et maintenant je puis former deux camps. ¹²Veuille me sauver de la main de mon frère Ésaü, car j'ai peur de lui, qu'il ne vienne et ne nous frappe, la mère avec les enfants. ¹³Pourtant, c'est toi qui as dit : "Je te comblerai de bienfaits et je rendrai ta descendance comme le sable de la mer, qu'on ne peut pas compter, tant il y en a." » ¹⁴Et Jacob passa la nuit en cet endroit.

De ce qu'il avait en mains, il prit de quoi faire un présent à son frère Ésaü : ¹⁵deux cents chèvres et vingt boucs, deux cents brebis et vingt béliers, ¹⁶trente chamelles qui allaitaient, avec leurs petits, quarante vaches et dix taureaux, vingt ânesses et dix ânons, ¹⁷Il les confia à ses serviteurs, chaque troupeau à part, et il dit à ses serviteurs : « Passez devant moi et laissez du champ entre les troupeaux. » ¹⁸Au premier il donna cet ordre : « Lorsque mon frère Ésaü te rencontrera et te demandera : "À qui es-tu ? Où vas-tu ? À qui appartient ce qui est devant toi ?" ¹⁹tu répondras : "C'est à ton serviteur Jacob, c'est un présent envoyé à Monseigneur Ésaü, et lui-même arrive derrière nous." » ²⁰Il donna le même ordre au second et au troisième et à tous ceux qui marchaient derrière les troupeaux : « Voilà, leur dit-il, comment vous parlerez à Ésaü quand vous le trouverez, ²¹et vous direz : "Et même, ton serviteur Jacob arrive derrière nous." » Il s'était dit en effet : « Je me le concilierai par un présent qui me précédera, ensuite je me présenterai à lui, peut-être me fera-t-il grâce. » ²²Le présent passa en avant et lui-même demeura cette nuit-là au camp.

La lutte avec Dieu.

²³Cette même nuit, il se leva, prit ses deux femmes, ses deux servantes, ses onze enfants et passa le gué du Yabboq. ²⁴Il les prit et leur fit passer le torrent, et il fit passer aussi tout ce qu'il possédait. ²⁵Et Jacob resta seul.

Et quelqu'un lutta avec lui jusqu'au lever de l'aurore. ²⁶Voyant qu'il ne le maîtrisait pas, il le frappa à l'emboîture de la hanche, et la hanche de Jacob se démit pendant qu'il luttait avec lui. ²⁷Il dit : « Lâche-moi, car l'aurore est levée », mais Jacob répondit : « Je ne te lâcherai pas, que tu ne m'aies béni. » ²⁸Il lui demanda : « Quel est ton nom ? » – « Jacob », répondit-il. ²⁹Il reprit : « On ne t'appellera plus Jacob, mais Israël, car tu as été fort con-

tre Dieu et contre les hommes et tu l'as emporté. » ³⁰Jacob fit cette demande : « Révèle-moi ton nom, je te prie », mais il répondit : « Et pourquoi me demandes-tu mon nom ? » et, là même, il le bénit.

³¹Jacob donna à cet endroit le nom de Penuel, « car, dit-il j'ai vu Dieu face à face et j'ai eu la vie sauve ». ³²Au lever du soleil, il avait passé Penuel et il boitait de la hanche. ³³C'est pourquoi les Israélites ne mangent pas, jusqu'à ce jour, le nerf sciatique qui est à l'emboîture de la hanche, parce qu'il avait frappé Jacob à l'emboîture de la hanche, au nerf sciatique.

La rencontre avec Ésaü.

33 ¹Jacob levant les yeux, vit qu'Ésaü arrivait accompagné de quatre cents hommes. Alors, il répartit les enfants entre Léa, Rachel et les deux servantes, ²il mit en tête les servantes et leurs enfants, plus loin Léa et ses enfants, plus loin Rachel et Joseph. ³Cependant, lui-même passa devant eux et se prosterna sept fois à terre avant d'aborder son frère. ⁴Mais Ésaü, courant à sa rencontre, le prit dans ses bras, se jeta à son cou et l'embrassa en pleurant. ⁵Lorsqu'il leva les yeux et qu'il vit les femmes et les enfants, il demanda : « Qu'est-ce qu'ils sont pour toi ceux-là ? » Jacob répondit : « Ce sont les enfants dont Dieu a gratifié ton serviteur. » ⁶Les servantes s'approchèrent, elles et leurs enfants, et se prosternèrent. ⁷Léa s'approcha elle aussi avec ses enfants et ils se prosternèrent ; enfin Joseph et Rachel s'approchèrent.

⁸Ésaü demanda : « Que veux-tu

faire de tout ce camp que j'ai rencontré ? » – « C'est, répondit-il, pour trouver grâce aux yeux de Monseigneur. » [9]Ésaü reprit : « J'ai suffisamment, mon frère, garde ce qui est à toi. » [10]Mais Jacob dit : « Non, je t'en prie ! Si j'ai trouvé grâce à tes yeux, reçois de ma main mon présent. En effet, j'ai affronté ta présence comme on affronte celle de Dieu, et tu m'as bien reçu. [11]Accepte donc le présent qui t'est apporté, car Dieu m'a favorisé et j'ai tout ce qu'il me faut » et, sur ses instances, Ésaü accepta.

Jacob se sépare d'Ésaü.

[12]Celui-ci dit : « Levons le camp et partons, je marcherai en tête. » [13]Mais Jacob lui répondit : « Monseigneur sait que les enfants sont délicats et que je dois penser aux brebis et aux vaches qui allaitent : si on les surmène un seul jour, tout le bétail va mourir. [14]Que Monseigneur parte donc en avant de son serviteur ; pour moi, je cheminerai doucement au pas du troupeau que j'ai devant moi et au pas des enfants, jusqu'à ce que j'arrive chez Monseigneur, en Séïr. » [15]Alors Ésaü dit : « Je vais au moins laisser avec toi une partie des gens qui m'accompagnent ! » Mais Jacob répondit : « Pourquoi cela ? Que je trouve seulement grâce aux yeux de Monseigneur ! » [16]Ésaü reprit ce jour-là sa route vers Séïr, [17]mais Jacob partit pour Sukkot, il se bâtit une maison et fit des huttes pour son bétail ; c'est pourquoi on a donné à l'endroit le nom de Sukkot.

Arrivée à Sichem.

[18]Puis Jacob arriva sain et sauf à la ville de Sichem, au pays de Canaan, lorsqu'il revint de Paddân-Aram, et il campa en face de la ville. [19]Il acheta aux fils de Hamor, le père de Sichem, pour cent pièces d'argent, la parcelle de champ où il avait dressé sa tente [20]et il y érigea un autel, qu'il nomma « El, Dieu d'Israël ».

Violence faite à Dina.

34 [1]Dina, la fille que Léa avait donnée à Jacob, sortit pour aller voir les filles du pays. [2]Sichem, le fils de Hamor le Hivvite, prince du pays, la vit et, l'ayant enlevée, il coucha avec elle et lui fit violence. [3]Mais son cœur s'attacha à Dina, fille de Jacob, il eut de l'amour pour la jeune fille et il parla à son cœur. [4]Sichem parla ainsi à son père Hamor : « Prends-moi cette petite pour femme. » [5]Jacob avait appris qu'il avait déshonoré sa fille Dina, mais comme ses fils étaient aux champs avec son troupeau, Jacob garda le silence jusqu'à leur retour.

Pacte matrimonial avec les Sichémites.

[6]Hamor, le père de Sichem, se rendit chez Jacob pour lui parler. [7]Lorsque les fils de Jacob revinrent des champs et apprirent cela, ces hommes furent indignés et entrèrent en grand courroux de ce qu'il avait commis une infamie en Israël en couchant avec la fille de Jacob : cela ne doit pas se faire ! [8]Hamor leur parla ainsi : « Mon fils Sichem s'est épris de votre fille, veuillez la lui donner pour femme. [9]Alliez-vous à nous : vous nous donnerez vos filles et vous prendrez les nôtres pour vous. [10]Vous demeurerez avec nous et le pays vous sera ou-

vert : vous pourrez y habiter, y circuler, vous y établir. » [11]Sichem dit au père et aux frères de la jeune fille : « Que je trouve grâce à vos yeux et je donnerai ce que vous me demanderez ! [12]Imposez-moi une grosse somme, comme prix et comme présent, je payerai autant que vous me demanderez, mais donnez-moi la jeune fille pour femme ! »

[13]Les fils de Jacob répondirent à Sichem et à son père Hamor et ils parlèrent avec ruse, parce qu'il avait déshonoré leur sœur Dina. [14]Ils leur dirent : « Nous ne pouvons pas faire une chose pareille : donner notre sœur à un homme incirconcis, car c'est un déshonneur chez nous. [15]Nous ne vous donnerons notre consentement qu'à cette condition : c'est que vous deveniez comme nous et fassiez circoncire tous vos mâles. [16]Alors nous vous donnerons nos filles et nous prendrons les vôtres pour nous, nous demeurerons avec vous et formerons un seul peuple. [17]Mais si vous ne nous écoutez pas, touchant la circoncision, nous prendrons notre fille et nous partirons. » [18]Leurs paroles plurent à Hamor et à Sichem, fils de Hamor. [19]Le jeune homme n'hésita pas à faire la chose, car il était épris de la fille de Jacob ; or il était le plus considéré de toute sa famille.

[20]Hamor et son fils Sichem allèrent à la porte de leur ville et parlèrent ainsi aux hommes de leur ville : [21]« Ces gens-là sont bien intentionnés : qu'ils demeurent avec nous dans le pays, ils y circuleront, le pays sera ouvert pour eux dans toute son étendue, nous prendrons leurs filles pour femmes et nous leur donnerons nos filles. [22]« Mais ces gens ne consentiront à demeurer avec nous pour former un seul peuple qu'à cette condition : c'est que tous nos mâles soient circoncis comme ils le sont eux-mêmes. [23]Leurs troupeaux, leurs biens, tout leur bétail ne seront-ils pas à nous ? Donnons-leur seulement notre consentement, pour qu'ils demeurent avec nous. » [24]Hamor et son fils Sichem furent écoutés par tous ceux qui franchissaient la porte de leur ville, et tous les mâles se firent circoncire – tous ceux qui franchissaient la porte de leur ville.

Vengeance traîtresse de Siméon et de Lévi.

[25]Or, le troisième jour, tandis qu'ils étaient souffrants, les deux fils de Jacob, Siméon et Lévi, les frères de Dina, prirent chacun son épée et marchèrent sans opposition contre la ville : ils tuèrent tous les mâles. [26]Ils passèrent au fil de l'épée Hamor et son fils Sichem, enlevèrent Dina de la maison de Sichem et partirent. [27]Les fils de Jacob assaillirent les blessés et pillèrent la ville, parce qu'on avait déshonoré leur sœur. [28]Ils prirent leur petit et leur gros bétail et leurs ânes, ce qui était dans la ville et ce qui était aux champs. [29]Ils ravirent tous leurs biens, tous leurs enfants et leurs femmes, et ils pillèrent tout ce qu'il y avait dans les maisons. [30]Jacob dit à Siméon et Lévi : « Vous m'avez mis en mauvaise posture en me rendant odieux aux habitants du pays, les Cananéens et

les Perizzites : j'ai peu d'hommes, ils se rassembleront contre moi, me vaincront et je serai anéanti avec ma maison. » [31]Mais ils répliquèrent : « Devait-on traiter notre sœur comme une prostituée ? »

Jacob à Béthel.

35 [1]Dieu dit à Jacob : « Debout ! Monte à Béthel et fixe-toi là-bas. Tu y feras un autel au Dieu qui t'est apparu lorsque tu fuyais la présence de ton frère Ésaü. »

[2]Jacob dit à sa famille et à tous ceux qui étaient avec lui : « Otez les dieux étrangers qui sont au milieu de vous, purifiez-vous et changez vos vêtements. [3]Partons et montons à Béthel ! J'y ferai un autel à Dieu qui m'a exaucé lorsque j'étais dans l'angoisse et m'a assisté dans le voyage que j'ai fait. » [4]Ils donnèrent à Jacob tous les dieux étrangers qu'ils possédaient et les anneaux qu'ils portaient aux oreilles, et Jacob les enfouit sous le chêne qui est près de Sichem. [5]Ils levèrent le camp et une terreur divine tomba sur les villes d'alentour : on ne poursuivit pas les fils de Jacob.

[6]Jacob arriva à Luz, au pays de Canaan – c'est Béthel –, lui et tous les gens qu'il avait. [7]Là, il construisit un autel et appela le lieu El-Béthel, car Dieu s'y était révélé à lui lorsqu'il fuyait la présence de son frère. [8]Alors mourut Débora, la nourrice de Rébecca, et elle fut ensevelie au-dessous de Béthel, sous le chêne ; aussi l'appela-t-on le Chêne-des-Pleurs.

[9]Dieu apparut encore à Jacob, à son retour de Paddân-Aram, et il le bénit. [10]Dieu lui dit : « Ton nom est Jacob, mais on ne t'appellera plus Jacob, ton nom sera Israël. » Aussi l'appela-t-on Israël.

[11]Dieu lui dit : « Je suis El Shaddaï. Sois fécond et multiplie. Une nation, une assemblée de nations naîtra de toi et des rois sortiront de tes reins. [12]Le pays que j'ai donné à Abraham et à Isaac, je te le donne, et à ta postérité après toi je donnerai ce pays. » [13]Et Dieu remonta d'auprès de lui.

[14]Jacob dressa une stèle à l'endroit où il lui avait parlé, une stèle de pierre, sur laquelle il fit une libation et versa de l'huile. [15]Et Jacob donna le nom de Béthel au lieu où Dieu lui avait parlé.

Naissance de Benjamin et mort de Rachel.

[16]Ils partirent de Béthel. Il restait un bout de chemin pour arriver à Éphrata quand Rachel accoucha. Ses couches furent pénibles [17]et, comme elle accouchait difficilement, la sage-femme lui dit : « Rassure-toi, c'est encore un fils que tu as ! » [18]Au moment de rendre l'âme, car elle se mourait, elle le nomma Ben-Oni, mais son père l'appela Benjamin. [19]Rachel mourut et fut enterrée sur le chemin d'Éphrata – c'est Bethléem. [20]Jacob dressa une stèle sur son tombeau ; c'est la stèle du tombeau de Rachel, qui existe encore aujourd'hui.

Inceste de Ruben.

[21]Israël partit et planta sa tente au-delà de Migdal-Edèr. [22]Pendant qu'Israël habitait dans cette région, Ruben alla coucher avec Bilha, la concubine de son père, et Israël l'apprit.

Les douze fils de Jacob. 29 31–30 24.

Les fils de Jacob furent au nombre de douze. [23]Les fils de Léa : le premier-né de Jacob, Ruben, puis Siméon, Lévi, Juda, Issachar et Zabulon. [24]Les fils de Rachel : Joseph et Benjamin. [25]Les fils de Bilha, la servante de Rachel : Dan et Nephtali. [26]Les fils de Zilpa, la servante de Léa : Gad et Asher. Tels sont les fils qui furent enfantés à Jacob en Paddân-Aram.

Mort d'Isaac.

[27]Jacob arriva chez son père Isaac, à Mambré, à Qiryat-Arba – c'est Hébron –, où séjournèrent Abraham et Isaac. [28]La durée de la vie d'Isaac fut de cent quatre-vingts ans, [29]et Isaac expira. Il mourut et il fut réuni à sa parenté, âgé et rassasié de jours ; ses fils Ésaü et Jacob l'ensevelirent.

Femmes et enfants d'Ésaü en Canaan.

36 [1]Voici la descendance d'Ésaü, qui est Édom. [2]Ésaü prit ses femmes parmi les filles de Canaan : Ada, la fille d'Élôn le Hittite, Oholibama, la fille d'Ana, fils de Çibéôn le Horite, [3]Basmat, la fille d'Ismaël et la sœur de Nebayot. [4]Ada enfanta à Ésaü Éliphaz, Basmat enfanta Réuel, [5]Oholibama enfanta Yéush, Yalam et Qorah. Tels sont les fils d'Ésaü qui lui naquirent au pays de Canaan.

Migration d'Ésaü.

[6]Ésaü prit ses femmes, ses fils et ses filles, toutes les personnes de sa maison, son bétail et toutes ses bêtes de somme, bref tout le bien qu'il avait acquis au pays de Canaan, et il partit pour le pays [de Séïr], loin de son frère Jacob. [7]En effet, ils avaient de trop grands biens pour habiter ensemble et le pays où ils séjournaient ne pouvait pas leur suffire, en raison de leur avoir. [8]Ainsi Ésaü s'établit dans la montagne de Séïr. Ésaü c'est Édom.

Descendance d'Ésaü en Séïr. = 36 15-19. 1 Ch 1 35s.

[9]Voici la descendance d'Ésaü, père d'Édom, dans la montagne de Séïr.

[10]Voici les noms des fils d'Ésaü : Éliphaz, le fils d'Ada, femme d'Ésaü, et Réuel, le fils de Basmat, femme d'Ésaü.

[11]Les fils d'Éliphaz furent : Témân, Omar, Çepho, Gatam, Qenaz. [12]Éliphaz, fils d'Ésaü, eut pour concubine Timna et elle lui enfanta Amaleq. Tels sont les fils d'Ada, la femme d'Ésaü.

[13]Voici les fils de Réuel : Nahat, Zérah, Shamma, Mizza. Tels furent les fils de Basmat, la femme d'Ésaü.

[14]Voici les fils d'Oholibama, fille d'Ana, fils de Çibéôn, la femme d'Ésaü : elle lui enfanta Yéush, Yalam et Qorah.

Les chefs d'Édom. = 36 9-14.

[15]Voici les chefs des fils d'Ésaü.

Fils d'Éliphaz, premier-né d'Ésaü : le chef Témân, le chef Omar, le chef Çepho, le chef Qenaz, [16] le chef Qorah, le chef Gatam, le chef Amaleq. Tels sont les chefs d'Éliphaz au pays d'Édom, tels sont les fils d'Ada.

[17]Et voici les fils de Réuel, le

fils d'Ésaü : le chef Nahat, le chef Zérah, le chef Shamma, le chef Mizza. Tels sont les chefs de Réuel au pays d'Édom, tels sont les fils de Basmat, femme d'Ésaü.

[18]Et voici les fils d'Oholibama, la femme d'Ésaü : le chef Yéush, le chef Yalam, le chef Qorah. Tels sont les chefs d'Oholibama, fille d'Ana, femme d'Ésaü.

[19]Tels sont les fils d'Ésaü et tels sont leurs chefs. C'est Édom.

Descendance de Séïr le Horite.

[20]Voici les fils de Séïr le Horite, les indigènes du pays : Lotân, Shobal, Çibéôn, Ana, [21]Dishôn, Éçer, Dishân, tels sont les chefs des Horites, les fils de Séïr au pays d'Édom. [22]Les fils de Lotân furent Hori et Hémam, et la sœur de Lotân était Timna. [23]Voici les fils de Shobal : Alvân, Manahat, Ébal, Shepho, Onam. [24]Voici les fils de Çibéôn : Ayya, Ana – c'est cet Ana qui trouva les eaux chaudes au désert en faisant paître les ânes de son père Çibéôn. [25]Voici les enfants d'Ana : Dishôn, Oholibama, fille d'Ana. [26]Voici les fils de Dishôn : Hemdân, Eshbân, Yitrân, Kerân. [27]Voici les fils d'Éçer : Bilhân, Zaavân, Aqân. [28]Voici les fils de Dishân : Uç et Arân.

[29]Voici les chefs des Horites : le chef Lotân, le chef Shobal, le chef Çibéôn, le chef Ana, [30]le chef Dishôn, le chef Éçer, le chef Dishân. Tels sont les chefs des Horites, d'après leurs clans, au pays de Séïr.

Les rois d'Édom. ‖ 1 Ch 1 43-50.

[31]Voici les rois qui régnèrent au pays d'Édom avant que ne régnât un roi des Israélites. [32]En Édom régna Béla, fils de Béor, et sa ville s'appelait Dinhaba. [33]Béla mourut et à sa place régna Yobab, fils de Zérah, de Boçra. [34]Yobab mourut et à sa place régna Husham du pays des Témanites. [35]Husham mourut et à sa place régna Hadad, fils de Bedad, qui battit les Madianites dans les champs de Moab, et sa ville s'appelait Avvit. [36]Hadad mourut et à sa place régna Samla, de Masréqa. [37]Samla mourut et à sa place régna Shaûl, de Rehobot-ha-Nahar. [38]Shaûl mourut et à sa place régna Baal-Hanân, fils d'Akbor. [39]Baal-Hanân, fils d'Akbor, mourut et à sa place régna Hadad ; sa ville s'appelait Paü ; sa femme s'appelait Mehétabéel, fille de Matred, de Mé-Zahab.

Encore les chefs d'Édom. ‖ 1 Ch 1 51-54.

[40]Voici les noms des chefs d'Ésaü, selon leurs clans et leurs lieux, d'après leurs noms : le chef Timna, le chef Alva, le chef Yetèt, [41]le chef Oholibama, le chef Éla, le chef Pinôn, [42]le chef Qenaz, le chef Témân, le chef Mibçar, [43]le chef Magdiel, le chef Iram. Tels sont les chefs d'Édom, selon leurs résidences au pays qu'ils possédaient. C'est Ésaü, père d'Édom.

37 [1]Mais Jacob demeura dans le pays où son père avait séjourné, dans le pays de Canaan.

3. Histoire de Joseph

Joseph et ses frères.

²Voici l'histoire de Jacob.

Joseph avait dix-sept ans. Il gardait le petit bétail avec ses frères – il était jeune –, avec les fils de Bilha et les fils de Zilpa, femmes de son père, et Joseph rapporta à leur père le mal qu'on disait d'eux.

³Israël aimait Joseph plus que tous ses autres enfants, car il était le fils de sa vieillesse, et il lui fit faire une tunique ornée. ⁴Ses frères virent que son père l'aimait plus que tous ses autres fils et ils le prirent en haine, devenus incapables de lui parler amicalement.

⁵Or Joseph eut un songe et il en fit part à ses frères qui le haïrent encore plus. ⁶Il leur dit : « Écoutez le rêve que j'ai fait : ⁷il me paraissait que nous étions à lier des gerbes dans les champs, et voici que ma gerbe se dressa et qu'elle se tint debout, et vos gerbes l'entourèrent et elles se prosternèrent devant ma gerbe. » ⁸Ses frères lui répondirent : « Voudrais-tu donc régner sur nous en roi ou bien dominer en maître ? » et ils le haïrent encore plus, à cause de ses rêves et de ses propos. ⁹Il eut encore un autre songe, qu'il raconta à ses frères. Il dit : « J'ai encore fait un rêve : il me paraissait que le soleil, la lune et onze étoiles se prosternaient devant moi. » ¹⁰Il raconta cela à son père et à ses frères, mais son père le gronda et lui dit : « En voilà un rêve que tu as fait ! Allons-nous donc,

moi, ta mère et tes frères, venir nous prosterner à terre devant toi ? » ¹¹Ses frères furent jaloux de lui, mais son père gardait la chose dans sa mémoire.

Joseph vendu par ses frères.

¹²Ses frères allèrent paître le petit bétail de leur père à Sichem. ¹³Israël dit à Joseph : « Tes frères ne sont-ils pas au pâturage à Sichem ? Viens, je vais t'envoyer vers eux » et il répondit : « Je suis prêt. » ¹⁴Il lui dit : « Va donc voir comment se portent tes frères et le bétail, et rapporte-moi des nouvelles. » Il l'envoya de la vallée d'Hébron et Joseph arriva à Sichem.

¹⁵Un homme le rencontra errant dans la campagne et cet homme lui demanda : « Que cherches-tu ? » ¹⁶Il répondit : « Je cherche mes frères. Indique-moi, je te prie, où ils paissent leurs troupeaux. » ¹⁷L'homme dit : « Ils ont décampé d'ici, je les ai entendus qui disaient : Allons à Dotân » ; Joseph partit en quête de ses frères et il les trouva à Dotân.

¹⁸Ils l'aperçurent de loin et, avant qu'il n'arrivât près d'eux, ils complotèrent de le faire mourir. ¹⁹Ils se dirent entre eux : « Voilà l'homme aux songes qui arrive ! ²⁰Maintenant, venez, tuons-le et jetons-le dans n'importe quelle citerne ; nous dirons qu'une bête féroce l'a dévoré. Nous allons voir ce qu'il adviendra de ses songes ! »

²¹Mais Ruben entendit et il le sauva de leurs mains. Il dit : « N'at-

tentons pas à sa vie ! » ²²Ruben leur dit : « Ne répandez pas le sang ! Jetez-le dans cette citerne du désert, mais ne portez pas la main sur lui ! » C'était pour le sauver de leurs mains et le ramener à son père. ²³Donc, lorsque Joseph arriva près de ses frères, ils le dépouillèrent de sa tunique, la tunique ornée qu'il portait. ²⁴Ils se saisirent de lui et le jetèrent dans la citerne ; c'était une citerne vide, où il n'y avait pas d'eau. ²⁵Puis ils s'assirent pour manger.

Comme ils levaient les yeux, voici qu'ils aperçurent une caravane d'Ismaélites qui venait de Galaad. Leurs chameaux étaient chargés de gomme adragante, de baume et de ladanum, qu'ils allaient livrer en Égypte. ²⁶Alors Juda dit à ses frères : « Quel profit y aurait-il à tuer notre frère et couvrir son sang ? ²⁷Venez, vendons-le aux Ismaélites, mais ne portons pas la main sur lui : il est notre frère, de la même chair que nous. » Et ses frères l'écoutèrent.

²⁸Or des gens passèrent, des marchands madianites, et ils retirèrent Joseph de la citerne. Ils vendirent Joseph aux Ismaélites pour vingt sicles d'argent et ceux-ci le conduisirent en Égypte. ²⁹Lorsque Ruben retourna à la citerne, voilà que Joseph n'y était plus ! Il déchira ses vêtements ³⁰et, revenant vers ses frères, il dit : « L'enfant n'est plus là ! Et moi, où vais-je aller ? »

³¹Ils prirent la tunique de Joseph et, ayant égorgé un bouc, ils trempèrent la tunique dans le sang. ³²Ils envoyèrent la tunique ornée, ils la firent porter à leur père avec ces mots : « Voilà ce que nous avons trouvé ! Regarde si ce ne serait pas la tunique de ton fils. » ³³Celui-ci regarda et dit : « C'est la tunique de mon fils ! Une bête féroce l'a dévoré. Joseph a été mis en pièces ! » ³⁴Jacob déchira son vêtement, il mit un sac sur ses reins et fit le deuil de son fils pendant longtemps. ³⁵Tous ses fils et ses filles vinrent pour le consoler, mais il refusa toute consolation et dit : « Non, c'est en deuil que je veux descendre au shéol auprès de mon fils. » Et son père le pleura.

³⁶Cependant, les Madianites l'avaient vendu en Égypte à Potiphar, eunuque de Pharaon et commandant des gardes.

Histoire de Juda et de Tamar.

38 ¹Il arriva, vers ce temps-là, que Juda se sépara de ses frères et se rendit chez un homme d'Adullam qui se nommait Hira. ²Là, Juda vit la fille d'un Cananéen qui se nommait Shua, il la prit pour femme et s'unit à elle. ³Celle-ci conçut et enfanta un fils, qu'elle appela Er. ⁴De nouveau, elle conçut et enfanta un fils, qu'elle appela Onân. ⁵Encore une fois, elle enfanta un fils, qu'elle appela Shéla ; elle se trouvait à Kezib quand elle lui donna naissance.

⁶Juda prit une femme pour son premier-né Er ; elle se nommait Tamar. ⁷Mais Er, premier-né de Juda, déplut à Yahvé, qui le fit mourir. ⁸Alors Juda dit à Onân : « Va vers la femme de ton frère, remplis avec elle ton devoir de beau-frère et assure une postérité à ton frère. » ⁹Cependant Onân savait que la postérité ne serait pas

sienne et, chaque fois qu'il s'unissait à la femme de son frère, il laissait perdre à terre pour ne pas donner une postérité à son frère. [10]Ce qu'il faisait déplut à Yahvé, qui le fit mourir lui aussi. [11]Alors Juda dit à sa belle-fille Tamar : « Retourne comme veuve chez ton père, en attendant que grandisse mon fils Shéla. » Il se disait : « Il ne faut pas que celui-là meure comme ses frères. » Tamar s'en retourna donc chez son père.

[12]Bien des jours passèrent et la fille de Shua, la femme de Juda, mourut. Lorsque Juda fut consolé, il monta à Timna pour la tonte de ses brebis, lui et Hira, son ami d'Adullam. [13]On avertit Tamar : « Voici, lui dit-on, que ton beau-père monte à Timna pour tondre ses brebis. » [14]Alors, elle quitta ses vêtements de veuve, elle se couvrit d'un voile, s'enveloppa et s'assit à l'entrée d'Énayim, qui est sur le chemin de Timna. Elle voyait bien que Shéla était devenu grand et qu'elle ne lui avait pas été donnée pour femme.

[15]Juda l'aperçut et la prit pour une prostituée, car elle s'était voilé le visage. [16]Il se dirigea vers elle sur le chemin et dit : « Laisse, que j'aille avec toi ! » Il ne savait pas que c'était sa belle-fille. Mais elle demanda : « Que me donneras-tu pour aller avec moi ? » [17]Il répondit : « Je t'enverrai un chevreau du troupeau. » Mais elle reprit : « Oui, si tu me donnes un gage en attendant que tu l'envoies ! » [18]Il demanda : « Quel gage te donnerai-je ? » Et elle répondit : « Ton sceau et ton cordon et la canne que tu as à la main. » Il les lui donna et alla avec elle, qui devint enceinte de lui. [19]Elle se leva, partit, enleva son voile et reprit ses vêtements de veuve.

[20]Juda envoya le chevreau par l'intermédiaire de son ami d'Adullam, pour reprendre les gages des mains de la femme, mais celui-ci ne la retrouva pas. [21]Il demanda aux gens du lieu : « Où est cette prostituée qui était à Énayim, sur le chemin ? » Mais ils répondirent : « Il n'y a jamais eu là de prostituée ! » [22]Il revint donc auprès de Juda et dit : « Je ne l'ai pas retrouvée. Et même, les gens du lieu m'ont dit qu'il n'y avait jamais eu là de prostituée. » [23]Juda reprit : « Qu'elle garde tout : il ne faut pas qu'on se moque de nous, mais j'ai bien envoyé le chevreau que voici, et toi, tu ne l'as pas retrouvée. »

[24]Environ trois mois après, on avertit Juda : « Ta belle-fille Tamar, lui dit-on, s'est prostituée, elle est même enceinte par suite de son inconduite. » Alors Juda ordonna : « Qu'elle soit amenée dehors et brûlée vive ! » [25]Mais, comme on l'amenait, elle envoya dire à son beau-père : « C'est de l'homme à qui appartient cela que je suis enceinte. Reconnais donc, dit-elle, à qui appartient ce sceau, ce cordon et cette canne. » [26]Juda les reconnut et dit : « Elle est plus juste que moi. C'est qu'en effet je ne lui avais pas donné mon fils Shéla. » Et il n'eut plus de rapports avec elle.

[27]Lorsque vint le temps de ses couches, il apparut qu'elle avait dans son sein des jumeaux. [28]Pendant l'accouchement, l'un d'eux tendit la main et la sage-femme la saisit et y attacha un fil écarlate,

en disant : « C'est celui-là qui est sorti le premier. » ²⁹Mais il advint qu'il retira sa main et ce fut son frère qui sortit. Alors elle dit : « Comme tu t'es ouvert une brèche ! » Et on l'appela Pérèç. ³⁰Ensuite sortit son frère, qui avait le fil écarlate à la main, et on l'appela Zérah.

Les débuts de Joseph en Égypte.

39 ¹Joseph avait donc été emmené en Égypte. Potiphar, eunuque de Pharaon et commandant des gardes, un Égyptien, l'acheta aux Ismaélites qui l'avaient emmené là-bas. ²Or Yahvé assista Joseph, à qui tout réussit, et il resta dans la maison de son maître, l'Égyptien. ³Comme son maître voyait que Yahvé l'assistait et faisait réussir entre ses mains tout ce qu'il entreprenait, ⁴Joseph trouva grâce à ses yeux : il fut attaché au service du maître, qui l'institua son majordome et lui confia tout ce qui lui appartenait. ⁵Et, à partir du moment où il l'eut préposé à sa maison et à ce qui lui appartenait, Yahvé bénit la maison de l'Égyptien, en considération de Joseph : la bénédiction de Yahvé atteignit tout ce qu'il possédait à la maison et aux champs. ⁶Alors, il abandonna entre les mains de Joseph tout ce qu'il avait et, avec lui, il ne se préoccupa plus de rien, sauf de la nourriture qu'il prenait. Joseph avait une belle prestance et un beau visage.

Joseph et la séductrice.

⁷Il arriva, après ces événements, que la femme de son maître jeta les yeux sur Joseph et dit : « Couche avec moi ! » ⁸Mais il refusa et dit à la femme de son maître : « Avec moi, mon maître ne se préoccupe pas de ce qui se passe à la maison et il m'a confié tout ce qui lui appartient. ⁹Lui-même n'est pas plus puissant que moi dans cette maison : il ne m'a rien interdit que toi, parce que tu es sa femme. Comment pourrais-je accomplir un aussi grand mal et pécher contre Dieu ? » ¹⁰Bien qu'elle parlât à Joseph chaque jour, il ne consentit pas à coucher à son côté, à se donner à elle.

¹¹Or, un certain jour, Joseph vint à la maison pour faire son service et il n'y avait là, dans la maison, aucun des domestiques. ¹²La femme le saisit par son vêtement en disant : « Couche avec moi ! » mais il abandonna le vêtement entre ses mains, prit la fuite et sortit. ¹³Voyant qu'il avait laissé le vêtement entre ses mains et qu'il s'était enfui dehors, ¹⁴elle appela ses domestiques et leur dit : « Voyez cela ! Il nous a amené un Hébreu pour badiner avec nous ! Il m'a approchée pour coucher avec moi, mais j'ai poussé un grand cri, ¹⁵et en entendant que j'élevais la voix et que j'appelais il a laissé son vêtement près de moi, il a pris la fuite et il est sorti. »

¹⁶Elle déposa le vêtement à côté d'elle en attendant que le maître vînt à la maison. ¹⁷Alors, elle lui dit les mêmes paroles : « L'esclave hébreu que tu nous as amené m'a approchée pour badiner avec moi ¹⁸et, quand j'ai élevé la voix et appelé, il a laissé son vêtement près de moi et il s'est enfui dehors. » ¹⁹Lorsque le mari entendit ce que lui disait sa femme :

« Voilà de quelle manière ton esclave a agi envers moi », sa colère s'enflamma. ²⁰Le maître de Joseph le fit saisir et mettre en geôle, là où étaient détenus les prisonniers du roi.

Joseph en prison.

Ainsi, il demeura en geôle. ²¹Mais Yahvé assista Joseph, il étendit sur lui sa bonté et lui fit trouver grâce aux yeux du geôlier chef. ²²Le geôlier chef confia à Joseph tous les détenus qui étaient en geôle ; tout ce qui s'y faisait se faisait par lui. ²³Le geôlier chef ne s'occupait en rien de ce qui lui était confié, parce que Yahvé l'assistait et faisait réussir ce qu'il entreprenait.

Joseph interprète les songes des officiers de Pharaon.

40 ¹Il arriva, après ces événements, que l'échanson du roi d'Égypte et son panetier se rendirent coupables envers leur maître, le roi d'Égypte. ²Pharaon s'irrita contre ses deux eunuques, le grand échanson et le grand panetier, ³et il les mit aux arrêts chez le commandant des gardes, dans la geôle où Joseph était détenu. ⁴Le commandant des gardes leur adjoignit Joseph pour qu'il les servît et ils restèrent un certain temps aux arrêts.

⁵Or, une même nuit, tous deux eurent un songe ayant pour chacun sa signification, l'échanson et le panetier du roi d'Égypte, qui étaient détenus dans la geôle. ⁶Venant les trouver le matin, Joseph s'aperçut qu'ils étaient maussades ⁷et il demanda aux eunuques de Pharaon qui étaient avec lui aux arrêts chez son maître : « Pourquoi faites-vous mauvais visage aujourd'hui ? » ⁸Ils lui répondirent : « Nous avons eu un songe et il n'y a personne pour l'interpréter » ; Joseph leur dit : « C'est Dieu qui donne l'interprétation ; mais racontez-moi donc ! »

⁹Le grand échanson raconta à Joseph le songe qu'il avait eu : « J'ai rêvé, dit-il, qu'il y avait devant moi un cep de vigne, ¹⁰et sur le cep trois sarments : dès qu'il bourgeonna, il monta en fleur, ses grappes firent mûrir les raisins. ¹¹J'avais en main la coupe de Pharaon, je pris les raisins, je les pressai sur la coupe de Pharaon et je mis la coupe dans la main de Pharaon. » ¹²Joseph lui dit : « Voici ce que cela signifie : les trois sarments représentent trois jours. ¹³Encore trois jours et Pharaon t'élèvera la tête, et il te rendra ton emploi : tu mettras la coupe de Pharaon en sa main, comme tu avais coutume de faire autrefois où tu étais son échanson. ¹⁴Souviens-toi de moi, lorsqu'il te sera arrivé du bien, et sois assez bon pour parler de moi à Pharaon, qu'il me fasse sortir de cette maison. ¹⁵En effet, j'ai été enlevé du pays des Hébreux et ici même je n'ai rien fait pour qu'on me mette en prison. »

¹⁶Le grand panetier vit que c'était une interprétation favorable et il dit à Joseph : « Moi aussi, j'ai rêvé : il y avait trois corbeilles de gâteaux sur ma tête. ¹⁷Dans la corbeille du dessus, il y avait toutes sortes de pâtisseries que mange Pharaon, mais les oiseaux les mangeaient dans la corbeille, sur ma tête. » ¹⁸Joseph lui répondit ainsi : « Voici ce que cela signifie : les trois corbeilles représen-

tent trois jours. ¹⁹Encore trois jours et Pharaon t'élèvera la tête, il te pendra au gibet et les oiseaux mangeront la chair de dessus toi. »

²⁰Effectivement, le troisième jour, qui était l'anniversaire de Pharaon, celui-ci donna un banquet à tous ses officiers et il relâcha le grand échanson et le grand panetier au milieu de ses officiers. ²¹Il rétablit le grand échanson dans son échansonnerie et celui-ci mit la coupe dans la main de Pharaon ; ²²quant au grand panetier, il le pendit, comme Joseph lui avait expliqué. ²³Mais le grand échanson ne se souvint pas de Joseph, il l'oublia.

Les songes de Pharaon.

41 ¹Deux ans après, il advint que Pharaon eut un songe : il se tenait près du Nil ²et il vit monter du Nil sept vaches de belle apparence et grasses de chair, qui pâturèrent dans les joncs. ³Mais voici que sept autres vaches montèrent du Nil derrière elles, laides d'apparence et maigres de chair, et elles se rangèrent à côté des premières, sur la rive du Nil. ⁴Et les vaches laides d'apparence et maigres de chair dévorèrent les sept vaches grasses et belles d'apparence. Alors Pharaon s'éveilla. ⁵Il se rendormit et eut un second songe : sept épis montaient d'une même tige, gros et beaux. ⁶Mais voici que sept épis grêles et brûlés par le vent d'est poussèrent après eux. ⁷Et les épis grêles engloutirent les sept épis gros et pleins. Alors Pharaon s'éveilla : voilà que c'était un songe ! ⁸Au matin, l'esprit troublé,

Pharaon fit appeler tous les magiciens et tous les sages d'Égypte et il leur raconta le songe qu'il avait eu, mais personne ne put l'expliquer à Pharaon. ⁹Alors, le grand échanson adressa la parole à Pharaon et dit : « Je dois confesser aujourd'hui mes fautes ! ¹⁰Pharaon s'était irrité contre ses serviteurs et les avait mis aux arrêts chez le commandant des gardes, moi et le grand panetier. ¹¹Nous eûmes un songe, la même nuit, lui et moi, mais la signification du songe était différente pour chacun. ¹²Il y avait là avec nous un jeune Hébreu, un esclave du commandant des gardes. Nous lui avons raconté nos songes et il nous les a interprétés : il a interprété le songe de chacun. ¹³Et juste comme il nous l'avait expliqué, ainsi arriva-t-il : je fus rétabli dans mon emploi et l'autre fut pendu. »

¹⁴Alors Pharaon fit appeler Joseph, et on l'amena en hâte de la prison. Il se rasa, changea de vêtements et se présenta devant Pharaon. ¹⁵Pharaon dit à Joseph : « J'ai eu un songe et personne ne peut l'interpréter. Mais j'ai entendu dire de toi qu'il te suffit d'entendre un songe pour savoir l'interpréter. » ¹⁶Joseph répondit à Pharaon : « Je ne compte pas ! C'est Dieu qui donnera à Pharaon une réponse favorable. »

¹⁷Alors Pharaon parla ainsi à Joseph : « Dans mon songe, il me semblait que je me tenais sur la rive du Nil. ¹⁸Voici que montèrent du Nil sept vaches grasses de chair et belles d'aspect, qui pâturèrent dans les joncs. ¹⁹Mais voici que sept autres vaches montèrent après elles, efflanquées, très laides d'as-

pect et maigres de chair, je n'en ai jamais vu d'aussi laides dans tout le pays d'Égypte. ²⁰Les vaches maigres et laides dévorèrent les sept premières, les vaches grasses. ²¹Et lorsqu'elles les eurent avalées, on ne s'aperçut pas qu'elles les avaient avalées, car leur apparence était aussi laide qu'au début. Là-dessus, je m'éveillai. ²²Puis j'ai vu en songe sept épis monter d'une même tige, pleins et beaux. ²³Mais voici que sept épis desséchés, grêles et brûlés par le vent d'est poussèrent après eux. ²⁴Et les épis grêles engloutirent les sept beaux épis. J'ai dit cela aux magiciens mais il n'y a personne qui me donne la réponse. »

²⁵Joseph dit à Pharaon : « Le Pharaon n'a fait qu'un seul songe : Dieu a annoncé à Pharaon ce qu'il va accomplir. ²⁶Les sept belles vaches représentent sept années, et les sept beaux épis représentent sept années, c'est un seul et même songe. ²⁷Les sept vaches maigres et laides qui montent ensuite représentent sept années et aussi les sept épis grêles et brûlés par le vent d'est : c'est qu'il y aura sept années de famine. ²⁸C'est ce que j'ai dit à Pharaon : Dieu a montré à Pharaon ce qu'il va accomplir : ²⁹voici que viennent sept années où il y aura grande abondance dans tout le pays d'Égypte, ³⁰puis leur succéderont sept années de famine et on oubliera toute l'abondance dans le pays d'Égypte ; la famine épuisera le pays ³¹et l'on ne saura plus ce qu'était l'abondance dans le pays, en face de cette famine qui suivra, car elle sera très dure. ³²Et si le songe de Pharaon s'est renouvelé deux fois, c'est que la chose est bien dé-

cidée de la part de Dieu et que Dieu a hâte de l'accomplir.

³³« Maintenant, que Pharaon discerne un homme intelligent et sage et qu'il l'établisse sur le pays d'Égypte. ³⁴Que Pharaon agisse et qu'il institue des fonctionnaires sur le pays ; il imposera au cinquième le pays d'Égypte pendant les sept années d'abondance, ³⁵ils ramasseront tous les vivres de ces bonnes années qui viennent, ils emmagasineront le blé sous l'autorité de Pharaon, ils mettront les vivres dans les villes et les y garderont. ³⁶Ces vivres serviront de réserve au pays pour les sept années de famine qui s'abattront sur le pays d'Égypte, et le pays ne sera pas exterminé par la famine. »

Élévation de Joseph.

³⁷Le discours plut à Pharaon et à tous ses officiers ³⁸et Pharaon dit à ses officiers : « Trouverons-nous un homme comme celui-ci, en qui soit l'esprit de Dieu ? » ³⁹Alors Pharaon dit à Joseph : « Après que Dieu t'a fait connaître tout cela, il n'y a personne d'intelligent et de sage comme toi. ⁴⁰C'est toi qui seras mon maître du palais et mon peuple se conformera à tes ordres, je ne te dépasserai que par le trône. » ⁴¹Pharaon dit à Joseph : « Vois : je t'établis sur tout le pays d'Égypte » ⁴²et Pharaon ôta son anneau de sa main et le mit à la main de Joseph, il le revêtit d'habits de lin fin et lui passa au cou le collier d'or. ⁴³Il le fit monter sur le meilleur char qu'il avait après le sien et on criait devant lui « Abrek ». Ainsi fut-il établi sur tout le pays d'Égypte.

⁴⁴Pharaon dit à Joseph : « Je suis Pharaon, mais sans ta permission personne ne lèvera la main ni le pied dans tout le pays d'Égypte. » ⁴⁵Et Pharaon imposa à Joseph le nom de Çophnat-Panéah et il lui donna pour femme Asnat, fille de Poti-Phéra, prêtre d'On. Et Joseph partit pour le pays d'Égypte.

⁴⁶Joseph avait trente ans lorsqu'il se présenta devant Pharaon, roi d'Égypte, et Joseph quitta la présence de Pharaon et parcourut tout le pays d'Égypte. ⁴⁷Pendant les sept années d'abondance, la terre produisit à profusion ⁴⁸et il ramassa tous les vivres des sept années où il y eut abondance au pays d'Égypte et déposa les vivres dans les villes, mettant dans chaque ville les vivres de la campagne environnante. ⁴⁹Joseph emmagasina le blé comme le sable de la mer, en telle quantité qu'on renonça à en faire le compte, car cela dépassait toute mesure.

Les fils de Joseph.

⁵⁰Avant que vînt l'année de la famine, il naquit à Joseph deux fils que lui donna Asnat, fille de Poti-Phéra, prêtre d'On. ⁵¹Joseph donna à l'aîné le nom de Manassé, « car, dit-il, Dieu m'a fait oublier toute ma peine et toute la famille de mon père. » ⁵²Quant au second, il l'appela Éphraïm, « car, dit-il, Dieu m'a rendu fécond au pays de mon malheur ».

La famine.

⁵³Alors prirent fin les sept années d'abondance qu'il y eut au pays d'Égypte ⁵⁴et commencèrent à venir les sept années de famine, comme l'avait dit Joseph. Il y avait famine dans tous les pays, mais il y avait du pain dans tout le pays d'Égypte. ⁵⁵Puis tout le pays d'Égypte souffrit de la faim et le peuple demanda à grands cris du pain à Pharaon, mais Pharaon dit à tous les Égyptiens : « Allez à Joseph et faites ce qu'il vous dira. » – ⁵⁶La famine sévissait par toute la terre. – Alors Joseph ouvrit tous les magasins à blé et vendit du grain aux Égyptiens. La famine s'aggrava encore au pays d'Égypte. ⁵⁷De toute la terre on vint en Égypte pour acheter du grain à Joseph, car la famine s'aggravait par toute la terre.

Première rencontre de Joseph et de ses frères.

42 ¹Jacob, voyant qu'il y avait du grain à vendre en Égypte, dit à ses fils : « Pourquoi restez-vous à vous regarder ? ²J'ai appris, leur dit-il, qu'il y avait du grain à vendre en Égypte. Descendez-y et achetez-nous du grain là-bas, pour que nous restions en vie et ne mourions pas. » ³Dix des frères de Joseph descendirent donc pour acheter du blé en Égypte. ⁴Quant à Benjamin, le frère de Joseph, Jacob ne l'envoya pas avec les autres : « Il ne faut pas, se disait-il, qu'il lui arrive malheur. »

⁵Les fils d'Israël allèrent donc pour acheter du grain, mêlés aux autres arrivants, car la famine sévissait au pays de Canaan. ⁶Joseph – il avait autorité sur le pays – était celui qui vendait le grain à tout le peuple du pays. Les frères de Joseph arrivèrent et se prosternèrent devant lui, la face contre terre. ⁷Dès que Joseph vit ses frères il les reconnut, mais il feignit de leur être

étranger et leur parla durement. Il leur demanda : « D'où venez-vous ? » Et ils répondirent : « Du pays de Canaan pour acheter des vivres. »

⁸Ainsi Joseph reconnut ses frères, mais eux ne le reconnurent pas. ⁹Joseph se souvint des songes qu'il avait eus à leur sujet et il leur dit : « Vous êtes des espions ! C'est pour reconnaître les points faibles du pays que vous êtes venus. » ¹⁰Ils protestèrent : « Non, Monseigneur ! Tes serviteurs sont venus pour acheter des vivres. ¹¹Nous sommes tous les fils d'un même homme, nous sommes sincères, tes serviteurs ne sont pas des espions. » ¹²Mais il leur dit : « Non ! Ce sont les points faibles du pays que vous êtes venus voir. » ¹³Ils répondirent : « Tes serviteurs étaient douze frères, nous sommes fils d'un même homme, au pays de Canaan : le plus jeune est maintenant avec notre père et il y en a un qui n'est plus. » ¹⁴Joseph reprit : « C'est comme je vous ai dit : vous êtes des espions ! ¹⁵Voici l'épreuve que vous subirez : aussi vrai que Pharaon est vivant, vous ne partirez pas d'ici à moins que votre plus jeune frère n'y vienne ! ¹⁶Envoyez l'un de vous chercher votre frère ; pour vous, restez prisonniers. On éprouvera vos paroles et l'on verra si la vérité est avec vous ou non. Si non, aussi vrai que Pharaon est vivant, vous êtes des espions ! » ¹⁷Et il les mit tous en prison pour trois jours.

¹⁸Le troisième jour, Joseph leur dit : « Voici ce que vous ferez pour avoir la vie sauve, car je crains Dieu : ¹⁹si vous êtes sincères, que l'un de vos frères reste détenu dans votre prison ; pour vous, partez en emportant le grain dont vos familles ont besoin. ²⁰Vous me ramènerez votre plus jeune frère : ainsi vos paroles seront vérifiées et vous ne mourrez pas. » – Ainsi firent-ils. – ²¹Ils se dirent l'un à l'autre : « En vérité, nous expions ce que nous avons fait à notre frère : nous avons vu la détresse de son âme, quand il nous demandait grâce, et nous n'avons pas écouté. C'est pourquoi cette détresse nous est venue. » ²²Ruben leur répondit : « Ne vous avais-je pas dit de ne pas commettre de faute contre l'enfant ? Mais vous ne m'avez pas écouté et voici qu'il nous est demandé compte de son sang. » ²³Ils ne savaient pas que Joseph les comprenait car, entre lui et eux, il y avait l'interprète. ²⁴Alors il s'écarta d'eux et pleura. Puis il revint vers eux et leur parla ; il prit d'entre eux Siméon et le fit lier sous leurs yeux.

Retour des fils de Jacob en Canaan.

²⁵Joseph donna l'ordre de remplir de blé leurs bagages, de remettre l'argent de chacun dans son sac et de leur donner des provisions de route. Et c'est ce qu'on leur fit. ²⁶Ils chargèrent le grain sur leurs ânes et s'en allèrent. ²⁷Mais lorsque l'un d'eux, au campement pour la nuit, ouvrit son sac à blé pour donner du fourrage à son âne, il vit son argent qui était à l'entrée de son sac à blé. ²⁸Il dit à ses frères : « On a rendu mon argent, voici qu'il est dans mon sac à blé ! » Alors le cœur leur manqua et ils se regardèrent en tremblant, se di-

sant : « Qu'est-ce que Dieu nous a fait ? »

²⁹Revenus chez leur père Jacob, au pays de Canaan, ils lui racontèrent tout ce qui leur était arrivé. ³⁰« L'homme qui est seigneur du pays, dirent-ils, nous a parlé durement et nous a pris pour des espions du pays. ³¹Nous lui avons dit : "Nous sommes sincères, nous ne sommes pas des espions, ³²nous étions douze frères, les fils d'un même père, l'un de nous n'est plus et le plus jeune est maintenant avec notre père au pays de Canaan." ³³Mais cet homme qui est seigneur du pays nous a répondu : "Voici comment je saurai si vous êtes sincères : laissez près de moi un de vos frères, prenez le grain dont vos familles ont besoin et partez, ³⁴mais ramenez-moi votre plus jeune frère et je saurai que vous n'êtes pas des espions mais que vous êtes sincères. Alors je vous rendrai votre frère et vous pourrez circuler dans le pays." »

³⁵Comme ils vidaient leurs sacs, voici que chacun avait dans son sac sa bourse d'argent, et lorsqu'ils virent leurs bourses d'argent ils eurent peur, eux et leur père. ³⁶Alors leur père Jacob leur dit : « Vous me privez de mes enfants : Joseph n'est plus, Siméon n'est plus, et vous voulez prendre Benjamin, c'est sur moi que tout cela retombe ! »

³⁷Mais Ruben dit à son père : « Tu mettras mes deux fils à mort si je ne te le ramène pas. Confie-le-moi et je te le rendrai ! » ³⁸Mais il reprit : « Mon fils ne descendra pas avec vous : son frère est mort et il reste seul. S'il lui arrivait malheur dans le voyage que vous allez entreprendre, vous feriez descendre dans l'affliction mes cheveux blancs au shéol. »

Les fils de Jacob repartent avec Benjamin.

43 ¹Mais la famine pesait sur le pays ²et lorsqu'ils eurent achevé de manger le grain qu'ils avaient apporté d'Égypte, leur père leur dit : « Retournez et achetez-nous un peu de vivres. » ³Juda lui répondit : « Cet homme nous a expressément avertis : "Vous ne serez pas admis en ma présence à moins que votre frère ne soit avec vous." ⁴Si tu es prêt à laisser notre frère avec nous, nous descendrons et t'achèterons des vivres, ⁵mais si tu ne le laisses pas partir, nous ne descendrons pas, car cet homme nous a dit : "Vous ne serez pas admis en ma présence à moins que votre frère ne soit avec vous." » ⁶Israël dit : « Pourquoi m'avez-vous fait ce mal de dire à cet homme que vous aviez encore un frère ? » – ⁷« C'est, répondirent-ils, que l'homme s'est enquis de nous et de notre famille en demandant : "Votre père est-il encore vivant, avez-vous un frère" ? et nous l'avons informé en conséquence. Pouvions-nous savoir qu'il dirait : "Amenez votre frère" ? » ⁸Alors Juda dit à son père Israël : « Laisse aller l'enfant avec moi. Allons, mettons-nous en route pour que nous conservions la vie et ne mourions pas, nous-mêmes avec toi et les personnes à notre charge. ⁹Je me porte garant pour lui et tu m'en demanderas compte : s'il m'arrive de ne pas te le ramener et de ne pas le remettre devant tes yeux, j'en porterai la faute pendant toute ma vie. [10]Si nous n'avions pas tant tardé, nous serions déjà revenus pour la seconde fois ! »

[11]Alors leur père Israël leur dit : « Puisqu'il le faut, faites donc ceci : dans vos bagages prenez des meilleurs produits du pays pour les apporter en présent à cet homme, un peu de baume et un peu de miel, de la gomme adragante et du ladanum, des pistaches et des amandes. [12]Prenez avec vous une seconde somme d'argent et rapportez l'argent qui a été remis à l'entrée de vos sacs à blé : c'était peut-être une méprise. [13]Prenez votre frère et partez, retournez auprès de cet homme. [14]Qu'El Shaddaï vous fasse trouver miséricorde auprès de cet homme et qu'il vous laisse ramener votre autre frère et Benjamin. Pour moi, que je perde mes enfants si je dois les perdre ! »

La rencontre chez Joseph.

[15]Nos gens prirent donc ce présent, le double d'argent avec eux, et Benjamin ; ils partirent et descendirent en Égypte et ils se présentèrent devant Joseph. [16]Quand Joseph les vit avec Benjamin, il dit à son intendant : « Conduis ces gens à la maison, abats une bête et apprête-la, car ces gens mangeront avec moi à midi. » [17]L'homme fit comme Joseph avait commandé et conduisit nos gens à la maison de Joseph.

[18]Nos gens eurent peur parce qu'on les conduisait à la maison de Joseph et ils dirent : « C'est à cause de l'argent qui s'est retrouvé la première fois dans nos sacs à blé qu'on nous emmène : on va nous assaillir, tomber sur nous et nous prendre pour esclaves, avec nos ânes. » [19]Ils s'approchèrent de l'intendant de Joseph et lui parlèrent à l'entrée de la maison : [20]« Pardon, Monseigneur ! dirent-ils, nous sommes descendus une première fois pour acheter des vivres [21]et, lorsque nous sommes arrivés au campement pour la nuit et que nous avons ouvert nos sacs à blé, voici que l'argent de chacun se trouvait à l'entrée de son sac, notre argent bien compté, et nous le rapportons avec nous. [22]Nous avons apporté une autre somme pour acheter des vivres. Nous ne savons pas qui a mis notre argent dans nos sacs à blé. » [23]Mais il répondit : « Soyez en paix et n'ayez pas peur ! C'est votre Dieu et le Dieu de votre père qui vous a mis un trésor dans vos sacs à blé ; votre argent m'est bien parvenu » et il leur amena Siméon.

[24]L'homme introduisit nos gens dans la maison de Joseph, il leur apporta de l'eau pour qu'ils se lavent les pieds et il donna du fourrage à leurs ânes. [25]Ils disposèrent le présent en attendant que Joseph vienne pour midi, car ils avaient appris qu'ils prendraient là leur repas.

[26]Quand Joseph rentra à la maison, ils lui offrirent le présent qu'ils avaient avec eux à la maison même et se prosternèrent à terre. [27]Mais il les salua amicalement et demanda : « Comment se porte votre vieux père dont vous m'avez parlé, est-il encore en vie ? » [28]Ils répondirent : « Ton serviteur, notre père, se porte bien, il est encore en vie » et ils s'agenouillèrent et se prosternèrent. [29]Levant les yeux, Joseph vit

son frère Benjamin, le fils de sa mère, et demanda : « Est-ce là votre plus jeune frère, dont vous m'avez parlé ? » Et s'adressant à lui « Que Dieu te fasse grâce, mon fils. » ³⁰Et Joseph se hâta de sortir, car ses entrailles s'étaient émues pour son frère et les larmes lui venaient aux yeux : il entra dans sa chambre et là, il pleura. ³¹S'étant lavé le visage, il revint et, se contenant, il ordonna : « Servez le repas. » ³²On le servit à part, eux à part et à part aussi les Égyptiens qui mangeaient chez lui, car les Égyptiens ne peuvent pas prendre leurs repas avec les Hébreux : ils ont cela en horreur. ³³Ils étaient placés en face de lui, chacun à son rang, de l'aîné au plus jeune, et nos gens se regardaient avec étonnement. ³⁴Mais lui leur fit porter, de son plat, des portions d'honneur, et la portion de Benjamin surpassait cinq fois celle de tous les autres. Avec lui ils burent et s'enivrèrent.

La coupe de Joseph dans le sac de Benjamin.

44 ¹Puis Joseph dit à son intendant : « Remplis les sacs de ces gens avec autant de vivres qu'ils peuvent en porter et mets l'argent de chacun à l'entrée de son sac. ²Ma coupe, celle d'argent, tu la mettras à l'entrée du sac du plus jeune, avec le prix de son grain. » Et il fit comme Joseph avait dit.

³Lorsque le matin parut, on renvoya nos gens avec leurs ânes. ⁴Ils étaient à peine sortis de la ville et n'étaient pas bien loin que Joseph dit à son intendant : « Debout ! Cours après ces hommes, rattrape-les et dis-leur : Pourquoi avez-vous rendu le mal pour le bien ? ⁵N'est-ce pas ce qui sert à mon maître pour boire et aussi pour lire les présages ? C'est mal ce que vous avez fait ! »

⁶Il les rattrapa donc et leur redit ces paroles. ⁷Mais ils répondirent : « Pourquoi Monseigneur parle-t-il ainsi ? Loin de tes serviteurs de faire une chose pareille ! ⁸Vois donc : l'argent que nous avions trouvé à l'entrée de nos sacs à blé, nous te l'avons rapporté du pays de Canaan, comment aurions-nous volé, de la maison de ton maître, argent ou or ? ⁹Celui de tes serviteurs avec qui on trouvera l'objet sera mis à mort et nous-mêmes deviendrons esclaves de Monseigneur. » ¹⁰Il reprit : « Eh bien ! Qu'il en soit comme vous avez dit : celui avec qui on trouvera l'objet sera mon esclave, mais vous autres vous serez quittes. » ¹¹Vite, chacun descendit à terre son sac à blé et chacun l'ouvrit. ¹²Il les fouilla en commençant par l'aîné et en finissant par le plus jeune, et la coupe fut trouvée dans le sac de Benjamin ! ¹³Alors, ils déchirèrent leurs vêtements, rechargèrent chacun son âne et revinrent à la ville.

¹⁴Lorsque Juda et ses frères entrèrent dans la maison de Joseph, celui-ci s'y trouvait encore, et ils tombèrent à terre devant lui. ¹⁵Joseph leur demanda : « Quelle est cette action que vous avez commise ? Ne saviez-vous pas qu'un homme comme moi sait deviner ? » ¹⁶Et Juda répondit : « Que dirons-nous à Monseigneur, comment parler et comment nous justifier ? C'est Dieu qui a mis en

évidence la faute de tes serviteurs. Nous voici donc les esclaves de Monseigneur, aussi bien nous autres que celui aux mains duquel on a trouvé la coupe. » ¹⁷Mais il reprit : « Loin de moi d'agir ainsi ! L'homme aux mains duquel la coupe a été trouvée sera mon esclave, mais vous, retournez en paix chez votre père. »

L'intervention de Juda.

¹⁸Alors Juda s'approcha de lui et dit : « S'il te plaît, Monseigneur, permets que ton serviteur fasse entendre un mot aux oreilles de Monseigneur, sans que ta colère s'enflamme contre ton serviteur, car tu es vraiment comme Pharaon ! ¹⁹Monseigneur avait posé cette question à ses serviteurs : "Avez-vous encore un père ou un frère ?" ²⁰Et nous avons répondu à Monseigneur : "Nous avons un vieux père et un cadet, qui lui est né dans sa vieillesse ; le frère de celui-ci est mort, il reste le seul enfant de sa mère et notre père l'aime !" ²¹Alors tu as dit à tes serviteurs : "Amenez-le-moi, que mon regard se pose sur lui." ²²Nous avons répondu à Monseigneur : "L'enfant ne peut pas quitter son père ; s'il quitte son père, celui-ci en mourra." ²³Mais tu as insisté auprès de tes serviteurs : "Si votre plus jeune frère ne descend pas avec vous, vous ne serez plus admis en ma présence." ²⁴Donc, lorsque nous sommes remontés chez ton serviteur, mon père, nous lui avons apporté les paroles de Monseigneur. ²⁵Et lorsque notre père a dit : "Retournez pour nous acheter un peu de vivres", ²⁶nous avons répondu :

"Nous ne pouvons pas descendre. Nous ne descendrons que si notre plus jeune frère est avec nous, car il n'est pas possible que nous soyons admis en présence de cet homme sans que notre plus jeune frère soit avec nous." ²⁷Alors ton serviteur, mon père, nous a dit : "Vous savez bien que ma femme ne m'a donné que deux enfants : ²⁸l'un m'a quitté et j'ai dit : il a été mis en pièces ! et je ne l'ai plus revu jusqu'à présent. ²⁹Que vous preniez encore celui-ci d'auprès de moi et qu'il lui arrive malheur et vous feriez descendre dans la peine mes cheveux blancs au shéol." ³⁰Maintenant, si j'arrive chez ton serviteur, mon père, sans que soit avec nous l'enfant à l'âme duquel son âme est liée, ³¹dès qu'il verra que l'enfant n'est pas avec nous, il mourra, et tes serviteurs auront fait descendre dans l'affliction les cheveux blancs de ton serviteur, notre père, au shéol. ³²Et ton serviteur s'est porté garant de l'enfant auprès de mon père, en ces termes : "Si je ne te le ramène pas, j'en serai coupable envers mon père toute ma vie." ³³Maintenant, que ton serviteur reste comme esclave de Monseigneur à la place de l'enfant et que celui-ci remonte avec ses frères. ³⁴Comment, en effet, pourrais-je remonter chez mon père sans que l'enfant soit avec moi ? Je ne veux pas voir le malheur qui frapperait mon père. »

Joseph se fait connaître.

45 ¹Alors Joseph ne put se contenir devant tous les gens de sa suite et il s'écria : « Faites sortir tout le monde d'auprès de moi » ; et personne ne resta auprès de lui pendant que Joseph se faisait connaître à ses frères, ²mais il pleura tout haut et tous les Égyptiens entendirent, et la nouvelle parvint au palais de Pharaon.

³Joseph dit à ses frères : « Je suis Joseph ! Mon père vit-il encore ? » et ses frères ne purent lui répondre, car ils étaient bouleversés de le voir. ⁴Alors Joseph dit à ses frères : « Approchez-vous de moi ! » et ils s'approchèrent. Il dit : « Je suis Joseph, votre frère, que vous avez vendu en Égypte. ⁵Mais maintenant ne soyez pas chagrins et ne vous fâchez pas de m'avoir vendu ici, car c'est pour préserver vos vies que Dieu m'a envoyé en avant de vous. ⁶Voici, en effet, deux ans que la famine est installée dans le pays et il y aura encore cinq années sans labour ni moisson. ⁷Dieu m'a envoyé en avant de vous pour assurer la permanence de votre race dans le pays et sauver vos vies pour une grande délivrance. ⁸Ainsi, ce n'est pas vous qui m'avez envoyé ici, c'est Dieu, et il m'a établi comme père pour Pharaon, comme maître sur toute sa maison, comme gouverneur dans tout le pays d'Égypte.

⁹« Remontez vite chez mon père et dites-lui : "Ainsi parle ton fils Joseph : Dieu m'a établi maître sur toute l'Égypte. Descends auprès de moi sans tarder. ¹⁰Tu habiteras dans le pays de Goshen et tu seras près de moi, toi-même, tes enfants, tes petits-enfants, ton petit et ton gros bétail, et tout ce qui t'appartient. ¹¹Là, je pourvoirai à ton entretien, car la famine durera encore cinq années, pour que tu ne sois pas dans l'indigence, toi, ta famille et tout ce qui est à toi." ¹²Vous voyez de vos propres yeux et mon frère Benjamin voit que c'est ma bouche qui vous parle. ¹³Racontez à mon père toute la gloire que j'ai en Égypte et tout ce que vous avez vu, et hâtez-vous de faire descendre ici mon père. »

¹⁴Alors il se jeta au cou de son frère Benjamin et pleura. Benjamin aussi pleura à son cou. ¹⁵Puis il couvrit tous ses frères de baisers et pleura en les embrassant. Après quoi, ses frères s'entretinrent avec lui.

L'invitation de Pharaon.

¹⁶La nouvelle parvint au palais de Pharaon que les frères de Joseph étaient venus, et Pharaon comme ses officiers virent cela d'un bon œil. ¹⁷Pharaon parla ainsi à Joseph : « Dis à tes frères : "Faites ceci : chargez vos bêtes et allez-vous-en au pays de Canaan. ¹⁸Prenez votre père et vos familles et revenez chez moi ; je vous donnerai le meilleur de la terre d'Égypte et vous vous nourrirez de la graisse du pays." ¹⁹Pour toi, donne-leur cet ordre : "Agissez ainsi : emmenez du pays d'Égypte des chariots pour vos petits enfants et vos femmes, prenez votre père et venez. ²⁰N'ayez pas un regard de regret pour ce que vous laisserez, car ce qu'il y a de meilleur dans toute l'Égypte sera pour vous." »

Le retour en Canaan.

²¹Ainsi firent les fils d'Israël. Joseph leur procura des chariots selon l'ordre de Pharaon, et les munit de provisions de route. ²²À

chacun d'eux il donna un habit de fête, mais à Benjamin il donna trois cents sicles d'argent et cinq habits de fête. ²³De la même manière, il envoya à son père dix ânes chargés des meilleurs produits d'Égypte et dix ânesses portant du blé, du pain et des vivres pour le voyage de son père. ²⁴Puis il congédia ses frères qui partirent, non sans qu'il leur eût dit : « Ne vous excitez pas en chemin ! »

²⁵Ils remontèrent donc d'Égypte et arrivèrent au pays de Canaan, chez leur père Jacob. ²⁶Ils lui annoncèrent : « Joseph est encore vivant, c'est même lui qui gouverne tout le pays d'Égypte ! » Mais son cœur resta inerte, car il ne les crut pas. ²⁷Cependant, quand ils lui eurent répété toutes les paroles que Joseph leur avait dites, quand il vit les chariots que Joseph avait envoyés pour le prendre, alors l'esprit de Jacob, leur père, se ranima. ²⁸Et Israël dit : « Cela suffit ! Joseph, mon fils, est encore vivant ! Que j'aille le voir avant que je ne meure ! »

Départ de Jacob pour l'Égypte.

46 ¹Israël partit avec tout ce qu'il possédait. Arrivé à Bersabée, il offrit des sacrifices au Dieu de son père Isaac ²et Dieu dit à Israël dans une vision nocturne : « Jacob ! Jacob ! » et il répondit : « Me voici. » ³Dieu reprit : « Je suis El, le Dieu de ton père. N'aie pas peur de descendre en Égypte, car là-bas je ferai de toi une grande nation. ⁴C'est moi qui descendrai avec toi en Égypte, c'est moi aussi qui t'en ferai remonter, et Joseph te fermera les yeux. » ⁵Jacob partit de Bersabée, et les fils d'Israël firent monter leur père Jacob, leurs petits enfants et leurs femmes sur les chariots que Pharaon avait envoyés pour le prendre.

⁶Ils emmenèrent leurs troupeaux et tout ce qu'ils avaient acquis au pays de Canaan et ils vinrent en Égypte, Jacob et tous ses descendants avec lui : ⁷ses fils et les fils de ses fils, ses filles et les filles de ses fils, bref tous ses descendants, il les emmena avec lui en Égypte.

La famille de Jacob. ‖ Nb 26 5s.

⁸Voici les noms des fils d'Israël qui vinrent en Égypte, Jacob et ses fils. Ruben, l'aîné de Jacob, ⁹et les fils de Ruben : Hénok, Pallu, Heçrôn, Karmi. ¹⁰Les fils de Siméon : Yemuel, Yamîn, Ohad, Yakîn, Çohar et Shaûl, le fils de la Cananéenne. ¹¹Les fils de Lévi : Gershôn, Qehat, Merari. ¹²Les fils de Juda : Er, Onân, Shéla, Pérèç et Zérah (mais Er et Onân étaient morts au pays de Canaan), et les fils de Pérèç, Heçrôn et Hamul. ¹³Les fils d'Issachar : Tola, Puvva, Yashub et Shimrôn. ¹⁴Les fils de Zabulon : Séred, Élôn, Yahléel. ¹⁵Tels sont les fils que Léa avait enfantés à Jacob en Paddân-Aram, en plus sa fille Dina, en tout, fils et filles, trente-trois personnes.

¹⁶Les fils de Gad : Çephôn, Haggi, Shuni, Eçbôn, Éri, Arodi et Aréli. ¹⁷Les fils d'Asher : Yimna, Yishva, Yishvi, Beria et leur sœur Sérah ; les fils de Beria : Héber et Malkiel. ¹⁸Tels sont les fils de Zilpa, donnée par Laban à sa fille Léa ; elle enfanta ceux-là à Jacob, seize personnes.

¹⁹Les fils de Rachel, femme de Jacob : Joseph et Benjamin. ²⁰Joseph eut pour enfants en Égypte Manassé et Éphraïm, nés d'Asnat, fille de Poti-Phéra, prêtre d'On. ²¹Les fils de Benjamin : Béla, Béker, Ashbel, Géra, Naamân, Éhi, Rosh, Muppim, Huppim et Ard. ²²Tels sont les fils que Rachel enfanta à Jacob, en tout quatorze personnes.

²³Les fils de Dan : Hushim. ²⁴Les fils de Nephtali : Yahçéel, Guni, Yéçer et Shillem. ²⁵Tels sont les fils de Bilha, donnée par Laban à sa fille Rachel ; elle enfanta ceux-là à Jacob, en tout sept personnes.

²⁶Toutes les personnes de la famille de Jacob, issues de lui, qui vinrent en Égypte, sans compter les femmes des fils de Jacob, étaient en tout soixante-six. ²⁷Les fils de Joseph qui lui naquirent en Égypte étaient au nombre de deux. Total des personnes de la famille de Jacob qui vinrent en Égypte : soixante-dix.

L'accueil de Joseph.

²⁸Israël envoya Juda en avant vers Joseph pour que celui-ci parût devant lui en Goshèn, et ils arrivèrent à la terre de Goshèn. ²⁹Joseph fit atteler son char et monta à la rencontre de son père Israël en Goshèn. Dès qu'il parut devant lui, il se jeta à son cou et pleura longtemps en le tenant embrassé. ³⁰Israël dit à Joseph : « Pour lors, je puis mourir, après que j'ai vu ton visage et que tu es encore vivant ! »

³¹Alors Joseph dit à ses frères et à la famille de son père : « Je vais monter avertir Pharaon et lui dire :

"Mes frères et la famille de mon père, qui étaient au pays de Canaan, sont arrivés auprès de moi. ³²Ces gens sont des bergers – ils se sont occupés de troupeaux – et ils ont amené leur petit et leur gros bétail et tout ce qui leur appartient." ³³Aussi, lorsque Pharaon vous appellera et vous demandera : "Quel est votre métier ?" ³⁴Vous répondrez : "Tes serviteurs se sont occupés de troupeaux depuis leur plus jeune âge jusqu'à maintenant, nous-mêmes comme déjà nos pères." Ainsi vous pourrez demeurer dans la terre de Goshèn. » En effet, les Égyptiens ont tous les bergers en horreur.

L'audience de Pharaon.

47 ¹Donc Joseph alla avertir Pharaon : « Mon père et mes frères, dit-il, sont arrivés du pays de Canaan avec leur petit et leur gros bétail et tout ce qui leur appartient ; les voici dans la terre de Goshèn. » ²Il avait pris cinq de ses frères, qu'il présenta à Pharaon. ³Celui-ci demanda à ses frères : « Quel est votre métier ? », et ils répondirent : « Tes serviteurs sont des bergers, nous-mêmes comme déjà nos pères. » ⁴Ils dirent aussi à Pharaon : « Nous sommes venus séjourner dans le pays, car il n'y a plus de pâture pour les troupeaux de tes serviteurs : la famine, en effet, accable le pays de Canaan. Permets maintenant que tes serviteurs demeurent dans la terre de Goshèn. » ⁵ᵃAlors Pharaon dit à Joseph : ⁶ᵇ« Qu'ils habitent la terre de Goshèn et, si tu sais qu'il y a parmi eux des hommes capables, place-les comme régisseurs de mes propres troupeaux. »

Autre récit.

[5b]Jacob et ses fils vinrent en Égypte auprès de Joseph. Pharaon, roi d'Égypte, l'apprit et il dit à Joseph : « Ton père et tes frères sont arrivés près de toi. [6a]Le pays d'Égypte est à ta disposition : établis ton père et tes frères dans la meilleure région. » [7]Alors Joseph introduisit son père Jacob et le présenta à Pharaon, et Jacob salua Pharaon. [8]Pharaon demanda à Jacob : « Combien comptes-tu d'années de vie ? » [9]Et Jacob répondit à Pharaon : « Les années de mon séjour sur terre ont été de cent trente ans, mes années ont été brèves et malheureuses et n'ont pas atteint l'âge de mes pères, les années de leur séjour. » [10]Jacob salua Pharaon et prit congé de lui. [11]Joseph établit son père et ses frères et il leur donna une propriété au pays d'Égypte, dans la meilleure région, la terre de Ramsès, comme l'avait ordonné Pharaon. [12]Joseph procura du pain à son père, à ses frères et à toute la famille de son père, selon le nombre des personnes à leur charge.

Politique agraire de Joseph.

[13]Il n'y avait pas de pain sur toute la terre, car la famine était devenue très dure et le pays d'Égypte et le pays de Canaan languissaient de faim. [14]Joseph ramassa tout l'argent qui se trouvait au pays d'Égypte et au pays de Canaan en échange du grain qu'on achetait et il livra cet argent au palais de Pharaon. [15]Lorsque fut épuisé l'argent du pays d'Égypte et du pays de Canaan, tous les Égyptiens vinrent à Joseph en disant : « Donne-nous du pain ! Pourquoi devrions-nous mourir sous tes yeux ? car il n'y a plus d'argent. » [16]Alors Joseph leur dit : « Livrez vos troupeaux et je vous donnerai du pain en échange de vos troupeaux, s'il n'y a plus d'argent. » [17]Ils amenèrent leurs troupeaux à Joseph et celui-ci leur donna du pain pour prix des chevaux, du petit et du gros bétail et des ânes ; il les nourrit de pain, cette année-là, en échange de leurs troupeaux.

[18]Lorsque fut écoulée cette année-là, ils revinrent vers lui l'année suivante et lui dirent : « Nous ne pouvons le cacher à Monseigneur : vraiment l'argent est épuisé et les bestiaux sont déjà à Monseigneur, il ne reste à la disposition de Monseigneur que notre corps et notre terroir. [19]Pourquoi devrions-nous mourir sous tes yeux, nous et notre terroir ? Acquiers donc nos personnes et notre terroir pour du pain, et nous serons, avec notre terroir, les serfs de Pharaon. Mais donne-nous de quoi semer pour que nous restions en vie et ne mourions pas et que notre terroir ne soit pas désolé. »

[20]Ainsi Joseph acquit pour Pharaon tout le terroir d'Égypte, car les Égyptiens vendirent chacun son champ, tant les pressait la famine, et le pays passa aux mains de Pharaon. [21]Quant aux gens, il les réduisit en servage, d'un bout à l'autre du territoire égyptien. [22]Il n'y eut que le terroir des prêtres qu'il n'acquit pas, car les prêtres recevaient une rente de Pharaon et vivaient de la rente qu'ils recevaient de Pharaon. Aussi n'eurent-ils pas à vendre leur terroir.

²³Puis Joseph dit au peuple : « Donc, je vous ai maintenant acquis pour Pharaon, avec votre terroir. Voici pour vous de la semence, pour ensemencer votre terroir. ²⁴Mais, sur la récolte, vous devrez donner un cinquième à Pharaon, et les quatre autres parts seront à vous, pour la semence du champ, pour votre nourriture et celle de votre famille, pour la nourriture des personnes à votre charge. » ²⁵Ils répondirent : « Tu nous as sauvé la vie ! Puissions-nous seulement trouver grâce aux yeux de Monseigneur, et nous serons les serfs de Pharaon. » ²⁶De cela, Joseph fit une règle, qui vaut encore aujourd'hui pour le terroir d'Égypte : on verse le cinquième à Pharaon. Seul le terroir des prêtres ne fut pas à Pharaon.

Dernières volontés de Jacob. = 49 29-32 ; **50** 6.

²⁷Ainsi Israël s'établit au pays d'Égypte dans la terre de Goshèn. Ils y acquirent des propriétés, furent féconds et devinrent très nombreux. ²⁸Jacob vécut dix-sept ans au pays d'Égypte et la durée de la vie de Jacob fut de cent quarante-sept ans. ²⁹Lorsque approcha pour Israël le temps de sa mort, il appela son fils Joseph et lui dit : « Si j'ai ton affection, mets ta main sous ma cuisse, montre-moi bienveillance et bonté : ne m'enterre pas en Égypte ! ³⁰Quand je serai couché avec mes pères, tu m'emporteras d'Égypte et tu m'enterreras dans leur tombeau. » Il répondit : « Je ferai comme tu as dit. » ³¹Mais son père insista : « Prête-moi serment », et il lui prêta serment, pendant qu'Israël se prosternait sur le chevet de son lit.

Jacob adopte et bénit les deux fils de Joseph.

48 ¹Il arriva, après ces événements, qu'on dit à Joseph : « Voici que ton père est malade ! » et il emmena avec lui ses deux fils, Manassé et Éphraïm. ²Lorsqu'on eut annoncé à Jacob : « Voici ton fils Joseph qui est venu auprès de toi », Israël rassembla ses forces et se mit assis sur le lit. ³Puis Jacob dit à Joseph : « El Shaddaï m'est apparu à Luz, au pays de Canaan, il m'a béni ⁴et m'a dit : "Je te rendrai fécond et je te multiplierai, je te ferai devenir une assemblée de peuples et je donnerai ce pays en possession perpétuelle à tes descendants après toi." ⁵Maintenant, les deux fils qui te sont nés au pays d'Égypte avant que je ne vienne auprès de toi en Égypte, ils seront miens ! Éphraïm et Manassé seront à moi au même titre que Ruben et Siméon. ⁶Quant aux enfants que tu as engendrés après eux, ils seront tiens ; ils porteront le nom de leurs frères pour l'héritage.

⁷« Lorsque je revenais de Paddân, Rachel est morte, pour mon malheur, au pays de Canaan, en route, encore un bout de chemin avant d'arriver à Éphrata, et je l'ai enterrée là, sur le chemin d'Éphrata – c'est Bethléem. »

⁸Israël vit les deux fils de Joseph et demanda : « Qui sont ceux-là ? » – ⁹« Ce sont les fils que Dieu m'a donnés ici », répondit Joseph à son père, et celui-ci reprit : « Amène-les-moi, que je les

bénisse. » [10]Or les yeux d'Israël étaient usés par la vieillesse, il n'y voyait plus, et Joseph les fit approcher de lui, qui les embrassa et les serra dans ses bras. [11]Et Israël dit à Joseph : « Je ne pensais pas revoir ton visage et voici que Dieu m'a fait voir même tes descendants ! » [12]Alors Joseph les retira de son giron et se prosterna, la face contre terre.

[13]Joseph les prit tous deux, Éphraïm de sa main droite pour qu'il soit à la gauche d'Israël, Manassé de sa main gauche pour qu'il soit à la droite d'Israël, et il les fit approcher de celui-ci. [14]Mais Israël étendit sa main droite et la posa sur la tête d'Éphraïm, qui était le cadet, et sa main gauche sur la tête de Manassé, en croisant ses mains – en effet Manassé était l'aîné. [15]Il bénit ainsi Joseph :

« Que le Dieu devant qui ont marché mes pères Abraham et Isaac,

que le Dieu qui fut mon pasteur depuis que je vis jusqu'à maintenant,

[16]que l'Ange qui m'a sauvé de tout mal bénisse ces enfants,

que survivent en eux mon nom et le nom de mes ancêtres, Abraham et Isaac,

qu'ils croissent et multiplient sur la terre ! »

[17]Cependant Joseph vit que son père mettait sa main droite sur la tête d'Éphraïm et cela lui déplut. Il saisit la main de son père pour la détourner de la tête d'Éphraïm sur la tête de Manassé, [18]et Joseph dit à son père : « Pas comme cela, père, car c'est celui-ci l'aîné : mets ta main droite sur sa tête. »

[19]Mais son père refusa et dit : « Je sais, mon fils, je sais : lui aussi deviendra un peuple, lui aussi sera grand. Pourtant, son cadet sera plus grand que lui, sa descendance deviendra une multitude de nations. »

[20]En ce jour-là, il les bénit ainsi :

« C'est par toi qu'Israël prononcera cette bénédiction :

Que Dieu te rende semblable à Éphraïm et à Manassé ! »

mettant ainsi Éphraïm avant Manassé.

[21]Puis Israël dit à Joseph : « Voici que je vais mourir, mais Dieu sera avec vous et vous ramènera au pays de vos pères. [22]Pour moi, je te donne un Sichem de plus qu'à tes frères, ce que j'ai conquis sur les Amorites par mon épée et par mon arc. »

Bénédictions de Jacob. Jg 5. Dt 33.

49 [1]Jacob appela ses fils et dit : « Réunissez-vous, que je vous annonce ce qui vous arrivera dans la suite des temps.

[2]« Rassemblez-vous, écoutez, fils de Jacob,

écoutez Israël, votre père.

[3]Ruben, tu es mon premier-né, ma vigueur, les prémices de ma virilité,

comble de fierté et comble de force,

[4]un débordement comme les eaux : tu ne seras pas comblé,

car tu es monté sur le lit de ton père,

alors tu as profané ma couche !

[5]Siméon et Lévi sont frères, leurs traités sont des instruments de violence.

⁶Que mon âme n'entre pas en leur conseil,
  que mon cœur ne s'unisse pas à leur groupe,
  car dans leur colère ils ont tué des hommes,
  dans leur dérèglement, mutilé des taureaux.
⁷Maudite leur colère pour sa rigueur,
  maudite leur fureur pour sa dureté.
  Je les diviserai dans Jacob,
  je les disperserai dans Israël.

⁸Juda, toi, tes frères te loueront,
  ta main est sur la nuque de tes ennemis
  et les fils de ton père s'inclineront devant toi.
⁹Juda est un jeune lion ;
  de la proie, mon fils, tu es remonté ;
  il s'est accroupi, s'est couché comme un lion,
  comme une lionne : qui le ferait lever ?
¹⁰Le sceptre ne s'éloignera pas de Juda,
  ni le bâton de chef d'entre ses pieds,
  jusqu'à ce que le tribut lui soit apporté
  et que les peuples lui obéissent.
¹¹Il lie à la vigne son ânon,
  au cep le petit de son ânesse,
  il lave son vêtement dans le vin,
  son habit dans le sang des raisins,
¹²ses yeux sont troubles de vin,
  ses dents sont blanches de lait.

¹³Zabulon réside au bord de la mer,
  il est matelot sur les navires,
  il a Sidon à son côté.

¹⁴Issachar est un âne robuste,
  couché entre un double muret.
¹⁵Il a vu que le repos était bon,
  que le pays était agréable,
  il a tendu son échine au fardeau,
  il est devenu esclave à la corvée.

¹⁶Dan juge son peuple,
  comme chaque tribu d'Israël.
¹⁷Que Dan soit un serpent sur le chemin,
  un céraste sur le sentier,
  qui mord le cheval au jarret
  et son cavalier tombe à la renverse !

¹⁸En ton salut j'espère, ô Yahvé !

¹⁹Gad, des détrousseurs le détroussent
  et lui, détrousse et les talonne.

²⁰Asher, son pain est gras,
  il fournit des mets de roi.

²¹Nephtali est une biche rapide,
  qui donne de beaux faons.

²²Joseph est un plant fécond, un plant fécond près de la source,
  dont les tiges franchissent le mur.
²³Les archers l'ont exaspéré,
  ils ont tiré et l'ont pris à partie.
²⁴Mais son arc est demeuré ferme,
  et les muscles de ses mains, agiles,
  grâce aux mains du Puissant de Jacob,
  grâce au nom du Pasteur, la Pierre d'Israël,
²⁵grâce au Dieu de ton père, qu'il te secoure,
  et à El Shaddai, qu'il te bénisse !

Bénédictions des cieux en haut,
bénédictions de l'abîme couché
en bas,
bénédictions des mamelles et
du sein,
²⁶Les bénédictions de ton père
l'ont emporté
sur les bénédictions des montagnes antiques,
sur les aspirations des collines
éternelles :
qu'elles viennent sur la tête de
Joseph,
sur le front du consacré d'entre
ses frères !

²⁷Benjamin est un loup rapace,
le matin il dévore une proie,
jusqu'au soir il partage le butin. »

²⁸Tous ceux-là forment les tribus d'Israël, au nombre de douze,
et voilà ce que leur a dit leur père.
Il les a bénis, chacun selon la bénédiction qui lui convenait.

Derniers moments et mort de Jacob.

²⁹Puis il leur donna cet ordre :
« Je vais être réuni aux miens. En-
terrez-moi près de mes pères, dans
la grotte qui est dans le champ
d'Éphrôn le Hittite, ³⁰dans la grotte du champ de Makpéla, en face
de Mambré, au pays de Canaan,
– le champ qu'Abraham a acquis
d'Éphrôn le Hittite comme possession funéraire. ³¹Là furent ense-
lis Abraham et sa femme Sara, là
furent ensevelis Isaac et sa femme
Rébecca, là j'ai enseveli Léa.
³²C'est le champ et la grotte y comprise, qui furent acquis des fils de
Hèt. »
³³Lorsque Jacob eut achevé de
donner ses instructions à ses fils,

il ramena ses pieds sur le lit, il
expira et fut réuni aux siens.

Funérailles de Jacob.

50 ¹Alors Joseph se jeta sur le
visage de son père, le couvrit
de larmes et de baisers. ²Puis Joseph donna aux médecins qui
étaient à son service l'ordre d'em-
baumer son père, et les médecins
embaumèrent Israël. ³Cela dura
quarante jours, car telle est la durée de l'embaumement.

Les Égyptiens le pleurèrent
soixante-dix jours. ⁴Quand fut
écoulé le temps des pleurs, Joseph parla ainsi au palais de Pharaon : « Si vous avez de l'amitié
pour moi, veuillez rapporter ceci
aux oreilles de Pharaon : ⁵mon
père m'a fait prêter ce serment :
"Je vais mourir, m'a-t-il dit, j'ai
un tombeau que je me suis creusé
au pays de Canaan, c'est là que
tu m'enterreras." Qu'on me laisse
donc monter pour enterrer mon
père, et je reviendrai. » ⁶Pharaon
répondit : « Monte et enterre ton
père, comme il te l'a fait jurer. »

⁷Joseph monta enterrer son père, et montèrent avec lui tous les
officiers de Pharaon, les dignitaires de son palais et tous les dignitaires du pays d'Égypte, ⁸ainsi
que toute la famille de Joseph, ses
frères et la famille de son père. Ils
ne laissèrent en terre de Goshèn
que les invalides, le petit et le gros
bétail. ⁹Avec lui montèrent aussi
des chars et des charriers : c'était
un cortège très imposant.

¹⁰Étant parvenus jusqu'à Gorèn-
ha-Atad, – c'est au-delà du Jourdain –, ils y firent une grande et
solennelle lamentation, et Joseph
célébra pour son père un deuil de

sept jours. [11]Les habitants du pays, les Cananéens, virent le deuil à Go-rèn-ha-Atad : « Voilà un grand deuil pour les Égyptiens » ; et c'est pourquoi on a appelé ce lieu Abel-Miçrayim – c'est au-delà du Jourdain.

[12]Ses fils agirent à son égard comme il leur avait ordonné [13]et ils le transportèrent au pays de Canaan et l'ensevelirent dans la grotte du champ de Makpéla – ce champ qu'Abraham avait acquis d'Éphrôn le Hittite comme possession funéraire, en face de Mambré.

[14]Après avoir enterré son père, Joseph revint alors en Égypte, lui, avec ses frères et tous ceux qui étaient montés avec lui pour enterrer son père.

De la mort de Jacob à la mort de Joseph.

[15]Voyant que leur père était mort, les frères de Joseph se dirent : « Si Joseph allait nous traiter en ennemis et nous rendre tout le mal que nous lui avons fait ? » [16]Aussi envoyèrent-ils dire à Joseph : « Avant de mourir, ton père a exprimé cette volonté : [17]"Vous parlerez ainsi à Joseph : Ah ! pardonne à tes frères leur crime et leur péché, tout le mal qu'ils t'ont fait !" Et maintenant, veuille pardonner le crime des serviteurs du Dieu de ton père ! » Et Joseph pleura aux paroles qu'ils lui adressaient.

[18]Ses frères eux-mêmes vinrent et, se jetant à ses pieds, dirent : « Nous voici pour toi comme des esclaves ! » [19]Mais Joseph leur répondit : « Ne craignez point ! Vais-je me substituer à Dieu ? [20]Le mal que vous aviez dessein de me faire, le dessein de Dieu l'a tourné en bien, afin d'accomplir ce qui se réalise aujourd'hui : sauver la vie à un peuple nombreux. [21]Maintenant, ne craignez point : c'est moi qui vous entretiendrai, ainsi que les personnes à votre charge. » Il les consola et leur parla affectueusement.

[22]Ainsi Joseph et la famille de son père demeurèrent en Égypte, et Joseph vécut cent dix ans. [23]Joseph vit les arrière-petits-enfants qu'il eut d'Éphraïm, de même les enfants de Makir, fils de Manassé, naquirent sur les genoux de Joseph. [24]Enfin Joseph dit à ses frères : « Je vais mourir, mais Dieu vous visitera et vous fera remonter de ce pays dans le pays qu'il a promis par serment à Abraham, Isaac et Jacob. » [25]Et Joseph fit prêter ce serment aux fils d'Israël : « Quand Dieu vous visitera, vous emporterez d'ici mes ossements. »

[26]Joseph mourut à l'âge de cent dix ans, on l'embauma et on le mit dans un cercueil en Égypte.

L'Exode

1. La délivrance d'Égypte

I. ISRAËL EN ÉGYPTE

La descendance de Jacob.

1 ¹Voici les noms des fils d'Israël qui entrèrent en Égypte avec Jacob ; ils y vinrent chacun avec sa famille : ²Ruben, Siméon, Lévi et Juda, ³Issachar, Zabulon et Benjamin, ⁴Dan et Nephtali, Gad et Asher. ⁵Les descendants de Jacob étaient, en tout, soixante-dix personnes. Joseph, lui, était déjà en Égypte. ⁶Puis Joseph mourut, ainsi que tous ses frères et toute cette génération. ⁷Les fils d'Israël furent féconds et se multiplièrent, ils devinrent de plus en plus nombreux et puissants, au point que le pays en fut rempli.

Oppression des Israélites.

⁸Un nouveau roi vint au pouvoir en Égypte, qui n'avait pas connu Joseph. ⁹Il dit à son peuple : « Voici que le peuple des Israélites est devenu plus nombreux et plus puissant que nous. ¹⁰Allons, prenons de sages mesures pour l'empêcher de s'accroître, sinon, en cas de guerre, il grossirait le nombre de nos adversaires. Il combattrait contre nous pour, ensuite, sortir du pays. » ¹¹On imposa donc à Israël des chefs de corvée pour lui rendre la vie dure par les travaux qu'ils exigeraient. C'est ainsi qu'il bâtit pour Pharaon les villes-entrepôts de Pitom et de Ramsès. ¹²Mais plus on lui rendait la vie dure, plus il croissait en nombre et surabondait, ce qui fit redouter les Israélites. ¹³Les Égyptiens contraignirent les Israélites au travail ¹⁴et leur rendirent la vie amère par de durs travaux : préparation de l'argile, moulage des briques, divers travaux des champs, toutes sortes de travaux auxquels ils les contraignirent.

¹⁵Le roi d'Égypte dit aux accoucheuses des femmes des Hébreux, dont l'une s'appelait Shiphra et l'autre Pua : ¹⁶« Quand vous accoucherez les femmes des Hébreux, regardez les deux pierres. Si c'est un fils, faites-le mourir, si c'est une fille, laissez-la vivre. » ¹⁷Mais les accoucheuses craignirent Dieu, elles ne firent pas ce que leur avait dit le roi d'Égypte et laissèrent vivre les garçons. ¹⁸Le roi d'Égypte les appela et leur dit : « Pourquoi avez-vous agi de la sorte et laissé vivre les garçons ? » ¹⁹Elles répondirent à Pharaon : « Les femmes des Hébreux ne sont pas comme les Égyptiennes, elles sont vigoureuses. Avant que l'accoucheuse n'arrive auprès d'elles, elles se sont délivrées. » ²⁰Dieu favorisa les accoucheuses ; quant au peuple, il devint très nombreux et très puissant. ²¹Comme les accoucheuses avaient craint Dieu, il leur accorda une postérité.

²²Pharaon donna alors cet ordre à tout son peuple : « Tout fils qui naîtra, jetez-le au Fleuve, mais laissez vivre toute fille. »

II. JEUNESSE ET VOCATION DE MOÏSE

Naissance de Moïse.

2 ¹Un homme de la maison de Lévi s'en alla prendre pour femme une fille de Lévi. ²Celle-ci conçut et enfanta un fils. Voyant combien il était beau, elle le dissimula pendant trois mois. ³Ne pouvant le dissimuler plus longtemps, elle prit pour lui une corbeille de papyrus qu'elle enduisit de bitume et de poix, y plaça l'enfant et la déposa dans les roseaux sur la rive du Fleuve. ⁴La sœur de l'enfant se posta à distance pour voir ce qui lui adviendrait.

⁵Or la fille de Pharaon descendit au Fleuve pour s'y baigner, tandis que ses servantes se promenaient sur la rive du Fleuve. Elle aperçut la corbeille parmi les roseaux et envoya sa servante la prendre. ⁶Elle l'ouvrit et vit l'enfant : c'était un garçon qui pleurait. Touchée de compassion pour lui, elle dit : « C'est un des petits Hébreux. » ⁷La sœur de l'enfant dit alors à la fille de Pharaon : « Veux-tu que j'aille te chercher, parmi les femmes des Hébreux, une nourrice qui te nourrira cet enfant ? – ⁸Va », lui répondit la fille de Pharaon. La jeune fille alla donc chercher la mère de l'enfant. ⁹La fille de Pharaon lui dit : « Emmène cet enfant et nourris-le-moi, je te donnerai moi-même ton salaire. » Alors la femme emporta l'enfant et le nourrit. ¹⁰Quand l'enfant eut grandi, elle le ramena à la fille de Pharaon qui le traita comme un fils et lui donna le nom de Moïse, car, disait-elle, « je l'ai tiré des eaux ».

Fuite de Moïse en Madiân.

¹¹Il advint, en ces jours-là, que Moïse, qui avait grandi, alla voir ses frères. Il vit les corvées auxquelles ils étaient astreints ; il vit aussi un Égyptien qui frappait un Hébreu, un de ses frères. ¹²Il se tourna de-ci de-là, et voyant qu'il n'y avait personne, il tua l'Égyptien et le cacha dans le sable. ¹³Le jour suivant, il revint alors que deux Hébreux se battaient. « Pourquoi frappes-tu ton compagnon ? » dit-il à l'agresseur. ¹⁴Celui-ci répondit : « Qui t'a constitué notre chef et notre juge ? Veux-tu me tuer comme tu as tué l'Égyptien ? » Moïse effrayé se dit : « Certainement l'affaire se sait. » ¹⁵Pharaon entendit parler de cette affaire et chercha à tuer Moïse. Moïse s'enfuit loin de Pharaon ; il se rendit au pays de Madiân et s'assit auprès d'un puits.

¹⁶Or un prêtre de Madiân avait sept filles. Elles vinrent puiser et remplir les auges pour abreuver le petit bétail de leur père. ¹⁷Des bergers survinrent et les chassèrent. Moïse se leva, vint à leur secours et abreuva le petit bétail. ¹⁸Elles revinrent auprès de Réuel, leur père, qui leur dit : « Pourquoi revenez-vous si tôt aujourd'hui ? » ¹⁹Elles lui dirent : « Un Égyptien nous a tirées des mains des bergers ; il a même puisé pour nous et abreuvé le petit bétail. – ²⁰Et où est-il ? demanda-t-il à ses filles. Pourquoi donc avez-vous abandonné cet homme ? Invitez-le à manger. » ²¹Moïse consentit à s'établir auprès de cet homme qui

lui donna sa fille, Çippora. ²²Elle mit au monde un fils qu'il nomma Gershom car, dit-il, « je suis un immigré en terre étrangère ».

VOCATION DE MOÏSE

Dieu se souvient d'Israël.

²³Au cours de cette longue période, le roi d'Égypte mourut. Les Israélites, gémissant de leur servitude, crièrent, et leur appel à l'aide monta vers Dieu, du fond de leur servitude. ²⁴Dieu entendit leur gémissement ; Dieu se souvint de son alliance avec Abraham, Isaac et Jacob. ²⁵Dieu vit les Israélites et Dieu se fit connaître.

Le buisson ardent.

3 ¹Moïse faisait paître le petit bétail de Jéthro, son beau-père, prêtre de Madiân ; il l'emmena par-delà le désert et parvint à la montagne de Dieu, l'Horeb. ²L'Ange de Yahvé lui apparut, dans une flamme de feu, du milieu d'un buisson. Moïse regarda : le buisson était embrasé mais le buisson ne se consumait pas. ³Moïse dit : « Je vais faire un détour pour voir cet étrange spectacle, et pourquoi le buisson ne se consume pas. » ⁴Yahvé vit qu'il faisait un détour pour voir, et Dieu l'appela du milieu du buisson. « Moïse, Moïse », dit-il, et il répondit : « Me voici ». ⁵Il dit : « N'approche pas d'ici, retire tes sandales de tes pieds car le lieu où tu te tiens est une terre sainte. » ⁶Et il dit : « Je suis le Dieu de ton père, le Dieu d'Abraham, le Dieu d'Isaac et le Dieu de Jacob. » Alors Moïse se voila la face, car il craignait de fixer son regard sur Dieu.

Mission de Moïse.

⁷Yahvé dit : « J'ai vu, j'ai vu la misère de mon peuple qui est en Égypte. J'ai entendu son cri devant ses oppresseurs ; oui, je connais ses angoisses. ⁸Je suis descendu pour le délivrer de la main des Égyptiens et le faire monter de cette terre vers une terre plantureuse et vaste, une terre qui ruisselle de lait et de miel, vers la demeure des Cananéens, des Hittites, des Amorites, des Perizzites, des Hivvites et des Jébuséens. ⁹Maintenant, le cri des Israélites est venu jusqu'à moi, et j'ai vu l'oppression que font peser sur eux les Égyptiens. ¹⁰Maintenant va, je t'envoie auprès de Pharaon, fais sortir d'Égypte mon peuple, les Israélites. »

¹¹Moïse dit à Dieu : « Qui suis-je pour aller trouver Pharaon et faire sortir d'Égypte les Israélites ? » ¹²Dieu dit : « Je serai avec toi, et voici le signe qui te montrera que c'est moi qui t'ai envoyé. Quand tu feras sortir le peuple d'Égypte, vous servirez Dieu sur cette montagne. »

Révélation du Nom divin.

¹³Moïse dit à Dieu : « Voici, je vais trouver les Israélites et je leur dis : "Le Dieu de vos pères m'a envoyé vers vous." Mais s'ils me disent : "Quel est son nom ?", que leur dirai-je ? » ¹⁴Dieu dit à Moïse : « Je suis celui qui est. » Et il dit : « Voici ce que tu diras aux Israélites : "Je suis" m'a envoyé vers

vous. » ¹⁵Dieu dit encore à Moïse :
« Tu parleras ainsi aux Israélites :
"Yahvé, le Dieu de vos pères, le
Dieu d'Abraham, le Dieu d'Isaac
et le Dieu de Jacob m'a envoyé vers
vous. C'est mon nom pour toujours, c'est ainsi que l'on m'invoquera de génération en génération." »

**Instructions relatives à la mis-
sion de Moïse.**

¹⁶« Va, réunis les anciens d'Is-
raël et dis-leur : "Yahvé, le Dieu
de vos pères, m'est apparu – le
Dieu d'Abraham, d'Isaac et de Jacob – et il m'a dit : Je vous ai visités
et j'ai vu ce qu'on vous fait en
Égypte, ¹⁷alors j'ai dit : Je vous ferai monter de l'affliction d'Égypte
vers la terre des Cananéens, des
Hittites, des Amorites, des Perizz-
zites, des Hivvites et des Jébuséens, vers une terre qui ruisselle
de lait et de miel." ¹⁸Ils écouteront
ta voix et vous irez, toi et les anciens d'Israël, trouver le roi
d'Égypte et vous lui direz : "Yahvé, le Dieu des Hébreux, est venu
à notre rencontre. Toi, permets-
nous d'aller à trois jours de marche
dans le désert pour sacrifier à Yahvé notre Dieu." ¹⁹Je sais bien que
le roi d'Égypte ne vous laissera aller que s'il y est contraint par une
main forte. ²⁰Aussi j'étendrai la
main et je frapperai l'Égypte par
les merveilles de toute sorte que
j'accomplirai au milieu d'elle ;
après quoi, il vous laissera partir. »

Spoliation des Égyptiens. 11 2-3 ;
12 35-36. ↗ Sg 10 17.

²¹« Je ferai gagner à ce peuple
la faveur des Égyptiens, et quand
vous partirez, vous ne partirez
pas les mains vides. ²²La femme
demandera à sa voisine et à celle
qui séjourne dans sa maison des
objets d'argent, des objets d'or et
des vêtements. Vous les ferez
porter à vos fils et à vos filles et
vous en dépouillerez les Égyptiens. »

**Pouvoir des signes accordé à
Moïse.**

4 ¹Moïse reprit la parole et dit :
« Et s'ils ne me croient pas et
n'écoutent pas ma voix, mais me
disent : Yahvé ne t'est pas appa-
ru ? » ²Yahvé lui dit : « Qu'as-tu
en main ? – Un bâton, dit-il. – ³Jet-
te-le à terre », lui dit Yahvé. Moïse
le jeta à terre, le bâton se changea
en serpent et Moïse fuit devant lui.
⁴Yahvé dit à Moïse : « Avance la
main et prends-le par la queue. »
Il avança la main, le prit, et dans
sa main il redevint un bâton.
⁵« Afin qu'ils croient que Yahvé
t'est apparu, le Dieu de leurs pères, le Dieu d'Abraham, le Dieu
d'Isaac et le Dieu de Jacob. »

⁶Yahvé lui dit encore : « Mets
ta main dans ton sein. » Il mit la
main dans son sein, puis la retira,
et voici que sa main était lépreuse,
blanche comme neige. ⁷Yahvé lui
dit : « Remets ta main dans ton
sein. » Il remit la main dans son
sein et la retira de son sein, et voici qu'elle était redevenue comme
le reste de son corps. ⁸« Ainsi,
s'ils ne te croient pas et ne sont
pas convaincus par le premier signe, ils croiront à cause du second
signe. ⁹Et s'ils ne croient pas, même avec ces deux signes, et qu'ils
n'écoutent pas ta voix, tu prendras de l'eau du Fleuve et tu la
répandras par terre, et l'eau que tu

auras puisée au Fleuve se changera en sang sur la terre sèche. »

Aaron interprète de Moïse.

[10]Moïse dit à Yahvé : « Excuse-moi, mon Seigneur, je ne suis pas doué pour la parole, ni d'hier ni d'avant-hier, ni même depuis que tu adresses la parole à ton serviteur, car ma bouche et ma langue sont pesantes. » [11]Yahvé lui dit : « Qui a doté l'homme d'une bouche ? Qui rend muet ou sourd, clairvoyant ou aveugle ? N'est-ce pas moi, Yahvé ? [12]Va maintenant, je serai avec ta bouche et je t'indiquerai ce que tu devras dire. »

[13]Moïse dit encore : « Excuse-moi, mon Seigneur, envoie, je t'en prie, qui tu voudras. » [14]La colère de Yahvé s'enflamma contre Moïse et il dit : « N'y a-t-il pas Aaron, ton frère, le lévite ? Je sais qu'il parle bien, lui ; le voici qui vient à ta rencontre et à ta vue il se réjouira en son cœur. [15]Tu lui parleras et tu mettras les paroles dans sa bouche. Moi, je serai avec ta bouche et avec sa bouche, et je vous indiquerai ce que vous devrez faire. [16]C'est lui qui parlera pour toi au peuple ; il te tiendra lieu de bouche et tu seras pour lui un dieu. [17]Quant à ce bâton, prends-le dans ta main, c'est par lui que tu accompliras les signes. »

Départ de Moïse de Madiân et retour en Égypte.

[18]Moïse s'en alla et retourna vers Jéthro, son beau-père. Il lui dit : « Permets que je m'en aille et que je retourne vers mes frères qui sont en Égypte pour voir s'ils sont encore en vie. » Jéthro lui répondit : « Va en paix. »
[19]Yahvé dit à Moïse en Madiân :

« Va, retourne en Égypte, car ils sont morts, tous ceux qui cherchaient à te faire périr. » [20]Moïse prit sa femme et ses fils, les fit monter sur un âne et s'en retourna au pays d'Égypte. Moïse prit en main le bâton de Dieu. [21]Yahvé dit à Moïse : « Tandis que tu retourneras en Égypte, vois les prodiges que j'ai mis en ton pouvoir : tu les accompliras devant Pharaon, mais moi, j'endurcirai son cœur et il ne laissera pas partir le peuple. [22]Alors tu diras à Pharaon : Ainsi parle Yahvé : mon fils premier-né, c'est Israël. [23]Je t'avais dit : "Laisse aller mon fils, qu'il me serve." Puisque tu refuses de le laisser aller, eh bien, moi, je vais faire périr ton fils premier-né. »

Circoncision du fils de Moïse.

[24]Et ce fut en route, à la halte de la nuit, que Yahvé vint à sa rencontre et chercha à le faire mourir. [25]Çippora prit un silex, coupa le prépuce de son fils et elle en toucha ses pieds. Et elle dit : « Tu es pour moi un époux de sang. » [26]Et il se retira de lui. Elle avait dit alors « époux de sang », ce qui s'applique aux circoncisions.

Rencontre avec Aaron.

[27]Yahvé dit à Aaron : « Va à la rencontre de Moïse en direction du désert. » Il partit, le rencontra à la montagne de Dieu et l'embrassa. [28]Moïse informa Aaron de toutes les paroles de Yahvé, qui l'avait envoyé, et de tous les signes qu'il lui avait ordonné d'accomplir. [29]Moïse partit avec Aaron et ils réunirent tous les anciens des Israélites. [30]Aaron répéta toutes les paroles que Yahvé avait di-

tes à Moïse ; il accomplit les signes aux yeux du peuple. [31]Le peuple crut et entendit que Yahvé avait visité les Israélites et avait vu leur misère. Ils s'agenouillèrent et se prosternèrent.

Première entrevue avec Pharaon.

5 [1]Après cela, Moïse et Aaron vinrent trouver Pharaon et lui dirent : « Ainsi parle Yahvé, le Dieu d'Israël : Laisse partir mon peuple, qu'il célèbre une fête pour moi dans le désert. » [2]Pharaon répondit : « Qui est Yahvé, pour que j'écoute sa voix et que je laisse partir Israël ? Je ne connais pas Yahvé, et quant à Israël, je ne le laisserai pas partir. » [3]Ils dirent : « Le Dieu des Hébreux est venu à notre rencontre. Accordenous d'aller à trois jours de marche dans le désert pour sacrifier à Yahvé notre Dieu, sinon il nous frapperait de la peste ou de l'épée. » [4]Le roi d'Égypte leur dit : « Pourquoi, Moïse et Aaron, voulez-vous débaucher le peuple de ses travaux ? Retournez à vos corvées. » [5]Pharaon dit : « Maintenant que le peuple est nombreux dans le pays, vous voudriez lui faire interrompre ses corvées ? »

Instructions aux chefs de corvées.

[6]Le jour même, Pharaon donna cet ordre aux surveillants du peuple et aux scribes : [7]« Ne continuez plus à donner de la paille hachée au peuple pour mouler les briques, comme hier et avanthier ; qu'ils aillent eux-mêmes ramasser la paille qu'il leur faut. [8]Mais vous leur imposerez la même quantité de briques qu'ils fabriquaient hier et avant-hier, sans rien en retrancher car ce sont des paresseux. C'est pour cela qu'ils crient : "Allons sacrifier à notre Dieu." [9]Qu'on alourdisse le travail de ces gens, qu'ils le fassent et ne prêtent plus attention à ces paroles trompeuses. »

[10]Les surveillants du peuple et les scribes allèrent dire au peuple : « Ainsi parle Pharaon : Je ne vous donne plus de paille hachée. [11]Allez vous-mêmes vous chercher de la paille hachée où vous pourrez en trouver, mais rien ne sera retranché de votre travail. » [12]Alors le peuple se dispersa dans tout le pays d'Égypte pour ramasser du chaume pour en faire de la paille hachée. [13]Les surveillants les harcelaient : « Terminez votre travail quotidien comme lorsqu'il y avait de la paille hachée. » [14]On frappa les scribes des Israélites, ceux que les surveillants de Pharaon leur avaient imposés en disant : « Pourquoi n'avez-vous pas terminé la quantité de briques prescrite, aujourd'hui comme hier et avant-hier ? »

Plainte des scribes hébreux.

[15]Les scribes des Israélites vinrent se plaindre auprès de Pharaon en disant : « Pourquoi traiter ainsi tes serviteurs ? [16]On ne donne plus de paille hachée à tes serviteurs et l'on nous dit : "Faites des briques", et voici que l'on frappe tes serviteurs : ton peuple est dans son tort ! » [17]Il répondit : « Vous êtes des paresseux, des paresseux, voilà pourquoi vous dites : "Nous voulons aller sacrifier à Yahvé." [18]Maintenant allez travailler. On ne vous donnera pas de paille ha-

chée mais vous livrerez la quantité de briques fixée. »

Récriminations du peuple. Prière de Moïse.

[19] Les scribes des Israélites se virent dans un mauvais cas quand on leur dit : « Vous ne diminuerez rien de votre production quotidienne de briques. » [20] Ayant quitté Pharaon, ils se heurtèrent à Moïse et à Aaron qui se tenaient devant eux. [21] Ils leur dirent : « Que Yahvé vous observe et qu'il juge ! Vous nous avez rendus odieux aux yeux de Pharaon et de ses serviteurs et vous leur avez mis l'épée en main pour nous tuer. » [22] Moïse retourna vers Yahvé et lui dit : « Seigneur, pourquoi maltraites-tu ce peuple ? Pourquoi m'as-tu envoyé ? [23] Depuis que je suis venu trouver Pharaon et que je lui ai parlé en ton nom, il maltraite ce peuple, et tu ne fais rien pour délivrer ton peuple. »

6 [1] Yahvé dit alors à Moïse : « Maintenant, tu vas voir ce que je vais faire à Pharaon. Une main forte l'obligera à les laisser partir, une main forte l'obligera à les expulser de son pays. »

Nouveau récit de la vocation de Moïse. = 3 1–4 23.

[2] Dieu parla à Moïse et lui dit : « Je suis Yahvé. [3] Je suis apparu à Abraham, à Isaac et à Jacob comme El Shaddaï, mais mon nom de Yahvé, je ne le leur ai pas fait connaître. [4] J'ai aussi établi mon alliance avec eux pour leur donner le pays de Canaan, la terre où ils résidaient en étrangers. [5] Et moi, j'ai entendu le gémissement des Israélites asservis par les Égyptiens et je me suis souvenu de mon allian-

ce. [6] C'est pourquoi tu diras aux Israélites : Je suis Yahvé et je vous soustrairai aux corvées des Égyptiens ; je vous délivrerai de leur servitude et je vous rachèterai à bras étendu et par de grands jugements. [7] Je vous prendrai pour mon peuple et je serai votre Dieu. Et vous saurez que je suis Yahvé, votre Dieu, qui vous aura soustraits aux corvées des Égyptiens. [8] Puis je vous ferai entrer dans la terre que j'ai juré de donner à Abraham, à Isaac et à Jacob, et je vous la donnerai en patrimoine, moi Yahvé. » [9] Moïse parla ainsi aux Israélites mais ils n'écoutèrent pas Moïse car ils étaient à bout de souffle à cause de leur dure servitude.

[10] Yahvé parla à Moïse et lui dit : [11] « Va dire à Pharaon, le roi d'Égypte, qu'il laisse partir les Israélites de son pays. » [12] Mais Moïse prit la parole en présence de Yahvé et dit : « Les Israélites ne m'ont pas écouté, comment Pharaon m'écouterait-il, moi qui n'ai pas la parole facile ? » [13] Yahvé parla à Moïse et Aaron et leur donna ses ordres concernant les Israélites et Pharaon, le roi d'Égypte, pour faire sortir les Israélites du pays d'Égypte.

Généalogie de Moïse et Aaron.

[14] Voici leurs chefs de familles :
Fils de Ruben, premier-né d'Israël : Hénok, Pallu, Heçrôn et Karmi ; tels sont les clans de Ruben.

[15] Fils de Siméon : Yemuel, Yamîn, Ohad, Yakîn, Çohar et Shaûl, le fils de la Cananéenne ; tels sont les clans de Siméon.

[16] Voici les noms des fils de Lévi avec leurs descendances : Gershôn, Qehat et Merari. Lévi vécut

cent trente-sept ans. ¹⁷Fils de Gershôn : Libni et Shiméï avec leurs clans.

¹⁸Fils de Qehat : Amram, Yiçhar, Hébrôn et Uzziel. Qehat vécut cent trente-trois ans.

¹⁹Fils de Merari : Mahli et Mushi. Tels sont les clans de Lévi avec leurs descendances.

²⁰Amram épousa Yokébed, sa tante, qui lui donna Aaron et Moïse. Amram vécut cent trente-sept ans.

²¹Les fils de Yiçhar furent : Coré, Népheg et Zikri,

²²et les fils d'Uzziel : Mishaël, Elçaphân et Sitri.

²³Aaron épousa Élishéba, fille d'Amminadab, sœur de Nahshôn, et elle lui donna Nadab, Abihu, Éléazar et Itamar.

²⁴Fils de Coré : Assir, Elqana et Abiasaph ; tels sont les clans des Coréites.

²⁵Éléazar, fils d'Aaron, épousa l'une des filles de Putiel, qui lui enfanta Pinhas.

Tels sont les chefs des familles des Lévites, selon leurs clans.

²⁶Ce sont eux, Aaron et Moïse, à qui Yahvé avait dit : « Faites sortir les Israélites du pays d'Égypte, selon leurs armées. » ²⁷Ce sont eux qui parlèrent à Pharaon, le roi d'Égypte, pour faire sortir d'Égypte les Israélites, – Moïse et Aaron.

Reprise du récit de la vocation de Moïse.

²⁸Or le jour où Yahvé parla à Moïse en terre d'Égypte, ²⁹Yahvé dit à Moïse : « Je suis Yahvé. Dis à Pharaon, le roi d'Égypte, tout ce que moi je vais te dire. » ³⁰Moïse dit en présence de Yahvé : « Je n'ai pas la parole facile, comment Pharaon m'écouterait-il ? »

7 ¹Yahvé dit à Moïse : « Vois, j'ai fait de toi un dieu pour Pharaon, et Aaron, ton frère, sera ton prophète. ²Toi, tu lui diras tout ce que je te t'ordonnerai, et Aaron, ton frère, le répétera à Pharaon pour qu'il laisse les Israélites partir de son pays. ³Pour moi, j'endurcirai le cœur de Pharaon et je multiplierai mes signes et mes prodiges dans le pays d'Égypte. ⁴Pharaon ne vous écoutera pas, alors je porterai la main sur l'Égypte et je ferai sortir mes armées, mon peuple, les Israélites, du pays d'Égypte, avec de grands jugements. ⁵Ils sauront, les Égyptiens, que je suis Yahvé, quand j'étendrai ma main contre les Égyptiens et que je ferai sortir de chez eux les Israélites. »

⁶Moïse et Aaron firent comme Yahvé leur avait ordonné. ⁷Moïse était âgé de quatre-vingts ans et Aaron de quatre-vingt-trois ans lorsqu'ils parlèrent à Pharaon.

III. LES PLAIES D'ÉGYPTE. LA PÂQUE

Le bâton changé en serpent.
Ps 78 ; 105 ; Sg 11 14-20 ; 16-18

⁸Yahvé dit à Moïse et à Aaron : ⁹« Si Pharaon vous dit d'accomplir un prodige, tu diras à Aaron : Prends ton bâton, jette-le devant Pharaon, et qu'il se change en serpent. » ¹⁰Moïse et Aaron allèrent

trouver Pharaon et firent comme l'avait ordonné Yahvé. Aaron jeta son bâton devant Pharaon et ses serviteurs, et il se changea en serpent. [11]Pharaon à son tour convoqua les sages et les enchanteurs, et, avec leurs sortilèges, les magiciens d'Égypte en firent autant. [12]Ils jetèrent chacun son bâton qui se changea en serpent, mais le bâton d'Aaron engloutit leurs bâtons. [13]Cependant le cœur de Pharaon s'endurcit et il ne les écouta pas, comme l'avait prédit Yahvé.

I. L'eau changée en sang.

[14]Yahvé dit à Moïse : « Le cœur de Pharaon s'est appesanti et il a refusé de laisser partir le peuple. [15]Va, demain matin, trouver Pharaon, à l'heure où il se rend au bord de l'eau et tiens-toi à l'attendre sur la rive du Fleuve. Tu prendras en main le bâton qui s'est changé en serpent. [16]Tu lui diras : Yahvé, le Dieu des Hébreux, m'a envoyé vers toi pour te dire : "Laisse partir mon peuple, qu'il me serve dans le désert." Jusqu'à présent tu n'as pas écouté. [17]Ainsi parle Yahvé : En ceci tu sauras que je suis Yahvé. Du bâton que j'ai en main, je vais frapper les eaux du Fleuve et elles se changeront en sang. [18]Les poissons du Fleuve crèveront, le Fleuve s'empuantira, et les Égyptiens ne pourront plus boire l'eau du Fleuve. » [19]Yahvé dit à Moïse : « Dis à Aaron : Prends ton bâton et étends la main sur les eaux d'Égypte – sur ses fleuves et sur ses canaux, sur ses marais et sur tous ses réservoirs d'eau – et elles se changeront en sang, et tout le pays d'Égypte sera plein de sang, mê-

me les arbres et les pierres. » [20]Moïse et Aaron firent comme l'avait ordonné Yahvé. Il leva son bâton et il frappa les eaux qui sont dans le Fleuve aux yeux de Pharaon et de ses serviteurs, et toutes les eaux qui sont dans le Fleuve se changèrent en sang. [21]Les poissons du Fleuve crevèrent et le Fleuve s'empuantit ; et les Égyptiens ne purent plus boire l'eau du Fleuve ; il y eut du sang dans tout le pays d'Égypte. [22]Mais les magiciens d'Égypte avec leurs sortilèges en firent autant ; le cœur de Pharaon s'endurcit et il ne les écouta pas, comme l'avait prédit Yahvé. [23]Pharaon s'en retourna et rentra dans sa maison sans même prêter attention à cela. [24]Tous les Égyptiens firent des sondages aux abords du Fleuve en quête d'eau potable, car ils ne pouvaient boire l'eau du Fleuve. [25]Sept jours s'écoulèrent après que Yahvé eut frappé le Fleuve.

II. Les grenouilles.

[26]Yahvé dit à Moïse : « Va trouver Pharaon et dis-lui : Ainsi parle Yahvé : "Laisse partir mon peuple, qu'il me serve." [27]Si tu refuses, toi, de le laisser partir, moi je vais infester de grenouilles tout ton territoire. [28]Le Fleuve grouillera de grenouilles, elles monteront et entreront dans ta maison, dans la chambre où tu couches, sur ton lit, dans les maisons de tes serviteurs et de ton peuple, dans tes fours et dans tes huches. [29]Les grenouilles grimperont même sur toi, sur ton peuple et sur tous tes serviteurs. »

8 [1]Yahvé dit à Moïse : « Dis à Aaron : Étends ta main avec ton bâton sur les fleuves, les canaux et les marais, et fais monter les grenouilles sur la terre d'Égypte. » ²Aaron étendit la main sur les eaux d'Égypte, les grenouilles montèrent et recouvrirent la terre d'Égypte. ³Mais les magiciens avec leurs sortilèges en firent autant, et firent monter les grenouilles sur la terre d'Égypte.

⁴Pharaon appela Moïse et Aaron et dit : « Priez Yahvé de détourner les grenouilles de moi et de mon peuple, et je m'engage à laisser partir le peuple pour qu'il sacrifie à Yahvé. » ⁵Moïse dit à Pharaon : « À toi l'avantage ! Pour quand dois-je prier pour toi, pour tes serviteurs et pour ton peuple, afin que les grenouilles soient supprimées de chez toi et de vos maisons pour ne rester que dans le Fleuve ? » ⁶Il dit : « Pour demain. » Moïse reprit : « Il en sera selon ta parole afin que tu saches qu'il n'y a personne comme Yahvé notre Dieu. ⁷Les grenouilles s'éloigneront de toi, de tes maisons, de tes serviteurs, de ton peuple, et il n'en restera plus que dans le Fleuve. » ⁸Moïse et Aaron sortirent de chez Pharaon, et Moïse cria vers Yahvé au sujet des grenouilles qu'il avait infligées à Pharaon. ⁹Yahvé fit ce que demandait Moïse, et les grenouilles crevèrent dans les maisons, dans les cours et dans les champs. ¹⁰On les amassa en tas et le pays en fut empuanti. ¹¹Pharaon vit qu'il y avait un répit ; il appesantit son cœur et il ne les écouta pas, comme l'avait prédit Yahvé.

III. Les moustiques.

¹²Yahvé dit à Moïse : « Dis à Aaron : Étends ton bâton et frappe la poussière du sol, et elle se changera en moustiques dans tout le pays d'Égypte. » ¹³Ils firent ainsi. Aaron étendit la main avec son bâton et frappa la poussière du sol, et il y eut des moustiques sur les gens et les bêtes, toute la poussière du sol se changea en moustiques dans tout le pays d'Égypte. ¹⁴Les magiciens d'Égypte avec leurs sortilèges firent la même chose pour faire sortir les moustiques mais ils ne le purent, et il y eut des moustiques sur les gens et les bêtes. ¹⁵Les magiciens dirent à Pharaon : « C'est le doigt de Dieu », mais le cœur de Pharaon s'endurcit et il ne les écouta pas, comme l'avait prédit Yahvé.

IV. Les taons.

¹⁶Yahvé dit à Moïse : « Lève-toi de bon matin et tiens-toi devant Pharaon quand il se rendra au bord de l'eau. Tu lui diras : Ainsi parle Yahvé : "Laisse partir mon peuple, qu'il me serve." ¹⁷Si tu ne veux pas laisser partir mon peuple, je vais envoyer des taons sur toi, sur tes serviteurs, sur ton peuple et sur tes maisons. Les maisons des Égyptiens seront pleines de taons, et même le sol sur lequel ils se tiennent. ¹⁸Et ce jour-là, je mettrai à part la terre de Goshèn où réside mon peuple pour que là il n'y ait pas de taons, afin que tu saches que je suis Yahvé, au milieu du pays. ¹⁹Je placerai un geste libérateur entre ton peuple et mon peuple ; c'est demain que se produira ce signe. » ²⁰Yahvé fit ainsi, et des taons en grand nombre entrèrent dans la maison de Pharaon, dans les maisons de ses serviteurs et dans tout

le pays d'Égypte ; le pays fut ruiné à cause des taons.

²¹Pharaon appela Moïse et Aaron et leur dit : « Allez sacrifier à votre Dieu dans le pays. » ²²Moïse répondit : « Il ne convient pas d'agir ainsi, car nos sacrifices à Yahvé notre Dieu sont une abomination pour les Égyptiens. Si nous offrons sous les yeux des Égyptiens des sacrifices qu'ils abominent, ne nous lapideront-ils pas ? ²³C'est à trois jours de marche dans le désert que nous irons sacrifier à Yahvé notre Dieu, comme il nous l'a dit. » ²⁴Pharaon dit : « Moi je vais vous laisser partir pour sacrifier à votre Dieu dans le désert, seulement vous n'irez pas très loin. Priez pour moi. » ²⁵Moïse dit : « Dès que je serai sorti de chez toi, je prierai Yahvé. Demain les taons s'éloigneront de Pharaon, de ses serviteurs et de son peuple. Que Pharaon, toutefois, cesse de se moquer de nous en ne laissant pas le peuple partir pour sacrifier à Yahvé. » ²⁶Moïse sortit de chez Pharaon et pria Yahvé. ²⁷Yahvé fit ce que demandait Moïse et les taons s'éloignèrent de Pharaon, de ses serviteurs et de son peuple ; il n'en resta plus un seul. ²⁸Mais Pharaon appesantit son cœur, cette fois encore, et il ne laissa pas partir le peuple.

V. Mortalité du bétail.

9 ¹Yahvé dit à Moïse : « Va trouver Pharaon et dis-lui : Ainsi parle Yahvé, le Dieu des Hébreux : "Laisse partir mon peuple, qu'il me serve." ²Si tu refuses de le laisser partir et le retiens plus longtemps, ³voici que la main de Yahvé frappera tes troupeaux qui sont dans les champs, les chevaux,

les ânes, les chameaux, les bœufs et le petit bétail, d'une peste très grave. ⁴Yahvé discernera les troupeaux d'Israël des troupeaux des Égyptiens, et rien ne mourra de ce qui appartient aux Israélites. ⁵Yahvé a fixé le temps en disant : Demain Yahvé fera cela dans le pays. » ⁶Le lendemain, Yahvé fit cela, et tous les troupeaux des Égyptiens moururent, mais des troupeaux des Israélites, pas une bête ne mourut. ⁷Pharaon fit une enquête, et voici que des troupeaux d'Israël pas une seule bête n'était morte. Mais le cœur de Pharaon s'appesantit et il ne laissa pas partir le peuple.

VI. Les ulcères.

⁸Yahvé dit à Moïse et à Aaron : « Prenez plein vos mains de suie de fourneau et que Moïse la lance en l'air, sous les yeux de Pharaon. ⁹Elle se changera en fine poussière sur tout le pays d'Égypte et provoquera, sur les gens et sur les bêtes, des ulcères bourgeonnant en pustules, dans toute l'Égypte. » ¹⁰Ils prirent de la suie de fourneau et se tinrent devant Pharaon ; Moïse la lança en l'air et gens et bêtes furent couverts d'ulcères bourgeonnant en pustules. ¹¹Les magiciens ne purent se tenir devant Moïse à cause des ulcères, car les magiciens étaient couverts d'ulcères comme tous les Égyptiens. ¹²Yahvé endurcit le cœur de Pharaon et il ne les écouta pas, comme l'avait prédit Yahvé à Moïse.

VII. La grêle.

¹³Yahvé dit à Moïse : « Lève-toi de bon matin et tiens-toi devant Pharaon. Tu lui diras : Ainsi parle

Yahvé, le Dieu des Hébreux : "Laisse partir mon peuple, qu'il me serve." [14]Car cette fois-ci, je vais envoyer tous mes fléaux contre toi-même, contre tes serviteurs et contre ton peuple, afin que tu apprennes qu'il n'y en a pas comme moi sur toute la terre. [15]Si j'avais étendu la main et vous avais frappés de la peste, toi et ton peuple, tu aurais été effacé de la terre. [16]Mais je t'ai laissé subsister afin que tu voies ma force et qu'on publie mon nom par toute la terre. [17]Tu le prends de haut avec mon peuple en ne le laissant pas partir. [18]Eh bien demain, à pareille heure, je ferai tomber une grêle très forte, comme il n'y en a jamais eu en Égypte depuis le jour de sa fondation jusqu'à maintenant. [19]Et maintenant, envoie mettre tes troupeaux à l'abri, et tout ce qui, dans les champs, t'appartient. Tout ce qui, homme ou bête, se trouvera dans les champs et n'aura pas été ramené à la maison, la grêle tombera sur lui et il mourra. » [20]Celui des serviteurs de Pharaon qui craignit la parole de Yahvé fit rentrer en hâte ses esclaves et ses troupeaux dans les maisons. [21]Mais celui qui ne prit pas à cœur la parole de Yahvé laissa aux champs ses esclaves et ses troupeaux.

[22]Yahvé dit à Moïse : « Étends ta main vers le ciel et qu'il grêle dans tout le pays d'Égypte, sur les hommes et sur les bêtes, sur toute l'herbe des champs au pays d'Égypte. » [23]Moïse étendit son bâton vers le ciel, et Yahvé tonna et fit tomber la grêle. La foudre frappa le sol, et Yahvé fit tomber la grêle sur le pays d'Égypte. [24]Il y eut de la grêle et le feu jaillissait au milieu de la grêle, une grêle très forte, comme il n'y en avait jamais eu au pays des Égyptiens depuis qu'ils formaient une nation. [25]La grêle frappa, dans tout le pays d'Égypte, tout ce qui était dans les champs, hommes et bêtes. La grêle frappa toutes les herbes des champs et brisa tous les arbres des champs. [26]Ce n'est qu'au pays de Goshèn, où se trouvaient les Israélites, qu'il n'y eut pas de grêle.

[27]Pharaon fit appeler Moïse et Aaron et leur dit : « Cette fois, j'ai péché ; c'est Yahvé qui est juste, moi et mon peuple, nous sommes coupables. [28]Priez Yahvé. Il y a eu assez de tonnerre et de grêle. Je m'engage à vous laisser partir et vous ne resterez pas plus longtemps. » [29]Moïse lui dit : « Quand je sortirai de la ville, j'étendrai les mains vers Yahvé, le tonnerre cessera et il n'y aura plus de grêle, afin que tu saches que la terre est à Yahvé. [30]Mais ni toi ni tes serviteurs, je le sais bien, vous ne craindrez encore Yahvé Dieu. » [31]Le lin et l'orge furent abattus, car l'orge était en épis et le lin en fleurs. [32]Le froment et l'épeautre ne furent pas abattus car ils sont tardifs.

[33]Moïse sortit de chez Pharaon et de la ville ; il étendit les mains vers Yahvé ; le tonnerre et la grêle cessèrent, et la pluie ne se déversa plus sur la terre. [34]Quand Pharaon vit que la pluie, la grêle et le tonnerre avaient cessé, il recommença à pécher, et lui et ses serviteurs appesantirent leur cœur. [35]Le cœur de Pharaon s'endurcit et il ne laissa pas partir les Israélites, comme Yahvé l'avait prédit par Moïse.

VIII. Les sauterelles.

10 ¹Yahvé dit à Moïse : « Va trouver Pharaon car c'est moi qui ai appesanti son cœur et le cœur de ses serviteurs afin d'opérer mes signes au milieu d'eux, ²pour que tu puisses raconter à ton fils et au fils de ton fils comment je me suis joué des Égyptiens et quels signes j'ai opérés parmi eux, et que vous sachiez que je suis Yahvé. » ³Moïse et Aaron allèrent trouver Pharaon et lui dirent : « Ainsi parle Yahvé le Dieu des Hébreux : Jusqu'à quand refuseras-tu de t'humilier devant moi ? Laisse partir mon peuple, qu'il me serve. ⁴Si tu refuses de laisser partir mon peuple, dès demain je ferai venir des sauterelles sur ton territoire. ⁵Elles couvriront la surface du sol et l'on ne pourra plus voir le sol. Elles dévoreront le reste de ce qui a échappé, ce que vous a laissé la grêle ; elles dévoreront tous vos arbres qui croissent dans les champs. ⁶Elles rempliront tes maisons, les maisons de tous tes serviteurs et les maisons de tous les Égyptiens, ce que tes pères et les pères de tes pères n'ont jamais vu, depuis le jour où ils sont venus sur terre, jusqu'à ce jour. » Puis il se retourna et sortit de chez Pharaon. ⁷Les serviteurs de Pharaon lui dirent : « Jusqu'à quand celui-ci nous sera-t-il un piège ? Laisse partir ces gens, qu'ils servent Yahvé leur Dieu. Ne sais-tu pas encore que l'Égypte va à sa ruine ? »

⁸On fit revenir Moïse et Aaron auprès de Pharaon qui leur dit : « Allez servir Yahvé votre Dieu, mais qui sont ceux qui vont s'en aller ? » ⁹Moïse répondit : « Nous emmènerons nos jeunes gens et nos vieillards, nous emmènerons nos fils et nos filles, notre petit et notre gros bétail, car c'est pour nous une fête de Yahvé. » ¹⁰Pharaon dit : « Que Yahvé soit avec vous comme je vais vous laisser partir, vous, vos femmes et vos enfants ! Voyez comme vous avez de mauvais desseins ! ¹¹Non ! Allez, vous, les hommes, servir Yahvé, puisque c'est là ce que vous demandez. » Et ils les expulsèrent de la présence de Pharaon.

¹²Yahvé dit à Moïse : « Étends ta main sur le pays d'Égypte pour que viennent les sauterelles ; qu'elles montent sur le pays d'Égypte et qu'elles dévorent toute l'herbe du pays, tout ce qu'a épargné la grêle. » ¹³Moïse étendit son bâton sur le pays d'Égypte, et Yahvé fit lever sur le pays un vent d'est qui souffla tout ce jour-là et toute la nuit. Le matin venu, le vent d'est avait apporté les sauterelles.

¹⁴Les sauterelles montèrent sur tout le pays d'Égypte, elles se posèrent sur tout le territoire de l'Égypte en très grand nombre. Auparavant il n'y avait jamais eu autant de sauterelles, et par la suite il ne devait jamais plus y en avoir autant. ¹⁵Elles couvrirent toute la surface du pays et le pays fut dévasté. Elles dévorèrent toute l'herbe du pays et tous les fruits des arbres qu'avait laissés la grêle ; rien de vert ne resta sur les arbres ou sur l'herbe des champs, dans tout le pays d'Égypte.

¹⁶Pharaon se hâta d'appeler Moïse et Aaron et dit : « J'ai péché contre Yahvé votre Dieu et contre vous. ¹⁷Et maintenant par-

donne-moi ma faute, je t'en prie, cette fois seulement, et priez Yahvé votre Dieu qu'il détourne de moi ce fléau meurtrier. » [18]Moïse sortit de chez Pharaon et pria Yahvé. [19]Yahvé changea le vent en un vent d'ouest très fort qui emporta les sauterelles et les entraîna vers la mer des Roseaux. Il ne resta plus une seule sauterelle dans tout le territoire d'Égypte. [20]Mais Yahvé endurcit le cœur de Pharaon et il ne laissa pas partir les Israélites.

IX. Les ténèbres ↗ Sg 17 1–18 4.

[21]Yahvé dit à Moïse : « Étends ta main vers le ciel et que des ténèbres palpables recouvrent le pays d'Égypte. » [22]Moïse étendit la main vers le ciel et il y eut d'épaisses ténèbres sur tout le pays d'Égypte pendant trois jours. [23]Les gens ne se voyaient plus l'un l'autre et personne ne se leva de sa place pendant trois jours, mais tous les Israélites avaient de la lumière là où ils habitaient.

[24]Pharaon appela Moïse et lui dit : « Allez servir Yahvé, mais votre petit et votre gros bétail devra rester ici. Même vos femmes et vos enfants pourront aller avec vous. » [25]Moïse dit : « Tu dois toi-même mettre à notre disposition des sacrifices et des holocaustes pour que nous les offrions à Yahvé notre Dieu. [26]Même nos troupeaux viendront avec nous, pas une tête ne restera, car c'est d'eux que nous prendrons de quoi servir Yahvé notre Dieu ; et nous-mêmes, jusqu'à notre arrivée là-bas, nous ne saurons comment servir Yahvé. » [27]Mais Yahvé endurcit le cœur de Pharaon et il ne voulut pas les

laisser partir. [28]Pharaon dit à Moïse : « Hors d'ici ! Prends garde à toi ! Ne te présente plus devant moi, car le jour où tu te présenteras devant moi, tu mourras. » [29]Et Moïse dit : « Tu l'as dit, je ne reviendrai plus me présenter devant toi. »

Annonce de la mort des premiers-nés.

11 [1]Yahvé dit à Moïse : « Je vais encore envoyer une plaie à Pharaon et à l'Égypte, après quoi il vous renverra d'ici. Quand il vous renverra, ce sera fini, et même, il vous expulsera d'ici. [2]Parle donc au peuple pour que chaque homme demande à son voisin, chaque femme à sa voisine, des objets d'argent et des objets d'or. » [3]Yahvé fit que le peuple trouvât grâce aux yeux des Égyptiens. Moïse lui-même était un très grand personnage au pays d'Égypte, aux yeux des serviteurs de Pharaon et aux yeux du peuple.

[4]Alors Moïse dit : « Ainsi parle Yahvé : Vers le milieu de la nuit je parcourrai l'Égypte, [5]et tous les premiers-nés mourront dans le pays d'Égypte, aussi bien le premier-né de Pharaon qui doit s'asseoir sur son trône, que le premier-né de la servante qui est derrière la meule, ainsi que tous les premiers-nés du bétail. [6]Ce sera alors, dans tout le pays d'Égypte, une grande clameur, telle qu'il n'y en eut jamais et qu'il n'y en aura jamais plus. [7]Mais chez tous les Israélites, pas un chien ne jappera contre qui que ce soit, homme ou bête, afin que tu saches que Yahvé discerne Israël de l'Égypte. [8]Alors tous tes serviteurs que voici viendront me trouver et se

prosterneront devant moi en disant : "Va-t'en, toi et tout le peuple qui marche à ta suite !" Après quoi je partirai. » Et, enflammé de colère, il sortit de chez Pharaon.

⁹Yahvé dit à Moïse : « Pharaon ne vous écoutera pas, afin que se multiplient mes prodiges au pays d'Égypte. » ¹⁰Moïse et Aaron accomplirent tous ces prodiges devant Pharaon ; mais Yahvé endurcit le cœur de Pharaon et il ne laissa pas les Israélites partir de son pays.

La Pâque. 34 18. Lv 23 5-8. Nb 28 16-25. Dt 16 1-8. Ez 45 21-24. ↗ Mt 26 17sp. ↗ Lc 22 15-16. ↗ 1 Co 5 7.

12 ¹Yahvé dit à Moïse et à Aaron au pays d'Égypte : ² « Ce mois sera pour vous en tête des autres mois, il sera pour vous le premier mois de l'année. ³Parlez à toute la communauté d'Israël et dites-lui : Le dix de ce mois, que chacun prenne une tête de petit bétail par famille, une tête de petit bétail par maison. ⁴Si la maison est trop peu nombreuse pour une tête de petit bétail, on s'associera avec son voisin le plus proche de la maison, selon le nombre des personnes. Vous choisirez la tête de petit bétail selon ce que chacun peut manger. ⁵La tête de petit bétail sera un mâle sans tare, âgé d'un an. Vous la choisirez parmi les moutons ou les chèvres. ⁶Vous la garderez jusqu'au quatorzième jour de ce mois, et toute l'assemblée de la communauté d'Israël l'égorgera au crépuscule. ⁷On prendra de son sang et on en mettra sur les deux montants et le linteau des maisons où on le mangera. ⁸Cette nuit-là, on mangera la chair rôtie au feu ; on la mangera

avec des azymes et des herbes amères. ⁹N'en mangez rien cru ni bouilli dans l'eau, mais rôti au feu, avec la tête, les pattes et les tripes. ¹⁰Vous n'en réserverez rien jusqu'au lendemain. Ce qui en restait le lendemain, vous le brûlerez au feu. ¹¹C'est ainsi que vous la mangerez : vos reins ceints, vos sandales aux pieds et votre bâton en main. Vous la mangerez en toute hâte, c'est une pâque pour Yahvé. ¹²Cette nuit-là je parcourrai l'Égypte et je frapperai tous les premiers-nés dans le pays d'Égypte, tant hommes que bêtes, et de tous les dieux d'Égypte, je ferai justice, moi Yahvé. ¹³Le sang sera pour vous un signe sur les maisons où vous vous tenez. En voyant ce signe, je passerai et vous échapperez au fléau destructeur lorsque je frapperai le pays d'Égypte. ¹⁴Ce jour-là, vous en ferez mémoire et vous le fêterez comme une fête pour Yahvé, dans vos générations vous la fêterez, c'est un décret perpétuel.

La fête des Azymes. 13 3-10 ; 23 15. ↗ 1 Co 5 7.

¹⁵« Pendant sept jours, vous mangerez des azymes. Dès le premier jour vous ferez disparaître le levain de vos maisons car quiconque, du premier au septième jour, mangera du pain levé, celui-là sera retranché d'Israël. ¹⁶Le premier jour vous aurez une sainte assemblée, et le septième jour, une sainte assemblée. On n'y fera aucun ouvrage, vous préparerez seulement ce que chacun doit manger. ¹⁷Vous observerez la fête des Azymes, car c'est en ce jour-là que j'ai fait sortir vos armées du pays d'Égypte.

Vous observerez ce jour-là dans vos générations, c'est un décret perpétuel. [18]Le premier mois, le soir du quatorzième jour, vous mangerez des azymes jusqu'au soir du vingt et unième jour. [19]Pendant sept jours il ne se trouvera pas de levain dans vos maisons, car quiconque mangera du pain levé sera retranché de la communauté d'Israël, qu'il soit étranger ou né dans le pays. [20]Vous ne mangerez pas de pain levé, en tout lieu où vous habiterez vous mangerez des azymes. »

Prescriptions concernant la Pâque.

[21]Moïse convoqua tous les anciens d'Israël et leur dit : « Allez vous procurer du petit bétail pour vos familles et immolez la pâque. [22]Puis vous prendrez un bouquet d'hysope, vous le tremperez dans le sang qui est dans le bassin et vous toucherez le linteau et les deux montants avec le sang qui est dans le bassin. Quant à vous, que personne ne franchisse la porte de sa maison jusqu'au matin. [23]Lorsque Yahvé traversera l'Égypte pour la frapper, il verra le sang sur le linteau et sur les deux montants, il passera au-delà de cette porte et ne laissera pas l'Exterminateur pénétrer dans vos maisons pour frapper. [24]Vous observerez cette disposition comme un décret pour toi et tes fils, à perpétuité. [25]Quand vous serez entrés dans la terre que Yahvé vous donnera comme il l'a dit, vous observerez ce rite. [26]Et quand vos fils vous demanderont : "Que signifie pour vous ce rite ?" [27]vous leur direz : "C'est le sacrifice de la Pâ-

que pour Yahvé qui a passé au-delà des maisons des Israélites en Égypte, lorsqu'il frappait l'Égypte, mais épargnait nos maisons." » Le peuple alors s'agenouilla et se prosterna. [28]Les Israélites s'en allèrent et firent ce que Yahvé avait ordonné à Moïse et à Aaron.

Dixième plaie : Mort des premiers-nés. 11 4-8 ; 13 11 ↗ Sg 18 6-19.

[29]Au milieu de la nuit, Yahvé frappa tous les premiers-nés dans le pays d'Égypte, aussi bien le premier-né de Pharaon qui devait s'asseoir sur son trône, que le premier-né du captif dans la prison et tous les premiers-nés du bétail. [30]Pharaon se leva pendant la nuit, ainsi que tous ses serviteurs et tous les Égyptiens, et ce fut en Égypte une grande clameur car il n'y avait pas de maison où il n'y eût un mort. [31]Pharaon appela Moïse et Aaron pendant la nuit et leur dit : « Levez-vous et sortez du milieu de mon peuple, vous et les Israélites, et allez servir Yahvé comme vous l'avez demandé. [32]Prenez aussi votre petit et votre gros bétail comme vous l'avez demandé, partez et bénissez-moi, moi aussi. » [33]Les Égyptiens pressèrent le peuple en se hâtant de le faire partir du pays car, disaient-ils : « Nous allons tous mourir. » [34]Le peuple emporta sa pâte avant qu'elle n'eût levé, ses huches serrées dans les manteaux, sur les épaules.

Spoliation des Égyptiens. 3 21-22 ; 11 2.

[35]Les Israélites firent ce qu'avait dit Moïse et demandèrent aux Égyptiens des objets d'argent, des objets d'or et des vêtements.

³⁶Yahvé fit que le peuple trouvât grâce aux yeux des Égyptiens qui les leur prêtèrent. Ils dépouillèrent ainsi les Égyptiens.

Départ d'Israël. Lv 24 10-14. Nb 1 46 ; 33 3-5 ; 11 4.

³⁷Les Israélites partirent de Ramsès en direction de Sukkot au nombre de près de six cent mille hommes de pied – rien que les hommes, sans compter leur famille. ³⁸Une foule mêlée monta avec eux, ainsi que du petit et du gros bétail, formant d'immenses troupeaux. ³⁹Ils firent cuire la pâte qu'ils avaient emportée d'Égypte en galettes non levées, car la pâte n'était pas levée : chassés d'Égypte, ils n'avaient pu s'attarder ni se préparer des provisions de route. ⁴⁰Le séjour des Israélites en Égypte avait duré quatre cent trente ans. ⁴¹Le jour même où prenaient fin les quatre cent trente ans, toutes les armées de Yahvé sortirent du pays d'Égypte. ⁴²Cette nuit durant laquelle Yahvé a veillé pour les faire sortir d'Égypte doit être pour tous les Israélites une veille pour Yahvé, pour leurs générations.

Prescriptions concernant la Pâque.

⁴³Yahvé dit à Moïse et à Aaron : « Voici le rituel de la Pâque : aucun étranger n'en mangera. ⁴⁴Mais tout esclave acquis à prix d'argent, quand tu l'auras circoncis, pourra en manger. ⁴⁵Le résident et le serviteur à gages n'en mangeront pas. ⁴⁶On la mangera dans une seule maison et vous ne ferez sortir de cette maison aucun morceau de viande. Vous n'en briserez aucun os. ⁴⁷Toute la com-

munauté d'Israël la fera. ⁴⁸Si un étranger en résidence chez toi veut faire la Pâque pour Yahvé, tous les mâles de sa maison devront être circoncis ; il sera alors admis à la faire, il sera comme un citoyen du pays ; mais aucun incirconcis ne pourra en manger. ⁴⁹La loi sera la même pour le citoyen et pour l'étranger en résidence parmi vous. » ⁵⁰Tous les Israélites firent comme Yahvé l'avait ordonné à Moïse et à Aaron. ⁵¹Ce jour-là même, Yahvé fit sortir les Israélites du pays d'Égypte, selon leurs armées.

Les premiers-nés.

13 ¹Yahvé parla à Moïse et lui dit : ²« Consacre-moi tout premier-né, prémices du sein maternel, parmi les Israélites. Homme ou animal, il est à moi. »

Les Azymes. 12 1.

³Moïse dit au peuple : « Souvenez-vous de ce jour, celui où vous êtes sortis d'Égypte, de la maison de servitude, car c'est par la force de sa main que Yahvé vous en a fait sortir, et l'on ne mangera pas de pain levé. ⁴Aujourd'hui vous sortez dans le mois d'Abib. ⁵Quand Yahvé t'aura fait entrer dans la terre des Cananéens, des Hittites, des Amorites, des Hivvites et des Jébuséens, qu'il a juré à tes pères de te donner, terre qui ruisselle de lait et de miel, tu pratiqueras ce rite en ce même mois. ⁶Pendant sept jours tu mangeras des azymes et le septième jour il y aura une fête pour Yahvé. ⁷Ce sont des azymes que l'on mangera pendant les sept jours et l'on ne verra pas chez toi de pain levé, ni

on ne verra chez toi de levain, dans tout ton territoire. [8]Ce jour-là, tu parleras ainsi à ton fils : "C'est à cause de ce que Yahvé a fait pour moi lors de ma sortie d'Égypte." [9]Ce sera pour toi un signe sur ta main, un mémorial sur ton front, afin que la loi de Yahvé soit toujours dans ta bouche, car c'est à main forte que Yahvé t'a fait sortir d'Égypte. [10]Tu observeras cette loi au temps prescrit, d'année en année.

Les premiers-nés.

[11]« Quand Yahvé t'aura fait entrer dans le pays des Cananéens, comme il te l'a juré ainsi qu'à tes pères, et qu'il te l'aura donné, [12]tu céderas à Yahvé tout être sorti le premier du sein maternel et toute la première portée des bêtes qui t'appartiennent : les mâles sont à Yahvé. [13]Les premiers ânons mis bas, tu les rachèteras par une tête de petit bétail. Si tu ne les rachètes pas, tu leur briseras la nuque, mais tous les premiers-nés de l'homme, parmi tes fils, tu les rachèteras. [14]Lorsque ton fils te demandera demain : "Que signifie ceci ?" tu lui diras : "C'est par la force de sa main que Yahvé nous a fait sortir d'Égypte, de la maison de servitude. [15]Comme Pharaon s'entêtait à ne pas nous laisser partir, Yahvé fit périr tous les premiers-nés au pays d'Égypte, aussi bien les premiers-nés des hommes que les premiers-nés du bétail. C'est pourquoi je sacrifie à Yahvé tout mâle sorti le premier du sein maternel et je rachète tout premier-né de mes fils." [16]Ce sera pour toi un signe sur ta main, un bandeau sur ton front, car c'est par la force de sa main que Yahvé nous a fait sortir d'Égypte. »

IV. LA SORTIE D'ÉGYPTE

Départ des Israélites.

[17]Lorsque Pharaon eut laissé partir le peuple, Dieu ne lui fit pas prendre la route du pays des Philistins, bien qu'elle fût plus proche, car Dieu s'était dit qu'à la vue des combats le peuple pourrait se repentir et retourner en Égypte. [18]Dieu fit donc faire au peuple un détour par la route du désert de la mer des Roseaux. C'est bien armés que les Israélites montèrent du pays d'Égypte. [19]Moïse emporta les ossements de Joseph avec lui, car celui-ci avait adjuré les Israélites en disant : « Oui, Dieu vous visitera, et alors vous emporterez d'ici mes ossements avec vous. »

[20]Ils partirent de Sukkot et campèrent à Étam, en bordure du désert.

[21]Yahvé marchait avec eux, le jour dans une colonne de nuée pour leur indiquer la route, et la nuit dans une colonne de feu pour les éclairer, afin qu'ils puissent marcher de jour et de nuit. [22]La colonne de nuée ne se retirait pas le jour de devant le peuple, ni la colonne de feu la nuit.

D'Étam à la mer des Roseaux.

14 [1]Yahvé parla à Moïse et lui dit : [2]« Dis aux Israélites de rebrousser chemin et de camper devant Pi-Hahirot, entre Migdol et la mer, devant Baal-Çephôn ; vous camperez face à ce lieu, au bord de la mer. ³Pharaon dira des Israélites : "Les voilà qui errent dans le pays, le désert s'est refermé sur eux." ⁴J'endurcirai le cœur de Pharaon et il se lancera à leur poursuite. Je me glorifierai aux dépens de Pharaon et de toute son armée, et les Égyptiens sauront que je suis Yahvé.» C'est ce qu'ils firent.

Les Égyptiens à la poursuite d'Israël.

⁵Lorsqu'on annonça au roi d'Égypte que le peuple avait fui, le cœur de Pharaon et de ses serviteurs changea à l'égard du peuple. Ils dirent : « Qu'avons-nous fait là, de laisser Israël quitter notre service ! » ⁶Pharaon fit atteler son char et emmena son armée. ⁷Il prit six cents des meilleurs chars et tous les chars d'Égypte, chacun d'eux monté par des officiers. ⁸Yahvé endurcit le cœur de Pharaon, le roi d'Égypte, qui se lança à la poursuite des Israélites sortant la main haute. ⁹Les Égyptiens se lancèrent à leur poursuite et les rejoignirent alors qu'ils campaient au bord de la mer – tous les chevaux de Pharaon, ses chars, ses cavaliers et son armée – près de Pi-Hahirot, devant Baal-Çephôn. ¹⁰Comme Pharaon approchait, les Israélites levèrent les yeux, et voici que les Égyptiens les poursuivaient. Les Israélites eurent grand-peur et crièrent vers Yahvé. ¹¹Ils dirent à Moïse : « Manquait-il de tombeaux en Égypte, que tu nous aies menés mourir dans le désert ? Que nous as-tu fait en nous faisant sortir d'Égypte ? ¹²Ne te disions-nous pas en Égypte : Laisse-nous servir les Égyptiens, car mieux vaut pour nous servir les Égyptiens que de mourir dans le désert ? » ¹³Moïse dit au peuple : « Ne craignez pas ! Tenez ferme et vous verrez ce que Yahvé va faire pour vous sauver aujourd'hui, car les Égyptiens que vous voyez aujourd'hui, vous ne les reverrez plus jamais. ¹⁴Yahvé combattra pour vous ; vous, vous n'aurez qu'à rester tranquilles. »

Miracle de la mer. Ps 78 ; 105 ; 106 ; 114. ↗ Sg 10 18s. ↗ 1 Co 10 1-2.

¹⁵Yahvé dit à Moïse : « Pourquoi cries-tu vers moi ? Dis aux Israélites de repartir. ¹⁶Toi, lève ton bâton, étends ta main sur la mer et fends-la, que les Israélites puissent pénétrer à pied sec au milieu de la mer. ¹⁷Moi, j'endurcirai le cœur des Égyptiens, ils pénétreront à leur suite et je me glorifierai aux dépens de Pharaon, de toute son armée, de ses chars et de ses cavaliers. ¹⁸Les Égyptiens sauront que je suis Yahvé quand je me serai glorifié aux dépens de Pharaon, de ses chars et de ses cavaliers. »

¹⁹L'Ange de Dieu qui marchait en avant du camp d'Israël se déplaça et marcha derrière eux, et la colonne de nuée se déplaça de devant eux et se tint derrière eux. ²⁰Elle vint entre les camps des Égyptiens et le camp d'Israël. Il y eut la nuée et la ténèbre et elle illumina la nuit. L'un ne pouvait s'approcher de l'autre de toute la nuit. ²¹Moïse étendit la main sur la mer, et Yahvé refoula la mer toute la nuit par un fort vent

d'est ; il la mit à sec et toutes les eaux se fendirent. ²²Les Israélites pénétrèrent à pied sec au milieu de la mer, et les eaux leur formaient une muraille à droite et à gauche. ²³Les Égyptiens les poursuivirent, et tous les chevaux de Pharaon, ses chars et ses cavaliers pénétrèrent à leur suite au milieu de la mer. ²⁴À la veille du matin, Yahvé regarda de la colonne de feu et de nuée vers le camp des Égyptiens, et jeta la confusion dans le camp des Égyptiens. ²⁵Il enraya les roues de leurs chars qui n'avançaient plus qu'à grand-peine. Les Égyptiens dirent : « Fuyons devant Israël car Yahvé combat avec eux contre les Égyptiens ! » ²⁶Yahvé dit à Moïse : « Étends ta main sur la mer, que les eaux refluent sur les Égyptiens, sur leurs chars et sur leurs cavaliers. » ²⁷Moïse étendit la main sur la mer et, au point du jour, la mer rentra dans son lit. Les Égyptiens en fuyant la rencontrèrent, et Yahvé culbuta les Égyptiens au milieu de la mer. ²⁸Les eaux refluèrent et recouvrirent les chars et les cavaliers de toute l'armée de Pharaon, qui avaient pénétré derrière eux dans la mer. Il n'en resta pas un seul. ²⁹Les Israélites, eux, marchèrent à pied sec au milieu de la mer, et les eaux leur formèrent une muraille à droite et à gauche. ³⁰Ce jour-là, Yahvé sauva Israël des mains des Égyptiens, et Israël vit les Égyptiens morts au bord de la mer. ³¹Israël vit la prouesse accomplie par Yahvé contre les Égyptiens. Le peuple craignit Yahvé, il crut en Yahvé et en Moïse son serviteur.

Chant de victoire.

15 ¹Alors Moïse et les Israélites chantèrent pour Yahvé le chant que voici : « Je chante pour Yahvé car il s'est couvert de gloire, il a jeté à la mer cheval et cavalier.

²Yah est ma force et mon chant, à lui je dois mon salut.

Il est mon Dieu, je le célèbre, le Dieu de mon père et je l'exalte.

³Yahvé est un guerrier, son nom est Yahvé.

⁴Les chars de Pharaon et son armée, il les a jetés à la mer,

l'élite de ses officiers, la mer des Roseaux l'a engloutie.

⁵Les abîmes les recouvrent, ils ont coulé au fond du gouffre comme une pierre.

⁶Ta droite, Yahvé, s'illustre par sa force,

ta droite, Yahvé, taille en pièces l'ennemi.

⁷Par l'excès de ta majesté, tu renverses tes adversaires,

tu déchaînes ta colère, elle les dévore comme du chaume.

⁸Au souffle de tes narines, les eaux s'amoncelèrent,

les flots se dressèrent comme une digue,

les abîmes se figèrent au cœur de la mer.

⁹L'ennemi s'était dit : "Je poursuivrai, j'atteindrai,

je partagerai le butin, mon âme s'en gorgera,

je dégainerai mon épée, ma main les supprimera."

¹⁰Tu soufflas de ton haleine, la mer les recouvrit,

ils s'enfoncèrent comme du plomb dans les eaux formidables.

¹¹Qui est comme toi parmi les dieux, Yahvé ?

Qui est comme toi illustre en sainteté,

redoutable en exploits, artisan de merveilles ?

¹²Tu étendis ta droite, la terre les engloutit.

¹³Ta grâce a conduit ce peuple que tu as racheté,

ta force l'a guidé vers ta sainte demeure.

¹⁴Les peuples ont entendu, ils frémissent,

des douleurs poignent les habitants de Philistie.

¹⁵Alors sont bouleversés les chefs d'Édom,

les princes de Moab, la terreur s'en empare,

ils titubent, tous ceux qui habitent Canaan.

¹⁶Sur eux s'abattent terreur et crainte,

la puissance de ton bras les laisse pétrifiés,

tant que passe ton peuple, Yahvé,

tant que passe ce peuple que tu t'es acheté.

¹⁷Tu les amèneras et tu les planteras sur la montagne de ton héritage,

lieu dont tu fis, Yahvé, ta résidence,

sanctuaire, Seigneur, qu'ont préparé tes mains.

¹⁸Yahvé régnera pour toujours et à jamais. »

¹⁹ Car lorsque la cavalerie de Pharaon avec ses chars et ses cavaliers était entrée dans la mer, Yahvé avait fait refluer sur eux les eaux de la mer, alors que les Israélites avaient marché à pied sec au milieu de la mer. ²⁰Miryam, la prophétesse, sœur d'Aaron, prit en main un tambourin et toutes les femmes la suivirent avec des tambourins, formant des chœurs de danse. ²¹Et Miryam leur entonna :

« Chantez pour Yahvé, car il s'est couvert de gloire,

il a jeté à la mer cheval et cavalier. »

2. La marche au désert

Mara. ↗ 1 Co **10** 3-5.

²²Moïse fit partir Israël de la mer des Roseaux. Ils se dirigèrent vers le désert de Shur et marchèrent trois jours dans le désert sans trouver d'eau. ²³Mais quand ils arrivèrent à Mara ils ne purent boire l'eau de Mara, car elle était amère, c'est pourquoi on l'a appelé Mara. ²⁴Le peuple murmura contre Moïse en di-

sant : « Qu'allons-nous boire ? » ²⁵Moïse cria vers Yahvé, et Yahvé lui montra un morceau de bois. Moïse le jeta dans l'eau, et l'eau devint douce.

C'est là qu'il leur fixa un statut et un droit ;

c'est là qu'il les mit à l'épreuve.

²⁶Puis il dit : « Si tu écoutes bien la voix de Yahvé ton Dieu et fais ce qui est droit à ses yeux, si tu prêtes l'oreille à ses comman-

dements et observes toutes ses lois, tous les maux que j'ai infligés à l'Égypte, je ne te les infligerai pas, car je suis Yahvé, celui qui te guérit. »

²⁷Ils arrivèrent ensuite à Élim où se trouvent douze sources et soixante-dix palmiers, et ils y campèrent au bord de l'eau.

La manne et les cailles. ‖ Nb 11. Dt 8 3, 16. Ps 78 18s ; 105 40 ; 106 13-15. Sg 16 20-29. ↗ Jn 6 26-58.

16 ¹Ils partirent d'Élim, et toute la communauté des Israélites arriva au désert de Sîn, situé entre Élim et le Sinaï, le quinzième jour du second mois qui suivit leur sortie d'Égypte. ²Toute la communauté des Israélites se mit à murmurer contre Moïse et Aaron dans le désert. ³Les Israélites leur dirent : « Que ne sommes-nous morts de la main de Yahvé au pays d'Égypte, quand nous étions assis auprès de la marmite de viande et mangions du pain à satiété ! À coup sûr, vous nous avez amenés dans ce désert pour faire mourir de faim toute cette multitude. »

⁴Yahvé dit à Moïse : « Je vais faire pleuvoir pour vous du pain du haut du ciel. Les gens sortiront et recueilleront chaque jour leur ration du jour ; je veux ainsi les mettre à l'épreuve pour voir s'ils marcheront selon ma loi ou non. ⁵Et le sixième jour, quand ils prépareront ce qu'ils auront rapporté, il y en aura le double de ce qu'ils recueillent chaque jour. »

⁶Moïse et Aaron dirent à tous les Israélites : « Ce soir vous saurez que c'est Yahvé qui vous a fait sortir du pays d'Égypte ⁷et au matin vous verrez la gloire de Yahvé.

Car il a entendu vos murmures contre Yahvé. Et nous, que sommes-nous pour que vous murmuriez contre nous ? » ⁸Moïse dit : « Yahvé vous donnera ce soir de la viande à manger et, au matin, du pain à satiété, car Yahvé a entendu vos murmures contre lui. Nous, que sommes-nous ? Ce n'est pas contre nous que vont vos murmures, mais contre Yahvé. »

⁹Moïse dit à Aaron : « Dis à toute la communauté des Israélites : Approchez-vous devant Yahvé, car il a entendu vos murmures. » ¹⁰Comme Aaron parlait à toute la communauté des Israélites, ils se tournèrent vers le désert, et voici que la gloire de Yahvé apparut dans la nuée. ¹¹Yahvé parla à Moïse et lui dit : ¹²« J'ai entendu les murmures des Israélites. Parleleur et dis-leur : Au crépuscule vous mangerez de la viande et au matin vous serez rassasiés de pain. Vous saurez alors que je suis Yahvé votre Dieu. » ¹³Le soir, des cailles montèrent et couvrirent le camp, et au matin, il y avait une couche de rosée tout autour du camp. ¹⁴Cette couche de rosée évaporée, apparut sur la surface du désert quelque chose de menu, de granuleux, de fin comme du givre sur le sol. ¹⁵Lorsque les Israélites virent cela, ils se dirent l'un à l'autre : « Qu'est-ce cela ? » Car ils ne savaient pas ce que c'était. Moïse leur dit : « Cela, c'est le pain que Yahvé vous a donné à manger. ¹⁶Voici ce qu'a ordonné Yahvé : Recueillez-en chacun selon ce qu'il peut manger, un gomor par personne. Vous en prendrez chacun selon le nombre des personnes qu'il a dans sa tente. »

L'EXODE

¹⁷Les Israélites firent ainsi et en recueillirent les uns beaucoup, les autres peu. ¹⁸Quand ils mesurèrent au gomor, celui qui avait beaucoup recueilli n'en avait pas trop, et celui qui avait peu recueilli en avait assez : chacun avait recueilli ce qu'il pouvait manger.

¹⁹Moïse leur dit : « Que personne n'en mette en réserve jusqu'au lendemain. » ²⁰Certains n'écoutèrent pas Moïse et en mirent en réserve jusqu'au lendemain, mais les vers s'y mirent et cela devint infect. Moïse s'irrita contre eux. ²¹Ils en recueillirent chaque matin, chacun selon ce qu'il pouvait manger, et quand le soleil devenait chaud, cela fondait.

²²Or le sixième jour, ils recueillirent le double de pain, deux gomor par personne, et tous les chefs de la communauté vinrent l'annoncer à Moïse. ²³Il leur dit : « Voici ce qu'a dit Yahvé : Demain est un jour de repos complet, un saint sabbat pour Yahvé. Cuisez ce que vous voulez cuire, faites bouillir ce que vous voulez faire bouillir et tout le surplus, mettez-le en réserve jusqu'à demain. » ²⁴Ils le mirent en réserve jusqu'au lendemain, comme Moïse l'avait ordonné ; ce ne fut pas infect et il n'y eut pas de vers dedans. ²⁵Moïse dit : « Mangez-le aujourd'hui, car ce jour est un sabbat pour Yahvé ; aujourd'hui vous n'en trouveriez pas dans les champs. ²⁶Pendant six jours vous en recueillerez mais le septième jour, le sabbat, il n'y en aura pas. » ²⁷Le septième jour cependant, des gens sortirent pour en recueillir mais ils n'en trouvèrent pas. ²⁸Yahvé dit à Moïse : « Jus-

qu'à quand refuserez-vous d'écouter mes commandements et mes lois ? ²⁹Voyez, Yahvé a donné le sabbat, c'est pourquoi le sixième jour il vous donne du pain pour deux jours. Restez chacun là où vous êtes, que personne ne sorte de chez soi le septième jour. » ³⁰Le peuple chôma donc le septième jour.

³¹La maison d'Israël donna à cela le nom de manne. On eût dit de la graine de coriandre, c'était blanc et cela avait un goût de galette au miel.

³²Moïse dit : « Voici ce qu'a ordonné Yahvé : Remplissez-en un gomor et préservez-le pour vos descendants, afin qu'ils voient le pain dont je vous ai nourris dans le désert, quand je vous ai fait sortir du pays d'Égypte. » ³³Moïse dit à Aaron : « Prends un vase, mets-y un plein gomor de manne et place-le devant Yahvé afin de le préserver pour vos générations. » ³⁴Comme Yahvé l'avait ordonné à Moïse, Aaron le plaça devant le Témoignage, pour qu'il y soit préservé.

³⁵Les Israélites mangèrent de la manne pendant quarante ans, jusqu'à ce qu'ils arrivent en pays habité ; ils mangèrent la manne jusqu'à ce qu'ils arrivent aux confins du pays de Canaan. ³⁶Le gomor, c'est un dixième de mesure.

L'eau jaillie du rocher. ‖ Nb 20 1-13.

17 ¹Toute la communauté des Israélites partit du désert de Sîn pour les étapes suivantes, sur l'ordre de Yahvé, et ils campèrent à Rephidim. Or il n'y avait pas d'eau à boire pour le peuple. ²Celui-ci s'en prit à Moïse ; ils dirent : « Donne-nous de l'eau, que nous buvions ! » Moïse leur dit : « Pourquoi vous en prenez-vous à moi ? Pourquoi mettez-vous Yahvé à l'épreuve ? » [3]Le peuple y souffrit de la soif, le peuple murmura contre Moïse et dit : « Pourquoi nous as-tu fait monter d'Égypte ? Est-ce pour me faire mourir de soif, moi, mes enfants et mes bêtes ? » [4]Moïse cria vers Yahvé en disant : « Que ferai-je pour ce peuple ? Encore un peu et ils me lapideront. » [5]Yahvé dit à Moïse : « Passe en tête du peuple et prends avec toi quelques anciens d'Israël ; prends en main ton bâton, celui dont tu as frappé le Fleuve, et va. [6]Voici que je vais me tenir devant toi, là sur le rocher (en Horeb), tu frapperas le rocher, l'eau en sortira et le peuple boira. » C'est ce que fit Moïse, aux yeux des anciens d'Israël. [7]Il donna à ce lieu le nom de Massa et Meriba, parce que les Israélites cherchèrent querelle et parce qu'ils mirent Yahvé à l'épreuve en disant : « Yahvé est-il au milieu de nous, ou non ? »

Combat avec Amaleq.

[8]Les Amalécites survinrent et combattirent contre Israël à Rephidim. [9]Moïse dit alors à Josué : « Choisis-toi des hommes et demain, sors combattre Amaleq ; moi, je me tiendrai au sommet de la colline, le bâton de Dieu à la main. » [10]Josué fit ce que lui avait dit Moïse, pour combattre Amaleq, et Moïse, Aaron et Hur montèrent au sommet de la colline. [11]Lorsque Moïse tenait ses mains levées, Israël l'emportait, et quand il les laissait retomber, Amaleq l'emportait. [12]Comme les mains de Moïse s'alourdissaient, ils prirent une pierre et la mirent sous lui. Il s'assit dessus tandis qu'Aaron et Hur lui soutenaient les mains, l'un d'un côté, l'autre de l'autre.

Ainsi ses mains restèrent-elles fermes jusqu'au coucher du soleil. [13]Josué défit Amaleq et son peuple au fil de l'épée. [14]Yahvé dit alors à Moïse : « Écris cela dans un livre pour en garder le souvenir, et déclare à Josué que j'effacerai la mémoire d'Amaleq de dessous les cieux. » [15]Puis Moïse bâtit un autel qu'il nomma Yahvé-Nissi [16]car, dit-il : « La bannière de Yahvé en main ! Yahvé est en guerre contre Amaleq de génération en génération. »

Rencontre de Jéthro et de Moïse.

18 [1]Jéthro, prêtre de Madiân, beau-père de Moïse, entendit raconter tout ce que Dieu avait fait pour Moïse et pour Israël son peuple : comment Yahvé avait fait sortir Israël d'Égypte. [2]Jéthro, le beau-père de Moïse, prit Çippora, la femme de Moïse, après qu'il l'eut renvoyée, [3]ainsi que ses deux fils. L'un s'appelait Gershom car, avait-il dit, « Je suis un immigré en terre étrangère », [4]l'autre s'appelait Éliézer car, « le Dieu de mon père est mon secours et m'a délivré de l'épée de Pharaon ». [5]Jéthro, le beau-père de Moïse, vint trouver Moïse avec ses fils et sa femme au désert où il campait, à la montagne de Dieu. [6]Il dit à Moïse : « Je suis ton beau-père Jéthro qui suis venu à toi, avec ta femme et ses deux fils. » [7]Moïse sortit à la rencontre de son beau-père, se prosterna devant lui, l'embrassa et, s'étant mutuellement interrogés sur leur santé, ils se rendirent à la tente. [8]Moïse raconta à son beau-père tout ce que Yahvé avait fait à Pharaon et aux Égyptiens à cause d'Israël, ainsi que toutes les tribulations qu'ils avaient rencontrées en chemin, et dont Yahvé les avait délivrés. [9]Jéthro se réjouit de tout le bien que Yahvé avait fait à Israël, de ce qu'il l'avait délivré de la main des Égyptiens. [10]Jéthro dit alors : « Béni soit Yahvé qui vous a délivrés de la main des Égyptiens et de la main de Pharaon, qui a délivré le peuple de la sujétion égyptienne. [11]Maintenant je sais que Yahvé est plus grand que tous les dieux... »

[12]Jéthro, le beau-père de Moïse, offrit à Dieu un holocauste et des sacrifices. Aaron et tous les anciens d'Israël vinrent manger avec le beau-père de Moïse en présence de Dieu.

Institution des Juges. ‖ Dt 1 9-18.

[13]Le lendemain, Moïse s'assit pour rendre la justice au peuple, tandis que le peuple demeurait debout auprès de lui du matin au soir. [14]Le beau-père de Moïse, voyant tout ce qu'il faisait pour le peuple, lui dit : « Comment t'y prends-tu pour traiter seul les affaires du peuple ? Pourquoi sièges-tu seul alors que tout le peuple se tient auprès de toi du matin au soir ? » [15]Moïse dit à son beau-père : « C'est que le peuple vient à moi pour consulter Dieu. [16]Lorsqu'ils ont une affaire, ils viennent à moi. Je juge entre l'un et l'autre et je leur fais connaître les décrets

de Dieu et ses lois. » [17]Le beau-père de Moïse lui dit : « Tu t'y prends mal ! [18]À coup sûr tu t'épuiseras, toi et le peuple qui est avec toi, car la tâche est trop lourde pour toi ; tu ne pourras pas l'accomplir seul. [19]Maintenant écoute le conseil que je vais te donner pour que Dieu soit avec toi. Tiens-toi à la place du peuple devant Dieu, et introduis toi-même leurs causes auprès de Dieu. [20]Instruis-les des décrets et des lois, fais-leur connaître la voie à suivre et la conduite à tenir. [21]Mais choisis-toi parmi tout le peuple des hommes capables, craignant Dieu, sûrs, incorruptibles, et établis-les sur eux comme chefs de milliers, chefs de centaines, chefs de cinquantaines et chefs de dizaines. [22]Ils jugeront le peuple en tout temps. Toute affaire importante, ils te la déféreront et toute affaire mineure, ils la jugeront eux-mêmes. Allège ainsi ta charge et qu'ils la portent avec toi. [23]Si tu fais cela et que Dieu te l'ordonne tu pourras tenir et tout ce peuple, de son côté, pourra rentrer en paix chez lui. »

[24]Moïse suivit le conseil de son beau-père et fit tout ce qu'il lui avait dit. [25]Moïse choisit dans tout Israël des hommes capables, et il les mit chefs du peuple : chefs de milliers, chefs de centaines, chefs de cinquantaines et chefs de dizaines. [26]Et ils jugeaient le peuple en tout temps. Toute affaire importante, ils la déféraient à Moïse, et toute affaire mineure, ils la jugeaient eux-mêmes. [27]Puis Moïse laissa repartir son beau-père qui reprit le chemin de son pays.

3. L'alliance au Sinaï

I. L'ALLIANCE ET LE DÉCALOGUE

Arrivée au Sinaï.

19 ¹Le troisième mois, après leur sortie du pays d'Égypte, ce jour-là, les Israélites atteignirent le désert du Sinaï. ²Ils partirent de Rephidim et atteignirent le désert du Sinaï, et ils campèrent dans le désert ; Israël campa là, en face de la montagne.

Promesse de l'Alliance.

³Moïse alors monta vers Dieu. Yahvé l'appela de la montagne et lui dit : « Tu parleras ainsi à la maison de Jacob, tu déclareras aux Israélites : ⁴"Vous avez vu vous-mêmes ce que j'ai fait aux Égyptiens, et comment je vous ai emportés sur des ailes d'aigles et amenés vers moi. ⁵Maintenant, si vous écoutez ma voix et gardez mon alliance, je vous tiendrai pour mon bien propre parmi tous les peuples, car toute la terre est à moi. ⁶Je vous tiendrai pour un royaume de prêtres, une nation sainte." Voilà les paroles que tu diras aux Israélites. » ⁷Moïse alla et convoqua les anciens du peuple et leur exposa tout ce que Yahvé lui avait ordonné, ⁸et le peuple entier, d'un commun accord, répondit : « Tout ce que Yahvé a dit, nous le ferons. » Moïse rapporta à Yahvé les paroles du peuple.

Préparation de l'Alliance.

⁹Yahvé dit à Moïse : « Je vais venir à toi dans l'épaisseur de la nuée, afin que le peuple entende quand je parlerai avec toi et croie en toi pour toujours. » Et Moïse rapporta à Yahvé les paroles du peuple.

¹⁰Yahvé dit à Moïse : « Va trouver le peuple et fais-le sanctifier aujourd'hui et demain ; qu'ils lavent leurs vêtements ¹¹et se tiennent prêts pour après-demain, car après-demain Yahvé descendra aux yeux de tout le peuple sur la montagne du Sinaï. ¹²Puis établis des limites pour le peuple en disant : "Gardez-vous de gravir la montagne et même d'en toucher le bord. Quiconque touchera la montagne sera mis à mort. ¹³Personne ne portera la main sur lui ; il sera lapidé ou percé de flèches, homme ou bête, il ne vivra pas." Quand la corne de bélier mugira, eux graviront la montagne. »

¹⁴Moïse descendit de la montagne et vint trouver le peuple qu'il fit se sanctifier, et ils lavèrent leurs vêtements. ¹⁵Puis il dit au peuple : « Tenez-vous prêts pour après-demain, ne vous approchez pas de la femme. »

La théophanie. ‖ Dt 5 2-5, 25-31. Dt 4 10-12.

¹⁶Or le surlendemain, dès le matin, il y eut des coups de tonnerre, des éclairs et une épaisse nuée sur la montagne, ainsi qu'un très puissant son de trompe et, dans le camp, tout le peuple trembla. ¹⁷Moïse fit sortir le peuple

du camp, à la rencontre de Dieu, et ils se tinrent au bas de la montagne. ¹⁸Or la montagne du Sinaï était toute fumante, parce que Yahvé y était descendu dans le feu ; la fumée s'en élevait comme d'une fournaise et toute la montagne tremblait violemment. ¹⁹Le son de trompe allait en s'amplifiant ; Moïse parlait et Dieu lui répondait dans le tonnerre. ²⁰Yahvé descendit sur la montagne du Sinaï, au sommet de la montagne. Yahvé appela Moïse au sommet de la montagne et Moïse monta. ²¹Yahvé dit à Moïse : « Descends et avertis le peuple de ne pas franchir les limites pour venir voir Yahvé, car beaucoup d'entre eux périraient. ²²Même les prêtres qui approchent Yahvé doivent se sanctifier de peur que Yahvé ne se déchaîne contre eux. » ²³Moïse dit à Yahvé : « Le peuple ne peut pas gravir la montagne du Sinaï puisque toi-même tu nous as avertis : délimite la montagne et déclare-la sacrée. » ²⁴Yahvé reprit : « Allons, descends et remontez, toi et Aaron. Mais que les prêtres et le peuple ne franchissent pas les limites pour monter vers Yahvé, de peur qu'il ne se déchaîne contre eux. » ²⁵Moïse descendit alors vers le peuple et lui dit...

Le Décalogue. ‖ Dt **5** 6-22. Ex **34** 10-27. ↗ Mt **19** 21. ↗ Mt **5**.

20 ¹Dieu prononça toutes ces paroles, et dit : ²« Je suis Yahvé, ton Dieu, qui t'ai fait sortir du pays d'Égypte, de la maison de servitude.

³Tu n'auras pas d'autres dieux devant moi.

⁴Tu ne te feras aucune image sculptée, rien qui ressemble à ce qui est dans les cieux, là-haut, ou sur la terre, ici-bas, ou dans le eaux, au-dessous de la terre.

⁵Tu ne te prosterneras pas devant ces dieux et tu ne les serviras pas, car moi Yahvé, ton Dieu, je suis un Dieu jaloux qui punis la faute des pères sur les enfants, les petits-enfants et les arrière-petits-enfants pour ceux qui me haïssent, ⁶mais qui fais grâce à des milliers pour ceux qui m'aiment et gardent mes commandements.

⁷Tu ne prononceras pas le nom de Yahvé ton Dieu à faux, car Yahvé ne laisse pas impuni celui qui prononce son nom à faux.

⁸Tu te souviendras du jour du sabbat pour le sanctifier. ⁹Pendant six jours tu travailleras et tu feras tout ton ouvrage ; ¹⁰mais le septième jour est un sabbat pour Yahvé ton Dieu. Tu ne feras aucun ouvrage, toi, ni ton fils, ni ta fille, ni ton serviteur, ni ta servante, ni tes bêtes, ni l'étranger qui est dans tes portes. ¹¹Car en six jours Yahvé a fait le ciel, la terre, la mer et tout ce qu'ils contiennent, mais il s'est reposé le septième jour, c'est pourquoi Yahvé a béni le jour du sabbat et l'a consacré.

¹²Honore ton père et ta mère, afin que se prolongent tes jours sur la terre que te donne Yahvé ton Dieu.

¹³Tu ne tueras pas.

¹⁴Tu ne commettras pas d'adultère.

¹⁵Tu ne voleras pas.

¹⁶Tu ne porteras pas de témoignage mensonger contre ton prochain.

¹⁷Tu ne convoiteras pas la mai-

son de ton prochain. Tu ne convoiteras pas la femme de ton prochain, ni son serviteur, ni sa servante, ni son bœuf, ni son âne, rien de ce qui est à ton prochain. »

18 Tout le peuple, voyant ces coups de tonnerre, ces lueurs, ce son de trompe et la montagne fumante, eut peur et se tint à distance. 19Ils dirent à Moïse : « Parle-nous, toi, et nous t'écouterons ; mais que Dieu ne nous parle pas, car alors c'est la mort. » 20Moïse dit au peuple : « Ne craignez pas. C'est pour vous mettre à l'épreuve que Dieu est venu, pour que sa crainte vous demeure présente et que vous ne péchiez pas. » 21Le peuple se tint à distance et Moïse s'approcha de la nuée obscure où était Dieu.

II. LE CODE DE L'ALLIANCE

Loi de l'autel.

22Yahvé dit à Moïse : « Tu parleras ainsi aux Israélites : Vous avez vu vous-mêmes comment je vous ai parlé du haut du ciel. 23Vous ne ferez pas à côté de moi des dieux d'argent, et des dieux d'or vous ne vous en ferez pas. 24Tu me feras un autel de terre sur quoi immoler tes holocaustes et tes sacrifices de communion, ton petit et ton gros bétail. En tout lieu où je rappellerai mon nom, je viendrai à toi et je te bénirai. 25Si tu me fais un autel de pierres, ne le bâtis pas de pierres taillées, car, en le travaillant au ciseau, tu le profanerais. 26Et tu ne monteras pas à mon autel par des marches pour n'y pas laisser voir ta nudité. »

Lois relatives aux esclaves. Lv 25 35-46. Dt 15 12-18.

21 1« Voici les lois que tu leur donneras.

2Lorsque tu acquerras un esclave hébreu, son service durera six ans, la septième année il s'en ira, libre, sans rien payer. 3S'il est venu seul, il s'en ira seul, et s'il était marié, sa femme s'en ira avec lui. 4Si son maître le marie et que sa femme lui donne des fils ou des filles, la femme et ses enfants resteront la propriété du maître et lui s'en ira seul. 5Mais si l'esclave dit : "J'aime mon maître, ma femme et mes enfants, je ne veux pas être libéré", 6son maître le fera s'approcher de Dieu, il le fera s'approcher du vantail ou du montant de la porte ; il lui percera l'oreille avec un poinçon et l'esclave sera pour toujours à son service. 7Si quelqu'un vend sa fille comme servante, elle ne s'en ira pas comme s'en vont les esclaves. 8Si elle déplaît à son maître au point de ne pas la réserver pour lui, il la fera racheter ; il ne pourra la vendre à un peuple étranger, usant ainsi de fraude envers elle. 9S'il la destine à son fils, il la traitera selon la coutume en vigueur pour les filles. 10S'il prend pour lui-même une autre femme, il ne diminuera pas la nourriture, le vêtement ni les droits conjugaux de la première. 11S'il la frustre de ces trois choses, elle s'en ira sans rien payer, sans verser d'argent.

Homicide. Lv 24 17. Nb **35** 16-34.

¹²« Quiconque frappe quelqu'un et cause sa mort sera mis à mort. ¹³S'il ne l'a pas traqué mais que Dieu l'a mis à portée de sa main, je te fixerai un lieu où il pourra se réfugier. ¹⁴Mais si un homme va jusqu'à en tuer un autre par ruse, tu l'arracheras même de mon autel pour qu'il soit mis à mort.

¹⁵Qui frappe son père ou sa mère sera mis à mort. ¹⁶Qui enlève un homme – qu'il l'ait vendu ou qu'on le trouve en sa possession – sera mis à mort. ¹⁷Qui maudit son père ou sa mère sera mis à mort.

Coups et blessures.

¹⁸« Si des hommes se querellent et que l'un frappe l'autre avec une pierre ou avec le poing de telle sorte qu'il n'en meure pas mais doive garder le lit, s'il se relève et peut circuler dehors, fût-ce appuyé sur un bâton, ¹⁹celui qui a frappé sera quitte, mais il devra le dédommager pour son immobilisation et le soigner jusqu'à sa guérison.

²⁰Si quelqu'un frappe son esclave ou sa servante avec un bâton et que celui-ci meure sous sa main, il subira la vengeance. ²¹Mais s'il survit un jour ou deux il ne sera pas vengé, car il a été acquis à prix d'argent.

²²Si des hommes, en se battant, bousculent une femme enceinte et que celle-ci avorte mais sans autre accident, le coupable paiera l'indemnité imposée par le maître de la femme, il paiera selon la décision des arbitres. ²³Mais s'il y a accident, tu donneras vie pour vie, ²⁴œil pour œil, dent pour dent, pied pour pied, ²⁵brûlure pour brûlure, meurtrissure pour meurtrissure, plaie pour plaie.

²⁶Si un homme frappe l'œil de son esclave ou l'œil de sa servante et l'éborgne, il lui rendra la liberté en compensation de son œil. ²⁷Et s'il fait tomber une dent de son esclave ou une dent de sa servante, il lui rendra la liberté en compensation de sa dent.

²⁸Si un bœuf encorne un homme ou une femme et cause sa mort, le bœuf sera lapidé et l'on n'en mangera pas la viande, mais le propriétaire du bœuf sera quitte. ²⁹Mais si le bœuf donnait déjà de la corne auparavant, et que le propriétaire, averti de cela, ne l'a pas surveillé, s'il cause la mort d'un homme ou d'une femme, ce bœuf sera lapidé et son propriétaire sera mis à mort. ³⁰Si on lui impose une rançon, il devra donner pour le rachat de sa vie tout ce qui lui est imposé. ³¹Si c'est un garçon ou une fille qu'il encorne, on le traitera selon cette coutume. ³²Si c'est un esclave ou une servante que le bœuf encorne, son propriétaire versera le prix – trente sicles – à leur maître, et le bœuf sera lapidé.

³³Si quelqu'un laisse une citerne ouverte, ou si quelqu'un creuse une citerne sans la couvrir, et qu'un bœuf ou un âne y tombe, ³⁴le propriétaire de la citerne indemnisera, il dédommagera en argent son propriétaire, et la bête morte sera pour lui. ³⁵Si le bœuf de quelqu'un frappe le bœuf d'autrui et cause sa mort, les propriétaires vendront le bœuf vivant et s'en partageront le prix, ils se partageront aussi la bête morte. ³⁶Mais s'il est notoire que le bœuf

donnait de la corne auparavant, et que son propriétaire ne l'a pas surveillé, il donnera un bœuf vivant en compensation du bœuf mort, et la bête morte sera pour lui.

Vols d'animaux.

37 « Si quelqu'un vole un bœuf ou un agneau puis l'abat et le vend, il rendra cinq têtes de gros bétail pour le bœuf et quatre têtes de petit bétail pour l'agneau.

22 ¹Si le voleur surpris à percer un mur reçoit un coup mortel, son sang ne sera pas vengé. ²Mais si le soleil était déjà levé, son sang sera vengé. Il devra restituer, et s'il n'a pas de quoi, on le vendra pour rembourser ce qu'il a volé. ³Si l'animal volé, bœuf, âne ou tête de petit bétail, est retrouvé vivant en sa possession, il restituera au double.

Délits donnant lieu à dédommagement.

⁴« Si quelqu'un fait pâturer un champ ou une vigne et laisse brouter le champ d'autrui, il restituera d'après le meilleur de son champ ou de sa vigne. S'il a laissé brouter le champ entier, il restituera sur la base de la meilleure récolte du champ ou de la vigne.

⁵Si un feu prend et rencontre des buissons épineux et qu'il consume meules, moissons ou champs, l'auteur de l'incendie restituera ce qui a brûlé.

⁶Si quelqu'un donne en garde à un autre de l'argent ou des objets, et qu'on les vole chez celui-ci, le voleur, si on le découvre, devra restituer au double. ⁷Si on ne découvre pas le voleur, le maître de la maison s'approchera de Dieu pour attester qu'il n'a pas porté la main sur le bien de l'autre.

⁸Dans toute cause litigieuse relative à un bœuf, à un âne, à une tête de petit bétail, à un vêtement ou à n'importe quel objet perdu dont on dit : "C'est bien lui", le différend sera porté devant Dieu. Celui que Dieu aura déclaré coupable restituera le double à l'autre.

⁹Si quelqu'un confie à la garde d'un autre un âne, un taureau, une tête de petit bétail ou tout autre animal, et que la bête crève, se brise un membre ou est enlevée sans témoins, ¹⁰un serment par Yahvé décidera entre les deux parties si le gardien a porté la main sur le bien de l'autre ou non. Le propriétaire prendra ce qui reste et le gardien n'aura pas à restituer. ¹¹Mais si l'animal volé se trouvait auprès de lui, il le restituera à son propriétaire. ¹²Si l'animal est déchiqueté par une bête de proie, il apportera en témoignage l'animal déchiqueté et n'aura pas à restituer.

¹³Si quelqu'un emprunte une bête à un autre et qu'elle se brise un membre ou crève en l'absence de son propriétaire, il devra restituer. ¹⁴Mais si le propriétaire est auprès de l'animal, il n'aura pas à restituer. Si le propriétaire est un loueur, il touchera son prix de louage.

Viol d'une vierge. Dt 22 28-29.

¹⁵« Si quelqu'un séduit une vierge non encore fiancée et couche avec elle, il versera le prix et la prendra pour femme. ¹⁶Si son père refuse de la lui donner, il versera une somme équivalente au prix fixé pour les vierges.

Lois morales et religieuses.

[17]« Tu ne laisseras pas en vie la magicienne.

[18]Quiconque s'accouple avec une bête sera mis à mort.

[19]Qui sacrifie aux dieux, en dehors de Yahvé seul, sera voué à l'anathème.

[20]Tu ne molesteras pas l'étranger ni ne l'opprimeras, car vous-mêmes avez été étrangers dans le pays d'Égypte. [21]Vous ne maltraiterez pas une veuve ni un orphelin. [22]Si tu le maltraites et qu'il crie vers moi, j'écouterai son cri ; [23]ma colère s'enflammera et je vous ferai périr par l'épée : vos femmes seront veuves et vos fils orphelins.

[24]Si tu prêtes de l'argent à un compatriote, à l'indigent qui est chez toi, tu ne te comporteras pas envers lui comme un prêteur à gages, vous ne lui imposerez pas d'intérêts. [25]Si tu prends en gage le manteau de quelqu'un, tu le lui rendras au coucher du soleil. [26]C'est sa seule couverture, c'est le manteau dont il enveloppe son corps, dans quoi se couchera-t-il ? S'il crie vers moi je l'écouterai, car je suis compatissant, moi !

[27]Tu ne blasphémeras pas Dieu ni ne maudiras un chef de ton peuple.

Prémices et premiers-nés.

[28]« Ne diffère pas d'offrir de ton abondance et de ton surplus. Le premier-né de tes fils, tu me le donneras. [29]Tu feras de même pour ton gros et ton petit bétail : pendant sept jours il restera avec sa mère, le huitième jour tu me le donneras.

[30]Vous serez pour moi des hommes saints. Vous ne mangerez pas la viande d'une bête déchiquetée par un fauve dans la campagne, vous la jetterez aux chiens.

La justice. Les devoirs envers les ennemis.

23 [1]« Tu ne colporteras pas de fausses rumeurs. Tu ne prêteras pas la main au méchant en témoignant injustement. [2]Tu ne prendras pas le parti du plus grand nombre pour commettre le mal, ni ne témoigneras dans un procès en suivant le plus grand nombre pour faire dévier le droit, [3]ni ne favoriseras le miséreux dans son procès.

[4]Si tu rencontres le bœuf ou l'âne de ton ennemi qui vague, tu dois le lui ramener. [5]Si tu vois l'âne de celui qui te déteste tomber sous sa charge, cesse de te tenir à l'écart ; avec lui tu lui viendras en aide.

[6]Tu ne feras pas dévier le droit de ton pauvre dans son procès. [7]Tu te tiendras loin d'une cause mensongère. Ne fais pas périr l'innocent ni le juste car je ne justifierai pas un coupable. [8]Tu n'accepteras pas de présents, car le présent aveugle les gens clairvoyants et ruine les causes des justes.

[9]Tu n'opprimeras pas l'étranger. Vous savez ce qu'éprouve l'étranger, car vous-mêmes avez été étrangers au pays d'Égypte.

Année sabbatique et sabbat. Lv 25.

[10]« Pendant six ans tu ensemenceras la terre et tu en engrangeras le produit. [11]Mais la septième an-

née, tu la laisseras en jachère et tu en abandonneras le produit ; les pauvres de ton peuple le mangeront et les bêtes des champs mangeront ce qu'ils auront laissé. Tu feras de même pour ta vigne et pour ton olivier.

¹²Pendant six jours tu feras tes travaux, et le septième jour tu chômeras, afin que se repose ton bœuf et ton âne et que reprennent souffle le fils de ta servante ainsi que l'étranger.

¹³Vous prendrez garde à tout ce que je vous ai dit et vous ne ferez pas mention du nom d'autres dieux : qu'on ne l'entende pas sortir de ta bouche.

Fêtes d'Israël.

¹⁴« Tu me fêteras trois fois l'an. ¹⁵Tu observeras la fête des Azymes. Pendant sept jours tu mangeras des azymes, comme je te l'ai ordonné, au temps fixé du mois d'Abib, car c'est en ce mois que tu es sorti d'Égypte. On ne se présentera pas devant moi les mains vides. ¹⁶Tu observeras la fête de la Moisson, des prémices de tes travaux de semailles dans les champs, et la fête de la Récolte, en fin d'année, quand tu rentreras des champs le fruit de tes travaux. ¹⁷Trois fois l'an, toute ta population mâle se présentera devant le Seigneur Yahvé.

¹⁸Tu ne sacrifieras pas avec du pain levé le sang de ma victime, et la graisse de ma fête ne sera pas gardée jusqu'au lendemain.

¹⁹Tu apporteras à la maison de Yahvé ton Dieu le meilleur des prémices de ton terroir.

Tu ne feras pas cuire un chevreau dans le lait de sa mère.

Promesses et instructions en vue de l'entrée en Canaan.

²⁰« Voici que je vais envoyer un ange devant toi, pour qu'il veille sur toi en chemin et te mène au lieu que je t'ai fixé. ²¹Révère-le et écoute sa voix. Ne l'aigris pas : il ne pardonnerait pas vos transgressions car mon Nom est en lui. ²²Mais si tu écoutes bien sa voix et fais ce que je dis, je serai l'ennemi de tes ennemis et l'adversaire de tes adversaires. ²³Mon ange ira devant toi et te mènera chez les Amorites, les Hittites, les Perizzites, les Cananéens, les Hivvites, les Jébuséens, et je les exterminerai. ²⁴Tu ne te prosterneras pas devant leurs dieux ni ne les serviras ; tu ne feras pas ce qu'ils font, mais tu détruiras leurs dieux et tu briseras leurs stèles. ²⁵Vous servirez Yahvé votre Dieu, alors je bénirai ton pain et ton eau et je détournerai de toi la maladie. ²⁶Nulle femme dans ton pays n'avortera ou ne sera stérile et je laisserai s'achever le nombre de tes jours.

²⁷Je sèmerai devant toi ma terreur, je jetterai la confusion chez tous les peuples où tu pénétreras, et je ferai détaler tous tes ennemis. ²⁸J'enverrai devant toi des frelons qui chasseront les Hivvites, les Cananéens et les Hittites devant toi. ²⁹Je ne les chasserai pas devant toi en une seule année, de peur que le pays ne devienne un désert où se multiplieraient à tes dépens les bêtes des champs. ³⁰Je les chasserai devant toi peu à peu, jusqu'à ce que tu aies assez fructifié pour hériter du pays. ³¹Je

fixerai tes frontières de la mer des Roseaux à la mer des Philistins, et du désert au Fleuve, car je livrerai entre vos mains les habitants du pays, et tu les chasseras devant toi. ³²Tu ne feras pas alliance avec eux ni avec leurs dieux. ³³Ils n'habiteront pas ton pays, de peur qu'ils ne te fassent pécher contre moi, car tu servirais leurs dieux et ce serait pour toi un piège. »

III. CONCLUSION DE L'ALLIANCE

24 ¹Il dit à Moïse : « Montez vers Yahvé, toi, Aaron, Nadab, Abihu et soixante-dix des anciens d'Israël, et vous vous prosternerez à distance. ²Moïse s'approchera seul de Yahvé. Eux n'approcheront pas et le peuple ne montera pas avec lui. »

³Moïse vint rapporter au peuple toutes les paroles de Yahvé et toutes les lois, et tout le peuple répondit d'une seule voix ; ils dirent : « Toutes les paroles que Yahvé a prononcées, nous les mettrons en pratique. » ⁴Moïse mit par écrit toutes les paroles de Yahvé puis, se levant de bon matin, il bâtit un autel au bas de la montagne, et douze stèles pour les douze tribus d'Israël. ⁵Puis il envoya de jeunes Israélites offrir des holocaustes et immoler à Yahvé de jeunes taureaux en sacrifice de communion. ⁶Moïse prit la moitié du sang et la mit dans des bassins, et l'autre moitié du sang, il la répandit sur l'autel. ⁷Il prit le livre de l'Alliance et il en fit la lecture au peuple qui déclara : « Tout ce que Yahvé a dit, nous le ferons et nous y obéirons. » ⁸Moïse, ayant pris le sang, le répandit sur le peuple et dit : « Ceci est le sang de l'Alliance que Yahvé a conclue avec vous moyennant toutes ces clauses. »

⁹Moïse monta, ainsi qu'Aaron, Nadab, Abihu et soixante-dix des anciens d'Israël. ¹⁰Ils virent le Dieu d'Israël. Sous ses pieds il y avait comme un pavement de saphir, aussi pur que le ciel même. ¹¹Il ne porta pas la main sur les notables des Israélites. Ils contemplèrent Dieu puis ils mangèrent et burent.

Moïse sur la montagne.

¹²Yahvé dit à Moïse : « Monte vers moi sur la montagne et demeure là, que je te donne les tables de pierre – la loi et le commandement – que j'ai écrites pour leur instruction. » ¹³Moïse se leva, ainsi que Josué son serviteur, et ils montèrent à la montagne de Dieu. ¹⁴Il dit aux anciens : « Attendez-nous ici jusqu'à notre retour ; vous avez avec vous Aaron et Hur, que celui qui a une affaire à régler s'adresse à eux. » ¹⁵Puis Moïse monta sur la montagne.

La nuée couvrit la montagne. ¹⁶La gloire de Yahvé s'établit sur le mont Sinaï, et la nuée le couvrit pendant six jours. Le septième jour, Yahvé appela Moïse du milieu de la nuée. ¹⁷L'aspect de la gloire de Yahvé était aux yeux des Israélites celui d'une flamme dévorante au sommet de la montagne. ¹⁸Moïse entra dans la nuée et monta sur la montagne. Et Moïse demeura sur la montagne quarante jours et quarante nuits.

IV. PRESCRIPTIONS RELATIVES À LA CONSTRUCTION DU SANCTUAIRE ET À SES MINISTRES

La contribution pour le sanctuaire.

25 ¹Yahvé parla à Moïse et lui dit : ²« Dis aux Israélites de prélever pour moi une contribution. Vous prendrez la contribution de tous ceux que leur cœur incite. ³Et voici la contribution que vous accepterez d'eux : de l'or, de l'argent et du bronze ; ⁴de la pourpre violette et écarlate, du cramoisi, du lin fin et du poil de chèvre ; ⁵des peaux de béliers teintes en rouge, du cuir fin et du bois d'acacia ; ⁶de l'huile pour le luminaire, des aromates pour l'huile d'onction et l'encens aromatique ; ⁷des pierres de cornaline et des pierres à enchâsser dans l'éphod et le pectoral. ⁸Ils me feront un sanctuaire, que je puisse résider parmi eux. ⁹Ils feront tout selon le modèle de la Demeure et le modèle de son mobilier que je vais te montrer.

La Tente et son mobilier. L'Arche.

¹⁰« Ils feront en bois d'acacia une arche longue de deux coudées et demie, large d'une coudée et demie et haute d'une coudée et demie. ¹¹Tu la plaqueras d'or pur, au-dedans et au-dehors, et tu feras sur elle une moulure d'or, tout autour. ¹²Tu fondras pour elle quatre anneaux d'or, et tu les mettras à ses quatre pieds : deux anneaux d'un côté et deux anneaux de l'autre.

¹³Tu feras aussi des barres en bois d'acacia ; tu les plaqueras d'or, ¹⁴et tu engageras dans les anneaux fixés sur les côtés de l'arche les barres qui serviront à la porter. ¹⁵Les barres resteront dans les anneaux de l'arche et n'en seront pas ôtées. ¹⁶Tu mettras dans l'arche le Témoignage que je te donnerai.

¹⁷Tu feras aussi un propitiatoire d'or pur, de deux coudées et demie de long et d'une coudée et demie de large. ¹⁸Tu feras deux chérubins d'or repoussé, tu les feras aux deux extrémités du propitiatoire. ¹⁹Fais l'un des chérubins à une extrémité et l'autre chérubin à l'autre extrémité : ils feront les chérubins faisant corps avec le propitiatoire, à ses deux extrémités. ²⁰Les chérubins auront les ailes déployées vers le haut et protégeront le propitiatoire de leurs ailes en se faisant face. Les faces des chérubins seront tournées vers le propitiatoire. ²¹Tu mettras le propitiatoire sur le dessus de l'arche, et tu mettras dans l'arche le Témoignage que je te donnerai. ²²C'est là que je te rencontrerai. C'est de sur le propitiatoire, d'entre les deux chérubins qui sont sur l'arche du Témoignage, que je te donnerai mes ordres pour les Israélites.

La table des pains d'oblation.

²³« Tu feras une table en bois d'acacia, longue de deux coudées,

large d'une coudée et haute d'une coudée et demie. ²⁴Tu la plaqueras d'or pur, et tu lui feras tout autour une moulure d'or. ²⁵Tout autour, tu lui feras des entretoises larges d'un palme, et tu feras autour des entretoises une moulure d'or. ²⁶Tu lui feras quatre anneaux d'or, et tu mettras les anneaux aux quatre angles formés par les quatre pieds. ²⁷Les anneaux seront placés près des entretoises pour loger les barres qui serviront à porter la table. ²⁸Tu feras les barres en bois d'acacia et tu les plaqueras d'or ; elles serviront à porter la table. ²⁹Tu feras ses plats, ses coupes, ses aiguières ainsi que ses bols pour les libations ; c'est d'or pur que tu les feras, ³⁰et tu placeras toujours sur la table, devant moi, les pains d'oblation.

Le candélabre.

³¹« Tu feras un candélabre d'or pur ; le candélabre, sa base et son fût seront repoussés ; ses calices, boutons et fleurs feront corps avec lui. ³²Six branches s'en détacheront sur les côtés : trois branches du candélabre d'un côté, trois branches du candélabre de l'autre côté. ³³La première branche portera trois calices en forme de fleur d'amandier, avec bouton et fleur ; la deuxième branche portera aussi trois calices en forme de fleur d'amandier, avec bouton et fleur ; il en sera ainsi pour les six branches partant du candélabre. ³⁴Le candélabre lui-même portera quatre calices en forme de fleur d'amandier, avec bouton et fleur : ³⁵un bouton sous les deux premières branches partant du candélabre, un bouton sous les deux branches

suivantes et un bouton sous les deux dernières branches – donc aux six branches se détachant du candélabre. ³⁶Les boutons et les branches feront corps avec le candélabre et le tout sera fait d'un bloc d'or pur repoussé. ³⁷Puis tu feras ses sept lampes. On montera les lampes de telle sorte qu'elles éclairent en avant de lui. ³⁸Ses mouchettes et ses cendriers seront d'or pur. ³⁹Tu le feras, avec tous ses accessoires, d'un talent d'or pur. ⁴⁰Regarde et exécute selon le modèle qui t'est montré sur la montagne.

La Demeure. Les étoffes et les couvertures. 33 7-11 ; 36 8-19.

26 ¹« Quant à la demeure, tu la feras de dix bandes d'étoffe de fin lin retors, de pourpre violette et écarlate et de cramoisi. Tu les feras brodées de chérubins. ²La longueur d'une bande sera de vingt-huit coudées, sa largeur de quatre coudées, et toutes les bandes auront la même dimension. ³Cinq des bandes seront assemblées l'une à l'autre, et les cinq autres bandes seront assemblées l'une à l'autre. ⁴Tu feras des brides de pourpre violette à la lisière de la première bande, à l'extrémité de l'assemblage, et tu feras de même à la lisière de la bande qui termine le second assemblage. ⁵Tu feras cinquante brides à la première bande, et cinquante brides à l'extrémité de la bande du second assemblage, les brides se correspondant l'une à l'autre. ⁶Tu feras aussi cinquante agrafes d'or, et tu assembleras les bandes l'une à l'autre avec les agrafes. Ainsi la Demeure sera d'un seul tenant.

⁷Tu feras des bandes d'étoffe en

poil de chèvre pour former une tente au-dessus de la Demeure. Tu en feras onze. [8]La longueur d'une bande sera de trente coudées et sa largeur de quatre coudées ; les onze bandes auront mêmes dimensions. [9]Tu assembleras cinq bandes d'une part et six bandes d'autre part, et tu rabattras la sixième sur le devant de la tente. [10]Tu feras cinquante brides à la lisière de la première bande, à l'extrémité du premier assemblage, et cinquante brides à la lisière de la bande du second assemblage. [11]Tu feras cinquante agrafes de bronze, et tu introduiras les agrafes dans les brides pour assembler la tente qui sera ainsi d'un seul tenant.

[12]De ce qui retombera en surplus des bandes de la tente, la moitié de la bande en surplus retombera sur l'arrière de la Demeure. [13]La coudée en surplus de part et d'autre, sur la longueur des bandes de la tente, retombera sur les côtés de la Demeure, de part et d'autre, pour la couvrir.

[14]Tu feras pour la tente une couverture en peaux de béliers teintes en rouge, et une couverture en cuir fin, par-dessus.

La charpente.

[15]« Tu feras pour la Demeure des cadres en bois d'acacia qui seront dressés debout. [16]Chaque cadre sera long de dix coudées et large d'une coudée et demie. [17]Chaque cadre aura deux tenons jumelés ; tu feras de même pour tous les cadres de la Demeure. [18]Tu feras les cadres pour constituer la Demeure : vingt cadres pour le côté sud, vers le midi. [19]Tu feras quarante socles d'argent sous les vingt cadres : deux socles sous un cadre pour ses deux tenons, deux socles sous un autre cadre pour ses deux tenons. [20]Du second côté de la Demeure, le côté nord, il y aura vingt cadres [21]et quarante socles d'argent : deux socles sous un cadre, deux socles sous un autre cadre. [22]Pour le fond de la Demeure, vers la mer, tu feras six cadres, [23]et tu feras deux cadres pour les angles du fond de la Demeure. [24]Les cadres seront jumelés à leur base et le resteront jusqu'à leur sommet, à la hauteur du premier anneau. Ainsi en sera-t-il pour les deux cadres destinés aux deux angles. [25]Il y aura donc huit cadres avec leurs socles d'argent, soit seize socles : deux socles sous un premier cadre, deux socles sous un autre cadre.

[26]Tu feras des traverses en bois d'acacia : cinq pour les cadres du premier côté de la Demeure, [27]cinq traverses pour les cadres du second côté de la Demeure, et cinq traverses pour les cadres qui forment le fond de la Demeure, vers l'ouest. [28]La traverse médiane, placée à mi-hauteur, assemblera les cadres d'une extrémité à l'autre. [29]Tu plaqueras d'or les cadres, tu leur feras des anneaux d'or où se logeront les traverses, et tu plaqueras les traverses d'or. [30]Ainsi tu dresseras la Demeure, selon le modèle qui t'a été montré sur la montagne.

Le rideau.

[31]« Tu feras un rideau de pourpre violette et écarlate, de cramoisi et de fin lin retors, brodé de chérubins. [32]Tu le mettras sur quatre colonnes d'acacia plaquées d'or, munies de crochets d'or, posées

sur quatre socles d'argent. ³³Tu mettras le rideau sous les agrafes, tu introduiras là, derrière le rideau, l'arche du Témoignage, et le rideau marquera pour vous la séparation entre le Saint et le Saint des Saints. ³⁴Tu mettras le propitiatoire sur l'arche du Témoignage, dans le Saint des Saints. ³⁵Tu placeras la table à l'extérieur du rideau, et le candélabre en face d'elle, du côté sud de la Demeure, et tu mettras la table du côté nord. ³⁶Tu feras pour l'entrée de la tente un voile broché de pourpre violette et écarlate, de cramoisi et de fin lin retors. ³⁷Tu feras pour ce voile cinq colonnes d'acacia et tu les plaqueras d'or, leurs crochets seront en or, et tu couleras pour elles cinq socles de bronze.

L'autel des holocaustes.

27 ¹« Tu feras l'autel en bois d'acacia ; de cinq coudées de long et de cinq coudées de large, l'autel sera carré ; il aura trois coudées de haut. ²Tu feras à ses quatre angles des cornes faisant corps avec lui, et tu le plaqueras de bronze. ³Tu feras ses vases pour en ôter les cendres grasses, ses pelles, ses bols à aspersion, ses fourchettes et ses encensoirs. Tous les accessoires de l'autel, tu les feras de bronze. ⁴Tu lui feras un treillis de bronze en forme de filet, et tu feras aux quatre extrémités de ce filet quatre anneaux de bronze. ⁵Tu le mettras sous la corniche de l'autel, en bas, de telle sorte qu'il soit à mi-hauteur de l'autel. ⁶Tu feras des barres pour l'autel, des barres en bois d'acacia, et tu les plaqueras de bronze. ⁷On engagera les barres dans les anneaux, de telle sorte que les barres

soient des deux côtés de l'autel lorsqu'on le transporte. ⁸Tu le feras creux, en planches ; tu le feras comme on t'a montré sur la montagne.

Le parvis.

⁹« Tu feras le parvis de la Demeure. Pour le côté sud, vers le midi, les courtines du parvis, de fin lin retors, auront une longueur de cent coudées (pour le premier côté). ¹⁰Ses vingt colonnes et ses vingt socles seront en bronze ; les crochets des colonnes et leurs tringles en argent. ¹¹De même pour le côté nord, tu feras des rideaux d'une longueur de cent coudées, ses vingt colonnes et leurs vingt socles seront en bronze ; les crochets des colonnes et leurs tringles en argent. ¹²La largeur du parvis, du côté de la mer, comportera cinquante coudées de courtines, avec leurs dix colonnes et leurs dix socles. ¹³La largeur du parvis sur le côté est, à l'orient, sera de cinquante coudées. ¹⁴Quinze coudées de courtines pour un côté de l'entrée, avec leurs trois colonnes et leurs trois socles ; ¹⁵pour le second côté de l'entrée, quinze coudées de courtines, avec leurs trois colonnes et leurs trois socles. ¹⁶À la porte du parvis il y aura vingt coudées de voile damassé, de pourpre violette et écarlate, de cramoisi et de fin lin retors, avec leurs quatre colonnes et leurs quatre socles. ¹⁷Toutes les colonnes autour du parvis seront réunies par des tringles d'argent ; leurs crochets seront d'argent et leurs socles de bronze. ¹⁸La longueur du parvis sera de cent coudées, sa largeur de cinquante coudées et sa hauteur de cinq coudées. Tous les rideaux se-

ront de fin lin retors et leurs socles de bronze. ¹⁹Tous les accessoires pour le service général de la Demeure, tous ses piquets et ceux du parvis seront de bronze.

L'huile pour le luminaire.

²⁰« Quant à toi, tu ordonneras aux Israélites de te procurer de l'huile d'olives broyées pour le luminaire, afin qu'une lampe brûle en permanence. ²¹Aaron et ses fils disposeront cette lampe dans la Tente du Rendez-vous, à l'extérieur du rideau qui pend devant le Témoignage, pour qu'elle brûle du soir au matin devant Yahvé. C'est un décret perpétuel pour les générations des Israélites.

Les vêtements des prêtres. Lv 8-10.

28 ¹« Quant à toi, fais approcher de toi Aaron ton frère et ses fils, d'entre les Israélites, pour qu'il exerce mon sacerdoce : Aaron, Nadab et Abihu, Éléazar et Itamar, fils d'Aaron. ²Tu feras pour Aaron ton frère des vêtements sacrés qui lui feront une glorieuse parure. ³Tu t'adresseras à tous les hommes habiles que j'ai comblés d'habileté et ils feront les vêtements d'Aaron, pour qu'il soit consacré à l'exercice de mon sacerdoce. ⁴Voici les vêtements qu'ils feront : un pectoral, un éphod, un manteau et une tunique brodée, un turban et une ceinture. Ils feront des vêtements sacrés pour ton frère Aaron et pour ses fils, afin qu'ils exercent mon sacerdoce. ⁵Ils prendront l'or, la pourpre violette et écarlate, le cramoisi et le fin lin.

L'éphod.

⁶« Ils feront l'éphod brodé en or, en pourpre violette et écarlate, en cramoisi et en fin lin retors. ⁷Deux épaulettes y seront fixées : il y sera fixé par ses deux bords. ⁸L'écharpe qui est dessus pour l'attacher sera de même travail et fera corps avec lui, elle sera d'or, de pourpre violette et écarlate, de cramoisi et de fin lin retors. ⁹Tu prendras ensuite deux pierres de cornaline sur lesquelles tu graveras les noms des Israélites, ¹⁰six de leurs noms sur la première pierre, et les six noms restants sur la deuxième pierre, selon l'ordre de leur naissance. ¹¹C'est selon l'art du lapidaire – en gravure de sceau – que tu graveras les deux pierres aux noms des Israélites, et tu les sertiras dans des chatons d'or. ¹²Tu placeras les deux pierres aux épaulettes de l'éphod, comme mémorial des Israélites. Ainsi Aaron portera leurs noms sur ses deux épaules en présence de Yahvé, pour en faire mémoire. ¹³Tu feras des rosettes d'or, ¹⁴et deux chaînettes d'or pur que tu feras comme des cordelettes, en forme de torsades, et tu mettras les chaînettes en torsades aux rosettes.

Le pectoral.

¹⁵« Tu feras le pectoral du jugement brodé comme l'éphod – tu le feras d'or, de pourpre violette et écarlate, de cramoisi et de fin lin retors. ¹⁶Il sera carré et double, d'un empan de long et d'un empan de large. ¹⁷Tu le garniras de pierres serties disposées sur quatre rangs : une sardoine, une topaze, une émeraude pour la première rangée ; ¹⁸pour la deuxième rangée, une es-

carboucle, un saphir et un diamant ; ¹⁹pour la troisième rangée, une agate, une hyacinthe et une améthyste ; ²⁰pour la quatrième rangée, une chrysolithe, une cornaline et un jaspe ; elles seront serties dans des chatons d'or. ²¹Les pierres seront aux noms des Israélites, elles seront douze selon leurs noms, gravées comme des sceaux, chacune sera au nom de l'une des douze tribus. ²²Tu feras pour le pectoral des chaînettes d'or pur en forme de torsades. ²³ Tu feras pour le pectoral deux anneaux d'or, tu les mettras à ses deux extrémités, ²⁴et tu mettras les deux torsades d'or aux deux anneaux fixés aux deux extrémités du pectoral. ²⁵Les deux autres bords des deux torsades, tu les mettras aux deux rosettes, et tu les mettras sur les épaulettes de l'éphod, par-devant. ²⁶Tu feras deux anneaux d'or et tu les placeras sur les deux extrémités du pectoral, sur la lisière intérieure de l'éphod. ²⁷Tu feras deux anneaux d'or et tu les mettras sur les deux épaulettes de l'éphod, vers le bas, en avant, près de leur point d'attache au-dessus de l'écharpe de l'éphod. ²⁸On liera le pectoral par ses anneaux aux anneaux de l'éphod avec un cordon de pourpre violette, afin qu'il soit sur l'écharpe, et que le pectoral ne puisse se séparer de l'éphod. ²⁹Ainsi Aaron portera les noms des Israélites sur le pectoral du jugement, sur son cœur, quand il entrera dans le sanctuaire, comme mémorial devant Yahvé, toujours. ³⁰Tu joindras au pectoral du jugement le Urim et le Tummim, ils seront sur le cœur d'Aaron quand il pénétrera devant Yahvé, et Aaron portera sur son cœur le jugement des Israélites devant Yahvé, toujours.

Le manteau.

³¹« Tu feras le manteau de l'éphod tout entier de pourpre violette ; ³²il aura en son milieu une ouverture pour la tête ; son ouverture aura tout autour une lisière tissée comme l'ouverture d'un corselet de mailles, indéchirable. ³³Sur son ourlet tu feras des grenades de pourpre violette et écarlate et de cramoisi, tout autour de l'ourlet, avec, tout autour, des clochettes d'or intercalées : ³⁴une clochette d'or et une grenade, une clochette d'or et une grenade tout autour de l'ourlet de son manteau. ³⁵Aaron le portera pour officier, on en entendra le bruit quand il entrera dans le sanctuaire devant Yahvé, ou qu'il en sortira, et il ne mourra pas.

Le signe de consécration.

³⁶« Tu feras une fleur d'or pur et tu y graveras en intaille, comme un sceau : "Consacré à Yahvé." ³⁷Tu la placeras sur un cordon de pourpre violette, et elle sera sur le turban : c'est sur le devant du turban qu'elle sera. ³⁸Elle sera sur le front d'Aaron, et Aaron se chargera ainsi des fautes concernant les choses saintes que consacreront les Israélites, pour toutes leurs saintes offrandes. Elle sera sur son front toujours pour leur attirer la faveur de Yahvé. ³⁹Tu tisseras la tunique de lin fin, tu feras un turban de lin fin et une ceinture brochée.

Vêtements des prêtres.

⁴⁰« Pour les fils d'Aaron, tu feras des tuniques et des ceintures. Tu leur feras aussi des calottes qui

leur feront une glorieuse parure. [41] Tu en revêtiras Aaron, ton frère, et ses fils, puis tu les oindras, tu les investiras et tu les consacreras à mon sacerdoce. [42] Fais-leur, pour couvrir leur nudité, des caleçons de lin qui iront des reins jusqu'aux cuisses. [43] Aaron et ses fils les porteront quand ils entreront dans la Tente du Rendez-vous, ou qu'ils s'approcheront de l'autel pour faire le service dans le sanctuaire, afin de ne pas se charger d'une faute qui entraînerait leur mort. C'est là un décret perpétuel pour Aaron et sa postérité après lui.

Consécration d'Aaron et de ses fils. Préparation. Lv 8.

29 [1] « Voici ce que tu leur feras pour les consacrer à mon sacerdoce. Prends un jeune taureau et deux béliers sans défaut, [2] puis des pains sans levain, des gâteaux sans levain pétris à l'huile, des galettes sans levain frottées d'huile que tu auras faites de fleur de farine de froment. [3] Tu les mettras dans une même corbeille et tu les offriras, dans la corbeille, en même temps que le taureau et les deux béliers.

Purification, vêture et onction.

[4] « Tu feras approcher Aaron et ses fils de l'entrée de la Tente du Rendez-vous, et tu les laveras avec de l'eau. [5] Tu prendras les vêtements et tu revêtiras Aaron de la tunique, du manteau de l'éphod, de l'éphod, du pectoral, et tu lui fixeras l'écharpe de l'éphod. [6] Tu placeras le turban sur sa tête, et tu y mettras le signe de la sainte consécration. [7] Tu prendras l'huile d'onction, tu en répandras sur sa tête et tu l'oindras.

[8] Tu feras alors approcher ses fils et tu les revêtiras de tuniques. [9] Tu ceindras Aaron et ses fils d'une ceinture et tu assujettiras leur calotte. Le sacerdoce leur appartiendra alors par un décret perpétuel. Tu investiras Aaron et ses fils.

Offrandes.

[10] « Tu amèneras le jeune taureau devant la Tente du Rendez-vous. Aaron et ses fils poseront leurs mains sur la tête du taureau [11] puis tu abattras le taureau devant Yahvé, à l'entrée de la Tente du Rendez-vous. [12] Tu prendras du sang du taureau et tu le mettras avec ton doigt sur les cornes de l'autel ; tout le sang, tu le répandras à la base de l'autel. [13] Tu prendras toute la graisse qui recouvre les entrailles, la masse graisseuse partant du foie, les deux rognons avec la graisse qui y adhère, et tu les feras fumer à l'autel. [14] Mais la chair du jeune taureau, sa peau et sa fiente, tu les brûleras au feu hors du camp, car c'est un sacrifice pour le péché.

[15] Tu prendras ensuite l'un des béliers ; Aaron et ses fils poseront leurs mains sur la tête du bélier, [16] puis tu abattras le bélier et tu prendras son sang que tu répandras contre l'autel, tout autour. [17] Tu couperas le bélier en quartiers, tu en laveras les entrailles et les pattes, et tu les mettras sur ses quartiers et sur sa tête. [18] Puis tu feras fumer le bélier tout entier à l'autel. C'est là un holocauste pour Yahvé. C'est un parfum d'apaisement, un mets consumé pour Yahvé.

[19] Tu prendras ensuite le second bélier ; Aaron et ses fils poseront leurs mains sur la tête du bélier ;

²⁰tu abattras le bélier. Tu prendras de son sang et tu le mettras sur le lobe de l'oreille droite d'Aaron, sur le lobe de l'oreille droite de ses fils, sur le pouce de leur main droite et sur le gros orteil de leur pied droit. Puis tu répandras le sang contre l'autel, tout autour. ²¹ Tu prendras du sang qui est sur l'autel et de l'huile d'onction, et tu en asperge-ras Aaron et ses vêtements, ainsi que ses fils et les vêtements de ses fils ; ils seront ainsi consacrés, lui et ses vêtements, ainsi que ses fils et les vêtements de ses fils.

Investiture des prêtres.

²²« Du bélier, tu prendras la graisse, la queue, la graisse qui re-couvre les entrailles et la masse graisseuse partant du foie, les ro-gnons et la graisse qui y adhère, ainsi que la patte droite, car c'est un bélier d'investiture. ²³Tu pren-dras aussi un pain rond, un gâteau à l'huile et une galette dans la cor-beille d'azymes qui est devant Yahvé. ²⁴Tu placeras le tout sur les paumes d'Aaron et les paumes de ses fils, et tu feras le geste de pré-sentation devant Yahvé. ²⁵Tu les prendras ensuite de leurs mains et tu les feras fumer à l'autel, par-dessus l'holocauste, en parfum d'apaisement devant Yahvé ; c'est là un mets consumé pour Yahvé. ²⁶Tu prendras la poitrine du bé-lier d'investiture d'Aaron, et tu fe-ras avec elle le geste de présenta-tion devant Yahvé ; ce sera ta part. ²⁷Tu consacreras la poitrine qui a été présentée, ainsi que la patte qui a été prélevée, qui ont été présen-tées et prélevées sur le bélier d'in-vestiture d'Aaron et de ses fils. ²⁸Ce sera, selon un décret perpé-

tuel, ce qu'Aaron et ses fils rece-vront des Israélites, car c'est un prélèvement, le prélèvement de Yahvé, fait par les Israélites sur leurs sacrifices de communion ; un prélèvement pour Yahvé.

²⁹Les vêtements sacrés d'Aaron passeront après lui à ses fils qui les revêtiront lors de leur onction et de leur investiture. ³⁰Pendant sept jours il les revêtira, celui des fils d'Aaron qui sera prêtre après lui et qui entrera dans la Tente du Rendez-vous pour servir dans le sanctuaire.

Repas sacré.

³¹« Tu prendras le bélier d'in-vestiture et tu en feras cuire la vian-de dans un lieu saint. ³²Aaron et ses fils mangeront la viande du bélier et le pain qui est dans la corbeille, à l'entrée de la Tente du Rendez-vous. ³³Ils mangeront ce qui aura servi à faire l'expiation pour eux, lors de leur investiture et de leur consécration. Nul profane n'en mangera, car ce sont choses sain-tes. ³⁴Si, au matin, il reste de la viande du sacrifice d'investiture et du pain, tu brûleras le reste au feu, on ne le mangera pas : c'est chose sainte. ³⁵Tu feras ainsi pour Aaron et ses fils, conformément à tout ce que je t'ai ordonné : tu emploieras sept jours pour leur investiture.

Consécration de l'autel des ho-locaustes.

³⁶« Chaque jour tu offriras aussi un jeune taureau en sacrifice pour le péché – en expiation. Tu offriras pour l'autel un sacrifice pour le pé-ché, quand tu feras pour lui l'ex-piation, et tu l'oindras pour le con-sacrer. ³⁷Pendant sept jours tu feras

l'expiation pour l'autel et tu le consacreras ; il sera alors éminemment saint et tout ce qui touchera l'autel sera saint.

Holocauste quotidien. ‖ Lv 6 2-6. ‖ Nb 28 3-8.

[38]« Voici ce que tu offriras sur l'autel : deux agneaux mâles d'un an, chaque jour, à perpétuité. [39]Tu offriras l'un de ces agneaux le matin et l'autre au crépuscule ; [40]avec le premier agneau, un dixième de mesure de fleur de farine pétrie avec un quart de setier d'huile d'olives broyées et une libation d'un quart de setier de vin. [41]Le second agneau, tu l'offriras au crépuscule ; tu l'offriras avec une oblation et une libation semblables à celles du matin : en parfum d'apaisement, en offrande consumée pour Yahvé. [42]Ce sera un holocauste perpétuel pour toutes vos générations, à l'entrée de la Tente du Rendez-vous, en présence de Yahvé, où je vous donnerai rendez-vous pour te parler. [43]Je donnerai rendez-vous aux Israélites en ce lieu, et il sera consacré par ma gloire. [44]Je consacrerai la Tente du Rendez-vous et l'autel. Je consacrerai aussi Aaron et ses fils pour qu'ils exercent mon sacerdoce. [45]Je demeurerai au milieu des Israélites et je serai leur Dieu, [46]et ils sauront que je suis Yahvé, leur Dieu, qui les ai fait sortir du pays d'Égypte pour demeurer parmi eux, moi Yahvé, leur Dieu.

Autel des parfums. = 37 25-28. Nb 4 11. 1 R 6 20. ↗ Ap 8 3-5.

30 [1]« Tu feras un autel où faire fumer l'encens, tu le feras en bois d'acacia. [2]D'une coudée de long et d'une coudée de large, il sera carré, et il aura deux coudées de haut ; ses cornes feront corps avec lui. [3]Tu plaqueras d'or pur sa partie supérieure, ses parois tout autour et ses cornes, et tu lui feras tout autour une moulure d'or. [4]Tu lui feras deux anneaux d'or au-dessous de la moulure, sur ses deux côtés ; tu les feras sur les deux faces pour y loger les barres servant à son transport. [5]Tu feras ces barres en bois d'acacia, et tu les plaqueras d'or. [6]Tu le mettras devant le rideau qui pend devant l'arche du Témoignage – devant le propitiatoire qui est sur le Témoignage – où je te donnerai rendez-vous. [7]Aaron y fera fumer l'encens aromatique chaque matin, quand il mettra les lampes en ordre il le fera fumer. [8]Et quand Aaron replacera les lampes, au crépuscule, il le fera encore fumer. C'est un encens perpétuel devant Yahvé, pour vos générations. [9]Vous n'offrirez dessus ni encens profane ni holocauste ni oblation, et vous n'y verserez aucune libation. [10]Une fois l'an, Aaron fera l'expiation sur les cornes de l'autel ; avec le sang du sacrifice pour le péché, au jour de l'Expiation, une fois l'an, il fera l'expiation pour lui, pour vos générations ; il est éminemment saint, pour Yahvé. »

Impôt de la capitation.

[11]Yahvé parla à Moïse et lui dit : [12]« Quand tu dénombreras les Israélites par le recensement, chacun d'eux donnera à Yahvé la rançon de sa vie lors de son recensement pour qu'aucun fléau n'éclate parmi eux à l'occasion du recensement. [13]Quiconque est soumis au recen-

sement donnera un demi-sicle sur la base du sicle du sanctuaire : vingt géras par sicle. Ce demi-sicle sera un prélèvement pour Yahvé. [14]Quiconque est soumis au recensement, c'est-à-dire âgé de vingt ans et au-delà, donnera le prélèvement de Yahvé. [15]Le riche ne donnera pas plus et le pauvre ne donnera pas moins d'un demi-sicle lorsqu'il donnera le prélèvement pour Yahvé, en rançon de vos vies. [16]Tu prendras l'argent de la rançon des Israélites, et tu le donneras au service de la Tente du Rendez-vous ; il sera pour les Israélites un mémorial devant Yahvé, pour la rançon de vos vies. »

Le bassin.

[17]Yahvé parla à Moïse et lui dit : [18]« Tu feras pour les ablutions un bassin de bronze à socle de bronze ; tu le mettras entre la Tente du Rendez-vous et l'autel, et tu y mettras de l'eau, [19]avec quoi Aaron et ses fils laveront leurs mains et leurs pieds. [20]Quand ils entreront dans la Tente du Rendez-vous, ils se laveront avec de l'eau afin de ne pas mourir ; de même, quand ils s'approcheront de l'autel pour le service, pour faire fumer une offrande consumée pour Yahvé, [21]ils laveront leurs mains et leurs pieds, afin de ne pas mourir : c'est là un décret perpétuel pour lui et sa descendance, pour leurs générations. »

L'huile d'onction.

[22]Yahvé parla à Moïse et lui dit : [23]« Pour toi, prends des parfums de choix : cinq cents sicles de myrrhe vierge, la moitié de cinnamome odoriférant : deux cent cinquante sicles, et de roseau odo-

riférant deux cent cinquante sicles. [24]Cinq cents sicles de casse – selon le sicle du sanctuaire – et un setier d'huile d'olive. [25]Tu en feras une huile d'onction sainte, un mélange odoriférant comme en compose le parfumeur : ce sera une huile d'onction sainte. [26]Tu en oindras la Tente du Rendez-vous et l'arche du Témoignage, [27]la table et tous ses accessoires, le candélabre et ses accessoires, l'autel des parfums, [28]l'autel des holocaustes et tous ses accessoires, le bassin et son socle. [29]Tu les consacreras, ils seront alors éminemment saints, et tout ce qui les touchera sera saint. [30]Tu oindras Aaron et ses fils, et tu les consacreras pour qu'ils exercent mon sacerdoce. [31]Puis tu parleras aux Israélites et tu leur diras : ceci sera pour vous, pour vos générations, une huile d'onction sainte. [32]On n'en versera pas sur le corps d'un homme quelconque et vous n'en ferez pas de semblable, de même composition. C'est une chose sainte, elle sera sainte pour vous. [33]Quiconque fera le même parfum et en mettra sur un profane sera retranché de son peuple. »

Le parfum.

[34]Yahvé dit à Moïse : « Prends des aromates : storax, onyx, galbanum, aromates et pur encens, chacun en quantité égale [35]et tu en feras un parfum à brûler comme en opère le parfumeur, salé, pur, saint. [36]Tu en broieras finement une partie et tu en mettras devant le Témoignage, dans la Tente du Rendez-vous, là où je te donnerai rendez-vous. Il sera pour vous éminemment saint. [37]Le parfum

que tu fais là, vous n'en ferez pas pour vous-mêmes de même composition. Il sera saint pour toi, réservé à Yahvé. Quiconque fera le même pour en humer l'odeur, sera retranché de son peuple. »

Les ouvriers du sanctuaire.

31 ¹Yahvé parla à Moïse et lui dit : ²« Vois, j'ai désigné nommément Beçaléel, fils de Uri, fils de Hur, de la tribu de Juda. ³Je l'ai comblé de l'esprit de Dieu en habileté, intelligence et savoir pour toutes sortes d'ouvrages ; ⁴pour concevoir des projets et les exécuter en or, en argent et en bronze ; ⁵pour tailler les pierres à enchâsser, pour tailler le bois et pour exécuter toute sorte d'ouvrage. ⁶Voici que je lui adjoins Oholiab, fils d'Ahisamak, de la tribu de Dan, et j'ai mis la sagesse dans le cœur de tous les hommes au cœur sage pour qu'ils fassent tout ce que je t'ai ordonné : ⁷la Tente du Rendez-vous, l'arche du Témoignage, le propitiatoire qui est sur elle et tout le mobilier de la Tente ; ⁸la table et tous ses accessoires, le candélabre pur et tous ses accessoires, l'autel des parfums, ⁹l'autel des holocaustes et tous ses accessoires, le bassin et son socle ; ¹⁰les vêtements d'apparat, les vêtements sacrés pour Aaron le prêtre, et les vêtements de ses fils, pour exercer le sacerdoce ; ¹¹l'huile d'onction et l'encens aromatique pour le sanctuaire. En tout, ils feront comme je te l'ai ordonné. »

Repos sabbatique. 20 8-11.

¹²Yahvé dit à Moïse : ¹³« Toi, parle aux Israélites et dis-leur : vous garderez bien mes sabbats, car c'est un signe entre moi et vous pour vos générations, afin qu'on sache que je suis Yahvé, celui qui vous sanctifie. ¹⁴Vous garderez le sabbat car il est saint pour vous. Qui le profanera sera mis à mort ; quiconque fera ce jour-là quelque ouvrage sera retranché du milieu de son peuple. ¹⁵Pendant six jours on fera l'ouvrage à faire, mais le septième jour sera jour de repos complet, consacré à Yahvé. Quiconque travaillera le jour du sabbat sera mis à mort. ¹⁶Les Israélites garderont le sabbat, en observant le sabbat dans leurs générations, c'est une alliance éternelle. ¹⁷Entre moi et les Israélites c'est un signe à perpétuité, car en six jours Yahvé a fait les cieux et la terre, mais le septième jour il a chômé et repris haleine. »

Remise à Moïse des tables de la Loi.

¹⁸Quand Il eut fini de parler avec Moïse sur le mont Sinaï, Il lui remit les deux tables du Témoignage, tables de pierre écrites du doigt de Dieu.

V. LE VEAU D'OR
ET LE RENOUVELLEMENT DE L'ALLIANCE

|| Dt 9 7–10 5.

Le veau d'or.

32 ¹Quand le peuple vit que Moïse tardait à descendre de la montagne, le peuple s'assembla auprès d'Aaron et lui dit : « Allons, fais-nous un dieu qui aille devant nous, car ce Moïse, l'homme qui nous a fait monter du pays d'Égypte, nous ne savons pas ce qui lui est arrivé. » ²Aaron leur répondit : « Ôtez les anneaux d'or qui sont aux oreilles de vos femmes, de vos fils et de vos filles et apportez-les-moi. » ³Tout le peuple ôta les anneaux d'or qui étaient à leurs oreilles et les apportèrent à Aaron. ⁴Il reçut l'or de leurs mains, le fit fondre dans un moule et en fit une statue de veau ; alors ils dirent : « Voici ton Dieu, Israël, celui qui t'a fait monter du pays d'Égypte. » ⁵Voyant cela, Aaron bâtit un autel devant la statue et fit cette proclamation : « Demain, fête pour Yahvé. »

⁶Le lendemain, ils se levèrent de bon matin, ils offrirent des holocaustes et apportèrent des sacrifices de communion. Le peuple s'assit pour manger et pour boire, puis ils se levèrent pour se divertir.

Yahvé avertit Moïse.

⁷Yahvé dit alors à Moïse : « Allons ! descends, car ton peuple que tu as fait monter du pays d'Égypte s'est perverti. ⁸Ils n'ont pas tardé à s'écarter de la voie que je leur avais prescrite. Ils se sont fabriqué un veau en métal fondu, et se sont prosternés devant lui. Ils lui ont of-

fert des sacrifices et ils ont dit : Voici ton Dieu, Israël, qui t'a fait monter du pays d'Égypte. » ⁹ Yahvé dit à Moïse : « J'ai vu ce peuple : c'est un peuple à la nuque raide. ¹⁰Maintenant laisse-moi, ma colère va s'enflammer contre eux et je les exterminerai ; mais de toi je ferai une grande nation. »

Prière de Moïse.

¹¹Moïse s'efforça d'apaiser Yahvé son Dieu et dit : « Pourquoi, Yahvé, ta colère s'enflammerait-elle contre ton peuple que tu as fait sortir d'Égypte par ta grande force et ta main puissante ? ¹²Pourquoi les Égyptiens diraient-ils : "C'est par méchanceté qu'il les a fait sortir, pour les faire périr dans les montagnes et les exterminer de la face de la terre" ? Reviens de ta colère ardente et renonce au mal que tu voulais faire à ton peuple. ¹³Souviens-toi de tes serviteurs Abraham, Isaac et Israël, à qui tu as juré par toi-même et à qui tu as dit : Je multiplierai votre postérité comme les étoiles du ciel, et tout ce pays dont je vous ai parlé, je le donnerai à vos descendants et il sera leur héritage à jamais. » ¹⁴Et Yahvé renonça à faire le mal dont il avait menacé son peuple.

Moïse brise les tables de la Loi.

¹⁵Moïse se retourna et descendit de la montagne avec, en main, les deux tables du Témoignage, tables écrites des deux côtés, écrites sur l'une et l'autre face. ¹⁶Les

tables étaient l'œuvre de Dieu et l'écriture était celle de Dieu, gravée sur les tables.

[17]Josué entendit le bruit du peuple qui poussait des cris et il dit à Moïse : « Il y a un bruit de bataille dans le camp ! » [18]Mais il dit :

« Ce n'est pas le bruit de chants de victoire,

ce n'est pas le bruit de chants de défaite,

c'est le bruit de chants alternés que j'entends. »

[19]Et voici qu'en approchant du camp il aperçut le veau et les chœurs de danse. Moïse s'enflamma de colère ; il jeta de sa main les tables et les brisa au pied de la montagne. [20]Il prit le veau qu'ils avaient fabriqué, le brûla au feu, le moulut en poudre fine, et en saupoudra la surface de l'eau qu'il fit boire aux Israélites.

Le rôle d'Aaron dans la faute du peuple.

[21]Moïse dit à Aaron : « Que t'a fait ce peuple pour l'avoir chargé d'un si grand péché ? » [22]Aaron répondit : « Que la colère de Monseigneur ne s'enflamme pas, tu sais toi-même que ce peuple est mauvais. [23]Ils m'ont dit : "Fais-nous un dieu qui aille devant nous, car ce Moïse, l'homme qui nous a fait monter du pays d'Égypte, nous ne savons pas ce qui lui est arrivé." [24]Je leur ai dit : "Quiconque a de l'or s'en dessaisisse." Ils me l'ont donné. Je l'ai jeté dans le feu et il en est sorti le veau que voici. »

Zèle des Lévites.

[25]Moïse vit que le peuple s'était déchaîné – car Aaron les avait abandonnés à la honte parmi leurs adversaires – [26]et Moïse se tint à la porte du camp et dit : « Qui est pour Yahvé, à moi ! » Tous les fils de Lévi se groupèrent autour de lui. [27]Il leur dit : « Ainsi parle Yahvé, le Dieu d'Israël : ceignez chacun votre épée sur votre hanche, allez et venez dans le camp, de porte en porte, et tuez qui son frère, qui son ami, qui son proche. » [28]Les fils de Lévi firent ce que Moïse avait dit, et du peuple, il tomba ce jour-là environ trois mille hommes. [29]Moïse dit : « Vous vous êtes aujourd'hui conféré l'investiture pour Yahvé, qui au prix de son fils, qui au prix de son frère, de sorte qu'il vous donne aujourd'hui la bénédiction. »

Nouvelle prière de Moïse.

[30]Le lendemain, Moïse dit au peuple : « Vous avez commis, vous, un grand péché. Je m'en vais maintenant monter vers Yahvé. Peut-être pourrai-je expier votre péché ! » [31]Moïse retourna donc vers Yahvé et dit : « Hélas ! ce peuple a commis un grand péché. Ils se sont fabriqué un dieu en or. [32]Pourtant, s'il te plaisait de pardonner leur péché... Sinon, efface-moi, de grâce, du livre que tu as écrit ! » [33]Yahvé dit à Moïse : « Celui qui a péché contre moi, c'est lui que j'effacerai de mon livre. [34]Va maintenant, conduis le peuple où je t'ai dit. Voici que mon ange ira devant toi, mais au jour de ma visite, je les punirai de leur péché. » [35]Et Yahvé frappa le peuple parce qu'ils avaient fabriqué le veau, celui qu'avait fabriqué Aaron.

L'ordre de départ.

33 ¹Yahvé dit à Moïse : « Va, monte d'ici, toi et le peuple que tu as fait monter du pays d'Égypte, vers la terre dont j'ai dit par serment à Abraham, Isaac et Jacob que je la donnerais à leur descendance. ²J'enverrai un ange devant toi et j'expulserai les Cananéens, les Amorites, les Hittites, les Perizzites, les Hivvites et les Jébuséens. ³Monte vers une terre qui ruisselle de lait et de miel, mais je ne monterai pas au milieu de toi, de peur que je ne t'extermine en chemin car tu es un peuple à la nuque raide. » ⁴Lorsqu'il eut entendu cette parole sévère, le peuple prit le deuil et personne ne porta plus ses parures. ⁵Alors Yahvé dit à Moïse : « Dis aux Israélites : Vous êtes un peuple à la nuque raide, si je montais au milieu de toi, ne fût-ce qu'un moment, je t'exterminerais. Et maintenant, dépouille-toi de tes parures, que je sache comment te traiter. » ⁶Alors les Israélites se débarrassèrent de leurs parures à partir du mont Horeb.

La Tente.

⁷Moïse prenait la Tente et la plantait pour lui hors du camp, loin du camp. Il la nomma Tente du Rendez-vous, et quiconque avait à consulter Yahvé sortait vers la Tente du Rendez-vous qui se trouvait hors du camp. ⁸Chaque fois que Moïse sortait vers la Tente, tout le peuple se levait, chacun se postait à l'entrée de sa tente, et suivait Moïse du regard jusqu'à ce qu'il entrât dans la Tente. ⁹Chaque fois que Moïse entrait dans la Tente, la colonne de nuée descendait, se tenait à l'entrée de la Tente et Il parlait avec Moïse. ¹⁰Tout le peuple voyait la colonne de nuée qui se tenait à l'entrée de la Tente, et tout le peuple se levait et se prosternait, chacun à l'entrée de sa tente. ¹¹Yahvé parlait à Moïse face à face, comme un homme parle à son ami, puis il rentrait au camp, mais son serviteur Josué, fils de Nûn, un jeune homme, ne quittait pas l'intérieur de la Tente.

Prière de Moïse.

¹²Moïse dit à Yahvé : « Vois, tu me dis : "Fais monter ce peuple", et tu ne me fais pas connaître qui tu enverras avec moi. Tu avais pourtant dit : "Je te connais par ton nom et tu as trouvé grâce à mes yeux." ¹³Si donc j'ai trouvé grâce à tes yeux, daigne me faire connaître tes voies pour que je te connaisse et que je trouve grâce à tes yeux. Considère aussi que cette nation est ton peuple. » ¹⁴Yahvé dit : « J'irai moi-même, et je te donnerai le repos. » ¹⁵Et il dit : « Si tu ne viens pas toi-même, ne nous fais pas monter d'ici ; ¹⁶comment saura-t-on alors que j'ai trouvé grâce à tes yeux, moi et ton peuple ? N'est-ce pas à ce que tu iras avec nous ? En sorte que nous soyons distincts, moi et ton peuple, de tous les peuples qui sont sur la face de la terre. » ¹⁷Yahvé dit à Moïse : « Cette chose que tu as dite, je la ferai encore parce que tu as trouvé grâce à mes yeux et que je te connais par ton nom. »

Moïse sur la montagne. 33 11.
1 R **19** 9-18. ↗ Jn **1** 14-18.

¹⁸Il lui dit : « Fais-moi de grâce voir ta gloire. » ¹⁹Et il dit : « Je

ferai passer devant toi toute ma beauté et je prononcerai devant toi le nom de Yahvé. Je fais grâce à qui je fais grâce et j'ai pitié de qui j'ai pitié. » [20]« Mais, dit-il, tu ne peux pas voir ma face, car l'homme ne peut me voir et vivre. » [21]Yahvé dit encore : « Voici une place près de moi ; tu te tiendras sur le rocher. [22]Quand passera ma gloire, je te mettrai dans la fente du rocher et je te couvrirai de ma main jusqu'à ce que je sois passé. [23]Puis j'écarterai ma main et tu verras mon dos ; mais ma face, on ne peut la voir. »

Renouvellement de l'Alliance. Les tables de la Loi.

34 [1]Yahvé dit à Moïse : « Taille deux tables de pierre semblables aux premières, et j'écrirai sur les tables les paroles qui étaient sur les premières tables que tu as brisées. [2]Sois prêt au matin, monte dès le matin sur le mont Sinaï et attends-moi là, au sommet de la montagne. [3]Que personne ne monte avec toi ; que personne même ne paraisse sur toute la montagne. Que même le bétail, petit et gros, ne paisse pas devant cette montagne. » [4]Il tailla donc deux tables de pierre, semblables aux premières, et, s'étant levé de bon matin, Moïse monta sur le mont Sinaï, comme Yahvé le lui avait ordonné, et il prit dans sa main les deux tables de pierre. [5]Yahvé descendit dans une nuée et il se tint là avec lui.

Apparition divine.

Il invoqua le nom de Yahvé. [6]Yahvé passa devant lui et il proclama : « Yahvé, Yahvé, Dieu de tendresse et de pitié, lent à la colère, riche en grâce et en fidélité ; [7]qui garde sa grâce à des milliers, tolère faute, transgression et péché mais ne laisse rien impuni et châtie les fautes des pères sur les enfants et les petits-enfants, jusqu'à la troisième et la quatrième génération. » [8]Aussitôt Moïse tomba à genoux sur le sol et se prosterna, [9]puis il dit : « Si vraiment, Seigneur, j'ai trouvé grâce à tes yeux, que mon Seigneur veuille bien aller au milieu de nous, bien que ce soit un peuple à la nuque raide, pardonne nos fautes et nos péchés et fais de nous ton héritage. »

L'Alliance.

[10]Il dit : « Voici que je vais conclure une alliance : devant tout ton peuple je ferai des merveilles telles qu'il n'en a été accompli dans aucun pays ni aucune nation. Le peuple au milieu duquel tu te trouves verra l'œuvre de Yahvé, car c'est chose redoutable, ce que je vais faire avec toi. [11]Observe donc ce que je te commande aujourd'hui. Je vais chasser devant toi les Amorites, les Cananéens, les Hittites, les Perizzites, les Hivvites et les Jébuséens. [12]Garde-toi de faire alliance avec les habitants du pays où tu vas entrer, de peur qu'ils ne constituent un piège au milieu de toi. [13]Vous démolirez leurs autels, vous mettrez leurs stèles en pièces et vous couperez leurs pieux sacrés. [14]Tu ne te prosterneras pas devant un autre dieu, car Yahvé a pour nom Jaloux : c'est un Dieu jaloux. [15]Ne fais pas alliance avec les habitants du pays, car lorsqu'ils se prostituent à leurs dieux et leur offrent des sacrifices, ils t'inviteraient et tu

mangerais de leur sacrifice, [16]tu prendrais de leurs filles pour tes fils, leurs filles se prostitueraient à leurs dieux et feraient se prostituer tes fils à leurs dieux.

[17]Tu ne te feras pas de dieu de métal fondu.

[18]Tu observeras la fête des Azymes. Pendant sept jours tu mangeras des azymes, comme je te l'ai ordonné, au temps fixé du mois d'Abib, car c'est au mois d'Abib que tu es sorti d'Égypte.

[19]Tout être ouvrant le sein maternel est à moi : ainsi de tout ton troupeau, que ce soit un premier-né mâle de ton petit ou de ton gros bétail, tu feras l'occasion d'un mémorial. [20]Les premiers ânons mis bas, tu les rachèteras par une tête de petit bétail et si tu ne les rachètes pas, tu leur briseras la nuque. Tous les premiers-nés de tes fils, tu les rachèteras, et l'on ne se présentera pas devant moi les mains vides.

[21]Pendant six jours tu travailleras, mais le septième jour, tu chômeras, que ce soient les labours ou la moisson, tu chômeras.

[22]Tu célébreras la fête des Semaines, prémices de la moisson des blés, et la fête de la Récolte au retour de l'année.

[23]Trois fois l'an, toute ta population mâle se présentera devant le Seigneur Yahvé, Dieu d'Israël.

[24]Je déposséderai les nations devant toi et j'élargirai tes frontières, et nul ne convoitera ta terre quand tu monteras te présenter devant Yahvé ton Dieu, trois fois l'an.

[25]Tu n'offriras pas avec du pain levé le sang de ma victime, et la victime de la fête de Pâque ne sera pas gardée jusqu'au lendemain.

[26]Le meilleur des prémices de ton terroir, tu l'apporteras à la maison de Yahvé ton Dieu et tu ne feras pas cuire un chevreau dans le lait de sa mère. »

[27]Yahvé dit à Moïse : « Mets par écrit ces paroles car selon ces clauses, j'ai conclu mon alliance avec toi et avec Israël. »

[28]Moïse demeura là, avec Yahvé, quarante jours et quarante nuits. Il ne mangea ni ne but, et il écrivit sur les tables les paroles de l'alliance, les dix paroles.

Moïse redescend de la montagne. ↗ 2 Co 3 7-4 6.

[29]Lorsque Moïse redescendit de la montagne du Sinaï, les deux tables du Témoignage étaient dans la main de Moïse quand il descendit de la montagne, et Moïse ne savait pas que la peau de son visage rayonnait parce qu'il avait parlé avec lui. [30]Aaron et tous les Israélites virent Moïse, et voici que la peau de son visage rayonnait, et ils avaient peur de l'approcher. [31]Moïse les appela ; Aaron et tous les chefs de la communauté revinrent alors vers lui, et Moïse leur parla. [32]Ensuite tous les Israélites s'approchèrent, et il leur ordonna tout ce dont Yahvé avait parlé sur le mont Sinaï. [33]Quand Moïse eut fini de leur parler, il mit un voile sur son visage. [34]Lorsque Moïse entrait devant Yahvé pour parler avec lui, il ôtait le voile jusqu'à sa sortie. En sortant, il disait aux Israélites ce qui lui avait été ordonné, [35]et les Israélites voyaient la peau du visage de Moïse rayonner. Puis Moïse remettait le voile sur son visage, jusqu'à ce qu'il entrât pour parler avec lui.

VI. CONSTRUCTION ET ÉRECTION DU SANCTUAIRE

Loi du repos sabbatique. 20 8.

35 ¹Moïse assembla toute la communauté des Israélites et leur dit : « Voici ce que Yahvé a ordonné de faire : ²Pendant six jours on fera le travail, mais le septième jour sera pour vous un jour saint, un jour de repos complet consacré à Yahvé. Quiconque fera ce jour-là un travail quelconque sera mis à mort. ³Vous n'allumerez de feu, le jour du sabbat, dans aucune de vos demeures. »

Collecte des matériaux.

⁴Moïse dit à toute la communauté des Israélites : « Voici ce qu'a ordonné Yahvé : ⁵Prélevez sur vos biens une contribution pour Yahvé. Que tous ceux que leur cœur y incite apportent la contribution de Yahvé : de l'or, de l'argent et du bronze ; ⁶de la pourpre violette et écarlate, du cramoisi, du lin fin et du poil de chèvre ; ⁷des peaux de béliers teintes en rouge, du cuir fin et du bois d'acacia ; ⁸de l'huile pour le luminaire, des aromates pour l'huile d'onction et l'encens aromatique ; ⁹des pierres de cornaline et des pierreries à enchâsser pour l'éphod et le pectoral. ¹⁰Que ceux parmi vous qui sont habiles viennent faire tout ce qu'a ordonné Yahvé : ¹¹la Demeure, sa tente et sa couverture, ses agrafes, ses cadres, ses traverses, ses colonnes et ses socles ; ¹²l'arche et ses barres, le propitiatoire et le rideau du voile ; ¹³la table, ses barres et tous ses accessoires ainsi que les pains d'oblation ; ¹⁴le candélabre pour la lumière, ses accessoires, ses lampes ainsi que l'huile pour le luminaire ; ¹⁵l'autel des parfums et ses barres, l'huile d'onction, l'encens aromatique et le voile de l'entrée, pour l'entrée de la Demeure ; ¹⁶l'autel des holocaustes et son treillis de bronze, ses barres et tous ses accessoires, le bassin et son socle ; ¹⁷les courtines du parvis, ses colonnes, ses socles et le rideau de l'entrée du parvis ; ¹⁸les piquets de la Demeure et les piquets du parvis avec leurs cordes ; ¹⁹les vêtements d'apparat pour officier dans le sanctuaire – les vêtements sacrés pour le prêtre Aaron et les vêtements de ses fils pour l'exercice du sacerdoce. »

²⁰Alors toute la communauté des Israélites se retira de la présence de Moïse. ²¹Puis tous ceux que leur cœur y portait et tous ceux que leur âme y incitait apportèrent la contribution de Yahvé, pour le travail de la Tente du Rendez-vous, pour son service général et pour les vêtements sacrés. ²²Les hommes et les femmes vinrent, tous ceux que leur cœur y incitait apportèrent des broches, des anneaux, des bagues, des colliers, toutes sortes d'objets d'or – tous ceux qui avaient voué de l'or à Yahvé. ²³Tous ceux qui se trouvaient avoir de la pourpre violette et écarlate, du cramoisi, du lin fin, du poil de chèvre, des peaux de béliers teintes en rouge et du cuir fin, l'apportèrent. ²⁴Tous ceux qui offraient une contribution d'argent et de bronze apportèrent la contribution de Yahvé, et tous ceux qui se trouvaient avoir du bois d'acacia pour tous

les travaux à exécuter l'apportèrent. [25]Toutes les femmes habiles filèrent de leurs mains et apportèrent ce qu'elles avaient filé : pourpre violette et écarlate, cramoisi et lin fin. [26]Toutes les femmes que leur cœur y portait en raison de leur habileté, filèrent le poil de chèvre. [27]Les chefs apportèrent les pierres de cornaline et les pierres à enchâsser dans l'éphod et le pectoral, [28]les aromates et l'huile pour le luminaire, pour l'huile d'onction et pour l'encens aromatique. [29]Tous les Israélites, hommes et femmes, que leur cœur incitait à contribuer à l'ensemble de l'ouvrage que Yahvé, par l'intermédiaire de Moïse, avait ordonné d'exécuter, apportèrent une offrande à Yahvé.

Les ouvriers du sanctuaire. 31 2-6.

[30]Moïse dit aux Israélites : « Voyez, Yahvé a désigné nommément Beçaléel, fils de Uri, fils de Hur, de la tribu de Juda. [31]Il l'a comblé de l'esprit de Dieu, d'habileté, d'intelligence et de savoir, pour toutes sortes d'ouvrages ; [32]pour concevoir les projets et les exécuter en or, en argent et en bronze, [33]pour tailler les pierres à enchâsser, pour tailler le bois et pour exécuter toutes sortes d'œuvres d'art. [34]Il a mis en son cœur, à lui ainsi qu'à Oholiab, fils d'Ahisamak, de la tribu de Dan, le don d'enseigner. [35]Il les a comblés d'habileté pour exécuter toutes sortes d'ouvrages, tous les ouvrages du ciseleur, du brodeur, du brocheur de pourpre violette et écarlate, de cramoisi et de lin fin, et du tisserand, de tous ceux qui font toutes sortes d'ou-

vrages et de ceux qui conçoivent des projets.

36 [1]Beçaléel, Oholiab et tous les hommes à qui Yahvé a donné l'habileté et l'intelligence pour qu'ils sachent faire tout le travail à accomplir au sanctuaire, feront tout comme Yahvé l'a ordonné. »

Arrêt de la collecte.

[2]Moïse appela donc Beçaléel, Oholiab et tous les hommes habiles à qui Yahvé avait donné l'habileté, tous ceux que leur cœur portait à s'appliquer à l'ouvrage pour le faire. [3]Ils reçurent de Moïse tout ce que les Israélites avaient apporté en contribution pour exécuter le travail d'édification du sanctuaire. Comme ils continuaient d'apporter, chaque matin, leurs offrandes, [4]tous les hommes habiles faisant tout le travail du sanctuaire vinrent, chacun quittant le travail qu'il était en train de faire, [5]et dirent à Moïse : « Le peuple apporte plus qu'il n'en faut pour le travail que Yahvé a ordonné de faire. » [6]Moïse donna un ordre et l'on fit passer dans le camp une proclamation : « Que personne, homme ou femme, ne fasse plus quoi que ce soit pour la contribution du sanctuaire », et l'on empêcha le peuple de rien apporter. [7]Les matériaux suffisaient pour faire tout le travail et il y en avait même en surplus.

La Demeure. 26 1-11. 14.

[8]Tous les hommes habiles, parmi ceux qui faisaient le travail, firent la Demeure. Il la fit de dix bandes d'étoffe de fin lin retors, de pourpre violette et écarlate et de

cramoisi, brodées de chérubins.
[9]La longueur d'une bande était de
vingt-huit coudées et sa largeur de
quatre coudées. Toutes les bandes
avaient les mêmes dimensions. [10]Il
assembla les bandes cinq d'un côté, cinq de l'autre. [11]Il fit des brides
de pourpre violette à la lisière de la
première bande, à l'extrémité du
premier assemblage, et fit de même
à la lisière de la dernière bande du
second assemblage. [12]Il fit cinquante brides à la première bande
et cinquante brides à l'extrémité de
la bande du second assemblage, les
brides se correspondant l'une à
l'autre. [13]Il fit cinquante agrafes
d'or et assembla les bandes l'une à
l'autre avec les agrafes : la Demeure fut ainsi d'un seul tenant. [14]Puis
il fit des bandes d'étoffe de poil de
chèvre pour la tente qui est sur la
Demeure. Il en fit onze. [15]La longueur d'une bande était de trente
coudées et sa largeur de quatre coudées : les onze bandes avaient mêmes dimensions. [16]Il assembla cinq
bandes d'une part et six bandes
d'autre part. [17]Il fit cinquante brides à la lisière de la dernière bande
du premier assemblage, et il fit cinquante brides à la lisière de la bande
du second assemblage. [18]Il fit cinquante agrafes de bronze pour assembler la tente afin qu'elle soit
d'un seul tenant. [19]Il fit pour la tente une couverture en peaux de béliers teintes en rouge, et une en cuir
fin par-dessus.

La charpente. 26 15-29.

[20]Il fit pour la Demeure des cadres en bois d'acacia dressés debout. [21]Chaque cadre était long de
dix coudées et large d'une coudée
et demie ; [22]chaque cadre avait

deux tenons jumelés. Il fit de même pour les cadres de la Demeure.
[23]Il fit les cadres pour la Demeure : vingt cadres pour le côté sud,
vers le midi. [24]Il fit quarante socles d'argent pour les vingt cadres : deux socles sous un cadre
pour ses deux tenons, deux socles
sous un autre cadre pour ses deux
tenons. [25]Il fit pour le second côté
de la Demeure, vers le nord, vingt
cadres [26]et quarante socles d'argent : deux socles sous un cadre,
deux socles sous un autre cadre.
[27]Pour le fond de la Demeure, vers
l'ouest, il fit six cadres. [28]Il fit
aussi deux cadres pour les angles
du fond de la Demeure. [29]Ils
étaient jumelés à leur partie inférieure et le demeuraient jusqu'au
sommet, à hauteur du premier
anneau. Ainsi fit-il pour les deux
cadres des deux angles. [30]Il y avait
huit cadres avec leurs seize socles
d'argent, deux socles sous chaque
cadre. [31]Il fit des traverses en bois
d'acacia, [32]cinq pour les cadres du
premier côté de la Demeure, cinq
pour les cadres du second côté de
la Demeure et cinq pour les cadres du fond de la Demeure, du
côté de la mer. [33]Il fit la traverse
médiane pour assembler les cadres à mi-hauteur, d'une extrémité à l'autre. [34]Il plaqua d'or les cadres et leur fit des anneaux d'or
où s'engageraient les traverses, et
il plaqua d'or leurs traverses.

Le rideau. 26 31-32, 36-37.

[35]Il fit le rideau de pourpre violette et écarlate, de cramoisi et de
fin lin retors, brodé de chérubins.
[36]Il lui fit quatre colonnes en acacia qu'il plaqua d'or, avec leurs
crochets d'or, et il fondit pour elles

quatre socles d'argent. [37]Il fit pour l'entrée de la tente un voile broché de pourpre violette et écarlate, de cramoisi et de fin lin retors, [38]ainsi que ses cinq colonnes avec leurs crochets ; il plaqua d'or leurs chapiteaux et leurs tringles ; leurs cinq socles étaient en bronze.

L'arche. 25 10-20.

37 [1]Beçaléel fit l'arche en bois d'acacia. Elle était longue de deux coudées et demie, large d'une coudée et demie et haute d'une coudée et demie. [2]Il la plaqua d'or pur au-dedans et au-dehors et fit une moulure d'or tout autour. [3]Il fondit, pour l'arche, quatre anneaux d'or, à ses quatre pieds : deux anneaux sur un côté, et deux anneaux sur l'autre. [4]Il fit des barres en bois d'acacia et les plaqua d'or. [5]Puis il introduisit les barres dans les anneaux fixés sur les côtés de l'arche pour porter l'arche. [6]Il fit un propitiatoire d'or pur, de deux coudées et demie de long, d'une coudée et demie de large. [7]Il fit deux chérubins d'or repoussé, il les fit aux deux extrémités du propitiatoire : [8]un chérubin à cette extrémité-ci, un chérubin à cette extrémité-là, il fit faire corps aux chérubins avec le propitiatoire à ses deux extrémités. [9]Les chérubins avaient les ailes déployées vers le haut et protégeaient de leurs ailes le propitiatoire, en se faisant face ; les faces des chérubins étaient tournées vers le propitiatoire.

La table des pains d'oblation. 25 23-29.

[10]Il fit la table en bois d'acacia ; elle avait deux coudées de long, une coudée de large et une coudée et demie de haut. [11]Il la plaqua d'or pur et fit une moulure d'or tout autour. [12]Il fit, tout autour, des entretoises larges d'un palme et fit une moulure d'or autour des entretoises. [13]Il fondit pour elle quatre anneaux d'or et il mit les anneaux aux quatre angles formés par les quatre pieds. [14]Les anneaux étaient placés près des entretoises et servaient de logement aux barres qui servaient pour porter la table. [15]Il fit les barres en bois d'acacia et les plaqua d'or, pour porter la table. [16]Il fit les accessoires qui devaient être sur la table : ses plats, ses coupes, ses bols et ses aiguières pour les libations, tous d'or pur.

Le candélabre. 25 31-40.

[17]Il fit le candélabre d'or pur. D'or repoussé, il fit le candélabre, sa base et son fût. Ses calices, boutons et fleurs, faisaient corps avec lui. [18]Six branches s'en détachaient sur les côtés : trois branches du candélabre d'un côté, trois branches du candélabre de l'autre côté. [19]La première branche portait trois calices en forme de fleur d'amandier, avec bouton et fleur. La deuxième branche portait trois calices en forme de fleur d'amandier, avec bouton et fleur. Il en était ainsi pour les six branches partant du candélabre. [20]Le candélabre lui-même portait quatre calices en forme de fleur d'amandier, avec bouton et fleur : [21]un bouton sous les deux premières branches partant du candélabre, un bouton sous les deux branches suivantes, un bouton sous les deux dernières branches : donc aux six branches s'en détachant. [22]Les boutons et les branches faisaient corps avec le candélabre, et le tout

était fait d'un bloc d'or pur repoussé. ²³Puis il fit ses sept lampes, avec leurs mouchettes et leurs cendriers d'or pur. ²⁴D'un talent d'or pur, il fit le candélabre et tous ses accessoires.

L'autel des parfums. L'huile d'onction et le parfum. 30 1-5, 22-25, 34-35.

²⁵Il fit l'autel des parfums en bois d'acacia, d'une coudée de long, d'une coudée de large – donc carré – et de deux coudées de haut ; ses cornes faisaient corps avec lui. ²⁶Il le plaqua d'or pur, sa partie supérieure, ses parois tout autour et ses cornes, et fit une moulure d'or tout autour. ²⁷Il lui fit deux anneaux d'or au-dessous de la moulure, sur les deux côtés, sur les deux faces pour loger les barres servant à son transport. ²⁸Il fit les barres en bois d'acacia et les plaqua d'or. ²⁹Il fit aussi l'huile d'onction sainte et l'encens aromatique – comme un parfumeur.

L'autel des holocaustes. 27 1-8.

38 ¹Il fit l'autel des holocaustes en bois d'acacia ; de cinq coudées de long, de cinq coudées de large – donc carré – et de trois coudées de haut. ²Il fit à ses quatre angles des cornes qui faisaient corps avec lui, et il le plaqua de bronze. ³Il fit tous les accessoires de l'autel : les vases à cendres et les pelles, les bols à aspersion, les fourchettes et les encensoirs. Tous les accessoires de l'autel, il les fit de bronze. ⁴Il fit pour l'autel un treillis de bronze en forme de filet, sous la corniche, depuis le bas jusqu'à mi-hauteur. ⁵Il fondit quatre anneaux aux quatre angles du treillis de bronze pour recevoir les barres. ⁶Il fit les barres en bois d'acacia et les plaqua de bronze. ⁷Il engagea les barres dans les anneaux fixés sur les deux côtés de l'autel, pour le transporter grâce à elles ; il le fit creux, en planches.

Le bassin. 30 18.

⁸Il fit le bassin en bronze et son socle en bronze avec les miroirs des femmes qui faisaient le service à l'entrée de la Tente du Rendez-vous.

Construction du parvis. 27 9-19.

⁹Il fit le parvis ; du côté du sud, au midi, les rideaux du parvis, en fin lin retors, avaient cent coudées. ¹⁰Leurs vingt colonnes et leurs vingt socles étaient de bronze ; les crochets des colonnes et leurs tringles étaient d'argent. ¹¹Cent coudées aussi du côté du nord ; leurs vingt colonnes et leurs vingt socles étaient de bronze ; les crochets des colonnes et leurs tringles étaient d'argent. ¹²Du côté de l'ouest les rideaux avaient cinquante coudées, avec leurs dix colonnes et leurs dix socles. Les crochets des colonnes et leurs tringles étaient d'argent. ¹³Et du côté de l'est, à l'orient, cinquante coudées. ¹⁴À l'un des côtés il y avait quinze coudées de rideaux avec leurs trois colonnes et leurs trois socles. ¹⁵Au second côté – de part et d'autre de la porte du parvis – il y avait quinze coudées de rideaux avec leurs trois colonnes et leurs trois socles. ¹⁶Tous les rideaux entourant l'enceinte du parvis étaient de fin lin retors. ¹⁷Les socles des colonnes étaient de bronze ; les crochets des colonnes et leurs tringles étaient d'argent ; le

revêtement de leurs chapiteaux était d'argent, et toutes les colonnes du parvis étaient munies de tringles d'argent. [18]Le voile de la porte du parvis était broché, fait de pourpre violette et écarlate, de cramoisi et de fin lin retors. Il avait vingt coudées de long et cinq coudées de haut (dans la largeur), comme les rideaux du parvis. [19]Leurs quatre colonnes et leurs quatre socles étaient de bronze, leurs crochets étaient d'argent, le revêtement de leurs chapiteaux et leurs tringles étaient d'argent. [20]Tous les piquets autour de la Demeure et du parvis étaient de bronze.

Compte des métaux.

[21]Voici les comptes de la Demeure – la Demeure du Témoignage – établis sur l'ordre de Moïse, travail des Lévites, par l'intermédiaire d'Itamar, fils d'Aaron, le prêtre.

35 30-35.

[22]Beçaléel, fils d'Uri, fils de Hur, de la tribu de Juda, fit tout ce que Yahvé avait ordonné à Moïse, [23]et avec lui Oholiab, fils de Ahisamak, de la tribu de Dan, ciseleur, brodeur, brocheur en pourpre violette et écarlate, en cramoisi et en lin fin.

[24]Total de l'or employé pour les travaux, pour l'ensemble des travaux du sanctuaire (c'était l'or consacré) : vingt-neuf talents et sept cent trente sicles, selon le sicle du sanctuaire. [25]L'argent du recensement de la communauté : cent talents et mille sept cent soixante-quinze sicles, selon le sicle du sanctuaire : [26]un beqa par tête, un demi-sicle, selon le sicle du sanctuaire, pour tous ceux qui furent re-

censés, âgés de vingt ans et plus, pour six cent trois mille cinq cent cinquante. [27]Cent talents d'argent pour fondre les socles du sanctuaire et les socles du rideau : cent socles pour cent talents, un talent par socle. [28]Avec les mille sept cent soixante-quinze sicles, il fit les crochets pour les colonnes, il plaqua leurs chapiteaux et fit leurs tringles. [29]Le bronze consacré se montait à soixante-dix talents et deux mille quatre cents sicles ; [30]il en fit les socles pour l'entrée de la Tente du Rendez-vous, l'autel de bronze, son treillis de bronze et tous les accessoires de l'autel ; [31]les socles du pourtour du parvis, les socles de la porte du parvis, tous les piquets de la Demeure et tous les piquets du pourtour du parvis.

Le costume du grand prêtre.

39 [1]Avec la pourpre violette et écarlate et le cramoisi, ils firent les vêtements liturgiques pour officier dans le sanctuaire. Ils firent les vêtements sacrés destinés à Aaron, comme Yahvé l'avait ordonné à Moïse.

L'éphod. 28 6-12.

[2]Il fit l'éphod d'or, de pourpre violette et écarlate, de cramoisi et de fin lin retors. [3]Ils battirent les plaques d'or et les découpèrent en fils pour les entremêler à la pourpre violette et écarlate, au cramoisi et au lin fin, à la manière du brocheur. [4]Ils lui firent deux épaulettes qui y furent fixées, il y fut fixé par ses deux bords. [5]L'écharpe qui était dessus pour l'attacher faisait corps avec lui et était de même travail. Elle était d'or, de pourpre violette et écarlate, de cramoisi et de fin lin

retors, comme Yahvé l'avait ordonné à Moïse. [6]Ils travaillèrent les pierres de cornaline, serties dans des chatons d'or, où furent gravés en gravure de sceau les noms des Israélites. [7]Ils placèrent sur les épaulettes de l'éphod les pierres comme mémorial des Israélites, comme Yahvé l'avait ordonné à Moïse.

Le pectoral. **28** 15-30.

[8]Il fit le pectoral, brodé comme l'éphod, d'or, de pourpre violette et écarlate, de cramoisi et de fin lin retors. [9]Il était carré et double, d'un empan de long et d'un empan de large. [10]Ils le garnirent de quatre rangées de pierres. Une sardoine, une topaze, une émeraude pour la première rangée ; [11]pour la deuxième rangée, une escarboucle, un saphir et un diamant ; [12]pour la troisième rangée, une agate, une hyacinthe et une améthyste ; [13]pour la quatrième rangée, une chrysolithe, une cornaline et un jaspe. Elles étaient serties dans des chatons d'or. [14]Les pierres étaient aux noms des Israélites, elles étaient douze, selon leurs noms, gravées comme des sceaux, chacune au nom de l'une des douze tribus. [15]Ils firent pour le pectoral des chaînettes d'or pur en forme de torsades. [16]Ils firent deux rosettes d'or et deux anneaux d'or, et ils mirent les deux anneaux aux deux bords du pectoral. [17]Ils mirent les deux torsades d'or aux deux anneaux, aux bords du pectoral, [18]et les deux bords des torsades, ils les mirent aux deux rosettes : ils les mirent ainsi sur les épaulettes de l'éphod, par-devant. [19]Ils firent aussi deux anneaux d'or et les mirent aux deux bords du pectoral, sur le bord intérieur, du côté de l'éphod. [20]Ils firent encore deux anneaux d'or, et ils les mirent sur les épaulettes de l'éphod, vers le bas en avant, près de leur point d'attache, au-dessus de l'écharpe de l'éphod. [21]Ils lièrent le pectoral par ses anneaux aux anneaux de l'éphod avec un cordon de pourpre violette, afin que le pectoral soit au-dessus de l'écharpe de l'éphod et ne puisse se séparer de l'éphod, comme Yahvé l'avait ordonné à Moïse.

Le manteau. **28** 31-35.

[22]Puis il fit le manteau de l'éphod, tissé tout entier de pourpre violette. [23]L'ouverture au milieu du manteau était comme l'ouverture d'un corselet de mailles ; l'ouverture avait tout autour une lisière indéchirable. [24]Ils firent sur l'ourlet du manteau des grenades de pourpre violette et écarlate, de cramoisi et de fin lin retors. [25]Ils firent aussi des clochettes d'or pur et ils placèrent les clochettes au milieu des grenades, tout autour de l'ourlet du manteau, au milieu des grenades : [26]une clochette, une grenade, une clochette, une grenade tout autour de l'ourlet du manteau pour officier, comme Yahvé l'avait ordonné à Moïse.

Vêtements sacerdotaux. **28** 39-42.

[27]Puis ils firent les tuniques de fin lin tissé, pour Aaron et pour ses fils ; [28]le turban de lin fin, les calottes de lin fin, les caleçons de fin lin retors, [29]les ceintures brochées de fin lin retors, de pourpre violette et écarlate et de cramoisi, comme Yahvé l'avait ordonné à Moïse.

Le signe de consécration. 28 36-37.

[30]Puis ils firent la fleur – le signe de la sainte consécration, en or pur – et ils y gravèrent en intaille, comme un sceau : « Consacré à Yahvé. » [31]Ils mirent dessus un cordon de pourpre violette, pour le mettre sur le turban, en haut, comme Yahvé l'avait ordonné à Moïse.

[32]Ainsi furent achevés tous les travaux de la Demeure, de la Tente du Rendez-vous ; en tout les Israélites avaient fait comme Yahvé l'avait ordonné à Moïse.

Livraison à Moïse des ouvrages exécutés.

[33]Ils apportèrent à Moïse la Demeure, la Tente et tous ses accessoires, ses agrafes, ses cadres, ses traverses, ses colonnes et ses socles ; [34]la couverture en peaux de béliers teintes en rouge, la couverture en cuir fin et le rideau du voile ; [35]l'arche du Témoignage avec ses barres et le propitiatoire ; [36]la table, tous ses accessoires et les pains d'oblation ; [37]le candélabre d'or pur, ses lampes – une rangée de lampes – et tous ses accessoires, ainsi que l'huile pour le luminaire ; [38]l'autel d'or, l'huile d'onction, l'encens aromatique et le voile pour l'entrée de la Tente ; [39]l'autel de bronze et son treillis de bronze, ses barres et tous ses accessoires ; le bassin et son socle ; [40]les courtines du parvis, ses colonnes, ses socles et le voile pour la porte du parvis, ses cordes, ses piquets ainsi que tous les accessoires du service de la Demeure, pour la Tente du Rendez-vous ; [41]les vêtements liturgiques pour officier dans le sanctuaire – les vêtements sacrés pour Aaron, le prêtre, et les vêtements de ses fils pour exercer le sacerdoce. [42]Les Israélites avaient fait tous les travaux comme Yahvé l'avait ordonné à Moïse.

[43]Moïse vit tout l'ouvrage : ils l'avaient fait comme Yahvé l'avait ordonné. Et Moïse les bénit.

Érection et consécration du sanctuaire.

40 [1]Yahvé parla à Moïse et lui dit : [2]« Le premier jour du premier mois, tu dresseras la Demeure, la Tente du Rendez-vous, [3]tu y placeras l'arche du Témoignage et tu voileras l'arche avec le rideau. [4]Tu apporteras la table et tu disposeras sa garniture. Tu apporteras le candélabre et tu monteras ses lampes. [5]Tu mettras l'autel d'or des parfums devant l'arche du Témoignage, et tu placeras le voile à l'entrée de la Demeure. [6]Tu mettras l'autel des holocaustes devant l'entrée de la Demeure, de la Tente du Rendez-vous. [7]Tu mettras le bassin entre la Tente du Rendez-vous et l'autel, et tu y mettras de l'eau. [8]Tu placeras le parvis tout autour et tu mettras le voile à la porte du parvis. [9]Tu prendras l'huile d'onction et tu oindras la Demeure et tout ce qui est dedans ; tu la consacreras, elle et tous ses accessoires, et elle sera éminemment sainte. [10]Tu oindras l'autel des holocaustes et tous ses accessoires, tu consacreras l'autel, et l'autel sera éminemment saint. [11]Tu oindras le bassin et son socle et tu le consacreras. [12]Puis tu feras approcher Aaron et ses fils de l'entrée de la Tente du Rendez-vous, tu les laveras avec de l'eau, [13]et tu revêtiras Aaron de ses vêtements sacrés, tu l'oindras et tu le consacreras pour qu'il exerce mon sacerdoce. ¹⁴Ses fils, tu les feras approcher, tu les revêtiras de tuniques, ¹⁵et tu les oindras comme tu auras oint leur père, pour qu'ils exercent mon sacerdoce. Cela se fera pour que leur onction leur confère un sacerdoce éternel, dans leurs générations. »

Exécution des ordres divins.

¹⁶Moïse le fit. Il fit tout comme Yahvé l'avait ordonné. ¹⁷Le premier jour du premier mois de la seconde année, on dressa la Demeure. ¹⁸Moïse dressa la Demeure ; il mit ses socles, plaça ses cadres, mit ses traverses et dressa ses colonnes. ¹⁹Il étendit la tente pour la Demeure et plaça dessus la couverture de la tente, comme Yahvé l'avait ordonné à Moïse. ²⁰Il prit le Témoignage, le mit dans l'arche, plaça les barres sur l'arche et mit le propitiatoire sur l'arche. ²¹Il introduisit l'arche dans la Demeure et plaça le rideau du voile ; il voila ainsi l'arche du Témoignage, comme Yahvé l'avait ordonné à Moïse. ²²Il mit la table dans la Tente du Rendezvous, sur le côté de la Demeure, au nord, à l'extrémité du voile, ²³et il disposa avec ordre le pain devant Yahvé, comme Yahvé l'avait ordonné à Moïse. ²⁴Il plaça le candélabre dans la Tente du Rendezvous, en face de la table, sur le côté de la Demeure, au sud, ²⁵et monta les lampes devant Yahvé, comme Yahvé l'avait ordonné à Moïse. ²⁶Il plaça l'autel d'or dans la Tente du Rendez-vous, devant le voile, ²⁷et fit fumer dessus l'encens aromati-

que, comme Yahvé l'avait ordonné à Moïse. ²⁸Puis il plaça le voile à l'entrée de la Demeure. ²⁹L'autel des holocaustes, il le plaça à l'entrée de la Demeure, de la Tente du Rendez-vous, et offrit dessus l'holocauste et l'oblation, comme Yahvé l'avait ordonné à Moïse. ³⁰Il plaça le bassin entre la Tente du Rendez-vous et l'autel et il y mit, pour les ablutions, de l'eau ³¹avec laquelle Moïse, Aaron et ses fils se lavaient les mains et les pieds. ³²Quand ils entraient dans la Tente du Rendez-vous ou qu'ils s'approchaient de l'autel, ils se lavaient, comme Yahvé l'avait ordonné à Moïse. ³³Il dressa le parvis autour de la Demeure et de l'autel, et il mit le voile à la porte du parvis. Ainsi Moïse termina les travaux.

Yahvé prend possession du sanctuaire. 25 8. 1 R 8 10-11. Ez 43 1-5.

³⁴La nuée couvrit la Tente du Rendez-vous, et la gloire de Yahvé emplit la Demeure. ³⁵Moïse ne put entrer dans la Tente du Rendez-vous, car la nuée demeurait sur elle, et la gloire de Yahvé emplissait la Demeure.

La nuée guide les Israélites. ‖ Nb 9 15-23. Ex 13 21s. Ps 78 14 ; 105 39.

³⁶À toutes leurs étapes, lorsque la nuée s'élevait au-dessus de la Demeure, les Israélites se mettaient en marche. ³⁷Si la nuée ne s'élevait pas, ils ne se mettaient pas en marche jusqu'au jour où elle s'élevait. ³⁸Car, le jour, la nuée de Yahvé était sur la Demeure et, la nuit, il y avait dedans un feu, aux yeux de toute la maison d'Israël, à toutes leurs étapes.

Le Lévitique

1. Rituel des sacrifices

Les holocaustes.

1 ¹Yahvé appela Moïse et, de la Tente du Rendez-vous, lui parla et lui dit : ²Parle aux Israélites ; tu leur diras :

Quand l'un de vous présentera une offrande à Yahvé, vous pourrez faire cette offrande en bétail, gros ou petit.

³Si son offrande consiste en un holocauste de gros bétail, il offrira un mâle sans défaut ; il l'offrira à l'entrée de la Tente du Rendez-vous, pour qu'il soit agréé devant Yahvé. ⁴Il posera la main sur la tête de la victime et celle-ci sera agréée pour que l'on fasse sur lui le rite d'expiation. ⁵Puis il immolera le taureau devant Yahvé, et les fils d'Aaron, les prêtres, offriront le sang. Ils le feront couler sur le pourtour de l'autel qui se trouve à l'entrée de la Tente du Rendez-vous. ⁶Il écorchera ensuite la victime, la dépècera par quartiers, ⁷les fils d'Aaron, les prêtres, apporteront du feu sur l'autel et disposeront du bois sur ce feu. ⁸Puis les fils d'Aaron, les prêtres, disposeront quartiers, tête et graisse au-dessus du bois placé sur le feu de l'autel. ⁹L'homme lavera dans l'eau les entrailles et les pattes et le prêtre fera fumer le tout à l'autel. Cet holocauste sera un mets consumé en parfum d'apaisement pour Yahvé.

¹⁰Si son offrande consiste en petit bétail, agneau ou chevreau offert en holocauste, c'est un mâle sans défaut qu'il offrira. ¹¹Il l'immolera sur le côté nord de l'autel, devant Yahvé, et les fils d'Aaron, les prêtres, feront couler le sang sur le pourtour de l'autel. ¹²Puis il le dépècera par quartiers et le prêtre disposera ceux-ci, ainsi que la tête et la graisse, au-dessus du bois placé sur le feu de l'autel. ¹³L'homme lavera dans l'eau les entrailles et les pattes et le prêtre offrira le tout qu'il fera fumer à l'autel. Cet holocauste sera un mets consumé en parfum d'apaisement pour Yahvé.

¹⁴Si son offrande à Yahvé consiste en un holocauste d'oiseau, il offrira une tourterelle ou un pigeon. ¹⁵Le prêtre l'offrira à l'autel, et, en pinçant le cou, il arrachera la tête qu'il fera fumer à l'autel ; puis le sang en sera exprimé sur la paroi de l'autel. ¹⁶Il en détachera alors le jabot et le plumage ; il les jettera du côté est de l'autel, à l'endroit où l'on dépose les cendres grasses. ¹⁷Il fendra l'animal en deux moitiés, une aile de part et d'autre, mais sans les séparer. Le prêtre fera alors fumer l'animal à l'autel, sur le bois placé sur le feu. Cet holocauste sera un mets consumé en parfum d'apaisement pour Yahvé.

L'oblation. 6 7-11 ; 7 9-10. Nb 15 1-16.

2 ¹Si quelqu'un offre à Yahvé une oblation, son offrande consistera en fleur de farine sur laquelle il versera de l'huile et déposera de l'encens. ²Il l'apportera aux fils d'Aaron, les prêtres ; il en prendra une pleine poignée de fleur de farine et d'huile, plus tout l'encens, ce que le prêtre fera fumer à l'autel à titre de mémorial, mets consumé en parfum d'apaisement pour Yahvé. ³Le reste de l'oblation reviendra à Aaron et à ses fils, part très sainte des mets de Yahvé.

⁴Lorsque tu offriras une oblation de pâte cuite au four, la fleur de farine sera préparée en gâteaux sans levain pétris à l'huile, ou en galettes sans levain frottées d'huile.

⁵Si ton offrande est une oblation cuite à la plaque, la fleur de farine pétrie à l'huile sera sans levain. ⁶Tu la rompras en morceaux et verseras de l'huile par-dessus. C'est une oblation.

⁷Si ton offrande est une oblation cuite au moule, la fleur de farine sera préparée dans l'huile.

⁸Tu apporteras à Yahvé l'oblation qui aura été ainsi préparée. On la présentera au prêtre, qui l'approchera de l'autel. ⁹De l'oblation le prêtre prélèvera le mémorial, qu'il fera fumer à l'autel à titre de mets consumé en parfum d'apaisement pour Yahvé. ¹⁰Le reste de l'oblation reviendra à Aaron et à ses fils, part très sainte des mets de Yahvé.

¹¹Aucune des oblations que vous offrirez à Yahvé ne sera préparée avec un ferment, car vous ne ferez jamais fumer ni levain ni miel à titre de mets consumé pour Yahvé. ¹²Vous en offrirez à Yahvé comme offrande de prémices, mais à l'autel ils ne monteront point en parfum d'apaisement. ¹³Tu saleras toute oblation que tu offriras et tu ne manqueras pas de mettre sur ton oblation le sel de l'alliance de ton Dieu ; à toute offrande tu joindras une offrande de sel à ton Dieu. ¹⁴Si tu offres à Yahvé une oblation de prémices, c'est sous forme d'épis grillés au feu ou de pain cuit avec du blé moulu que tu feras cette oblation de prémices. ¹⁵Tu y ajouteras de l'huile et y déposeras de l'encens, c'est une oblation ; ¹⁶et le prêtre en fera fumer le mémorial avec une partie du pain et de l'huile (plus tout l'encens) à titre de mets consumé pour Yahvé.

Le sacrifice de communion.
19 5-8 ; 22 21-25.

3 ¹Si son sacrifice est un sacrifice de communion et s'il offre du gros bétail, mâle ou femelle, c'est une pièce sans défaut qu'il offrira devant Yahvé. ²Il posera la main sur la tête de la victime et l'immolera à l'entrée de la Tente du Rendez-vous. Puis les fils d'Aaron, les prêtres, feront couler le sang sur le pourtour de l'autel. ³Il offrira une part de ce sacrifice de communion à titre de mets consumé pour Yahvé : la graisse qui couvre les entrailles, toute la graisse qui est au-dessus des entrailles, ⁴les deux rognons, la graisse qui y adhère ainsi qu'aux lombes, la masse graisseuse qu'il détachera du foie et des rognons. ⁵Les fils d'Aaron feront fumer cette part à l'autel en plus de l'holocauste, sur le bois placé sur le feu. Ce sera un mets consumé en parfum d'apaisement pour Yahvé.

⁶Si c'est du petit bétail qu'il offre à titre de sacrifice de communion pour Yahvé, c'est un mâle ou

une femelle sans défaut qu'il offrira. ⁷S'il offre un mouton, il l'offrira devant Yahvé, ⁸il posera la main sur la tête de la victime et l'immolera devant la Tente du Rendez-vous, puis les fils d'Aaron en répandront le sang sur le pourtour de l'autel. ⁹De ce sacrifice de communion il offrira la graisse en mets consumé pour Yahvé : la queue entière qu'il détachera près du sacrum, la graisse qui couvre les entrailles, toute la graisse qui est au-dessus des entrailles, ¹⁰les deux rognons, la graisse qui y adhère ainsi qu'aux lombes, la masse graisseuse qu'il détachera du foie et des rognons. ¹¹Le prêtre fera fumer cette part à l'autel à titre de nourriture, de mets consumé pour Yahvé.

¹²Si son offrande consiste en une chèvre, il l'offrira devant Yahvé, ¹³il lui posera la main sur la tête et l'immolera devant la Tente du Rendez-vous, et les fils d'Aaron en répandront le sang sur le pourtour de l'autel. ¹⁴Voici ce qu'il en offrira ensuite à titre de mets consumé pour Yahvé : la graisse qui couvre les entrailles, toute la graisse qui est au-dessus des entrailles, ¹⁵les deux rognons, la graisse qui y adhère ainsi qu'aux lombes, la masse graisseuse qu'il détachera du foie et des rognons. ¹⁶Le prêtre fera fumer ces morceaux à l'autel à titre de nourriture, de mets consumé en parfum d'apaisement.

Toute la graisse appartient à Yahvé. ¹⁷C'est pour tous vos descendants une loi perpétuelle, en quelque lieu que vous demeuriez : vous ne mangerez ni graisse ni sang.

Le sacrifice pour le péché : a) du grand prêtre.

4 ¹Yahvé parla à Moïse et dit : ²Parle aux Israélites, dis-leur :

Si quelqu'un pèche par inadvertance contre l'un quelconque des commandements de Yahvé et commet une de ces actions défendues, ³si c'est le prêtre consacré par l'onction qui pèche et rend ainsi le peuple coupable, il offrira à Yahvé pour le péché qu'il a commis un taureau, pièce de gros bétail sans défaut, à titre de sacrifice pour le péché. ⁴Il amènera ce taureau devant Yahvé à l'entrée de la Tente du Rendez-vous, lui posera la main sur la tête et l'immolera devant Yahvé. ⁵Puis le prêtre consacré par l'onction prendra un peu du sang de ce taureau et le portera dans la Tente du Rendez-vous. ⁶Il trempera son doigt dans le sang et en fera sept aspersions devant le rideau du sanctuaire, devant Yahvé. ⁷Le prêtre déposera alors un peu de ce sang sur les cornes de l'autel des parfums qui fument devant Yahvé dans la Tente du Rendez-vous, et il versera tout le sang du taureau à la base de l'autel des holocaustes qui se trouve à l'entrée de la Tente du Rendez-vous.

⁸De toute la graisse de ce taureau offert en sacrifice pour le péché voici ce qu'il prélèvera : la graisse qui couvre les entrailles, toute la graisse qui est au-dessus des entrailles, ⁹les deux rognons, la graisse qui y adhère ainsi qu'aux lombes, la masse graisseuse qu'il détachera du foie et des rognons – ¹⁰tout comme la part prélevée sur le sacrifice de communion –, et le

prêtre fera fumer ces morceaux sur l'autel des holocaustes. ¹¹La peau du taureau et toute sa chair, sa tête, ses pattes, ses entrailles et sa fiente, ¹²le taureau tout entier, il le fera porter hors du camp, dans un lieu pur, lieu de rebut des cendres grasses. Il le brûlera sur un feu de bois ; c'est au lieu de rebut des cendres grasses que le taureau sera brûlé.

b) de l'assemblée d'Israël.

¹³Si c'est toute la communauté d'Israël qui a péché par inadvertance et commis l'une des choses défendues par les commandements de Yahvé sans que la communauté s'en soit aperçue, ¹⁴la communauté offrira en sacrifice pour le péché un taureau, pièce de gros bétail sans défaut, lorsque le péché dont elle est responsable sera reconnu. On l'amènera devant la Tente du Rendez-vous ; ¹⁵devant Yahvé les anciens de la communauté poseront leurs mains sur la tête de ce taureau, et devant Yahvé on l'immolera.

¹⁶Puis le prêtre consacré par l'onction portera dans la Tente du Rendez-vous un peu du sang de ce taureau. ¹⁷Il trempera son doigt dans le sang et fera sept aspersions devant le voile, devant Yahvé. ¹⁸Il déposera alors un peu de ce sang sur les cornes de l'autel qui se trouve devant Yahvé dans la Tente du Rendez-vous, puis versera tout le sang à la base de l'autel des holocaustes qui est à l'entrée de la Tente du Rendez-vous.

¹⁹Il prélèvera alors de l'animal toute la graisse et la fera fumer à l'autel. ²⁰Il traitera ce taureau comme il aurait traité le taureau du sacrifice pour le péché. Ainsi le traitera-t-on, et le prêtre ayant fait sur les membres de la communauté le rite d'expiation, il leur sera pardonné.

²¹Il fera porter le taureau hors du camp et il le brûlera comme il aurait brûlé le précédent taureau. C'est là le sacrifice pour le péché de la communauté.

c) d'un chef.

²²À supposer qu'un chef pèche et fasse par inadvertance quelqu'une des choses interdites par les commandements de Yahvé son Dieu et se rende ainsi coupable ²³(ou si on l'avertit du péché commis sur ce point), il apportera comme offrande un bouc, un mâle sans défaut. ²⁴Il posera la main sur la tête du bouc et l'immolera au lieu où l'on immole les holocaustes devant Yahvé. C'est un sacrifice pour le péché : ²⁵le prêtre prendra à son doigt un peu du sang de la victime et le déposera sur les cornes de l'autel des holocaustes. Puis il en versera le sang à la base de l'autel des holocaustes ²⁶et en fera fumer toute la graisse à l'autel, comme la graisse du sacrifice de communion. Le prêtre fera ainsi sur ce chef le rite d'expiation pour le délivrer de son péché, et il lui sera pardonné.

d) d'un homme du peuple.

²⁷Si c'est un homme du peuple du pays qui pèche par inadvertance et se rend coupable en faisant quelqu'une des choses interdites par les commandements de Yahvé ²⁸(ou si on l'avertit du péché commis), il amènera comme offrande pour le péché qu'il a commis une chèvre, une femelle sans défaut.

²⁹Il posera la main sur la tête de la victime et l'immolera au lieu où l'on immole les holocaustes. ³⁰Le prêtre prendra à son doigt un peu de son sang et le déposera sur les cornes de l'autel des holocaustes. Puis il versera tout le sang à la base de l'autel. ³¹Il détachera ensuite toute la graisse comme on détache la graisse d'un sacrifice de communion et le prêtre la fera fumer à l'autel en parfum d'apaisement pour Yahvé. Le prêtre fera ainsi sur cet homme le rite d'expiation, et il lui sera pardonné.

³²Si c'est un agneau qu'il veut amener comme offrande pour un tel sacrifice, c'est une femelle sans défaut qu'il amènera. ³³Il posera la main sur la tête de la victime et l'immolera en sacrifice pour le péché au lieu où l'on immole les holocaustes. ³⁴Le prêtre prendra à son doigt un peu du sang de ce sacrifice et le déposera sur les cornes de l'autel des holocaustes. Puis il en versera tout le sang à la base de l'autel. ³⁵Il en détachera toute la graisse comme on détache celle du mouton d'un sacrifice de communion, et le prêtre fera fumer ces morceaux à l'autel en plus des mets consumés pour Yahvé. Le prêtre fera ainsi sur l'homme le rite d'expiation pour le péché qu'il a commis, et il lui sera pardonné.

Quelques cas de sacrifices pour le péché.

5 ¹Si quelqu'un pèche en l'un de ces cas :

Après avoir entendu la formule d'adjuration il aurait dû porter témoignage, car il avait vu ou il savait, mais il n'a rien déclaré et porte le poids de sa faute ;

²ou bien quelqu'un touche à une chose impure, quelle qu'elle soit, cadavre de bête impure, d'animal domestique impur, de bestiole impure, et à son insu il devient impur et responsable ;

³ou bien il touche à une souillure humaine, quelle qu'elle soit, dont le contact rend impur ; il ne s'en aperçoit pas, puis, venant à l'apprendre, il en devient responsable ;

⁴ou bien un individu laisse échapper un serment défavorable ou favorable, en toute matière où un homme peut jurer inconsidérément ; il ne s'en aperçoit pas, puis, venant à l'apprendre, il en devient responsable ;

⁵s'il est responsable en l'un de ces cas, il aura à confesser le péché commis, ⁶il amènera à Yahvé à titre de sacrifice de réparation pour le péché commis une femelle de petit bétail (brebis ou chèvre) en sacrifice pour le péché ; et le prêtre fera sur lui le rite d'expiation qui le délivrera de son péché.

Le sacrifice pour le péché de l'homme du peuple (suite).

⁷S'il n'a pas les moyens de se procurer une tête de petit bétail, il amènera à Yahvé en sacrifice de réparation pour le péché qu'il a commis deux tourterelles ou deux pigeons, l'un en sacrifice pour le péché et l'autre en holocauste. ⁸Il les amènera au prêtre, qui offrira d'abord celui qui est destiné au sacrifice pour le péché. En pinçant le cou, le prêtre lui rompra la nuque sans détacher la tête. ⁹Avec le sang de la victime il aspergera la paroi de l'autel, puis le reste du sang sera exprimé à la base de l'autel. C'est un sacrifice pour le péché. ¹⁰Quant

à l'autre oiseau, il en fera un holocauste suivant la règle. Le prêtre fera ainsi sur l'homme le rite d'expiation pour le péché qu'il a commis, et il lui sera pardonné.

[11]S'il n'a pas les moyens de se procurer deux tourterelles ou deux pigeons, il amènera à titre d'offrande pour le péché commis un dixième de mesure de fleur de farine ; il n'y mettra pas d'huile et n'y déposera pas d'encens, car c'est un sacrifice pour le péché. [12]Il l'apportera au prêtre et celui-ci en prendra une pleine poignée en mémorial qu'il fera fumer à l'autel en plus des mets consumés pour Yahvé. C'est un sacrifice pour le péché. [13]Le prêtre fera ainsi sur l'homme le rite d'expiation pour le péché qu'il a commis en l'un de ces cas, et il sera pardonné. Le prêtre a dans ce cas les mêmes droits que pour l'oblation.

Le sacrifice de réparation.

[14]Yahvé parla à Moïse et dit : [15]Si quelqu'un commet une fraude et pèche par inadvertance en retranchant sur les droits sacrés de Yahvé, il amènera à Yahvé en sacrifice de réparation un bélier sans défaut de son troupeau, à estimer en sicles d'argent au taux du sicle du sanctuaire. [16]Il acquittera ce que son péché aura retranché au droit sacré, en en majorant la valeur d'un cinquième, et le remettra au prêtre. Celui-ci fera sur lui le rite d'expiation avec le bélier du sacrifice de réparation, et il lui sera pardonné.

[17]Si quelqu'un pèche et fait sans s'en apercevoir l'une des choses interdites par les commandements de Yahvé, il sera responsable et portera le poids de sa faute. [18]Il amènera au prêtre à titre de sacrifice de réparation un bélier sans défaut de son troupeau, sujet à estimation. Le prêtre fera sur lui le rite d'expiation pour l'inadvertance commise sans le savoir, et il lui sera pardonné. [19]C'est un sacrifice de réparation, cet homme était certainement responsable envers Yahvé.

[20]Yahvé parla à Moïse et dit : [21]Si quelqu'un pèche et commet une fraude envers Yahvé en trompant son compatriote au sujet d'un dépôt, d'une garde ou d'un retrait d'objet, ou s'il exploite un compatriote, [22]ou s'il trouve un objet perdu et le nie, ou s'il prête un faux serment à propos de n'importe quel péché que peut commettre un homme, [23]s'il pèche et devient ainsi responsable, il devra restituer ce qu'il a retiré ou exigé en trop : le dépôt qui lui fut confié, l'objet perdu qu'il a trouvé, [24]ou tout objet au sujet duquel il a prêté un faux serment. En le majorant d'un cinquième, il versera ce capital au détenteur de l'objet au jour où lui-même est devenu responsable. [25]Puis il amènera à Yahvé comme sacrifice de réparation un bélier sans défaut de son troupeau ; on l'estimera à la valeur versée au prêtre pour un sacrifice de réparation. [26]Celui-ci fera sur lui le rite d'expiation devant Yahvé, et il lui sera pardonné, quel que soit l'acte qui a entraîné sa culpabilité.

Le sacerdoce et les sacrifices.
A. L'holocauste.

6 [1]Yahvé parla à Moïse et dit : [2]Donne ces ordres à Aaron et à ses fils :

Voici le rituel de l'holocauste.

(C'est l'holocauste qui se trouve sur le brasier de l'autel toute la nuit jusqu'au matin et que le feu de l'autel consume.)

³Le prêtre revêtira sa tunique de lin et d'un caleçon de lin couvrira son corps. Puis il enlèvera la cendre grasse de l'holocauste consumé par le feu sur l'autel et la déposera à côté de l'autel. ⁴Il retirera alors ses vêtements ; il en revêtira d'autres et transportera cette cendre grasse en un lieu pur hors du camp.

⁵Le feu qui sur l'autel consume l'holocauste ne s'éteindra pas. Chaque matin le prêtre l'alimentera de bois. Il y disposera l'holocauste et y fera fumer les graisses des sacrifices de communion. ⁶Un feu perpétuel brûlera sur l'autel sans s'éteindre.

B. L'oblation.

⁷Voici le rituel de l'oblation :

Après que l'un des fils d'Aaron l'aura apportée devant l'autel en présence de Yahvé, ⁸après qu'il en aura prélevé une poignée de fleur de farine (avec l'huile et tout l'encens qu'on y a joint), après qu'il en aura fait fumer à l'autel le mémorial en parfum d'apaisement pour Yahvé, ⁹Aaron et ses fils mangeront le reste sous forme de pains sans levain. Ils le mangeront dans un lieu pur sur le parvis de la Tente du Rendez-vous. ¹⁰On ne cuira pas avec du levain la part de mes mets que je leur donne. C'est une part très sainte comme le sacrifice pour le péché et le sacrifice de réparation. ¹¹Tout mâle d'entre les fils d'Aaron pourra manger cette part des mets de Yahvé (c'est pour tous vos descendants une loi perpétuel-

le) et tout ce qui y touche se trouvera consacré.

¹²Yahvé parla à Moïse et lui dit : ¹³Voici l'offrande que feront à Yahvé Aaron et ses fils le jour de leur onction : un dixième de mesure de fleur de farine à titre d'oblation perpétuelle, moitié le matin et moitié le soir. ¹⁴Elle sera préparée sur la plaque, à l'huile, comme un mélange ; tu apporteras la pâte sous forme d'oblation en plusieurs morceaux que tu offriras en parfum d'apaisement pour Yahvé. ¹⁵Le prêtre qui parmi ses fils recevra l'onction fera de même. C'est une loi perpétuelle.

Pour Yahvé cette oblation passera tout entière en fumée. ¹⁶Toute oblation faite par un prêtre doit être un sacrifice total, on n'en mangera pas.

C. Le sacrifice pour le péché.

¹⁷Yahvé parla à Moïse et dit : ¹⁸Parle à Aaron et à ses fils, dis-leur :

Voici le rituel du sacrifice pour le péché.

La victime en sera immolée devant Yahvé, là où l'on immole l'holocauste. C'est une chose très sainte. ¹⁹Le prêtre qui aura offert ce sacrifice la mangera. Elle sera mangée dans un lieu sacré sur le parvis de la Tente du Rendez-vous. ²⁰Tout ce qui en touchera la chair se trouvera consacré et, si du sang gicle sur les vêtements, la tache sera nettoyée dans un lieu sacré. ²¹Le vase d'argile où la viande aura cuit sera brisé et, si elle a cuit dans un vase de bronze, il sera frotté et rincé à grande eau. ²²Tout mâle parmi les prêtres en pourra manger, c'est une chose très sainte ;

²³mais on ne mangera aucune des victimes offertes pour le péché, dont le sang aura été porté dans la Tente du Rendez-vous pour faire l'expiation dans le sanctuaire : elles seront livrées au feu.

D. Le sacrifice de réparation.

7 ¹Voici le rituel du sacrifice de réparation :

C'est une chose très sainte. ²On immolera la victime là où l'on immole les holocaustes et le prêtre en fera couler le sang sur le pourtour de l'autel. ³Puis il en offrira toute la graisse : la queue, la graisse qui couvre les entrailles, ⁴les deux rognons, la graisse qui y adhère ainsi qu'aux lombes, la masse graisseuse qu'il détachera du foie et des rognons. ⁵Le prêtre fera fumer ces morceaux à l'autel comme mets consumés pour Yahvé. C'est un sacrifice de réparation : ⁶tout mâle parmi les prêtres en pourra manger. On en mangera dans un lieu sacré, c'est une chose très sainte.

Droits des prêtres.

⁷Tel le sacrifice pour le péché, tel le sacrifice de réparation : il y a pour eux même rituel. Au prêtre reviendra l'offrande avec laquelle il a fait le rite d'expiation. ⁸La peau de la victime qu'un homme aura présentée à un prêtre pour être offerte en holocauste reviendra à ce prêtre. ⁹Toute oblation cuite au four, toute oblation préparée dans un moule ou sur la plaque reviendra au prêtre qui l'aura offerte. ¹⁰Toute oblation pétrie à l'huile ou sèche reviendra à tous les fils d'Aaron sans distinction.

E. Le sacrifice de communion : a) sacrifice avec louange.

¹¹Voici le rituel du sacrifice de communion qu'on offrira à Yahvé :

¹²Si on le joint à un sacrifice avec louange, on ajoutera à celui-ci une offrande de gâteaux sans levain pétris à l'huile, de galettes sans levain frottées d'huile et de fleur de farine en mélange sous forme de gâteaux pétris à l'huile. ¹³On ajoutera donc cette offrande aux gâteaux de pain fermenté et au sacrifice de communion avec louange. ¹⁴On présentera l'un des gâteaux de cette offrande à titre de prélèvement pour Yahvé ; il reviendra au prêtre qui aura fait couler le sang du sacrifice de communion. ¹⁵La chair de la victime sera mangée le jour même où sera faite l'offrande, sans en rien laisser jusqu'au lendemain matin.

b) sacrifices votifs ou volontaires.

¹⁶Si la victime est offerte à titre de sacrifice votif ou volontaire, elle sera mangée le jour où on l'offrira ainsi que le lendemain, ¹⁷mais on jettera au feu le troisième jour ce qui resterait de la chair de la victime.

Règles générales.

¹⁸S'il arrive qu'au troisième jour on mange de la chair offerte en sacrifice de communion, celui qui l'aura offerte ne sera pas agréé. Il ne lui en sera pas tenu compte, c'est de la viande avariée et la personne qui en mangera portera le poids de sa faute. ¹⁹La chair qui aura touché quoi

que ce soit d'impur ne pourra être mangée, on la jettera au feu.

Quiconque est pur pourra manger de la chair, [20]mais si quelqu'un se trouve en état d'impureté et mange de la chair d'un sacrifice de communion offert à Yahvé, celui-là sera retranché de sa race. [21]Si quelqu'un touche à une impureté quelconque, d'homme, d'animal ou d'une chose immonde quelle qu'elle soit, et mange ensuite la chair d'un sacrifice de communion offert à Yahvé, celui-là sera retranché de sa race.

[22]Yahvé parla à Moïse et dit : [23]Parle aux Israélites, dis-leur :

Vous ne mangerez pas de graisse de taureau, de mouton ou de chèvre. [24]La graisse d'une bête morte ou déchirée pourra servir à tout usage, mais vous n'en mangerez point. [25]Quiconque en effet mange la graisse d'un animal dont on offre un mets à Yahvé, celui-là sera retranché de sa race.

[26]Où que vous habitiez, vous ne mangerez pas de sang, qu'il s'agisse d'oiseau ou d'animal. [27]Quiconque mange du sang, quel qu'il soit, celui-là sera retranché de sa race.

Part des prêtres. Dt 18 3.

[28]Yahvé parla à Moïse et dit : [29]Parle aux Israélites, dis-leur :

Celui qui offrira un sacrifice de communion à Yahvé lui apportera pour offrande une part de son sacrifice. [30]Il apportera de ses propres mains le mets de Yahvé, c'est-à-dire la graisse qui adhère à la poitrine. Il l'apportera ainsi que la poitrine avec laquelle il doit faire le geste de présentation devant Yahvé. [31]Le prêtre fera fumer la graisse à l'autel et la poitrine reviendra à Aaron et à ses fils. [32]À titre de prélèvement sur vos sacrifices de communion, vous donnerez au prêtre la cuisse droite. [33]Cette cuisse droite sera la part de celui des fils d'Aaron qui aura offert le sang et la graisse du sacrifice de communion. [34]Je retiens en effet aux enfants d'Israël sur leurs sacrifices de communion la poitrine à offrir et la cuisse à prélever ; je les donne à Aaron le prêtre, et à ses fils : c'est une loi perpétuelle pour les Israélites.

Conclusion.

[35]Telle fut la part d'Aaron sur les mets consumés de Yahvé et celle de ses fils, le jour où il les présenta à Yahvé pour qu'ils soient ses prêtres. [36]C'est ce que Yahvé ordonne aux Israélites de leur donner le jour de leur onction : loi perpétuelle pour tous leurs descendants.

[37]Tel est le rituel concernant l'holocauste, l'oblation, le sacrifice pour le péché, les sacrifices de réparation, d'investiture et de communion. [38]C'est ce que Yahvé a ordonné à Moïse sur le mont Sinaï le jour où il ordonna aux Israélites de présenter leurs offrandes à Yahvé dans le désert du Sinaï.

2. *L'investiture des prêtres*

Rites de consécration. ‖ Ex 28 1–29
35 ; **39** 1-32 ; **40** 12-15.

8 ¹Yahvé parla à Moïse et dit :
²Prends Aaron, ses fils avec
lui, les vêtements, l'huile d'onction, le taureau du sacrifice pour
le péché, les deux béliers, la corbeille des azymes. ³Puis convoque toute la communauté à l'entrée de la Tente du Rendez-vous.

⁴Moïse suivit les ordres de Yahvé, la communauté se réunit à l'entrée de la Tente du Rendez-vous,
⁵et Moïse lui dit : « Voici ce que
Yahvé a ordonné de faire. »

⁶Il fit approcher Aaron et ses
fils et les lava dans l'eau.

⁷Il lui mit la tunique, lui passa
la ceinture, le revêtit du manteau
et plaça sur lui l'éphod. Puis il le
ceignit de l'écharpe de l'éphod et
la fixa sur lui. ⁸Il lui imposa le
pectoral, où il mit l'Urim et le
Tummim. ⁹Sur la tête il lui mit le
turban, et sur le devant du turban
la fleur d'or ; c'est le signe de
sainte consécration tel que Yahvé
le prescrivit à Moïse.

¹⁰Moïse prit alors l'huile d'onction, il oignit pour les consacrer
la Demeure et tout ce qui s'y trouvait. ¹¹Il fit sept aspersions sur
l'autel et oignit pour les consacrer
l'autel et ses accessoires, le bassin
et son socle. ¹²Il versa de l'huile
d'onction sur la tête d'Aaron, et
l'oignit pour le consacrer.

¹³Moïse fit alors approcher les
fils d'Aaron, qu'il revêtit de tuniques, auxquels il passa des ceintures et fixa des calottes, comme
Yahvé l'avait ordonné à Moïse.

¹⁴Puis il fit approcher le taureau
du sacrifice pour le péché. Aaron
et ses fils posèrent leur main sur
la tête de cette victime, ¹⁵et Moïse
l'immola. Il prit alors le sang,
avec son doigt il en déposa sur les
cornes du pourtour de l'autel pour
ôter le péché de celui-ci. Puis il
versa le sang à la base de l'autel,
qu'il consacra en faisant sur lui le
rite d'expiation. ¹⁶Il prit ensuite
toute la graisse qui enveloppe les
entrailles, la masse de graisse qui
part du foie, les deux rognons et
leur graisse, et il les fit fumer à
l'autel. ¹⁷Quant à la peau du taureau, sa chair et sa fiente, il les
brûla hors du camp comme Yahvé
l'avait ordonné à Moïse.

¹⁸Il fit alors approcher le bélier
de l'holocauste. Aaron et ses fils
posèrent leur main sur la tête de ce
bélier, ¹⁹et Moïse l'immola. Il en
fit couler le sang sur le pourtour de
l'autel. ²⁰Puis il dépeça le bélier en
quartiers et fit fumer la tête, les
quartiers et la graisse. ²¹Il lava dans
l'eau les entrailles et les pattes et
fit fumer à l'autel le bélier tout entier. C'était un holocauste en parfum d'apaisement, un mets consumé pour Yahvé, comme Yahvé
l'avait ordonné à Moïse.

²²Il fit alors approcher le second
bélier, bélier du sacrifice d'investiture. Aaron et ses fils posèrent
leur main sur la tête de ce bélier,
²³et Moïse l'immola. Il en prit du
sang qu'il déposa sur le lobe de
l'oreille droite d'Aaron, sur le pouce de sa main droite et sur le gros
orteil de son pied droit. ²⁴Puis il fit
approcher les fils d'Aaron et dépo-

sa de ce sang sur le lobe de leur oreille droite, sur le pouce de leur main droite et sur le gros orteil de leur pied droit. Moïse fit ensuite couler le sang sur le pourtour de l'autel ; ²⁵il prit aussi la graisse : la queue, toute la graisse qui adhère aux entrailles, la masse de graisse qui part du foie, les deux rognons et leur graisse, la cuisse droite. ²⁶De la corbeille des azymes placée devant Yahvé il prit un gâteau d'azyme, un gâteau de pain à l'huile, et une galette qu'il joignit aux graisses et à la cuisse droite. ²⁷Il mit le tout dans les mains d'Aaron et dans celles de ses fils et fit le geste de présentation devant Yahvé. ²⁸Moïse les reprit alors de leurs mains et les fit fumer à l'autel en plus de l'holocauste. C'était le sacrifice d'investiture en parfum d'apaisement, un mets consumé pour Yahvé. ²⁹Moïse prit aussi la poitrine et fit le geste de présentation devant Yahvé. Ce fut la part du bélier d'investiture qui revint à Moïse, comme Yahvé l'avait ordonné à Moïse.

³⁰Moïse prit ensuite de l'huile d'onction et du sang qui était sur l'autel ; il en aspergea Aaron et ses vêtements ainsi que ses fils et leurs vêtements. Il consacra par là Aaron et ses vêtements ainsi que ses fils et leurs vêtements.

³¹Moïse dit alors à Aaron et à ses fils : « Faites cuire la viande à l'entrée de la Tente du Rendez-vous ; vous la mangerez là, ainsi que le pain déposé dans la corbeille du sacrifice d'investiture, comme je l'ai ordonné en disant : "Aaron et ses fils le mangeront." ³²Ce qui reste de la viande et du pain, vous le brûlerez. ³³Sept jours du-

rant vous ne quitterez pas l'entrée de la Tente du Rendez-vous jusqu'à ce que s'achève le temps de votre investiture, car il faudra sept jours pour votre investiture. ³⁴Yahvé a commandé de procéder comme on a procédé aujourd'hui pour accomplir sur vous le rite d'expiation, ³⁵et, pendant sept jours, jour et nuit, vous demeurerez à l'entrée de la Tente du Rendez-vous en observant le rituel de Yahvé ; ainsi vous ne mourrez pas. C'est en effet l'ordre que j'ai reçu. » ³⁶Aaron et ses fils firent tout ce que Yahvé avait ordonné par l'intermédiaire de Moïse.

Entrée en fonction des prêtres.

9 ¹Au huitième jour Moïse convoqua Aaron, ses fils et les anciens d'Israël ; ²il dit à Aaron : « Prends un veau pour faire un sacrifice pour le péché et un bélier pour un holocauste, l'un et l'autre sans défaut, et amène-les devant Yahvé. » ³Tu diras ensuite aux enfants d'Israël : « Prenez un bouc pour offrir un sacrifice pour le péché, un veau et un agneau d'un an (tous deux sans défaut) pour un holocauste, ⁴un taureau et un bélier pour des sacrifices de communion à immoler devant Yahvé, enfin une oblation pétrie à l'huile. Aujourd'hui en effet Yahvé vous apparaîtra. »

⁵Ils amenèrent devant la Tente du Rendez-vous ce qu'avait commandé Moïse, puis toute la communauté s'approcha et se tint devant Yahvé. ⁶Moïse dit : « Voici ce que Yahvé vous a ordonné de faire pour que sa gloire vous apparaisse. » ⁷Moïse alors s'adressa à Aaron : « Approche-toi de l'au-

tel, offre ton sacrifice pour le péché et ton holocauste, et fais ainsi le rite d'expiation pour toi et pour ta maison. Présente alors l'offrande du peuple et fais pour lui le rite d'expiation comme l'a ordonné Yahvé. »

[8] Aaron s'approcha de l'autel, immola le veau du sacrifice pour son propre péché. [9] Puis les fils d'Aaron lui présentèrent le sang ; il y trempa le doigt et en déposa sur les cornes de l'autel, puis il versa le sang à la base de l'autel. [10] La graisse du sacrifice pour le péché, les rognons et la masse de graisse qui part du foie, il les fit fumer à l'autel comme Yahvé l'avait ordonné à Moïse ; [11] la chair et la peau, il les brûla hors du camp.

[12] Il immola ensuite l'holocauste, dont les fils d'Aaron lui remirent le sang ; il le fit couler sur le pourtour de l'autel. [13] Ils lui remirent aussi la victime dépecée en quartiers, ainsi que la tête, et il les fit fumer à l'autel. [14] Il lava entrailles et pattes et les fit fumer à l'autel en plus de l'holocauste.

[15] Il présenta alors l'offrande du peuple : il prit le bouc du sacrifice pour le péché du peuple, il l'immola et en fit un sacrifice pour le péché de la même manière que pour le premier. [16] Il fit alors approcher l'holocauste et procéda selon la règle. [17] Puis, ayant fait approcher l'oblation, il en prit une pleine poignée qu'il fit fumer à l'autel en plus de l'holocauste du matin.

[18] Enfin il immola le taureau et le bélier en sacrifice de communion pour le peuple. Les fils d'Aaron lui en remirent le sang et il le fit couler sur le pourtour de l'au-

tel. [19] Les graisses de ce taureau et de ce bélier, la queue, la graisse enveloppante, les rognons, la masse de graisse qui part du foie, [20] il les posa sur les poitrines et les fit fumer à l'autel. [21] Avec les poitrines et la cuisse droite Aaron fit le geste de présentation devant Yahvé, comme Yahvé l'avait ordonné à Moïse.

[22] Aaron éleva les mains vers le peuple et le bénit. Ayant ainsi accompli le sacrifice pour le péché, l'holocauste et le sacrifice de communion, il descendit ; [23] avec Moïse il entra dans la Tente du Rendez-vous. Puis ils en sortirent tous deux pour bénir le peuple. La gloire de Yahvé apparut à tout le peuple, [24] une flamme jaillit de devant Yahvé, qui dévora sur l'autel l'holocauste et les graisses. À cette vue le peuple entier poussa des cris de jubilation et tous tombèrent la face contre terre.

Réglementation complémentaire. A. Gravité des irrégularités. Nadab et Abihu. Nb 16 1–17 5. 2 R 1 10s.

10 [1] Les fils d'Aaron, Nadab et Abihu, prirent chacun leur encensoir. Ils y mirent du feu sur lequel ils posèrent de l'encens, et ils présentèrent devant Yahvé un feu irrégulier qu'il ne leur avait pas prescrit. [2] De devant Yahvé jaillit alors une flamme qui les dévora, et ils périrent en présence de Yahvé.

[3] Moïse dit alors à Aaron : « C'est là ce que Yahvé avait déclaré par ces mots :

En mes proches je montre ma sainteté,

et devant tout le peuple je montre ma gloire. » Aaron resta muet.

B. Enlèvement des corps.

⁴Moïse appela Mishaël et El-çaphân, fils d'Uzziel oncle d'Aaron, et leur dit : « Approchez et emportez vos frères loin du sanctuaire, hors du camp. » ⁵Ils s'approchèrent et les emportèrent dans leurs propres tuniques, hors du camp, comme Moïse l'avait dit.

C. Règles de deuil spéciales aux prêtres.

⁶Moïse dit à Aaron et à ses fils, Éléazar et Itamar : « Ne déliez point vos cheveux et ne déchirez point vos vêtements, vous ne mourrez pas. C'est contre la communauté tout entière qu'Il s'est irrité, c'est toute la maison d'Israël qui pleurera vos frères, ces victimes du feu de Yahvé. ⁷Ne quittez pas l'entrée de la Tente du Rendez-vous de peur que vous ne mouriez, vous avez eu en effet sur vous l'huile de l'onction de Yahvé. » Ils se conformèrent aux paroles de Moïse.

D. Interdiction de l'usage du vin.

⁸Yahvé parla à Aaron et dit : ⁹« Quand vous venez à la Tente du Rendez-vous, toi et tes fils avec toi, ne buvez ni vin ni autre boisson fermentée ; alors vous ne mourrez pas. C'est pour tous vos descendants une loi perpétuelle. ¹⁰Qu'il en soit de même quand vous séparez le sacré et le profane, l'impur et le pur, ¹¹et quand vous faites connaître aux Israélites n'importe lequel des décrets que Yahvé a édictés pour vous par l'intermédiaire de Moïse. »

E. La part des prêtres sur les offrandes.

¹²Moïse dit à Aaron et à ses fils survivants, Éléazar et Itamar : « Prenez l'oblation qui reste des mets de Yahvé. Mangez-en les azymes à côté de l'autel, car c'est chose très sainte. ¹³Puis mangez-la dans un lieu sacré : c'est la part prescrite pour toi et tes fils sur les mets de Yahvé ; ainsi en ai-je reçu l'ordre.

¹⁴« La poitrine de présentation et la cuisse de prélèvement, vous les mangerez dans un lieu pur, toi, tes fils et tes filles avec toi ; c'est la part prescrite, pour toi et tes fils, celle que l'on te donne sur les sacrifices de communion des Israélites. ¹⁵La cuisse de prélèvement et la poitrine de présentation qui accompagnent les graisses consumées te reviennent, à toi et à tes fils avec toi, après qu'on les aura offertes en geste de présentation devant Yahvé ; ceci en vertu d'une loi perpétuelle, comme Yahvé l'a ordonné. »

F. Règle spéciale concernant le sacrifice pour le péché.

¹⁶Moïse s'enquit alors du bouc offert en sacrifice pour le péché : voilà qu'on l'avait brûlé ! Il s'irrita contre Éléazar et Itamar, les fils survivants d'Aaron : ¹⁷« Pourquoi, dit-il, n'avez-vous pas mangé cette victime dans le lieu sacré ! Car c'est une chose très sainte qui vous a été donnée pour ôter la faute de la communauté en faisant sur elle le rite d'expiation devant Yahvé. ¹⁸Puisque le sang n'en a pas été porté à l'intérieur du sanctuaire, vous y deviez man-

ger la chair comme je l'avais ordonné. » [19]Aaron dit à Moïse : « Voici qu'ils ont offert aujourd'hui leur sacrifice pour le péché et leur holocauste devant Yahvé ! Qu'il se fût agi de moi, si j'avais mangé aujourd'hui de la victime pour le péché, cela eût-il paru bon à Yahvé ! » [20]Moïse entendit, et cela lui parut bon.

3. Règles relatives au pur et à l'impur

Animaux purs et impurs :
A. Animaux terrestres. 20 25-26.
|| Dt **14** 3-21. Gn **7** 2. ↗ Mt **15** 10-20p.
↗ Ac **10** 9-16 ; **11** 1-18.

11 [1]Yahvé parla à Moïse et à Aaron, et leur dit :
[2]Parlez aux Israélites, dites-leur :
Voici, entre tous les animaux terrestres, les bêtes que vous pourrez manger.
[3]Tout animal qui a le sabot fourchu, fendu en deux ongles, et qui rumine, vous pourrez le manger.
[4]Voici seulement, parmi ceux qui ruminent ou qui ont le sabot fourchu, les espèces que vous ne pourrez manger. Vous tiendrez pour impur le chameau parce que, bien que ruminant, il n'a pas le sabot fourchu ; [5]vous tiendrez pour impur le daman parce que, bien que ruminant, il n'a pas le sabot fourchu ; [6]vous tiendrez pour impur le lièvre parce que, bien que ruminant, il n'a pas le sabot fourchu ; [7]vous tiendrez pour impur le porc parce que tout en ayant le sabot fourchu, fendu en deux ongles, il ne rumine pas. [8]Vous ne mangerez pas de leur chair ni ne toucherez à leur cadavre, vous les tiendrez pour impurs.

B. Animaux aquatiques.

[9]Parmi tout ce qui vit dans l'eau, vous pourrez manger ceci.

Tout ce qui a nageoires et écailles et vit dans l'eau, mers ou fleuves, vous en pourrez manger. [10]Mais tout ce qui n'a point nageoires et écailles, dans les mers ou dans les fleuves, entre toutes les bestioles des eaux et tous les êtres vivants qui s'y trouvent, vous les tiendrez pour immondes. [11]Vous les tiendrez pour immondes, vous n'en mangerez point la chair et vous aurez en dégoût leurs cadavres. [12]Tout ce qui vit dans l'eau sans avoir nageoires et écailles, vous le tiendrez pour immonde.

C. Oiseaux.

[13]Voici, parmi les oiseaux, ceux que vous tiendrez pour immondes ; on n'en mangera pas, c'est chose immonde :
le vautour-griffon, le gypaète, l'orfraie, [14]le milan noir, les différentes espèces de milan rouge, [15]toutes les espèces de corbeau, [16]l'autruche, le chat-huant, la mouette et les différentes espèces d'épervier, [17]le hibou, le cormoran, la chouette, [18]l'ibis, le pélican, le vautour blanc, [19]la cigogne et les différentes espèces de héron, la huppe, la chauve-souris.

D. Bestioles ailées.

[20]Toutes les bestioles ailées qui marchent sur quatre pattes, vous

les tiendrez pour immondes. ²¹De toutes ces bestioles ailées qui marchent sur quatre pattes vous ne pourrez manger que celles-ci : celles qui ont des pattes au-dessus de leurs pieds, pour sauter sur le sol. ²²Voici celles dont vous pourrez manger : les différentes espèces de sauterelles migratrices, de sauterelles solham, de sauterelles hargol, de sauterelles hagab. ²³Mais toutes les bestioles ailées à quatre pattes, vous les tiendrez pour immondes.

Le contact des bêtes impures.

²⁴Vous contracterez d'elles une impureté : quiconque touchera leur cadavre sera impur jusqu'au soir.

²⁵Quiconque transportera leur cadavre devra nettoyer ses vêtements et sera impur jusqu'au soir. ²⁶Quant aux animaux qui ont un sabot, mais non fendu, et qui ne ruminent pas, vous les tiendrez pour impurs, quiconque les touchera sera impur. ²⁷Ceux des animaux à quatre pattes qui marchent sur la plante des pieds, vous les tiendrez pour impurs ; quiconque touchera leur cadavre sera impur jusqu'au soir, ²⁸et quiconque transportera leur cadavre devra nettoyer ses vêtements et sera impur jusqu'au soir. Vous les tiendrez pour impurs.

E. Bestioles vivant à terre.

²⁹Voici, parmi les bestioles qui rampent sur terre, celles que vous tiendrez pour impures : la taupe, le rat et les différentes espèces de lézards : ³⁰gecko, koah, letaah, caméléon et tinchamète.

Autres règles sur les contacts impurs.

³¹Parmi toutes les bestioles ce sont ces animaux que vous tiendrez pour impurs. Quiconque les touchera quand ils sont morts sera impur jusqu'au soir.

³²Tout objet sur lequel tombe l'un d'entre eux, une fois mort, en devient impur : tout ustensile de bois, vêtement, peau, sac, quelque ustensile que ce soit. On le passera dans l'eau et il restera impur jusqu'au soir ; puis il sera pur. ³³Tout vase d'argile dans lequel tombera l'un d'entre eux, vous le briserez ; son contenu en est impur. ³⁴Toute nourriture dont on mange sera impure, même humectée d'eau ; tout breuvage dont on boit sera impur, quel qu'en soit le récipient. ³⁵Tout ce sur quoi tombe l'un de leurs cadavres sera impur ; four et fourneau seront détruits car impurs ils sont et impurs ils seront pour vous ³⁶(toutefois sources, citernes, et étendues d'eau resteront pures) ; quiconque touche à l'un de leurs cadavres sera impur. ³⁷Si l'un de leurs cadavres tombe sur une semence quelconque, elle restera pure, ³⁸mais si la graine a été humectée d'eau et si un de leurs cadavres tombe dessus, vous la tiendrez pour impure.

³⁹Si vient à périr un des animaux qui vous servent de nourriture, celui qui en touchera le cadavre sera impur jusqu'au soir, ⁴⁰celui qui mangera de sa chair morte devra nettoyer ses vêtements et sera impur jusqu'au soir, celui qui transportera son cadavre devra nettoyer ses vêtements et sera impur jusqu'au soir.

Considérations doctrinales.

⁴¹Toute bestiole qui grouille sur terre est immonde, on n'en mangera pas. ⁴²Tout ce qui se traîne sur le ventre, tout ce qui marche sur quatre pattes ou plus, bref toutes les bestioles qui grouillent sur terre, vous n'en mangerez pas car elles sont immondes. ⁴³Ne vous rendez pas vous-mêmes immondes avec toutes ces bestioles grouillantes, ne vous contaminez pas avec elles et ne soyez pas contaminés par elles. ⁴⁴Car c'est moi, Yahvé, qui suis votre Dieu. Vous vous êtes sanctifiés et vous êtes devenus saints car je suis saint ; ne vous rendez donc pas impurs avec toutes ces bestioles qui rampent sur terre. ⁴⁵Oui, c'est moi Yahvé qui vous ai fait monter du pays d'Égypte pour être votre Dieu : vous serez donc saints parce que je suis saint.

Conclusion.

⁴⁶Telle est la loi concernant les animaux, les oiseaux, tout être vivant qui se meut dans l'eau et tout être qui rampe sur terre. ⁴⁷Elle a pour but de séparer le pur et l'impur, les bêtes que l'on peut manger et celles que l'on ne doit pas manger.

Purification de la femme accouchée.

12 ¹Yahvé parla à Moïse et dit : ²Parle aux Israélites, dis-leur :

Si une femme est enceinte et enfante un garçon, elle sera impure pendant sept jours comme au temps de la souillure de ses règles. ³Au huitième jour on circoncira le prépuce de l'enfant ⁴et pendant trente-trois jours encore elle restera à purifier son sang. Elle ne touchera à rien de consacré et n'ira pas au sanctuaire jusqu'à ce que soit achevé le temps de sa purification. ⁵Si elle enfante une fille, elle sera impure pendant deux semaines, comme pendant ses règles, et restera de plus soixante-six jours à purifier son sang.

⁶Quand sera achevée la période de sa purification, que ce soit pour un garçon ou pour une fille, elle apportera au prêtre, à l'entrée de la Tente du Rendez-vous, un agneau d'un an pour un holocauste et un pigeon ou une tourterelle en sacrifice pour le péché. ⁷Le prêtre l'offrira devant Yahvé, accomplira sur elle le rite d'expiation et elle sera purifiée de son flux de sang.

Telle est la loi concernant la femme qui enfante un garçon ou une fille. ⁸Si elle est incapable de trouver la somme nécessaire pour une tête de petit bétail, elle prendra deux tourterelles ou deux pigeons, l'un pour l'holocauste et l'autre en sacrifice pour le péché. Le prêtre fera sur elle le rite d'expiation et elle sera purifiée.

La lèpre humaine :
A. Tumeur, dartre et tache.
Dt 24 8-9. Nb 12 10-15.

13 ¹Yahvé parla à Moïse et à Aaron, et dit :

²S'il se forme sur la peau d'un homme une tumeur, une dartre ou une tache, un cas de lèpre de la peau est à prévoir. On le conduira à Aaron, le prêtre, ou à l'un des prêtres, ses fils. ³Le prêtre examinera le mal sur la peau. Si à l'endroit malade le poil a viré au blanc, si ce

mal fait un creux dans l'épiderme, c'est bien un cas de lèpre ; après observation le prêtre déclarera l'homme impur. [4]Mais si sur la peau il y a une tache blanche, sans dépression visible de la peau et sans blanchissement du poil, le prêtre séquestrera le malade pendant sept jours. [5]Il l'examinera le septième jour. S'il constate de ses propres yeux que le mal subsiste sans se développer sur la peau, il le séquestrera encore durant sept jours [6]et l'examinera à nouveau le septième jour. S'il constate que le mal est devenu mat et ne s'est pas développé sur la peau, le prêtre déclarera pur cet homme : il s'agit d'une dartre. Après avoir nettoyé ses vêtements il sera pur.

[7]Mais si la dartre s'est développée sur la peau après que le malade a été examiné par le prêtre et déclaré pur, il se présentera à lui de nouveau. [8]Après l'avoir examiné et après avoir constaté le développement de la dartre sur la peau, le prêtre le déclarera impur : il s'agit de lèpre.

B. Lèpre invétérée.

[9]Lorsque apparaîtra sur un homme un mal du genre lèpre, on le conduira au prêtre. [10]Le prêtre l'examinera, et s'il constate sur la peau une tumeur blanchâtre avec blanchissement du poil et production d'un ulcère, [11]c'est une lèpre invétérée sur la peau. Le prêtre le déclarera impur. Il ne le séquestrera pas, sans aucun doute il est impur.

[12]Mais si la lèpre prolifère sur la peau, si la maladie la recouvre tout entière et s'étend de la tête aux pieds, où que regarde le prêtre, [13]celui-ci examinera le mala-

de et, constatant que la lèpre recouvre tout son corps, il déclarera pur le malade. Puisque tout a viré au blanc, il est pur. [14]Toutefois, le jour où apparaîtra sur lui un ulcère, il sera impur. [15]Après examen de l'ulcère, le prêtre le déclarera impur : l'ulcère est chose impure, c'est de la lèpre. [16]Mais si l'ulcère redevient blanc, l'homme ira trouver le prêtre, [17]celui-ci l'examinera et, s'il constate que le mal a viré au blanc, il déclarera pur le malade : il est pur.

C. Ulcère.

[18]Lorsqu'il s'est produit sur la peau de quelqu'un un ulcère qui a guéri, [19]s'il se forme à la place de l'ulcère une tumeur blanchâtre ou une tache d'un blanc rougeâtre, cet homme se montrera au prêtre. [20]Celui-ci l'examinera ; s'il constate un affaissement visible de la peau et un blanchissement du poil, le prêtre le déclarera impur : c'est un cas de lèpre qui prolifère dans un ulcère. [21]Si, à l'examen, le prêtre ne constate ni poils blancs, ni affaissement de la peau, mais un ternissement du mal, il séquestrera sept jours le malade. [22]Il le déclarera impur si le mal s'est développé sur la peau c'est un cas de lèpre. [23]Mais si la tache est restée stationnaire sans s'étendre, c'est la cicatrice de l'ulcère : le prêtre déclarera cet homme pur.

D. Brûlure.

[24]Lorsqu'il s'est produit sur la peau de quelqu'un une brûlure, s'il se forme sur la brûlure un abcès, une tache blanc rougeâtre ou blanchâtre, [25]le prêtre l'examinera. S'il constate un blanchisse-

ment du poil ou un affaissement visible de la tache dans la peau, c'est la lèpre qui prolifère dans la brûlure. Le prêtre déclarera l'homme impur : c'est un cas de lèpre. ²⁶Si au contraire le prêtre, à l'examen, ne constate point de poils blancs dans la tache ni d'affaissement de la peau mais un ternissement de cette tache, le prêtre le séquestrera sept jours. ²⁷Il l'examinera le septième jour et, si le mal s'est étendu sur la peau, il le déclarera impur : c'est un cas de lèpre. ²⁸Si la tache est restée stationnaire sans s'étendre sur la peau, si elle s'est au contraire ternie, ce n'est qu'une tumeur due à la brûlure. Le prêtre déclarera l'homme pur, ce n'est que la cicatrice de la brûlure.

E. Affections du cuir chevelu.

²⁹Si un homme ou une femme porte une plaie à la tête ou au menton, ³⁰le prêtre examinera cette plaie et, s'il y constate une dépression visible de la peau avec poil jaunâtre et grêle, il déclarera le malade impur. C'est la teigne, c'est-à-dire la lèpre de la tête ou du menton. ³¹Si à l'examen de ce cas de teigne le prêtre constate qu'il n'y a point dépression visible de la peau ni poil jaunâtre, il séquestrera sept jours le teigneux. ³²Il examinera le mal le septième jour et, s'il constate que la teigne ne s'est pas développée, que le poil n'y est point jaunâtre, qu'il n'y a point de dépression visible de la peau, ³³le malade se rasera, en omettant toutefois la partie teigneuse, et le prêtre le séquestrera une seconde fois pendant sept jours. ³⁴Il examinera le mal le

septième jour, et, s'il constate qu'il ne s'est pas développé sur la peau, qu'il n'y a pas dépression visible de la peau, le prêtre déclarera pur ce malade. Après avoir nettoyé ses vêtements il sera pur. ³⁵Si toutefois après cette purification la teigne s'est développée sur la peau, ³⁶le prêtre l'examinera : s'il constate un développement de la teigne sur la peau, c'est que le malade est impur et l'on ne vérifiera pas si le poil est jaunâtre. ³⁷Tandis que si la teigne apparaît stationnaire et s'il y pousse du poil noir, c'est que le malade est guéri. Il est pur et le prêtre le déclarera pur.

F. Exanthème.

³⁸S'il se produit des taches sur la peau d'un homme ou d'une femme et si ces taches sont blanches, ³⁹le prêtre les examinera. S'il constate que ces taches sur la peau sont d'un blanc terne, il s'agit d'un exanthème qui a proliféré sur la peau : le malade est pur.

G. Calvities.

⁴⁰Si un homme perd les cheveux de son crâne, c'est la calvitie du crâne, il est pur. ⁴¹Si c'est sur le devant de la tête qu'il perd ses cheveux, c'est une calvitie du front, il est pur. ⁴²Mais s'il y a au crâne ou au front un mal blanc rougeâtre, c'est qu'une lèpre prolifère sur le crâne ou le front de cet homme. ⁴³Le prêtre l'examinera et, s'il constate au crâne ou au front une tumeur blanc rougeâtre, de même aspect que la lèpre de la peau, ⁴⁴c'est que l'homme est lépreux ; il est impur. Le prêtre

devra le déclarer impur, il est atteint de lèpre à la tête.

Statut du lépreux.

⁴⁵Le lépreux atteint de ce mal portera ses vêtements déchirés et ses cheveux dénoués ; il se couvrira la moustache et il criera : « Impur ! Impur ! » ⁴⁶Tant que durera son mal, il sera impur et, étant impur, il demeurera à part : sa demeure sera hors du camp.

La lèpre des vêtements.

⁴⁷Lorsqu'un vêtement est atteint de lèpre, que ce soit un vêtement de laine ou de lin, ⁴⁸un tissu ou une couverture en laine ou en lin, du cuir ou un travail quelconque en cuir, ⁴⁹si la tache de ce vêtement, de ce cuir, de ce tissu, de cette couverture ou de cet objet de cuir apparaît verdâtre ou rougeâtre c'est un cas de lèpre à montrer au prêtre. ⁵⁰Le prêtre examinera le mal et séquestrera l'objet pendant sept jours. ⁵¹S'il observe au septième jour que le mal s'est étendu sur ce vêtement, ce tissu, cette couverture, ce cuir ou cet objet fait en cuir, quel qu'il soit, c'est un cas de lèpre contagieuse : l'objet atteint est impur. ⁵²Il brûlera ce vêtement, ce tissu, cette couverture de laine ou de lin, cet objet de cuir quel qu'il soit, sur lequel s'est déclaré le mal, car c'est une lèpre contagieuse qui doit être consumée par le feu.

⁵³Mais si, à l'examen, le prêtre constate que le mal ne s'est pas étendu sur ce vêtement, ce tissu, cette couverture, ou sur cet objet de cuir quel qu'il soit, ⁵⁴il ordonnera de nettoyer l'objet attaqué et le séquestrera une seconde fois

pendant sept jours. ⁵⁵Après nettoiement il examinera le mal et, s'il constate qu'il n'a pas changé d'aspect, tout en ne s'étendant pas, l'objet est impur. Tu le consumeras par le feu : il y a corrosion à l'endroit et à l'envers.

⁵⁶Mais si, à l'examen, le prêtre constate qu'après nettoiement le mal a terni, il l'arrachera du vêtement, du cuir, du tissu ou de la couverture. ⁵⁷Toutefois, si le mal reparaît sur ce vêtement, ce tissu, cette couverture ou cet objet de cuir quel qu'il soit, c'est que le mal est actif et tu consumeras par le feu ce qui en est atteint. ⁵⁸Quant au vêtement, au tissu, à la couverture et à l'objet quelconque en cuir dont le mal aura disparu après nettoiement, il sera par après avoir été nettoyé une seconde fois.

⁵⁹Telle est la loi pour le cas de lèpre d'un vêtement en laine ou en lin, d'un tissu, d'une couverture ou d'un objet en cuir quel qu'il soit, lorsqu'il s'agit de les déclarer purs ou impurs.

Purification du lépreux.

14 ¹Yahvé parla à Moïse et dit : ²Voici la loi à appliquer au lépreux le jour de sa purification. On le conduira au prêtre, ³et le prêtre sortira du camp. S'il constate, après examen, que le lépreux est guéri de sa lèpre, ⁴il ordonnera de prendre pour l'homme à purifier deux oiseaux vivants et purs, du bois de cèdre, du rouge de cochenille et de l'hysope. ⁵Il ordonnera ensuite d'immoler un oiseau sur un pot d'argile au-dessus d'une eau vive. ⁶Quant à l'oiseau encore vivant, il le prendra ainsi que le bois de cèdre, le rouge de

cochenille, l'hysope, et il plonge- ra le tout (y compris l'oiseau vi- vant) dans le sang de l'oiseau im- molé au-dessus de l'eau courante. [7]Il fera alors sept aspersions sur l'homme à purifier de la lèpre et, l'ayant déclaré pur, il lâchera l'oi- seau vivant dans la campagne. [8]Celui qui se purifie nettoiera ses vêtements, il se rasera tous les poils, il se lavera à l'eau et sera pur. Après quoi il rentrera au camp, mais il restera sept jours hors de sa tente. [9]Le septième jour il se rasera tous les poils : che- veux, barbe, sourcils ; il devra se raser tous les poils. Après avoir nettoyé ses vêtements et s'être la- vé à l'eau, il sera pur.

[10]Le huitième jour il prendra deux agneaux sans défaut, une agnelle d'un an sans défaut, trois dixièmes de fleur de farine pétrie à l'huile, pour l'oblation, et une pinte d'huile. [11]Le prêtre qui ac- complit la purification placera l'homme à purifier, ainsi que ses offrandes, à l'entrée de la Tente du Rendez-vous, devant Yahvé. [12]Puis il prendra l'un des agneaux. Il l'offrira en sacrifice de réparation ainsi que la pinte d'huile. Il fera avec eux le geste de présen- tation devant Yahvé. [13]Il immole- ra l'agneau à l'endroit du lieu saint où l'on immole les victimes du sacrifice pour le péché et de l'holocauste. Cette victime de ré- paration reviendra au prêtre com- me un sacrifice pour le péché, c'est une chose très sainte. [14]Le prêtre prendra du sang de ce sa- crifice. Il le mettra sur le lobe de l'oreille droite de celui qui se pu- rifie, sur le pouce de sa main droi- te et sur le gros orteil de son pied

droit. [15]Il prendra ensuite la pinte d'huile et en versera un peu dans le creux de sa main gauche. [16]Il trempera un doigt de sa main droi- te dans l'huile qui est au creux de sa main gauche et de cette huile il fera avec son doigt sept asper- sions devant Yahvé. [17]Puis il met- tra un peu de l'huile qui lui reste dans le creux de la main sur le lobe de l'oreille droite de celui qui se purifie, sur le pouce de sa main droite et sur le gros orteil de son pied droit, en plus du sang du sa- crifice de réparation. [18]Le reste d'huile qu'il a dans le creux de la main, il le mettra sur la tête de celui qui se purifie. Il aura fait ainsi sur lui le rite d'expiation de- vant Yahvé.

[19]Le prêtre fera alors le sacrifi- ce pour le péché et accomplira sur celui qui se purifie le rite d'expia- tion de son impureté. Après quoi il immolera l'holocauste, [20]il fera monter à l'autel holocauste et oblation. Quand le prêtre aura ain- si accompli sur cet homme le rite d'expiation, il sera pur.

[21]S'il est pauvre et dépourvu des ressources suffisantes, il pren- dra un seul agneau, celui du sacri- fice de réparation, et on l'offrira selon le geste de présentation pour accomplir sur cet homme le rite d'expiation. Il ne prendra aussi qu'un dixième de fleur de farine pétrie à l'huile, pour l'oblation, et la pinte d'huile, [22]enfin deux tour- terelles ou deux pigeons – s'il est en mesure de se les procurer – dont l'un sera destiné au sacrifice pour le péché et l'autre à l'holocauste. [23]C'est le huitième jour qu'en vue de sa purification il les apportera au prêtre, à l'entrée de la Tente du

Rendez-vous, devant Yahvé. ²⁴Le prêtre prendra l'agneau du sacrifice de réparation et la pinte d'huile. Il les offrira en geste de présentation devant Yahvé. ²⁵Puis, ayant immolé cet agneau du sacrifice de réparation, il en prendra du sang et le mettra sur le lobe de l'oreille droite de celui qui se purifie, sur le pouce de sa main droite et sur le gros orteil de son pied droit. ²⁶Il versera de l'huile dans le creux de sa main gauche ²⁷et, de cette huile qui est dans le creux de sa main gauche, il fera avec son doigt sept aspersions devant Yahvé. ²⁸Il en mettra sur le lobe de l'oreille droite de celui qui se purifie, sur le pouce de sa main droite, sur le gros orteil de son pied droit, à l'endroit où a été posé le sang du sacrifice de réparation. ²⁹Ce qui lui reste d'huile dans le creux de la main, il le mettra sur la tête de celui qui se purifie en faisant sur lui le rite d'expiation devant Yahvé. ³⁰De l'une des deux tourterelles ou de l'un des deux pigeons – de ce qu'il est en mesure de se procurer – il fera ³¹un sacrifice pour le péché et, de l'autre, un holocauste accompagné d'oblation – avec ce qu'il aura été en mesure de se procurer. Le prêtre aura fait ainsi le rite d'expiation devant Yahvé sur celui qui se purifie.

³²Telle est la loi concernant celui qui est atteint de lèpre sans être à même de pourvoir à sa purification.

La lèpre des maisons.

³³Yahvé parla à Moïse et à Aaron et dit :

³⁴Lorsque vous serez arrivés au pays de Canaan que je vous don-

ne pour domaine, si je frappe de la lèpre une maison du pays que vous posséderez, ³⁵son propriétaire viendra avertir le prêtre et dira : « J'ai vu comme de la lèpre dans la maison. » ³⁶Le prêtre ordonnera de vider la maison avant qu'il ne vienne examiner le mal ; ainsi rien ne deviendra impur de ce qui s'y trouve. Après quoi le prêtre viendra observer la maison, ³⁷et si, après examen, il constate sur les murs de la maison des cavités verdâtres ou rougeâtres qui font creux dans le mur, ³⁸le prêtre sortira de la maison, à la porte, et il la fera fermer sept jours. ³⁹Il reviendra le septième jour et si, après examen, il constate que le mal s'est développé sur les murs de la maison, ⁴⁰il ordonnera que l'on retire les pierres attaquées par le mal et qu'on les jette hors de la ville en un lieu impur. ⁴¹Puis il fera gratter toutes les parois intérieures de la maison et l'on répandra le crépi ainsi détaché dans un lieu impur à l'extérieur de la ville. ⁴²On prendra d'autres pierres pour remplacer les premières et un autre enduit pour recrépir la maison.

⁴³Si le mal prolifère à nouveau après l'enlèvement des pierres, le décapage et le crépissage de la maison, ⁴⁴le prêtre viendra l'examiner ; s'il constate que le mal s'est développé, c'est une lèpre contagieuse dans la maison ; celle-ci est impure. ⁴⁵On la démolira, on portera dans un lieu impur, hors de la ville, ses pierres, ses charpentes et tout son crépi.

⁴⁶Quiconque entrera dans la maison, pendant tout le temps qu'on la tient fermée, sera impur

jusqu'au soir. ⁴⁷Quiconque y couchera devra nettoyer ses vêtements. Quiconque y mangera devra nettoyer ses vêtements. ⁴⁸Mais si le prêtre, lorsqu'il vient examiner le mal, constate qu'il ne s'est pas développé dans la maison après le crépissage, il déclarera pure la maison, car le mal est guéri.

⁴⁹En vue d'un sacrifice pour le péché de la maison, il prendra deux oiseaux, du bois de cèdre, du rouge de cochenille et de l'hysope. ⁵⁰Il immolera un des oiseaux sur un pot d'argile au-dessus d'une eau courante. ⁵¹Puis il prendra le bois de cèdre, l'hysope, le rouge de cochenille et l'oiseau encore vivant, pour les plonger dans le sang de l'oiseau immolé et dans l'eau courante. Il fera sept aspersions sur la maison ⁵²et, après avoir fait le sacrifice pour le péché de la maison par le sang de l'oiseau, l'eau courante, l'oiseau vivant, le bois de cèdre, l'hysope et le rouge de cochenille, ⁵³il lâchera l'oiseau vivant hors de la ville, dans la campagne. Le rite d'expiation ainsi fait sur la maison, elle sera pure.

⁵⁴Telle est la loi concernant tous cas de lèpre et de teigne, ⁵⁵la lèpre des vêtements et des maisons, ⁵⁶les tumeurs, dartres et taches. ⁵⁷Elle fixe les temps d'impureté et de pureté.

Telle est la loi sur la lèpre.

Les impuretés sexuelles :
A. de l'homme.

15 ¹Yahvé parla à Moïse et à Aaron, et dit :

²Parlez aux Israélites, vous leur direz :

Lorsqu'un homme a un écoulement sortant de son corps, cet écoulement est impur. ³Voici en quoi consistera son impureté tant qu'il a cet écoulement :

Que sa chair laisse échapper l'écoulement ou qu'elle le retienne, il est impur.

⁴Tout lit où couchera cet homme sera impur et tout meuble où il s'assiéra sera impur.

⁵Celui qui touchera son lit devra nettoyer ses vêtements, se laver à l'eau, et il sera impur jusqu'au soir.

⁶Celui qui s'assiéra sur un meuble où cet homme se sera assis devra nettoyer ses vêtements, se laver à l'eau, et il sera impur jusqu'au soir.

⁷Celui qui touchera le corps de cet homme devra nettoyer ses vêtements, se laver à l'eau, et il sera impur jusqu'au soir.

⁸Si cet homme crache sur une personne pure, celle-ci devra nettoyer ses vêtements, se laver à l'eau, et elle sera impure jusqu'au soir.

⁹Tout siège sur lequel aura voyagé cet homme sera impur.

¹⁰Tous ceux qui toucheront à un objet quelconque qui se sera trouvé sous lui seront impurs jusqu'au soir.

Celui qui transportera un tel objet devra nettoyer ses vêtements, se laver à l'eau, et il sera impur jusqu'au soir.

¹¹Tous ceux que touchera cet homme sans s'être rincé les mains devront nettoyer leurs vêtements, se laver à l'eau, et ils seront impurs jusqu'au soir.

¹²Le vase d'argile que touchera cet homme sera brisé et tout ustensile en bois devra être rincé.

¹³Quand cet homme sera guéri, il comptera sept jours pour sa purification. Il devra nettoyer ses vêtements, laver son corps à l'eau courante, et il sera pur. ¹⁴Le huitième jour il prendra deux tourterelles ou deux pigeons et viendra devant Yahvé à l'entrée de la Tente du Rendez-vous pour les remettre au prêtre. ¹⁵De l'un celui-ci fera un sacrifice pour le péché et de l'autre un holocauste. Le prêtre fera ainsi sur lui devant Yahvé le rite d'expiation de son écoulement.

¹⁶Lorsqu'un homme aura un épanchement séminal, il devra se laver à l'eau tout le corps et il sera impur jusqu'au soir. ¹⁷Tout vêtement et tout cuir qu'aura atteint l'épanchement séminal devra être nettoyé à l'eau et sera impur jusqu'au soir.

¹⁸Quand une femme aura couché maritalement avec un homme, ils devront tous deux se laver à l'eau, et ils seront impurs jusqu'au soir.

B. de la femme.

¹⁹Lorsqu'une femme a un écoulement de sang et que du sang s'écoule de son corps, elle restera pendant sept jours dans la souillure de ses règles.

Qui la touchera sera impur jusqu'au soir.

²⁰Toute couche sur laquelle elle s'étendra ainsi souillée sera impure ; tout meuble sur lequel elle s'assiéra sera impur.

²¹Quiconque touchera son lit devra nettoyer ses vêtements, se laver à l'eau, et il sera impur jusqu'au soir.

²²Quiconque touchera un meuble, quel qu'il soit, où elle se sera assise, devra nettoyer ses vêtements, se laver à l'eau, et il sera impur jusqu'au soir.

²³Si quelque objet se trouve sur le lit ou sur le meuble sur lequel elle s'est assise, celui qui le touchera sera impur jusqu'au soir.

²⁴Si un homme couche avec elle, la souillure de ses règles l'atteindra. Il sera impur pendant sept jours. Tout lit sur lequel il couchera sera impur.

²⁵Lorsqu'une femme aura un écoulement de sang de plusieurs jours hors du temps de ses règles ou si ses règles se prolongent, elle sera pendant toute la durée de cet écoulement dans le même état d'impureté que pendant le temps de ses règles. ²⁶Il en sera de tout lit sur lequel elle couchera pendant toute la durée de son écoulement comme du lit où elle couche lors de ses règles. Tout meuble sur lequel elle s'assiéra sera impur comme lors de ses règles. ²⁷Quiconque les touchera sera impur, devra nettoyer ses vêtements, se laver à l'eau, et il sera impur jusqu'au soir.

²⁸Lorsqu'elle sera guérie de son écoulement, elle comptera sept jours puis elle sera pure. ²⁹Le huitième jour elle prendra deux tourterelles ou deux pigeons qu'elle apportera au prêtre à l'entrée de la Tente du Rendez-vous. ³⁰De l'un le prêtre fera un sacrifice pour le péché et de l'autre un holocauste. Le prêtre fera ainsi sur elle, devant Yahvé, le rite d'expiation de son écoulement qui la rendait impure.

Conclusion.

³¹Vous avertirez les Israélites de leurs impuretés, afin qu'à cau-

se d'elles ils ne meurent pas en souillant ma Demeure qui se trouve au milieu d'eux.

³²Telle est la loi concernant l'homme qui a un écoulement, celui que rend impur un épanchement séminal, ³³la femme lors de la souillure de ses règles, l'homme ou la femme qui a un écoulement, l'homme qui couche avec une femme impure.

Le grand jour des Expiations. 23

26-32. Nb 29 7-11. ↗ He 9 6-14.

16 ¹Yahvé parla à Moïse après la mort des deux fils d'Aaron qui périrent en se présentant devant Yahvé. ²Yahvé dit à Moïse :

Parle à Aaron ton frère : qu'il n'entre pas à n'importe quel moment dans le sanctuaire derrière le rideau, en face du propitiatoire qui se trouve sur l'arche. Il pourrait mourir, car j'apparais au-dessus du propitiatoire dans une nuée. ³Voici comment il pénétrera dans le sanctuaire : avec un taureau destiné à un sacrifice pour le péché et un bélier pour un holocauste. ⁴Il revêtira une tunique de lin consacrée, il portera à même le corps un caleçon de lin, il se ceindra d'une ceinture de lin, il s'enroulera sur la tête un turban de lin. Ce sont des vêtements sacrés qu'il revêtira après s'être lavé à l'eau.

⁵Il recevra de la communauté des enfants d'Israël deux boucs destinés à un sacrifice pour le péché et un bélier pour un holocauste. ⁶Après avoir offert le taureau du sacrifice pour son propre péché et fait le rite d'expiation pour lui et pour sa maison, ⁷Aaron prendra ces deux boucs et les placera devant Yahvé à l'entrée de la Tente du Rendez-vous. ⁸Il tirera les sorts pour les deux boucs, attribuant un sort à Yahvé et l'autre à Azazel. ⁹Aaron offrira le bouc sur lequel est tombé le sort « À Yahvé » et en fera un sacrifice pour le péché. ¹⁰Quant au bouc sur lequel est tombé le sort « À Azazel », on le placera vivant devant Yahvé pour faire sur lui le rite d'expiation, pour l'envoyer à Azazel dans le désert.

¹¹Aaron offrira le taureau du sacrifice pour son propre péché, puis il fera le rite d'expiation pour lui et pour sa maison et immolera ce taureau. ¹²Il remplira alors un encensoir avec des charbons ardents pris sur l'autel, de devant Yahvé, et il prendra deux pleines poignées d'encens fin aromatique. Il portera le tout derrière le rideau, ¹³et déposera l'encens sur le feu devant Yahvé ; il recouvrira d'un nuage d'encens le propitiatoire qui est sur le Témoignage, et ne mourra pas. ¹⁴Puis il prendra du sang du taureau et en aspergera avec le doigt le côté oriental du propitiatoire ; devant le propitiatoire il fera de ce sang sept aspersions avec le doigt.

¹⁵Il immolera alors le bouc destiné au sacrifice pour le péché du peuple et il en portera le sang derrière le rideau. Il procédera avec ce sang comme avec celui du taureau, en faisant des aspersions sur le propitiatoire et devant celui-ci. ¹⁶Il fera ainsi le rite d'expiation sur le sanctuaire pour les impuretés des Israélites, pour leurs transgressions et pour tous leurs péchés.

Ainsi procédera-t-il pour la Tente du Rendez-vous qui demeure avec eux au milieu de leurs impuretés. ¹⁷Que personne ne se trouve dans la Tente du Rendez-vous depuis l'instant où il entrera pour faire l'expiation dans le sanctuaire jusqu'à ce qu'il en sorte !

Quand il aura fait l'expiation pour lui, pour sa maison et pour toute la communauté d'Israël, ¹⁸il sortira, ira à l'autel qui est devant Yahvé et fera sur l'autel le rite d'expiation. Il prendra du sang du taureau et du sang du bouc et il en mettra sur les cornes au pourtour de l'autel. ¹⁹De ce sang il fera sept aspersions sur l'autel avec son doigt. Ainsi le purifiera-t-il et le séparera-t-il des impuretés des enfants d'Israël.

²⁰Une fois achevée l'expiation du sanctuaire, de la Tente du Rendez-vous et de l'autel, il fera approcher le bouc encore vivant. ²¹Aaron lui posera les deux mains sur la tête et confessera à sa charge toutes les fautes des Israélites, toutes leurs transgressions et tous leurs péchés. Après en avoir ainsi chargé la tête du bouc, il l'enverra au désert sous la conduite d'un homme qui se tiendra prêt, ²²et le bouc emportera sur lui toutes leurs fautes en un lieu aride.

Quand il aura envoyé le bouc au désert, ²³Aaron rentrera dans la Tente du Rendez-vous, retirera les vêtements de lin qu'il avait mis pour entrer au sanctuaire. Il les déposera là, ²⁴et se lavera le corps avec de l'eau dans un lieu consacré. Puis il reprendra ses vêtements et sortira pour offrir son holocauste et celui du peuple. Il fera le rite d'expiation pour lui et pour le peuple ; ²⁵la graisse du sacrifice pour le péché, il la fera fumer à l'autel.

²⁶Celui qui aura conduit le bouc à Azazel devra nettoyer ses vêtements et se laver le corps avec de l'eau, après quoi il pourra rentrer au camp. ²⁷Quant au taureau et au bouc offerts en sacrifice pour le péché et dont le sang a été porté dans le sanctuaire pour faire le rite d'expiation, on les emportera hors du camp et l'on brûlera dans un feu leur peau, leur chair et leur fiente. ²⁸Celui qui les aura brûlés devra nettoyer ses vêtements, se laver le corps avec de l'eau, après quoi il pourra rentrer au camp.

²⁹Cela sera pour vous une loi perpétuelle.

Au septième mois, le dixième jour du mois, vous jeûnerez, et ne ferez aucun travail, pas plus le citoyen que l'étranger qui réside parmi vous. ³⁰C'est en effet en ce jour que l'on fera sur vous le rite d'expiation pour vous purifier. Vous serez purs devant Yahvé de tous vos péchés. ³¹Ce sera pour vous un repos sabbatique et vous jeûnerez. C'est une loi perpétuelle.

³²Le prêtre qui aura reçu l'onction et l'investiture pour officier à la place de son père fera le rite d'expiation. Il revêtira les vêtements de lin, vêtements sacrés ; ³³il fera l'expiation du sanctuaire consacré, de la Tente du Rendez-vous et de l'autel. Il fera ensuite le rite d'expiation sur les prêtres et sur tout le peuple de la communauté. ³⁴Cela sera pour vous une loi perpétuelle ; une fois par an se fera sur les enfants d'Israël le rite d'expiation pour tous leurs péchés.

Et l'on fit comme Yahvé l'avait ordonné à Moïse.

4. *Loi de sainteté*

Immolations et sacrifices. Ex 20 24. Dt **12** 4-28.

17 [1]Yahvé parla à Moïse et dit : [2]Parle à Aaron, à ses fils et à tous les Israélites. Tu leur diras :
Voici l'ordre qu'a donné Yahvé :

[3]Tout homme de la maison d'Israël qui, dans le camp ou hors du camp, immolera taureau, agneau ou chèvre, [4]sans l'amener à l'entrée de la Tente du Rendez-vous pour en faire offrande à Yahvé devant sa demeure, cet homme répondra du sang répandu, il sera retranché du milieu de son peuple. [5]Ainsi les Israélites apporteront au prêtre pour Yahvé, à l'entrée de la Tente du Rendez-vous, les sacrifices qu'ils voudraient faire dans la campagne, et ils en feront pour Yahvé des sacrifices de communion. [6]Le prêtre versera le sang sur l'autel de Yahvé qui se trouve à l'entrée de la Tente du Rendez-vous et il fera fumer la graisse en parfum d'apaisement pour Yahvé. [7]Ils n'offriront plus leurs sacrifices à ces satyres à la suite desquels ils se prostituaient. C'est une loi perpétuelle que celle-ci, pour eux et leurs descendants.

[8]Tu leur diras encore : Tout homme de la maison d'Israël ou tout étranger résidant parmi vous qui offre un holocauste ou un sacrifice [9]sans l'apporter à l'entrée de la Tente du Rendez-vous pour l'offrir à Yahvé, cet homme sera retranché de sa race. [10]Tout homme de la maison d'Israël ou tout étranger résidant parmi vous qui mangera du sang, n'importe quel sang, je me tournerai contre celui-là qui aura mangé ce sang, et je le retrancherai du milieu de son peuple. [11]Oui, la vie de la chair est dans le sang. Ce sang, je vous l'ai donné, moi, pour faire sur l'autel le rite d'expiation pour vos vies ; car c'est le sang qui expie pour une vie. [12]Voilà pourquoi j'ai dit aux enfants d'Israël : « Nul d'entre vous ne mangera de sang et l'étranger qui réside parmi vous ne mangera pas de sang. »

[13]Quiconque, enfant d'Israël ou étranger résidant parmi vous, prendra à la chasse un gibier, bête ou oiseau qu'il est permis de manger, en devra répandre le sang et le recouvrir de terre. [14]Car la vie de toute chair, c'est son sang, et j'ai dit aux Israélites : « Vous ne mangerez du sang d'aucune chair car la vie de toute chair, c'est son sang, et quiconque en mangera sera supprimé. »

[15]Quiconque, citoyen ou étranger, mangera une bête morte ou déchirée, devra nettoyer ses vêtements et se laver avec de l'eau ; il sera impur jusqu'au soir, puis il sera pur. [16]Mais s'il ne les nettoie pas et ne se lave pas le corps, il portera le poids de sa faute.

Interdictions sexuelles. 20 8-21.

18 [1]Yahvé parla à Moïse et dit : [2]Parle aux Israélites ; tu leur diras :
Je suis Yahvé votre Dieu. [3]Vous n'agirez point comme on fait au pays d'Égypte où vous avez habité ; vous n'agirez point comme on

fait au pays de Canaan où moi je vous mène. Vous ne suivrez point leurs lois, ⁴ce sont mes coutumes que vous appliquerez et mes lois que vous garderez, c'est d'après elles que vous vous conduirez.

Je suis Yahvé votre Dieu. ⁵Vous garderez mes lois et mes coutumes : qui les accomplira y trouvera la vie.

Je suis Yahvé.

⁶Aucun de vous ne s'approchera de sa proche parente pour en découvrir la nudité. Je suis Yahvé.

⁷Tu ne découvriras pas la nudité de ton père ni la nudité de ta mère. C'est ta mère, tu ne découvriras pas sa nudité.

⁸Tu ne découvriras pas la nudité de la femme de ton père, c'est la nudité même de ton père.

⁹Tu ne découvriras pas la nudité de ta sœur, qu'elle soit fille de ton père ou fille de ta mère. Qu'elle soit née à la maison, qu'elle soit née au-dehors, tu n'en découvriras pas la nudité.

¹⁰Tu ne découvriras pas la nudité de la fille de ton fils ; ni celle de la fille de ta fille. Car leur nudité, c'est ta propre nudité.

¹¹Tu ne découvriras pas la nudité de la fille de la femme de ton père, née de ton père. C'est ta sœur, tu ne dois pas en découvrir la nudité.

¹²Tu ne découvriras pas la nudité de la sœur de ton père, car c'est la chair de ton père.

¹³Tu ne découvriras pas la nudité de la sœur de ta mère, car c'est la chair même de ta mère.

¹⁴Tu ne découvriras pas la nudité du frère de ton père ; tu ne t'approcheras donc pas de son épouse, car c'est la femme de ton oncle.

¹⁵Tu ne découvriras pas la nudité de ta belle-fille. C'est la femme de ton fils, tu n'en découvriras pas la nudité.

¹⁶Tu ne découvriras pas la nudité de la femme de ton frère, car c'est la nudité même de ton frère.

¹⁷Tu ne découvriras pas la nudité d'une femme et celle de sa fille ; tu ne prendras pas la fille de son fils ni la fille de sa fille pour en découvrir la nudité. Elles sont ta propre chair, ce serait un inceste.

¹⁸Tu ne prendras pas pour ton harem une femme en même temps que sa sœur en découvrant la nudité de celle-ci du vivant de sa sœur.

¹⁹Tu ne t'approcheras pas, pour découvrir sa nudité, d'une femme souillée par ses règles.

²⁰À la femme de ton compatriote tu ne donneras pas ton lit conjugal, tu en deviendrais impur.

²¹Tu ne livreras pas de tes enfants à faire passer à Molek, et tu ne profaneras pas ainsi le nom de ton Dieu. Je suis Yahvé.

²²Tu ne coucheras pas avec un homme comme on couche avec une femme. C'est une abomination.

²³Tu ne donneras ta couche à aucune bête ; tu en deviendrais impur. Une femme ne s'offrira pas à un animal pour s'accoupler à lui. Ce serait une souillure.

²⁴Ne vous rendez impurs par aucune de ces pratiques : c'est par elles que se sont rendues impures les nations que je chasse devant vous. ²⁵Le pays est devenu impur, j'ai sanctionné sa faute et le pays a dû vomir ses habitants. ²⁶Mais vous,

vous garderez mes lois et mes coutumes, vous ne commetterez aucune de ces abominations, pas plus le citoyen que l'étranger qui réside parmi vous. ²⁷Car toutes ces abominations-là, les hommes qui ont habité ce pays avant vous les ont commises et le pays en a été rendu impur. ²⁸Si vous le rendez impur, ne vous vomira-t-il pas comme il a vomi la nation qui vous a précédés ? ²⁹Oui, quiconque commet l'une de ces abominations, quelle qu'elle soit, tous les êtres qui les commettent, ceux-là seront retranchés de leur peuple. ³⁰Gardez mes observances sans mettre en pratique ces lois abominables que l'on appliquait avant vous ; ainsi ne vous rendront-elles pas impurs. Je suis Yahvé, votre Dieu.

**Prescriptions
morales et cultuelles.**

19 ¹Yahvé parla à Moïse et dit : ²Parle à toute la communauté des Israélites. Tu leur diras :

Soyez saints, car moi, Yahvé votre Dieu, je suis saint.

³Chacun de vous craindra sa mère et son père. Et vous garderez mes sabbats. Je suis Yahvé votre Dieu.

⁴Ne vous tournez pas vers les idoles et ne vous faites pas fondre des dieux de métal. Je suis Yahvé votre Dieu.

⁵Si vous faites pour Yahvé un sacrifice de communion, offrez-le de manière à être agréés. ⁶On en mangera le jour du sacrifice ou le lendemain ; ce qui en restera le surlendemain sera brûlé au feu. ⁷Si on en mangeait le surlendemain, ce serait un mets avarié qui ne serait point agréé. ⁸Celui qui en mangera portera le poids de sa faute, car il aura profané la sainteté de Yahvé : cet être sera retranché des siens.

⁹Lorsque vous récolterez la moisson de votre pays, vous ne moissonnerez pas jusqu'à l'extrême bout du champ. Tu ne glaneras pas ta moisson, ¹⁰tu ne grappilleras pas ta vigne et tu ne ramasseras pas les fruits tombés dans ton verger. Tu les abandonneras au pauvre et à l'étranger. Je suis Yahvé votre Dieu.

¹¹Nul d'entre vous ne commettra vol, dissimulation ou fraude envers son compatriote. ¹²Vous ne commettrez point de fraude en jurant par mon nom ; tu profanerais le nom de ton Dieu. Je suis Yahvé. ¹³Tu n'exploiteras pas ton prochain et ne le spolieras pas : le salaire de l'ouvrier ne demeurera pas avec toi jusqu'au lendemain matin. ¹⁴Tu ne maudiras pas un muet et tu ne mettras pas d'obstacle devant un aveugle, mais tu craindras ton Dieu. Je suis Yahvé.

¹⁵Vous ne commettrez point d'injustice en jugeant. Tu ne feras pas acception de personnes : le pauvre ni ne te laisseras éblouir par le grand : c'est selon la justice que tu jugeras ton compatriote. ¹⁶Tu n'iras pas diffamer les tiens et tu ne mettras pas en cause le sang de ton prochain. Je suis Yahvé. ¹⁷Tu n'auras pas dans ton cœur de haine pour ton frère. Tu dois réprimander ton compatriote et ainsi tu n'auras pas la charge d'un péché. ¹⁸Tu ne te vengeras pas et tu ne garderas pas de rancune envers les enfants de ton peuple. Tu aimeras ton prochain comme toi-même. Je suis Yahvé.

19Vous garderez mes lois.

Tu n'accoupleras pas dans ton bétail deux bêtes d'espèce différente, tu ne sèmeras pas dans ton champ deux espèces différentes de graine, tu ne porteras pas sur toi un vêtement en deux espèces de tissu. 20Si un homme couche maritalement avec une femme, si celle-ci est la servante concubine d'un homme auquel elle n'a pas été rachetée et qui ne lui a pas donné sa liberté, le premier sera soumis à un dédommagement mais ils ne mourront pas, car elle n'était pas libre. 21Il apportera pour Yahvé un sacrifice de réparation à l'entrée de la Tente du Rendez-vous. Ce sera un bélier de réparation. 22Avec ce bélier de réparation le prêtre fera sur l'homme le rite d'expiation devant Yahvé pour le péché commis ; et le péché qu'il a commis lui sera pardonné.

23Lorsque vous serez entrés en ce pays et que vous aurez planté quelque arbre fruitier, vous considérerez ses fruits comme si c'était son prépuce. Pendant trois ans ils seront pour vous une chose incirconcise, on n'en mangera pas. 24La quatrième année tous les fruits en seront consacrés dans une fête de louange à Yahvé. 25C'est la cinquième année que vous en pourrez manger les fruits et récolter pour vous-mêmes les produits. Je suis Yahvé votre Dieu.

26Vous ne mangerez rien avec du sang ; vous ne pratiquerez ni divination ni incantation.

27Vous n'arrondirez pas le bord de votre chevelure et tu ne couperas pas le bord de ta barbe. 28Vous ne vous ferez pas d'incisions dans le corps pour un mort et vous ne vous ferez pas de tatouage. Je suis Yahvé.

29Ne profane pas ta fille en la prostituant ; ainsi le pays ne sera pas prostitué et rendu tout entier incestueux.

30Vous garderez mes sabbats et révérerez mon sanctuaire. Je suis Yahvé.

31Ne vous tournez pas vers les spectres et ne recherchez pas les devins, ils vous souilleraient. Je suis Yahvé votre Dieu.

32Tu te lèveras devant une tête chenue, tu honoreras la personne du vieillard et tu craindras ton Dieu. Je suis Yahvé.

33Si un étranger réside avec vous dans votre pays, vous ne le molesterez pas. 34L'étranger qui réside avec vous sera pour vous comme un compatriote et tu l'aimeras comme toi-même, car vous avez été étrangers au pays d'Égypte. Je suis Yahvé votre Dieu.

35Vous ne commettrez point d'injustice en jugeant, qu'il s'agisse de mesures de longueur, de poids ou de capacité. 36Vous aurez des balances justes, des poids justes, une mesure juste, un setier juste. Je suis Yahvé votre Dieu qui vous ai fait sortir du pays d'Égypte.

37Gardez toutes mes lois et toutes mes coutumes, mettez-les en pratique. Je suis Yahvé.

Châtiments :

A. Fautes cultuelles.

20 1Yahvé parla à Moïse et dit : 2Tu diras aux Israélites :

Quiconque, Israélite ou étranger résidant en Israël, livre de ses fils à Molek devra mourir. Les gens du pays le lapideront, 3je me tournerai contre cet homme et le retrancherai du milieu de son peuple, car en ayant livré l'un de ses fils à Molek il aura souillé mon sanctuaire et profané mon saint nom. [4]Si les gens du pays veulent fermer les yeux sur cet homme quand il livre l'un de ses fils à Molek et ne le mettent pas à mort, [5]c'est moi qui m'opposerai à cet homme et à son clan. Je les retrancherai du milieu de leur peuple, lui et tous ceux qui après lui iront se prostituer à la suite de Molek.

[6]Celui qui s'adressera aux spectres et aux devins pour se prostituer à leur suite, je me tournerai contre cet homme-là et je le retrancherai du milieu de son peuple.

[7]Vous vous sanctifierez pour être saints, car je suis Yahvé votre Dieu.

B. Fautes contre la famille. 18.

[8]Vous garderez mes lois et vous les mettrez en pratique, car c'est moi Yahvé qui vous rends saints. [9]Donc :

Quiconque maudira son père ou sa mère devra mourir. Puisqu'il a maudit son père ou sa mère, son sang retombera sur lui-même. [10]L'homme qui commet l'adultère avec la femme de son prochain devra mourir, lui et sa complice. [11]L'homme qui couche avec la femme de son père a découvert la nudité de son père. Tous deux devront mourir, leur sang retombera sur eux. [12]L'homme qui couche avec sa belle-fille : tous deux devront mourir. Ils se sont souillés, leur sang retombera sur eux.

[13]L'homme qui couche avec un homme comme on couche avec une femme : c'est une abomination qu'ils ont tous deux commise, ils devront mourir, leur sang retombera sur eux.

[14]L'homme qui prend pour épouses une femme et sa mère : c'est un inceste. On les brûlera, lui et elles, pour qu'il n'y ait point chez vous d'inceste.

[15]L'homme qui donne sa couche à une bête : il devra mourir et vous tuerez la bête. [16]La femme qui s'approche d'un animal quelconque pour s'accoupler à lui : tu tueras la femme et l'animal. Ils devront mourir, leur sang retombera sur eux.

[17]L'homme qui prend pour épouse sa sœur, la fille de son père ou la fille de sa mère : s'il voit sa nudité et qu'elle voie la sienne, c'est une ignominie. Ils seront exterminés sous les yeux des membres de leur peuple, car il a découvert la nudité de sa sœur et il portera le poids de sa faute.

[18]L'homme qui couche avec une femme pendant ses règles et découvre sa nudité : il a mis à nu la source de son sang, elle-même a découvert la source de son sang, aussi tous deux seront retranchés du milieu de leur peuple.

[19]Tu ne découvriras pas la nudité de la sœur de ta mère ni celle de la sœur de ton père. Il a mis à nu sa propre chair, ils porteront le poids de leur faute. [20]L'homme qui couche avec la femme de son oncle paternel : il a découvert la nudité de celui-ci, ils porteront le poids de leur péché et mourront sans enfant.

[21]L'homme qui prend pour

épouse la femme de son frère : c'est une souillure, il a découvert la nudité de son frère, ils mourront sans enfant.

Exhortation finale.

²²Vous garderez toutes mes lois, toutes mes coutumes, et vous les mettrez en pratique ; ainsi ne vous vomira pas le pays où je vous conduis pour y demeurer. ²³Vous ne suivrez pas les lois des nations que je chasse devant vous car elles ont pratiqué toutes ces choses et je les ai prises en dégoût. ²⁴Aussi vous ai-je dit : « Vous prendrez possession de leur sol, je vous en donnerai moi-même la possession, une terre qui ruisselle de lait et de miel. »

C'est moi Yahvé votre Dieu qui vous ai mis à part de ces peuples. ²⁵Mettez donc la bête pure à part de l'impure, l'oiseau pur à part de l'impur. Ne vous rendez pas vous-mêmes immondes avec ces bêtes, ces oiseaux, avec tout ce qui rampe sur le sol : je vous les ai fait mettre à part comme impurs. ²⁶Soyez-moi consacrés puisque moi, Yahvé, je suis saint, et je vous mettrai à part de tous ces peuples pour que vous soyez à moi. ²⁷L'homme ou la femme qui parmi vous serait nécromant ou devin : ils seront mis à mort, on les lapidera, leur sang retombera sur eux.

Sainteté du sacerdoce.
A. Les prêtres.

21 ¹Yahvé dit à Moïse : Parle aux prêtres, enfants d'Aaron ; tu leur diras :

Aucun d'eux ne se rendra impur près du cadavre de l'un des siens, ²sinon pour sa parenté la plus proche : mère, père, fils, fille, frère. ³Pour sa sœur vierge qui reste sa proche parente puisqu'elle n'a pas appartenu à un homme, il pourra se rendre impur ; ⁴pour une femme mariée parmi les siens, il ne se rendra pas impur : il se profanerait.

⁵Ils ne se feront pas de tonsure sur la tête, ils ne se raseront pas le bord de la barbe et ne se feront pas d'incisions sur le corps. ⁶Ils seront consacrés à leur Dieu et ne profaneront point le nom de leur Dieu : ce sont eux en effet qui apportent les mets de Yahvé, nourriture de leur Dieu, et ils doivent être en état de sainteté.

⁷Ils ne prendront pas pour épouse une femme prostituée et profanée, ni une femme que son mari a chassée, car le prêtre est consacré à son Dieu.

⁸Tu le traiteras comme un être saint car il offre la nourriture de ton Dieu. Il sera pour toi un être saint car je suis saint, moi Yahvé qui vous sanctifie.

⁹Si la fille d'un homme qui est prêtre se profane en se prostituant, elle profane son père et doit être brûlée au feu.

B. Le grand prêtre.

¹⁰Quant au prêtre qui a la prééminence sur ses frères, lui sur la tête duquel est versée l'huile d'onction et qui reçoit l'investiture en revêtant les habits sacrés, il ne déliera pas ses cheveux, il ne déchirera pas ses vêtements, ¹¹il ne viendra près du cadavre d'aucun mort et ne se rendra impur ni pour son père ni pour sa mère. ¹²Il ne sortira pas du lieu saint, de manière à ne pas profaner le sanctuaire de

son Dieu, car il porte sur lui-même la consécration de l'huile d'onction de son Dieu. Je suis Yahvé.

¹³Il prendra pour épouse une femme encore vierge. ¹⁴La veuve, la femme répudiée ou profanée par la prostitution, il ne les prendra pas pour épouses ; c'est seulement une vierge d'entre les siens qu'il prendra pour épouse : ¹⁵il ne profanera point sa descendance, car c'est moi, Yahvé, qui l'ai sanctifiée.

C. Empêchements au sacerdoce.

¹⁶Yahvé parla à Moïse et dit :

¹⁷Parle à Aaron et dis-lui :

Nul de tes descendants, à quelque génération que ce soit, ne s'approchera pour offrir l'aliment de son Dieu s'il a une infirmité. ¹⁸Car aucun homme ne doit s'approcher s'il a une infirmité, que ce soit un aveugle ou un boiteux, un homme défiguré ou déformé, ¹⁹un homme dont le pied ou le bras soit fracturé, ²⁰un bossu, un rachitique, un homme atteint d'ophtalmie, de dartre ou de plaies purulentes, ou un eunuque. ²¹Nul des descendants d'Aaron, le prêtre, ne pourra s'approcher pour offrir les mets de Yahvé s'il a une infirmité ; il a une infirmité, il ne s'approchera pas pour offrir la nourriture de son Dieu. ²²Il pourra manger des aliments de son Dieu, choses très saintes et choses saintes, ²³mais il ne viendra pas auprès du rideau et ne s'approchera pas de l'autel ; il a une infirmité et ne doit pas profaner mes objets sacrés, car c'est moi, Yahvé, qui les ai sanctifiés. ²⁴Et Moïse le dit à Aaron, à ses fils et à tous les Israélites.

Sainteté dans la participation aux mets sacrés.
A. Les prêtres.

22 ¹Yahvé parla à Moïse et dit : ²Parle à Aaron et à ses fils : qu'ils se consacrent par les saintes offrandes des Israélites sans profaner mon saint nom ; à cause de moi ils doivent le sanctifier. Je suis Yahvé. ³Dis-leur :

Tout homme de votre descendance, à quelque génération que ce soit, qui s'approchera en état d'impureté des saintes offrandes consacrées à Yahvé par les Israélites, cet homme-là sera retranché de ma présence. Je suis Yahvé.

⁴Tout homme de la descendance d'Aaron qui sera atteint de lèpre ou d'écoulement ne mangera pas des choses saintes avant d'être purifié. Celui qui aura touché tout ce qu'un cadavre aura rendu impur, celui qui aura émis du liquide séminal, ⁵celui qui aura touché n'importe quelle bestiole et se sera ainsi rendu impur, ou un homme qui l'aura contaminé de sa propre impureté, quelle qu'elle soit, ⁶bref quiconque aura eu de tels contacts sera impur jusqu'au soir et ne pourra manger des choses saintes qu'après s'être lavé le corps avec de l'eau. ⁷Au coucher du soleil il sera purifié et pourra manger ensuite des choses saintes, car c'est là sa nourriture.

⁸Il ne mangera pas de bête morte ou déchirée, il en contracterait l'impureté. Je suis Yahvé.

⁹Qu'ils gardent mes observances et ne se chargent pas d'un péché : ils mourraient en les profanant, c'est moi Yahvé qui les ai sanctifiées.

B. Les laïcs.

¹⁰Aucun laïc ne mangera d'une chose sainte : ni l'hôte d'un prêtre ni le serviteur à gages ne mangeront d'une chose sainte. ¹¹Mais si un prêtre acquiert une personne à prix d'argent, celle-ci en pourra manger comme celui qui est né dans sa maison ; ils mangent en effet sa propre nourriture. ¹²Si la fille d'un prêtre est devenue l'épouse d'un laïc, elle ne peut manger des prélèvements sacrés ; ¹³mais si elle est devenue veuve ou a été répudiée et que, n'ayant pas d'enfant, elle ait dû retourner à la maison de son père comme au temps de sa jeunesse, elle mangera de la nourriture de son père. Nul laïc n'en mangera : ¹⁴si un homme mange par inadvertance une chose sainte, il la restituera au prêtre avec majoration d'un cinquième.

¹⁵Ils ne profaneront point les saintes offrandes qu'ont prélevées les Israélites pour Yahvé. ¹⁶En les mangeant ils chargeraient ceux-ci d'une faute qui obligerait à réparation, car c'est moi Yahvé qui ai sanctifié ces offrandes.

C. Les animaux sacrifiés.

¹⁷Yahvé parla à Moïse et dit : ¹⁸Parle à Aaron, à ses fils, à tous les Israélites ; tu leur diras : Tout homme de la maison d'Israël, ou tout étranger résidant en Israël, qui apporte son offrande à titre de vœu ou de don volontaire et en fait un holocauste pour Yahvé, ¹⁹devra pour être agréé offrir un mâle sans défaut, taureau, mouton ou chevreau. ²⁰Vous n'en offrirez point qui ait une tare, car il ne vous ferait pas agréer.

²¹Si quelqu'un offre à Yahvé un sacrifice de communion pour s'acquitter d'un vœu ou pour faire un don volontaire, de gros ou de petit bétail, l'animal devra, pour être agréé, être sans défaut ; il ne s'y trouvera aucune tare. ²²Vous n'offrirez pas à Yahvé d'animal aveugle, estropié, mutilé, ulcéreux, dartreux ou purulent. Aucune partie de tels animaux ne sera déposée sur l'autel à titre de mets pour Yahvé. ²³Tu pourras faire le don volontaire d'une pièce naine ou difforme en gros ou en petit bétail, mais pour l'acquittement d'un vœu elle ne sera point agréée. ²⁴Vous n'offrirez pas à Yahvé un animal dont les testicules soient rentrés, écrasés, arrachés ou coupés. Vous ne ferez pas cela dans votre pays ²⁵et vous n'accepterez rien de tel de la main d'un étranger pour l'offrir comme nourriture de votre Dieu. Leur difformité est en effet une tare et ces victimes ne vous feraient pas agréer.

²⁶Yahvé parla à Moïse et dit : ²⁷Une fois né, un veau, un agneau ou un chevreau restera sept jours auprès de sa mère. Dès le huitième il pourra être agréé comme mets offert à Yahvé. ²⁸Veau ou agneau, vous n'immolerez pas le même jour un animal et son petit. ²⁹Si vous faites à Yahvé un sacrifice avec louange, faites-le de manière à être agréés : ³⁰on le mangera le jour même sans en rien laisser jusqu'au lendemain matin. Je suis Yahvé.

D. Exhortation finale.

³¹Vous garderez mes commandements et les mettrez en pratique. Je suis Yahvé. ³²Vous ne pro-

fanerez pas mon saint nom, afin que je sois sanctifié au milieu des Israélites, moi Yahvé qui vous sanctifie. ³³Moi qui vous ai fait sortir du pays d'Égypte afin d'être votre Dieu, je suis Yahvé.

Le rituel des fêtes de l'année : Ex 23 14.

23 ¹Yahvé parla à Moïse et dit : ²Parle aux Israélites ; tu leur diras :

(Les solennités de Yahvé auxquelles vous les convoquerez, ce sont là mes saintes assemblées.) Voici mes solennités :

A. Le sabbat. Ex 20 8.

³Pendant six jours on travaillera, mais le septième jour sera jour de repos complet, jour de sainte assemblée, où vous ne ferez aucun travail. Où que vous habitiez, c'est un sabbat pour Yahvé. ⁴Voici les solennités de Yahvé, les saintes assemblées où vous appellerez les Israélites à la date fixée :

B. La Pâque et les Azymes. Ex 12 1 ; 23 14.

⁵Le premier mois, le quatorzième jour du mois, au crépuscule, c'est Pâque pour Yahvé, ⁶et le quinzième jour de ce mois, c'est la fête des Azymes pour Yahvé. Pendant sept jours vous mangerez des pains sans levain. ⁷Le premier jour il y aura pour vous une sainte assemblée ; vous ne ferez aucune œuvre servile. ⁸Pendant sept jours vous offrirez un mets à Yahvé. Le septième jour, jour de sainte assemblée, vous ne ferez aucune œuvre servile.

C. La première gerbe. Dt 26 1.

⁹Yahvé parla à Moïse et dit : ¹⁰Parle aux Israélites ; tu leur diras :

Quand vous serez entrés dans le pays que je vous donne et quand vous y ferez la moisson, vous apporterez au prêtre la première gerbe de votre moisson. ¹¹Il l'offrira devant Yahvé en geste de présentation pour que vous soyez agréés. C'est le lendemain du sabbat que le prêtre fera cette présentation ¹²et, le jour où vous ferez cette présentation, vous offrirez à Yahvé l'holocauste d'un agneau d'un an, sans défaut. ¹³L'oblation en sera ce jour-là de deux dixièmes de fleur de farine pétrie à l'huile, mets consumé pour Yahvé en parfum d'apaisement ; la libation de vin en sera d'un quart de setier. ¹⁴Vous ne mangerez pas de pain, épis grillés ou pain cuit, avant ce jour, avant d'avoir apporté l'offrande de votre Dieu. C'est une loi perpétuelle pour vos descendants, où que vous habitiez.

D. La fête des Semaines.

¹⁵À partir du lendemain du sabbat, du jour où vous aurez apporté la gerbe de présentation, vous compterez sept semaines complètes. ¹⁶Vous compterez cinquante jours jusqu'au lendemain du septième sabbat et vous offrirez alors à Yahvé une nouvelle oblation. ¹⁷Vous apporterez de vos demeures du pain à offrir en geste de présentation, en deux parts de deux dixièmes de fleur de farine cuite avec du ferment, à titre de prémices pour Yahvé. ¹⁸Vous offrirez en plus du pain sept agneaux d'un an,

sans défaut, un taureau et deux béliers à titre d'holocauste pour Yahvé, accompagnés d'une oblation et d'une libation, mets consumés en parfum d'apaisement pour Yahvé. ¹⁹Vous ferez aussi avec un bouc un sacrifice pour le péché et avec deux agneaux nés dans l'année un sacrifice de communion. ²⁰Le prêtre les offrira en geste de présentation devant Yahvé, en plus du pain des prémices. En plus des deux agneaux, ce sont choses saintes pour Yahvé, qui reviendront au prêtre.

²¹Ce même jour vous ferez une convocation ; ce sera pour vous une sainte assemblée, vous ne ferez aucune œuvre servile. C'est une loi perpétuelle pour vos descendants, où que vous habitiez.

²²Lorsque vous ferez la moisson dans votre pays, tu ne moissonneras pas jusqu'à l'extrême bord de ton champ et tu ne glaneras pas ta moisson. Tu abandonneras cela au pauvre et à l'étranger. Je suis Yahvé votre Dieu.

E. Le premier jour du septième mois.

²³Yahvé parla à Moïse et dit : ²⁴Parle aux Israélites, dis-leur : Le septième mois, le premier jour du mois, il y aura pour vous jour de repos, appel en clameur, sainte assemblée. ²⁵Vous ne ferez aucune œuvre servile et vous offrirez un mets à Yahvé.

F. Le jour des Expiations. 16. Nb 29 7-11.

²⁶Yahvé parla à Moïse et dit : ²⁷D'autre part, le dixième jour de ce septième mois, c'est le jour des Expiations. Il y aura pour

vous une sainte assemblée. Vous jeûnerez et vous offrirez un mets à Yahvé. ²⁸Ce jour-là vous ne ferez aucun travail, car c'est le jour des Expiations où l'on accomplit sur vous le rite d'expiation devant Yahvé votre Dieu. ²⁹Oui, quiconque ne jeûnera pas ce jour-là sera retranché des siens ; ³⁰quiconque fera un travail ce jour-là, je le supprimerai du milieu de son peuple. ³¹Vous ne ferez aucun travail, c'est une loi perpétuelle pour vos descendants, où que vous habitiez. ³²Ce sera pour vous un jour de repos complet. Vous jeûnerez ; le soir du neuvième jour du mois, depuis ce soir jusqu'au soir suivant, vous cesserez le travail.

G. La fête des Tentes. Ex 23 14.

³³Yahvé parla à Moïse et dit : ³⁴Parle aux Israélites, dis-leur : Le quinzième jour de ce septième mois il y aura pendant sept jours la fête des Tentes pour Yahvé. ³⁵Le premier jour, jour de sainte assemblée, vous ne ferez aucune œuvre servile. ³⁶Pendant sept jours vous offrirez un mets à Yahvé. Le huitième jour il y aura pour vous une sainte assemblée, vous offrirez un mets à Yahvé. C'est jour de réunion, vous ne ferez aucune œuvre servile.

Conclusion.

³⁷Telles sont les solennités de Yahvé où vous convoquerez les Israélites, saintes assemblées destinées à offrir des mets à Yahvé, holocaustes, oblations, sacrifices, libations, selon le rituel propre à chaque jour, ³⁸outre les sabbats de Yahvé, les présents, dons vo-

tifs et volontaires que vous ferez à Yahvé.

Reprise sur la fête des Tentes.

³⁹D'autre part, le quinzième jour du septième mois, lorsque vous aurez récolté les produits du pays, vous célébrerez la fête de Yahvé pendant sept jours. Le premier et le huitième jour il y aura jour de repos. ⁴⁰Le premier jour vous prendrez de beaux fruits, des rameaux de palmier, des branches d'arbres touffus et de gattiliers, et vous vous réjouirez pendant sept jours en présence de Yahvé votre Dieu. ⁴¹Vous célébrerez ainsi une fête pour Yahvé sept jours par an. C'est une loi perpétuelle pour vos descendants.

C'est au septième mois que vous ferez cette fête. ⁴²Vous habiterez sept jours sous des huttes. Tous les citoyens d'Israël habiteront sous des huttes, ⁴³afin que vos descendants sachent que j'ai fait habiter sous des huttes les Israélites quand je les ai fait sortir du pays d'Égypte. Je suis Yahvé votre Dieu.

⁴⁴Et Moïse décrivit aux Israélites les solennités de Yahvé.

Prescriptions rituelles complémentaires.
A. La flamme permanente.

24 ¹Yahvé parla à Moïse et dit : ²Ordonne aux Israélites de t'apporter de l'huile d'olives broyées pour le candélabre, et d'y faire monter une flamme permanente. ³C'est devant le rideau du Témoignage, dans la Tente du Rendez-vous, qu'Aaron disposera cette flamme. Elle sera là devant Yahvé du soir au matin, en permanence. Ceci est un décret per-

pétuel pour vos descendants : ⁴Aaron disposera les lampes sur le candélabre pur, devant Yahvé, en permanence.

B. Les gâteaux sur la table d'or.

⁵Tu prendras de la fleur de farine et tu en feras cuire douze gâteaux, chacun de deux dixièmes. ⁶Puis tu les placeras en deux rangées de six sur la table pure qui est devant Yahvé. ⁷Sur chaque rangée tu déposeras de l'encens pur. Ce sera l'aliment offert en mémorial, un mets pour Yahvé. ⁸C'est chaque jour de sabbat qu'en permanence on les disposera devant Yahvé. Les Israélites les fourniront à titre d'alliance perpétuelle ; ⁹ils appartiendront à Aaron et à ses fils, qui les mangeront en un lieu sacré, car c'est pour lui une part très sainte des mets de Yahvé. C'est une loi perpétuelle.

Blasphème et loi du talion.

¹⁰Le fils d'une Israélite, mais dont le père était égyptien, sortit de sa maison et, se trouvant au milieu des Israélites, il se prit de querelle dans le camp avec un homme qui était Israélite. ¹¹Or le fils de l'Israélite blasphéma le Nom et le maudit. On le conduisit alors à Moïse (le nom de la mère était Shelomit, fille de Dibri, de la tribu de Dan). ¹²On le mit sous bonne garde pour n'en décider que sur l'ordre de Yahvé.

¹³Yahvé parla à Moïse et dit : ¹⁴Fais sortir du camp celui qui a prononcé la malédiction. Tous ceux qui l'ont entendu poseront leurs mains sur sa tête et toute la communauté le lapidera. ¹⁵Puis tu parleras ainsi aux Israélites :

Tout homme qui maudit son Dieu portera le poids de son péché. [16]Qui blasphème le nom de Yahvé devra mourir, toute la communauté le lapidera. Qu'il soit étranger ou citoyen, il mourra s'il blasphème le Nom.

[17]Si un homme frappe un être humain, quel qu'il soit, il devra mourir.

[18]Qui frappe un animal en doit donner la compensation : vie pour vie.

[19]Si un homme blesse un compatriote, comme il a fait on lui fera : [20]fracture pour fracture, œil pour œil, dent pour dent. Tel le dommage que l'on inflige à un homme, tel celui que l'on subit : [21]qui frappe un animal en doit donner compensation et qui frappe un homme doit mourir. [22]La sentence sera chez vous la même, qu'il s'agisse d'un citoyen ou d'un étranger, car je suis Yahvé votre Dieu.

[23]Moïse ayant ainsi parlé aux Israélites, ils firent sortir du camp celui qui avait prononcé la malédiction et ils le lapidèrent. Ils accomplirent ainsi ce que Yahvé avait ordonné à Moïse.

Les années saintes.
A. L'année sabbatique. Ex 23 10-11. Dt 15 1-11.

25 [1]Yahvé parla à Moïse sur le mont Sinaï ; il dit :

[2]Parle aux Israélites, tu leur diras :

Lorsque vous entrerez au pays que je vous donne, la terre chômera un sabbat pour Yahvé. [3]Pendant six ans tu ensemenceras ton champ, pendant six ans tu tailleras ta vigne et tu en récolteras les produits. [4]Mais en la septième année la terre aura son repos sabbatique, un sabbat pour Yahvé : tu n'ensemenceras pas ton champ et tu ne tailleras pas ta vigne, [5]tu ne moissonneras pas tes épis, qui ne seront pas mis en gerbe, et tu ne vendangeras pas tes raisins, qui ne seront pas émondés. Ce sera pour la terre une année de repos. [6]Le sabbat même de la terre vous nourrira, toi, ton serviteur, ta servante, ton journalier, ton hôte, bref ceux qui résident chez toi. [7]À ton bétail aussi et aux bêtes de ton pays tous ses produits serviront de nourriture.

B. L'année du jubilé.

[8]Tu compteras sept semaines d'années, sept fois sept ans, c'est-à-dire le temps de sept semaines d'années, quarante-neuf ans. [9]Le septième mois, le dixième jour du mois tu feras retentir l'appel de la trompe ; le jour des Expiations vous sonnerez de la trompe dans tout le pays. [10]Vous déclarerez sainte cette cinquantième année et proclamerez l'affranchissement de tous les habitants du pays. Ce sera pour vous un jubilé : chacun de vous rentrera dans son patrimoine, chacun de vous retournera dans son clan. [11]Cette cinquantième année sera pour vous une année jubilaire vous ne sèmerez pas, vous ne moissonnerez pas les épis qui n'auront pas été mis en gerbe, et vous ne vendangerez pas les ceps qui auront poussé librement. [12]Le jubilé sera pour vous chose sainte, vous mangerez des produits des champs.

[13]En cette année jubilaire vous rentrerez chacun dans votre patrimoine. [14]Si tu vends ou si tu achètes à ton compatriote, que nul ne lèse

son frère ! [15]C'est en fonction du nombre d'années écoulées depuis le jubilé que tu achèteras à ton compatriote ; c'est en fonction du nombre d'années productives qu'il te fixera le prix de vente. [16]Plus sera grand le nombre d'années, plus tu augmenteras le prix, moins il y aura d'années, plus tu le réduiras, car c'est un certain nombre de récoltes qu'il te vend. [17]Que nul d'entre vous ne lèse son compatriote, mais aie la crainte de ton Dieu, car c'est moi Yahvé votre Dieu.

Garantie divine pour l'année sabbatique.

[18]Vous mettrez en pratique mes lois et mes coutumes, vous les garderez pour les mettre en pratique, et ainsi vous habiterez dans le pays en sécurité. [19]La terre donnera son fruit, vous mangerez à satiété et vous habiterez en sécurité.

[20]Pour le cas où vous diriez : « Que mangerons-nous en cette septième année si nous n'ensemençons pas et ne récoltons pas nos produits ? » – [21]j'ai prescrit à ma bénédiction de vous être acquise la sixième année en sorte qu'elle assure des produits pour trois ans. [22]Quand vous sèmerez la huitième année vous pourrez encore manger des produits anciens jusqu'à la neuvième année ; jusqu'à ce que viennent les produits de cette année-là vous mangerez des anciens.

Rachat des propriétés.

[23]La terre ne sera pas vendue avec perte de tout droit, car la terre m'appartient et vous n'êtes pour moi que des étrangers et des hôtes. [24]Pour toute propriété foncière vous laisserez un droit de rachat sur le fonds. [25]Si ton frère tombe dans la gêne et doit vendre de son patrimoine, son plus proche parent viendra chez lui exercer ses droits familiaux sur ce que vend son frère. [26]Celui qui n'a personne pour exercer ce droit pourra, lorsqu'il aura trouvé de quoi faire le rachat, [27]calculer les années que devrait durer l'aliénation, restituer à l'acheteur le montant pour le temps encore à courir, et rentrer dans son patrimoine. [28]S'il ne trouve pas de quoi opérer cette restitution, le fonds vendu restera à l'acquéreur jusqu'à l'année jubilaire. C'est au jubilé que celui-ci en sortira pour rentrer dans son propre patrimoine.

[29]Si quelqu'un vend une maison d'habitation dans une ville enclose d'une muraille, il aura droit de rachat jusqu'à l'expiration de l'année qui suit la vente ; son droit de rachat est limité à l'année [30]et, si le rachat n'a pas été fait à l'expiration de l'année, cette maison en ville close sera la propriété de l'acquéreur et de ses descendants à l'exclusion de tout autre droit : il n'aura pas à en sortir au jubilé. [31]Mais les maisons des villages non enclos de murailles seront considérées comme sises à la campagne, elles comporteront droit de rachat et l'acquéreur en devra sortir au jubilé.

[32]Quant aux villes des lévites, aux maisons des villes que ceux-ci possèdent, elles comportent à leur profit un droit de rachat perpétuel. [33]Et si c'est un lévite qui subit l'effet du droit de rachat, il quittera au jubilé le bien vendu pour retourner à sa maison, à la

ville où il a un titre de propriété. Les maisons des villes des lévites sont en effet leur propriété au milieu des Israélites, [34]et les champs de culture dépendant de ces villes ne pourront pas être vendus, car c'est leur propriété pour toujours.

Rachat des personnes.

[35]Si ton frère qui vit avec toi tombe dans la gêne et s'avère défaillant dans ses rapports avec toi, tu le soutiendras à titre d'étranger ou d'hôte et il vivra avec toi. [36]Ne lui prends ni travail ni intérêts, mais aie la crainte de ton Dieu et que ton frère vive avec toi. [37]Tu ne lui donneras pas d'argent pour en tirer du profit ni de la nourriture pour en percevoir des intérêts : [38]je suis Yahvé votre Dieu qui vous ai fait sortir du pays d'Égypte pour vous donner le pays de Canaan, pour être votre Dieu.

[39]Si ton frère tombe dans la gêne alors qu'il est en rapport avec toi et s'il se vend à toi, tu ne lui imposeras pas un travail d'esclave ; [40]il sera pour toi comme un salarié ou un hôte et travaillera avec toi jusqu'à l'année jubilaire. [41]Alors il te quittera, lui et ses enfants, et il retournera dans son clan, il rentrera dans la propriété de ses pères. [42]Ils sont en effet mes serviteurs, eux que j'ai fait sortir du pays d'Égypte, et ils ne doivent pas se vendre comme un esclave se vend. [43]Tu n'exerceras pas sur lui un pouvoir de contrainte mais tu auras la crainte de ton Dieu. [44]Les serviteurs et servantes que tu auras viendront des nations qui vous entourent ; c'est d'elles que vous pourrez acquérir serviteurs et servantes. [45]De plus vous en pourrez acquérir parmi les enfants des hôtes qui résident chez vous ainsi que de leurs familles qui vivent avec vous et qu'ils ont engendrées sur votre sol : ils seront votre propriété [46]et vous les laisserez en héritage à vos fils après vous pour qu'ils les possèdent à titre de propriété perpétuelle. Vous les aurez pour esclaves, mais sur vos frères, les Israélites, nul n'exercera un pouvoir de contrainte.

[47]Si l'étranger ou celui qui est ton hôte atteint une certaine aisance alors que ton frère, dans ses rapports avec lui, tombe dans la gêne et se vend à cet étranger, à cet hôte, ou au descendant de la famille d'un résident, [48]il jouira d'un droit de rachat, vente faite, et l'un de ses frères pourra le racheter. [49]Pourront le racheter son oncle paternel, le fils de son oncle ou l'un des membres de sa famille ; ou, s'il en a les moyens, il pourra se racheter lui-même. [50]En accord avec celui qui l'a acquis, il fera le compte des années comprises entre l'année de la vente et l'année jubilaire ; le montant du prix de vente sera évalué en fonction des années, en comptant ses journées comme celles d'un salarié. [51]S'il reste encore beaucoup d'années à courir, c'est en fonction de leur nombre qu'il remboursera comme valeur de son rachat une partie de son prix de vente. [52]S'il ne reste que peu d'années à courir jusqu'au jubilé, c'est en fonction de leur nombre qu'il calculera ce qu'il remboursera pour son rachat, [53]comme s'il était salarié à l'année. On ne le traitera pas arbitrairement sous tes yeux. [54]S'il n'a été racheté d'aucune de ces manières, c'est en l'année

jubilaire qu'il s'en ira, lui et ses enfants avec lui. ⁵⁵Car c'est de moi que les Israélites sont les serviteurs ; ce sont mes serviteurs que j'ai fait sortir du pays d'Égypte. Je suis Yahvé votre Dieu.

Résumé. Conclusion.

26 ¹Vous ne vous ferez pas d'idoles, vous ne vous dresserez ni statue ni stèle, vous ne mettrez pas dans votre pays des pierres peintes pour vous prosterner devant elles, car je suis Yahvé votre Dieu. ²Vous garderez mes sabbats et révérerez mon sanctuaire. Je suis Yahvé.

Bénédictions. Dt 28 1-14.

³Si vous vous conduisez selon mes lois, si vous gardez mes commandements et les mettez en pratique, ⁴je vous donnerai en leur saison les pluies qu'il vous faut, la terre donnera ses produits et l'arbre de la campagne ses fruits, ⁵vous battrez jusqu'aux vendanges et vous vendangerez jusqu'aux semailles. Vous mangerez votre pain à satiété et vous habiterez dans votre pays en sécurité. ⁶Je mettrai la paix dans le pays et vous dormirez sans que nul vous effraie. Je ferai disparaître du pays les bêtes néfastes. L'épée ne traversera pas votre pays. ⁷Vous poursuivrez vos ennemis qui succomberont devant votre épée. ⁸Cinq d'entre vous en poursuivront cent, cent en poursuivront dix mille, et vos ennemis succomberont devant votre épée. ⁹Je me tournerai vers vous, je vous ferai croître et multiplier, et je maintiendrai avec vous mon alliance.

¹⁰Après vous être nourris de la précédente récolte, vous aurez encore à mettre dehors du vieux grain pour faire place au nouveau. ¹¹J'établirai ma demeure au milieu de vous et je ne vous rejetterai pas. ¹²Je vivrai au milieu de vous, je serai votre Dieu et vous serez mon peuple. ¹³C'est moi Yahvé votre Dieu qui vous ai fait sortir du pays d'Égypte pour que vous n'en fussiez plus les serviteurs ; j'ai brisé les barres de votre joug et je vous ai fait marcher la tête haute.

Malédictions. Dt 28 15-68.

¹⁴Mais si vous ne m'écoutez pas et ne mettez pas en pratique tous ces commandements, ¹⁵si vous rejetez mes lois, prenez mes coutumes en dégoût et rompez mon alliance en ne mettant pas en pratique tous mes commandements, ¹⁶j'agirai de même, moi aussi, envers vous.

Je vous assujettirai au tremblement, ainsi qu'à la consomption et à la fièvre qui usent les yeux et épuisent le souffle. Vous ferez de vaines semailles dont se nourriront vos ennemis. ¹⁷Je me tournerai contre vous et vous serez battus par vos ennemis. Vos adversaires domineront sur vous et vous fuirez alors même que personne ne vous poursuivra.

¹⁸Et si malgré cela vous ne m'écoutez point, je continuerai à vous châtier au septuple pour vos péchés. ¹⁹Je briserai votre orgueilleuse puissance, je vous ferai un ciel de fer et une terre d'airain ; ²⁰votre force se consumera vainement, votre terre ne donnera plus ses produits et l'arbre de la campagne ne donnera plus ses fruits.

²¹Si vous vous opposez à moi et ne consentez pas à m'écouter, j'accumulerai sur vous ces plaies au septuple pour vos péchés. ²²Je lâcherai contre vous les bêtes sauvages qui vous raviront vos enfants, anéantiront votre bétail et vous décimeront au point que vos chemins deviendront déserts.

²³Et si cela ne vous corrige point, et si vous vous opposez toujours à moi, ²⁴je m'opposerai, moi aussi, à vous, et de plus je vous frapperai, moi, au septuple pour vos péchés. ²⁵Je ferai venir contre vous l'épée qui vengera l'Alliance. Vous vous grouperez alors dans vos villes, mais j'enverrai la peste au milieu de vous et vous serez livrés au pouvoir de l'ennemi. ²⁶Quand je vous priverai de pain, dix femmes pourront vous cuire ce pain dans un seul four, c'est à poids compté qu'elles vous rapporteront ce pain, et vous mangerez sans vous rassasier.

²⁷Et si malgré cela vous ne m'écoutez point et que vous vous opposiez à moi, ²⁸je m'opposerai à vous avec fureur, je vous châtierai, moi, au septuple pour vos péchés. ²⁹Vous mangerez la chair de vos fils et vous mangerez la chair de vos filles. ³⁰Je détruirai vos hauts lieux, j'anéantirai vos autels à encens, j'entasserai vos cadavres sur les cadavres de vos idoles et je vous rejetterai. ³¹Je ferai de vos villes une ruine, je dévasterai vos sanctuaires et ne respirerai plus vos parfums d'apaisement. ³²C'est moi qui dévasterai le pays et ils en seront stupéfaits, vos ennemis venus l'habiter ! ³³Vous, je vous disperserai parmi les nations. Je dégainerai contre vous l'épée pour faire de votre pays un désert et de vos villes une ruine. ³⁴C'est alors que le pays acquittera ses sabbats, pendant tous ces jours de désolation, alors que vous serez dans le pays de vos ennemis. C'est alors que le pays chômera et pourra acquitter ses sabbats. ³⁵Il chômera durant tous les jours de la désolation, ce qu'il n'avait pas fait à vos jours de sabbat quand vous y habitiez. ³⁶Chez ceux d'entre vous qui survivront, je ferai venir la peur dans leur cœur ; quand ils se trouveront dans le pays de leurs ennemis, poursuivis par le bruit d'une feuille morte, ils fuiront comme on fuit devant l'épée et ils tomberont alors que nul ne les poursuivait. ³⁷Ils trébucheront l'un sur l'autre comme devant une épée, et nul ne les poursuit ! Vous ne pourrez tenir devant vos ennemis, ³⁸vous périrez parmi les nations et le pays de vos ennemis vous dévorera. ³⁹Ceux qui parmi vous survivront dépériront dans les pays de leurs ennemis à cause de leurs fautes ; c'est aussi à cause des fautes de leurs pères, jointes aux leurs, qu'ils dépériront. ⁴⁰Ils confesseront alors leurs fautes et celles de leurs pères, fautes commises par infidélité envers moi, mieux, par opposition contre moi.

⁴¹Moi aussi je m'opposerai à eux et je les mènerai au pays de leurs ennemis. Alors leur cœur incirconcis s'humiliera, alors ils expieront leurs fautes. ⁴²Je me rappellerai mon alliance avec Jacob ainsi que mon alliance avec Isaac et mon alliance avec Abraham, je me souviendrai du pays.

⁴³Abandonné d'eux, le pays acquittera ses sabbats lorsqu'il res-

tera désolé, eux partis. Mais ils devront, eux, expier leur faute, puisqu'ils ont rejeté mes coutumes et pris mes lois en dégoût.

⁴⁴Cependant ce ne sera pas tout : quand ils seront dans le pays de leurs ennemis, je ne les rejetterai pas et ne les prendrai pas en dégoût au point d'en finir avec eux et de rompre mon alliance avec eux, car je suis Yahvé leur Dieu. ⁴⁵Je me souviendrai en leur faveur de l'alliance conclue avec les premières générations que j'ai fait sortir du pays d'Égypte, sous les yeux des nations, afin d'être leur Dieu, moi, Yahvé.

⁴⁶Tels sont les décrets, les coutumes et les lois qu'établit Yahvé, entre lui et les Israélites, sur le mont Sinaï, par l'intermédiaire de Moïse.

Appendice

TARIFS ET ÉVALUATIONS

A. Personnes.

27 ¹Yahvé parla à Moïse et dit : ²Parle aux Israélites, tu leur diras :

Si quelqu'un veut s'acquitter envers Yahvé du vœu qu'il a fait de la valeur d'une personne,

³un homme entre vingt et soixante ans sera estimé à cinquante sicles d'argent – sicle du sanctuaire – ⁴pour une femme l'estimation sera de trente sicles ; ⁵entre cinq et vingt ans, le garçon sera estimé à vingt sicles et la fille à dix sicles ; ⁶entre un mois et cinq ans, le garçon sera estimé à cinq sicles d'argent et la fille à trois sicles d'argent ; ⁷à soixante ans et au-dessus, l'homme sera estimé à quinze sicles et la femme à dix sicles.

⁸Si celui qui a voué est incapable de faire face à cette estimation, il présentera la personne au prêtre. Celui-ci fera l'estimation, mais il la fera selon les ressources de celui qui a voué.

B. Animaux.

⁹S'il s'agit d'animaux dont on peut faire offrande à Yahvé, tout animal que l'on donne à Yahvé sera chose consacrée. ¹⁰On ne pourra ni le changer ni le remplacer, mettre un bon pour un mauvais ou un mauvais pour un bon. Si l'on substitue un animal à un autre, l'un et l'autre seront choses consacrées. ¹¹S'il s'agit d'un animal impur dont on ne peut faire offrande à Yahvé, quel qu'il soit, on le présentera au prêtre ¹²et celui-ci en fera l'estimation, le jugeant bon ou mauvais ; on s'en tiendra à son estimation, ¹³mais si l'on veut le racheter, on majorera cette estimation d'un cinquième.

C. Maisons.

¹⁴Si un homme consacre sa maison à Yahvé, le prêtre en fera l'estimation, la jugeant de grande ou de faible valeur. On s'en tiendra à l'estimation du prêtre, ¹⁵mais si cet homme qui a voué la maison la veut racheter, il majo-

rera cette estimation d'un cinquième et elle lui reviendra.

D. Champs.

¹⁶Si un homme consacre à Yahvé l'un des champs de son patrimoine, l'estimation en sera faite en fonction de son produit à raison de cinquante sicles d'argent pour un muid d'orge. ¹⁷S'il consacre le champ pendant l'année jubilaire, on s'en tiendra à cette estimation ; ¹⁸mais s'il le consacre après le jubilé, le prêtre en calculera le prix en fonction des années restant à courir jusqu'à celle du jubilé et une déduction sera faite sur l'estimation. ¹⁹S'il veut racheter le champ, il majorera l'estimation d'un cinquième et le champ lui reviendra. ²⁰S'il ne le rachète pas mais le vend à un autre, le droit de rachat s'éteint ; ²¹quand à l'année jubilaire, l'acquéreur devra l'abandonner, ce sera chose consacrée à Yahvé, tel un champ dévoué par anathème : la propriété de cet homme passe au prêtre. ²²S'il consacre à Yahvé un champ qu'il a acquis mais qui ne fait pas partie de son patrimoine, ²³le prêtre en calculera le prix d'estimation en fonction du temps à courir jusqu'à l'année jubilaire, et l'homme en versera le montant ce jour même à titre de chose consacrée à Yahvé. ²⁴Lors de l'année jubilaire le champ reviendra au vendeur, à celui dont c'est la propriété dans le pays. ²⁵Toute estimation sera faite en sicles du sanctuaire, vingt géras valant un sicle.

Règles particulières pour le rachat : a) des premiers-nés.

²⁶Nul, toutefois, ne pourra de son bétail consacrer un premier-né qui de droit appartient à Yahvé ; gros ou petit bétail, il appartient à Yahvé. ²⁷Mais si c'est un animal impur on pourra le racheter au prix d'une estimation majorée d'un cinquième ; s'il n'est pas racheté, l'animal sera vendu au prix de l'estimation.

b) de l'anathème.

²⁸Cependant rien de ce qu'un homme dévoue par anathème à Yahvé ne peut être vendu ou racheté, rien de ce qu'il peut posséder en hommes, bêtes ou champs patrimoniaux. Tout anathème est chose très sainte qui appartient à Yahvé. ²⁹Aucun être humain dévoué par anathème ne pourra être racheté, il sera mis à mort.

c) des dîmes. Dt 14 22.

³⁰Toute dîme du pays prélevée sur les produits de la terre ou sur les fruits des arbres appartient à Yahvé ; c'est une chose consacrée à Yahvé. ³¹Si un homme veut racheter une partie de sa dîme, il en majorera la valeur d'un cinquième. ³²En toute dîme de gros et de petit bétail, sera chose consacrée à Yahvé le dixième de tout ce qui passe sous la houlette. ³³On ne triera pas le bon et le mauvais, on ne fera pas de substitution : si l'on en fait une, l'animal et son remplaçant seront choses consacrées sans possibilité de rachat. ³⁴Tels sont les ordres que Yahvé donna à Moïse sur le mont Sinaï à l'intention des Israélites.

tête par tête, les noms de tous les mâles de vingt ans et au-dessus, aptes à faire campagne. ²³On en recensa cinquante-neuf mille trois cents pour la tribu de Siméon.

²⁴Quand on eut déterminé les parentés des fils de Gad, par clans et par familles, on releva, tête par tête, les noms de tous les mâles de vingt ans et au-dessus, aptes à faire campagne. ²⁵On en recensa quarante-cinq mille six cent cinquante pour la tribu de Gad.

²⁶Quand on eut déterminé les parentés des fils de Juda, par clans et par familles, on releva, tête par tête, les noms de tous les mâles de vingt ans et au-dessus, aptes à faire campagne. ²⁷On en recensa soixante-quatorze mille six cents pour la tribu de Juda.

²⁸Quand on eut déterminé les parentés des fils d'Issachar, par clans et par familles, on releva, tête par tête, les noms de tous les mâles de vingt ans et au-dessus, aptes à faire campagne. ²⁹On en recensa cinquante-quatre mille quatre cents pour la tribu d'Issachar.

³⁰Quand on eut déterminé les parentés des fils de Zabulon, par clans et par familles, on releva, tête par tête, les noms de tous les mâles de vingt ans et au-dessus, aptes à faire campagne. ³¹On en recensa cinquante-sept mille quatre cents pour la tribu de Zabulon.

³²Fils de Joseph : Quand on eut déterminé les parentés des fils d'Éphraïm, par clans et par familles, on releva, tête par tête, les noms de tous les mâles de vingt ans et au-dessus, aptes à faire campagne. ³³On en recensa quarante mille cinq cents pour la tribu d'Éphraïm.

³⁴Quand on eut déterminé les parentés des fils de Manassé, par clans et par familles, on releva, tête par tête, les noms de tous les mâles de vingt ans et au-dessus, aptes à faire campagne. ³⁵On en recensa trente-deux mille deux cents pour la tribu de Manassé.

³⁶Quand on eut déterminé les parentés des fils de Benjamin, par clans et par familles, on releva, tête par tête, les noms de tous les mâles de vingt ans et au-dessus, aptes à faire campagne. ³⁷On en recensa trente-cinq mille quatre cents pour la tribu de Benjamin.

³⁸Quand on eut déterminé les parentés des fils de Dan, par clans et par familles, on releva, tête par tête, les noms de tous les mâles de vingt ans et au-dessus, aptes à faire campagne. ³⁹On en recensa soixante-deux mille sept cents pour la tribu de Dan.

⁴⁰Quand on eut déterminé les parentés des fils d'Asher, par clans et par familles, on releva, tête par tête, les noms de tous les mâles de vingt ans et au-dessus, aptes à faire campagne. ⁴¹On en recensa quarante et un mille cinq cents pour la tribu d'Asher.

⁴²Quand on eut déterminé les parentés des fils de Nephtali, par clans et par familles, on releva, tête par tête, les noms de tous les mâles de vingt ans et au-dessus, aptes à faire campagne. ⁴³On en recensa cinquante-trois mille quatre cents pour la tribu de Nephtali.

⁴⁴Tels furent ceux que recensèrent Moïse, Aaron et les princes d'Israël, au nombre de douze, un pour chacune de leurs familles. ⁴⁵Tous les Israélites de vingt ans et au-dessus, tous ceux d'Israël qui

Les Nombres

1. Le recensement

26. 2 S 24.

1 ¹Yahvé parla à Moïse, au désert du Sinaï, dans la Tente du Rendez-vous, le premier jour du second mois, la deuxième année après la sortie du pays d'Égypte. Il dit :
²« Faites le recensement de toute la communauté des Israélites, par clans et par familles, en comptant les noms de tous les mâles, tête par tête. ³Tous ceux d'Israël qui ont vingt ans et au-dessus, aptes à faire campagne, vous les enregistrerez, toi et Aaron, selon leurs formations au combat. ⁴Il vous sera adjoint un homme par tribu, un chef de famille.

Les préposés au recensement.

10 13-28.

⁵« Voici les noms de ceux qui vous assisteront :
Pour Ruben, Éliçur, fils de Shedéur.
⁶Pour Siméon, Shelumiel, fils de Çurishaddaï.
⁷Pour Juda, Nahshôn, fils d'Amminadab.
⁸Pour Issachar, Netanéel, fils de Çuar.
⁹Pour Zabulon, Éliab, fils de Hélôn.
¹⁰Pour les fils de Joseph : pour Éphraïm, Élishama, fils d'Ammihud ; pour Manassé, Gamliel, fils de Pedahçur.
¹¹Pour Benjamin, Abidân, fils de Gidéoni.

¹²Pour Dan, Ahiézer, fils d'Ammishaddaï.
¹³Pour Asher, Pagiel, fils d'Okrân.
¹⁴Pour Gad, Élyasaph, fils de Réuel.
¹⁵Pour Nephtali, Ahira, fils d'Énân. »

¹⁶C'étaient des hommes considérés dans la communauté ; ils étaient princes de la tribu de leur ancêtre ; ils étaient à la tête des milliers d'Israël.

¹⁷Moïse et Aaron prirent ces hommes qui avaient été désignés par leur nom ¹⁸et rassemblèrent toute la communauté, le premier jour du second mois. Les Israélites déterminèrent leurs parentés, par clans et par familles, et l'on relevait les noms des hommes de vingt ans et au-dessus, tête par tête. ¹⁹Comme Yahvé le lui avait ordonné, Moïse les enregistra dans le désert du Sinaï.

Le recensement.

²⁰Quand on eut déterminé les parentés des fils de Ruben, premier-né d'Israël, par clans et par familles, on releva, tête par tête, les noms de tous les mâles de vingt ans et au-dessus, aptes à faire campagne. ²¹On en recensa quarante-six mille cinq cents pour la tribu de Ruben.

²²Quand on eut déterminé les parentés des fils de Siméon, par clans et par familles, on releva,

étaient aptes à faire campagne, furent recensés par familles. ⁴⁶Le total des recensés fut de six cent trois mille cinq cent cinquante.

⁴⁷Mais on ne recensa pas avec eux les Lévites, ni leur tribu patriarcale.

Statut des Lévites.

⁴⁸Yahvé parla à Moïse et dit : ⁴⁹« N'enregistre pas cependant la tribu de Lévi, et ne la recense pas au milieu des Israélites. ⁵⁰Mais inscris toi-même les Lévites pour le service de la Demeure du Témoignage, de tout son mobilier et de tout ce qui lui appartient. Ce sont eux qui porteront la Demeure et tout son mobilier, ils en auront le ministère et camperont alentour. ⁵¹Lorsque la Demeure se déplacera, les Lévites la démonteront ; lorsque la Demeure fera halte, les Lévites la dresseront. Tout profane qui s'en approchera sera mis à mort. ⁵²Les Israélites camperont chacun dans son camp, chacun près de son étendard, selon leurs unités. ⁵³Mais les Lévites camperont autour de la Demeure du Témoignage. Ainsi la Colère n'éclatera pas contre la communauté des Israélites. Et les Lévites assureront le service de la Demeure du Témoignage. »

⁵⁴Les Israélites se conformèrent en tout point à ce que Yahvé avait ordonné à Moïse. C'est ainsi qu'ils firent.

Ordre des tribus.

2 ¹Yahvé parla à Moïse et à Aaron et dit :

²« Les Israélites camperont chacun près de son étendard, sous les emblèmes de leurs familles. Ils camperont autour de la Tente du Rendez-vous, à une certaine distance.

³Ceux qui camperont à l'est :

À l'orient, l'étendard du camp de Juda, selon leurs unités. Prince des fils de Juda : Nahshôn, fils d'Amminadab. ⁴Son contingent : soixante-quatorze mille six cents recensés.

⁵Campent près de lui :

La tribu d'Issachar. Prince des fils d'Issachar : Netanéel, fils de Çuar. ⁶Son contingent : cinquante-quatre mille quatre cents recensés.

⁷La tribu de Zabulon. Prince des fils de Zabulon : Éliab, fils de Hélôn. ⁸Son contingent : cinquante-sept mille quatre cents recensés.

⁹Les recensés du camp de Juda, selon leurs unités, sont en tout cent quatre-vingt-six mille quatre cents. Ils lèveront le camp les premiers.

¹⁰Au sud, l'étendard du camp de Ruben, selon leurs unités. Prince des fils de Ruben : Éliçur, fils de Shedéur. ¹¹Son contingent : quarante-six mille cinq cents recensés.

¹²Campent près de lui :

La tribu de Siméon. Prince des fils de Siméon : Shelumiel, fils de Çurishaddaï. ¹³Son contingent : cinquante-neuf mille trois cents recensés.

¹⁴La tribu de Gad. Prince des fils de Gad : Élyasaph, fils de Réuel. ¹⁵Son contingent : quarante-cinq mille six cent cinquante recensés.

¹⁶Les recensés du camp de Ruben, selon leurs unités, sont en tout cent cinquante et un mille

quatre cent cinquante. Ils lèveront le camp les seconds.

¹⁷C'est alors que la Tente du Rendez-vous partira, le camp des Lévites se trouvant au milieu des autres camps. On part dans l'ordre où l'on campe, chacun sous son étendard.

¹⁸À l'ouest, l'étendard du camp d'Éphraïm, selon leurs unités. Prince des fils d'Éphraïm : Élishama, fils d'Ammihud. ¹⁹Son contingent : quarante mille cinq cents recensés.

²⁰Près de lui :
La tribu de Manassé. Prince des fils de Manassé : Gamliel, fils de Pedahçur. ²¹Son contingent : trente-deux mille deux cents recensés.

²²La tribu de Benjamin. Prince des fils de Benjamin : Abidân, fils de Gidéoni. ²³Son contingent : trente-cinq mille quatre cents recensés.

²⁴Les recensés du camp d'Éphraïm, selon leurs unités, sont en tout cent huit mille cent. Ils lèveront le camp les troisièmes.

²⁵Au nord, l'étendard du camp de Dan, selon leurs unités. Prince des fils de Dan : Ahiézer, fils d'Ammishaddaï. ²⁶Son contingent : soixante-deux mille sept cents recensés.

²⁷Campent près de lui :
La tribu d'Asher. Prince des fils d'Asher : Pagiel, fils d'Okrân. ²⁸Son contingent : quarante et un mille cinq cents recensés.

²⁹La tribu de Nephtali. Prince des fils de Nephtali : Ahira, fils d'Énân. ³⁰Son contingent : cinquante-trois mille quatre cents recensés.

³¹Les recensés du camp de Dan sont en tout cent cinquante-sept mille six cents ; ils lèveront le camp les derniers.

Tous selon leurs étendards. »

³²Tels furent les Israélites dont on fit le recensement par famille. Les recensés de ces camps, selon leurs unités, sont en tout six cent trois mille cinq cent cinquante. ³³Mais, comme Yahvé l'avait commandé à Moïse, les Lévites ne furent pas recensés avec les Israélites.

³⁴Les Israélites se conformèrent en tout point à ce que Yahvé avait ordonné à Moïse. C'est ainsi qu'ils campèrent, répartis par étendards. C'est ainsi qu'ils levèrent le camp, chacun dans son clan, chacun avec sa famille.

La tribu de Lévi :
A. Les prêtres.

3 ¹Voici la postérité d'Aaron et de Moïse, à l'époque où Yahvé parla à Moïse au mont Sinaï.

²Voici les noms des fils d'Aaron : Nadab, l'aîné, puis Abihu, Éléazar, Itamar.

³Tels sont les noms des fils d'Aaron, prêtres qui reçurent l'onction et que l'on investit pour exercer le sacerdoce. ⁴Nadab et Abihu moururent devant Yahvé, dans le désert du Sinaï, lorsqu'ils présentèrent devant lui un feu irrégulier. Ils n'avaient pas eu d'enfants, et c'est Éléazar et Itamar qui exercèrent le sacerdoce en présence d'Aaron leur père.

B. Les Lévites. Leurs fonctions.

⁵Yahvé parla à Moïse et dit :
⁶« Fais avancer la tribu de Lévi et mets-la à la disposition d'Aaron le prêtre : ils seront à son service. ⁷Ils assumeront la charge qui

lui incombe, ainsi qu'à toute la communauté, devant la Tente du Rendez-vous, en faisant le service de la Demeure. [8]Ils auront soin de tout le mobilier de la Tente du Rendez-vous, et ils assumeront la charge qui incombe aux Israélites en faisant le service de la Demeure. [9]Tu donneras à Aaron et à ses fils les Lévites, à titre de "donnés" ; ils lui seront donnés par les Israélites.

[10]Tu enregistreras Aaron et ses fils, qui rempliront leur charge sacerdotale. Mais tout profane qui s'approchera sera mis à mort. »

C. Leur élection.

[11]Yahvé parla à Moïse et dit : [12]« Vois. Moi, j'ai choisi les Lévites au milieu des Israélites, à la place de tous les premiers-nés, de ceux qui chez les Israélites ouvrent le sein maternel ; ces Lévites sont donc à moi. [13]Car tout premier-né m'appartient. Le jour où j'ai frappé tous les premiers-nés en terre d'Égypte, je me suis consacré tous les premiers-nés en Israël, aussi bien ceux des hommes que ceux du bétail. Ils sont à moi ; je suis Yahvé. »

D. Leur recensement. 26 57-62.

[14]Yahvé parla à Moïse dans le désert du Sinaï, et dit : [15]« Tu recenseras les fils de Lévi par familles et par clans ; ce sont tous les mâles, depuis l'âge d'un mois et au-dessus, que tu recenseras. » [16]Sur l'ordre de Yahvé, Moïse les recensa, comme Yahvé le lui avait ordonné. [17]Voici les noms des fils de Lévi : Gershôn, Qehat et Merari.

[18]Voici les noms des fils de Gershôn, par clans : Libni et Shiméï ; [19]les fils de Qehat, par clans : Amram, Yiçhar, Hébrôn et Uzziel ; [20]les fils de Merari, par clans : Mahli et Mushi. Tels sont les clans de Lévi, groupés en familles.

[21]De Gershôn relevaient le clan Libnite et le clan Shiméite. Ce sont les clans Gershonites ; [22]le nombre total des mâles recensés, depuis l'âge d'un mois et au-dessus, fut pour eux de sept mille cinq cents. [23]Les clans Gershonites campaient derrière la Demeure, à l'occident. [24]Le prince de la maison de Gershôn était Élyasaph, fils de Laël. [25]Les fils de Gershôn avaient, dans la Tente du Rendez-vous, la charge de la Demeure, de la Tente et de sa couverture, du voile d'entrée de la Tente du Rendez-vous, [26]des rideaux du parvis, du voile d'entrée du parvis qui entoure la Demeure et l'autel, enfin des cordages nécessaires à tout ce service.

[27]De Qehat relevaient les clans Amramite, Yiçharite, Hébronite et Uzziélite. Ce sont les clans Qehatites ; [28]le nombre total des mâles recensés, depuis l'âge d'un mois et au-dessus, fut pour eux de huit mille six cents. Ils étaient chargés du sanctuaire. [29]Les clans Qehatites campaient sur le côté méridional de la Demeure. [30]Le prince de la maison des clans Qehatites était Éliçaphân, fils d'Uzziel. [31]Ils avaient la charge de l'arche, de la table du candélabre, des autels, des objets sacrés pour officier, du voile avec tout son appareil.

[32]Le prince des princes de Lévi était Éléazar, fils d'Aaron le prêtre. Il exerçait la surveillance sur

ceux qui avaient la charge du sanctuaire.

[33] De Merari relevaient le clan Mahlite et le clan Mushite. Ce sont les clans Merarites ; [34] le nombre total des mâles recensés, depuis l'âge d'un mois et au-dessus, fut pour eux de six mille deux cents. [35] Le prince de la maison des clans Merarites était Çuriel, fils d'Abihayil. Ils campaient sur le côté septentrional de la Demeure. [36] Les fils de Merari avaient la charge des cadres de la Demeure, de ses traverses, de ses colonnes et de ses socles, de tous ses accessoires et de tout son appareil, [37] ainsi que des colonnes qui entourent le parvis, de leurs socles, de leurs piquets et de leurs cordages.

[38] Enfin campaient à l'est devant la Demeure, devant la Tente du Rendez-vous à l'orient, Moïse, Aaron et ses fils, qui avaient la charge du sanctuaire au nom des Israélites. Tout profane qui s'approcherait devait être mis à mort.

[39] Le total des Lévites recensés, que Moïse dénombra par clans sur l'ordre de Yahvé, le nombre des mâles depuis l'âge d'un mois et au-dessus, fut de vingt-deux mille.

E. Les Lévites et le rachat des premiers-nés.

[40] Yahvé dit à Moïse :

« Fais le recensement de tous les premiers-nés mâles des Israélites, depuis l'âge d'un mois et au-dessus ; fais le compte de leurs noms. [41] Puis, à la place des premiers-nés d'Israël, tu m'attribueras, à moi Yahvé, les Lévites, et de même leur bétail à la place des premiers-nés du bétail des Israélites. »

[42] Comme Yahvé le lui avait ordonné, Moïse recensa tous les premiers-nés des Israélites. [43] Le recensement des noms des premiers-nés, depuis l'âge d'un mois et au-dessus, donna le nombre total de vingt-deux mille deux cent soixante-treize.

[44] Alors Yahvé parla à Moïse et dit :

[45] « Prends les Lévites à la place de tous les premiers-nés des Israélites, et le bétail des Lévites à la place du bétail ; les Lévites seront à moi, à moi Yahvé. [46] Pour le rachat des deux cent soixante-treize premiers-nés des Israélites qui excèdent le nombre des Lévites, [47] tu prendras cinq sicles par tête ; tu les prendras selon le sicle du sanctuaire, à vingt géras le sicle. [48] Puis, tu donneras cet argent à Aaron et à ses fils pour le rachat de ceux qui sont en excédent. »

[49] Moïse reçut cet argent pour le rachat de ceux que le nombre insuffisant des Lévites ne rachetait point. [50] Il reçut l'argent des premiers-nés des Israélites, mille trois cent soixante sicles, selon le sicle du sanctuaire. [51] Moïse versa l'argent de cette rançon à Aaron et à ses fils, sur l'ordre de Yahvé, comme Yahvé l'avait commandé à Moïse.

Les clans des Lévites :
A. Les Qehatites.

4 [1] Yahvé parla à Moïse et à Aaron et dit :

[2] « Faites le recensement de ceux des Lévites qui sont fils de Qehat, par clans et par familles : [3] tous les hommes de trente à cinquante ans, qui devraient faire campagne, et qui accompliront

leur fonction dans la Tente du Rendez-vous.

⁴Voici quel sera le service des fils de Qehat dans la Tente du Rendez-vous : la charge des choses très saintes.

⁵Quand on lèvera le camp, Aaron et ses fils viendront déposer le rideau du voile. Ils en couvriront l'arche du Témoignage. ⁶Ils mettront par-dessus une housse en cuir fin, sur laquelle ils étendront une étoffe toute de pourpre violette. Puis ils ajusteront les barres de l'arche.

⁷Sur la table d'oblation, ils étendront une étoffe de pourpre, sur laquelle ils déposeront les plats, les coupes, les patères et les aiguières à libation ; le pain de l'oblation perpétuelle y sera aussi. ⁸Ils étendront par-dessus une étoffe de cramoisi, qu'ils recouvriront d'une housse en cuir fin. Puis ils ajusteront les barres de la table.

⁹Ils prendront alors une étoffe de pourpre, dont ils couvriront le candélabre de lumière, ses lampes, ses mouchettes et ses cendriers, et tous les vases à huile employés pour son service. ¹⁰Ils le déposeront avec tous ses accessoires sur une housse en cuir fin et le placeront sur le brancard.

¹¹Sur l'autel d'or, ils étendront une étoffe de pourpre, et le recouvriront d'une housse en cuir fin. Puis ils y ajusteront les barres.

¹²Ils prendront ensuite tous les objets employés pour le service du sanctuaire. Ils les déposeront sur une étoffe de pourpre, ils les recouvriront d'une housse en cuir fin, et mettront le tout sur le brancard.

¹³Après avoir retiré de l'autel ses cendres grasses, ils étendront dessus une étoffe d'écarlate, ¹⁴sur laquelle ils déposeront tous les objets que l'on emploie pour officier, les encensoirs, les fourchettes, les pelles, les coupes d'aspersion, tous les accessoires de l'autel. Ils étendront par-dessus une housse en cuir fin ; puis ils ajusteront les barres.

¹⁵Lorsque Aaron et ses fils auront fini d'envelopper les choses sacrées et tous leurs accessoires, au moment de lever le camp, les fils de Qehat viendront les porter, mais sans toucher à ce qui est consacré : ils mourraient. Telle est la charge des fils de Qehat dans la Tente du Rendez-vous. ¹⁶Mais à Éléazar, fils d'Aaron le prêtre, il incomba de veiller à l'huile du luminaire, aux parfums d'herbes odorantes, à l'oblation perpétuelle, à l'huile d'onction ; il devra veiller sur toute la Demeure, sur tout ce qui s'y trouve : les choses sacrées et leurs accessoires. »

¹⁷Yahvé parla à Moïse et à Aaron. Il dit :

¹⁸« Ne retranchez pas du nombre des Lévites la tribu des clans Qehatites. ¹⁹Agissez donc ainsi pour eux, afin qu'ils vivent et n'encourent pas la mort en s'approchant des choses très saintes : Aaron et ses fils viendront placer chacun d'eux au lieu de son service et près de son fardeau. ²⁰Ils éviteront ainsi d'entrer et de porter le regard, ne fût-ce qu'un instant, sur les choses sacrées : ils mourraient ! »

B. Les Gershonites.

²¹Yahvé parla à Moïse et dit :
²²« Fais aussi le recensement des fils de Gershôn, par familles

et par clans. [23]Tu recenseras tous les hommes de trente à cinquante ans, aptes à faire campagne, et qui feront le service dans la Tente du Rendez-vous.

[24]Voici quel sera le service des clans Gershonites, leurs fonctions et leurs fardeaux.

[25]Ils porteront les tentures de la Demeure, la Tente du Rendez-vous avec sa bâche et la bâche en cuir fin qui la recouvre, la portière d'entrée de la Tente du Rendez-vous, [26]les rideaux du parvis, le voile d'entrée de la porte du parvis qui entoure la Demeure et l'autel, les cordages et tous les accessoires du culte, tout le matériel nécessaire.

Ils feront leur service. [27]Tout ce service des fils de Gershôn – fonctions et fardeaux – se fera sous les ordres d'Aaron et de ses fils : vous aurez à les surveiller dans l'observance de leur charge. [28]Tel sera le service des clans Gershonites dans la Tente du Rendez-vous. Leur ministère dépendra d'Itamar, fils d'Aaron le prêtre. »

C. Les Merarites.

[29]« Tu feras le recensement des fils de Merari, par clans et par familles. [30]Tu feras le recensement de tous les hommes de trente à cinquante ans aptes à faire campagne, et qui feront le service dans la Tente du Rendez-vous.

[31]Voici le fardeau qu'ils assumeront, et tout le service qui leur incombera dans la Tente du Rendez-vous : les cadres de la Demeure, ses traverses, ses colonnes et ses socles. [32]Les colonnes qui entourent le parvis, leurs socles, leurs piquets, leurs cordages et tout leur

appareil. Vous ferez le relevé de leurs noms avec les objets dont ils assumeront le fardeau.

[33]Tel sera le service des clans Merarites. Pour tout leur service dans la Tente du Rendez-vous, ils dépendront d'Itamar, fils d'Aaron le prêtre. »

Recensement des Lévites.

[34]Moïse, Aaron et les princes de la communauté firent le recensement des fils de Qehat, par clans et par familles : [35]tous les hommes de trente à cinquante ans, aptes à faire campagne et chargés du service dans la Tente du Rendez-vous. [36]On compta pour leurs clans deux mille sept cent cinquante recensés. [37]Tel fut le nombre des recensés des clans Qehatites, tous ceux qui devraient servir dans la Tente du Rendez-vous, et que recensèrent Moïse et Aaron, sur l'ordre de Yahvé transmis par Moïse.

[38]On fit le recensement des fils de Gershôn, par clans et par familles : [39]tous les hommes de trente à cinquante ans, aptes à faire campagne et chargés du service dans la Tente du Rendez-vous. [40]On compta deux mille six cent trente recensés, par clans et par familles. [41]Tel fut le nombre des recensés des clans Gershonites, tous ceux qui devaient servir dans la Tente du Rendez-vous, et que recensèrent Moïse et Aaron, sur l'ordre de Yahvé.

[42]On fit le recensement des clans des fils de Merari par clans et par familles : [43]tous les hommes de trente à cinquante ans, aptes à faire campagne et chargés du service dans la Tente du Rendez-

vous. ⁴⁴On compta pour leurs clans trois mille deux cents recensés. ⁴⁵Tel fut le nombre des recensés des clans Merarites, que recensèrent Moïse et Aaron, sur l'ordre de Yahvé transmis par Moïse.

⁴⁶Le nombre total des Lévites que Moïse, Aaron et les princes d'Israël recensèrent par clans et par familles – ⁴⁷tous les hommes de trente à cinquante ans, aptes à servir dans le culte et à servir dans le service du transport de la Tente du Rendez-vous – ⁴⁸se monta à huit mille cinq cent quatre-vingts recensés. ⁴⁹Sur l'ordre de Yahvé transmis par Moïse, on fit leur recensement en attribuant à chacun son service et son fardeau ; ils furent recensés comme Yahvé l'avait ordonné à Moïse.

2. Lois diverses

Expulsion des impurs. Dt 23 10-15.

5 ¹Yahvé parla à Moïse et dit : ²« Ordonne aux Israélites de renvoyer du camp tout lépreux, toute personne atteinte d'écoulement, ou qu'un cadavre aurait rendue impure. ³Homme ou femme, vous les renverrez, vous les expulserez du camp. Ainsi, les Israélites ne souilleront pas leur camp, où je demeure au milieu d'eux. »

⁴Ainsi firent les Israélites : ils les renvoyèrent du camp. Les Israélites agirent comme Yahvé l'avait dit à Moïse.

La restitution.

⁵Yahvé parla à Moïse et dit : ⁶« Parle aux Israélites.

Si un homme ou une femme commet quelqu'un de ces péchés par lesquels on frustre Yahvé, cette personne est en faute.

⁷Elle confessera le péché commis, et restituera la somme dont elle est redevable, majorée d'un cinquième. Elle la restituera à celui envers qui elle est en faute.

⁸Et si ce dernier n'a point de parent auquel on puisse restituer, la restitution due à Yahvé revient au prêtre, sans compter le bélier d'expiation au moyen duquel le prêtre fera sur le coupable le rite d'expiation. ⁹Car sur toute chose que les Israélites ont consacrée et apportée au prêtre, celui-ci a droit au prélèvement. ¹⁰À chacun reviennent les choses qu'il a consacrées ; ce que chacun remet au prêtre revient à celui-ci. »

L'oblation de jalousie.

¹¹Yahvé parla à Moïse et dit : ¹²« Parle aux Israélites ; tu leur diras :

S'il est quelqu'un que sa femme a trompé, s'étant dévoyée, ¹³si un homme, à l'insu du mari, a couché maritalement avec cette femme et qu'elle s'est rendue impure dans le secret, sans qu'il y ait de témoins contre elle et sans qu'on l'ait prise sur le fait ; ¹⁴si maintenant un esprit de jalousie, venant sur le mari, le rend jaloux de sa femme qui s'est déshonorée, ou encore si cet esprit de jalousie, venant sur lui, le rend jaloux de sa femme innocente ¹⁵cet homme conduira sa femme devant le prêtre, et fera pour elle une offrande d'un dixième de mesure de farine d'orge. Il n'y versera pas d'huile et n'y mettra pas d'encens, car c'est une oblation de jalousie, une oblation commémorative, qui doit rappeler une faute.

[16]Le prêtre fera approcher la femme et la placera devant Yahvé. [17]Puis il prendra de l'eau vive dans un vase d'argile et, ayant pris de la poussière sur le sol de la Demeure, il la répandra sur cette eau. [18]Ayant placé la femme devant Yahvé, il lui dénouera la chevelure et lui mettra dans les mains l'oblation commémorative (c'est-à-dire l'oblation de jalousie). Mais dans la main du prêtre seront les eaux d'amertume et de malédiction.

[19]Ensuite, le prêtre déférera le serment à la femme. Il lui dira : "S'il n'est pas vrai qu'un homme ait couché avec toi, que tu te sois dévoyée et rendue impure, que ton mari a pouvoir sur toi, que ces eaux d'amertume et de malédiction te soient inoffensives ! [20]Mais s'il est vrai que tu te sois dévoyée alors que ton mari a pouvoir sur toi, que tu te sois rendue impure et qu'un homme autre que ton mari t'ait fait partager ta couche..." [21]Le prêtre déférera ici à la femme un serment imprécatoire. Il lui dira : "... Que Yahvé te fasse servir, dans ton peuple, aux imprécations et aux serments, en faisant flétrir ton sexe et enfler ton ventre ! [22]Que ces eaux de malédiction pénètrent en tes entrailles pour que s'enfle ton ventre et que se flétrisse ton sexe !" La femme répondra : "Amen ! Amen !"

[23]Puis le prêtre mettra par écrit ces imprécations et les effacera dans les eaux d'amertume. [24]Il fera boire à la femme ces eaux d'amertume et de malédiction, et ces eaux de malédiction pénètreront en elle pour lui être amères.

[25]Prenant alors des mains de la femme l'oblation de jalousie, le prêtre tendra celle-ci en geste de présentation devant Yahvé et la portera sur l'autel. [26]Il en prendra une poignée, en mémorial, qu'il fera fumer sur l'autel.

Il fera boire ces eaux à la femme. [27]Et lorsqu'il les lui aura fait boire, s'il est vrai qu'elle s'est rendue impure en trompant son mari, alors les eaux de malédiction, pénétrant en elle, lui seront amères : son ventre enflera, son sexe se flétrira, et pour son peuple elle servira d'exemple dans les malédictions. [28]Si au contraire elle ne s'est pas rendue impure et si elle est pure, elle restera indemne et elle aura des enfants.

[29]Tel est le rituel pour le cas de jalousie, quand une femme s'est dévoyée et rendue impure, alors que son mari a pouvoir sur elle, [30]ou quand un esprit de jalousie est venu sur un homme et l'a rendu jaloux de sa femme. Lorsque le mari aura conduit cette femme devant Yahvé, le prêtre lui appliquera intégralement ce rituel. [31]Le mari sera exempt de faute ; la femme, elle, portera la sienne. »

Le naziréat.

6 [1]Yahvé parla à Moïse et dit : [2]« Parle aux Israélites ; tu leur diras :

Si un homme ou une femme entend s'acquitter d'un vœu, le vœu de naziréat, par lequel il s'est voué à Yahvé, ³il s'abstiendra de vin et de boissons fermentées, il ne boira pas le vinaigre qu'on tire de l'un ou de l'autre, il ne boira d'aucun jus de raisin, il ne mangera ni raisins frais ni raisins secs. ⁴Durant tout le temps de sa consécration, il ne prendra d'aucun produit du cep de vigne, depuis le verjus jusqu'au marc. ⁵Aussi longtemps qu'il sera consacré par son vœu, le rasoir ne passera pas sur sa tête ; jusqu'à ce que soit écoulé le temps pour lequel il s'est voué à Yahvé, il sera consacré et laissera croître librement sa chevelure. ⁶Durant tout le temps de sa consécration à Yahvé, il ne s'approchera pas d'un mort ; ⁷ni pour son père, ni pour sa mère, ni pour son frère, ni pour sa sœur il ne se rendra impur s'ils viennent à mourir, car il porte sur sa tête la consécration de son Dieu. ⁸Durant tout le temps de son naziréat il est un consacré à Yahvé.

⁹Si, près de lui, quelqu'un meurt de mort subite, rendant impure sa chevelure consacrée, il se rasera la tête au jour de sa purification, il se rasera la tête le septième jour. ¹⁰Le huitième jour, il apportera deux tourterelles ou deux pigeons au prêtre, à l'entrée de la Tente du Rendez-vous. ¹¹Le prêtre offrira l'un en sacrifice pour le péché, et l'autre en holocauste ; il accomplira ensuite sur cet homme le rite d'expiation pour la souillure contractée près de ce mort. L'homme consacrera sa tête ce jour-là ; ¹²il se consacrera à Yahvé pour le temps de son naziréat, et il amènera un agneau d'un an, à titre de sacrifice

de réparation. Le temps déjà écoulé ne comptera pas, puisque sa chevelure a été rendue impure.

¹³Voici le rituel du nazir, pour le jour où le temps de sa consécration est révolu. Conduit à l'entrée de la Tente du Rendez-vous, ¹⁴il apportera à Yahvé son offrande : pour un holocauste, un agneau d'un an, sans défaut ; pour un sacrifice pour le péché, une agnelle d'un an, sans défaut ; pour un sacrifice de communion, un bélier sans défaut ; ¹⁵une corbeille de gâteaux de fleur de farine sans levain, pétris à l'huile, des galettes sans levain frottées d'huile, avec les oblations et libations conjointes. ¹⁶Ayant apporté tout cela devant Yahvé, le prêtre fera le sacrifice pour le péché et l'holocauste du nazir. ¹⁷Celui-ci fera un sacrifice de communion avec le bélier et avec les azymes de la corbeille, et le prêtre offrira l'oblation et la libation conjointes. ¹⁸Puis le nazir rasera sa chevelure consacrée à l'entrée de la Tente du Rendez-vous et, prenant les cheveux de sa tête consacrée, il les mettra dans le feu du sacrifice de communion. ¹⁹Le prêtre prendra l'épaule du bélier, une fois cuite, un gâteau sans levain de la corbeille et une galette sans levain. Il les mettra dans la main du nazir quand celui-ci aura rasé sa chevelure. ²⁰Il les tendra en geste de présentation devant Yahvé ; c'est chose sainte qui revient au prêtre, outre la poitrine de présentation et la cuisse de prélèvement. Le nazir pourra dès lors boire du vin.

²¹Tel est le rituel concernant le nazir. Si, en plus de sa chevelu-

re, il a fait vœu d'une offrande personnelle à Yahvé, il acquittera (sans compter ce que ses moyens lui permettront) ce vœu qu'il a fait, en plus de ce que prévoit le rituel pour sa chevelure. »

La formule de bénédiction.

²²Yahvé parla à Moïse et dit : ²³« Parle à Aaron et à ses fils et dis-leur :

Voici comment vous bénirez les Israélites. Vous leur direz : ²⁴"Que Yahvé te bénisse et te garde ! ²⁵Que Yahvé fasse pour toi rayonner son visage et te fasse grâce ! ²⁶Que Yahvé te découvre sa face et t'apporte la paix !" ²⁷Qu'ils mettent ainsi mon nom sur les Israélites, et je les bénirai. »

3. Offrandes des chefs et consécration des Lévites

Offrande des chariots.

7 ¹Le jour où Moïse eut achevé d'ériger la Demeure, il l'oignit et la consacra avec tout son mobilier, ainsi que l'autel avec tous ses accessoires. Quand il eut oint et consacré tout cela, ²les princes d'Israël firent une offrande ; c'étaient les chefs des familles, ceux qui étaient les princes des tribus et présidaient au recensement. ³Ils conduisirent leur offrande devant Yahvé : six chariots couverts et douze bœufs, un chariot pour deux princes, et un bœuf chacun. Ils les firent venir devant la Demeure. ⁴Yahvé parla à Moïse et dit : ⁵« Reçois-les d'eux, et qu'ils soient affectés au service de la Tente du Rendez-vous. Tu les donneras aux Lévites, à chacun en raison de sa fonction. » ⁶Moïse prit les chariots et les bœufs, il les donna aux Lévites. ⁷Aux fils de Gershôn, il donna deux chariots et quatre bœufs, en raison de leur fonction. ⁸Aux

fils de Merari, il donna quatre chariots et huit bœufs, en raison de la fonction qu'ils avaient à remplir sous la direction d'Itamar, fils d'Aaron le prêtre. ⁹Mais aux fils de Qehat, il n'en donna point, car eux devaient porter sur les épaules la charge sacrée qui leur incombait.

Offrande de la Dédicace.

¹⁰Les princes firent alors une offrande pour la dédicace de l'autel, le jour de son onction. Ils apportèrent leur offrande devant l'autel, ¹¹et Yahvé dit à Moïse : « Que chaque jour l'un des princes apporte son offrande pour la dédicace de l'autel. »

¹²Celui qui apporta son offrande le premier jour fut Nahshôn, fils d'Amminadab, de la tribu de Juda. ¹³Son offrande comprenait : une coupe d'argent pesant cent trente sicles, une coupe d'aspersion en argent de soixante-dix sicles (en sicles du sanctuaire), tou-

tes deux remplies, pour l'oblation, de fleur de farine pétrie à l'huile, [14] une coupe d'or de dix sicles, pleine d'encens, [15] un taureau, un bélier et un agneau d'un an pour l'holocauste, [16] un bouc pour le sacrifice pour le péché, [17] et pour le sacrifice de communion, deux bœufs, cinq béliers, cinq boucs, cinq agneaux d'un an. Telle fut l'offrande de Nahshôn, fils d'Amminadab.

[18] Celui qui apporta son offrande le second jour fut Netanéel, fils de Çuar, prince d'Issachar. [19] Son offrande comprenait : une coupe d'argent pesant cent trente sicles, une coupe d'aspersion en argent de soixante-dix sicles (en sicles du sanctuaire), toutes deux remplies, pour l'oblation, de fleur de farine pétrie à l'huile, [20] une coupe d'or de dix sicles, pleine d'encens, [21] un taureau, un bélier et un agneau d'un an pour l'holocauste, [22] un bouc pour le sacrifice pour le péché, [23] et pour le sacrifice de communion, deux bœufs, cinq béliers, cinq boucs, cinq agneaux d'un an. Telle fut l'offrande de Netanéel, fils de Çuar.

[24] Celui qui apporta son offrande le troisième jour fut Éliab, fils de Hélôn, prince des fils de Zabulon. [25] Son offrande comprenait : une coupe d'argent pesant cent trente sicles, une coupe d'aspersion en argent de soixante-dix sicles (en sicles du sanctuaire), toutes deux remplies, pour l'oblation, de fleur de farine pétrie à l'huile, [26] une coupe d'or de dix sicles, pleine d'encens, [27] un taureau, un bélier et un agneau d'un an pour l'holocauste, [28] un bouc pour le sacrifice pour le péché, [29] et pour le sacrifice de communion, deux bœufs, cinq béliers, cinq boucs, cinq agneaux d'un an. Telle fut l'offrande d'Éliab, fils de Hélôn.

[30] Celui qui apporta son offrande le quatrième jour fut Éliçur, fils de Shedéur, prince des fils de Ruben. [31] Son offrande comprenait : une coupe d'argent pesant cent trente sicles, une coupe d'aspersion en argent de soixante-dix sicles (en sicles du sanctuaire), toutes deux remplies, pour l'oblation, de fleur de farine pétrie à l'huile, [32] une coupe d'or de dix sicles, pleine d'encens, [33] un taureau, un bélier et un agneau d'un an pour l'holocauste, [34] un bouc pour le sacrifice pour le péché, [35] et pour le sacrifice de communion, deux bœufs, cinq béliers, cinq boucs, cinq agneaux d'un an. Telle fut l'offrande d'Éliçur, fils de Shedéur.

[36] Celui qui apporta son offrande le cinquième jour fut Shelumiel, fils de Çurishaddaï, prince des fils de Siméon. [37] Son offrande comprenait : une coupe d'argent pesant cent trente sicles, une coupe d'aspersion en argent de soixante-dix sicles (en sicles du sanctuaire), toutes deux remplies, pour l'oblation, de fleur de farine pétrie à l'huile, [38] une coupe d'or de dix sicles, pleine d'encens, [39] un taureau, un bélier et un agneau d'un an pour l'holocauste, [40] un bouc pour le sacrifice pour le péché, [41] et pour le sacrifice de communion, deux bœufs, cinq béliers, cinq boucs, cinq agneaux d'un an. Telle fut l'offrande de Shelumiel, fils de Çurishaddaï.

[42] Celui qui apporta son offrande le sixième jour fut Élyasaph, fils de Réuel, prince des fils de Gad. [43] Son

offrande comprenait : une coupe d'argent pesant cent trente sicles, une coupe d'aspersion en argent de soixante-dix sicles (en sicles du sanctuaire), toutes deux remplies, pour l'oblation, de fleur de farine pétrie à l'huile, 44une coupe d'or de dix sicles, pleine d'encens, 45un taureau, un bélier et un agneau d'un an pour l'holocauste, 46un bouc pour le sacrifice pour le péché, 47et pour le sacrifice de communion, deux bœufs, cinq béliers, cinq boucs, cinq agneaux d'un an. Telle fut l'offrande d'Élyasaph, fils de Réuel.

48Celui qui apporta son offrande le septième jour fut Élishama, fils d'Ammihud, prince des fils d'Éphraïm. 49Son offrande comprenait : une coupe d'argent pesant cent trente sicles, une coupe d'aspersion en argent de soixante-dix sicles (en sicles du sanctuaire), toutes deux remplies, pour l'oblation, de fleur de farine pétrie à l'huile, 50une coupe d'or de dix sicles, pleine d'encens, 51un taureau, un bélier et un agneau d'un an pour l'holocauste, 52un bouc pour le sacrifice pour le péché, 53et, pour le sacrifice de communion, deux bœufs, cinq béliers, cinq boucs, cinq agneaux d'un an. Telle fut l'offrande d'Élishama, fils d'Ammihud.

54Celui qui apporta son offrande le huitième jour fut Gamliel, fils de Pedahçur, prince des fils de Manassé. 55Son offrande comprenait : une coupe d'argent pesant cent trente sicles, une coupe d'aspersion en argent de soixante-dix sicles (en sicles du sanctuaire), toutes deux remplies, pour l'oblation, de fleur de farine pétrie à l'huile, 56une coupe d'or de dix sicles, pleine d'encens, 57un taureau, un bélier et un agneau d'un an pour l'holocauste, 58un bouc pour le sacrifice pour le péché, 59et pour le sacrifice de communion, deux bœufs, cinq béliers, cinq boucs, cinq agneaux d'un an. Telle fut l'offrande de Gamliel, fils de Pedahçur.

60Celui qui apporta son offrande le neuvième jour fut Abidân, fils de Gidéoni, prince des fils de Benjamin. 61Son offrande comprenait : une coupe d'argent pesant cent trente sicles, une coupe d'aspersion en argent de soixante-dix sicles (en sicles du sanctuaire), toutes deux remplies, pour l'oblation, de fleur de farine pétrie à l'huile, 62une coupe d'or de dix sicles, pleine d'encens, 63un taureau, un bélier et un agneau d'un an pour l'holocauste, 64un bouc pour le sacrifice pour le péché, 65et pour le sacrifice de communion, deux bœufs, cinq béliers, cinq boucs, cinq agneaux d'un an. Telle fut l'offrande d'Abidân, fils de Gidéoni.

66Celui qui apporta son offrande le dixième jour fut Ahiézer, fils d'Ammishaddaï, prince des fils de Dan. 67Son offrande comprenait : une coupe d'argent pesant cent trente sicles, une coupe d'aspersion en argent de soixante-dix sicles (en sicles du sanctuaire), toutes deux remplies, pour l'oblation, de fleur de farine pétrie à l'huile, 68une coupe d'or de dix sicles, pleine d'encens, 69un taureau, un bélier et un agneau d'un an pour l'holocauste, 70un bouc pour le sacrifice pour le péché, 71et pour le sacrifice de communion, deux bœufs, cinq béliers, cinq boucs, cinq agneaux d'un an. Telle fut l'offrande d'Ahiézer, fils d'Ammishaddaï.

72Celui qui apporta son offrande le onzième jour fut Pagiel, fils d'Okrân, prince des fils d'Asher. 73Son offrande comprenait : une coupe d'argent pesant cent trente sicles, une coupe d'aspersion en argent de soixante-dix sicles (en sicles du sanctuaire), toutes deux remplies, pour l'oblation, de fleur de farine pétrie à l'huile, 74une coupe d'or de dix sicles, pleine d'encens, 75un taureau, un bélier et un agneau d'un an pour l'holocauste, 76un bouc pour le sacrifice pour le péché, 77et pour le sacrifice de communion, deux bœufs, cinq béliers, cinq boucs, cinq agneaux d'un an. Telle fut l'offrande de Pagiel, fils d'Okrân.

78Celui qui apporta son offrande le douzième jour fut Ahira, fils d'Énân, prince des fils de Nephtali. 79Son offrande comprenait : une coupe d'argent pesant cent trente sicles, une coupe d'aspersion en argent de soixante-dix sicles (en sicles du sanctuaire), toutes deux remplies, pour l'oblation, de fleur de farine pétrie à l'huile, 80une coupe d'or de dix sicles, pleine d'encens, 81un taureau, un bélier et un agneau d'un an pour l'holocauste, 82un bouc pour le sacrifice pour le péché, 83et pour le sacrifice de communion, deux bœufs, cinq béliers, cinq boucs, cinq agneaux d'un an. Telle fut l'offrande d'Ahira, fils d'Énân.

84Telles furent les offrandes des princes d'Israël pour la dédicace de l'autel, le jour de son onction : douze coupes d'argent, douze coupes d'aspersion en argent, douze coupes d'or. 85Chaque coupe d'argent pesant cent trente sicles, et chaque coupe d'aspersion soixante-dix, l'argent de ces objets pesait en tout deux mille quatre cents sicles du sanctuaire. 86Les douze coupes d'or remplies d'encens pesant chacune dix sicles, en sicles du sanctuaire, l'or de ces coupes pesait en tout cent vingt sicles.

87Total du bétail pour l'holocauste : douze taureaux, douze béliers, douze agneaux d'un an, avec les oblations conjointes. Pour le sacrifice pour le péché, douze boucs. 88Total du bétail pour le sacrifice de communion : vingt-quatre taureaux, soixante béliers, soixante boucs, soixante agneaux d'un an.

Telles furent les offrandes pour la dédicace de l'autel, après son onction.

89Quand Moïse pénétrait dans la Tente du Rendez-vous pour s'adresser à Lui, il entendait la voix qui lui parlait du haut du propitiatoire que portait l'arche du Témoignage, entre les deux chérubins. Alors il s'adressait à Lui.

Les lampes du candélabre.

8 1Yahvé parla à Moïse et dit : 2« Parle à Aaron ; tu lui diras : "Lorsque tu disposeras les lampes, c'est sur le devant du candélabre que les sept lampes donneront leur lumière." »

3Ainsi fit Aaron. Il disposa les lampes sur le devant du candélabre, comme Yahvé l'avait ordonné à Moïse. 4Ce candélabre était un ouvrage d'or repoussé, y compris la tige et la corolle qui étaient aussi en or repoussé. Ce candélabre avait été fait conformément à la vision que Yahvé en avait donnée à Moïse.

Les Lévites sont offerts à Yahvé.

[5]Yahvé parla à Moïse et dit : [6]« Prends les Lévites du milieu des Israélites et purifie-les. [7]Ainsi feras-tu pour les purifier : tu feras sur eux une aspersion d'eau lustrale, ils se raseront tout le corps et laveront leurs vêtements, alors ils seront purs. [8]Puis ils prendront un taureau, avec l'oblation conjointe de fleur de farine pétrie dans l'huile, et tu prendras un second taureau pour un sacrifice pour le péché.

[9]Tu feras alors avancer les Lévites devant la Tente du Rendezvous, et tu rassembleras toute la communauté des Israélites. [10]Lorsque tu auras fait avancer les Lévites devant Yahvé, les Israélites leur imposeront les mains. [11]Puis Aaron offrira les Lévites, en faisant le geste de présentation devant Yahvé, de la part des Israélites. Ils seront alors affectés au service de Yahvé.

[12]Les Lévites poseront ensuite la main sur la tête des taureaux, et tu feras de l'une des bêtes un sacrifice pour le péché, de l'autre un holocauste à Yahvé, afin d'accomplir sur les Lévites le rite d'expiation. [13]Ayant placé les Lévites devant Aaron et ses fils, tu les offriras à Yahvé avec le geste de présentation. [14]C'est ainsi que tu mettras à part les Lévites, du milieu des Israélites, pour qu'ils m'appartiennent. [15]Les Lévites commenceront alors à faire le service de la Tente du Rendez-vous. Tu les purifieras et tu les offri-

ras avec le geste de présentation [16]parce qu'ils me sont cédés, à titre de "donnés", parmi les Israélites. Ils sont substitués à ceux qui ouvrent le sein maternel, aux premiers-nés de tous ; parmi les Israélites, je me les suis attribués. [17]Oui, c'est à moi que revient tout premier-né chez les Israélites, homme ou animal : le jour où j'ai frappé tous les premiers-nés en terre d'Égypte, je me les suis consacrés, [18]et, à la place de tous les premiers-nés des Israélites, j'ai pris les Lévites. [19]Du milieu des Israélites je donne les Lévites à Aaron et à ses fils, à titre de "donnés" ; ils feront pour les Israélites le service cultuel dans la Tente du Rendez-vous et feront sur eux le rite d'expiation, en sorte qu'aucun des Israélites ne soit frappé pour s'être approché du sanctuaire. »

[20]Moïse, Aaron et toute la communauté des Israélites agirent à l'égard des Lévites selon tout ce que Yahvé avait ordonné à Moïse à leur sujet ; ainsi agirent les Israélites à leur égard. [21]Les Lévites se purifièrent, lavèrent leurs vêtements, et Aaron les offrit avec le geste de présentation devant Yahvé. Puis il accomplit sur eux le rite d'expiation pour les purifier. [22]Les Lévites furent admis à faire leur service dans la Tente du Rendez-vous en présence d'Aaron et de ses fils. Selon ce que Yahvé avait prescrit à Moïse au sujet des Lévites, ainsi agit-on à leur égard.

Leur temps de service.

[23]Yahvé parla à Moïse et dit : [24]« Voici pour les Lévites. À partir de l'âge de vingt-cinq ans, le Lévite devra servir, en s'acquit-

tant d'une fonction dans la Tente du Rendez-vous.

²⁵À partir de cinquante ans, il ne sera plus astreint au service ; il n'aura plus de fonction ; ²⁶il aidera pourtant ses frères à assurer l'observance dans la Tente du Rendez-vous, mais il n'aura plus de service. Ainsi feras-tu en ce qui concerne les observances des Lévites. »

4. La Pâque et le départ

Date de la Pâque. Ex 12 1.

9 ¹Yahvé parla à Moïse, dans le désert du Sinaï, la seconde année après la sortie d'Égypte, au premier mois, et il dit :

²« Que les Israélites célèbrent la Pâque au temps fixé. ³C'est le quatorzième jour de ce mois, au crépuscule, que vous la célébrerez au temps fixé. Vous la célébrerez selon toutes les lois et coutumes qui la concernent. »

⁴Moïse dit aux Israélites de célébrer la Pâque. ⁵Ils la célébrèrent, dans le désert du Sinaï, au premier mois, le quatorzième jour du mois, au crépuscule. Les Israélites firent tout ce que Yahvé avait ordonné à Moïse.

Cas particulier.

⁶Or, il se trouva des hommes qui avaient contracté une impureté du fait d'un mort ; ils ne purent célébrer la Pâque ce jour-là. Ils vinrent le même jour trouver Moïse et Aaron ⁷et leur dirent : « Nous avons contracté une impureté du fait d'un mort. Pourquoi serions-nous exclus, et privés d'apporter l'offrande de Yahvé au temps fixé, au milieu des Israélites ? » ⁸Moïse leur répondit : « Tenez-vous là, que j'entende ce que Yahvé ordonne pour vous. »

⁹Yahvé parla à Moïse et dit : ¹⁰« Parle aux Israélites et dis-leur :

Si quelqu'un, parmi vous ou vos descendants, se trouve impur, du fait d'un mort, ou est en voyage au loin, il célébrera une Pâque pour Yahvé. ¹¹C'est au second mois, le quatorzième jour, au crépuscule, qu'ils la célébreront. Ils la mangeront avec des azymes et des herbes amères ; ¹²rien n'en devra rester au matin, ils n'en briseront aucun os. C'est selon tout le rituel de la Pâque qu'ils la célébreront. ¹³Mais celui qui se trouve pur ou qui n'a pas eu à voyager, celui-là sera retranché de sa race s'il omet de célébrer la Pâque. Il n'a pas apporté l'offrande de Yahvé au temps fixé, il portera le poids de son péché.

¹⁴Si quelque étranger réside parmi vous et célèbre une Pâque pour Yahvé, c'est selon le rituel et les coutumes de la Pâque qu'il la célébrera. Il n'y aura chez vous qu'une loi, pour l'étranger comme pour le citoyen. »

La nuée. Ex 13 22 ; 40 34-38.

¹⁵Le jour où l'on avait dressé la Demeure, la nuée avait couvert la Demeure, la Tente du Rendez-vous. Du soir au matin, elle reposait sur la Demeure sous l'aspect d'un feu. ¹⁶Ainsi la nuée la cou-

vrait en permanence, prenant l'aspect d'un feu jusqu'au matin.

[17]Lorsque la nuée s'élevait au-dessus de la Tente, alors les Israélites levaient le camp ; au lieu où la nuée s'arrêtait, là campaient les Israélites. [18]Les Israélites partaient sur l'ordre de Yahvé et sur son ordre ils campaient. Ils campaient aussi longtemps que la nuée reposait sur la Demeure. [19]Si la nuée restait de longs jours sur la Demeure, les Israélites rendaient leur culte à Yahvé et ne partaient pas. [20]Mais s'il arrivait que la nuée restât peu de jours sur la Demeure, alors ils campaient sur l'ordre de Yahvé et partaient sur l'ordre de Yahvé. [21]S'il arrivait que la nuée, après avoir reposé du soir au matin, s'élevât au matin, ils partaient alors. Ou bien, elle s'élevait après avoir séjourné un jour et une nuit, et ils partaient alors. [22]Ou bien encore elle séjournait deux jours, un mois ou une année ; aussi longtemps que la nuée reposait sur la Demeure, les Israélites campaient sur place, mais lorsqu'elle s'élevait ils partaient. [23]Sur l'ordre de Yahvé ils campaient, et sur l'ordre de Yahvé ils partaient. Ils rendaient leur culte à Yahvé, suivant les ordres de Yahvé transmis par Moïse.

Les trompettes.

10 [1]Yahvé parla à Moïse et dit : [2]« Fais-toi deux trompettes ; tu les feras d'argent repoussé. Elles te serviront à convoquer la communauté et à donner aux camps le signal du départ. [3]Lorsqu'on en sonnera, toute la communauté se rassemblera auprès de toi, à l'entrée de la Tente du Ren-dez-vous. [4]Mais si l'on ne sonne que d'une trompette, ce sont les princes, chefs des milliers d'Israël, qui se réuniront auprès de toi.

[5]Lorsque vous accompagnerez d'acclamations la sonnerie, les camps établis à l'orient partiront. [6]À la seconde sonnerie accompagnée d'acclamations, les camps établis au midi partiront. Pour partir, on accompagnera la sonnerie d'acclamations, [7]mais pour rassembler la communauté, on sonnera sans acclamations. [8]Ce sont les fils d'Aaron, les prêtres, qui sonneront des trompettes ; c'est pour vous et pour vos descendants un décret perpétuel.

[9]Lorsque, dans votre pays, vous devrez partir en guerre contre un ennemi qui vous opprime, vous sonnerez des trompettes en poussant des acclamations : votre souvenir sera évoqué devant Yahvé votre Dieu et vous serez délivrés de vos ennemis. [10]En vos jours de fêtes, solennités ou néoménies, vous sonnerez des trompettes lors de vos holocaustes et sacrifices de communion, et elles vous rappelleront au souvenir de votre Dieu. Je suis Yahvé votre Dieu. »

L'ordre de marche.

[11]La seconde année, au second mois, le vingtième jour du mois, la nuée s'éleva au-dessus de la Demeure du Rendez-vous. [12]Les Israélites partirent, en ordre de marche, du désert du Sinaï. C'est au désert de Parân que la nuée s'arrêta.

[13]Voici ceux qui partirent en tête, sur l'ordre de Yahvé transmis par Moïse : [14]partit en tête l'étendard du camp des fils de Juda se-

lon leurs unités. À la tête du contingent de Juda était Nahshôn, fils d'Amminadab ; ¹⁵à la tête du contingent de la tribu des fils d'Issachar selon leurs unités, était Netanéel, fils de Çuar ; ¹⁶à la tête du contingent de la tribu des fils de Zabulon selon leurs unités, était Éliab, fils de Hélôn.

¹⁷Puis la Demeure fut démontée, alors partirent les fils de Gershôn et les fils de Merari, qui portaient la Demeure.

¹⁸Partit ensuite l'étendard du camp des fils de Ruben selon leurs unités. À la tête de son contingent était Éliçur, fils de Shedéur ; ¹⁹à la tête du contingent de la tribu des fils de Siméon selon leurs unités, était Shelumiel, fils de Çurishaddaï ; ²⁰à la tête du contingent de la tribu des fils de Gad selon leurs unités, était Élyasaph, fils de Réuel.

²¹Partirent alors les fils de Qehat, qui portaient le sanctuaire (on dressait la Demeure avant leur arrivée).

²²Partit ensuite l'étendard du camp des fils d'Éphraïm selon leurs unités. À la tête de son contingent était Élishama, fils d'Ammihud ; ²³à la tête du contingent de la tribu des fils de Manassé selon leurs unités, était Gamliel, fils de Pedahçur ; ²⁴à la tête du contingent de la tribu des fils de Benjamin selon leurs unités, était Abidân, fils de Gidéoni.

²⁵Partit enfin, à l'arrière-garde de tous les camps, l'étendard du camp des fils de Dan selon leurs unités. À la tête de son contingent était Ahiézer, fils d'Ammishaddaï ; ²⁶à la tête du contingent de la tribu des fils d'Asher selon leurs unités, était Pagiel, fils d'Okrân ; ²⁷à la tête du contingent des fils de Nephtali selon leurs unités, était Ahira, fils d'Énân.

²⁸Tel fut l'ordre de marche des Israélites, selon leurs unités. Et ils partirent.

Proposition de Moïse à Hobab.

²⁹Moïse dit à Hobab, fils de Réuel le Madianite, son beau-père : « Nous partons pour le pays dont Yahvé a dit : Je vous le donnerai. Viens avec nous, et nous te ferons du bien, car Yahvé a promis du bonheur à Israël. » – ³⁰« Je ne viendrai pas, lui répondit-il, mais j'irai dans mon pays et dans ma parenté. » – ³¹« Ne nous abandonne pas, reprit Moïse. Car tu connais les lieux où nous devons camper dans le désert, et ainsi tu seras nos yeux. ³²Si tu viens avec nous, ce bonheur que Yahvé nous donnera, nous te le donnerons. »

Le départ.

³³Ils partirent de la montagne de Yahvé pour faire trois journées de marche. L'arche de l'alliance de Yahvé devait les précéder durant ces trois journées de marche, leur cherchant un lieu d'étape.

³⁴Pendant le jour, la nuée de Yahvé fut au-dessus d'eux, lorsqu'ils furent partis du camp.

³⁵Quand l'arche partait, Moïse disait :

|| Ps **68** 2. Is **33** 3.

« Lève-toi, Yahvé, que tes ennemis se dispersent,
que ceux qui te haïssent fuient devant toi ! »

³⁶Et à l'étape, il disait :
« Reviens, Yahvé,
vers les multitudes des milliers d'Israël. »

5. Étapes au désert

Tabeéra.

11 ¹Or le peuple élevait une lamentation mauvaise aux oreilles de Yahvé, et Yahvé l'entendit. Sa colère s'enflamma et le feu de Yahvé s'alluma chez eux : il dévorait une extrémité du camp. ²Le peuple fit appel à Moïse, qui intercéda auprès de Yahvé, et le feu tomba. ³On appela donc ce lieu Tabeéra, parce que le feu de Yahvé s'était allumé chez eux.

Qibrot-ha-Taava. Plaintes du peuple. ‖ Ex 16.

⁴Le ramassis de gens qui s'était mêlé au peuple fut saisi de fringale. Les Israélites eux-mêmes recommencèrent à pleurer, en disant : « Qui nous donnera de la viande à manger ? ⁵Ah ! quel souvenir ! le poisson que nous mangions pour rien en Égypte, les concombres, les melons, les laitues, les oignons et l'ail ! ⁶Maintenant nous dépérissons, privés de tout ; nos yeux ne voient plus que de la manne ! »

⁷La manne ressemblait à de la graine de coriandre et avait l'aspect du bdellium. ⁸Le peuple s'égaillait pour la récolter ; puis on la broyait à la meule ou on l'écrasait au pilon ; enfin on la faisait cuire dans un pot pour en faire des galettes. Elle avait le goût d'un gâteau à l'huile. ⁹Quand la rosée tombait la nuit sur le camp, la manne y tombait aussi.

Intercession de Moïse. Ex 32 11.

¹⁰Moïse entendit pleurer le peuple, chaque famille à l'entrée de sa tente. La colère de Yahvé s'enflamma d'une grande ardeur. Moïse en fut très affecté, ¹¹et il dit à Yahvé :

« Pourquoi fais-tu du mal à ton serviteur ? Pourquoi n'ai-je pas trouvé grâce à tes yeux, que tu m'aies imposé la charge de tout ce peuple ? ¹²Est-ce moi qui ai conçu tout ce peuple, est-ce moi qui l'ai enfanté, que tu me dises : "Porte-le sur ton sein, comme la nourrice porte l'enfant à la mamelle, au pays que j'ai promis par serment à ses pères" ? ¹³Où trouverais-je de la viande à donner à tout ce peuple, quand ils m'obsèdent de leurs larmes en disant : "Donne-nous de la viande à manger" ? ¹⁴Je ne puis, à moi seul, porter tout ce peuple : c'est trop lourd pour moi. ¹⁵Si tu veux me traiter ainsi, tue-moi plutôt ! Ah ! si j'avais trouvé grâce à tes yeux, que je ne voie plus mon malheur ! »

La réponse de Yahvé.

¹⁶Yahvé dit à Moïse : « Rassemble-moi soixante-dix des anciens d'Israël, que tu sais être des anciens et des scribes du peuple. Tu les amèneras à la Tente du Rendez-vous, où ils se tiendront avec toi. ¹⁷Je descendrai parler avec toi ; mais je prendrai de l'Esprit qui est sur toi pour le mettre sur eux. Ainsi ils porteront avec toi la charge de ce peuple et tu ne seras plus seul à le porter.

¹⁸À ce peuple tu diras : Sanctifiez-vous pour demain, et vous mangerez de la viande, puisque vous avez pleuré aux oreilles de Yahvé, en disant : "Qui nous don-

nera de la viande à manger ? Nous étions heureux en Égypte !" Eh bien ! Yahvé vous donnera de la viande à manger. [19] Vous n'en mangerez pas un jour seulement, ou deux ou cinq ou dix ou vingt, [20] mais bien tout un mois, jusqu'à ce qu'elle vous sorte par les narines et vous soit en dégoût, puisque vous avez rejeté Yahvé qui est au milieu de vous et que vous avez pleuré devant lui en disant : Pourquoi donc être sortis d'Égypte ? »

[21] Moïse dit : « Le peuple où je suis compte six cent mille hommes de pied, et tu dis : Je leur donnerai de la viande à manger pendant tout un mois ! [22] Si l'on égorgeait pour eux petit et gros bétail, en auraient-ils assez ? Si l'on ramassait pour eux tous les poissons de la mer, en auraient-ils assez ? » [23] Yahvé répondit à Moïse : « Le bras de Yahvé serait-il si court ? Tu vas voir si la parole que je t'ai dite s'accomplit ou non. »

Effusion de l'Esprit.

[24] Moïse sortit pour dire au peuple les paroles de Yahvé. Puis il réunit soixante-dix anciens du peuple et les plaça autour de la Tente. [25] Yahvé descendit dans la nuée. Il lui parla, et prit de l'Esprit qui reposait sur lui pour le mettre sur les soixante-dix anciens. Quand l'Esprit reposa sur eux ils prophétisèrent, mais ils ne recommencèrent pas.

[26] Deux hommes étaient restés au camp ; l'un s'appelait Éldad et l'autre Médad. L'Esprit reposa sur eux ; bien que n'étant pas venus à la Tente, ils comptaient parmi les inscrits. Ils se mirent à prophétiser dans le camp. [27] Un jeune homme courut l'annoncer à Moïse : « Voici Éldad et Médad, dit-il, qui prophétisent dans le camp. » [28] Josué, fils de Nûn, qui depuis sa jeunesse servait Moïse, prit la parole et dit : « Moïse, Monseigneur, empêche-les ! » [29] Moïse lui répondit : « Serais-tu jaloux pour moi ? Ah ! puisse tout le peuple de Yahvé être prophète, Yahvé leur donnant son Esprit ! » [30] Puis Moïse regagna le camp, et avec lui les anciens d'Israël.

Les cailles. Ex 16 12-13.

[31] Envoyé par Yahvé, un vent se leva qui, venant de la mer, entraîna des cailles et les précipita sur le camp. Il y en avait aussi loin qu'un jour de marche, de part et d'autre du camp, et sur une épaisseur de deux coudées au-dessus du sol. [32] Le peuple fut debout tout le jour, toute la nuit et le lendemain pour ramasser des cailles : celui qui en ramassa le moins en eut dix muids ; puis ils les étalèrent autour du camp. [33] La viande était encore entre leurs dents, elle n'était pas encore mâchée, que la colère de Yahvé s'enflamma contre le peuple. Yahvé le frappa d'une très grande plaie.

[34] On donna à ce lieu le nom de Qibrot-ha-Taava, car c'est là qu'on enterra les gens qui s'étaient abandonnés à leur fringale. [35] De Qibrot-ha-Taava, le peuple partit pour Haçérot, et on campa à Haçérot.

Miryam et Aaron contre Moïse. Ex 15 20. Nb 20 1.

12 [1] Miryam, ainsi qu'Aaron, parla contre Moïse à cause de la femme kushite qu'il avait prise. Car il avait épousé une femme kushite. ²Et ils dirent : « Yahvé ne parlerait-il donc qu'à Moïse ? N'a-t-il pas parlé à nous aussi ? » Yahvé entendit.   ³Or Moïse était un homme très humble, l'homme le plus humble que la terre ait porté.

Réponse divine.

⁴Soudain, Yahvé dit à Moïse, à Aaron et à Miryam : « Venezvous-en tous les trois à la Tente du Rendez-vous. » Ils allèrent tous trois, ⁵et Yahvé descendit dans une colonne de nuée et se tint à l'entrée de la Tente. Il appela Aaron et Miryam ; tous deux s'avancèrent. ⁶Yahvé dit : « Écoutez donc mes paroles :

S'il y a parmi vous un prophète,
    c'est en vision que je me révèle à lui,
    c'est dans un songe que je lui parle.
⁷Il n'en est pas ainsi de mon serviteur Moïse,
    toute ma maison lui est confiée.
⁸Je lui parle face à face
    dans l'évidence, non en énigmes,
    et il voit la forme de Yahvé.
Pourquoi avez-vous osé parler contre mon serviteur Moïse ? »

⁹La colère de Yahvé s'enflamma contre eux. Il partit ¹⁰et la nuée quitta la Tente. Voilà que Miryam était devenue lépreuse, blanche comme neige. Aaron se tourna vers elle : elle était devenue lépreuse.

Intercession d'Aaron et de Moïse. Ex 32 11.

¹¹Aaron dit à Moïse :
« À moi, Monseigneur ! Veuille ne pas nous infliger la peine du péché que nous avons eu la folie de commettre et dont nous sommes coupables. ¹²Je t'en prie, qu'elle ne soit pas comme l'avorton dont la chair est à demi rongée lorsqu'il sort du sein de sa mère ! »

¹³Moïse implora Yahvé : « Ô Dieu, dit-il, daigne la guérir, je t'en prie ! »

¹⁴Yahvé dit alors à Moïse : « Et si son père lui crachait au visage, ne serait-elle pas sept jours dans la honte ? Qu'elle soit pendant sept jours séquestrée hors du camp, et qu'elle y soit admise ensuite à nouveau. »

¹⁵Miryam fut séquestrée pendant sept jours hors du camp. Le peuple ne partit pas avant sa rentrée. ¹⁶Puis le peuple partit de Haçérot, et alla camper dans le désert de Parân.

Reconnaissance en Canaan. ‖ Dt 1 20-29.

13 ¹Yahvé parla à Moïse et dit : ²« Envoie des hommes, un par tribu, pour reconnaître le pays de Canaan, que je donne aux Israélites. Vous enverrez tous leurs princes. »

³Sur l'ordre de Yahvé, Moïse les envoya du désert de Parân. Ces hommes étaient tous chefs des Israélites. ⁴En voici les noms :

Pour la tribu de Ruben, Shammua, fils de Zakkur ;

⁵pour la tribu de Siméon, Shaphat, fils de Hori ;

⁶pour la tribu de Juda, Caleb, fils de Yephunné ;

⁷pour la tribu d'Issachar, Yigéal, fils de Yoseph ;

⁸pour la tribu d'Éphraïm, Hoshéa, fils de Nûn ;

⁹pour la tribu de Benjamin, Palti, fils de Raphu ; ¹⁰pour la tribu de Zabulon, Gaddiel, fils de Sodi ; ¹¹pour la tribu de Joseph, pour la tribu de Manassé, Gaddi, fils de Susi ; ¹²pour la tribu de Dan, Ammiel, fils de Gemalli ; ¹³pour la tribu d'Asher, Setur, fils de Mikaël ; ¹⁴pour la tribu de Nephtali, Nahbi, fils de Vaphsi ; ¹⁵pour la tribu de Gad, Géuel, fils de Maki.

¹⁶Tels sont les noms des hommes que Moïse envoya reconnaître le pays. Puis Moïse donna à Hoshéa, fils de Nûn, le nom de Josué.

¹⁷Moïse les envoya reconnaître le pays de Canaan : « Montez au Négeb, montez ensuite dans la montagne. ¹⁸Voyez ce qu'est le pays ; ce qu'est le peuple qui l'habite, fort ou faible, clairsemé ou nombreux ; ¹⁹ce qu'est le pays où il habite, bon ou mauvais ; ce que sont les villes où il habite, camps ou villes fortifiées ; ²⁰ce qu'est le pays, fertile ou pauvre, boisé ou non. Ayez bon courage. Prenez des produits du pays. »

C'était l'époque des premiers raisins. ²¹Ils montèrent reconnaître le pays, depuis le désert de Çîn jusqu'à Rehob, l'Entrée de Hamat. ²²Ils montèrent par le Négeb et parvinrent à Hébron, où se trouvaient Ahimân, Sheshaï et Talmaï, les Anaqim. (Hébron avait été fondée sept ans avant Tanis d'Égypte.) ²³Ils parvinrent au val d'Eshkol ; ils y coupèrent un sarment et une grappe de raisin qu'ils emportèrent à deux, sur une perche, ainsi que des grenades et des figues. ²⁴On appela ce lieu val d'Eshkol, à cause de la grappe qu'y avaient coupée les Israélites.

Le rapport des envoyés.

²⁵Au bout de quarante jours, ils revinrent de cette reconnaissance du pays. ²⁶Ils allèrent trouver Moïse, Aaron, et toute la communauté d'Israël, dans le désert de Parân, à Cadès. Ils leur firent leur rapport, ainsi qu'à toute la communauté, et leur montrèrent les produits du pays.

²⁷Ils leur firent ce récit : « Nous sommes allés dans le pays où tu nous as envoyés. En vérité, il ruisselle de lait et de miel ; en voici les produits. ²⁸Toutefois, le peuple qui l'habite est puissant ; les villes sont fortifiées, très grandes ; nous y avons même vu des descendants d'Anaq. ²⁹Les Amalécites occupent la région du Négeb ; les Hittites, les Amorites et les Jébuséens, la montagne ; les Cananéens, le bord de la mer et les rives du Jourdain. »

³⁰Caleb harangua le peuple assemblé près de Moïse : « Il faut marcher, disait-il, et conquérir ce pays : nous en sommes capables. » ³¹Mais les hommes qui l'avaient accompagné répondirent : « Nous ne pouvons pas marcher contre ce peuple, car il est plus fort que nous. » ³²Et ils se mirent à décrier devant les Israélites le pays qu'ils avaient été reconnaître : « Le pays que nous sommes allés reconnaître est un pays qui dévore ses habitants. Tous ceux que nous y avons vus sont des hommes de haute taille. ³³Nous y avons aussi vu des

géants (les fils d'Anaq, descendance des Géants). Nous nous faisions l'effet de sauterelles, et c'est bien aussi l'effet que nous leur faisions. »

Révolte d'Israël. ‖ Dt 1 26-32.

14 ¹Alors toute la communauté éleva la voix ; ils poussèrent des cris ; et cette nuit-là le peuple pleura. ²Tous les Israélites murmurèrent contre Moïse et Aaron, et la communauté tout entière leur dit : « Que ne sommes-nous morts au pays d'Égypte ! Que ne sommes-nous morts du moins en ce désert ! ³Pourquoi Yahvé nous mène-t-il en ce pays pour nous faire tomber sous l'épée, pour livrer en butin nos femmes et nos enfants ? Ne vaudrait-il pas mieux retourner en Égypte ? » ⁴Et ils se disaient l'un à l'autre : « Donnons-nous un chef et retournons en Égypte. »

⁵Devant toute la communauté assemblée des Israélites, Moïse et Aaron tombèrent la face contre terre. ⁶De ceux qui avaient exploré le pays, Josué, fils de Nûn, et Caleb, fils de Yephunné, déchirèrent leurs vêtements. ⁷Ils dirent à toute la communauté des Israélites : « Le pays que nous sommes allés reconnaître est un bon, un très bon pays. ⁸Si Yahvé nous est favorable, il nous fera entrer en ce pays et nous le donnera. C'est une terre qui ruisselle de lait et de miel. ⁹Mais ne regimbez pas contre Yahvé. Et n'ayez pas peur, vous, du peuple de ce pays, car nous n'en ferons qu'une bouchée. Leur ombre protectrice les a quittés, tandis que Yahvé est avec nous. N'ayez donc pas peur. »

Colère de Yahvé et intercession de Moïse. Ex 32 7-14.

¹⁰La communauté tout entière parlait de les lapider quand la gloire de Yahvé apparut, dans la Tente du Rendez-vous, à tous les Israélites. ¹¹Et Yahvé dit à Moïse :

« Jusques à quand ce peuple va-t-il me mépriser ? Jusques à quand refusera-t-il de croire en moi, malgré les signes que j'ai produits chez lui ? ¹²Je vais le frapper de la peste, je le déposséderai. Mais de toi, je ferai une nation, plus grande et plus puissante que lui. »

¹³Moïse répondit à Yahvé :

« Mais les Égyptiens ont appris que, par ta propre force, tu as fait sortir de chez eux ce peuple. ¹⁴Ils l'ont dit aux habitants de ce pays. Ils ont appris que toi, Yahvé, tu es au milieu de ce peuple, à qui tu te fais voir face à face ; que c'est toi, Yahvé, dont la nuée se tient au-dessus d'eux ; que tu marches devant eux le jour dans une colonne de nuée, la nuit dans une colonne de feu. ¹⁵Si tu fais périr ce peuple comme un seul homme, les nations qui ont entendu parler de toi s'en vont dire : ¹⁶"Yahvé n'a pas pu faire entrer ce peuple dans le pays qu'il lui avait promis par serment, aussi l'a-t-il massacré au désert." ¹⁷Non, que maintenant ta force, mon Seigneur, se déploie ! Selon ta parole : ¹⁸"Yahvé est lent à la colère et riche en bonté, il tolère faute et transgression, mais il ne laisse rien impuni, lui qui châtie la faute des pères sur les enfants jusqu'à la troisième et la quatrième génération." ¹⁹Pardonne donc la faute de ce peuple selon la grandeur de ta bonté, tout comme tu l'as traité depuis l'Égypte jusqu'ici. »

Pardon et châtiment. || Dt 1 34-40.

²⁰Yahvé dit : « Je lui pardonne, comme tu l'as dit. ²¹Mais – je suis vivant ! et la gloire de Yahvé remplit toute la terre ! – ²²tous ces hommes qui ont vu ma gloire et les signes que j'ai produits en Égypte et au désert, ces hommes qui m'ont déjà dix fois mis à l'épreuve sans obéir à ma voix, ²³ne verront pas le pays que j'ai promis par serment à leurs pères. Aucun de ceux qui me méprisent ne le verra. ²⁴Mais mon serviteur Caleb, puisqu'un autre esprit l'a animé et qu'il m'a parfaitement obéi, je le ferai entrer dans le pays où il est allé, et sa descendance le possédera. ²⁵(Les Amalécites et les Cananéens habitent dans la plaine.) Demain, faites demi-tour et retournez au désert, dans la direction de la mer de Suph. »

²⁶Yahvé parla à Moïse et à Aaron. Il dit :

²⁷« Jusques à quand cette communauté perverse qui murmure contre moi ? J'ai entendu les plaintes que murmurent contre moi les Israélites. ²⁸Dis-leur : Par ma vie – oracle de Yahvé – je vous traiterai selon les paroles mêmes que vous avez prononcées à mes oreilles. ²⁹Vos cadavres tomberont dans ce désert, vous tous les recensés, vous tous qu'on a dénombrés depuis l'âge de vingt ans et au-dessus, vous qui avez murmuré contre moi. ³⁰Je jure que vous n'entrerez pas dans ce pays où, levant la main, j'avais fait serment de vous établir. Mais c'est Caleb, fils de Yephunné, c'est Jo-

sué, fils de Nûn, ³¹ce sont vos petits enfants dont vous avez dit qu'ils seraient livrés en butin, ce sont eux que j'y ferai entrer et qui connaîtront le pays que vous avez dédaigné. ³²Pour vous, vos cadavres tomberont dans ce désert, ³³et vos fils seront nomades dans le désert pendant quarante ans, portant le poids de votre infidélité, jusqu'à ce que vos cadavres soient au complet dans le désert. ³⁴Vous avez reconnu le pays pendant quarante jours. Chaque jour vaut une année : quarante ans vous porterez le poids de vos fautes, et vous saurez ce que c'est que m'abandonner. ³⁵J'ai parlé, moi, Yahvé ; c'est ainsi que je traiterai toute cette communauté perverse réunie contre moi. Dans ce désert même il n'en manquera pas un, c'est là qu'ils mourront. »

³⁶Ces hommes que Moïse avait envoyés reconnaître le pays et qui, à leur tour, avaient excité toute la communauté d'Israël à murmurer contre lui en décriant le pays, ³⁷ces hommes qui décriaient malignement le pays furent frappés de mort devant Yahvé. ³⁸Des hommes qui étaient allés reconnaître le pays, seuls Josué, fils de Nûn, et Caleb, fils de Yephunné, restèrent en vie.

Vaine tentative des Israélites.

³⁹Moïse rapporta ces paroles à tous les Israélites et le peuple fit de grandes lamentations. ⁴⁰Puis, s'étant levés de bon matin, ils montèrent vers le sommet de la montagne, en disant : « Nous voici qui montons vers ce lieu, à propos duquel Yahvé a dit que nous avions péché. » ⁴¹Moïse répondit :

« Pourquoi transgressez-vous l'ordre de Yahvé ? Cela ne réussira pas. ⁴²Ne montez point, car Yahvé n'est pas au milieu de vous ; ne vous faites pas battre par vos ennemis. ⁴³Oui, les Amalécites et les Cananéens sont là en face de vous, et vous tomberez sous l'épée, parce que vous vous êtes détournés de Yahvé et que Yahvé n'est pas avec vous. » ⁴⁴Ils montèrent pourtant, dans leur présomption, au sommet de la montagne. Ni l'arche de l'alliance de Yahvé ni Moïse ne quittèrent le camp. ⁴⁵Les Amalécites et les Cananéens qui habitaient cette montagne descendirent, les battirent et les taillèrent en pièces jusqu'à Horma.

6. Ordonnances sur les sacrifices. Pouvoirs des prêtres et des Lévites

L'oblation conjointe aux sacrifices. Ex 29 40s. Lv 23 18.

15 ¹Yahvé parla à Moïse et dit : ²« Parle aux Israélites, tu leur diras :

Quand vous serez entrés dans le pays où vous demeurerez et que je vous donne, ³si vous consumez des viandes pour Yahvé en holocauste ou en sacrifice, soit pour accomplir un vœu, soit à titre d'offrande spontanée, soit à l'occasion de vos solennités – faisant ainsi de votre gros ou petit bétail un parfum d'apaisement pour Yahvé –, ⁴l'offrant apportera, pour son offrande personnelle à Yahvé, une oblation d'un dixième de fleur de farine, pétrie avec un quart de setier d'huile. ⁵Tu feras une libation de vin d'un quart de setier par agneau, en plus de l'holocauste ou du sacrifice. ⁶Pour un bélier, tu feras une oblation de deux dixièmes de fleur de farine, pétrie avec un tiers de setier d'huile, ⁷et une libation de vin d'un tiers de setier, que tu offriras en parfum d'apaisement pour Yahvé.

⁸Si c'est un taureau que tu offres en holocauste ou en sacrifice, pour accomplir un vœu ou comme sacrifice de communion pour Yahvé, ⁹on offrira en plus de la bête une oblation de trois dixièmes de fleur de farine, pétrie avec un demi-setier d'huile, ¹⁰et tu offriras une libation de vin d'un demi-setier, comme mets consumé en parfum d'apaisement pour Yahvé. ¹¹Ainsi fera-t-on pour chaque taureau, chaque bélier ou chaque tête de petit bétail, mouton ou chèvre. ¹²Selon le nombre des victimes que vous aurez à immoler, vous ferez de même pour chacune d'elles, autant qu'il y en aura.

¹³Ainsi fera tout homme de votre peuple, quand il offrira un mets consumé en parfum d'apaisement pour Yahvé. ¹⁴Et si quelque étranger réside avec vous, ou avec vos descendants, il offrira un mets consumé, en parfum d'apaisement pour Yahvé : comme vous faites, ainsi fera ¹⁵l'assemblée. Il n'y aura qu'une seule loi pour vous et pour l'étranger. C'est une loi perpétuelle pour vos descendants : devant

Yahvé il en sera de vous comme de l'étranger. [16]Il n'y aura qu'une loi et qu'un droit pour vous et pour l'étranger qui réside chez vous. »

Les prémices du pain.

[17]Yahvé parla à Moïse et dit : [18]« Parle aux Israélites, tu leur diras :

Quand vous serez entrés dans le pays où je vous conduis, [19]vous devrez faire un prélèvement pour Yahvé lorsque vous mangerez du pain de ce pays. [20]Comme prémices de vos huches vous prélèverez un gâteau ; vous ferez ce prélèvement comme celui que l'on fait sur l'aire. [21]Vous donnerez à Yahvé un prélèvement sur le meilleur de vos huches. Ceci concerne vos descendants.

Expiation des fautes d'inadvertance. Lv 4.

[22]« Si vous manquez par inadvertance à l'un de ces commandements que Yahvé a énoncés à Moïse [23](tout ce que Yahvé vous a ordonné par l'intermédiaire de Moïse, depuis le jour où il a ordonné tout cela, et pour vos générations), [24]il en sera ainsi :

Si c'est à la communauté que l'inadvertance a échappé, la communauté tout entière fera l'holocauste d'un jeune taureau en parfum d'apaisement pour Yahvé, avec l'oblation et la libation conjointes selon la règle, et elle offrira un bouc en sacrifice pour le péché. [25]Le prêtre fera le rite d'expiation sur toute la communauté des Israélites, et il leur sera pardonné, puisque c'est une inadvertance. Quand ils auront apporté leur offrande, en mets consumé pour Yahvé, et présenté devant Yahvé leur sacrifice pour le péché, pour réparer leur inadvertance, [26]il sera pardonné à toute la communauté des Israélites, et aussi à l'étranger qui réside parmi eux, puisque le peuple entier a agi par inadvertance.

[27]Si c'est une seule personne qui a péché par inadvertance, elle offrira, en sacrifice pour le péché, un chevreau d'un an. [28]Le prêtre fera devant Yahvé le rite d'expiation sur la personne qui s'est fourvoyée par ce péché d'inadvertance ; en accomplissant sur elle le rite d'expiation, il lui sera pardonné, [29]qu'il s'agisse d'un citoyen d'entre les Israélites ou d'un étranger en résidence parmi eux. Il n'y aura chez vous qu'une loi pour celui qui agit par inadvertance.

[30]Mais celui qui agit délibérément, qu'il soit citoyen ou étranger, c'est Yahvé qu'il outrage. Un tel individu sera retranché du milieu de son peuple : [31]il a méprisé la parole de Yahvé et enfreint son commandement. Cet individu devra être supprimé, sa faute est en lui. »

Violation du sabbat. Ex 20 8 ; 31 12-17 ; **35** 1-3.

[32]Alors que les Israélites étaient dans le désert, on surprit un homme qui ramassait du bois le jour du sabbat. [33]Ceux qui l'avaient surpris à ramasser du bois l'amenèrent à Moïse, à Aaron et à toute la communauté. [34]On le mit sous bonne garde, car le traitement qu'il devait subir n'avait pas encore été fixé. [35]Yahvé dit à Moïse : « Cet homme doit être mis à mort. Que toute la communauté le

lapide hors du camp. » [36]Toute la communauté le fit sortir du camp et le lapida jusqu'à ce que mort s'ensuivît, comme Yahvé l'avait ordonné à Moïse.

Les franges des vêtements.
Dt 22 12.

[37]Yahvé parla à Moïse et dit : [38]« Parle aux Israélites ; tu leur diras, pour leurs générations, de se faire des franges aux pans de leurs vêtements et de mettre un fil de pourpre violette à la frange du pan. [39]Vous aurez donc une frange, et sa vue vous rappellera tous les commandements de Yahvé. Vous les mettrez alors en pratique, sans plus suivre les désirs de vos cœurs et de vos yeux, qui vous ont conduits à vous prostituer. [40]Ainsi vous vous rappellerez tous mes commandements, vous les mettrez en pratique, et vous serez des consacrés pour votre Dieu. [41]C'est moi Yahvé votre Dieu qui vous ai fait sortir du pays d'Égypte, afin d'être Dieu pour vous, moi Yahvé votre Dieu. »

Révolte de Coré, Datân et Abiram.
Lv 10 1-3. Ps 106 16-18. Si 45 18-20. Jude 11.

16 [1]Coré, fils de Yiçhar, fils de Qehat, fils de Lévi, Datân et Abiram, fils d'Éliab, et On, fils de Pélèt (Éliab et Pélèt étaient fils de Ruben) furent orgueilleux ; [2]ils se dressèrent contre Moïse, ainsi que deux cent cinquante des Israélites, princes de la communauté, considérés dans les solennités, hommes de renom. [3]Ils s'attroupèrent alors contre Moïse et Aaron en leur disant : « Vous passez la mesure ! C'est toute la communauté, ce

sont tous ses membres qui sont consacrés, et Yahvé est au milieu d'eux. Pourquoi vous élevez-vous au-dessus de la communauté de Yahvé ? »

[4]Moïse, l'ayant entendu, tomba face contre terre. [5]Puis il dit à Coré et à tout son groupe : « Demain matin, Yahvé fera connaître qui est à lui, qui est l'homme consacré qu'il laissera approcher de lui. Celui qu'il fera approcher de lui, c'est celui-là qu'il choisit. [6]Voici ce que vous ferez : prenez les encensoirs de Coré et de tout son groupe, [7]mettez-y du feu et, demain, déposez dessus de l'encens devant Yahvé. Celui que choisira Yahvé, c'est lui l'homme consacré. Vous passez la mesure, fils de Lévi ! »

[8]Moïse dit à Coré : « Écoutez donc, fils de Lévi ! [9]Est-ce trop peu pour vous que le Dieu d'Israël vous ait distingués de la communauté d'Israël, vous appelant auprès de lui pour faire le service de la Demeure de Yahvé, vous plaçant en face de cette communauté quand vous officiez pour elle ? [10]Il t'a appelé auprès de lui, toi et avec toi tous tes frères les Lévites, et vous voulez en plus être prêtres ! [11]C'est donc contre Yahvé que vous vous êtes ligués, toi et ton groupe : qu'est donc Aaron, pour que vous murmuriez contre lui ? »

[12]Moïse envoya appeler Datân et Abiram, fils d'Éliab. Ils répondirent : « Nous ne viendrons pas. [13]N'est-ce pas assez de nous avoir fait quitter une terre qui ruisselle de lait et de miel pour nous faire mourir en ce désert, que tu veuilles encore t'ériger en prince sur nous ? [14]Ah ! ce n'est pas une ter-

re qui ruisselle de lait et de miel où tu nous as conduits, et tu ne nous as pas donné en héritage champs et vergers ! Penses-tu rendre ces gens aveugles ? Nous ne viendrons pas. » [15]Moïse entra dans une violente colère, et il dit à Yahvé : « Ne prends pas garde à leur oblation. Je ne leur ai pas pris un âne, et je n'ai fait de tort à aucun d'eux. »

Le châtiment.

[16]Moïse dit à Coré : « Toi et tout ton groupe, venez demain vous mettre en présence de Yahvé, toi et eux, ainsi qu'Aaron. [17]Que chacun prenne son encensoir, y mette de l'encens, et que chacun apporte son encensoir devant Yahvé – deux cent cinquante encensoirs. Toi et Aaron aussi, apportez chacun votre encensoir. » [18]Chacun prit son encensoir, y mit du feu et déposa de l'encens par-dessus. Puis ils se tinrent à l'entrée de la Tente du Rendez-vous, ainsi que Moïse et Aaron. [19]Coré rassembla en face de ces derniers toute la communauté à l'entrée de la Tente du Rendez-vous, et la gloire de Yahvé apparut à toute la communauté.

[20]Yahvé parla à Moïse et à Aaron. Il dit : [21]« Séparez-vous de cette communauté, je vais la détruire en un instant. » [22]Ils tombèrent la face contre terre et s'écrièrent : « Ô Dieu, Dieu des esprits qui animent toute chair, vas-tu t'irriter contre toute la communauté quand un seul pèche ? » [23]Yahvé parla à Moïse et dit : [24]Parle à cette communauté et dis : « Éloignez-vous de la demeure de Coré. »

[25]Moïse se leva et s'en vint au-près de Datân et Abiram ; les anciens d'Israël le suivirent. [26]Il parla à la communauté et dit : « De grâce, écartez-vous des tentes de ces hommes pervers, et ne touchez à rien de ce qui leur appartient, de peur que tous leurs péchés ne vous emportent. » [27]Ils s'écartèrent des alentours de la maison de Coré.

Datân et Abiram étaient sortis et se trouvaient à l'entrée de leurs tentes, avec leurs femmes, leurs fils et leurs jeunes enfants. [28]Moïse dit : « À ceci vous saurez que c'est Yahvé qui m'a envoyé pour accomplir toutes ces œuvres, et que je ne les fais pas de mon propre chef [29]si ces gens meurent de mort naturelle, atteints par la sentence commune à tous les hommes, c'est que Yahvé ne m'a pas envoyé. [30]Mais si Yahvé fait quelque chose d'inouï, si la terre ouvre sa bouche et les engloutit, eux et tout ce qui leur appartient, et qu'ils descendent vivants au shéol, vous saurez que ces gens ont rejeté Yahvé. »

[31]Comme il achevait de prononcer toutes ces paroles, le sol se fendit sous leurs pieds, [32]la terre ouvrit sa bouche et les engloutit, eux et leurs familles, ainsi que tous les hommes de Coré et tous ses biens.

[33]Ils descendirent vivants au shéol, eux et tout ce qui leur appartenait. La terre les recouvrit et ils disparurent du milieu de l'assemblée. [34]À leurs cris, tous les Israélites qui se trouvaient autour d'eux s'enfuirent. Car ils se disaient : « Que la terre ne nous engloutisse pas ! » [35]Un feu jaillit de Yahvé, qui

consuma les deux cent cinquante hommes porteurs d'encens.

Les encensoirs.

17 [1]Yahvé parla à Moïse et dit : [2]« Dis à Éléazar, fils d'Aaron, le prêtre, qu'il enlève les encensoirs du milieu des braises et disperse au loin ce feu, [3]car ces encensoirs de péché sont sanctifiés, au prix de la vie de ces hommes. Puisqu'on les a apportés devant Yahvé et qu'ils sont consacrés, qu'on en batte le métal en plaques pour recouvrir l'autel. Ils serviront de signe aux Israélites. »

[4]Éléazar, le prêtre, prit les encensoirs de bronze qu'avaient apportés les hommes que le feu avait détruits. On les battit en plaques pour recouvrir l'autel. [5]Elles rappellent aux Israélites qu'aucun profane, étranger à la descendance d'Aaron, ne doit s'approcher pour faire fumer l'encens devant Yahvé, sous peine de subir le sort de Coré et de son groupe, selon ce qu'avait dit Yahvé par l'intermédiaire de Moïse.

L'intercession d'Aaron.

[6]Le lendemain, toute la communauté des Israélites murmura contre Moïse et Aaron, en disant : « Vous avez fait périr le peuple de Yahvé. » [7]Or, comme la communauté s'attroupait contre Moïse et Aaron, ceux-ci se tournèrent vers la Tente du Rendez-vous. Voici que la nuée la recouvrit et que la gloire de Yahvé apparut. [8]Moïse et Aaron se rendirent alors devant la Tente du Rendez-vous.

[9]Yahvé parla à Moïse et dit : [10]« Sortez du milieu de cette communauté ; je vais la détruire en un instant. » Ils tombèrent face contre terre. [11]Puis Moïse dit à Aaron : « Prends l'encensoir, mets-y du feu pris sur l'autel, dépose dessus l'encens et hâte-toi d'aller près de la communauté pour faire sur elle le rite d'expiation. Car la Colère est sortie de devant Yahvé : la Plaie a commencé. » [12]Aaron le prit, comme avait dit Moïse, et courut au milieu de l'assemblée ; mais la Plaie avait déjà commencé parmi le peuple. Il mit l'encens et fit le rite d'expiation sur le peuple. [13]Puis il se tint entre les morts et les vivants ; la Plaie s'arrêta. [14]Il y eut quatorze mille sept cents victimes de cette Plaie, sans compter ceux qui étaient morts à cause de Coré. [15]Puis Aaron revint auprès de Moïse à l'entrée de la Tente du Rendez-vous : la Plaie s'était arrêtée.

Le rameau d'Aaron.

[16]Yahvé parla à Moïse et dit : [17]« Parle aux Israélites. Qu'ils te remettent, pour chaque famille, un rameau ; que tous leurs chefs, pour leurs familles, te remettent douze rameaux. Tu écriras le nom de chacun sur son rameau ; [18]et sur le rameau de Lévi tu écriras le nom d'Aaron, car il y aura un rameau pour le chef des familles de Lévi. [19]Tu les déposeras ensuite dans la Tente du Rendez-vous, devant le Témoignage où je vous donne rendez-vous. [20]L'homme dont le rameau bourgeonnera sera celui que je choisis ; ainsi je ne laisserai pas monter jusqu'à moi les murmures que les Israélites profèrent contre vous. »

[21]Moïse parla aux Israélites, et tous leurs princes lui remirent chacun un rameau, douze rameaux

pour l'ensemble de leurs familles patriarcales ; parmi eux était le rameau d'Aaron. ²²Moïse les déposa devant Yahvé dans la Tente du Témoignage. ²³Le lendemain, quand Moïse vint à la Tente du Témoignage, le rameau d'Aaron, pour la maison de Lévi, avait bourgeonné : des bourgeons avaient éclos, des fleurs s'étaient épanouies et des amandes avaient mûri. ²⁴Moïse reprit tous les rameaux de devant Yahvé et les apporta à tous les Israélites ; ils constatèrent, et chacun reprit son rameau.

²⁵Yahvé dit alors à Moïse : « Remets le rameau d'Aaron devant le Témoignage où il aura sa place rituelle, comme un signe pour ces rebelles. Il réduira à néant leurs murmures qui ne monteront plus jusqu'à moi, et eux ne mourront pas. » ²⁶Moïse fit comme Yahvé le lui avait ordonné. Il fit ainsi.

Le rôle expiatoire du sacerdoce.

²⁷Les Israélites dirent à Moïse : « Nous voici perdus ! Nous périssons ! Nous périssons tous ! ²⁸Quiconque s'approche de la Demeure de Yahvé pour une offrande meurt. Allons-nous à notre perte jusqu'au dernier ? »

18 ¹Alors Yahvé dit à Aaron : « Toi, tes fils et la maison de ton père avec toi, vous porterez le poids des fautes commises envers le sanctuaire. Toi et tes fils avec toi vous porterez le poids des fautes de votre sacerdoce. ²Fais aussi, avec toi, approcher tes frères du rameau de Lévi, la tribu de ton père. Qu'ils te soient adjoints et qu'ils te servent, toi et tes fils, devant la Tente du Témoignage. ³Ils assureront ton service et celui de toute la Tente. À condition qu'ils ne s'approchent pas des objets sacrés ni de l'autel, ils ne mourront pas plus que vous. ⁴Ils te seront adjoints, ils assumeront la charge de la Tente du Rendez-vous, pour tout le service de la Tente, et aucun profane n'approchera de vous. ⁵Vous assumerez la charge du sanctuaire et la charge de l'autel, et la Colère ne sévira plus contre les Israélites. ⁶C'est moi qui ai pris vos frères les Lévites d'entre les Israélites pour vous en faire don. À titre de "donnés", ils appartiennent à Yahvé, pour faire le service de la Tente du Rendez-vous. ⁷Toi et tes fils, vous assumerez les fonctions sacerdotales pour tout ce qui concerne l'autel et pour tout ce qui est derrière le rideau. Vous accomplirez le service cultuel dont j'accorde l'office à votre sacerdoce. Mais le profane qui s'approchera mourra. »

La part des prêtres. Lv 6-7. Ez 44 29-30.

⁸Yahvé dit à Aaron : « Moi, je t'ai donné la charge de ce qu'on prélève pour moi. Tout ce que consacrent les Israélites, je te le donne comme la part qui t'est assignée, ainsi qu'à tes fils, en vertu d'un décret perpétuel. ⁹Voici ce qui te reviendra sur les choses très saintes, sur les mets offerts : toutes les offrandes que me restituent les Israélites, à titre d'oblation, de sacrifice pour le péché, de sacrifice de réparation ; c'est chose très sainte, qui te reviendra ainsi qu'à tes fils. ¹⁰Vous vous nourrirez de choses très saintes. Tout mâle en pourra manger. Tu les tiendras pour sacrées.

¹¹Ceci encore te reviendra : ce qui est prélevé sur les offrandes des Israélites, sur tout ce qui est tendu en geste de présentation, je te le donne, ainsi qu'à tes fils et à tes filles, en vertu d'un décret perpétuel. Quiconque est pur dans ta maison en pourra manger. ¹²Tout le meilleur de l'huile, tout le meilleur du vin nouveau et du blé, ces prémices qu'ils offrent à Yahvé, je te le donne. ¹³Tous les premiers produits de leur pays, qu'ils apportent à Yahvé, te reviendront ; quiconque est pur dans ta maison en pourra manger. ¹⁴Tout ce qui est frappé d'anathème en Israël te reviendra. ¹⁵Tout premier-né qu'on apporte à Yahvé te reviendra, issu de tout être de chair, homme ou animal ; mais tu devras faire racheter le premier-né de l'homme, et tu feras racheter le premier-né d'un animal impur. ¹⁶Tu le feras racheter dans le mois de la naissance, en l'évaluant à cinq sicles d'argent, selon le sicle du sanctuaire qui est de vingt géras. ¹⁷Seuls les premiers-nés de la vache, de la brebis et de la chèvre ne seront pas rachetés. Ils sont chose sainte : tu en verseras le sang sur l'autel, tu en feras fumer la graisse, comme mets consumé en parfum d'apaisement pour Yahvé, ¹⁸et la viande t'en reviendra, ainsi que la poitrine de présentation et la cuisse droite. ¹⁹Tous les prélèvements que les Israélites font pour Yahvé sur les choses saintes, je te les donne, ainsi qu'à tes fils et à tes filles, en vertu d'un décret perpétuel. C'est là une alliance éternelle par le sel devant Yahvé, pour toi et pour ta descendance avec toi. »

La part des Lévites.

²⁰Yahvé dit à Aaron : « Tu n'auras point d'héritage dans leur pays, il n'y aura pas de part pour toi au milieu d'eux. C'est moi qui serai ta part et ton héritage au milieu des Israélites.

²¹Voici : aux fils de Lévi je donne pour héritage toute dîme perçue en Israël, en échange de leurs services, du service qu'ils font dans la Tente du Rendez-vous. ²²Les Israélites n'approcheront plus de la Tente du Rendez-vous : ils se chargeraient d'un péché et mourraient. ²³C'est Lévi qui fera le service de la Tente du Rendez-vous, et les Lévites porteront le poids de leurs fautes. C'est un décret perpétuel pour vos générations : les Lévites ne posséderont point d'héritage au milieu des Israélites, ²⁴car c'est la dîme que les Israélites prélèvent pour Yahvé que je donne pour héritage aux Lévites. Voilà pourquoi je leur ai dit qu'ils ne posséderaient point d'héritage au milieu des Israélites. »

Les dîmes. Dt 14 22.

²⁵Yahvé parla à Moïse et dit : ²⁶« Tu parleras aux Lévites et tu leur diras :

Quand vous percevrez sur les Israélites la dîme que je vous donne en héritage de leur part, vous en retiendrez le prélèvement de Yahvé, la dîme de la dîme. ²⁷Elle tiendra lieu du prélèvement à prendre sur vous, au même titre que le blé pris sur l'aire et le vin nouveau pris sur la cuve. ²⁸Ainsi, vous aussi, vous retiendrez le prélèvement de Yahvé, sur toutes les dîmes que vous percevrez sur les Israélites. Vous donnerez ce que vous aurez prélevé pour Yahvé au prêtre Aaron. ²⁹Sur tous les dons que vous recevrez vous retiendrez le prélèvement de Yahvé ; c'est sur le meilleur de toutes choses que vous retiendrez la part sacrée.

³⁰Tu leur diras : Lorsque vous en aurez prélevé le meilleur, tous ces dons tiendront lieu aux Lévites du produit de l'aire et du produit de la cuve. ³¹Vous pourrez les consommer, en tout lieu, vous et vos gens c'est votre salaire pour votre service dans la Tente du Rendez-vous. ³²Vous ne serez pour cela chargés d'aucun péché, du moment que vous en aurez prélevé le meilleur ; vous ne profanerez pas les choses consacrées par les Israélites et vous ne mourrez pas. »

Les cendres de la vache rousse.
31 23. ↗ He **9** 13.

19 ¹Yahvé parla à Moïse et à Aaron. Il dit : ²« Voici un décret de la Loi que Yahvé a prescrite. Parle aux Israélites.

Qu'ils t'amènent une vache rousse sans défaut ni tare, et qui n'ait pas porté le joug. ³Vous la donnerez à Éléazar, le prêtre. On la mènera hors du camp et on l'immolera devant lui. ⁴Puis Éléazar, le prêtre, prendra sur son doigt un peu du sang de la victime, et de ce sang il fera sept aspersions dans la direction de l'entrée de la Tente du Rendez-vous. ⁵On brûlera alors la vache sous ses yeux ; on en brûlera la peau, la chair, le sang, ainsi que la fiente. ⁶Le prêtre prendra ensuite du bois de cèdre, de l'hysope et du rouge de cochenille, et les jettera

dans le feu où se consume la vache. ⁷Puis il nettoiera ses vêtements, il se lavera le corps avec de l'eau ; après quoi, il rentrera au camp, mais il sera impur jusqu'au soir. ⁸Celui qui aura brûlé la vache nettoiera ses vêtements, se lavera le corps avec de l'eau, et sera impur jusqu'au soir. ⁹C'est un homme en état de pureté qui recueillera les cendres de la vache et les déposera, hors du camp, en un lieu pur. Elles resteront à l'usage rituel de la communauté des Israélites pour faire l'eau lustrale ; c'est un sacrifice pour le péché. ¹⁰Celui qui aura recueilli les cendres de la vache nettoiera ses vêtements et sera impur jusqu'au soir. Pour les Israélites comme pour l'étranger qui réside parmi eux, ce sera un décret perpétuel.

Cas d'impureté. Lv 21 1. Ag 2 13.

¹¹« Celui qui touche un cadavre, quel que soit le mort sera impur sept jours. ¹²Il se purifiera avec ces eaux, le troisième et le septième jour, et il sera pur ; mais s'il ne se purifie pas le troisième et le septième jour, il ne sera pas pur. ¹³Quiconque a touché un mort, le corps d'un homme qui meurt, et ne s'est pas purifié, souille la Demeure de Yahvé ; cet homme sera retranché d'Israël, car les eaux lustrales n'ont pas coulé sur lui, il est impur, son impureté est en lui.

¹⁴Voici la loi pour le cas d'un homme qui meurt dans une tente. Quiconque entre dans la tente, et quiconque s'y trouve, sera impur sept jours. ¹⁵Est également impur tout récipient ouvert, qui n'a pas été fermé par un couvercle ou par un lien.

¹⁶Quiconque touche, dans la campagne, un homme assassiné, un mort, des ossements humains, ou un tombeau, sera impur sept jours.

Le rituel des eaux lustrales.

¹⁷« On prendra, pour cet homme impur, de la cendre de la victime consumée en sacrifice pour le péché. On versera de l'eau vive par-dessus, dans un vase. ¹⁸Puis un homme en état de pureté prendra de l'hysope qu'il plongera dans l'eau. Il fera alors l'aspersion sur la tente, sur tous les vases et sur toutes les personnes qui s'y trouvent, et de même sur celui qui a touché des ossements, un homme assassiné, un mort ou un tombeau. ¹⁹L'homme pur fera l'asper-sion sur l'impur, le troisième et le septième jour, et le septième jour il l'aura délivré de son péché. L'homme impur nettoiera alors ses vêtements, il se lavera avec de l'eau et le soir il sera pur. ²⁰Mais un homme qui omettrait de se purifier ainsi sera retranché de la communauté, car il souillerait le sanctuaire de Yahvé. Les eaux lustrales n'ont pas coulé sur lui, c'est un impur.

²¹Ce sera pour eux un décret perpétuel. Celui qui fait l'aspersion d'eaux lustrales nettoiera ses vêtements et celui qui a touché à ces eaux sera impur jusqu'au soir. ²²Tout ce que l'impur a touché sera impur, et la personne qui l'a touché sera impure jusqu'au soir.

7. De Cadès à Moab

Les eaux de Meriba. ‖ Ex 17 1-7.

20 ¹Les Israélites, toute la communauté, arrivèrent le premier mois au désert de Çîn. Le peuple s'établit à Cadès. C'est là que Miryam mourut et qu'elle fut enterrée.

²Il n'y avait pas d'eau pour la communauté ; alors ils s'ameutè-rent contre Moïse et Aaron. ³Le peuple s'en prit à Moïse : « Que n'avons-nous péri, disaient-ils, comme nos frères ont péri devant Yahvé ! ⁴Pourquoi avez-vous conduit l'assemblée de Yahvé en ce désert, pour que nous y mou-rions, nous et nos bêtes ? ⁵Pourquoi nous avoir fait monter d'Égypte pour nous conduire en ce sinistre lieu ? C'est un lieu im-propre aux semailles, sans fi-guiers, ni vignes, ni grenadiers, sans même d'eau à boire ! »

⁶Quittant l'assemblée, Moïse et Aaron vinrent à l'entrée de la Ten-te du Rendez-vous. Ils tombèrent face contre terre, et la gloire de Yahvé leur apparut. ⁷Yahvé parla à Moïse et dit : ⁸« Prends le ra-meau et rassemble la communau-té, toi et ton frère Aaron. Puis, sous leurs yeux, dites à ce rocher qu'il donne ses eaux. Tu feras jail-lir pour eux de l'eau de ce rocher et tu feras boire la communauté et son bétail. »

⁹Moïse prit le rameau de de-vant Yahvé, comme il le lui avait commandé. ¹⁰Moïse et Aaron

convoquèrent l'assemblée devant le rocher, puis il leur dit : « Écoutez donc, rebelles. Ferons-nous jaillir pour vous de l'eau de ce rocher ? » [11]Moïse leva la main et, avec le rameau, frappa le rocher par deux fois : l'eau jaillit en abondance, la communauté et son bétail purent boire.

Châtiment de Moïse et d'Aaron.

Dt 1 37 ; 3 26s ; 32 51 ; 33 8. Ps 106 32s.

[12]Yahvé dit alors à Moïse et à Aaron : « Puisque vous ne m'avez pas cru capable de me sanctifier aux yeux des Israélites, vous ne ferez pas entrer cette assemblée dans le pays que je lui donne. » [13]Ce sont là les eaux de Meriba, où les Israélites s'en prirent à Yahvé, et où il manifesta par elles sa sainteté.

Édom refuse le passage. Dt 2 4-7.

[14] Moïse envoya de Cadès des messagers : « Au roi d'Édom. Ainsi parle ton frère Israël. Tu sais, toi, quelles tribulations nous avons rencontrées. [15]Nos pères sont descendus en Égypte, où nous sommes restés bien des jours. Mais les Égyptiens nous ont maltraités, ainsi que nos pères. [16]Nous en avons appelé à Yahvé. Il a entendu notre voix et il a envoyé l'ange qui nous a fait sortir d'Égypte. Nous voici maintenant à Cadès, ville qui est aux confins de ton territoire. [17]Nous voulons, s'il t'agrée, traverser ton pays. Nous n'irons pas à travers les champs ni les vignes ; nous ne boirons pas l'eau des puits ; nous suivrons la route royale sans nous écarter à droite ou à gauche, jusqu'à ce que nous ayons traversé ton territoire. » [18]Édom lui répondit : « Tu ne passeras pas chez moi, sinon je marcherai en armes à ta rencontre. » [19]Les Israélites lui dirent : « Nous suivrons la grand-route ; si nous buvons de ton eau, moi et mes troupeaux, j'en paierai le prix. Ce n'est pas une affaire que de me laisser passer à pied. » [20]Édom répondit : « Tu ne passeras pas », et Édom marcha à sa rencontre en grand nombre et en grande force. [21]Édom ayant ainsi refusé à Israël le passage sur son territoire, Israël s'en écarta.

Mort d'Aaron. 33 38-39. Dt 10 6.

[22]Ils partirent de Cadès, et les Israélites, toute la communauté, arrivèrent à Hor-la-Montagne. [23]Yahvé parla à Moïse et à Aaron, à Hor-la-Montagne, sur la frontière du pays d'Édom. Il dit : [24]« Qu'Aaron soit réuni aux siens : car il ne doit pas entrer dans le pays que je donne aux Israélites, puisque vous avez été rebelles à ma voix, aux eaux de Meriba. [25]Prends Aaron et Éléazar, son fils, et fais-les monter sur la montagne de Hor. [26]Tu ôteras alors à Aaron ses vêtements, pour en revêtir Éléazar, son fils, et Aaron sera réuni aux siens : c'est là qu'il doit mourir. »

[27]Moïse fit ce que Yahvé avait ordonné. Sous les yeux de toute la communauté, ils montèrent sur la montagne de Hor. [28]Moïse ôta à Aaron ses vêtements pour en revêtir Éléazar, son fils ; et Aaron mourut là, au sommet de la montagne. Puis Moïse et Éléazar redescendirent de la montagne. [29]Toute la communauté vit qu'Aa-

ron avait expiré, et toute la maison d'Israël pleura Aaron pendant trente jours.

Prise de Horma.

21 [1]Le roi d'Arad, le Cananéen habitant au Négeb, apprit qu'Israël venait par la route d'Atarim. Il attaqua Israël et lui fit des prisonniers. [2]Israël fit alors ce vœu à Yahvé : « Si tu livres ce peuple en mon pouvoir, je vouerai ses villes à l'anathème. » [3]Yahvé écouta la voix d'Israël et livra les Cananéens en son pouvoir. Ils les vouèrent à l'anathème, eux et leurs villes. On donna à ce lieu le nom de Horma.

Le serpent d'airain.

[4]Ils partirent de Hor-la-Montagne par la route de la mer de Suph, pour contourner le pays d'Édom. En chemin, le peuple perdit patience. [5]Il parla contre Dieu et contre Moïse : « Pourquoi nous avez-vous fait monter d'Égypte pour mourir en ce désert ? Car il n'y a ni pain ni eau ; nous sommes excédés de cette nourriture de famine. »

[6]Dieu envoya alors contre le peuple les serpents brûlants, dont la morsure fit périr beaucoup de monde en Israël. [7]Le peuple vint dire à Moïse : « Nous avons péché en parlant contre Yahvé et contre toi. Intercède auprès de Yahvé pour qu'il éloigne de nous ces serpents. » Moïse intercéda pour le peuple [8]et Yahvé lui répondit : « Façonne-toi un Brûlant que tu placeras sur un étendard. Quiconque aura été mordu et le regardera restera en vie. » [9]Moïse façonna donc un serpent d'airain qu'il pla-

ça sur l'étendard, et si un homme était mordu par quelque serpent, il regardait le serpent d'airain et restait en vie.

Étapes vers la Transjordanie.

[10]Les Israélites partirent et campèrent à Obot. [11]Puis ils partirent d'Obot et campèrent à Iyyé-ha-Abarim, dans le désert qui confine à Moab, du côté du soleil levant. [12]Ils partirent de là et campèrent dans le torrent de Zéred. [13]Ils partirent de là et campèrent au-delà de l'Arnon.

Ce torrent sortait, dans le désert, du pays des Amorites. Car l'Arnon était à la frontière de Moab, entre les Moabites et les Amorites. [14]Aussi est-il dit dans le livre des Guerres de Yahvé :

... Vaheb près de Supha et le torrent d'Arnon
[15]et la pente du ravin qui s'incline vers le site d'Ar et s'appuie à la frontière de Moab.

[16]Et de là ils allèrent à Béer —

C'est au sujet de ce puits que Yahvé avait dit à Moïse : « Rassemble le peuple et je leur donnerai de l'eau. »

[17]Alors Israël chanta ce cantique :

Sur le Puits.
Chantez-le,
[18]le Puits qu'ont creusé des princes,
qu'ont foré les chefs du peuple,
avec le sceptre, avec leurs bâtons.

— et du désert à Mattana, [19]de Mattana à Nahaliel, de Nahaliel à Bamot, [20]et de Bamot à la vallée qui s'ouvre dans la campagne de Moab, vers les hauteurs du Pisga, qui fait face au désert et le domine.

Conquête de la Transjordanie.
|| Dt 2 26-36.

²¹Israël envoya des messagers dire à Sihôn, roi des Amorites : ²²« Je voudrais traverser ton pays. Nous ne nous écarterons pas à travers les champs ni les vignes ; nous ne boirons pas l'eau des puits ; nous suivrons la route royale, jusqu'à ce que nous ayons traversé ton territoire. » ²³Mais Sihôn ne laissa pas Israël traverser son pays. Il rassembla tout son peuple, marcha dans le désert à la rencontre d'Israël et atteignit Yahaç, où il livra bataille à Israël. ²⁴Israël le frappa du tranchant de l'épée et conquit son pays, depuis l'Arnon jusqu'au Yabboq, jusqu'aux fils d'Ammon, car Yazèr se trouvait à la frontière ammonite. ²⁵Israël s'empara de toutes ces villes. Il occupa toutes les villes des Amorites, Heshbôn et toutes ses dépendances. ²⁶Heshbôn était en effet la capitale de Sihôn, roi des Amorites. C'est Sihôn qui avait fait la guerre au premier roi de Moab et lui avait enlevé tout son pays jusqu'à l'Arnon. ²⁷C'est pourquoi les poètes disent :

Venez à Heshbôn,
    qu'elle soit rebâtie, qu'elle soit bien fondée
    la ville de Sihôn !
²⁸Un feu est sorti de Heshbôn,
    une flamme de la cité de Sihôn,
    elle a dévoré Ar-Moab,
    englouti les hauteurs de l'Arnon.

²⁹Malheur à toi, Moab !
Tu es perdu, peuple de Kemosh !
Il fait de ses fils des fuyards
    et de ses filles des captives
    du roi des Amorites, de Sihôn.
³⁰Mais leur postérité a été détruite
    depuis Heshbôn jusqu'à Dibôn,
    et nous avons mis le feu
    depuis Nophah et jusqu'à Médba.

³¹Israël s'établit dans le pays des Amorites. ³²Moïse envoya espionner Yazèr, et Israël la prit ainsi que ses dépendances ; il déposséda les Amorites qui y habitaient. ³³Puis ils prirent la direction du Bashân et ils y montèrent. Le roi du Bashân, Og, marcha à leur rencontre avec son peuple pour livrer bataille à Édréï. ³⁴Yahvé dit à Moïse : « Ne crains pas, car j'ai livré en ton pouvoir, lui, tout son peuple et son pays. Tu le traiteras comme tu as traité Sihôn, roi des Amorites, qui habitait à Heshbôn. » ³⁵Ils le battirent, lui, ses fils et son peuple, sans que personne en réchappât. Ils prirent possession de son pays.

22 ¹Puis les Israélites partirent, et s'en allèrent camper dans les Steppes de Moab, au-delà du Jourdain, vers Jéricho.

Le roi de Moab fait appel à Balaam. 31 8, 16. Dt 23 5-6. Jos 24 9-10. Ne 13 2. Mi 6 5. 2 P 2 15s. Jude 11. Ap 2 14.

²Balaq, fils de Çippor, vit tout ce qu'Israël avait fait aux Amorites ; ³Moab fut pris de panique devant ce peuple, car il était fort nombreux.

Moab eut peur des Israélites ; [4]il dit aux anciens de Madiân : « Voilà cette multitude en train de tout brouter autour de nous comme un bœuf broute l'herbe des champs. »

Balaq, fils de Çippor, était roi de Moab en ce temps-là. [5]Il envoya des messagers mander Balaam, fils de Béor, à Pétor, sur le Fleuve, au pays des fils d'Ammav. Il lui disait : « Voici que le peuple qui est sorti d'Égypte a couvert tout le pays ; il s'est établi en face de moi. [6]Viens donc, je te prie, et maudis-moi ce peuple, car il est plus puissant que moi. Ainsi pourrons-nous le battre et le chasser du pays. Car je le sais : celui que tu bénis est béni, celui que tu maudis est maudit. »

[7]Les anciens de Moab et les anciens de Madiân partirent, le salaire de l'augure en main. Ils vinrent trouver Balaam et lui transmirent les paroles de Balaq. [8]Il leur dit : « Passez ici la nuit, et je vous répondrai selon ce que m'aura dit Yahvé. » Les princes de Moab restèrent chez Balaam. [9]Dieu vint à Balaam et lui dit : « Quels sont ces hommes qui sont chez toi ? » [10]Balaam répondit à Dieu : « Balaq, fils de Çippor, roi de Moab, m'a fait dire ceci : [11]Voici que le peuple qui est sorti d'Égypte a couvert tout le pays. Viens donc, maudis-le-moi ; ainsi pourrai-je le combattre et le chasser. » [12]Dieu dit à Balaam : « Tu n'iras pas avec eux. Tu ne maudiras pas ce peuple, car il est béni. » [13]Au matin, Balaam se leva et dit aux princes envoyés par Balaq : « Partez pour votre pays, car Yahvé refuse de me laisser aller

avec vous. » [14]Les princes de Moab se levèrent, se rendirent auprès de Balaq et lui dirent : « Balaam a refusé de venir avec nous. »

[15]Balaq envoya de nouveau des princes, mais plus nombreux et plus considérés que les premiers. [16]Ils se rendirent auprès de Balaam et lui dirent : « Ainsi a parlé Balaq, fils de Çippor : Ne refuse pas, je te prie, de venir jusqu'à moi. [17]Car je t'accorderai les plus grands honneurs, et tout ce que tu me diras, je le ferai. Viens donc, et maudis-moi ce peuple. » [18]Balaam fit aux envoyés de Balaq cette réponse : « Quand Balaq me donnerait plein sa maison d'argent et d'or, je ne pourrais transgresser l'ordre de Yahvé mon Dieu en aucune chose, petite ou grande. [19]Maintenant, passez ici la nuit vous aussi, et j'apprendrai ce que Yahvé pourra me dire encore. » [20]Dieu vint à Balaam pendant la nuit et lui dit : « Ces gens ne sont-ils pas venus t'appeler ? Lève-toi, pars avec eux. Mais tu ne feras que ce que je te dirai. » [21]Au matin, Balaam se leva, sella son ânesse et partit avec les princes de Moab.

L'ânesse de Balaam.

[22]Son départ excita la colère de Dieu, et l'Ange de Yahvé se posta sur la route pour lui barrer le passage. Lui montait son ânesse, ses deux garçons l'accompagnaient. [23]Or l'ânesse vit l'Ange de Yahvé posté sur la route, son épée nue à la main ; elle s'écarta de la route à travers champs. Mais Balaam battit l'ânesse pour la ramener sur la route.

²⁴L'Ange de Yahvé se tint alors dans un chemin creux, au milieu des vignes, avec un mur à droite et un mur à gauche. ²⁵L'ânesse vit l'Ange de Yahvé et rasa le mur, y frottant le pied de Balaam. Il la battit encore une fois.

²⁶L'Ange de Yahvé changea de place et se tint en un passage resserré, où il n'y avait pas d'espace pour passer ni à droite ni à gauche. ²⁷Quand l'ânesse vit l'Ange de Yahvé, elle se coucha sous Balaam. Balaam se mit en colère et battit l'ânesse à coups de bâton.

²⁸Alors Yahvé ouvrit la bouche de l'ânesse et elle dit à Balaam : « Que t'ai-je fait, pour que tu m'aies battue ainsi par trois fois ? » ²⁹Balaam répondit à l'ânesse : « C'est que tu t'es moquée de moi ! Si j'avais eu à la main une épée, je t'aurais déjà tuée. » ³⁰L'ânesse dit à Balaam : « Ne suis-je pas ton ânesse, qui te sers de monture depuis toujours et jusqu'aujourd'hui ? Ai-je l'habitude d'agir ainsi envers toi ? » Il répondit : « Non. »

³¹Alors Yahvé ouvrit les yeux de Balaam. Il vit l'Ange de Yahvé posté sur la route, son épée nue à la main. Il s'inclina et se prosterna face contre terre. ³²Et l'Ange de Yahvé lui dit : « Pourquoi as-tu battu ainsi ton ânesse par trois fois ? C'est moi qui étais venu te barrer le passage ; car moi présent, la route n'aboutit pas. ³³L'ânesse m'a vu et devant moi elle s'est détournée par trois fois. Bien t'en a pris qu'elle se soit détournée, car je t'aurais déjà tué. Elle, je l'aurais laissée en vie. » ³⁴Balaam répondit à l'Ange de Yahvé : « J'ai péché. C'est que j'ignorais que tu étais posté devant moi sur la route. Et maintenant, si cela te déplaît, je m'en retourne. » ³⁵L'Ange de Yahvé répondit à Balaam : « Va avec ces hommes. Seulement, ne dis rien de plus que ce que je te ferai dire. » Balaam s'en alla avec les princes envoyés par Balaq.

Balaam et Balaq.

³⁶Balaq apprit donc que Balaam arrivait et partit à sa rencontre, dans la direction de Ar-Moab, sur la frontière de l'Arnon, à l'extrémité du territoire. ³⁷Balaq dit à Balaam : « Ne t'avais-je pas envoyé des messagers pour t'appeler ? Pourquoi n'es-tu pas venu vers moi ? Vraiment, n'étais-je pas en mesure de t'honorer ? » ³⁸Balaam répondit à Balaq : « Me voici arrivé près de toi. Pourrai-je maintenant dire quelque chose ? La parole que Dieu me mettra dans la bouche, je la dirai. »

³⁹Balaam partit avec Balaq. Ils parvinrent à Qiryat-Huçot. ⁴⁰Balaq immola du gros et du petit bétail, et il en présenta les morceaux à Balaam et aux princes qui l'accompagnaient. ⁴¹Puis, au matin, Balaq prit Balaam et le fit monter à Bamot-Baal d'où il put voir l'extrémité du camp.

23 ¹Balaam dit à Balaq : « Bâtis-moi ici sept autels, et fournis-moi ici sept taureaux et sept béliers. » ²Balaq fit comme avait dit Balaam et offrit en holocauste un taureau et un bélier sur chaque autel. ³Balaam dit alors à Balaq : « Tiens-toi debout près de tes holocaustes tandis que j'irai. Peut-être Yahvé fera-t-il que je le rencontre ? Ce qu'il me fera voir, je te le révélerai. » Et il s'en alla sur une colline dénudée.

Oracles de Balaam.

[4]Or Dieu vint à la rencontre de Balaam, qui lui dit : « J'ai disposé les sept autels et j'ai offert en holocauste un taureau et un bélier sur chaque autel. » [5]Yahvé lui mit alors une parole dans la bouche, et lui dit : « Retourne auprès de Balaq et c'est ainsi que tu parleras. » [6]Balaam retourna donc auprès de lui ; il le trouva toujours debout près de son holocauste, avec tous les princes de Moab. [7]Il prononça son poème :

« Balaq me fait venir d'Aram,
le roi de Moab, des monts de Qédem :
"Viens, maudis-moi Jacob,
viens, fulmine contre Israël."
[8]Comment maudirais-je quand Dieu ne maudit pas ?
Comment fulminerais-je quand Dieu ne fulmine pas ?
[9]Oui, de la crête du rocher je le vois,
du haut des collines je le regarde.
Voici un peuple qui habite à part,
il n'est pas rangé parmi les nations.
[10]Qui pourrait compter la poussière de Jacob ?
Qui pourrait dénombrer la nuée d'Israël ?
Puissé-je mourir de la mort des justes !
Puisse ma fin être comme la leur ! »

[11]Balaq dit à Balaam : « Que m'as-tu fait ! Je t'avais pris pour maudire mes ennemis et tu pro-nonces sur eux des bénédic-tions ! » [12]Balaam reprit : « Ne dois-je pas prendre soin de dire ce que Yahvé me met dans la bou-che ? » [13]Balaq lui dit : « Viens donc ailleurs avec moi. Ce peuple que tu vois d'ici, tu n'en vois qu'une extrémité, tu ne le vois pas tout entier. Maudis-le-moi de là-bas. » [14]Il l'emmena au Champ des Guetteurs, vers le sommet du Pisga. Il y bâtit sept autels et offrit en holocauste un taureau et un bé-lier sur chaque autel. [15]Balaam dit à Balaq : « Tiens-toi debout près de tes holocaustes, tandis que moi j'irai attendre. » [16]Dieu vint à la rencontre de Balaam, il lui mit une parole dans la bouche et lui dit : « Retourne auprès de Balaq, et c'est ainsi que tu parleras. » [17]Il retourna donc auprès de Balaq ; il le trouva toujours debout près de ses holocaustes, avec tous les princes de Moab. « Qu'a dit Yah-vé ? » lui demanda Balaq. [18]Et Balaam prononça son poème :

« Lève-toi, Balaq, et écoute,
prête-moi l'oreille, fils de Çip-por.
[19]Dieu n'est pas homme, pour qu'il mente,
ni fils d'Adam, pour qu'il se ré-tracte.
Est-ce lui qui dit et ne fait pas,
qui parle et n'accomplit pas ?
[20]J'ai reçu la charge d'une bé-nédiction,
je bénirai et je ne me reprendrai pas.
[21]Je n'ai pas aperçu de mal en Jacob
ni vu de souffrance en Israël.
Yahvé son Dieu est avec lui ;

chez lui retentit l'acclamation royale.

²²Dieu le fait sortir d'Égypte,
Il est pour lui comme des cornes de buffle.

²³Car il n'y a pas de présage contre Jacob
ni d'augure contre Israël.
Alors même que l'on dit à Jacob
et à Israël : "Que fait donc Dieu ?"

²⁴Voici qu'un peuple se dresse comme une lionne,
qu'il surgit comme un lion :
il ne se couche pas, qu'il n'ait dévoré sa proie
et bu le sang de ceux qu'il a tués. »

²⁵Balaq dit à Balaam : « Ne le maudis pas, soit ! Du moins, ne le bénis pas ! » ²⁶Balaam répondit à Balaq : « Ne t'avais-je pas dit : Tout ce que Yahvé dira, je le ferai ? » ²⁷Balaq dit à Balaam : « Viens donc, que je t'emmène ailleurs. Et là, peut-être Dieu trouvera bon de le maudire. » ²⁸Balaq emmena Balaam au sommet du Péor, qui domine le désert. ²⁹Balaam dit alors à Balaq : « Bâtis-moi ici sept autels et fournis-moi ici sept taureaux et sept béliers. » ³⁰Balaq fit comme avait dit Balaam et offrit en holocauste un taureau et un bélier sur chaque autel.

24 ¹Balaam vit alors que Yahvé trouvait bon de bénir Israël. Il n'alla pas comme les autres fois à la recherche de présages, mais il se tourna face au désert. ²Levant les yeux, Balaam vit Israël, établi par tribus ; l'esprit de Dieu vint sur lui ³et il prononça son poème. Il dit :

« Oracle de Balaam, fils de Béor,
oracle de l'homme au regard pénétrant,
⁴oracle de celui qui écoute les paroles de Dieu.
Il voit ce que Shaddaï fait voir,
il obtient la réponse divine et ses yeux s'ouvrent.
⁵Que tes tentes sont belles, Jacob !
et tes demeures, Israël !
⁶Comme des vallées qui s'étendent,
comme des jardins au bord d'un fleuve,
comme des aloès que Yahvé a plantés,
comme des cèdres auprès des eaux !
⁷Un héros grandit dans sa descendance,
il domine sur des peuples nombreux.
Son roi est plus grand qu'Agag,
sa royauté s'élève.
⁸Dieu le fait sortir d'Égypte,
il est pour lui comme des cornes de buffle.
Il dévore le cadavre de ses adversaires,
il leur brise les os.
⁹Il s'est accroupi, il s'est couché,
comme un lion, comme une lionne
qui le fera lever ?
Béni soit qui te bénit,
et maudit qui te maudit ! »

¹⁰Balaq se mit en colère contre Balaam. Il frappa des mains et dit à Balaam : « Je t'avais mandé pour maudire mes ennemis, et

voilà que tu les bénis, et par trois fois ! [11]Et maintenant déguerpis et va-t'en chez toi. J'avais dit que je te comblerais d'honneurs. C'est Yahvé qui t'en a privé. » [12]Balaam répondit à Balaq : « N'avais-je pas dit déjà à tes messagers : [13]"Quand Balaq me donnerait plein sa maison d'argent et d'or, je ne pourrais transgresser l'ordre de Yahvé et faire de moi-même ni bien ni mal ; ce que Yahvé dira, c'est ce que je dirai" ? [14]Maintenant que je pars de chez les miens, viens, je vais t'aviser de ce que ce peuple fera à ton peuple, dans la suite des temps. » [15]Alors il prononça son poème. Il dit :

« Oracle de Balaam, fils de Béor,
oracle de l'homme au regard pénétrant,
[16]oracle de celui qui écoute les paroles de Dieu,
de celui qui sait la science du Très-Haut.
Il voit ce que Shaddaï fait voir,
il obtient la réponse divine et ses yeux s'ouvrent.
[17]Je le vois – mais non pour maintenant,
je l'aperçois – mais non de près
Un astre issu de Jacob devient chef,
un sceptre se lève, issu d'Israël.
Il frappe les tempes de Moab
et le crâne de tous les fils de Seth.
[18]Édom devient un pays conquis ;
pays conquis, Séïr.
Israël déploie sa puissance,
[19]Jacob domine sur ses ennemis

et fait périr les rescapés de Ar. »

[20]Balaam vit Amaleq, il prononça son poème. Il dit :

« Amaleq : prémices des nations !
Mais sa postérité périra pour toujours. »

[21]Puis il vit les Qénites, il prononça son poème. Il dit :

« Ta demeure fut stable, Qayîn,
et ton nid juché sur le rocher.
[22]Mais le nid appartient à Béor ;
jusques à quand seras-tu captif d'Assur ? »

[23]Puis il prononça son poème. Il dit :

« Des peuples de la Mer se rassemblent au nord,
[24]des vaisseaux du côté de Kittim.
Ils oppriment Assur, ils oppriment Ebèr,
lui aussi périra pour toujours. »

[25]Puis Balaam se leva, partit et retourna chez lui. Balaq lui aussi passa son chemin.

Israël à Péor. 31 16. Dt 3 29 ; 4 3. Ps 106 28-31. ↗ 1 Co 10 8.

25

[1]Israël s'établit à Shittim. Le peuple se livra à la prostitution avec les filles de Moab. [2]Elles l'invitèrent aux sacrifices de leurs dieux ; le peuple mangea et se prosterna devant leurs dieux ; [3]Israël s'étant ainsi commis avec le Baal de Péor, la colère de Yahvé s'enflamma contre lui.

[4]Yahvé dit à Moïse : « Prends tous les chefs du peuple. Empale-les à la face du soleil, pour Yahvé : alors l'ardente colère de Yahvé se détournera d'Israël. »

⁵Moïse dit aux juges d'Israël : « Que chacun mette à mort ceux de ses hommes qui se sont commis avec le Baal de Péor. »

⁶Survint un homme des Israélites, amenant auprès de ses frères cette Madianite, sous les yeux mêmes de Moïse et de toute la communauté des Israélites pleurant à l'entrée de la Tente du Rendez-vous. ⁷À cette vue, Pinhas, fils d'Éléazar, fils d'Aaron, le prêtre, se leva du milieu de la communauté, saisit une lance, ⁸suivit l'Israélite dans l'alcôve et là il les transperça tous les deux, l'Israélite et la femme, en plein ventre. Le fléau qui frappait les Israélites fut arrêté. ⁹Vingt-quatre mille d'entre eux en étaient morts.

¹⁰Yahvé parla à Moïse et dit : ¹¹« Pinhas, fils d'Éléazar, fils d'Aaron, le prêtre, a détourné mon courroux des Israélites, parce qu'il a été, parmi eux, possédé de la même jalousie que moi ; c'est pourquoi je n'ai pas, dans ma jalousie, achevé les Israélites. ¹²C'est pourquoi je dis : Je lui accorde mon alliance de paix. ¹³Il y aura pour lui et pour sa descendance après lui une alliance, qui lui assurera le sacerdoce à perpétuité. En récompense de sa jalousie pour son Dieu, il pourra accomplir le rite d'expiation sur les Israélites. »

¹⁴L'Israélite frappé (il avait été frappé avec la Madianite) se nommait Zimri, fils de Salu, prince d'une famille de Siméon. ¹⁵La femme, la Madianite qui avait été frappée, se nommait Kozbi, fille de Çur, qui était chef d'un clan, d'une famille, en Madiân.

¹⁶Yahvé parla à Moïse et dit : ¹⁷« Pressez les Madianites et frappez-les. ¹⁸Car ce sont eux qui vous ont pressés, par leurs artifices contre vous dans l'affaire de Péor, et dans l'affaire de Kozbi leur sœur, la fille d'un prince de Madiân, celle qui fut frappée le jour du fléau survenu à cause de l'affaire de Péor. »

8. *Nouvelles dispositions*

Le recensement. Nb 1. Gn 46.

26 Après ce fléau, ¹Yahvé parla à Moïse et à Éléazar, fils d'Aaron, le prêtre. Il dit : ²« Faites le recensement de toute la communauté des Israélites, par familles : tous ceux qui ont vingt ans et au-dessus, aptes à faire campagne en Israël. » ³Moïse et Éléazar le prêtre les recensèrent donc, dans les Steppes de Moab, près du Jourdain vers Jéricho.

⁴(Comme Yahvé l'a ordonné à Moïse et aux Israélites à leur sortie du pays d'Égypte.) Hommes de vingt ans et au-dessus :
⁵Ruben, premier-né d'Israël. Les fils de Ruben : pour Hénok, le clan Hénokite ; pour Pallu, le clan Palluite ; ⁶pour Hèçrôn, le clan Hèçronite ; pour Karmi, le clan Karmite. ⁷Tels étaient les clans Rubénites. Ils comprenaient quarante-trois mille sept cent trente recensés.
⁸Les fils de Pallu : Éliab. ⁹Les

fils d'Éliab : Nemuel, Datân et Abiram. Ce sont Datân et Abiram, hommes considérés dans la communauté, qui se soulevèrent contre Moïse et Aaron ; ils étaient de la bande de Coré quand elle se souleva contre Yahvé. [10]La terre ouvrit sa bouche et les engloutit (ainsi que Coré, lorsque périt cette bande), lorsque le feu consuma les deux cent cinquante hommes. Ils furent un signe. [11]Les fils de Coré ne périrent pas.

[12]Les fils de Siméon, par clans : pour Nemuel, le clan Nemuélite ; pour Yamîn, le clan Yaminite ; pour Yakîn, le clan Yakinite ; [13]pour Zérah, le clan Zarhite ; pour Shaûl, le clan Shaûlite. [14]Tels étaient les clans Siméonites. Ils comprenaient vingt-deux mille deux cents recensés.

[15] Les fils de Gad, par clans : pour Çephôn, le clan Çéphonite ; pour Haggi, le clan Haggite ; pour Shuni, le clan Shunite ; [16]pour Ozni, le clan Oznite ; pour Éri, le clan Érite ; [17]pour Arod, le clan Arodite ; pour Aréli, le clan Arélite. [18]Tels étaient les clans des fils de Gad. Ils comprenaient quarante mille cinq cents recensés.

[19]Les fils de Juda : Er et Onân. Er et Onân moururent au pays de Canaan. [20]Les fils de Juda devinrent des clans : pour Shéla, le clan Shélanite ; pour Pérèç, le clan Parçite ; pour Zérah, le clan Zarhite. [21]Les fils de Pérèç furent : pour Hèçrôn, le clan Hèçronite ; pour Hamul, le clan Hamulite. [22]Tels étaient les clans de Juda. Ils comprenaient soixante-seize mille cinq cents recensés.

[23]Les fils d'Issachar, par clans : pour Tola, le clan Tolaïte ; pour Puvva, le clan Puvvite ; [24]pour Yashub, le clan Yashubite ; pour Shimrôn, le clan Shimronite. [25]Tels étaient les clans d'Issachar. Ils comprenaient soixante-quatre mille trois cents recensés.

[26]Les fils de Zabulon, par clans : pour Séred, le clan Sardite ; pour Élôn, le clan Élonite ; pour Yahléel, le clan Yahléélite. [27]Tels étaient les clans de Zabulon. Ils comprenaient soixante cinq mille cents recensés.

[28]Les fils de Joseph, par clans : Manassé et Éphraïm.

[29]Les fils de Manassé : pour Makir, le clan Makirite ; et Makir engendra Galaad : pour Galaad, le clan Galaadite. [30]Voici les fils de Galaad ; pour Iézer, le clan Iézrite ; pour Héleq, le clan Helqite ; [31]Asriel, le clan Asriélite ; Shékem, le clan Shékémite ; [32]Shemida, le clan Shemidaïte ; Hépher, le clan Héphrite. [33]Çelophehad, fils de Hépher, n'eut pas de fils, mais des filles ; voici les noms des filles de Çelophehad : Mahla, Noa, Hogla, Milka et Tirça. [34]Tels étaient les clans de Manassé. Ils comprenaient cinquante-deux mille sept cents recensés.

[35]Et voici les fils d'Éphraïm, par clans : pour Shutélah, le clan Shutalhite ; pour Béker, le clan Bakrite ; pour Tahân, le clan Tahanite. [36]Voici les fils de Shutélah : pour Érân, le clan Éranite. [37]Tels étaient les clans d'Éphraïm. Ils comprenaient trente-deux mille cinq cents recensés.

Tels étaient les fils de Joseph, par clans.

[38]Les fils de Benjamin, par clans : pour Béla, le clan Baléite ; pour Ashbel, le clan Ashbélite ;

pour Ahiram, le clan Ahiramite ; [39]pour Shephupham, le clan Shephuphamite ; pour Hupham, le clan Huphamite. [40]Béla eut pour fils Ard et Naamân : pour Ard le clan Ardite ; pour Naamân, le clan Naamite. [41]Tels étaient les fils de Benjamin, par clans. Ils comprenaient quarante-cinq mille six cents recensés.

[42]Voici les fils de Dan, par clans : pour Shuham, le clan Shuhamite. Tels étaient les fils de Dan, par clans. [43]Tous les clans Shuhamites comprenaient soixante-quatre mille quatre cents recensés.

[44]Les fils d'Asher, par clans : pour Yimna, le clan Yimnite ; pour Yishvi, le clan Yishvite ; pour Béria, le clan Bériite. [45]Pour les fils de Béria : pour Héber, le clan Hébrite ; pour Malkiel, le clan Malkiélite. [46]La fille d'Asher se nommait Sarah. [47]Tels étaient les clans des fils d'Asher. Ils comprenaient cinquante-trois mille quatre cents recensés.

[48]Les fils de Nephtali, par clans : pour Yahçéel, le clan Yahçééite ; pour Guni, le clan Gunite ; [49]pour Yéçer, le clan Yiçrite ; pour Shillem, le clan Shillémite. [50]Tels étaient les clans de Nephtali, répartis par clans. Les fils de Nephtali comprenaient quarante-cinq mille quatre cents recensés.

[51]Les Israélites étaient donc six cent un mille sept cent trente recensés.

[52]Yahvé parla à Moïse et dit : [53]« C'est à ceux-ci que le pays sera distribué en héritage, suivant le nombre des inscrits. [54]À celui qui a un grand nombre, tu donneras un grand domaine, à celui qui a un petit nombre, un petit domaine ; à chacun son héritage, en proportion du nombre de ses recensés. [55]Toutefois, c'est le sort qui fera le partage du pays. Selon le nombre des noms dans les tribus patriarcales, on recevra son héritage ; [56]l'héritage de chaque tribu sera réparti par le sort en tenant compte du grand ou du petit nombre. »

Recensement des Lévites.

[57]Voici, par clans, les Lévites recensés : pour Gershôn, le clan Gershonite ; pour Qehat, le clan Qehatite ; pour Merari, le clan Merarite. [58]Voici les clans de Lévi : le clan Libnite, le clan Hébronite, le clan Mahlite, le clan Mushite, le clan Coréite.

Qehat engendra Amram. [59]La femme d'Amram se nommait Yokébed, fille de Lévi, qui lui était née en Égypte. Elle donna à Amram Aaron, Moïse et Miryam leur sœur. [60]Aaron engendra Nadab et Abihu, Éléazar et Itamar. [61]Nadab et Abihu moururent lorsqu'ils portèrent devant Yahvé un feu irrégulier.

[62]Il y eut en tout vingt-trois mille mâles recensés, d'un mois et au-dessus. Car ils n'avaient pas été recensés avec les Israélites, n'ayant pas reçu d'héritage au milieu d'eux.

[63]Tels furent les hommes que recensèrent Moïse et Éléazar le prêtre, qui firent ce recensement des Israélites dans les Steppes de Moab, près du Jourdain vers Jéricho. [64]Aucun d'eux n'était de ceux que Moïse et Aaron le prêtre avaient recensés, en dénombrant les Israélites dans le désert du Sinaï ; [65]car Yahvé le leur avait dit :

ceux-ci mourraient dans le désert et il n'en resterait aucun, à l'exception de Caleb, fils de Yephunné, et de Josué, fils de Nûn.

L'héritage des filles.

27 [1]Alors s'approchèrent les filles de Çelophehad. Celui-ci était fils de Hépher, fils de Galaad, fils de Makir, fils de Manassé ; il était des clans de Manassé, fils de Joseph. Voici les noms de ses filles : Mahla, Noa, Hogla, Milka et Tirça. [2]Elles se présentèrent devant Moïse, devant Éléazar le prêtre, devant les princes et toute la communauté, à l'entrée de la Tente du Rendez-vous et elles dirent : [3]« Notre père est mort dans le désert. Il n'était pas du parti qui se forma contre Yahvé, du parti de Coré ; c'est pour son propre péché qu'il est mort sans avoir eu de fils. [4]Pourquoi le nom de notre père disparaîtrait-il de son clan ? Puisqu'il n'a pas eu de fils, donne-nous un domaine au milieu des frères de notre père. »

[5]Moïse porta leur cas devant Yahvé [6]et Yahvé parla à Moïse. Il dit : [7]« Les filles de Çelophehad ont parlé juste. Tu leur donneras donc un domaine qui sera leur héritage au milieu des frères de leur père ; tu leur transmettras l'héritage de leur père. [8]Puis tu parleras ainsi aux Israélites : Si un homme meurt sans avoir eu de fils, vous transmettrez son héritage à sa fille. [9]S'il n'a pas de fille, vous donnerez son héritage à ses frères. [10]S'il n'a pas de frères, vous donnerez son héritage aux frères de son père. [11]Si son père n'a pas de frères, vous donnerez son héritage à celui de son clan qui est son plus

proche parent : il en prendra possession. Ce sera là pour les Israélites une règle de droit, comme Yahvé l'a ordonné à Moïse. »

Josué chef de la communauté.

[12]Yahvé dit à Moïse : « Monte sur cette montagne de la chaîne des Abarim, et regarde le pays que j'ai donné aux Israélites. [13]Lorsque tu l'auras regardé, tu seras réuni aux tiens, comme Aaron, ton frère. [14]Car vous avez été rebelles dans le désert de Çin, lorsque la communauté me chercha querelle, quand je vous commandai de manifester devant elle ma sainteté, par l'eau. » (Ce sont les eaux de Meriba de Cadès, dans le désert de Cîn.)

[15]Moïse parla à Yahvé et dit : [16]« Que Yahvé, Dieu des esprits qui animent toute chair, établisse sur cette communauté un homme [17]qui sorte et rentre à leur tête, qui les fasse sortir et rentrer, pour que la communauté de Yahvé ne soit pas comme un troupeau sans pasteur. » [18]Yahvé répondit à Moïse : « Prends Josué, fils de Nûn, homme en qui demeure l'esprit. Tu lui imposeras la main. [19]Puis tu le feras venir devant Éléazar, le prêtre, et toute la communauté, pour lui donner devant eux tes ordres [20]et lui transmettre une part de ta dignité, afin que toute la communauté des Israélites lui obéisse. [21]Il se tiendra devant Éléazar le prêtre, qui consultera pour lui selon le rite de l'Urim, devant Yahvé. C'est sur son ordre que sortiront et rentreront avec lui tous les Israélites, toute la communauté. »

[22]Moïse fit comme Yahvé l'avait ordonné. Il prit Josué, le fit venir devant Éléazar, le prêtre, et

toute la communauté, ²³il lui imposa la main et lui donna ses ordres, comme Yahvé l'avait dit par l'intermédiaire de Moïse.

Précisions sur les sacrifices. Lv 23. Ex 23 14.

28 ¹Yahvé parla à Moïse et dit : ²« Ordonne ceci aux Israélites :

Vous aurez soin de m'apporter au temps fixé mon offrande, ma nourriture, sous forme de mets consumés en parfum d'apaisement.

³Tu leur diras : Voici le mets que vous offrirez à Yahvé :

A. Sacrifices quotidiens. Ex 29 38-46. Lv 6 2. Ez 46 13-15.

« Chaque jour, deux agneaux d'un an, sans défaut, comme holocauste perpétuel. ⁴Tu feras du premier agneau l'holocauste du matin et du second l'holocauste du crépuscule, ⁵avec l'oblation d'un dixième de mesure de fleur de farine pétrie dans un quart de setier d'huile vierge. ⁶C'est l'holocauste perpétuel accompli jadis au mont Sinaï en parfum d'apaisement, un mets consumé pour Yahvé. ⁷La libation conjointe sera d'un quart de setier pour chaque agneau ; c'est dans le sanctuaire que sera répandue la libation de boisson fermentée pour Yahvé. ⁸Pour le second agneau, tu en feras l'holocauste du crépuscule ; tu le feras avec la même oblation et la même libation que le matin, comme mets consumé en parfum d'apaisement pour Yahvé.

B. Le sabbat. Ez 46 4-5.

⁹« Le jour du sabbat, vous offrirez deux agneaux d'un an, sans défaut, et deux dixièmes de fleur de farine, en oblation pétrie dans l'huile, ainsi que la libation conjointe. ¹⁰L'holocauste du sabbat s'ajoutera chaque sabbat à l'holocauste perpétuel et de même la libation conjointe.

C. La néoménie. Am 8 5. Is 1 13. Ez 46 6-7.

¹¹« Au commencement de vos mois, vous ferez un holocauste pour Yahvé : deux taureaux, un bélier, et sept agneaux d'un an, sans défaut ; ¹²pour chaque taureau, trois dixièmes de fleur de farine, en oblation pétrie dans l'huile ; pour chaque bélier, deux dixièmes de fleur de farine, en oblation pétrie dans l'huile ; ¹³pour chaque agneau, un dixième de fleur de farine, en oblation pétrie dans l'huile. C'est un holocauste offert en parfum d'apaisement, un mets consumé pour Yahvé. ¹⁴Les libations conjointes seront d'un demi-setier de vin par taureau, d'un tiers de setier par bélier et d'un quart de setier par agneau. Tel sera mois après mois l'holocauste du mois, pour tous les mois de l'année. ¹⁵En plus de l'holocauste perpétuel, il sera offert à Yahvé un bouc, en sacrifice pour le péché, avec la libation conjointe.

D. Les Azymes. Ex 12 1. Ez 45 21-24.

¹⁶« Le premier mois, le quatorzième jour du mois, c'est la Pâque de Yahvé, ¹⁷et le quinzième jour de ce mois est un jour de fête. Pendant sept jours on mangera des azymes. ¹⁸Le premier jour, il y aura une sainte assemblée. Vous ne ferez aucune œuvre servile. ¹⁹Vous offrirez à Yahvé des mets consumés en holocauste : deux

taureaux, un bélier, sept agneaux d'un an, sans défaut. [20] L'oblation conjointe, en fleur de farine pétrie dans l'huile, sera de trois dixièmes par taureau, de deux dixièmes par bélier, [21] et d'un dixième pour chacun des sept agneaux. [22] Et il y aura un bouc en sacrifice pour le péché, pour faire sur vous le rite d'expiation. [23] Vous ferez cela en plus de l'holocauste du matin offert à titre d'holocauste perpétuel. [24] Vous ferez ainsi chaque jour pendant sept jours. C'est une nourriture, un mets consumé en parfum d'apaisement pour Yahvé ; il est offert en plus de l'holocauste perpétuel et de sa libation conjointe. [25] Le septième jour vous aurez une sainte assemblée ; vous ne ferez aucune œuvre servile.

E. La fête des Semaines. Ex 23 14. Lv 23 15-21.

[26] « Le jour des prémices, quand vous offrirez à Yahvé une oblation de fruits nouveaux, à votre fête des Semaines, vous aurez une sainte assemblée ; vous ne ferez aucune œuvre servile. [27] Vous ferez un holocauste, en parfum d'apaisement pour Yahvé deux taureaux, un bélier, sept agneaux d'un an. [28] L'oblation conjointe, en fleur de farine pétrie dans l'huile, sera de trois dixièmes pour chaque taureau, de deux dixièmes pour chaque bélier, [29] d'un dixième pour chacun des sept agneaux. [30] Et il y aura un bouc en sacrifice pour le péché, pour faire sur vous le rite d'expiation. [31] Vous ferez cela en plus de l'holocauste perpétuel, de son oblation et des libations conjointes.

F. La fête des Acclamations. Lv 23 24. Nb 10 5.

29 [1] « Le septième mois, le premier du mois, vous aurez une sainte assemblée ; vous ne ferez aucune œuvre servile. Ce sera pour vous le jour des Acclamations. [2] Vous ferez un holocauste, en parfum d'apaisement pour Yahvé un taureau, un bélier, sept agneaux d'un an, sans défaut. [3] L'oblation conjointe, en fleur de farine pétrie dans l'huile, sera de trois dixièmes pour le taureau, de deux dixièmes pour le bélier, [4] d'un dixième pour chacun des sept agneaux. [5] Et il y aura un bouc en sacrifice pour le péché, pour faire sur vous le rite d'expiation. [6] Cela en plus de l'holocauste mensuel et de son oblation, de l'holocauste perpétuel et de son oblation, de leurs libations conjointes selon la règle – en parfum d'apaisement, comme mets consumés pour Yahvé.

G. Le jour des Expiations. Lv 16. Ez 45 18-20.

[7] « Le dixième jour de ce septième mois, vous aurez une sainte assemblée. Vous jeûnerez et vous ne ferez aucun travail. [8] Vous ferez un holocauste à Yahvé, en parfum d'apaisement : un taureau, un bélier, sept agneaux d'un an, que vous choisirez sans défaut. [9] L'oblation conjointe, en fleur de farine pétrie dans l'huile, sera de trois dixièmes pour le taureau, de deux dixièmes pour le bélier, [10] d'un dixième pour chacun des sept agneaux. [11] Un bouc sera offert en sacrifice pour le péché. Cela en plus de la victime pour le

péché de la fête des Expiations, de l'holocauste perpétuel et de son oblation, et de leurs libations conjointes.

H. La fête des Tentes. Ex 23 14. Ez 45 25.

[12]« Le quinzième jour du septième mois, vous aurez une sainte assemblée, vous ne ferez aucune œuvre servile et pendant sept jours vous célébrerez une fête pour Yahvé. [13]Vous ferez un holocauste, mets consumé en parfum d'apaisement pour Yahvé : treize taureaux, deux béliers, quatorze agneaux d'un an, sans défaut. [14]Les oblations conjointes, en fleur de farine pétrie dans l'huile, seront de trois dixièmes pour chacun des treize taureaux, de deux dixièmes pour chacun des deux béliers, [15]d'un dixième pour chacun des quatorze agneaux. [16]On ajoutera un bouc en sacrifice pour le péché. Cela en plus de l'holocauste perpétuel, de son oblation et de sa libation.

[17]Le second jour : douze taureaux, deux béliers, quatorze agneaux d'un an sans défaut ; [18]l'oblation et les libations conjointes, faites suivant la règle selon le nombre des taureaux, des béliers et des agneaux ; [19]un bouc pour le sacrifice pour le péché ; en plus de l'holocauste perpétuel, de son oblation et de ses libations.

[20]Le troisième jour : onze taureaux, deux béliers, quatorze agneaux d'un an, sans défaut ; [21]l'oblation et les libations conjointes, faites suivant la règle, selon le nombre des taureaux, des béliers et des agneaux ; [22]un bouc pour le sacrifice pour le péché ; en

plus de l'holocauste perpétuel, de son oblation et de sa libation.

[23]Le quatrième jour : dix taureaux, deux béliers, quatorze agneaux d'un an, sans défaut ; [24]l'oblation et les libations conjointes, faites suivant la règle, selon le nombre des taureaux, des béliers et des agneaux ; [25]un bouc pour le sacrifice pour le péché ; en plus de l'holocauste perpétuel, de son oblation et de sa libation.

[26]Le cinquième jour : neuf taureaux, deux béliers, quatorze agneaux d'un an, sans défaut ; [27]les oblations et libations conjointes, faites suivant la règle, selon le nombre des taureaux, des béliers et des agneaux ; [28]un bouc pour le sacrifice pour le péché ; en plus de l'holocauste perpétuel, de son oblation et de sa libation.

[29]Le sixième jour : huit taureaux, deux béliers, quatorze agneaux d'un an, sans défaut ; [30]l'oblation et les libations conjointes, faites suivant la règle, selon le nombre des taureaux, des béliers et des agneaux ; [31]un bouc pour le sacrifice pour le péché ; en plus de l'holocauste perpétuel, de son oblation et de ses libations.

[32]Le septième jour : sept taureaux, deux béliers, quatorze agneaux d'un an, sans défaut ; [33]les oblations et libations conjointes, faites suivant la règle, selon le nombre des taureaux, des béliers et des agneaux ; [34]un bouc pour le sacrifice pour le péché ; en plus de l'holocauste perpétuel, de son oblation et de sa libation.

[35]Le huitième jour, vous aurez une réunion. Vous ne ferez aucune œuvre servile. [36]Vous offrirez un holocauste, mets consumé en

parfum d'apaisement pour Yahvé : un taureau, un bélier, sept agneaux d'un an, sans défaut ; 37l'oblation et les libations conjointes, faites suivant la règle, selon le nombre des taureaux, des béliers et des agneaux ; 38un bouc pour le sacrifice pour le péché ; en plus de l'holocauste perpétuel, de son oblation et de sa libation.

39C'est là ce que vous ferez pour Yahvé, lors de vos solennités, en plus de vos offrandes votives et de vos offrandes volontaires, de vos holocaustes, oblations et libations, et de vos sacrifices de communion. »

30 1Moïse parla aux Israélites conformément à tout ce que Yahvé lui avait ordonné.

Lois sur les vœux. Lv 27 1. Dt 23 22-24.

2Moïse parla aux chefs de tribu des Israélites. Il dit : « Voici ce que Yahvé a ordonné.

3Si un homme fait un vœu à Yahvé ou prend par serment un engagement formel, il ne violera pas sa parole : tout ce qui est sorti de sa bouche, il l'exécutera.

4Si une femme fait un vœu à Yahvé ou prend un engagement formel, alors que, jeune encore, elle habite la maison de son père, 5et si celui-ci, apprenant son vœu ou l'engagement qu'elle a pris, ne lui dit rien, son vœu, quel qu'il soit, sera valide, et l'engagement qu'elle a pris, quel qu'il soit, sera valide. 6Mais si son père, le jour où il l'apprend, y fait opposition, aucun de ses vœux et aucun des engagements qu'elle a pris ne seront valides. Yahvé ne lui en tiendra pas rigueur, puisque c'est son père qui y a fait opposition.

7Si, étant tenue par des vœux ou par un engagement sorti inconsidérément de sa bouche, elle marie, 8et si son mari, l'apprenant, ne lui dit rien le jour où il en est informé, ses vœux seront valides et les engagements qu'elle a pris seront valides. 9Mais si, le jour où il l'apprend, son mari lui fait opposition, il annulera le vœu qui la tient ou l'engagement qui l'oblige, sorti inconsidérément de sa bouche. Yahvé ne lui en tiendra pas rigueur.

10Le vœu d'une femme veuve ou répudiée, et tous les engagements qu'elle a pris, seront valides pour elle.

11Si c'est dans la maison de son mari qu'elle a fait un vœu, ou pris un engagement par serment, 12et si, l'apprenant, son mari ne lui dit rien et ne lui fait pas opposition, son vœu, quel qu'il soit, sera valide et l'engagement qu'elle a pris, quel qu'il soit, sera valide. 13Mais si son mari, l'apprenant, les annule le jour où il en est informé, rien ne sera valide de ce qui est sorti de sa bouche, vœux ou engagements. Son mari les ayant annulés, Yahvé ne lui en tiendra pas rigueur.

14Tout vœu et tout serment qui engage la femme, son mari peut les valider ou les annuler. 15Si au lendemain son mari ne lui a rien dit, c'est qu'il valide son vœu, quel qu'il soit, ou son engagement, quel qu'il soit. Il les a validés s'il ne lui dit rien le jour où il en est informé. 16Mais si, informé, il les annule plus tard, c'est lui qui portera le poids de la faute qui incomberait à sa femme. »

¹⁷Telles sont les lois que Yahvé prescrivit à Moïse, en ce qui concerne la relation entre un homme et sa femme, et entre un père et sa fille lorsque, jeune encore, elle habite la maison de son père.

9. Butin et partages

Guerre sainte contre Madiân.
Dt **20** 1-20 ; **21** 10-14. Jos **6** 17. 1 S **15** 1-33.

31 ¹Yahvé parla à Moïse et dit : ²« Accomplis la vengeance des Israélites sur les Madianites. Ensuite tu seras réuni aux tiens. »

³Moïse parla ainsi au peuple : « Que certains d'entre vous s'arment pour la campagne de Yahvé contre Madiân, pour payer à Madiân le salaire de la vengeance de Yahvé. ⁴Vous mettrez en campagne mille hommes pour chacune des tribus d'Israël. »

⁵Les milliers d'Israël fournirent, à raison d'un millier par tribu, douze mille hommes armés pour la campagne. ⁶Moïse les mit en campagne, un millier par tribu, et leur joignit Pinhas, fils d'Éléazar le prêtre, porteur des objets sacrés et des trompettes pour les acclamations.

⁷Ils firent campagne contre Madiân, comme Yahvé l'avait ordonné à Moïse, et tuèrent tous les mâles. ⁸En outre, ils tuèrent les rois de Madiân, Évi, Réqem, Çur, Hur et Réba, cinq rois madianites ; ils passèrent aussi au fil de l'épée Balaam, fils de Béor. ⁹Les Israélites emmenèrent captives les femmes des Madianites avec leurs petits enfants, ils razzièrent tout leur bétail, tous leurs troupeaux et tous leurs biens. ¹⁰Ils mirent le feu aux villes qu'ils habitaient ainsi qu'à tous leurs campements. ¹¹Puis, prenant tout leur butin, tout ce qu'ils avaient capturé, bêtes et gens, ¹²ils amenèrent captifs, prises et butin à Moïse, à Éléazar le prêtre et à toute la communauté des Israélites, jusqu'au camp, aux Steppes de Moab qui se trouvent près du Jourdain vers Jéricho.

Massacre des femmes et purification du butin.

¹³Moïse, Éléazar le prêtre et tous les princes de la communauté sortirent du camp à leur rencontre. ¹⁴Moïse s'emporta contre les commandants des forces, chefs de milliers et chefs de centaines, qui revenaient de cette expédition guerrière. ¹⁵Il leur dit : « Pourquoi avez-vous laissé la vie à toutes les femmes ? ¹⁶Ce sont elles qui, sur les conseils de Balaam, ont été pour les Israélites une cause d'infidélité à Yahvé dans l'affaire de Péor : d'où le fléau qui a sévi sur la communauté de Yahvé.

¹⁷Tuez donc tous les enfants mâles. Tuez aussi toutes les femmes qui ont connu un homme en partageant sa couche. ¹⁸Ne laissez la vie qu'aux petites filles qui n'ont pas partagé la couche d'un homme, et qu'elles soient à vous. ¹⁹Quant à vous, campez durant sept jours hors du camp, vous tous qui avez tué quelqu'un ou touché un cadavre. Purifiez-vous, vous et vos prisonniers, le troisième et le septième jour ; ²⁰purifiez aussi

tous les vêtements, tous les objets en peau, tous les tissus en poil de chèvre, tous les objets en bois. »

²¹Éléazar le prêtre dit aux combattants qui revenaient de cette campagne : « Voici un article de la Loi que Yahvé a prescrite à Moïse. ²²Toutefois l'or, l'argent, le bronze, le fer, l'étain, le plomb, ²³tout ce qui peut aller au feu, vous le ferez passer par le feu et cela sera pur ; mais c'est par les eaux lustrales que cela sera purifié. Et tout ce qui ne peut aller au feu vous le ferez passer par l'eau.

²⁴Vous laverez vos vêtements le septième jour et vous serez purs. Vous pourrez ensuite rentrer au camp. »

Partage du butin.

²⁵Yahvé parla à Moïse et dit : ²⁶« Avec Éléazar le prêtre et les chefs de famille de la communauté, fais le compte des prises et des captifs, gens et bêtes. ²⁷Puis tu partageras les prises, par moitié, entre les combattants qui ont fait la campagne et l'ensemble de la communauté. ²⁸Comme redevance pour Yahvé, tu prélèveras, sur la part des combattants qui ont fait la campagne, un sur cinq cents des gens, du gros bétail, des ânes et du petit bétail. ²⁹Tu prendras cela sur la moitié qui leur revient, et tu le donneras à Éléazar le prêtre, comme prélèvement pour Yahvé. ³⁰Sur la moitié qui revient aux Israélites tu prendras un sur cinquante des gens, du gros bétail, des ânes et du petit bétail, de toutes les bêtes, et tu le donneras aux Lévites qui assument la charge de la Demeure de Yahvé. »

³¹Moïse et Éléazar le prêtre fi-rent comme Yahvé l'avait commandé à Moïse. ³²Or les prises, le reste du butin que la troupe partie en campagne avait razzié, se montaient à six cent soixante-quinze mille têtes de petit bétail, ³³soixante-douze mille têtes de gros bétail, ³⁴soixante et un mille ânes, ³⁵et, en fait de gens, de femmes n'ayant pas partagé la couche d'un homme, trente-deux mille personnes en tout. ³⁶La moitié en fut assignée à ceux qui avaient fait campagne, soit trois cent trente-sept mille cinq cents têtes de petit bétail, ³⁷dont six cent soixante-quinze en redevance pour Yahvé, ³⁸trente-six mille têtes de gros bétail, dont soixante-douze en redevance pour Yahvé, ³⁹trente mille cinq cents ânes, dont soixante-et un en redevance pour Yahvé, ⁴⁰et seize mille personnes, dont trente-deux en redevance pour Yahvé. ⁴¹Moïse donna à Éléazar le prêtre la redevance prélevée pour Yahvé, comme Yahvé l'avait ordonné à Moïse.

⁴²Quant à la moitié qui revenait aux Israélites, et que Moïse avait séparée de celle des combattants, ⁴³cette moitié, part de la communauté, se montait à trois cent trente-sept mille cinq cents têtes de petit bétail, ⁴⁴trente-six mille têtes de gros bétail, ⁴⁵trente mille cinq cents ânes ⁴⁶et seize mille personnes. ⁴⁷Sur cette moitié, part des Israélites, Moïse prit un sur cinquante des gens et des bêtes et il les donna aux Lévites qui assumaient la charge de la Demeure de Yahvé, comme Yahvé l'avait ordonné à Moïse.

Les offrandes. Jg 8 24-27.

⁴⁸Les commandants des milliers qui avaient fait la campagne,

chefs de milliers et chefs de centaines, vinrent trouver Moïse [49]et lui dirent : « Tes serviteurs ont fait le compte des combattants dont ils disposaient : il n'en manque aucun. [50]Aussi apportons-nous chacun en offrande à Yahvé ce que nous avons trouvé en fait d'objets d'or, bracelets de bras et de poignet, bagues, boucles d'oreilles, pectoraux, qui serviront pour nous d'expiation devant Yahvé. » [51]Moïse et Éléazar le prêtre reçurent d'eux cet or, tous ces bijoux. [52]Ce prélèvement d'or qu'ils firent pour Yahvé donna un total de seize mille sept cent cinquante sicles, fourni par les chefs de milliers et chefs de centaines.

[53]Les combattants firent chacun leur butin. [54]Mais Moïse et Éléazar le prêtre reçurent l'or des chefs de milliers et de centaines, et l'apportèrent à la Tente du Rendez-vous pour faire mémoire des Israélites devant Yahvé.

Partage de la Transjordanie.

|| Dt 3 12-20. Dt 33 6, 20s.

32 [1]Les fils de Ruben et les fils de Gad avaient de grands troupeaux, très importants. Or ils virent que le pays de Yazèr et le pays de Galaad étaient une région propice à l'élevage. [2]Les fils de Gad et les fils de Ruben vinrent donc trouver Moïse, Éléazar le prêtre et les princes de la communauté, et leur dirent : [3]« Ataroth, Dibôn, Yazèr, Nimra, Heshbôn, Éléalé, Sebam, Nebo et Meôn, [4]ce pays que Yahvé a conquis devant la communauté d'Israël, ce pays est propice à l'élevage, et tes serviteurs élèvent du bétail. » [5]Ils dirent : « Si nous avons trouvé grâce

à tes yeux, que ce pays soit donné en propriété à tes serviteurs ; ne nous fais pas passer le Jourdain. »

[6]Moïse répondit aux fils de Gad et aux fils de Ruben : « Vos frères iraient au combat et vous resteriez ici ? [7]Pourquoi découragez-vous les Israélites de passer dans le pays que Yahvé leur a donné ? [8]Ainsi firent vos pères quand je les envoyai de Cadès-Barné voir le pays. [9]Ils montèrent jusqu'au val d'Eshkol, ils virent le pays, puis ils découragèrent les Israélites, de sorte qu'ils n'allèrent pas au pays que Yahvé leur avait donné. [10]Aussi la colère de Yahvé s'enflamma-t-elle ce jour-là, et il fit ce serment : [11]"Si jamais ces hommes, qui sont sortis d'Égypte et qui ont l'âge de vingt ans au moins, voient le pays que j'ai promis par serment à Abraham, à Isaac et à Jacob..., car ils ne m'ont pas suivi sans défaillance, [12]sauf Caleb, fils de Yephunné le Qenizzite, et Josué, fils de Nûn : eux certes ont suivi Yahvé sans défaillance !" [13]La colère de Yahvé s'enflamma contre Israël et il les fit errer quarante ans dans le désert, jusqu'à ce que disparût tout entière cette génération qui avait fait ce qui déplaît à Yahvé. [14]Et voici que vous vous levez à la place de vos pères comme le surgeon d'une souche de pécheurs, pour attiser encore l'ardeur de la colère de Yahvé contre Israël ! [15]Si vous vous détournez de lui, il fera durer encore le séjour au désert, et vous aurez causé la perte de tout ce peuple. »

[16]Ils s'approchèrent de Moïse et lui dirent : « Nous voudrions construire ici des parcs à moutons pour nos troupeaux et des villes

pour nos petits enfants. ¹⁷Mais nous-mêmes, nous prendrons les armes à la tête des Israélites, jusqu'à ce que nous ayons pu les conduire au lieu qui leur est destiné ; ce sont nos petits enfants qui resteront dans les villes fortes, à l'abri des habitants du pays. ¹⁸Nous ne rentrerons pas chez nous avant que chacun des Israélites n'ait pris possession de son héritage. ¹⁹Car nous ne posséderons pas d'héritage avec eux sur l'autre rive du Jourdain ni plus loin, puisque notre héritage nous sera échu au-delà du Jourdain, à l'orient. »

²⁰Moïse leur dit : « Si vous mettez ces paroles en pratique, si vous êtes prêts au combat devant Yahvé ²¹et si tous ceux d'entre vous qui portent les armes passent le Jourdain devant Yahvé, jusqu'à ce qu'il ait chassé devant lui tous ses ennemis, ²²alors, quand le pays aura été soumis à Yahvé, vous pourrez vous en retourner ; vous serez quittes envers Yahvé et envers Israël, et ce pays-ci sera votre propriété devant Yahvé. ²³Mais si vous n'agissez pas ainsi, vous pécherez contre Yahvé, et sachez que votre péché vous trouvera. ²⁴Construisez donc des villes pour vos enfants et des parcs pour votre petit bétail ; mais ce que vous avez promis, faites-le. »

²⁵Les fils de Gad et les fils de Ruben dirent à Moïse : « Tes serviteurs feront ce que Monseigneur a prescrit. ²⁶Nos enfants, nos femmes, nos troupeaux, et tout notre bétail sont là, dans les villes de Galaad, ²⁷mais tes serviteurs, tous ceux qui sont armés pour la campagne, passeront, devant Yahvé,

pour combattre comme l'a dit Monseigneur. »

²⁸Alors Moïse donna des ordres à leur sujet à Éléazar le prêtre, à Josué, fils de Nûn, et aux chefs de familles des tribus d'Israël. ²⁹Moïse leur dit : « Si les fils de Gad et les fils de Ruben, tous ceux qui portent les armes, passent avec vous le Jourdain pour combattre devant Yahvé, quand le pays vous aura été soumis, vous leur donnerez en propriété le pays de Galaad. ³⁰Mais s'ils ne passent pas en armes avec vous, c'est au pays de Canaan qu'ils recevront au milieu de vous leur propriété. »

³¹Les fils de Gad et les fils de Ruben répondirent : « Ce que Yahvé a dit à tes serviteurs, nous le ferons. ³²Nous, nous passerons en armes devant Yahvé en terre de Canaan ; toi, mets-nous en possession de notre héritage au-delà du Jourdain. » ³³Moïse leur donna – aux fils de Gad, aux fils de Ruben et à la demi-tribu de Manassé, fils de Joseph – le royaume de Sihôn, roi des Amorites, le royaume d'Og, roi du Bashân, le pays avec les villes comprises dans son territoire, les villes-frontières du pays.

³⁴Les fils de Gad construisirent Dibôn, Atarot et Aroër, ³⁵Atrot-Shophân, Yazèr, Yogboha, ³⁶Bet-Nimra, Bet-Harân, villes fortes, et des parcs pour le petit bétail.

³⁷Les fils de Ruben construisirent Heshbôn, Éléalé, Qiryatayim, ³⁸Nebo, Baal-Meôn (dont les noms furent changés), Sibma. Ils donnèrent des noms aux villes qu'ils avaient construites.

³⁹Les fils de Makir, fils de Manassé, partirent en Galaad. Ils le conquirent et chassèrent les Amo-

rites qui s'y trouvaient. ⁴⁰Moïse donna Galaad à Makir, fils de Manassé, qui s'y établit. ⁴¹Yaïr, fils de Manassé, alla s'emparer de leurs douars et les appela Douars de Yaïr. ⁴²Nobah alla s'emparer de Qenat et des villes de son ressort, et l'appela de son propre nom, Nobah.

Les étapes de l'Exode. Ex 12-17, 19

1. Nb 11-12, 20-22. Dt 2, 10.

33 ¹Voici les étapes que parcoururent les Israélites lorsqu'ils furent sortis du pays d'Égypte selon leurs unités, sous la conduite de Moïse et d'Aaron. ²Moïse consignait par écrit leurs points de départ quand ils partaient sur l'ordre de Yahvé. Voici leurs étapes par point de départ.

³Ils partirent de Ramsès le premier mois. C'est le quinzième jour du premier mois, lendemain de la Pâque, que les Israélites partirent la main haute, aux yeux de toute l'Égypte. ⁴Les Égyptiens ensevelissaient ceux des leurs que Yahvé avait frappés, tous les premiers-nés ; Yahvé avait fait justice de leurs dieux.

⁵Les Israélites partirent de Ramsès et campèrent à Sukkot. ⁶Puis ils partirent de Sukkot et campèrent à Étam, qui est aux confins du désert. ⁷Ils partirent d'Étam, ils revinrent sur Pi-Hahirot, qui est en face de Baal-Çephôn, et campèrent devant Migdol. ⁸Ils partirent de Pi-Hahirot, ils gagnèrent le désert en passant à travers la mer, et après trois jours de marche dans le désert d'Étam ils campèrent à Mara. ⁹Ils partirent de Mara et arrivèrent à Élim. À Élim il y a douze sources d'eau et soixante-dix pal-

miers ; ils campèrent là. ¹⁰Ils partirent d'Élim et campèrent près de la mer des Roseaux. ¹¹Ils partirent de la mer des Roseaux et campèrent dans le désert de Sîn. ¹²Ils partirent du désert de Sîn et campèrent à Dophka. ¹³Ils partirent de Dophka et campèrent à Alush. ¹⁴Ils partirent d'Alush et campèrent à Rephidim ; le peuple n'y trouva point d'eau à boire. ¹⁵Ils partirent de Rephidim et campèrent dans le désert du Sinaï. ¹⁶Ils partirent du désert du Sinaï et campèrent à Qibrot-ha-Taava. ¹⁷Ils partirent de Qibrot-ha-Taava et campèrent à Haçérot. ¹⁸Ils partirent de Haçérot et campèrent à Ritma. ¹⁹Ils partirent de Ritma et campèrent à Rimmôn-Pérèç. ²⁰Ils partirent de Rimmôn-Pérèç et campèrent à Libna. ²¹Ils partirent de Libna et campèrent à Rissa. ²²Ils partirent de Rissa et campèrent à Qehélata. ²³Ils partirent de Qehélata et campèrent au mont Shéphèr. ²⁴Ils partirent du mont Shéphèr et campèrent à Harada. ²⁵Ils partirent de Harada et campèrent à Maqhélot. ²⁶Ils partirent de Maqhélot et campèrent à Tahat. ²⁷Ils partirent de Tahat et campèrent à Térah. ²⁸Ils partirent de Térah et campèrent à Mitqa. ²⁹Ils partirent de Mitqa et campèrent à Hashmona. ³⁰Ils partirent de Hashmona et campèrent à Mosérot. ³¹Ils partirent de Mosérot et campèrent à Bené-Yaaqân. ³²Ils partirent de Bené-Yaaqân et campèrent à Hor-Gidgad. ³³Ils partirent de Hor-Gidgad et campèrent à Yotbata. ³⁴Ils partirent de Yotbata et campèrent à Abrona. ³⁵Ils partirent d'Abrona et campèrent à Éçyôn-Gébèr. ³⁶Ils partirent de Éçyôn-Gébèr et campèrent dans le désert de Çîn ; c'est Cadès. [37]Ils partirent de Cadès et campèrent à Hor-la-Montagne, aux confins du pays d'Édom. [38]Aaron, le prêtre, monta à Hor-la-Montagne sur l'ordre de Yahvé et c'est là qu'il mourut, dans la quarantième année de l'exode des Israélites hors du pays d'Égypte, au cinquième mois, le premier du mois. [39]Aaron avait cent vingt-trois ans lorsqu'il mourut à Hor-la-Montagne. [40]Le roi d'Arad, un Cananéen qui habitait le Négeb au pays de Canaan, fut informé lors de l'arrivée des Israélites. [41]Ils partirent de Hor-la-Montagne et campèrent à Çalmona. [42]Ils partirent de Çalmona et campèrent à Punôn. [43]Ils partirent de Punôn et campèrent à Obot. [44]Ils partirent de Obot et campèrent sur le territoire de Moab à Iyyé-ha-Abarim. [45]Ils partirent de Iyyim et campèrent à Dibôn-Gad. [46]Ils partirent de Dibôn-Gad et campèrent à Almôn-Diblatayim. [47]Ils partirent de Almôn-Diblatayim et campèrent aux monts Abarim en face de Nebo. [48]Ils partirent des monts Abarim et campèrent aux Steppes de Moab, près du Jourdain vers Jéricho. [49]Ils campèrent près du Jourdain entre Bet-ha-Yeshimot et Abel-ha-Shittim, dans les Steppes de Moab.

Partage de Canaan. L'ordre de Dieu. Lv 26. Dt 7 1-6, 16 ; 12 2-3.

[50]Yahvé parla à Moïse, dans les Steppes de Moab, près du Jourdain vers Jéricho. Il dit :
[51]« Parle aux Israélites ; tu leur diras :
Quand vous aurez passé le Jourdain vers le pays de Canaan, [52]vous chasserez devant vous tous les ha-

bitants du pays. Vous détruirez leurs images peintes, vous détruirez toutes leurs statues de métal fondu et vous saccagerez tous leurs hauts lieux. [53]Vous posséderez ce pays et vous y demeurerez, car je vous ai donné ce pays pour domaine. [54]Vous le partagerez au sort entre vos clans. À celui qui est nombreux vous ferez une plus grande part d'héritage, à celui qui est moins nombreux vous ferez une plus petite part d'héritage. Là où le sort tombera pour chacun, là sera son domaine. Vous ferez le partage dans vos tribus. [55]Mais si vous ne chassez pas devant vous les habitants du pays, ceux d'entre eux que vous aurez laissés deviendront des épines dans vos yeux et des chardons dans vos flancs, ils vous presseront dans le pays que vous habiterez [56]et je vous traiterai comme j'avais pensé les traiter. »

Frontières de Canaan. Jg 20 1. Jos 14-19. Ez 47 13-21.

34 [1]Yahvé parla à Moïse et dit : [2]« Ordonne ceci aux Israélites, tu leur diras : Quand vous entrerez dans le pays (de Canaan), voici le pays qui deviendra votre héritage. C'est le pays de Canaan selon ses frontières.

[3]La région méridionale de votre domaine s'étendra à partir du désert de Çîn, qui confine à Édom. Votre frontière méridionale commencera du côté de l'orient à l'extrémité de la mer Salée. [4]Puis elle obliquera au sud, vers la montée des Scorpions, passera par Çîn et aboutira au midi à Cadès-Barné. Puis elle ira vers Haçar-Addar et passera par Açmôn. [5]D'Açmôn, la frontière obliquera ensuite vers le

Torrent d'Égypte et aboutira à la Mer.

⁶Vous aurez pour frontière maritime la Grande Mer ; cette limite vous servira de frontière à l'occident.

⁷Et voici votre frontière septentrionale. Vous tracerez une ligne depuis la Grande Mer jusqu'à Hor-la-Montagne, ⁸puis de Hor-la-Montagne vous tracerez une ligne jusqu'à l'Entrée de Hamat, et la frontière aboutira à Çedad. ⁹Elle ira vers Ziphrôn et aboutira à Haçar-Énân. Telle sera votre frontière septentrionale.

¹⁰Puis vous tracerez votre frontière orientale de Haçar-Énân à Shepham. ¹¹La frontière descendra de Shepham vers Harbel, à l'orient de Ayîn. Descendant encore elle touchera la rive orientale de la mer de Kinnérèt. ¹²La frontière suivra alors le Jourdain pour aboutir à la mer Salée.

Tel sera votre pays avec les frontières qui en font le tour. »

¹³Moïse ordonna alors ceci aux Israélites :

« Voici le pays que vous vous partagerez par le sort, et que Yahvé a prescrit de donner aux neuf tribus et à la demi-tribu. ¹⁴Car la tribu des fils de Ruben avec ses familles et la tribu des fils de Gad avec ses familles ont déjà reçu leur héritage ; la demi-tribu de Manassé a aussi reçu son héritage. ¹⁵Ces deux tribus et la demi-tribu ont reçu leur héritage au-delà du Jourdain de Jéricho, à l'orient, au levant. »

Les princes préposés au partage.

¹⁶Yahvé parla à Moïse et dit :

¹⁷« Voici les noms des hommes qui vous partageront le pays : Éléazar le prêtre et Josué fils de Nûn, ¹⁸et pour chaque tribu vous prendrez un prince pour le partage du pays. ¹⁹Voici les noms de ces hommes :

Pour la tribu de Juda, Caleb, fils de Yephunné ;

²⁰pour la tribu des fils de Siméon, Shemuel, fils d'Ammihud ;

²¹pour la tribu de Benjamin, Élidad, fils de Kislôn ;

²²pour la tribu des fils de Dan, le prince Buqqi, fils de Yogli ;

²³pour les fils de Joseph, pour la tribu des fils de Manassé, le prince Hanniel, fils d'Éphod ;

²⁴et pour la tribu des fils d'Éphraïm, le prince Qemuel, fils de Shiphtân ;

²⁵pour la tribu de Zabulon, le prince Éliçaphân, fils de Parnak ;

²⁶pour la tribu des fils d'Issachar, le prince Paltiel, fils d'Azzân ;

²⁷pour la tribu des fils d'Asher, le prince Ahiud, fils de Shelomi ;

²⁸pour la tribu des fils de Nephtali, le prince Pedahel, fils d'Ammihud. »

²⁹Tels sont ceux à qui Yahvé ordonna d'assigner aux Israélites leur part d'héritage en terre de Canaan.

La part des Lévites. 18 20-24. Jos 21 1-8. Ez 48 13.

35 ¹Yahvé parla à Moïse, dans les Steppes de Moab, près du Jourdain vers Jéricho. Il dit :

²« Ordonne aux Israélites de donner aux Lévites, sur l'héritage qu'ils possèdent, des villes pour qu'ils y demeurent et des pâturages autour des villes. Vous les donnerez aux Lévites. ³Les villes

seront leur demeure et les pâturages attenants seront pour leur bétail, leurs biens et toutes leurs bêtes. ⁴Les pâturages attenant aux villes que vous donnerez aux Lévites s'étendront, à partir de la muraille de la ville, sur mille coudées alentour.

⁵Vous mesurerez, hors de la ville, deux mille coudées pour le côté oriental, deux mille coudées pour le côté méridional, deux mille coudées pour le côté occidental, deux mille coudées pour le côté septentrional, la ville étant au centre, ce seront les pâturages de ces villes. ⁶Les villes que vous donnerez aux Lévites seront les six villes de refuge, cédées par vous pour que le meurtrier puisse s'y enfuir ; mais vous donnerez en plus quarante-deux villes. ⁷Vous donnerez en tout aux Lévites quarante-huit villes, les villes avec leurs pâturages. ⁸Ces villes que vous donnerez sur la possession des Israélites, vous les prendrez en plus grand nombre à celui qui a beaucoup, en plus petit nombre à celui qui a peu. Chacun donnera de ses villes aux Lévites en proportion de l'héritage qu'il aura reçu. »

Les villes de refuge. Ex 21 13. Dt 19 1-13. Jos 20 1.

⁹Yahvé parla à Moïse et dit : ¹⁰« Parle ainsi aux Israélites.

Quand vous aurez passé le Jourdain pour gagner la terre de Canaan, ¹¹vous trouverez des villes dont vous ferez des villes de refuge, où puisse s'enfuir le meurtrier qui a frappé quelqu'un par inadvertance. ¹²Ces villes vous serviront de refuge contre le vengeur du sang, et le meurtrier ne devra pas mourir avant d'avoir comparu en jugement devant la communauté. ¹³Les villes que vous donnerez seront pour vous six villes de refuge : ¹⁴les trois que vous donnerez au-delà du Jourdain et les trois que vous donnerez dans le pays de Canaan seront des villes de refuge. ¹⁵Pour les Israélites comme pour l'étranger et pour l'hôte qui vivent chez vous, ces six villes serviront de refuge, où puisse s'enfuir quiconque a frappé quelqu'un involontairement.

¹⁶Mais s'il l'a frappé avec un objet de fer et qu'il ait ainsi causé sa mort, c'est un meurtrier. Le meurtrier sera mis à mort. ¹⁷S'il l'a frappé avec une pierre propre à tuer et s'il l'a tué, c'est un meurtrier. Le meurtrier sera mis à mort. ¹⁸Ou bien s'il l'a frappé avec un outil de bois propre à tuer et s'il l'a tué, c'est un meurtrier. Le meurtrier sera mis à mort. ¹⁹C'est le vengeur du sang qui mettra à mort le meurtrier. Quand il le rencontrera, il le mettra à mort.

²⁰Si le meurtrier a bousculé la victime par haine, ou si pour l'atteindre il lui a lancé un projectile mortel, ²¹ou si par inimitié il lui a porté des coups de poing mortels, celui qui a frappé doit mourir ; c'est un meurtrier que le vengeur du sang mettra à mort quand il le rencontrera. ²²Mais s'il l'a bousculé la victime fortuitement, sans inimitié, ou s'il a lancé sur elle quelque projectile, sans chercher à l'atteindre, ²³ou si sans la voir il a fait tomber sur elle une pierre propre à tuer et a ainsi causé sa mort, alors qu'il n'avait contre elle aucune haine et ne lui voulait

aucun mal, ²⁴la communauté jugera, selon ces règles, entre celui qui a frappé et le vengeur du sang, ²⁵et sauvera le meurtrier de la main du vengeur du sang. Elle le fera retourner dans la ville de refuge où il s'était enfui, et il y demeurera jusqu'à la mort du grand prêtre qui a été oint de l'huile sainte. ²⁶Si le meurtrier vient à sortir du territoire de la ville de refuge où il s'est enfui, ²⁷et que le vengeur du sang le rencontre hors du territoire de sa ville de refuge, le vengeur du sang pourra le tuer sans crainte de représailles : ²⁸car le meurtrier doit rester dans sa ville de refuge jusqu'à la mort du grand prêtre ; c'est après la mort du grand prêtre qu'il pourra retourner au pays où il a son domaine. ²⁹Ce sera règle de droit pour vous et pour vos générations, partout où vous habiterez.

³⁰En toute affaire d'homicide, c'est sur la déposition de témoins que le meurtrier sera mis à mort ; mais un témoin unique ne pourra porter une accusation capitale. ³¹Vous n'accepterez pas de rançon pour la vie d'un meurtrier passible de mort ; car il doit mourir. ³²Vous n'accepterez pas de rançon de quelqu'un qui, s'étant enfui dans sa ville de refuge, veut revenir habiter son pays avant la mort du grand prêtre. ³³Vous ne profanerez pas le pays où vous êtes. C'est le sang qui profane le pays et il n'y a pour le pays d'autre expiation du sang versé que par le sang de celui qui l'a versé. ³⁴Tu ne rendras pas impur le pays où vous habitez et au milieu duquel j'habite. Car moi, Yahvé, j'habite au milieu des Israélites. »

L'héritage de la femme mariée.

36 ¹Les chefs de famille du clan des fils de Galaad, fils de Makir, fils de Manassé, l'un des clans des fils de Joseph, se présentèrent. Ils prirent la parole en présence de Moïse et des princes, chefs de famille des Israélites, ²et dirent :

« Yahvé a ordonné à Monseigneur de donner le pays aux Israélites en le répartissant par le sort ; et Monseigneur a reçu de Yahvé l'ordre de donner la part d'héritage de Çelophehad, notre frère, à ses filles. ³Or, si elles épousent un membre d'une autre tribu israélite, leur part sera retranchée de la part de nos pères. La part de la tribu à laquelle elles vont appartenir sera augmentée, et la part que le sort nous a donnée sera réduite. ⁴Et quand viendra le jubilé pour les Israélites, la part de ces femmes sera ajoutée à la part de la tribu à laquelle elles vont appartenir, et elle sera retranchée de la part de notre tribu. »

⁵Moïse, sur l'ordre de Yahvé, donna cet ordre aux Israélites. Il dit :

« La tribu des fils de Joseph a parlé juste. ⁶Voici ce que Yahvé ordonne pour les filles de Çelophehad : Elles épouseront qui bon leur semblera, pourvu qu'elles se marient dans un clan de la tribu de leur père. ⁷La part des Israélites ne passera pas de tribu à tribu ; les Israélites resteront attachés chacun à la part de sa tribu. ⁸Toute fille qui possède une part dans l'une des tribus Israélites devra se marier dans un clan de sa tribu paternelle, de sorte que les Israélites conservent chacun la part de son père. [9]Une part ne pourra être transférée d'une tribu à l'autre : chacune des tribus des Israélites restera attachée à sa part. »

[10]Les filles de Çelophehad firent comme Yahvé l'avait ordonné à Moïse. [11]Mahla, Tirça, Hogla, Milka et Noa, filles de Çelophehad, épousèrent les fils de leurs oncles paternels. [12]Comme elles s'étaient mariées dans des clans des fils de Manassé, fils de Joseph, c'est à la tribu du clan de leur père que revint leur part.

Conclusion.

[13]Tels sont les commandements et les lois que Yahvé prescrivit aux Israélites, par l'intermédiaire de Moïse, dans les Steppes de Moab, près du Jourdain, vers Jéricho.

Le Deutéronome

1. Discours d'introduction

PREMIER DISCOURS DE MOÏSE

Temps et lieu.

1 ¹Voici les paroles que Moïse adressa à tout Israël au-delà du Jourdain, dans le désert, dans la Araba, en face de Suph, entre Parân et Tophel, Labân, Haçérot et Di-Zahab. – ²Il y a onze jours de marche depuis l'Horeb, par le chemin de la montagne de Séïr, jusqu'à Cadès Barné. – ³Ce fut la quarantième année, le premier jour du onzième mois, que Moïse parla aux Israélites selon tout ce que Yahvé lui avait ordonné à leur sujet. ⁴Il avait battu Sihôn, roi des Amorites qui résidait à Heshbôn, et Og, roi du Bashân qui résidait à Ashtarot et à Édréï. ⁵C'est au-delà du Jourdain, au pays de Moab, que Moïse se décida à graver cette Loi. Il dit :

Dernières instructions à l'Horeb.

⁶Yahvé notre Dieu nous a parlé à l'Horeb : « Vous avez assez séjourné dans cette montagne. ⁷Allez-vous-en, partez, et allez à la montagne des Amorites, chez tous ceux qui habitent la Araba, la Montagne, le Bas-Pays, le Négeb et le bord de la mer, allez en terre de Canaan et au Liban jusqu'au grand fleuve, l'Euphrate. ⁸Voici le pays que je vous ai donné ; allez donc prendre possession du pays que Yahvé a promis par ser-ment à vos pères, Abraham, Isaac et Jacob, et à leur postérité après eux. »

|| Ex **18** 13-26. Nb **11** 14-17.

⁹Je vous ai dit alors : « Je ne puis à moi seul me charger de vous. ¹⁰Yahvé votre Dieu vous a multipliés et vous voici nombreux comme les étoiles du ciel. ¹¹Yahvé le Dieu de vos pères vous multipliera mille fois autant et vous bénira comme il vous l'a dit ! ¹²Comment donc porterais-je seul vos aigreurs, accusations et contestations ? ¹³Prenez donc des hommes sages, perspicaces et d'expérience dans chacune de vos tribus, que j'en fasse vos chefs. » ¹⁴Vous m'avez répondu : « Ce que tu proposes est bon. » ¹⁵Je pris donc vos chefs de tribus, hommes sages et d'expérience, et je vous les donnai pour chefs : chefs de milliers, de centaines, de cinquantaines et de dizaines, et scribes pour vos tribus. ¹⁶En ce même temps je prescrivis à vos juges : « Vous entendrez vos frères et vous rendrez la justice entre un homme et son frère ou un étranger en résidence près de lui. ¹⁷Vous ne ferez pas acception de personne en jugeant, mais vous écouterez le petit comme le grand. Vous ne craindrez pas l'homme, car la sentence est à Dieu. Si un cas est trop difficile pour vous,

vous me l'enverrez pour que je l'entende. » [18]Je vous prescrivis alors tout ce que vous aviez à faire.

Incrédulité à Cadès. ‖ Nb 13 1–14 9.

[19]Nous partîmes de l'Horeb et entrâmes en ce désert grand et redoutable que vous avez vu sur le chemin de la montagne des Amorites, comme Yahvé notre Dieu nous l'avait ordonné, et nous arrivâmes à Cadès Barné. [20]Je vous dis alors : « Vous voici arrivés à cette montagne des Amorites que Yahvé notre Dieu nous a donnée. [21]Vois : Yahvé ton Dieu t'a donné ce pays. Monte en prendre possession comme te l'a dit Yahvé le Dieu de tes pères ; ne crains pas et ne sois pas effrayé. » [22]Vous vîntes tous me trouver pour me dire : « Envoyons devant nous des gens pour explorer le pays ; ils nous feront rapport sur la route à suivre et sur les villes où nous pourrons aller. » [23]L'avis me parut bon et je pris parmi vous douze hommes, un par tribu. [24]Ils prirent la direction de la montagne, y montèrent et atteignirent le val d'Eshkol qu'ils espionnèrent. [25]Ils prirent avec eux des produits du pays, nous les apportèrent et nous dirent : « C'est un heureux pays que Yahvé notre Dieu nous a donné. » [26]Mais vous avez refusé d'y monter et vous avez été rebelles à la voix de Yahvé votre Dieu, [27]et vous avez déblatéré dans vos tentes en disant : « C'est en haine de nous que Yahvé nous a fait sortir du pays d'Égypte, pour nous livrer au pouvoir des Amorites et pour nous détruire. [28]Où nous fait-on monter ? Nos frères nous ont

découragés en disant : C'est un peuple plus grand et de plus haute stature que nous, les villes sont grandes et leurs remparts montent jusqu'au ciel. Et même nous y avons vu des Anaqim. »

[29]Je vous dis : « Ne tremblez pas, n'ayez pas peur d'eux. [30]Yahvé votre Dieu qui marche à votre tête combattra pour vous, tout comme vous l'avez vu faire en Égypte. [31]Tu l'as vu aussi au désert : Yahvé ton Dieu te soutenait comme un homme soutient son fils, tout au long de la route que vous avez suivie jusqu'ici. » [32]Mais en cette circonstance aucun d'entre vous ne crut en Yahvé votre Dieu, [33]lui qui vous précédait sur la route pour vous chercher un lieu de campement, dans le feu pendant la nuit pour éclairer votre route, et dans la nuée pendant le jour.

Instructions de Yahvé à Cadès. ‖ Nb 14 21-35.

[34]Yahvé entendit le son de vos paroles et dans sa colère il fit ce serment : [35]« Pas un seul de ces hommes, de cette génération perverse, ne verra cet heureux pays que j'ai juré de donner à vos pères, [36]excepté Caleb, fils de Yephunné : lui le verra et à lui comme à ses fils je donnerai la terre qu'il a foulée, car il a parfaitement obéi à Yahvé. » [37]À cause de vous Yahvé s'irrita même contre moi et me dit : « Toi non plus, tu n'y entreras pas. [38]C'est ton serviteur Josué, fils de Nûn, qui y entrera. Affermis-le, car c'est lui qui devra mettre Israël en possession du pays. [39]Mais vos petits enfants dont vous avez prétendu qu'ils allaient être livrés en butin, vos fils qui ne savent pas

encore discerner le bien et le mal, ce sont eux qui y entreront, c'est à eux que je le donnerai et ce sont eux qui le posséderont. 40Quant à vous, faites demi-tour et repartez au désert, dans la direction de la mer de Suph. »

|| Nb **14** 39-45.

41Vous m'avez alors répondu : « Nous avons péché contre Yahvé notre Dieu. Nous allons monter et combattre, comme Yahvé notre Dieu nous l'a ordonné. » Vous avez ceint chacun vos armes et vous vous êtes obstinés à gravir la montagne. 42Mais Yahvé me dit : « Dis-leur : Ne montez pas et ne combattez pas, car je ne suis pas au milieu de vous ; ne vous faites pas battre par vos ennemis. » 43J'eus beau vous parler, vous ne m'avez pas écouté et vous vous êtes rebellés contre la voix de Yahvé, vous êtes montés présomptueusement à la montagne. 44Les Amorites habitant cette montagne sont sortis à votre rencontre, vous ont poursuivis comme l'auraient fait des abeilles et vous ont battus en Séïr jusqu'à Horma. 45À votre retour vous avez pleuré devant Yahvé ; il n'écouta pas votre voix et ne fit pas attention à vous. 46C'est pourquoi vous avez dû demeurer à Cadès aussi longtemps que vous y êtes demeurés.

De Cadès à l'Arnon.

2 1Puis nous avons fait demi-tour et nous sommes partis au désert, en direction de la mer de Suph, comme Yahvé me l'avait ordonné. Pendant de longs jours nous avons tourné autour de la montagne de Séïr. 2Yahvé me dit alors : 3« Vous avez assez tourné autour de la montagne : prenez la direction du nord. 4Et donne cet ordre au peuple : Vous allez passer par le territoire de vos frères, les fils d'Ésaü, qui habitent Séïr. Ils vous craignent et vous serez bien gardés. 5N'allez pas les provoquer, car je ne vous donnerai rien de leur pays, pas même la longueur d'un pied : c'est à Ésaü que j'ai donné la montagne de Séïr pour domaine. 6La nourriture que vous mangerez, achetez-la-leur à prix d'argent ; achetez-leur à prix d'argent l'eau que vous boirez. 7Car Yahvé ton Dieu t'a béni en toutes tes actions ; il a veillé sur ta marche à travers ce grand désert. Voici quarante ans que Yahvé ton Dieu est avec toi sans que tu manques de rien. »

8Nous avons donc passé au-delà de nos frères, les fils d'Ésaü qui habitent en Séïr, par la route de la Araba, d'Élat et d'Éçyôn-Gébèr ; puis, changeant de direction, nous prîmes la route du désert de Moab. 9Yahvé me dit alors : « N'attaque pas Moab, ne le provoque pas au combat ; car je ne te donnerai rien de son territoire : c'est aux fils de Lot que j'ai donné Ar pour domaine. 10(Auparavant y demeuraient les Émim, nation grande, nombreuse et de haute stature comme les Anaqim. 11On les considérait comme des Rephaïm, tout comme les Anaqim, mais les Moabites les appellent Émim. 12De même en Séïr demeuraient auparavant les Horites, que les fils d'Ésaü dépossédèrent et exterminèrent pour s'établir à leur place, ainsi que l'a fait Israël pour sa terre, l'héritage reçu de

Yahvé.) ¹³Debout maintenant ! et passez le torrent de Zéred. »

Nous passâmes donc le torrent de Zéred. ¹⁴De Cadès Barné au passage du torrent de Zéred notre errance avait duré trente-huit ans ; ainsi avait été éliminée toute la génération des hommes en âge de porter les armes, comme Yahvé le leur avait juré. ¹⁵La main de Yahvé avait été contre eux pour les éliminer entièrement du camp.

¹⁶Lorsque la mort eut fait disparaître du milieu du peuple, jusqu'au dernier, les hommes en âge de porter les armes, ¹⁷Yahvé m'adressa ces paroles : ¹⁸« Tu es en train de traverser Ar, le pays de Moab, ¹⁹et tu vas te trouver devant les fils d'Ammon. Ne les attaque pas, ne les provoque pas ; car je ne te donnerai rien du pays des fils d'Ammon : c'est aux fils de Lot que je l'ai donné pour domaine. ²⁰(On le considérait aussi comme un pays de Rephaïm : des Rephaïm y habitaient auparavant, les Ammonites les appellent Zamzummim, ²¹peuple grand, nombreux et de haute stature comme les Anaqim. Yahvé les extermina devant les Ammonites, qui les dépossédèrent et s'établirent à leur place, ²²comme il avait fait pour les fils d'Ésaü, habitant en Séïr, en exterminant devant eux les Horites, qu'ils dépossédèrent pour s'établir à leur place jusqu'à ce jour. ²³Ainsi encore des Avvites, qui habitaient des camps jusqu'à Gaza : les Kaphtorim, venus de Kaphtor, les exterminèrent et s'établirent à leur place.) ²⁴Debout ! levez le camp, et passez le torrent de l'Arnon. Vois, je livre en ton pouvoir Sihôn, roi de Hesh-

bôn, l'Amorite, ainsi que son pays. Commence la conquête ; provoque-le au combat. ²⁵À partir d'aujourd'hui, je répands la terreur et la crainte de toi parmi les peuples qui sont sous tous les cieux : quiconque entendra le bruit de ton approche sera saisi de trouble et frémira d'angoisse. »

Conquête du royaume de Sihôn.
‖ Nb 21 21-25.

²⁶Du désert de Qedémot, j'envoyai des messagers porter à Sihôn, roi de Heshbôn, ces paroles de paix : ²⁷« J'ai l'intention de traverser ton pays ; j'irai mon chemin sans m'écarter ni à droite ni à gauche. ²⁸Je mangerai la nourriture que tu m'auras vendue à prix d'argent, et je boirai l'eau que tu m'auras laissée à prix d'argent. Je veux seulement passer à pied, ²⁹comme me l'ont accordé les fils d'Ésaü qui habitent en Séïr et les Moabites qui habitent en Ar, jusqu'à ce que je passe le Jourdain pour aller au pays que Yahvé notre Dieu nous donne. » ³⁰Mais Sihôn, roi de Heshbôn, ne consentit pas à nous laisser passer chez lui ; car Yahvé ton Dieu avait figé son esprit et endurci son cœur, afin de le livrer en ton pouvoir, comme il l'est encore aujourd'hui. ³¹Yahvé me dit : « Vois ! j'ai commencé à te livrer Sihôn et son pays ; commence la conquête en t'emparant de son pays. » ³²Sihôn marcha à notre rencontre avec tout son peuple, à Yahaç, pour nous combattre. ³³Yahvé notre Dieu nous le livra et nous le battîmes, lui, ses fils et tout son peuple. ³⁴Nous avons pris toutes ses villes, et nous avons

voué à l'anathème toutes ces villes d'hommes mariés, les femmes et les enfants, sans rien laisser échapper, [35]sauf le bétail, qui fut notre butin, avec les dépouilles des villes prises. [36]Depuis Aroër qui est sur le bord de la vallée de l'Arnon, et la ville qui est dans la vallée, jusqu'à Galaad, il n'y eut pas pour nous de ville inaccessible ; Yahvé notre Dieu nous les livra toutes. [37]Toutefois du pays des Ammonites tu n'approchas point, ni de la région du torrent du Yabboq ni des villes de la montagne, ni de tout ce qu'avait interdit Yahvé notre Dieu.

Conquête du royaume d'Og.
|| Nb 21 33-35.

3 [1]Nous prîmes alors le chemin du Bashân et nous y montâmes. Og, roi du Bashân, marcha à notre rencontre, lui et tout son peuple, pour nous combattre à Édréï. [2]Yahvé me dit : « Ne le crains pas, car je l'ai livré en ton pouvoir, lui, tout son peuple et son pays. Tu le traiteras comme tu as traité Sihôn, le roi amorite, qui habite à Heshbôn. » [3]Yahvé notre Dieu livra aussi en notre pouvoir Og, roi du Bashân, et tout son peuple. Nous le battîmes si bien que pas un n'en réchappa. [4]Puis en ce temps nous nous emparâmes de toutes ses villes ; il n'y eut cité que nous ne leur ayons prise : soixante villes, toute la confédération d'Argob, royaume d'Og en Bashân, [5]toutes places fortes fermées de hautes murailles, munies de portes et de barres ; sans compter les villes des Perizzites, fort nombreuses. [6]Nous les vouâmes à l'anathème, comme nous avions fait pour Sihôn, roi de Hesh-

bôn, vouant à l'anathème toutes ces villes d'hommes mariés, les femmes et les enfants ; [7]mais tout le bétail et les dépouilles des villes furent notre butin.

[8]Ainsi, en ce temps-là, avons-nous pris le pays aux deux rois amorites d'au-delà du Jourdain, depuis le torrent de l'Arnon jusqu'au mont Hermon [9](les Sidoniens appellent l'Hermon Siryôn, les Amorites le nomment Senir) : [10]toutes les villes du Haut-Plateau, tout le Galaad et tout le Bashân jusqu'à Salka et Édréï, capitales d'Og en Bashân. [11](Or Og, roi du Bashân, était le dernier survivant des Rephaïm : son lit est le lit de fer qu'on voit à Rabba des Ammonites, long de neuf coudées et large de quatre, en coudées d'hommes.)

Partage de la Transjordanie.
|| Nb 32.

[12]Nous avons alors pris possession de ce pays, à partir d'Aroër sur le torrent de l'Arnon. Je donnai aux Rubénites et aux Gadites la moitié de la montagne de Galaad, avec ses villes. [13]À la demi-tribu de Manassé, je donnai le reste de Galaad et tout le Bashân, royaume d'Og. (Toute la confédération d'Argob, tout le Bashân, c'est ce qu'on appelle le pays des Rephaïm. [14]Yaïr, fils de Manassé, s'était emparé de toute la confédération d'Argob jusqu'aux frontières des Geshurites et des Maakatites, qu'il appela – ce Bashân – de son nom « Douars de Yaïr » jusqu'à ce jour.) [15]À Makir, je donnai le Galaad. [16]Aux Rubénites et aux Gadites je donnai le Galaad jusqu'au torrent de l'Arnon, le milieu du torrent marquant la

frontière, et jusqu'au Yabboq, le torrent marquant la frontière des Ammonites. [17]La Araba et le Jourdain servaient de frontière, depuis Kinnérèt jusqu'à la mer de la Araba (la mer Salée), au pied des pentes du Pisga à l'orient. »

Dernières dispositions de Moïse.

[18]Je vous donnai alors cet ordre : « Yahvé votre Dieu vous a donné ce pays pour domaine. Armés, vous passerez devant vos frères, les Israélites, tous hommes de guerre ; [19]seuls vos femmes, vos enfants et vos troupeaux (car je sais vos troupeaux nombreux) resteront dans les villes que je vous ai données, [20]jusqu'à ce que Yahvé ait donné le repos à vos frères comme à vous-mêmes, et qu'ils possèdent eux aussi les pays que Yahvé votre Dieu leur donne au-delà du Jourdain ; alors vous retournerez chacun dans les domaines que je vous ai donnés. [21]Je donnai alors cet ordre à Josué : « Tu vois de tes yeux tout ce que Yahvé notre Dieu a fait à ces deux rois ; Yahvé traitera de même tous les royaumes où tu vas passer. [22]Vous ne les craindrez point : c'est Yahvé votre Dieu qui combat pour vous. »

[23]Je demandai alors une grâce à Yahvé : [24]« Mon Seigneur Yahvé, toi qui as commencé à faire voir à ton serviteur ta grandeur et ta puissante main, qui... Quel dieu dans les cieux et sur la terre agit comme tu agis et avec même puissance ? [25]Ne pourrais-je passer là-bas, et voir cet heureux pays au-delà du Jourdain, cette heureuse montagne, et le Liban ? » [26]Mais, à cause de vous, Yahvé s'irrita

contre moi et ne m'exauça point. Il me dit : « Assez ! Ne continue plus à me parler de cette affaire ! [27]Monte au sommet du Pisga, porte tes regards à l'occident, au nord, au midi et à l'orient ; regarde de tes yeux, car tu ne passeras pas le Jourdain que voici. [28]Donne tes ordres à Josué, fortifie-le, confirme-le, car c'est lui qui passera, à la tête de ce peuple ; à lui de les mettre en possession du pays que tu vas voir. » [29]Puis nous sommes restés dans la vallée, en face de Bet-Péor.

L'infidélité de Péor et la vraie sagesse.

4 [1]Et maintenant, Israël, écoute les lois et les coutumes que je vous enseigne aujourd'hui pour que vous les mettiez en pratique : afin que vous viviez, et que vous entriez, pour en prendre possession, dans le pays que vous donne Yahvé le Dieu de vos pères. [2]Vous n'ajouterez rien à ce que je vous ordonne et vous n'en retrancherez rien, mais vous garderez les commandements de Yahvé votre Dieu tels que je vous les prescris. [3]Vous voyez de vos yeux ce qu'a fait Yahvé à Baal-Péor : quiconque a suivi le Baal de Péor, Yahvé ton Dieu l'a exterminé du milieu de toi ; [4]mais vous qui êtes restés attachés à Yahvé votre Dieu, vous êtes aujourd'hui tous vivants. [5]Vois ! comme Yahvé mon Dieu me l'a ordonné, je vous ai enseigné des lois et des coutumes, pour que vous les mettiez en pratique dans le pays dont vous allez prendre possession. [6]Gardez-les et mettez-les en pratique, ainsi serez-vous sages et avisés aux yeux des peuples. Quand ceux-ci auront connaissance de toutes ces lois, ils s'écrieront : « Il n'y a qu'un peuple sage et avisé, c'est cette grande nation ! » [7]Quelle est en effet la grande nation dont les dieux se fassent aussi proches que Yahvé notre Dieu l'est pour nous chaque fois que nous l'invoquons ? [8]Et quelle est la grande nation dont les lois et coutumes soient aussi justes que toute cette Loi que je vous prescris aujourd'hui ?

La révélation de l'Horeb et ses exigences.

[9]Mais prends garde ! Garde bien ta vie, ne va pas oublier ces choses que tes yeux ont vues, ni les laisser, en aucun jour de ta vie, sortir de ton cœur ; enseigne-les au contraire à tes fils et aux fils de tes fils. [10]Au jour où tu te tenais à l'Horeb en présence de Yahvé ton Dieu, Yahvé me dit : « Assemble-moi le peuple, que je leur fasse entendre mes paroles, afin qu'ils apprennent à me craindre tant qu'ils vivront sur la terre, et qu'ils l'enseignent à leurs fils. » [11]Et vous vous êtes alors approchés, pour vous tenir auprès de la montagne ; la montagne était embrasée jusqu'en plein ciel – ciel obscurci de nuages ténébreux et retentissants ! [12]Yahvé vous parla alors du milieu du feu ; vous entendiez le son des paroles, mais vous n'aperceviez aucune forme, rien qu'une voix. [13]Il vous révéla son alliance, qu'il vous ordonna de mettre en pratique, les dix Paroles qu'il inscrivit sur deux tables de pierre. [14]Quant à moi, Yahvé m'ordonna en ce même temps de vous enseigner les lois et les coutumes que vous auriez à mettre en pratique dans le pays où vous pénétrez pour en prendre possession.

[15]Prenez bien garde à vous-mêmes : puisque vous n'avez vu aucune forme, le jour où Yahvé, à l'Horeb, vous a parlé du milieu du feu, [16]n'allez pas vous pervertir et vous faire une image sculptée représentant quoi que ce soit : figure d'homme ou de femme, [17]figure de quelqu'une des bêtes de la terre, figure de quelqu'un des oiseaux qui volent dans le ciel, [18]figure de quelqu'un des reptiles qui rampent sur le sol, figure de quelqu'un des poissons qui vivent dans les eaux au-dessous de la terre. [19]Quand tu lèveras les yeux vers le ciel, quand tu verras le soleil, la lune, les étoiles et toute l'armée des cieux, ne va pas te laisser entraîner à te prosterner devant eux et à les servir. Yahvé ton Dieu les a donnés en partage à tous les peuples qui sont sous le ciel, [20]mais vous, Yahvé vous a pris et vous a fait sortir de cette fournaise pour le fer, l'Égypte, pour que vous deveniez le peuple de son héritage, comme vous l'êtes encore aujourd'hui.

Perspectives de châtiment et de conversion.

[21]À cause de vous, Yahvé s'est irrité contre moi ; il a juré que je ne passerais pas le Jourdain et que je n'entrerais pas dans l'heureux pays qu'il te donne en héritage. [22]Oui, je vais mourir en ce pays-ci et je ne passerai pas ce Jourdain.

Mais vous, vous allez le passer et prendre possession de cet heureux pays. ²³Gardez-vous d'oublier l'alliance que Yahvé votre Dieu a conclue avec vous et de vous fabriquer une image sculptée de quoi que ce soit, malgré la défense de Yahvé ton Dieu ; ²⁴car Yahvé ton Dieu est un feu dévorant, un Dieu jaloux.

²⁵Lorsque tu auras engendré des enfants et des petits-enfants et que vous aurez vieilli dans le pays, quand vous vous serez pervertis, que vous aurez fabriqué quelque image sculptée, fait ce qui est mal aux yeux de Yahvé ton Dieu de manière à l'irriter, ²⁶je prends aujourd'hui à témoin contre vous les cieux et la terre : vous devrez promptement disparaître de ce pays dont vous allez prendre possession en passant le Jourdain. Vous n'y prolongerez pas vos jours, car vous serez bel et bien anéantis. ²⁷Yahvé vous dispersera parmi les peuples, et il ne restera de vous qu'un petit nombre, au milieu des nations où Yahvé vous aura conduits. ²⁸Vous y servirez des dieux faits de main d'homme, du bois et de la pierre, incapables de voir et d'entendre, de manger et de sentir.

²⁹De là-bas, tu rechercheras Yahvé ton Dieu, et tu le trouveras si tu le cherches de tout ton cœur et de toute ton âme. ³⁰Dans ta détresse, toutes ces paroles t'atteindront, mais dans la suite des temps tu reviendras à Yahvé ton Dieu et tu écouteras sa voix ; ³¹car Yahvé ton Dieu est un Dieu miséricordieux qui ne t'abandonnera ni ne te détruira, et qui n'oubliera pas l'alliance qu'il a conclue par serment avec tes pères.

Grandeur de l'élection divine.

³²Interroge donc les anciens âges, qui t'ont précédé depuis le jour où Dieu créa l'homme sur la terre : d'un bout du ciel à l'autre y eut-il jamais si auguste parole ? En entendit-on de semblable ? ³³Est-il un peuple qui ait entendu la voix du Dieu vivant parlant du milieu du feu, comme tu l'as entendue, et soit demeuré en vie ? ³⁴Est-il un dieu qui soit venu se chercher une nation au milieu d'une autre, par des épreuves, des signes, des prodiges et des combats, à main forte et à bras étendu, et par de grandes terreurs – toutes choses que pour vous, sous tes yeux, Yahvé votre Dieu a faites en Égypte ?

³⁵C'est à toi qu'il a donné de voir tout cela, pour que tu saches que Yahvé est le vrai Dieu et qu'il n'y en a pas d'autre. ³⁶Du ciel il t'a fait entendre sa voix pour t'instruire, et sur la terre il t'a fait voir son grand feu, et du milieu du feu tu as entendu ses paroles. ³⁷Parce qu'il a aimé tes pères et qu'après eux il a élu leur postérité, il t'a fait sortir d'Égypte en manifestant sa présence et sa grande force, ³⁸il a dépossédé devant toi des nations plus grandes et plus puissantes que toi, il t'a fait entrer dans leur pays et te l'a donné en héritage, comme il le reste encore aujourd'hui.

³⁹Sache-le donc aujourd'hui et médite-le dans ton cœur : c'est Yahvé qui est Dieu, là-haut dans le ciel comme ici-bas sur la terre, lui et nul autre. ⁴⁰Garde ses lois et ses commandements que je te

prescris aujourd'hui, afin d'avoir, toi et tes fils après toi, bonheur et longue vie sur la terre que Yahvé ton Dieu te donne pour toujours.

Les villes de refuge.

[41]Moïse choisit alors trois villes au-delà du Jourdain, à l'orient, [42]où pourrait s'enfuir le meurtrier qui aurait tué son prochain involontairement, sans avoir eu contre lui de haine invétérée : il pourrait, s'enfuyant dans une de ces villes, sauver sa vie. [43]C'étaient, pour les Rubénites, Béçèr, dans le désert, sur le Haut-Plateau ; pour les Gadites, Ramot en Galaad ; pour les Manassites, Golân en Bashân.

SECOND DISCOURS DE MOÏSE

[44]Voici la Loi que Moïse présenta aux Israélites. [45]Voici les stipulations, les lois et les coutumes que Moïse donna aux Israélites à leur sortie d'Égypte, [46]au-delà du Jourdain, dans la vallée proche de Bet-Péor, au pays de Sihôn, roi amorite résidant à Heshbôn. Moïse et les Israélites l'avaient battu à leur sortie d'Égypte [47]et s'étaient emparés de son pays, ainsi que du pays d'Og, roi du Bashân, – tous deux rois amorites au-delà du Jourdain à l'orient, [48]depuis Aroër qui est sur le bord de la vallée de l'Arnon jusqu'au mont Siôn (c'est l'Hermon) –, [49]et de toute la Araba au-delà du Jourdain à l'orient, jusqu'à la mer de la Araba, au pied des pentes du Pisga.

Le Décalogue.

5 [1]Moïse convoqua tout Israël et leur dit :
Écoute, Israël, les lois et les coutumes que je prononce aujourd'hui à vos oreilles. Apprenez-les et gardez-les pour les mettre en pratique. [2]Yahvé notre Dieu a conclu avec nous une alliance à l'Horeb. [3]Ce n'est pas avec nos pères que Yahvé a conclu cette alliance mais avec nous, nous-mêmes qui sommes ici aujourd'hui tous vivants. [4]Sur la montagne, au milieu du feu, Yahvé vous a parlé face à face, [5]et moi je me tenais alors entre Yahvé et vous pour vous faire connaître la parole de Yahvé ; car, craignant le feu, vous n'étiez pas montés sur la montagne. Il dit :

|| Ex **20** 2-17.

[6]« Je suis Yahvé ton Dieu, qui t'ai fait sortir du pays d'Égypte, de la maison de servitude.

[7]« Tu n'auras pas d'autres dieux devant moi.

[8]« Tu ne te feras aucune image sculptée de rien qui ressemble à ce qui est dans les cieux là-haut, ou sur la terre ici-bas, ou dans les eaux au-dessous de la terre. [9]Tu ne te prosterneras pas devant ces dieux ni ne les serviras. Car moi, Yahvé, ton Dieu, je suis un Dieu jaloux, qui punis la faute des pères sur les enfants, les petits-enfants et les arrière-petits-enfants, pour ceux qui me haïssent, [10]mais qui fais grâce à des milliers, pour ceux qui m'aiment et gardent mes commandements.

[11]« Tu ne prononceras pas le nom de Yahvé ton Dieu à faux,

car Yahvé ne laisse pas impuni celui qui prononce son nom à faux.

[12]« Observe le jour du sabbat pour le sanctifier, comme te l'a commandé Yahvé, ton Dieu. [13]Pendant six jours tu travailleras et tu feras tout ton ouvrage, [14]mais le septième jour est un sabbat pour Yahvé ton Dieu. Tu n'y feras aucun ouvrage, toi, ni ton fils, ni ta fille, ni ton serviteur, ni ta servante, ni ton bœuf, ni ton âne ni aucune de tes bêtes, ni l'étranger qui est dans tes portes. Ainsi, comme toi-même, ton serviteur et ta servante pourront se reposer. [15]Tu te souviendras que tu as été en servitude au pays d'Égypte et que Yahvé ton Dieu t'en a fait sortir d'une main forte et d'un bras étendu ; c'est pourquoi Yahvé ton Dieu t'a commandé de garder le jour du sabbat.

[16]« Honore ton père et ta mère, comme te l'a commandé Yahvé ton Dieu, afin que se prolongent tes jours et que tu sois heureux sur la terre que Yahvé ton Dieu te donne.

[17]« Tu ne tueras pas.

[18]« Tu ne commettras pas l'adultère.

[19]« Tu ne voleras pas.

[20]« Tu ne porteras pas de faux témoignage contre ton prochain.

[21]« Tu ne convoiteras pas la femme de ton prochain, tu ne désireras ni sa maison, ni son champ, ni son serviteur ou sa servante, ni son bœuf ou son âne : rien de ce qui est à ton prochain. »

[22]Telles sont les paroles que vous adressa Yahvé quand vous étiez tous assemblés sur la montagne. Il vous parla du milieu du feu, dans la nuée et les ténèbres, d'une voix forte. Il n'y ajouta rien et les écrivit sur deux tables de pierre qu'il me donna.

Médiation de Moïse. Ex **20** 18-21.

[23]Or, lorsque vous eûtes entendu cette voix sortir des ténèbres, tandis que la montagne était en feu, vous tous, chefs de tribus et anciens, vous vîntes à moi [24]et vous me dîtes : « Voici que Yahvé notre Dieu nous a montré sa gloire et sa grandeur, et que nous avons entendu sa voix du milieu du feu. Nous avons vu aujourd'hui que Dieu peut parler à l'homme, et l'homme rester en vie. [25]Et maintenant, pourquoi devrions-nous mourir ? Car ce grand feu pourrait nous dévorer si nous continuons à écouter la voix de Yahvé notre Dieu, et nous pourrions mourir. [26]Est-il en effet un être de chair qui puisse rester en vie, après avoir entendu comme nous la voix du Dieu vivant parlant du milieu du feu ? [27]Toi, approche pour entendre tout ce que dira Yahvé notre Dieu, puis tu nous répéteras ce que Yahvé notre Dieu t'aura dit ; nous l'écouterons et le mettrons en pratique. »

[28]Yahvé entendit ce que vous disiez et il me dit : « J'ai entendu les paroles de ce peuple. Tout ce qu'ils t'ont dit est bien. [29]Ah ! si leur cœur pouvait toujours être ainsi, pour me craindre et garder mes commandements en sorte qu'ils soient heureux à jamais, eux et leurs fils. [30]Va leur dire : "Retournez à vos tentes." [31]Mais toi, tu te tiendras ici auprès de moi, je te dirai tous les commandements, les lois et les coutumes

que tu leur enseigneras et qu'ils mettront en pratique dans le pays que je leur donne en possession. »

L'amour de Yahvé, essence de la Loi.

[32]Gardez et mettez en pratique ! Ainsi vous l'a ordonné Yahvé votre Dieu. Ne vous écartez ni à droite ni à gauche. [33]Vous suivrez tout le chemin que Yahvé votre Dieu vous a tracé, alors vous vivrez, vous aurez bonheur et longue vie dans le pays dont vous allez prendre possession.

6 [1]Tels sont les commandements, les lois et les coutumes que Yahvé votre Dieu a ordonné de vous enseigner, afin que vous les mettiez en pratique dans le pays dont vous allez prendre possession. [2]Ainsi, si tu crains Yahvé ton Dieu tous les jours de ta vie, si tu observes toutes ses lois et ses commandements que je t'ordonne aujourd'hui, tu auras longue vie, toi, ton fils et le fils de ton fils. [3]Puisses-tu écouter, Israël, garder et pratiquer ce qui te rendra heureux et te multipliera, ainsi que te l'a dit Yahvé, le Dieu de tes pères, en te donnant une terre qui ruisselle de lait et de miel !

[4]Écoute, Israël : Yahvé notre Dieu est le seul Yahvé. [5]Tu aimeras Yahvé ton Dieu de tout ton cœur, de toute ton âme et de tout ton pouvoir. [6]Que ces paroles que je te dicte aujourd'hui restent dans ton cœur ! [7]Tu les répéteras à tes fils, tu les leur diras aussi bien assis dans ta maison que marchant sur la route, couché aussi bien que debout ; [8]tu les attacheras à ta main comme un signe, sur ton front comme un bandeau ; [9]tu les écriras sur les poteaux de ta maison et sur tes portes.

[10]Lorsque Yahvé ton Dieu t'aura conduit au pays qu'il a juré à tes pères, Abraham, Isaac et Jacob, de te donner, aux villes grandes et prospères que tu n'as pas bâties, [11]aux maisons pleines de toutes sortes de biens, maisons que tu n'as pas remplies, aux puits que tu n'as pas creusés, aux vignes et aux oliviers que tu n'as pas plantés, lors donc que tu auras mangé et que tu te seras rassasié, [12]garde-toi d'oublier Yahvé qui t'a fait sortir du pays d'Égypte, de la maison de servitude. [13]C'est Yahvé ton Dieu que tu craindras, lui que tu serviras, c'est par son nom que tu jureras.

Appel à la fidélité.

[14]Ne suivez pas d'autres dieux, d'entre les dieux des nations qui vous entourent, [15]car c'est un Dieu jaloux que Yahvé ton Dieu qui est au milieu de toi. La colère de Yahvé ton Dieu s'enflammerait contre toi et il te ferait disparaître de la face de la terre. [16]Vous ne mettrez pas Yahvé votre Dieu à l'épreuve, comme vous l'avez mis à l'épreuve à Massa. [17]Vous garderez les commandements de Yahvé votre Dieu, ses instructions et ses lois qu'il t'a prescrites, [18]et tu feras ce qui est juste et bon aux yeux de Yahvé afin d'être heureux, et de prendre possession de l'heureux pays dont Yahvé a juré à tes pères [19]qu'il en chasserait tous tes ennemis devant toi ; ainsi l'a dit Yahvé.

[20]Lorsque demain ton fils te demandera : « Qu'est-ce donc que ces instructions, ces lois et ces

coutumes que Yahvé notre Dieu vous a prescrites ? » ²¹Tu diras à ton fils : « Nous étions esclaves de Pharaon, en Égypte, et Yahvé nous a fait sortir d'Égypte par sa main puissante. ²²Yahvé a accompli sous nos yeux des signes et des prodiges grands et terribles contre l'Égypte, Pharaon et toute sa maison. ²³Mais nous, il nous a fait sortir de là pour nous conduire dans le pays qu'il avait promis par serment à nos pères, et pour nous le donner. ²⁴Et Yahvé nous a ordonné de mettre en pratique toutes ces lois, afin de craindre Yahvé notre Dieu, d'être toujours heureux et de vivre, comme il nous l'a accordé jusqu'à présent. ²⁵Telle sera notre justice : garder et mettre en pratique tous ces commandements devant Yahvé notre Dieu, comme il nous l'a ordonné. »

Israël peuple séparé. Ex 34 11-17. Ps 106 34-39.

7 ¹Lorsque Yahvé ton Dieu t'aura fait entrer dans le pays dont tu vas prendre possession, des nations nombreuses tomberont devant toi : les Hittites, les Girgashites, les Amorites, les Cananéens, les Perizzites, les Hivvites, et les Jébuséens, sept nations plus nombreuses et plus puissantes que toi. ²Yahvé ton Dieu te les livrera et tu les battras. Tu les voueras à l'anathème. Tu ne concluras pas d'alliance avec elles, tu ne leur feras pas grâce. ³Tu ne contracteras pas de mariage avec elles, tu ne donneras pas ta fille à leur fils, ni ne prendras leur fille pour ton fils. ⁴Car ton fils serait détourné de me suivre ; il servirait

d'autres dieux ; et la colère de Yahvé s'enflammerait contre vous et il t'exterminerait promptement. ⁵Mais voici comment vous devrez agir à leur égard : vous démolirez leurs autels, vous briserez leurs stèles, vous couperez leurs pieux sacrés et vous brûlerez leurs idoles. ⁶Car tu es un peuple consacré à Yahvé ton Dieu ; c'est toi que Yahvé ton Dieu a choisi pour son peuple à lui, parmi toutes les nations qui sont sur la terre.

L'élection et la faveur divine.

⁷Si Yahvé s'est attaché à vous et vous a choisis, ce n'est pas que vous soyez le plus nombreux de tous les peuples : car vous êtes le moins nombreux d'entre tous les peuples. ⁸Mais c'est par amour pour vous et pour garder le serment juré à vos pères, que Yahvé vous a fait sortir à main forte et t'a délivré de la maison de servitude, du pouvoir de Pharaon, roi d'Égypte. ⁹Tu sauras donc que Yahvé ton Dieu est le vrai Dieu, le Dieu fidèle qui garde son alliance et son amour pour mille générations à ceux qui l'aiment et gardent ses commandements, ¹⁰mais qui punit en leur propre personne ceux qui le haïssent. Il fait périr sans délai celui qui le hait, et c'est en sa propre personne qu'il le punit. ¹¹Tu garderas donc les commandements, lois et coutumes que je te prescris aujourd'hui de mettre en pratique.

¹²Pour avoir écouté ces coutumes, les avoir gardées et mises en pratique, Yahvé ton Dieu te gardera l'alliance et l'amour qu'il a jurés à tes pères. ¹³Il t'aimera, te

bénira, te multipliera ; il bénira le fruit de ton sein et le fruit de ton sol, ton blé, ton vin nouveau, ton huile, la portée de tes vaches et le croît de tes brebis, sur la terre qu'il a juré à tes pères de te donner. ¹⁴Tu recevras plus de bénédictions que tous les peuples. Nul chez toi, homme ou femme, ne sera stérile, nul mâle ou femelle de ton bétail. ¹⁵Yahvé détournera de toi toute maladie ; il ne t'infligera pas ces méchants maux d'Égypte que tu as connus, mais il les enverra à tous ceux qui te haïssent.

¹⁶Tu dévoreras donc tous ces peuples que Yahvé ton Dieu te livre, ton œil sera sans pitié et tu ne serviras pas leurs dieux : car tu y serais pris au piège.

La force divine.

¹⁷Peut-être vas-tu dire en ton cœur : « Ces nations sont plus nombreuses que moi, comment pourrais-je les déposséder ? » ¹⁸Ne les crains pas : rappelle-toi donc ce que Yahvé ton Dieu a fait à Pharaon et à toute l'Égypte, ¹⁹les grandes épreuves que tes yeux ont vues, les signes et les prodiges, la main forte et le bras étendu par lesquels Yahvé ton Dieu t'a fait sortir. Ainsi fera Yahvé ton Dieu contre tous les peuples devant qui tu as peur. ²⁰De plus, Yahvé ton Dieu enverra des frelons pour anéantir ceux qui seraient restés et se seraient cachés devant toi.

²¹Ne tremble donc pas devant eux, car au milieu de toi est Yahvé ton Dieu, Dieu grand et redoutable. ²²C'est peu à peu que Yahvé ton Dieu détruira ces nations devant toi ; tu ne pourras les exterminer sur-le-champ, de peur

que les bêtes sauvages ne se multiplient à ton détriment, ²³mais Yahvé ton Dieu te les livrera, et elles resteront en proie à de grands troubles jusqu'à ce qu'elles soient détruites. ²⁴Il livrera leurs rois en ton pouvoir et tu effaceras leur nom de dessous les cieux : nul ne tiendra devant toi, jusqu'à ce que tu les aies exterminés.

²⁵Vous brûlerez les images sculptées de leurs dieux, et tu n'iras pas convoiter l'or et l'argent qui les recouvrent. Si tu t'en emparais, tu serais pris au piège ; car c'est là chose abominable à Yahvé ton Dieu. ²⁶Tu n'introduiras pas dans ta maison une chose abominable, de peur de devenir anathème comme elle. Tu les tiendras pour immondes et abominables, car elles sont anathèmes.

L'épreuve du désert.

8 ¹Vous garderez tous les commandements que je vous ordonne aujourd'hui de mettre en pratique, afin que vous viviez, que vous multipliiez et que vous entriez dans le pays que Yahvé a promis par serment à vos pères et le possédiez. ²Souviens-toi de tout le chemin que Yahvé ton Dieu t'a fait faire pendant quarante ans dans le désert, afin de t'humilier, de t'éprouver et de connaître le fond de ton cœur : allais-tu ou non garder ses commandements ? ³Il t'a humilié, il t'a fait sentir la faim, il t'a donné à manger la manne que ni toi ni tes pères n'aviez connue, pour te montrer que l'homme ne vit pas seulement de pain, mais que l'homme vit de tout ce qui sort de la bouche de Yahvé. ⁴Le vêtement que tu portais ne s'est pas usé et ton pied n'a pas enflé, au cours de ces quarante ans ! ⁵Comprends donc que Yahvé ton Dieu te corrigeait comme un père corrige son enfant, ⁶et garde les commandements de Yahvé ton Dieu pour marcher dans ses voies et pour le craindre.

Les tentations de la Terre promise.

⁷Mais Yahvé ton Dieu te conduit vers un heureux pays, pays de cours d'eau, de sources qui sourdent de l'abîme dans les vallées comme dans les montagnes, ⁸pays de froment et d'orge, de vigne, de figuiers et de grenadiers, pays d'oliviers, d'huile et de miel, ⁹pays où le pain ne te sera pas mesuré et où tu ne manqueras de rien, pays où il y a des pierres de fer et d'où tu extrairas, dans la montagne, le bronze. ¹⁰Tu mangeras, tu te rassasieras et tu béniras Yahvé ton Dieu en cet heureux pays qu'il t'a donné.

¹¹Garde-toi d'oublier Yahvé ton Dieu en négligeant ses commandements, ses coutumes et ses lois que je te prescris aujourd'hui. ¹²Quand tu auras mangé et te seras rassasié, quand tu auras bâti de belles maisons et les habiteras, ¹³quand tu auras vu multiplier ton gros et ton petit bétail, abonder ton argent et ton or, s'accroître tous tes biens, ¹⁴que tout cela n'élève pas ton cœur ! N'oublie pas alors Yahvé ton Dieu qui t'a fait sortir du pays d'Égypte, de la maison de servitude : ¹⁵lui qui t'a fait passer à travers ce désert grand et redoutable, pays des serpents brûlants, des scorpions et de

la soif ; lui qui dans un lieu sans eau a fait pour toi jaillir l'eau de la roche la plus dure ; ¹⁶lui qui dans le désert t'a donné à manger la manne, inconnue de tes pères, afin de t'humilier et de t'éprouver pour que ton avenir soit heureux ! ¹⁷Garde-toi de dire en ton cœur : « C'est ma force, c'est la vigueur de ma main qui m'ont fait agir avec cette puissance. » ¹⁸Souviens-toi de Yahvé ton Dieu : c'est lui qui t'a donné cette force, pour agir avec puissance, gardant ainsi, comme aujourd'hui, l'alliance jurée à tes pères. ¹⁹Certes, si tu oublies Yahvé ton Dieu, si tu suis d'autres dieux, si tu les sers et te prosternes devant eux, j'en témoigne aujourd'hui contre vous, vous périrez. ²⁰Comme les nations que Yahvé aura fait périr devant vous, ainsi vous-mêmes périrez, pour n'avoir pas écouté la voix de Yahvé votre Dieu.

La victoire revient à Yahvé, non aux vertus d'Israël.

9 ¹Écoute, Israël. Te voilà aujourd'hui sur le point de passer le Jourdain, pour aller déposséder des nations plus grandes et plus puissantes que toi et prendre de grandes villes dont les fortifications montent jusqu'au ciel. ²C'est un peuple grand et de haute stature que les Anaqim. Tu le connais, tu as entendu dire : « Qui peut tenir tête aux fils d'Anaq ? » ³Sache aujourd'hui que c'est Yahvé ton Dieu qui va passer devant toi, comme un feu dévorant qui les détruira, et c'est lui qui va te les soumettre ; alors tu les déposséderas et tu les feras périr promptement, comme te l'a dit Yahvé.

⁴Ne dis pas en ton cœur, lorsque Yahvé ton Dieu les chassera devant toi : « C'est à cause de ma juste conduite que Yahvé m'a fait entrer en possession de ce pays », alors que c'est en raison de leur perversité que Yahvé dépossède ces nations à ton profit. ⁵Ce n'est pas en raison de ta juste conduite ni de la droiture de ton cœur que tu entres en possession de leur pays, mais c'est en raison de leur perversité que Yahvé ton Dieu dépossède ces nations à ton profit ; et c'est aussi pour tenir la parole qu'il a jurée à tes pères, Abraham, Isaac et Jacob. ⁶Sache aujourd'hui que ce n'est pas ta juste conduite qui te vaut de recevoir de Yahvé ton Dieu cet heureux pays pour domaine : car tu es un peuple à la nuque raide.

La faute d'Israël à l'Horeb et l'intercession de Moïse. ‖ Ex 32.

⁷Souviens-toi. N'oublie pas que tu as irrité Yahvé ton Dieu dans le désert. Depuis le jour de ta sortie du pays d'Égypte jusqu'à votre arrivée en ce lieu, vous avez été rebelles à Yahvé. ⁸À l'Horeb vous avez irrité Yahvé, et Yahvé se mit en colère contre vous au point de vous détruire. ⁹J'étais monté sur la montagne pour prendre les tables de pierre, les tables de l'alliance que Yahvé concluait avec vous. J'étais demeuré sur la montagne quarante jours et quarante nuits sans manger de pain ni boire d'eau. ¹⁰Yahvé m'avait donné les deux tables de pierre écrites du doigt de Dieu, conformes en tout point aux paroles qu'il vous avait dites du milieu du feu, sur la montagne, au jour de l'Assemblée. ¹¹Au bout de quarante jours et quarante nuits, m'ayant donné les deux tables de pierre, tables de l'alliance, ¹²Yahvé me dit : « Lève-toi d'ici, descends en toute hâte, car ton peuple s'est perverti, lui que tu as fait sortir d'Égypte. Ils n'ont pas tardé à s'écarter de la voie que je leur avais prescrite : ils se sont fait une idole de métal fondu. » ¹³Puis Yahvé me dit : « J'ai vu ce peuple : c'est un peuple à la nuque raide. ¹⁴Laisse-moi, que je les détruise et que j'efface leur nom de dessous les cieux ; et que je fasse de toi une nation plus puissante et plus nombreuse que lui ! »

¹⁵Je redescendis de la montagne, qui était tout embrasée ; j'avais les deux tables de l'alliance dans mes deux mains. ¹⁶Et je vis que vous veniez de pécher contre Yahvé votre Dieu. Vous vous étiez fait un veau de métal fondu : vous n'aviez pas tardé à vous écarter de la voie que Yahvé vous avait prescrite. ¹⁷Je saisis les deux tables, des deux mains je les jetai et je les brisai sous vos yeux. ¹⁸Puis je me jetai à terre devant Yahvé ; comme la première fois je fus quarante jours et quarante nuits sans manger de pain ni boire d'eau, à cause de tous les péchés que vous aviez commis, en faisant ce qui est mal aux yeux de Yahvé au point de l'irriter. ¹⁹Car j'avais peur de cette colère, de cette fureur qui transportait Yahvé contre vous au point de vous détruire. Et cette fois encore, Yahvé m'exauça. ²⁰Contre Aaron aussi, Yahvé était violemment en colère, au point de le faire périr. J'intercédai

aussi en faveur d'Aaron. [21]Cette œuvre de péché que vous aviez fabriquée, ce veau, je le pris, je le brûlai au feu, je le broyai, je le réduisis en fine poussière, et j'en jetai la poussière au torrent qui descend de la montagne.

Autres fautes. Prière de Moïse.

[22]Et à Tabeéra, et à Massa, et à Qibrot-ha-Taava, vous avez irrité Yahvé. [23]Et lorsque Yahvé voulut vous faire quitter Cadès Barné en disant : « Montez prendre possession du pays que je vous ai donné », vous vous êtes rebellés contre l'ordre de Yahvé votre Dieu, vous n'avez pas cru en lui ni écouté sa voix. [24]Vous avez été rebelles à Yahvé depuis le jour où il vous a connus.
|| Ex 32 11-14.

[25]Je me jetai donc à terre devant Yahvé et je restai prosterné ces quarante jours et ces quarante nuits, car Yahvé avait parlé de vous détruire. [26]J'intercédai près de Yahvé et je lui dis : « Mon Seigneur Yahvé, ne détruis pas ton peuple et ton héritage, lui que tu as délivré par ta grandeur et que tu as fait sortir d'Égypte à main forte. [27]Souviens-toi de tes serviteurs, Abraham, Isaac et Jacob, et ne fais pas attention à l'indocilité de ce peuple, à sa perversité et à son péché, [28]de crainte que l'on ne dise au pays d'où tu nous as fait sortir : "Yahvé n'a pas pu les conduire au pays dont il leur avait parlé, et c'est en haine d'eux qu'il les a fait sortir, pour les faire mourir dans le désert." [29]Mais ils sont ton peuple, ton héritage, ceux que tu as fait sortir par ta grande force et ton bras étendu. »

L'arche d'alliance et le choix de Lévi. || Ex 34 1s, 27. Nb 33 31-38.

10 [1]Yahvé me dit alors : « Taille deux tables de pierre comme les premières, monte vers moi sur la montagne et fais-toi une arche de bois. [2]J'écrirai sur les tables les paroles qui étaient sur les premières tables que tu as brisées, puis tu les déposeras dans l'arche. » [3]Je fis une arche en bois d'acacia, je taillai les deux tables de pierre semblables aux premières, et je montai sur la montagne, les deux tables à la main. [4]Il écrivit sur les tables, comme la première fois, les dix Paroles que Yahvé vous avait dites sur la montagne, du milieu du feu, au jour de l'Assemblée. Puis Yahvé me les donna. [5]Je redescendis de la montagne, je mis les tables dans l'arche que j'avais faite et elles y restèrent, comme Yahvé me l'avait ordonné.

[6]Les Israélites quittèrent les puits des Bené Yaaqân pour Moséra, c'est là que mourut Aaron ; il fut enterré là, et c'est Éléazar son fils qui lui succéda comme prêtre. [7]Ils partirent de là pour Gudgoda, et de Gudgoda pour Yotbata, terre riche en cours d'eau. [8]Yahvé mit alors à part la tribu de Lévi, pour porter l'arche de l'alliance de Yahvé, se tenir en présence de Yahvé, le servir et bénir en son nom jusqu'à ce jour. [9]Aussi n'y eut-il pas pour Lévi de part ni d'héritage avec ses frères : c'est Yahvé qui est son héritage comme Yahvé ton Dieu le lui a dit.

[10]Pour moi, je me tins sur la montagne, comme la première fois, quarante jours et quarante

nuits. Cette fois encore Yahvé m'exauça, et Yahvé renonça à te détruire. [11]Mais Yahvé me dit : « Debout ! Pars et va-t-en à la tête de ce peuple, afin qu'ils aillent prendre possession du pays que j'ai juré à leurs pères de leur donner. »

La circoncision du cœur.

[12]Et maintenant, Israël, que te demande Yahvé ton Dieu, sinon de craindre Yahvé ton Dieu, de suivre toutes ses voies, de l'aimer, de servir Yahvé ton Dieu de tout ton cœur et de toute ton âme, [13]de garder les commandements de Yahvé et ses lois que je te prescris aujourd'hui pour ton bonheur ? [14]C'est bien à Yahvé ton Dieu qu'appartiennent les cieux et les cieux des cieux, la terre et tout ce qui s'y trouve. [15]Yahvé pourtant ne s'est attaché qu'à tes pères, par amour pour eux, et après eux il a élu entre toutes les nations leur descendance, vous-mêmes, jusqu'aujourd'hui. [16]Circoncisez votre cœur et ne raidissez plus votre nuque, [17]car Yahvé votre Dieu est le Dieu des dieux et le Seigneur des seigneurs, le Dieu grand, vaillant et redoutable, qui ne fait pas acception de personnes et ne reçoit pas de présents. [18]C'est lui qui fait droit à l'orphelin et à la veuve, et il aime l'étranger, auquel il donne pain et vêtement. ([19]Aimez l'étranger car au pays d'Égypte vous fûtes des étrangers.) [20]C'est Yahvé ton Dieu que tu craindras et serviras, t'attachant à lui et jurant par son nom. [21]C'est lui que tu dois louer et c'est lui ton Dieu : il a accompli pour toi ces choses grandes et redoutables que tes yeux ont vues ; [22]et, alors que tes pères n'étaient que soixante-dix quand ils sont descendus en Égypte, Yahvé ton Dieu t'a rendu aussi nombreux à présent que les étoiles des cieux.

L'expérience d'Israël.

11 [1]Tu aimeras Yahvé ton Dieu et tu garderas toujours ses observances, ses lois, coutumes et commandements. [2]C'est vous qui avez fait l'expérience et non vos fils. Eux n'ont pas eu l'expérience et n'ont pas perçu les leçons de Yahvé votre Dieu, sa grandeur, sa main forte et son bras étendu, [3]les signes et les œuvres qu'il a accomplis au cœur de l'Égypte, contre Pharaon, roi d'Égypte, et tout son pays, [4]ce qu'il a fait aux armées de l'Égypte, à ses chevaux et à ses chars, en ramenant sur eux les eaux de la mer des Roseaux lorsqu'ils vous poursuivaient et comme il les a anéantis jusqu'aujourd'hui ; [5]ce qu'il a fait pour vous dans le désert jusqu'à ce que vous arriviez ici ; [6]ce qu'il a fait à Datân et à Abiram, les fils d'Éliab le Rubénite, quand la terre ouvrit sa bouche et les engloutit au milieu de tout Israël, avec leurs familles, leurs tentes et tous les gens qui les suivaient. [7]Ce sont vos yeux à vous qui ont vu cette grande œuvre de Yahvé.

Promesses et avertissements.

[8]Vous garderez tous les commandements que je vous prescris aujourd'hui, afin d'être forts pour conquérir le pays où vous allez passer pour en prendre possession, [9]afin de demeurer de longs jours sur la terre que Yahvé a promise par serment à vos pères et à

leur descendance, terre qui ruisselle de lait et de miel.

[10]Car le pays où tu entres pour en prendre possession n'est pas comme le pays d'Égypte d'où vous êtes sortis, où après avoir semé, il fallait arroser avec le pied, comme on arrose un jardin potager. [11]Mais le pays où vous allez passer pour en prendre possession est un pays de montagnes et de vallées arrosées de la pluie du ciel. [12]De ce pays Yahvé ton Dieu prend soin, sur lui les yeux de Yahvé ton Dieu restent toujours fixés, depuis le début de l'année jusqu'à sa fin. [13]Assurément, si vous obéissez vraiment à mes commandements que je vous prescris aujourd'hui, aimant Yahvé votre Dieu et le servant de tout votre cœur et de toute votre âme, [14]je donnerai à votre pays la pluie en son temps, pluie d'automne et pluie de printemps, et tu pourras récolter ton froment, ton vin nouveau et ton huile, [15]je donnerai à ton bétail de l'herbe dans la campagne, et tu mangeras et te rassasieras. [16]Gardez-vous de laisser séduire votre cœur : vous vous fourvoieriez, vous serviriez d'autres dieux et vous prosterneriez devant eux ; [17]et la colère de Yahvé s'enflammerait contre vous, il fermerait les cieux, il n'y aurait plus de pluie, la terre ne donnerait plus son fruit et vous péririez bientôt en cet heureux pays que Yahvé vous donne.

Conclusion.

[18]Ces paroles que je vous dis, mettez-les dans votre cœur et dans votre âme, attachez-les à votre main comme un signe, à votre front comme un bandeau. [19]Enseignez-les à vos fils, et répétez-les-leur, aussi bien assis dans ta maison que marchant sur la route, couché aussi bien que debout. [20]Tu les écriras sur les poteaux de ta maison et sur tes portes, [21]afin d'avoir de nombreux jours, vous et vos fils, sur la terre que Yahvé a juré à vos pères de leur donner, aussi longtemps que les cieux demeureront au-dessus de la terre.

[22]Car, si vraiment vous gardez et pratiquez tous ces commandements que je vous prescris, aimant Yahvé votre Dieu, marchant dans toutes ses voies et vous attachant à lui, [23]Yahvé dépossédera à votre profit toutes ces nations, et vous déposséderez des nations plus grandes et plus puissantes que vous. [24]Tout lieu que foulera la plante de vos pieds sera vôtre ; depuis le désert, depuis le Liban, depuis le Fleuve, le fleuve Euphrate, jusqu'à la mer Occidentale s'étendra votre territoire. [25]Personne ne tiendra devant vous, Yahvé votre Dieu vous fera craindre et redouter sur toute l'étendue du pays que vous foulerez, ainsi qu'il vous l'a dit.

[26]Vois ! Je vous offre aujourd'hui bénédiction et malédiction. [27]Bénédiction si vous obéissez aux commandements de Yahvé votre Dieu que je vous prescris aujourd'hui, [28]malédiction si vous désobéissez aux commandements de Yahvé votre Dieu, si vous vous écartez de la voie que je vous prescris aujourd'hui en suivant d'autres dieux que vous n'avez pas connus. [29]Lorsque Yahvé ton Dieu t'aura conduit dans le pays où tu vas entrer pour en prendre

possession, tu placeras la bénédiction sur le mont Garizim et la malédiction sur le mont Ébal. (³⁰Ces monts, on le sait, se trouvent au-delà du Jourdain, sur la route du couchant, dans le pays des Cananéens qui habitent la Araba, vis-à-vis de Gilgal, auprès du Chêne de Moré.) ³¹Car vous allez passer le Jourdain, pour venir prendre possession du pays que Yahvé votre Dieu vous donne. Vous le posséderez, vous y demeurerez, ³²et vous garderez et pratiquerez toutes les lois et coutumes que j'énonce aujourd'hui devant vous.

2. Le Code deutéronomique

12 ¹Et voici les lois et coutumes que vous garderez et pratiquerez, dans le pays que Yahvé le Dieu de tes pères t'a donné pour domaine, tous les jours que vous vivrez sur ce sol.

Le lieu de culte. 1 R 14 23. 2 R 16 4 ; 17 10. Is 57 5. Jr 2 20 ; 3 6, 13 ; 17 2. Ez 6 13.

²Vous abolirez tous les lieux où les peuples que vous dépossédez auront servi leurs dieux, sur les hautes montagnes, sur les collines, sous tout arbre verdoyant. ³Vous démolirez leurs autels, briserez leurs stèles ; leurs pieux sacrés, vous les brûlerez, les images sculptées de leurs dieux, vous les abattrez, et vous abolirez leur nom en ce lieu.

⁴À l'égard de Yahvé votre Dieu vous agirez autrement. ⁵C'est seulement au lieu choisi par Yahvé votre Dieu, entre toutes vos tribus, pour y placer son nom et l'y faire habiter, que vous viendrez pour le chercher. ⁶Vous apporterez là vos holocaustes et vos sacrifices, vos dîmes et les présents de vos mains, vos offrandes votives et vos offrandes volontaires, les premiers-nés de votre gros et de votre petit bétail, ⁷vous y mangerez en présence de Yahvé votre Dieu et vous vous réjouirez de tous vos travaux, vous et vos maisons, parce que Yahvé ton Dieu t'a béni.

⁸Vous n'agirez pas comme nous agissons ici aujourd'hui : chacun fait ce qui lui paraît bon, ⁹puisque vous n'êtes pas encore entrés dans l'établissement et l'héritage que Yahvé ton Dieu te donne. ¹⁰Vous allez passer le Jourdain et demeurer dans le pays que Yahvé votre Dieu vous donne en héritage ; il vous établira à l'abri de tous vos ennemis alentour, et vous aurez une sûre demeure. ¹¹C'est au lieu choisi par Yahvé votre Dieu pour y faire habiter son nom que vous apporterez tout ce que je vous prescris, vos holocaustes et vos sacrifices, vos dîmes, les présents de vos mains et toutes les choses excellentes que vous aurez promises par vœu à Yahvé ; ¹²vous vous réjouirez alors en présence de Yahvé votre Dieu, vous, vos fils et vos filles, vos serviteurs et vos servantes, et le lévite qui demeure chez vous, puisqu'il n'a ni part ni héritage avec vous.

Précisions sur les sacrifices.

[13]Garde-toi d'offrir tes holocaustes en tous les lieux sacrés que tu verras, [14]c'est seulement au lieu choisi par Yahvé dans l'une de tes tribus que tu pourras offrir tes holocaustes et mettre en pratique tout ce que je t'ai ordonné.

[15]Tu pourras pourtant, chaque fois que tu le désireras, immoler et manger, en chacune de tes villes, de la chair pour autant que t'en aura donné la bénédiction de Yahvé ton Dieu. Que l'on soit pur ou impur, on en pourra manger, tout comme si c'était de la gazelle ou du cerf. [16]Cependant vous ne mangerez pas le sang, mais tu le répandras à terre comme de l'eau.

[17]Tu ne pourras pas manger dans tes villes la dîme de ton froment, de ton vin nouveau ou de ton huile, ni les premiers-nés de ton gros ou de ton petit bétail, ni aucune de tes offrandes votives ou de tes offrandes volontaires, ni ce que tu auras présenté de tes mains à Yahvé. [18]Mais tu les mangeras en présence de Yahvé ton Dieu, au lieu choisi par Yahvé ton Dieu et là seulement, toi, ton fils et ta fille, ton serviteur et ta servante, et le lévite qui est chez toi. Tu te réjouiras en présence de Yahvé ton Dieu de tous tes travaux. [19]Sur ton sol, garde-toi de négliger le lévite au long de tes jours.

[20]Lorsque Yahvé ton Dieu aura agrandi ton territoire, comme il te l'a dit, et que tu t'écrieras : « Je voudrais manger de la viande », si tu désires manger de la viande, tu pourras le faire autant que tu voudras. [21]Si le lieu choisi par Yahvé ton Dieu pour y placer son nom est trop loin de toi, tu pourras immoler du gros et du petit bétail que t'aura donné Yahvé, comme je te l'ai ordonné ; tu en mangeras dans tes villes autant que tu le désireras, [22]mais tu en mangeras comme on mange de la gazelle ou du cerf le pur et l'impur en mangeront ensemble. [23]Garde-toi seulement de manger le sang, car le sang, c'est l'âme, et tu ne dois pas manger l'âme avec la chair. [24]Tu ne le mangeras pas, tu le répandras à terre comme de l'eau. [25]Tu ne le mangeras pas, afin d'être heureux, toi et ton fils après toi, en pratiquant ce qui est juste aux yeux de Yahvé. [26]Mais les choses saintes qui seraient à toi, et celles que tu aurais vouées, tu iras les porter à ce lieu choisi par Yahvé. [27]Tu feras l'holocauste de la chair et du sang sur l'autel de Yahvé ton Dieu ; quant à tes sacrifices, le sang en sera répandu sur l'autel de Yahvé ton Dieu, et tu mangeras la chair. [28]Garde docilement et mets en pratique tous ces ordres que je te donne, en sorte d'être heureux pour toujours, toi et ton fils après toi, en accomplissant ce qui est bon et juste aux yeux de Yahvé ton Dieu.

Contre les cultes cananéens.

[29]Lorsque Yahvé ton Dieu aura fait table rase des nations chez qui tu te rends pour le déposséder devant toi, lorsque tu les auras dépossédées et que tu habiteras dans leur pays, [30]garde-toi de te laisser prendre au piège à leur suite, après qu'elles auront été anéanties devant toi, et ne recherche pas leurs dieux en disant : « Comment ces nations servaient-elles leurs

dieux ? Ainsi ferai-je, moi aussi. » [31]Tu ne feras pas ainsi envers Yahvé ton Dieu. Car Yahvé a tout cela en abomination, et il déteste ce qu'elles ont fait pour leurs dieux : elles vont même jusqu'à brûler au feu leurs fils et leurs filles pour leurs dieux !

13 [1]Tout ce que je vous ordonne, vous le garderez et le pratiquerez, sans y ajouter ni en retrancher.

Contre les séductions de l'idolâtrie. 17 2-7 ; 18 21.

[2]Si quelque prophète ou faiseur de songes surgit au milieu de toi, s'il te propose un signe ou un prodige [3]et qu'ensuite ce signe ou ce prodige annoncé arrive, s'il te dit alors : « Allons à la suite d'autres dieux (que tu n'as pas connus) et servons-les », [4]tu n'écouteras pas les paroles de ce prophète ni les songes de ce songeur. C'est Yahvé votre Dieu qui vous éprouve pour savoir si vraiment vous aimez Yahvé votre Dieu de tout votre cœur et de toute votre âme. [5]C'est Yahvé votre Dieu que vous suivrez et c'est lui que vous craindrez, ce sont ses commandements que vous garderez, c'est à sa voix que vous obéirez, c'est lui que vous servirez, c'est à lui que vous vous attacherez. [6]Ce prophète ou ce faiseur de songes devra mourir, car il a prêché l'apostasie envers Yahvé ton Dieu, qui vous a fait sortir du pays d'Égypte et t'a racheté de la maison de servitude, et il t'aurait égaré loin de la voie où Yahvé ton Dieu t'a ordonné de marcher. Tu feras disparaître le mal du milieu de toi.

[7]Si ton frère, fils de ton père ou fils de ta mère, ton fils, ta fille, l'épouse qui repose sur ton sein ou le compagnon qui est un autre toi-même, cherche dans le secret à te séduire en disant : « Allons servir d'autres dieux », que tes pères ni toi n'avez connus, [8]parmi les dieux des peuples proches ou lointains qui vous entourent, d'une extrémité de la terre à l'autre, [9]tu ne l'approuveras pas, tu ne l'écouteras pas, ton œil sera sans pitié, tu ne l'épargneras pas et tu ne cacheras pas sa faute. [10]Oui, tu devras le tuer, ta main sera la première contre lui pour le mettre à mort, et la main de tout le peuple continuera l'exécution. [11]Tu le lapideras jusqu'à ce que mort s'ensuive, car il a cherché à t'égarer loin de Yahvé ton Dieu, qui t'a fait sortir du pays d'Égypte, de la maison de servitude. [12]Tout Israël en l'apprenant sera saisi de crainte, et cessera de pratiquer ce mal au milieu de toi.

[13]Si tu entends dire que dans l'une des villes que Yahvé ton Dieu t'a données pour y habiter, [14]des hommes, des vauriens, issus de ta race, ont égaré leurs concitoyens en disant : « Allons servir d'autres dieux », que vous n'avez pas connus, [15]tu examineras l'affaire, tu feras une enquête, tu interrogeras avec soin. S'il est bien avéré et s'il est bien établi qu'une telle abomination a été commise au milieu de toi, [16]tu devras passer au fil de l'épée les habitants de cette ville, tu la voueras à l'anathème, elle et tout ce qu'elle contient ; [17]tu en rassembleras toutes les dépouilles au milieu de la place publique et tu brûleras la ville avec toutes ses dépouilles,

l'offrant tout entière à Yahvé ton Dieu. Elle deviendra pour toujours une ruine, qui ne sera plus rebâtie. [18]De cet anathème tu ne garderas rien, afin que Yahvé revienne de l'ardeur de sa colère, qu'il te fasse miséricorde, qu'il ait pitié de toi et qu'il te multiplie comme il l'a juré à tes pères, [19]à condition que tu écoutes la voix de Yahvé ton Dieu en gardant tous ses commandements que je te prescris aujourd'hui et en pratiquant ce qui est juste aux yeux de Yahvé ton Dieu.

Contre une pratique idolâtrique. ‖ Lv 19 27-28.

14 [1]Vous êtes des fils pour Yahvé votre Dieu. Vous ne vous ferez pas d'incision ni de tonsure sur le front pour un mort. [2]Car tu es un peuple consacré à Yahvé ton Dieu et Yahvé t'a choisi pour être son peuple à lui parmi tous les peuples qui sont sur la terre.

Animaux purs et impurs. Lv 11.

[3]Tu ne mangeras rien de ce qui est abominable. [4]Voici les animaux que vous pourrez manger : le bœuf, le mouton, la chèvre, [5]le cerf, la gazelle, le daim, le bouquetin, l'antilope, l'oryx, le mouflon. [6]Vous pourrez manger de tout animal qui a le sabot fourchu, fendu en deux ongles, et qui rumine. [7]Toutefois, parmi les ruminants et parmi les animaux à sabot fourchu et fendu, vous ne pourrez manger ceux-ci : le chameau, le lièvre et le daman, qui ruminent mais n'ont pas le sabot fourchu ; vous les tiendrez pour impurs. [8]Ni le porc, qui a bien le sabot fourchu et fendu mais qui ne rumine pas ; vous le

tiendrez pour impur. Vous ne mangerez pas de leur chair et ne toucherez pas à leurs cadavres.

[9]Parmi tout ce qui vit dans l'eau, vous pourrez manger ceci : tout ce qui a nageoires et écailles, vous en pourrez manger. [10]Mais vous ne mangerez point de ce qui n'a pas nageoires et écailles : vous le tiendrez pour impur.

[11]Vous pourrez manger de tout oiseau pur, [12]mais voici ceux des oiseaux dont vous ne pourrez manger : le vautour-griffon, le gypaète, l'orfraie, [13]le milan noir, les différentes espèces de milan rouge, [14]toutes les espèces de corbeau, [15]l'autruche, le chat-huant, la mouette et les différentes espèces d'épervier, [16]le hibou, la chouette, l'ibis, [17]le pélican, le vautour blanc, le cormoran, [18]la cigogne et les différentes espèces de héron, la huppe, la chauve-souris. [19]Vous tiendrez toutes les bestioles ailées pour impures, vous n'en mangerez pas. [20]Vous pourrez manger de tout volatile pur.

[21]Vous ne pourrez manger aucune bête crevée. Tu la donneras à l'étranger qui réside chez toi pour qu'il la mange, ou bien vends-la à un étranger du dehors. Tu es en effet un peuple consacré à Yahvé ton Dieu.

Tu ne feras pas cuire un chevreau dans le lait de sa mère.

La dîme annuelle.

[22]Chaque année, tu devras prendre la dîme de tout ce que tes semailles auront rapporté dans tes champs [23]et, en présence de Yahvé ton Dieu, au lieu qu'il aura choisi pour y faire habiter son nom, tu mangeras la dîme de ton

froment, de ton vin nouveau et de ton huile, les premiers-nés de ton gros et de ton petit bétail ; ainsi tu apprendras à toujours craindre Yahvé ton Dieu.

²⁴Si le chemin est trop long pour toi, si tu ne peux pas apporter la dîme parce que le lieu choisi par Yahvé pour y faire habiter son nom est trop loin de chez toi, quand Yahvé ton Dieu t'aura béni ²⁵tu la convertiras en argent, tu serreras l'argent dans ta main et tu iras au lieu choisi par Yahvé ton Dieu ; ²⁶là tu échangeras cet argent contre tout ce que tu désireras, gros ou petit bétail, vin ou boisson fermentée, tout ce dont tu auras envie. Tu mangeras là en présence de Yahvé ton Dieu et tu te réjouiras, toi et ta maison. ²⁷Tu ne négligeras pas le lévite qui est dans tes portes, puisqu'il n'a ni part ni héritage avec toi.

La dîme triennale. 26 12.

²⁸Au bout de trois ans, tu prélèveras toutes les dîmes de tes récoltes de cette année-là et tu les déposeras à tes portes. ²⁹Viendront alors manger le lévite (puisqu'il n'a ni part ni héritage avec toi), l'étranger, l'orphelin et la veuve de ta ville, et ils s'en rassasieront. Ainsi Yahvé ton Dieu te bénira dans tous les travaux que tes mains pourront entreprendre.

L'année sabbatique. Lv 25 1-7.

15 ¹Au bout de sept ans tu feras remise. ²Voici en quoi consiste la remise. Tout détenteur d'un gage personnel qu'il aura obtenu de son prochain, lui en fera remise ; il n'exploitera pas son prochain ni son frère, quand celui-ci en aura appelé à Yahvé pour remise. ³Tu pourras exploiter l'étranger, mais tu libéreras ton frère de ton droit sur lui. ⁴Qu'il n'y ait donc pas de pauvre chez toi. Car Yahvé ne t'accordera sa bénédiction dans le pays que Yahvé ton Dieu te donne en héritage pour le posséder, ⁵que si tu écoutes vraiment la voix de Yahvé ton Dieu, en gardant et pratiquant tous ces commandements que je te prescris aujourd'hui. ⁶Si Yahvé ton Dieu te bénit comme il l'a dit, tu prêteras à des nations nombreuses, sans avoir besoin de leur emprunter, et tu domineras des nations nombreuses, sans qu'elles te dominent.

⁷Se trouve-t-il chez toi un pauvre, d'entre tes frères, dans l'une des villes de ton pays que Yahvé ton Dieu t'a donné ? Tu n'endurciras pas ton cœur ni ne fermeras ta main à ton frère pauvre, ⁸mais tu lui ouvriras ta main et tu lui prêteras ce qui lui manque. ⁹Ne va pas tenir en ton cœur ces mauvais propos : « Voici bientôt la septième année, l'année de remise », en regardant méchamment ton frère pauvre sans rien lui donner ; il en appellerait à Yahvé contre toi et tu serais chargé d'un péché ! ¹⁰Quand tu lui donnes, tu dois lui donner de bon cœur, car pour cela Yahvé ton Dieu te bénira dans toutes tes actions et dans tous tes travaux. ¹¹Certes, les pauvres ne disparaîtront point de ce pays ; aussi je te donne ce commandement : Tu dois ouvrir ta main à ton frère, à celui qui est humilié et pauvre dans ton pays.

L'esclave.

¹²Si ton frère hébreu, homme ou femme, se vend à toi, il te servira six ans. La septième année tu le renverras libre ¹³et, le renvoyant libre, tu ne le renverras pas les mains vides. ¹⁴Tu chargeras sur ses épaules, à titre de cadeau, quelque produit de ton petit bétail, de ton aire et de ton pressoir ; selon ce dont t'aura béni Yahvé ton Dieu, tu lui donneras. ¹⁵Tu te souviendras que tu as été en servitude au pays d'Égypte et que Yahvé ton Dieu t'a racheté : voilà pourquoi je te donne aujourd'hui cet ordre.

¹⁶Mais s'il te dit : « Je ne veux pas te quitter », s'il t'aime, toi et ta maison, s'il est heureux avec toi, ¹⁷tu prendras un poinçon, tu lui en perceras l'oreille contre la porte et il sera ton serviteur pour toujours. Envers ta servante tu feras de même.

¹⁸Qu'il ne te semble pas trop pénible de le renvoyer en liberté : il vaut deux fois le salaire d'un mercenaire, celui qui t'aura servi six ans. Et Yahvé ton Dieu te bénira en tout ce que tu feras.

Les premiers-nés. Ex 13 2, 11.

¹⁹Tout premier-né mâle de ta vache ou de ta brebis, tu le consacreras à Yahvé ton Dieu. Tu ne feras pas travailler le premier-né de ta vache, ni ne tondras le premier-né de ta brebis. ²⁰Tu le mangeras, toi et ta maison, chaque année, en présence de Yahvé ton Dieu au lieu choisi par Yahvé. ²¹S'il a quelque tare, s'il est boiteux ou aveugle, n'importe quelle tare grave, tu ne l'immoleras pas

à Yahvé ton Dieu ; ²²tu le mangeras chez toi, purs et impurs réunis, comme tu mangerais de la gazelle ou du cerf ; ²³seulement, tu n'en mangeras pas le sang, tu le répandras à terre comme de l'eau.

Les fêtes : Pâque et Azymes.
Ex 12 1. 23 14. Lv 23 5-8. Nb 28 16-25.

16 ¹Observe le mois d'Abib et célèbre une Pâque pour Yahvé ton Dieu, car c'est au mois d'Abib que Yahvé ton Dieu, la nuit, t'a fait sortir d'Égypte. ²Tu immoleras pour Yahvé ton Dieu une pâque de gros et de petit bétail, au lieu choisi par Yahvé ton Dieu pour y faire habiter son nom. ³Tu ne mangeras pas, avec la victime, de pain fermenté ; pendant sept jours tu mangeras avec elle des azymes – un pain de misère – car c'est en toute hâte que tu as quitté le pays d'Égypte : ainsi tu te souviendras, tous les jours de ta vie, du jour où tu sortis du pays d'Égypte. ⁴Pendant sept jours on ne verra pas chez toi de levain, sur tout ton territoire, et de la chair que tu auras sacrifiée le soir du premier jour rien ne devra être gardé jusqu'au lendemain. ⁵Tu ne pourras pas immoler la pâque dans l'une des villes que Yahvé ton Dieu t'aura données, ⁶mais c'est au lieu choisi par Yahvé ton Dieu pour y faire habiter son nom que tu immoleras la pâque, le soir au coucher du soleil, à l'heure de ta sortie d'Égypte. ⁷Tu la feras cuire et tu la mangeras au lieu choisi par Yahvé ton Dieu, puis, au matin, tu t'en retourneras et tu iras à tes tentes. ⁸Pendant six jours tu mangeras des azymes ; au septième jour une réunion aura lieu pour Yahvé ton Dieu ; et tu ne feras aucun travail.

Autres fêtes. Ex 23 14. Lv 23 15-21.

⁹Tu compteras sept semaines. Quand la faucille aura commencé à couper les épis, alors tu commenceras à compter ces sept semaines. ¹⁰Puis tu célébreras pour Yahvé ton Dieu la fête des Semaines, avec l'offrande volontaire que fera ta main, selon ce dont Yahvé ton Dieu te bénit. ¹¹En présence de Yahvé ton Dieu tu te réjouiras, au lieu choisi par Yahvé ton Dieu pour y faire habiter son nom : toi, ton fils et ta fille, ton serviteur et ta servante, le lévite qui est dans tes portes, l'étranger, l'orphelin et la veuve qui vivent au milieu de toi. ¹²Tu te souviendras que tu as été en servitude au pays d'Égypte, et tu garderas ces lois pour les mettre en pratique.

¹³Tu célébreras la fête des Tentes pendant sept jours, au moment où tu rentreras le produit de ton aire et de ton pressoir. ¹⁴Tu te réjouiras à ta fête, toi, ton fils et ta fille, ton serviteur et ta servante, le lévite et l'étranger, l'orphelin et la veuve qui sont dans tes portes. ¹⁵Pendant sept jours tu feras fête à Yahvé ton Dieu au lieu choisi par Yahvé ; car Yahvé ton Dieu te bénira dans toutes tes récoltes et dans tous tes travaux, pour que tu sois pleinement joyeux.

¹⁶Trois fois par an, on verra tous les mâles de chez toi, devant Yahvé ton Dieu, au lieu qu'il aura choisi : à la fête des Azymes, à la fête des Semaines, à la fête des Tentes. Aucun ne se présentera les mains vides devant Yahvé ; ¹⁷mais chacun donnera, à la mesure de la bénédiction que Yahvé ton Dieu t'aura donnée.

Les juges. Ex 23 1-3, 6-8. 2 Ch 19 5-11.

¹⁸Tu établiras des juges et des scribes, en chacune des villes que Yahvé ton Dieu te donne, pour toutes tes tribus ; ils jugeront le peuple en des jugements justes. ¹⁹Tu ne feras pas dévier le droit, tu n'auras pas égard aux personnes et tu n'accepteras pas de présent, car le présent aveugle les yeux des sages et ruine les causes des justes. ²⁰C'est la stricte justice que tu rechercheras, afin de vivre et de posséder le pays que Yahvé ton Dieu te donne.

Déviations du culte.

²¹Tu ne planteras pas de pieu sacré, de quelque bois que ce soit, à côté de l'autel de Yahvé ton Dieu que tu te seras bâti, ²²et tu ne dresseras pas de stèle, qui serait odieuse à Yahvé ton Dieu.

17 ¹Tu n'immoleras pas à Yahvé ton Dieu une pièce de gros ou de petit bétail qui ait une tare ou un défaut quelconque, car Yahvé ton Dieu a cela en abomination.

²S'il se trouve au milieu de toi, dans l'une des villes que Yahvé ton Dieu t'aura données, un homme ou une femme qui fasse ce qui est mal aux yeux de Yahvé ton Dieu, en transgressant son alliance, ³qui aille servir d'autres dieux et se prosterner devant eux, et devant le soleil, la lune ou quelque autre de l'armée des cieux, ce que je n'ai pas commandé, ⁴et qu'on te le dénonce ; si, après l'avoir entendu et fait une bonne enquête, le fait est avéré et s'il est bien éta-

bli que cette chose abominable a été commise en Israël, ⁵tu feras sortir aux portes de ta ville cet homme ou cette femme coupable de cette mauvaise action, et tu lapideras cet homme ou cette femme jusqu'à ce que mort s'ensuive. ⁶On ne pourra être condamné à mort qu'au dire de deux ou trois témoins, on ne sera pas mis à mort au dire d'un seul témoin. ⁷Les témoins mettront les premiers la main à l'exécution du condamné, puis tout le peuple y mettra la main. Tu feras disparaître le mal du milieu de toi.

Les juges lévites.

⁸Si tu as à juger un cas qui te dépasse, affaire de meurtre, contestation ou voie de fait, un litige quelconque dans ta ville, tu partiras et tu monteras au lieu choisi par Yahvé ton Dieu, ⁹tu iras trouver les prêtres lévites et le juge alors en fonction. Ils feront une enquête, et ils te feront connaître la sentence. ¹⁰Tu te conformeras à la parole qu'ils t'auront fait connaître en ce lieu choisi par Yahvé, et tu prendras garde d'agir selon toutes leurs instructions. ¹¹Tu te conformeras à la décision qu'ils t'auront fait connaître et à la sentence qu'ils auront prononcée, sans t'écarter ni à droite ni à gauche de la parole qu'ils t'auront fait connaître. ¹²Si quelqu'un agit présomptueusement, n'obéissant ni au prêtre qui se tient là pour le service de Yahvé ton Dieu, ni au juge, cet homme mourra. Tu feras disparaître d'Israël le mal. ¹³Le peuple l'apprendra, craindra, et cessera d'agir avec présomption.

Les rois. 1 S 8 11-18.

¹⁴Lorsque tu seras arrivé en ce pays que Yahvé ton Dieu te donne, que tu en auras pris possession et que tu y habiteras, si tu te dis : « Je veux établir sur moi un roi, comme toutes les nations d'alentour », ¹⁵c'est un roi choisi par Yahvé ton Dieu que tu devras établir sur toi, c'est quelqu'un d'entre tes frères que tu établiras sur toi comme roi, tu ne pourras pas te donner un roi étranger qui ne soit pas ton frère.

¹⁶Mais qu'il n'aille pas multiplier ses chevaux, et qu'il ne ramène pas le peuple en Égypte pour accroître sa cavalerie, car Yahvé vous a dit : « Vous ne retournerez jamais par ce chemin. » ¹⁷Qu'il ne multiplie pas le nombre de ses femmes, ce qui pourrait égarer son cœur. Qu'il ne multiplie pas à l'excès son argent et son or. ¹⁸Lorsqu'il montera sur le trône royal, il devra écrire sur un rouleau, pour son usage, une copie de cette Loi, sous la dictée des prêtres lévites. ¹⁹Elle ne le quittera pas ; il la lira tous les jours de sa vie, pour apprendre à craindre Yahvé son Dieu en gardant toutes les paroles de cette Loi, ainsi que ces règles pour les mettre en pratique. ²⁰Il évitera ainsi de s'enorgueillir au-dessus de ses frères, et il ne s'écartera de ces commandements ni à droite ni à gauche. À cette condition, il aura lui et ses fils, de longs jours sur le trône en Israël.

Le sacerdoce lévitique. Nb 18.

18 ¹Les prêtres lévites, toute la tribu de Lévi, n'auront point de part ni d'héritage avec Israël :

ils vivront des mets offerts à Yahvé et de son patrimoine. ²Cette tribu n'aura pas d'héritage au milieu de ses frères ; c'est Yahvé qui sera son héritage, ainsi qu'il le lui a dit.

³Voici les droits des prêtres sur le peuple, sur ceux qui offrent un sacrifice de gros ou de petit bétail : on donnera au prêtre l'épaule, les mâchoires et l'estomac. ⁴Tu lui donneras les prémices de ton froment, de ton vin nouveau et de ton huile, ainsi que les prémices de la tonte de ton petit bétail. ⁵Car c'est lui que Yahvé ton Dieu a choisi entre toutes tes tribus pour se tenir devant Yahvé ton Dieu, pour faire le service divin et donner la bénédiction au nom de Yahvé, lui et ses fils pour toujours.

⁶Si le lévite séjournant en l'une de tes villes, où que ce soit en Israël, vient, selon son désir, au lieu choisi par Yahvé, ⁷il y officiera au nom de Yahvé son Dieu comme tous ses frères lévites qui se tiennent là en présence de Yahvé, ⁸mangeant une part égale à la leur – sans compter ce qui lui vient par la vente de son patrimoine.

Les prophètes.

⁹Lorsque tu seras entré dans le pays que Yahvé ton Dieu te donne, tu n'apprendras pas à commettre les mêmes abominations que ces nations-là. ¹⁰On ne trouvera chez toi personne qui fasse passer au feu son fils ou sa fille, qui pratique divination, incantation, mantique ou magie, ¹¹personne qui use de charmes, qui interroge les spectres et devins, qui invoque les morts. ¹²Car quiconque fait ces choses est en abomination à Yahvé ton Dieu, et c'est à cause de ces abominations que Yahvé ton Dieu chasse ces nations devant toi.

¹³Tu seras sans tache vis-à-vis de Yahvé ton Dieu. ¹⁴Car ces nations que tu dépossèdes écoutaient enchanteurs et devins, mais tel n'a pas été pour toi le don de Yahvé ton Dieu. ¹⁵Yahvé ton Dieu suscitera pour toi, du milieu de toi, parmi tes frères, un prophète comme moi, que vous écouterez. ¹⁶C'est cela même que tu as demandé à Yahvé ton Dieu, à l'Horeb, au jour de l'Assemblée : « Pour ne pas mourir, je n'écouterai plus la voix de Yahvé mon Dieu et je ne regarderai plus ce grand feu », ¹⁷et Yahvé me dit : « Ils ont bien parlé. ¹⁸Je leur susciterai, du milieu de leurs frères, un prophète semblable à toi, je mettrai mes paroles dans sa bouche et il leur dira tout ce que je lui ordonnerai. ¹⁹Si un homme n'écoute pas mes paroles, que ce prophète aura prononcées en mon nom, alors c'est moi-même qui en demanderai compte à cet homme. ²⁰Mais si un prophète a l'audace de dire en mon nom une parole que je n'ai pas ordonné de dire, et s'il parle au nom d'autres dieux, ce prophète mourra. »

²¹Peut-être vas-tu dire en ton cœur : « Comment saurons-nous que cette parole, Yahvé ne l'a pas dite ? » ²²Si ce prophète a parlé au nom de Yahvé, et que sa parole reste sans effet et ne s'accomplit pas, alors Yahvé n'a pas dit cette parole-là. Le prophète a parlé avec présomption. Tu n'as pas à le craindre.

L'homicide et les villes de refuge. Ex 21 13-14. Nb 35 9-34.

19 ¹Lorsque Yahvé ton Dieu aura fait table rase des nations dont Yahvé ton Dieu te donne le pays, que tu les auras dépossédées et que tu habiteras leurs villes et leurs maisons, ²tu mettras à part trois villes au milieu du pays que Yahvé ton Dieu te donne pour domaine. ³Tu tiendras leurs accès en bon état, et tu diviseras en trois le territoire du pays que Yahvé ton Dieu te donne en héritage cela afin que tout meurtrier puisse fuir en ces villes. ⁴Voici le cas de celui qui peut sauver sa vie en y fuyant.

Quelqu'un a-t-il frappé son prochain involontairement, sans avoir contre lui de haine invétérée ⁵(ainsi il va à la forêt avec son prochain pour couper du bois, sa main brandit la hache pour abattre un arbre, le fer s'échappe du manche et s'en va frapper mortellement son compagnon) : celui-là peut fuir en l'une de ces villes et conserver la vie. ⁶Il ne faudrait pas que le vengeur du sang, dans l'ardeur de sa colère, poursuivît le meurtrier, que la longueur du chemin lui permît de le rejoindre et de le frapper mortellement – cet homme qui n'est pas passible de mort, puisqu'il n'avait pas de haine invétérée contre sa victime. ⁷Je te donne donc cet ordre : « Tu mettras à part trois villes », ⁸et si Yahvé ton Dieu agrandit ton territoire comme il l'a juré à tes pères et te donne tout le pays qu'il a promis de donner à tes pères – ⁹à la condition que tu gardes et pratiques tous les commandements que je te prescris aujourd'hui, aimant Yahvé ton Dieu et suivant toujours ses voies –, à ces trois-là tu ajouteras encore trois villes. ¹⁰Ainsi le sang innocent ne sera pas répandu au milieu du pays que Yahvé ton Dieu te donne en héritage : autrement il y aurait du sang sur toi.

¹¹Mais s'il arrive qu'un homme haïssant son prochain lui dresse une embûche, se jette sur lui et le frappe mortellement, et qu'il s'enfuie ensuite dans l'une de ces villes, ¹²les anciens de sa cité l'y enverront prendre et le feront livrer au vengeur du sang, pour qu'il meure. ¹³Ton œil sera sans pitié. Tu feras disparaître d'Israël toute effusion de sang innocent, et tu seras heureux.

Les bornes.

¹⁴Tu ne déplaceras pas les bornes de ton prochain, posées par les ancêtres, dans l'héritage reçu au pays que Yahvé ton Dieu te donne pour domaine.

Les témoins.

¹⁵Un seul témoin ne peut suffire pour convaincre un homme de quelque faute ou délit que ce soit ; quel que soit le délit, c'est à dire de deux ou trois témoins que la cause sera établie.

¹⁶Si un témoin injuste se lève contre un homme pour l'accuser de rébellion, ¹⁷les deux hommes qui ont ainsi procès devant Yahvé comparaîtront devant les prêtres et les juges alors en fonctions. ¹⁸Les juges feront une bonne enquête, et, s'il appert que c'est un témoin mensonger, qui a accusé son frère en mentant, ¹⁹vous le

traiterez comme il méditait de traiter son frère. Tu feras disparaître le mal du milieu de toi. ²⁰Les autres, en l'apprenant, seront saisis de crainte, et cesseront de commettre un tel mal au milieu de toi. ²¹Ton œil sera sans pitié.

Le talion. Ex 21 25.

Vie pour vie, œil pour œil, dent pour dent, main pour main, pied pour pied.

La guerre et les combattants.

20 ¹Lorsque tu partiras en guerre contre tes ennemis et que tu verras des chevaux, des chars et un peuple plus nombreux que toi, tu n'en auras pas peur ; car Yahvé ton Dieu est avec toi, lui qui t'a fait monter du pays d'Égypte. ²Quand vous serez sur le point d'engager le combat, le prêtre s'avancera et parlera au peuple. ³Il leur dira : « Écoute, Israël, vous qui êtes aujourd'hui sur le point d'engager le combat contre vos ennemis, que votre cœur ne faiblisse pas ! N'ayez ni crainte ni angoisse, et ne tremblez pas devant eux. ⁴Car Yahvé votre Dieu marche avec vous, pour combattre pour vous, contre vos ennemis, et vous sauver. »

⁵Puis les scribes parleront au peuple et diront :

« Qui a bâti une maison neuve et ne l'a pas encore dédiée ? Qu'il s'en aille et retourne chez lui, de peur qu'il ne périsse au combat et qu'un autre ne la dédie !

⁶« Qui a planté une vigne et n'en a pas encore cueilli les premiers fruits ? Qu'il s'en aille et retourne chez lui, de peur qu'il ne périsse au combat et qu'un autre n'en cueille les premiers fruits !

⁷« Qui s'est fiancé à une femme et ne l'a pas encore épousée ? Qu'il s'en aille et retourne chez lui, de peur qu'il ne périsse au combat et qu'un autre ne l'épouse ! »

⁸Les scribes diront encore ceci au peuple : « Qui a peur et sent mollir son courage ? Qu'il s'en aille et retourne chez lui, afin de ne pas faire fondre comme le sien le cœur de ses frères ! »

⁹Puis, les scribes ayant achevé de parler au peuple, on placera à sa tête des chefs de troupe.

La conquête des villes.

¹⁰Lorsque tu t'approcheras d'une ville pour la combattre, tu lui proposeras la paix. ¹¹Si elle l'accepte et t'ouvre ses portes, tout le peuple qui s'y trouve te devra la corvée et le travail. ¹²Mais si elle refuse la paix et te livre combat, tu l'assiégeras. ¹³Yahvé ton Dieu la livrera en ton pouvoir, et tu en passeras tous les mâles au fil de l'épée. ¹⁴Toutefois les femmes, les enfants, le bétail, tout ce qui se trouve dans la ville, toutes ses dépouilles, tu les prendras comme butin. Tu mangeras les dépouilles de tes ennemis que Yahvé ton Dieu t'aura livrés.

¹⁵C'est ainsi que tu traiteras les villes très éloignées de toi, qui n'appartiennent pas à ces nations-ci. ¹⁶Quant aux villes de ces peuples que Yahvé ton Dieu te donne en héritage, tu n'en laisseras rien subsister de vivant. ¹⁷Oui, tu les dévoueras à l'anathème, ces Hittites, ces Amorites, ces Cananéens, ces Perizzites, ces Hivvites, ces Jébuséens, ainsi que te l'a

commandé Yahvé ton Dieu, ¹⁸afin qu'ils ne vous apprennent pas à pratiquer toutes ces abominations qu'ils pratiquent envers leurs dieux : vous pécheriez contre Yahvé votre Dieu !

¹⁹Si, en attaquant une ville, tu dois l'assiéger longtemps pour la prendre, tu ne mutileras pas ses arbres en y portant la hache ; tu t'en nourriras sans les abattre. Est-il homme, l'arbre des champs, pour que tu le traites en assiégé ? ²⁰Cependant, les arbres que tu sais n'être pas des arbres fruitiers, tu pourras les mutiler, les abattre, et en faire des ouvrages de siège contre cette ville en guerre contre toi, jusqu'à ce qu'elle succombe.

Cas du meurtrier inconnu.

21 ¹Si l'on découvre, sur la terre que Yahvé ton Dieu te donne pour domaine, un homme assassiné gisant dans la campagne, sans qu'on sache qui l'a frappé, ²tes anciens et tes scribes iront mesurer la distance entre la victime et les villes d'alentour, ³et détermineront quelle est la ville la plus proche de la victime. Puis les anciens de cette ville prendront une génisse qu'on n'ait pas encore fait travailler ni tirer sous le joug. ⁴Les anciens de cette ville feront descendre la génisse à un cours d'eau qui ne tarit pas, en un lieu qui n'a été ni travaillé ni ensemencé, et là, sur le cours d'eau, ils briseront la nuque de la génisse. ⁵Les prêtres fils de Lévi s'approcheront ; car ce sont eux que Yahvé ton Dieu a choisis pour son service et pour donner la bénédiction au nom de Yahvé, et il leur revient de prononcer sur toute querelle et sur toute voie de fait. ⁶Alors, tous les anciens de la ville la plus proche de l'homme tué se laveront les mains dans le cours d'eau, sur la génisse abattue. ⁷Ils prononceront ces paroles : « Nos mains n'ont pas versé ce sang et nos yeux n'ont rien vu. ⁸Pardonne à Israël ton peuple, toi Yahvé qui l'as racheté, et ne laisse pas verser un sang innocent au milieu d'Israël ton peuple. Et ce sang leur sera pardonné. » ⁹Mais toi, tu feras disparaître du milieu de toi toute effusion de sang innocent, si tu veux faire ce qui est juste aux yeux de Yahvé.

Les captives.

¹⁰Lorsque tu partiras en guerre contre tes ennemis, que Yahvé ton Dieu les aura livrés en ton pouvoir et que tu leur auras fait des prisonniers, ¹¹si tu vois parmi eux une femme bien faite et que tu t'en éprennes, tu pourras la prendre pour femme ¹²et l'amener en ta maison. Elle se rasera la tête, se coupera les ongles ¹³et quittera son vêtement de captive ; elle demeurera dans ta maison et pleurera tout un mois son père et sa mère. Ensuite tu pourras t'approcher d'elle, agir en mari, et elle sera ta femme. ¹⁴S'il arrive qu'elle cesse de te plaire, tu la laisseras partir à son gré, sans la vendre à prix d'argent : tu ne dois pas en tirer profit, puisque tu as usé d'elle.

Droit d'aînesse.

¹⁵Si un homme a deux femmes, l'une qu'il aime et l'autre qu'il n'aime pas, et que la femme aimée et l'autre lui donnent des fils, s'il arrive que l'aîné soit de la

femme qu'il n'aime pas, ¹⁶cet homme ne pourra pas, le jour où il attribuera ses biens à ses fils, traiter en aîné le fils de la femme qu'il aime, au détriment du fils de la femme qu'il n'aime pas, l'aîné véritable. ¹⁷Mais il reconnaîtra l'aîné dans le fils de celle-ci, en lui donnant double part de tout ce qu'il possède : car ce fils, prémices de sa vigueur, détient le droit d'aînesse.

Le fils indocile.

¹⁸Si un homme a un fils dévoyé et indocile, qui ne veut écouter ni la voix de son père ni la voix de sa mère, et qui, châtié par eux, ne les écoute pas davantage, ¹⁹son père et sa mère se saisiront de lui et l'amèneront dehors aux anciens de la ville, à la porte du lieu. ²⁰Ils diront aux anciens de sa ville : « Notre fils que voici se dévoie, il est indocile et ne nous écoute pas, il est débauché et buveur. » ²¹Alors tous ses citoyens le lapideront jusqu'à ce que mort s'ensuive. Tu feras disparaître le mal du milieu de toi, tout Israël l'entendra dire et craindra.

Prescriptions diverses.

²²Si un homme, coupable d'un crime capital, a été mis à mort et que tu l'aies pendu à un arbre, ²³son cadavre ne pourra être laissé la nuit sur l'arbre ; tu l'enterreras le jour même, car un pendu est une malédiction de Dieu, et tu ne rendras pas impur le sol que Yahvé ton Dieu te donne en héritage.

|| Ex 23 4-5.

22 ¹Si tu vois vagabonder le bœuf de ton frère ou quelque pièce de son petit bétail, tu ne te déroberas pas, mais tu les ramèneras à ton frère. ²Si ton frère n'est pas de ton voisinage ou si tu ne le connais pas, tu les recueilleras chez toi et tu les garderas avec toi jusqu'à ce que ton frère vienne les chercher ; alors tu les lui rendras.

³Ainsi feras-tu pour son âne, ainsi feras-tu pour son manteau, ainsi feras-tu pour tout objet perdu par ton frère et que tu trouveras ; tu n'as pas le droit de te dérober.

⁴Si tu vois tomber en chemin l'âne ou le bœuf de ton frère, tu ne te déroberas pas mais tu aideras ton frère à le relever.

⁵Une femme ne portera pas un costume masculin, et un homme ne mettra pas un vêtement de femme ; quiconque agit ainsi est en abomination à Yahvé ton Dieu.

⁶Si tu rencontres en chemin un nid d'oiseau avec des oisillons ou des œufs, sur un arbre ou à terre, et que la mère soit posée sur les oisillons ou les œufs, tu ne prendras pas la mère sur les petits. ⁷Laisse partir la mère ; ce sont les petits que tu prendras pour toi. Ainsi auras-tu prospérité et longue vie.

⁸Quand tu bâtiras une maison neuve, tu feras au toit un parapet ; ainsi ta maison n'encourra pas la vengeance du sang au cas où quelqu'un viendrait à tomber.

⁹Tu ne sèmeras pas autre chose dans ta vigne, de peur que le tout ne soit consacré : et le produit de ta semence, et le fruit de ta vigne.

¹⁰Tu ne laboureras pas avec un bœuf et un âne ensemble.

¹¹Tu ne porteras pas de vêtement tissé mi-laine mi-lin.

¹²Tu feras des houppes aux quatre pans de l'habit dont tu te couvriras.

Atteintes à la réputation d'une jeune femme.

¹³Si un homme épouse une femme, s'unit à elle et ensuite la prend en aversion, ¹⁴et qu'il lui impute alors des fautes et la diffame publiquement en disant : « Cette femme que j'ai épousée et dont je me suis approché, je ne lui ai pas trouvé les signes de la virginité », ¹⁵le père de la jeune femme et sa mère prendront les signes de sa virginité et les produiront devant les anciens de la ville, à la porte. ¹⁶Le père de la jeune femme dira alors aux anciens : « Ma fille que j'ai donnée pour femme à cet homme, il l'a prise en aversion, ¹⁷et voici qu'il lui impute des fautes en disant : "Je n'ai pas trouvé à ta fille les signes de la virginité." Or, voici les signes de la virginité de ma fille. » Et ils déploieront le linge devant les anciens de la cité. ¹⁸Les anciens de cette cité se saisiront de l'homme, le châtieront ¹⁹et lui infligeront une amende de cent pièces d'argent, qu'ils donneront au père de la jeune femme, pour avoir diffamé publiquement une vierge d'Israël. Il l'aura pour femme et ne pourra jamais la répudier.

²⁰Mais si la chose est avérée, et qu'on n'ait pas trouvé à la jeune femme les signes de la virginité, ²¹on la fera sortir à la porte de la maison de son père et ses concitoyens la lapideront jusqu'à ce que mort s'ensuive, pour avoir commis une infamie en Israël en déshonorant la maison de son pè-

re. Tu feras disparaître le mal du milieu de toi.

Adultère et fornication.

²²Si l'on prend sur le fait un homme couchant avec une femme mariée, tous deux mourront : l'homme qui a couché avec la femme et la femme elle-même. Tu feras disparaître d'Israël le mal.

²³Si une jeune fille vierge est fiancée à un homme, qu'un autre homme la rencontre dans la ville et couche avec elle, ²⁴vous les conduirez tous deux à la porte de cette ville et vous les lapiderez jusqu'à ce que mort s'ensuive : la jeune fille parce qu'elle n'a pas appelé au secours dans la ville, et l'homme parce qu'il a usé de la femme de son prochain. Tu feras disparaître le mal du milieu de toi. ²⁵Mais si c'est dans la campagne que l'homme a rencontré la jeune fille fiancée, qu'il l'a violentée et a couché avec elle, l'homme qui a couché avec elle mourra seul ; ²⁶tu ne feras rien à la jeune fille, il n'y a pas en elle de péché qui mérite la mort. Le cas est semblable à celui d'un homme qui se jette sur son prochain pour le tuer : ²⁷car c'est à la campagne qu'il l'a rencontrée, et la jeune fille fiancée a pu crier sans que personne vienne à son secours.

²⁸Si un homme rencontre une jeune fille vierge qui n'est pas fiancée, la saisit et couche avec elle, pris sur le fait, ²⁹l'homme qui a couché avec elle donnera au père de la jeune fille cinquante pièces d'argent ; elle sera sa femme, puisqu'il a usé d'elle, et il ne pourra jamais la répudier.

23 ¹Un homme ne prendra pas l'épouse de son père, et il ne retirera pas d'elle le pan du manteau de son père.

Participation aux assemblées cultuelles.

²L'homme aux testicules écrasés, ou à la verge coupée ne sera pas admis à l'assemblée de Yahvé. ³Le bâtard ne sera pas admis à l'assemblée de Yahvé ; même ses descendants à la dixième génération ne seront pas admis à l'assemblée de Yahvé. ⁴L'Ammonite et le Moabite ne seront pas admis à l'assemblée de Yahvé ; même leurs descendants à la dixième génération ne seront pas admis à l'assemblée de Yahvé, et cela pour toujours ; ⁵parce qu'ils ne sont pas venus à votre rencontre avec le pain et l'eau quand vous étiez en route à la sortie d'Égypte, et parce qu'il a soudoyé Balaam fils de Béor pour te maudire, de Pétor en Aram Naharayim. ⁶Mais Yahvé ton Dieu ne consentit pas à écouter Balaam, et Yahvé ton Dieu changea pour toi la malédiction en bénédiction, car Yahvé ton Dieu t'aimait. ⁷Jamais, tant que tu vivras, tu ne rechercheras leur prospérité et leur bonheur.

⁸Tu ne tiendras pas l'Édomite pour abominable, car c'est ton frère. Tu ne tiendras pas l'Égyptien pour abominable, car tu as été un étranger dans son pays. ⁹À la troisième génération, leurs descendants seront admis à l'assemblée de Yahvé.

Pureté du camp.

¹⁰Quand tu iras camper contre tes ennemis, tu te garderas de tout mal. ¹¹S'il se trouve parmi les tiens un homme qui ne soit pas en état de pureté, par suite d'une pollution nocturne, il sortira du camp et n'y rentrera pas. ¹²Vers le soir, il se lavera, et au coucher du soleil il pourra rentrer au camp.

¹³Tu auras un endroit hors du camp et c'est là que tu iras, au-dehors. ¹⁴Tu auras une pioche dans ton équipement, et quand tu iras t'accroupir au-dehors, tu donneras un coup de pioche et tu recouvriras tes ordures. ¹⁵Car Yahvé ton Dieu parcourt l'intérieur du camp pour te protéger et te livrer tes ennemis. Aussi ton camp doit-il être une chose sainte, Yahvé ne doit rien voir chez toi de dégoûtant ; il se détournerait de toi !

Lois sociales et cultuelles.

¹⁶Tu ne laisseras pas enfermer par son maître un esclave qui se sera enfui de chez son maître auprès de toi. ¹⁷Il demeurera avec toi, parmi les tiens, au lieu qu'il aura choisi dans l'une de tes villes où il se trouvera bien ; tu ne le molesteras pas.

¹⁸Il n'y aura pas de prostituée sacrée parmi les filles d'Israël, ni de prostitué sacré parmi les fils d'Israël. ¹⁹Tu n'apporteras pas à la maison de Yahvé ton Dieu le salaire d'une prostituée ni le paiement d'un chien, quel que soit le vœu que tu aies fait : car tous deux sont en abomination à Yahvé ton Dieu.

²⁰Tu ne prêteras pas à intérêt à ton frère, qu'il s'agisse d'un prêt d'argent, ou de vivres, ou de quoi que ce soit dont on exige intérêt. ²¹À l'étranger tu pourras prêter à intérêt, mais tu prêteras sans intérêt à ton frère, afin que Yahvé ton

Dieu te bénisse en tous tes travaux, au pays où tu vas entrer pour en prendre possession.

²²Si tu fais un vœu à Yahvé ton Dieu, tu ne tarderas pas à l'acquitter : nul doute que Yahvé ton Dieu te le réclame, et tu te chargerais d'un péché. ²³Mais si tu t'abstiens de vœu, tu ne te chargeras pas d'un péché. ²⁴Ce qui sort de ta bouche, tiens-le, et exécute le vœu que tu as fait volontairement à Yahvé ton Dieu, de ta propre bouche.

²⁵Si tu passes dans la vigne de ton prochain, tu pourras manger du raisin à ton gré, jusqu'à satiété, mais tu n'en mettras pas dans ton panier. ²⁶Si tu traverses les moissons de ton prochain, tu pourras arracher des épis avec la main, mais tu ne porteras pas la faucille sur la moisson de ton prochain.

Divorce.

24 ¹Soit un homme qui a pris une femme et consommé son mariage ; mais cette femme n'a pas trouvé grâce à ses yeux, et il a découvert une tare à lui imputer ; il a donc rédigé pour elle un acte de répudiation et le lui a remis, puis il l'a renvoyée de chez lui ; ²elle a quitté sa maison, s'en est allée et a appartenu à un autre homme. ³Si alors cet autre homme la prend en aversion, rédige pour elle un acte de répudiation, le lui remet et la renvoie de chez lui (ou si vient à mourir cet autre homme qui l'a prise pour femme), ⁴son premier mari qui l'a répudiée ne pourra la reprendre pour femme, après qu'elle s'est ainsi rendue impure. Car il y a là une abomination aux yeux de Yahvé, et tu ne dois pas faire pécher le pays que Yahvé ton Dieu te donne en héritage.

Mesures de protection.

⁵Si un homme vient de prendre femme, il n'ira pas à l'armée et on ne viendra pas chez lui l'importuner, il restera un an chez lui, quitte de toute affaire, pour la joie de la femme qu'il a prise.

⁶On ne prendra pas en gage le moulin ni la meule : ce serait prendre la vie même en gage.

⁷Si on trouve un homme qui enlève l'un de ses frères, parmi les Israélites –, qu'il l'exploite lui-même ou qu'il le vende –, ce voleur mourra. Tu feras disparaître le mal du milieu de toi.

⁸En cas de lèpre, prends garde d'observer soigneusement et de suivre intégralement tout ce que vous enseigneront les prêtres lévites. Vous observerez et mettrez en pratique ce que je leur aurai ordonné. ⁹Rappelle-toi ce que Yahvé ton Dieu a fait à Miryam, quand vous étiez en chemin au sortir d'Égypte.

¹⁰Si tu prêtes sur gages à ton prochain, tu n'entreras pas dans sa maison pour saisir le gage, quel qu'il soit. ¹¹Tu te tiendras dehors et l'homme auquel tu prêtes t'apportera le gage dehors. ¹²Et si c'est un homme d'humble condition, tu n'iras pas te coucher en gardant son gage ; ¹³tu lui rendras au coucher du soleil, il se couchera dans son manteau, il te bénira et ce sera une bonne action aux yeux de Yahvé ton Dieu.

¹⁴Tu n'exploiteras pas le salarié humble et pauvre, qu'il soit d'entre tes frères ou étranger en résidence chez toi. ¹⁵Chaque jour tu lui don-

neras son salaire, sans laisser le soleil se coucher sur cette dette ; car il est pauvre et il attend impatiemment ce salaire. Ainsi n'en appellera-t-il pas à Yahvé contre toi. Autrement tu serais en faute.

¹⁶Les pères ne seront pas mis à mort pour les fils, ni les fils pour les pères. Chacun sera mis à mort pour son propre crime.

¹⁷Tu ne porteras pas atteinte au droit de l'étranger et de l'orphelin, et tu ne prendras pas en gage le vêtement de la veuve. ¹⁸Souviens-toi que tu as été en servitude au pays d'Égypte et que Yahvé ton Dieu t'en a racheté ; aussi je t'ordonne de mettre cette parole en pratique.

¹⁹Lorsque tu feras la moisson dans ton champ, si tu oublies une gerbe au champ, ne reviens pas la chercher. Elle sera pour l'étranger, l'orphelin et la veuve, afin que Yahvé ton Dieu te bénisse dans toutes tes œuvres.

²⁰Lorsque tu gauleras ton olivier, tu n'iras rien y rechercher ensuite. Ce qui restera sera pour l'étranger, l'orphelin et la veuve.

²¹Lorsque tu vendangeras ta vigne, tu n'iras rien y grappiller ensuite. Ce qui restera sera pour l'étranger, l'orphelin et la veuve.

²²Et tu te souviendras que tu as été en servitude au pays d'Égypte ; aussi je t'ordonne de mettre cette parole en pratique.

25 ¹Lorsque des hommes auront une contestation, ils iront en justice pour qu'on prononce entre eux : on donnera raison à qui a raison et tort à qui a tort. ²Si celui qui a tort mérite des coups, le juge le fera étendre à terre en sa présence, et frapper d'un nombre de

coups proportionnel à ses torts. ³Il pourra lui infliger quarante coups, mais pas davantage, de peur qu'en frappant davantage la meurtrissure ne soit grave et que ton frère ne soit avili à tes yeux.

⁴Tu ne muselleras pas le bœuf quand il foule le grain.

La loi du lévirat. Gn 38. Rt 4. ↗ Mt 22 24p.

⁵Si des frères demeurent ensemble et que l'un d'eux vienne à mourir sans enfant, la femme du défunt ne se mariera pas au-dehors avec un homme d'une famille étrangère. Son « lévir » viendra à elle, il exercera son lévirat en la prenant pour épouse ⁶et le premier-né qu'elle enfantera relèvera le nom de son frère défunt ; ainsi son nom ne sera pas effacé d'Israël. ⁷Mais si cet homme refuse de prendre celle dont il doit être lévir, elle ira trouver les anciens à la porte et dira : « Je n'ai pas de lévir qui veuille relever le nom de son frère en Israël, il ne consent pas à exercer en ma faveur son lévirat. » ⁸Les anciens de sa cité convoqueront cet homme et lui parleront. Ayant comparu, il dira : « Je refuse de la prendre. » ⁹Celle à qui il doit le lévirat s'approchera de lui en présence des anciens, lui ôtera sa sandale du pied, lui crachera au visage et prononcera ces paroles : « Ainsi fait-on à l'homme qui ne relève pas la maison de son frère », ¹⁰et sa maison sera ainsi appelée en Israël : « Maison du déchaussé. »

La pudeur dans les rixes.

¹¹Lorsque des hommes se battent ensemble, un homme et son

frère, si la femme de l'un d'eux s'approche et, pour dégager son mari des coups de l'autre, avance la main et saisit celui-ci par les parties honteuses, [12]tu lui couperas la main sans un regard de pitié.

Appendices.

[13]Tu n'auras pas dans ton sac poids et poids, l'un lourd et l'autre léger. [14]Il n'y aura pas dans ta maison mesure et mesure, l'une grande et l'autre petite. [15]Tu auras un poids intact et exact, et tu auras une mesure entière et exacte, afin d'avoir longue vie sur la terre que Yahvé ton Dieu te donne. [16]Car Yahvé ton Dieu a en abomination quiconque pratique ces choses, quiconque exerce la fraude.

[17]Rappelle-toi ce que t'a fait Amaleq quand vous étiez en chemin à votre sortie d'Égypte. [18]Il vint à ta rencontre sur le chemin et, par derrière, après ton passage, il attaqua les éclopés ; quand tu étais las et exténué, il n'eut pas crainte de Dieu. [19]Lorsque Yahvé ton Dieu t'aura établi à l'abri de tous tes ennemis alentour, au pays que Yahvé ton Dieu te donne en héritage pour le posséder, tu effaceras le souvenir d'Amaleq de dessous les cieux. N'oublie pas !

Les prémices.

26 [1]Lorsque tu parviendras au pays que Yahvé ton Dieu te donne en héritage, lorsque tu le posséderas et l'habiteras, [2]tu prélèveras les prémices de tous les produits du sol que tu auras fait pousser au pays que te donne Yahvé ton Dieu. Tu les mettras dans une hotte, et tu te rendras au lieu choisi par Yahvé ton Dieu

pour y faire habiter son nom. [3]Tu iras trouver le prêtre alors en charge, et tu lui diras :

« Je déclare aujourd'hui à Yahvé mon Dieu que je suis arrivé au pays que Yahvé avait juré à nos pères de nous donner. »

[4]Le prêtre prendra de ta main la hotte et la déposera devant l'autel de Yahvé ton Dieu. [5]Tu prononceras ces paroles devant Yahvé ton Dieu :

« Mon père était un Araméen errant qui descendit en Égypte, et c'est en petit nombre qu'il y séjourna, avant d'y devenir une nation grande, puissante et nombreuse. [6]Les Égyptiens nous maltraitèrent, nous brimèrent et nous imposèrent une dure servitude. [7]Nous avons fait appel à Yahvé le Dieu de nos pères. Yahvé entendit notre voix, il vit notre misère, notre peine et notre oppression, [8]et Yahvé nous fit sortir d'Égypte à main forte et à bras étendu, par une grande terreur, des signes et des prodiges. [9]Il nous a conduits ici et nous a donné cette terre, terre qui ruisselle de lait et de miel. [10]Voici que j'apporte maintenant les prémices des produits du sol que tu m'as donné, Yahvé. »

Tu les déposeras devant Yahvé ton Dieu et tu te prosterneras devant Yahvé ton Dieu. [11]Puis tu te réjouiras de toutes les bonnes choses dont Yahvé ton Dieu t'a gratifié, toi et ta maison –, toi ainsi que le lévite et l'étranger qui est chez toi.

La dîme triennale. 14 22.

[12]La troisième année, année de la dîme, lorsque tu auras achevé

de prendre la dîme de tous tes revenus et que tu l'auras donnée au lévite, à l'étranger, à la veuve et à l'orphelin, et que, l'ayant consommée dans tes villes, ils s'en seront rassasiés, [13]tu diras en présence de Yahvé ton Dieu :

« J'ai retiré de ma maison ce qui était consacré. Oui, je l'ai donné au lévite, à l'étranger, à l'orphelin et à la veuve, selon tous les commandements que tu m'as faits, sans outrepasser tes commandements ni les oublier. [14]Je n'en ai rien mangé quand j'étais en deuil, je n'en ai rien retiré quand j'étais impur, je n'ai rien donné pour un mort. J'ai obéi à la voix de Yahvé mon Dieu et j'ai agi selon tout ce que tu m'avais ordonné. [15]De la demeure de ta sainteté, des cieux, regarde et bénis Israël ton peuple, ainsi que la terre que tu nous as donnée comme tu l'avais juré à nos pères, terre qui ruisselle de lait et de miel. »

3. Discours de conclusion

FIN DU SECOND DISCOURS

Israël, peuple de Yahvé.

[16]Yahvé ton Dieu t'ordonne aujourd'hui de pratiquer ces lois et coutumes ; tu les garderas et tu les pratiqueras de tout ton cœur et de toute ton âme.

[17]Tu as obtenu de Yahvé aujourd'hui cette déclaration, qu'il serait ton Dieu – mais à la condition que tu marches dans ses voies, que tu gardes ses lois, ses commandements et ses coutumes et que tu écoutes sa voix. [18]Et Yahvé a obtenu de toi aujourd'hui cette déclaration, que tu serais son peuple à lui, comme il te l'a dit – mais à la condition de garder tous ses commandements ; [19]il t'élèverait alors au-dessus de toutes les nations qu'il a faites, en honneur, en renom et en gloire, et tu serais un peuple consacré à Yahvé ton Dieu, ainsi qu'il te l'a dit.

Inscription de la Loi et cérémonies cultuelles.

27 [1]Moïse et les anciens d'Israël donnèrent cet ordre au peuple : « Gardez tous les commandements que je vous prescris aujourd'hui. [2]Lorsque vous passerez le Jourdain pour vous rendre au pays que Yahvé ton Dieu te donne, tu dresseras de grandes pierres, tu les enduiras de chaux [3]et tu écriras toutes les paroles de cette Loi, au moment où tu passeras pour entrer dans la terre que Yahvé ton Dieu te donne, terre qui ruisselle de lait et de miel, comme te l'a dit Yahvé le Dieu de tes pères.

[4]Et lorsque vous aurez passé le Jourdain, vous dresserez ces pierres sur le mont Ébal, comme je vous l'ordonne aujourd'hui, et vous les enduirez de chaux. [5]Tu y édifieras pour Yahvé ton Dieu un

autel, avec des pierres que le fer n'aura pas travaillées. [6]C'est de pierres brutes que tu édifieras l'autel de Yahvé ton Dieu, et c'est sur cet autel que tu offriras des holocaustes pour Yahvé ton Dieu, [7]que tu immoleras des sacrifices de communion, que tu mangeras sur place, et tu te réjouiras en présence de Yahvé ton Dieu. [8]Tu écriras sur ces pierres toutes les paroles de cette Loi : grave-les bien. »

[9]Puis Moïse et les prêtres lévites dirent à tout Israël :

« Fais silence et écoute, Israël. aujourd'hui tu es devenu un peuple pour Yahvé ton Dieu. [10]Tu écouteras la voix de Yahvé ton Dieu, et tu mettras en pratique les commandements et les lois que je te prescris aujourd'hui. »

[11]Et Moïse, en ce jour, donna alors cet ordre au peuple : [12]« Lorsque vous aurez passé le Jourdain, voici ceux qui se tiendront sur le mont Garizim pour bénir le peuple : Siméon et Lévi, Juda et Issachar, Joseph et Benjamin. [13]Et voici ceux qui se tiendront sur le mont Ébal pour la malédiction : Ruben, Gad et Asher, Zabulon, Dan et Nephtali. [14]Les lévites prendront la parole et diront à voix haute à tous les Israélites :

[15]Maudit soit l'homme qui fait une idole sculptée ou fondue, abomination pour Yahvé, œuvre de mains d'artisan, et la place en un lieu caché. – Et tout le peuple répondra et dira : Amen.

[16]Maudit soit celui qui traite indignement son père et sa mère. – Et tout le peuple dira : Amen.

[17]Maudit soit celui qui déplace la borne de son prochain. – Et tout le peuple dira : Amen.

[18]Maudit soit celui qui égare un aveugle en chemin. – Et tout le peuple dira : Amen.

[19]Maudit soit celui qui fait dévier le droit de l'étranger, de l'orphelin et de la veuve. – Et tout le peuple dira : Amen.

[20]Maudit soit celui qui couche avec la femme de son père, car il retire d'elle le pan du manteau de son père. – Et tout le peuple dira : Amen.

[21]Maudit soit celui qui couche avec quelque bête que ce soit. – Et tout le peuple dira : Amen.

[22]Maudit soit celui qui couche avec sa sœur, fille de son père ou fille de sa mère. – Et tout le peuple dira : Amen.

[23]Maudit soit celui qui couche avec sa belle-mère. – Et tout le peuple dira : Amen.

[24]Maudit soit celui qui frappe en secret son prochain. – Et tout le peuple dira : Amen.

[25]Maudit soit celui qui accepte un présent pour frapper mortellement une vie innocente. – Et tout le peuple dira : Amen.

[26]Maudit soit celui qui ne maintient pas en vigueur les paroles de cette Loi pour les mettre en pratique. – Et tout le peuple dira : Amen. »

Les bénédictions promises.

28 [1]Or donc, si tu obéis vraiment à la voix de Yahvé ton Dieu, en gardant et pratiquant tous ces commandements que je te prescris aujourd'hui, Yahvé ton Dieu t'élèvera au-dessus de toutes les nations de la terre. [2]Toutes les bénédictions que voici t'adviendront et t'atteindront ; car tu auras obéi à la voix de Yahvé ton Dieu.

[3] Béni seras-tu à la ville et béni seras-tu à la campagne. [4] Bénis seront le fruit de tes entrailles, le produit de ton sol, le fruit de ton bétail, la portée de tes vaches et le croît de tes brebis. [5] Bénies seront ta hotte et ta huche. [6] Bénies seront tes entrées et bénies seront tes sorties. [7] Des ennemis qui se dresseraient contre toi, Yahvé fera tes vaincus : sortis par un chemin à ta rencontre, par sept chemins ils fuiront devant toi. [8] Yahvé commandera à la bénédiction d'être avec toi, en tes greniers comme en tes travaux, et il te bénira dans le pays que te donne Yahvé ton Dieu.

[9] Yahvé fera de toi le peuple qui lui est consacré, ainsi qu'il te l'a juré, si tu gardes les commandements de Yahvé ton Dieu et si tu marches dans ses voies. [10] Tous les peuples de la terre verront que se portes le nom de Yahvé et ils te craindront. [11] Yahvé te fera surabonder de biens : fruit de tes entrailles, fruit de ton bétail et fruit de ton sol, sur cette terre qu'il a juré à tes pères de te donner. [12] Yahvé ouvrira pour toi les cieux, son trésor excellent, pour donner en son temps la pluie à ton pays, et pour bénir toutes tes œuvres. Tu annexeras des nations nombreuses et toi, tu ne seras pas annexé. [13] Yahvé te mettra à la tête et non à la queue, tu ne seras jamais qu'au-dessus et non point au-dessous, si tu écoutes les commandements de Yahvé ton Dieu, que je te prescris aujourd'hui, pour les garder et les mettre en pratique, [14] sans dévier à droite ni à gauche d'aucune de ces paroles que je vous prescris aujourd'hui, en allant suivre d'autres dieux et les servir.

Les malédictions.

[15] Mais si tu n'obéis pas à la voix de Yahvé ton Dieu, ne gardant pas ses commandements et ses lois que je te prescris aujourd'hui, toutes les malédictions que voici t'adviendront et t'atteindront. [16] Maudit seras-tu à la ville et maudit seras-tu à la campagne. [17] Maudites seront ta hotte et ta huche. [18] Maudits seront le fruit de tes entrailles et le fruit de ton sol, la portée de tes vaches et le croît de tes brebis. [19] Maudites seront tes entrées et maudites tes sorties. [20] Yahvé enverra contre toi la malédiction, le maléfice et l'imprécation dans tous tes travaux, de sorte que tu sois détruit et que tu périsses rapidement, pour la perversité de tes actions, pour m'avoir abandonné. [21] Yahvé attachera à toi la peste, jusqu'à ce qu'elle t'ait consumé sur cette terre où tu vas entrer pour en prendre possession. [22] Yahvé te frappera de consomption, de fièvre, d'inflammation, de fièvre chaude, de sécheresse, de rouille et de nielle, qui te poursuivront jusqu'à ta perte. [23] Les cieux au-dessus de toi seront d'airain et la terre sous toi sera de fer. [24] La pluie de ton pays, Yahvé en fera de la poussière et du sable ; il en tombera du ciel sur toi jusqu'à ta destruction. [25] Yahvé fera de toi un vaincu en face de tes ennemis : sorti à leur rencontre par un chemin, par sept chemins tu fuiras devant eux, et tu devien-

dras un objet d'épouvante pour tous les royaumes de la terre. [26]Ton cadavre sera la pâture de tous les oiseaux du ciel et de toutes les bêtes de la terre, sans que personne leur fasse peur.

[27]Yahvé te frappera d'ulcères d'Égypte, de bubons, de croûtes, de plaques rouges dont tu ne pourras guérir. [28]Yahvé te frappera de délire, d'aveuglement et d'égarement des sens, [29]au point que tu iras à tâtons en plein midi comme l'aveugle va à tâtons dans les ténèbres, et tes démarches n'aboutiront pas.

Tu ne seras jamais qu'exploité et spolié, sans personne pour te sauver. [30]Tu prendras une femme comme fiancée, mais un autre homme la possédera ; tu bâtiras une maison, mais tu ne pourras l'habiter ; tu planteras une vigne, mais tu n'en pourras cueillir les premiers fruits. [31]Ton bœuf sera égorgé sous tes yeux, et tu n'en pourras manger ; ton âne te sera enlevé en ta présence, et il ne te reviendra pas ; tes brebis seront livrées à tes ennemis, et personne ne prendra ta défense. [32]Tes fils et tes filles seront livrés à un autre peuple ; chaque jour tes yeux se consumeront à regarder vers eux, et tes mains n'y pourront rien. [33]Le fruit de ton sol et le fruit de ta peine, un peuple que tu ne connais pas les mangera. Tu ne seras jamais qu'exploité et écrasé. [34]Ce que verront tes yeux te rendra fou. [35]Yahvé te frappera de mauvais ulcères aux genoux et aux jambes et tu n'en pourras guérir, de la plante des pieds au sommet de la tête. [36]Toi et le roi que tu auras mis à ta tête, Yahvé vous mènera en

une nation que tes pères ni toi n'avez connue, et tu y serviras d'autres dieux, de bois et de pierre. [37]Tu seras la stupéfaction, la fable et la risée de tous les peuples où Yahvé te conduira.

[38]Tu jetteras aux champs beaucoup de semence pour récolter peu, car la sauterelle la pillera. [39]Tu planteras et travailleras ta vigne pour ne pas boire de vin ni rien recueillir, car le ver la dévorera. [40]Tu auras des oliviers sur tout ton territoire, pour ne pas t'oindre d'huile, car tes oliviers seront abattus. [41]Tu engendreras des fils et des filles, mais ils ne t'appartiendront pas, car ils iront en captivité. [42]De tous tes arbres et de tous les fruits de ton sol l'insecte fera sa proie.

[43]L'étranger qui est chez toi s'élèvera à tes dépens de plus en plus haut, et toi tu descendras de plus en plus bas. [44]C'est lui qui t'annexera, et tu ne pourras l'annexer ; c'est lui qui sera à la tête, et toi à la queue.

[45]Toutes ces malédictions t'adviendront, te poursuivront et t'atteindront jusqu'à te détruire, quand tu n'auras pas obéi à la voix de Yahvé ton Dieu en gardant ses commandements et ses lois qu'il t'a prescrits. [46]Elles seront un signe et un prodige sur toi et sur ta postérité à jamais.

Perspectives de guerres et d'exil.

[47]Puisque tu n'auras pas servi Yahvé ton Dieu dans la joie et le bonheur que donne l'abondance de toutes choses, [48]tu serviras l'ennemi que Yahvé enverra contre toi, dans la faim, la soif, la nu-

dité, la privation totale. Il imposera à ta nuque un joug de fer, jusqu'à ce qu'il t'ait détruit.

⁴⁹Yahvé suscitera contre toi une nation lointaine, des extrémités de la terre ; comme l'aigle qui prend son essor. Ce sera une nation dont la langue te sera inconnue, ⁵⁰une nation au visage dur, sans égard pour la vieillesse et sans pitié pour la jeunesse. ⁵¹Elle mangera le fruit de ton bétail et le fruit de ton sol, jusqu'à te détruire, sans te laisser ni froment, ni vin, ni huile, ni portée de vache ou croît de brebis, jusqu'à ce qu'elle t'ait fait périr. ⁵²Elle t'assiégera dans toutes tes villes, jusqu'à ce que soient tombées tes murailles les plus hautes et les mieux fortifiées, toutes celles où tu chercheras la sécurité dans ton pays. Elle t'assiégera dans toutes les villes, dans tout le pays que t'aura donné Yahvé ton Dieu. ⁵³Tu mangeras le fruit de tes entrailles, la chair de tes fils et de tes filles que t'aura donnés Yahvé ton Dieu, pendant ce siège et dans cette détresse où ton ennemi te réduira. ⁵⁴Le plus délicat et le plus amolli d'entre les tiens jettera des regards malveillants sur son frère, et même sur la femme qu'il étreint et ceux de ses enfants qui lui resteront, ⁵⁵ne voulant partager avec aucun d'eux la chair de ses fils qu'il mange : car il ne lui restera rien, à cause du siège et de la détresse où ton ennemi te réduira dans toutes tes villes. ⁵⁶La plus délicate et la plus amollie des femmes de ton peuple, si délicate et amollie qu'elle n'aurait pas essayé de poser à terre la plante de son pied, celle-là jettera des re-

gards malveillants sur l'homme qu'elle étreint, et même sur son fils ou sa fille, ⁵⁷sur l'arrière-faix sorti de ses flancs et sur l'enfant qu'elle met au monde, et elle se cachera pour les manger, dans la privation de tout, à cause du siège et de la détresse où ton ennemi te réduira dans toutes tes villes.

⁵⁸Si tu ne gardes pas pour les mettre en pratique toutes les paroles de cette Loi écrites en ce livre, dans la crainte de ce nom glorieux et redoutable : Yahvé ton Dieu, ⁵⁹Yahvé te frappera de ces fléaux étonnants, toi et ta descendance : fléaux grands et persistants, maladies pernicieuses et tenaces. ⁶⁰Il fera revenir chez toi ces maux d'Égypte qui furent ta terreur, et ils s'attacheront à toi. ⁶¹Bien plus, tous les fléaux et maladies que ne mentionne pas le livre de cette Loi, Yahvé les suscitera contre toi, jusqu'à te détruire. ⁶²Vous ne resterez que peu d'hommes, vous qui étiez aussi nombreux que les étoiles du ciel.

Parce que tu n'auras pas obéi à la voix de Yahvé ton Dieu, ⁶³autant Yahvé avait pris plaisir à vous rendre heureux et à vous multiplier, autant il prendra plaisir à vous perdre et à vous détruire. Vous serez arrachés à la terre où tu vas entrer pour en prendre possession. ⁶⁴Yahvé te dispersera parmi tous les peuples, d'un bout du monde à l'autre ; là tu serviras d'autres dieux, que tes pères ni toi n'avez connus, du bois et de la pierre. ⁶⁵Parmi ces nations, tu n'auras pas de tranquillité et il n'y aura pas de repos pour la plante de tes pieds, mais là Yahvé te donnera un cœur tremblant, des yeux éteints, un souffle court. [66]Ta vie sera incertaine, tu seras dans l'effroi jour et nuit, sans pouvoir croire en ta vie. [67]Le matin tu diras : « Qui me donnerait d'être au soir ? » Et le soir tu diras : « Qui me donnerait d'être au matin ? » À cause de l'effroi qui étreindra ton cœur et du spectacle que verront tes yeux ! [68]Yahvé te renverra en Égypte dans des vaisseaux ou par un chemin dont je t'avais dit : « Tu ne le verras plus ! » Et là vous irez vous vendre à tes ennemis comme serviteurs et servantes, sans trouver d'acheteur.

TROISIÈME DISCOURS

[69]Voici les paroles de l'alliance que Yahvé ordonna à Moïse de conclure avec les Israélites au pays de Moab, outre l'alliance qu'il avait conclue avec eux à l'Horeb.

Rappel historique.

29 [1]Moïse convoqua tout Israël et leur dit :
Vous avez vu tout ce que Yahvé a fait sous vos yeux au pays d'Égypte, tant à Pharaon et à tous ses serviteurs qu'à tout son pays : [2]ces grandes épreuves que tu as vues toi-même, ces signes et ces prodiges grandioses. [3]Mais, jusqu'aujourd'hui, Yahvé ne vous avait pas donné un cœur pour connaître, des yeux pour voir, des oreilles pour entendre.

[4]Je vous ai fait aller quarante ans dans le désert, sans que soient usés vos vêtements sur vous, ni tes sandales à tes pieds. [5]Vous n'avez pas eu de pain à manger, ni de vin ou de boisson fermentée à boire, afin que vous sachiez d'expérience que moi, Yahvé, je suis votre Dieu. [6]Puis vous êtes venus en ce lieu. Sihôn, roi d'Heshbôn, et Og, roi du Bashân, sont sortis à notre rencontre pour nous combattre, mais nous les avons battus. [7]Nous avons conquis leur pays, nous l'avons donné en héritage à Ruben, à Gad et à la demi-tribu de Manassé.

[8]Gardez les paroles de cette alliance et mettez-les en pratique afin de réussir dans toutes vos entreprises.

L'alliance en Moab.

[9]Vous voici aujourd'hui debout devant Yahvé votre Dieu : vos chefs de tribus, vos anciens, vos scribes, tous les hommes d'Israël, [10]avec vos enfants et vos femmes (et aussi l'étranger qui est dans ton camp, aussi bien celui qui coupe ton bois que celui qui puise ton eau), [11]et tu vas passer dans l'alliance de Yahvé ton Dieu, jurée avec imprécation, alliance qu'il a conclue aujourd'hui avec toi [12]pour faire aujourd'hui de toi un peuple tandis que lui-même sera pour toi un Dieu, comme il te l'a dit et comme il l'a juré à tes pères Abraham, Isaac et Jacob. [13]Ce n'est pas avec vous seulement que je conclus aujourd'hui cette alliance et que je profère cette imprécation, [14]mais aussi bien avec celui qui se tient ici avec nous en présence de Yahvé notre Dieu, qu'avec celui qui n'est pas ici avec nous aujourd'hui.

¹⁵Oui, vous savez avec qui nous demeurions en Égypte, au milieu de qui nous avons passé, ces nations que vous avez traversées. ¹⁶Vous avez vu leurs horreurs et leurs idoles, le bois, la pierre, l'or et l'argent qui sont chez elles.

¹⁷Qu'il n'y ait pas parmi vous homme ni femme, clan ni tribu dont le cœur se détourne aujourd'hui de Yahvé notre Dieu en allant servir les dieux de ces nations ! Qu'il n'y ait pas parmi vous de racine d'où lèvent le pavot et l'absinthe ! ¹⁸Si, après avoir entendu cette imprécation, quelqu'un se bénit lui-même en son cœur en disant : « À marcher selon l'assurance de mon propre cœur, je ne manquerai de rien, si bien que l'abondance d'eau fera disparaître la soif », ¹⁹Yahvé ne consentira pas à lui pardonner. Car la colère et la jalousie de Yahvé s'enflammeront contre cet homme, toute l'imprécation inscrite dans ce livre fondra sur lui, et Yahvé effacera son nom de dessous les cieux. ²⁰Yahvé le mettra à part de toutes les tribus d'Israël, pour son malheur, selon toutes les imprécations de l'alliance inscrite au livre de cette Loi.

Perspectives d'exil.

²¹La génération future, celle de vos fils qui se lèveront après vous, et aussi l'étranger venu d'un pays lointain, verront les fléaux qui frapperont ce pays et les maladies que Yahvé y fera sévir, et s'écrieront : ²²« Soufre, sel, toute sa terre est brûlée ; on n'y sèmera plus, rien n'y germera plus, aucune herbe n'y croîtra plus. Ainsi ont été changées Sodome et Gomorrhe, Adma et Çeboyim que Yahvé dévasta dans sa colère et sa fureur ! » ²³Et toutes les nations s'écrieront : « Pourquoi Yahvé a-t-il ainsi traité ce pays ? Pourquoi l'ardeur de cette grande colère ? » ²⁴Et l'on dira : « Parce qu'ils ont abandonné l'alliance de Yahvé, Dieu de leurs pères, qu'il avait conclue avec eux en les faisant sortir du pays d'Égypte ; ²⁵parce qu'ils sont allés servir d'autres dieux et les ont adorés, dieux qu'ils n'avaient pas connus ni reçus de lui en partage, ²⁶la colère de Yahvé s'est enflammée contre ce pays, faisant venir sur lui toute la malédiction inscrite dans ce livre. ²⁷Yahvé les a arrachés de leur terre avec colère, fureur et grande indignation, et les a jetés en un autre pays, comme aujourd'hui. » ²⁸Les choses cachées sont à Yahvé notre Dieu, mais les choses révélées sont à nous et à nos fils pour toujours, afin que nous mettions en pratique toutes les paroles de cette Loi.

Retour d'exil et conversion.

30 ¹Lorsque toutes ces paroles se seront réalisées pour toi, cette bénédiction et cette malédiction que je t'ai proposées, si tu les médites en ton cœur, parmi toutes les nations où Yahvé ton Dieu t'aura fait errer, ²si tu reviens à Yahvé ton Dieu, si tu écoutes sa voix en tout ce que je t'ordonne aujourd'hui, de tout ton cœur et de toute ton âme, toi et tes fils, ³Yahvé ton Dieu ramènera tes captifs, il aura pitié de toi, il te rassemblera à nouveau du milieu de tous les peuples où Yahvé ton Dieu t'a dispersé. ⁴Serais-tu banni à l'extrémité des cieux, de là même Yahvé ton Dieu te rassemblerait et il viendrait t'y prendre, [5]pour te ramener au pays que tes pères ont possédé, afin que tu le possèdes à ton tour, que tu y sois heureux et que tu y multiplies plus que tes pères.

[6]Yahvé ton Dieu circoncira ton cœur et le cœur de ta postérité pour que tu aimes Yahvé ton Dieu de tout ton cœur et de toute ton âme, afin que tu vives. [7]Yahvé ton Dieu fera retomber toutes ces imprécations sur tes ennemis et sur tes adversaires qui t'ont persécuté. [8]Toi, tu obéiras de nouveau à la voix de Yahvé ton Dieu et tu mettras en pratique tous ses commandements que je te prescris aujourd'hui. [9]Yahvé ton Dieu te rendra prospère en toutes tes entreprises, dans le fruit de tes entrailles, dans le fruit de ton bétail et dans le fruit de ton sol. Car de nouveau Yahvé prendra plaisir à ton bonheur, comme il avait pris plaisir au bonheur de tes pères, [10]si tu obéis à la voix de Yahvé ton Dieu en gardant ses commandements et ses décrets, inscrits dans le livre de cette Loi, si tu reviens à Yahvé ton Dieu de tout ton cœur et de toute ton âme.

[11]Car cette Loi que je te prescris aujourd'hui n'est pas au-delà de tes moyens ni hors de ton atteinte. [12]Elle n'est pas dans les cieux, qu'il te faille dire : « Qui montera pour nous aux cieux nous la chercher, que nous l'entendions pour la mettre en pratique ? » [13]Elle n'est pas au-delà des mers, qu'il te faille dire : « Qui ira pour nous au-delà des mers nous la chercher, que nous l'entendions pour la mettre en pratique ? » [14]Car la parole est tout près de toi, elle est dans ta bouche et dans ton cœur pour que tu la mettes en pratique.

Les deux voies. 11 26-28. Ps 1. Jr 21 8.

[15]Vois, je te propose aujourd'hui vie et bonheur, mort et malheur. [16]Si tu écoutes les commandements de Yahvé ton Dieu que je te prescris aujourd'hui, et que tu aimes Yahvé ton Dieu, que tu marches dans ses voies, que tu gardes ses commandements, ses lois et ses coutumes, tu vivras et tu multiplieras, Yahvé ton Dieu te bénira dans le pays où tu entres pour en prendre possession. [17]Mais si ton cœur se détourne, si tu n'écoutes point et si tu te laisses entraîner à te prosterner devant d'autres dieux et à les servir, [18]je vous déclare aujourd'hui que vous périrez certainement et que vous ne vivrez pas de longs jours sur la terre où vous pénétrerez pour en prendre possession en passant le Jourdain. [19]Je prends aujourd'hui à témoin contre vous le ciel et la terre : je te propose la vie ou la mort, la bénédiction ou la malédiction. Choisis donc la vie, pour que toi et ta postérité vous viviez, [20]aimant Yahvé ton Dieu, écoutant sa voix, t'attachant à lui ; car là est ta vie, ainsi que la longue durée de ton séjour sur la terre que Yahvé a juré à tes pères, Abraham, Isaac et Jacob, de leur donner.

4. Derniers actes et mort de Moïse

La mission de Josué.

31 ¹Moïse vint adresser ces paroles à tout Israël : ²« J'ai aujourd'hui cent vingt ans. Je ne puis plus agir en chef, et Yahvé m'a dit : Tu ne passeras pas ce Jourdain. ³C'est Yahvé ton Dieu qui passera devant toi, c'est lui qui détruira ces nations devant toi pour les déposséder. C'est Josué qui passera devant toi, ainsi que l'a dit Yahvé. ⁴Yahvé les traitera comme il a traité Sihôn et Og, rois amorites, et leur pays : il les a détruits. ⁵Yahvé vous les livrera et vous les traiterez en tout point selon les commandements que je vous ai prescrits. ⁶Soyez forts et tenez bon, ne craignez pas et ne tremblez pas devant eux, car c'est Yahvé ton Dieu qui marche avec toi : il ne te délaissera pas et ne t'abandonnera pas. »

⁷Puis Moïse appela Josué et il lui dit aux yeux de tout Israël : « Sois fort et tiens bon : tu entreras avec ce peuple au pays que Yahvé a juré à leurs pères de leur donner, et c'est toi qui les en mettras en possession. ⁸C'est Yahvé qui marche devant toi, c'est lui qui sera avec toi ; il ne te délaissera pas et ne t'abandonnera pas. Ne crains pas, ne sois pas effrayé. »

Lecture rituelle de la Loi. 2 R 23
1s. Jos 8 34-35. Ne 8.

⁹Moïse mit cette Loi par écrit et la donna aux prêtres, fils de Lévi, qui portaient l'arche de l'alliance de Yahvé, ainsi qu'à tous les anciens d'Israël. ¹⁰Moïse leur donna cet ordre : « Tous les sept ans, temps fixé pour l'année de Remise, lors de la fête des Tentes, ¹¹au moment où tout Israël se rend, pour voir la face de Yahvé ton Dieu, au lieu qu'il aura choisi, tu prononceras cette Loi aux oreilles de tout Israël. ¹²Assemble le peuple, hommes, femmes, enfants, l'étranger qui est dans tes portes, pour qu'ils entendent, qu'ils apprennent à craindre Yahvé votre Dieu et qu'ils gardent, pour les mettre en pratique, toutes les paroles de cette Loi. ¹³Leurs fils, qui ne le savent pas encore, entendront, et apprendront à craindre Yahvé votre Dieu, tous les jours que vous vivrez sur la terre dont vous allez prendre possession en passant le Jourdain. »

Instructions de Yahvé.

¹⁴Yahvé dit à Moïse : « Voici venir les jours de ta mort, appelle Josué. Tenez-vous à la Tente du Rendez-vous, pour que je lui donne mes ordres. » Moïse et Josué vinrent se tenir à la Tente du Rendez-vous. ¹⁵Yahvé se fit voir, dans la Tente, dans une colonne de nuée ; la colonne de nuée se tenait à l'entrée de la Tente.

¹⁶Yahvé dit à Moïse : « Voici que tu vas te coucher avec tes pères, et ce peuple est sur le point de se prostituer en suivant des dieux du pays étranger où il va pénétrer. Il m'abandonnera et rompra l'alliance que j'ai conclue avec lui. ¹⁷Ce jour-là même ma colère s'enflammera contre lui, je

les abandonnerai et je leur cacherai ma face. Pour les dévorer, une foule de maux et d'adversités l'atteindront, de sorte qu'il dira en ce jour-là : "Si ces maux m'ont atteint, n'est-ce pas parce que mon Dieu n'est pas au milieu de moi ?" [18]Et moi, oui, je cacherai ma face en ce jour, à cause de tout le mal qu'il aura fait, en se tournant vers d'autres dieux.

Le cantique témoin.

[19]« Écrivez maintenant pour votre usage le cantique que voici ; enseigne-le aux Israélites, mets-le dans leur bouche, afin qu'il me serve de témoin contre les Israélites. [20]Lui que je conduis en cette terre que j'ai promise par serment à ses pères, et qui ruisselle de lait et de miel, il mangera, il se rassasiera, il s'engraissera, puis il se tournera vers d'autres dieux, ils les serviront, ils me mépriseront, et il rompra mon alliance. [21]Mais lorsque des maux et adversités sans nombre l'auront atteint, ce cantique portera témoignage contre lui ; car sa postérité ne l'aura pas oublié. Oui, je sais les desseins qu'il forme aujourd'hui, avant même que je l'aie conduit au pays que j'ai juré. » [22]Et Moïse écrivit en ce jour ce cantique et il l'enseigna aux Israélites.

[23]Il donna cet ordre à Josué fils de Nûn : « Sois fort et tiens bon, car c'est toi qui conduiras les Israélites au pays que je leur ai promis par serment, et moi, je serai avec toi. »

La Loi placée près de l'Arche.

[24]Lorsqu'il eut achevé d'écrire sur un livre les paroles de cette Loi jusqu'à la fin, [25]Moïse donna cet ordre aux lévites qui portaient l'arche de l'alliance de Yahvé : [26]« Prenez le livre de cette Loi. Placez-le à côté de l'arche de l'alliance de Yahvé votre Dieu. Qu'il y serve de témoin contre toi. [27]Car je connais ton esprit rebelle et la raideur de ta nuque. Si aujourd'hui, alors que je suis encore vivant avec vous, vous êtes rebelles à Yahvé, combien plus le serez-vous après ma mort.

Israël réuni pour écouter le cantique.

[28]« Faites assembler auprès de moi tous les anciens de vos tribus et vos scribes, que je leur fasse entendre ces paroles, en prenant à témoin contre eux le ciel et la terre. [29]Car je sais qu'après ma mort vous ne manquerez pas de vous corrompre, vous vous écarterez de la voie que je vous ai prescrite ; le malheur vous adviendra dans la suite des temps, pour avoir fait ce qui est mal aux yeux de Yahvé en l'irritant par les œuvres de vos mains. »

[30]Puis, aux oreilles de toute l'assemblée d'Israël, Moïse prononça jusqu'à la dernière les paroles de ce cantique :

CANTIQUE DE MOÏSE

32 ¹Cieux, prêtez l'oreille, et je parlerai ;

terre, écoute ce que je vais dire !
²Que ma doctrine ruisselle comme la pluie,

que ma parole tombe comme la rosée,

comme les ondées sur l'herbe verdoyante,

comme les averses sur le gazon !
³Car je vais invoquer le nom de Yahvé ;

vous, magnifiez notre Dieu.
⁴Il est le Rocher, son œuvre est parfaite,

car toutes ses voies sont le Droit.

C'est un Dieu fidèle et sans iniquité,

il est Justice et Rectitude.
⁵Ils se sont corrompus, eux qu'il avait engendrés sans tare,

génération fourbe et tortueuse.
⁶Est-ce là ce que vous rendez à Yahvé ?

Peuple insensé, dénué de sagesse !

N'est-ce pas lui ton père, qui t'a procréé,

lui qui t'a fait et par qui tu subsistes ?
⁷Rappelle-toi les jours d'autrefois,

considère les années, d'âge en âge.

Interroge ton père, qu'il te l'apprenne ;

tes anciens, qu'ils te le disent.
⁸Quand le Très-Haut donna aux nations leur héritage,

quand il répartit les fils d'homme,

il fixa les limites des peuples suivant le nombre des fils de Dieu ;
⁹mais le lot de Yahvé, ce fut son peuple,

Jacob fut sa part d'héritage.

¹⁰Au pays du désert, il le trouve,

dans la solitude lugubre de la steppe.

Il l'entoure, il l'élève, il le garde comme la prunelle de son œil.
¹¹Tel un aigle qui veille sur son nid,

plane au-dessus de ses petits,

il déploie ses ailes et le prend,

il le soutient sur son pennage.
¹²Yahvé est seul pour le conduire ;

point de dieu étranger avec lui.
¹³Il lui fait chevaucher les hauteurs de la terre,

il le nourrit des produits des montagnes,

il lui fait goûter le miel du rocher

et l'huile de la pierre dure,
¹⁴le lait caillé des vaches et le lait des brebis

avec la graisse des pâturages,

les béliers, race du Bashân, et les boucs

avec la graisse des grains du froment,

et pour boisson le sang de la grappe qui fermente.

¹⁵Jacob a mangé, il s'est rassasié,

Yeshurûn s'est engraissé et il a regimbé.

(Tu as engraissé, épaissi, élargi.)

Il a repoussé le Dieu qui l'avait fait

    et déshonoré le Rocher, son salut.

¹⁶Ils l'ont rendu jaloux avec des étrangers,

    ils l'ont irrité par des abominations.

¹⁷Ils sacrifiaient à des démons qui ne sont pas Dieu,

    à des dieux qu'ils ne connaissaient pas,

    à des nouveaux venus d'hier que leurs pères n'avaient pas redoutés.

¹⁸(Tu oublies le Rocher qui t'a mis au monde,

    tu ne te souviens plus du Dieu qui t'a engendré !)

¹⁹Yahvé l'a vu, et dans sa colère

    il a rejeté ses fils et ses filles.

²⁰Il a dit : Je vais leur cacher ma face

    et je verrai ce qu'il adviendra d'eux.

Car c'est une génération pervertie,

    des fils sans fidélité.

²¹Ils m'ont rendu jaloux avec un néant de dieu,

    ils m'ont irrité par leurs êtres de rien ;

eh bien ! moi, je les rendrai jaloux avec un néant de peuple,

    je les irriterai au moyen d'une nation stupide !

²²Oui, un feu a jailli de ma colère,

    il brûlera jusqu'aux profondeurs du shéol ;

    il dévorera la terre et ce qu'elle produit,

    il embrasera la base des montagnes.

²³Je lancerai sur eux les calamités,

    j'épuiserai contre eux mes flèches.

²⁴Ils seront affaiblis par la faim,

    dévorés par la peste et par un amer fléau.

J'enverrai contre eux la dent des bêtes

    avec le venin des reptiles.

²⁵Au-dehors l'épée emportera les fils,

    au-dedans régnera l'épouvante.

Périront ensemble jeune homme et jeune fille,

    enfant à la mamelle et vieillard chenu.

²⁶J'ai dit : Je les réduirais bien en poussière,

    j'abolirais leur souvenir parmi les hommes,

²⁷si je ne craignais l'arrogance de l'ennemi.

Que leurs adversaires ne s'y trompent pas !

Qu'ils ne disent pas : « Notre main l'emporte,

    et Yahvé n'y est pour rien. »

²⁸Car c'est une nation aux vues courtes,

    privée de discernement.

²⁹S'ils étaient sages, certes ils aboutiraient,

    ils sauraient discerner leur avenir.

³⁰Comment donc un seul homme en met-il mille en fuite,

    et comment deux en poursuivent-ils dix mille,

    sinon parce que leur Rocher les a vendus

    et que Yahvé les a livrés ?

³¹Mais leur rocher n'est pas comme notre Rocher,

    ce n'est pas à nos ennemis d'intercéder pour nous.

³²Car leur vigne vient de la vigne de Sodome
et des plantations de Gomorrhe :
leurs raisins sont raisins vénéneux,
leurs grappes sont amères ;
³³leur vin est un venin de serpent,
un violent poison de vipère.
³⁴Mais lui, n'est-il pas à l'abri près de moi,
scellé dans mes trésors ?
³⁵À moi la vengeance et la rétribution,
pour le temps où leur pied trébuchera.
Car il est proche, le jour de leur ruine ;
leur destin se précipite !
³⁶(Car Yahvé va faire droit à son peuple,
il va prendre en pitié ses serviteurs.)
Car il va voir que leur vigueur s'épuise,
qu'il ne reste plus ni libre, ni serf.
³⁷Alors il dira : Où sont leurs dieux,
rocher où ils cherchaient refuge,
³⁸ceux qui mangeaient la graisse de leurs sacrifices,
buvaient le vin de leurs libations ?
Qu'ils se lèvent et vous secourent,
qu'ils soient au-dessus de vous votre abri !
³⁹Voyez maintenant que moi, moi je Le suis
et que nul autre avec moi n'est Dieu !
C'est moi qui fais mourir et qui fais vivre ;
quand j'ai frappé, c'est moi qui guéris

(et personne ne délivre de ma main).
⁴⁰Oui, je lève ma main vers le ciel
et je dis : Aussi vrai que je vis pour toujours,
⁴¹quand j'aurai aiguisé mon épée fulgurante,
ma main saisira le Droit.
Je rendrai la pareille à mes adversaires,
je paierai de retour ceux qui me haïssent.
⁴²J'enivrerai de sang mes flèches
et mon épée se repaîtra de chair :
sang des blessés et des captifs,
têtes échevelées de l'ennemi.

⁴³Cieux, exultez avec lui,
et que les fils de Dieu l'adorent !
Nations, exultez avec son peuple,
et que tous les envoyés de Dieu affirment sa force !
Car il vengera le sang de ses serviteurs,
il rendra la pareille à ses adversaires,
il paiera de retour ceux qui le haïssent
et purifiera la terre de son peuple.

⁴⁴ Moïse vint avec Josué fils de Nûn, et prononça aux oreilles du peuple toutes les paroles de ce cantique.

La Loi, source de vie.

⁴⁵Quand Moïse eut achevé de prononcer ces paroles à l'adresse de tout Israël, ⁴⁶il leur dit : « Soyez bien attentifs à toutes ces paroles ; je les prends à témoin aujourd'hui contre vous, et vous prescrirez à

vos fils de les garder, en mettant en pratique toutes les paroles de cette Loi. ⁴⁷Ce n'est pas pour vous une vaine parole car elle est votre vie, et c'est par elle que vous vivrez de longs jours sur la terre dont vous allez prendre possession en passant le Jourdain. »

Annonce de la mort de Moïse.
3 23-28.

⁴⁸Yahvé parla à Moïse, ce même jour, et lui dit : ⁴⁹« Monte sur cette montagne des Abarim, sur le mont Nebo, au pays de Moab, face à Jéricho, et regarde le pays de Canaan que je donne en propriété aux Israélites. ⁵⁰Meurs sur la montagne où tu seras monté, et tu seras réuni aux tiens, comme Aaron ton frère, mort sur la montagne de Hor, fut réuni aux siens. ⁵¹Parce que vous m'avez été infidèles au milieu des Israélites aux eaux de Meriba-Cadès, dans le désert de Çîn, parce que vous n'avez pas manifesté ma sainteté au milieu des Israélites, ⁵²c'est du dehors seulement que tu verras le pays, mais tu n'y pourras entrer, en ce pays que je donne aux Israélites. »

Bénédictions de Moïse.

33 ¹Voici la bénédiction que Moïse, homme de Dieu, prononça sur les Israélites avant de mourir. ²Il dit :

Yahvé est venu du Sinaï.
Pour eux, depuis Séïr, il s'est levé à l'horizon,
il a resplendi depuis le mont Parân.
Pour eux, il est venu depuis les rassemblements de Cadès,

depuis son midi jusqu'aux Pentes.

³Toi qui aimes les ancêtres,
tous les saints sont dans ta main.
Ils étaient prostrés à tes pieds,
et ils ont couru sous ta conduite.

⁴(Moïse nous a prescrit une loi.)
L'assemblée de Jacob entre dans son héritage ;
⁵il y eut un roi en Yeshurûn,
quand se rassemblèrent les chefs du peuple,
quand se réunirent les tribus d'Israël.

⁶Que vive Ruben et qu'il ne meure pas,
et que vive le petit nombre de ses hommes !

⁷Voici ce qu'il dit sur Juda :
Écoute, Yahvé, la voix de Juda et ramène-le vers son peuple.
Que ses mains défendent son droit,
viens-lui en aide contre ses ennemis.

⁸Il dit sur Lévi :
Donne à Lévi tes Urim
et tes Tummim à l'homme à qui tu fis grâce,
après l'avoir mis à l'épreuve à Massa,
t'en être pris à lui aux eaux de Meriba.
⁹Il dit de son père et de sa mère :
« Je ne l'ai pas vu. »
Ses frères, il ne les connaît plus,
ses fils, il les ignore.
Oui, ils ont gardé ta parole
et ils retiennent ton alliance.
¹⁰Ils enseignent tes coutumes à Jacob

et ta Loi à Israël.

Ils font monter l'encens à tes narines

et mettent l'holocauste sur ton autel.

11Bénis, Yahvé, sa valeur

et agrée l'œuvre de ses mains.

Brise les reins de ses adversaires

et de ceux qui le haïssent pour qu'ils ne tiennent pas !

12Il dit sur Benjamin :

Bien-aimé de Yahvé, il repose en sécurité près de lui.

Le Très-Haut le protège tous les jours

et demeure entre ses coteaux.

13Il dit sur Joseph :

Son pays est béni de Yahvé.

À lui le meilleur de la rosée des cieux

et de l'abîme souterrain,

14le meilleur de ce que fait croître le soleil,

de ce qui pousse à chaque lunaison,

15les prémices des montagnes antiques,

le meilleur des collines d'autrefois,

16le meilleur de la terre et de ce qu'elle produit,

la faveur de celui qui habite le Buisson.

Que la chevelure abonde sur la tête de Joseph,

sur le crâne de celui qui est consacré parmi ses frères !

17Premier-né du taureau, à lui la gloire.

Ses cornes sont cornes de buffle

dont il frappe les peuples

jusqu'aux extrémités de la terre.

Telles sont les myriades d'Éphraïm,

tels sont les milliers de Manassé.

18Il dit sur Zabulon :

Sois heureux, Zabulon, en tes expéditions.

Et toi, Issachar, dans tes tentes !

19Sur la montagne où les peuples viennent invoquer

ils offrent des sacrifices de succès,

car ils aspirent à eux l'abondance des mers

et les trésors cachés dans les sables.

20Il dit sur Gad :

Béni soit celui qui met Gad au large !

Il repose comme une lionne ;

il a déchiré bras, visage et tête.

21Puis il s'est attribué les prémices,

là, il a vu qu'une part de chef lui était réservée.

Il est venu comme chef du peuple,

ayant accompli la justice de Yahvé

et ses sentences sur Israël.

22Il dit sur Dan :

Dan est un jeune lion

qui s'élance du Bashân.

23Il dit sur Nephtali :

Nephtali, rassasié de faveurs,

comblé des bénédictions de Yahvé :

Il prend possession de l'ouest et du midi.

24Il dit sur Asher :

Béni soit Asher entre tous les fils !

Qu'il soit privilégié parmi ses frères

et qu'il baigne son pied dans l'huile !

25Que tes verrous soient de fer et d'airain

et que ta sécurité dure autant que tes jours !

²⁶Nul n'est pareil au Dieu de Yeshurûn :
il chevauche les cieux pour te secourir,
et les nuées, dans sa majesté !
²⁷Le Dieu d'autrefois, c'est ton refuge.
Ici-bas, c'est lui le bras antique
qui chasse devant toi l'ennemi ;
c'est lui qui dit : Détruis !
²⁸Israël demeure en sécurité.
La source de Jacob est mise à part
pour un pays de froment et de vin ;
le ciel même y distille la rosée.
²⁹Heureux es-tu, ô Israël !
Qui est comme toi, peuple vainqueur ?
En Yahvé est le bouclier qui te secourt,
l'épée qui te mène au triomphe.
Tes ennemis voudront te corrompre,
mais toi, tu fouleras leurs dos.

Mort de Moïse.

34 ¹Alors, partant des Steppes de Moab, Moïse gravit le mont Nebo, sommet du Pisga en face de Jéricho, et Yahvé lui fit voir tout le pays : le Galaad jusqu'à Dan, ²tout Nephtali, le pays d'Éphraïm et de Manassé, tout le pays de Juda jusqu'à la mer Occidentale, ³le Négeb, le district de la vallée de Jéricho, ville de palmiers, jusqu'à Çoar. ⁴Yahvé lui dit : « Voici le pays que j'ai promis par serment à Abraham, Isaac et Jacob, en ces termes : Je le donnerai à ta postérité. Je te l'ai fait voir de tes yeux, mais tu n'y passeras pas. »

⁵C'est là que mourut Moïse, serviteur de Yahvé, en terre de Moab, selon l'ordre de Yahvé ; ⁶il l'enterra dans la vallée, au pays de Moab, vis-à-vis de Bet-Péor. Jusqu'à ce jour nul n'a connu son tombeau. ⁷Moïse avait cent vingt ans quand il mourut ; son œil n'était pas éteint, ni sa vigueur épuisée. ⁸Les Israélites pleurèrent Moïse trente jours dans les Steppes de Moab. Les jours de pleurs pour le deuil de Moïse s'achevèrent. ⁹Josué, fils de Nûn, était rempli de l'esprit de sagesse, car Moïse lui avait imposé les mains. C'est à lui qu'obéirent les Israélites agissant selon l'ordre que Yahvé avait donné à Moïse.

¹⁰Il ne s'est plus levé en Israël de prophète pareil à Moïse, lui que Yahvé connaissait face à face. ¹¹Que de signes et de prodiges Yahvé lui fit accomplir au pays d'Égypte, contre Pharaon, tous ses serviteurs et tout son pays ! ¹²Quelle main puissante et quelle grande terreur Moïse avait mises en œuvre aux yeux de tout Israël !

Les livres historiques
Josué, Juges,
Ruth, Samuel et Rois

Introduction

Dans la Bible hébraïque, les livres de Josué, des Juges, de Samuel et des Rois sont appelés « Prophètes antérieurs », par opposition aux « Prophètes postérieurs » (Isaïe, Jérémie, Ézéchiel et les Douze Petits Prophètes), car on attribuait la composition de ces livres à des « prophètes ». Ces livres ont pour sujet principal les rapports d'Israël avec Yahvé, sa fidélité ou son infidélité à la parole de Dieu.

Le livre de **Josué** montre l'installation du peuple dans la terre qui lui a été promise ; celui des **Juges** retrace la succession de ses apostasies et de ses retours en grâce ; ceux de **Samuel**, après la crise qui conduisit à l'institution de la royauté et mit en péril l'idéal théocratique, disent comment cet idéal fut réalisé sous David ; ceux des **Rois** décrivent la déchéance qui commença dès le règne de Salomon et qui conduisit à la condamnation du peuple par son Dieu. L'influence du Deutéronome et de sa doctrine est manifeste, quoique variable, sur ce groupe de livres. Chaque livre porte également les indices de plusieurs éditions. Dans leur forme dernière, ces livres sont l'œuvre d'une école d'hommes pieux, pénétrés des idées du Deutéronome, qui méditent sur le passé de leur peuple et en tirent une leçon religieuse.

Le livre de **Josué** se divise en trois parties : **1-12**, la conquête de la Terre Promise ; **13-21**, la répartition du territoire entre les tribus ; **22-24**, la fin de la carrière de Josué, et spécialement son dernier discours et l'assemblée de Sichem. Ce livre n'a pas été écrit par Josué lui-même et il met en œuvre des sources variées. Dans les récits relatifs à Jéricho, **6**, et à Aï, **8**, l'historicité des événements rapportés ne reçoit pas l'appui des découvertes archéologiques. L'exposé géographique de la deuxième partie combine divers documents qui remontent parfois jusqu'à l'époque prémonarchique ou qui reflètent des divisions administratives très postérieures. Le chap. **21**, sur les villes lévitiques, est une addition postérieure à l'Exil, qui utilise cependant les souvenirs de l'époque monarchique. Dans la troisième partie, le chap. **24** préserve le vieux et authentique souvenir d'une assemblée à Sichem et du pacte religieux qui y fut conclu.

Le livre de Josué présente la conquête de toute la Terre Promise comme le résultat d'une action d'ensemble des tribus sous la conduite de Josué. Le récit de Jg **1** offre un tableau différent : on y voit chaque tribu luttant pour son territoire et souvent mise en échec. Cette image d'une conquête dispersée et incomplète est plus proche de la réalité historique. L'installation dans le sud de la Palestine se fit par des groupes qui ne furent que progressivement intégrés à Juda. L'installation en Palestine centrale fut l'œuvre des groupes qui traversèrent le Jourdain sous la conduite de Josué. L'installation dans le Nord eut une histoire particulière : à Sichem, quelques tribus qui n'étaient pas descendues en Égypte se rallièrent à la foi yahviste que le groupe de Josué avait apportée et elles acquirent leurs territoires définitifs en luttant contre les Cananéens. Dans ces différentes régions, l'installation se fit en partie par des actions guerrières, en partie par une infiltration pacifique et des alliances avec les précédents occupants du pays.

De cette histoire complexe, le livre de Josué donne un tableau idéalisé et simplifié : l'épopée de la sortie d'Égypte se continue dans cette conquête où Dieu intervient miraculeusement en faveur de son peuple ; tous les épisodes se sont polarisés autour de la grande figure de Josué, à qui est attribuée une répartition du territoire qui ne s'effectua pas par lui ni d'un coup. Le vrai sujet du livre est la terre de Canaan : Yahvé combat pour les Israélites et leur donne le pays qu'il avait promis aux Pères.

L'histoire des Juges est racontée dans la partie centrale du livre des **Juges.** Les modernes distinguent six « grands » juges, dont les actions sont racontées d'une manière plus ou moins détaillée, et six « petits » juges, qui font seulement l'objet de brèves mentions. Les « grands juges » sont des héros libérateurs : ils ont reçu de Dieu une grâce spéciale, un charisme, pour une mission de salut. Leurs histoires ont été réunies dans un « livre des libérateurs », composé dans le royaume du Nord dans la première partie de l'époque monarchique. Dans ce livre, les héros de certaines tribus devenaient des figures nationales qui avaient mené les guerres de Yahvé pour « tout Israël ». Les « petits juges » viennent d'une tradition différente. On ne leur attribue aucun acte sauveur, on donne seulement des informations sur leur origine, leur famille et le lieu de leur sépulture, et l'on dit qu'ils ont « jugé » – c'est-à-dire gouverné – Israël. Leur autorité ne s'étendait pas au-delà de leur ville ou de leur district. Ce régime des juges fut une institution politique intermédiaire entre le régime tribal et le régime monarchique. Les premiers rédacteurs deutéronomistes ont étendu leur pouvoir à « tout Israël » et les ont mis en succession chronologique. Ils ont transféré leur titre aux héros du « livre des libérateurs », qui sont ainsi devenus des « juges d'Israël ». Jephté servit de trait d'union entre les deux groupes : il avait été un libérateur mais il avait aussi été un juge. Samson, qui n'avait été ni un libérateur ni un juge mais dont on racontait en Juda les prouesses contre les Philistins, fut assimilé. On ajouta à la liste Otniel et, plus tard, Shamgar, qui n'est même pas un Israélite.

On obtint ainsi le chiffre de 12, symbolique de « tout Israël ». C'est également la rédaction deutéronomiste qui a donné au livre un cadre chronologique – artificiel – en ponctuant les récits par des indications où reviennent les chiffres 40, durée d'une génération, ou son multiple 80, ou sa moitié 20, dans un effort pour obtenir un total qui, combiné avec d'autres données de la Bible, correspond aux 480 ans que l'histoire deutéronomiste met entre la sortie d'Égypte et la construction du Temple. Dans ce cadre, les histoires des Juges remplissent sans laisser de lacunes la période qui s'est écoulée entre la mort de Josué et le début du ministère de Samuel. (L'époque des Juges ne s'est en fait pas étendue sur plus d'un siècle et demi.) Les rédacteurs deutéronomistes ont surtout donné au livre son sens religieux, enseignant que l'oppression est un châtiment de l'impiété et que la victoire est une conséquence du retour à Dieu.

Pendant cette période troublée, les Israélites n'eurent pas seulement à lutter contre les Cananéens, premiers possesseurs du pays, mais contre les peuples voisins, Moabites, Ammonites, Madianites et contre les Philistins nouvellement arrivés. Dans ces dangers, chaque groupe défend son territoire. L'unité entre les différentes fractions était assurée par la participation à la même foi religieuse : tous les Juges furent des yahvistes convaincus et le sanctuaire de l'arche à Silo devint un centre où tous les groupes se retrouvaient. Ces luttes ont forgé l'âme nationale et préparé le moment où, sous Samuel, devant un danger général, tous s'uniront contre l'ennemi commun.

Le livre de **Ruth** raconte une histoire, celle de Ruth la Moabite qui, après la mort de son mari, un homme de Bethléem émigré en Moab, revient en Juda avec sa belle-mère Noémi et épouse Booz, un parent de son mari, en application de la loi du lévirat ; de ce mariage naît Obed qui sera le grand-père de David.

La date de composition de ce livret est très discutée et l'on a proposé toutes les périodes depuis David et Salomon jusqu'à Néhémie.

C'est une histoire édifiante, dont l'intention principale est de montrer comment est récompensée la confiance qu'on met en Dieu : sa miséricorde s'étend jusque sur une étrangère. Cette foi en la Providence et cet esprit universaliste sont l'enseignement durable du récit. Le fait que Ruth a été reconnue comme la bisaïeule de David a donné un prix particulier au livret, et l'évangile de Matthieu a inclus le nom de Ruth dans la généalogie du Christ.

Les livres de **Samuel** ne formaient qu'un seul ouvrage dans la Bible hébraïque. La division en deux livres remonte à la traduction grecque, qui a également joint Samuel et Rois sous un même titre : les quatre « livres des Règnes ».

Les livres de Samuel couvrent la période qui va des origines de la monarchie israélite à la fin du règne de David. Ils combinent ou juxtaposent des sources et des traditions diverses sur les débuts de la période monarchique. À côté d'une histoire de l'arche et de sa captivité chez les Philistins, un récit de l'enfance de Samuel, un autre présente Samuel comme le dernier des Juges. Samuel joue un rôle essentiel dans l'histoire de l'institution de la royauté, où l'on distingue deux groupes de traditions : une version « monarchiste » et une version « antimonarchiste ». Viennent ensuite les guerres de Saül contre les Philistins (vers 1030), avec deux versions du rejet de Saül par Dieu. Puis l'onction de David par Samuel. Sur les débuts de David et ses démêlés avec Saül, des traditions parallèles ont été recueillies (les doublets sont fréquents). La royauté de David à Hébron, la guerre contre les Philistins et la prise de Jérusalem assurent la confirmation de David comme roi sur tout Israël. À partir de 2 S **9** commence un long récit qui ne s'achèvera qu'au début des Rois : l'histoire de la famille de David et des luttes autour de la succession au trône.

Les résultats politiques du règne de David furent considérables. Les Philistins furent définitivement repoussés, l'unification du territoire s'acheva par l'absorption des îlots cananéens, à commencer par Jérusalem, qui devint la capitale politique et religieuse du royaume. Toute la Transjordanie fut soumise et David étendit son contrôle sur les Araméens de la Syrie méridionale. Cependant, lorsque David mourut, vers 970, l'unité nationale n'était pas vraiment réalisée : David était roi d'Israël et de Juda mais ces deux fractions s'opposaient souvent.

Ces livres portent un message religieux. Ils énoncent les conditions et les difficultés d'un royaume de Dieu sur la terre. L'idéal n'a été atteint que sous David. Cette réussite a été précédée par l'échec de Saül et elle sera suivie par toutes les infidélités de la monarchie, qui appelleront la condamnation de Dieu et feront la ruine de la nation. A partir de la prophétie de Natân (2 S **7**), l'espérance messianique s'est alimentée aux promesses faites à la maison de David.

Les deux livres des **Rois** font immédiatement suite aux livres de Samuel. Le long récit du règne de Salomon, 1 R **3-11**, détaille l'excellence de sa sagesse, la splendeur de ses constructions, surtout du Temple de Jérusalem, l'étendue de ses richesses. Époque glorieuse, certes, mais l'esprit conquérant du règne de David a disparu. L'opposition entre les deux fractions du peuple se maintient et, à la mort de Salomon, en 931, le royaume se divise : les dix tribus du Nord font une sécession aggravée d'un schisme religieux. L'histoire parallèle des deux royaumes d'Israël et de Juda se développe de 1 R **14** à 2 R **17** : c'est l'histoire des luttes entre ces royaumes frères, c'est aussi celle des assauts extérieurs de l'Égypte contre Juda et des Araméens dans le nord. Le danger devient plus pressant quand les armées assyriennes interviennent dans la région, d'abord au IXe siècle, plus fortement au VIIIe siècle, où Samarie tombe sous leurs coups en 721, cependant que Juda s'est déjà déclaré vassal. L'histoire de Juda seul se continue jusqu'à la ruine de Jérusalem, en 587, dans 2 R **18-25** 21. Le récit s'étend surtout sur les règnes d'Ézéchias et de Josias, marqués par un réveil national et une réforme religieuse. Les grands événements politiques sont alors l'invasion de Sennachérib sous Ézéchias, en 701, et, sous Josias, la ruine de l'Assyrie et la formation de l'Empire chaldéen. Juda dut se soumettre aux nouveaux maîtres de l'Orient, mais se révolta bientôt. Le châtiment ne tarda pas : en 597, les armées de Nabuchodonosor prirent Jérusalem et déportèrent une partie de ses habitants ; dix ans après, un sursaut d'indépendance amena une nouvelle intervention de Nabuchodonosor, qui s'acheva, en 587, par la ruine de Jérusalem et une seconde déportation.

L'ouvrage cite nommément trois de ses sources, une « Histoire de Salomon », les « Annales des rois d'Israël » et les « Annales des rois de Juda », mais il y en eut d'autres : une description du Temple, d'origine sacerdotale, 1 R **6-7**, surtout une histoire d'Élie composée vers la fin du IXe siècle et une histoire d'Élisée un peu postérieure ; ces deux histoires sont à la base des cycles d'Élie, 1 R **17** - 2 R **1**, et d'Élisée, 2 R **2-13**. Les récits du règne d'Ézéchias qui mettent en scène Isaïe, 2 R **18** 17 - **20** 19, proviennent des disciples de ce prophète.

Lorsque l'utilisation des sources n'y contrevient pas, les événements sont enfermés dans un cadre uniforme, le début et la fin des règnes sont marqués par des formules à peu près constantes, où ne manque jamais un jugement sur la conduite religieuse du roi. Tous les rois d'Israël sont condamnés à cause du « péché originel » de ce royaume, la fondation du sanctuaire de Béthel. Parmi les rois de Juda, huit seulement sont loués pour leur fidélité générale aux prescriptions de Yahvé. Mais cette louange est six fois restreinte par la remarque que « les hauts lieux ne disparurent pas » ; seuls Ézéchias et Josias reçoivent une approbation sans réserve. Ces jugements s'inspirent évidemment de la loi du Deutéronome sur l'unité du sanctuaire. Il y a davantage : la découverte du Deutéronome sous Josias et la réforme religieuse qu'elle inspira marquent le point culminant de toute cette histoire, et l'ouvrage entier est une démonstration de la thèse fondamentale du Deutéronome, qui est reprise dans 1 R **8** et 2 R **17** : si le peuple observe l'alliance conclue avec Dieu, il sera béni, s'il la transgresse, il sera châtié.

Les livres des Rois doivent être lus dans l'esprit où ils ont été écrits, comme une histoire du salut : l'ingratitude du peuple élu, la ruine successive des deux fractions de la nation paraissent tenir en échec le plan de Dieu, mais il y a toujours pour sauvegarder l'avenir du groupe des fidèles qui n'ont pas plié le genou devant Baal, un reste qui garde l'Alliance. La stabilité des résolutions divines se manifeste dans la permanence étonnante de la lignée davidique, dépositaire des promesses messianiques, et le livre, sous sa forme dernière, se clôt sur la grâce faite à Joiakîn, comme sur l'aurore d'une rédemption.

Le livre de Josué

1. Conquête de la Terre Promise

I. PRÉPARATIFS

Invitation à passer en Terre Promise.

1 ¹Après la mort de Moïse, serviteur de Yahvé, Yahvé parla à Josué, fils de Nûn, l'auxiliaire de Moïse, et lui dit : ²« Moïse, mon serviteur, est mort ; maintenant, debout ! Passe le Jourdain que voici, toi et tout ce peuple, vers le pays que je donne aux Israélites. ³Tout lieu que foulera la plante de vos pieds, je vous le donne, comme je l'ai dit à Moïse. ⁴Depuis le désert et le Liban jusqu'au grand Fleuve, l'Euphrate, tout le pays des Hittites, et jusqu'à la Grande mer, vers le soleil couchant, tel sera votre territoire. ⁵Personne, tout le temps de ta vie, ne pourra tenir devant toi ; je serai avec toi comme j'ai été avec Moïse, je ne t'abandonnerai point ni ne te délaisserai.

La fidélité à la Loi, condition du secours divin. Dt 3 28 ; 31 7-8, 23.

⁶« Sois fort et tiens bon, car c'est toi qui vas mettre ce peuple en possession du pays que j'ai juré à ses pères de lui donner. ⁷Seulement, sois fort et tiens très bon pour veiller à agir selon toute la Loi que mon serviteur Moïse t'a prescrite. Ne t'en écarte ni à droite ni à gauche, afin de réussir dans toutes tes démarches. ⁸Que le livre de cette Loi soit toujours sur tes lèvres : médite-le jour et nuit afin de veiller à agir selon tout ce qui y est écrit. C'est alors que tu seras heureux dans tes entreprises et réussiras. ⁹Ne t'ai-je pas donné cet ordre : Sois fort et tiens bon ! Sois sans crainte ni frayeur, car Yahvé ton Dieu est avec toi dans toutes tes démarches. »

Concours des tribus d'outre-Jourdain.

¹⁰Josué donna ensuite cet ordre aux scribes du peuple : ¹¹« Parcourez le camp, donnez cet ordre au peuple : Faites des provisions, car dans trois jours, vous passerez ce Jourdain pour aller prendre possession du pays dont Yahvé votre Dieu vous donne la possession. »

¹²Puis aux Rubénites, aux Gadites et à la demi-tribu de Manassé, Josué parla ainsi : ¹³« Rappelez-vous ce que vous a ordonné Moïse, serviteur de Yahvé : Yahvé votre Dieu, en vous accordant le repos, vous a donné ce pays-ci. ¹⁴Vos femmes, vos petits enfants et vos troupeaux peuvent rester dans le pays que vous a donné Moïse au-delà du Jourdain. Quant à vous, tous les hommes de guerre, vous passerez en formation de combat en tête de vos frères, et vous leur viendrez en aide, ¹⁵jusqu'à ce que Yahvé accorde le repos à vos frères comme à vous, et qu'ils prennent

possession, eux aussi, du pays que Yahvé votre Dieu leur donne. Vous pourrez alors retourner au pays qui vous appartient, et vous en prendrez possession, celui que vous a donné Moïse, serviteur de Yahvé, au-delà du Jourdain, vers le soleil levant. » ¹⁶Ils répondirent alors à Josué : « Tout ce que tu nous as ordonné, nous le ferons, et partout où tu nous enverras, nous irons. ¹⁷De même que nous avons obéi en toute chose à Moïse, de même nous t'obéirons. Puisse seulement Yahvé ton Dieu être avec toi comme il fut avec Moïse ! ¹⁸Quiconque sera rebelle à tes ordres et n'écoutera pas tes paroles, quoi que tu lui ordonnes, qu'il soit mis à mort ! Pour toi, sois fort et tiens bon. »

Les espions de Josué à Jéricho.

2 ¹Josué, fils de Nûn, envoya secrètement de Shittim deux hommes pour espionner, en disant : « Allez, examinez le pays et Jéricho. » Ils y allèrent, se rendirent à la maison d'une prostituée nommée Rahab et ils y couchèrent. ²On dit au roi de Jéricho : « Voici que des hommes sont venus ici cette nuit, des Israélites, pour explorer le pays. » ³Alors le roi de Jéricho envoya dire à Rahab : « Fais sortir les hommes venus chez toi – qui sont descendus dans ta maison – car c'est pour explorer tout le pays qu'ils sont venus. » ⁴Mais la femme avait pris les deux hommes et les avait cachés. « C'est vrai, dit-elle, ces hommes sont venus chez moi, mais je ne savais pas d'où ils étaient. ⁵Lorsqu'à la nuit tombante on allait fermer la porte de la ville, ces hommes sont sortis et je

ne sais pas où ils sont allés. Mettez-vous vite à leur poursuite et vous les rejoindrez. » ⁶Or elle les avait fait monter sur la terrasse et les avait cachés sous des tiges de lin qu'elle y avait déposées. ⁷Les gens les poursuivirent dans la direction du Jourdain, vers les gués, et l'on ferma la porte dès que furent sortis ceux qui étaient à leur poursuite.

Le pacte entre Rahab et les espions.

⁸Quant à eux, ils n'étaient pas encore couchés que Rahab monta vers eux sur la terrasse. ⁹Elle leur dit : « Je sais que Yahvé vous a donné ce pays, que vous faites notre terreur, et que tous les habitants du pays ont été pris de panique à votre approche. ¹⁰Car nous avons appris que Yahvé avait mis à sec devant vous les eaux de la mer des Roseaux, à votre sortie d'Égypte, et ce que vous avez fait aux deux rois amorites, de l'autre côté du Jourdain, à Sihôn et à Og que vous avez voués à l'anathème. ¹¹En l'apprenant, le cœur nous a manqué et personne n'a gardé courage devant vous, parce que Yahvé, votre Dieu, est Dieu, aussi bien là-haut dans les cieux qu'ici-bas sur la terre. ¹²Jurez-moi donc maintenant par Yahvé, puisque je vous ai traités avec bonté, qu'à votre tour vous traiterez avec bonté la maison de mon père et m'en donnerez un signe loyal ; ¹³que vous laisserez la vie sauve à mon père et à ma mère, à mes frères, à mes sœurs et à tous ceux qui leur appartiennent, et que vous nous préserverez de la mort. » ¹⁴Alors les hommes lui dirent : « Nous mourrons plutôt nous-mê-

mes, à moins que vous ne révéliez notre affaire. Quand Yahvé nous aura livré le pays, nous agirons envers toi avec bonté et loyauté. » [15]Alors elle les fit descendre par la fenêtre au moyen d'une corde, car sa maison était contre le rempart, elle-même logeait dans le rempart. [16]« Allez vers la montagne, leur dit-elle, de peur que ceux qui vous poursuivent ne vous retrouvent. Cachez-vous là pendant trois jours, jusqu'au retour de ceux qui vous poursuivent, et puis, allez votre chemin. » [17]Les hommes lui dirent : « Voici comment nous nous acquitterons de ce serment que tu nous as fait prêter : [18]à notre arrivée dans le pays, tu attacheras ce cordon de fil écarlate à la fenêtre par laquelle tu nous as fait descendre, et tu rassembleras auprès de toi dans la maison ton père, ta mère, tes frères et toute la famille. [19]Quiconque franchira les portes de ta maison pour sortir, son sang retombera sur sa tête et nous en serons

quittes ; mais le sang de quiconque restera avec toi dans la maison retombera sur nos têtes si l'on porte la main sur lui. [20]Mais s'il t'arrive de révéler notre affaire, nous serons quittes de ce serment que tu nous as fait prêter. » [21]Elle répondit : « Qu'il en soit ainsi ! » Elle les fit partir et ils s'en allèrent. Alors elle attacha le cordon écarlate à la fenêtre.

Retour des espions.

[22]Ils partirent et allèrent vers la montagne. Ils y restèrent trois jours, jusqu'à ce que fussent rentrés ceux qui les poursuivaient. Ceux-ci avaient battu tout le chemin sans les trouver. [23]Alors les deux hommes redescendirent de la montagne, traversèrent et se rendirent auprès de Josué, fils de Nûn, à qui ils racontèrent tout ce qui leur était arrivé. [24]Ils dirent à Josué : « Yahvé a livré tout ce pays entre nos mains et déjà tous ses habitants sont pris de panique devant nous. »

II. LE PASSAGE DU JOURDAIN

Préliminaires du passage.

3 [1]Josué se leva de bon matin. Ils partirent de Shittim et ils allèrent jusqu'au Jourdain, lui et tous les Israélites. Là, ils passèrent la nuit, avant de traverser. [2]Au bout de trois jours, les scribes parcoururent le camp [3]et donnèrent au peuple cet ordre : « Quand vous verrez l'arche de l'alliance de Yahvé votre Dieu et les prêtres lévites qui la portent, vous quitterez le lieu où vous vous trouvez et vous la suivrez. [4] – Toutefois,

qu'il y ait entre vous et l'arche un espace d'environ deux mille coudées : n'en approchez pas. – Ainsi vous saurez quel chemin prendre, car vous n'êtes jamais passés par ce chemin. » [5]Josué dit au peuple : « Sanctifiez-vous, car demain Yahvé accomplira des merveilles au milieu de vous » ; [6]puis Josué dit aux prêtres : « Prenez l'arche d'alliance et passez en tête du peuple. » Ceux-ci prirent l'arche d'alliance et s'avancèrent à la tête du peuple.

Dernières instructions.

[7]Yahvé dit à Josué : « Aujourd'hui même, je vais commencer à te grandir aux yeux de tout Israël, afin qu'il sache que, comme j'ai été avec Moïse, je serai avec toi. [8]Pour toi, tu donneras cet ordre aux prêtres portant l'arche d'alliance : "Lorsque vous aurez atteint le bord des eaux du Jourdain, c'est dans le Jourdain que vous vous tiendrez." » [9]Josué dit aux Israélites : « Approchez et écoutez les paroles de Yahvé votre Dieu. » [10]Et Josué dit : « À ceci vous reconnaîtrez que le Dieu vivant est au milieu de vous et qu'il chassera certainement loin de vous les Cananéens, les Hittites, les Hivvites, les Perizzites, les Girgashites, les Amorites et les Jébuséens. [11]Voici : l'arche de l'alliance du Seigneur de toute la terre va passer devant vous dans le Jourdain. [12]Dès maintenant, choisissez douze hommes parmi les tribus d'Israël, un homme par tribu. [13]Aussitôt que les prêtres portant l'arche de Yahvé, Seigneur de toute la terre, auront posé la plante de leurs pieds dans les eaux du Jourdain, les eaux du Jourdain seront coupées, celles qui descendent d'amont, et elles s'arrêteront en une seule masse. »

Le passage du fleuve.

[14]Or quand le peuple quitta ses tentes pour traverser le Jourdain, les prêtres portaient l'arche de l'alliance en tête du peuple. [15]Dès que les porteurs de l'arche furent arrivés au Jourdain, et que les pieds des prêtres porteurs de l'arche touchèrent les eaux – or le Jourdain coule à pleins bords pendant toute la durée de la moisson –, [16]les eaux d'amont s'arrêtèrent et se dressèrent en une seule masse à une très grande distance, à Adâm, la ville qui est à côté de Çartân, tandis que les eaux descendant vers la mer de la Araba, la mer Salée, étaient complètement coupées. Le peuple traversa vis-à-vis de Jéricho. [17]Les prêtres qui portaient l'arche de l'alliance de Yahvé se tinrent au sec, immobiles au milieu du Jourdain, tandis que tout Israël traversait à sec, jusqu'à ce que toute la nation eût achevé de traverser le Jourdain.

Les douze pierres commémoratives.

4 [1]Lorsque toute la nation eut achevé de traverser le Jourdain, Yahvé parla à Josué et lui dit : [2]« Choisissez-vous douze hommes parmi le peuple, un homme par tribu, [3]et donnez-leur cet ordre : "Enlevez d'ici, du milieu du Jourdain, là où se sont posés les pieds des prêtres, douze pierres que vous ferez traverser avec vous et déposerez au bivouac où vous passerez la nuit." » [4]Josué appela les douze hommes qu'il avait désignés parmi les Israélites, un homme par tribu, [5]et Josué leur dit : « Passez devant l'arche de Yahvé votre Dieu, jusqu'au milieu du Jourdain, et que chacun de vous prenne sur son épaule une pierre, selon le nombre des tribus israélites, [6]pour en faire un signe au milieu de vous ; et quand, demain, vos fils vous demanderont : "Ces pierres, que sont-elles pour vous ?" [7]alors vous leur direz : "C'est que les eaux du Jourdain ont été coupées devant l'arche de l'alliance de Yahvé : lorsqu'elle traversa le Jourdain, les eaux du Jourdain ont été coupées. Ces pierres sont un mémorial pour les Israélites, pour toujours ! " » [8]Les Israélites exécutèrent les ordres de Josué : ayant enlevé douze pierres du milieu du Jourdain, selon le nombre des tribus israélites, comme l'avait dit Yahvé à Josué, ils les transportèrent au bivouac et les y déposèrent. [9]Puis Josué érigea douze pierres au milieu du Jourdain, à l'endroit où s'étaient posés les pieds des prêtres porteurs de l'arche d'alliance, et elles y sont encore aujourd'hui.

Fin du passage.

[10]Les prêtres porteurs de l'arche d'alliance se tenaient debout au milieu du Jourdain jusqu'à l'accomplissement de tout ce que Yahvé avait ordonné à Josué de dire au peuple selon tout ce que Moïse avait ordonné à Josué ; et le peuple se hâta de traverser. [11]Lorsque le peuple eut achevé de traverser, l'arche de Yahvé passa, avec les prêtres, à la tête du peuple. [12]Les fils de Ruben, les fils de Gad et la demi-tribu de Manassé passèrent en formation de combat à la tête des Israélites, comme Moïse le leur avait dit. [13]Au nombre d'environ quarante mille guerriers en armes, ils passèrent prêts au combat, devant Yahvé, vers la plaine de Jéricho. [14]En ce jour-là, Yahvé grandit Josué aux yeux de tout Israël qui le craignit comme il avait craint Moïse sa vie durant.

[15]Yahvé dit à Josué : [16]« Donne aux prêtres qui portent l'arche du Témoignage l'ordre de remonter

du Jourdain. » [17]Et Josué ordonna aux prêtres : « Remontez du Jourdain ! » [18]Or, lorsque les prêtres portant l'arche de l'alliance de Yahvé remontèrent du milieu du Jourdain, et que la plante de leurs pieds eut touché la terre sèche, les eaux du Jourdain revinrent dans leur lit et se mirent comme avant à couler à pleins bords.

Arrivée à Gilgal.

[19]Ce fut le dix du premier mois que le peuple remonta du Jourdain et campa à Gilgal, à la limite est de Jéricho. [20]Quant à ces douze pierres qu'on avait prises dans le Jourdain, Josué les érigea à Gilgal. [21]Puis il dit aux Israélites : « Quand vos fils demanderont, demain, à leurs pères : "Que sont ces pierres ?" [22]alors vous le ferez savoir à vos fils : "C'est à pied sec qu'Israël a traversé le Jourdain que voilà, [23]parce que Yahvé votre Dieu assécha devant vous les eaux du Jourdain jusqu'à ce que vous eussiez traversé, comme Yahvé votre Dieu l'avait fait pour la mer des Roseaux qu'il assécha devant nous jusqu'à ce que nous l'eussions traversée, [24]afin que tous les peuples de la terre sachent comme est puissante la main de Yahvé, et afin qu'ils craignent Yahvé votre Dieu, toujours." »

Terreur des populations à l'ouest du Jourdain.

5 [1]Lorsque tous les rois des Amorites qui habitaient au-delà du Jourdain, vers l'ouest, et tous les rois des Cananéens qui habitaient face à la mer apprirent que Yahvé avait asséché les eaux du Jourdain devant les Israélites, jusqu'à ce qu'ils soient passés, le cœur leur manqua et ils perdirent courage devant les Israélites.

La circoncision à Gilgal.

²En ce temps-là, Yahvé dit à Josué : « Fais-toi des couteaux de silex, et circoncis de nouveau les Israélites (une seconde fois). » ³Josué se fit des couteaux de silex et circoncit les Israélites sur le Tertre des Prépuces.

⁴Voici la raison pour laquelle Josué fit cette circoncision : toute la population mâle, sortie d'Égypte en âge de porter les armes, était morte dans le désert, en chemin, après leur sortie d'Égypte. ⁵Alors que le peuple sorti d'Égypte était circoncis, tout le peuple né dans le désert, en chemin, après leur sortie d'Égypte, n'avait pas été circoncis ; ⁶car pendant quarante ans les Israélites avaient marché dans le désert, jusqu'à ce que toute la nation eût péri, à savoir les hommes sortis d'Égypte en âge de porter les armes ; ils n'avaient pas obéi à la voix de Yahvé, et Yahvé leur avait juré de ne pas leur laisser voir la terre qu'il avait juré à leurs pères de nous donner, terre qui ruisselle de lait et de miel. ⁷Quant à leurs fils, il les établit à leur place, et ce sont eux que Josué circoncit : ils étaient incirconcis, car on ne les avait pas circoncis en chemin. ⁸Lorsqu'on eut achevé de circoncire toute la nation, ils restèrent sur place dans le camp jusqu'à leur guérison. ⁹Alors Yahvé dit à Josué : « aujourd'hui j'ai roulé loin de vous le déshonneur de l'Égypte. » Aussi a-t-on appelé ce lieu du nom de Gilgal jusqu'à aujourd'hui.

La célébration de la Pâque.

¹⁰Les Israélites campèrent à Gilgal et y firent la Pâque, le quatorzième jour du mois, le soir, dans la plaine de Jéricho. ¹¹Le lendemain de la Pâque, ils mangèrent du produit du pays : pains sans levain et épis grillés, en ce même jour. ¹²Il n'y eut plus de manne le lendemain, lorsqu'ils eurent mangé du produit du pays. Les Israélites n'ayant plus de manne se nourrirent dès cette année des produits de la terre de Canaan.

III. LA CONQUÊTE DE JÉRICHO

Prélude : Théophanie.

¹³Or Josué, se trouvant à Jéricho, leva les yeux et vit un homme qui se tenait debout devant lui, une épée nue à la main. Josué s'avança vers lui et lui dit : « Es-tu des nôtres ou de nos ennemis ? » ¹⁴Il répondit : « Non ! Mais je suis le chef de l'armée de Yahvé, et maintenant je suis venu. » Josué, tombant la face contre terre, l'adora et dit : « Que dit mon Seigneur à son serviteur ? » ¹⁵Le chef de l'armée de Yahvé répondit à Josué : « Ôte tes sandales de tes pieds, car le lieu sur lequel tu te trouves est saint. » Et Josué fit ainsi.

Prise de Jéricho.

6 ¹Or Jéricho s'était enfermée et barricadée (contre les Israélites) : personne n'en sortait et personne n'y entrait. ²Yahvé dit alors à Josué : « Vois ! Je livre entre tes mains Jéricho et son roi, gens d'élite. ³Vous tous les combattants, vous contournerez la ville (pour en faire une fois le tour, et pendant six jours tu feras de même. ⁴Sept prêtres porteront en avant de l'arche sept trompes en corne de bélier. Le septième jour, vous ferez sept fois le tour de la ville et les prêtres sonneront de la trompe). ⁵Lorsque la corne de bélier retentira (quand vous entendrez le son de la trompe), tout le peuple poussera un grand cri de guerre et le rempart de la ville s'écroulera sur place ; alors le peuple montera, chacun droit devant soi. »

⁶Josué, fils de Nûn, appela les prêtres et leur dit : « Prenez l'arche d'alliance, et que sept prêtres portent sept trompes en corne de bélier en avant de l'arche de Yahvé. » ⁷Puis il dit au peuple : « Passez et faites le tour de la ville, et que l'avant-garde passe devant l'arche de Yahvé. » ⁸(Il fut fait comme Josué l'avait dit au peuple.) Sept prêtres portant les sept trompes en corne de bélier devant Yahvé passèrent et sonnèrent de la trompe ; l'arche de l'alliance de Yahvé venait après eux, ⁹l'avant-garde précédait les prêtres qui sonnaient de la trompe et l'arrière-garde venait après l'arche : on allait et l'on sonnait de la trompe.

¹⁰Au peuple, Josué avait donné l'ordre suivant : « Ne criez pas et ne faites pas entendre votre voix (qu'il ne sorte pas un mot de votre bouche), jusqu'au jour où je vous dirai : "Poussez le cri de guerre !" Alors vous pousserez le cri de guerre. »

¹¹Il fit faire à l'arche de Yahvé le tour de la ville (en la contournant une fois), puis on rentra au camp où l'on passa la nuit. ¹²Josué se leva de bon matin et les prêtres prirent l'arche de Yahvé. ¹³Munis des sept trompes en corne de bélier, les sept prêtres marchant devant l'arche de Yahvé sonnaient de leur trompe pendant la marche, tandis que l'avant-garde allait devant eux, l'arrière-garde à la suite de l'arche de Yahvé, et que l'on défilait au son de la trompe.

¹⁴On fit le tour de la ville (le second jour) une fois, et l'on rentra au camp ; c'est ainsi que l'on fit pendant six jours. ¹⁵Le septième jour, s'étant levés dès l'aurore, ils firent le tour de la ville (selon la même rite) sept fois. (C'est seulement ce jour-là qu'on fit sept fois le tour de la ville.) ¹⁶La septième fois, les prêtres sonnèrent de la trompe et Josué dit au peuple : « Poussez le cri de guerre, car Yahvé vous a livré la ville ! »

Jéricho vouée à l'anathème.

¹⁷« La ville sera vouée par anathème à Yahvé, avec tout ce qui s'y trouve. Seule Rahab, la prostituée, aura la vie sauve ainsi que tous ceux qui sont avec elle dans sa maison, parce qu'elle a caché les émissaires que nous avions envoyés. ¹⁸Mais vous, prenez bien garde à l'anathème, de peur que, poussés par la convoitise, vous ne preniez quelque chose de ce qui est anathème, car ce serait rendre anathème le camp d'Israël et lui porter malheur. ¹⁹L'argent, l'or et les objets de bronze et de fer, tout cela sera consacré à Yahvé ; cela entrera dans le trésor de Yahvé. »

²⁰Le peuple poussa le cri de

guerre et l'on sonna de la trompe. Quand il entendit le son de la trompe, le peuple poussa un grand cri de guerre, et le rempart s'écroula sur place. Aussitôt le peuple monta vers la ville, chacun devant soi, et ils s'emparèrent de la ville. 21Ils vouèrent à l'anathème tout ce qui se trouvait dans la ville, hommes et femmes, jeunes et vieux, jusqu'aux taureaux, aux moutons et aux ânes, les passant au fil de l'épée.

La maison de Rahab préservée.

22Josué dit aux deux hommes qui avaient espionné le pays : « Entrez dans la maison de la prostituée et faites-en sortir cette femme avec tous ceux qui lui appartiennent, ainsi que vous le lui avez juré. » 23Ces jeunes gens, les espions, s'y rendirent et en firent sortir Rahab, son père, sa mère, ses frères et tous ceux qui lui appartenaient. Ils en firent sortir aussi tout son clan et les mirent en lieu sûr, en dehors du camp d'Israël.

24On brûla la ville et tout ce qu'elle contenait, sauf l'argent, l'or et les objets de bronze et de fer qu'on livra au trésor de la maison de Yahvé. 25Mais Rahab, la prostituée, ainsi que la maison de son père et tous ceux qui lui appartenaient, Josué leur laissa la vie sauve. Elle est demeurée au milieu d'Israël jusqu'à aujourd'hui, pour avoir caché les émissaires que Josué avait envoyés espionner Jéricho.

Malédiction à qui relèvera Jéricho. ↗ 1 R 16 34.

26En ce temps-là, Josué fit prononcer ce serment :

« Maudit soit, devant Yahvé, l'homme qui se lèvera
pour rebâtir cette ville – Jéricho !
Il la fondera sur son aîné,
et en posera les portes sur son cadet ! »

27Et Yahvé fut avec Josué, dont la renommée se répandit dans tout le pays.

Violation de l'anathème.

7 1Mais les Israélites se rendirent coupables d'une violation de l'anathème : Akân, fils de Karmi, fils de Zabdi, fils de Zérah, de la tribu de Juda, prit de ce qui était anathème, et la colère de Yahvé s'enflamma contre les Israélites.

Échec devant Aï, sanction du sacrilège.

2Or Josué envoya des hommes de Jéricho vers Aï qui est près de Bet-Avèn, à l'orient de Béthel, et il leur dit : « Montez espionner le pays. » Ils montèrent espionner Aï. 3De retour auprès de Josué, ils lui dirent : « Que tout le peuple n'y monte pas, mais que deux ou trois mille hommes environ montent attaquer Aï. N'y fatigue pas tout le peuple car ces gens-là ne sont pas nombreux. »

4Il n'y monta du peuple qu'environ trois mille hommes, mais ils s'enfuirent devant les hommes de Aï. 5Les hommes de Aï leur tuèrent à peu près trente-six hommes, puis les poursuivirent en avant de la porte, jusqu'à Shebarim, et dans la descente, ils les écrasèrent. Alors le peuple perdit cœur et son courage fondit.

Prière de Josué.

⁶Alors Josué déchira ses vêtements, tomba face contre terre devant l'arche de Yahvé jusqu'au soir, ainsi que les anciens d'Israël, et tous répandirent de la poussière sur leur tête. ⁷Josué dit : « Hélas, Seigneur Yahvé, pourquoi as-tu fait passer le Jourdain à ce peuple si c'est pour nous livrer à la main de l'Amorite et nous faire périr ? Ah ! si nous avions pu nous établir au-delà du Jourdain ! ⁸Excuse-moi, Seigneur ! Que dirai-je maintenant qu'Israël a tourné le dos devant ses ennemis ? ⁹Les Cananéens vont l'apprendre, ainsi que tous les habitants du pays, ils se coaliseront contre nous pour retrancher notre nom de la terre. Que feras-tu alors pour ton grand nom ? »

Réponse de Yahvé.

¹⁰Yahvé dit à Josué : « Relève-toi ! Pourquoi restes-tu face contre terre ? ¹¹Israël a péché, il a violé l'alliance que je lui avais imposée : Oui ! on a pris de ce qui était anathème, et même on l'a dérobé, et même on l'a dissimulé, et même on l'a mis dans ses bagages. ¹²Eh bien, les Israélites ne pourront pas tenir devant leurs ennemis, ils tourneront le dos devant leurs ennemis parce qu'ils sont devenus anathèmes. Si vous ne faites pas disparaître du milieu de vous l'objet de l'anathème, je ne serai plus avec vous. ¹³Lève-toi, sanctifie le peuple et tu diras : Sanctifiez-vous pour demain, car ainsi parle Yahvé, le Dieu d'Israël. L'anathème est au milieu de toi, Israël ; tu ne pourras pas tenir devant tes ennemis jusqu'à ce que vous ayez écar-té l'anathème du milieu de vous. ¹⁴Vous vous présenterez donc demain matin, par tribus, et la tribu que Yahvé aura désignée par le sort se présentera par clans, et le clan que Yahvé aura désigné par le sort se présentera par familles, et la famille que Yahvé aura désignée par le sort se présentera homme par homme. ¹⁵Enfin celui qui sera désigné par le sort en ce qui concerne l'anathème sera livré au feu, lui et tout ce qui lui appartient, pour avoir transgressé l'alliance avec Yahvé et avoir commis une infamie en Israël. »

Découverte et châtiment du coupable.

¹⁶Josué se leva de bon matin ; il fit avancer Israël par tribus, et c'est la tribu de Juda qui fut désignée par le sort. ¹⁷Il fit approcher les clans de Juda, et le clan de Zérah fut désigné par le sort. Il fit approcher le clan de Zérah par familles, et Zabdi fut désigné par le sort. ¹⁸Josué fit avancer la famille de Zabdi homme par homme, et ce fut Akân, fils de Karmi, fils de Zabdi, fils de Zérah, de la tribu de Juda, qui fut désigné par le sort. ¹⁹Josué dit alors à Akân : « Mon fils, rends gloire à Yahvé, Dieu d'Israël, et fais-lui hommage ; déclare-moi ce que tu as fait ; ne me cache rien. » ²⁰Akân répondit à Josué : « En vérité, c'est moi qui ai péché contre Yahvé, Dieu d'Israël, et voici ce que j'ai fait. ²¹J'ai vu dans le butin un beau manteau de Shinéar et deux cents sicles d'argent ainsi qu'un lingot d'or pesant cinquante sicles, je les ai convoités et je les ai pris. Ils

sont cachés dans la terre au milieu de ma tente, l'argent par-dessous. »

²²Josué envoya des messagers qui coururent vers la tente, et en effet le manteau était caché dans la tente et l'argent par-dessous. ²³Ils prirent le tout du milieu de la tente, l'apportèrent à Josué et à tous les Israélites et le déposèrent devant Yahvé.

²⁴Alors Josué prit Akân, fils de Zérah, et le fit monter à la vallée d'Akor avec l'argent, le manteau et le lingot d'or, avec ses fils, ses filles, son taureau, son âne, son petit bétail, sa tente et tout ce qui lui appartenait. Tout Israël l'accompagnait.

²⁵Josué dit : « Pourquoi nous as-tu porté malheur ? Que Yahvé, en ce jour, t'apporte le malheur ! » et tout Israël le lapida et on les livra au feu et on leur jeta des pierres.

²⁶Ils élevèrent sur lui un grand monceau de pierres qui existe encore aujourd'hui. Yahvé revint alors de son ardente colère. C'est pour cela qu'on a donné à ce lieu le nom de vallée d'Akor, jusqu'à aujourd'hui.

IV. LA PRISE DE AÏ

Ordre donné à Josué.

8 ¹Yahvé dit alors à Josué : « Sois sans crainte ni frayeur ! Prends avec toi tous les gens de guerre. Debout ! monte contre Aï. Vois : je livre entre tes mains le roi de Aï, son peuple, sa ville et sa terre. ²Tu traiteras Aï et son roi comme tu as traité Jéricho et son roi. Vous ne prendrez comme butin que les dépouilles et le bétail. Aie soin d'établir une embuscade contre la ville, par-derrière. »

Manœuvre de Josué.

³Josué se leva, avec tous les gens de guerre, pour monter contre Aï. Josué choisit trente mille hommes d'élite et les fit partir de nuit ⁴en leur donnant cet ordre : « Attention ! vous dresserez une embuscade contre la ville, par-derrière, sans vous éloigner beaucoup de la ville, et soyez tous sur le qui-vive. ⁵Moi et tous les gens qui m'accompagnent, nous nous approcherons de la ville, et lorsque les gens de Aï sortiront à notre rencontre comme la première fois, nous fuirons devant eux. ⁶Ils nous suivront alors et nous les attirerons loin de la ville, car ils se diront : "Ils fuient devant nous comme la première fois." ⁷Alors vous surgirez de l'embuscade pour prendre possession de la ville : Yahvé votre Dieu la livrera entre vos mains. ⁸Dès que vous tiendrez la ville, vous la livrerez au feu, agissant selon la parole de Yahvé. Voyez, je vous ai donné un ordre. »

⁹Josué les envoya. Ils allèrent au lieu de l'embuscade et se postèrent entre Béthel et Aï, à l'ouest de Aï. Josué passa la nuit au milieu du peuple, ¹⁰puis le lendemain Josué se leva de bon matin, il passa le peuple en revue et, avec les anciens d'Israël, monta vers Aï en tête du peuple. ¹¹Tous les gens de guerre

qui étaient avec lui montèrent, s'approchèrent jusqu'en face de la ville et campèrent au nord de Aï, la vallée se trouvant entre eux et la ville. ¹²Josué prit environ cinq mille hommes et les mit en embuscade entre Béthel et Aï, à l'ouest de la ville. ¹³Le peuple dressa l'ensemble du camp qui était au nord de la ville, et son embuscade à l'ouest de la ville. Josué alla cette nuit-là au milieu de la plaine.

Prise de Aï.

¹⁴Dès que le roi de Aï eut vu cela, les gens de la ville se hâtèrent de se lever et de sortir pour que lui et tout son peuple aillent à la rencontre d'Israël pour le combattre, sur la descente qui est face à la Araba ; mais il ne savait pas qu'il y avait une embuscade dressée contre lui derrière la ville. ¹⁵Josué et tout Israël se firent battre par eux et ils s'enfuirent sur le chemin du désert. ¹⁶Tout le peuple qui se trouvait dans la ville se mit à leur poursuite à grands cris. En poursuivant Josué, ils s'écartèrent de la ville. ¹⁷Il ne resta pas un homme dans Aï (ni dans Béthel) qui ne poursuivît Israël : ils laissèrent la ville ouverte et poursuivirent Israël.

¹⁸Yahvé dit alors à Josué : « Tends vers Aï le sabre que tu as en main, car c'est en ta main que je vais le livrer. » Alors Josué tendit vers la ville le sabre qu'il avait en main. ¹⁹Et dès qu'il eut étendu la main, ceux de l'embuscade, surgissant en hâte de leur poste, coururent, pénétrèrent dans la ville, s'en emparèrent et se hâtèrent de la livrer au feu. ²⁰Les gens de Aï se retournè-

rent et virent : voici que la fumée de la ville montait vers le ciel. Aucun d'entre eux ne se sentit le courage de fuir ici ou là, tandis que le peuple en fuite vers le désert se retournait contre ceux qui le poursuivaient. ²¹Voyant que ceux de l'embuscade avaient pris la ville et que la fumée montait de la ville, Josué et tout Israël firent volte-face et attaquèrent les gens de Aï. ²²Les autres sortirent de la ville à leur rencontre, de sorte que les gens de Aï se trouvèrent au milieu des Israélites, ayant les uns d'un côté et les autres de l'autre. Ceux-ci les battirent jusqu'à ce qu'il ne leur restât plus un survivant ni un rescapé. ²³Mais on prit vivant le roi de Aï et on l'amena à Josué. ²⁴Quand Israël eut fini de tuer tous les habitants de Aï, dans la campagne et dans le désert où ils les avaient poursuivis, et que tous jusqu'au dernier furent tombés au fil de l'épée, tout Israël revint à Aï et en passa la population au fil de l'épée. ²⁵Le total de tous ceux qui tombèrent ce jour-là, tant hommes que femmes, fut de douze mille, tous gens de Aï.

L'anathème et la ruine.

²⁶Josué ne ramena pas la main qu'il avait étendue avec le sabre, jusqu'à ce qu'il eût voué à l'anathème tous les habitants de Aï. ²⁷Israël ne prit pour butin que le bétail et les dépouilles de cette ville, selon l'ordre que Yahvé avait donné à Josué. ²⁸Josué incendia Aï et il en fit pour toujours une ruine, un lieu désolé jusqu'à aujourd'hui. ²⁹Quant au roi de Aï, il le pendit à un arbre jusqu'au soir ; mais au coucher du

soleil, Josué ordonna qu'on descendît de l'arbre son cadavre. On le jeta ensuite à l'entrée de la porte de la ville, et on amoncela sur lui un grand tas de pierres, qui existe jusqu'à aujourd'hui.

V. SACRIFICE ET LECTURE DE LA LOI SUR LE MONT ÉBAL

L'autel de pierres brutes.

[30] Alors Josué édifia un autel à Yahvé, Dieu d'Israël, sur le mont Ébal, [31] comme Moïse, serviteur de Yahvé, l'avait ordonné aux Israélites, comme il est écrit dans le livre de la Loi de Moïse : un autel de pierres brutes que le fer n'aura pas travaillées. Ils y offrirent des holocaustes à Yahvé et immolèrent des sacrifices de communion.

Lecture de la Loi.

[32] Là, Josué écrivit sur les pierres une copie de la Loi de Moïse, que celui-ci avait écrite devant les Israélites. [33] Tout Israël, avec ses anciens, ses scribes et ses juges, se tenait de part et d'autre de l'arche, en face des prêtres lévites qui portaient l'arche d'alliance de Yahvé, les étrangers comme les citoyens, moitié sur le front du mont Garizim et moitié sur le front du mont Ébal, comme Moïse, serviteur de Yahvé, l'avait ordonné pour bénir en premier lieu le peuple d'Israël. [34] Puis Josué lut toutes les paroles de la Loi – la bénédiction et la malédiction – suivant tout ce qui est écrit dans le livre de la Loi. [35] Il n'y eut pas un mot de tout ce que Moïse avait ordonné qui ne fût lu par Josué en présence de toute l'assemblée d'Israël, y compris les femmes, les enfants et les étrangers qui vivaient au milieu d'eux.

VI. LE TRAITÉ ENTRE ISRAËL ET LES GABAONITES

Coalition contre Israël.

9 [1] Quand ils apprirent cela, tous les rois qui étaient de ce côté du Jourdain, dans la montagne, dans le bas-pays et sur toute la côte de la Grande Mer jusque vers le Liban, Hittites, Amorites, Cananéens, Perizzites, Hivvites et Jébuséens, [2] se coalisèrent pour combattre d'un commun accord Josué et Israël.

Ruse des Gabaonites.

[3] Les habitants de Gabaôn apprirent la manière dont Josué avait traité Jéricho et Aï, [4] mais eux ils agirent avec ruse. Ils changèrent d'apparence ; ils chargèrent leurs ânes de vieux sacs et de vieilles outres à vin crevées et recousues, [5] ils avaient à leurs pieds de vieilles sandales rapiécées, et sur eux de vieux habits. Tout le pain qu'ils

emportaient pour leur nourriture était durci et réduit en miettes.

[6] Ils arrivèrent au camp de Gilgal, auprès de Josué, et lui dirent ainsi qu'aux hommes d'Israël : « Nous venons d'un pays très lointain, concluez donc une alliance avec nous. » [7] Les hommes d'Israël répondirent aux Hivvites : « Qui sait si vous n'habitez pas au milieu de nous ? Alors comment pourrions-nous conclure une alliance avec vous ? » [8] Ils répondirent à Josué : « Nous sommes tes serviteurs. » – « Mais qui êtes-vous, leur demanda Josué, et d'où venez-vous ? » [9] Ils répondirent : « C'est d'un pays très éloigné que viennent tes serviteurs, à cause du renom de Yahvé ton Dieu, car nous avons entendu parler de lui, de tout ce qu'il a fait en Égypte [10] et de tout ce qu'il a fait aux deux rois des Amorites qui se trouvaient au-delà du Jourdain, Sihôn, roi de Heshbôn, et Og, roi du Bashân, qui vivait à Ashtarot. [11] Alors nos anciens et tous les habitants de notre pays nous ont dit : "Prenez avec vous des provisions pour le voyage, allez au-devant d'eux et dites-leur : Nous sommes vos serviteurs, concluez donc une alliance avec nous !" [12] Voici notre pain : il était tout chaud quand nous en avons fait provision dans nos maisons, le jour où nous sommes partis pour aller chez vous, et maintenant le voilà durci et réduit en miettes. [13] Ces outres à vin que nous avions remplies toutes neuves, les voilà crevées. Nos sandales et nos vêtements, les voilà usés par une très longue marche. » [14] Les hommes prirent de leurs provisions et ne consultèrent pas

l'oracle de Yahvé. [15] Josué leur accorda la paix et conclut une alliance avec eux pour qu'ils aient la vie sauve, et les notables de la communauté leur en firent serment.

[16] Or il arriva que, trois jours après qu'ils eurent conclu l'alliance, on apprit qu'ils étaient leurs voisins et qu'ils habitaient au milieu d'Israël. [17] Les Israélites partirent du camp et arrivèrent dans leurs villes, le troisième jour. Leurs villes étaient Gabaôn, Kephira, Béérot et Qiryat-Yéarim. [18] Les Israélites ne les frappèrent pas, puisque les notables de la communauté leur avaient fait serment par Yahvé, Dieu d'Israël, mais toute la communauté murmura contre les notables.

Statut des Gabaonites.

[19] Alors tous les notables dirent à toute la communauté : « Nous leur avons fait serment par Yahvé, Dieu d'Israël, nous ne pouvons donc plus les toucher. [20] Voici ce que nous leur ferons : Laisse-leur la vie sauve, pour ne pas attirer sur nous la Colère à cause du serment que nous leur avons fait. » [21] Et les notables leur dirent : « Qu'ils vivent. » Et ils devinrent fendeurs de bois et porteurs d'eau pour toute la communauté, comme le leur avaient dit les notables. [22] Josué convoqua les Gabaonites et leur dit : « Pourquoi nous avez-vous trompés en disant : "Nous sommes très éloignés de vous", quand vous habitez au milieu de nous ? [23] Désormais vous êtes maudits et vous ne cesserez jamais d'être en servitude, comme fendeurs de bois et por-

teurs d'eau dans la Maison de mon Dieu. » [24]Ils répondirent à Josué : « C'est que l'on avait bien dit à tes serviteurs l'ordre donné par Yahvé ton Dieu à Moïse, son serviteur, de vous livrer tout ce pays et d'exterminer devant vous tous ses habitants. À votre approche nous avons eu très peur pour nos vies. Voilà pourquoi nous avons agi ainsi. [25]Et maintenant, nous voici entre tes mains, ce qu'il te semble bon et juste de nous faire, fais-le. » [26]Il fit ainsi à leur égard ; il les délivra de la main des Israélites qui ne les tuèrent pas. [27]En ce jour-là, Josué les mit comme fendeurs de bois et porteurs d'eau au service de la communauté et de l'autel de Yahvé, jusqu'à aujourd'hui, au lieu qu'il a choisi.

VII. LA CONQUÊTE DU SUD

Jg 1 1-8.

Cinq rois font la guerre à Gabaôn.

10 [1]Or, il advint qu'Adoni-Cédeq, roi de Jérusalem, apprit que Josué s'était emparé de Aï et l'avait vouée à l'anathème, traitant Aï et son roi comme il avait traité Jéricho et son roi, et que les habitants de Gabaôn avaient fait la paix avec Israël et demeuraient au milieu de lui. [2]On en fut terrifié, car Gabaôn était une ville aussi grande que l'une des villes royales – elle était plus grande que Aï –, et tous ses citoyens étaient des guerriers. [3]Alors Adoni-Cédeq, roi de Jérusalem, envoya dire à Hoham, roi d'Hébron, à Piréam, roi de Yarmut, à Yaphia, roi de Lakish, et à Debir, roi d'Églôn : [4]« Montez donc vers moi pour m'aider à battre Gabaôn, parce qu'elle a fait la paix avec Josué et les Israélites. » [5]Ayant opéré leur jonction, les cinq rois montèrent, à savoir le roi de Jérusalem, le roi d'Hébron, le roi de Yarmut, le roi de Lakish et le roi d'Églôn, eux et toutes leurs troupes ; ils assiégèrent Gabaôn et l'attaquèrent.

Josué au secours de Gabaôn.

[6]Les gens de Gabaôn envoyèrent dire à Josué, au camp de Gilgal : « Ne retire pas ton aide à tes serviteurs, hâte-toi de monter jusqu'à nous pour nous sauver et nous secourir, car tous les rois amorites qui habitent la montagne se sont coalisés contre nous. » [7]Josué monta de Gilgal, lui, tous les gens de guerre et toute l'élite de l'armée. [8]Yahvé dit à Josué : « Ne les crains pas, je te les ai livrés entre tes mains, nul d'entre eux ne te résistera. » [9]Josué arriva sur eux à l'improviste, après avoir marché toute la nuit depuis Gilgal.

Le secours d'en haut.

[10]Yahvé les mit en déroute, en présence d'Israël, et leur infligea à Gabaôn une rude défaite ; il les poursuivit même sur le chemin de la montée de Bet-Horôn et les battit jusqu'à Azéqa et jusqu'à Maqqéda. [11]Or, tandis qu'ils fuyaient devant Israël dans la descente de

Bet-Horôn, Yahvé lança du ciel sur eux d'énormes grêlons jusqu'à Azéqa, et ils moururent. Il en mourut plus par la grêle que n'en tuèrent par l'épée les Israélites. [12] C'est alors que Josué s'adressa à Yahvé, en ce jour où Yahvé livra les Amorites aux Israélites. Josué dit en présence d'Israël :

« Soleil, arrête-toi sur Gabaôn,
et toi, lune, sur la vallée
d'Ayyalôn ! »

[13] Et le soleil s'arrêta, et la lune se tint immobile jusqu'à ce que le peuple se fût vengé de ses ennemis.

Cela n'est-il pas écrit dans le livre du Juste ? Le soleil se tint immobile au milieu du ciel et près d'un jour entier retarda son coucher. [14] Il n'y a pas eu de journée pareille, ni avant ni depuis, où Yahvé ait obéi à la voix d'un homme. C'est que Yahvé combattait pour Israël. [15] Josué, et avec lui tout Israël, revint au camp de Gilgal.

Les cinq rois dans la caverne de Maqqéda.

[16] Quant à ces cinq rois, ils s'étaient enfuis et s'étaient cachés dans la caverne de Maqqéda. [17] On vint en informer Josué : « Les cinq rois, lui dit-on, viennent d'être découverts cachés dans la caverne de Maqqéda. » [18] Josué dit : « Roulez de grosses pierres à l'entrée de la caverne et postez près d'elle des hommes pour les surveiller. [19] Et vous, ne restez pas immobiles, poursuivez vos ennemis, coupez-leur la retraite et ne les laissez pas entrer dans leurs villes, car Yahvé votre Dieu les a livrés entre vos mains. » [20] Quand Josué et les Israélites eurent achevé de leur infliger une

très grande défaite jusqu'à les exterminer, tous ceux qui avaient réchappé vivants entrèrent dans les places fortes. [21] Tout le peuple revint au camp sain et sauf, auprès de Josué à Maqqéda, et personne n'osa rien dire contre les Israélites.

[22] Josué dit alors : « Dégagez l'entrée de la caverne et faites-en sortir ces cinq rois pour me les amener. » [23] On fit ainsi et l'on fit sortir les cinq rois de la caverne pour les lui amener : le roi de Jérusalem, le roi d'Hébron, le roi de Yarmut, le roi de Lakish et le roi d'Églôn. [24] Lorsqu'on eut fait sortir ces rois, Josué appela tous les hommes d'Israël et dit aux officiers des gens de guerre qui l'avaient accompagné : « Approchez et mettez le pied sur la nuque de ces rois. » Ils s'avancèrent et leur mirent le pied sur la nuque. [25] « Soyez sans crainte et sans frayeur, leur dit Josué, mais soyez forts et tenez bon, car c'est ainsi que Yahvé traitera tous les ennemis que vous aurez à combattre. » [26] Après quoi, Josué les frappa à mort et les fit pendre à cinq arbres auxquels ils restèrent suspendus jusqu'au soir.

[27] Au coucher du soleil, sur un ordre de Josué, on les dépendit des arbres et on les jeta dans la caverne où ils s'étaient cachés. De grandes pierres furent dressées contre l'entrée de la caverne, elles y sont restées jusqu'à ce jour même.

Conquête des villes méridionales de Canaan.

[28] Le même jour, Josué s'empara de Maqqéda et la fit passer, ainsi que son roi, au fil de l'épée : il les voua à l'anathème avec tout ce qui se trouvait là de vivant, il ne

laissa pas un survivant ; il traita le roi de Maqqéda comme il avait traité le roi de Jéricho.

²⁹Josué, avec tout Israël, passa de Maqqéda à Libna, qu'il attaqua. ³⁰Yahvé la livra aussi, avec son roi, entre les mains d'Israël qui la fit passer au fil de l'épée avec tout ce qui s'y trouvait de vivant ; il n'y laissa pas un survivant. Il traita son roi comme il avait traité le roi de Jéricho.

³¹Josué, avec tout Israël, passa de Libna à Lakish, qu'il assiégea et attaqua. ³²Yahvé livra Lakish entre les mains d'Israël qui s'en empara le second jour et la fit passer au fil de l'épée avec tout ce qui s'y trouvait de vivant, tout comme il avait agi pour Libna. ³³C'est alors que le roi de Gézer, Horam, monta pour secourir Lakish, mais Josué le battit, ainsi que son peuple, jusqu'à ce qu'il ne lui laissât pas un survivant.

³⁴Josué, avec tout Israël, passa de Lakish à Églôn. Ils l'assiégèrent et l'attaquèrent. ³⁵Ils s'en emparèrent le jour même et la firent passer au fil de l'épée. Il voua à l'anathème, en ce jour-là, tout ce qui s'y trouvait de vivant, tout comme il avait agi pour Lakish.

³⁶Josué, avec tout Israël, monta d'Églôn à Hébron, et ils l'attaquèrent. ³⁷Ils s'en emparèrent et la firent passer au fil de l'épée, ainsi que son roi, toutes les localités qui en dépendaient et tout ce qui s'y trouvait de vivant. Il ne laissa pas un survivant, tout comme il avait agi pour Églôn. Il la voua à l'anathème, ainsi que tout ce qui s'y trouvait de vivant.

³⁸Alors Josué, avec tout Israël, se tourna vers Debir et l'attaqua. ³⁹Il s'en empara avec son roi et avec toutes les localités qui en dépendaient ; ils les firent passer au fil de l'épée et vouèrent à l'anathème tout ce qui s'y trouvait de vivant ; il ne laissa pas un survivant. Comme il avait traité Hébron, Josué traita Debir et son roi, tout comme il avait traité Libna et son roi.

Récapitulation des conquêtes du Sud.

⁴⁰Josué battit tout le pays – la Montagne, le Négeb, le Bas-Pays et les pentes – avec tous leurs rois. Il ne laissa pas un survivant et voua tout être animé à l'anathème, comme Yahvé, le Dieu d'Israël, l'avait ordonné ; ⁴¹Josué les battit depuis Cadès-Barné jusqu'à Gaza, et toute la région de Goshèn jusqu'à Gabaôn. ⁴²Tous ces rois avec leur territoire, Josué s'en empara en une seule fois, parce que Yahvé, le Dieu d'Israël, combattait pour Israël. ⁴³Puis Josué, avec tout Israël, revint au camp de Gilgal.

VIII. LA CONQUÊTE DU NORD

Coalition des rois du Nord.

11 ¹Lorsque Yabîn, roi de Haçor, eut appris cela, il fit informer Yobab, roi de Mérom, le roi de Shimrôn, le roi d'Akshaph ²et les rois habitant au nord, la montagne, la plaine au sud de Kinnerot, le bas-pays et les crêtes de Dor à l'ouest. ³Les Cananéens se trouvaient à l'orient et à l'occident, les Amorites, les Hittites, les Perizzites, et les Jébuséens dans la montagne, les Hivvites au pied de l'Hermon, au pays de Miçpa. ⁴Ils partirent ayant avec eux toutes leurs troupes, un peuple nombreux comme le sable au bord de la mer, avec une énorme quantité de chevaux et de chars.

Victoire de Mérom.

⁵Tous ces rois s'étaient donné rendez-vous et ils vinrent camper ensemble aux eaux de Mérom pour combattre Israël. ⁶Yahvé dit alors à Josué : « Ne les crains pas car demain, à la même heure, je les livrerai tous, percés de coups, à Israël ; tu couperas les jarrets de leurs chevaux et tu brûleras leurs chars. » ⁷Josué, avec tous ses gens de guerre, les atteignit à l'improviste près des eaux de Mérom et tomba sur eux. ⁸Yahvé les livra aux mains d'Israël qui les battit et les poursuivit jusqu'à Sidon-la-Grande et jusqu'à Misrephot-Maïm et jusqu'à la vallée de Miçpa au levant. Il les battit jusqu'à ne pas leur laisser un survivant. ⁹Josué les traita comme Yahvé lui avait dit : il coupa les jarrets de leurs chevaux et livra leurs chars au feu.

Prise de Haçor et des autres villes du Nord.

¹⁰En ce temps-là, Josué revint et s'empara de Haçor ; il frappa le roi d'un coup d'épée. Haçor était jadis la capitale de tous ces royaumes. ¹¹On passa aussi au fil de l'épée tout ce qui s'y trouvait de vivant, en vertu de l'anathème. Il

ne resta aucun être animé et Haçor fut livrée au feu.

¹²Toutes les villes de ces rois, ainsi que tous leurs rois, Josué s'en empara et les passa au fil de l'épée en vertu de l'anathème, comme l'avait ordonné Moïse, serviteur de Yahvé.

¹³Pourtant, toutes les villes qui se dressaient sur leurs collines de ruines, Israël ne les incendia pas, sauf Haçor que Josué incendia. ¹⁴Et toutes les dépouilles de ces villes, y compris le bétail, les Israélites les prirent comme butin. Mais tous les êtres humains, il les passèrent au fil de l'épée, jusqu'à les exterminer. Ils ne laissèrent aucun être animé.

Le mandat de Moïse exécuté par Josué.

¹⁵Ce que Yahvé avait ordonné à son serviteur Moïse, Moïse l'avait ordonné à Josué, et Josué l'exécuta sans omettre un seul mot de ce que Yahvé avait ordonné à Moïse. ¹⁶C'est ainsi que Josué prit tout le pays : la Montagne, tout le Négeb et tout le pays de Goshèn, le Bas-Pays, la Araba, la montagne d'Israël et son Bas-Pays.

¹⁷Depuis le mont Pelé, qui s'élève vers Séïr, jusqu'à Baal-Gad, dans la vallée du Liban, au pied du mont Hermon, il s'empara de tous leurs rois qu'il fit frapper à mort. ¹⁸Pendant de longs jours, Josué avait fait la guerre à tous ces rois ; ¹⁹nulle cité n'avait fait la paix avec les Israélites, sauf les Hivvites qui habitaient Gabaôn ; ils les prirent toutes en combattant. ²⁰Car Yahvé avait décidé d'endurcir le cœur de ces

gens pour combattre Israël, afin qu'ils soient anathèmes et qu'il n'y ait pas pour eux de rémission, mais qu'ils soient exterminés, comme Yahvé l'avait ordonné à Moïse.

Extermination des Anaqim.

²¹En ce temps-là, Josué vint extirper les Anaqim de la Montagne, d'Hébron, de Debir, de Anab, de toute la montagne de Juda et de toute la montagne d'Israël : il les voua à l'anathème avec leurs villes. ²²Il ne resta plus d'Anaqim dans le pays des Israélites, sauf à Gaza, à Gat et à Ashdod. ²³Josué prit tout le pays, exactement comme Yahvé l'avait dit à Moïse, et il le donna en héritage à Israël, selon sa répartition en tribus.

Et le pays se reposa de la guerre.

IX. RÉCAPITULATION

Les rois vaincus à l'est du Jourdain.

12 ¹Voici les rois du pays que les Israélites battirent et dont ils prirent le territoire, au-delà du Jourdain à l'orient, depuis le torrent de l'Arnon jusqu'à la montagne de l'Hermon, avec toute la Araba à l'orient : ²Sihôn, roi des Amorites, qui habitait Heshbôn, avait pour domaine depuis Aroër qui est sur le bord de la vallée de l'Arnon y compris le fond de la vallée, la moitié de Galaad et jusqu'au Yabboq, le torrent qui est la frontière des Ammonites ; ³la Araba jusqu'à la mer de Kinnerot à l'orient, et jusqu'à la mer de la Araba, ou mer Salée, à l'orient, en direction de Bet-ha-Yeshimot, et, au sud, au pied des pentes du Pisga.

⁴Og, roi du Bashân, un des derniers Rephaïm, qui habitait à Ashtarot et à Édréï, ⁵avait pour domaine le mont Hermon et Salka, tout le Bashân jusqu'à la frontière des Geshurites et des Maakatites, et la moitié de Galaad jusqu'aux frontières de Sihôn, roi de Heshbôn. ⁶Moïse, serviteur de Yahvé, et les Israélites les avaient vaincus, et Moïse, serviteur de Yahvé, en avait donné la possession aux Rubénites, aux Gadites et à la demi-tribu de Manassé.

Les rois vaincus à l'ouest du Jourdain.

⁷Voici les rois du pays que Josué et les Israélites battirent en deçà du Jourdain à l'occident, depuis Baal-Gad, dans la vallée du Liban, jusqu'au mont Pelé qui s'élève vers Séïr, et dont Josué distribua l'héritage aux tribus d'Israël suivant leur répartition ⁸dans la montagne et le Bas-Pays, dans la Araba et sur les Pentes, au Désert et au Négeb, chez les Hittites, les Amorites, les Cananéens, les Perizzites, les Hivvites et les Jébuséens :

⁹Le roi de Jéricho, un ;
    le roi de Aï, près de Béthel, un ;
¹⁰le roi de Jérusalem, un ;
    le roi d'Hébron, un ;

11 le roi de Yarmut, un ;
le roi de Lakish, un ;
12 le roi d'Églôn, un ;
le roi de Gézer, un ;
13 le roi de Debir, un ;
le roi de Gédèr, un ;
14 le roi de Horma, un ;
le roi d'Arad, un ;
15 Le roi de Libna, un ;
le roi d'Adullam, un ;
16 le roi de Maqqéda, un ;
le roi de Béthel, un ;
17 le roi de Tappuah, un ;
le roi de Hépher, un ;
18 le roi d'Aphèq, un ;
le roi en Sarôn, un ;

19 le roi de Mérom, un ;
le roi de Haçor, un ;
20 le roi de Shimrôn Merôn, un ;
le roi d'Akshaph, un ;
21 le roi de Tanak, un ;
le roi de Megiddo, un ;
22 le roi de Qédesh, un ;
le roi de Yoqnéam au Carmel, un ;
23 Le roi de Dor, à la crête de Dor, un ;
le roi des nations en Galilée, un ;
24 le roi de Tirça, un ;
nombre de tous ces rois : trente et un.

2. *Répartition du pays entre les tribus*

Pays qui restent à conquérir.

13 ¹Or Josué était devenu vieux et avancé en âge. Yahvé lui dit : « Te voilà vieux, avancé en âge, et pourtant il reste à prendre possession d'un très grand pays. ²Voici tout le pays qui reste :

« Tous les districts des Philistins et tout le pays des Geshurites ; ³depuis le Shihor qui fait face à l'Égypte jusqu'à la frontière d'Éqrôn au nord, c'est compté comme cananéen. Les cinq princes des Philistins sont celui de Gaza, celui d'Ashdod, celui d'Ashqelon, celui de Gat et celui d'Éqrôn ; les Avvites sont ⁴au midi. Tout le pays des Cananéens, et Mearah qui est aux Sidoniens, jusqu'à Aphèqa et jusqu'à la frontière des Amorites ; ⁵puis le pays du Giblite avec tout le Liban à l'orient, depuis Baal-Gad au pied du mont Hermon jusqu'à l'Entrée de Hamat.

⁶« Tous les habitants de la montagne depuis le Liban jusqu'à Misrephot-Maïm, tous les Sidoniens, c'est moi qui les déposséderai devant les Israélites. Tu n'as qu'à distribuer le pays en héritage aux Israélites comme je te l'ai ordonné. ⁷Le moment est venu de partager ce pays en héritage entre les neuf tribus et la demi-tribu de Manassé : depuis le Jourdain jusqu'à la Grande mer à l'occident, tu le leur donneras ; la Grande mer sera leur limite.

I. DESCRIPTION DES TRIBUS TRANSJORDANIENNES
Nb **32**. Dt **3** 12-17.

Esquisse d'ensemble.

⁸Quant à l'autre demi-tribu de Manassé, elle avait, avec les Rubénites et les Gadites, déjà reçu son héritage, celui que Moïse leur avait donné au-delà du Jourdain, à l'orient, comme Moïse, serviteur de Yahvé, le leur avait alors donné : ⁹à partir d'Aroër qui est sur le bord de la vallée de l'Arnon, avec la ville qui est au fond de la vallée et tout le plateau depuis Médba jusqu'à Dibôn ; ¹⁰toutes les villes de Sihôn, roi des Amorites, qui avait régné à Heshbôn, jusqu'à la frontière des Ammonites. ¹¹Puis le Galaad et le territoire des Geshurites et des Maakatites, avec tout le massif de l'Hermon et le Bashân en entier, jusqu'à Salka ; ¹²et dans le Bashân, tout le royaume de Og qui avait régné à Ashtarot et à Edréï, et fut le dernier survivant des Rephaïm. Moïse les avait battus et les avait dépossédés. ¹³Mais les Israélites ne dépossédèrent pas les Geshurites ni les Maakatites, aussi Geshur et Maaka habitent-ils au milieu d'Israël jusqu'à ce jour. ¹⁴La tribu de Lévi fut la seule à laquelle on ne donna pas d'héritage : les dons faits à Yahvé, Dieu d'Israël, furent son héritage, comme il le lui avait dit.

La tribu de Ruben. Gn 49 3-4. Dt 33 6.

¹⁵Moïse avait donné à la tribu des fils de Ruben une part selon leurs clans. ¹⁶Ils eurent donc pour territoire depuis Aroër qui est sur le bord de la vallée, avec la ville qui est au fond de la vallée, tout le plateau jusqu'à Médba, ¹⁷ Heshbôn avec toutes les villes qui sont sur le plateau : Dibôn, Bamot-Baal, Bet-Baal-Meôn, ¹⁸Yahaç, Qedémot, Méphaat, ¹⁹Qiryatayim, Sibma et, dans la montagne de la Araba, Çérèt-ha-Shahar ; ²⁰Bet-Péor, les pentes du Pisga, Bet-ha-Yeshimot, ²¹toutes les villes du plateau et tout le royaume de Sihôn, roi des Amorites, qui régna à Heshbôn ; il avait été battu par Moïse ainsi que les princes de Madiân, Évi, Réqem, Çur, Hur, Réba, vassaux de Sihôn qui habitaient le pays. ²²Quant à Balaam, fils de Béor, le devin, les Israélites l'avaient tué par l'épée, avec d'autres victimes. ²³Ainsi la frontière des Rubénites était le Jourdain et son territoire. Tel fut l'héritage des fils de Ruben selon leurs clans, avec les villes et leurs villages.

La tribu de Gad. Gn 49 19. Dt 33 20-21.

²⁴Moïse avait donné à la tribu de Gad, aux fils de Gad, une part selon leurs clans. ²⁵Ils eurent pour territoire Yazèr, toutes les villes de Galaad, la moitié du pays des Ammonites jusqu'à Aroër qui est en face de Rabba, ²⁶et depuis Heshbôn jusqu'à Ramat-ha-Miçpé et Betonim ; à partir de Mahanayim jusqu'au territoire de Lo-Debar, ²⁷et dans la vallée : Bet-Haram, Bet-Nimra, Sukkot, Çaphôn – le reste du royaume de Sihôn, roi d'Heshbôn –, le Jour-

dain et le territoire allant jusqu'à l'extrémité de la mer de Kinnérèt, au-delà du Jourdain, à l'orient. ²⁸Tel fut l'héritage des fils de Gad, selon leurs clans, avec leurs villes et leurs villages.

La demi-tribu de Manassé.

²⁹Moïse avait donné à la demi-tribu de Manassé (et ce fut pour la demi-tribu des fils de Manassé) une part selon leurs clans. ³⁰Ils eurent pour territoire à partir de Mahanayim tout le Bashân, tout le royaume de Og, roi du Bashân, tous les douars de Yaïr en Bashân, soit soixante villes. ³¹La moitié de Galaad ainsi qu'Ashtarot et Édréï, villes royales de Og en Bashân, passèrent aux fils de Makir, fils de Manassé, à la moitié des fils de Makir selon leurs clans.

³²Voici ce que Moïse avait donné en héritage dans les steppes de Moab, au-delà du Jourdain de Jéricho, à l'orient. ³³Mais à la tribu de Lévi, Moïse n'avait pas donné d'héritage : c'est Yahvé, le Dieu d'Israël, qui est son héritage, comme il le leur avait dit.

II. DESCRIPTION DES TROIS GRANDES TRIBUS À L'OUEST DU JOURDAIN

Introduction.

14 ¹Voici ce que reçurent en héritage les Israélites au pays de Canaan, ce que leur donnèrent en héritage le prêtre Éléazar et Josué, fils de Nûn, avec les chefs de famille des tribus d'Israël. ²C'est par le sort qu'ils reçurent leur héritage, comme Yahvé l'avait ordonné par l'intermédiaire de Moïse pour les neuf tribus et demie. ³Car Moïse avait donné leur héritage aux deux tribus et demie de l'autre côté du Jourdain, mais aux Lévites, il n'avait pas donné d'héritage parmi elles. ⁴Car les fils de Joseph formaient deux tribus, Manassé et Éphraïm, et l'on ne donna dans le pays aucune part aux Lévites, si ce n'est des villes pour y habiter, avec les pâturages attenants pour leurs bestiaux et leurs biens. ⁵Les Israélites firent comme Yahvé l'avait ordonné à Moïse, et ils partagèrent le pays.

La part de Caleb.

⁶Des fils de Juda vinrent trouver Josué à Gilgal, et Caleb, fils de Yephunné le Qenizzite, lui dit : « Tu sais bien ce que Yahvé a dit à Moïse, l'homme de Dieu, à mon sujet et au tien à Cadès-Barné. ⁷J'avais quarante ans lorsque Moïse, serviteur de Yahvé, m'envoya de Cadès-Barné pour espionner ce pays, et je lui fis un rapport selon ce que me dictait mon cœur. ⁸Mais les frères qui étaient montés avec moi découragèrent le peuple, tandis que moi, je suivis parfaitement Yahvé mon Dieu. ⁹Ce jour-là, Moïse fit ce serment : "Sois-en sûr, le pays qu'a foulé ton pied t'appartiendra en héritage, à toi et à tes fils pour toujours, car tu as suivi parfaitement Yahvé mon Dieu." ¹⁰Et maintenant, voici que Yahvé m'a gardé en vie selon sa promesse, soit quarante-cinq ans depuis que

Yahvé a fait cette promesse à Moïse, alors qu'Israël marchait dans le désert ; maintenant, voici que j'ai aujourd'hui quatre-vingt-cinq ans. [11]Je suis aussi robuste aujourd'hui que le jour où Moïse me confia cette mission, ma force d'aujourd'hui vaut ma force d'alors pour combattre et pour aller et venir. [12]Il est temps de me donner cette montagne dont Yahvé m'a parlé ce jour-là. Tu as appris en ce jour-là qu'il y avait là des Anaqim et de grandes villes fortifiées ; mais si Yahvé est avec moi, je les déposséderai comme Yahvé l'a dit. »

[13]Josué bénit Caleb, fils de Yephunné, et lui donna Hébron pour héritage. [14]Aussi Hébron est-il resté jusqu'à ce jour l'héritage de Caleb, fils de Yephunné le Qenizzite, parce qu'il avait suivi parfaitement Yahvé, Dieu d'Israël.

[15]Autrefois le nom d'Hébron était Qiryat-Arba. Arba était l'homme le plus grand des Anaqim.

Et le pays se reposa de la guerre.

La tribu de Juda. Gn 49 8-12. Dt 33 7.

15 [1]Le lot de la tribu des fils de Juda selon leurs clans s'étendait vers la frontière d'Édom, depuis le désert de Çîn vers le midi jusqu'à Cadès au sud. [2]Leur frontière méridionale partait de l'extrémité de la mer Salée, depuis la Langue qui fait face au Négeb, [3]elle se dirigeait vers le sud de la montée des Scorpions, traversait Çîn et montait au sud de Cadès-Barné ; passant par Hèçrôn, elle montait à Addar et tournait vers Qarqa ; [4]puis la frontière passait par Açmôn et débouchait au Torrent d'Égypte

pour aboutir à la mer. Telle sera pour vous la frontière sud. [5]À l'orient, la frontière était la mer Salée jusqu'à l'embouchure du Jourdain. La frontière du côté nord partait de la baie, à l'embouchure du Jourdain. [6]La frontière montait à Bet-Hogla, passait au nord de Betha-Araba et montait à la Pierre de Bohân, fils de Ruben. [7]Puis la frontière montait à Debir, depuis la vallée d'Akor, et tournait au nord vers Gilgal qui est en face de la montée d'Adummim, laquelle est au sud du Torrent. La frontière passait aux eaux de En-Shémesh et aboutissait à En-Rogel. [8]Elle remontait ensuite le ravin de Ben-Hinnôm venant du sud vers le flanc du Jébuséen au sud – c'est Jérusalem –, elle montait au sommet de la montagne qui domine le ravin de Hinnôm à l'ouest, à l'extrémité septentrionale de la plaine des Rephaïm. [9]Du sommet de la montagne, la frontière s'infléchissait vers la source des eaux de Nephtoah et se dirigeait vers les villes du mont Éphrôn pour s'infléchir vers Baala – c'est Qiryat-Yéarim. [10]De Baala, la frontière inclinait à l'ouest vers la montagne de Séïr et, longeant le flanc du mont Yéarim vers le nord – c'est Kesalôn –, elle descendait à Bet-Shémesh et passait à Timna, [11]aboutissait sur le flanc d'Éqrôn vers le nord, tournait vers Shikkarôn et passait par la montagne de Baala pour aboutir à Yabnéel. La mer était l'aboutissement de la frontière.

[12]La frontière occidentale était formée par la Grande Mer. Cette frontière était, dans son pourtour, celle des fils de Juda selon leurs clans.

Les Calébites occupent le territoire d'Hébron. ‖ Jg 1 10-15. Jos 14 6.

¹³À Caleb, fils de Yephunné, on donna une part au milieu des fils de Juda, selon l'ordre de Yahvé à Josué : Qiryat-Arba, la ville du père d'Anaq – c'est Hébron. ¹⁴Caleb en déposséda les trois fils d'Anaq : Shéshaï, Ahimân et Talmaï, descendants d'Anaq. ¹⁵De là, il monta contre les habitants de Debir ; Debir s'appelait autrefois Qiryat-Séphèr. ¹⁶Caleb dit alors : « Celui qui battra Qiryat-Séphèr et s'en emparera, je lui donnerai pour femme ma fille Aksa. » ¹⁷Celui qui s'en empara fut Otniel, fils de Qenaz, frère de Caleb, qui lui donna pour femme sa fille Aksa. ¹⁸Lorsqu'elle arriva chez lui, elle lui suggéra de demander à son père un champ. Alors elle sauta à bas de son âne et Caleb lui demanda : « Que veux-tu ? » ¹⁹Elle répondit : « Accorde-moi une faveur. Puisque tu m'as donné le pays du Négeb, accorde-moi donc des sources d'eau. » Et il lui donna les sources d'en haut et les sources d'en bas.

²⁰Tel fut l'héritage de la tribu des fils de Juda, selon leurs clans.

Nomenclature des localités de Juda.

²¹Villes à l'extrémité de la tribu des fils de Juda, vers la frontière d'Édom au Négeb :

Qabçéel, Éder, Yagur, ²²Qina, Dimôna, Adéada, ²³Qédesh, Haçor et Yitnân, ²⁴Ziph, Télem, Bealot, ²⁵Haçor-Hadatta, Qeriyyot-Hèçrôn – c'est Haçor –, ²⁶Amam, Shema, Molada, ²⁷Haçar-Gadda, Heshmôn, Bet-Pélèt, ²⁸Haçar-

Shual, Bersabée et ses dépendances, ²⁹Baala, Iyyim, Éçem, ³⁰Eltolad, Kesil, Horma, ³¹Çiqlag, Madmanna, Sânsanna, ³²Lebaot, Shilhim, Ayîn et Rimmôn : en tout, vingt-neuf villes avec leurs villages.

³³Dans le Bas-Pays :

Eshtaol, Çoréa, Ashna, ³⁴Zanuah, En-Gannim, Tappuah, Énam, ³⁵Yarmut, Adullam, Soko, Azéqa, ³⁶Shaarayim, Aditayim, Ha-Gedéra, et Gedérotaïm : quatorze villes avec leurs villages.

³⁷Çenân, Hadasha, Migdal-Gad, ³⁸Diléân, Ha-Miçpé, Yoqtéel, ³⁹Lakish, Boçqat, Églôn, ⁴⁰Kabbôn, Lahmas, Kitlish, ⁴¹Gedérot, Bet-Dagôn, Naama et Maqqéda : seize villes avec leurs villages.

⁴²Libna, Étèr, Ashân, ⁴³Yiphtah, Ashna, Neçib, ⁴⁴Qéïla, Akzib et Maresha : neuf villes avec leurs villages.

⁴⁵Éqrôn avec ses dépendances et ses villages. ⁴⁶D'Éqrôn jusqu'à la mer, tout ce qui se trouve du côté d'Ashdod avec ses villages. ⁴⁷Ashdod avec ses dépendances et ses villages, Gaza avec ses dépendances et ses villages jusqu'au Torrent d'Égypte, la Grande Mer formant la frontière.

⁴⁸Dans la montagne :

Shamir, Yattir, Soko, ⁴⁹Danna, Qiryat-Sanna – c'est Debir –, ⁵⁰Anab, Eshtemoa, Anim, ⁵¹Goshèn, Holôn et Gilo : onze villes avec leurs villages.

⁵²Arab, Duma, Eshéân, ⁵³Yanum, Bet-Tappuah, Aphéqa, ⁵⁴Humta, Qiryat-Arba – c'est Hébron –, et Çior : neuf villes avec leurs villages.

⁵⁵Maôn, Karmel, Ziph, Yutta,

⁵⁶Yizréel, Yorqéam, Zanuah, ⁵⁷Ha-Qayîn, Gibéa et Timna : dix villes avec leurs villages.

⁵⁸Halhul, Bet-Çur, Gedor, ⁵⁹Maarat, Bet-Anôt et Elteqôn : six villes avec leurs villages.

Teqoa, Éphrata – c'est Bethléem –, Péor, Étam, Qulôn, Tatam, Sorès, Karem, Gallim, Bétèr et Manah : onze villes avec leurs villages.

⁶⁰Qiryat-Baal – c'est Qiryat-Yéarim – et Ha-Rabba : deux villes avec leurs villages.

⁶¹Dans le Désert :

Bet-ha-Araba, Middîn, Sekaka, ⁶²Nibshân, la Ville du Sel et Engaddi : six villes avec leurs villages.

⁶³Mais les Jébuséens qui habitaient Jérusalem, les fils de Juda ne purent les déposséder, aussi les Jébuséens habitent-ils encore aujourd'hui Jérusalem, à côté des fils de Juda.

La tribu d'Éphraïm. Gn **49** 22-26. Dt **33** 13-17.

16 ¹Le lot des fils de Joseph partait à l'est du Jourdain de Jéricho – les eaux de Jéricho –, c'est le désert qui monte de Jéricho dans la montagne de Béthel ; ²puis il partait de Béthel vers Luz et passait vers la frontière des Arkites à Atarot ; ³il descendait ensuite à l'ouest vers la frontière des Yaphlétiens jusqu'à la frontière de Bet-Horôn-le-Bas et jusqu'à Gézer, d'où il aboutissait à la mer. ⁴Tel fut l'héritage des fils de Joseph, Manassé et Éphraïm.

⁵Quant au territoire des fils d'Éphraïm selon leurs clans, la frontière de leur héritage était Atrot-Addar jusqu'à Bet-Horôn-

le-Haut, ⁶puis à l'ouest la frontière partait vers le Mikmetat au nord, et la frontière tournait à l'orient vers Taanat-Silo qu'elle traversait à l'est en direction de Yanoah ; ⁷elle descendait de Yanoah à Atarot et à Naarata, et touchait Jéricho pour aboutir au Jourdain. ⁸De Tappuah, la frontière allait vers l'occident, au torrent de Qana, et aboutissait à la mer. Tel fut l'héritage de la tribu des fils d'Éphraïm, selon leurs clans, ⁹outre les villes réservées aux fils d'Éphraïm au milieu de l'héritage des fils de Manassé, toutes ces villes et leurs villages. ¹⁰Les Cananéens habitant Gézer ne furent point dépossédés, et ils demeurèrent au milieu d'Éphraïm jusqu'à aujourd'hui, soumis à la corvée servile.

La tribu de Manassé. Gn **49** 22-26. Dt **33** 13-17.

17 ¹Le lot de la tribu de Manassé – il était en effet le premier-né de Joseph – fut d'abord pour Makir, premier-né de Manassé, père de Galaad, parce qu'il était un homme de guerre ; il eut le Galaad et le Bashân. ²Puis ce fut pour les autres fils de Manassé selon leurs clans : aux fils d'Abiézer, aux fils de Hélèq, aux fils d'Asriel, aux fils de Shékem, aux fils de Hépher et aux fils de Shemida : c'étaient les enfants mâles de Manassé, fils de Joseph, selon leurs clans. ³Çelophehad, fils de Hépher, fils de Galaad, fils de Makir, fils de Manassé, n'avait pas de fils mais seulement des filles, dont voici les noms : Mahla, Noa, Hogla, Milka et Tirça. ⁴Elles se présentèrent devant le prêtre Éléazar, devant Josué, fils de Nûn, et devant les notables en disant : « Yahvé a ordonné à Moïse de nous donner un héritage au milieu de nos frères. » On leur donna donc, selon l'ordre de Yahvé, un héritage parmi les frères de leur père. [5]Il échut donc à Manassé dix parts outre le pays de Galaad et de Bashân situé au-delà du Jourdain, [6]puisque les filles de Manassé obtinrent un héritage parmi ses fils. Quant au pays de Galaad, il appartenait aux autres fils de Manassé.

[7]La frontière de Manassé fut, du côté d'Asher, le Mikmetat qui est en face de Sichem, et, de là, la frontière s'inclinait, à droite, vers Yashîb En-Tappuah. [8]La région de Tappuah était à Manassé, mais Tappuah, sur la frontière de Manassé, était aux fils d'Éphraïm. [9]La frontière descendait au torrent de Qana ; au sud du torrent Éphraïm avait des villes au milieu des villes de Manassé ; la frontière de Manassé était au nord du torrent et son aboutissement était la mer. [10]Le sud était à Éphraïm et le nord à Manassé, avec la mer pour limite ; ils touchaient Asher au nord, et Issachar à l'est. [11]Manassé eut, avec Issachar et avec Asher, Bet-Shéân et les villes qui en dépendent, Yibleam et les villes qui en dépendent, les habitants de Dor et des villes qui en dépendent, les habitants de En-Dor et des villes qui en dépendent, les habitants de Tanak et de Megiddo et des villes qui en dépendent (la troisième est celle de la crête).

[12]Mais comme les fils de Manassé ne purent prendre possession de ces villes, les Cananéens réussirent à demeurer dans ce pays. [13]Cependant lorsque les Israélites furent devenus plus forts, ils assujettirent les Cananéens à la corvée, mais ne les dépossédèrent point.

Réclamation des fils de Joseph.

[14]Les fils de Joseph s'adressèrent à Josué en ces termes : « Pourquoi ne m'as-tu donné pour héritage qu'un seul lot, une seule part, alors que je suis un peuple nombreux, tant Yahvé m'a béni ? » [15]Josué leur dit : « Si tu formes un peuple nombreux, monte donc dans la forêt et là tu défricheras dans le pays des Perizzites et des Rephaïm, puisque la montagne d'Éphraïm est trop étroite pour toi. » [16]Les fils de Joseph dirent : « La montagne ne nous suffit pas et, en plus, tous les Cananéens qui habitent la terre de la plaine ont des chars de fer, aussi bien ceux de Bet-Shéân et des villes qui en dépendent que ceux de la plaine de Yizréel. » [17]Josué dit à la maison de Joseph, à Éphraïm et à Manassé : « Tu es un peuple nombreux et ta force est grande, tu n'auras pas un lot seulement, [18]mais tu auras une montagne ; il est vrai que c'est une forêt, mais tu la défricheras et ses limites seront à toi. Et même, tu déposséderas les Cananéens, bien qu'ils aient des chars de fer et bien qu'ils soient forts. »

III. DESCRIPTION DES SEPT AUTRES TRIBUS

Opération cadastrale pour ces sept tribus.

18 [1]Toute la communauté des Israélites s'assembla à Silo où l'on dressa la Tente du Rendez-vous ; le pays était soumis devant eux. [2]Mais il restait parmi les Israélites sept tribus qui n'avaient pas reçu leur héritage. [3]Josué dit alors aux Israélites : « Jusqu'à quand négligerez-vous d'aller prendre possession du pays que vous a donné Yahvé, le Dieu de vos pères ? [4]Choisissez-vous trois hommes par tribu pour que je les envoie. Ils iront parcourir le pays et en feront une description en vue de leur héritage, puis ils reviendront vers moi. [5]Ils répartiront le pays en sept parts. Juda restera sur son territoire au sud, et ceux de la maison de Joseph resteront sur leur territoire au nord. [6]Vous ferez donc une description du pays en sept parts, et vous me l'apporterez ici, que je puisse tirer au sort pour vous, ici, devant Yahvé notre Dieu. [7]Mais pour ce qui est des Lévites, ils n'auront point de part au milieu de vous : le sacerdoce de Yahvé sera leur héritage. Quant à Gad, à Ruben et à la demi-tribu de Manassé, ils ont reçu leur héritage au-delà du Jourdain, à l'orient, celui que leur a donné Moïse, serviteur de Yahvé.

[8]Ces hommes se levèrent et s'en allèrent. À ceux qui allaient faire la description du pays, Josué donna cet ordre : « Allez, parcourez le pays et décrivez-le, puis venez me retrouver et je jetterai pour vous le sort ici, devant Yahvé, à Silo. » [9]Ces hommes partirent, traversèrent le pays et le décrivirent par villes, en sept parts, sur un livre, puis ils retournèrent trouver Josué au camp, à Silo. [10]Josué jeta pour eux le sort à Silo, devant Yahvé, et c'est là que Josué partagea le pays entre les Israélites, selon leurs parts.

La tribu de Benjamin. Gn 49 27. Dt 33 12.

[11]Un lot revint d'abord à la tribu des fils de Benjamin, selon leurs clans : le territoire de leur lot était compris entre les fils de Juda et les fils de Joseph. [12]Leur frontière du côté nord partait du Jourdain, montait au flanc de Jéricho, au nord, gravissait la montagne vers l'occident et aboutissait au désert de Bet-Avèn. [13]De là, la frontière passait à Luz, sur le flanc de Luz au midi – c'est Béthel –, elle descendait à Atrot-Addar sur la montagne qui est au sud de Bet-Horôn-le-Bas. [14]La frontière s'infléchissait et tournait, face à l'ouest, vers le midi, depuis la montagne qui est en face de Bet-Horôn au midi, pour aboutir vers Qiryat-Baal – c'est Qiryat-Yéarim –, ville des fils de Juda. Tel était le côté ouest. [15]Voici le côté sud : depuis l'extrémité de Qiryat-Yéarim, la frontière allait vers Iyyim et aboutissait près de la source des eaux de Nephtoah, [16]puis elle descendait à l'extrémité de la montagne qui fait face à la vallée de Ben-Hinnom, dans la plaine des Rephaïm au nord ; elle descendait dans la vallée de Hin-

nom vers le flanc du Jébuséen au sud, et descendait à En-Rogel. [17]Elle s'infléchissait ensuite vers le nord pour aboutir à En-Shémesh, et aboutissait à Gelilot qui est en face de la montée d'Adummim, puis descendait à la Pierre de Bohân, fils de Ruben. [18]Elle passait ensuite sur le flanc nord face à la Araba vers le nord, et descendait vers la Araba ; [19]puis la frontière passait au flanc de Bet-Hogla au nord, et le point d'arrivée de la frontière était à la baie de la mer du Sel, au nord, à l'extrémité méridionale du Jourdain. Telle était la frontière sud. [20]Le Jourdain formait la frontière du côté de l'orient. Tel fut l'héritage des fils de Benjamin selon le pourtour de leur frontière, selon leurs clans.

Villes de Benjamin.

[21]Les villes de la tribu des fils de Benjamin, selon leurs clans, étaient : Jéricho, Bet-Hogla, Emèq-Qeçiç, [22]Bet-ha-Araba, Çemarayim, Béthel, [23]Avvim, Para, Ophra, [24]Kephar-ha-Ammoni, Ophni, Gaba : douze villes et leurs villages. [25]Gabaôn, Rama, Béérot, [26]Miçpé, Kephira, Moça, [27]Réqem, Yirpéel, Taréala, [28]Çéla, Eleph, le Jébuséen – c'est Jérusalem –, Gibéa et Qiryat : quatorze villes avec leurs villages. Tel fut l'héritage des fils de Benjamin selon leurs clans.

La tribu de Siméon. Gn 49 5-7. 1 Ch 4 28-33.

19 [1]Le deuxième lot sortit pour Siméon, pour la tribu des fils de Siméon selon leurs clans : leur héritage se trouva au milieu de l'héritage des fils de Juda. [2]Ils reçurent en héritage Bersabée, Shèba, Molada, [3]Haçar-Shual, Bala, Éçem, [4]Eltolad, Betul, Horma, [5]Çiqlag, Bet-ha-Markabot, Haçar-Susa, [6]Bet-Lebaôt et Sharuhén : treize villes et leurs villages ; [7]Ayîn, Rimmôn, Éter, Ashân : quatre villes et leurs villages, [8]avec tous les villages situés aux environs de ces villes jusqu'à Baalat-Béer et Rama du Négeb. Tel fut l'héritage de la tribu des fils de Siméon selon leurs clans. [9]L'héritage des fils de Siméon fut pris sur le lot des fils de Juda, parce que la part des fils de Juda était trop grande pour eux ; les fils de Siméon reçurent donc leur héritage au milieu de l'héritage des fils de Juda.

La tribu de Zabulon. Jg 1 30. Gn 49 13. Dt 33 18-19.

[10]Le troisième lot revint aux fils de Zabulon selon leurs clans : le territoire de leur héritage s'étendait jusqu'à Sarîd ; [11]leur frontière montait à l'occident vers Maréala, elle touchait Dabbeshèt ainsi que le torrent qui est en face de Yoqnéam. [12]De Sarîd la frontière tournait vers l'est, là où le soleil se lève, jusqu'à la frontière de Kislot-Tabor, elle aboutissait vers Daberat et montait à Yaphia. [13]De là elle passait vers l'est, au levant, vers Gat-Hépher et Itta-Qaçîn, aboutissait à Rimmôn et tournait vers Néa. [14]La frontière nord se tournait vers Hannatôn, et son point d'arrivée était à la vallée de Yiphtah-El ; [15]avec Qattat, Nahalal, Shimrôn, Yiréala et Bethléem : douze villes avec leurs villages. [16]Tel fut l'héritage des

fils de Zabulon selon leurs clans : ces villes avec leurs villages.

La tribu d'Issachar. Gn 49 14-15. Dt 33 18-19.

¹⁷Le quatrième lot sortit pour Issachar, pour les fils d'Issachar selon leurs clans. ¹⁸Leur territoire s'étendait vers Yizréel et comprenait Kesullot, Shunem, ¹⁹Hapharayim, Shiôn, Anaharat, ²⁰Rabbît, Qishyôn, Ébeç, ²¹Rémèt, En-Gannim, En-Hadda, et Bet-Paççèç. ²²La frontière touchait Tabor, Shahaçima et Bet-Shémesh, et le point d'arrivée de la frontière était le Jourdain : seize villes avec leurs villages. ²³Tel fut l'héritage de la tribu des fils d'Issachar selon leurs clans : les villes et leurs villages.

La tribu d'Asher. Jg 1 31-32. Gn 49 20. Dt 33 24-25.

²⁴Le cinquième lot sortit pour la tribu des fils d'Asher selon leurs clans. ²⁵Leur territoire comprenait : Helqat, Hali, Bétèn, Akshaph, ²⁶Alammélek, Améad et Mishéal ; il touchait le Carmel à l'ouest et Shihor-Libnat. ²⁷Du côté où le soleil se lève, il allait jusqu'à Bet-Dagôn, touchait Zabulon, la vallée de Yiphtah-El au nord, Bet-ha-Émeq et Néïel, aboutissant vers Kabul à gauche, ²⁸avec Abdôn, Rehob, Hammôn, et Qana jusqu'à Sidon-la-Grande. Puis la frontière allait vers Rama et jusqu'à la ville de la place forte de Tyr ; ²⁹la frontière allait ensuite à Hosa et son point d'arrivée était, à la mer, Mahaleb et Akzib, ³⁰avec Akko, Aphèq et Rehob : vingt-deux villes avec leurs villages. ³¹Tel fut l'héritage

de la tribu des fils d'Asher selon leurs clans : ces villes et leurs villages.

La tribu de Nephtali. Jg 1 33. Gn 49 21. Dt 33 23.

³²Pour les fils de Nephtali sortit le sixième lot, pour les fils de Nephtali selon leurs clans. ³³Leur frontière allait de Héleph et du Chêne de Çaanannim, avec Adami-ha-Néqèb et Yabnéel, jusqu'à Laqqum, et son point d'arrivée était le Jourdain. ³⁴À l'ouest la frontière passait à Aznot-Tabor, elle aboutissait de là à Huqqoq et touchait Zabulon au sud, Asher à l'ouest, Yehuda du Jourdain au soleil levant. ³⁵Les villes fortes étaient : Çiddim, Çer, Hammat, Raqqat, Kinnérèt, ³⁶Adama, Rama, Haçor, ³⁷Qédesh, Édréï, En-Haçor, ³⁸Yiréôn, Migdal-El, Horem, Bet-Anat, et Bet-Shémesh : dix-neuf villes et leurs villages. ³⁹Tel fut l'héritage des fils de Nephtali selon leurs clans : les villes et leurs villages.

La tribu de Dan. Gn 49 16-17. Dt 33 22.

⁴⁰Pour la tribu des fils de Dan selon leurs clans sortit le septième lot. ⁴¹Le territoire de leur héritage comprenait : Çoréa, Eshtaol, Ir-Shémesh, ⁴²Shaalbim, Ayyalôn, Yitla, ⁴³Élôn, Timna, Éqrôn, ⁴⁴El-teqé, Gibbetôn, Baalat, ⁴⁵Yehud, Bené-Beraq et Gat-Rimmôn ; ⁴⁶et vers les eaux du Yarqôn, Raqqôn, avec le territoire qui est en face de Joppé. ⁴⁷Mais le territoire des fils de Dan leur échappa, aussi les fils de Dan montèrent-ils pour combattre Léshem dont ils s'emparèrent et qu'ils passèrent au fil

de l'épée. En ayant pris possession, ils s'y établirent et appelèrent Léshem, Dan, du nom de leur ancêtre Dan.

⁴⁸Tel fut l'héritage de la tribu des fils de Dan selon leurs clans : ces villes et leurs villages.

⁴⁹Ayant achevé la répartition du pays selon ses frontières, les Israélites donnèrent à Josué, fils de Nûn, un héritage au milieu d'eux ; ⁵⁰sur l'ordre de Yahvé, ils lui donnèrent la ville qu'il avait demandée, Timnat-Sérah, dans la montagne d'Éphraïm ; il rebâtit la ville et s'y établit.

⁵¹Telles sont les parts d'héritage que le prêtre Éléazar, Josué fils de Nûn et les chefs de famille répartirent par le sort entre les tribus d'Israël à Silo, en présence de Yahvé, à l'entrée de la Tente du Rendez-vous. Ainsi fut terminé le partage du pays.

IV. VILLES PRIVILÉGIÉES

Les villes de refuge. Ex 21 13. Nb 35 9-34. Dt 19 1-13.

20 ¹Yahvé dit à Josué : ²« Parle aux Israélites et dis-leur : Donnez-vous les villes de refuge dont je vous ai parlé par l'intermédiaire de Moïse, ³où pourra s'enfuir le meurtrier qui a frappé quelqu'un par inadvertance (involontairement), et qui vous serviront de refuge contre le vengeur du sang. ⁴(C'est donc vers une de ces villes que le meurtrier devra s'enfuir. Il se tiendra à l'entrée de la porte de la ville et exposera son cas aux anciens de cette ville. Ceux-ci l'admettront dans leur ville et lui assigneront un lieu où il habitera parmi eux. ⁵Si le vengeur du sang le poursuit, ils ne livreront pas le meurtrier entre ses mains, car c'est involontairement qu'il a frappé son prochain, sans avoir eu contre lui de haine invétérée. ⁶Il devra rester dans cette ville) jusqu'à ce qu'il comparaisse en jugement devant la communauté (jusqu'à la mort du grand prêtre en fonction à cette époque.

Alors seulement le meurtrier pourra retourner dans sa ville et sa maison, dans la ville d'où il s'est enfui). »

⁷On consacra donc Qédesh en Galilée, dans la montagne de Nephtali, Sichem dans la montagne d'Éphraïm, et Qiryat-Arba – c'est Hébron – dans la montagne de Juda. ⁸De l'autre côté du Jourdain de Jéricho à l'orient, on désigna dans le désert, sur le plateau, Béçer de la tribu de Ruben, Ramot en Galaad, de la tribu de Gad, et Golân en Bashân, de la tribu de Manassé. ⁹Telles furent les villes désignées pour tous les Israélites et pour les étrangers qui résident parmi eux, pour qu'y pût fuir quiconque aurait frappé quelqu'un par inadvertance, et qu'il ne mourût pas de la main du vengeur du sang, jusqu'à sa comparution devant la communauté.

Les villes lévitiques. Nb 35 1-8. ‖ 1 Ch 6 39-66.

21 ¹Alors les chefs de famille des Lévites s'en vinrent trouver le prêtre Éléazar, Josué, fils de Nûn, et les chefs de famille des tribus d'Israël, ²alors qu'on se trouvait à Silo, au pays de Canaan, et leur dirent : « Yahvé, par l'intermédiaire de Moïse, a ordonné qu'on nous donne des villes pour y demeurer, et leurs pâturages pour notre bétail. » ³Les Israélites donnèrent donc aux Lévites, sur leur héritage, selon l'ordre de Yahvé, les villes en question avec leurs pâturages.

⁴On tira au sort pour les clans des Qehatites : aux fils du prêtre Aaron, d'entre les Lévites, échurent treize villes des tribus de Juda, de Siméon et de Benjamin ; ⁵aux autres fils de Qehat, selon leurs clans, échurent dix villes des tribus d'Éphraïm, de Dan et de la demi-tribu de Manassé. ⁶Aux fils de Gershôn, selon leurs clans, échurent treize villes des tribus d'Issachar, d'Asher, de Nephtali et de la demi-tribu de Manassé en Bashân. ⁷Aux fils de Merari selon leurs clans, échurent douze villes des tribus de Ruben, de Gad et de Zabulon.

⁸Les Israélites assignèrent par le sort ces villes et leurs pâturages aux Lévites, comme l'avait ordonné Yahvé par l'intermédiaire de Moïse.

Part des Qehatites.

⁹Ils donnèrent de la tribu de Juda et de la tribu de Siméon les villes que voici dont les noms furent donnés. ¹⁰Ce fut d'abord la part des fils d'Aaron, appartenant au clan des Qehatites, aux fils de Lévi, car le premier lot était pour eux. ¹¹Ils leur donnèrent Qiryat-Arba la ville du père d'Anaq – c'est Hébron – dans la montagne de Juda, avec les pâturages environnants. ¹²Mais la campagne de cette ville avec ses villages, ils les donnèrent en propriété à Caleb, fils de Yephunné. ¹³Aux fils du prêtre Aaron, ils donnèrent Hébron, ville de refuge pour le meurtrier, avec ses pâturages, ainsi que Libna et ses pâturages, ¹⁴Yattir et ses pâturages, Eshtemoa et ses pâturages, ¹⁵Holôn et ses pâturages, Debir et ses pâturages, ¹⁶Ashân et ses pâturages, Yutta et ses pâturages, et Bet-Shémesh et ses pâturages : neuf villes prises sur ces deux tribus. ¹⁷De la tribu de Benjamin, Gabaôn et ses pâturages, Géba et ses pâturages, ¹⁸Anatot et ses pâturages, et Almôn et ses pâturages : quatre villes. ¹⁹Total des villes des prêtres fils d'Aaron : treize villes et leurs pâturages.

²⁰Quant aux clans des fils de Qehat, aux Lévites qui restaient parmi les fils de Qehat, les villes de leur lot furent prises sur la tribu d'Éphraïm. ²¹On leur donna Sichem, ville de refuge pour le meurtrier, avec ses pâturages, dans la montagne d'Éphraïm, ainsi que Gézer et ses pâturages, ²²Qibçayim et ses pâturages, et Bet-Horôn et ses pâturages : quatre villes. ²³De la tribu de Dan, Elteqé et ses pâturages, Gibbetôn et ses pâturages, ²⁴Ayyalôn et ses pâturages, et Gat-Rimmôn et ses pâturages : quatre villes. ²⁵De la demi-tribu de Manassé, Tanak et ses pâturages, et Yibleam et ses pâturages : deux villes. ²⁶Total : dix villes avec leurs pâturages pour les clans qui restaient parmi les fils de Qehat.

Part des fils de Gershôn.

27 Aux fils de Gershôn, de clans lévitiques, on donna, de la demi-tribu de Manassé, Golân en Bashân, ville de refuge pour le meurtrier, et Ashtarot, avec leurs pâturages : deux villes. 28 De la tribu d'Issachar, Qishyôn et ses pâturages, Daberat et ses pâturages, 29 Yarmut et ses pâturages, et En-Gannim et ses pâturages : quatre villes. 30 De la tribu d'Asher, Mishéal et ses pâturages, Abdôn et ses pâturages, 31 Helqat et ses pâturages, et Rehob et ses pâturages : quatre villes. 32 De la tribu de Nephtali, Qédesh en Galilée, ville de refuge pour le meurtrier, avec ses pâturages, Hammot-Dor et ses pâturages, et Qartân et ses pâturages : trois villes. 33 Total des villes des Gershonites, selon leurs clans : treize villes et leurs pâturages.

Part des fils de Merari.

34 Au clan des fils de Merari, au reste des Lévites, échurent, de la tribu de Zabulon, Yoqnéam et ses pâturages, Qarta et ses pâturages, 35 Rimmôna et ses pâturages, et Nahalal et ses pâturages : quatre villes. 36 De l'autre côté du Jourdain de Jéricho, de la tribu de Ruben, Béçèr dans le désert, sur le plateau, ville de refuge pour le meurtrier, avec ses pâturages, Ya-haç et ses pâturages, 37 Qedémot et ses pâturages, et Méphaat et ses pâturages : quatre villes. 38 De la tribu de Gad, Ramot en Galaad, ville de refuge pour le meurtrier, avec ses pâturages, Mahanayim et ses pâturages, 39 Heshbôn et ses pâturages, et Yazèr et ses pâturages. Total des villes : quatre. 40 Total des villes qui furent le lot des fils de Merari selon leurs clans, du reste des clans lévitiques : douze villes.

41 Le nombre total des villes des Lévites au milieu du domaine des Israélites était de quarante-huit villes avec leurs pâturages. 42 Ces villes comprenaient chacune la ville et ses pâturages alentour. Il en allait ainsi pour toutes les villes.

Conclusion du partage.

43 C'est ainsi que Yahvé donna aux Israélites tout le pays qu'il avait juré de donner à leurs pères. Ils en prirent possession et s'y établirent. 44 Yahvé leur procura le repos de tous côtés, tout comme il l'avait juré à leurs pères et, de tous leurs ennemis, aucun ne réussit à tenir devant eux. Tous leurs ennemis, Yahvé les livra entre leurs mains. 45 De toutes les promesses que Yahvé avait faites à la maison d'Israël, aucune ne manqua son effet : tout se réalisa.

3. *Fin de la carrière de Josué*

I. RETOUR DES TRIBUS ORIENTALES
LA QUESTION DE LEUR AUTEL

Renvoi du contingent transjordanien.

22 ¹Josué convoqua les Rubénites, les Gadites et la demi-tribu de Manassé ²et leur dit : « Vous avez observé tout ce que Moïse, serviteur de Yahvé, vous a ordonné, et vous avez écouté ma voix chaque fois que je vous ai donné un ordre. ³Vous n'avez pas abandonné vos frères, depuis longtemps jusqu'à aujourd'hui, gardant l'observance du commandement de Yahvé votre Dieu. ⁴Maintenant Yahvé votre Dieu a procuré à vos frères le repos comme il le leur avait dit. Retournez donc à vos tentes, au pays où vous avez vos domaines et que Moïse, serviteur de Yahvé, vous a donné au-delà du Jourdain. ⁵Seulement, prenez bien soin de mettre en pratique le commandement et la Loi que Moïse, serviteur de Yahvé, vous a prescrits : d'aimer Yahvé votre Dieu, de suivre toujours ses voies, d'observer ses commandements, de vous attacher à lui et de le servir de tout votre cœur et de toute votre âme. » ⁶Josué les bénit et les renvoya ; et ils s'en allèrent à leurs tentes.

⁷À une demi-tribu de Manassé, Moïse avait donné un territoire en Bashân ; à l'autre demi-tribu, Josué en donna un avec leurs frères de l'autre côté du Jourdain, à l'ouest. Comme il les renvoyait à leurs tentes, Josué les bénit ⁸et leur dit : « Vous retournerez à vos tentes avec de grandes richesses, du bétail à foison, de l'argent, de l'or, du bronze, du fer et des vêtements en très grande quantité ; partagez avec vos frères le butin de vos ennemis. »

Érection d'un autel sur les bords du Jourdain.

⁹Les fils de Ruben et les fils de Gad s'en retournèrent avec la demi-tribu de Manassé et quittèrent les Israélites à Silo, dans le pays de Canaan, pour s'en aller au pays de Galaad, là où ils avaient leurs domaines dont ils avaient la possession selon l'ordre de Yahvé par l'intermédiaire de Moïse. ¹⁰Lorsqu'ils furent arrivés à Gelilot du Jourdain, qui se trouve au pays de Canaan, les fils de Ruben, les fils de Gad et la demi-tribu de Manassé bâtirent là un autel sur le bord du Jourdain, un autel de grande apparence.

¹¹Les Israélites l'apprirent. Voici, disait-on, que les fils de Ruben, les fils de Gad et la demi-tribu de Manassé ont construit cet autel, du côté du pays de Canaan, près de Gelilot du Jourdain, du côté des Israélites. ¹²À cette nouvelle, toute la communauté des Israélites se rassembla à Silo pour lancer contre eux une attaque.

Reproches adressés aux tribus orientales.

¹³Les Israélites envoyèrent auprès des fils de Ruben, des fils de Gad et de la demi-tribu de Manassé, au pays de Galaad, le prêtre Pinhas, fils d'Éléazar, ¹⁴et avec lui dix notables, un notable par tribu pour toutes les tribus d'Israël, chacun d'eux étant chef de sa famille parmi les clans d'Israël. ¹⁵Parvenus chez les fils de Ruben, chez les fils de Gad et dans la demi-tribu de Manassé au pays de Galaad, ils leur dirent :

¹⁶« Ainsi parle toute la communauté de Yahvé : Que signifie cette infidélité que vous avez commise envers le Dieu d'Israël, vous détournant aujourd'hui de Yahvé et vous bâtissant un autel, ce qui est aujourd'hui une rébellion contre Yahvé ?

¹⁷« N'était-ce donc pas assez pour nous du crime de Péor, dont nous n'avons pas encore réussi à nous purifier jusqu'à présent, en dépit du fléau qui a sévi contre toute la communauté de Yahvé ? ¹⁸Or vous vous détournez aujourd'hui de Yahvé, et puisque aujourd'hui vous vous révoltez contre Yahvé, demain il s'irritera contre toute la communauté d'Israël.

¹⁹« Si donc le pays où vous avez vos domaines est impur, passez dans le pays qui est le domaine de Yahvé, là où est installée la demeure de Yahvé, et soyez propriétaires au milieu de nous. Mais ne vous révoltez pas contre Yahvé et ne nous entraînez pas dans votre rébellion en vous bâtissant un autel rival de l'autel de Yahvé notre Dieu. ²⁰Lorsque Akân, fils de Zérah, se rendit coupable d'infidélité à l'égard de l'anathème, la Colère ne s'abattit-elle pas sur toute la communauté d'Israël, quoiqu'il ne fût qu'un seul individu ? Ne dut-il pas mourir pour son crime ? »

Justification des tribus d'outre-Jourdain.

²¹Les fils de Ruben, les fils de Gad et la demi-tribu de Manassé, prenant la parole, répondirent aux chefs des milliers d'Israël :

²²« Le Dieu des dieux, Yahvé, le Dieu des dieux, Yahvé le sait bien, et Israël doit le savoir : si c'est par rébellion ou par infidélité envers Yahvé que nous avons agi, ne nous sauve pas en ce jour, ²³et si nous avons bâti un autel pour nous détourner de Yahvé et pour y offrir l'holocauste et l'oblation, ou pour y faire des sacrifices de communion, que Yahvé en demande compte ! ²⁴Mais non, c'est par inquiétude que nous avons agi ainsi en nous disant : Demain, vos fils pourraient dire aux nôtres : "Qu'y a-t-il de commun entre vous et Yahvé, le Dieu d'Israël ? ²⁵Yahvé n'a-t-il pas mis entre nous et vous, fils de Ruben et fils de Gad, une frontière qui est le Jourdain ? Vous n'avez aucune part sur Yahvé." Ainsi vos fils seraient cause que les nôtres cesseraient de craindre Yahvé.

²⁶« Aussi nous sommes-nous dit : Bâtissons-nous cet autel destiné non à des holocaustes ni à d'autres sacrifices, ²⁷mais à servir de témoin entre nous et vous et entre nos descendants après nous, attestant que c'est bien le culte de Yahvé que nous accomplissons

devant sa face par nos holocaustes, nos victimes et nos sacrifices de communion. Vos fils ne pourront donc pas dire demain aux nôtres : "Vous n'avez aucune part sur Yahvé !" 28Et nous nous sommes dit : S'il leur arrivait toutefois de dire cela soit à nous-mêmes, soit demain à nos descendants, nous répondrions : "Regardez la forme de l'autel de Yahvé que nos pères ont fait, non en vue d'holocaustes ou d'autres sacrifices, mais comme un témoin entre nous et vous." 29Loin de nous de nous révolter contre Yahvé et de nous détourner aujourd'hui de Yahvé en bâtissant, pour y offrir holocaustes, oblations ou sacrifices, un autel rival de l'autel de Yahvé notre Dieu, érigé devant sa demeure. »

Rétablissement de l'accord.

30Quand le prêtre Pinhas, les notables de la communauté et les chefs des milliers d'Israël qui l'accompagnaient eurent entendu les paroles prononcées par les fils de Ruben, les fils de Gad et les fils de Manassé, ils les approuvèrent. 31Alors le prêtre Pinhas, fils d'Éléazar, dit aux fils de Ruben, aux fils de Gad et aux fils de Manassé : « Nous savons aujourd'hui que Yahvé est au milieu de nous, puisque vous n'avez pas commis une telle infidélité à son égard ; dès lors, vous avez préservé les Israélites du châtiment de Yahvé. »

32Le prêtre Pinhas, fils d'Éléazar, et les notables, ayant quitté les fils de Ruben et les fils de Gad, revinrent du pays de Galaad dans le pays de Canaan, auprès des Israélites auxquels ils rapportèrent la réponse. 33La chose plut aux Israélites ; les Israélites rendirent grâces à Dieu et ne parlèrent plus de lancer contre eux une attaque et de ravager le pays habité par les fils de Ruben et les fils de Gad. 34Les fils de Ruben et les fils de Gad appelèrent l'autel..., « car, disaient-ils, il sera un témoin entre nous que c'est Yahvé qui est Dieu. »

II. DERNIER DISCOURS DE JOSUÉ

Josué résume son œuvre.

23 1Or, longtemps après que Yahvé eut procuré le repos à Israël, au milieu de tous les ennemis qui l'entouraient – Josué était devenu vieux, il était avancé en âge –, 2Josué convoqua tout Israël, ses anciens, ses chefs, ses juges et ses scribes, et leur dit : « Pour moi, je suis vieux et avancé en âge ; 3pour vous, vous avez vu tout ce que Yahvé a fait à cause de vous à toutes ces nations ; c'est Yahvé votre Dieu qui a combattu pour vous. 4Voyez, j'ai tiré au sort pour vous, comme héritage pour vos tribus, ces nations qui subsistent, et toutes les nations que j'ai extirpées depuis le Jourdain jusqu'à la Grande Mer au soleil couchant. 5Yahvé votre Dieu les chassera lui-même devant vous, il les dépossédera devant vous et vous prendrez possession

de leur pays, comme vous l'a dit
Yahvé votre Dieu.

Conduite à tenir au milieu des populations étrangères.

6 « Montrez-vous donc très forts
pour garder et accomplir tout ce
qui est écrit dans le livre de la Loi
de Moïse sans vous en écarter ni
à droite ni à gauche, 7 sans vous
mêler à ces nations qui subsistent
près de vous. Vous ne ferez pas
mémoire du nom de leurs dieux,
vous ne les invoquerez pas dans
vos serments, vous ne les servirez
pas et vous ne vous prosternerez
pas devant eux. 8 Au contraire,
vous vous attacherez à Yahvé votre Dieu, comme vous l'avez fait
jusqu'à ce jour. 9 Yahvé a dépossédé devant vous des nations
grandes et puissantes, et personne
n'a pu, jusqu'à présent, vous tenir
tête. 10 Un seul d'entre vous pouvait en poursuivre mille, car Yahvé votre Dieu combattait lui-même pour vous, comme il vous
l'avait dit. 11 Vous prendrez bien
soin, car il y va de votre vie, d'aimer Yahvé votre Dieu.

12 « Mais s'il vous arrive de
vous détourner et de vous attacher
au restant de ces nations qui subsistent près de vous, de contracter
mariage avec elles, de vous mêler

à elles et elles à vous, 13 alors sachez bien que Yahvé votre Dieu
cessera de déposséder devant
vous ces nations : elles seront
pour vous un filet, un piège, un
fouet contre vos flancs et des
chardons dans vos yeux, jusqu'à
ce que vous ayez disparu de ce
bon sol que vous a donné Yahvé
votre Dieu.

14 « Voici que je m'en vais
aujourd'hui par le chemin de tout
le monde. Reconnaissez de tout votre cœur et de toute votre âme que,
de toutes les promesses que Yahvé
votre Dieu avait faites en votre faveur, pas une n'a manqué son effet : tout s'est réalisé pour vous, pas
une n'a manqué son effet.

15 « Eh bien ! de même que toute promesse faite par Yahvé votre
Dieu en votre faveur s'est réalisée
pour vous, de même Yahvé réalisera contre vous toutes ses menaces, jusqu'à vous chasser de ce
bon sol que Yahvé votre Dieu
vous a donné.

16 « Lorsque vous transgresse-
rez l'alliance que Yahvé votre
Dieu vous a imposée en servant
d'autres dieux et en vous prosternant devant eux, alors la colère de
Yahvé s'enflammera contre vous
et vous disparaîtrez rapidement du
bon pays qu'il vous a donné. »

III. LA GRANDE ASSEMBLÉE DE SICHEM

24 1 Josué réunit toutes les tribus
d'Israël à Sichem ; puis il
convoqua les anciens d'Israël, ses
chefs, ses juges, ses scribes qui se
rangèrent en présence de Dieu. 2 Josué dit alors à tout le peuple : « Ain-

si parle Yahvé, le Dieu d'Israël :
Au-delà du Fleuve habitaient jadis
vos pères, Térah, père d'Abraham
et de Nahor, et ils servaient d'autres dieux. 3 Alors je pris votre père
Abraham d'au-delà du Fleuve et je

lui fis parcourir toute la terre de Canaan, je multipliai sa descendance et je lui donnai Isaac. [4]À Isaac, je donnai Jacob et Ésaü. À Ésaü, je donnai en possession la montagne de Séïr. Jacob et ses fils descendirent en Égypte. [5]J'envoyai ensuite Moïse et Aaron et je frappai l'Égypte selon ce que j'ai fait au milieu d'elle et je vous en fis sortir. [6]Je fis donc sortir vos pères de l'Égypte et vous arrivâtes à la mer ; les Égyptiens poursuivirent vos pères avec des chars et des cavaliers, à la mer des Roseaux. [7]Ils crièrent alors vers Yahvé qui étendit un brouillard épais entre vous et les Égyptiens, et fit revenir sur eux la mer qui les recouvrit. Vous avez vu de vos propres yeux ce que j'ai fait en Égypte, puis vous avez séjourné de longs jours dans le désert. [8]Je vous fis entrer ensuite dans le pays des Amorites qui habitaient au-delà du Jourdain. Ils vous firent la guerre et je les livrai entre vos mains, aussi avez-vous pris possession de leur pays, car je les anéantis devant vous. [9]Puis se leva Balaq, fils de Çippor, roi de Moab, qui fit la guerre à Israël. Il envoya chercher Balaam, fils de Béor, pour vous maudire. [10]Mais je ne voulus pas écouter Balaam : il dut même vous bénir et je vous ai sauvés de sa main.

[11]Vous avez ensuite passé le Jourdain pour atteindre Jéricho, mais les maîtres de Jéricho vous firent la guerre – Amorites, Perizzites, Cananéens, Hittites, Girgashites, Hivvites, Jébuséens – et je les livrai entre vos mains. [12]J'envoyai devant vous les frelons qui chassèrent devant vous les deux rois amorites, ce que tu ne dois ni à ton épée ni à ton arc. [13]Je vous ai donné une terre qui ne vous a demandé aucune fatigue, des villes que vous n'avez pas bâties et dans lesquelles vous vous êtes installés, des vignes et des olivettes que vous n'avez pas plantées et qui sont votre nourriture.

Israël choisit Yahvé.

[14]« Et maintenant, craignez Yahvé et servez-le dans la perfection et la fidélité ; éloignez les dieux que servirent vos pères au-delà du Fleuve et en Égypte, et servez Yahvé. [15]S'il ne vous paraît pas bon de servir Yahvé, choisissez aujourd'hui qui vous voulez servir, soit les dieux que servaient vos pères au-delà du Fleuve, soit les dieux des Amorites dont vous habitez maintenant le pays. Quant à moi et ma famille, nous servirons Yahvé. »

[16]Le peuple répondit : « Loin de nous d'abandonner Yahvé pour servir d'autres dieux ! [17]Yahvé notre Dieu est celui qui nous a fait monter, nous et nos pères, du pays d'Égypte, de la maison de servitude, qui devant nos yeux a opéré ces grands signes et nous a gardés tout le long du chemin que nous avons parcouru et parmi tous les peuples auprès desquels nous avons passé. [18]Et Yahvé a chassé devant nous tous les peuples ainsi que les Amorites qui habitaient le pays. Nous aussi, nous servirons Yahvé, car c'est lui notre Dieu. »

[19]Alors Josué dit au peuple : « Vous ne pouvez pas servir Yahvé car il est un Dieu saint, il est un Dieu jaloux, qui ne tolérera pas vos transgressions ni vos péchés. [20]Si vous abandonnez Yahvé pour

servir les dieux de l'étranger, il se tournera contre vous pour vous faire du mal ; il vous anéantira après vous avoir fait du bien. »

²¹Le peuple répondit à Josué : « Non ! C'est Yahvé que nous servirons. » ²²Alors Josué dit au peuple : « Vous êtes témoins contre vous-mêmes que vous avez fait choix de Yahvé pour le servir. » Ils répondirent : « Nous sommes témoins. » – ²³« Alors, écartez les dieux de l'étranger qui sont au milieu de vous et inclinez votre cœur vers Yahvé, Dieu d'Israël. » ²⁴Le peuple dit à Josué : « C'est Yahvé notre Dieu que nous servirons, c'est à sa voix que nous obéirons. »

IV. APPENDICES

Mort de Josué. ‖ Jg 2 6-10.

²⁹Après ces événements, Josué, fils de Nûn, serviteur de Yahvé, mourut, âgé de cent dix ans. ³⁰On l'ensevelit dans le domaine qu'il avait reçu en héritage, à Timnat-Sérah, qui est situé dans la montagne d'Éphraïm au nord du mont Gaash. ³¹Israël servit Yahvé pendant toute la vie de Josué et toute la vie des anciens qui survécurent à Josué et qui avaient connu toute l'œuvre que Yahvé avait accomplie en faveur d'Israël.

Le pacte de Sichem.

²⁵Ce jour-là, Josué conclut une alliance pour le peuple ; il lui fixa un statut et un droit à Sichem. ²⁶Josué écrivit ces paroles dans le livre de la Loi de Dieu. Il prit ensuite une grosse pierre et la dressa là au pied du chêne qui est dans le sanctuaire de Yahvé. ²⁷Josué dit alors à tout le peuple : « Voici, cette pierre sera un témoin contre nous parce qu'elle a entendu toutes les paroles que Yahvé nous a adressées ; elle sera un témoin contre vous pour vous empêcher de renier votre Dieu. » ²⁸Puis Josué renvoya le peuple, chacun dans son héritage.

Les os de Joseph. Mort d'Éléazar.

³²Quant aux ossements de Joseph que les Israélites avaient apportés d'Égypte, on les ensevelit à Sichem, dans la parcelle de champ que Jacob avait achetée aux fils de Hamor, père de Sichem, pour cent pièces d'argent ; ils étaient dans l'héritage des fils de Joseph. ³³Puis Éléazar, le fils d'Aaron, mourut et on l'ensevelit à Gibéa, ville de son fils Pinhas, qui lui avait été donnée dans la montagne d'Éphraïm.

Le livre des Juges

Première introduction

RÉCIT SOMMAIRE DE L'INSTALLATION EN CANAAN

Installation de Juda, de Siméon, de Caleb et des Qénites.

1 ¹Or, après la mort de Josué, les Israélites consultèrent Yahvé en disant : « Qui de nous montera en premier contre les Cananéens pour les combattre ? » ²Et Yahvé répondit : « C'est Juda qui montera ; voici que je livre le pays entre ses mains. » ³Alors Juda dit à Siméon son frère : « Monte avec moi dans le lot qui m'a été assigné, nous attaquerons les Cananéens et, à mon tour, je marcherai avec toi vers ton lot. » Et Siméon marcha avec lui. ⁴Juda monta donc et Yahvé livra en leurs mains les Cananéens et les Perizzites, et, à Bézeq, ils en battirent dix mille. ⁵Ayant rencontré à Bézeq Adoni-Bézeq, ils l'attaquèrent et battirent les Cananéens et les Perizzites. ⁶Adoni-Bézeq s'enfuit, mais ils le poursuivirent, le saisirent et lui coupèrent les pouces des mains et des pieds. ⁷Adoni-Bézeq dit alors : « Soixante-dix rois, avec les pouces des mains et des pieds coupés, ramassaient les miettes sous ma table. Dieu me rend à la mesure de ce que j'ai fait. » On l'emmena à Jérusalem et c'est là qu'il mourut. ⁸Les fils de Juda attaquèrent Jérusalem, ils la prirent, la passè-rent au fil de l'épée et mirent le feu à la ville.

⁹Après quoi, les fils de Juda descendirent pour combattre les Cananéens qui habitaient la Montagne, le Négeb et le Bas-Pays. ¹⁰Puis Juda marcha contre les Cananéens qui habitaient Hébron – le nom d'Hébron était autrefois Qiryat-Arba – et il battit Shéshaï, Ahimân et Talmaï. ¹¹De là, il marcha contre les habitants de Debir – le nom de Debir était autrefois Qiryat-Séphèr. ¹²Et Caleb dit : « Celui qui battra Qiryat-Séphèr et la prendra, je lui donnerai pour femme ma fille Aksa. »

¹³Celui qui s'en empara fut Otniel, fils de Qenaz, le frère cadet de Caleb, et celui-ci lui donna sa fille Aksa pour femme. ¹⁴Lorsqu'elle arriva chez lui, elle lui suggéra de demander à son père un champ. Alors elle sauta à bas de son âne, et Caleb lui demanda : « Que veux-tu ? » ¹⁵Elle lui répondit : « Accorde-moi une faveur. Puisque tu m'as donné le pays du Négeb, donne-moi donc des sources d'eau. » Et Caleb lui donna les sources d'en haut et les sources d'en bas.

¹⁶Les fils de Qéni, beau-père de Moïse, montèrent de la ville des Palmiers avec les fils de Juda jus-

qu'au désert de Juda qui est au sud d'Arad, et ils vinrent habiter avec le peuple. [17]Puis Juda marcha avec Siméon son frère. Ils battirent les Cananéens qui habitaient Çephat et la vouèrent à l'anathème. C'est pourquoi on donna à la ville le nom de Horma. [18]Puis Juda s'empara de Gaza et de son territoire, d'Ashqelôn et de son territoire, d'Eqrôn et de son territoire. [19]Et Yahvé fut avec Juda qui prit possession de la Montagne, mais il ne put déposséder les habitants de la plaine, parce qu'ils avaient des chars de fer. [20]Comme Moïse l'avait promis, on donna Hébron à Caleb, lequel en chassa les trois fils d'Anaq. [21]Quant aux Jébuséens qui habitaient Jérusalem, les fils de Benjamin ne les dépossédèrent pas, et jusqu'à aujourd'hui les Jébuséens ont habité Jérusalem avec les fils de Benjamin.

Prise de Béthel.

[22]La maison de Joseph, elle aussi, monta à Béthel et Yahvé fut avec elle. [23]La maison de Joseph fit faire une reconnaissance contre Béthel. Le nom de la ville était autrefois Luz. [24]Les guetteurs virent un homme qui sortait de la ville. Ils lui dirent : « Indique-nous par où l'on peut y entrer et nous te ferons grâce. » [25]Il leur indiqua par où entrer dans la ville. Ils passèrent la ville au fil de l'épée, mais laissèrent aller l'homme avec tout son clan. [26]Cet homme s'en alla au pays des Hittites et il bâtit une ville à laquelle il donna le nom de Luz. C'est le nom qu'elle porte encore aujourd'hui.

Les tribus septentrionales.

[27]Manassé ne déposséda pas Bet-Shéân et ses dépendances, ni Tanak et ses dépendances, ni les habitants de Dor et de ses dépendances, ni les habitants de Yibleam et de ses dépendances, ni les habitants de Megiddo et de ses dépendances ; les Cananéens persistèrent dans ce pays. [28]Cependant, quand Israël fut devenu plus fort, il soumit les Cananéens à la corvée, mais il ne les déposséda pas. [29]Ephraïm non plus ne déposséda pas les Cananéens qui habitaient Gézèr, et les Cananéens demeurèrent à Gézèr au milieu d'Éphraïm. [30]Zabulon ne déposséda pas les habitants de Qitrôn, ni ceux de Nahalol. Les Cananéens demeurèrent au milieu de Zabulon, mais ils furent astreints à la corvée. [31]Asher ne déposséda pas les habitants d'Akko, ni ceux de Sidon, de Mahaleb, d'Akzib, d'Helbah, d'Aphiq ni de Rehob. [32]Les Ashérites demeurèrent donc au milieu des Cananéens qui habitaient le pays, car ils ne les dépossédèrent pas. [33]Nephtali ne déposséda pas les habitants de Bet-Shémesh, ni ceux de Bet-Anat, et il demeura au milieu des Cananéens qui habitaient le pays, mais les habitants de Bet-Shémesh et de Bet-Anat furent astreints par lui à la corvée. [34]Les Amorites refoulèrent dans la montagne les fils de Dan et ils ne les laissèrent pas descendre dans la plaine. [35]Les Amorites continuèrent à habiter à Har-Hérès, à Ayyalôn et à Shaalbim, mais lorsque la main de la maison de Joseph se fit plus lourde, ils furent

astreints à la corvée. ³⁶(La frontière des Amorites s'étend à partir de la montée des Scorpions, à la Roche, et va ensuite en montant.)

L'Ange de Yahvé annonce des malheurs à Israël.

2 ¹L'Ange de Yahvé monta de Gilgal à Bokim et il dit : « Je vous ai fait monter d'Égypte et je vous ai amenés dans ce pays que j'avais promis par serment à vos pères. J'avais dit : "Je ne romprai jamais mon alliance avec vous. ²De votre côté, vous ne conclurez pas d'alliance avec les habitants de ce pays ; mais vous renverserez leurs autels." Or vous n'avez pas écouté ma voix. Qu'avez-vous fait là ? ³Eh bien, je le dis : je ne les chasserai pas devant vous. Ils seront pour vous des adversaires et leurs dieux seront pour vous un piège. » ⁴Lorsque l'Ange de Yahvé eut adressé ces paroles à tous les Israélites, le peuple se mit à crier et à pleurer. ⁵Ils donnèrent à ce lieu le nom de Bokim et ils offrirent là des sacrifices à Yahvé.

Seconde introduction

CONSIDÉRATIONS GÉNÉRALES SUR LA PÉRIODE DES JUGES

Fin de la vie de Josué.

⁶Alors Josué congédia le peuple et les Israélites se rendirent chacun dans son héritage pour prendre possession du pays. ⁷Le peuple servit Yahvé pendant toute la vie de Josué et toute la vie des anciens qui survécurent à Josué et qui avaient connu toute la grande œuvre que Yahvé avait accompli en faveur d'Israël. ⁸Josué, fils de Nûn, serviteur de Yahvé, mourut à l'âge de cent dix ans. ⁹On l'ensevelit dans le domaine qu'il avait reçu en héritage à Timnat-Hérès, dans la montagne d'Éphraïm, au nord du mont Gaash. ¹⁰Et quand cette génération à son tour fut réunie à ses pères, une autre génération lui succéda qui ne connaissait point Yahvé ni l'œuvre qu'il avait accomplie en faveur d'Israël.

Interprétation religieuse de la période des Juges.

¹¹Alors les Israélites firent ce qui est mal aux yeux de Yahvé et ils servirent les Baals. ¹²Ils délaissèrent Yahvé, le Dieu de leurs pères, qui les avait fait sortir du pays d'Égypte, et ils suivirent d'autres dieux parmi ceux des peuples d'alentour. Ils se prosternèrent devant eux, ils irritèrent Yahvé, ¹³ils délaissèrent Yahvé pour servir le Baal et les Astartés. ¹⁴Alors la colère de Yahvé s'enflamma contre Israël. Il les abandonna à des pillards qui les dépouillèrent, il les livra aux ennemis qui les entouraient et ils ne purent plus tenir

devant leurs ennemis. [15]Dans toutes leurs expéditions la main de Yahvé intervenait contre eux pour leur faire du mal, comme Yahvé le leur avait dit et comme Yahvé le leur avait juré. Leur détresse était extrême.

[16]Alors Yahvé leur suscita des Juges qui les sauvèrent de la main de ceux qui les pillaient. [17]Mais même leurs juges, ils ne les écoutaient pas, ils se prostituèrent à d'autres dieux, et ils se prosternèrent devant eux. Bien vite ils se sont détournés du chemin qu'avaient suivi leurs pères, dociles aux commandements de Yahvé ; ils n'agirent pas ainsi. [18]Lorsque Yahvé leur suscitait des juges, Yahvé était avec le juge et il les sauvait de la main de leurs ennemis tant que vivait le juge, car Yahvé se laissait émouvoir par leurs gémissements devant leurs persécuteurs et leurs oppresseurs. [19]Mais le juge mort, ils recommençaient à se pervertir encore plus que leurs pères. Ils suivaient d'autres dieux, les servaient et se prosternaient devant eux, ne renonçant en rien aux pratiques et à la conduite endurcie de leurs pères.

Raison de la permanence des nations étrangères.

[20]La colère de Yahvé s'enflamma alors contre Israël et il dit : « Puisque cette nation a transgressé l'alliance que j'avais prescrite à ses pères et qu'elle n'a pas écou-

té ma voix, [21]désormais je ne chasserai plus devant elle aucune des nations que Josué a laissé subsister quand il est mort », [22]afin de mettre par elles Israël à l'épreuve, pour savoir s'il garderait ou non le chemin de Yahvé comme l'ont suivi ses pères. [23]C'est pourquoi Yahvé a laissé subsister ces nations sans les déposséder trop vite et il ne les a pas livrées aux mains de Josué.

3 [1]Voici les nations que Yahvé a laissé subsister afin de mettre par elles Israël à l'épreuve, tous ceux qui n'avaient connu aucune des guerres de Canaan [2]– ce fut uniquement pour l'enseignement des descendants des Israélites, pour leur apprendre l'art de la guerre ; à ceux du moins qui ne l'avaient pas connu autrefois – : [3]les cinq princes des Philistins et tous les Cananéens, les Sidoniens et les Hivvites qui habitaient la chaîne du Liban, depuis la montagne de Baal-Hermôn jusqu'à l'Entrée de Hamat. [4]Ils servirent à éprouver Israël, pour savoir s'ils écouteraient les commandements que Yahvé avait prescrits à leurs pères par l'intermédiaire de Moïse. [5]Et les Israélites habitèrent au milieu des Cananéens, des Hittites, des Amorites, des Perizzites, des Hivvites et des Jébuséens ; [6]ils prirent pour femmes leurs filles, ils donnèrent leurs filles à leurs fils et ils servirent leurs dieux.

Histoire des Juges

I. OTNIEL

[7]Les Israélites firent ce qui est mal aux yeux de Yahvé. Ils oublièrent Yahvé leur Dieu pour servir les Baals et les Ashéras. [8]Alors la colère de Yahvé s'enflamma contre Israël, il les livra aux mains de Kushân-Risheatayim, roi d'Aram-Naharayim, et les Israélites furent asservis à Kushân-Risheatayim pendant huit ans. [9]Alors les Israélites crièrent vers Yahvé et Yahvé suscita aux Israélites un sauveur qui les libéra, Otniel fils de Qenaz, frère cadet de Caleb. [10]L'esprit de Yahvé fut sur lui ; il jugea Israël et il partit pour la guerre. Yahvé livra entre ses mains Kushân-Risheatayim, roi d'Aram, et il triompha de Kushân-Risheatayim. [11]Le pays fut alors en repos pendant quarante ans. Puis Otniel, fils de Qenaz, mourut.

II. ÉHUD

[12]Les Israélites recommencèrent à faire ce qui est mal aux yeux de Yahvé et Yahvé fortifia Églôn, roi de Moab, contre Israël, parce qu'ils faisaient ce qui est mal aux yeux de Yahvé. [13]Églôn s'adjoignit les fils d'Ammon et Amaleq, marcha contre Israël, le battit et prit possession de la ville des Palmiers. [14]Les Israélites furent asservis à Églôn, roi de Moab, pendant dix-huit ans.

[15]Alors les Israélites crièrent vers Yahvé et Yahvé leur suscita un sauveur, Éhud, fils de Géra, Benjaminite, qui était gaucher. Par son intermédiaire les Israélites envoyèrent un tribut à Églôn, roi de Moab. [16]Éhud se fit un poignard à double tranchant, long d'un gomed, et il l'attacha sous son vêtement, sur sa hanche droite. [17]Il offrit donc le tribut à Églôn, roi de Moab. Cet Églôn était très gros. [18]Une fois le tribut offert, Éhud renvoya les gens qui l'avaient apporté. [19]Mais lui-même, arrivé aux Idoles qui sont près de Gilgal, revint et dit : « J'ai un message secret pour toi, ô roi ! » Le roi répondit : « Silence ! » et tous ceux qui se trouvaient auprès de lui sortirent. [20]Éhud vint vers lui ; il était assis dans la chambre haute où l'on prend le frais, qui lui était réservée. Éhud lui dit : « C'est une parole de Dieu que j'ai pour toi, ô roi ! » Et celui-ci se leva aussitôt de son siège. [21]Alors Éhud étendit la main gauche, prit le poignard de dessus sa hanche droite et l'enfonça dans le ventre du roi. [22]La poignée même entra avec la lame et la graisse se referma sur la lame, car Éhud n'avait pas retiré le poignard de son ventre ; alors les excréments sortirent. [23]Éhud sortit par le vestibule, il avait fermé derrière lui les portes de la chambre haute et poussé le verrou.

²⁴Quand il fut sorti, les serviteurs revinrent et ils regardèrent : les portes de la chambre haute étaient fermées au verrou. Ils se dirent : « Sans doute il se couvre les pieds dans le réduit de la chambre fraîche. » ²⁵Ils attendirent jusqu'à en être inquiets, car il n'ouvrait toujours pas les portes de la chambre haute. Ils prirent enfin la clef et ouvrirent : leur maître gisait à terre, mort.

²⁶Pendant qu'ils attendaient, Éhud s'était enfui. Il dépassa les Idoles et se mit en sûreté à Ha-Séïra. ²⁷Sitôt arrivé, il sonna du cor dans la montagne d'Éphraïm et les Israélites descendirent avec lui de la montagne, lui à leur tête. ²⁸Et il leur dit : « Suivez-moi, car Yahvé a livré votre ennemi, Moab, entre vos mains. » Ils le suivirent donc, coupèrent à Moab le passage des gués du Jourdain et ne laissèrent passer personne. ²⁹Ils battirent les gens de Moab en ce temps-là, au nombre d'environ dix mille hommes, tous robustes et vaillants, et pas un n'échappa. ³⁰En ce jour-là Moab fut abaissé sous la main d'Israël et le pays fut en repos quatre-vingts ans.

III. SHAMGAR

³¹Après lui il y eut Shamgar, fils d'Anat. Il défit les Philistins au nombre de six cents hommes avec un aiguillon à bœufs, et lui aussi sauva Israël.

IV. DÉBORA ET BARAQ

Israël opprimé par les Cananéens.

4 ¹Après la mort d'Éhud les Israélites recommencèrent à faire ce qui est mal aux yeux de Yahvé, ²et Yahvé les livra à Yabîn, roi de Canaan, qui régnait à Haçor. Le chef de son armée était Sisera, qui habitait à Haroshèt-ha-Goyim. ³Alors les Israélites crièrent vers Yahvé. Car Yabîn avait neuf cents chars de fer et il avait opprimé durement les Israélites pendant vingt ans.

Débora.

⁴En ce temps-là Débora, une prophétesse, femme de Lappidot, jugeait Israël. ⁵Elle siégeait sous le palmier de Débora entre Rama et Béthel, dans la montagne d'Éphraïm, et les Israélites montaient vers elle pour obtenir justice. ⁶Elle envoya chercher Baraq, fils d'Abinoam de Qédèsh en Nephtali et lui dit : « Yahvé, Dieu d'Israël, n'a-t-il pas ordonné : "Va, rassemble le mont Tabor et prends avec toi dix mille hommes des fils de Nephtali et des fils de Zabulon. ⁷J'attirerai vers toi au torrent du Qishôn Sisera, le chef de l'armée de Yabîn, avec ses chars et ses troupes, et je le livrerai entre tes mains" ? » ⁸Baraq lui répondit : « Si tu viens avec moi, j'irai, mais

si tu ne viens pas avec moi, je n'irai pas. » ⁹Débora lui dit : « J'irai donc avec toi ; seulement, dans la voie où tu marches, l'honneur ne sera pas pour toi, car c'est entre les mains d'une femme que Yahvé livrera Sisera. » Alors Débora se leva et, avec Baraq, elle se rendit à Qédesh. ¹⁰Baraq convoqua Zabulon et Nephtali à Qédesh. Dix mille hommes montèrent sur ses pas et Débora monta avec lui.

Héber le Qénite.

¹¹Héber, le Qénite, s'était séparé de Qayîn, des fils de Hobab, beau-père de Moïse ; il avait planté sa tente près du chêne de Çaanannim, non loin de Qédesh.

Défaite de Sisera.

¹²On annonça à Sisera que Baraq, fils d'Abinoam, était monté sur le mont Tabor. ¹³Sisera convoqua tous ses chars, neuf cents chars de fer, et toutes les troupes qu'il avait, de Haroshèt-ha-Goyim au torrent du Qishôn. ¹⁴Débora dit à Baraq : « Lève-toi, car voici le jour où Yahvé a livré Sisera entre tes mains. Yahvé n'est-il pas sorti devant toi ? » Et Baraq descendit du mont Tabor avec dix mille hommes derrière lui. ¹⁵Yahvé frappa de panique Sisera, tous ses chars et toute son armée devant Baraq. Sisera, descendant de son char, s'enfuit à pied. ¹⁶Baraq poursuivit les chars et l'armée jusqu'à Haroshèt-ha-Goyim. Toute l'armée de Sisera tomba sous le tranchant de l'épée ; il n'en resta pas un seul.

Mort de Sisera.

¹⁷Sisera cependant s'enfuyait à pied dans la direction de la tente de Yaël, femme de Héber le Qénite, car la paix régnait entre Yabîn, roi de Haçor, et la maison de Héber le Qénite. ¹⁸Yaël, sortant au-devant de Sisera, lui dit : « Arrête-toi, Monseigneur, arrête-toi chez moi. Ne crains rien ! » Il s'arrêta chez elle sous la tente et elle le recouvrit d'un tapis. ¹⁹Il lui dit : « Donne-moi à boire un peu d'eau, je te prie, car j'ai soif. » Elle ouvrit l'outre où était le lait, le fit boire et le recouvrit de nouveau. ²⁰Il lui dit : « Tiens-toi à l'entrée de la tente, et si quelqu'un vient, t'interroge et dit : "Y a-t-il un homme ici ?" Tu répondras : "Non". » ²¹Mais Yaël, femme de Héber, prit un piquet de la tente, saisit un marteau dans sa main et, s'approchant de lui doucement, elle lui enfonça dans la tempe le piquet, qui se planta en terre. Il dormait profondément, épuisé de fatigue, c'est ainsi qu'il mourut. ²²Et voici que Baraq survint, poursuivant Sisera. Yaël sortit au-devant de lui : « Viens, lui dit-elle, et je te ferai voir l'homme que tu cherches. » Il entra chez elle : Sisera gisait mort, le piquet dans la tempe.

La délivrance d'Israël.

²³Dieu humilia donc en ce jour Yabîn, roi de Canaan, devant les Israélites. ²⁴La main des Israélites s'appesantit de plus en plus durement sur Yabîn, roi de Canaan, jusqu'à ce qu'ils aient abattu Yabîn, roi de Canaan.

LE CANTIQUE DE DÉBORA ET DE BARAQ

5 ¹En ce jour-là, Débora et Baraq, fils d'Abinoam, chantèrent, disant :

²Puisqu'en Israël des guerriers ont dénoué leur chevelure,
puisque le peuple s'est offert librement,
bénissez Yahvé !

³Écoutez, rois ! Prêtez l'oreille, princes !
Moi, pour Yahvé, moi je chanterai.
Je célébrerai Yahvé, Dieu d'Israël.

⁴Yahvé, quand tu sortis de Séïr,
quand tu t'avanças des campagnes d'Édom,
la terre trembla, les cieux se déversèrent,
les nuées fondirent en eau.

⁵Les montagnes ruisselèrent devant Yahvé, celui du Sinaï,
devant Yahvé, le Dieu d'Israël.

⁶Aux jours de Shamgar fils d'Anat, aux jours de Yaël,
il n'y avait plus de caravanes ;
ceux qui s'en allaient par les chemins
prenaient des sentiers détournés.

⁷On renonçait aux campagnes,
On y renonçait en Israël,
jusqu'à ton lever, ô Débora,
jusqu'à ton lever, mère en Israël !

⁸On choisissait des dieux nouveaux,
alors pour cinq villes,
voyait-on un bouclier ou une lance,

pour quarante milliers en Israël ?

⁹Mon cœur va aux chefs d'Israël,
avec les libres engagés du peuple !
Bénissez Yahvé !

¹⁰Vous qui montez des ânesses blanches, assis sur des tapis,
et vous qui allez par les chemins, soyez attentifs,

¹¹aux acclamations des pâtres, près des abreuvoirs.
Là on célèbre les bienfaits de Yahvé,
ses bienfaits pour ses campagnes en Israël !
(Alors le peuple de Yahvé est descendu aux portes.)

¹²Éveille-toi, éveille-toi, Débora !
Éveille-toi, éveille-toi, clame un chant !
Courage ! Debout, Baraq !
et ramène tes prisonniers, fils d'Abinoam !

¹³Alors il descend vers les princes, le fuyard,
le peuple de Yahvé descend pour moi parmi les braves.

¹⁴Les princes d'Éphraïm, les officiers sont dans la plaine,
derrière toi Benjamin est parmi les tiens.
De Makir sont descendus des chefs,
de Zabulon, ceux qui portent le bâton de scribe.

¹⁵Les princes d'Issachar sont avec Débora, et Nephtali. Baraq aussi s'élance sur ses pas dans la plaine.

Dans les clans de Ruben,
on s'est concerté longuement.

¹⁶Pourquoi es-tu resté entre les deux murets,
à l'écoute des sifflements, près des troupeaux ?
(Dans les clans de Ruben,
on s'est concerté longuement.)

¹⁷Galaad est resté au-delà du Jourdain,
et Dan, pourquoi vit-il sur des vaisseaux ?
Asher est demeuré au bord de la mer,
il habite tranquille dans ses ports.

¹⁸Zabulon est un peuple qui a bravé la mort,
ainsi que Nephtali, sur les hauteurs du pays.

¹⁹Les rois sont venus, ils ont combattu,
alors ils ont combattu, les rois de Canaan,
à Tanak, aux eaux de Megiddo,
mais ils n'ont pas ramassé d'argent en butin.

²⁰Du haut des cieux les étoiles ont combattu,
de leurs chemins, elles ont combattu Sisera.

²¹Le torrent du Qishôn les a balayés,
il les a recouverts, le torrent du Qishôn :
Marche hardiment, ô mon âme !

²²Alors les sabots des chevaux ont martelé le sol

ils galopent, ils galopent, ses coursiers !

²³Maudissez Méroz, dit l'Ange de Yahvé,
maudissez, maudissez ses habitants :
car ils ne sont pas venus à l'aide de Yahvé,
à l'aide de Yahvé parmi les héros.

²⁴Bénie entre les femmes soit Yaël
(la femme de Héber le Qénite),
entre les femmes qui habitent les tentes, bénie soit-elle !

²⁵Il demandait de l'eau, elle a donné du lait,
dans la coupe des nobles elle a offert de la crème.

²⁶Elle a tendu la main pour saisir le piquet,
la droite pour saisir le marteau des travailleurs.
Elle a frappé Sisera, elle lui a brisé la tête,
elle lui a percé et fracassé la tempe.

²⁷Entre ses pieds il s'est écroulé, il est tombé, il s'est couché,
à ses pieds il s'est écroulé, il est tombé.
Où il s'est écroulé, là il est tombé, anéanti.

²⁸Par la fenêtre elle se penche, elle guette,
la mère de Sisera, à travers le grillage
« Pourquoi son char tarde-t-il à venir ?
Pourquoi sont-ils si lents, ses attelages ? »

²⁹La plus avisée de ses princesses lui répond,
    et elle se répète à elle-même :

³⁰« Sans doute ils recueillent, ils partagent le butin :
    une jeune fille, deux jeunes filles par guerrier !
    un butin d'étoffes de couleur brodées pour Sisera,

une broderie, deux broderies pour mon cou ! »

³¹Ainsi périssent tous tes ennemis, Yahvé !
    et ceux qui t'aiment, qu'ils soient comme le soleil
    quand il se lève dans sa force !

Et le pays fut en repos pendant quarante ans.

V. GÉDÉON ET ABIMÉLEK

A. VOCATION DE GÉDÉON

Israël opprimé par les Madianites.

6 ¹Les Israélites firent ce qui est mal aux yeux de Yahvé ; Yahvé les livra pendant sept ans aux mains de Madiân, ²et la main de Madiân se fit lourde sur Israël. A cause de Madiân les Israélites utilisèrent les crevasses des montagnes, les cavernes et les refuges. ³Chaque fois qu'Israël avait semé, alors Madiân montait, ainsi qu'Amaleq et les fils de l'Orient, ils montaient contre Israël. ⁴Campant auprès des Israélites, sur sa terre, ils dévastaient les produits du pays jusqu'aux abords de Gaza. Ils ne laissaient à Israël aucun moyen de subsistance, ni une tête de petit bétail, ni un bœuf, ni un âne, ⁵car ils arrivaient, eux, leurs troupeaux et leurs tentes, aussi nombreux que les sauterelles ; eux et leurs chameaux étaient innombrables et ils envahissaient le pays pour le ravager. ⁶Israël fut très affaibli à cause de Madiân et les Israélites crièrent vers Yahvé.

Intervention d'un prophète.

⁷Lorsque les Israélites eurent crié vers Yahvé à cause de Madiân, ⁸Yahvé envoya aux Israélites un prophète qui leur dit : « Ainsi parle Yahvé, Dieu d'Israël. C'est moi qui vous ai fait monter d'Égypte, et qui vous ai fait sortir d'une maison de servitude. ⁹Je vous ai délivrés de la main des Égyptiens et de la main de tous ceux qui vous opprimaient. Je les ai chassés devant vous, je vous ai donné leur pays, ¹⁰et je vous ai dit : "Je suis Yahvé votre Dieu. Vous ne craindrez pas les dieux des Amorites dont vous habitez le pays." Mais vous n'avez pas écouté ma voix. »

Apparition de l'Ange de Yahvé à Gédéon.

¹¹L'Ange de Yahvé vint et s'assit sous le térébinthe d'Ophra, qui appartenait à Yoash d'Abiézer. Gédéon, son fils, battait le blé dans le pressoir pour le soustraire à Madiân, ¹²et l'Ange de Yahvé lui apparut : « Yahvé avec toi, lui

dit-il, vaillant guerrier ! » [13]Gédéon lui répondit : « Je t'en prie, mon Seigneur ! Si Yahvé est avec nous, d'où vient tout ce qui nous arrive ? Où sont tous les prodiges que nous racontaient nos pères quand ils disaient : "Yahvé ne nous a-t-il pas fait monter d'Égypte ?" Et maintenant Yahvé nous a abandonnés, il nous a livrés au pouvoir de Madiân... »

[14]Alors Yahvé se tourna vers lui et lui dit : « Va avec la force qui t'anime et tu sauveras Israël du pouvoir de Madiân. N'est-ce pas moi qui t'envoie ? » [15]« Je t'en prie, mon Seigneur ! lui répondit Gédéon, comment sauverais-je Israël ? Mon clan est le plus faible en Manassé et moi, je suis le dernier dans la maison de mon père. » [16]Yahvé lui répondit : « Je serai avec toi et tu battras Madiân comme si c'était un seul homme. » [17]Gédéon lui dit : « Si j'ai trouvé grâce à tes yeux, accorde-moi un signe que c'est toi qui me parles. [18]Ne t'éloigne pas d'ici, je te prie, jusqu'à ce que je revienne vers toi. Je t'apporterai mon offrande et je la déposerai devant toi. » Et il répondit : « Je resterai jusqu'à ton retour. »

[19]Gédéon s'en alla, il prépara un chevreau, et avec une mesure de farine il fit des pains sans levain. Il mit la viande dans une corbeille et le jus dans un pot, puis il lui apporta le tout sous le térébinthe. Comme il s'approchait, [20]l'Ange de Yahvé lui dit : « Prends la viande et les pains sans levain, pose-les sur ce rocher et répands le jus. » Et Gédéon fit ainsi. [21]Alors l'Ange de Yahvé étendit l'extrémité du bâton qu'il tenait à la main et il toucha la viande et les pains sans levain. Le feu jaillit du roc, il dévora la viande et les pains sans levain, et l'Ange de Yahvé disparut à ses yeux. [22]Alors Gédéon vit que c'était l'Ange de Yahvé et il dit « Hélas ! mon Seigneur Yahvé ! C'est donc que j'ai vu l'Ange de Yahvé face à face ? » [23]Yahvé lui répondit : « Que la paix soit avec toi ! Ne crains rien : tu ne mourras pas. » [24]En cet endroit Gédéon bâtit à Yahvé un autel et il le nomma Yahvé-Paix. Cet autel est encore aujourd'hui à Ophra d'Abiézer.

Gédéon contre Baal.

[25]Il arriva que pendant cette nuit-là, Yahvé dit à Gédéon : « Prends le taureau de ton père, le taureau d'une seconde portée âgé de sept ans, et tu démoliras l'autel de Baal qui appartient à ton père et tu couperas le pieu sacré qui est à côté. [26]Puis tu bâtiras à Yahvé ton Dieu, au sommet de ce lieu fort, un autel fait selon la règle. Tu prendras alors le taureau de la seconde portée et tu l'offriras en holocauste sur le bois du pieu sacré que tu auras coupé. » [27]Gédéon prit alors dix hommes parmi ses serviteurs et il fit comme Yahvé le lui avait ordonné. Mais, comme il craignait trop sa famille et les hommes de la ville pour le faire en plein jour, il le fit de nuit. [28]Au matin, lorsque les hommes de la ville se levèrent, voici que l'autel de Baal avait été détruit, le pieu sacré qui était à côté coupé, et le taureau de la seconde portée offert en holocauste sur l'autel qui venait d'être bâti. [29]Ils se dirent alors les uns aux autres : « Qui a

fait cela ? » Ils cherchèrent, s'informèrent et ils dirent : « C'est Gédéon fils de Yoash qui a fait cela. » ³⁰Les hommes de la ville dirent à Yoash : « Fais sortir ton fils et qu'il meure, car il a détruit l'autel de Baal et coupé le pieu sacré qui était à côté. » ³¹Yoash répondit à tous ceux qui se tenaient près de lui : « Est-ce à vous de défendre Baal ? Est-ce à vous de lui venir en aide ? (Quiconque défend Baal doit être mis à mort avant le matin.) S'il est dieu, qu'il se défende lui-même, puisque Gédéon a détruit son autel. » ³²Ce jour-là on donna à Gédéon le nom de Yerubbaal, car, disait-on : « Que Baal s'en prenne à lui, puisqu'il a détruit son autel ! »

L'appel aux armes.

³³Tout Madiân, Amaleq et les fils de l'Orient se réunirent et, ayant passé le Jourdain, ils vinrent camper dans la plaine de Yizréel. ³⁴L'esprit de Yahvé revêtit Gédéon, il sonna du cor et Abiézer se groupa derrière lui. ³⁵Il envoya des messagers dans tout Manassé, qui se groupa aussi derrière lui, et il envoya des messagers dans Asher, dans Zabulon et dans Nephtali ; et ils montèrent à sa rencontre.

L'épreuve de la toison.

³⁶Gédéon dit à Dieu : « Si vraiment tu veux délivrer Israël par ma main, comme tu l'as dit, ³⁷voici que j'étends sur l'aire une toison de laine : s'il y a de la rosée seulement sur la toison et que le sol reste sec, alors je saurai que tu délivreras Israël par ma main, comme tu l'as dit. » ³⁸Et il en fut ainsi. Gédéon se leva le lendemain, il pressa la toison et, de la toison, il exprima la rosée, une pleine coupe d'eau. ³⁹Gédéon dit encore à Dieu : « Que ta colère ne s'enflamme pas contre moi si je parle encore une fois. Permets que je fasse une dernière fois l'épreuve de la toison : qu'il n'y ait de sec que la seule toison et qu'il y ait de la rosée sur tout le sol ! » ⁴⁰Et Dieu fit ainsi en cette nuit-là. La toison seule resta sèche et il y eut de la rosée sur tout le sol.

B. LA CAMPAGNE DE GÉDÉON À L'OUEST DU JOURDAIN

Yahvé réduit l'armée de Gédéon.

7 ¹Yerubbaal – c'est Gédéon – se leva de bon matin ainsi que tout le peuple qui était avec lui, et il vint camper à En-Harod ; le camp de Madiân se trouvait au nord du sien, au pied de la colline du Moré dans la vallée. ²Alors Yahvé dit à Gédéon : « Le peuple qui est avec toi est trop nombreux pour que je livre Madiân entre ses mains ; Israël pourrait en tirer gloire à mes dépens, et dire : "C'est ma propre main qui m'a délivré !" ³Et maintenant, proclame donc ceci aux oreilles du peuple : "Que celui qui a peur et qui tremble, s'en retourne et qu'il s'échappe par le mont Galaad". » Vingt-deux mille hommes parmi le peuple s'en retournèrent et il en resta dix mille.

⁴Yahvé dit à Gédéon : « Ce peuple est encore trop nombreux. Fais-les descendre au bord de

l'eau et là, pour toi, je les éprouverai. Celui dont je te dirai : "Qu'il aille avec toi", celui-là ira avec toi. Et tout homme dont je te dirai : "Qu'il n'aille pas avec toi", celui-là n'ira pas. » ⁵Gédéon fit alors descendre le peuple au bord de l'eau et Yahvé lui dit : « Tous ceux qui laperont l'eau avec la langue comme lape le chien, tu les mettras à part, et de même tous ceux qui se mettront à genoux pour boire. » ⁶Le nombre de ceux qui lapèrent l'eau avec leurs mains à leur bouche fut de trois cents. Tout le reste du peuple s'était mis à genoux pour boire de l'eau. ⁷Alors Yahvé dit à Gédéon : « C'est avec les trois cents hommes qui ont lapé l'eau que je vous sauverai et que je livrerai Madiân entre tes mains. Que tout le peuple s'en retourne chacun chez soi. » ⁸Ils prirent les provisions du peuple et leurs cors, puis Gédéon renvoya tous les Israélites chacun sous sa tente, ne gardant que les trois cents. Le camp de Madiân se trouvait au-dessous du sien dans la vallée.

Présage de victoire.

⁹Or il arriva que pendant cette nuit-là Yahvé lui dit « Lève-toi, descends au camp, car je le livre entre tes mains. ¹⁰Cependant, si tu as peur de descendre, descends au camp avec Pura ton serviteur ; ¹¹écoute ce qu'ils disent ; tu en seras réconforté, et tu descendras contre le camp. » Il descendit donc avec son serviteur Pura jusqu'à l'extrémité des avant-postes du camp. ¹²Madiân, Amaleq et tous les fils de l'Orient étaient déployés

dans la vallée, aussi nombreux que des sauterelles ; leurs chameaux étaient sans nombre, comme le sable sur le bord de la mer. ¹³Gédéon vint donc et voici qu'un homme racontait un songe à son camarade ; il disait : « Voici le songe que j'ai fait : une galette de pain d'orge roulait dans le camp de Madiân, elle atteignit la tente, la heurta, la fit tomber, et la renversa sens dessus dessous. » ¹⁴Son camarade lui répondit : « Ce ne peut être que l'épée de Gédéon, fils de Yoash, l'Israélite. Dieu a livré entre ses mains Madiân et tout le camp ; la tente était tombée. » ¹⁵Quand il eut entendu le récit du songe et son explication, Gédéon se prosterna, puis il revint au camp d'Israël et dit « Debout ! car Yahvé a livré entre vos mains le camp de Madiân ! »

La surprise.

¹⁶Gédéon divisa alors ses trois cents hommes en trois groupes. À tous il remit des cors et des cruches vides, avec des torches dans les cruches : ¹⁷« Regardez-moi, leur dit-il, et faites comme moi ! Quand je serai arrivé à l'extrémité du camp, ce que je ferai, vous le ferez aussi ! ¹⁸Je sonnerai du cor, moi et tous ceux qui sont avec moi ; alors, vous aussi, vous sonnerez du cor tout autour du camp et vous crierez : Pour Yahvé et pour Gédéon ! »

¹⁹Gédéon et les cent hommes qui l'accompagnaient arrivèrent à l'extrémité du camp au début de la veille de la mi-nuit, comme on venait de placer les sentinelles ; ils sonnèrent du cor et brisèrent les cruches qu'ils avaient à la

main. ²⁰Alors les trois groupes sonnèrent du cor et brisèrent leurs cruches ; de la main gauche ils saisirent les torches, de la droite les cors pour en sonner, et ils crièrent : « Épée pour Yahvé et pour Gédéon ! » ²¹Et ils se tinrent immobiles chacun à sa place autour du camp. Tout le camp alors s'agita et, poussant des cris, les Madianites prirent la fuite. ²²Pendant que les trois cents sonnaient du cor, Yahvé fit que dans tout le camp chacun tournait l'épée contre son camarade. Tous s'enfuirent jusqu'à Bet-ha-Shitta, vers Çeréra, jusqu'à la rive d'Abel-Mehola vis-à-vis de Tabbat.

La poursuite.

²³Les hommes d'Israël se rassemblèrent, de Nephtali, d'Asher et de tout Manassé, et ils poursuivirent Madiân. ²⁴Gédéon envoya dans toute la montagne d'Éphraïm des messagers dire : « Descendez à la rencontre de Madiân et occupez avant eux les points d'eau jusqu'à Bet-Bara et le Jourdain. » Tous les hommes d'Éphraïm se rassemblèrent et ils occupèrent les points d'eau jusqu'à Bet-Bara et le Jourdain. ²⁵Ils s'emparèrent des deux chefs de Madiân, Oreb et Zéeb, ils tuèrent Oreb au Rocher d'Oreb et Zéeb au Pressoir de Zéeb. Ils poursuivirent Madiân et ils apportèrent à Gédéon au-delà du Jourdain les têtes d'Oreb et de Zéeb.

Reproches des Éphraïmites. 12 1-6.

8 ¹Or les hommes d'Éphraïm dirent à Gédéon : « Quelle est donc cette manière d'agir envers nous : tu ne nous as pas convoqués lorsque tu es allé combattre Madiân ? » Et ils le prirent violemment à partie. ²Il leur répondit : « Qu'ai-je donc fait en comparaison de vous ? Le grappillage d'Éphraïm, n'est-ce pas plus que la vendange d'Abiézer ? ³C'est entre vos mains que Dieu a livré les chefs de Madiân, Oreb et Zéeb. Qu'ai-je pu faire en comparaison de vous ? » Sur ces paroles, leur emportement contre lui se calma.

C. LA CAMPAGNE DE GÉDÉON EN TRANSJORDANIE ET LA FIN DE GÉDÉON

Gédéon poursuit l'ennemi au-delà du Jourdain.

⁴Gédéon arriva au Jourdain et le traversa, mais lui et les trois cents hommes qu'il avait avec lui étaient harassés par la poursuite. ⁵Il dit donc aux gens de Sukkot : « Donnez, je vous prie, des galettes de pain à la troupe qui me suit, car elle est harassée, et je suis à la poursuite de Zébah et de Çal-munna, rois de Madiân. » ⁶Mais les chefs de Sukkot répondirent : « Le poing de Zébah et de Çalmunna est-il donc entre tes mains pour que nous donnions du pain à ton armée ? » – ⁷« Eh bien ! répliqua Gédéon, lorsque Yahvé aura livré en ma main Zébah et Çalmunna, je vous déchirerai les chairs sur les épines du désert et les chardons. » ⁸De là, il monta à

Penuel et il parla de la même manière aux gens de Penuel, qui répondirent comme l'avaient fait les gens de Sukkot. [9]Il répliqua également aux gens de Penuel : « Quand je reviendrai sain et sauf, je détruirai cette tour. »

Défaite de Zébah et de Çalmunna.

[10]Zébah et Çalmunna se trouvaient dans le Qarqor avec leur armée, environ quinze mille hommes, tous ceux qui étaient restés de l'armée des fils de l'Orient. Ceux qui étaient tombés étaient au nombre de cent vingt mille hommes tirant l'épée. [11]Gédéon monta par la route de ceux qui habitent sous la tente, à l'est de Nobah et de Yogbéha, et il battit l'armée, alors qu'elle se croyait en sûreté. [12]Zébah et Çalmunna s'enfuirent. Il les poursuivit et il s'empara des deux rois de Madiân, Zébah et Çalmunna. Quant à l'armée, il la mit en déroute.

Les vengeances de Gédéon.

[13]Après la bataille, Gédéon fils de Yoash s'en revint par la montée de Harès. [14]Ayant arrêté un jeune homme des gens de Sukkot, il le questionna et celui-ci lui donna par écrit les noms des chefs de Sukkot et des anciens, soixante-dix-sept hommes. [15]Gédéon se rendit alors auprès des gens de Sukkot et dit : « Voici Zébah et Çalmunna, au sujet desquels vous m'avez raillé, disant : Le poing de Zébah et de Çalmunna est-il donc en ta main pour que nous donnions du pain à tes gens harassés ? » [16]Il saisit alors les anciens de la ville et, prenant des épines

du désert et des chardons, il déchira les gens de Sukkot. [17]Il détruisit la tour de Penuel et massacra les habitants de la ville. [18]Puis il dit à Zébah et Çalmunna : « Comment donc étaient ces hommes que vous avez tués au Tabor ? » – « Ils te ressemblaient, répondirent-ils. Chacun d'eux avait l'air d'un fils de roi. » [19]C'étaient mes frères, fils de ma mère, reprit Gédéon. Par la vie de Yahvé ! si vous les aviez laissés vivre, je ne vous tuerais pas. » [20]Alors il commanda à Yéter, son fils aîné : « Debout ! Tue-les. » Mais l'enfant ne tira pas son épée, il n'osait pas, car il était encore jeune. [21]Zébah et Çalmunna dirent alors : « Debout ! toi, et frappe-nous, car tel est l'homme, telle est sa force. » Alors Gédéon se leva, il tua Zébah et Çalmunna et il prit les croissants qui étaient au cou de leurs chameaux.

Gédéon. La fin de sa vie.

[22]Les hommes d'Israël dirent à Gédéon : « Sois notre souverain, toi, puis ton fils, puis ton petit-fils, puisque tu nous as sauvés de la main de Madiân. » [23]Mais Gédéon leur répondit : « Ce n'est pas moi qui serai votre souverain, pas plus que mon fils, Yahvé sera votre souverain. » [24]« Laissez-moi, ajouta Gédéon, vous faire une requête. Que chacun de vous me donne un anneau de son butin. » Les vaincus avaient en effet des anneaux d'or, car c'étaient des Ismaélites. [25]« Nous les donnerons volontiers », répondirent-ils. Il étendit donc son manteau et ils y jetèrent chacun un anneau de son butin. [26]Le poids des anneaux d'or

qu'il avait demandés s'éleva à mille sept cents sicles d'or, sans compter les croissants, les pendants d'oreilles et les vêtements de pourpre que portaient les rois de Madiân, sans compter non plus les colliers qui étaient au cou de leurs chameaux. [27]Gédéon en fit un éphod qu'il plaça dans sa ville, à Ophra. Tout Israël s'y prostitua après lui et ce fut un piège pour Gédéon et sa maison.

[28]Ainsi Madiân fut abaissé devant les Israélites. Il ne releva plus la tête et le pays fut en repos pendant quarante ans, aussi longtemps que vécut Gédéon. [29]Yerubbaal, fils de Yoash, s'en alla donc et demeura dans sa maison. [30]Gédéon eut soixante-dix fils, issus de lui, car il avait beaucoup de femmes. [31]Sa concubine qui résidait à Sichem lui enfanta, elle aussi, un fils, auquel il donna le nom d'Abimélek. [32]Gédéon, fils de Yoash, mourut après une heureuse vieillesse et on l'ensevelit dans le tombeau de Yoash, son père, à Ophra d'Abiézer.

Rechute d'Israël.

[33]Après la mort de Gédéon, les Israélites recommencèrent à se prostituer aux Baals et ils prirent pour dieu Baal-Berit. [34]Les Israélites ne se souvinrent plus de Yahvé, leur Dieu, qui les avait délivrés de la main de tous les ennemis d'alentour. [35]Et à la maison de Yerubbaal-Gédéon, ils ne montrèrent pas la gratitude méritée par tout le bien qu'elle avait fait à Israël.

D. LA ROYAUTÉ D'ABIMÉLEK

9 [1]Abimélek, fils de Yerubbaal, s'en vint à Sichem auprès des frères de sa mère et il leur adressa ces paroles, ainsi qu'à tout le clan de la maison paternelle de sa mère [2] : « Faites donc entendre ceci, je vous prie, aux maîtres de Sichem : Que vaut-il mieux pour vous ? Avoir pour maîtres soixante-dix personnes, tous les fils de Yerubbaal, ou n'en avoir qu'un seul ? Souvenez-vous d'ailleurs que je suis, moi, de vos os et de votre chair ! » [3]Les frères de sa mère parlèrent de lui à tous les maîtres de Sichem dans les mêmes termes, et leur cœur pencha pour Abimélek, car ils se disaient : « C'est notre frère ! » [4]Ils lui donnèrent donc soixante-dix sicles d'argent du temple de Baal-Berit et Abimélek s'en servit pour soudoyer des gens de rien, des aventuriers, qui s'attachèrent à lui. [5]Il se rendit alors à la maison de son père à Ophra et il massacra ses frères, les fils de Yerubbaal, soixante-dix hommes, sur une même pierre. Yotam cependant, le plus jeune fils de Yerubbaal, échappa, car il s'était caché. [6]Puis tous les maîtres de Sichem et tout Bet-Millo se réunirent et ils proclamèrent roi Abimélek près du chêne de la stèle qui est à Sichem.

Apologue de Yotam.

[7]On l'annonça à Yotam. Il vint se poster sur le sommet du mont Garizim et il leur cria à haute voix :

« Écoutez-moi, maîtres de Sichem,
    pour que Dieu vous écoute !

⁸Un jour les arbres se mirent en chemin
pour oindre un roi qui régnerait sur eux.
Ils dirent à l'olivier : "Règne donc sur nous !"

⁹L'olivier leur répondit :
"Faudra-t-il que je renonce à mon huile,
qui rend honneur aux dieux et aux hommes,
pour aller me balancer au-dessus des arbres ?"

¹⁰Alors les arbres dirent au figuier :
"Viens donc, toi, régner sur nous !"

¹¹Le figuier leur répondit :
"Faudra-t-il que je renonce à ma douceur
et à mon excellent fruit,
pour aller me balancer au-dessus des arbres ?"

¹²Les arbres dirent alors à la vigne :
"Viens donc, toi, régner sur nous !"

¹³La vigne leur répondit :
"Faudra-t-il que je renonce à mon vin,
qui réjouit les dieux et les hommes,
pour aller me balancer au-dessus des arbres ?"

¹⁴Tous les arbres dirent alors au buisson d'épines :
"Viens donc, toi, régner sur nous !"

¹⁵Et le buisson d'épines répondit aux arbres :
"Si c'est de bonne foi que vous m'oignez comme roi sur vous,
venez vous abriter sous mon ombre.
Sinon un feu sortira du buisson d'épines
et il dévorera les cèdres du Liban !" »

¹⁶ « Ainsi donc, si c'est de bonne foi et en toute loyauté que vous avez agi et que vous avez fait roi Abimélek, si vous vous êtes bien conduits envers Yerubbaal et sa maison, si vous l'avez traité selon le mérite de ses actions, ¹⁷alors que mon père a combattu pour vous, qu'il a exposé sa vie, qu'il vous a délivrés de la main de Madiân, ¹⁸vous, aujourd'hui, vous vous êtes levés contre la maison de mon père, vous avez massacré ses fils, soixante-dix hommes sur une même pierre, et vous avez fait roi sur les maîtres de Sichem Abimélek, le fils de son esclave, parce qu'il est votre frère ! – ¹⁹si donc c'est de bonne foi et en toute loyauté qu'aujourd'hui vous avez agi envers Yerubbaal et envers sa maison, alors qu'Abimélek fasse votre joie et vous la sienne ! ²⁰Sinon, qu'un feu sorte d'Abimélek et qu'il dévore les maîtres de Sichem et de Bet-Millo, et qu'un feu sorte des maîtres de Sichem et Bet-Millo pour dévorer Abimélek ! »

²¹Puis Yotam prit la fuite, il se sauva et se rendit à Béer, où il s'établit pour échapper à son frère Abimélek.

Révolte des Sichémites contre Abimélek.

²²Abimélek exerça le pouvoir pendant trois ans sur Israël. ²³Puis Dieu envoya un esprit de discorde entre Abimélek et les maîtres de

Sichem, et les maîtres de Sichem trahirent Abimélek. ²⁴C'était afin que le crime commis contre les soixante-dix fils de Yerubbaal fût vengé et que leur sang retombât sur Abimélek leur frère, qui les avait massacrés, ainsi que sur les maîtres de Sichem qui l'avaient aidé à massacrer ses frères. ²⁵Les maîtres de Sichem placèrent donc contre lui des embuscades au sommet des montagnes et ils dévalisaient quiconque passait près d'eux par le chemin. On le fit savoir à Abimélek. ²⁶Gaal, fils d'Obed, accompagné de ses frères, vint à passer par Sichem et il gagna la confiance des maîtres de Sichem. ²⁷Ceux-ci sortirent dans la campagne pour vendanger leurs vignes, ils foulèrent le raisin, organisèrent des réjouissances et entrèrent dans le temple de leur dieu. Ils y mangèrent et burent et se moquèrent d'Abimélek. ²⁸Alors Gaal, fils d'Obed, disait : « Qui est Abimélek, et qu'est-ce que Sichem, pour que nous lui soyons asservis ? Ne serait-ce pas au fils de Yerubbaal et à Zebul, son lieutenant, de servir les gens de Hamor, père de Sichem ? Pourquoi lui serions-nous asservis, nous ? ²⁹Qui me confiera ce peuple pour que j'écarte Abimélek ! » Et il disait à Abimélek : « Renforce ton armée et sors ! » ³⁰Zebul, gouverneur de la ville, apprit les propos de Gaal, fils d'Obed, et il en fut irrité. ³¹Il envoya en secret des messagers vers Abimélek, pour dire « Voici que Gaal, fils d'Obed, avec ses frères, est arrivé à Sichem, et ils excitent la ville contre toi. ³²En conséquence, lève-toi de nuit, toi et les gens que tu as avec toi, et mets-toi en embuscade dans la campagne,

³³puis, le matin, au lever du soleil, tu surgiras et tu t'élanceras contre la ville. Quand Gaal et les gens qui sont avec lui sortiront à ta rencontre, tu les traiteras comme tu pourras. » ³⁴Abimélek se mit donc en route de nuit avec tous les gens qui étaient avec lui et ils s'embusquèrent en face de Sichem, en quatre groupes. ³⁵Comme Gaal, fils d'Obed, sortait et faisait halte à l'entrée de la porte de la ville, Abimélek et les gens qui étaient avec lui surgirent de leur embuscade. ³⁶Gaal vit cette troupe et il dit à Zebul : « Voici des gens qui descendent du sommet des montagnes » – « C'est l'ombre des monts, lui répondit Zebul, et tu la prends pour des hommes. » ³⁷Gaal reprit encore : « Voici des gens qui descendent du côté du Nombril de la Terre, tandis qu'un autre groupe arrive par le chemin du Chêne des Devins. » ³⁸Zebul lui dit alors : « Qu'as-tu fait de ta langue ? Toi qui disais : "Qui est Abimélek pour que nous lui soyons asservis ?" Ne sont-ce pas là les gens que tu méprisais ? Sors donc maintenant et livre-lui combat. » ³⁹Et Gaal sortit à la tête des maîtres de Sichem et il livra combat à Abimélek. ⁴⁰Abimélek poursuivit Gaal, qui se sauva devant lui, et beaucoup de gens de celui-ci tombèrent morts avant d'atteindre la porte. ⁴¹Abimélek demeura alors à Aruma, et Zebul, chassant Gaal et ses frères, les empêcha d'habiter à Sichem.

Destruction de Sichem et prise de Migdal-Sichem.

⁴²Le lendemain, le peuple sortit dans la campagne et Abimélek en fut informé. ⁴³Il prit ses gens, les

partagea en trois groupes et se mit en embuscade dans la campagne. Lorsqu'il vit les gens sortir de la ville, il surgit contre eux et les battit. ⁴⁴Tandis qu'Abimélek et le groupe qui était avec lui s'élançaient et prenaient position à l'entrée de la porte de la ville, les deux autres groupes se jetèrent contre tous ceux qui étaient dans la campagne et les battirent. ⁴⁵Toute la journée Abimélek combattit contre la ville. S'en étant emparé, il en massacra la population, détruisit la ville et y sema du sel. ⁴⁶À cette nouvelle, les maîtres de Migdal-Sichem se rendirent tous dans la grotte du temple d'El-Berit. ⁴⁷Dès qu'Abimélek eut appris que tous les maîtres de Migdal-Sichem s'y étaient rassemblés, ⁴⁸il monta sur le mont Çalmôn, lui et toute sa troupe. Prenant en mains une hache, il coupa une branche d'arbre, qu'il souleva et chargea sur son épaule, en disant aux gens qui l'accompagnaient : « Ce que vous m'avez vu faire, vite, faites-le comme moi. » ⁴⁹Tous ses gens se mirent donc à couper chacun une branche, puis ils suivirent Abimélek et, entassant les branches contre la grotte, ils la brûlèrent sur ceux qui s'y trouvaient. Tous les habitants de Migdal-Si-chem périrent aussi, environ mille hommes et femmes.

Siège de Tébèç et mort d'Abimélek.

⁵⁰Puis Abimélek marcha sur Tébèç, il l'assiégea et s'en empara. ⁵¹Il y avait là, au milieu de la ville, une tour fortifiée où se réfugièrent tous les hommes et femmes et tous les maîtres de la ville. Après avoir fermé la porte derrière eux, ils montèrent sur la terrasse de la tour. ⁵²Abimélek parvint jusqu'à la tour et il l'attaqua. Comme il s'approchait de la porte de la tour pour y mettre le feu, ⁵³une femme lui lança une meule de moulin sur la tête et lui brisa le crâne. ⁵⁴Il appela aussitôt le jeune homme qui portait ses armes et lui dit : « Tire ton épée et tue-moi, pour qu'on ne dise pas de moi : C'est une femme qui l'a tué. » Le jeune homme le transperça et il mourut. ⁵⁵Quand les hommes d'Israël virent qu'Abimélek était mort, ils s'en retournèrent chacun chez soi.

⁵⁶Ainsi Dieu fit retomber sur Abimélek le mal qu'il avait fait à son père en massacrant ses soixante-dix frères. ⁵⁷Et Dieu fit aussi retomber sur la tête des gens de Sichem toute leur méchanceté. Ainsi s'accomplit sur eux la malédiction de Yotam, fils de Yerubbaal.

JEPHTÉ ET LES « PETITS JUGES »

VI. TOLA

10 ¹Après Abimélek, se leva pour sauver Israël Tola, fils de Pua, fils de Dodo. Il était d'Issachar et il habitait Shamir dans la montagne d'Éphraïm. ²Il jugea en Israël pendant vingt-trois ans, puis il mourut et fut enseveli à Shamir.

VII. YAÏR

³Après lui se leva Yaïr de Galaad, qui jugea Israël pendant
vingt-deux ans. ⁴Il avait trente fils
qui montaient trente ânons et ils
possédaient trente villes, qu'on
appelle encore aujourd'hui les
Douars de Yaïr, au pays de Galaad. ⁵Puis Yaïr mourut et il fut enseveli à Qamôn.

VIII. JEPHTÉ

Oppression des Ammonites.

⁶Les Israélites recommencèrent
à faire ce qui est mal aux yeux de
Yahvé. Ils servirent les Baals et
les Astartés, ainsi que les dieux
d'Aram et de Sidon, les dieux de
Moab, ceux des Ammonites et des
Philistins. Ils abandonnèrent Yahvé et ne le servirent plus. ⁷Alors
la colère de Yahvé s'enflamma
contre Israël et il le livra aux
mains des Philistins et aux mains
des Ammonites. ⁸Ceux-ci écrasèrent et opprimèrent les Israélites à
partir de cette année-là pendant
dix-huit ans, tous les Israélites qui
habitaient au-delà du Jourdain,
dans le pays amorite en Galaad.
⁹Les Ammonites passèrent le
Jourdain pour combattre aussi Juda, Benjamin et la maison
d'Éphraïm et la détresse d'Israël
devint extrême. ¹⁰Alors les Israélites crièrent vers Yahvé, disant :
« Nous avons péché contre toi, car
nous avons abandonné notre Dieu
pour servir les Baals. » ¹¹Et Yahvé dit aux Israélites : « Quand des
Égyptiens et des Amorites, des
Ammonites et des Philistins,
¹²quand les Sidoniens, Amaleq et
Maôn vous opprimaient et que
vous avez crié vers moi, ne vous
ai-je pas sauvés de leurs mains ?

¹³Mais vous, vous m'avez abandonné et vous avez servi d'autres
dieux. C'est pourquoi je ne vous
sauverai plus. ¹⁴Allez ! Criez vers
les dieux que vous avez choisis !
Qu'ils vous sauvent, eux, au
temps de votre détresse ! » ¹⁵Les
Israélites répondirent à Yahvé :
« Nous avons péché ! Agis envers
nous comme il te semblera bon,
seulement, aujourd'hui délivre-
nous ! » ¹⁶Ils firent disparaître de
chez eux les dieux de l'étranger
et ils servirent Yahvé. Alors Yahvé ne supporta pas plus longtemps
la souffrance d'Israël.

¹⁷Les Ammonites se réunirent
et campèrent à Galaad. Les Israélites se rassemblèrent et campèrent à Miçpa. ¹⁸Alors le peuple,
les chefs de Galaad, se dirent les
uns aux autres : « Quel est l'homme qui entreprendra d'attaquer les
fils d'Ammon ? Celui-là sera le
chef de tous les habitants de
Galaad. »

Jephté pose ses conditions.

11 ¹Jephté, le Galaadite, était
un vaillant guerrier. Il était
fils d'une prostituée. Et c'est Galaad qui avait engendré Jephté.
²Mais la femme de Galaad lui
enfanta aussi des fils, et les fils

de cette femme, ayant grandi, chassèrent Jephté en lui disant : « Tu n'auras pas de part à l'héritage de notre père, car tu es le fils d'une femme étrangère. » ³Jephté s'enfuit loin de ses frères et s'établit dans le pays de Tob. Il se forma autour de lui une bande de gens de rien qui faisaient campagne avec lui.

⁴Or, à quelque temps de là, les Ammonites s'en vinrent combattre Israël. ⁵Et lorsque les Ammonites eurent attaqué Israël, les anciens de Galaad allèrent chercher Jephté au pays de Tob. ⁶« Viens, lui dirent-ils, sois notre commandant, afin que nous combattions les Ammonites. » ⁷Mais Jephté répondit aux anciens de Galaad : « N'est-ce pas vous qui m'avez pris en haine et chassé de la maison de mon père ? Pourquoi venez-vous à moi, maintenant que vous êtes dans la détresse ? » ⁸Les anciens de Galaad répliquèrent à Jephté : « C'est pour cela que maintenant nous sommes revenus à toi. Viens avec nous, tu combattras les Ammonites et tu seras notre chef, celui de tous les habitants de Galaad. » ⁹Jephté répondit aux anciens de Galaad : « Si vous me faites revenir pour combattre les Ammonites et que Yahvé les livre à ma merci, alors je serai votre chef. » — ¹⁰« Que Yahvé soit témoin entre nous, répondirent à Jephté les anciens de Galaad, si nous ne faisons pas comme tu l'as dit ! » ¹¹Jephté partit donc avec les anciens de Galaad. Le peuple le mit à sa tête comme chef et commandant ; et Jephté répéta toutes ses paroles à Miçpa, en présence de Yahvé.

Pourparlers de Jephté avec les Ammonites.

¹²Jephté envoya des messagers au roi des Ammonites pour lui dire : « Qu'y a-t-il donc entre toi et moi pour que tu sois venu faire la guerre à mon pays ? » ¹³Le roi des Ammonites répondit aux messagers de Jephté : « C'est parce qu'Israël, au temps où il montait d'Égypte, s'est emparé de mon pays, depuis l'Arnon jusqu'au Yabboq et au Jourdain. Rends-le maintenant pacifiquement ! » ¹⁴Jephté envoya de nouveau des messagers au roi des Ammonites, ¹⁵et il lui dit : « Ainsi parle Jephté. Israël ne s'est emparé ni du pays de Moab, ni de celui des Ammonites. ¹⁶Quand il est monté d'Égypte, Israël a marché dans le désert jusqu'à la mer des Roseaux et il est parvenu à Cadès. ¹⁷Alors Israël a envoyé des messagers au roi d'Édom pour lui dire : "Laisse-moi, je te prie, traverser ton pays !" mais le roi d'Édom ne voulut rien entendre. Il en envoya aussi au roi de Moab, qui refusa, et Israël demeura à Cadès, ¹⁸puis, s'avançant dans le désert, il contourna le pays d'Édom et celui de Moab et parvint à l'orient du pays de Moab. Israël campa au-delà de l'Arnon, et il n'entra pas dans le territoire de Moab, car l'Arnon est la frontière de Moab. ¹⁹Israël envoya ensuite des messagers à Sihôn, roi des Amorites, qui régnait à Heshbôn, et Israël lui fit dire : "Laisse-moi, je te prie, traverser ton pays jusqu'à ma destination." ²⁰Mais Sihôn n'eut pas confiance en Israël pour que celui-ci traverse son territoire, il rassembla tou-

te son armée, qui campa à Yahaç, et il engagea le combat contre Israël. [21]Yahvé, Dieu d'Israël, livra Sihôn et toute son armée aux mains d'Israël qui les défit, et Israël prit possession de tout le pays des Amorites qui habitaient cette contrée. [22]Il fut ainsi en possession de tout le pays des Amorites, depuis l'Arnon jusqu'au Yabboq et depuis le désert jusqu'au Jourdain. [23]Et maintenant que Yahvé, Dieu d'Israël, a dépossédé les Amorites devant son peuple Israël, toi, tu nous dépossèderais ? [24]Est-ce que tu ne possèdes pas tout ce que Kemosh, ton dieu, a mis en ta possession ? De même tout ce que Yahvé, notre Dieu, a enlevé à ses possesseurs, nous le possédons ! [25]Vaudrais-tu donc mieux que Balaq, fils de Çippor, roi de Moab ? Est-il entré en contestation avec Israël ? Lui a-t-il fait la guerre ? [26]Quand Israël s'est établi à Heshbôn et dans ses dépendances, à Aroër et dans ses dépendances, ainsi que dans toutes les villes qui sont sur les rives de l'Arnon – trois cents ans –, pourquoi ne les avez-vous pas reprises à ce moment-là ? [27]Pour moi, je n'ai pas péché contre toi, mais toi, tu agis mal envers moi en me faisant la guerre. Que Yahvé, le Juge, juge aujourd'hui entre les Israélites et les Ammonites. » [28]Mais le roi des Ammonites n'écouta pas les paroles que Jephté lui avait fait transmettre.

Le vœu de Jephté et sa victoire.

[29]L'esprit de Yahvé fut sur Jephté, qui parcourut Galaad et Manassé, passa par Miçpé de Galaad et, de Miçpé de Galaad, passa

chez les Ammonites. [30]Et Jephté fit un vœu à Yahvé : « Si tu livres entre mes mains les Ammonites, [31]quiconque sortira le premier des portes de ma maison pour venir à ma rencontre quand je reviendrai sain et sauf de chez les Ammonites, celui-là appartiendra à Yahvé, et je l'offrirai en holocauste. » [32]Jephté passa chez les Ammonites pour les attaquer et Yahvé les livra entre ses mains. [33]Il les battit depuis Aroër jusque vers Minnit – vingt villes –, et jusqu'à Abel-Keramim. Ce fut une très grande défaite ; et les Ammonites furent abaissés devant les Israélites.

[34]Lorsque Jephté revint à Miçpé, à sa maison, voici que sa fille sortit à sa rencontre en dansant au son des tambourins. C'était son unique enfant. En dehors d'elle il n'avait ni fils, ni fille. [35]Dès qu'il l'eut aperçue, il déchira ses vêtements et s'écria « Ah ! ma fille, vraiment tu m'accables ! Tu es de ceux qui font mon malheur ! Je me suis engagé, moi, devant Yahvé, et ne puis revenir en arrière. » [36]Elle lui répondit : « Mon père, tu t'es engagé envers Yahvé, traite-moi selon l'engagement que tu as pris, puisque Yahvé t'a accordé de te venger de tes ennemis, les Ammonites. » [37]Puis elle dit à son père : « Que ceci me soit accordé ! Laisse-moi seule pendant deux mois. Je m'en irai errer sur les montagnes et, avec mes compagnes, je pleurerai sur ma virginité. » [38]« Va », lui dit-il, et il la laissa partir pour deux mois. Elle s'en alla donc, elle et ses compagnes, et elle pleura sa virginité sur les montagnes. [39]Les deux mois écoulés, elle revint vers son père et il ac-

complit sur elle le vœu qu'il avait prononcé. Elle n'avait pas connu d'homme. Et de là vient cette coutume en Israël : [40] d'année en année les filles d'Israël s'en vont célébrer la fille de Jephté le Galaadite quatre jours par an.

Guerre entre Éphraïm et Galaad. Mort de Jephté.

12 [1] Les gens d'Éphraïm se rassemblèrent, ils passèrent le Jourdain dans la direction de Çaphôn et ils dirent à Jephté : « Pourquoi es-tu allé combattre les Ammonites sans nous avoir invités à marcher avec toi ? Nous brûlerons ta maison sur toi ! » [2] Jephté leur répondit : « Nous étions en grave conflit, mon peuple et moi, avec les Ammonites. Je vous ai appelés à l'aide et vous ne m'avez pas délivré de leurs mains. [3] Quand j'ai vu que tu ne venais pas à mon secours, j'ai risqué ma vie, j'ai marché contre les Ammonites et Yahvé les a livrés entre mes mains. Pourquoi donc aujourd'hui êtes-vous montés contre moi pour me faire la guerre ? » [4] Alors Jephté rassembla tous les hommes de Galaad, il livra bataille à Éphraïm et les gens de Galaad défirent Éphraïm, car ceux-ci disaient : « Vous n'êtes que des fuyards d'Éphraïm, vous, Galaadites, au milieu d'Éphraïm, au milieu de Manassé ! » [5] Puis Galaad coupa à Éphraïm les gués du Jourdain, et quand les fuyards d'Éphraïm disaient : « Laissez-moi passer », les gens de Galaad demandaient : « Es-tu Éphraïmite ? » S'il répondait : « Non », [6] alors ils lui disaient : « Eh bien, dis Shibbolet ! » Il disait « Sibbolet », car il n'arrivait pas à prononcer ainsi. Alors on le saisissait et on l'égorgeait près des gués du Jourdain. Il tomba en ce temps-là quarante-deux mille hommes d'Éphraïm.

[7] Jephté jugea Israël pendant six ans, puis Jephté le Galaadite mourut et il fut enseveli dans sa ville, Miçpé en Galaad.

IX. IBÇÂN

[8] Après lui Ibçân de Bethléem jugea en Israël. [9] Il avait trente fils et trente filles. Il maria celles-ci au-dehors et il fit venir du dehors trente brus pour ses fils. Il jugea en Israël pendant sept ans. [10] Puis Ibçân mourut et il fut enseveli à Bethléem.

X. ÉLÔN

[11] Après lui Élôn de Zabulon jugea Israël. Il jugea Israël pendant dix ans. [12] Puis Élôn de Zabulon mourut et fut enseveli à Ayyalôn au pays de Zabulon.

XI. ABDÔN

[13] Après lui Abdôn, fils de Hillel de Piréatôn, jugea Israël. [14] Il avait quarante fils et trente petits-fils qui montaient soixante-dix ânons. Il jugea Israël pendant huit ans. [15] Puis Abdôn, fils de Hillel de Piréatôn, mourut et il fut enseveli à Piréatôn, au pays d'Éphraïm, dans la montagne des Amalécites.

XII. SAMSON

L'annonce de la naissance de Samson. Cf. Gn 11 30. 1 S 1. Nb 6 1.

13 [1] Les Israélites recommencèrent à faire ce qui est mal aux yeux de Yahvé, et Yahvé les livra aux mains des Philistins pendant quarante ans.

[2] Il y avait un homme de Çoréa, du clan de Dan, nommé Manoah. Sa femme était stérile et n'avait pas eu d'enfant. [3] L'Ange de Yahvé apparut à cette femme et lui dit : « Tu es stérile et tu n'as pas eu d'enfant [4] mais tu vas concevoir et tu enfanteras un fils. Désormais, prends bien garde ! Ne bois ni vin, ni boisson fermentée, et ne mange rien d'impur. [5] Car tu vas concevoir et tu enfanteras un fils. Le rasoir ne passera pas sur sa tête, car l'enfant sera nazir de Dieu dès le sein de sa mère. C'est lui qui commencera à sauver Israël de la main des Philistins. » [6] La femme rentra et dit à son mari : « Un homme de Dieu est venu vers moi ; son apparence ressemblait à celle de l'Ange de Dieu, tant il était redoutable. Je ne lui ai pas demandé d'où il venait et il ne m'a pas fait connaître son nom. [7] Mais il m'a dit : "Tu vas concevoir et tu enfanteras un fils. Dé-

sormais ne bois ni vin, ni boisson fermentée, et ne mange rien d'impur, car l'enfant sera nazir de Dieu depuis le sein de sa mère jusqu'au jour de sa mort !" »

Seconde apparition de l'Ange. Cf. Gn 32 30. Ex 3 14. Lv 9 24. Ez 1 28. Ex 33 20.

[8] Alors Manoah implora Yahvé et dit : « Je t'en prie, Seigneur ! Que l'homme de Dieu que tu as envoyé vienne encore une fois vers nous, et qu'il nous apprenne ce que nous aurons à faire à l'enfant lorsqu'il sera né ! » [9] Dieu exauça Manoah et l'Ange de Dieu vint de nouveau trouver la femme, alors qu'elle était assise dans la campagne, et que Manoah, son mari, n'était pas avec elle. [10] Vite, la femme courut informer son mari et lui dit : « Voici que m'est apparu l'homme qui est venu vers moi l'autre jour. » [11] Manoah se leva, suivit sa femme, vint vers l'homme et lui dit : « Es-tu l'homme qui a parlé à cette femme ? » Et il répondit : « C'est moi. » — [12] « Quand ta parole s'accomplira, lui dit Manoah, quelle sera la règle pour l'enfant et que devra-t-il faire ? » [13] L'Ange de Yahvé répondit à Manoah : « Tout ce que

j'ai interdit à cette femme, qu'elle s'en abstienne. [14]Qu'elle n'absorbe rien de ce qui provient de la vigne, qu'elle ne boive ni vin, ni boisson fermentée, qu'elle ne mange rien d'impur, et qu'elle observe tout ce dont je lui ai parlé. » [15]Manoah dit alors à l'Ange de Yahvé : « Permets que nous te retenions et que nous t'apprêtions un chevreau. » [16]Et l'Ange de Yahvé dit à Manoah : « Quand bien même tu me retiendrais, je ne mangerais pas de ta nourriture, mais si tu désires préparer un holocauste, offre-le à Yahvé. » – En effet, Manoah ne savait pas que c'était l'Ange de Yahvé. [17]Manoah dit alors à l'Ange de Yahvé : « Quel est ton nom, afin que, lorsque ta parole sera accomplie, nous puissions t'honorer ? » [18]L'Ange de Yahvé lui répondit : « Pourquoi me demandes-tu mon nom ? Il est merveilleux. » [19]Alors Manoah prit le chevreau ainsi que l'oblation et il l'offrit en holocauste, sur le rocher, à Yahvé qui opère des choses merveilleuses. Manoah et sa femme regardaient. [20]Or comme la flamme montait de l'autel vers le ciel, l'Ange de Yahvé monta dans la flamme de l'autel sous les yeux de Manoah et de sa femme, et ils tombèrent la face contre terre. [21]L'Ange de Yahvé ne se montra plus désormais à Manoah ni à sa femme, et Manoah comprit alors que c'était l'Ange de Yahvé. [22]« Nous allons certainement mourir, dit Manoah à sa femme, car nous avons vu Dieu. » – [23]Si Yahvé avait eu l'intention de nous faire mourir, lui répondit sa femme, il n'aurait accepté de notre main ni holocauste ni oblation, il ne nous aurait pas fait voir tout cela et, à l'instant même, fait entendre pareille chose. » [24]La femme mit au monde un fils et elle le nomma Samson. L'enfant grandit, Yahvé le bénit, [25]et l'esprit de Yahvé commença à l'agiter au camp de Dan, entre Çoréa et Eshtaol.

Le mariage de Samson.

14 [1]Samson descendit à Timna et remarqua, à Timna, une femme parmi les filles des Philistins. [2]Il remonta et l'apprit à son père et à sa mère : « J'ai remarqué à Timna, dit-il, parmi les filles des Philistins, une femme. Prends-la-moi donc pour épouse. » [3]Son père lui dit, ainsi que sa mère : « N'y a-t-il pas de femme parmi les filles de tes frères et dans tout mon peuple, pour que tu ailles prendre femme parmi ces Philistins incirconcis ? » Mais Samson répondit à son père : « Prends-la-moi, celle-là, car c'est celle-là qui me plaît. » [4]Son père et sa mère ne savaient pas que cela venait de Yahvé qui cherchait un sujet de querelle avec les Philistins, car, en ce temps-là, les Philistins dominaient sur Israël.

[5]Samson avec son père et sa mère descendit à Timna et, comme ils arrivaient aux vignes de Timna, voilà qu'un jeune lion qui venait à sa rencontre en rugissant. [6]L'esprit de Yahvé fondit sur lui et, sans rien avoir en main, Samson déchira le lion comme on déchire un chevreau ; mais il ne raconta pas à son père ni à sa mère ce qu'il avait fait. [7]Il descendit, s'entretint avec la femme et elle lui plut. [8]À quelque temps de là,

Samson revint pour l'épouser. Il fit un détour pour voir le cadavre du lion, et voici qu'il y avait dans la carcasse du lion un essaim d'abeilles et du miel. [9]Il en recueillit dans sa main et, chemin faisant, il en mangea. Lorsqu'il fut revenu près de son père et de sa mère, il leur en donna, ils en mangèrent, mais il ne leur raconta pas qu'il avait recueilli le miel dans la carcasse du lion. [10]Son père descendit ensuite chez la femme et Samson fit là un festin, car c'est ainsi qu'agissent les jeunes gens. [11]Quand on le vit, on choisit trente compagnons pour rester auprès de lui.

L'énigme de Samson.

[12]Alors Samson leur dit : « Laissez-moi vous proposer une énigme. Si vous m'en révélez le sens au cours des sept jours de festin, et si vous trouvez, je vous donnerai trente pièces de toile fine et trente vêtements d'honneur. [13]Mais si vous ne pouvez pas me donner la solution, c'est vous qui me donnerez trente pièces de toile fine et trente vêtements d'honneur. » – « Propose ton énigme, lui répondirent-ils, nous écoutons. » [14]Il leur dit donc :

« De celui qui mange est sorti ce qui se mange, et du fort est sorti le doux. »

Mais de trois jours ils ne réussirent pas à résoudre l'énigme.

[15]Au septième jour ils dirent à la femme de Samson : « Séduis ton mari pour qu'il nous révèle l'énigme, autrement nous te brûlerons, toi et la maison de ton père. Est-ce pour nous dépouiller que vous nous avez invités ici ? »

[16]La femme de Samson le couvrait de ses pleurs ; elle lui dit : « Tu n'as pour moi que de la haine, tu ne m'aimes pas. Tu as proposé une énigme aux fils de mon peuple, et à moi, tu ne l'as pas révélée. » Il lui répondit : « Je ne l'ai révélée ni à mon père ni à ma mère, et à toi je la révélerais ! » [17]Elle le couvrit de ses pleurs pendant les sept jours que dura leur festin. Or, le septième jour, il la lui révéla, car elle l'avait harcelé, mais elle, elle révéla l'énigme aux fils de son peuple.

[18]Le septième jour, avant que le soleil ne se couche, les gens de la ville dirent donc à Samson :

« Qu'y a-t-il de plus doux que le miel,
   et quoi de plus fort que le lion ? »

Il leur répliqua :

« Si vous n'aviez pas labouré avec ma génisse,
   vous n'auriez pas trouvé mon énigme. »

[19]Alors l'esprit de Yahvé fondit sur lui, il descendit à Ashqelôn, y tua trente hommes, prit leurs dépouilles et remit les vêtements d'honneur à ceux qui avaient révélé l'énigme, puis, enflammé de colère, il remonta à la maison de son père. [20]La femme de Samson fut alors donnée au compagnon qui lui avait servi de garçon d'honneur.

Samson brûle les moissons des Philistins.

15 [1]À quelque temps de là, à l'époque de la moisson des blés, Samson s'en vint revoir sa femme avec un chevreau, et il déclara : « Je veux entrer auprès de ma femme, dans sa chambre. » Mais le beau-père ne le lui permit pas. [2]« Je me suis dit, lui objecta-t-il, que tu l'avais prise en aversion et je l'ai donnée à ton compagnon. Mais sa sœur cadette ne vaut-elle pas mieux qu'elle ? Qu'elle soit tienne à la place de l'autre ! » [3]Samson leur répliqua : « Cette fois-ci, je ne serai quitte envers les Philistins qu'en leur faisant du mal. » [4]Samson s'en alla donc, il captura trois cents renards, prit des torches et, tournant les bêtes queue contre queue, il plaça une torche entre les deux queues, au milieu. [5]Il mit le feu aux torches, puis lâchant les renards dans les moissons des Philistins, il incendia aussi bien les gerbes que le blé sur pied et même les vignes et les oliviers.

[6]Les Philistins demandèrent : « Qui a fait cela ? » Et l'on répondit : « C'est Samson, le gendre du Timnite, car celui-ci lui a repris sa femme et l'a donnée à son compagnon. » Alors les Philistins montèrent et ils firent périr dans les flammes cette femme et son père. [7]« Puisque c'est ainsi que vous agissez, leur dit Samson, eh bien ! je ne cesserai qu'après m'être vengé de vous. » [8]Il les battit à plate couture et ce fut une défaite considérable. Après quoi il descendit à la grotte du rocher d'Étam et y demeura.

La mâchoire d'âne.

[9]Les Philistins montèrent camper en Juda et ils firent une incursion à Léhi.

[10]« Pourquoi êtes-vous montés contre nous ? » leur dirent alors les gens de Juda. « C'est pour lier Samson que nous sommes montés, répondirent-ils, pour le traiter comme il nous a traités. » [11]Trois mille hommes de Juda descendirent à la grotte du rocher d'Étam et dirent à Samson : « Ne sais-tu pas que les Philistins dominent sur nous ? Qu'est-ce que tu nous as fait là ? » Il leur répondit : « Comme ils m'ont traité, c'est ainsi que je les ai traités. » [12]Ils lui dirent alors : « Nous sommes descendus pour te lier, afin de te livrer aux mains des Philistins. » – « Jurez-moi, leur dit-il, que vous ne me tuerez pas vous-mêmes. » – [13]« Non ! lui répondirent-ils, nous voulons seulement te lier et te livrer entre leurs mains, mais nous ne voulons certes pas te faire mourir. » Alors ils le lièrent avec deux cordes neuves et ils le hissèrent du rocher.

[14]Comme il arrivait à Léhi et que les Philistins accouraient à sa rencontre avec des cris de triomphe, l'esprit de Yahvé fondit sur Samson, les cordes qu'il avait sur les bras furent comme des fils de lin brûlés au feu et les liens se dénouèrent de ses mains. [15]Trouvant une mâchoire d'âne encore fraîche, il étendit la main, la ramassa et avec elle il abattit mille hommes. [16]Samson dit alors :

« Avec une mâchoire d'âne, je les ai bien étrillés.

Avec une mâchoire d'âne, j'ai battu mille hommes. »

[17]Quand il eut fini de parler, il jeta loin de lui la mâchoire : et on appela cet endroit Ramat-Léhi. [18]Comme il souffrait d'une soif ardente, il invoqua Yahvé en disant : « C'est toi qui as opéré cette

grande victoire par la main de ton serviteur, et maintenant, faudra-t-il que je meure de soif et que je tombe aux mains des incirconcis ? » ¹⁹Alors Dieu fendit le bassin qui est à Léhi et il en sortit de l'eau. Samson but, ses esprits lui revinrent et il se ranima. C'est pourquoi on a donné le nom de En-ha-Qoré à cette source, qui existe encore à Léhi. ²⁰Samson jugea Israël à l'époque des Philistins, pendant vingt ans.

L'épisode des portes de Gaza.

16 ¹Puis Samson se rendit à Gaza ; il y vit une prostituée et il entra chez elle. ²On fit savoir aux gens de Gaza : « Samson est venu ici. » Ils firent des rondes et le guettèrent toute la nuit à la porte de la ville. Toute la nuit ils se tinrent tranquilles. « Attendons, disaient-ils, jusqu'au point du jour, et nous le tuerons. » ³Mais Samson resta couché jusqu'au milieu de la nuit et, au milieu de la nuit, se levant, il saisit les battants de la porte de la ville, ainsi que les deux montants, il les arracha avec la barre et, les chargeant sur ses épaules, il les porta jusqu'au sommet de la montagne qui est en face d'Hébron.

Samson trahi par Dalila.

⁴Après cela il aima une femme de la vallée de Soreq qui se nommait Dalila. ⁵Les princes des Philistins allèrent la trouver et lui dirent « Séduis-le et sache d'où vient sa grande force, par quel moyen nous pourrions nous rendre maîtres de lui et le lier pour le maîtriser. Quant à nous, nous

te donnerons chacun onze cents sicles d'argent. »

⁶Dalila dit à Samson : « Révèle-moi, je te prie, d'où vient ta grande force et avec quoi il faudrait te lier pour te maîtriser. » ⁷Samson lui répondit : « Si on me liait avec sept cordes d'arc fraîches et qu'on n'aurait pas encore fait sécher, je perdrais ma vigueur et je deviendrais comme un homme ordinaire. » ⁸Les princes des Philistins apportèrent à Dalila sept cordes d'arc fraîches qu'on n'avait pas encore fait sécher et elle s'en servit pour le lier. ⁹Elle avait des gens embusqués dans sa chambre et elle lui cria : « Les Philistins sur toi, Samson ! » Il rompit les cordes d'arc comme se rompt un cordon d'étoupe lorsqu'il sent le feu. On ne sut pas d'où venait sa force.

¹⁰Alors Dalila dit à Samson : « Tu t'es joué de moi et tu m'as dit des mensonges. Mais maintenant révèle-moi, je te prie, avec quoi il faudrait te lier. » ¹¹Il lui répondit : « Si on me liait fortement avec des cordes neuves qui n'ont jamais servi, je perdrais ma vigueur et je deviendrais comme un homme ordinaire. » ¹²Alors Dalila prit des cordes neuves, elle s'en servit pour le lier puis lui cria : « Les Philistins sur toi, Samson ! » et elle avait des gens embusqués dans sa chambre. Mais il rompit comme un fil les cordes qu'il avait aux bras.

¹³Alors Dalila dit à Samson : « Jusqu'à présent tu t'es joué de moi et tu m'as dit des mensonges. Révèle-moi avec quoi il faudrait te lier. » Il lui répondit : « Si tu tissais les sept tresses de ma che-

velure avec la chaîne d'un tissu, et si tu les comprimais avec la batte de tisserand, je deviendrais faible et serais comme n'importe quel homme. » ¹⁴Or, tandis qu'il dormait, Dalila prit les sept tresses de sa chevelure, les tissa avec la chaîne, et les comprima avec la batte, puis elle lui cria : « Les Philistins sur toi, Samson ! » Il s'éveilla de son sommeil et arracha la batte avec la chaîne.

¹⁵Dalila lui dit : « Comment peux-tu dire que tu m'aimes, alors que ton cœur n'est pas avec moi ? Voilà trois fois que tu te joues de moi et tu ne m'as pas révélé d'où vient ta grande force. » ¹⁶Comme tous les jours elle le poussait à bout par ses paroles et qu'elle le harcelait, il fut excédé à en mourir. ¹⁷Il lui ouvrit tout son cœur : « Le rasoir n'a jamais passé sur ma tête, lui dit-il, car je suis nazir de Dieu depuis le sein de ma mère. Si on me rasait, alors ma force se retirerait de moi, je perdrais ma vigueur et je deviendrais comme tous les hommes. » ¹⁸Dalila comprit alors qu'il lui avait ouvert tout son cœur, elle fit appeler les princes des Philistins et leur dit : « Venez cette fois, car il m'a ouvert tout son cœur. » Et les princes des Philistins vinrent chez elle, l'argent en main. ¹⁹Elle endormit Samson sur ses genoux, appela un homme et lui fit raser les sept tresses des cheveux de sa tête. Ainsi elle commença à le dominer et sa force se retira de lui. ²⁰Elle cria : « Les Philistins sur toi, Samson ! » S'éveillant de son sommeil il se dit : « J'en sortirai comme les autres fois et je me dégagerai. » Mais il ne savait pas

que Yahvé s'était retiré de lui. ²¹Les Philistins se saisirent de lui, ils lui crevèrent les yeux et le firent descendre à Gaza. Ils l'enchaînèrent avec une double chaîne d'airain et il tournait la meule dans la prison.

Vengeance et mort de Samson.

²²Cependant, après qu'elle eut été rasée, la chevelure se mit à repousser. ²³Les princes des Philistins se réunirent pour offrir un grand sacrifice à Dagôn, leur dieu, et se livrer à des réjouissances. Ils disaient :

> « Notre dieu a livré entre nos mains
> Samson, notre ennemi. »

²⁴Dès que le peuple vit son dieu, il poussa une acclamation en son honneur et dit :

> « Notre dieu a livré entre nos mains
> Samson, notre ennemi,
> celui qui dévastait notre pays
> et qui multipliait nos morts. »

²⁵Et comme leur cœur était en joie, ils s'écrièrent : « Faites venir Samson pour qu'il nous amuse ! » On fit donc venir Samson de la prison et il fit des jeux devant eux, puis on le plaça debout entre les colonnes. ²⁶Samson dit alors au jeune garçon qui le menait par la main : « Conduis-moi et fais-moi toucher les colonnes sur lesquelles repose le temple, que je m'y appuie. » ²⁷Or le temple était rempli d'hommes et de femmes. Il y avait là tous les princes des Philistins et, sur la terrasse, environ trois mille hommes et femmes qui regardaient les jeux de Samson.

²⁸Samson invoqua Yahvé et il s'écria : « Seigneur Yahvé, je t'en prie, souviens-toi de moi, donne-moi des forces encore cette fois, ô Dieu, et que, d'un seul coup, je me venge des Philistins pour mes deux yeux. » ²⁹Et Samson tâta les deux colonnes du milieu sur lesquelles reposait le temple, il s'arc-bouta contre elles, contre l'une avec son bras droit, contre l'autre avec son bras gauche, ³⁰et il s'écria : « Que je meure avec les Philistins ! » Il poussa de toutes ses forces et le temple s'écroula sur les princes et sur tout le peuple qui se trouvait là. Ceux qu'il fit mourir en mourant furent plus nombreux que ceux qu'il avait fait mourir pendant sa vie. ³¹Ses frères et toute la maison de son père descendirent et l'emportèrent. Ils remontèrent et l'ensevelirent entre Çoréa et Eshtaol dans le tombeau de Manoah son père. Il avait jugé Israël pendant vingt ans.

Appendices

I. LE SANCTUAIRE DE MIKA ET LE SANCTUAIRE DE DAN

Le sanctuaire privé de Mika.

17 ¹Il y avait un homme de la montagne d'Éphraïm appelé Mikayehu. ²Il dit à sa mère : « Les onze cents sicles d'argent qu'on t'avait pris, et au sujet desquels tu avais prononcé une malédiction – et même tu me l'avais fait entendre... – eh bien, cet argent, le voici, c'est moi qui l'avais pris. » Sa mère dit : « Que mon fils soit béni de Yahvé ! » ³Il rendit les onze cents sicles à sa mère, qui dit : « J'avais bien voué cet argent à Yahvé, de ma propre main, pour mon fils, pour faire une image taillée et une idole de métal fondu, mais maintenant je veux te le rendre. » Il rendit donc l'argent à sa mère. ⁴Alors sa mère prit deux cents sicles d'argent et les remit au fondeur. Celui-ci en fit une image taillée et une idole de métal fondu qui fut placée dans la maison de Mikayehu. ⁵Cet homme, Mika, avait une maison de Dieu ; il fit un éphod et des téraphim, et il donna l'investiture à l'un de ses fils qui devint son prêtre. ⁶En ce temps-là il n'y avait pas de roi en Israël et chacun faisait ce qui lui plaisait.

⁷Il y avait un jeune homme de Bethléem en Juda, du clan de Juda, qui était lévite et résidait là comme étranger. ⁸Cet homme quitta la ville de Bethléem en Juda, pour s'établir comme étranger là où il pourrait. Au cours de son voyage, il arriva dans la montagne d'Éphraïm à la maison de Mika. ⁹Mika lui demanda : « D'où viens-tu ? » – « Je suis lévite de Bethléem en Juda, lui répondit l'autre. Je voyage afin de m'établir comme étranger là où je pourrai. » – ¹⁰« Fixe-toi chez moi, lui dit Mika, sois pour moi un père et un prêtre et je te donnerai dix sicles d'argent par an, l'habillement

et la nourriture. » Le lévite s'en alla. [11]Puis, le lévite consentit à se fixer chez cet homme et le jeune homme fut pour lui comme l'un de ses fils. [12]Mika donna l'investiture au lévite ; le jeune homme devint son prêtre et il demeura dans la maison de Mika. [13]« Et maintenant, dit Mika, je sais que Yahvé me fera du bien, puisque j'ai ce lévite pour prêtre. »

Les Danites à la recherche d'un territoire.

18 [1]En ce temps-là, il n'y avait pas de roi en Israël. Or, en ce temps-là, la tribu de Dan cherchait un territoire pour y habiter, car, jusqu'à ce jour, il ne lui était pas échu de territoire parmi les tribus d'Israël. [2]Les Danites envoyèrent cinq hommes de leur clan, des guerriers de chez eux, depuis Çoréa et Eshtaol pour reconnaître le pays et l'explorer. Ils leur dirent : « Allez explorer le pays. » Les cinq hommes arrivèrent dans la montagne d'Éphraïm jusqu'à la maison de Mika et ils y passèrent la nuit. [3]Comme ils étaient près de la maison de Mika, ils reconnurent la voix du jeune lévite et, s'approchant de là, ils lui dirent : « Qui t'a fait venir ici ? Qu'y fais-tu ? Et qu'est-ce que tu as ici ? » [4]Il leur répondit : « Mika a fait pour moi telle et telle chose. Il m'a pris à gages et je lui sers de prêtre. » – [5]« Consulte donc Dieu, lui répliquèrent-ils, afin que nous sachions si le voyage que nous entreprenons réussira. » – [6]« Allez en paix, leur répondit le prêtre, le voyage que vous entreprenez est sous le regard de Yahvé. » [7]Les cinq hommes partirent donc et ils arrivèrent à Laïsh. Ils virent que les gens qui l'habitaient vivaient en sécurité, à la manière des Sidoniens, tranquilles et confiants. Il n'y avait personne parlant avec autorité dans le pays, personne y détenant un pouvoir. Ils étaient éloignés des Sidoniens et ils n'avaient d'accord avec qui que ce soit. [8]Ils s'en revinrent alors vers leurs frères, à Çoréa et à Eshtaol, et ceux-ci leur demandèrent : « Que nous rapportez-vous ? » [9]Ils dirent : « Debout ! montons contre eux, car nous avons vu le pays, il est excellent. Mais vous demeurez sans rien dire ! N'hésitez pas à partir pour aller prendre possession du pays. [10]En arrivant, vous trouverez un peuple confiant. Le pays est étendu, et Dieu l'a mis entre vos mains ; c'est un lieu où rien ne manque de ce qu'on peut avoir sur la terre. »

La migration des Danites.

[11]Ils partirent donc de là, du clan des Danites, de Çoréa et d'Eshtaol, six cents hommes équipés pour la guerre. [12]Ils montèrent camper à Qiryat-Yéarim en Juda. C'est pourquoi, encore aujourd'hui, on nomme cet endroit le Camp de Dan. Il se trouve à l'ouest de Qiryat-Yéarim. [13]De là, ils s'engagèrent dans la montagne d'Éphraïm et ils parvinrent à la maison de Mika.

[14]Or les cinq hommes qui étaient allés reconnaître le pays prirent la parole et dirent à leurs frères : « Savez-vous qu'il y a ici dans ces maisons un éphod, des téraphim, une image taillée et une idole de métal fondu ? Et maintenant, voyez ce que vous avez à

faire. » [15]Faisant un détour par là, ils allèrent à la maison du jeune lévite, à la maison de Mika, et ils le saluèrent. [16]Pendant que les six cents hommes des Danites, équipés pour la guerre, se tenaient sur le seuil de la porte, [17]les cinq hommes qui étaient allés reconnaître le pays vinrent, et, étant entrés, ils prirent l'image taillée, l'éphod, les téraphim et l'idole de métal fondu, tandis que le prêtre se tenait sur le seuil de la porte avec les six cents hommes équipés pour la guerre. [18]Ceux-là donc, étant entrés dans la maison de Mika, prirent l'image taillée, l'éphod, les téraphim et l'idole de métal fondu. Mais le prêtre leur dit : « Que faites-vous là ? » – [19]« Tais-toi ! lui répondirent-ils. Mets ta main sur ta bouche et viens avec nous. Tu seras pour nous un père et un prêtre. Vaut-il mieux pour toi être le prêtre de la maison d'un seul homme que d'être le prêtre d'une tribu et d'un clan d'Israël ? » [20]Le prêtre en fut réjoui, il prit l'éphod, les téraphim ainsi que l'image taillée et s'en alla au milieu de la troupe.

[21]Reprenant alors leur direction, ils partirent, ayant placé en tête les non-combattants, les troupeaux et les bagages. [22]Ils étaient déjà loin de la demeure de Mika quand les gens qui habitaient les maisons voisines de celle de Mika donnèrent l'alarme et se mirent à la poursuite des Danites. [23]Comme ils criaient après les Danites, ceux-ci, se retournant, dirent à Mika : « Qu'as-tu à crier ainsi ? » – [24]« Vous m'avez pris mon dieu que je m'étais fabriqué, leur répondit-il, ainsi que le prêtre. Vous partez, et que me reste-t-il ? Comment pouvez-vous me dire : Qu'as-tu ? » [25]Les Danites lui répliquèrent : « Ne nous fais plus entendre ta voix ! Sinon des hommes exaspérés pourraient bien tomber sur vous. Tu risques de causer ta perte et celle de ta maison ! » [26]Les Danites poursuivirent leur chemin, et Mika, voyant qu'ils étaient les plus forts, s'en retourna et revint chez lui.

Prise de Laïsh. Fondation de Dan et de son sanctuaire.

[27]Ainsi, après avoir pris le dieu qu'avait fabriqué Mika, et le prêtre qu'il avait à lui, les Danites marchèrent contre Laïsh, contre un peuple tranquille et confiant. Ils le passèrent au fil de l'épée et ils livrèrent la ville aux flammes. [28]Il n'y eut personne pour la secourir, car elle était loin de Sidon et elle n'avait pas d'accord avec qui que ce soit. Elle se situait dans la vallée qui s'étend vers Bet-Rehob. Ils rebâtirent la ville, s'y établirent, [29]et ils l'appelèrent Dan, du nom de Dan leur père qui était né d'Israël. À l'origine pourtant la ville s'appelait Laïsh. [30]Les Danites dressèrent pour eux l'image taillée. Yehonatân, fils de Gershom, fils de Moïse, et ensuite ses fils, ont été prêtres de la tribu de Dan jusqu'au jour où la population du pays fut emmenée en exil. [31]Ils installèrent pour leur usage l'image taillée que Mika avait faite, et elle demeura là aussi longtemps que subsista la maison de Dieu à Silo.

II. LE CRIME DE GIBÉA
ET LA GUERRE CONTRE BENJAMIN

Le lévite d'Éphraïm et sa concubine.

19 ¹En ce temps-là – il n'y avait pas alors de roi en Israël – il y avait un homme, un lévite, qui résidait au fond de la montagne d'Éphraïm. Il prit pour concubine une femme de Bethléem de Juda. ²Sa concubine se fâcha contre lui et elle le quitta pour rentrer dans la maison de son père à Bethléem de Juda, et elle y demeura un certain temps, quatre mois. ³Son mari partit et alla la trouver pour parler à son cœur et la ramener chez lui ; il avait avec lui son serviteur et deux ânes. Comme il arrivait à la maison du père de la jeune femme, celui-ci l'aperçut et s'en vint tout joyeux au-devant de lui. ⁴Son beau-père, le père de la jeune femme, le retint et il demeura trois jours chez lui, ils y mangèrent et burent et ils y passèrent la nuit. ⁵Le quatrième jour, ils s'éveillèrent de bon matin et le lévite se disposait à partir, quand le père de la jeune femme dit à son gendre : « Restaure-toi en mangeant un morceau de pain, vous partirez après. » ⁶S'étant assis, ils se mirent à manger et à boire tous les deux ensemble, puis le père de la jeune femme dit à cet homme : « Consens, je te prie, à passer la nuit, et que ton cœur se réjouisse. » ⁷Comme l'homme se levait pour partir, le beau-père insista auprès de lui, et il y passa encore la nuit. ⁸Le cinquième jour, le lévite se leva de bon matin pour partir, mais le père de la jeune femme lui dit : « Restaure-toi d'abord, je t'en prie, et attardez-vous jusqu'au déclin du jour. » Ils mangèrent donc tous deux ensemble. ⁹Le mari se levait pour partir avec sa concubine et son serviteur, quand son beau-père, le père de la jeune femme, lui dit : « Voici que le jour baisse vers le soir, passez donc la nuit. Voici le déclin du jour, passez la nuit ici, et que ton cœur se réjouisse. Demain de bon matin, vous partirez et tu regagneras ta tente. » ¹⁰Mais l'homme, refusant de passer la nuit, se leva, partit et il arriva en vue de Jébus – c'est Jérusalem. Il avait avec lui deux ânes bâtés et sa concubine.

Le crime des gens de Gibéa. Cf.
Gn 19 1-11. Os 9 9 ; 10 9.

¹¹Lorsqu'ils furent près de Jébus, le jour avait beaucoup baissé. Le serviteur dit à son maître : « Viens donc, je te prie, faisons un détour vers cette ville des Jébuséens et nous y passerons la nuit. » ¹²Son maître lui répondit : « Nous ne ferons pas de détour vers une ville d'étrangers, ici où il n'y a aucun Israélite, mais nous pousserons jusqu'à Gibéa. » ¹³Et il ajouta à son serviteur : « Allons, et tâchons d'atteindre l'une de ces localités pour y passer la nuit, Gibéa ou Rama. » ¹⁴Ils poussèrent donc plus loin et continuèrent leur marche. À leur arrivée en face de Gibéa de Benjamin, le soleil se couchait. ¹⁵Ils se tournèrent alors de ce côté pour passer la nuit à Gibéa. Le lévite, étant entré, s'as-

sit sur la place de la ville, mais personne ne leur offrit dans sa maison l'hospitalité pour la nuit. ¹⁶Survint un vieillard qui, le soir venu, rentrait de son travail des champs. C'était un homme de la montagne d'Éphraïm, qui résidait à Gibéa, tandis que les gens de l'endroit étaient des Benjaminites. ¹⁷Levant les yeux, il remarqua le voyageur, sur la place de la ville : « Où vas-tu, lui dit le vieillard, et d'où viens-tu ? » ¹⁸Et l'autre lui répondit : « Nous faisons route de Bethléem de Juda vers le fond de la montagne d'Éphraïm. C'est de là que je suis. J'étais allé à Bethléem de Juda. Je fréquente la maison de Yahvé, mais personne ne m'accueille dans sa maison. ¹⁹Nous avons pourtant de la paille et du fourrage pour nos ânes, j'ai aussi du pain et du vin pour moi, pour ta servante et pour le jeune homme qui accompagne ton serviteur. Nous ne manquons de rien. » – ²⁰« Sois le bienvenu, repartit le vieillard, laisse-moi pourvoir à tous tes besoins, mais ne passe pas la nuit sur la place. » ²¹Il le fit donc entrer dans sa maison et il donna du fourrage aux ânes. Les voyageurs se lavèrent les pieds, puis mangèrent et burent.

²²Pendant qu'ils se réconfortaient, voici que des gens de la ville, des vauriens, s'attroupèrent autour de la maison et, frappant à la porte à coups redoublés, ils dirent au vieillard, maître de la maison : « Fais sortir l'homme qui est venu chez toi, que nous le connaissions. » ²³Alors le maître de la maison sortit vers eux et leur dit : « Non, mes frères, je vous en prie, ne soyez pas des criminels. Après que cet homme est entré dans ma maison, ne commettez pas cette infamie. ²⁴Voici ma fille qui est vierge. Je vous la livrerai. Abusez d'elle et faites ce que bon vous semble, mais ne commettez pas à l'égard de cet homme une pareille infamie. » ²⁵Ces gens ne voulurent pas l'écouter. Alors l'homme prit sa concubine et la leur amena dehors. Ils la connurent, ils abusèrent d'elle toute la nuit jusqu'au matin et, au lever de l'aurore, ils la lâchèrent.

²⁶Vers le matin la femme s'en vint tomber à l'entrée de la maison de l'homme chez qui était son mari et elle resta là jusqu'au jour. ²⁷Au matin son mari se leva et, ayant ouvert la porte de la maison, il sortait pour continuer sa route, quand il vit que la femme, sa concubine, gisait à l'entrée de la maison, les mains sur le seuil. ²⁸« Lève-toi, lui dit-il, et partons ! » Pas de réponse. Alors il la chargea sur son âne et il se mit en route pour rentrer chez lui. ²⁹Arrivé à la maison, il prit un couteau et, saisissant sa concubine, il la découpa, membre par membre, en douze morceaux, puis il l'envoya dans tout le territoire d'Israël. ³⁰Or quiconque voyait cela disait : « Jamais n'est arrivée ni ne s'est vu pareille chose depuis le jour où les Israélites sont montés du pays d'Égypte jusqu'à aujourd'hui ! » Le lévite donna cet ordre aux hommes qu'il envoya : « Ainsi parlerez-vous à tous les Israélites : Est-il arrivé pareille chose depuis le jour où les Israélites sont montés du pays d'Égypte jusqu'à aujourd'hui ? Réfléchissez-y, consultez-vous et prononcez-vous ! »

Les Israélites s'engagent à venger le crime de Gibéa.

20 ¹Tous les Israélites sortirent donc, et, comme un seul homme, toute la communauté se réunit depuis Dan jusqu'à Bersabée et le pays de Galaad, auprès de Yahvé à Miçpa. ²Les chefs de tout le peuple, toutes les tribus d'Israël assistèrent à l'assemblée du peuple de Dieu, quatre cent mille hommes de pied, sachant tirer l'épée. ³Les Benjaminites apprirent que les Israélites étaient montés à Miçpa... Les Israélites dirent alors : « Racontez-nous comment ce crime a été commis ! » ⁴Le lévite, le mari de la femme qui avait été tuée, prit la parole et dit : « J'étais venu avec ma concubine à Gibéa de Benjamin pour y passer la nuit. ⁵Les maîtres de Gibéa se sont soulevés contre moi et, pendant la nuit, ils ont entouré la maison où j'étais ; moi, ils voulaient me tuer et, quant à ma concubine, ils lui ont fait violence au point qu'elle en est morte. ⁶J'ai pris alors ma concubine, je l'ai coupée en morceaux et je l'ai envoyée dans toute l'étendue de l'héritage d'Israël, car ils ont commis une chose honteuse et une infamie en Israël. ⁷Vous voici tous ici, Israélites. Consultez-vous et ici même prenez une décision. » ⁸Tout le peuple se leva comme un seul homme en disant : « Personne d'entre nous ne regagnera sa tente, personne d'entre nous ne retournera dans sa maison ! ⁹Maintenant, voici ce que nous allons faire contre Gibéa. Nous monterons contre elle pour la tirer au sort, ¹⁰et nous prendrons dans toutes les tribus d'Israël dix hommes sur cent, cent sur mille et mille sur dix mille, ils chercheront des vivres pour le peuple, pour ceux qui iront traiter Gibéa de Benjamin selon l'infamie qu'elle a commise en Israël. » ¹¹Ainsi s'assemblèrent contre la ville tous les hommes d'Israël, unis comme un seul homme.

Obstination des Benjaminites.

¹²Les tribus d'Israël envoyèrent des émissaires dans toute la tribu de Benjamin pour dire : « Quel est ce crime qui a été commis parmi vous ? ¹³Maintenant, livrez ces hommes, ces vauriens, qui sont à Gibéa, pour que nous les mettions à mort et que nous fassions disparaître le mal du milieu d'Israël. » Mais les Benjaminites ne voulurent pas écouter leurs frères les Israélites.

Premiers combats.

¹⁴Les Benjaminites, quittant leurs villes, s'assemblèrent à Gibéa pour combattre les Israélites. ¹⁵En ce jour-là, on dénombra les Benjaminites venus des diverses villes, ils étaient vingt-six mille hommes sachant tirer l'épée ; les habitants de Gibéa furent dénombrés à part, sept cents hommes d'élite. ¹⁶Dans toute cette armée, il y avait sept cents hommes d'élite gauchers. Tous ceux-ci, avec la pierre de leur fronde, étaient capables de viser un cheveu sans le manquer. ¹⁷Les hommes d'Israël furent également dénombrés, sans compter Benjamin ; ils étaient quatre cent mille, sachant tirer l'épée, tous gens de guerre. ¹⁸Ils

se mirent en marche pour monter à Béthel, pour consulter Dieu : « Qui de nous montera le premier au combat contre les Benjaminites ? » demandèrent les Israélites. Et Yahvé répondit : « C'est Juda qui montera le premier. » ¹⁹Au matin les Israélites se mirent en marche et ils dressèrent leur camp en face de Gibéa. ²⁰Les hommes d'Israël s'avancèrent au combat contre Benjamin, ils se rangèrent en bataille en face de Gibéa. ²¹Mais les Benjaminites sortirent de Gibéa et, ce jour-là, ils massacrèrent vingt-deux mille hommes d'Israël. ²² Alors l'armée des gens d'Israël reprit courage et de nouveau se rangea en bataille au même endroit que le premier jour. ²³Les Israélites vinrent pleurer devant Yahvé jusqu'au soir, puis ils consultèrent Yahvé en disant : « Dois-je encore engager le combat contre les fils de Benjamin mon frère ? » Et Yahvé répondit : « Marchez contre lui ! » ²⁴Le second jour les Israélites s'approchèrent donc des Benjaminites, ²⁵mais, en cette seconde journée, Benjamin sortit de Gibéa à leur rencontre et il massacra encore dix-huit mille hommes des Israélites ; c'étaient tous des guerriers sachant tirer l'épée. ²⁶Alors tous les Israélites et tout le peuple s'en vinrent à Béthel, ils pleurèrent, ils s'assirent là devant Yahvé, ils jeûnèrent toute la journée jusqu'au soir et ils offrirent des holocaustes et des sacrifices de communion devant Yahvé ; ²⁷puis les Israélites consultèrent Yahvé. – L'arche de l'alliance de Dieu se trouvait alors en cet endroit ²⁸et Pinhas, fils d'Éléazar, fils d'Aaron, en ce temps-là, la desservait. – Ils dirent : « Dois-je sortir encore pour combattre les fils de Benjamin mon frère, ou bien dois-je cesser ? » Et Yahvé répondit : « Marchez, car demain, je le livrerai entre vos mains. »

Défaite de Benjamin.

²⁹Alors Israël plaça des troupes en embuscade tout autour de Gibéa. ³⁰Le troisième jour, les Israélites marchèrent contre les Benjaminites, et comme les autres fois, ils se rangèrent en bataille en face de Gibéa. ³¹Les Benjaminites sortirent à la rencontre du peuple et se laissèrent attirer loin de la ville. Ils commencèrent comme les autres fois à tuer du monde parmi le peuple, sur les chemins qui montent, l'un à Béthel et l'autre à Gibéa par la campagne : une trentaine d'hommes d'Israël. ³²Les Benjaminites se dirent : « Les voilà battus devant nous comme la première fois », mais les Israélites s'étaient dit : « Nous allons fuir et nous les attirerons loin de la ville sur les chemins. » ³³Alors tous les hommes d'Israël quittèrent leur position et se rangèrent à Baal-Tamar, tandis que l'embuscade d'Israël surgit de sa position sur le point faible de Géba. ³⁴Dix mille hommes d'élite, choisis dans tout Israël, parvinrent en face de Gibéa ; le combat était acharné et les autres ne se doutaient pas du malheur qui les frappait. ³⁵Yahvé battit Benjamin devant Israël et, en ce jour, les Israélites tuèrent à Benjamin vingt-cinq mille hommes, tous sachant tirer l'épée.

³⁶Les Benjaminites virent qu'ils étaient battus. – Les hommes d'Israël cédèrent du terrain à Benjamin parce qu'ils comptaient sur l'embuscade qu'ils avaient placée contre Gibéa. ³⁷Ceux de l'embuscade se hâtèrent de s'élancer contre Gibéa ; ils se déployèrent et passèrent toute la ville au fil de l'épée. ³⁸Or il y avait cette convention entre les hommes d'Israël et ceux de l'embuscade : ceux-ci devaient, en guise de signal, faire monter de la ville une fumée ; ³⁹alors les hommes d'Israël engagés dans le combat firent volte-face. Benjamin commença par tuer du monde aux Israélites, une trentaine d'hommes. « Certainement les voilà encore battus devant nous, se disait-il, comme dans le premier combat. » ⁴⁰Mais le signal, une colonne de fumée, commença à s'élever de la ville, et Benjamin, se retournant, aperçut que la ville tout entière montait en feu vers le ciel. ⁴¹Les hommes d'Israël firent alors volte-face et les hommes de Benjamin furent dans l'épouvante, car ils voyaient que le malheur les avait frappés.

⁴²Ils s'enfuirent devant les hommes d'Israël en direction du désert, mais la bataille les talonnait et ceux qui venaient de la ville les massacrèrent en les prenant à revers. ⁴³Ils cernèrent Benjamin, le poursuivirent sans répit et l'écrasèrent en face de Gibéa, du côté du soleil levant. ⁴⁴De Benjamin, dix-huit mille hommes tombèrent, tous hommes vaillants. – ⁴⁵Alors ils tournèrent le dos et s'enfuirent au désert, vers le Rocher de Rimmôn. Sur les chemins, on ramassa cinq mille hommes, puis on poursuivit Benjamin jusqu'à le retrancher, et on lui tua deux mille hommes. ⁴⁶En Benjamin, le nombre total de ceux qui tombèrent ce jour-là fut de vingt-cinq mille hommes sachant tirer l'épée, et c'étaient tous des hommes vaillants. ⁴⁷Six cents hommes tournèrent le dos et s'enfuirent au désert, vers le rocher de Rimmôn. Ils y restèrent quatre mois. ⁴⁸Les hommes d'Israël revinrent vers les Benjaminites, ils passèrent au fil de l'épée la population mâle de la ville, et même le bétail et tout ce qu'ils trouvaient. Ils mirent aussi le feu à toutes les villes qu'ils rencontrèrent.

Remords des Israélites.

21 ¹Les hommes d'Israël avaient prononcé ce serment à Miçpa : « Personne d'entre nous ne donnera sa fille en mariage à Benjamin. » ²Le peuple se rendit à Béthel, il resta là assis devant Dieu jusqu'au soir, poussant des gémissements et pleurant à gros sanglots : ³« Yahvé, Dieu d'Israël, disaient-ils, pourquoi faut-il qu'en Israël manque aujourd'hui une tribu d'Israël ? » ⁴Le lendemain, le peuple se leva de bon matin et construisit là un autel ; il offrit des holocaustes et des sacrifices de communion. ⁵Puis les Israélites dirent : « Quelle est celle parmi toutes les tribus d'Israël qui n'est pas venue à l'assemblée auprès de Yahvé ? » En effet, un serment solennel avait été prononcé contre quiconque ne monterait pas à Miçpa auprès de Yahvé en disant : « Il sera mis à mort. ».

⁶Or les Israélites furent pris de pitié pour Benjamin leur frère : « aujourd'hui, disaient-ils, une tribu a été retranchée d'Israël. ⁷Que ferons-nous pour procurer des femmes à ceux qui restent, puisque nous avons juré par Yahvé de ne pas leur donner de nos filles en mariage ? »

Les vierges de Yabesh données aux Benjaminites.

⁸Ils s'informèrent alors : « Quel est celui d'entre les tribus d'Israël qui n'est pas monté auprès de Yahvé à Miçpa ? » Et il se trouva que personne de Yabesh en Galaad n'était venu au camp, à l'assemblée. ⁹Le peuple s'était en effet compté et il n'y avait là personne d'entre les habitants de Yabesh en Galaad. ¹⁰Alors la communauté y envoya douze mille hommes d'entre les vaillants avec cet ordre : « Allez, et vous passerez au fil de l'épée les habitants de Yabesh en Galaad, y compris les femmes et les non-combattants. ¹¹Voici ce que vous ferez : vous vouerez à l'anathème tous les mâles et toutes les femmes qui ont connu la couche d'un homme. » ¹²Parmi les habitants de Yabesh de Galaad ils trouvèrent quatre cents jeunes filles vierges, qui n'avaient pas partagé la couche d'un homme, et ils les emmenèrent au camp à Silo qui est au pays de Canaan.

¹³Toute la communauté envoya alors des émissaires aux Benjaminites qui se trouvaient au rocher de Rimmôn pour leur proposer la paix. ¹⁴Benjamin revint alors. On leur donna parmi les femmes de Yabesh en Galaad celles qu'on avait laissé vivre, mais il n'y en eut pas assez pour tous.

Le rapt des filles de Silo.

¹⁵Le peuple fut pris de pitié pour Benjamin, parce que Yahvé avait fait une brèche parmi les tribus d'Israël. ¹⁶« Que ferons-nous pour procurer des femmes à ceux qui restent, disaient les anciens de la communauté, puisque les femmes de Benjamin ont été exterminées ? » ¹⁷Ils ajoutaient : « Comment Benjamin possédera-t-il une postérité pour qu'une tribu ne soit pas effacée d'Israël ? ¹⁸Car, pour nous, nous ne pouvons plus leur donner nos filles en mariage. » Les Israélites avaient en effet prononcé ce serment : « Maudit soit celui qui donnera une femme à Benjamin ! »

¹⁹« Mais il y a, dirent-ils, la fête de Yahvé qui se célèbre chaque année à Silo » – qui est au nord de Béthel, à l'orient de la route qui monte de Béthel à Sichem et au sud de Lebona. – ²⁰Ils recommandèrent donc aux Benjaminites : « Allez vous mettre en embuscade dans les vignes. ²¹Vous guetterez et, lorsque les filles de Silo sortiront pour danser en chœurs, vous sortirez des vignes, vous enlèverez pour vous chacun une femme parmi les filles de Silo et vous vous en irez au pays de Benjamin. ²²Si leurs pères ou leurs frères viennent nous chercher querelle, nous leur dirons : Accordez-les nous, car aucun d'entre nous n'a reçu de femme lors de la guerre ; vous ne pouviez pas de votre côté leur en donner ; autrement vous auriez été coupables. »

²³ Ainsi firent les Benjaminites, et, parmi les danseuses qu'ils avaient enlevées, ils prirent un nombre de femmes égal au leur, puis ils partirent, revinrent dans leur héritage, rebâtirent les villes et s'y établirent.

²⁴ Les Israélites se dispersèrent alors pour regagner chacun sa tribu et son clan, et s'en retournèrent de là chacun dans son héritage. ²⁵ En ce temps-là il n'y avait pas de roi en Israël et chacun faisait ce qui lui semblait bon.

Le livre de Ruth

RUTH ET NOÉMI

1 ¹Au temps où gouvernaient les Juges, une famine survint dans le pays et un homme de Bethléem de Juda s'en alla avec sa femme et ses deux fils pour séjourner dans les Champs de Moab. ²Cet homme s'appelait Élimélek, sa femme Noémi, et ses deux fils Mahlôn et Kilyôn ; ils étaient Éphratéens, de Bethléem de Juda. Arrivés dans les Champs de Moab, ils s'y établirent. ³Élimélek, le mari de Noémi, mourut, et elle lui survécut avec ses deux fils. ⁴Ils prirent pour femmes des Moabites, l'une se nommait Orpa et l'autre Ruth. Ils demeurèrent là une dizaine d'années. ⁵Puis Mahlôn et Kilyôn moururent, tous deux aussi, et Noémi resta seule, privée de ses deux fils et de son mari. ⁶Alors, avec ses brus, elle se disposa à revenir des Champs de Moab, car elle avait appris dans les Champs de Moab que Dieu avait visité son peuple pour lui donner du pain. ⁷Elle quitta donc avec ses brus le lieu où elle avait demeuré et elles se mirent en chemin pour retourner au pays de Juda.

⁸Noémi dit à ses deux brus : « Partez donc et retournez chacune à la maison de votre mère. Que Yahvé use de bienveillance envers vous comme vous en avez usé envers ceux qui sont morts et envers moi-même ! ⁹Que Yahvé accorde à chacune de vous de trouver une vie paisible dans la maison d'un mari ! » Elle les embrassa, mais elles se mirent à crier et à pleurer, ¹⁰et elles dirent : « Non ! Nous reviendrons avec toi vers ton peuple. » – ¹¹« Retournez, mes filles, répondit Noémi, pourquoi viendriez-vous avec moi ? Ai-je encore dans mon sein des fils qui puissent devenir vos maris ? ¹²Retournez, mes filles, allez-vous-en, car je suis bien trop vieille pour me marier ! Et quand bien même je dirais : "Il y a encore pour moi de l'espoir, cette nuit même je vais appartenir à mon mari et j'aurai des fils", ¹³attendriez-vous qu'ils soient devenus grands ? Renonceriez-vous à vous marier ? Non mes filles ! Je suis pleine d'amertume à votre sujet, car la main de Yahvé s'est levée contre moi. » ¹⁴Elles recommencèrent à crier et à pleurer, puis Orpa embrassa sa belle-mère et retourna vers son peuple, mais Ruth lui resta attachée.

¹⁵Noémi dit alors : « Vois, ta belle-sœur s'en est retournée vers son peuple et vers son dieu ; retourne toi aussi, et suis-la. » ¹⁶Ruth répondit : « Ne me presse pas de t'abandonner et de m'éloigner de toi, car

où tu iras, j'irai,
où tu demeureras, je demeurerai ;
ton peuple sera mon peuple
et ton Dieu sera mon Dieu.
¹⁷Là où tu mourras, je mourrai

et là je serai ensevelie.
Que Yahvé me fasse ce mal
et qu'il y ajoute encore cet autre,
si ce n'est pas la mort
qui nous sépare ! »

¹⁸Voyant que Ruth s'obstinait à l'accompagner, Noémi cessa d'insister auprès d'elle.

¹⁹Elles s'en allèrent donc toutes deux et arrivèrent à Bethléem. Leur arrivée à Bethléem mit toute la ville en émoi : « Est-ce bien là Noémi ? » s'écriaient les femmes.

²⁰« Ne m'appelez plus Noémi, leur répondit-elle, appelez-moi Mara, car Shaddaï m'a remplie d'amertume. ²¹Comblée j'étais partie, vide Yahvé me ramène ! Pourquoi m'appelleriez-vous encore Noémi, alors que Yahvé a témoigné contre moi et que Shaddaï m'a rendue malheureuse ? »

²²C'est ainsi que Noémi revint, ayant avec elle sa belle-fille Ruth, la Moabite, celle qui était revenue des Champs de Moab. Elles arrivèrent à Bethléem au début de la moisson des orges.

RUTH DANS LES CHAMPS DE BOOZ

2 ¹Noémi avait, du côté de son mari, un parent. C'était un homme de condition qui appartenait au même clan qu'Élimélek, il s'appelait Booz.

²Ruth la Moabite dit à Noémi : « Permets-moi d'aller dans les champs glaner des épis derrière celui aux yeux duquel je trouverai grâce. » Elle lui répondit : « Va, ma fille. » ³Ruth partit donc et s'en vint glaner dans les champs derrière les moissonneurs. Sa chance la conduisit dans une pièce de terre appartenant à Booz, du clan d'Élimélek. ⁴Or voici que Booz arrivait de Bethléem : « Que Yahvé soit avec vous ! » dit-il aux moissonneurs, et eux répondirent : « Que Yahvé te bénisse ! » ⁵Booz demanda alors à celui de ses serviteurs qui commandait aux moissonneurs : « À qui est cette jeune femme ? » ⁶Et le serviteur qui commandait aux moissonneurs répondit : « Cette jeune femme est la Moabite, celle qui est revenue des Champs de Moab avec Noémi. ⁷Elle a dit : "Permets-moi de glaner et de ramasser ce qui tombe des gerbes derrière les moissonneurs." Elle est donc venue et elle est restée ; depuis le matin jusqu'à présent elle s'est à peine reposée. »

⁸Booz dit à Ruth : « Tu entends, n'est-ce pas ma fille ? Ne va pas glaner dans un autre champ, ne t'éloigne pas d'ici mais attache-toi à mes servantes. ⁹Regarde la pièce de terre qu'on moissonne et suis-les. Sache que j'ai interdit aux serviteurs de te frapper. Si tu as soif, va aux cruches et bois de ce qu'ils auront puisé. » ¹⁰Alors Ruth, tombant la face contre terre, se prosterna et lui dit : « Comment ai-je trouvé grâce à tes yeux pour que tu t'intéresses à moi qui ne suis qu'une étrangère ? » – ¹¹« C'est qu'on m'a bien rapporté, lui dit Booz, tout ce que tu

as fait pour ta belle-mère après la mort de ton mari ; comment tu as quitté ton père, ta mère et ton pays natal pour te rendre chez un peuple que tu n'avais jamais connu, ni d'hier ni d'avant-hier. [12]Que Yahvé te rende ce que tu as fait et que tu obtiennes pleine récompense de la part de Yahvé, le Dieu d'Israël, sous les ailes de qui tu es venue t'abriter ! » [13]Elle dit : « Puissé-je toujours trouver grâce à tes yeux, Monseigneur ! Tu m'as consolée et tu as parlé au cœur de ta servante, alors que je ne suis même pas l'égale d'une de tes servantes. »

[14]Au moment du repas, Booz dit à Ruth : « Approche-toi, mange de ce pain et trempe ton morceau dans le vinaigre. » Elle s'assit donc à côté des moissonneurs et Booz lui fit aussi un tas de grains rôtis. Après qu'elle eut mangé à satiété, elle en eut de reste. [15]Lorsqu'elle se fut levée pour glaner, Booz donna cet ordre à ses serviteurs : « Laissez-la glaner entre les gerbes, et vous, ne la molestez pas. [16]Et même, ayez soin de tirer vous-mêmes quelques épis de vos javelles, vous les laisserez tomber, elle pourra les ramasser et vous ne crierez pas après elle. » [17]Ruth glana dans le champ jusqu'au soir, et lorsqu'el-

le eut battu ce qu'elle avait ramassé, il y avait environ une mesure d'orge.

[18]Elle l'emporta, rentra à la ville et sa belle-mère vit ce qu'elle avait glané ; elle tira ce qu'elle avait mis en réserve après avoir mangé à sa faim et le lui donna. [19]« Où as-tu glané aujourd'hui, lui dit sa belle-mère, où as-tu travaillé ? Béni soit celui qui s'est intéressé à toi ! » Ruth fit connaître à sa belle-mère chez qui elle avait travaillé ; elle dit : « L'homme chez qui j'ai travaillé aujourd'hui s'appelle Booz. » [20]Noémi dit à sa bru : « Qu'il soit béni de Yahvé qui ne cesse d'exercer sa bienveillance envers les vivants et les morts ! » Et Noémi ajouta : « Cet homme est notre proche parent, il est de ceux qui ont sur nous droit de rachat. » [21]Ruth la Moabite dit à sa belle-mère : « Il m'a dit aussi : Reste avec mes serviteurs jusqu'à ce qu'ils aient achevé toute la moisson. » [22]Noémi dit à Ruth, sa bru : « Il est bon, ma fille, que tu ailles avec ses servantes, ainsi on ne te maltraitera pas dans un autre champ. » [23]Et elle resta parmi les servantes de Booz pour glaner jusqu'à la fin de la moisson des orges et de la moisson des blés, et elle habitait avec sa belle-mère.

BOOZ ENDORMI

3 [1]Noémi, sa belle-mère, lui dit : « Ma fille, ne dois-je pas chercher à t'établir pour que tu sois heureuse ? [2]Eh bien ! Booz n'est-il pas notre parent, lui dont tu as suivi les servantes ? Cette nuit, il doit vanner l'orge sur l'aire. [3]Lave-toi donc et parfume-toi, mets ton manteau et descends à l'aire, mais ne te laisse pas reconnaître par lui avant qu'il ait fini de manger et de boire. [4]Quand il sera couché, observe l'endroit où il repose, alors tu iras, tu dégageras une place à ses pieds et tu te coucheras. Il te fera savoir lui-même ce que tu devras faire. » [5]Et Ruth lui répondit : « Tout ce que tu me dis, je le ferai. »

[6]Elle descendit donc à l'aire et fit tout ce que sa belle-mère lui avait commandé. [7]Booz mangea et but, puis, le cœur joyeux, s'en alla dormir auprès du tas d'orge. Alors Ruth s'en alla tout doucement, dégagea une place à ses pieds et se coucha. [8]Au milieu de la nuit, l'homme eut un frisson ; il se retourna et vit une femme couchée à ses pieds. [9]« Qui es-tu ? » dit-il. –« Je suis Ruth, ta servante, lui dit-elle. Étends sur ta servante le pan de ton manteau, car tu as droit de rachat. » – [10]« Bénie sois-tu de Yahvé, ma fille, lui dit-il, ce second acte de piété que tu accomplis l'emporte sur le premier, car tu n'as pas recherché des jeunes gens, pauvres ou riches. [11]Et maintenant, ma fille, sois sans crainte, tout ce que tu me diras, je le ferai pour toi, car tout le peuple à la porte de ma ville sait que tu es une femme parfaite. [12]Toutefois, s'il est vrai que j'ai droit de rachat, il y a un parent plus proche que moi. [13]Passe la nuit ici et, au matin, s'il veut exercer son droit à ton égard, c'est bien, qu'il te rachète ; mais s'il ne veut pas te racheter, alors, par Yahvé vivant, c'est moi qui te rachèterai. Reste couchée jusqu'au matin. » [14]Elle resta donc couchée à ses pieds jusqu'au matin, puis elle se leva avant l'heure où un homme peut en reconnaître un autre ; il se disait : « Il ne faut pas qu'on sache que cette femme est venue à l'aire. » [15]Il dit alors : « Présente le manteau que tu as sur toi et tiens-le. » Elle le tint et il mesura six parts d'orge qu'il chargea sur elle, puis elle retourna à la ville.

[16]Lorsque Ruth rentra chez sa belle-mère, celle-ci lui dit : « Qu'en est-il de toi, ma fille ? » Ruth lui raconta tout ce que cet homme avait fait pour elle. [17]Elle dit : « Ces six parts d'orge, il me les a données en disant : Tu ne reviendras pas les mains vides chez ta belle-mère. » – [18]« Ma fille, reste en repos, lui dit Noémi, jusqu'à ce que tu saches comment finira cette affaire ; assurément, cet homme n'aura de cesse qu'il ne l'ait terminée aujourd'hui même. »

BOOZ ÉPOUSE RUTH

4 [1]Or Booz était monté à la porte et s'y était assis, et voici que le parent dont Booz avait parlé vint à passer. « Toi, dit Booz, approche et assieds-toi ici. » L'homme s'approcha et vint s'asseoir. [2]Booz prit dix hommes parmi les anciens de la ville : « Asseyez-vous ici », dit-il, et ils s'assirent. [3]Alors il dit à celui qui avait droit de rachat : « La pièce de terre qui appartenait à notre frère Élimélek, Noémi qui est revenue des Champs de Moab, la met en vente. [4]Je me suis dit que j'allais t'en informer en disant : "Acquiers-la en présence de ceux qui sont assis là et des anciens de mon peuple". Si tu veux exercer ton droit de rachat, rachète, mais si tu ne le veux pas, déclarele-moi pour que je le sache. Tu es le premier à avoir le droit de rachat, moi je ne viens qu'après toi. » L'autre répondit : « Oui ! je veux racheter. » [5]Mais Booz dit : « Le jour où, de la main de Noémi, tu acquerras ce champ, tu acquiers aussi Ruth la Moabite, la femme de celui qui est mort, pour perpétuer le nom du mort sur son patrimoine. » [6]Celui qui avait droit de rachat répondit alors : « Je ne puis exercer mon droit, car je craindrais de nuire à mon patrimoine. Exerce pour toi-même mon droit de rachat, car moi je ne puis l'exercer. »

[7]Or c'était autrefois la coutume en Israël, en cas de rachat ou d'héritage, pour valider toute affaire : l'un ôtait sa sandale et la donnait à l'autre. Telle était en Israël la manière de témoigner. [8]Celui qui avait droit de rachat dit donc à Booz : « Fais l'acquisition pour toi-même », et il retira sa sandale. [9]Booz dit aux anciens et à tout le peuple : « Vous êtes témoins aujourd'hui que j'acquiers de la main de Noémi tout ce qui appartenait à Élimélek et tout ce qui appartenait à Mahlôn et à Kilyôn, [10]et que j'acquiers en même temps pour femme Ruth la Moabite, veuve de Mahlôn, pour perpétuer le nom du mort sur son héritage et pour que le nom du mort ne soit pas retranché d'entre ses frères ni de la porte de sa ville. Vous en êtes aujourd'hui les témoins. » [11]Tout le peuple qui se trouvait à la porte répondit : « Nous en sommes témoins », et les anciens répondirent : « Que Yahvé rende la femme qui va entrer dans ta mai-

son semblable à Rachel et à Léa qui, à elles deux, ont édifié la maison d'Israël.

Deviens puissant en Éphrata et fais-toi un nom dans Bethléem.

[12]Que grâce à la postérité que Yahvé t'accordera de cette jeune femme, ta maison soit semblable à celle de Pérèç, que Tamar enfanta à Juda. »

[13]Booz prit Ruth et elle devint sa femme. Il alla vers elle, Yahvé donna à Ruth de concevoir et elle enfanta un fils. [14]Les femmes dirent alors à Noémi : « Béni soit Yahvé qui ne t'a pas laissé manquer aujourd'hui de quelqu'un pour te racheter. Que son nom soit proclamé en Israël ! [15]Il sera pour toi un consolateur et le soutien de ta vieillesse, car il a pour mère ta bru qui t'aime, elle qui vaut mieux pour toi que sept fils. » [16]Et Noémi, prenant l'enfant, le mit sur son sein, et ce fut elle qui prit soin de lui.

[17]Les voisines lui donnèrent un nom, elles dirent : « Il est né un fils à Noémi » et elles le nommèrent Obed. C'est le père de Jessé, père de David.

Généalogie de David. ‖ 1 Ch 2 5-15.
⌐ Mt 1 3-6. ⌐ Lc 3 31-33.

[18]Voici la postérité de Pérèç :
Pérèç engendra Heçrôn. [19]Heçrôn engendra Ram et Ram engendra Amminadab. [20]Amminadab engendra Nahshôn et Nahshôn engendra Salmôn. [21]Salmôn engendra Booz et Booz engendra Obed. [22]Et Obed engendra Jessé et Jessé engendra David.

Premier livre de Samuel

1. Samuel

I. LES ENFANCES DE SAMUEL

Le pèlerinage de Silo.

1 ¹Il y avait un homme de Ramatayim-Çophim, de la montagne d'Éphraïm, qui s'appelait Elqana, fils de Yeroham, fils d'Élihu, fils de Tohu, fils de Çuph, un Éphratéen. ²Il avait deux femmes : l'une s'appelait Anne, l'autre Peninna ; mais alors que Peninna avait des enfants, Anne n'en avait point. ³Chaque année, cet homme montait de sa ville pour adorer et pour sacrifier à Yahvé Sabaot à Silo – là se trouvaient les deux fils d'Éli, Hophni et Pinhas, prêtres de Yahvé.

⁴Le jour où Elqana sacrifiait, il donnait des parts à sa femme Peninna et à tous ses fils et filles, ⁵à Anne il donnait une seule part d'honneur, car c'est Anne qu'il aimait, mais Yahvé avait fermé son sein. ⁶Sa rivale ne cessait de lui faire des affronts pour la mettre en colère, car Yahvé avait fermé son sein. ⁷Ainsi faisait Elqana chaque année, chaque fois qu'ils montaient au temple de Yahvé ; ainsi Peninna l'irritait. Anne pleura et ne mangea pas. ⁸Alors son mari Elqana lui dit : « Anne, pourquoi pleures-tu et ne manges-tu pas ? Pourquoi ton cœur est-il triste ? Est-ce que je ne vaux pas pour toi mieux que dix fils ? »

La prière d'Anne.

⁹Anne se leva après qu'on eut mangé et après qu'on eut bu. Le prêtre Éli était assis sur son siège, contre le montant de la porte du sanctuaire de Yahvé. ¹⁰Elle était pleine d'amertume ; elle pria Yahvé et elle pleura beaucoup. ¹¹Elle fit un vœu et dit : « Yahvé Sabaot ! Si tu voulais bien voir la misère de ta servante, te souvenir de moi, ne pas oublier ta servante et lui donner un petit d'homme, alors je le donnerai à Yahvé pour toute sa vie et le rasoir ne passera pas sur sa tête. »

¹²Comme elle prolongeait sa prière devant Yahvé, Éli observait sa bouche. ¹³Anne parlait tout bas : ses lèvres remuaient mais on n'entendait pas sa voix, et Éli pensa qu'elle était ivre. ¹⁴Alors Éli lui dit : « Jusques à quand vas-tu rester ivre ? Fais passer ton vin ! » ¹⁵Mais Anne répondit ainsi : « Non, Monseigneur, je ne suis qu'une femme éprouvée, je n'ai bu ni vin ni boisson fermentée, j'épanche mon âme devant Yahvé. ¹⁶Ne juge pas ta servante comme une vaurienne : c'est par excès de peine et d'affronts que j'ai parlé jusqu'à maintenant. » ¹⁷Éli lui répondit : « Va en paix et que le Dieu d'Israël t'accorde ce que tu

lui as demandé. » ¹⁸Elle dit :
« Puisse ta servante trouver grâce
à tes yeux », et la femme alla son
chemin ; elle mangea et son visage ne fut plus le même.

Naissance et consécration de Samuel.

¹⁹Ils se levèrent de bon matin
et, après s'être prosternés devant
Yahvé, ils s'en retournèrent et arrivèrent chez eux, à Rama. Elqana
connut Anne sa femme, et Yahvé
se souvint d'elle. ²⁰Anne conçut
et, au temps révolu, elle mit au
monde un fils, qu'elle nomma Samuel, « car, dit-elle, je l'ai demandé à Yahvé. » ²¹Le mari Elqana monta, avec toute sa famille,
pour offrir à Yahvé le sacrifice annuel et accomplir son vœu. ²²Mais
Anne ne monta pas, car elle dit à
son mari : « Pas avant que l'enfant ne soit sevré ! Alors je le conduirai ; il sera présenté devant
Yahvé et il restera là pour tou-
jours. » ²³Elqana, son mari, lui répondit : « Fais comme il te plaît
et attends de l'avoir sevré. Que
seulement Yahvé réalise sa parole ! » La femme resta donc et al-
laita l'enfant jusqu'à son sevrage.
²⁴Lorsqu'elle l'eut sevré, elle le
fit monter avec elle, en même
temps qu'un taureau de trois ans,
une mesure de farine et une outre
de vin, et elle le fit entrer dans le
temple de Yahvé à Silo ; l'enfant
était tout jeune. ²⁵Ils immolèrent
le taureau et ils conduisirent l'en-
fant à Éli. ²⁶Elle dit : « S'il te plaît,
Monseigneur ! Aussi vrai que tu
vis, Monseigneur, je suis la femme qui se tenait près de toi ici,
priant Yahvé. ²⁷C'est pour cet enfant que je priais et Yahvé m'a

accordé la demande que je lui ai
faite. ²⁸A mon tour, je le cède à
Yahvé tous les jours de sa vie : il
est cédé à Yahvé. » Et, là, il se
prosterna devant Yahvé.

Cantique d'Anne. Ps 2 ; 18. ↗ Lc 1 45-55.

2 ¹Anne pria et dit :
  « Mon cœur exulte en Yahvé,
ma corne s'élève en Yahvé,
ma bouche est large ouverte
contre mes ennemis,
car je me réjouis en ton secours.

²Point de Saint comme Yahvé
(car il n'y a personne excepté
toi),
point de Rocher comme notre
Dieu.

³Ne multipliez pas les paroles
hautaines,
que l'arrogance ne sorte pas de
votre bouche.
car Yahvé est un Dieu plein de
savoir
et par lui les actions sont pesées.

⁴L'arc des puissants est brisé,
mais les défaillants se ceignent
de force.
⁵Les rassasiés s'embauchent
pour du pain,
mais les affamés cessent de travailler.
La femme stérile enfante sept
fois,
mais celle qui a de nombreux fils
se flétrit.

⁶C'est Yahvé qui fait mourir et
vivre,
qui fait descendre au shéol et en
remonter.
⁷C'est Yahvé qui appauvrit et
qui enrichit,
qui abaisse et aussi qui élève.

⁸Il retire de la poussière le faible,
du fumier il relève le pauvre,
pour les faire asseoir avec les
nobles
et leur assigner un siège d'honneur ;
car à Yahvé sont les piliers de la
terre,
sur eux il a posé le monde.

⁹Il garde les pas de ses fidèles,
mais les méchants disparaissent
dans les ténèbres
(car ce n'est pas par la force que
l'homme triomphe).

¹⁰Yahvé, ses ennemis sont brisés,
le Très-Haut tonne dans les
cieux.

Yahvé juge les confins de la
terre,
il donne la force à son Roi,
il élève la corne de son Oint. »

¹¹Elqana partit pour Rama,
dans sa maison, mais l'enfant était
au service de Yahvé, en présence
du prêtre Éli.

Les fils d'Éli.

¹²Or les fils d'Éli étaient des
vauriens ; ils ne connaissaient pas
Yahvé. ¹³Tel était le droit des prêtres à l'égard du peuple : si quelqu'un offrait un sacrifice, le servant du prêtre venait pendant
qu'on cuisait la viande, tenant une
fourchette à trois dents, ¹⁴il piquait
dans le chaudron ou dans la marmite ou dans la terrine ou dans le
pot, et le prêtre s'attribuait tout ce
que ramenait la fourchette ; on
agissait ainsi avec tous les Israélites qui venaient là, à Silo. ¹⁵Et même, on n'avait pas encore fait fumer la graisse que le servant du

prêtre venait et disait à celui qui
sacrifiait : « Donne de la viande à
rôtir pour le prêtre, il n'acceptera
pas de toi de la viande bouillie, seulement de la viande crue. » ¹⁶Et si
cet homme lui disait : « Qu'on fasse d'abord fumer la graisse, puis
prends pour toi à ta guise », il répondait : « Non, c'est maintenant
que tu dois donner, sinon je prends
de force. » ¹⁷Le péché des jeunes
gens était très grand devant Yahvé,
car les hommes méprisaient l'offrande faite à Yahvé.

Samuel à Silo.

¹⁸Samuel était au service de la
face de Dieu, servant revêtu de
l'éphod de lin. ¹⁹Sa mère lui faisait
un petit manteau qu'elle lui apportait chaque année, lorsqu'elle montait avec son mari pour offrir le sacrifice annuel. ²⁰Éli bénissait
Elqana et sa femme et disait : « Que
Yahvé t'accorde une descendance
de cette femme en vertu de la demande que l'on a faite pour Yahvé », et ils s'en allaient chez eux.
²¹Yahvé visita Anne, elle conçut et
elle mit au monde trois fils et deux
filles ; le jeune Samuel grandissait
avec Yahvé.

Encore les fils d'Éli.

²²Éli était très âgé, mais il entendait parler de tout ce que ses fils
faisaient envers Israël et qu'ils
couchaient avec les femmes qui se
tenaient à l'entrée de la tente de la
rencontre. ²³Il leur dit : « Pourquoi
faites-vous de pareilles choses, de
mauvaises choses dont j'entends
parler par tout le peuple ? ²⁴Non,
mes fils, elle n'est pas belle la rumeur que j'entends le peuple de
Yahvé colporter. ²⁵Si un homme

pèche contre un autre homme, Dieu sera l'arbitre, mais si c'est contre Yahvé que pèche un homme, qui intercédera pour lui ? » Cependant ils n'écoutèrent pas la voix de leur père. C'est qu'il avait plu à Yahvé de les faire mourir.

²⁶Quant au jeune Samuel, il progressait en taille et en beauté tant auprès de Yahvé qu'auprès des hommes.

Annonce du châtiment.

²⁷Un homme de Dieu vint chez Éli et lui dit : « Ainsi parle Yahvé. Me suis-je vraiment révélé à la maison de ton père quand ils étaient en Égypte, appartenant à la maison de Pharaon ? ²⁸L'ai-je choisie parmi toutes les tribus d'Israël pour devenir mon prêtre, pour monter à mon autel, pour faire fumer l'encens et pour porter l'éphod devant moi ? J'ai donné à la maison de ton père tous les mets consumés des Israélites. ²⁹Pourquoi piétinez-vous mon sacrifice et mon offrande que j'ai prescrits dans la Demeure ? Pourquoi honores-tu tes fils plus que moi, en vous engraissant du meilleur de toutes les offrandes d'Israël, mon peuple ? ³⁰C'est pourquoi – oracle de Yahvé, Dieu d'Israël – j'avais bien dit que ta maison et la maison de ton père marcheraient en ma présence pour toujours, mais maintenant – oracle de Yahvé – je m'en garderai ! Car j'honore ceux qui m'honorent et ceux qui me méprisent sont déconsidérés. ³¹Voici que des jours viennent où j'abattrai ton bras et le bras de la maison de ton père, en sorte qu'il n'y ait pas de vieillard dans ta maison. ³²Tu regarde-

ras un rival dans la Demeure, ainsi que tout le bien qu'il fera à Israël, et il n'y aura pas de vieillard dans ta maison, à jamais. ³³Près de mon autel je maintiendrai l'un des tiens, pour que ses yeux se consument et que tu sois affligé, mais tout l'ensemble de ta maison mourra à l'âge adulte. ³⁴Tel sera pour toi le signe : ce qui arrivera à tes deux fils, Hophni et Pinhas ; le même jour, ils mourront tous deux. ³⁵Je me susciterai un prêtre fidèle, qui agira selon mon cœur et mon désir, je lui bâtirai une maison stable et il marchera toujours en présence de mon oint. ³⁶Alors quiconque subsistera de ta maison viendra se prosterner devant lui pour avoir une piécette d'argent et une galette de pain, et dira : "Je t'en prie, attache-moi à une fonction sacerdotale, pour que j'aie un morceau de pain à manger." »

L'appel de Dieu à Samuel.

3 ¹Le jeune Samuel servait donc Yahvé en présence d'Éli. La parole de Yahvé était rare en ces jours-là ; il n'y avait pas de vision qui perçait. ²Or, un jour, Éli était couché à sa place – ses yeux commençaient de faiblir et il ne pouvait plus voir – ³la lampe de Dieu n'était pas encore éteinte et Samuel était couché dans le sanctuaire de Yahvé, là où se trouvait l'arche de Dieu. ⁴Yahvé appela Samuel et celui-ci dit : « Me voici ! » ⁵Il courut vers Éli et dit : « Me voici, puisque tu m'as appelé. » – « Je ne t'ai pas appelé, dit Éli ; retourne te coucher. » Il alla se coucher. ⁶Yahvé recommença à appeler Samuel. Celui-ci se leva, alla vers Éli et dit : « Me voici, puisque tu m'as appelé. » – « Je ne t'ai pas appelé, mon fils, dit Éli ; retourne te coucher. » [7] Samuel ne connaissait pas encore Yahvé et la parole de Yahvé ne lui avait pas encore été révélée. [8] Yahvé recommence à appeler Samuel. Il se leva, alla vers Éli et dit : « Me voici, puisque tu m'as appelé. » Alors Éli comprit que c'était Yahvé qui appelait l'enfant [9] et il dit à Samuel : « Va te coucher et, s'il arrive qu'il t'appelle, tu diras : Parle, Yahvé, car ton serviteur écoute », et Samuel alla se coucher à sa place.

[10] Yahvé vint et se tint présent. Il appela comme les autres fois : « Samuel, Samuel ! », et Samuel répondit : « Parle, car ton serviteur écoute. » [11] Yahvé dit à Samuel : « Je m'en vais faire en Israël une chose telle que les deux oreilles en tinteront à quiconque l'apprendra. [12] En ce jour-là, j'accomplirai contre Éli tout ce que j'ai dit sur sa maison, du commencement à la fin. [13] Je lui ai annoncé que je jugerai sa maison pour toujours ; parce qu'il savait que ses fils insultaient Dieu et qu'il ne les a pas corrigés. [14] C'est pourquoi – je le jure à la maison d'Éli – ni sacrifice ni offrande n'effaceront jamais la faute de la maison d'Éli. »

[15] Samuel reposa jusqu'au matin, puis il ouvrit les portes de la maison de Yahvé. Samuel craignait de raconter la vision à Éli, [16] mais Éli l'appela en disant : « Samuel, mon fils ! », et celui-ci répondit : « Me voici ! » [17] Il demanda : « Quelle est la parole qu'il t'a dite ? Ne me cache rien ! Que Dieu te fasse telle chose et qu'il ajoute encore cette autre si tu me caches un mot de ce qu'il t'a dit. » [18] Alors Samuel lui rapporta tout, il ne lui cacha rien. Éli dit : « Il est Yahvé ; qu'il fasse ce qui lui semble bon ! »

[19] Samuel grandit. Yahvé était avec lui et il ne laissa tomber à terre aucune de ses paroles. [20] Tout Israël sut, depuis Dan jusqu'à Bersabée, que Samuel était accrédité comme prophète de Yahvé. [21] Yahvé continua à se manifester à Silo ; car Yahvé se révélait à Samuel, à Silo, par la parole de Yahvé.

II. L'ARCHE CHEZ LES PHILISTINS

Défaite des Israélites et capture de l'arche.

4 [1] La parole de Samuel s'adressait à tout Israël. Or Israël sortit à la rencontre des Philistins pour le combat. Ils campèrent près d'Ében-ha-Ézèr, tandis que les Philistins étaient campés à Apheq. [2] Les Philistins se rangèrent en ordre de bataille pour faire face à Israël. Le combat s'étendit et Israël fut battu devant les Philistins qui tuèrent lors de cette bataille en rase campagne environ quatre mille hommes. [3] Le peuple revint au camp et les anciens d'Israël dirent : « Pourquoi Yahvé nous a-t-il fait battre aujourd'hui par les Philistins ? Allons prendre à Silo l'arche de l'alliance de Yahvé, qu'elle vienne au milieu de nous et qu'elle nous sauve de la main de nos ennemis. » [4]Le peuple envoya des hommes à Silo et de là on emmena l'arche de l'alliance de Yahvé Sabaot qui siège sur les chérubins ; là se trouvaient les deux fils d'Éli, Hophni et Pinhas, avec l'arche de l'alliance de Dieu. [5]Dès que l'arche de l'alliance de Yahvé arriva au camp, tout Israël poussa une grande acclamation et la terre trembla. [6]Les Philistins entendirent le bruit de l'acclamation et dirent : « Que signifie cette grande acclamation au camp des Hébreux ? », et ils surent que l'arche de Yahvé était arrivée au camp. [7]Alors les Philistins eurent peur, car ils se disaient : « Dieu est venu au camp ! » Ils dirent : « Malheur à nous ! Car une chose pareille n'est pas arrivée auparavant. [8]Malheur à nous ! Qui nous délivrera de la main de ce Dieu puissant ? C'est lui qui a frappé l'Égypte de toutes sortes de plaies au désert. [9]Prenez courage et agissez en hommes, Philistins, pour n'être pas asservis aux Hébreux comme ils vous ont été asservis ; agissez en hommes et combattez ! » [10]Les Philistins livrèrent bataille et Israël fut battu, chacun s'enfuyant vers sa tente ; ce fut un très grand massacre et trente mille hommes de pied tombèrent du côté d'Israël. [11]L'arche de Dieu fut prise et les deux fils d'Éli moururent, Hophni et Pinhas.

Mort d'Éli.

[12]Un homme de Benjamin courut hors des lignes et atteignit Silo le même jour, les vêtements déchirés et la tête couverte de poussière. [13]Lorsqu'il arriva, Éli était assis sur son siège, au bord de la route

qu'il épiait, car son cœur tremblait pour l'arche de Dieu. Cet homme donc vint apporter la nouvelle à la ville, et toute la ville poussa des cris. [14]Éli entendit les cris et demanda : « Que signifie cette grande rumeur ? » L'homme se hâta et vint avertir Éli. – [15]Celui-ci avait quatre-vingt-dix-huit ans ; ses yeux étaient fixes et il ne pouvait plus voir. – [16]L'homme dit à Éli : « C'est moi qui arrive des lignes, je me suis enfui des lignes aujourd'hui », et celui-ci demanda : « Que s'est-il passé, mon fils ? » [17]Le messager répondit : « Israël a fui devant les Philistins, ce fut même une grande défaite pour le peuple ; tes deux fils sont morts, Hophni et Pinhas, et l'arche de Dieu a été prise ! » [18]À cette mention de l'arche de Dieu, Éli tomba de son siège à la renverse, contre un élément de la porte, sa nuque se brisa et il mourut, car l'homme était âgé et pesant. Il avait jugé Israël pendant quarante ans.

Mort de la femme de Pinhas.

[19]Or sa bru, la femme de Pinhas, était enceinte et sur le point d'accoucher. Dès qu'elle eut appris la nouvelle relative à la prise de l'arche de Dieu et à la mort de son beau-père et de son mari, elle s'accroupit et elle accoucha, car ses douleurs l'avaient assaillie. [20]Comme elle était à la mort, celles qui se tenaient près d'elle lui dirent : « Ne crains pas, car tu as enfanté un fils », mais elle ne répondit pas et n'y fit pas attention. [21]Elle appela l'enfant Ikabod, disant : « La gloire a été bannie d'Israël », à cause de la prise de l'arche de Dieu et à cause de son beau-père et

de son mari. ²²Elle dit : « La gloire a été bannie d'Israël, parce que l'arche de Dieu a été prise. »

Déboires des Philistins avec l'arche.

5 ¹Lorsque les Philistins eurent pris l'arche de Dieu, ils la conduisirent d'Ében-ha-Ézèr à Ashdod. ²Les Philistins prirent l'arche de Dieu, l'amenèrent dans le temple de Dagôn et la déposèrent à côté de Dagôn. ³Quand les Ashdodites se levèrent le lendemain, voilà que Dagôn était tombé en avant, par terre, devant l'arche de Yahvé. Ils prirent Dagôn et le remirent à sa place. ⁴Quand ils se levèrent de bon matin, le lendemain, voilà que Dagôn était tombé en avant, par terre, devant l'arche de Yahvé ; la tête de Dagôn et ses deux mains étaient coupées près du seuil ; il ne restait à sa place que Dagôn seul. ⁵C'est pourquoi les prêtres de Dagôn et tous ceux qui entrent dans le temple de Dagôn ne marchent pas sur le seuil de Dagôn à Ashdod, jusqu'à ce jour.

⁶La main de Yahvé s'appesantit sur les Ashdodites : il les ravagea et les affligea de tumeurs, Ashdod et son territoire. ⁷Quand les gens d'Ashdod virent ce qui arrivait, ils dirent : « Que l'arche du Dieu d'Israël ne demeure pas chez nous, car sa main s'est durcie contre nous et contre Dagôn, notre dieu. » ⁸Ils envoyèrent chercher et rassemblèrent auprès d'eux tous les princes des Philistins et dirent : « Que devons-nous faire de l'arche du Dieu d'Israël ? » Les princes dirent : « C'est à Gat que sera emmenée l'arche du Dieu d'Israël », et on emmena l'arche du Dieu d'Israël. ⁹Mais après

qu'ils l'eurent amenée, la main de Yahvé fut sur la ville ; ce fut une très grande panique. Il frappa les gens de la ville, du plus petit jusqu'au plus grand, et des tumeurs leur poussèrent. ¹⁰Ils envoyèrent alors l'arche de Dieu à Éqrôn, mais lorsque l'arche de Dieu arriva à Éqrôn, les Éqrônites s'écrièrent : « Ils m'ont amené l'arche du Dieu d'Israël pour me faire mourir moi et mon peuple ! » ¹¹Ils envoyèrent chercher et rassemblèrent tous les princes des Philistins et dirent : « Renvoyez l'arche du Dieu d'Israël, et qu'elle retourne à son lieu et ne me fasse pas mourir, moi et mon peuple. » Il y avait en effet une panique mortelle dans toute la ville, tant s'y était appesantie la main de Dieu.

¹²Les gens qui ne mouraient pas étaient affligés de tumeurs et le cri de détresse de la ville montait jusqu'au ciel.

Renvoi de l'arche.

6 ¹L'arche de Yahvé fut sept mois dans le territoire des Philistins. ²Les Philistins en appelèrent aux prêtres et aux devins et dirent : « Que devons-nous faire de l'arche de Yahvé ? Indiquez-nous comment nous la renverrons en son lieu. » ³Ils répondirent : « Si vous voulez renvoyer l'arche du Dieu d'Israël, ne la renvoyez pas sans rien, mais apportez-lui une réparation. Alors vous guérirez et vous saurez pourquoi sa main ne s'était pas détournée de vous. » ⁴Ils dirent : « Quelle doit être la réparation que nous lui apporterons ? » Ils répondirent : « D'après le nombre des princes des Philistins, cinq tumeurs d'or et cinq rats d'or, car ce fut la même plaie pour vous et pour vos princes. [5]Faites des images de vos tumeurs et des images de vos rats, qui ravagent le pays, et rendez gloire au Dieu d'Israël. Peut-être sa main se fera-t-elle plus légère sur vous, vos dieux et votre pays. [6]Pourquoi endurciriez-vous votre cœur comme l'ont endurci les Égyptiens et Pharaon ? Ne les ont-ils pas renvoyés et laissés partir lorsqu'il s'est joué d'eux ? [7]Maintenant, prenez et préparez un chariot neuf et deux vaches qui allaitent et n'ont pas porté le joug : vous attellerez les vaches au chariot et vous ramènerez leurs petits en arrière à l'étable. [8]Vous prendrez l'arche de Yahvé et vous la placerez sur le chariot. Quant aux objets d'or que vous leur avez apporté comme réparation, vous les mettrez dans un coffre, à côté d'elle. Vous la renverrez et elle partira. [9]Puis vous regarderez si elle monte à Bet-Shémesh en prenant le chemin de son territoire, alors c'est lui qui nous a fait ce grand mal. Sinon, nous saurons que ce n'est pas sa main qui nous a frappés et pour nous ce n'était qu'un accident. »

[10]Ainsi firent les gens : ils prirent deux vaches qui allaitaient et ils les attelèrent au chariot, mais il retinrent les petits à l'étable. [11]Ils placèrent l'arche de Yahvé sur le chariot, ainsi que le coffre avec les rats d'or et les images de leurs tumeurs.

[12]Les vaches prirent tout droit le chemin de Bet-Shémesh et elles marchaient sur une seule voie en meuglant, sans dévier ni à droite ni à gauche. Les princes des Phi-

listins les suivirent jusqu'au territoire de Bet-Shémesh.

L'arche à Bet-Shémesh.

[13]À Bet-Shémesh les gens faisaient la moisson des blés dans la plaine. Levant les yeux, ils virent l'arche et ils se réjouirent de la voir. [14]Lorsque le chariot arriva au champ de Josué, un habitant de Bet-Shémesh, il s'y arrêta. Il y avait là une grande pierre. On fendit le bois du chariot et les vaches on les offrit en holocauste à Yahvé. [15]Les lévites avaient descendu l'arche de Yahvé et le coffre qui était près d'elle et qui contenait les objets d'or, et ils les placèrent sur la grande pierre. Ce jour-là, les gens de Bet-Shémesh offrirent des holocaustes et firent des sacrifices à Yahvé. [16]Les cinq princes des Philistins virent cela et retournèrent à Éqrôn ce jour-là.

[17]Voici les tumeurs d'or que les Philistins apportèrent en réparation à Yahvé : pour Ashdod une, pour Gaza une, pour Ashqelôn une, pour Gat une, pour Éqrôn une. [18]Et des rats d'or, autant que toutes les villes des Philistins, celles des cinq princes, depuis les villes fortes jusqu'aux villages ouverts, et jusqu'à la grande pierre où on déposa l'arche de Yahvé ; encore aujourd'hui elle est dans le champ de Josué, un habitant de Bet-Shémesh. [19]Dieu frappa parmi les hommes de Bet-Shémesh, car ils avaient regardé à l'intérieur de l'arche de Yahvé. Il frappa parmi le peuple soixante-dix hommes (cinquante mille hommes). Le peuple fut en deuil, car Yahvé avait frappé dans le peuple un grand coup.

L'arche à Qiryat-Yéarim.

20 Alors les gens de Bet-Shémesh dirent : « Qui pourrait tenir en face de Yahvé, ce Dieu Saint ? Chez qui montera-t-il loin de nous ? » 21 Ils envoyèrent des messagers aux habitants de Qiryat-Yéarim en disant : « Les Philistins ont rendu l'arche de Yahvé. Descendez et faites-la monter chez vous. »

7 1 Les gens de Qiryat-Yéarim vinrent et firent monter l'arche de Yahvé. Ils la conduisirent dans la maison d'Abinadab, sur la hauteur, et ils consacrèrent son fils Éléazar pour garder l'arche de Yahvé.

Samuel juge et libérateur.

2 Depuis le jour où l'arche fut installée à Qiryat-Yéarim, bien des jours s'écoulèrent et cela fit vingt ans. Toute la maison d'Israël soupira après Yahvé. 3 Alors Samuel dit à toute la maison d'Israël : « Si c'est de tout votre cœur que vous revenez à Yahvé, écartez les dieux de l'étranger du milieu de vous, et les Astartés, fixez votre cœur en Yahvé et ne servez que lui : ainsi il vous délivrera de la main des Philistins. » 4 Les Israélites écartèrent donc les Baals et les Astartés et ne servirent que Yahvé.

5 Samuel dit : « Rassemblez tout Israël à Miçpa et je prierai Yahvé en votre faveur. » 6 Ils se rassemblèrent donc à Miçpa, ils puisèrent de l'eau qu'ils répandirent devant Yahvé, ils jeûnèrent ce jour-là et ils dirent : « Nous avons péché contre Yahvé. » Et Samuel jugea les Israélites à Miçpa.

7 Lorsque les Philistins apprirent que les Israélites s'étaient rassem-

blés à Miçpa, les princes des Philistins montèrent contre Israël. Les Israélites l'apprirent et ils eurent peur des Philistins. 8 Les Israélites dirent à Samuel : « Ne reste pas muet en nous abandonnant ! Crie vers Yahvé notre Dieu, pour qu'il nous délivre de la main des Philistins. » 9 Samuel prit un agneau de lait et l'offrit en holocauste complet à Yahvé ; Samuel cria vers Yahvé en faveur d'Israël et Yahvé lui répondit. 10 Pendant que Samuel offrait l'holocauste, les Philistins engagèrent le combat contre Israël, mais Yahvé ce jour-là tonna à grand fracas sur les Philistins, il les frappa de panique et ils furent défaits devant Israël. 11 Les hommes d'Israël sortirent de Miçpa et poursuivirent les Philistins, et ils les battirent jusqu'en dessous de Bet-Kar. 12 Alors Samuel prit une pierre et la dressa entre Miçpa et La Dent, et il lui donna le nom d'Ében-ha-Ézèr, en disant : « C'est jusqu'ici que Yahvé nous a secourus. »

13 Les Philistins furent abaissés. Ils ne revinrent plus sur le territoire d'Israël et la main de Yahvé fut sur les Philistins pendant toute la vie de Samuel. 14 Les villes que les Philistins avaient prises à Israël lui revinrent depuis Éqrôn jusqu'à Gat, et Israël délivra leur territoire de la main des Philistins. Il y eut paix entre Israël et les Amorites.

15 Samuel jugea Israël pendant toute sa vie. 16 Il allait chaque année faire une tournée par Béthel, Gilgal, Miçpa, et il jugeait Israël en tous ces endroits. 17 Puis il revenait à Rama, car c'est là qu'il avait sa maison et là qu'il jugeait Israël, là qu'il construisit un autel pour Yahvé.

2. Samuel et Saül

I. INSTITUTION DE LA ROYAUTÉ

Le peuple demande un roi.

8 ¹Lorsque Samuel fut devenu vieux, il établit ses fils comme juges pour Israël. ²Son fils aîné s'appelait Yoël et son cadet Abiyya ; ils étaient juges à Bersabée. ³Mais ses fils ne marchèrent pas sur ses traces : ils furent attirés par le gain, acceptèrent des cadeaux et firent dévier le droit. ⁴Tous les anciens d'Israël se réunirent et vinrent trouver Samuel à Rama. ⁵Ils lui dirent : « Tu es devenu vieux et tes fils ne marchent pas sur tes traces. Maintenant donc, établis-nous un roi pour qu'il nous juge, comme toutes les nations. » ⁶Cela déplut à Samuel qu'ils aient dit : « Donne-nous un roi, pour qu'il nous juge », et il pria Yahvé. ⁷Mais Yahvé dit à Samuel : « Écoute la voix du peuple en tout ce qu'ils te diront, car ce n'est pas toi qu'ils rejettent, mais c'est moi qu'ils rejettent, ne voulant plus que je règne sur eux. ⁸Conformément à tout ce qu'ils ont fait depuis le jour où je les ai fait monter d'Égypte jusqu'à maintenant – ils m'ont abandonné et ont servi d'autres dieux, ainsi ils agissent également envers toi. ⁹Et maintenant, écoute leur voix, mais tu les avertiras solennellement et tu leur apprendras le droit du roi qui va régner sur eux. »

Les inconvénients de la royauté.

¹⁰Samuel répéta toutes les paroles de Yahvé au peuple qui lui demandait un roi. ¹¹Il dit : « Tel sera le droit du roi qui va régner sur vous. Il prendra vos fils et les affectera à ses chars et à sa cavalerie et ils courront devant son char. ¹²Il les établira chefs de mille et chefs de cinquante ; il leur fera labourer son labour, moissonner sa moisson, fabriquer ses armes de guerre et les harnais de ses chars. ¹³Il prendra vos filles comme parfumeuses, cuisinières et boulangères. ¹⁴Il prendra vos champs, vos vignes et vos oliviers les meilleurs et les donnera à ses serviteurs. ¹⁵Sur vos semences et vos vignes, il prélèvera la dîme et la donnera à ses eunuques et à ses serviteurs. ¹⁶Les meilleurs de vos serviteurs, de vos servantes et de vos jeunes gens ainsi que vos ânes, il les prendra et les fera travailler pour lui. ¹⁷Il prélèvera la dîme sur vos troupeaux. Vous-mêmes deviendrez ses serviteurs. ¹⁸Ce jour-là, vous crierez à cause du roi que vous vous serez choisi, mais Yahvé ne vous répondra pas, ce jour-là ! »

¹⁹Le peuple refusa d'écouter la voix de Samuel et dit : « Non ! Nous aurons un roi ²⁰et nous serons, nous aussi, comme toutes les nations : notre roi nous jugera, il sortira à notre tête et combattra nos combats. » ²¹Samuel entendit toutes les paroles du peuple et les redit à l'oreille de Yahvé. ²²Mais Yahvé dit à Samuel : « Écoute leur voix et fais régner sur eux un roi. » Alors Samuel dit aux hom-

mes d'Israël : « Partez chacun dans sa ville. »

Saül et les ânesses de son père.

9 [1]Il y avait un homme de Benjamin qui s'appelait Qish, fils d'Abiel, fils de Çeror, fils de Bekorat, fils d'Aphiah, fils d'un Benjaminite, un homme vaillant. [2]Il avait un fils nommé Saül, homme jeune et beau. Nul parmi les Israélites n'était plus beau que lui : de l'épaule et au-dessus, il dépassait tout le peuple.

[3]Les ânesses appartenant à Qish, père de Saül, s'étant égarées, Qish dit à son fils Saül : « Prends avec toi l'un des jeunes gens. Lève-toi, pars à la recherche des ânesses. » [4]Il traversa la montagne d'Éphraïm, il traversa le pays de Shalisha sans rien trouver ; il traversa le pays de Shaalim et elles n'y étaient pas ; il traversa le pays de Benjamin sans rien trouver. [5]Lorsqu'ils furent arrivés au pays de Çuph, Saül dit au jeune homme qui était avec lui : « Allons ! Retournons, de peur que mon père cesse de penser aux ânesses et qu'il ne s'inquiète pour nous. » [6]Mais celui-ci lui répondit : « Voici qu'un homme de Dieu se trouve dans cette ville. C'est un homme réputé : tout ce qu'il dit arrive sûrement. Allons-y donc, peut-être nous renseignera-t-il sur le voyage que nous avons entrepris. » [7]Saül dit au jeune homme : « Si nous y allons, qu'apporterons-nous à l'homme de Dieu ? Le pain a disparu de nos sacs et nous n'avons pas de présent à apporter à l'homme de Dieu. Qu'avons-nous ? » [8]Le jeune homme répondit à Saül et lui dit : « Voici j'ai en ma pos-

session un quart de sicle d'argent, je le donnerai à l'homme de Dieu et il nous renseignera sur notre voyage. » [9]Autrefois en Israël, on parlait ainsi lorsqu'on allait consulter Dieu : « Allons donc chez le voyant », car le prophète d'aujourd'hui on l'appelait autrefois « le voyant ». [10]Saül dit au jeune homme : « Tu as bien parlé, allons donc ! » Et ils allèrent à la ville où se trouvait l'homme de Dieu.

Saül rencontre Samuel.

[11]Comme ils gravissaient la montée de la ville, ils rencontrèrent des jeunes filles qui sortaient pour puiser l'eau et ils leur demandèrent : « Le voyant est-il ici ? » [12]Elles leur répondirent en disant : « Il y est ; le voici devant toi. Hâte-toi maintenant : il est venu aujourd'hui en ville, car il y a aujourd'hui un sacrifice pour le peuple sur le haut lieu. [13]Dès que vous entrerez en ville, vous le trouverez avant qu'il ne monte au haut lieu pour le repas. Le peuple ne mangera pas avant son arrivée, car c'est lui qui doit bénir le sacrifice ; après quoi, les invités mangeront. Maintenant, montez, car lui, vous le trouverez sur-le-champ. »

[14]Ils montèrent donc à la ville. Comme ils entraient dans la ville, Samuel sortait à leur rencontre pour monter au haut lieu. [15]Or, un jour avant que Saül ne vînt, Yahvé avait averti Samuel : [16]« Demain à pareille heure, avait-il dit, je t'enverrai un homme du pays de Benjamin, tu lui donneras l'onction comme chef de mon peuple Israël, et il sauvera mon peuple de la main des Philistins, car j'ai vu mon peuple et son cri

est venu jusqu'à moi. » [17]Et quand Samuel aperçut Saül, Yahvé lui confirma : « Voilà l'homme dont je t'ai dit : C'est lui qui tiendra mon peuple en main. » [18]Saül aborda Samuel au milieu de la porte et dit : « Indique-moi, je te prie, où est la maison du voyant. » [19]Samuel répondit à Saül : « C'est moi le voyant. Monte devant moi au haut lieu. Vous mangerez aujourd'hui avec moi. Je te laisserai partir au matin et je t'indiquerai tout ce qui te préoccupe. [20]Quant à tes ânesses égarées il y a aujourd'hui trois jours, ne t'en inquiète pas, car elles sont retrouvées. Et à qui appartient tout ce qui est précieux en Israël ? N'est-ce pas à toi et à toute la maison de ton père ? » [21]Saül répondit et dit : « Ne suis-je pas un Benjaminite, une des plus petites tribus d'Israël, et ma famille n'est-elle pas la moindre de toutes celles de la tribu de Benjamin ? Pourquoi me dire une telle parole ? »

[22]Samuel prit Saül et le jeune homme. Il les introduisit dans la salle et leur donna une place en tête des invités, qui étaient une trentaine. [23]Puis Samuel dit au cuisinier : « Donne la part que je t'ai donnée, celle dont je t'ai dit : Mets-la de côté. » [24]Le cuisinier préleva le gigot et ce qui est au-dessus, il les plaça devant Saül et lui dit : « Voici le reste placé devant toi. Mange, car c'est pour cette réunion que cela a été gardé pour toi en disant : "J'ai invité le peuple." » Ce jour-là, Saül mangea avec Samuel.

[25]Ils descendirent du haut lieu à la ville. Il parla avec Saül sur la terrasse. [26]Ils se levèrent tôt.

Le sacre de Saül.

Or, dès que monta l'aurore, Samuel appela Saül sur la terrasse en lui disant : « Lève-toi, je vais te laisser partir. » Saül se leva, et tous les deux, lui et Samuel sortirent au-dehors. [27]Ils étaient descendus à la limite de la ville quand Samuel dit à Saül : « Ordonne au jeune homme de passer devant nous. » Celui-ci passa devant. « Quant à toi tiens-toi là maintenant, que je te fasse entendre la parole de Dieu. »

10 [1]Samuel prit la fiole d'huile, la versa sur la tête de Saül, puis il l'embrassa et dit : « N'est-ce pas Yahvé qui t'a oint comme chef sur son héritage ? C'est toi qui jugeras le peuple de Yahvé et le délivreras de la main de ses ennemis d'alentour. Et voici pour toi le signe que Yahvé t'a oint comme chef sur son héritage. [2]Quand tu m'auras quitté aujourd'hui, tu rencontreras deux hommes près du tombeau de Rachel, sur la frontière de Benjamin, à Çelçah et ils te diront : "Les ânesses que tu étais parti chercher sont retrouvées. Voici que ton père a oublié l'affaire des ânesses et s'inquiète de vous, se disant : Que puis-je faire pour mon fils ?" [3]De là, passant outre, tu arriveras au Chêne de Tabor et tu y rencontreras trois hommes montant vers Dieu à Béthel, l'un portant trois chevreaux, l'autre portant trois miches de pain, le dernier portant une outre de vin. [4]Ils te salueront et te donneront deux offrandes de pains, que tu prendras de leur main. [5]Après cela, tu arriveras à Gibéa de Dieu où se trouvent des préfets des Philistins et, à l'entrée de la ville, tu te heurteras à une troupe de prophètes descendant du haut lieu, précédés de la harpe, du tambourin, de la flûte et de la cithare, et ils seront en état de transe prophétique. [6]Alors l'esprit de Yahvé fondra sur toi, tu entreras en transe avec eux et tu seras changé en un autre homme. [7]Lorsque ces signes se produiront pour toi, agis comme l'occasion se présentera, car Dieu est avec toi. [8]Tu descendras avant moi à Gilgal et je t'y rejoindrai pour offrir des holocaustes et des sacrifices de communion. Tu attendras sept jours jusqu'à ce que je vienne vers toi et je te ferai savoir ce que tu dois faire. »

Retour de Saül.

[9]Dès qu'il eut tourné le dos pour quitter Samuel, Dieu lui changea le cœur et tous ces signes s'accomplirent le jour même. [10]Quand ils arrivèrent là, à Gibéa, voici qu'une troupe de prophètes venait à sa rencontre ; l'esprit de Dieu fondit sur lui et il entra en transe avec eux. [11]Tous ceux qui le connaissaient de longue date le virent : il faisait le prophète avec des prophètes. Les gens se dirent l'un à l'autre : « Qu'est-il arrivé au fils de Qish ? Saül est-il aussi parmi les prophètes ? » [12]Un homme originaire de l'endroit reprit : « Qui donc est leur père ? » C'est pourquoi il est passé en proverbe de dire : « Saül est-il aussi parmi les prophètes ? »
[13]Lorsqu'il fut sorti de transe, Saül arriva au haut lieu. [14]L'oncle de Saül leur dit, à lui et au jeune homme : « Où êtes-vous allés ? » « À la recherche des ânesses, répondit-il. Nous n'avons rien vu et

nous sommes allés chez Samuel. » [15]L'oncle de Saül lui dit : « Raconte-moi donc ce que Samuel vous a dit. » [16]Saül dit à son oncle : « Il nous a bien raconté que les ânesses étaient retrouvées », mais il ne lui raconta pas l'affaire de la royauté, que Samuel avait dite.

Saül est désigné comme roi par le sort.

[17]Samuel convoqua le peuple auprès de Yahvé à Miçpa [18]et il dit aux Israélites : « Ainsi parle Yahvé, le Dieu d'Israël : Moi, j'ai fait monter Israël d'Égypte et vous ai délivrés de la main de l'Égypte et de tous les royaumes qui vous opprimaient. [19]Mais vous, aujourd'hui, vous avez rejeté votre Dieu, celui qui vous sauvait de tous vos maux et de toutes vos angoisses, et vous lui avez dit : "Tu établiras un roi sur nous." Maintenant, présentez-vous devant Yahvé par tribus et par clans. »
[20]Samuel fit approcher toutes les tribus d'Israël et la tribu de Benjamin fut désignée par le sort. [21]Il fit approcher la tribu de Benjamin par clans, et le clan de Matri fut désigné. Puis Saül, fils de Qish, fut désigné ; on le chercha, mais on ne le trouva pas.
[22]On consulta encore Yahvé : « Est-il venu ici quelqu'un d'autre ? » Et Yahvé dit : « Le voici caché parmi les bagages. » [23]On courut l'y prendre et il se présenta au milieu du peuple : de l'épaule et au-dessus, il dépassait tout le peuple. [24]Samuel dit à tout le peuple : « Avez-vous vu celui qu'a choisi Yahvé ? Il n'a pas son pareil dans tout le peuple. » Tout le peuple s'écria : « Vive le roi ! »

²⁵Samuel exposa au peuple le droit de la royauté et il l'écrivit dans le livre qu'il déposa devant Yahvé. Samuel renvoya tout le peuple, chacun chez soi. ²⁶Saül aussi s'en alla chez lui à Gibéa, et partirent avec lui les vaillants dont Dieu avait touché le cœur. ²⁷Mais des vauriens dirent : « Comment celui-là nous sauverait-il ? » Ils le méprisèrent et ne lui offrirent pas de présent, mais lui il garda le silence.

Victoire contre les Ammonites.

11 ¹Nahash l'Ammonite monta assiéger Yabesh de Galaad. Tous les gens de Yabesh dirent à Nahash : « Conclus avec nous un traité et nous te servirons. » ²Mais Nahash l'Ammonite leur dit : « Je le conclurai avec vous de cette manière : en vous crevant à chacun l'œil droit, et j'infligerai cette honte sur tout Israël. » ³Les anciens de Yabesh lui dirent : « Laisse-nous un répit de sept jours. Nous enverrons des messagers dans tout le territoire d'Israël et, si personne ne vient nous sauver, nous nous rendrons à toi. » ⁴Les messagers arrivèrent à Gibéa de Saül et exposèrent les choses aux oreilles du peuple. Tout le peuple éleva la voix et pleura.

⁵Or, voici que Saül revenait des champs derrière ses bœufs. Saül dit : « Qu'a donc le peuple à pleurer ainsi ? » On lui raconta les propos des hommes de Yabesh, ⁶et quand Saül entendit ces paroles, l'esprit de Dieu fondit sur lui et il entra dans une grande colère. ⁷Il prit une paire de bœufs et la dépeça en morceaux qu'il envoya par messagers dans tout le territoire d'Israël en disant : « Celui qui ne sortira pas pour le combat derrière Saül et Samuel, ainsi sera-t-il fait de ses bœufs. » Une terreur de Yahvé s'abattit sur le peuple et ils marchèrent comme un seul homme. ⁸Il les passa en revue à Bézeq : les Israélites étaient trois cent mille et les hommes de Juda trente mille. ⁹On dit aux messagers qui étaient venus : « Vous parlerez ainsi aux hommes de Yabesh de Galaad : Demain, quand le soleil sera ardent, un salut vous arrivera. » Les messagers vinrent en informer les hommes de Yabesh, et ceux-ci se réjouirent. ¹⁰Les hommes de Yabesh dirent : « Demain, nous sortirons vers vous et vous nous traiterez comme il vous semblera bon. »

¹¹Le lendemain, Saül disposa le peuple en trois corps. Ils pénétrèrent au milieu du camp à la veille du matin, et ils battirent les Ammonites jusqu'au plus chaud du jour. Les survivants se dispersèrent, il n'en resta pas deux ensemble.

Saül est proclamé roi.

¹²Le peuple dit à Samuel : « Qui donc disait : "Saül régnera-t-il sur nous ?" Livrez ces gens, que nous les mettions à mort. » ¹³Mais Saül dit : « Personne ne sera mis à mort en ce jour, car aujourd'hui Yahvé a opéré un salut en Israël. » ¹⁴Puis Samuel dit au peuple : « Venez et allons à Gilgal et nous y renouvellerons la royauté. » ¹⁵Tout le peuple alla à Gilgal et là on fit Saül roi devant Yahvé. Là on offrit des sacrifices de communion devant Yahvé. Là Saül et

tous les hommes d'Israël se livrèrent à de grandes réjouissances.

Samuel se retire devant Saül.
Jos 24 1-28.

12 ¹Samuel dit à tout Israël :
« Voici que je vous ai écouté
en tout ce que vous m'avez dit et
j'ai fait régner un roi sur vous. ²Et
maintenant, voici le roi qui marche devant vous. Pour moi, je suis
devenu vieux, j'ai blanchi et mes
fils sont là avec vous. J'ai marché
devant vous depuis ma jeunesse
jusqu'à ce jour. ³Me voici ! Déposez contre moi devant Yahvé et
devant son oint : de qui ai-je pris
le bœuf et de qui ai-je pris l'âne ?
Qui ai-je exploité ? Qui ai-je écrasé ? De la main de qui ai-je reçu
une compensation pour que je ferme les yeux sur son cas ? Je vous
restituerai. » ⁴Ils répondirent :
« Tu ne nous as ni exploités ni
écrasés, tu n'as rien reçu de personne. » ⁵Il leur dit : « Yahvé est
témoin contre vous, et son oint est
témoin aujourd'hui, que vous
n'avez rien trouvé entre mes
mains. » Et ils répondirent : « Il
est témoin. » ⁶Samuel dit au peuple : « C'est Yahvé qui a agi avec
Moïse et Aaron et qui a fait monter vos pères du pays d'Égypte.
⁷Et maintenant, présentez-vous, je
vais discuter avec vous devant
Yahvé tous les bienfaits que Yahvé a faits pour vous et vos pères :
⁸quand Jacob fut arrivé en Égypte, vos pères ont crié vers Yahvé
et Yahvé envoya Moïse et Aaron
qui firent sortir vos pères d'Égypte, et qui les installèrent en ce lieu.
⁹Mais ils oublièrent Yahvé leur
Dieu et celui-ci les a vendus aux
mains de Sisera, chef de l'armée

de Haçor, aux mains des Philistins et du roi de Moab qui leur
firent la guerre. ¹⁰Ils crièrent vers
Yahvé : "Nous avons péché, dirent-ils, car nous avons abandonné Yahvé et servi les Baals et les
Astartés. Maintenant, délivre-
nous de la main de nos ennemis
et nous te servirons !" ¹¹Alors
Yahvé envoya Yerubbaal, Bedân,
Jephté, Samuel, il vous a délivrés
de vos ennemis d'alentour et vous
avez habité en sécurité.

¹²« Cependant, lorsque vous
avez vu Nahash, le roi des Ammonites, marcher contre vous,
vous m'avez dit : "Non ! Il faut
qu'un roi règne sur nous." Pourtant, Yahvé votre Dieu, c'est lui
votre roi ! ¹³Maintenant donc, voici le roi que vous avez choisi, que
vous avez demandé ; voici que
Yahvé vous a donné un roi. ¹⁴Si
vous craignez Yahvé et le servez,
si vous écoutez sa voix et ne vous
révoltez pas contre les ordres de
Yahvé, vous ainsi que le roi qui
règne sur vous, vous suivrez Yahvé, votre Dieu, c'est bien ! ¹⁵Mais
si vous n'écoutez pas la voix de
Yahvé, si vous vous révoltez contre les ordres de Yahvé, la main
de Yahvé sera sur vous et sur vos
pères.

¹⁶« Maintenant encore, présentez-vous et voyez cette grande
chose que Yahvé opère sous vos
yeux. ¹⁷N'est-ce pas maintenant la
moisson des blés ? Je vais invoquer Yahvé et il fera tonner et
pleuvoir. Comprenez et voyez la
gravité du mal que vous avez fait
envers Yahvé en demandant pour
vous un roi. » ¹⁸Samuel invoqua
Yahvé et celui-ci fit tonner et
pleuvoir le jour même, et tout le

peuple eut une grande crainte de Yahvé et de Samuel. [19]Tout le peuple dit à Samuel : « Prie Yahvé ton Dieu en faveur de tes serviteurs, afin que nous ne mourions pas, car à tous nos péchés nous avons ajouté le malheur de demander pour nous un roi. »

[20]Samuel dit au peuple : « Ne craignez pas. Vous avez commis tout ce mal. Seulement, ne vous écartez pas de Yahvé et servez-le de tout votre cœur. [21]Ne vous en écartez pas, car ce serait suivre le vide, ce qui ne sert de rien et ne peut délivrer, car les idoles sont du vide. [22]En effet, Yahvé n'abandonne pas son peuple à cause de son grand nom, car Yahvé a voulu que vous deveniez son peuple. [23]Pour ma part, malheur à moi si je pèche contre Yahvé en cessant de prier pour vous. Je vous enseignerai le bon et droit chemin. [24]Craignez seulement Yahvé et servez-le sincèrement de tout votre cœur, car voyez ce qu'il a fait de grand avec vous. [25]Mais si vous commettez le mal, vous périrez, vous et votre roi. »

II. DÉBUTS DU RÈGNE DE SAÜL

Soulèvement contre les Philistins.

13 [1]Saül était âgé de... ans lorsqu'il devint roi, et il régna deux ans sur Israël. [2]Saül se choisit trois mille hommes d'Israël : il y en eut deux mille avec Saül à Mikmas et dans la montagne de Béthel, il y en eut mille avec Jonathan à Gibéa de Benjamin, et Saül renvoya le reste du peuple chacun à sa tente.

[3]Jonathan frappa le préfet des Philistins qui se trouvait à Géba et les Philistins l'apprirent. Saül fit sonner du cor dans tout le pays en disant : « Que les Hébreux l'apprennent ! » [4]Tout Israël l'apprit disant : « Saül a frappé le préfet des Philistins et même, Israël s'est rendu odieux aux Philistins ! » Et le peuple se groupa derrière Saül à Gilgal. [5]Les Philistins se rassemblèrent pour combattre Israël, trente mille chars, six mille cavaliers et une troupe aussi nombreuse que le sable du bord de la mer, et ils vinrent camper à Mikmas, à l'orient de Bet-Avèn. [6]Les hommes d'Israël se virent en péril, car le peuple était serré de près. Le peuple se cacha dans les grottes, les trous, les failles de rocher, les souterrains et les citernes. [7]Des Hébreux passèrent même le Jourdain pour aller vers le pays de Gad et de Galaad.

Rupture entre Samuel et Saül.
Cf. **15**.

Saül était encore à Gilgal et derrière lui le peuple tremblait. [8]Il attendit sept jours le rendez-vous fixé par Samuel, mais Samuel ne vint pas à Gilgal. Le peuple quittant Saül, se dispersa. [9]Saül dit : « Amenez-moi l'holocauste et les sacrifices de communion », et il offrit l'holocauste.

[10]Comme il achevait d'offrir l'holocauste, voici que Samuel ar-

riva. Saül sortit à sa rencontre pour le saluer. [11]Samuel dit : « Qu'as-tu fait ? » Saül dit : « Quand j'ai vu que le peuple me quittait et se dispersait, que toi-même tu ne venais pas au rendez-vous fixé et que les Philistins étaient rassemblés à Mikmas, [12]je me suis dit : Maintenant les Philistins vont descendre sur moi à Gilgal et je n'aurai pas apaisé la face de Yahvé ! Alors je me suis contraint et j'ai offert l'holocauste. » [13]Samuel dit à Saül : « Tu as agi en insensé ! Tu n'as pas gardé le commandement que Yahvé ton Dieu t'avait prescrit. Autrement Yahvé aurait affermi pour toujours ta royauté sur Israël, [14]mais maintenant, ta royauté ne tiendra pas : Yahvé s'est cherché un homme selon son cœur et il l'a institué chef de son peuple, parce que tu n'as pas gardé ce que Yahvé t'avait prescrit. » [15]Samuel se leva et monta de Gilgal pour suivre son chemin. Le reste du peuple monta derrière Saül à la rencontre des hommes de guerre et vint de Gilgal à Géba de Benjamin. Saül passa en revue le peuple qui se trouvait avec lui : environ six cents hommes.

Préparatifs de combat.

[16]Saül, son fils Jonathan et le peuple qui était avec eux demeuraient à Géba de Benjamin et les Philistins campaient à Mikmas. [17]Le corps de destruction sortit du camp philistin en trois bandes : une bande prit la direction d'Ophra, au pays de Shual, [18]la deuxième prit la direction de Bet-Horôn et la troisième prit la direction de la hauteur qui surplombe la Vallée des Hyènes, vers le désert.

[19]On ne trouvait plus de forgeron dans tout le pays d'Israël, car les Philistins s'étaient dit : « Il ne faut pas que les Hébreux fabriquent des épées ou des lances. » [20]Tout Israël descendait chez les Philistins pour faire affûter chacun son soc, sa houe, sa hache ou son pic. [21]Le prix était de deux tiers de sicle pour les socs, les houes, les fourches à trois dents, les haches et pour mettre en état les aiguillons. [22]Or, le jour du combat, il n'y avait ni épée ni lance parmi tout le peuple qui était avec Saül et Jonathan. On n'en trouva que pour Saül et Jonathan, son fils.

[23]Un poste de Philistins sortit vers la passe de Mikmas.

Jonathan attaque le poste.

14 [1]Un jour le fils de Saül, Jonathan, dit à son écuyer : « Viens, traversons jusqu'au poste des Philistins qui est de l'autre côté », mais il n'avertit pas son père. [2]Saül était assis à la limite de Gibéa, sous le grenadier qui est à Migrôn, et le peuple qui était avec lui était d'environ six cents hommes. [3]Ahiyya, fils d'Ahitub, frère d'Ikabod, fils de Pinhas, fils d'Éli, le prêtre de Yahvé à Silo, portait l'éphod. Le peuple ne savait pas que Jonathan était parti.

[4]Parmi les passages que Jonathan cherchait à traverser pour attaquer le poste des Philistins, l'un d'eux avait une dent de rocher d'un côté et une dent de rocher de l'autre ; l'une s'appelait Boçèç, et l'autre Senné. [5]L'une des dents se dresse au nord, face à Mikmas, l'autre au sud, face à Géba. [6]Jonathan dit à son écuyer : « Viens, traversons jusqu'au poste de ces incirconcis. Peut-être Yahvé agi-

ra-t-il pour nous, car rien n'empêche Yahvé de donner la victoire, qu'on soit beaucoup ou peu. » [7]Son écuyer lui dit : « Fais tout ce que tu veux. Suis ton penchant. Je t'accompagne. Comme tu veux ! » [8]Jonathan dit : « Voici que nous allons nous diriger vers ces hommes et nous laisser découvrir par eux. [9]S'ils nous disent : "Restez immobiles jusqu'à ce que nous vous rejoignions", nous resterons sur place et nous ne monterons pas vers eux. [10]Mais s'ils nous disent : "Montez vers nous", nous monterons, car Yahvé les aura livrés entre nos mains : cela nous servira de signe. »

[11]Ils se laissèrent donc découvrir tous les deux par le poste des Philistins. Les Philistins dirent : « Voici des Hébreux qui sortent des trous où ils se cachaient. » [12]Les hommes du poste, s'adressant à Jonathan et à son écuyer, dirent : « Montez vers nous, que nous vous apprenions quelque chose. » Alors Jonathan dit à son écuyer : « Monte derrière moi, car Yahvé les a livrés aux mains d'Israël. » [13]Jonathan monta en s'aidant des mains et des pieds, et son écuyer le suivit ; ils tombaient devant Jonathan et son écuyer les achevait derrière lui. [14]Ce premier coup porté par Jonathan et son écuyer frappa une vingtaine d'hommes sur environ la moitié d'un champ de labour, un arpent de terre.

Bataille générale.

[15]Ce fut la terreur dans le camp, dans la campagne et dans tout le peuple ; le poste et le corps de destruction furent terrifiés eux aussi, la terre trembla et ce fut une terreur de Dieu. [16]Les guetteurs de Saül, qui étaient à Gibéa de Benjamin regardaient : voici que le tumulte se répandait çà et là, [17]et Saül dit au peuple qui était avec lui : « Faites l'appel et voyez qui d'entre nous est parti. » On fit l'appel et voilà que Jonathan et son écuyer étaient absents ! [18]Alors Saül dit à Ahiyya : « Apporte l'arche de Dieu. » En effet ce jour-là l'arche de Dieu était avec les Israélites. [19]Mais pendant que Saül parlait au prêtre, le tumulte au camp philistin allait croissant et Saül dit au prêtre : « Retire ta main. » [20]Saül et tout le peuple qui était avec lui se réunirent et arrivèrent au lieu du combat : voilà qu'ils tiraient l'épée les uns contre les autres ; la confusion était très grande. [21]Les Hébreux qui s'étaient mis auparavant au service des Philistins et qui étaient montés avec eux au camp tout autour se mirent, eux aussi, du côté d'Israël qui était avec Saül et Jonathan. [22]Tous les hommes d'Israël qui s'étaient cachés dans la montagne d'Éphraïm, apprenant que les Philistins étaient en fuite, les talonnèrent aussi, en combattant. [23]Ce jour-là Yahvé donna la victoire à Israël.

Une interdiction de Saül violée par Jonathan.

[24]Le combat s'étendit au-delà de Bet-Avén. [24]Comme les hommes d'Israël étaient serrés de près ce jour-là, Saül prononça sur le peuple cette imprécation : « Maudit soit l'homme qui mangera de la nourriture avant le soir, avant que je ne me sois vengé de mes ennemis ! » Dans tout le peuple, personne ne goûta de nourriture.

²⁵Tout le peuple était entré dans la forêt. À la surface du sol il y avait du miel. ²⁶Le peuple était entré dans la forêt et voici qu'il y coulait du miel, mais personne ne porta la main à sa bouche, car le peuple redoutait le serment juré. ²⁷Cependant Jonathan n'avait pas entendu son père imposer le serment au peuple. Il avança le bout du bâton qu'il avait à la main et le plongea dans le rayon de miel, puis il ramena la main à sa bouche ; alors ses yeux s'éclairèrent. ²⁸Mais quelqu'un du peuple prit la parole et dit : « Ton père a imposé ce serment au peuple : "Maudit soit l'homme, a-t-il dit, qui mangera de la nourriture aujourd'hui". Et le peuple est épuisé. » ²⁹Jonathan dit : « Mon père a fait le malheur du pays ! Voyez donc comme mes yeux voient plus clair pour avoir goûté un peu de ce miel. ³⁰À plus forte raison, si le peuple avait mangé aujourd'hui du butin qu'il a trouvé chez l'ennemi, le coup porté aux Philistins n'aurait-il pas été plus grand ? »

Faute rituelle du peuple.

³¹Ce jour-là, on battit les Philistins depuis Mikmas jusqu'à Ayyalôn et le peuple était complètement épuisé. ³²Alors le peuple se rua sur le butin, il prit du petit bétail, des bœufs, des veaux, les immola à même la terre et le peuple mangea au-dessus du sang. ³³On informa Saül : « Le peuple est en train de pécher contre Yahvé en mangeant au-dessus du sang ! » Alors il dit : « Vous avez trahi ! Roulez-moi sur le champ une grande pierre ! » ³⁴Puis Saül dit : « Répandez-vous dans le peuple et dites : "Que chacun m'amène son bœuf ou son mouton ; vous les immolerez ici et vous mangerez, sans pécher contre Yahvé en mangeant auprès du sang." » Cette nuit-là, dans tout le peuple, chacun amena le bœuf qu'il possédait et on immola à cet endroit. ³⁵Saül construisit un autel à Yahvé ; ce fut le premier autel qu'il lui construisit.

Jonathan reconnu coupable est sauvé par le peuple.

³⁶Saül dit : « Descendons de nuit à la poursuite des Philistins et pillons-les jusqu'au lever du jour ; nous ne leur laisserons pas un homme. » On lui répondit : « Fais tout ce qui te semble bon. » Mais le prêtre dit : « Approchons-nous ici de Dieu. » ³⁷Saül consulta Dieu : « Descendrai-je à la poursuite des Philistins ? Les livreras-tu entre les mains d'Israël ? » Mais il ne lui répondit pas ce jour-là. ³⁸Alors, Saül dit : « Approchez ici, vous tous, chefs du peuple ! Comprenez et voyez en quoi a consisté le péché d'aujourd'hui. ³⁹Par la vie de Yahvé, le sauveur d'Israël, même si ce péché était celui de Jonathan, mon fils, il mourra sûrement ! » Dans tout le peuple personne ne lui répondit. ⁴⁰Il dit à tout Israël : « Mettez-vous d'un côté et moi avec mon fils Jonathan nous nous mettrons de l'autre », et le peuple répondit à Saül : « Fais ce qui te semble bon. »

⁴¹Saül dit à Yahvé : « Yahvé, Dieu d'Israël, pourquoi n'as-tu pas répondu à ton serviteur aujourd'hui ? Si la faute est sur moi ou sur Jonathan, mon fils, Yahvé, Dieu d'Israël, donne

urim ; si la faute est sur ton peuple Israël, donne *tummim*. » Saül et Jonathan furent désignés et le peuple mis hors de cause. ⁴²Saül dit : « Jetez le sort entre moi et mon fils Jonathan », et Jonathan fut désigné.

⁴³Alors Saül dit à Jonathan : « Raconte-moi ce que tu as fait. » Jonathan le lui raconta. Il lui dit : « Vraiment j'ai goûté avec le bout du bâton que j'avais en main un peu de miel. Je suis prêt à mourir. » ⁴⁴Saül dit : « Que Dieu me fasse ceci et encore cela, mais tu mourras, Jonathan ! » ⁴⁵Mais le peuple dit à Saül : « Est-ce que Jonathan va mourir, lui qui a opéré cette grande victoire en Israël ? Malheur à nous, par la vie de Yahvé, si tombe à terre un cheveu de sa tête, car il a agi avec Dieu aujourd'hui ! » Le peuple libéra Jonathan et il ne mourut pas.

⁴⁶Saül remonta, délaissant les Philistins et les Philistins gagnèrent leur pays.

Résumé du règne de Saül.

⁴⁷Saül avait pris la royauté sur Israël et fit la guerre de tous côtés contre tous ses ennemis, contre Moab, les Ammonites, Édom, le roi de Çoba et les Philistins ; où qu'il se tournât, il agissait en sauveur. ⁴⁸Il montra sa vaillance, en battant Amaleq et délivra Israël de la main de celui qui le pillait.

⁴⁹Saül eut pour fils Jonathan, Ishyo et Malki-Shua. Les noms de ses deux filles étaient Mérab pour l'aînée et Mikal pour la cadette. ⁵⁰La femme de Saül se nommait Ahinoam, fille d'Ahimaaç. Le chef de son armée se nommait Abner, fils de Ner, l'oncle de Saül : ⁵¹Qish, le père de Saül, et Ner, le père d'Abner, étaient les fils d'Abiel.

⁵²Il y eut une guerre acharnée contre les Philistins tant que vécut Saül. Saül voyait-il quelque homme brave ou vaillant, il se l'attachait.

Guerre contre les Amalécites.

15 ¹Samuel dit à Saül : « C'est moi que Yahvé a envoyé pour t'oindre comme roi sur son peuple Israël. Et maintenant écoute les paroles que prononce Yahvé : ²Ainsi parle Yahvé Sabaot : Je vais punir Amaleq pour ce qu'il a fait à Israël, en lui coupant la route quand il montait d'Égypte. ³Maintenant, va, frappe Amaleq. Vous le vouerez à l'anathème avec tout ce qu'il possède. Tu ne l'épargneras pas. Tu mettras à mort hommes et femmes, enfants et nourrissons, gros bétail et petit bétail, chameaux et ânes. »

⁴Saül convoqua le peuple et le passa en revue à Télaïm : fantassins et dix mille hommes de Juda. ⁵Saül parvint à la ville d'Amaleq et se mit en embuscade dans le torrent. ⁶Saül dit aux Qénites : « Partez, séparez-vous des Amalécites, de peur que je ne vous fasse subir le même traitement qu'à lui, alors que toi tu as agi avec fidélité envers tous les Israélites quand ils montaient d'Égypte. » Et les Qénites se séparèrent des Amalécites.

⁷Saül frappa Amaleq depuis Havila jusqu'à l'entrée de Shur, qui est face à l'Égypte. ⁸Il prit vivant Agag, roi d'Amaleq, et il voua à l'anathème tout le peuple, le passant au fil de l'épée. ⁹Mais

Saül et le peuple épargnèrent Agag et le meilleur du petit et du gros bétail, les bêtes de seconde portée et les agneaux, bref tout ce qu'il y avait de bon ; ils ne voulurent pas les vouer à l'anathème. Mais tout produit sans valeur et de mauvaise qualité ils le vouèrent à l'anathème.

Saül est rejeté par Yahvé.

¹⁰La parole de Yahvé fut adressée à Samuel en ces termes : ¹¹« Je me repens d'avoir fait de Saül un roi, car il s'est détourné de moi et n'a pas exécuté mes paroles. » Samuel s'enflamma et cria vers Yahvé pendant toute la nuit.

¹²De bon matin, Samuel se leva pour aller à la rencontre de Saül. On lui donna cette information : « Saül est allé à Karmel pour s'y dresser un monument, puis il est reparti plus loin et il est descendu à Gilgal. » ¹³Samuel arriva auprès de Saül et Saül lui dit : « Béni sois-tu de Yahvé ! J'ai exécuté la parole de Yahvé. » ¹⁴Mais Samuel demanda : « Et qu'est-ce que c'est que ces bêlements qui viennent à mes oreilles et ces meuglements que j'entends ? » – ¹⁵« On les a amenés d'Amaleq, répondit Saül, car le peuple a épargné le meilleur du petit et du gros bétail pour le sacrifier à Yahvé ton Dieu. Quant au reste, nous l'avons voué à l'anathème. »

¹⁶Mais Samuel dit à Saül : « Cesse donc, je vais t'annoncer ce que Yahvé m'a déclaré cette nuit. » Il lui dit : « Parle. » ¹⁷Alors Samuel dit : « Si petit que tu sois à tes propres yeux, n'es-tu pas le chef des tribus d'Israël ? Yahvé t'a oint comme roi sur Israël.

¹⁸Yahvé t'a envoyé en expédition et il t'a dit : "Va. Tu voueras à l'anathème ces pécheurs, les Amalécites, et tu leur feras la guerre jusqu'à l'extermination." ¹⁹Pourquoi n'as-tu pas écouté la voix de Yahvé ? Pourquoi t'es-tu rué sur le butin et as-tu fait ce qui déplaît à Yahvé ? » ²⁰Saül répondit à Samuel : « J'ai écouté la voix de Yahvé ! J'ai fait l'expédition où il m'envoyait, j'ai ramené Agag, roi d'Amaleq, et j'ai voué Amaleq à l'anathème. ²¹Dans le butin, le peuple a pris petit et gros bétail, prémices de l'anathème, pour le sacrifier à Yahvé ton Dieu à Gilgal. » ²²Mais Samuel dit :

« Yahvé se plaît-il aux holocaustes et aux sacrifices

comme à l'obéissance à la parole de Yahvé ?

Oui, l'obéissance vaut mieux que le sacrifice,

la docilité, plus que la graisse des béliers.

²³Car c'est une rébellion le péché de divination,

le méfait des téraphim, c'est de la présomption !

Parce que tu as rejeté la parole de Yahvé, il t'a rejeté ; tu n'es plus roi ! »

Saül implore en vain son pardon.

²⁴Saül dit à Samuel : « J'ai péché en transgressant l'ordre de Yahvé et de tes paroles, parce que j'ai eu peur du peuple et je lui ai obéi. ²⁵Maintenant, je t'en prie, pardonne mon péché et reviens avec moi, que je me prosterne devant Yahvé. » ²⁶Mais Samuel dit à Saül : « Je ne reviendrai pas avec toi puisque tu

as rejeté la parole de Yahvé, Yahvé t'a rejeté ; tu n'es plus roi sur Israël. » ²⁷Comme Samuel se détournait pour partir, Saül saisit le pan de son manteau, qui fut arraché, ²⁸et Samuel lui dit : « aujourd'hui, Yahvé t'a arraché la royauté sur Israël et t'a donnée à ton voisin, qui est meilleur que toi. » ²⁹D'ailleurs, la Splendeur d'Israël ne ment pas et ne se repent pas, car il n'est pas un homme pour se repentir. ³⁰Saül dit : « J'ai péché, cependant, je t'en prie, honore-moi devant les anciens de mon peuple et devant Israël, et reviens avec moi pour que je me prosterne devant Yahvé ton Dieu. » ³¹Samuel revint en compagnie de Saül et celui-ci se prosterna devant Yahvé.

Mort d'Agag et départ de Samuel.

³²Puis Samuel dit : « Amenez-moi Agag, le roi d'Amaleq. » Agag vint à lui l'air satisfait et dit : « Vraiment, l'amertume de la mort s'est écartée ! » ³³Samuel dit :

« Comme ton épée a privé des femmes de leurs enfants,

de même, parmi les femmes, que ta mère soit privée de son enfant ! »

Et Samuel exécuta Agag devant Yahvé à Gilgal.

³⁴Samuel partit pour Rama et Saül remonta chez lui à Gibéa de Saül. ³⁵Samuel ne revit plus Saül jusqu'à sa mort. En effet Samuel pleurait Saül, mais Yahvé s'était repenti de l'avoir fait roi sur Israël.

3. Saül et David

I. DAVID À LA COUR

Onction de David.

16 ¹Yahvé dit à Samuel : « Jusques à quand resteras-tu à pleurer Saül, alors que moi je l'ai rejeté et qu'il n'est plus roi sur Israël ? Emplis d'huile ta corne et va ! Je t'envoie chez Jessé le Bethléemite, car j'ai vu parmi ses fils le roi que je veux. » ²Samuel dit : « Comment pourrais-je y aller ? Saül l'apprendra et il me tuera ! » Mais Yahvé reprit : « Tu prendras avec toi une génisse et tu diras : "C'est pour sacrifier à Yahvé que je suis venu." ³Tu in-

viteras Jessé au sacrifice et je t'indiquerai moi-même ce que tu auras à faire : tu oindras pour moi celui que je te dirai. »

⁴Samuel fit ce que Yahvé avait dit. Quand il arriva à Bethléem, les anciens de la ville vinrent en tremblant à sa rencontre et dirent : « Que ta venue soit paix ! » – ⁵Samuel dit : « Paix sur vous ! C'est pour sacrifier à Yahvé que je suis venu. Purifiez-vous et venez avec moi au sacrifice. » Il purifia Jessé et ses fils et les invita au sacrifice.

⁶Lorsqu'ils arrivèrent et que Samuel aperçut Éliab, il se dit : « Sû-

rement, pour Yahvé c'est son oint. » [7] Mais Yahvé dit à Samuel : « Ne considère pas son apparence ni la hauteur de sa taille, car je l'ai écarté. Il ne s'agit pas de ce que voient les hommes, car ils ne voient que les yeux, mais Yahvé voit le cœur. » [8] Jessé appela Abinadab et le fit passer devant Samuel, qui dit : « Ce n'est pas lui non plus que Yahvé a choisi. » [9] Jessé fit passer Shamma, mais Samuel dit : « Ce n'est pas lui non plus que Yahvé a choisi. » [10] Jessé fit ainsi passer ses sept fils devant Samuel, mais Samuel dit à Jessé : « Yahvé n'a choisi aucun de ceux-là. » [11] Samuel dit à Jessé : « Les jeunes gens sont-ils au complet ? », et celui-ci répondit : « Il reste encore le plus jeune, il fait paître le petit bétail. » Alors Samuel dit à Jessé : « Envoie-le chercher, car nous ne nous mettrons pas à table avant qu'il ne soit venu ici. » [12] Jessé l'envoya chercher : il était roux, avec un beau regard et une belle tournure. Et Yahvé dit : « Va, donne-lui l'onction : c'est lui ! » [13] Samuel prit la corne d'huile et l'oignit au milieu de ses frères. L'esprit de Yahvé fondit sur David à partir de ce jour-là et dans la suite. Quant à Samuel, il se mit en route et partit pour Rama.

David entre au service de Saül.

[14] L'esprit de Yahvé s'était retiré de Saül et un esprit mauvais, venu de Yahvé, le tourmentait. [15] Les serviteurs de Saül lui dirent : « Voici qu'un mauvais esprit de Dieu te tourmente. [16] Que notre seigneur parle. Tes serviteurs sont à ton service. Ils chercheront un homme qui sache jouer de la cithare : quand un mauvais esprit de Dieu t'assaillira, il en jouera et tu iras mieux. » [17] Saül dit à ses serviteurs : « Trouvez-moi donc un homme qui joue bien et amenez-le-moi. » [18] L'un des serviteurs prit la parole et dit : « J'ai vu un fils de Jessé, le Bethléemite : il sait jouer, et c'est un vaillant guerrier. Il parle avec discernement. C'est un bel homme et Yahvé est avec lui. » [19] Saül envoya donc des messagers à Jessé et lui fit dire : « Envoie-moi ton fils David (qui est avec le troupeau). » [20] Jessé prit un âne : du pain, une outre de vin, un chevreau et fit tout porter à Saül par son fils David. [21] David arriva auprès de Saül et se mit à son service. Il l'aima beaucoup et David devint son écuyer. [22] Saül envoya dire à Jessé : « Que David reste à mon service, car il a trouvé grâce à mes yeux. » [23] Ainsi, chaque fois que l'esprit de Dieu assaillait Saül, David prenait la cithare et il en jouait. C'était une détente pour Saül. Il allait mieux et le mauvais esprit s'écartait de lui.

Goliath défie l'armée israélite.

17 [1] Les Philistins rassemblèrent leurs troupes pour la guerre, ils se rassemblèrent à Soko de Juda, et campèrent entre Soko et Azéqa, à Éphès-Dammim. [2] Saül et les hommes d'Israël se rassemblèrent et campèrent dans la vallée du Térébinthe et ils se rangèrent en bataille face aux Philistins. [3] Les Philistins se tenaient sur la montagne d'un côté, les Israélites se tenaient sur la montagne de l'autre côté ; la vallée était entre eux.

[4]Un champion sortit du camp philistin. Il s'appelait Goliath, de Gat, et sa taille était de six coudées et un empan. [5]Il avait sur la tête un casque de bronze et il était revêtu d'une cuirasse à écailles ; la cuirasse pesait cinq mille sicles de bronze. [6]Il avait aux jambes des jambières de bronze, et un cimeterre de bronze en bandoulière. [7]Le bois de sa lance était comme l'ensouple des tisserands et la pointe de sa lance pesait six cents sicles de fer. Le porte-bouclier marchait devant lui.

[8]Il se campa devant les lignes israélites et les interpella en disant : « À quoi bon sortir vous ranger en bataille ? Ne suis-je pas, moi, le Philistin, et vous, n'êtes-vous pas les serviteurs de Saül ? Choisissez-vous un homme et qu'il descende vers moi. [9]S'il l'emporte en luttant avec moi et s'il m'abat, alors nous serons vos serviteurs, mais si je l'emporte sur lui et si je l'abats, alors vous deviendrez nos serviteurs et vous nous servirez. » [10]Le Philistin dit aussi : « Moi, je lance aujourd'hui un défi aux lignes d'Israël. Donnez-moi un homme, pour que nous combattions ensemble. » [11]Quand Saül et tout Israël entendirent ces paroles du Philistin, ils furent consternés et ils eurent très peur.

Arrivée de David au camp.

[12]David était le fils d'un Éphratéen, celui de Bethléem de Juda, qui s'appelait Jessé et qui avait huit fils. Cet homme, au temps de Saül, était vieux et considéré parmi les hommes. [13]Les trois fils aînés de Jessé s'en étaient allés. Ils avaient suivi Saül à la guerre. Les trois fils qui étaient à la guerre s'appelaient, l'aîné Éliab, le second Abinadab et le troisième Shamma. [14]David était le plus jeune et les trois aînés avaient suivi Saül. [15]Mais David allait chez Saül et en revenait pour faire paître le troupeau de son père à Bethléem. [16]Le Philistin s'avança matin et soir et il se présenta ainsi pendant quarante jours. [17]Jessé dit à son fils David : « Prends donc pour tes frères cette mesure de grain grillé et ces dix pains, et cours les apporter au camp à tes frères. [18]Quant à ces dix fromages, tu les apporteras au chef de mille. Tu te soucieras de la santé de tes frères et tu recevras d'eux un gage. [19]Ils sont avec Saül et tous les hommes d'Israël dans la vallée du Térébinthe, faisant la guerre aux Philistins. »

[20]David se leva de bon matin, il laissa le troupeau à un gardien, prit sa charge et partit comme le lui avait ordonné Jessé. Il arriva au campement au moment où l'armée sortait pour prendre ses positions et poussait le cri de guerre. [21]Israël et les Philistins se rangèrent ligne contre ligne. [22]David laissa les bagages, dont il s'était déchargé, entre les mains du gardien des bagages, il courut aux lignes et demanda à ses frères comment ils allaient.

[23]Pendant qu'il leur parlait, le champion – il s'appelait Goliath, le Philistin de Gat – montait des lignes philistines. Il redit les mêmes paroles et David les entendit. [24]Dès qu'ils aperçurent cet homme, tous les hommes d'Israël s'enfuirent loin de lui et eurent très peur. [25]Les hommes d'Israël

disaient : « Avez-vous vu cet homme qui monte ? C'est pour lancer un défi à Israël qu'il monte. Celui qui l'abattra, le roi le comblera de richesses, il lui donnera sa fille et il affranchira la maison de son père en Israël. »

[26]David dit à ceux qui se tenaient près de lui : « Qu'est-ce qu'on fera à celui qui abattra ce Philistin et qui écartera la honte d'Israël ? Qu'est-ce que ce Philistin incirconcis pour qu'il ait lancé un défi aux troupes du Dieu vivant ? » [27]Le peuple répondit de la même manière : « Voilà ce qu'on fera pour l'homme qui l'abattra. » [28]Son frère aîné Éliab l'entendit qui parlait aux hommes et Éliab se mit en colère contre David et dit : « Pourquoi donc es-tu descendu ? À qui as-tu laissé ton petit troupeau dans le désert ? Je connais ton insolence et la malice de ton cœur : c'est pour voir la bataille que tu es venu ! » [29]David répondit : « Qu'est-ce que j'ai fait ? Est-ce qu'on ne peut plus parler ? » [30]Il se détourna de lui et s'adressa à un autre. Il posa la même question et le peuple lui répondit comme la première fois. [31]On entendit les paroles de David et on les rapporta en présence de Saül ; celui-ci le fit venir.

David s'offre pour relever le défi.

[32]David dit à Saül : « Que personne ne perde courage à cause de lui. Ton serviteur ira se battre contre ce Philistin. » [33]Mais Saül dit à David : « Tu ne peux pas marcher contre ce Philistin pour te battre avec lui, car tu n'es qu'un enfant, et lui, il est un homme de guerre depuis sa jeunesse. »

[34]Mais David dit à Saül : « Quand ton serviteur faisait paître les brebis de son père et que survenait un lion ou un ours qui enlevait une bête du troupeau, [35]je le poursuivais, je le frappais et j'arrachais celle-ci de sa gueule. Et s'il se dressait contre moi, je le saisissais par les poils du menton et je le frappais à mort. [36]Ton serviteur a battu le lion et l'ours, il en sera de ce Philistin incirconcis comme de l'un d'eux, puisqu'il a lancé un défi aux lignes du Dieu vivant. » [37]David dit encore : « Yahvé qui m'a arraché aux griffes du lion et de l'ours m'arrachera de la main de ce Philistin. » Alors Saül dit à David : « Va et que Yahvé soit avec toi ! » [38]Saül revêtit David de sa tenue, lui mit sur la tête un casque de bronze et le revêtit d'une cuirasse. [39]David ceignit l'épée de Saül par-dessus sa tenue. Il s'efforça de marcher, mais il n'était pas entraîné, et il dit à Saül : « Je ne puis pas marcher avec cela, car je ne suis pas entraîné. » David s'en débarrassa.

Le combat singulier.

[40]David prit son bâton en main, il se choisit dans le torrent cinq pierres bien lisses et les mit dans son sac de berger, sa giberne, puis, la fronde à la main, il s'avança vers le Philistin. [41]Le Philistin, précédé du porte-bouclier, s'avança s'approchant toujours plus de David. [42]Le Philistin tourna les yeux vers David et, lorsqu'il le vit, il le méprisa car il était jeune – il était roux, avec une belle apparence. [43]Le Philistin dit à David : « Suis-je un chien pour que tu viennes contre moi avec des bâ-

tons ? » Et le Philistin maudit David par ses dieux. ⁴⁴Le Philistin dit à David : « Viens vers moi, que je donne ta chair aux oiseaux du ciel et aux bêtes des champs ! » ⁴⁵Mais David répondit au Philistin : « Tu viens vers moi avec une épée, une lance et un cimeterre, mais moi, je viens vers toi au nom de Yahvé Sabaot, le Dieu des lignes d'Israël, à qui tu as lancé un défi. ⁴⁶aujourd'hui, Yahvé te remettra en ma main, je t'abattrai, je te couperai la tête, et aujourd'hui même je donnerai les cadavres du camp philistin aux oiseaux du ciel et aux bêtes sauvages. Toute la terre saura qu'il y a un Dieu en Israël, ⁴⁷et toute cette assemblée saura que ce n'est pas par l'épée ni par la lance que Yahvé donne la victoire, car Yahvé est maître du combat et il vous livre entre nos mains. »

⁴⁸Lorsque le Philistin se dressa pour s'approcher toujours plus de David, celui-ci courut rapidement hors des lignes à la rencontre du Philistin. ⁴⁹Il mit la main dans son sac, prit une pierre, la lança avec la fronde et atteignit le Philistin au front ; la pierre s'enfonça dans son front et il tomba la face contre terre. ⁵⁰Ainsi David triompha du Philistin avec la fronde et la pierre : il abattit le Philistin et le fit mourir ; il n'y avait pas d'épée dans la main de David. ⁵¹David courut et se tint debout sur le Philistin ; il lui prit son épée en la tirant du fourreau, il acheva le Philistin et, avec elle, il lui trancha la tête.

Les Philistins voyant que leur héros était mort, s'enfuirent. ⁵²Les hommes d'Israël et de Juda se mirent en mouvement, poussèrent le cri de guerre et poursuivirent les Philistins jusqu'à l'entrée de la vallée et jusqu'aux portes d'Éqrôn. Des Philistins tués gisaient sur la route depuis Shaarayim jusqu'à Gat et Éqrôn. ⁵³Les Israélites revinrent de cette poursuite acharnée et pillèrent le camp philistin. ⁵⁴David prit la tête du Philistin et l'apporta à Jérusalem ; quant à ses armes, il les mit dans sa propre tente.

David vainqueur est présenté à Saül.

⁵⁵En voyant David sortir à la rencontre du Philistin, Saül avait demandé à Abner, le chef de l'armée : « De qui ce jeune homme est-il le fils, Abner ? » Et Abner répondit : « Par ta vie, ô roi, je ne sais pas. » ⁵⁶Le roi dit : « Informe-toi de qui ce garçon est le fils. » ⁵⁷Lorsque David revint après avoir abattu le Philistin, Abner le prit et le conduisit devant Saül, tenant dans sa main la tête du Philistin. ⁵⁸Saül lui demanda : « De qui es-tu le fils, jeune homme ? » David répondit : « De ton serviteur Jessé le Bethléemite. »

18 ¹Lorsqu'il eut fini de parler à Saül, Jonathan s'attacha à David. Jonathan l'aimait comme lui-même. ²Saül le retint ce jour même et ne lui permit pas de retourner chez son père. ³Jonathan conclut un pacte avec David, car il l'aimait comme lui-même ; ⁴Jonathan se dépouilla du manteau qu'il avait sur lui et il le donna à David, ainsi que sa tenue, jusqu'à son épée, son arc et son ceinturon. ⁵Dans ses sorties, partout où l'envoyait Saül, David réussissait. Saül le mit à la tête des hommes de guerre ; il était bien vu de tout le peuple, et même des serviteurs de Saül.

Éveil de la jalousie de Saül.

⁶À leur retour, quand David revint, après avoir battu le Philistin, les femmes sortirent de toutes les villes d'Israël au-devant du roi Saül pour chanter en dansant, au son des tambourins, des cris d'allégresse et des sistres. ⁷Les femmes qui s'ébattaient chantaient ceci :

« Saül a tué ses milliers,
et David ses myriades. »

⁸Saül fut très irrité et cette affaire lui déplut. Il dit : « On a donné les myriades à David et à moi les milliers, il ne lui manque plus que la royauté ! » ⁹Saül regarda David de travers à partir de ce jour-là.

= **19** 9-10 ; cf. **16** 14.

¹⁰Le lendemain, un mauvais esprit de Dieu fondit sur Saül qui entra en transe au milieu de sa maison. David jouait de la cithare comme les autres jours et Saül avait sa lance à la main. ¹¹Saül jeta sa lance et dit : « Je vais clouer David au mur ! », mais David l'évita par deux fois.

¹²Saül craignit David, car Yahvé était avec celui-ci et de Saül il s'était détourné. ¹³Alors Saül l'écarta d'auprès de lui et l'institua chef de mille : il sortait et rentrait à la tête du peuple. ¹⁴Dans toutes ses expéditions, David réussissait et Yahvé était avec lui. ¹⁵Voyant qu'il réussissait très bien, Saül le craignait, ¹⁶mais tous en Israël et en Juda aimaient David, car il sortait et rentrait à leur tête.

Mariage de David.

¹⁷Saül dit à David : « Voici ma fille aînée Mérab, je vais te la donner pour femme ; sers-moi seulement en brave et combats les guerres de Yahvé. » Saül s'était dit : « Qu'il ne tombe pas sous ma main, mais sous celle des Philistins ! » ¹⁸David répondit à Saül : « Qui suis-je et quel est mon lignage, la famille de mon père, en Israël, pour que je devienne le gendre du roi ? » ¹⁹Mais, lorsque vint le moment de donner à David la fille de Saül, Mérab, on la donna à Adriel de Mehola.

²⁰Or Mikal, la fille de Saül, s'éprit de David et on l'annonça à Saül, qui trouva cela bien. ²¹Il se dit : « Je la lui donnerai, mais elle sera un piège pour lui et la main des Philistins sera sur lui. » Saül dit deux fois à David : « Tu seras aujourd'hui mon gendre. » ²²Alors Saül donna cet ordre à ses serviteurs : « Parlez en secret à David et dites : "Tu plais au roi et tous ses serviteurs t'aiment, deviens donc le gendre du roi". » ²³Les serviteurs de Saül répétèrent ces paroles aux oreilles de David, mais David répliqua : « Est-ce une petite chose à vos yeux de devenir le gendre du roi ? Moi, je ne suis qu'un homme pauvre et de basse condition. » ²⁴Les serviteurs de Saül en référèrent à celui-ci : « Voilà les paroles que David a dites. » ²⁵Saül répondit : « Vous direz ceci à David : "Le roi ne désire pas un don nuptial, mais cent prépuces de Philistins, pour tirer vengeance des ennemis du roi." » Saül comptait faire tomber David aux mains des Philistins.

²⁶Les serviteurs de Saül rapportèrent ces paroles à David et celui-ci trouva que l'affaire était bonne pour devenir le gendre du roi. Le temps n'était pas écoulé ²⁷que David se mit en campagne et partit avec ses hommes. Il abattit parmi les Philistins deux cents hommes, il rapporta leurs prépuces. On en fit le compte devant le roi pour que David devienne le gendre du roi. Alors Saül lui donna pour femme sa fille Mikal.

²⁸Saül vit et comprit que Yahvé était avec David et que Mikal, la fille de Saül, l'aimait. ²⁹Alors Saül eut encore plus peur de David et il conçut contre lui une hostilité de tous les jours. ³⁰Les officiers des Philistins faisaient des sorties mais, chaque fois qu'ils sortaient, David réussissait plus que tous les serviteurs de Saül, et son nom devint illustre.

Jonathan intercède pour David.
Cf. 20.

19 ¹Saül parla à son fils Jonathan et à tous ses serviteurs de faire mourir David. Jonathan,

fils de Saül, aimait beaucoup David. ²Jonathan informa David : « Mon père Saül cherche à te faire mourir. Sois donc sur tes gardes demain matin, reste à l'abri et dissimule-toi. ³Moi, je sortirai et je me tiendrai près de mon père dans le champ où tu seras, je parlerai de toi à mon père, je verrai ce qu'il en est et je t'en informerai. »

⁴Jonathan parla en bien de David à son père Saül et il lui dit : « Que le roi ne pèche pas contre son serviteur David, car il n'a pas péché contre toi et ses actions ont été pour toi bénéfiques. ⁵Il a risqué sa vie, il a abattu le Philistin et Yahvé a accompli une grande victoire pout tout Israël : tu as vu et tu t'es réjoui. Pourquoi pécherais-tu avec le sang d'un innocent en faisant mourir David sans raison ? » ⁶Saül écouta la voix de Jonathan et Saül fit ce serment : « Par la vie de Yahvé, il ne mourra pas ! » ⁷Alors Jonathan appela David et il lui rapporta toutes ces paroles. Puis il le conduisit à Saül et David fut à son service comme auparavant.

II. FUITE DE DAVID

Attentat de Saül contre David.
= 18 10-11.

⁸Comme la guerre avait repris, David partit combattre les Philistins ; il leur porta un grand coup et ils s'enfuirent devant lui. ⁹Or un mauvais esprit de Yahvé prit possession de Saül : comme il était assis dans sa maison, sa lance à la main, et que David jouait de la cithare, ¹⁰Saül essaya de

clouer David au mur avec sa lance, mais celui-ci esquiva le coup de Saül, qui planta sa lance dans le mur. David prit la fuite et s'échappa cette nuit-là.

David sauvé par Mikal.

Cette même nuit, ¹¹Saül envoya des émissaires à la maison de David pour le surveiller et le mettre à mort le lendemain matin. Mais la femme de David, Mikal l'informa : « Si tu ne t'échappes pas cette nuit, demain tu seras mis à mort ! » [12]Mikal fit descendre David par la fenêtre. Il partit, prit la fuite et s'échappa.

[13]Mikal prit le téraphim, elle le plaça sur le lit, mit à son chevet un filet en poils de chèvre et le couvrit d'un vêtement. [14]Saül envoya des émissaires pour s'emparer de David et elle dit : « Il est malade. » [15]Mais Saül envoya des émissaires voir David et il leur dit : « Apportez-le moi dans son lit pour que je le mette à mort ! » [16]Les émissaires entrèrent : voilà que le téraphim était dans le lit, le filet en poils de chèvre à son chevet ! [17]Saül dit à Mikal : « Pourquoi m'as-tu trompé de la sorte ? Tu as laissé partir mon ennemi et il s'est échappé. » Mikal répondit à Saül : « C'est lui qui m'a dit : Laisse-moi partir. Pourquoi devrais-je te mettre à mort ? »

Saül et David chez Samuel.

[18]David avait donc pris la fuite et s'était échappé. Il arriva chez Samuel à Rama et lui rapporta tout ce que Saül lui avait fait. Lui et Samuel allèrent habiter aux cellules. [19]On informa ainsi Saül : « Voici que David est aux cellules à Rama. » [20]Saül envoya des émissaires pour s'emparer de David et ceux-ci virent la communauté des prophètes en train de prophétiser, Samuel se tenant à leur tête. L'esprit de Dieu s'empara des émissaires de Saül et ils entrèrent en transe eux aussi. [21]On en informa Saül qui envoya d'autres émissaires et ils entrèrent en transe eux aussi. Saül envoya un troisième groupe d'émissaires, et ils entrèrent en transe eux aussi.

[22]Alors il partit lui-même pour Rama et arriva à la grande citerne qui est à Sékû. Il demanda où étaient Samuel et David et on répondit : « Ils sont aux cellules à Rama. » [23]De là il se rendit donc aux cellules à Rama. Mais l'esprit de Dieu s'empara de lui aussi et il continua à marcher en état de transe jusqu'à son arrivée aux cellules à Rama. [24]Lui aussi il se dépouilla de ses vêtements, lui aussi il entra en transe devant Samuel, puis il s'écroula nu et resta ainsi tout ce jour et toute la nuit. C'est pourquoi on dit : « Saül est-il aussi parmi les prophètes ? »

Jonathan favorise le départ de David. 19 1-7, 11-17.

20 [1]David s'était enfui des cellules qui sont à Rama. Il vint dire devant Jonathan : « Qu'ai-je donc fait ? Quelle est ma faute et quel est mon péché envers ton père pour qu'il en veuille à ma vie ? » [2]Il lui dit : « Ah non ! Tu ne mourras pas ! Mon père ne fait rien, d'important ou non, sans qu'il me le révèle. Pourquoi mon père m'aurait-il caché cette affaire ? C'est impossible ! » [3]David fit ce serment et dit : « Ton père sait très bien que j'ai trouvé grâce à tes yeux et il s'est dit : "Que Jonathan ne sache rien, de peur qu'il n'en soit peiné." Mais, par la vie de Yahvé et par ta propre vie, il n'y a qu'un pas entre moi et la mort. »

[4]Jonathan dit à David : « Que veux-tu que je fasse pour toi ? » [5]David dit à Jonathan : « C'est demain la nouvelle lune et je devrais

m'asseoir avec le roi pour manger, mais tu me laisseras partir et je me cacherai dans la campagne jusqu'au soir. ⁶Si ton père remarque mon absence, tu diras : "David m'a demandé avec instance d'aller à Bethléem, sa ville, car c'est là qu'a lieu le sacrifice annuel pour tout le clan." ⁷S'il dit : "C'est bien", ton serviteur est sauf, mais s'il se met en colère, sache que le malheur est décidé de sa part. ⁸Tu agiras avec fidélité envers ton serviteur, car tu as amené ton serviteur à conclure avec toi un pacte au nom de Yahvé. Si je suis en faute, fais-moi mourir toi-même. Pourquoi m'amènerais-tu jusqu'à ton père ? » ⁹Jonathan reprit : « Loin de toi cette pensée ! Si je savais vraiment que mon père est décidé à faire venir sur toi le malheur, est-ce que moi je ne t'en informerais pas ? » ¹⁰David dit à Jonathan : « Qui m'en informera si ton père te répond durement ? »

¹¹Jonathan dit à David : « Viens, sortons dans la campagne », et ils sortirent tous deux dans la campagne. ¹²Jonathan dit à David : « Par Yahvé, Dieu d'Israël ! je sonderai mon père après-demain ; si cela va bien pour David et si je ne t'envoie pas de message et que je ne t'informe pas, ¹³que Yahvé fasse à Jonathan ceci et qu'il ajoute encore cela ! S'il paraît bon à mon père d'amener le malheur sur toi, je t'en informerai, je te laisserai partir et tu t'en iras sain et sauf. Que Yahvé soit avec toi comme il fut avec mon père ! ¹⁴N'est-ce pas, si je suis encore vivant, n'est-ce pas ? tu agiras envers moi avec la fidé-

lité qu'exige Yahvé, n'est-ce pas ? Si je meurs, ¹⁵ne retire jamais ta fidélité à ma maison, même pas lorsque Yahvé aura supprimé les ennemis de David, un par un, de la surface du sol. » ¹⁶Jonathan conclut un pacte avec la maison de David : « Yahvé en demandera compte à David. »

¹⁷Jonathan fit prêter serment à David par l'amitié qu'il lui portait, car il l'aimait de toute son âme.

¹⁸Jonathan lui dit : « C'est demain la nouvelle lune et on remarquera ton absence, car ta place sera vide. ¹⁹Au troisième jour, tu descendras vite et tu iras à l'endroit où tu t'étais caché le jour de l'affaire ; tu t'assiéras près de la pierre du Départ. ²⁰Pour moi je tirerai trois flèches sur le côté comme pour viser ma cible. ²¹J'enverrai le servant : "Va ! Trouve la flèche." Si je dis au servant : "La flèche est en deçà de toi, prends-la", viens, c'est que cela va bien pour toi et qu'il n'y a rien, par la vie de Yahvé. ²²Mais si je dis au garçon : "La flèche est au-delà de toi", pars, car Yahvé te fait partir. ²³Quant à la parole que nous avons échangée, moi et toi, Yahvé est témoin pour toujours entre nous deux. »

²⁴Donc David se cacha dans la campagne. La nouvelle lune arriva et le roi se mit à table pour manger. ²⁵Le roi s'assit à sa place habituelle, la place contre le mur, Jonathan se plaça en face, Abner s'assit à côté de Saül et la place de David resta inoccupée. ²⁶Cependant, Saül ne dit rien ce jour-là, car il se disait : « C'est un accident. Il n'est pas pur ; certainement il n'est pas pur. »

²⁷Le lendemain de la nouvelle lune, le second jour, la place de David resta inoccupée et Saül dit à son fils Jonathan : « Pourquoi le fils de Jessé n'est-il pas venu au repas ni hier ni aujourd'hui ? » ²⁸Jonathan répondit à Saül : « David m'a demandé avec instance d'aller à Bethléem. ²⁹Il m'a dit : "Laisse-moi partir, je te prie, car nous avons un sacrifice de clan à la ville ; et mon frère m'en a donné l'ordre. Maintenant donc, si j'ai trouvé grâce à tes yeux, laisse-moi m'échapper, que j'aille voir mes frères." Voilà pourquoi il n'est pas venu à la table du roi. »

³⁰Saül s'enflamma de colère contre Jonathan et il lui dit : « Fils d'une dévoyée ! Ne sais-je pas que tu prends parti pour le fils de Jessé, à ta honte et à la honte de la nudité de ta mère ? ³¹Aussi longtemps que le fils de Jessé vivra sur la terre, tu n'affermiras pas ta royauté. Maintenant, fais-le chercher et amène-le-moi, car il est passible de mort. » ³²Jonathan répondit à son père et lui dit : « Pourquoi serait-il mis à mort ? Qu'a-t-il fait ? » ³³Saül brandit sa lance contre lui pour le frapper, et Jonathan sut que la mort de David était chose décidée de la part de son père. ³⁴Jonathan se leva de table très en colère, et il ne mangea rien en ce second jour de la nouvelle lune, car il était peiné au sujet de David, parce que son père l'avait insulté.

³⁵Le lendemain matin, Jonathan sortit dans la campagne pour le rendez-vous avec David ; il était accompagné d'un jeune servant. ³⁶Il dit à son servant : « Cours et trouve les flèches que je vais tirer. » Le servant courut et Jona-than tira la flèche de manière à le dépasser. ³⁷Quand le servant arriva vers l'emplacement de la flèche tirée par Jonathan, celui-ci lui cria : « Est-ce que la flèche n'est pas au-delà de toi ? » ³⁸Jonathan cria encore au servant : « Vite ! Dépêche-toi, ne t'arrête pas. » Le servant de Jonathan ramassa la flèche et revint vers son maître. ³⁹Le servant ne savait rien, seuls Jonathan et David savaient de quoi il s'agissait.

⁴⁰Jonathan remit les armes à son servant et lui dit : « Va et porte cela à la ville. » ⁴¹Le servant rentra. David se leva du côté du tertre, il tomba la face contre terre et se prosterna trois fois, puis ils s'embrassèrent l'un l'autre et ils pleurèrent ensemble abondamment. ⁴²Jonathan dit à David : « Va en paix. Puisque nous avons prêté serment tous deux au nom de Yahvé, que Yahvé soit entre moi et toi, entre ma descendance et ta descendance, à jamais. »

21 ¹David se leva et partit, et Jonathan rentra en ville.

L'arrêt à Nob.

²David arriva à Nob chez le prêtre Ahimélek. Celui-ci vint en tremblant au-devant de David et lui demanda : « Pourquoi es-tu seul et n'y a-t-il personne avec toi ? » ³David dit au prêtre Ahimélek : « Le roi m'a donné un ordre et m'a dit : "Que personne ne sache rien de la mission pour laquelle je t'envoie et que je t'ai commandée !" Quant aux jeunes gens je leur ai donné rendez-vous à tel endroit. ⁴Maintenant, si tu as sous la main cinq pains, donne-les-moi, ou ce qui se trouvera. »

⁵Le prêtre répondit à David : « Je n'ai pas de pain ordinaire sous la main, il n'y a que du pain consacré – pourvu que les jeunes gens se soient gardés de rapports avec les femmes. » ⁶David répondit au prêtre : « Bien sûr, les femmes nous ont été interdites, comme toujours quand je pars en campagne, et les choses des hommes sont en état de sainteté. C'est un voyage profane, mais vraiment aujourd'hui ils sont en état de sainteté quant à la chose. » ⁷Alors le prêtre lui donna ce qui avait été consacré, car il n'y avait pas d'autre pain que les pains d'oblation, ceux qu'on retire de devant Yahvé pour les remplacer par du pain chaud le jour où on les reprend.

⁸Or, ce jour même, se trouvait là un des serviteurs de Saül, retenu devant Yahvé ; il se nommait Doëg l'Édomite et il était le chef des bergers de Saül. ⁹David dit à Ahimélek : « N'y a-t-il pas ici sous ta main une lance ou une épée ? Je n'ai pris avec moi ni mon épée ni mes armes, tant l'affaire du roi était urgente. » ¹⁰Le prêtre répondit : « L'épée de Goliath le Philistin, que tu as abattu dans la vallée du Térébinthe, est là, enveloppée dans un manteau derrière l'éphod. Si tu veux la prendre, prends-la, il n'y en a pas d'autre ici. » David répondit : « Elle n'a pas sa pareille, donne-la-moi. »

David chez Akish. Cf. 27.

¹¹David se leva et s'enfuit ce jour-là loin de Saül et il arriva chez Akish, roi de Gat. ¹²Mais les serviteurs d'Akish dirent à celui-ci : «N'est-ce pas là David, le roi du pays ? N'est-ce pas pour celui-là qu'on chantait dans les danses :

"Saül a tué ses milliers,
et David ses myriades" ? »

¹³David réfléchit sur ces paroles et il eut très peur d'Akish, roi de Gat. ¹⁴Alors, il fit l'insensé sous leurs yeux et il divagua entre leurs mains ; il traçait des signes sur les battants de la porte et laissait sa salive couler sur sa barbe. ¹⁵Akish dit à ses serviteurs : « Vous voyez bien que c'est un fou ! Pourquoi me l'amenez-vous ? ¹⁶Est-ce que je manque de fous, que vous m'ameniez celui-ci pour faire le fou auprès de moi ? Va-t-il entrer dans ma maison ? »

III. DAVID CHEF DE BANDE

David commence sa vie errante.

22 ¹David partit de là et se réfugia dans la grotte d'Adullam. Ses frères et toute sa famille l'apprirent et descendirent l'y rejoindre. ²Tous les gens en détresse, tous ceux qui avaient des créanciers, tous les mécontents se rassemblèrent autour de lui et il devint leur chef. Il y avait avec lui environ quatre cents hommes.

³De là, David se rendit à Miçpé de Moab et dit au roi de Moab : « Permets que mon père et ma mère émigrent chez vous jusqu'à ce que je sache ce que Dieu fera

pour moi. » [4]Il les amena chez le roi de Moab et ils demeurèrent avec celui-ci tout le temps que David fut dans le refuge.

[5]Le prophète Gad dit à David : « Ne reste pas dans le refuge, va-t'en et rentre dans le pays de Juda. » David partit et se rendit dans la forêt de Hérèt.

Massacre des prêtres de Nob.

[6]Saül apprit qu'on était renseigné sur David et les hommes qui l'accompagnaient. Saül était assis à Gibéa sous le tamaris qui est sur la hauteur, sa lance à la main, et tous ses serviteurs étaient debout auprès de lui. [7]Saül dit aux serviteurs qui étaient debout auprès de lui : « Écoutez donc, Benjaminites ! Le fils de Jessé donnera-t-il à vous tous des champs et des vignes et vous nommera-t-il tous chefs de mille et chefs de cent, [8]que vous conspiriez tous contre moi ? Personne ne m'avertit quand mon fils pactise avec le fils de Jessé. Aucun d'entre vous ne s'inquiète à mon sujet et ne me révèle que mon fils a dressé contre moi mon serviteur pour me tendre des pièges, comme c'est le cas aujourd'hui. »

[9]Doëg l'Édomite – il était debout auprès des serviteurs de Saül – répondit en disant : « J'ai vu le fils de Jessé qui venait à Nob chez Ahimélek, fils d'Ahitub. [10]Celui-ci a consulté Yahvé pour lui, il lui a donné des vivres, il lui a remis aussi l'épée de Goliath le Philistin. » [11]Alors le roi fit appeler le prêtre Ahimélek fils d'Ahitub et toute sa famille, les prêtres de Nob, et ils vinrent tous chez le roi.

[12]Saül dit : « Écoute donc, fils d'Ahitub ! » et il répondit : « Me voici, Monseigneur. » [13]Saül lui dit : « Pourquoi avez-vous conspiré contre moi, le fils de Jessé et toi ? Tu lui as donné du pain et une épée et tu as consulté Dieu pour lui, afin qu'il se dresse contre moi en me tendant des pièges, comme c'est le cas aujourd'hui. » [14]Ahimélek répondit au roi : « Qui donc parmi tous tes serviteurs est aussi fidèle que David ? Il est le gendre du roi, le chef de ta garde personnelle et celui qu'on honore dans ta maison. [15]Est-ce aujourd'hui que j'ai commencé de consulter Dieu pour lui ? Malheur à moi ! Que le roi n'impute à son serviteur et à toute sa famille aucune charge, car ton serviteur ne savait rien de tout cela, ni peu ni prou. » [16]Le roi reprit : « Tu mourras, Ahimélek, toi et toute ta famille. »

[17]Le roi dit aux coureurs qui se tenaient près de lui : « Tournez-vous et mettez à mort les prêtres de Yahvé, car ils ont eux aussi prêté la main à David, ils ont su qu'il fuyait et ils ne m'ont pas averti. » Mais les serviteurs du roi ne voulurent pas porter la main sur les prêtres de Yahvé et les frapper. [18]Alors, le roi dit à Doëg : « Tourne-toi et frappe les prêtres. » Doëg l'Édomite se retourna et frappa lui-même les prêtres : il mit à mort ce jour-là quatre-vingt-cinq hommes qui portaient l'éphod de lin. [19]Quant à Nob, la ville des prêtres, Saül la passa au fil de l'épée, hommes et femmes, enfants et nourrissons, bœufs, ânes et moutons, au fil de l'épée.

[20]Il n'échappa qu'un fils d'Ahimélek, fils d'Ahitub. Il se nommait Ébyatar et il s'enfuit auprès de David. [21]Ébyatar informa Da-

vid que Saül avait tué les prêtres de Yahvé, [22]et David lui dit : « Je savais l'autre jour que Doëg l'Édomite, étant présent, informerait sûrement Saül. C'est moi qui me suis tourné contre les membres de ta famille. [23]Demeure avec moi, sois sans crainte, car celui qui en voudra à ta vie en voudra à ma vie, car près de moi tu es sous bonne garde. »

David à Qéïla.

23 [1]On apporta cette nouvelle à David : « Les Philistins assiègent Qéïla et pillent les aires. » [2]David consulta Yahvé : « Dois-je partir et battrai-je ces Philistins ? » Yahvé répondit : « Va, tu battras les Philistins et tu sauveras Qéïla. » [3]Cependant les hommes de David lui dirent : « Ici, en Juda, nous avons peur ; qu'en sera-t-il si nous allons à Qéïla contre les lignes philistines ! » [4]David consulta encore une fois Yahvé, et Yahvé répondit : « Pars ! Descends à Qéïla, car je livre les Philistins entre tes mains. » [5]David alla donc à Qéïla avec ses hommes, il attaqua les Philistins, enleva leurs troupeaux et leur porta un coup très dur. David sauva les habitants de Qéïla. — [6]Lorsque Ébyatar, fils d'Ahimélek, s'était enfui auprès de David, il avait emporté à Qéïla, l'éphod avec lui. [7]On informa Saül que David était entré à Qéïla. Saül dit : « Dieu l'a livré en ma main, car il s'est pris au piège en entrant dans une ville à portes et à verrous ! » [8]Saül appela tout le peuple au combat pour descendre à Qéïla, puis bloqua David et ses hommes. [9]David sut que c'était

contre lui que Saül projetait une mauvaise action, il dit au prêtre Ébyatar : « Apporte l'éphod. » [10]David dit : « Yahvé, Dieu d'Israël, ton serviteur a entendu dire que Saül se préparait à venir à Qéïla pour détruire la ville à cause de moi. [11]Les notables de Qéïla me livreront-ils entre ses mains ? Saül descendra-t-il, comme ton serviteur l'a appris ? Yahvé, Dieu d'Israël, veuille informer ton serviteur ! » Yahvé répondit : « Il descendra. » [12]David dit : « Est-ce que les notables de Qéïla me livreront, moi et mes hommes, entre les mains de Saül ? » Yahvé dit : « Ils vous livreront. » [13]David partit avec ses hommes, au nombre d'environ six cents, ils sortirent de Qéïla et s'en allèrent ailleurs. On informa Saül que David s'était échappé de Qéïla et il abandonna l'expédition.

[14]David demeura au désert dans les falaises ; il demeura dans la montagne au désert de Ziph et Saül le rechercha pendant tout ce temps, mais Dieu ne le livra pas entre ses mains.

David à Horsha. Visite de Jonathan.

[15]David vit que Saül était entré en campagne pour attenter à sa vie. David était alors dans le désert de Ziph, à Horsha. [16]S'étant mis en route, Jonathan, fils de Saül, se leva et vint auprès de David à Horsha et le réconforta au nom de Dieu. [17]Il lui dit : « Sois sans crainte, car la main de mon père Saül ne t'atteindra pas. C'est toi qui régneras sur Israël et moi je serai ton second ; mon père Saül lui-même le sait bien. » [18]Ils conclurent tous les

deux un pacte devant Yahvé. David demeura à Horsha et Jonathan s'en alla chez lui.

David échappe de justesse à Saül.

¹⁹Des gens de Ziph montèrent à Gibéa auprès de Saül pour lui dire : « David ne se cache-t-il pas chez nous dans les falaises, à Horsha, sur la colline de Hakila, au sud de la steppe ? ²⁰Maintenant, quand tu désireras descendre, ô roi, descends c'est à nous de le livrer entre les mains du roi. » ²¹Saül répondit : « Soyez bénis de Yahvé pour avoir eu pitié de moi. ²²Allez donc, assurez-vous encore, reconnaissez et voyez l'endroit où il se trouve, qui il y a, car on m'a dit : il est très rusé. ²³Voyez et reconnaissez toutes les cachettes où il peut se cacher et revenez me voir quand vous serez sûrs. Alors, j'irai avec vous et, s'il est dans le pays, je le traquerai dans tous les clans de Juda. »

²⁴Se mettant en route, ils partirent pour Ziph, en avant de Saül. David et ses hommes étaient au désert de Maôn, dans la plaine au sud de la steppe. ²⁵Saül et ses hommes partirent à sa recherche. On informa David. Celui-ci descendit à la Roche et demeura dans le désert de Maôn. Saül l'apprit et il poursuivit David dans le désert de Maôn. ²⁶Saül marchait d'un côté de la montagne ; David et ses hommes étaient de l'autre côté de la montagne. David se hâtait de s'éloigner de Saül. Saül et ses hommes voulaient encercler David et ses hommes pour les capturer. ²⁷Un messager vint dire à Saül : « Hâte-toi ! Pars, car les Philistins ont envahi le pays ! »

²⁸Saül cessa donc de poursuivre David et marcha à la rencontre des Philistins. C'est pourquoi on a appelé cet endroit la Roche des Hésitations.

David épargne Saül. = 26.

24 ¹David monta de là et s'établit dans les falaises d'Engaddi. ²Quand Saül revint de la poursuite des Philistins, on l'informa en disant : « Voici que David est au désert d'Engaddi. » ³Alors Saül prit trois mille hommes d'élite de tout Israël et partit à la recherche de David et de ses hommes en face des Rochers des Bouquetins. ⁴Il arriva aux parcs à moutons qui sont près du chemin ; il y a là une grotte où Saül entra pour se couvrir les pieds. Or David et ses hommes étaient assis au fond de la grotte. ⁵Les hommes de David lui dirent : « Voici le jour dont Yahvé t'a dit : Voici que je vais te livrer ton ennemi entre tes mains et tu agiras envers lui comme bon te semblera. » David se leva et coupa furtivement le pan du manteau de Saül. ⁶Après quoi, le cœur lui battit, d'avoir coupé le pan du manteau de Saül. ⁷Il dit à ses hommes : « Que Yahvé m'ait en abomination si je fais cela à Monseigneur, l'oint de Yahvé, en portant la main sur lui, car il est l'oint de Yahvé. » ⁸Par ces paroles David retint ses hommes et ne leur permit pas de se dresser contre Saül.

Saül se redressa, quitta la grotte et alla son chemin. ⁹David se leva ensuite, sortit de la grotte et lui cria : « Monseigneur le roi ! » Saül regarda derrière lui et David s'inclina jusqu'à terre et se prosterna. ¹⁰Puis David dit à Saül :

« Pourquoi écoutes-tu les gens qui disent : "Voici que David cherche ton malheur" ? ¹¹En ce jour même, tes yeux ont vu comment Yahvé t'avait livré aujourd'hui entre mes mains dans la grotte. On a parlé de te tuer, je t'ai épargné et j'ai dit : Je ne porterai pas la main sur mon seigneur, car il est l'oint de Yahvé. ¹²Ô mon père, vois, vois donc le pan de ton manteau dans ma main : puisque j'ai pu couper le pan de ton manteau et que je ne t'ai pas tué, comprends et vois qu'il n'y a chez moi ni méchanceté ni crime. Je n'ai pas péché contre toi alors que, toi, tu tends des embûches à ma vie pour me l'enlever. ¹³Que Yahvé soit juge entre moi et toi, que Yahvé me venge de toi, mais je ne porterai pas la main sur toi. ¹⁴Comme dit l'ancien proverbe : Des méchants sort la méchanceté je ne porterai pas la main sur toi. ¹⁵Après qui le roi d'Israël s'est-il mis en campagne, après qui cours-tu ? Après un chien crevé, après une simple puce ! ¹⁶Que Yahvé soit l'arbitre, qu'il juge entre moi et toi, qu'il examine et défende ma cause et qu'il me rende justice en m'arrachant à ta main ! »

¹⁷Lorsque David eut achevé de parler ainsi à Saül, celui-ci dit : « Est-ce bien ta voix, mon fils David ? » Et Saül se mit à crier et à pleurer. ¹⁸Puis il dit à David : « Tu es plus juste que moi, car tu m'as fait du bien et moi je t'ai fait du mal. ¹⁹aujourd'hui, tu as révélé ta bonté pour moi, puisque Yahvé m'avait livré entre tes mains et que tu ne m'as pas tué. ²⁰Quand un homme rencontre son ennemi, le laisse-t-il aller bonnement son chemin ? Que Yahvé te récompense pour le bien que tu m'as fait aujourd'hui. ²¹Maintenant, je sais que tu régneras sûrement et que le royaume d'Israël restera en ta main. ²²Jure-moi donc par Yahvé que tu ne supprimeras pas ma descendance après moi et que tu ne feras pas disparaître mon nom de la maison de mon père. » ²³David prêta serment à Saül. Celui-ci s'en alla chez lui, tandis que David et ses gens remontaient au refuge.

Mort de Samuel. Histoire de Nabal et d'Abigayil.

25 ¹Samuel mourut. Tout Israël s'assembla et fit son deuil ; on l'ensevelit chez lui à Rama.

David se leva et descendit au désert de Parân.

²Il y avait à Maôn un homme, qui avait ses affaires à Karmel ; c'était un homme très riche, il avait mille moutons et mille chèvres, et il était alors à Karmel pour la tonte de son troupeau. ³L'homme se nommait Nabal et sa femme, Abigayil ; mais alors que la femme était pleine de bon sens et belle à voir, l'homme était brutal et malfaisant ; il était Calébite.

⁴David, ayant appris au désert que Nabal tondait son troupeau, ⁵envoya dix garçons. David avait dit : « Montez à Karmel, rendez-vous chez Nabal et saluez-le de ma part. ⁶Vous direz : "Qu'il en soit ainsi l'an prochain ! Salut à toi, salut à ta maison, salut à tout ce qui t'appartient ! ⁷Maintenant, j'apprends qu'on fait la tonte chez toi. Or tes bergers ont été avec nous, nous ne les avons pas molestés et rien de ce qui leur appartenait n'a disparu, tout le temps

qu'ils furent à Karmel. [8]Interroge tes garçons et ils t'informeront. Que mes garçons trouvent grâce à tes yeux, car nous sommes venus un jour de fête. Donne, je te prie, ce que tu peux à tes serviteurs et à ton fils David". »

[9]Les garçons de David, étant arrivés, redirent toutes ces paroles à Nabal de la part de David et attendirent. [10]Mais Nabal, s'adressant aux serviteurs de David, leur dit : « Qui est David, qui est le fils de Jessé ? aujourd'hui nombreux sont les serviteurs qui s'évadent de chez leurs maîtres. [11]Prendrais-je de mon pain, de mon eau, de ma viande que j'ai abattue pour mes tondeurs, et les donner à des gens dont je ne sais d'où ils sont ! » [12]Les garçons de David rebroussèrent chemin et s'en retournèrent. À leur arrivée, ils informèrent David de toutes ces paroles. [13]Alors David dit à ses hommes : « Que chacun ceigne son épée ! » Ils ceignirent chacun son épée, David aussi ceignit la sienne, et quatre cents hommes environ partirent à la suite de David, tandis que deux cents restaient près des bagages.

[14]Un des garçons avait informé Abigayil, la femme de Nabal, en lui disant : « David a envoyé, du désert, des messagers pour saluer notre maître, mais celui-ci s'est jeté sur eux. [15]Pourtant ces gens ont été très bons pour nous, nous n'avons pas été molestés et nous n'avons rien perdu, tout le temps que nous avons circulé près d'eux, quand nous étions dans la campagne. [16]Nuit et jour, ils ont été comme un rempart autour de nous, tout le temps que nous fûmes avec

eux à paître le troupeau. [17]Reconnais maintenant et vois ce que tu dois faire, car la perte de notre maître et de toute sa maison est une affaire décidée ; quant à lui, c'est un vaurien à qui on ne peut parler. »

[18]Abigayil se hâta de prendre deux cents pains, deux outres de vin, cinq moutons apprêtés, cinq mesures de grains grillés, cent grappes de raisin sec, deux cents gâteaux de figues, qu'elle chargea sur des ânes. [19]Elle dit à ses serviteurs : « Passez devant, et moi je vous suis », mais elle n'informa pas Nabal, son mari.

[20]Tandis que, montée sur un âne, elle descendait derrière un repli de la montagne, David et ses hommes descendaient dans sa direction. Elle les rencontra. [21]Or David s'était dit : « C'est donc en vain que j'ai protégé dans le désert tout ce qui était à cet individu et que rien de ce qui lui appartenait n'a disparu ! Il m'a rendu le mal pour le bien. [22]Que Dieu fasse à David ceci et y ajoute cela si, de tout ce qui lui appartient, je laisse subsister jusqu'à demain matin un seul mâle. » [23]Dès qu'Abigayil aperçut David, elle se hâta de descendre de l'âne et, tombant sur la face devant David, elle se prosterna jusqu'à terre. [24]Se jetant à ses pieds, elle dit : « Que la faute soit sur moi, Monseigneur ! Puisse ta servante parler à tes oreilles et daigne écouter les paroles de ta servante ! [25]Que Monseigneur ne fasse pas attention à ce vaurien, à ce Nabal, car il porte bien son nom : il s'appelle l'Insensé et l'infamie s'attache à lui. Mais moi, ta servante, je n'avais pas vu les garçons

que Monseigneur avait envoyés. [26]Maintenant, Monseigneur, par la vie de Yahvé et ta propre vie, c'est Yahvé qui t'a empêché d'en venir au sang et de triompher par ta propre main. Maintenant, que tes ennemis et ceux qui cherchent du mal à Monseigneur soient comme Nabal ! [27]Quant à ce présent que ta servante apporte à Monseigneur, qu'il soit remis aux garçons qui marchent sur les pas de Monseigneur. [28]Pardonne, je t'en prie, l'offense de ta servante ! Assurément Yahvé fera à Monseigneur une maison stable, car Monseigneur combat les guerres de Yahvé et, au long de ta vie, on ne trouve pas de mal en toi. [29]Et si un homme se lève pour te poursuivre et attenter à ta vie, l'âme de Monseigneur sera ensachée dans le sachet de vie auprès de Yahvé ton Dieu, tandis que l'âme de tes ennemis, il la lancera au creux de la fronde. [30]Lors donc que Yahvé aura accompli pour Monseigneur tout le bien qu'il a dit à ton sujet et lorsqu'il t'aura établi chef sur Israël, [31]qu'il n'y ait, pour toi, Monseigneur, ni trouble ni remords pour avoir versé le sang à la légère et pour avoir triomphé de sa propre main. Que Yahvé te fasse du bien, Monseigneur. Souviens-toi de ta servante. »

[32]David répondit à Abigayil : « Béni soit Yahvé, Dieu d'Israël, qui t'a envoyée aujourd'hui à ma rencontre. [33]Béni soit ton bon sens et bénie sois-tu, pour m'avoir retenu aujourd'hui d'en venir au sang et de triompher de ma propre main ! [34]Mais, par la vie de Yahvé, Dieu d'Israël, qui m'a empêché de te faire du mal, si tu n'étais pas venue aussi vite à ma rencontre, il ne serait resté à Nabal d'ici l'aurore aucun mâle. » [35]David reçut ce qu'elle lui avait apporté et il lui dit : « Remonte en paix chez toi. Vois, j'ai écouté ta voix et je t'ai fait grâce. »

[36]Quand Abigayil arriva chez Nabal, il festoyait dans sa maison. Un festin de roi : Nabal était en joie et complètement ivre ; elle ne l'informa de rien jusqu'à l'aurore. [37]Le matin, quand Nabal eut cuvé son vin, sa femme lui raconta cette affaire. Alors son cœur mourut dans sa poitrine et il devint comme une pierre. [38]Une dizaine de jours plus tard, Yahvé frappa Nabal et il mourut.

[39]Ayant appris que Nabal était mort, David dit : « Béni soit Yahvé qui m'a rendu justice pour l'injure que j'avais reçue de Nabal et qui a retenu son serviteur de commettre le mal. Yahvé a fait retomber la méchanceté de Nabal sur sa propre tête. »

David envoya demander Abigayil en mariage. [40]Les serviteurs de David vinrent donc trouver Abigayil à Karmel et lui dirent : « David nous a envoyés chez toi pour te prendre comme sa femme. » [41]Elle se leva, se prosterna la face contre terre et dit : « Voici que ta servante est comme une esclave, pour laver les pieds des serviteurs de Monseigneur. » [42]Vite, Abigayil se releva et monta sur un âne ; suivie par cinq de ses servantes, elle partit derrière les messagers de David et elle devint sa femme.

[43]David avait aussi épousé Ahinoam de Yizréel, et il les eut toutes deux pour femmes. [44]Saül avait donné sa fille Mikal, femme

de David, à Palti, fils de Layish, de Gallim.

David épargne Saül. = 24. Cf. 23 19s.

26 ¹Les gens de Ziph vinrent trouver Saül à Gibéa et lui dirent : « Est-ce que David ne se cache pas sur la colline de Hakila, en face de la steppe ? » ²S'étant mis en route, Saül descendit au désert de Ziph, accompagné de trois mille hommes, l'élite d'Israël, pour traquer David dans le désert de Ziph. ³Saül campa à la colline de Hakila, qui est à l'orée de la steppe, près de la route. David séjournait au désert et il vit que Saül était venu derrière lui au désert. ⁴David envoya des espions et il sut que Saül était effectivement arrivé. ⁵Alors David se mit en route et arriva au lieu où Saül campait. Il vit l'endroit où étaient couchés Saül et Abner, fils de Ner, le chef de son armée : Saül était couché à l'intérieur de l'enceinte et la troupe campait autour de lui.

⁶David, s'adressant à Ahimélek le Hittite et à Abishaï, fils de Çeruya et frère de Joab, leur dit : « Qui veut descendre avec moi au camp, jusqu'à Saül ? » Abishaï répondit : « C'est moi qui descendrai avec toi. » ⁷Donc David et Abishaï arrivèrent de nuit près de la troupe. Voici que Saül était couché, endormi à l'intérieur de l'enceinte, sa lance était plantée en terre à son chevet ; Abner et la troupe étaient couchés autour de lui.

⁸Alors Abishaï dit à David : « aujourd'hui Dieu a livré ton ennemi entre tes mains. Et maintenant, permets-moi de le clouer à terre avec la lance d'un seul coup. Je n'aurai pas à lui en donner un

second ! » ⁹David dit à Abishaï : « Ne le fais pas périr ! En effet qui pourrait porter la main sur l'oint de Yahvé et rester impuni ? » ¹⁰David dit : « Par la vie de Yahvé, c'est Yahvé qui le frappera, soit que son jour arrive et qu'il meure, soit qu'il descende au combat et qu'il y périsse. ¹¹Que Yahvé m'ait en abomination si je porte la main sur l'oint de Yahvé ! Maintenant, prends donc la lance qui est à son chevet et la gourde d'eau, et allons-nous-en. » ¹²David prit la lance et la gourde d'eau qui étaient au chevet de Saül et ils s'en allèrent. Personne ne vit rien, personne ne le sut, personne ne s'éveilla, ils dormaient tous, car une torpeur venant de Yahvé était tombée sur eux.

¹³David passa de l'autre côté et se tint sur le sommet de la montagne au loin ; il y avait un grand espace entre eux. ¹⁴David cria en direction de la troupe et d'Abner, fils de Ner, en disant : « Ne vas-tu pas répondre, Abner ? », dit-il. Et Abner répondit : « Qui es-tu, toi qui cries en direction du roi ? » ¹⁵David dit à Abner : « N'es-tu pas un homme ? Et qui est ton pareil en Israël ? Pourquoi donc n'as-tu pas veillé sur ton seigneur le roi ? Car quelqu'un du peuple est venu pour faire périr le roi ton seigneur. ¹⁶Ce n'est pas bien ce que tu as fait. Par la vie de Yahvé, vous deviez être morts pour n'avoir pas veillé sur votre seigneur, sur l'oint de Yahvé. Et maintenant, regarde où est la lance du roi et la gourde d'eau qui étaient à son chevet ! »

¹⁷Saül reconnut la voix de David, et il demanda : « Est-ce bien

ta voix, mon fils David ? » – David dit : « C'est ma voix, Monseigneur le roi. » ¹⁸Il dit : « Pourquoi donc Monseigneur poursuit-il son serviteur ? Qu'ai-je fait ? Quel mal y a-t-il en moi ? ¹⁹Maintenant, que Monseigneur le roi veuille écouter les paroles de son serviteur : si c'est Yahvé qui t'excite contre moi, qu'il soit apaisé par une offrande, mais si ce sont des humains, qu'ils soient maudits devant Yahvé, car ils m'ont chassé aujourd'hui au point de m'exclure de l'héritage de Yahvé, en disant : "Va servir d'autres dieux !" ²⁰Maintenant, que mon sang ne tombe pas à terre loin de la face de Yahvé ! En effet, le roi d'Israël s'est mis en campagne pour rechercher la simple puce comme on pourchasse la perdrix dans les montagnes. »

²¹Saül dit : « J'ai péché ! Retourne, mon fils David, je ne te ferai plus de mal, puisque ma vie a eu aujourd'hui tant de prix à tes yeux. Oui, j'ai agi en insensé et je me suis très lourdement trompé. » ²²David répondit : « Voici la lance du roi. Que l'un des garçons traverse et vienne la prendre. ²³Yahvé rendra à chacun selon sa justice et sa fidélité. aujourd'hui Yahvé t'avait livré entre mes mains et je n'ai pas voulu porter la main sur l'oint de Yahvé. ²⁴De même que ta vie a compté beaucoup à mes yeux en ce jour, ainsi ma vie comptera beaucoup au regard de Yahvé et il me délivrera de toute angoisse. »

²⁵Saül dit à David : « Béni sois-tu, mon fils David. Certainement tu entreprendras et tu réussiras. » David alla son chemin et Saül retourna chez lui.

IV. DAVID CHEZ LES PHILISTINS

David se réfugie à Gat.

27 ¹David se dit en lui-même : « Un de ces jours, je périrai par la main de Saül. Je n'ai rien de mieux à faire que de me sauver au pays des Philistins. Saül renoncera à me chercher encore dans tout le territoire d'Israël et j'échapperai à sa main. » ²David se mit en route et passa, avec les 600 hommes qu'il avait, chez Akish, fils de Maok, roi de Gat. ³David s'établit auprès d'Akish à Gat, lui et ses hommes, chacun avec sa famille, David avec ses deux femmes, Ahinoam de Yizréel et Abigayil, la femme de Nabal de Karmel. ⁴On informa Saül que David s'était enfui à Gat et il cessa de le chercher.

David vassal d'Akish.

⁵David dit à Akish : « Je t'en prie, si j'ai trouvé grâce à tes yeux, permets qu'on me donne, dans l'une des villes de la campagne, un endroit où je puisse résider. Pourquoi ton serviteur demeurerait-il à côté de toi dans la ville royale ? » ⁶Ce même jour, Akish lui donna Çiqlag. C'est pourquoi Çiqlag a appartenu aux rois de Juda jusqu'à ce jour. ⁷La durée du séjour que David fit en territoire philistin fut d'un an et quatre mois.

⁸David monta avec ses hommes et ils firent des raids chez les Geshurites, les Girzites et les Amalécites, car ce sont eux qui habitent le pays depuis Télam jusqu'à Shur et jusqu'au pays d'Égypte. ⁹David dévastait le pays et ne laissait en vie ni homme ni femme, il enlevait le petit et le gros bétail, les ânes, les chameaux et les vêtements, puis il revenait et rentrait chez Akish. ¹⁰Akish disait : « Où avez-vous fait un raid aujourd'hui ? » et David disait : « Contre le Négeb de Juda » ou « Contre le Négeb des Yerahméelites » ou « Dans le Négeb des Qénites. » ¹¹David ne laissait en vie ni homme ni femme à ramener à Gat, « de peur, se disait-il, qu'ils ne fassent des rapports contre nous en disant : "Voilà ce que David a fait." » Telle fut sa manière d'agir tout le temps qu'il séjourna en territoire philistin. ¹²Akish avait confiance en David ; il se disait : « Il s'est sûrement rendu odieux à Israël son peuple et il sera pour toujours mon serviteur. »

Les Philistins partent en guerre contre Israël.

28 ¹Or, en ce temps-là, les Philistins rassemblèrent leurs troupes pour la guerre afin de combattre Israël, et Akish dit à David : « Sache bien que tu iras à l'armée avec moi, toi et tes hommes. » ²David dit à Akish : « Eh bien ! tu sauras toi-même ce que fera ton serviteur. » Alors Akish dit à David : « Eh bien ! Je t'instituerai pour toujours mon garde du corps. »

Saül et la sorcière d'En-Dor.

³Samuel était mort, tout Israël avait fait son deuil et on l'avait enseveli à Rama, dans sa ville. Saül avait expulsé du pays les nécromants et les devins.

⁴Les Philistins se rassemblèrent et vinrent camper à Shunem. Saül rassembla tout Israël et ils campèrent à Gelboé. ⁵Lorsque Saül vit le camp philistin, il eut peur et son cœur trembla fort. ⁶Saül consulta Yahvé, mais Yahvé ne lui répondit pas, ni par les songes, ni par les sorts, ni par les prophètes. ⁷Saül dit alors à ses serviteurs : « Cherchez-moi une femme qui pratique la divination pour que j'aille chez elle la consulter. » Ses serviteurs lui répondirent : « Il y a une femme qui pratique la divination à En-Dor. »

⁸Saül se déguisa et endossa d'autres vêtements, puis il partit avec deux hommes et ils arrivèrent de nuit chez la femme. Il lui dit : « Je t'en prie, pratique pour moi la divination et évoque pour moi celui que je te dirai. » ⁹La femme lui dit : « Voyons, tu sais toi-même ce qu'a fait Saül et comment il a supprimé du pays les nécromants et les devins. Pourquoi tends-tu un piège à ma vie pour me faire mourir ? » ¹⁰Alors Saül lui fit ce serment par Yahvé : « Par la vie de Yahvé tu n'encourras aucun blâme pour cette affaire. » ¹¹La femme demanda : « Qui faut-il évoquer pour toi ? », et il répondit : « Évoque-moi Samuel. »

¹²Alors la femme vit Samuel et, poussant un grand cri, elle dit à Saül : « Pourquoi m'as-tu trompée ? Tu es Saül ! » ¹³Le roi lui

dit : « N'aie pas peur ! Mais que vois-tu ? » Et la femme répondit à Saül : « Je vois un dieu qui monte de la terre. » [14]Saül lui demanda : « Quelle apparence a-t-il ? », et la femme répondit : « C'est un vieillard qui monte, il est drapé dans un manteau. » Alors Saül sut que c'était Samuel et, s'inclinant la face contre terre, il se prosterna.

[15]Samuel dit à Saül : « Pourquoi m'as-tu dérangé en me faisant évoquer ? » Saül dit : « Je suis dans une grande angoisse. Les Philistins me font la guerre et Dieu s'est détourné de moi, il ne me répond plus, ni par les prophètes, ni en songe. Alors je t'ai appelé pour que tu m'indiques ce que je dois faire. » [16]Samuel dit : « Pourquoi me consulter, quand Yahvé s'est détourné de toi et est devenu ton adversaire ? [17]Yahvé a fait pour un autre comme il t'avait dit par mon entremise : il a arraché de ta main la royauté et l'a donnée à ton prochain, David, [18]parce que tu n'as pas écouté la voix de Yahvé, et que tu n'as pas satisfait l'ardeur de sa colère contre Amaleq. C'est pour cela que Yahvé t'a traité de la sorte aujourd'hui. [19]De plus, Yahvé livrera avec toi Israël aux mains des Philistins ; demain, toi et tes fils, vous serez avec moi ; l'armée d'Israël aussi, Yahvé la livrera aux mains des Philistins. »

[20]Aussitôt Saül tomba à terre de tout son long. Il était terrifié par les paroles de Samuel ; de plus, il était sans force, n'ayant rien mangé de tout le jour et de toute la nuit. [21]La femme vint à Saül, et, le voyant épouvanté, elle lui dit : « Vois, ta servante t'a obéi, j'ai

risqué ma vie et j'ai obéi aux ordres que tu m'avais donnés. [22]Maintenant, je t'en prie, écoute à ton tour la voix de ta servante : laisse-moi te servir un morceau de pain et mange ; ainsi tu auras des forces pour te remettre en route. » [23]Saül refusa : « Je ne mangerai pas », dit-il. Mais ses serviteurs le pressèrent, ainsi que la femme, et il les écouta. Il se leva de terre et s'assit sur le divan. [24]La femme avait chez elle un veau à l'engrais. Vite, elle l'abattit et, prenant de la farine, elle le pétrit et fit cuire des pains sans levain. [25]Elle servit Saül et ses gens. Ils mangèrent, puis se levèrent et partirent cette même nuit.

David est congédié par les chefs philistins.

29 [1]Les Philistins rassemblèrent toutes leurs troupes à Apheq. Israël campait à la source qui est en Yizréel. [2]Les princes des Philistins défilaient en tête des centaines et des milliers. David et ses hommes défilaient les derniers avec Akish. [3]Les chefs des Philistins dirent : « Qu'est-ce que ces Hébreux ? », et Akish dit aux chefs des Philistins : « Mais c'est David, le serviteur de Saül, roi d'Israël, qui est avec moi depuis des jours et des années et je n'ai trouvé aucun reproche à lui faire depuis le jour qu'il s'est rendu à moi jusqu'à maintenant. » [4]Les chefs des Philistins s'emportèrent contre lui et ils lui dirent : « Renvoie cet homme et qu'il retourne au lieu que tu lui as assigné. Qu'il ne vienne pas au combat avec nous et qu'il ne devienne pas pour nous un adversaire pendant le combat ! À quel prix celui-là pourrait-il se concilier son maître, si ce n'est avec la tête des hommes que voici ? ⁵N'est-il pas ce David, duquel on chantait dans les chœurs :

"Saül a tué ses milliers
et David ses myriades" ? »

⁶Akish appela donc David et lui dit : « Par la vie de Yahvé, tu es un homme droit. J'ai plaisir à te voir partir à l'armée et rentrer avec moi dans le camp, car je n'ai rien trouvé de mauvais en toi depuis le jour que tu es venu chez moi jusqu'à maintenant, mais tu ne plais pas aux princes. ⁷Retourne donc et va en paix. Ainsi tu ne déplairas pas aux princes des Philistins. »

⁸David dit à Akish : « Qu'ai-je donc fait et qu'as-tu à reprocher à ton serviteur depuis le jour où je suis entré à ton service jusqu'à maintenant, pour que je ne puisse pas venir et combattre les ennemis de Monseigneur le roi ? » ⁹Akish répondit en disant à David : « Je sais. Certes tu me plais comme un ange de Dieu, mais les chefs des Philistins ont dit : "Qu'il ne monte pas avec nous au combat." ¹⁰Donc lève-toi de bon matin avec les serviteurs de ton maître qui sont venus avec toi, et allez à l'endroit que je vous ai assigné. Ne garde en ton cœur aucun ressentiment, car tu m'es agréable. Vous vous lèverez de bon matin. Dès qu'il fera jour, vous partirez. »

¹¹David et ses hommes se levèrent tôt pour partir de bon matin et retourner au pays des Philistins. Les Philistins, quant à eux, montèrent en Yizréel.

Campagne contre les Amalécites.

30 ¹Or, lorsque David et ses hommes arrivèrent à Çiqlag le troisième jour, les Amalécites avaient fait un raid au Négeb et à Çiqlag ; ils avaient dévasté Çiqlag et l'avaient incendiée. ²Ils avaient capturé les femmes qui s'y trouvaient, du petit jusqu'au grand, ils n'avaient fait mourir personne. Ils les avaient emmenés et repris leur chemin. ³David et ses hommes arrivèrent à la ville : elle avait été incendiée ; leurs femmes, leurs fils et leurs filles avaient été capturés. ⁴David et la troupe qui était avec lui firent entendre des cris et pleurèrent jusqu'à ce qu'ils n'eussent plus la force de pleurer. ⁵Les deux femmes de David avaient été capturées, Ahinoam de Yizréel et Abigayil, la femme de Nabal de Karmel.

⁶David était en grande détresse, car la troupe parlait de le lapider. En effet toute la troupe était pleine d'amertume, chacun à cause de ses fils et de ses filles. Mais David reprit courage en Yahvé son Dieu. ⁷David dit au prêtre Ébyatar, fils d'Ahimélek : « Je t'en prie, apporte-moi l'éphod », et Ébyatar apporta l'éphod à David. ⁸David consulta Yahvé en disant : « Poursuivrai-je cette bande ? Pourrais-je les rattraper ? » Yahvé lui dit : « Poursuis, car tu les rattraperas et tu délivreras les tiens. » ⁹David partit, lui et les six cents hommes qui étaient avec lui et ils arrivèrent au torrent de Besor. ¹⁰David continua la poursuite avec quatre cents hommes, mais deux cents

s'arrêtèrent, trop fatigués pour passer le torrent de Besor. ¹¹On trouva un Égyptien dans la campagne et on le prit pour l'amener à David. On lui donna du pain, qu'il mangea, et on lui fit boire de l'eau. ¹²On lui donna du gâteau de figues et deux grappes de raisin sec. Il mangea et reprit ses esprits. En effet il n'avait pas mangé de nourriture ni bu d'eau depuis trois jours et trois nuits. ¹³David lui dit : « À qui appartiens-tu et d'où es-tu ? » Il dit : « Je suis un jeune Égyptien, esclave d'un Amalécite. Mon maître m'a abandonné parce que j'étais malade, voici aujourd'hui trois jours. ¹⁴C'est nous qui avons fait un raid contre le Négeb des Kerétiens, contre ce qui appartient à Juda et contre le Négeb de Caleb, et nous avons incendié Çiqlag. » ¹⁵David lui dit : « Veux-tu me guider vers cette bande ? » Il dit : « Jure-moi par Dieu que tu ne me feras pas mourir et que tu ne me livreras pas à mon maître, et je te conduirai vers cette bande. »

¹⁶Il l'y conduisit donc, et voici qu'ils étaient disséminés sur toute l'étendue du pays, mangeant, buvant et faisant la fête, à cause de tout le grand butin qu'ils avaient pris au pays des Philistins et au pays de Juda. ¹⁷David les frappa, depuis l'aube jusqu'au soir du lendemain. Personne n'en réchappa, sauf quatre cents jeunes hommes, qui montèrent sur les chameaux et s'enfuirent. ¹⁸David délivra tout ce que les Amalécites avaient pris. David délivra aussi ses deux femmes. ¹⁹Il ne manquait personne, petits et grands, fils et filles, rien du butin ni de tout ce

qu'ils avaient pris. David ramena tout. ²⁰David prit tout le petit bétail. Quant au gros bétail, on l'achemina en tête de ce troupeau et l'on dit : « Voici le butin de David ! »

²¹David arriva auprès des deux cents hommes qui avaient été trop fatigués pour le suivre et qu'il avait laissés au torrent de Besor. Ils sortirent à la rencontre de David et de la troupe qui était avec lui. David s'approcha avec la troupe et leur souhaita le bonjour. ²²Mais parmi les hommes qui étaient allés avec David, tous les méchants et les vauriens prirent la parole pour dire : « Puisqu'ils n'ont pas marché avec moi, nous ne leur donnerons rien du butin que nous avons repris, à l'exception de leurs femmes et de leurs enfants. Qu'ils les emmènent et s'en aillent ! » ²³Mais David dit : « Vous n'agirez pas ainsi, mes frères, avec ce que Yahvé nous a donné ; il nous a protégés et il a livré entre nos mains la bande qui était venue contre nous. ²⁴Qui vous écouterait en cette affaire ? Car :

Telle la part de celui qui descend au combat,

telle la part de celui qui reste près des bagages.

Ils partageront ensemble. » ²⁵Et, à partir de ce jour-là, il fit de cela pour Israël une règle et une coutume qui persistent encore aujourd'hui.

²⁶Arrivé à Çiqlag, David envoya des parts de butin aux anciens de Juda, ses proches, en disant : « Voici pour vous un présent pris sur le butin des ennemis de Yahvé »,

²⁷à ceux de Betul,
à ceux de Ramot du Négeb,
à ceux de Yattir,
²⁸à ceux d'Aroër,
à ceux de Siphmot,
à ceux d'Eshtemoa,
²⁹à ceux de Rakal,
à ceux des villes des Yerahméelites,
à ceux des villes des Qénites,
³⁰à ceux de Horma,
à ceux de Bor-Ashân,
à ceux de Atak,
³¹à ceux d'Hébron
et partout où étaient passés David
et ses hommes.

Bataille de Gelboé. Mort de Saül.

31 ¹Les Philistins combattaient contre Israël. Les Israélites s'enfuirent devant les Philistins. Des victimes tombèrent sur le mont Gelboé. ²Les Philistins serrèrent de près Saül et ses fils. Les Philistins frappèrent Jonathan, Abinadab et Malki-Shua, les fils de Saül. ³Le poids du combat se porta sur Saül. Les tireurs, hommes armés d'un arc, le découvrirent et il trembla fort à la vue des tireurs. ⁴Alors Saül dit à son écuyer : « Tire ton épée et transperce-moi, de peur que ces incirconcis ne viennent et ne se jouent de moi. » Mais son écuyer ne voulut pas, car il avait très peur. Alors Saül prit son épée et se jeta sur elle. ⁵Voyant que Saül était mort, l'écuyer se jeta lui aussi sur son épée et mourut avec lui. ⁶Saül mourut ainsi que ses trois fils, son écuyer et aussi tous ses hommes, ce jour-là, tous ensemble. ⁷Lorsque les Israélites qui étaient de l'autre côté de la vallée et ceux qui étaient de l'autre côté du Jourdain virent que les Israélites avaient fui et que Saül et ses fils étaient morts, ils abandonnèrent les villes et s'enfuirent. Les Philistins arrivèrent et s'y installèrent.

⁸Le lendemain, les Philistins vinrent pour dépouiller les victimes ; ils trouvèrent Saül et ses trois fils gisant sur le mont Gelboé. ⁹Ils lui tranchèrent la tête et le dépouillèrent de ses armes. Ils les envoyèrent à la ronde dans le pays des Philistins, pour annoncer la nouvelle dans leurs temples et au peuple. ¹⁰Ils déposèrent ses armes dans le temple d'Astarté ; quant à son corps, ils l'attachèrent au rempart de Bet-Shân. ¹¹Lorsque les habitants de Yabesh de Galaad apprirent ce que les Philistins avaient fait à Saül, ¹²tous les braves se mirent en route et, après avoir marché toute la nuit, ils enlevèrent du rempart de Bet-Shân les corps de Saül et de ses fils. Revenus à Yabesh, ils les y brûlèrent. ¹³Puis ils prirent leurs ossements, les ensevelirent sous le tamaris de Yabesh et jeûnèrent pendant sept jours.

Deuxième livre de Samuel

David apprend la mort de Saül.

1 ¹Après la mort de Saül, David, revenant de battre les Amalécites, demeura deux jours à Çiqlag. ²Le troisième jour, un homme arriva du camp, d'auprès de Saül. Il avait les vêtements déchirés et la tête couverte de terre. En arrivant près de David, il se jeta à terre et se prosterna. ³David lui dit : « D'où viens-tu ? » Il lui dit : « Je me suis échappé du camp d'Israël. » ⁴David demanda : « Que s'est-il passé ? Informe-moi donc ! » L'autre dit : « C'est que le peuple s'est enfui de la bataille, et parmi le peuple beaucoup sont tombés et sont morts. Même, Saül et son fils Jonathan sont morts! »

⁵David demanda au jeune porteur de nouvelles : « Comment sais-tu que Saül et son fils Jonathan sont morts ? » ⁶Le jeune porteur de nouvelles répondit : « Je me trouvais par hasard sur le mont Gelboé et je vis Saül s'appuyant sur sa lance et serré de près par les chars et les cavaliers. ⁷S'étant retourné, il m'aperçut et m'appela. Je répondis : "Me voici !" ⁸Il me demanda : "Qui es-tu ?" Et je lui dis : "Je suis un Amalécite." ⁹Il me dit alors : "Approche-toi de moi et tue-moi, car je suis saisi de vertige, bien que ma vie soit tout entière en moi." ¹⁰Je m'approchai donc et lui donnai la mort, car je savais qu'il ne survivrait pas, une fois tombé. Puis j'ai pris le diadème qu'il avait sur la tête et le bracelet qu'il avait au bras et je les ai apportés ici à Monseigneur. »

¹¹Alors David saisit ses vêtements et les déchira, et tous les hommes qui étaient avec lui firent de même. ¹²Ils se lamentèrent, pleurèrent et jeûnèrent jusqu'au soir à cause de Saül, de son fils Jonathan, du peuple de Yahvé et de la maison d'Israël, parce qu'ils étaient tombés par l'épée.

¹³David demanda au jeune porteur de nouvelles : « D'où es-tu ? » Et il dit : « Je suis le fils d'un immigré amalécite. » ¹⁴David lui dit : « Comment n'as-tu pas craint d'étendre la main pour faire périr l'oint de Yahvé ? » ¹⁵David appela l'un des garçons et dit : « Approche et frappe-le ! » Celui-ci l'abattit et il mourut. ¹⁶David lui dit : « Que ton sang retombe sur ta tête, car ta bouche a témoigné contre toi, quand tu as dit : "C'est moi qui ai donné la mort à l'oint de Yahvé." »

Élégie de David sur Saül et Jonathan.

¹⁷David fit cette complainte sur Saül et sur son fils Jonathan. ¹⁸Il dit (c'est pour apprendre l'arc aux fils de Juda ; c'est écrit au Livre du Juste) :

¹⁹« Splendeur d'Israël, blessé à mort sur tes hauteurs !

Comment sont tombés les héros ?

²⁰Ne le publiez pas dans Gat,
ne l'annoncez pas dans les rues
d'Ashqelôn,
que ne se réjouissent les filles
des Philistins,
que n'exultent les filles des incirconcis !

²¹Montagnes de Gelboé,
ni rosée ni pluie sur vous,
champs fertiles,
car là fut maculé le bouclier des
héros !

Le bouclier de Saül n'était pas
oint d'huile,
²²mais du sang des blessés, de
la graisse des héros.
L'arc de Jonathan jamais ne recula,
ni l'épée de Saül ne revint inutile.

²³Saül et Jonathan, aimés et
charmants,
dans la vie et dans la mort ne
furent pas séparés.

Ils étaient plus rapides que les
aigles,
plus forts que les lions.

²⁴Filles d'Israël, pleurez sur
Saül,
qui vous revêtait d'écarlate et
de parures,
qui accrochait des joyaux d'or
à vos vêtements.

²⁵Comment sont tombés les héros
au milieu du combat ?
Jonathan, blessé à mort sur tes
hauteurs,
²⁶Que de peine j'ai pour toi,
mon frère Jonathan.
Tu avais pour moi tant de charme,
ton amitié m'était plus merveil-
leuse
que l'amour des femmes.
²⁷Comment sont tombés les héros,
et anéanties les armes de guerre ? »

4. David

I. DAVID ROI DE JUDA

Sacre de David à Hébron.

2 ¹Après cela, David consulta
Yahvé en ces termes : « Monterai-je dans l'une des villes de Juda ? », et Yahvé lui répondit
« Monte ! » David dit : « Où monterai-je ? » Yahvé dit : « À Hébron. » ²David y monta et aussi ses
deux femmes, Ahinoam de Yizréel
et Abigayil, la femme de Nabal de
Karmel. ³Quant aux hommes qui

étaient avec lui, David les fit monter chacun avec sa famille et ils
s'établirent dans les villes d'Hébron. ⁴Les hommes de Juda vinrent
et là, ils oignirent David comme roi
sur la maison de Juda.

Message aux gens de Yabesh.

On informa David : « Les gens
de Yabesh de Galaad ont enterré
Saül. » ⁵David envoya des messagers aux gens de Yabesh et leur

fit dire : « Soyez bénis de Yahvé pour avoir accompli cet acte de fidélité envers Saül votre seigneur et pour l'avoir enterré. [6]Maintenant, que Yahvé agisse envers vous avec fidélité et loyauté. Moi aussi, j'agirai avec vous selon la même bonté puisque vous avez agi ainsi. [7]Et maintenant, que vos mains soient fermes. Soyez forts, car Saül votre seigneur est mort. Quant à moi, la maison de Juda m'a oint pour être son roi. »

Abner impose Ishboshet comme roi d'Israël.

[8]Abner, fils de Ner, le chef d'armée de Saül, avait emmené Ishboshet, fils de Saül, et l'avait fait passer à Mahanayim. [9]Il l'avait établi roi sur Galaad, sur les Ashurites, sur Yizréel, Éphraïm, Benjamin, et sur tout Israël. [10]Ishboshet, fils de Saül, avait quarante ans lorsqu'il devint roi d'Israël et il régna deux ans. Seule la maison de Juda se rallia à David. [11]Le temps que David régna à Hébron sur la maison de Juda fut de sept ans et six mois.

Guerre entre Juda et Israël. Bataille de Gabaôn.

[12]Abner, fils de Ner, et les serviteurs d'Ishboshet, fils de Saül, sortirent de Mahanayim en direction de Gabaôn. [13]Joab, fils de Çeruya, et les serviteurs de David sortirent aussi, et ils se rencontrèrent près du bassin de Gabaôn. Ils firent halte, ceux-ci d'un côté du bassin, ceux-là de l'autre côté. [14]Abner dit à Joab : « Que les jeunes gens se lèvent et luttent devant nous ! » Joab répondit : « Qu'ils se lèvent ! » [15]Ils se levè-

rent et furent dénombrés : douze pour Benjamin et pour Ishboshet, fils de Saül, et douze pris parmi les serviteurs de David. [16]Chacun saisit son adversaire par la tête et lui enfonça son épée dans le flanc, en sorte qu'ils tombèrent tous ensemble. C'est pourquoi on a appelé cet endroit le Champ des Rocs ; il se trouve à Gabaôn.

[17]Le combat fut très dur ce jour-là. Abner et les hommes d'Israël furent battus devant les serviteurs de David. [18]Il y avait là les trois fils de Çeruya, Joab, Abishaï et Asahel. Or Asahel était agile à la course comme une gazelle sauvage. [19]Il se lança à la poursuite d'Abner et le suivit sans dévier ni à droite ni à gauche. [20]Abner se retourna et dit : « Est-ce toi, Asahel ? » Et celui-ci répondit : « C'est moi. » [21]Alors Abner dit : « Détourne-toi à droite ou à gauche, attrape l'un des jeunes gens et empare-toi de ses dépouilles. » Mais Asahel ne voulut pas s'écarter de lui. [22]Abner redit encore à Asahel : « Écarte-toi de moi. Faut-il que je te frappe à terre ? Mais comment pourrais-je regarder en face ton frère Joab ? » [23]Mais, comme il refusait de s'écarter, Abner le frappa au ventre avec le talon de sa lance et la lance sortit par derrière : il tomba là et mourut sur place. En arrivant à l'endroit où Asahel était tombé et était mort, tous s'arrêtaient.

[24]Joab et Abishaï se mirent à la poursuite d'Abner et, au coucher du soleil, ils arrivèrent à la colline d'Amma, qui est à l'est de Giah sur le chemin du désert de Gabaôn. [25]Les Benjaminites se groupèrent derrière Abner, formèrent

un seul bloc et s'arrêtèrent au sommet d'une colline. ²⁶Abner cria en direction de Joab et dit : « L'épée dévorera-t-elle toujours ? Ne sais-tu pas que cela finira dans l'amertume ? Qu'attends-tu pour dire à la troupe de cesser de poursuivre leurs frères ? » ²⁷Joab dit : « Par la vie de Dieu, si tu n'avais pas parlé, ce n'est qu'au matin que la troupe aurait renoncé à poursuivre chacun son frère. » ²⁸Joab fit sonner du cor ; toute la troupe s'arrêta ; on ne poursuivit plus Israël et on cessa le combat.

²⁹Abner et ses hommes marchèrent dans la Araba pendant toute cette nuit-là, ils passèrent le Jourdain et, après avoir parcouru tout le Bitrôn, ils arrivèrent à Mahanayim. ³⁰Joab, ayant cessé de poursuivre Abner, rassembla toute la troupe ; parmi les serviteurs de David, il manquait à l'appel dix-neuf hommes, plus Asahel, ³¹mais les serviteurs de David avaient frappé à mort, parmi les Benjaminites et chez les hommes d'Abner, trois cent soixante hommes. ³²On emporta Asahel et on l'ensevelit dans le tombeau de son père, qui est à Bethléem. Joab et ses gens marchèrent toute la nuit et, au lever du jour, ils étaient à Hébron.

3 ¹La guerre se prolongea entre la maison de Saül et celle de David, mais David allait se fortifiant, tandis que s'affaiblissait la maison de Saül.

Fils de David nés à Hébron.
|| 1 Ch 3 1-4. 2 S 5 13-16.

²Des fils naquirent à David, à Hébron ; ce furent : son aîné Amnon, né d'Ahinoam de Yizréel ;

³son cadet Kiléab, né d'Abigayil, la femme de Nabal de Karmel ; le troisième Absalom, fils de Maaka, la fille de Talmaï roi de Geshur, ⁴le quatrième Adonias, fils de Haggit ; le cinquième Shephatya, fils d'Abital ; ⁵le sixième Yitréam, né d'Égla, femme de David. Ceux-là naquirent à David, à Hébron.

Rupture entre Abner et Ishbosheth.

⁶Or, pendant qu'il y avait la guerre entre la maison de Saül et celle de David, Abner renforçait de plus en plus sa position dans la maison de Saül. ⁷Saül avait une concubine qui se nommait Riçpa, fille d'Ayya. Ishbosheth, fils de Saül, dit à Abner : « Pourquoi es-tu allé vers la concubine de mon père ? » ⁸Aux paroles d'Ishbosheth, Abner entra dans une grande colère et dit : « Suis-je donc une tête de chien appartenant à Juda ? aujourd'hui j'agis avec fidélité envers la maison de Saül, ton père, envers ses frères et ses amis. Je ne t'ai pas laissé tomber aux mains de David. Et tu me fais grief d'une faute à cause de cette femme, aujourd'hui ! ⁹Que Dieu fasse ceci à Abner et qu'il y ajoute cela si je n'agis pour David comme Yahvé le lui a juré : ¹⁰enlever la royauté à la maison de Saül et établir le trône de David sur Israël et sur Juda depuis Dan jusqu'à Bersabée. » ¹¹Ishbosheth ne put répliquer un seul mot à Abner parce qu'il avait peur de lui.

Abner négocie avec David.

¹²Abner envoya sur-le-champ des messagers à David pour dire : « À qui appartient le pays ? » Et

encore : « Fais alliance avec moi et je te soutiendrai pour rallier autour de toi tout Israël. » ¹³David répondit : « Bien ! Je ferai alliance avec toi. Je ne te demande qu'une chose : ne te présente devant moi que si tu m'amènes Mikal, fille de Saül, lorsque tu te présenteras devant moi. » ¹⁴Et David envoya des messagers dire à Ishboshet, fils de Saül : « Rends-moi ma femme Mikal, que je me suis acquise pour cent prépuces de Philistins. » ¹⁵Ishboshet l'envoya prendre chez son mari Paltiel, fils de Layish. ¹⁶Son mari partit avec elle et la suivit en pleurant jusqu'à Bahurim. Alors Abner lui dit : « Retourne ! » et il s'en retourna.

¹⁷ Abner avait eu des pourparlers avec les anciens d'Israël et leur avait dit : « Voici longtemps que vous désirez avoir David pour votre roi. ¹⁸Agissez donc maintenant, puisque Yahvé a dit ceci à propos de David : "Par la main de mon serviteur David je sauverai mon peuple Israël de la main des Philistins et de tous ses ennemis." » ¹⁹Abner parla aussi à Benjamin, puis il alla à Hébron pour exposer à David tout ce qu'avaient approuvé Israël et toute la maison de Benjamin.

²⁰Abner, accompagné de vingt hommes, arriva chez David à Hébron et David offrit un festin à Abner et aux hommes qui étaient avec lui. ²¹Abner dit ensuite à David : « Allons ! Je vais rassembler tout Israël auprès de Monseigneur le roi : ils concluront un pacte avec toi et tu régneras sur tout ce que tu souhaites. » David congédia Abner, qui partit en paix.

Meurtre d'Abner.

²²Mais voici que les serviteurs de David revinrent d'une expédition, ramenant un énorme butin. Abner n'était plus auprès de David à Hébron, puisque David l'avait congédié et qu'il était parti en paix. ²³Lorsque arrivèrent Joab et toute son armée, on informa Joab : « Abner, fils de Ner, est venu chez le roi et celui-ci l'a laissé partir en paix. » ²⁴Alors Joab entra chez le roi et dit : « Qu'as-tu fait ? Abner est venu chez toi, pourquoi donc l'as-tu laissé partir ? ²⁵Tu connais Abner, fils de Ner. C'est pour te tromper qu'il est venu, pour connaître tes allées et venues, pour savoir tout ce que tu fais ! »

²⁶Joab sortit de chez David et envoya derrière Abner des messagers qui le firent revenir depuis la citerne de Sira, à l'insu de David. ²⁷Quand Abner arriva à Hébron, Joab le prit à l'écart à l'intérieur de la porte, sous prétexte de parler tranquillement avec lui, et là il le frappa mortellement au ventre, à cause du sang d'Asahel son frère. ²⁸Lorsque David apprit ensuite la chose, il dit : « Que Yahvé nous acquitte pour toujours, moi et mon royaume, du meurtre d'Abner, fils de Ner : ²⁹qu'il rejaillisse sur la tête de Joab et sur toute sa famille ! Qu'il ne cesse d'y avoir dans la maison de Joab des gens atteints d'écoulement ou de lèpre, des hommes bons à tenir le fuseau ou qui tombent sous l'épée, ou qui manquent de pain ! » ³⁰Joab et son frère Abishaï avaient assassiné Abner parce qu'il avait fait mourir leur frère Asahel au combat de Gabaôn. ³¹David dit à Joab et à

toute la troupe qui l'accompagnait : « Déchirez vos vêtements, mettez des sacs et faites le deuil devant Abner », et le roi David marchait derrière la civière. ³²On ensevelit Abner à Hébron ; le roi éclata en sanglots sur la tombe et tout le peuple pleura aussi.

³³Le roi fit cette complainte sur Abner :

« Abner devait-il mourir comme meurt l'insensé ?

³⁴Tes mains n'étaient pas liées, tes pieds n'étaient pas mis aux fers,

tu es tombé comme on tombe devant des malfaiteurs ! »

et les larmes de tout le peuple redoublèrent.

³⁵Tout le peuple vint inviter David à prendre de la nourriture alors qu'il faisait encore jour, mais David fit ce serment : « Que Dieu me fasse ceci et y ajoute cela si je goûte à de la nourriture ou à quoi que ce soit avant le coucher du soleil. » ³⁶Tout le peuple remarqua cela et le trouva bien, car tout ce que faisait le roi était approuvé par le peuple. ³⁷Ce jour-là, tout le peuple et tout Israël comprirent que le roi n'était pour rien dans la mort d'Abner, fils de Ner.

³⁸Le roi dit à ses serviteurs : « Ne savez-vous pas qu'un chef et un grand homme est tombé aujourd'hui en Israël ? ³⁹Pour moi, je suis faible maintenant, tout roi que je sois par l'onction, et ces hommes, les fils de Çeruya, sont plus violents que moi. Que Yahvé rende au méchant selon sa méchanceté ! »

Meurtre d'Ishboshet.

4 ¹Lorsque le fils de Saül apprit qu'Abner était mort à Hébron, les mains lui en tombèrent et tout Israël fut consterné. ²Or le fils de Saül avait deux chefs de bandes, qui s'appelaient l'un Baana et le second Rékab. Ils étaient les fils de Rimmôn de Bééerot et Benjaminites, car Béérot aussi est attribuée à Benjamin. ³Les gens de Béérot s'étaient réfugiés à Gittayim, où ils sont demeurés jusqu'à ce jour comme immigrés. ⁴Il y avait un fils de Jonathan, fils de Saül, qui était perclus des deux pieds. Il avait cinq ans lorsque arriva de Yizréel la nouvelle concernant Saül et Jonathan. Sa nourrice l'emporta et s'enfuit, mais dans la précipitation de la fuite, l'enfant tomba et s'estropia. Il s'appelait Mephiboshet.

⁵Les fils de Rimmôn de Béérot, Rékab et Baana, s'étant mis en route, arrivèrent à l'heure la plus chaude du jour à la maison d'Ishboshet, quand celui-ci faisait la sieste. ⁶Ils pénétrèrent au milieu de la maison, chargés de blé, et ils le frappèrent au ventre. Rékab et son frère Baana s'échappèrent. ⁷Ils entrèrent dans la maison alors qu'il était étendu sur le lit dans la chambre à coucher. Ils le frappèrent à mort et le décapitèrent, puis, emportant sa tête, ils marchèrent toute la nuit par la route de la Araba. ⁸Ils apportèrent la tête d'Ishboshet à David, à Hébron, et dirent au roi : « Voici la tête d'Ishboshet, fils de Saül, ton ennemi qui en voulait à ta vie. Yahvé a accordé

aujourd'hui à Monseigneur le roi pleine vengeance sur Saül et sur sa race. »

⁹Mais David répondit à Rékab et à son frère Baana, les fils de Rimmôn de Béérot, et leur dit : « Par la vie de Yahvé, qui m'a délivré de toute détresse ! ¹⁰Celui qui m'annonçait : "Saül est mort" se croyait un messager de bonne nouvelle ; je l'ai fait arrêter et tuer à Çiqlag, pour le payer de sa bonne nouvelle ! ¹¹À plus forte raison lorsque des bandits ont tué un homme honnête dans sa maison, sur son lit ! Ne dois-je pas vous demander compte de son sang et vous faire disparaître de la terre ? » ¹²David donna un ordre aux jeunes gens. Ceux-ci les tuèrent, leur coupèrent les mains et les pieds et les suspendirent près du bassin d'Hébron. Quant à la tête d'Ishboshet, on la prit et on l'ensevelit dans le tombeau d'Abner à Hébron.

II. DAVID ROI DE JUDA ET D'ISRAËL

Sacre de David comme roi d'Israël. ‖ 1 Ch 11 1.

5 ¹Alors toutes les tribus d'Israël vinrent auprès de David à Hébron et dirent : « Nous voici, nous sommes tes os et ta chair. ²Autrefois déjà, quand Saül régnait sur nous, c'était toi qui sortais et rentrais avec Israël, et Yahvé t'a dit : C'est toi qui paîtras mon peuple Israël et c'est toi qui deviendras chef d'Israël. » ³Tous les anciens d'Israël vinrent donc auprès du roi à Hébron, le roi David conclut un pacte avec eux à Hébron, en présence de Yahvé, et ils oignirent David comme roi sur Israël.

⁴David avait trente ans à son avènement et il régna pendant quarante ans. ⁵À Hébron, il régna sept ans et six mois sur Juda ; à Jérusalem, il régna trente-trois ans sur tout Israël et sur Juda.

Prise de Jérusalem. ‖ 1 Ch 11 4-9.

⁶Le roi et ses hommes marchèrent sur Jérusalem contre les Jébuséens qui habitaient le pays, et ceux-ci dirent à David : « Tu n'entreras ici qu'en écartant les aveugles et les boiteux », comme pour dire : David n'entrera pas ici. ⁷Mais David s'empara de la forteresse de Sion ; c'est la Cité de David. ⁸Ce jour-là, David dit : « Quiconque frappera le Jébuséen doit atteindre le canal. » Quant aux boiteux et aux aveugles, ils dégoûtent David. C'est pourquoi l'on dit : « Aveugle et boiteux n'entreront pas dans la Maison. » ⁹David s'installa dans la forteresse et l'appela Cité de David. David construisit tout autour depuis le Millo vers l'intérieur. ¹⁰David allait grandissant et Yahvé, Dieu Sabaot, était avec lui.

‖ 1 Ch 14 1-2. Cf. 1 R 5 15.

¹¹Hiram, roi de Tyr, envoya des messagers à David, avec du bois de cèdre, des charpentiers et des tailleurs de pierres, qui construisirent une maison pour David. ¹²Alors David sut que Yahvé l'avait confirmé comme roi sur Is-

raël et qu'il exaltait sa royauté à cause d'Israël son peuple.

Fils de David à Jérusalem.
|| 1 Ch 14 3-7. Cf. 2 S 3 2-5.

[13]Après son arrivée d'Hébron, David prit encore des concubines et des femmes à Jérusalem, et il naquit encore à David des fils et des filles. [14]Voici les noms des enfants qu'il eut à Jérusalem : Shammua, Shobab, Natân, Salomon, [15]Yibhar, Élishua, Népheg, Yaphia, [16]Élishama, Elyada, Éliphélèt.

Victoires sur les Philistins.
|| 1 Ch 14 8-16.

[17]Les Philistins apprirent qu'on avait oint David comme roi sur Israël. Tous les Philistins montèrent à la recherche de David. David l'apprit et descendit au refuge. [18]Les Philistins arrivèrent et se déployèrent dans le val de Rephaïm. [19]Alors David consulta Yahvé : « Monterai-je contre les Philistins ? Les livreras-tu entre mes mains ? » Yahvé dit à David : « Monte ! Oui, je livrerai sûrement les Philistins entre tes mains. » [20]David arriva à Baal-Peraçim et là David les battit. Et il dit : « Yahvé m'a ouvert une brèche chez mes ennemis comme une brèche faite par les eaux. » C'est pourquoi on appela cet endroit Baal-Peraçim. [21]Ils avaient abandonné là leurs idoles ; David et ses hommes les emportèrent.

[22]Les Philistins montèrent de nouveau et se déployèrent dans le val des Rephaïm. [23]David consulta Yahvé, et celui-ci répondit : « Ne les attaque pas en face, tourne-les par derrière et arrive sur eux du côté des micocouliers. [24]Quand tu entendras un bruit de pas à la cime des micocouliers, alors dépêche-toi : c'est que Yahvé sort devant toi pour battre l'armée philistine. » [25]David fit comme Yahvé lui avait ordonné et il battit les Philistins depuis Géba jusqu'à l'entrée de Gézer.

L'arche à Jérusalem. || 1 Ch 13.
Ps 132 6-10, 13-14.

6

[1]David rassembla encore toute l'élite d'Israël, trente mille hommes. [2]S'étant mis en route, David et tout le peuple qui était avec lui partirent de Baala de Juda afin de faire monter de là l'arche de Dieu sur laquelle est invoqué un nom, le nom de Yahvé Sabaot, siégeant sur les chérubins. [3]On chargea l'arche de Dieu sur le chariot neuf et on l'emporta de la maison d'Abinadab, qui est sur la colline. Uzza et Ahyo, les fils d'Abinadab, conduisaient le chariot. [4]Uzza marchait avec l'arche de Dieu et Ahyo marchait devant. [5]David et toute la maison d'Israël dansaient devant Yahvé au son de tous les instruments en bois de cyprès, des cithares, des harpes, des tambourins, des sistres et des cymbales. [6]Comme on arrivait à l'aire de Nakôn, Uzza étendit la main vers l'arche de Dieu et la retint, car les bœufs allaient la renverser. [7]Alors la colère de Yahvé s'enflamma contre Uzza : là, Dieu le frappa pour cette folie, et il mourut, là, à côté de l'arche de Dieu. [8]David s'enflamma parce que Yahvé avait fait une brèche en fonçant sur Uzza et on donna à ce lieu le nom de Péreç-Uzza, qu'il a gardé jusqu'à maintenant.

⁹Ce jour-là, David eut peur de Yahvé et dit : « Comment l'arche de Yahvé entrerait-elle chez moi ? » ¹⁰David ne voulut pas transférer chez lui l'arche de Dieu dans la Cité de David. David la conduisit dans la maison d'Obed-Édom le Gittite. ¹¹L'arche de Yahvé demeura trois mois chez Obed-Édom le Gittite et Yahvé bénit Obed-Édom et toute sa maison.

|| 1 Ch 15.

¹²On rapporta au roi David : « Yahvé a béni la maison d'Obed-Édom et tout ce qui lui appartient à cause de l'arche de Dieu. » Alors David partit et fit monter l'arche de Dieu de la maison d'Obed-Édom à la Cité de David dans la joie. ¹³Quand les porteurs de l'arche de Yahvé eurent fait six pas, il offrit en sacrifice un taureau et un veau gras. ¹⁴David tournoyait de toutes ses forces devant Yahvé. David avait ceint un éphod de lin. ¹⁵David et toute la maison d'Israël faisaient monter l'arche de Yahvé en poussant des acclamations et en sonnant du cor. ¹⁶Or, comme l'arche de Yahvé entrait dans la Cité de David, la fille de Saül, Mikal, regardait par la fenêtre, et elle vit le roi David qui sautait et tournoyait devant Yahvé, et, dans son cœur, elle le méprisa.

|| 1 Ch 16 1-3.

¹⁷On fit entrer l'arche de Yahvé et on l'installa à sa place, au milieu de la tente que David avait faite pour elle, et David offrit des holocaustes en présence de Yahvé, ainsi que des sacrifices de communion. ¹⁸Lorsque David eut achevé d'offrir des holocaustes et des sacrifices de communion, il bénit le peuple au nom de Yahvé Sabaot.

¹⁹Puis il fit distribuer à tout le peuple, à toute la foule, hommes et femmes, pour chacun une galette de pain, une portion de viande et un gâteau, puis tout le peuple s'en alla, chacun chez soi.

²⁰Comme David s'en retournait pour bénir sa maison, Mikal, fille de Saül, sortit à sa rencontre et dit : « Comme il s'est fait honneur aujourd'hui, le roi d'Israël, lui qui s'est découvert aux yeux des servantes de ses serviteurs comme se découvrirait un homme de rien ! » ²¹Mais David dit à Mikal : « C'est devant Yahvé qui m'a choisi de préférence à ton père et à toute sa maison pour m'instituer chef sur le peuple de Yahvé, sur Israël, c'est devant Yahvé que je danse. ²²Je m'abaisserai encore plus, et je serai vil à tes yeux, mais auprès des servantes dont tu parles, auprès d'elles je serai en honneur. » ²³Et Mikal, fille de Saül, n'eut pas d'enfant jusqu'au jour de sa mort.

Prophétie de Natân. || 1 Ch 17 1-15.

7 ¹Quand le roi habita sa maison et que Yahvé eut accordé le repos alentour face à ses ennemis, ²le roi dit au prophète Natân : « Vois donc ! J'habite une maison de cèdre et l'arche de Dieu habite sous une tente de toile ! » ³Natân répondit au roi : « Va et fais tout ce qui te tient à cœur, car Yahvé est avec toi. »

⁴Mais, cette même nuit, la parole de Yahvé fut adressée à Natân en ces termes :

⁵« Va dire à mon serviteur David : Ainsi parle Yahvé. Est-ce toi qui me construiras une maison pour que j'y habite ? ⁶Je n'ai jamais habité de maison depuis le

jour où j'ai fait monter d'Égypte les Israélites jusqu'à aujourd'hui, mais je cheminais sous une tente et sous un abri. [7]Pendant tout le temps où j'ai voyagé avec tous les Israélites, ai-je dit à un des juges d'Israël, que j'avais institués comme pasteurs de mon peuple Israël : "Pourquoi ne me bâtissez-vous pas une maison de cèdre ?" [8]Maintenant donc, tu parleras ainsi à mon serviteur David : Ainsi parle Yahvé Sabaot. C'est moi qui t'ai pris au pâturage, derrière le troupeau, pour être chef de mon peuple Israël. [9]J'ai été avec toi partout où tu allais ; j'ai supprimé devant toi tous tes ennemis. Je te donnerai un grand nom comme le nom des plus grands de la terre. [10]Je fixerai un lieu à mon peuple Israël, je l'y planterai, il demeurera en cette place, il ne sera plus ballotté et des scélérats ne continueront plus à l'opprimer comme auparavant, [11]depuis le temps où j'instituais des juges sur mon peuple Israël. Je t'ai accordé le repos face à tous tes ennemis. Yahvé t'annonce qu'il te fera une maison. [12]Et quand tes jours seront accomplis et que tu seras couché avec tes pères, j'élèverai ta descendance après toi, celui qui sera issu de tes entrailles, et j'affermirai sa royauté. [13]C'est lui qui bâtira une maison pour mon Nom et j'affermirai pour toujours son trône royal. [14]Je serai pour lui un père et il sera pour moi un fils : s'il se fourvoie, je le châtierai avec une verge d'homme et par les coups que donnent les humains. [15]Ma fidélité ne s'écartera pas de lui comme je l'ai écartée de Saül que j'ai écarté de devant toi. [16]Ta maison et ta royauté subsisteront à jamais devant toi ; ton trône sera affermi à jamais. »

[17]C'est selon toutes ces paroles et selon toute cette vision que Natân parla à David.

Prière de David. ‖ 1 Ch 17 16-27.

[18]Alors le roi David entra et s'assit devant Yahvé, et il dit : « Qui suis-je, Seigneur Yahvé, et quelle est ma maison, pour que tu m'aies mené jusque-là ? [19]Mais cela est encore trop peu à tes yeux, Seigneur Yahvé. Tu as parlé aussi en faveur de la maison de ton serviteur pour un temps lointain. Telle est la loi de l'homme, Seigneur Yahvé. [20]Que David pourrait-il te dire de plus, alors que toi tu connais ton serviteur, Seigneur Yahvé ! [21]À cause de ta parole et selon ton cœur, tu as eu cette magnificence d'instruire ton serviteur. [22]C'est pourquoi tu es grand, Seigneur Yahvé : il n'y a personne comme toi et il n'y a pas d'autre Dieu que toi seul, comme l'ont appris nos oreilles. [23]Y a-t-il, comme ton peuple Israël, un autre peuple sur la terre qu'un dieu soit allé racheter pour en faire son peuple, pour lui accorder un nom et accomplir pour nous cette grande œuvre et des choses redoutables, pour chasser, devant ton peuple que tu as racheté d'Égypte des nations et leurs dieux ? [24]Tu as établi ton peuple Israël pour qu'il soit à jamais ton peuple, et toi, Yahvé, tu es devenu leur Dieu. [25]Maintenant, Yahvé Dieu, garde toujours la parole que tu as dite au sujet de ton serviteur et de sa maison, établis-la à jamais et agis comme tu l'as dit. [26]Ton nom

sera exalté à jamais et l'on dira : Yahvé Sabaot est Dieu sur Israël. La maison de ton serviteur David subsistera en ta présence. 27Car c'est toi, Yahvé Sabaot, Dieu d'Israël, qui as fait cette révélation à ton serviteur : "Je te bâtirai une maison." Aussi ton serviteur a-t-il trouvé le courage de te faire cette prière. 28Et maintenant, Seigneur Yahvé, c'est toi qui es Dieu, tes paroles sont vérité et tu as dit à ton serviteur cette bonne parole. 29Consens donc à bénir la maison de ton serviteur, pour qu'elle demeure toujours en ta présence. Car c'est toi, Seigneur Yahvé, qui as parlé, et par ta bénédiction la maison de ton serviteur sera bénie à jamais. »

Les guerres de David. ‖ 1 Ch 18 1-13.

8 1Il advint après cela que David battit les Philistins et les abaissa. David enleva des mains des Philistins leur hégémonie. 2David battit les Moabites et les mesura au cordeau en les faisant coucher à terre : il en mesura deux cordeaux à mettre à mort et un plein cordeau à laisser en vie, et les Moabites devinrent sujets de David et lui payèrent tribut.

3David battit Hadadézer, fils de Rehob, roi de Çoba, lorsque celui-ci alla pour étendre son pouvoir sur le Fleuve. 4David lui prit mille sept cents cavaliers et vingt mille fantassins. David coupa les jarrets de tous les attelages, il n'en garda que cent. 5Les Araméens de Damas vinrent au secours de Hadadézer, roi de Çoba, mais David abattit vingt-deux mille hommes parmi les Ara-

méens. 6David établit des préfets dans l'Aram de Damas, et les Araméens devinrent sujets de David et lui payèrent tribut. Partout où David allait, Yahvé lui donna la victoire. 7David prit les rondaches d'or que portaient les serviteurs de Hadadézer et les emporta à Jérusalem. 8De Tébah et de Bérotaï, villes de Hadadézer, le roi David enleva une énorme quantité de bronze.

9Toï, roi de Hamat, apprit que David avait battu toute l'armée de Hadadézer. 10Toï envoya son fils Yoram au roi David pour le saluer et le féliciter d'avoir fait la guerre à Hadadézer et de l'avoir battu, car Hadadézer était en guerre avec Toï. Yoram apportait des objets d'argent, d'or et de bronze. 11Le roi David les consacra aussi à Yahvé, avec l'argent et l'or qu'il avait consacrés, provenant de toutes les nations qu'il avait soumises, 12d'Aram, de Moab, des Ammonites, des Philistins et d'Amaleq, ainsi que du butin pris à Hadadézer, fils de Rehob, roi de Çoba.

13David se fit un nom lorsqu'il revint de battre les Araméens dans la vallée du Sel, au nombre de dix-huit mille. 14Il établit des préfets en Édom ; dans tout Édom il établit des préfets et tous les Édomites devinrent sujets de David. Partout où David allait, Yahvé lui donna la victoire.

L'administration du royaume.
‖ 1 Ch 18 14-17 = 20 23-26.

15David régna sur tout Israël, faisant droit et justice à tout son peuple. 16Joab, fils de Çeruya, commandait l'armée ; Yehoshaphat, fils d'Ahilud, était héraut ; [17]Sadoq, fils d'Ahitub, et Ahimélek, fils d'Ébyatar étaient prêtres ; Seraya était secrétaire ;

[18]Benayahu, fils de Yehoyada, commandait les Kérétiens et les Pélétiens ; les fils de David étaient prêtres.

III. LA FAMILLE DE DAVID ET LES INTRIGUES POUR LA SUCCESSION

A. MEPHIBAAL

Bonté de David envers le fils de Jonathan.

9 [1]David dit : « Y a-t-il encore un survivant de la maison de Saül, pour que j'agisse envers lui avec fidélité à cause de Jonathan ? » [2]La maison de Saül avait un serviteur, qui se nommait Çiba. On l'appela auprès de David et le roi lui dit : « Est-ce toi, Çiba ? » Il dit : « Ton serviteur. » [3]Le roi lui dit : « N'y a-t-il plus un homme de la maison de Saül, pour que j'agisse envers lui avec la fidélité voulue par Dieu ? » Çiba répondit au roi : « Il y a encore un fils de Jonathan qui est perclus des deux pieds. » [4]Le roi lui dit : « Où est-il ? » Et Çiba dit au roi : « Il est dans la maison de Makir, fils d'Ammiel, à Lo-Debar. » [5]Le roi David l'envoya donc chercher à la maison de Makir, fils d'Ammiel, de Lo-Debar.

[6]En arrivant auprès de David, Mephibaal, fils de Jonathan, fils de Saül, tomba sur sa face et se prosterna. David dit : « Mephibaal ! » Il dit : « Voici ton serviteur. » [7]David lui dit : « N'aie pas peur, car je veux agir envers toi avec fidélité par égard pour ton père Jonathan. Je te restituerai toutes les terres de Saül ton aïeul et tu mangeras toujours à ma table. » [8]Il se prosterna et dit : « Qu'est-ce que ton serviteur pour que tu tournes ton regard vers un chien crevé ? »

[9]Le roi appela Çiba, le serviteur de Saül, et lui dit : « Tout ce qui appartient à Saül et à sa maison, je le donne au fils de ton maître. [10]Tu travailleras le sol pour lui, toi, tes fils et tes serviteurs, tu apporteras pour la maison de ton maître la nourriture qu'elle mangera. Mephibaal, le fils de ton maître, prendra toujours ses repas à ma table. » Or Çiba avait quinze fils et vingt serviteurs. [11]Çiba dit au roi : « Ton serviteur fera tout ce que Monseigneur le roi a ordonné à son serviteur. Mais Mephibaal mange à ma table comme l'un des fils du roi... »

[12]Mephibaal avait un jeune fils qui se nommait Mika. Tous ceux qui habitaient chez Çiba étaient au service de Mephibaal. [13]Mephibaal habita à Jérusalem, car il mangeait toujours à la table du roi. Il était boiteux des deux jambes.

B. LA GUERRE AMMONITE. NAISSANCE DE SALOMON

Insulte aux ambassadeurs de David.
|| 1 Ch 19 1-5.

10 ¹Après cela, il advint que le roi des Ammonites mourut et que son fils Hanûn régna à sa place. ²David dit : « J'agirai avec fidélité envers Hanûn, fils de Nahash, comme son père a agi envers moi avec fidélité. » David envoya ses serviteurs lui présenter des condoléances au sujet de son père. Mais lorsque les serviteurs de David arrivèrent au pays des Ammonites, ³les chefs des Ammonites dirent à Hanûn leur maître : « T'imagines-tu que David veuille honorer ton père, parce qu'il t'a envoyé des porteurs de condoléances ? N'est-ce pas pour explorer la ville, l'espionner et la renverser que David t'a envoyé ses serviteurs ? » ⁴Alors Hanûn se saisit des serviteurs de David, il leur fit raser la moitié de la barbe, et couper les vêtements à mi-hauteur jusqu'aux fesses, puis il les congédia. ⁵Lorsque David en fut informé, il envoya quelqu'un à leur rencontre, car ces hommes étaient très humiliés. Le roi leur fit dire : « Restez à Jéricho jusqu'à ce que votre barbe ait repoussé, et vous reviendrez. »

Première campagne ammonite.
|| 1 Ch 19 6-15.

⁶Les Ammonites virent bien qu'ils s'étaient rendus odieux à David. Les Ammonites envoyèrent prendre à leur solde les Araméens de Bet-Rehob et les Araméens de Çoba, vingt mille fantassins, le roi de Maaka, mille hommes, et le chef de Tob, douze mille hommes. ⁷David l'apprit et il envoya Joab avec toute l'armée, les preux. ⁸Les Ammonites sortirent et se rangèrent en bataille à l'entrée de la porte, tandis que les Araméens de Çoba et de Rehob et les gens de Tob et de Maaka étaient à part en rase campagne. ⁹Voyant qu'il avait un front de combat à la fois devant et derrière lui, Joab choisit des hommes dans toute l'élite d'Israël et il les mit en ligne face aux Araméens. ¹⁰Il confia le reste de la troupe à son frère Abishaï et le mit en ligne face aux Ammonites. ¹¹Il dit : « Si les Araméens sont plus forts que moi, tu viendras à mon secours, mais si les Ammonites sont plus forts que toi, j'irai à ton secours. ¹²Sois fort, montrons-nous forts pour notre peuple et pour les villes de notre Dieu. Que Yahvé fasse ce qui lui semblera bon ! » ¹³Joab et la troupe qui était avec lui s'avancèrent pour combattre les Araméens. Ceux-ci s'enfuirent devant lui. ¹⁴Quand les Ammonites virent que les Araméens avaient fui, ils s'enfuirent devant Abishaï et rentrèrent dans la ville. Alors Joab revint de la guerre contre les Ammonites et rentra à Jérusalem.

Victoire sur les Araméens.
|| 1 Ch 19 16-19. 2 S 8 3-8.

¹⁵Voyant qu'ils avaient été battus devant Israël, les Araméens se réunirent tous ensemble. ¹⁶Hadadézer envoya des messagers et mobilisa les Araméens qui sont de l'autre côté du Fleuve. Ceux-ci ar-

rivèrent à Hélam, ayant à leur tête Shobak, le chef de l'armée de Hadadézer. [17]On l'annonça à David qui rassembla tout Israël, passa le Jourdain et arriva à Hélam. Les Araméens se mirent en ligne face à David et lui livrèrent bataille. [18]Les Araméens s'enfuirent devant Israël. David tua aux Araméens sept cents attelages et quarante mille cavaliers. Quant à Shobak, chef de leur armée, David le frappa et il mourut. [19]Lorsque tous les rois vassaux de Hadadézer virent qu'ils avaient été battus devant Israël, ils firent la paix avec Israël et le servirent. Les Araméens craignirent de porter encore secours aux Ammonites.

Seconde campagne ammonite. Faute de David.

11 [1]Au retour de l'année, au temps où les rois se mettent en campagne, David envoya Joab et ses serviteurs avec lui ainsi que tout Israël : ils massacrèrent les Ammonites et mirent le siège devant Rabba. Cependant David restait à Jérusalem.

[2]Il arriva que, vers le soir, David, s'étant levé de son lit, alla se promener sur la terrasse de la maison du roi et aperçut, de la terrasse, une femme qui se baignait. Cette femme était très belle. [3]David fit prendre des informations sur cette femme, et on répondit : « Mais c'est Bethsabée, fille d'Éliam et femme d'Urie le Hittite ! » [4]Alors David envoya des émissaires pour la prendre. Elle vint chez lui et il coucha avec elle, alors qu'elle venait de se purifier de ses règles. Puis elle retourna dans sa maison. [5]La femme con-çut. Elle en fit informer David : « Je suis enceinte ! »

[6]David envoya dire à Joab : « Envoie-moi Urie le Hittite », et Joab envoya Urie à David. [7]Lorsque Urie fut arrivé auprès de lui, David demanda comment allaient Joab et le peuple et la guerre. [8]Puis David dit à Urie : « Descends chez toi et lave-toi les pieds. » Urie sortit de la maison du roi, suivi d'un présent du roi. [9]Mais Urie coucha à la porte de la maison du roi avec tous les serviteurs de son maître et ne descendit pas chez lui.

[10]On en informa David : « Urie, lui dit-on, n'est pas descendu chez lui. » David demanda à Urie : « N'arrives-tu pas de voyage ? Pourquoi n'es-tu pas descendu chez toi ? » [11]Urie répondit à David : « L'arche, Israël et Juda logent sous les huttes, mon maître Joab et les serviteurs de Monseigneur campent en rase campagne, et moi j'irais chez moi pour manger, boire et coucher avec ma femme ! Par ta vie, par ta propre vie, je ne ferai pas cette chose-là ! » [12]Alors David dit à Urie : « Reste encore aujourd'hui ici, et demain je te donnerai congé. » Urie resta donc à Jérusalem ce jour-là et le lendemain. [13]David l'invita. Il mangea et il but en sa présence. David l'enivra. Le soir Urie sortit et se recoucha sur son lit avec les serviteurs de son maître, mais il ne descendit pas chez lui.

[14]Le matin suivant, David écrivit une lettre à Joab et la fit porter par Urie. [15]Il écrivait dans la lettre : « Mettez Urie en première ligne, au plus fort de la bataille, puis reculez derrière lui : qu'il soit

frappé et qu'il meure. » ¹⁶Joab, qui surveillait la ville, plaça Urie à l'endroit où il savait que se trouvaient de vaillants guerriers. ¹⁷Les gens de la ville firent une sortie et attaquèrent Joab. Il y eut des victimes parmi la troupe, parmi les serviteurs de David, et Urie le Hittite mourut aussi.

¹⁸Joab envoya informer David de tous les détails du combat. ¹⁹Il donna cet ordre au messager : « Quand tu auras fini de raconter au roi tous les détails du combat, ²⁰si la colère du roi s'élève et qu'il te dise : "Pourquoi vous êtes-vous approchés de la ville pour livrer bataille ? Ne saviez-vous pas qu'on tire du haut du rempart ? ²¹Qui a frappé Abimélek, le fils de Yerubbaal ? N'est-ce pas une femme, qui a lancé une meule sur lui, du haut du rempart, et il est mort à Tébèç ? Pourquoi vous êtes-vous approchés du rempart ?", tu diras : Ton serviteur Urie le Hittite est mort lui aussi. »

²²Le messager partit et vint rapporter à David ce dont Joab l'avait chargé. David s'emporta contre Joab et dit au messager : « Pourquoi vous êtes-vous approchés du rempart de la ville pour livrer bataille ? Ne saviez-vous pas qu'on tire du haut des remparts ? Qui a tué Abimélek, le fils de Yerubbaal ? N'est-ce pas une femme qui a jeté une meule sur lui du haut du rempart, et il est mort à Tébèç ? Pourquoi vous êtes-vous approchés du rempart ? » ²³Le messager dit à David : « Ces hommes l'avaient emporté sur nous et étaient sortis vers nous en rase campagne ; mais nous avons contre-attaqué jusqu'à l'entrée de la porte, ²⁴mais les tireurs ont tiré sur tes serviteurs du haut du rempart ; certains des serviteurs du roi sont morts et ton serviteur Urie le Hittite est mort lui aussi. » ²⁵David dit au messager : « Tu parleras ainsi à Joab : "Ne prends pas trop mal cette affaire ! L'épée dévore d'une façon ou de l'autre. Renforce ton attaque contre la ville et détruis-la." Réconforte-le ainsi. »

²⁶Lorsque la femme d'Urie apprit que son époux, Urie, était mort, elle pleura son mari. ²⁷Quand le deuil fut achevé, David l'envoya chercher et la recueillit chez lui, et elle devint sa femme. Elle lui enfanta un fils. Mais l'action que David avait commise déplut à Yahvé.

Reproches de Natân. Repentir de David.

12 ¹Yahvé envoya auprès de David Natân. Celui-ci entra chez lui et lui dit :

« Il y avait deux hommes dans la même ville,

l'un riche et l'autre pauvre.

²Le riche avait petit et gros bétail

en très grande abondance.

³Le pauvre n'avait rien si ce n'est une agnelle,

une seule petite qu'il avait achetée.

Il la nourrissait et elle grandissait avec lui en même temps que ses enfants,

mangeant de sa pitance, buvant dans sa coupe,

dormant dans son sein : elle était pour lui comme une fille.

⁴Un hôte se présenta chez l'homme riche

qui n'eut pas le cœur de prendre sur son petit ou gros bétail

de quoi servir au voyageur arrivé chez lui.

Il prit l'agnelle de l'homme pauvre

et l'apprêta pour l'homme arrivé chez lui. »

[5]David entra en grande colère contre cet homme et dit à Natân : « Par la vie de Yahvé, il mérite la mort, l'homme qui a fait cela ! [6]Pour l'agnelle, il donnera compensation au quadruple, pour avoir commis cette action et n'avoir pas eu de pitié. » [7]Natân dit alors à David : « Cet homme, c'est toi ! Ainsi parle Yahvé, Dieu d'Israël : Je t'ai oint comme roi d'Israël, je t'ai délivré de la main de Saül, [8]je t'ai donné la maison de ton maître, j'ai mis dans tes bras les femmes de ton maître, je t'ai donné la maison d'Israël et de Juda et, si c'est trop peu, j'ajouterai pour toi n'importe quoi. [9]Pourquoi as-tu méprisé Yahvé et fait ce qui lui déplaît ? Tu as frappé par l'épée Urie le Hittite, sa femme tu l'as prise pour ta femme, lui tu l'as fait périr par l'épée des Ammonites. [10]Maintenant l'épée ne se détournera plus jamais de ta maison, parce que tu m'as méprisé et que tu as pris la femme d'Urie le Hittite pour qu'elle devienne ta femme.

[11]« Ainsi parle Yahvé : Je vais, de ta propre maison, faire surgir contre toi le malheur. Je prendrai tes femmes sous tes yeux et je les livrerai à ton prochain, qui couchera avec tes femmes à la vue de ce soleil. [12]Toi, tu as agi dans le secret, mais moi j'accomplirai cela à la face de tout Israël et à la face du soleil ! »

[13]David dit à Natân : « J'ai péché contre Yahvé ! » Alors Natân dit à David : « De son côté, Yahvé pardonne ta faute, tu ne mourras pas. [14]Seulement, parce que tu as outragé Yahvé en cette affaire, l'enfant qui t'est né mourra. » [15]Et Natân s'en alla chez lui.

Mort de l'enfant de Bethsabée. Naissance de Salomon.

Yahvé frappa l'enfant que la femme d'Urie avait enfanté à David, et il tomba malade. [16]David implora Dieu pour le garçon : il jeûnait strictement, rentrait chez lui et passait la nuit couché par terre. [17]Les dignitaires de sa maison se tenaient debout autour de lui pour le relever de terre, mais il refusa et ne prit avec eux aucune nourriture. [18]Le septième jour, l'enfant mourut. Les serviteurs de David craignaient de lui annoncer que l'enfant était mort. Ils se disaient en effet : « Quand l'enfant était vivant, nous lui avons parlé et il ne nous a pas écoutés. Comment pourrons-nous lui dire que l'enfant est mort ? Il fera un malheur ! » [19]David s'aperçut que ses serviteurs chuchotaient entre eux ; David comprit que l'enfant était mort. Il dit à ses serviteurs : « L'enfant est-il mort ? », et ils répondirent : « Il l'est. »

[20]Alors David se leva de terre, se baigna, se parfuma et changea de vêtements. Puis il entra dans la maison de Yahvé et se prosterna. Ensuite il rentra dans sa maison et demanda qu'on lui servît de la nourriture et il mangea. [21]Ses serviteurs lui dirent : « Que fais-tu

donc ? Tant que l'enfant était vivant, tu as jeûné et pleuré, et maintenant que l'enfant est mort, tu te lèves et tu prends de la nourriture ! » ²²Il répondit : « Tant que l'enfant était vivant, j'ai jeûné et j'ai pleuré, car je me disais : Qui sait ? Yahvé aura peut-être pitié de moi et l'enfant vivra. ²³Maintenant qu'il est mort, pourquoi jeûnerais-je ? Pourrais-je le faire revenir ? C'est moi qui m'en vais le rejoindre, mais lui ne reviendra pas vers moi. »

²⁴David consola Bethsabée, sa femme. Il alla vers elle et coucha avec elle. Elle enfanta un fils auquel elle donna le nom de Salomon. Yahvé l'aima ²⁵et le fit savoir par le prophète Natân. Celui-ci le nomma Yedidya à cause de Yahvé.

Prise de Rabba. ‖ 1 Ch 20 1-3.

²⁶Joab donna l'assaut à Rabba des Ammonites et il s'empara de la ville royale. ²⁷Joab envoya alors des messagers à David pour dire : « J'ai attaqué Rabba, je me suis emparé de la ville des eaux. ²⁸Maintenant, rassemble le reste de l'armée, dresse ton camp contre la ville et prends-la ; sinon je m'en emparerai moi-même et elle portera mon nom. » ²⁹David rassembla toute l'armée et alla à Rabba, il donna l'assaut à la ville et s'en empara. ³⁰Il enleva de la tête de Milkom la couronne qui pesait un talent d'or ainsi qu'une pierre précieuse. Celle-ci fut placée sur la tête de David. Il emporta le butin de la ville en énorme quantité. ³¹Quant à sa population, il la fit sortir, la mit à manier la scie, les pics et les haches de fer. Il les affectait au moulage des briques. Il agissait de même pour toutes les villes des Ammonites. David et toute l'armée revinrent à Jérusalem.

C. HISTOIRE D'ABSALOM

Amnon outrage sa sœur Tamar.

13 ¹Voici ce qui arriva ensuite. Absalom, fils de David, avait une sœur qui était belle et qui se nommait Tamar, et Amnon, fils de David, en devint amoureux. ²Amnon était tourmenté au point de se rendre malade à cause de sa sœur Tamar, car elle était vierge et aux yeux d'Amnon il lui paraissait difficile de lui faire quoi que ce soit. ³Mais Amnon avait un ami nommé Yonadab, fils de Shiméa, frère de David, et Yonadab était un homme très avisé. ⁴Il lui dit : « D'où vient, fils du roi, que tu sois si languissant chaque matin ? Ne m'expliqueras-tu pas ? » Amnon lui répondit : « C'est que j'aime Tamar, la sœur de mon frère Absalom. » ⁵Alors Yonadab lui dit : « Mets-toi au lit, fais le malade et quand ton père viendra te voir, tu lui diras : "Permets que ma sœur Tamar vienne me donner à manger ; elle apprêtera le plat sous mes yeux pour que je le voie et je mangerai, servi par elle." » ⁶Donc, Amnon se coucha et fit le malade. Le roi vint le voir et Amnon dit au roi : « Permets que ma sœur Tamar vienne et que, sous mes yeux, elle prépare deux gâteaux, et je me restaurerai, servi par elle. » [7]David envoya dire à Tamar chez elle : « Va donc chez ton frère Amnon et prépare-lui un plat. » [8]Tamar se rendit à la maison de son frère Amnon. Il était couché. Elle prit de la pâte, la pétrit, confectionna des gâteaux sous ses yeux et les fit cuire. [9]Puis elle prit la poêle et la vida devant lui, mais il refusa de manger. Amnon dit : « Faites sortir tout le monde d'auprès de moi. » Et tout le monde sortit d'auprès de lui. [10]Alors Amnon dit à Tamar : « Apporte le plat dans la chambre et je mangerai, servi par toi. » Tamar prit les gâteaux qu'elle avait faits et les apporta à son frère Amnon dans la chambre. [11]Comme elle lui présentait à manger, il la saisit et lui dit : « Viens, couche avec moi, ma sœur ! » [12]Mais elle lui répondit : « Non, mon frère ! Ne me violente pas, car on n'agit pas ainsi en Israël, ne commets pas cette infamie. [13]Moi, où irais-je porter ma honte ? Et toi, tu serais comme un infâme en Israël ! Maintenant parle donc au roi : il ne refusera pas de me donner à toi. » [14]Mais il ne voulut pas l'entendre, il la maîtrisa et, lui faisant violence, il coucha avec elle.

[15]Alors Amnon se prit à la haïr très fort – la haine qu'il lui voua surpassait l'amour dont il l'avait aimée – et Amnon lui dit : « Lève-toi ! Va-t'en ! » [16]Elle lui dit : « Non, mon frère, me chasser serait pire que l'autre mal que tu m'as fait. » Mais il ne voulut pas l'écouter. [17]Il appela le garçon qui le servait et lui dit : « Débarrasse-moi de cette fille, jette-la dehors et verrouille la porte derrière elle ! » [18]Elle portait une tunique de luxe qui était autrefois le vêtement des filles qui n'étaient pas mariées. Le serviteur la mit dehors et verrouilla la porte derrière elle.

[19]Tamar se couvrit la tête de cendre, elle déchira la tunique de luxe qu'elle portait, mit la main sur sa tête et s'en alla, poussant des cris en marchant. [20]Son frère Absalom lui dit : « Serait-ce que ton frère Amnon a été avec toi ? Maintenant, ma sœur, tais-toi ; c'est ton frère : ne prends pas cette affaire à cœur. » Tamar demeura abandonnée, dans la maison de son frère Absalom.

[21]Lorsque le roi David apprit toute cette histoire, il en fut très irrité. [22]Quant à Absalom, il n'adressa plus la parole à Amnon, car Absalom s'était pris de haine pour Amnon à cause de la violence qu'il avait faite à sa sœur Tamar.

Absalom fait assassiner Amnon et prend la fuite.

[23]Deux ans plus tard, comme Absalom avait les tondeurs à Baal-Haçor, qui est près d'Éphraïm, il invita tous les fils du roi. [24]Absalom se rendit auprès du roi et dit : « Voici que ton serviteur a les tondeurs. Que le roi et ses serviteurs daignent venir avec ton serviteur. » [25]Le roi répondit à Absalom : « Non, mon fils, il ne faut pas que nous allions tous et te soyons à charge. » Absalom insista, mais il ne voulut pas venir et il le bénit. [26]Absalom dit : « Si c'est non, que du moins mon frère Amnon nous accompagne. » Et le roi dit : « Pourquoi irait-il avec toi ? » [27]Mais Absalom insista et

il laissa partir avec lui Amnon et tous les fils du roi.

Absalom ordonna à ses domestiques : [28]« Faites attention ! Lorsque le cœur d'Amnon sera mis en gaieté par le vin et que je vous dirai : "Frappez Amnon !", vous le mettrez à mort. N'ayez pas peur ; n'est-ce pas moi qui vous l'ai ordonné ? Prenez courage et montrez-vous vaillants. » [29]Les domestiques d'Absalom agirent à l'égard d'Amnon comme Absalom l'avait ordonné. Alors tous les fils du roi se levèrent, enfourchèrent chacun son mulet et s'enfuirent.

[30]Comme ils étaient en chemin, la nouvelle parvint à David : « Absalom a tué tous les fils du roi, il n'en reste pas un seul ! » [31]Le roi se leva, déchira ses vêtements et se coucha par terre ; tous ses serviteurs se tenaient debout, les vêtements déchirés. [32]Mais Yonadab, le fils de Shiméa, frère de David, prit ainsi la parole : « Que Monseigneur ne dise pas qu'on a fait périr tous les jeunes gens, les fils du roi, car seul Amnon est mort : Absalom s'était promis cela depuis le jour où Amnon avait outragé sa sœur Tamar. [33]Que maintenant Monseigneur le roi ne se mette pas dans l'idée que tous les fils du roi ont péri. Non, Amnon seul est mort [34]et Absalom s'est enfui. »

Le guetteur leva les yeux et aperçut une troupe nombreuse en marche sur la route de Horonaïm, au flanc de la montagne, dans la descente. Le guetteur vint en informer le roi. Il dit : « J'ai vu de mes yeux des gens qui arrivaient par la route de Horonaïm, au flanc

de la montagne. » [35]Alors Yonadab dit au roi : « Ce sont les fils du roi qui arrivent : il en a été comme ton serviteur l'avait dit. » [36]Il achevait à peine de parler que les fils du roi entrèrent, et ils se mirent à crier et à pleurer ; le roi et ses serviteurs pleurèrent eux aussi à chaudes larmes. [37]Absalom s'était enfui et s'était rendu chez Talmaï, fils d'Ammihur, roi de Geshur. Le roi garda tout le temps le deuil de son fils.

Joab négocie le retour d'Absalom.

[38]Absalom s'était enfui et s'était rendu à Geshur ; il y resta trois ans. [39]Le roi David cessa de s'emporter contre Absalom, car il s'était consolé de la mort d'Amnon.

14 [1]Joab, fils de Çeruya, reconnut que le cœur du roi se tournait vers Absalom. [2]Alors Joab envoya quelqu'un à Téqoa qui en ramena une femme avisée. Il lui dit : « Je t'en prie, feins d'être en deuil, mets des habits de deuil, ne te parfume pas, sois comme une femme qui, depuis bien des jours, porte le deuil d'un mort. [3]Tu iras chez le roi et tu lui tiendras ce discours. » Joab lui mit dans la bouche les paroles qu'il fallait. [4]La femme de Téqoa parla au roi. Elle tomba la face contre terre et se prosterna, puis elle dit : « Au secours, ô roi ! » [5]Le roi lui demanda : « Qu'as-tu ? » Elle répondit : « Hélas ! je suis veuve. Mon mari est mort [6]et ta servante avait deux fils. Ils se sont querellés ensemble dans la campagne, il n'y avait personne pour les séparer, l'un a frappé l'autre et l'a tué. [7]Voilà que tout le clan s'est dressé contre ta servante et dit : "Livre le fratricide : nous le mettrons à mort pour prix de la vie de son frère qu'il a tué, et nous détruirons en même temps l'héritier." Ils vont ainsi éteindre la braise qui me reste, pour ne plus laisser à mon mari ni nom ni survivant sur la face de la terre. »

[8] Le roi dit à la femme : « Va à la maison, je donnerai moi-même des ordres à ton sujet. » [9] La femme de Téqoa dit au roi : « Monseigneur le roi ! Que la faute retombe sur moi et sur ma famille ; le roi et son trône en sont innocents. » [10] Le roi reprit : « Celui qui t'a menacée, amène-le-moi et il cessera de te malmener. » [11] Elle dit : « Que le roi daigne prononcer le nom de Yahvé ton Dieu, afin que le vengeur du sang n'augmente pas la ruine et ne fasse pas périr mon fils ! » Il dit alors : « Aussi vrai que Yahvé est vivant, il ne tombera pas à terre un seul cheveu de ton fils ! »

[12] La femme reprit : « Qu'il soit permis à ta servante de dire un mot à Monseigneur le roi », et il répondit : « Parle. » [13] La femme dit : « Pourquoi as-tu décidé cela contre le peuple de Dieu ? En prononçant cette parole, le roi n'est-il pas comme un coupable en ne faisant pas revenir celui qui est exilé ? [14] Nous sommes mortels et comme les eaux qui s'écoulent à terre et qu'on ne peut recueillir, et Dieu ne relève pas un cadavre ; pourtant il prend des décisions pour que l'exilé ne reste pas exilé loin de lui.

[15] « Maintenant, si je suis venue parler de cette affaire à Monseigneur le roi, c'est que les gens m'ont fait peur et ta servante s'est dit : Je parlerai au roi et peut-être le roi exécutera-t-il la parole de sa servante. [16] Car le roi consentira à délivrer sa servante des mains de l'homme qui cherche à nous retrancher, moi et mon fils ensemble, de l'héritage de Dieu. [17] Ta servante a dit : Puisse la parole de Monseigneur le roi donner l'apaisement. Car Monseigneur le roi est comme l'Ange de Dieu pour saisir le bien et le mal. Que Yahvé ton Dieu soit avec toi ! »

[18] Alors le roi, prenant la parole, dit à la femme : « Je t'en prie, ne te dérobe pas à la question que je vais te poser. » La femme répondit : « Que Monseigneur le roi parle ! » [19] Le roi demanda : « La main de Joab n'est-elle pas avec toi en tout cela ? » La femme répliqua : « Aussi vrai que tu es vivant, Monseigneur le roi, on ne peut pas aller à droite ni à gauche de tout ce qu'a dit Monseigneur le roi : oui, c'est ton serviteur Joab qui m'a donné l'ordre, c'est lui qui a mis toutes ces paroles dans la bouche de ta servante. [20] C'est pour déguiser l'affaire que ton serviteur Joab a agi ainsi, mais Monseigneur a la sagesse de l'Ange de Dieu, il sait tout ce qui se passe sur la terre. »

[21] Le roi dit alors à Joab : « Eh bien, je fais la chose : Va, ramène le jeune homme Absalom. » [22] Joab tomba la face contre terre, il se prosterna et bénit le roi. Puis Joab dit : « Ton serviteur sait aujourd'hui qu'il a trouvé grâce à tes yeux, Monseigneur le roi, puisque le roi a exécuté la parole de son serviteur. » [23] Joab se mit en route, il alla à Geshur et rame-

na Absalom à Jérusalem. ²⁴Cependant le roi dit : « Qu'il se retire dans sa maison, il ne sera pas reçu par moi. » Absalom se retira dans sa maison et ne fut pas reçu par le roi.

Quelques détails sur Absalom.

²⁵Dans tout Israël, il n'y avait personne d'aussi beau qu'Absalom, à qui on pût faire tant d'éloges : de la plante des pieds au sommet de la tête, il était sans défaut. ²⁶Lorsqu'il se rasait la tête – il se rasait chaque année parce que c'était trop lourd, alors il se rasait –, il pesait sa chevelure : soit deux cents sicles, poids du roi. ²⁷Il naquit à Absalom trois fils et une fille, qui se nommait Tamar ; c'était une belle femme.

Absalom obtient son pardon.

²⁸Absalom demeura deux ans à Jérusalem, sans être reçu par le roi. ²⁹Absalom envoya chercher Joab pour l'envoyer chez le roi, mais Joab ne consentit pas à venir chez lui. Il l'envoya chercher encore une seconde fois, mais il ne consentit pas à venir. ³⁰Absalom dit à ses serviteurs : « Voyez le champ de Joab qui est à côté du mien et où il y a de l'orge, allez y mettre le feu. » Les serviteurs d'Absalom mirent le feu au champ. ³¹Joab vint trouver Absalom dans sa maison et lui dit : « Pourquoi tes serviteurs ont-ils mis le feu au champ qui m'appartient ? » ³²Absalom répondit à Joab : « C'est que j'avais envoyé te dire : Viens ici, je veux t'envoyer auprès du roi avec ce message : "Pourquoi suis-je revenu de Geshur ? Il vaudrait mieux pour

moi y être encore." Je veux maintenant être reçu par le roi et, si je suis coupable, qu'il me mette à mort ! » ³³Joab se rendit près du roi et lui rapporta ces paroles. Puis il appela Absalom. Celui-ci alla chez le roi, se prosterna devant lui et se jeta la face contre terre devant le roi. Et le roi embrassa Absalom.

Les intrigues d'Absalom.

15 ¹Il arriva après cela qu'Absalom se procura un char et des chevaux, et cinquante hommes couraient devant lui. ²Levé de bonne heure, Absalom se tenait au bord du chemin qui mène à la porte, et chaque fois qu'un homme, ayant un procès, devait venir au tribunal du roi, Absalom l'interpellait et lui demandait : « De quelle ville es-tu ? » Il répondait : « Ton serviteur est de l'une des tribus d'Israël. » ³Alors Absalom lui disait : « Vois ! Ta cause est bonne et juste, mais tu n'auras personne qui t'écoute de la part du roi. » ⁴Absalom continuait : « Ah ! qui m'établira juge dans le pays ? Tous ceux qui ont un procès et un jugement viendraient à moi et je leur rendrais justice ! » ⁵Et lorsque quelqu'un s'approchait pour se prosterner devant lui, il tendait la main, l'attirait à lui et l'embrassait. ⁶Absalom agissait de la sorte envers tous les Israélites qui en appelaient au tribunal du roi et Absalom captait le cœur des gens d'Israël.

Révolte d'Absalom.

⁷Au bout de quatre ans, Absalom dit au roi : « Permets que j'aille m'acquitter à Hébron du

vœu que j'ai fait à Yahvé. [8]Car, lorsque j'étais à Geshur en Aram, ton serviteur a fait ce vœu : Si Yahvé me ramène à Jérusalem, je rendrai un culte à Yahvé. » [9]Le roi lui dit : « Va en paix. » Il se mit donc en route et alla à Hébron.

[10]Absalom envoya des émissaires à toutes les tribus d'Israël pour dire : « Quand vous entendrez le son du cor, vous pourrez dire : Absalom est devenu roi à Hébron. » [11]Avec Absalom étaient partis deux cents hommes de Jérusalem ; c'étaient des invités qui étaient venus en toute innocence, n'étant au courant de rien. [12]Absalom chargea d'une mission Ahitophel le Gilonite, conseiller de David, à partir de sa ville de Giloh, alors qu'il offrait des sacrifices. La conjuration devint puissante et, autour d'Absalom, la foule des partisans allait en augmentant.

Fuite de David.

[13]Un informateur vint dire à David : « Le cœur des gens d'Israël est tourné vers Absalom. » [14]Alors David dit à tous ses serviteurs qui étaient avec lui à Jérusalem : « En route, et fuyons ! Autrement nous n'échapperons pas à Absalom. Hâtez-vous de partir ; sinon il pourrait foncer, nous rattraper, nous infliger le pire et frapper la ville au fil de l'épée. » [15]Les serviteurs du roi lui dirent : « Quelque choix que fasse Monseigneur le roi, tes serviteurs sont là. » [16]Le roi sortit à pied avec toute sa famille ; cependant le roi laissa dix concubines pour garder le palais. [17]Le roi sortit à pied avec tout le peuple et ils s'arrêtè-

rent à la dernière maison. [18]Tous ses serviteurs défilaient près de lui. Tous les Kérétiens, tous les Pelétiens, tous les Gittites, six cents hommes venus de Gat à sa suite, défilaient devant le roi. [19]Le roi dit à Ittaï le Gittite : « Pourquoi viens-tu aussi avec nous ? Retourne et demeure avec le roi, car tu es un étranger, tu es même exilé de ton pays. [20]Tu es arrivé d'hier, et aujourd'hui je te ferais errer avec nous, quand je m'en vais à l'aventure ! Retourne et remmène tes frères avec toi, et que Yahvé te témoigne miséricorde et bonté. » [21]Mais Ittaï répondit au roi : « Par la vie de Yahvé et par la vie de Monseigneur le roi, partout où sera Monseigneur le roi, pour la mort et pour la vie, là aussi sera ton serviteur. » [22]David dit alors à Ittaï : « Va et passe. » Et Ittaï le Gittite passa avec tous ses hommes et toute sa smala. [23]Tout le monde pleurait à grands sanglots et le roi défilait dans le torrent du Cédron, et tout le peuple défilait face au chemin qui longe le désert.

Le sort de l'arche.

[24]Et voici qu'arrivèrent aussi Sadoq et tous les lévites portant l'arche de l'alliance de Dieu. On déposa l'arche de Dieu, et Ébyatar était là, jusqu'à ce que tout le peuple eût fini de défiler hors de la ville. [25]Le roi dit à Sadoq : « Rapporte en ville l'arche de Dieu. Si je trouve grâce aux yeux de Yahvé, il me ramènera et me permettra de le revoir ainsi que sa demeure, [26]et s'il dit : "Tu me déplais", me voici : qu'il me fasse comme bon lui semble. » [27]Le roi

dit au prêtre Sadoq : « Vois-tu la situation ? Retourne en paix à la ville. Ton fils Ahimaaç et Yehonatân, le fils d'Ébyatar, vos deux fils sont avec vous. ²⁸Voyez, moi je m'attarderai dans les passes du désert jusqu'à ce que vienne un mot de vous qui m'apporte des nouvelles. » ²⁹Sadoq et Ébyatar ramenèrent donc l'arche de Dieu à Jérusalem et ils y demeurèrent.

David s'assure le concours de Hushaï.

³⁰David montait par la Montée des Oliviers, il montait en pleurant, la tête voilée et les pieds nus, et tout le peuple qui l'accompagnait avait la tête voilée et montait en pleurant. ³¹On avertit alors David qu'Ahitophel était parmi les conjurés avec Absalom, et David dit : « Rends fous, Yahvé, les conseils d'Ahitophel ! »

³²Comme David arrivait au sommet, là où l'on se prosterne devant Dieu, il vit venir à sa rencontre Hushaï l'Arkite, la tunique déchirée et de la terre sur la tête. ³³David lui dit : « Si tu pars avec moi, tu me seras à charge. ³⁴Mais si tu retournes en ville et si tu dis à Absalom : "Je serai ton serviteur, Monseigneur le roi ; auparavant je servais ton père, maintenant je te servirai", alors tu déjoueras à mon profit les conseils d'Ahitophel. ³⁵Sadoq et Ébyatar, les prêtres, ne seront-ils pas avec toi ? Tout ce que tu entendras du palais, tu le rapporteras aux prêtres Sadoq et Ébyatar. ³⁶Il y a avec eux leurs deux fils, Ahimaaç pour Sadoq, et Yehonatân pour Ébyatar : vous me communiquerez par leur intermédiaire

tout ce que vous aurez appris. » ³⁷Hushaï, le familier de David, rentra en ville au moment où Absalom arrivait à Jérusalem.

David et Çiba.

16 ¹Lorsque David eut un peu dépassé le sommet, Çiba, le domestique de Meribbaal, vint à sa rencontre avec une paire d'ânes bâtés qui portaient deux cents pains, cent grappes de raisins secs, cent fruits de saison et une outre de vin. ²Le roi demanda à Çiba : « Que veux-tu faire de cela ? » Et Çiba répondit : « Les ânes serviront de monture à la famille du roi, le pain et les fruits de nourriture pour les cadets, et le vin servira de breuvage pour qui sera fatigué dans le désert. » ³Le roi demanda : « Où donc est le fils de ton maître ? » Et Çiba dit au roi : « Voici qu'il est resté à Jérusalem, car il s'est dit : aujourd'hui la maison d'Israël me restituera le royaume de mon père. » ⁴Le roi dit alors à Çiba : « Tout ce que possède Meribbaal est à toi. » Çiba dit : « Je me prosterne ! Puissé-je être digne de faveur à tes yeux, Monseigneur le roi ! »

Shiméï maudit David.

⁵Comme David atteignait Bahurim, il en sortit un homme du même clan que la famille de Saül. Il s'appelait Shiméï, fils de Géra, et il sortait en proférant des malédictions. ⁶Il lançait des pierres à David et à tous les serviteurs du roi David, et pourtant tout le peuple et tous les preux encadraient le roi à droite et à gauche. ⁷Voici ce que Shiméï disait en le maudissant : « Va-t'en, va-t'en, hom-

me de sang, vaurien ! [8]Yahvé a fait retomber sur toi tout le sang de la maison de Saül, dont tu as usurpé la royauté ; aussi Yahvé a-t-il remis la royauté entre les mains de ton fils Absalom. Te voilà livré à ton malheur, parce que tu es un homme de sang. » [9]Abishaï, fils de Çeruya, dit au roi : « Faut-il que ce chien crevé maudisse Monseigneur le roi ? Laisse-moi traverser et lui trancher la tête. » [10]Mais le roi répondit : « Qu'ai-je à faire avec vous, fils de Çeruya ? S'il maudit et si Yahvé lui a ordonné : "Maudis David", qui donc pourrait lui dire : "Pourquoi as-tu agi ainsi ?" » [11]David dit à Abishaï et à tous ses serviteurs : « Voyez : le fils qui est sorti de mes entrailles en veut à ma vie. À plus forte raison maintenant ce Benjaminite ! Laissez-le maudire, si Yahvé le lui a commandé. [12]Peut-être Yahvé considérera-t-il ma misère et me rendra-t-il le bien au lieu de sa malédiction d'aujourd'hui. » [13]David et ses hommes continuèrent leur route. Quant à Shiméï, il s'avançait au flanc de la montagne, parallèlement à lui, et tout en marchant il proférait des malédictions, lançait des pierres et jetait de la terre. [14]Le roi et tout le peuple qui l'accompagnait arrivèrent exténués et là, on reprit haleine.

Hushaï rejoint Absalom.

[15]Absalom entra à Jérusalem avec tous les hommes d'Israël, et Ahitophel se trouvait avec lui. [16]Lorsque Hushaï l'Arkite, familier de David, arriva auprès d'Absalom, Hushaï dit à Absalom : « Vive le roi ! Vive le roi ! » [17]Et Absalom dit à Hushaï : « Est-ce la fidélité à l'égard de ton ami ? Pourquoi n'es-tu pas parti avec ton ami ? » [18]Hushaï répondit à Absalom : « Non, car celui que Yahvé a choisi ainsi que ce peuple et tous les hommes d'Israël je veux être à lui et avec lui je demeurerai ! [19]En second lieu, qui vais-je servir ? N'est-ce pas son fils ? Comme j'ai servi ton père, ainsi je te servirai. »

Absalom et les concubines de David.

[20]Absalom dit à Ahitophel : « Consultez-vous : qu'allons-nous faire ? » [21]Ahitophel répondit à Absalom : « Approche-toi des concubines de ton père, qu'il a laissées pour garder le palais : tout Israël apprendra que tu t'es rendu odieux à ton père et le courage de tous tes partisans en sera affermi. » [22]On dressa donc pour Absalom une tente sur la terrasse et Absalom s'approcha des concubines de son père aux yeux de tout Israël. [23]Le conseil que donnait Ahitophel en ce temps-là était comme un oracle qu'on aurait obtenu de Dieu ; tel était, tant pour David que pour Absalom, tout conseil d'Ahitophel.

Hushaï déjoue les plans d'Ahitophel.

17 [1]Ahitophel dit à Absalom : « Laisse-moi choisir douze mille hommes et me lancer, cette nuit même, à la poursuite de David. [2]Je tomberai sur lui quand il sera fatigué et sans courage, je l'épouvanterai et tout le peuple qui est avec lui prendra la fuite. Alors je frapperai le roi seul [3]et je ramènerai à toi tout le peuple ; ce sera comme le retour de tous vers l'homme que tu recherches ; tout le peuple sera en paix. » ⁴La proposition plut à Absalom et à tous les anciens d'Israël.

⁵Cependant Absalom dit : « Appelez encore Hushaï l'Arkite, que nous entendions ce qu'il a à dire lui aussi. » ⁶Hushaï arriva auprès d'Absalom, et Absalom lui dit : « Ahitophel a parlé de telle manière. Devons-nous faire ce qu'il a dit ? Sinon, parle toi-même. » ⁷Hushaï répondit à Absalom : « Pour cette fois le conseil qu'a donné Ahitophel n'est pas bon. » ⁸Et Hushaï poursuivit : « Tu sais que ton père et ses gens sont des preux et qu'ils sont exaspérés, comme une ourse sauvage à qui on a ravi ses petits. Ton père est un homme de guerre, il ne laissera pas l'armée se reposer la nuit. ⁹Il se cache maintenant dans quelque creux ou dans quelque place. Si, dès l'abord, il y a des victimes dans notre troupe, la rumeur se répandra d'un désastre dans l'armée qui suit Absalom. ¹⁰Alors, même le brave qui a un cœur semblable à celui du lion perdra courage, car tout Israël sait que ton père est un preux et que ceux qui l'accompagnent sont braves. ¹¹Pour moi, je donne le conseil suivant : que tout Israël, depuis Dan jusqu'à Bersabée, se rassemble autour de toi, aussi nombreux que les grains de sable au bord de la mer, et tu marcheras en personne au combat. ¹²Nous l'atteindrons en quelque lieu qu'il se trouve, nous nous abattrons sur lui comme la rosée tombe sur le sol ; de lui et de tous les hommes qui sont avec lui nous n'en laisserons pas un seul. ¹³Que

s'il se retire dans une ville, tout Israël fera porter des cordes à cette ville et on le traînera jusqu'au torrent, jusqu'à ce qu'on n'y trouve plus un caillou. » ¹⁴Absalom et tous les gens d'Israël dirent : « Le conseil de Hushaï l'Arkite est meilleur que celui d'Ahitophel. » Yahvé avait décidé de faire échouer le plan habile d'Ahitophel, afin d'amener le malheur sur Absalom.

¹⁵Hushaï dit alors aux prêtres Sadoq et Ébyatar : « Ahitophel a donné tel et tel conseil à Absalom et aux anciens d'Israël, mais c'est telle et telle chose que moi j'ai conseillée. ¹⁶Maintenant, envoyez vite avertir David et dites-lui : "Ne bivouaque pas cette nuit dans les passes du désert, mais traverse d'urgence de l'autre côté, de crainte que ne soient anéantis le roi et toute l'armée qui l'accompagne." »

David, informé, passe le Jourdain.

¹⁷Yehonatân et Ahimaaç étaient postés à la source du Foulon : une servante viendrait les avertir et eux-mêmes iraient avertir le roi David, car ils ne pouvaient pas se découvrir en entrant dans la ville. ¹⁸Mais un jeune homme les aperçut et porta la nouvelle à Absalom. Alors ils partirent tous deux en hâte et arrivèrent à la maison d'un homme de Bahurim. Il y avait dans sa cour une citerne où ils descendirent. ¹⁹La femme prit une bâche, elle l'étendit sur la bouche de la citerne et étala dessus du grain concassé, de sorte qu'on ne remarquait rien. ²⁰Les serviteurs d'Absalom entrèrent chez cette femme, dans la

maison, et demandèrent : « Où sont Ahimaaç et Yehonatân ? », et la femme leur répondit : « Ils sont passés près d'un réservoir d'eau. » Ils cherchèrent et, ne trouvant rien, revinrent à Jérusalem. [21]Après leur départ, Ahimaaç et Yehonatân remontèrent de la citerne et allèrent avertir le roi David : « Mettez-vous en route et hâtez-vous de passer l'eau, car voilà le conseil qu'Ahitophel a donné à votre propos. » [22]David et toute l'armée qui l'accompagnait se mirent donc en route et passèrent le Jourdain ; à l'aube, il ne manquait personne qui n'eût passé le Jourdain.

[23]Quant à Ahitophel, lorsqu'il vit que son conseil n'était pas suivi, il sella son âne et se mit en route pour aller chez lui dans sa ville. Il mit ordre à sa maison, puis il s'étrangla et mourut. On l'ensevelit dans le tombeau de son père.

Absalom franchit le Jourdain. David à Mahanayim.

[24]David était arrivé à Mahanayim lorsqu'Absalom franchit le Jourdain avec tous les hommes d'Israël. [25]Absalom avait mis Amasa à la tête de l'armée à la place de Joab. Or Amasa était le fils d'un homme qui s'appelait Yitra l'Israélite et qui s'était uni à Abigayil, fille de Nahash et sœur de Çeruya, la mère de Joab. [26]Israël et Absalom dressèrent leur camp au pays de Galaad.

[27]Lorsque David arriva à Mahanayim, Shobi, fils de Nahash, de Rabba des Ammonites, Makir, fils d'Ammiel, de Lo-Debar, et Barzillaï le Galaadite, de Roglim, [28]apportèrent du matériel de couchage, des lainages, ainsi que de la vaisselle, du blé, de l'orge, de la farine, des épis grillés, des fèves, des lentilles, [29]du miel, du beurre, des moutons et des morceaux de bœuf, qu'ils offrirent à David et au peuple qui l'accompagnait pour qu'ils s'en nourrissent. En effet, ils s'étaient dit : « L'armée a souffert de la faim, de la fatigue et de la soif dans le désert. »

Défaite du parti d'Absalom.

18 [1]David passa en revue la troupe qui était avec lui et il mit à sa tête des chefs de mille et des chefs de cent. [2]David divisa la troupe en trois : un tiers aux mains de Joab, un tiers aux mains d'Abishaï, fils de Çeruya et frère de Joab, un tiers aux mains d'Ittaï le Gittite. Puis le roi dit à la troupe : « Je partirai en guerre avec vous moi aussi. » [3]Mais la troupe répondit : « Tu ne dois pas partir. Car, si nous prenions la fuite, on n'y ferait pas attention, et si la moitié d'entre nous mourait, on n'y ferait pas attention, tandis que toi tu es comme dix mille d'entre nous. Et puis, il vaut mieux que tu nous sois un secours prêt à venir de la ville. » [4]David leur dit : « Je ferai ce qui vous semble bon. » Le roi se tint à côté de la porte, tandis que l'armée sortait par unités de cent et de mille. [5]Le roi fit un commandement à Joab, à Abishaï et à Ittaï : « Par égard pour moi, ménagez le jeune Absalom ! » et toute l'armée entendit que le roi donnait à tous les chefs cet ordre concernant Absalom. [6]La troupe sortit en pleine campagne à la rencontre d'Israël et la bataille eut lieu dans la forêt d'Éphraïm. [7]Là, le peuple d'Israël fut battu devant les serviteurs de David, et ce fut ce jour-là une grande défaite, qui frappa vingt mille hommes. [8]Le combat s'éparpilla dans toute la région et, ce jour-là, la forêt fit dans l'armée plus de victimes que l'épée.

Mort d'Absalom.

[9]Absalom se heurta par hasard à des serviteurs de David. Absalom montait un mulet et le mulet s'engagea sous la ramure d'un grand chêne. La tête d'Absalom se prit dans le chêne et il resta suspendu entre ciel et terre tandis que continuait le mulet qui était sous lui. [10]Quelqu'un l'aperçut et prévint Joab : « Je viens de voir, dit-il, Absalom suspendu à un chêne. » [11]Joab répondit à l'homme qui portait cette nouvelle : « Puisque tu l'as vu, pourquoi ne l'as-tu pas abattu sur place ? J'aurais pris sur moi de te donner dix sicles d'argent et une ceinture ! » [12]Mais l'homme répondit à Joab : « Quand même je soupèserais dans mes paumes mille sicles d'argent, je ne porterais pas la main sur le fils du roi ! C'est à nos oreilles que le roi t'a donné cet ordre ainsi qu'à Abishaï et à Ittaï : "Surveillez quiconque s'en prendrait au jeune Absalom." [13]Que si je m'étais menti à moi-même, rien ne reste caché au roi, et toi, tu te serais tenu à distance. » [14]Alors Joab dit : « Je ne vais pas ainsi perdre mon temps avec toi. » Il prit en mains trois épieux et les planta dans le cœur d'Absalom encore vivant au milieu du chêne. [15]Dix jeunes gens, les écuyers de Joab, se disposèrent en cercle, frappèrent Absalom et le mirent à mort.

[16]Joab fit alors sonner du cor et la troupe cessa de poursuivre Israël, car Joab retint l'armée. [17]On prit Absalom, on le jeta dans une grande fosse en pleine forêt et on dressa sur lui un énorme monceau de pierres. Tous les Israélites s'étaient enfuis, chacun à ses tentes.

[18]De son vivant, Absalom avait entrepris de s'ériger la stèle qui est dans la vallée du Roi, car il s'était dit : « Je n'ai pas de fils pour commémorer mon nom », et il avait donné son nom à la stèle. On l'appelle encore aujourd'hui le monument d'Absalom.

Les nouvelles sont portées à David.

[19]Ahimaaç, fils de Sadoq, dit : « Je voudrais courir et annoncer au roi cette bonne nouvelle, que Yahvé lui a rendu justice en le délivrant de ses ennemis. » [20]Mais Joab lui dit : « Tu ne serais pas un porteur de bonne nouvelle aujourd'hui ; tu le seras un autre jour, mais aujourd'hui tu ne porterais pas une bonne nouvelle, puisque le fils du roi est mort. » [21]Et Joab dit au Kushite : « Va rapporter au roi tout ce que tu as vu. » Le Kushite se prosterna devant Joab et partit en courant. [22]Ahimaaç, fils de Sadoq, insista encore et dit à Joab : « Advienne que pourra, je veux courir moi aussi derrière le Kushite. » Joab dit : « Pourquoi courrais-tu, mon fils, sans bonne nouvelle qui te vaudrait une récompense ? » [23]Il reprit : « Advienne que pourra, je courrai ! » Joab lui dit : « Cours donc. » Et Ahimaaç partit en courant par le chemin de la Plaine et il dépassa le Kushite.

²⁴David était assis entre les deux portes. Le guetteur étant monté à la terrasse de la porte, sur le rempart, leva les yeux et aperçut un homme qui courait seul. ²⁵Le guetteur cria et avertit le roi, et le roi dit : « S'il est seul, c'est qu'il a une bonne nouvelle sur les lèvres. » Comme celui-là continuait d'approcher, ²⁶le guetteur vit un autre homme qui courait et il appela le portier en lui disant : « Voici un autre homme, qui court seul. » Et David dit : « Celui-ci est encore un porteur de bonne nouvelle. » ²⁷Le guetteur dit : « Je reconnais la façon de courir du premier, c'est la façon de courir d'Ahimaaç, fils de Sadoq. » Le roi dit : « C'est un homme de bien, il vient pour une bonne nouvelle. »

²⁸Ahimaaç cria et dit au roi : « Tout va bien. » Il se prosterna face contre terre devant le roi et poursuivit : « Béni soit Yahvé ton Dieu qui a livré les hommes qui avaient levé la main contre Monseigneur le roi ! » ²⁹Le roi demanda : « En va-t-il bien pour le jeune Absalom ? » Et Ahimaaç répondit : « J'ai vu un grand tumulte quand Joab a envoyé un serviteur du roi et ton serviteur, mais je ne sais pas ce que c'était. » ³⁰Le roi dit : « Range-toi et tiens-toi là. » Il se rangea et attendit.

³¹Alors arriva le Kushite et il dit : « Que Monseigneur le roi apprenne la bonne nouvelle. Yahvé t'a rendu justice aujourd'hui en te délivrant de tous ceux qui s'étaient dressés contre toi. » ³²Le roi demanda au Kushite : « Tout va-t-il bien pour le jeune Absalom ? » Et le Kushite répondit : « Qu'ils aient le sort de ce jeune homme, les ennemis de Monseigneur le roi et tous ceux qui se sont dressés contre toi pour le mal ! »

Douleur de David.

19 ¹Alors le roi frémit. Il monta dans la chambre au-dessus de la porte ; il parlait ainsi tandis qu'il s'en allait : « Mon fils Absalom ! mon fils ! mon fils Absalom ! que ne suis-je mort à ta place ! Absalom mon fils ! mon fils ! » ²On prévint Joab : « Voici que le roi pleure et se lamente sur Absalom. » ³La victoire, ce jour-là, se changea en deuil pour toute l'armée, car l'armée apprit ce jour-là que le roi était dans l'affliction à cause de son fils. ⁴Et ce jour-là, l'armée rentra furtivement dans la ville, comme se dérobe une armée qui s'est couverte de honte en fuyant durant la bataille. ⁵Le roi s'était voilé le visage et poussait de grands cris : « Mon fils Absalom ! Absalom mon fils ! mon fils ! »

⁶Joab se rendit auprès du roi à l'intérieur et dit : « Tu couvres aujourd'hui de honte le visage de tous tes serviteurs qui ont sauvé aujourd'hui ta vie, celle de tes fils et celle de tes filles, celle de tes femmes et celle de tes concubines, ⁷parce que tu aimes ceux qui te haïssent et que tu hais ceux qui t'aiment. En effet, tu as manifesté aujourd'hui que chefs et serviteurs n'étaient rien pour toi, car je sais maintenant que, si Absalom vivait et si nous étions tous morts aujourd'hui, tu trouverais cela très bien. ⁸Allons, je t'en prie, sors et parle au cœur de tes serviteurs, car, je le jure par Yahvé, si tu ne

sors pas, il n'y aura personne qui passe cette nuit avec toi, et ce sera pour toi un malheur plus grand que tous les malheurs qui te sont advenus depuis ta jeunesse jusqu'à présent. » [9]Le roi se leva et vint s'asseoir à la porte. On l'annonça à toute l'armée : « Voici, dit-on, que le roi est assis à la porte », et toute l'armée se rendit devant le roi.

On prépare le retour de David.

Israël s'était enfui chacun à ses tentes. [10]Dans toutes les tribus d'Israël, tout le peuple discutait. On disait : « C'est le roi qui nous a délivrés de la main de nos ennemis, c'est lui qui nous a sauvés de la main des Philistins et maintenant il a dû s'enfuir du pays, loin d'Absalom. [11]Quant à Absalom que nous avions oint pour qu'il régnât sur nous, il est mort dans la bataille. Qu'attendez-vous donc pour faire revenir le roi ? » [12]De son côté le roi David envoya dire aux prêtres Sadoq et Ébyatar : « Parlez ainsi aux anciens de Juda : "Pourquoi seriez-vous les derniers à faire revenir le roi à la maison ? La parole de tout Israël est pourtant parvenue au roi. [13]Vous êtes mes frères. Mes os et ma chair c'est vous. Pourquoi seriez-vous les derniers à faire revenir le roi ?" » [14]Et vous direz à Amasa : "N'es-tu pas mes os et ma chair ? Que Dieu me fasse ce mal et qu'il ajoute cet autre si tu n'es pas chef de l'armée en ma présence pour toujours à la place de Joab." » [15]Il rallia ainsi le cœur de tous les hommes de Juda comme d'un seul homme et ils

envoyèrent dire au roi : « Reviens, toi et tous tes serviteurs. »

Épisodes du retour : Shiméï.

[16]Le roi revint donc et atteignit le Jourdain. Juda était arrivé à Gilgal, venant à la rencontre du roi, pour aider le roi à passer le Jourdain. [17]En hâte, Shiméï, fils de Géra, le Benjaminite de Bahurim, descendit avec les gens de Juda au-devant du roi David. [18]Il avait avec lui mille hommes de Benjamin et Çiba, le domestique de la maison de Saül, ses quinze fils et ses vingt serviteurs avec lui. Ils se précipitèrent au Jourdain au-devant du roi. [19]Le bac allait d'un bord à l'autre pour faire traverser la famille du roi et satisfaire son bon plaisir.

Shiméï fils de Géra se jeta aux pieds du roi quand il traversait le Jourdain, [20]et il dit au roi : « Que Monseigneur ne m'impute pas de faute ! Ne te souviens pas du mal que ton serviteur a commis le jour où Monseigneur le roi est sorti de Jérusalem. Que le roi ne le prenne pas à cœur ! [21]Oui, ton serviteur le sait : j'ai péché, et voici que je suis venu aujourd'hui le premier de toute la maison de Joseph pour descendre au-devant de Monseigneur le roi. »

[22]Abishaï fils de Çeruya prit alors la parole et dit : « Shiméï ne mérite-t-il pas la mort pour avoir maudit l'oint de Yahvé ? » [23]Mais David dit : « Qu'ai-je à faire avec vous, fils de Çeruya, pour que vous deveniez aujourd'hui mes adversaires ? Quelqu'un pourrait-il aujourd'hui être mis à mort en Israël ? N'ai-je pas l'assurance qu'aujourd'hui je suis roi sur Is-

raël ? » [24]Le roi dit à Shiméï : « Tu ne mourras pas », et le roi le lui jura.

Mephibaal.

[25]Mephibaal, le fils de Saül, était descendu aussi au-devant du roi. Il n'avait pris soin ni de ses pieds ni de sa moustache, il n'avait pas lavé ses vêtements depuis le jour où le roi était parti jusqu'au jour où il revint en paix à Jérusalem. [26]Or, lorsqu'il vint au-devant du roi, celui-ci lui demanda : « Pourquoi n'es-tu pas venu avec moi, Mephibaal ? » [27]Il répondit : « Monseigneur le roi, mon serviteur m'a trompé. Ton serviteur s'était dit : "Je vais seller mon ânesse pour la monter et partir avec le roi", car ton serviteur est boiteux. [28]Il a calomnié ton serviteur auprès de Monseigneur le roi. Mais Monseigneur le roi est comme l'Ange de Dieu : agis comme il te semble bon. [29]Car toute la famille de mon père méritait seulement la mort de la part de Monseigneur le roi, et pourtant tu as admis ton serviteur parmi ceux qui mangent à ta table. Quel droit puis-je avoir d'implorer encore le roi ? » [30]Le roi dit : « Pourquoi parles-tu encore de ton affaire ? Je le déclare : toi et Çiba vous partagerez les terres. » [31]Mephibaal dit au roi : « Qu'il prenne donc tout puisque Monseigneur le roi est rentré en paix chez lui ! »

Barzillaï.

[32]Barzillaï le Galaadite était descendu de Roglim et avait continué avec le roi vers le Jourdain pour prendre congé de lui au Jourdain. [33]Barzillaï était très âgé, il avait quatre-vingts ans. Il avait pourvu à l'entretien du roi pendant son séjour à Mahanayim, car c'était un homme très riche. [34]Le roi dit à Barzillaï : « Continue avec moi et je prendrai soin de toi auprès de moi à Jérusalem. » [35]Mais Barzillaï répondit au roi : « Combien d'années me reste-t-il à vivre, pour que je monte avec le roi à Jérusalem ? [36]J'ai maintenant quatre-vingts ans : puis-je distinguer ce qui est bon et ce qui est mauvais ? Ton serviteur a-t-il le goût de ce qu'il mange et de ce qu'il boit ? Puis-je entendre encore la voix des chanteurs et des chanteuses ? Pourquoi ton serviteur serait-il encore à charge à Monseigneur le roi ? [37]Pour un peu ton serviteur passerait le Jourdain avec le roi. Mais pourquoi le roi m'accorderait-il une telle récompense ? [38]Permets à ton serviteur de s'en retourner : je mourrai dans ma ville près du tombeau de mon père et de ma mère. Mais voici ton serviteur Kimhâm, qu'il continue avec Monseigneur le roi, et agis comme bon te semble à son égard. » [39]Le roi dit : « Que Kimhâm continue donc avec moi, je ferai pour lui ce qui te plaira et tout ce que tu solliciteras de moi, je le ferai pour toi. » [40]Tout le peuple passa le Jourdain, le roi passa, il embrassa Barzillaï et le bénit, et celui-ci s'en retourna chez lui.

Juda et Israël se disputent le roi.

[41]Le roi continua vers Gilgal. Kimhâm continua avec lui ainsi que tout le peuple de Juda. Ils firent passer le roi et aussi la moitié du peuple d'Israël. [42]Et voici que tous les hommes d'Israël vinrent

auprès du roi et lui dirent : « Pourquoi les frères, les hommes de Juda, t'ont-ils enlevé et ont-ils fait passer le Jourdain au roi et à sa famille, et à tous les hommes de David avec lui ? » ⁴³Tous les hommes de Juda répondirent aux hommes d'Israël : « C'est que le roi m'est plus apparenté ! Pourquoi t'irriter à ce propos ? Avons-nous mangé quelque chose qui vienne du roi ? A-t-on prélevé quelque chose pour nous ? » ⁴⁴Les hommes d'Israël répliquèrent aux hommes de Juda et dirent : « J'ai dix parts sur le roi et même sur David j'ai plus de droits que toi. Pourquoi m'as-tu méprisé ? N'ai-je pas parlé le premier de faire revenir mon roi ? » Mais les propos des hommes de Juda furent plus violents que ceux des hommes d'Israël.

Révolte de Shéba.

20 ¹Là se trouva par hasard un vaurien. Il se nommait Shéba, fils de Bikri, un Benjaminite. Il sonna du cor et dit :

« Nous n'avons pas de part avec David,
   nous n'avons pas d'héritage sur les fils de Jessé !
Chacun à ses tentes, Israël ! »

²Tous les hommes d'Israël remontèrent, quittant David pour suivre Shéba fils de Bikri, mais les hommes de Juda s'attachèrent aux pas de leur roi, depuis le Jourdain jusqu'à Jérusalem.

³David rentra dans son palais à Jérusalem. Le roi prit les dix concubines qu'il avait laissées pour garder le palais et les mit sous surveillance. Il pourvut à leur entretien mais il n'approcha plus d'elles et elles furent séquestrées jusqu'à leur mort, comme les veuves d'un vivant.

Assassinat d'Amasa.

⁴Le roi dit à Amasa : « Convoque-moi les hommes de Juda dans les trois jours et toi, tiens-toi ici. » ⁵Amasa partit pour convoquer Juda, mais il tarda au-delà du terme que David lui avait fixé. ⁶Alors David dit à Abishaï : « Shéba, fils de Bikri, va nous faire plus de mal qu'Absalom. Toi, prends les serviteurs de ton maître et pars à sa poursuite ; sinon il pourrait gagner des villes fortifiées et échapper à nos regards. » ⁷Derrière lui sortirent les hommes, Joab, les Kérétiens, les Pélétiens et tous les preux ; et ils sortirent de Jérusalem à la poursuite de Shéba fils de Bikri. ⁸Ils étaient près de la grande pierre qui se trouve à Gabaôn, quand Amasa arriva en face d'eux. Or Joab était vêtu de la tenue militaire sur laquelle il avait ceint une épée attachée à ses reins dans son fourreau ; celle-ci sortit et tomba. ⁹Joab demanda à Amasa : « Tu vas bien, mon frère ? » Et, de la main droite, il saisit la barbe d'Amasa pour l'embrasser. ¹⁰Amasa ne prit pas garde à l'épée que Joab avait en main, et celui-ci l'en frappa au ventre et répandit ses entrailles à terre. Il n'eut pas à lui donner un second coup et Amasa mourut, tandis que Joab et son frère Abishaï se lançaient à la poursuite de Shéba, fils de Bikri. ¹¹L'un des cadets de Joab resta en faction près d'Amasa et il disait : « Quiconque aime Joab et est pour David, qu'il suive Joab ! »

[12] Cependant Amasa s'était roulé dans son sang au milieu du chemin. Voyant que tout le monde s'arrêtait, cet homme tira Amasa du chemin dans le champ et jeta un vêtement sur lui, parce qu'il voyait s'arrêter tous ceux qui arrivaient près de lui. [13] Lorsqu'Amasa eut été écarté du chemin, tous les hommes passèrent outre, suivant Joab à la poursuite de Shéba fils de Bikri.

Fin de la révolte.

[14] Celui-ci parcourut toutes les tribus d'Israël jusqu'à Abel-Bet-Maaka. Tous ces alliés se rassemblèrent et allèrent même à sa suite. [15] Ils vinrent l'assiéger dans Abel-Bet-Maaka et ils entassèrent contre la ville un remblai qui s'adossait à l'avant-mur, et toute l'armée qui accompagnait Joab sapait le rempart pour le faire tomber. [16] Une femme avisée cria de la ville : « Écoutez ! Écoutez ! Dites à Joab : "Approche ici, que je te parle." » [17] Il s'approcha et la femme demanda : « Est-ce toi Joab ? » Il répondit : « Oui. » Elle lui dit : « Écoute la parole de ta servante. » Il répondit : « J'écoute. » [18] Elle parla ainsi : « Jadis, on avait coutume de dire : Qu'on procède donc à une consultation à Abel et, de cette façon, l'affaire est close. [19] Alors que moi je suis composée d'hommes d'Israël intègres et loyaux, toi tu cherches à faire périr une ville et une métropole en Israël. Pourquoi veux-tu anéantir l'héritage de Yahvé ? » [20] Joab répondit : « Loin, loin de moi ! Je ne veux ni anéantir ni ruiner. [21] Il ne s'agit pas de cela, mais un homme de la montagne d'Éphraïm, du nom de Shéba fils de Bikri, s'est insurgé contre le roi David. Livrez-le tout seul et je lèverai le siège de la ville. » La femme dit à Joab : « Eh bien, on va te jeter sa tête par-dessus la muraille. » [22] La femme affronta tout le peuple avec sa seule sagesse : on trancha la tête de Shéba, fils de Bikri, et on la jeta à Joab. Celui-ci fit sonner du cor et on s'éloigna de la ville, chacun vers ses tentes. Quant à Joab, il revint à Jérusalem auprès du roi.

Les grands officiers de David.

[23] Joab commandait à toute l'armée d'Israël ; Benayahu fils de Yehoyada commandait les Kérétiens et les Pélétiens ; [24] Adoram était chef de la corvée ; Yehoshaphat fils d'Ahilud était héraut ; [25] Shiya était secrétaire ; Sadoq et Ébyatar étaient prêtres. [26] De plus, Ira le Yaïrite était prêtre de David.

5. Suppléments

La grande famine et l'exécution des descendants de Saül.

21 [1] Au temps de David, il y eut une famine pendant trois ans de suite. David s'enquit auprès de Yahvé, et Yahvé dit : « Il y a du sang sur Saül et sur sa famille, parce qu'il a mis à mort les Gabaonites. » [2] Le roi convoqua les Gabaonites et leur dit. – Ces Gabaonites n'étaient pas des Israélites, ils étaient un reste des Amorites, envers qui les Israélites s'étaient engagés par serment. Mais Saül avait cherché à les abattre dans son zèle pour les Israélites et pour Juda. — ³David dit aux Gabaonites : « Que puis-je faire pour vous ? Comment puis-je réparer pour que vous bénissiez l'héritage de Yahvé ? » ⁴Les Gabaonites lui répondirent : « Il ne s'agit pas pour nous d'une affaire d'argent ou d'or avec Saül et sa famille, et il ne s'agit pas pour nous d'un homme à mettre à mort en Israël. » David dit : « Ce que vous direz, je le ferai pour vous. » ⁵Ils dirent alors au roi : « L'homme qui nous a exterminés et qui avait projeté de nous anéantir, pour que nous ne subsistions plus dans tout le territoire d'Israël, ⁶qu'on nous livre sept de ses fils et nous les démembrerons devant Yahvé à Gibéah de Saül l'élu de Yahvé. » Et le roi dit : « Je les livrerai. » ⁷Le roi épargna Meribbaal fils de Jonathan fils de Saül, à cause du serment par Yahvé qui les liait, David et Jonathan fils de Saül. ⁸Le roi prit les deux fils que Riçpa, fille d'Ayya, avait donnés à Saül, Armoni et Mephibaal, et les cinq fils que Mikal, fille de Saül, avait donnés à Adriel fils de Barzillaï, de Mehola. ⁹Il les livra aux mains des Gabaonites et ceux-ci les démembrèrent sur la montagne, devant Yahvé. Les sept succombèrent ensemble ; ils furent mis à mort aux premiers jours de la moisson, au début de la moisson des orges. ¹⁰Riçpa, fille d'Ayya, prit le sac et l'étendit pour elle sur le rocher, depuis le début de la moisson des orges jusqu'à ce que l'eau tombât du ciel sur eux, et elle ne laissa pas s'abattre sur eux les oiseaux du ciel pendant le jour ni les bêtes sauvages pendant la nuit. ¹¹On informa David de ce qu'avait fait Riçpa, fille d'Ayya, la concubine de Saül. ¹²Alors David alla réclamer les ossements de Saül et ceux de son fils Jonathan aux notables de Yabesh de Galaad. Ceux-ci les avaient enlevés de l'esplanade de Bet-Shân, où les Philistins les avaient suspendus, quand les Philistins avaient vaincu Saül à Gelboé. ¹³David emporta de là les ossements de Saül et ceux de son fils Jonathan et les réunit aux ossements des suppliciés. ¹⁴On ensevelit les ossements de Saül, ceux de son fils Jonathan au pays de Benjamin, à Çéla, dans le tombeau de Qish, père de Saül. On fit tout ce que le roi avait ordonné et, après cela, Dieu eut pitié du pays.

Exploits contre les Philistins.

¹⁵Il y eut encore une guerre des Philistins contre Israël. David descendit avec ses serviteurs. Ils combattirent les Philistins, et David était fatigué. ¹⁶Yishbi, fils de Nob, était un des descendants de Rapha. Le poids de sa lance était de trois cents sicles, poids du bronze, et il avait une ceinture neuve. Il parlait de frapper David. ¹⁷Mais Abishaï fils de Çeruya vint au secours de celui-ci, frappa le Philistin et le mit à mort. C'est alors que les hommes de David le conjurèrent et dirent : « Tu n'iras plus avec nous au combat, pour que tu n'éteignes pas la lampe d'Israël ! »

‖ 1 Ch **20** 4-8.

¹⁸Après cela, la guerre reprit à Gob avec les Philistins. C'est alors que Sibbekaï de Husha tua Saph, un descendant de Rapha.

¹⁹La guerre reprit encore à Gob avec les Philistins, et Elhanân, fils de Yari, de Bethléem, tua Goliath de Gat ; le bois de sa lance était comme un liais de tisserand.

²⁰Il y eut encore un combat à Gat. Il y avait là un champion, qui avait six doigts à chaque main et à chaque pied, vingt-quatre doigts au total. Il était, lui aussi, un descendant de Rapha. ²¹Comme il défiait Israël, Yehonatân, fils de Shiméa, frère de David, l'abattit.

²²Ces quatre-là étaient descendants de Rapha à Gat et ils succombèrent sous la main de David et de ses serviteurs.

Psaume de David.

22 ¹David adressa à Yahvé les paroles de ce cantique, quand Yahvé l'eut délivré de tous ses ennemis et de la main de Saül. ²Il dit :

‖ Ps **18**.

Yahvé est mon roc et ma forteresse, mon libérateur,
³mon Dieu, mon rocher, je m'abrite en lui ;
mon bouclier, mon arme de salut, ma citadelle,
mon refuge, mon sauveur, tu me sauves de la violence.
⁴Loué soit Dieu ! Quand j'invoque Yahvé,
je suis sauvé de mes ennemis.

⁵Les liens de la mort m'entouraient,
les torrents de Bélial m'épouvantaient,

⁶les liens du Shéol m'étreignaient,
devant moi les pièges de la mort.

⁷Dans mon angoisse j'invoquai Yahvé
et vers mon Dieu je lançai mon cri ;
depuis son temple il entend ma voix
et mon cri parvient à ses oreilles.

⁸La terre titube et tremble ;
les assises des cieux frémissent ;
elles sont secouées à cause de sa colère.
⁹Une fumée monte à ses narines
et de sa bouche un feu dévorant :
des braises brûlantes en sortaient.

¹⁰Il incline les cieux et descend,
une sombre nuée sous ses pieds.
¹¹Il chevauche un chérubin et s'envole,
il apparaît sur les ailes du vent.

¹²Il établit la ténèbre autour de lui comme une tente,
le crible des eaux, nuées de nuages.
¹³Devant lui une clarté ;
des braises de feu brûlaient.

¹⁴Dans les cieux, Yahvé tonne,
le Très-Haut donne de la voix.
¹⁵Il lance des flèches et les disperse,
un éclair et il les met en déroute.

¹⁶Les fonds marins apparaissent,
les assises du monde se découvrent
au grondement de Yahvé,
par l'haleine qu'exhalent ses narines.

17 D'en haut il envoie me prendre,
  il me retire des grandes eaux.
18 Il me délivre de mon puissant ennemi,
  de mes adversaires plus forts que moi.
19 Ils m'attendaient au jour de mon malheur,
  mais Yahvé fut pour moi un appui.
20 En sortant pour me mettre au large,
  il me libérera, car il s'est complu en moi.
21 Yahvé me rendra selon ma justice,
  selon la pureté de mes mains il me rétribuera,
22 car j'ai gardé les chemins de Yahvé
  et je n'ai pas fait le mal en m'écartant de mon Dieu.
23 Tous ses jugements sont devant moi
  et ses décrets je ne m'en écarte pas.
24 Je suis intègre avec lui
  et je me garde du péché.
25 Yahvé me rétribuera selon ma justice,
  selon la pureté que j'ai à ses yeux.
26 Avec le fidèle tu es fidèle,
  avec l'homme intègre tu es intègre,
27 avec celui qui est pur tu es pur,
  mais avec le fourbe tu es rusé.
28 Tu sauves le peuple pauvre
  et tes yeux fixent les hautains pour les abaisser.
29 C'est toi, Yahvé, ma lampe.
  Yahvé illumine ma ténèbre,

30 Avec toi j'écrase la bande armée,
  avec mon Dieu je saute la muraille.
31 Dieu, sa voie est intègre.
  La parole de Yahvé est éprouvée ;
  c'est un bouclier pour tous ceux qui s'abritent en lui.
32 Qui donc est Dieu hormis Yahvé ?
  Qui est un roc hormis notre Dieu ?
33 Ce Dieu, il est ma place-forte et elle est puissante ;
  il a dégagé ma voie et elle est intègre.
34 Il égale mes pieds à ceux des biches
  et il me tient debout sur mes hauteurs.
35 Il instruit mes mains pour le combat
  et il place mes bras sur l'arc de bronze.
36 Tu me donnes pour bouclier ton salut
  et tu ne cesses de m'exaucer.
37 tu élargis mes pas sous moi
  et mes chevilles n'ont point fléchi.
38 Je poursuis mes ennemis et les extermine,
  et je ne reviens pas qu'ils ne soient anéantis.
39 Je les ai anéantis, abattus et ils ne peuvent se relever,
  ils tombent sous mes pieds.
40 Tu m'as ceint de force pour le combat,
  tu fais ployer sous moi mes agresseurs.

⁴¹De mes ennemis tu me livres
la nuque,
    ceux qui me haïssent je les ai
massacrés.

⁴²Ils regardent, mais point de
sauveur,
    vers Yahvé, mais pas de ré-
ponse.
⁴³Je les broie comme la poussière de la terre,
    je les écrase comme la boue des
rues.

⁴⁴Tu me délivres des querelles
de mon peuple,
    tu me gardes comme chef des
nations ;
    des gens que je ne connaissais
pas me serviront.

⁴⁵Des fils d'étrangers se soumet-
tront à moi,
    tendant l'oreille, ils m'obéiront.
⁴⁶Des fils d'étrangers faiblissent,
    trébuchant à cause de leurs en-
traves.

⁴⁷Vive Yahvé, et béni soit mon
Rocher !
    Que soit exalté le Dieu de mon
salut,
⁴⁸le Dieu qui me donne les vengeances
    qui abat sous moi des peuples,

⁴⁹qui me soustrait à mes ennemis.
    Tu m'exaltes par-dessus mes
agresseurs,
    tu me libères de l'homme de vio-
lence.

⁵⁰Aussi je veux te louer, Yahvé,
parmi les nations
    et je veux chanter en l'honneur
de ton nom.

⁵¹Il magnifie les victoires de son
roi
    et il agit avec fidélité envers son
oint,
    envers David et sa descendance
à jamais.

Dernières paroles de David. 1 R 2
1-9.

23 ¹Voici les dernières paroles
de David :

Oracle de David, fils de Jessé,
oracle de l'homme haut placé,
de l'oint du Dieu de Jacob,
du chantre des cantiques d'Israël.

²L'esprit de Yahvé s'est exprimé par moi,
    sa parole est sur ma langue.
³Le Dieu d'Israël a parlé,
    le Rocher d'Israël m'a dit :

Celui qui gouverne les hommes
avec justice
    gouverne avec la crainte de
Dieu.
⁴Il est comme la lumière du matin au lever du soleil,
    un matin sans nuages,
    qui fait briller après la pluie le
gazon de la terre.

⁵N'en est-il pas ainsi de ma
maison auprès de Dieu,
    car il a établi pour moi une al-
liance éternelle,
    réglée en tout et bien assurée ?
    ne fait-il pas germer tout mon
salut et tout mon plaisir ?

⁶Mais les gens de Bélial sont
tous comme l'épine qu'on rejette,
    car on ne les prend pas avec la
main.
⁷L'homme qui les touche,

est chargé de fer et du bois des lances,

et ils sont brûlés, brûlés sur place.

Les preux de David. ‖ 1 Ch **11** 11-47 ; **27** 2-15.

⁸Voici les noms des preux de David : Ishbaal le Hakmonite, chef des Trois, c'est lui qui brandit sa lance sur huit cents victimes en une seule fois. ⁹Après lui, Éléazar fils de Dodo, l'Ahohite, l'un des trois preux. Il était avec David quand ils défièrent les Philistins ; ils se rassemblèrent pour le combat et les hommes d'Israël montèrent. ¹⁰Il se dressa et frappa les Philistins, jusqu'à ce que sa main engourdie se crispât sur l'épée. Yahvé opéra une grande victoire, ce jour-là, et l'armée revint derrière lui, mais seulement pour détrousser. ¹¹Après lui Shamma, fils d'Agê, le Hararite. Les Philistins étaient rassemblés à Léhi. Il y avait là une parcelle de champ couverte de lentilles, l'armée prit la fuite devant les Philistins, ¹²mais lui se posta au milieu de la parcelle, la préserva et battit les Philistins. Yahvé opéra une grande victoire.

¹³Trois d'entre les Trente descendirent et vinrent, au temps de la moisson, trouver David à la grotte d'Adullam, tandis qu'une compagnie de Philistins campait dans le val des Rephaïm. ¹⁴David était alors dans le refuge et un poste de Philistins se trouvait à Bethléem. ¹⁵David exprima ce désir : « Qui me fera boire l'eau du puits qui est à la porte de Bethléem ! » ¹⁶Les trois preux, s'ouvrant un passage au travers du camp philistin, tirèrent de l'eau au puits qui est à la porte de Bethléem ; ils l'emportèrent et l'offrirent à David, mais il ne voulut pas en boire et il la répandit en libation à Yahvé. ¹⁷Il dit : « Que Yahvé me garde de faire cela ! C'est le sang des hommes qui sont allés risquer leur vie ! » Il ne voulut donc pas boire. Voilà ce qu'ont fait ces trois preux.

¹⁸Abishaï, frère de Joab et fils de Çeruya, était chef des Trois. C'est lui qui brandit sa lance sur trois cents victimes et se fit un nom parmi les Trois. ¹⁹Il fut plus illustre que les Trois et devint leur chef, mais il n'arriva pas au rang des Trois.

²⁰Benayahu, fils de Yehoyada, fils d'un homme vaillant, prodigue en exploits, originaire de Qabçéel, c'est lui qui abattit les deux héros de Moab, et c'est lui qui descendit et abattit le lion dans la citerne, un jour de neige. ²¹C'est lui aussi qui abattit un Égyptien qui avait une belle apparence. L'Égyptien avait en main une lance, mais il descendit contre lui avec un bâton, arracha la lance de la main de l'Égyptien et tua celui-ci avec sa propre lance. ²²Voilà ce qu'accomplit Benayahu fils de Yehoyada, et il se fit un nom parmi les trois preux. ²³Il fut plus illustre que les Trente, mais il ne fut pas compté parmi les Trois ; David le mit à la tête de sa garde personnelle.

²⁴Asahel, frère de Joab, faisait partie des Trente.

Elhanân fils de Dodo, de Bethléem.

²⁵Shamma, le Harodite.

Éliqa, le Harodite.

²⁶Héleç, le Paltite.

Ira, fils d'Iqqèsh, le Téqoïte.

²⁷Abiézer, l'Anatotite.

Sabeni, le Hushatite.

²⁸Çalmôn, l'Ahohite.

Mahraï, le Netophatite.

²⁹Héleb, fils de Baana, le Netophatite.

Ittaï, fils de Ribaï, de Gibéa des fils de Benjamin.

³⁰Benayahu, le Piratonite.

Hiddaï, des Torrents de Gaash.

³¹Abi-Albôn, le Arbatite.

Azmavèt, le Barhumite.

³²Élyahba, le Shaalbonite.

Yashèn, le Gunite.

Yehonatân,

³³fils de Shamma, le Hararite.

Ahiâm, fils de Sharar, l'Ararite.

³⁴Éliphélèt, fils d'Ahasbaï, fils du Maakatite.

Éliam, fils d'Ahitophel, le Gilonite.

³⁵Hèçraï, le Karmélite.

Paaraï, l'Arabite.

³⁶Yigéal, fils de Natân, de Çoba.

Bani, le Gadite.

³⁷Céleq, l'Ammonite.

Nahraï, le Béérotite, écuyer de Joab fils de Çeruya.

³⁸Ira, le Yitrite.

Gareb, le Yitrite.

³⁹Urie, le Hittite.

En tout trente-sept.

Le dénombrement du peuple.

|| 1 Ch 21 1-5.

24 ¹La colère de Yahvé s'enflamma encore contre les Israélites et il excita David contre eux : « Va, dit-il, fais le dénombrement d'Israël et de Juda. » ²Le roi dit à Joab, le chef de l'armée qui était avec lui : « Parcourez donc toutes les tribus d'Israël, de Dan à Bersabée, et faites le recensement du peuple afin que je sache le chiffre de la population. » ³Joab répondit au roi : « Que Yahvé ton Dieu accroisse le peuple de cent fois autant, pendant que Monseigneur le roi peut le voir de ses yeux, mais pourquoi Monseigneur le roi aurait-il ce désir ? » ⁴Cependant l'ordre du roi s'imposa à Joab et aux chefs de l'armée, et Joab et les chefs de l'armée quittèrent la présence du roi pour recenser le peuple d'Israël.

⁵Ils passèrent le Jourdain et ils commencèrent à Aroër et, depuis la ville qui est au milieu de la vallée, allèrent chez les Gadites et vers Yazèr. ⁶Puis ils allèrent en Galaad et au pays des Hittites, à Qadesh, ils se rendirent à Dan-Yaan et aux alentours, en direction de Sidon. ⁷Ils se rendirent au Fort-de-Tyr et dans toutes les villes des Hittites et des Cananéens et ils aboutirent au Négeb de Juda, à Bersabée. ⁸Ayant parcouru tout le pays, ils arrivèrent à Jérusalem au bout de neuf mois et vingt jours. ⁹Joab donna au roi le chiffre obtenu pour le recensement du peuple : Israël comptait huit cent mille hommes d'armes tirant l'épée, et Juda cinq cent mille hommes.

La peste et le pardon divin.

|| 1 Ch 21 7-17.

¹⁰Après cela le cœur de David lui battit d'avoir recensé le peuple et David dit à Yahvé : « C'est un grand péché que j'ai commis ! Maintenant, Yahvé, veuille pardonner cette faute à ton serviteur, car j'ai commis une grande folie. » ¹¹Quand David se leva le lende-

main matin – cette parole de Yahvé avait été adressée au prophète Gad, le voyant de David : [12]« Va dire à David : Ainsi parle Yahvé. Je te propose trois choses, choisis-en une pour toi et je l'exécuterai pour toi. » – [13]Donc Gad se rendit chez David et lui notifia ceci : « Faut-il que t'adviennent sept années de famine dans ton pays, ou que tu fuies pendant trois mois devant ton ennemi qui te poursuivra, ou qu'il y ait pendant trois jours la peste dans ton pays ? Maintenant réfléchis et vois ce que je dois répondre à celui qui m'envoie ! » [14]David dit à Gad : « Je suis dans une grande anxiété... Ah ! tombons entre les mains de Yahvé car sa miséricorde est grande, mais que je ne tombe pas entre les mains des hommes ! » [15] Yahvé envoya la peste en Israël depuis le matin jusqu'au temps fixé, et soixante-dix mille hommes du peuple moururent depuis Dan jusqu'à Bersabée. [16]L'ange étendit sa main vers Jérusalem pour l'exterminer, mais Yahvé se repentit de ce mal et il dit à l'ange qui exterminait le peuple : « Assez ! retire à présent ta main. » L'ange de Yahvé se trouvait près de l'aire d'Arauna le Jébuséen. [17]Quand David vit l'ange qui frappait le peuple, il dit à Yahvé : « C'est moi qui ai péché, c'est moi qui ai commis le mal, mais ceux-là, c'est le troupeau, qu'ont-ils fait ? Que ta main s'appesantisse donc sur moi et sur ma famille ! »

Construction d'un autel. ‖ 1 Ch 21 18-28.

[18]Ce jour-là, Gad se rendit auprès de David et lui dit : « Monte et élève un autel à Yahvé sur l'aire d'Arauna le Jébuséen. » [19]David monta donc, suivant la parole de Gad, comme Yahvé l'avait ordonné. [20]Arauna regarda et vit le roi et ses serviteurs qui s'avançaient vers lui. Il sortit et se prosterna devant le roi, la face contre terre. [21]Arauna dit : « Pourquoi Monseigneur le roi est-il venu chez son serviteur ? » Et David répondit : « Pour acquérir de toi cette aire, afin de construire un autel à Yahvé. Ainsi le fléau s'écartera du peuple. » [22]Arauna dit alors au roi : « Que Monseigneur le roi la prenne et qu'il offre ce qui lui semble bon ! Voici les bœufs pour l'holocauste, le traîneau et le joug des bœufs pour le bois. [23]Arauna donne tout cela au roi ! » Et Arauna dit au roi : « Que Yahvé ton Dieu agrée ton offrande ! »

[24]Mais le roi dit à Arauna : « Non pas ! Je veux te l'acheter en payant, je ne veux pas offrir à Yahvé mon Dieu des holocaustes qui ne me coûtent rien. » Et David acheta l'aire et les bœufs pour de l'argent, cinquante sicles. [25]David construisit là un autel à Yahvé et il offrit des holocaustes et des sacrifices de communion. Alors Yahvé eut pitié du pays et le fléau s'écarta d'Israël.

Premier livre
des Rois

1. *La succession de David*

Vieillesse de David.

1 ¹ Le roi David était un vieillard avancé en âge ; on le couvrait de vêtements sans qu'il pût se réchauffer. ² Alors ses serviteurs lui dirent : « Qu'on cherche pour Monseigneur le roi une jeune fille vierge qui assiste le roi et qui le soigne : elle couchera sur ton sein et cela tiendra chaud à Monseigneur le roi. » ³ Ayant donc cherché une belle jeune fille dans tout le territoire d'Israël, on trouva Abishag de Shunem et on l'amena au roi.

Menées d'Adonias.

⁴ Cette jeune fille était extrêmement belle ; elle soigna le roi et le servit, mais il ne la connut pas. ⁵ Or Adonias, le fils de Haggit, jouait au prince en disant : « C'est moi qui régnerai ! » Il s'était procuré char et attelage et cinquante hommes qui couraient devant lui. ⁶ De sa vie, son père ne l'avait contrarié en disant : « Pourquoi agis-tu ainsi ? » Il avait lui aussi très belle apparence et sa mère l'avait enfanté après Absalom. ⁷ Il s'aboucha avec Joab fils de Çeruya et avec le prêtre Ébyatar, qui se rallièrent à la cause d'Adonias ; ⁸ mais ni le prêtre Sadoq, ni Benayahu fils de Yehoyada, ni le prophète Natân, ni Shiméï et ses compagnons, ni les preux de David, n'étaient avec Adonias.

⁹ Un jour qu'Adonias immolait des moutons, des bœufs et des veaux gras à la Pierre-qui-glisse, qui est près de la source du Foulon, il invita tous ses frères, les princes royaux, et tous les Judéens au service du roi, ¹⁰ mais il n'invita pas le prophète Natân, ni Benayahu, ni les preux, ni son frère Salomon.

L'intrigue de Natân et de Bethsabée.

¹¹ Alors Natân dit à Bethsabée, la mère de Salomon : « N'as-tu pas appris qu'Adonias fils de Haggit est devenu roi à l'insu de notre seigneur David ? ¹² Eh bien ! laisse-moi te donner maintenant un conseil, pour que tu sauves ta vie et celle de ton fils Salomon. ¹³ Va, entre chez le roi David, et dis-lui : "N'est-ce pas toi, Monseigneur le roi, qui as fait ce serment à ta servante : Ton fils Salomon régnera après moi et c'est lui qui s'assiéra sur mon trône ? Comment donc Adonias est-il devenu roi ?" ¹⁴ Et pendant que tu seras là, conversant encore avec le roi, j'entrerai après toi et j'appuierai tes paroles. »

¹⁵ Bethsabée se rendit chez le roi dans sa chambre. Or le roi était très vieux et Abishag de Shunem le servait. ¹⁶ Elle s'inclina et se prosterna devant le roi, et le roi dit : « Que désires-tu ? » ¹⁷ Elle lui répondit : « Monseigneur, tu as juré à ta ser-

vante par Yahvé ton Dieu : "Ton fils Salomon régnera après moi, et c'est lui qui s'assiéra sur mon trône." ¹⁸Voici maintenant qu'Adonias est devenu roi, et toi, Monseigneur le roi, tu n'en saurais rien ! ¹⁹Car il a immolé quantité de taureaux, de veaux gras et de moutons, et il a invité tous les princes royaux, le prêtre Ébyatar, le général Joab, mais ton serviteur Salomon, il ne l'a pas invité ! ²⁰Pourtant c'est vers toi, Monseigneur le roi, que tout Israël regarde pour que tu lui désignes qui siégera sur le trône de Monseigneur le roi après lui. ²¹Et quand Monseigneur le roi sera couché avec ses pères, moi et mon fils Salomon, nous serons coupables ! »

²²Elle parlait encore avec le roi que le prophète Natân arriva. ²³On annonça au roi : « Le prophète Natân est là. » Il entra chez le roi et se prosterna devant lui, la face contre terre. ²⁴Natân dit : « Monseigneur le roi, tu as donc décrété : "Adonias régnera après moi et s'assiéra sur mon trône" ! ²⁵Car il est descendu aujourd'hui, il a immolé quantité de taureaux, de veaux gras et de moutons et a invité tous les princes royaux, les officiers de l'armée et le prêtre Ébyatar ; les voilà qui mangent et boivent en sa présence et qui crient : "Vive le roi Adonias !" ²⁶Mais moi ton serviteur, le prêtre Sadoq, Benayahu fils de Yehoyada et ton serviteur Salomon, il ne nous a pas invités. ²⁷Se peut-il que la chose vienne de Monseigneur le roi et que tu n'aies pas fait savoir à tes fidèles qui siégera sur le trône de Monseigneur le roi après lui ? »

Salomon désigné par David est sacré roi.

²⁸Le roi David répondit et dit : « Appelez-moi Bethsabée. » Elle entra chez le roi et se tint devant lui. ²⁹Alors le roi fit ce serment : « Par Yahvé vivant, qui m'a délivré de toutes les angoisses, ³⁰comme je t'ai juré par Yahvé, Dieu d'Israël, que ton fils Salomon régnerait après moi et s'assiérait à ma place sur le trône, ainsi ferai-je aujourd'hui même. » ³¹Bethsabée s'inclina, la face contre terre, se prosterna devant le roi et dit : « Vive à jamais Monseigneur le roi David ! » ³²Puis le roi David dit : « Appelez-moi le prêtre Sadoq, le prophète Natân et Benayahu fils de Yehoyada. » Ils entrèrent chez le roi ³³et celui-ci leur dit : « Prenez avec vous la garde royale, faites monter mon fils Salomon sur ma propre mule et faites-le descendre à Gihôn. ³⁴Là, le prêtre Sadoq et le prophète Natân lui donneront l'onction comme roi d'Israël, vous sonnerez du cor et vous crierez : "Vive le roi Salomon !" ³⁵Vous remonterez à sa suite, il entrera s'asseoir sur mon trône et régnera à ma place, car c'est lui que j'ai institué chef sur Israël et sur Juda. » ³⁶Benayahu fils de Yehoyada répondit au roi : « Amen ! Que parle ainsi Yahvé, le Dieu de Monseigneur le roi ! ³⁷Comme Yahvé a été avec Monseigneur le roi, qu'il soit avec Salomon et qu'il magnifie son trône encore plus que le trône de Monseigneur le roi David ! »

³⁸Le prêtre Sadoq, le prophète Natân, Benayahu fils de Yehoyada, les Kérétiens et les Pélétiens

descendirent ; ils mirent Salomon sur la mule du roi David et ils le menèrent à Gihôn. ³⁹Le prêtre Sadoq prit dans la Tente la corne d'huile et oignit Salomon, on sonna du cor et tout le peuple cria : « Vive le roi Salomon ! » ⁴⁰Puis tout le peuple monta à sa suite, et le peuple jouait de la flûte et manifestait une grande joie, avec des clameurs à fendre la terre.

La peur d'Adonias.

⁴¹Adonias et tous ses convives entendirent le bruit ; ils avaient alors fini de manger. Joab entendit même le son du cor et demanda : « Pourquoi cette rumeur de la ville en émoi ? » ⁴²Comme il parlait encore, voici qu'arriva Yonatân, le fils du prêtre Ébyatar, et Adonias dit : « Viens ! car tu es un honnête homme et tu dois apporter une bonne nouvelle. » ⁴³Yonatân répondit : « Ah oui ! notre seigneur le roi David a fait roi Salomon ! ⁴⁴Le roi a envoyé avec lui le prêtre Sadoq, le prophète Natân, Benayahu fils de Yehoyada, les Kérétiens et les Pélétiens, ils l'ont mis sur la mule du roi, ⁴⁵le prêtre Sadoq et le prophète Natân l'ont sacré roi à Gihôn, ils sont remontés de là en poussant des cris de joie et la ville est en émoi ; voilà le bruit que vous avez entendu. ⁴⁶Plus que cela : Salomon s'est assis sur le trône royal, ⁴⁷et les officiers du roi sont venus féliciter notre seigneur le roi David en disant : "Que ton Dieu glorifie le nom de Salomon plus encore que ton nom et qu'il exalte son trône plus que le tien !" et le roi s'est prosterné sur son lit, ⁴⁸et puis il a parlé ainsi : "Béni soit Yahvé, Dieu d'Israël, qui a permis que mes yeux voient aujourd'hui quelqu'un assis sur mon trône." »

⁴⁹Alors tous les invités d'Adonias furent pris de panique, ils se levèrent et partirent chacun de son côté. ⁵⁰Pour Adonias, il eut peur de Salomon, il se leva et s'en alla saisir les cornes de l'autel. ⁵¹On en informa ainsi Salomon : « Voici qu'Adonias a eu peur du roi Salomon et qu'il a saisi les cornes de l'autel en disant : Que le roi Salomon me jure aujourd'hui qu'il ne fera pas mourir son serviteur par l'épée. » ⁵²Salomon dit : « S'il se conduit en honnête homme, pas un de ses cheveux ne tombera à terre, mais si on le trouve en défaut, alors il mourra. » ⁵³Et Salomon ordonna qu'on le fît descendre de l'autel ; il vint se prosterner devant Salomon qui lui dit : « Va dans ta maison. »

Testament et mort de David.

2 ¹Comme la vie de David approchait de sa fin, il fit ces recommandations à son fils Salomon : ²« Je m'en vais par le chemin de tout le monde. Sois fort et montre-toi un homme ! ³Tu suivras l'observance de Yahvé ton Dieu, en marchant selon ses voies, en gardant ses lois, ses commandements, ses ordonnances et ses instructions, selon qu'il est écrit dans la loi de Moïse, afin de réussir en toutes tes œuvres et tous tes projets, ⁴pour que Yahvé accomplisse cette promesse qu'il m'a faite : "Si tes fils surveillent leur conduite en marchant loyalement devant moi, de tout leur cœur et de toute leur âme, tu ne manqueras jamais de quelqu'un sur le trône d'Israël."

5 Tu sais aussi ce que m'a fait Joab fils de Çeruya, ce qu'il a fait aux deux chefs de l'armée d'Israël, Abner fils de Ner et Amasa fils de Yéter, comment il les a tués, comment il a versé pendant la paix le sang de la guerre et taché d'un sang innocent le ceinturon de ses reins et la sandale de ses pieds ; 6 tu agiras sagement en ne laissant pas ses cheveux blancs descendre en paix au shéol. 7 Quant aux fils de Barzillaï le Galaadite, tu les traiteras avec bonté et ils seront parmi ceux qui mangent à la table, car ils m'ont ainsi secouru quand je fuyais devant ton frère Absalom. 8 Tu as près de toi Shiméï fils de Géra, le Benjaminite de Bahurim, qui m'a maudit atrocement au jour de mon départ pour Mahanayim, mais il est descendu à ma rencontre au Jourdain et je lui ai juré par Yahvé que je ne le tuerais pas par l'épée. 9 Maintenant, tu ne le laisseras pas impuni et, en homme avisé que tu es, tu sauras quoi lui faire pour conduire dans le sang ses cheveux blancs au shéol. »

10 Et David se coucha avec ses pères et on l'ensevelit dans la Cité de David. 11 Le règne de David sur Israël a duré quarante ans : à Hébron il a régné sept ans, à Jérusalem il a régné trente-trois ans.

Mort d'Adonias.

12 Salomon s'assit sur le trône de David son père et sa royauté devint très ferme. 13 Adonias fils de Haggit se rendit chez Bethsabée, mère de Salomon. Elle demanda : « Est-ce la paix que tu apportes ? » Il répondit : « Oui. » 14 Il dit : « J'ai à te parler. » Elle dit : « Parle. » 15 Il reprit : « Tu sais bien que la royauté me revenait et que tout Israël s'attendait à ce que je règne, mais la royauté m'a échappé et est échue à mon frère, car elle lui est venue de Yahvé. 16 Maintenant, j'ai une seule demande à te faire, ne me rebute pas. » Elle lui dit : « Parle. » 17 Il reprit : « Dis, je te prie, au roi Salomon – car il ne te rebutera pas – qu'il me donne Abishag de Shunem pour femme. » 18 Elle répondit : « C'est bien, je parlerai de toi au roi. » 19 Bethsabée se rendit donc chez le roi Salomon pour lui parler d'Adonias, et le roi se leva à sa rencontre et se prosterna devant elle, puis il s'assit sur son trône, on mit un siège pour la mère du roi et elle s'assit à sa droite. 20 Elle dit : « Je n'ai qu'une petite demande à te faire, ne me rebute pas. » Le roi lui répondit : « Demande, ô ma mère, car je ne te rebuterai pas. » 21 Elle continua : « Qu'on donne Abishag de Shunem pour femme à ton frère Adonias. » 22 Le roi Salomon reprit et dit à sa mère : « Et pourquoi demandes-tu pour Adonias Abishag de Shunem ? Demande donc pour lui la royauté puisqu'il est mon frère aîné ! – Pour lui, et pour le prêtre Ébyatar, et pour Joab fils de Çeruya ! » 23 Et le roi Salomon jura ainsi par Yahvé : « Que Dieu me fasse tel mal et y ajoute encore tel autre, si ce n'est pas au prix de sa vie qu'Adonias a prononcé cette parole ! 24 Eh bien, par Yahvé vivant, qui m'a confirmé et fait asseoir sur le trône de mon père David et

qui m'a donné une maison comme il avait promis, aujourd'hui même Adonias sera mis à mort. » [25]Et le roi Salomon en chargea Benayahu fils de Yehoyada, qui le frappa, et il mourut.

Le sort d'Ébyatar et de Joab.

[26]Quant au prêtre Ébyatar, le roi lui dit : « Va à Anatot dans ton domaine, car tu mérites la mort, mais je ne te ferai pas mourir aujourd'hui, car tu as porté l'arche de Yahvé en présence de mon père David et partagé toutes les épreuves de mon père. » [27]Et Salomon exclut Ébyatar du sacerdoce de Yahvé, accomplissant ainsi la parole que Yahvé avait prononcée contre la maison d'Éli à Silo.

[28]Lorsque la nouvelle parvint à Joab – car Joab avait pris parti pour Adonias bien qu'il n'eût pas pris parti pour Absalom –, il s'enfuit à la Tente de Yahvé et saisit les cornes de l'autel. [29]On avertit le roi Salomon : « Joab s'est réfugié à la Tente de Yahvé et voici qu'il est à côté de l'autel. » Alors Salomon envoya dire à Joab : « Qu'est-ce qui t'a pris de fuir à l'autel ? » Joab répondit : « J'ai eu peur de toi et je me suis réfugié près de Yahvé. » Alors Salomon envoya Benayahu fils de Yehoyada en disant : « Va et frappe-le ! » [30]Benayahu alla à la Tente de Yahvé et lui dit : « Par ordre du roi, sors ! » Il répondit : « Non, je mourrai ici. » Benayahu rapporta la chose au roi : « Voilà ce que Joab a dit et ce qu'il m'a répondu. » [31]Le roi lui dit : « Fais comme il a dit ; frappe-le, puis enterre-le. Ainsi tu ôteras aujourd'hui de sur moi et de sur ma famille le

sang innocent qu'a versé Joab. [32]Yahvé fera retomber son sang sur sa tête parce qu'il a frappé deux hommes plus justes et meilleurs que lui et les a tués par l'épée à l'insu de mon père David : Abner fils de Ner, chef de l'armée d'Israël, et Amasa fils de Yéter, chef de l'armée de Juda. [33]Que leur sang retombe sur la tête de Joab et de sa postérité à jamais, mais que David et sa postérité et sa dynastie et son trône aient toujours la paix par Yahvé ! » [34]Benayahu fils de Yehoyada partit, il frappa Joab et le mit à mort, et on l'enterra chez lui au désert. [35]Le roi mit Benayahu fils de Yehoyada à sa place à la tête de l'armée ; et le roi mit le prêtre Sadoq à la place d'Ébyatar.

Désobéissance et mort de Shiméï.

[36]Le roi fit appeler Shiméï et lui dit : « Construis-toi une maison, à Jérusalem : tu y habiteras, mais ne t'en écarte pas où que ce soit. [37]Le jour où tu sortiras et franchiras le ravin du Cédron, sache bien que tu mourras certainement. Ton sang sera sur ta tête. » [38]Shiméï répondit au roi : « C'est bien. Comme Monseigneur le roi a ordonné, ainsi fera ton serviteur », et Shiméï demeura longtemps à Jérusalem.

[39]Mais, au bout de trois ans, il arriva que deux esclaves de Shiméï s'enfuirent chez Akish fils de Maaka, le roi de Gat, et on avertit Shiméï : « Tes esclaves sont à Gat. » [40]Alors Shiméï se leva, sella son âne et partit pour Gat chez Akish chercher ses esclaves ; Shiméï alla et ramena ses esclaves de

Gat. ⁴¹On apprit à Salomon que Shimeï était allé de Jérusalem à Gat et qu'il était revenu.

⁴²Le roi fit appeler Shimeï et lui dit : « Ne t'avais-je pas fait jurer par Yahvé et ne t'avais-je pas averti : "Le jour où tu sortiras pour aller où que ce soit, sache bien que tu mourras certainement" ? Et tu m'as dit : "Bonne est la parole que j'ai entendue." ⁴³Pourquoi n'as-tu pas observé le serment de Yahvé et l'ordre que je t'avais intimé ? »

⁴⁴Puis le roi dit à Shimeï : « Tu connais par cœur tout le mal que tu as fait à mon père David ; Yahvé va faire retomber ta méchanceté sur ta propre tête. ⁴⁵Mais béni soit le roi Salomon, et que le trône de David subsiste devant Yahvé pour toujours ! » ⁴⁶Le roi fit commandement à Benayahu fils de Yehoyada ; il sortit et frappa Shimeï qui mourut.

La royauté fut alors affermie dans la main de Salomon.

2. Histoire de Salomon le magnifique

I. SALOMON LE SAGE

Introduction.

3 ¹Salomon devint le gendre de Pharaon, le roi d'Égypte ; il prit pour femme la fille de Pharaon et l'introduisit dans la Cité de David, en attendant d'avoir achevé de construire son palais, le Temple de Yahvé et le rempart de Jérusalem. ²Le peuple sacrifiait sur les hauts lieux, car on n'avait pas encore bâti en ce temps-là une maison pour le Nom de Yahvé. ³Salomon aima Yahvé : il se conduisait selon les préceptes de son père David ; seulement il offrait des sacrifices et de l'encens sur les hauts lieux.

Le songe de Gabaôn. ‖ 2 Ch 1 3-12. Cf. Sg **8** 19 – **9** 12.

⁴Le roi alla à Gabaôn pour y sacrifier, car le plus grand haut lieu se trouvait là – Salomon a offert mille holocaustes sur cet au-

tel. ⁵À Gabaôn, Yahvé apparut la nuit en songe à Salomon. Dieu dit : « Demande ce que je dois te donner. » ⁶Salomon répondit : « Tu as témoigné une grande bienveillance à ton serviteur David, mon père, étant donné que celui-ci a marché devant toi dans la fidélité, la justice et la droiture du cœur à ton égard ; tu lui as gardé cette grande bienveillance et tu as permis qu'un fils soit aujourd'hui assis sur son trône. ⁷Maintenant, Yahvé mon Dieu, tu as établi roi ton serviteur à la place de mon père David, et moi, je suis un tout jeune homme, je ne sais pas agir en chef. ⁸Ton serviteur est au milieu du peuple que tu as élu, un peuple nombreux, si nombreux qu'on ne peut le compter ni le recenser. ⁹Donne à ton serviteur un cœur plein de jugement pour gouverner ton peuple, pour discerner entre le bien et le mal, car qui pourrait gouverner ton peuple, qui est si grand ? » [10]Il plut au regard du Seigneur que Salomon ait fait cette demande ; [11]et Dieu lui dit : « Parce que tu as demandé cela, que tu n'as pas demandé pour toi de longs jours, ni la richesse, ni la vie de tes ennemis, mais que tu as demandé pour toi le discernement du jugement, [12]voici que je fais ce que tu as dit : je te donne un cœur sage et intelligent comme personne ne l'a eu avant toi et comme personne ne l'aura après toi. [13]Et même ce que tu n'as pas demandé, je te le donne aussi : une richesse et une gloire comme à personne parmi les rois après toi, durant tous les jours. [14]Et si tu suis mes voies, gardant mes lois et mes commandements comme a fait ton père David, je t'accorderai une longue vie. » [15]Salomon s'éveilla et voilà que c'était un songe. Il rentra à Jérusalem et se tint devant l'arche de l'alliance du Seigneur ; il offrit des holocaustes et des sacrifices de communion et donna un banquet à tous ses serviteurs.

Le jugement de Salomon.

[16]Alors deux prostituées vinrent vers le roi et se tinrent devant lui. [17]L'une des femmes dit : « S'il te plaît, Monseigneur ! Moi et cette femme nous habitons la même maison, et j'ai eu un enfant, alors qu'elle était dans la maison. [18]Il est arrivé que, le troisième jour après ma délivrance, cette femme aussi a eu un enfant ; nous étions ensemble, il n'y avait pas d'étranger avec nous, rien que nous deux dans la maison. [19]Or le fils de cette femme est mort une nuit parce qu'elle s'était couchée sur lui. [20]Elle se leva au milieu de la nuit, prit mon fils d'à côté de moi pendant que ta servante dormait ; elle le mit sur son sein et son fils mort elle le mit sur mon sein. [21]Je me levai le matin pour allaiter mon fils, et voici qu'il était mort ! Mais, au matin, je l'examinai, et voici que ce n'était pas mon fils que j'avais enfanté ! » [22]Alors l'autre femme dit : « Ce n'est pas vrai ! Mon fils est celui qui est vivant, et ton fils est celui qui est mort ! » et celle-là reprenait : « Ce n'est pas vrai ! Ton fils est celui qui est mort et mon fils est celui qui est vivant ! » Elles se disputaient ainsi devant le roi [23]qui prononça : « Celle-ci dit : "Voici mon fils qui est vivant et c'est ton fils qui est mort !" et celle-là dit : "Ce n'est pas vrai ! Ton fils est celui qui est mort et mon fils est celui qui est vivant !" » [24]Apportez-moi une épée », ordonna le roi ; et on apporta l'épée devant le roi, [25]qui dit : « Partagez l'enfant vivant en deux et donnez la moitié à l'une et la moitié à l'autre. » [26]Alors la femme dont le fils était vivant s'adressa au roi, car sa pitié s'était enflammée pour son fils, et elle dit : « S'il te plaît, Monseigneur ! Qu'on lui donne l'enfant vivant, qu'on ne le tue pas ! » mais celle-là disait : « Il ne sera ni à moi ni à toi, partagez ! » [27]Alors le roi prit la parole et dit : « Donnez l'enfant vivant à la première, ne le tuez pas. C'est elle la mère. » [28]Tout Israël apprit le jugement qu'avait rendu le roi, et ils révérèrent le roi car ils virent qu'il y avait en lui une sagesse divine pour rendre la justice.

Les grands officiers de Salomon.

4 ¹Le roi Salomon fut roi sur tout Israël, ²et voici quels étaient ses grands officiers :

Azaryahu fils de Sadoq, prêtre.

³Élihoref et Ahiyya, fils de Shisha, secrétaires.

Yehoshaphat fils d'Ahilud, héraut.

⁴Benayahu, fils de Yehoyada, chef de l'armée.

Sadoq et Ébyatar, prêtres.

⁵Azaryahu fils de Natân, chef des préfets.

Zabud fils de Natân, prêtre, familier du roi.

⁶Ahishar, maître du palais.

Adoram fils d'Abda, chef de la corvée.

Les préfets de Salomon.

⁷Salomon avait douze préfets sur tout Israël, qui approvisionnaient le roi et sa maison ; il revenait à chacun d'y pourvoir un mois par an.

⁸Voici leurs noms :

Fils de Hur, dans la montagne d'Éphraïm.

⁹Fils de Déqer, à Maqaç, Shaalbim, Bet-Shémesh, Éylôn-Bet-Hanân.

¹⁰Fils de Hésed, à Arubbot ; il avait Soko et tout le pays de Héphèr.

¹¹Fils d'Abinadab : toute la crête de Dor. Tapat, fille de Salomon, fut sa femme.

¹²Baana fils d'Ahilud, à Tanak et Megiddo, et tout Bet-Sheân qui est vers Çartân au-dessous de Yizréel, depuis Bet-Sheân jusqu'à Abel-Mehola, jusqu'au-delà de Yoqmoâm.

¹³Fils de Géber, à Ramot de Galaad ; il avait les Douars de Yaïr, fils de Manassé, qui sont en Galaad ; il avait le territoire d'Argob qui est en Bashân, soixante villes fortes, emmurées et verrouillées de bronze.

¹⁴Ahinadab fils d'Iddo, à Mahanayim.

¹⁵Ahimaaç, en Nephtali ; lui aussi épousa une fille de Salomon, Basmat.

¹⁶Baana fils de Hushaï, dans Asher et à Bealot.

¹⁷Yehoshaphat fils de Paruah, en Issachar.

¹⁸Shiméï fils d'Éla, en Benjamin.

¹⁹Géber fils d'Uri, au pays de Galaad, le pays de Sihôn roi des Amorites et d'Og roi du Bashân.

En plus, il y avait un préfet qui était dans le pays.

²⁰Juda et Israël étaient nombreux, aussi nombreux que le sable qui est au bord de la mer ; ils mangeaient et buvaient et vivaient heureux.

5 ¹Salomon étendit son pouvoir sur tous les royaumes depuis le Fleuve jusqu'au pays des Philistins et jusqu'à la frontière d'Égypte. Ils apportèrent un tribut et servirent Salomon toute sa vie. ²Salomon recevait chaque jour comme vivres : trente muids de fleur de farine et soixante muids de farine, ³dix bœufs d'engrais, vingt bœufs de pâture, cent moutons, sans compter les cerfs, gazelles, antilopes et volailles engraissées. ⁴Car il dominait sur toute la Transeuphratène – depuis Thapsaque jusqu'à Gaza sur tous les rois de Transeuphratène – et il avait la paix sur toutes ses frontières alentour. ⁵Juda et Israël habitèrent en sécurité chacun sous sa vigne et sous son figuier, depuis Dan jusqu'à Bersabée, pendant toute la vie de Salomon. ⁶Salomon avait pour le service de ses chars quarante mille stalles et douze mille chevaux.

⁷Ces préfets pourvoyaient à l'entretien de Salomon et de tous ceux qui avaient accès à la table du roi, chacun pendant un mois ; ils ne le laissaient manquer de rien. ⁸Ils fournissaient aussi l'orge et la paille pour les chevaux et les bêtes de trait, à l'endroit où il fallait, chacun selon la consigne qu'il avait reçue.

La renommée de Salomon.

⁹Dieu donna à Salomon une sagesse et une intelligence extrêmement grandes et un cœur aussi vaste que le sable qui est au bord de la mer. ¹⁰La sagesse de Salomon fut plus grande que la sagesse de tous les fils de l'Orient et que toute la sagesse de l'Égypte. ¹¹Il fut sage plus que n'importe qui, plus que l'Ezrahite Étân, que les fils de Mahôl, Hémân, Kalkol et Darda ; sa renommée s'étendait à toutes les nations d'alentour. ¹²Il prononça trois mille sentences et ses cantiques étaient au nombre de mille cinq. ¹³Il parla des plantes, depuis le cèdre qui est au Liban jusqu'à l'hysope qui croît sur les murs ; il parla aussi des quadrupèdes, des oiseaux, des reptiles et des poissons. ¹⁴On vint de tous les peuples pour entendre la sagesse de Salomon, et de la part de tous les rois de la terre, qui avaient ouï parler de sa sagesse.

II. SALOMON LE BÂTISSEUR

Les préparatifs de la construction du Temple. ‖ 2 Ch 2.

¹⁵Le roi de Tyr, Hiram, envoya ses serviteurs auprès de Salomon, car il avait appris qu'on l'avait sacré roi à la place de son père et Hiram avait toujours été l'ami de David. ¹⁶Et Salomon envoya ce message à Hiram : ¹⁷« Tu sais bien que mon père David n'a pu construire un Temple pour le Nom de Yahvé, son Dieu, à cause de la guerre qu'ils lui ont faite de tous côtés, jusqu'à ce que Yahvé les eût mis sous la plante de ses pieds. ¹⁸Maintenant, Yahvé mon Dieu m'a donné la tranquillité alentour : je n'ai ni adversaire ni contrariété du sort. ¹⁹Je pense donc à construire un Temple au Nom de Yahvé mon Dieu, selon ce que Yahvé a dit à mon père David : "Ton fils que je mettrai à ta place sur ton trône, c'est lui qui construira le Temple pour mon Nom." ²⁰Maintenant, ordonne que l'on me coupe des arbres du Liban ; mes serviteurs seront avec tes serviteurs et je te payerai la location de tes serviteurs selon tout ce que tu me fixeras. Tu sais en effet qu'il n'y a personne chez nous qui soit habile à abattre les arbres comme les Sidoniens. » ²¹Lorsque Hiram entendit les paroles de Salomon, il éprouva une

grande joie et dit : « Béni soit aujourd'hui Yahvé qui a donné à David un fils sage qui commande à ce grand peuple ! » ²²Et Hiram manda ceci à Salomon : « J'ai reçu ton message. Pour moi, je satisferai tout ton désir en bois de cèdre et en bois de genévrier. ²³Mes serviteurs les descendront du Liban à la mer, je les ferai remorquer jusqu'à l'endroit que tu me manderas, je les délierai là et toi, tu les prendras. De ton côté, tu assureras selon mon désir l'approvisionnement de ma maison. » ²⁴Hiram procura à Salomon des bois de cèdre et des bois de genévrier autant qu'il en voulut, ²⁵et Salomon donna à Hiram vingt mille muids de froment, comme nourriture de sa maison, et vingt muids d'huile vierge. Voilà ce que Salomon donnait à Hiram chaque année. ²⁶Yahvé accorda la sagesse à Salomon, comme il le lui avait promis ; la bonne entente régna entre Hiram et Salomon et tous les deux conclurent un accord.

²⁷Le roi Salomon leva des hommes de corvée dans tout Israël ; il y eut trente mille hommes de corvée. ²⁸Il les envoya au Liban, dix mille par mois, à tour de rôle : ils étaient un mois au Liban et deux mois à la maison ; Adoram était chef de la corvée. ²⁹Salomon eut aussi soixante-dix mille porteurs et quatre-vingt mille carriers dans la montagne, ³⁰sans compter les officiers des préfets qui dirigeaient ses travaux ; ceux-ci étaient trois mille trois cents et commandaient au peuple employé aux travaux. ³¹Le roi ordonna d'extraire de grands blocs, des pierres de choix, pour établir les fondations du Temple, des pierres de taille. ³²Les ouvriers de Salomon et ceux de Hiram et les Giblites taillèrent et mirent en place le bois et la pierre pour la construction du Temple.

La bâtisse du Temple ‖ 2 Ch 3 1-4.

6 ¹En la quatre cent vingtième année après la sortie des Israélites du pays d'Égypte, en la quatrième année du règne de Salomon sur Israël, au mois de Ziv qui est le second mois, il bâtit le Temple de Yahvé. ²Le Temple que le roi Salomon bâtit pour Yahvé avait soixante coudées de long, vingt de large et trente de haut. ³Le Ulam devant le Hékal du Temple avait vingt coudées de long dans le sens de la largeur du Temple et dix coudées de large dans le sens de la longueur du Temple. ⁴Il fit au Temple des fenêtres à cadres et à grilles. ⁵Il adossa au mur du Temple une annexe autour des murs du Temple, autour du Hékal et du Debir, et il fit des étages latéraux autour. ⁶L'annexe inférieure avait cinq coudées de large, l'intermédiaire six coudées, et la troisième sept coudées, car il avait disposé des retraits autour du Temple à l'extérieur, en sorte que cela n'était pas lié aux murs du Temple. ⁷La construction du Temple se fit en pierres de carrière ; on n'entendit ni marteaux, ni pics, ni aucun outil de fer dans le Temple pendant sa construction. ⁸L'entrée de l'étage inférieur était à l'angle droit du Temple, et par des trappes on montait à l'étage intermédiaire, et de l'intermédiaire au troisième. ⁹Il construisit le Temple et l'acheva, et il couvrit le Temple d'un plafond à caissons de cèdre. [10]Il construisit l'annexe à tout le Temple ; elle avait cinq coudées de hauteur et elle était liée au Temple par des poutres de cèdre. [11]La parole de Yahvé fut adressée à Salomon : [12]« Quant à cette maison que tu es en train de construire, si tu marches selon mes lois, si tu accomplis mes ordonnances et si tu suis fidèlement mes commandements, alors j'accomplirai ma parole sur toi, celle que j'ai dite à ton père David, [13]et j'habiterai au milieu des Israélites et je n'abandonnerai pas mon peuple Israël. » [14]Salomon construisit le Temple et il l'acheva.

L'aménagement intérieur. Le Saint des Saints. ‖ 2 Ch 3 8-9.

[15]Il garnit de planches de cèdre la face interne des murs du Temple – depuis le sol du Temple jusqu'aux poutres du plafond, il mit un revêtement de bois à l'intérieur – et il couvrit de planches de genévrier le sol du Temple. [16]Il construisit les vingt coudées à partir du fond du Temple avec des planches de cèdre depuis le sol jusqu'aux poutres, et il fit pour le Temple le Debir, le Saint des Saints. [17]Le Temple avait quarante coudées – c'est le Hékal – devant le Debir. [18]Il y avait du cèdre à l'intérieur du Temple, sculpté d'un décor de coloquintes et de rosaces ; tout était en cèdre, aucune pierre ne paraissait. [19]Il aménagea un Debir dans le Temple, à l'intérieur, pour y placer l'arche de l'alliance de Yahvé. [20]À l'avant du Debir – qui avait vingt coudées de long, vingt coudées de large et vingt coudées de haut, et qu'il revêtit d'or fin –, il recouvrit d'or l'autel de cèdre. [21]Salomon revêtit d'or fin l'intérieur du Temple et fit passer des chaînes d'or devant le Debir qu'il revêtit d'or. [22]Tout le Temple, il le revêtit d'or, absolument tout le Temple.

Les chérubins. ‖ 2 Ch 3 10-13. Cf. Ex 25 17-18.

[23]Dans le Debir, il fit deux chérubins en bois d'olivier sauvage, de dix coudées de haut chacun. [24]Une aile du chérubin avait cinq coudées et la seconde aile du chérubin avait cinq coudées, soit dix coudées d'une extrémité à l'autre de ses ailes. [25]Le second chérubin avait aussi dix coudées : même dimension et même facture pour les deux chérubins. [26]La hauteur d'un chérubin était de dix coudées, et de même l'autre. [27]Il plaça les chérubins au milieu de la chambre intérieure ; les chérubins déployaient leurs ailes, en sorte que l'aile de l'un touchait au mur, que l'aile de l'autre touchait à l'autre mur et que leurs ailes se touchaient au milieu de la chambre, aile contre aile. [28]Et il revêtit d'or les chérubins. [29]Sur tous les murs du Temple, à l'entour, il sculpta des figures de chérubins, de palmiers et de rosaces, à l'intérieur et à l'extérieur. [30]Il couvrit d'or le plancher du Temple, à l'intérieur et à l'extérieur.

Les portes. La cour.

[31]À l'entrée du Debir il fit des vantaux en bois d'olivier sauvage ; le linteau et les jambages à cinq retraits. [32]Et les deux vantaux en bois d'olivier sauvage, il

les sculpta de figures de chérubins, de palmiers et de rosaces,
qu'il revêtit d'or ; il étendit l'or en
pellicule sur les chérubins et les
palmiers. [33]De même, il fit à la
porte du Hékal des montants en
bois d'olivier sauvage, le jambage
à quatre retraits, [34]deux vantaux
en bois de genévrier : un vantail
à deux battants pivotants, l'autre
vantail à deux battants pivotants.
[35]Il sculpta des chérubins, des palmiers et des rosaces, qu'il revêtit
d'or ajusté sur la sculpture.

[36]Il construisit le mur de la cour
intérieure par trois assises de pierres de taille et une assise de madriers de cèdre.

Les dates.

[37]En la quatrième année, au
mois de Ziv, les fondations du
Temple furent posées ; [38]en la onzième année, au mois de Bûl
– c'est le huitième mois –, le
Temple fut achevé selon tout son
plan et toute son ordonnance. Il
fut construit en sept ans.

Le palais de Salomon.

7 [1]Quant à son palais, Salomon y travailla treize ans
jusqu'à son complet achèvement.
[2]Il construisit la Maison de la Forêt du Liban, cent coudées de
long, cinquante coudées de large
et trente coudées de haut, sur quatre rangées de colonnes de cèdre,
et il y avait des madriers de cèdre
sur les colonnes. [3]Elle était lam-
brissée de cèdre à la partie supérieure jusqu'aux planches au-dessus des colonnes – quarante-cinq
en tout, soit quinze par rangée. [4]Il
y avait trois rangées de fenêtres à
cadres, se faisant vis-à-vis de fa-

ce, trois fois. [5]Toutes les ouvertures avec montants étaient à cadre
carré, se faisant vis-à-vis de face,
trois fois. [6]Il fit le vestibule aux
colonnes, cinquante coudées de
long et trente coudées de large ;
par devant, un vestibule à colonnes avec un porche par devant. [7]Il
fit le vestibule du trône, où il rendait la justice, c'est le vestibule du
jugement ; il était lambrissé de cèdre, d'une extrémité à l'autre du
sol. [8]Son habitation privée, dans
l'autre cour et à l'intérieur par
rapport au vestibule, avait la même façon ; il y avait aussi une
maison, semblable à ce vestibule,
pour la fille de Pharaon, qu'il
avait épousée.

[9]Tous ces bâtiments étaient en
pierres de choix, à la mesure des
pierres de taille, parées à la scie
au-dedans et au-dehors, depuis le
fondement jusqu'aux bois de
chaînage et à l'extérieur jusqu'à
la grande cour – [10]ils avaient pour
fondations des pierres de choix,
de grandes pierres de dix et huit
coudées, [11]et, au-dessus, des pierres de choix, à la mesure des pierres de taille, et du cèdre. [12]La
grande cour avait, à l'entour, trois
assises de pierres de taille et une
assise de madriers de cèdre, de
même pour la cour intérieure du
Temple de Yahvé et pour le vestibule du Temple.

Le bronzier Hiram. ‖ 2 Ch 2 12-14.
Cf. Ex 35 30-35.

[13]Salomon envoya chercher Hiram de Tyr ; [14]c'était le fils d'une
veuve de la tribu de Nephtali,
mais son père était Tyrien, ouvrier
en bronze. Il était plein d'habileté,
d'adresse et de savoir pour exécu-

ter tout travail de bronze. Il vint auprès du roi Salomon et il exécuta tous ses travaux.

Les colonnes de bronze. || 2 Ch 3 15-17.

[15]Il façonna les deux colonnes de bronze ; la hauteur d'une colonne était de dix-huit coudées et un fil de douze coudées en mesurait le tour ; de même la seconde colonne. [16]Il fit deux chapiteaux coulés en bronze destinés au sommet des colonnes ; la hauteur d'un chapiteau était de cinq coudées et la hauteur de l'autre chapiteau était de cinq coudées. [17] Il fit des treillis – en forme de treillis, des festons – en forme de chaînettes, pour les chapiteaux au sommet des colonnes, sept pour un chapiteau, sept pour l'autre. [18a]Il fit les grenades : il y en avait deux rangées autour de chaque treillis, [19b]en tout quatre cents, [20]appliquées contre le noyau qui était derrière le treillis ; il y avait deux cents grenades autour d'un chapiteau, [18b]et de même l'autre chapiteau. [19a]Les chapiteaux qui étaient au sommet des colonnes étaient en forme de lotus. [21]Il dressa les colonnes devant le vestibule du sanctuaire ; il dressa la colonne de droite et lui donna pour nom : Yakîn ; il dressa la colonne de gauche et lui donna pour nom : Boaz. [22]Les chapiteaux des colonnes étaient en forme de lotus. Ainsi fut achevée l'œuvre des colonnes.

La Mer de bronze. || 2 Ch 4 2-5.

[23]Il fit la Mer en métal fondu, de dix coudées de bord à bord, à pourtour circulaire, de cinq coudées de hauteur ; un fil de trente coudées en mesurait le tour. [24]Il avait des coloquintes au-dessous de son bord, l'encerclant tout autour, dix par coudée elles tournaient autour de la Mer ; les coloquintes étaient en deux rangées, coulées avec la masse. [25]Elle reposait sur douze bœufs : trois regardaient le nord, trois regardaient l'ouest, trois regardaient le sud et trois regardaient l'est ; la Mer s'élevait au-dessus d'eux, et tous leurs arrière-trains étaient tournés vers l'intérieur. [26]Son épaisseur était d'un palme et son bord avait la même forme que le bord d'une coupe, comme une fleur de lotus. Elle contenait deux mille mesures.

Les bases roulantes et les bassins de bronze.

[27]Il fit les dix bases en bronze ; chaque base avait quatre coudées de long, quatre coudées de large et trois coudées de haut. [28]Voici comment elles étaient faites : elles avaient un châssis et des traverses au châssis. [29]Sur les traverses du châssis, il y avait des lions, des taureaux et des chérubins, et au-dessus du châssis, il y avait un support ; en dessous des lions et des taureaux, il y avait des volutes en pendentifs. [30]Chaque base avait quatre roues de bronze et des axes de bronze ; ses quatre pieds avaient des épaulements, en dessous du bassin, et les épaulements étaient coulés chacun sur l'autre face des volutes. [31]Son embouchure, à partir de la croisée des épaulements jusqu'en haut, avait une coudée ; son embouchure était ronde en forme de socle, d'une coudée et

demie ; et sur l'embouchure aussi il y avait des sculptures ; mais les traverses étaient quadrangulaires et non rondes. ³²Les quatre roues étaient sous les traverses. Les tourillons des roues étaient dans la base ; la hauteur des roues était d'une coudée et demie. ³³La forme des roues était celle d'une roue de char : leurs tourillons, leurs jantes, leurs rais et leurs moyeux, tout était coulé. ³⁴Il y avait quatre épaulements, aux quatre angles de chaque base : la base et ses épaulements faisaient corps. ³⁵Au sommet de la base, il y avait un support d'une demi-coudée de hauteur, à pourtour circulaire ; sur le sommet de la base, il y avait des tenons ; les traverses faisaient corps avec elle. ³⁶Il grava sur les bandes, les tenons, les traverses des chérubins, des lions et des palmettes, suivant le vide laissé, et des volutes autour. ³⁷Il fit ainsi les dix bases : même fonte et même mesure, même forme, pour toutes.

³⁸Il fit dix bassins de bronze, chaque bassin contenait quarante mesures et chaque bassin avait quatre coudées, un bassin sur chaque base pour les dix bases. ³⁹Il plaça les bases, cinq près du côté droit du Temple et cinq près du côté gauche du Temple ; quant à la Mer, il l'avait placée à distance du côté droit du Temple au sud-est.

Le petit mobilier.
Résumé. ‖ 2 Ch 4 11-18. ‖ 2 Ch 5 1.

⁴⁰Hiram fit les bassins, les pelles, les bols à aspersion. Il acheva tout l'ouvrage dont l'avait chargé le roi Salomon pour le Temple de Yahvé : ⁴¹deux colonnes ; les deux tores des chapiteaux qui étaient au sommet des colonnes ; les deux treillis pour couvrir les deux tores des chapiteaux qui étaient au sommet des colonnes ; ⁴²les quatre cents grenades pour les deux treillis : les grenades de chaque treillis étaient en deux rangées, pour couvrir les deux tores des chapiteaux qui étaient au sommet des colonnes ;

⁴³les dix bases et les dix bassins sur les bases ;

⁴⁴la Mer unique et les douze taureaux sous la Mer ;

⁴⁵les bassins, les pelles, les bols à aspersion.

Tous ces objets que Hiram fit au roi Salomon pour le Temple de Yahvé étaient en bronze poli. ⁴⁶C'est dans la plaine du Jourdain que le roi les coula en pleine terre, entre Sukkot et Çartân ; ⁴⁷Salomon déposa tous les objets ; à cause de leur énorme quantité, on ne calcula pas le poids du bronze.

⁴⁸Salomon fit tous les objets destinés au Temple de Yahvé, l'autel d'or et la table sur laquelle étaient les pains d'oblation, en or ; ⁴⁹les chandeliers, cinq à droite et cinq à gauche devant le Debir, en or fin ; les fleurons, les lampes, les mouchettes, en or ; ⁵⁰les bassins, les couteaux, les bols à aspersion, les coupes et les encensoirs, en or fin ; les pivots pour les portes de la chambre intérieure – c'est le Saint des Saints – et du Hékal, en or.

⁵¹Alors fut achevé tout le travail que fit le roi Salomon pour le Temple de Yahvé, et Salomon apporta ce que son père David avait consacré, l'argent, l'or et les vases, qu'il mit dans le trésor du Temple de Yahvé.

Transfert de l'arche d'alliance.
‖ 2 Ch **5** 2-10.

8 ¹Alors Salomon convoqua les anciens d'Israël, tous les chefs des tribus et les chefs de famille des Israélites devant le roi Salomon, à Jérusalem pour faire monter de la Cité de David, qui est Sion, l'arche de l'alliance de Yahvé. ²Tous les hommes d'Israël se rassemblèrent auprès du roi Salomon, au mois d'Étanim, c'est le septième mois, pendant la fête. ³Tous les anciens d'Israël vinrent, et les prêtres portèrent l'arche. ⁴Ils transportèrent l'arche de Yahvé, et la Tente du Rendez-vous avec tous les objets sacrés qui y étaient. Les prêtres et les lévites les transportèrent. ⁵Le roi Salomon et tout Israël avec lui et toute la communauté d'Israël assemblée près de lui sacrifièrent devant l'arche moutons et bœufs en quantité innombrable et incalculable. ⁶Les prêtres apportèrent l'arche de l'alliance de Yahvé à sa place, au Debir du Temple, c'est-à-dire au Saint des Saints, sous les ailes des chérubins. ⁷En effet, les chérubins étendaient leurs ailes au-dessus de l'emplacement de l'arche et faisaient un abri au-dessus de l'arche et de ses barres.

⁸Celles-ci étaient assez longues pour qu'on vît leur extrémité depuis le Saint devant le Debir, mais pas en dehors de là. Elles y sont restées jusqu'à ce jour. ⁹Il n'y avait rien dans l'arche, sauf les deux tables de pierre que Moïse y déposa à l'Horeb, quand Yahvé avait conclu alliance avec les Israélites à leur sortie de la terre d'Égypte.

Dieu prend possession de son Temple.
‖ 2 Ch **5** 11 – **6** 2.

¹⁰Or quand les prêtres sortirent du sanctuaire, la nuée remplit le Temple de Yahvé ¹¹et les prêtres ne purent pas continuer leur fonction, à cause de la nuée : la gloire de Yahvé remplissait le Temple de Yahvé !

¹²Alors Salomon dit :

« Yahvé a décidé d'habiter la nuée obscure.

¹³Oui, je t'ai construit une demeure princière,

une résidence où tu habites à jamais. »

Discours de Salomon au peuple.
‖ 2 Ch **6** 3-11.

¹⁴Puis le roi se retourna et bénit toute l'assemblée d'Israël, et toute l'assemblée d'Israël se tenait debout. ¹⁵Il dit : « Béni soit Yahvé, Dieu d'Israël, qui a accompli de sa main ce qu'il avait promis de sa bouche à mon père David en ces termes : ¹⁶"Depuis le jour où j'ai fait sortir d'Égypte mon peuple Israël, je n'ai pas choisi de ville, dans toutes les tribus d'Israël, pour qu'on y bâtît une maison où serait mon Nom, mais j'ai choisi David pour qu'il commandât à mon peuple Israël." ¹⁷Mon père David eut dans l'esprit de bâtir une maison pour le Nom de Yahvé, Dieu d'Israël, ¹⁸mais Yahvé dit à mon père David : "Tu as eu dans l'esprit de bâtir une maison pour mon Nom, et tu as bien fait. ¹⁹Seulement, ce n'est pas toi qui bâtiras cette maison, c'est ton fils, issu de tes reins, qui bâtira la maison pour mon Nom." ²⁰Yahvé a réalisé la parole qu'il avait dite :

j'ai succédé à mon père David et je me suis assis sur le trône d'Israël comme avait dit Yahvé, j'ai construit la maison pour le Nom de Yahvé, Dieu d'Israël, 21et j'y ai fixé un emplacement pour l'arche, où est l'alliance que Yahvé a conclue avec nos pères lorsqu'il les fit sortir du pays d'Égypte. »

Prière personnelle de Salomon.
‖ 2 Ch 6 12-20.

22Puis Salomon se tint devant l'autel de Yahvé, en présence de toute l'assemblée d'Israël ; il étendit les mains vers le ciel 23et dit : « Yahvé, Dieu d'Israël ! il n'y a aucun Dieu pareil à toi là-haut dans les cieux ni ici-bas sur la terre, toi qui es fidèle à l'alliance et gardes la bienveillance à l'égard de tes serviteurs, quand ils marchent de tout leur cœur devant toi. 24Tu as tenu à ton serviteur David, mon père, la promesse que tu lui avais faite, et ce que tu lui avais dit de ta bouche, tu l'as accompli aujourd'hui de ta main. 25Et maintenant, Yahvé, Dieu d'Israël, tiens à ton serviteur David, mon père, la promesse que tu lui as faite, quand tu as dit : "Tu ne seras jamais dépourvu d'un descendant qui soit devant moi, assis sur le trône d'Israël, à condition que tes fils veillent à leur conduite et marchent devant moi comme tu as marché toi-même devant moi." 26Maintenant donc, Dieu d'Israël, que se vérifie la parole que tu as dite à ton serviteur David, mon père ! 27Mais Dieu habiterait-il vraiment sur la terre ? Voici que les cieux et les cieux des cieux ne le peuvent contenir, moins encore cette maison que j'ai construite !

28Sois attentif à la prière et à la supplication de ton serviteur, Yahvé, mon Dieu, écoute l'appel et la prière que ton serviteur fait aujourd'hui devant toi ! 29Que tes yeux soient ouverts jour et nuit sur cette maison, sur ce lieu dont tu as dit : "Mon Nom sera là", écoute la prière que ton serviteur fera en ce lieu.

Prière pour le peuple. ‖ 2 Ch 6 21-31.

30« Écoute la supplication de ton serviteur et de ton peuple Israël lorsqu'ils prieront en ce lieu. Toi, écoute du lieu où tu résides, au ciel, écoute et pardonne.

31Supposé qu'un homme pèche contre son prochain et que celui-ci prononce sur lui un serment imprécatoire et le fasse jurer devant ton autel dans ce Temple, 32toi, écoute au ciel et agis ; juge entre tes serviteurs : déclare coupable le méchant en faisant retomber sa conduite sur sa tête, et justifie l'innocent en lui rendant selon sa justice.

33Quand ton peuple Israël sera battu devant l'ennemi, parce qu'il aura péché contre toi, s'il revient à toi, loue ton Nom, prie et supplie vers toi dans ce Temple, 34toi, écoute au ciel, pardonne le péché de ton peuple Israël et ramène-le dans le pays que tu as donné à ses pères.

35Quand le ciel sera fermé et qu'il n'y aura pas de pluie parce qu'ils auront péché contre toi, s'ils prient en ce lieu, louent ton Nom et se repentent de leur péché, parce que tu les auras humiliés, 36toi, écoute au ciel, pardonne le péché de ton serviteur et de ton peuple

Israël – tu leur indiqueras la bonne voie qu'ils doivent suivre – et arrose de pluie ta terre, que tu as donnée en héritage à ton peuple.

³⁷Quand le pays subira la famine, la peste, la rouille ou la nielle, quand surviendront les sauterelles ou les criquets, quand l'ennemi de ce peuple assiégera ses portes, dans le pays, quand il y aura n'importe quel fléau ou épidémie, ³⁸quelle que soit la prière ou la supplication de quiconque, ou de tout Israël ton peuple, dès lors qu'il éprouve le remords de sa propre conscience, s'il étend les mains vers ce Temple, ³⁹toi, écoute au ciel, où tu résides, pardonne et agis ; rends à chaque homme selon sa conduite, puisque tu connais son cœur – tu es le seul à connaître le cœur de tous –, ⁴⁰en sorte qu'ils te craignent tous les jours qu'ils vivront sur la terre que tu as donnée à nos pères.

Suppléments. ‖ 2 Ch 6 32-39.

⁴¹« Même l'étranger qui n'est pas d'Israël ton peuple, s'il vient d'un pays lointain à cause de ton Nom – ⁴²car on entendra parler de ton grand Nom, de ta main forte et de ton bras étendu –, s'il vient et prie en ce Temple, ⁴³toi, écoute-le au ciel, où tu résides, exauce toutes les demandes de l'étranger afin que tous les peuples de la terre reconnaissent ton Nom et te craignent comme fait ton peuple Israël, et qu'ils sachent que ce Temple que j'ai bâti porte ton nom.

⁴⁴Si ton peuple part en guerre contre ses ennemis par le chemin où tu l'auras envoyé et s'il prie Yahvé, tourné vers la ville que tu as choisie et vers le Temple que j'ai construit pour ton Nom, ⁴⁵écoute au ciel sa prière et sa supplication et fais-lui justice.

⁴⁶Quand ils pécheront contre toi – car il n'y a aucun homme qui ne pèche –, quand tu seras irrité contre eux, que tu les livreras à l'ennemi et que leurs conquérants les emmèneront captifs dans un pays ennemi, lointain ou proche, ⁴⁷s'ils rentrent en eux-mêmes dans le pays où ils auront été déportés, s'ils se repentent et te supplient dans le pays de leurs conquérants en disant : "Nous avons péché, nous avons mal agi, nous nous sommes pervertis", ⁴⁸s'ils reviennent à toi de tout leur cœur et de toute leur âme dans le pays des ennemis qui les auront déportés, et s'ils te prient, tournés vers le pays que tu as donné à leurs pères, vers la ville que tu as choisie et le Temple que j'ai bâti pour ton Nom, ⁴⁹écoute au ciel où tu résides leur prière et leur supplication et fais-leur justice, ⁵⁰pardonne à ton peuple les péchés qu'il a commis envers toi et toutes les rébellions dont ils furent coupables, fais-leur trouver grâce devant leurs conquérants, que ceux-ci aient pitié d'eux ; ⁵¹car ils sont ton peuple et ton héritage, ceux que tu as fait sortir d'Égypte, cette fournaise pour le fer.

Conclusion de la prière et bénédiction du peuple. ‖ 2 Ch 6 40.

⁵²« Que tes yeux soient ouverts sur la supplication de ton serviteur et de ton peuple Israël, pour écouter tous les appels qu'ils lanceront vers toi. ⁵³Car c'est toi qui les as mis à part comme ton héritage, parmi tous les peuples de la

terre, ainsi que tu l'as déclaré par le ministère de ton serviteur Moïse, quand tu as fait sortir nos pères d'Égypte, Seigneur Yahvé ! »

[54]Quand Salomon eut achevé d'adresser à Yahvé toute cette prière et cette supplication, il se releva de l'endroit où il était agenouillé, les mains étendues vers le ciel, devant l'autel de Yahvé, [55]et se tint debout. Il bénit à haute voix toute l'assemblée d'Israël : [56]« Béni soit Yahvé, dit-il, qui a accordé le repos à son peuple Israël, selon toutes ses promesses ; de toutes les bonnes paroles qu'il a dites par le ministère de son serviteur Moïse, aucune n'a failli. [57]Que Yahvé notre Dieu soit avec nous, comme il fut avec nos pères, qu'il ne nous abandonne pas et ne nous rejette pas ! [58]Qu'il incline nos cœurs vers lui, pour que nous suivions toutes ses voies et gardions les commandements, les lois et les ordonnances qu'il a donnés à nos pères. [59]Puissent ces paroles que j'ai dites en suppliant devant Yahvé rester présentes jour et nuit à Yahvé notre Dieu, pour qu'il rende justice à son serviteur et justice à son peuple Israël, selon les besoins de chaque jour ; [60]tous les peuples de la terre sauront alors que Yahvé seul est Dieu, qu'il n'y en a point d'autre, [61]et votre cœur sera tout entier à Yahvé, notre Dieu, observant ses lois et gardant ses commandements comme maintenant. »

Les sacrifices de la fête de dédicace. ‖ 2 Ch 7 4-10.

[62]Le roi et tout Israël avec lui sacrifièrent devant Yahvé. [63]Comme sacrifices de communion qu'il présenta à Yahvé, Salomon offrit vingt-deux mille bœufs et cent vingt mille moutons, et le roi et tous les Israélites dédièrent le Temple de Yahvé. [64]En ce jour, le roi consacra le milieu de la cour qui est devant le Temple de Yahvé ; c'est là qu'il offrit l'holocauste, l'oblation et les graisses des sacrifices de communion, parce que l'autel de bronze qui était devant Yahvé était trop petit pour contenir l'holocauste, l'oblation et les graisses des sacrifices de communion. [65]En ce temps-là, Salomon célébra la fête, et tous les Israélites avec lui, un grand rassemblement depuis l'Entrée de Hamat jusqu'au Torrent d'Égypte, devant Yahvé notre Dieu, pendant sept jours et encore sept jours, soit quatorze jours. [66]Le huitième jour, il congédia les gens ; ils bénirent le roi et s'en allèrent chacun chez soi, joyeux et le cœur content de tout le bien que Yahvé avait fait à son serviteur David et à son peuple Israël.

Nouvelle apparition divine.
‖ 2 Ch 7 11-22.

9 [1]Après que Salomon eut achevé de construire le Temple de Yahvé, le palais royal et tout ce qu'il plut à Salomon de réaliser, [2]Yahvé apparut une seconde fois à Salomon comme il lui était apparu à Gabaôn. [3]Yahvé lui dit : « J'exauce la prière et la supplication que tu m'as présentées. Je consacre cette maison que tu as bâtie, en y plaçant mon Nom à jamais ; mes yeux et mon cœur y seront toujours. [4]Pour toi, si tu marches devant moi comme a fait ton père David, dans l'innocence du cœur et la droiture, si tu agis selon tout ce que je te commande et si tu observes mes lois et mes ordonnances, [5]je maintiendrai pour toujours ton trône royal sur Israël, comme je l'ai promis à ton père David quand j'ai dit : "Il ne te manquera jamais un descendant sur le trône d'Israël" ; [6]mais si vous m'abandonnez, vous et vos fils, si vous n'observez pas les commandements et les lois que je vous ai proposés, si vous allez servir d'autres dieux et leur rendez hommage, [7]alors je retrancherai Israël du pays que je lui ai donné ; ce Temple que j'ai consacré à mon Nom, je le rejetterai de ma présence, et Israël sera la fable et la risée de tous les peuples. [8]Ce Temple sublime, tous ceux qui le longeront seront stupéfaits ; ils siffleront et diront : "Pourquoi Yahvé a-t-il fait cela à ce pays et à ce Temple ?" [9]et l'on répondra : "Parce qu'ils ont abandonné Yahvé leur Dieu qui avait fait sortir leurs pères du pays d'Égypte, qu'ils se sont attachés à d'autres dieux et qu'ils leur ont rendu hommage et culte, voilà pourquoi Yahvé leur a envoyé tous ces maux." »

Marché avec Hiram. || 2 Ch **8** 1-6.

[10]Au bout des vingt années pendant lesquelles Salomon construisit les deux édifices, le Temple de Yahvé et le palais royal [11](Hiram, roi de Tyr, lui avait fourni du bois de cèdre et de genévrier, et de l'or, tant qu'il en avait voulu), alors le roi Salomon donna à Hiram vingt villes dans le pays de Galilée. [12]Hiram vint de Tyr pour voir les villes que Salomon lui avait données, et elles ne lui plurent pas ; [13]il dit : « Qu'est-ce que ces villes que tu m'as données, mon frère ? » et, jusqu'à ce jour, on les appelle « le

pays de Kabul ». [14]Hiram envoya au roi cent vingt talents d'or.

La corvée de construction.

[15]Voici ce qui concerne la corvée que le roi Salomon leva pour construire le Temple de Yahvé, son propre palais, le Millo et le mur de Jérusalem, Haçor, Megiddo, Gézèr, [16](Pharaon, le roi d'Égypte, fit une expédition, prit Gézèr, l'incendia et massacra les Cananéens qui y habitaient, puis il donna la ville en cadeau de noces à sa fille, la femme de Salomon, [17]et Salomon reconstruisit Gézèr), Bet-Horôn-le-Bas, [18]Baalat, Tamar au désert, dans le pays, [19]toutes les villes-entrepôts qu'avait Salomon, les villes de chars et de chevaux, et ce qu'il plut à Salomon de construire à Jérusalem, au Liban et dans tous les pays qui lui étaient soumis. [20]Tout ce qui restait des Amorites, des Hittites, des Perizzites, des Hivvites et des Jébuséens, qui n'étaient pas des Israélites, [21]leurs descendants restés après eux dans le pays, ceux que les Israélites n'avaient pas pu vouer à l'anathème, Salomon les leva comme hommes de corvée servile ; ils le sont encore. [22]Mais il n'imposa pas la corvée servile aux Israélites, plutôt ceux-ci servaient comme soldats : ils étaient ses gardes, ses officiers et ses écuyers, les officiers de sa charrerie et de sa cavalerie. [23]Voici les officiers des préfets qui dirigeaient les travaux de Salomon : cinq cent cinquante, qui commandaient au peuple occupé aux travaux. [24]Dès que la fille de Pharaon fut montée de la Cité de David à sa maison qu'il lui avait construite, alors il bâtit le Millo.

Le service du Temple. ‖ 2 Ch 8 12-16.

²⁵Salomon offrait trois fois par an des holocaustes et des sacrifices de communion sur l'autel qu'il avait dressé à Yahvé et il y faisait aussi fumer devant Yahvé de l'encens. Il maintenait le Temple en bon état.

III. SALOMON LE COMMERÇANT

Salomon armateur. ‖ 2 Ch 8 17-18.

²⁶Le roi Salomon arma une flotte à Éçyôn-Gébèr, qui est près d'Élat, sur le bord de la mer Rouge, au pays d'Édom. ²⁷Hiram envoya sur les vaisseaux ses serviteurs, des matelots qui connaissaient la mer, avec les serviteurs de Salomon. ²⁸Ils allèrent à Ophir et en rapportèrent quatre cent vingt talents d'or, qu'ils remirent au roi Salomon.

Visite de la reine de Saba. ‖ 2 Ch 9 1-12.

10 ¹La reine de Saba apprit la renommée de Salomon de par le Nom de Yahvé et vint l'éprouver par des énigmes. ²Elle arriva à Jérusalem avec une très grande suite, des chameaux chargés d'aromates, d'or et en énorme quantité et de pierres précieuses. Quand elle fut arrivée auprès de Salomon, elle lui proposa tout ce qu'elle avait médité, ³mais Salomon l'éclaira sur toutes ses questions et aucune ne fut pour le roi un secret qu'il ne pût élucider. ⁴Lorsque la reine de Saba vit toute la sagesse de Salomon, le palais qu'il s'était construit, ⁵le menu de sa table, le placement de ses officiers, le service de ses gens et leur livrée, son service à boire, les holocaustes qu'il offrait au Temple de Yahvé, le cœur lui manqua ⁶et elle dit au roi : « Ce que j'ai entendu dire sur toi et ta sagesse dans mon pays était donc vrai ! ⁷Je n'ai pas voulu croire ce qu'on disait avant de venir et de voir de mes yeux, mais vraiment on ne m'en avait pas appris la moitié : tu surpasses en sagesse et en prospérité la renommée dont j'ai eu l'écho. ⁸Bienheureux tes gens, bienheureux tes serviteurs que voici, qui se tiennent continuellement devant toi et qui entendent ta sagesse ! ⁹Béni soit Yahvé ton Dieu qui t'a montré sa faveur en te plaçant sur le trône d'Israël ; c'est parce que Yahvé aime Israël pour toujours qu'il t'a établi roi, pour exercer le droit et la justice. » ¹⁰Elle donna au roi cent vingt talents d'or, une grande quantité d'aromates et des pierres précieuses ; la reine de Saba n'avait apporté au roi Salomon une abondance d'aromates telle qu'il n'en vint plus jamais de pareille. ¹¹De même, la flotte d'Hiram, qui apporta l'or d'Ophir, en rapporta du bois d'almuggim en grande quantité et des pierres précieuses. ¹²Le roi fit avec le bois d'almuggim des supports pour le Temple de Yahvé et pour le palais royal, des lyres et des harpes pour les musiciens ; il n'en vint plus de ce bois d'almuggim et on n'en a plus vu jusqu'à maintenant. ¹³Quant au roi Salomon, il offrit à la reine de Saba tout ce dont elle manifesta l'envie, en plus des cadeaux qu'il lui fit avec une munificence digne du roi Salomon. Puis elle s'en retourna et alla dans son pays, elle et ses serviteurs.

La richesse de Salomon. ‖ 2 Ch 9 13-24.

¹⁴Le poids de l'or qui arriva à Salomon en une année fut de six cent soixante-six talents d'or, ¹⁵sans compter ce qui venait des marchands itinérants, du gain des commerçants et de tous les rois de l'occident et des gouverneurs du pays. ¹⁶Le roi Salomon fit deux cents grands boucliers d'or battu, sur chacun desquels il appliqua six cents sicles d'or, ¹⁷et trois cents petits boucliers d'or battu, sur chacun desquels il appliqua trois mines d'or, et il les déposa dans la Maison de la Forêt du Liban. ¹⁸Le roi fit aussi un grand trône d'ivoire et le plaqua d'or raffiné. ¹⁹Ce trône avait six degrés, un dossier à sommet arrondi, et des bras de part et d'autre du siège ; deux lions étaient debout près des bras ²⁰et douze lions se tenaient de part et d'autre des six degrés. On n'a rien fait de semblable dans aucun royaume. ²¹Tous les vases à boire du roi Salomon étaient en or et tout le mobilier de la Maison de la Forêt du Liban était en or fin ; car on faisait fi de l'argent au temps de Salomon.

²²En effet, le roi avait en mer une flotte de Tarsis avec la flotte d'Hiram et tous les trois ans la flotte de Tarsis revenait chargée d'or, d'argent, d'ivoire, de singes et de guenons. ²³Le roi Salomon surpassa en richesse et en sagesse tous les rois de la terre. ²⁴Tout le monde voulait être reçu par Salomon pour profiter de la sagesse que Dieu lui avait mise au cœur ²⁵et chacun apportait son présent : vases d'argent et vases d'or, vêtements, armes, aromates, chevaux et mulets, et ainsi d'année en année.

La charrerie de Salomon. ‖ 2 Ch 1 14-17.

²⁶Salomon rassembla des chars et des chevaux ; il eut mille quatre cents chars et douze mille chevaux et il les cantonna dans les villes des chars et près du roi à Jérusalem. ²⁷Le roi fit que l'argent était aussi commun à Jérusalem que les cailloux, et les cèdres aussi nombreux que les sycomores du Bas-Pays. ²⁸Les chevaux de Salomon venaient de Muçur et de Cilicie ; les courtiers du roi les importaient de Cilicie à prix d'argent. ²⁹Un char était livré de Muçur pour six cents sicles d'argent ; un cheval en valait cent cinquante. Il en était de même pour les rois des Hittites et les rois d'Aram qui les importaient par leur entremise.

IV. LES OMBRES DU RÈGNE

Les femmes de Salomon.

11 ¹Le roi Salomon aima beaucoup de femmes étrangères – outre la fille de Pharaon – : des Moabites, des Ammonites, des Édomites, des Sidoniennes, des Hittites, ²de ces peuples dont

Yahvé avait dit aux Israélites : « Vous n'irez pas chez eux et ils ne viendront pas chez vous ; sûrement ils détourneraient vos cœurs vers leurs dieux. » Mais Salomon s'y attacha par amour ; [3]il eut sept cents épouses de rang princier et trois cents concubines et ses femmes détournèrent son cœur. [4]Quand Salomon fut vieux, ses femmes détournèrent son cœur vers d'autres dieux et son cœur ne fut plus tout entier à Yahvé son Dieu comme avait été celui de son père David. [5]Salomon suivit Astarté, la divinité des Sidoniens, et Milkom, l'abomination des Ammonites. [6]Il fit ce qui déplaît à Yahvé et il ne lui obéit pas parfaitement comme son père David. [7]C'est alors que Salomon construisit un sanctuaire à Kemosh, l'abomination de Moab, sur la montagne à l'orient de Jérusalem, et à Molèk, l'abomination des Ammonites. [8]Il en fit autant pour toutes ses femmes étrangères, qui offraient de l'encens et des sacrifices à leurs dieux.

[9]Yahvé s'irrita contre Salomon parce que son cœur s'était détourné de Yahvé, Dieu d'Israël, qui lui était apparu deux fois [10]et qui lui avait défendu à cette occasion de suivre d'autres dieux, mais il n'observa pas cet ordre de Yahvé. [11]Alors Yahvé dit à Salomon : « Parce que tu t'es comporté ainsi et que tu n'as pas observé mon alliance et les prescriptions que je t'avais faites, je vais sûrement t'arracher le royaume et le donner à l'un de tes serviteurs. [12]Seulement je ne ferai pas cela durant ta vie, en considération de ton père David ; c'est de la main de ton fils que je

l'arracherai. [13]Encore ne lui arracherai-je pas tout le royaume : je laisserai une tribu à ton fils, en considération de mon serviteur David et de Jérusalem que j'ai choisie. »

Les ennemis extérieurs de Salomon.

[14]Yahvé suscita un adversaire à Salomon : l'Édomite Hadad, de la race royale d'Édom. [15]Après que David eut été en Édom, quand Joab, chef de l'armée, était allé enterrer les morts, il avait frappé tous les mâles d'Édom [16](Joab et tout Israël étaient demeurés là six mois jusqu'à l'anéantissement de tous les mâles d'Édom), [17]Hadad s'était enfui en Égypte avec des Édomites au service de son père. Hadad était alors un jeune garçon. [18]Ils partirent de Madiân et arrivèrent à Parân ; ils prirent avec eux des hommes de Parân et allèrent en Égypte auprès de Pharaon, roi d'Égypte, qui lui donna une maison, assura son entretien et lui assigna une terre. [19]Hadad jouit d'une grande faveur auprès de Pharaon, qui lui fit épouser la sœur de sa femme, la sœur de Tahpnès la Grande Dame. [20]La sœur de Tahpnès lui enfanta son fils Genubat, que Tahpnès fit sevrer dans le palais de Pharaon, et Genubat vécut dans le palais de Pharaon, parmi les enfants de Pharaon. [21]Quand Hadad apprit, en Égypte, que David s'était couché avec ses pères et que Joab, chef de l'armée, était mort, il dit à Pharaon : « Laisse-moi partir, que j'aille dans mon pays. » [22]Pharaon lui dit : « Que te manque-t-il chez moi pour que tu cherches à aller dans ton pays ? »

Il répondit : « Rien, mais laisse-moi partir. »

²³A Salomon Dieu suscita aussi comme adversaire Rezôn, fils d'Élyada. Il avait fui de chez son maître Hadadézer, roi de Çoba ; ²⁴des gens s'étaient joints à lui et il était devenu chef de bande (c'est alors que David les massacra). Ils allèrent à Damas, s'y installèrent et régnèrent sur Damas. ²⁵Il fut un adversaire d'Israël pendant toute la vie de Salomon. Voici le mal que fit Hadad : il eut Israël en aversion et il régna sur Édom.

La révolte de Jéroboam.

²⁶Jéroboam était fils de l'Éphraïmite Nebat, de Çerêda, et sa mère était une veuve nommée Çerua ; il était au service de Salomon et se révolta contre le roi. ²⁷Voici l'histoire de sa révolte.

Salomon construisait le Millo, il fermait la brèche de la Cité de David, son père. ²⁸Ce Jéroboam était homme de condition ; Salomon remarqua comment ce jeune homme accomplissait sa tâche et il le préposa à toute la corvée de la maison de Joseph. ²⁹Il arriva que Jéroboam, étant sorti de Jérusalem, fut abordé en chemin par le prophète Ahiyya, de Silo ; celui-ci était vêtu d'un manteau neuf et ils étaient seuls tous les deux dans la campagne. ³⁰Ahiyya prit le manteau neuf qu'il avait sur lui et le déchira en douze morceaux. ³¹Puis il dit à Jéroboam : « Prends pour toi dix morceaux, car ainsi parle Yahvé, Dieu d'Israël : Voici que je vais arracher le royaume de la main de Salomon et je te donnerai les dix tribus. ³²Il aura une tribu, en considération de mon serviteur David et de Jérusalem, la ville que j'ai élue de toutes les tribus d'Israël. ³³C'est qu'ils m'ont délaissé, qu'ils se sont prosternés devant Astarté, la déesse des Sidoniens, Kemosh, le dieu de Moab, Milkom, le dieu des Ammonites, et qu'il n'a pas suivi mes voies, en faisant ce qui est juste à mes yeux, ni mes lois et mes ordonnances, comme son père David. ³⁴Mais ce n'est pas de sa main que je prendrai le royaume, car je l'ai établi prince pour tout le temps de sa vie, en considération de mon serviteur David, que j'ai élu et qui a observé mes commandements et mes lois ; ³⁵c'est de la main de son fils que j'enlèverai le royaume et je te le donnerai, c'est-à-dire les dix tribus. ³⁶Pourtant je laisserai à son fils une tribu, pour que mon serviteur David ait toujours une lampe devant moi à Jérusalem, la ville que j'ai choisie pour y placer mon Nom. ³⁷Pour toi, je te prendrai pour que tu règnes sur tout ce que tu voudras et tu seras roi sur Israël. ³⁸Si tu obéis à tout ce que je t'ordonnerai, si tu suis mes voies et fais ce qui est juste à mes yeux, en observant mes lois et mes commandements comme a fait mon serviteur David, alors je serai avec toi et je te construirai une maison stable comme j'ai construit pour David. Je te donnerai Israël ³⁹et j'humilierai la descendance de David à cause de cela ; cependant pas pour toujours. »

⁴⁰Salomon chercha à faire mourir Jéroboam ; celui-ci partit et s'enfuit en Égypte auprès de Sheshonq, roi d'Égypte, et il de-

meura en Égypte jusqu'à la mort de Salomon.

Conclusion du règne. ‖ 2 Ch 9 29-31.

⁴¹Le reste de l'histoire de Salomon, tout ce qu'il a fait, et sa sagesse, n'est-ce pas écrit dans le livre de l'Histoire de Salomon ? ⁴²La durée du règne de Salomon à Jérusalem sur tout Israël fut de quarante ans. ⁴³Puis Salomon se coucha avec ses pères et on l'enterra dans la Cité de David, son père, et son fils Roboam régna à sa place.

3. Le schisme politique et religieux

L'assemblée de Sichem. ‖ 2 Ch 10.

12 ¹Roboam se rendit à Sichem, car c'est à Sichem que tout Israël était venu pour le proclamer roi. ²Dès que Jéroboam, fils de Nebat, fut informé – il était encore en Égypte, où il avait fui le roi Salomon –, il séjourna en Égypte. ³On fit appeler Jéroboam et il vint, lui et toute l'assemblée d'Israël. Ils parlèrent ainsi à Roboam : ⁴« Ton père a rendu pénible notre joug, allège maintenant le dur servage de ton père, la lourdeur du joug qu'il nous imposa, et nous te servirons ! » ⁵Il leur dit : « Retirez-vous pour trois jours, puis revenez vers moi », et le peuple s'en alla.

⁶Le roi Roboam prit conseil des anciens, qui avaient assisté son père Salomon pendant qu'il vivait, et demanda : « Quelle réponse conseillez-vous de faire à ce peuple ? » ⁷Ils lui répondirent : « Si tu te fais aujourd'hui serviteur de ces gens, si tu te soumets et leur donnes de bonnes paroles, alors ils seront toujours tes serviteurs. » ⁸Mais il repoussa le conseil que les anciens avaient donné et consulta des jeunes gens qui l'assistaient, ses compagnons d'enfance. ⁹Il leur demanda :

« Que conseillez-vous que nous répondions à ce peuple qui m'a parlé ainsi : "Allège le joug que ton père nous a imposé" ? » ¹⁰Les jeunes gens, ses compagnons d'enfance, lui répondirent : « Voici ce que tu diras à ce peuple qui t'a dit : "Ton père a rendu pesant notre joug, mais toi allège notre charge", voici ce que tu leur répondras : "Mon petit doigt est plus gros que les reins de mon père ! ¹¹Ainsi, mon père vous a fait porter un joug pesant, moi j'ajouterai encore à votre joug ; mon père vous a châtiés avec des lanières, moi je vous châtierai avec des fouets à pointes de fer !" »

¹²Jéroboam avec tout le peuple vint à Roboam le troisième jour, selon cet ordre qu'il avait donné : « Revenez vers moi le troisième jour. » ¹³Le roi fit au peuple une dure réponse, il rejeta le conseil que les anciens avaient donné ¹⁴et, suivant le conseil des jeunes, il leur parla ainsi : « Mon père a rendu pesant votre joug, moi j'ajouterai encore à votre joug ; mon père vous a châtiés avec des lanières, moi je vous châtierai avec des fouets à pointes de fer. ¹⁵Le roi n'écouta donc pas le peuple : c'était une intervention de

Yahvé, pour accomplir la parole qu'il avait dite à Jéroboam fils de Nebat par le ministère d'Ahiyya de Silo. ¹⁶Quand les Israélites virent que le roi ne les écoutait pas, ils lui répliquèrent :

« Quelle part avons-nous sur David ?
Nous n'avons pas d'héritage sur le fils de Jessé.
À tes tentes, Israël !
Et maintenant, pourvois à ta maison, David. »

Et Israël s'en fut à ses tentes. ¹⁷Quant aux Israélites qui habitaient les villes de Juda, Roboam régna sur eux. ¹⁸Le roi Roboam dépêcha Adoram, le chef de la corvée, mais tout Israël le lapida et il mourut ; alors le roi Roboam se vit contraint de monter sur son char pour fuir vers Jérusalem. ¹⁹Et Israël fut séparé de la maison de David, jusqu'à ce jour.

Le schisme politique.

²⁰Lorsque tout Israël apprit que Jéroboam était revenu, ils l'appelèrent à l'assemblée et ils le firent roi sur tout Israël ; il n'y eut pour se rallier à la maison de David que la seule tribu de Juda.

|| 2 Ch **11** 1-4.

²¹Roboam se rendit à Jérusalem ; il convoqua toute la maison de Juda et la tribu de Benjamin, soit cent quatre-vingt mille guerriers d'élite, pour combattre la maison d'Israël et rendre le royaume à Roboam fils de Salomon. ²²Mais la parole de Dieu fut adressée à Shemaya l'homme de Dieu en ces termes : ²³« Dis ceci à Roboam fils de Salomon, roi de Juda, à toute la maison de Juda, à

Benjamin et au reste du peuple : ²⁴Ainsi parle Yahvé. N'allez pas vous battre contre vos frères, les Israélites ; que chacun retourne chez soi, car cet événement vient de moi. » Ils écoutèrent la parole de Yahvé et prirent le chemin du retour comme avait dit Yahvé.

²⁵Jéroboam fortifia Sichem dans la montagne d'Éphraïm et y séjourna. Puis il sortit de là et fortifia Penuel.

Le schisme religieux.

²⁶Jéroboam se dit en lui-même : « Comme sont les choses, le royaume va retourner à la maison de David. ²⁷Si ce peuple continue de monter au Temple de Yahvé à Jérusalem pour offrir des sacrifices, le cœur du peuple reviendra à son seigneur, Roboam, roi de Juda, et on me tuera. Ils reviendront à Roboam, roi de Juda. » ²⁸Après avoir délibéré, il fit deux veaux d'or et dit au peuple : « Assez longtemps vous êtes montés à Jérusalem ! Israël, voici tes dieux qui t'ont fait monter du pays d'Égypte. » ²⁹Il dressa l'un à Béthel et il mit l'autre à Dan, ³⁰cette affaire mena au péché, et le peuple alla en procession devant l'autre jusqu'à Dan. ³¹Il établit le temple des hauts lieux et il institua des prêtres pris du commun, qui n'étaient pas fils de Lévi. ³²Jéroboam célébra une fête le huitième mois, le quinzième jour du mois, comme la fête qu'on célébrait en Juda, et il monta à l'autel. Voilà comme il a agi à Béthel, sacrifiant aux veaux qu'il avait faits, et il établit à Béthel les prêtres des hauts lieux, qu'il avait institués. ³³Il monta à l'autel qu'il avait fait à Béthel, le quinzième jour du huitième

mois, le mois qu'il avait arbitrairement choisi ; il institua une fête pour les Israélites et il monta à l'autel pour faire brûler de l'encens.

Condamnation de l'autel de Béthel.

13 ¹Sur l'ordre de Yahvé, un homme de Dieu arriva de Juda à Béthel, au moment où Jéroboam se tenait près de l'autel pour offrir le sacrifice, ²et, par ordre de Yahvé, il lança contre l'autel cette proclamation : « Autel, autel ! ainsi parle Yahvé : Voici qu'il naîtra à la maison de David un fils nommé Josias, il immolera sur toi les prêtres des hauts lieux qui ont offert sur toi de l'encens, et il brûlera sur toi des ossements humains. » ³Il donna en même temps un signe : « Tel est le signe que Yahvé a parlé : Voici que l'autel va se fendre et que se répandra la cendre qui est sur lui. » ⁴Quand il entendit ce que l'homme de Dieu disait contre l'autel de Béthel, le roi Jéroboam étendit la main hors de l'autel, en disant : « Saisissez-le ! » mais la main qu'il avait tendue contre l'homme de Dieu sécha, en sorte qu'il ne pouvait plus la ramener à lui, ⁵l'autel se fendit et les cendres coulèrent de l'autel, selon le signe qu'avait donné l'homme de Dieu, par ordre de Yahvé. ⁶Le roi reprit et dit à l'homme de Dieu : « Apaise, je t'en supplie, Yahvé ton Dieu, afin que ma main puisse revenir à moi. » L'homme de Dieu apaisa Yahvé, la main du roi revint à lui et fut comme auparavant. ⁷Le roi dit à l'homme de Dieu : « Viens avec moi à la maison pour te réconforter, et je te ferai un cadeau. » ⁸Mais l'homme de Dieu dit au roi : « Quand tu me donnerais la moitié de ta maison, je n'irais pas avec toi. Je ne mangerai ni ne boirai rien en ce lieu, ⁹car j'ai reçu ce commandement de Yahvé : Tu ne mangeras ni ne boiras rien et tu ne reviendras pas par le même chemin. » ¹⁰Et il s'en alla par un autre chemin, sans reprendre le chemin par où il était venu à Béthel.

L'homme de Dieu et le prophète.

¹¹Or habitait à Béthel un vieux prophète, et ses fils vinrent lui raconter tout ce qu'avait fait, ce jour-là, l'homme de Dieu à Béthel ; les paroles qu'il avait dites au roi, ils les racontèrent aussi à leur père. ¹²Celui-ci leur demanda : « Quel chemin a-t-il pris ? » Ses fils avaient vu le chemin qu'avait pris l'homme de Dieu qui était venu de Juda. ¹³Il dit à ses fils : « Sellez-moi l'âne » ; ils lui sellèrent l'âne et il l'enfourcha. ¹⁴Il poursuivit l'homme de Dieu et le trouva assis sous le térébinthe ; il lui demanda : « Es-tu l'homme de Dieu venu de Juda ? » et il répondit : « Oui. » ¹⁵Le prophète lui dit : « Viens avec moi à la maison pour manger quelque chose. » ¹⁶Mais il répondit : « Je ne dois ni revenir ni aller avec toi, ni rien manger ou rien boire avec toi ici, ¹⁷car j'ai reçu cet ordre de Yahvé : Tu ne mangeras ni ne boiras rien là-bas, et tu ne retourneras pas par le chemin où tu seras allé. » ¹⁸Alors l'autre lui dit : « Moi aussi je suis un prophète comme toi, et un ange m'a dit ceci, par ordre de Yahvé : Ramène-le avec toi à la maison pour qu'il mange et qu'il boive » ; il lui mentait. ¹⁹L'homme de Dieu revint donc

avec lui, il mangea dans sa maison et il but.

²⁰Or, comme ils étaient assis à table, une parole de Yahvé arriva au prophète qui l'avait ramené ²¹et celui-ci interpella l'homme de Dieu venu de Juda : « Ainsi parle Yahvé. Parce que tu as été rebelle à l'ordre de Yahvé et n'as pas observé le commandement que t'avait fait Yahvé ton Dieu, ²²que tu es revenu, que tu as mangé et bu au lieu où il t'avait dit de ne pas manger ni boire, ton cadavre n'entrera pas dans le sépulcre de tes pères. » ²³Après qu'il eut mangé et bu, le prophète qui l'avait fait revenir fit seller son âne ; ²⁴et il partit. Un lion le trouva sur le chemin et le tua ; son cadavre resta étendu sur le chemin, l'âne se tenait près de lui, le lion aussi se tenait près du cadavre. ²⁵Des gens passèrent, qui virent le cadavre étendu sur le chemin et le lion se tenant près du cadavre, et ils vinrent le dire à la ville où habitait le vieux prophète. ²⁶Quand le prophète qui lui avait fait rebrousser chemin apprit cela, il dit : « C'est l'homme de Dieu qui a été rebelle à l'ordre de Yahvé ! Et Yahvé l'a livré au lion, qui l'a abattu et tué, selon la parole que Yahvé lui avait dite ! » ²⁷Il dit à ses fils : « Sel-lez-moi l'âne », et ils le sellèrent. ²⁸Il partit et trouva son cadavre étendu sur le chemin, l'âne et le lion se tenant à côté du cadavre ; le lion n'avait pas dévoré le cadavre ni brisé l'échine de l'âne. ²⁹Il releva le cadavre de l'homme de Dieu et le mit sur l'âne, et il le ramena à la ville où il habitait pour faire le deuil et l'ensevelir. ³⁰Il déposa le cadavre dans son propre sépulcre et on fit le deuil sur lui : « Hélas, mon frère ! » ³¹Après qu'il eut enseveli, il parla ainsi à ses fils : « Après ma mort, vous m'ensevelirez dans le même sépulcre que l'homme de Dieu ; déposez mes os à côté des siens. ³²Car elle s'accomplira vraiment, la parole qu'il a prononcée par ordre de Yahvé contre l'autel de Béthel, et contre tous les sanctuaires des hauts lieux qui sont dans les villes de Samarie. »

³³Après cet événement, Jéroboam ne se convertit pas de sa mauvaise conduite, mais il continua d'instituer prêtres des hauts lieux des gens pris du commun : à qui le voulait il donnait l'investiture pour devenir prêtre des hauts lieux. ³⁴Cette conduite fit tomber dans le péché la maison de Jéroboam et motiva sa ruine et son extermination de la face de la terre.

4. *Les deux royaumes jusqu'à Élie*

Suite du règne de Jéroboam Iᵉʳ (931-910).

14 ¹En ce temps-là, le fils de Jéroboam, Abiyya, tomba malade, ²et Jéroboam dit à sa femme : « Lève-toi, je te prie, déguise-toi pour qu'on ne reconnaisse pas que tu es la femme de Jéroboam et va à Silo. Il y a là le prophète Ahiyya : c'est lui qui a prédit que je régnerais sur ce peuple. ³Prends avec toi dix pains, des friandises et un pot de miel, et va vers lui : il t'apprendra ce qui doit arriver à l'enfant. » [4]Ainsi fit la femme de Jéroboam : elle se leva, alla à Silo et entra chez Ahiyya. Or celui-ci ne pouvait pas voir, ayant le regard fixe à cause de son grand âge, [5]mais Yahvé lui avait dit : « Voici que la femme de Jéroboam vient solliciter de toi un oracle pour son fils, car il est malade ; tu lui parleras de telle et telle manière. Elle viendra en se donnant pour une autre. » [6]Dès qu'Ahiyya entendit le bruit de ses pas à la porte, il dit : « Entre, femme de Jéroboam. Pourquoi donc te donner pour une autre, quand j'ai un dur message pour toi ? [7]Va dire à Jéroboam : "Ainsi parle Yahvé, Dieu d'Israël : Je t'ai tiré du milieu du peuple et t'ai établi comme chef sur mon peuple Israël, [8]j'ai arraché le royaume à la maison de David et je te l'ai donné. Mais tu n'as pas été comme mon serviteur David qui a observé mes commandements et qui m'a suivi de tout son cœur, ne faisant que ce qui me plaît ; [9]tu as agi plus mal que tous tes prédécesseurs, tu es allé te fabriquer d'autres dieux, des idoles fondues, pour mon irritation, et tu m'as jeté derrière ton dos. [10]C'est pourquoi je vais faire venir le malheur sur la maison de Jéroboam, j'exterminerai tous les mâles de la famille de Jéroboam, liés ou libres en Israël, je balaierai la maison de Jéroboam comme on balaie complètement l'ordure. [11]Ceux de la famille de Jéroboam qui mourront dans la ville seront mangés par les chiens, et ceux qui mourront dans la campagne seront mangés par les oiseaux du ciel, car Yahvé a par-

lé." [12]Pour toi, lève-toi et va chez toi : au moment où tes pieds entreront dans la ville, l'enfant mourra. [13]Tout Israël fera son deuil et on l'ensevelira. En effet ce sera le seul de la famille de Jéroboam qui sera mis dans un sépulcre, car en lui seul se sera trouvé quelque chose d'agréable à Yahvé, Dieu d'Israël, dans la maison de Jéroboam. [14]Yahvé établira un roi sur Israël qui exterminera la maison de Jéroboam. C'est aujourd'hui, oui ! C'est même maintenant ! [15]Yahvé frappera Israël, comme dans l'eau vacille le roseau, il arrachera Israël de ce bon pays qu'il a donné à ses pères et le dispersera de l'autre côté du Fleuve, parce qu'ils ont fait leurs pieux sacrés pour l'irritation de Yahvé. [16]Il abandonnera Israël à cause des péchés que Jéroboam a commis et qu'il a fait commettre à Israël. » [17]La femme de Jéroboam se leva et partit. Elle arriva à Tirça et, lorsqu'elle franchit le seuil de la maison, l'enfant était déjà mort. [18]On l'ensevelit et tout Israël fit son deuil, comme avait dit Yahvé, par le ministère de son serviteur le prophète Ahiyya.

[19]Le reste de l'histoire de Jéroboam, comment il guerroya et régna, cela est écrit au livre des Annales des rois d'Israël. [20]La durée du règne de Jéroboam fut de vingt-deux années, puis il se coucha avec ses pères et son fils Nadab régna à sa place.

Règne de Roboam (931-913).
|| 2 Ch **12**.

[21]Roboam fils de Salomon devint roi sur Juda ; il avait quarante et un ans à son avènement et régna dix-sept ans à Jérusalem, la

ville que, dans toutes les tribus d'Israël, Yahvé avait choisie pour y placer son Nom. Sa mère s'appelait Naama, l'Ammonite. ²²Juda fit ce qui déplaît à Yahvé : ils irritèrent sa jalousie plus que n'avaient fait leurs pères avec tous les péchés qu'ils avaient commis, ²³eux qui s'étaient construit des hauts lieux, avaient dressé des stèles et des pieux sacrés sur toute colline élevée et sous tout arbre verdoyant. ²⁴Même il y eut des prostitués sacrés dans le pays. Il imita toutes les ignominies des nations que Yahvé avait chassées devant les Israélites.

|| 2 Ch 12 2, 9-11.

²⁵La cinquième année du roi Roboam, le roi d'Égypte, Sheshonq, marcha contre Jérusalem. ²⁶Il se fit livrer les trésors du Temple de Yahvé et ceux du palais royal, absolument tout, jusqu'à tous les boucliers d'or qu'avait faits Salomon. ²⁷À leur place, le roi Roboam fit des boucliers de bronze et les confia aux chefs des gardes, qui veillaient à la porte du palais royal. ²⁸Chaque fois que le roi allait au Temple de Yahvé, les gardes les prenaient puis il les rapportaient à la salle des gardes. ²⁹Le reste de l'histoire de Roboam, tout ce qu'il a fait, cela n'est-il pas écrit au livre des Annales des rois de Juda ? ³⁰Il y eut tout le temps guerre entre Roboam et Jéroboam. ³¹Roboam se coucha avec ses pères et on l'enterra auprès de ses pères dans la Cité de David. Le nom de sa mère était Naama, l'Ammonite. Son fils Abiyyam régna à sa place.

Règne d'Abiyyam en Juda (913-911). || 2 Ch 13 1-2.

15 ¹La dix-huitième année du roi Jéroboam fils de Nebat, Abiyyam devint roi de Juda ²et régna trois ans à Jérusalem ; sa mère s'appelait Maaka, fille d'Absalom. ³Il imita les péchés que son père avait commis avant lui et son cœur ne fut pas tout entier à Yahvé son Dieu comme le cœur de son ancêtre David. ⁴Pourtant, en considération de David, Yahvé son Dieu lui donna une lampe à Jérusalem, en maintenant son fils après lui et en épargnant Jérusalem. ⁵En effet David avait fait ce qui est juste aux yeux de Yahvé et il ne s'était dérobé à rien de ce qu'il lui avait ordonné durant toute sa vie (sauf dans l'histoire d'Urie le Hittite).

⁶Il y eut tout le temps guerre entre Roboam et Jéroboam. ⁷Le reste de l'histoire d'Abiyyam, tout ce qu'il a fait, cela n'est-il pas écrit au livre des Annales des rois de Juda ? Il y eut guerre entre Abiyyam et Jéroboam. ⁸Puis Abiyyam se coucha avec ses pères et on l'enterra dans la Cité de David ; son fils Asa régna à sa place.

Règne d'Asa en Juda (911-870).
|| 2 Ch 14 1-3 ; 15 16-18 ; 16 1-6, 11-14.

⁹La vingtième année de Jéroboam, roi d'Israël, Asa devint roi de Juda ¹⁰et régna quarante et un ans à Jérusalem ; sa grand-mère s'appelait Maaka, fille d'Absalom. ¹¹Asa fit ce qui est juste aux yeux de Yahvé, comme son ancêtre David. ¹²Il expulsa du pays les prostitués sacrés et supprima toutes les idoles que ses pères avaient

faites. [13]Même il enleva à sa grand-mère la dignité de Grande Dame, parce qu'elle avait fait une horreur pour Ashéra ; Asa abattit son horreur et la brûla dans la vallée du Cédron. [14]Les hauts lieux ne disparurent pas ; pourtant le cœur d'Asa fut tout entier à Yahvé pendant toute sa vie. [15]Il déposa dans le Temple de Yahvé les offrandes consacrées par son père et ses propres offrandes, de l'argent, de l'or et du mobilier.

[16]Il y eut guerre entre Asa et Basha, roi d'Israël, tant qu'ils vécurent. [17]Basha, roi d'Israël, marcha contre Juda et il fortifia Rama pour bloquer les communications d'Asa, roi de Juda. [18]Alors Asa prit l'argent et l'or qui restaient dans les trésors du Temple de Yahvé et ceux du palais royal. Il les remit à ses serviteurs et envoya ceux-ci vers Ben-Hadad fils de Tabrimmôn fils de Hèzyôn, le roi d'Aram qui résidait à Damas, avec ce message : [19]« Alliance entre moi et toi, entre mon père et ton père ! Je t'envoie un présent d'argent et d'or : va, romps ton alliance avec Basha, roi d'Israël, pour qu'il s'éloigne de moi ! » [20]Ben-Hadad exauça le roi Asa et envoya ses chefs d'armée contre les villes d'Israël ; il conquit Iyyôn, Dan, Abel-Bet-Maaka, tout Kinnerot et même tout le pays de Nephtali. [21]Quand Basha l'apprit, il arrêta les travaux à Rama et résida à Tirça. [22]Le roi Asa convoqua tout Juda, sans exemption pour personne ; on enleva les pierres et le bois avec lesquels Basha fortifiait Rama et le roi en fortifia Géba de Benjamin et Miçpa.

[23]Le reste de l'histoire d'Asa, toute sa vaillance et tout ce qu'il a fait et les villes qu'il a construites, cela n'est-il pas écrit au livre des Annales des rois de Juda ? Seulement, au temps de sa vieillesse, il eut les pieds malades. [24]Asa se coucha avec ses pères et on l'enterra dans la Cité de David, son ancêtre. Son fils Josaphat régna à sa place.

Règne de Nadab en Israël (910-909).

[25]Nadab, fils de Jéroboam, devint roi d'Israël, en la deuxième année d'Asa, roi de Juda, et régna deux ans sur Israël. [26]Il fit ce qui déplaît à Yahvé : il imita la conduite de son père et le péché où celui-ci avait entraîné Israël. [27]Basha fils d'Ahiyya, de la maison d'Issachar, conspira contre lui et l'assassina à Gibbetôn, ville philistine qu'assiégeaient Nadab et tout Israël. [28]Basha le fit périr dans la troisième année d'Asa, roi de Juda, et régna à sa place. [29]Devenu roi, il massacra toute la maison de Jéroboam sans épargner personne, jusqu'à l'extermination, selon la parole que Yahvé avait dite par le ministère de son serviteur Ahiyya de Silo, [30]pour les péchés qu'il avait commis et où il avait entraîné Israël et pour l'irritation qu'il avait causée à Yahvé Dieu d'Israël.

[31]Le reste de l'histoire de Nadab, et tout ce qu'il a fait, cela n'est-il pas écrit au livre des Annales des rois d'Israël ? [32]Il y eut guerre entre Asa et Basha, roi d'Israël, tant qu'ils vécurent.

Règne de Basha en Israël (909-886).

[33]La troisième année d'Asa, roi de Juda, Basha, fils d'Ahiyya, devint roi sur tout Israël à Tirça,

pour vingt-quatre ans. ³⁴Il fit ce qui déplaît à Yahvé, et il imita la conduite de Jéroboam et le péché où il avait entraîné Israël.

16 ¹La parole de Yahvé fut adressée à Jéhu, fils de Hanani, contre Basha, en ces termes : ²« Je t'ai tiré de la poussière et je t'ai établi chef sur mon peuple Israël, mais tu as imité la conduite de Jéroboam et tu as fait commettre à mon peuple Israël des péchés qui m'irritent. ³Aussi vais-je balayer Basha et sa maison : je traiterai ta maison comme celle de Jéroboam fils de Nebat. ⁴Celui de la famille de Basha qui mourra dans la ville, les chiens le mangeront, et celui qui mourra dans la campagne, les oiseaux du ciel le mangeront. »

⁵Le reste de l'histoire de Basha, ce qu'il a fait et ses exploits, cela n'est-il pas écrit au livre des Annales des rois d'Israël ? ⁶Basha se coucha avec ses pères et on l'enterra à Tirça. Son fils Éla régna à sa place.

⁷De plus, par le ministère de Jéhu fils de Hanani le prophète, la parole de Yahvé fut transmise à Basha et à sa maison, d'une part à cause de tout le mal qu'il fit au regard de Yahvé, en l'irritant par ses œuvres, pour devenir comme la maison de Jéroboam, d'autre part, parce qu'il extermina celle-ci.

Règne d'Éla en Israël (886-885).

⁸La vingt-sixième année d'Asa, roi de Juda, Éla fils de Basha devint roi sur Israël à Tirça, pour deux ans. ⁹Son officier Zimri, chef de la moitié des chars, conspira contre lui. Comme il était dans Tirça, buvant à s'enivrer dans la maison d'Arça, maître du palais à Tirça, ¹⁰Zimri entra, le frappa et le tua, en la vingt-septième année d'Asa roi de Juda, puis il régna à sa place. ¹¹À son avènement, dès qu'il fut assis sur le trône, il massacra toute la famille de Basha, sans lui laisser aucun mâle, et aussi ses parents et son familier. ¹²Zimri extermina toute la maison de Basha, selon la parole que Yahvé avait prononcée contre Basha, par le ministère du prophète Jéhu, ¹³pour tous les péchés de Basha et ceux d'Éla, son fils, où ils avaient entraîné Israël, irritant Yahvé, Dieu d'Israël, par leurs vaines idoles.

¹⁴Le reste de l'histoire d'Éla, et tout ce qu'il a fait, cela n'est-il pas écrit au livre des Annales des rois d'Israël ?

Règne de Zimri en Israël (885).

¹⁵La vingt-septième année d'Asa, roi de Juda, Zimri devint roi, pour sept jours, à Tirça. Le peuple campait alors devant Gibbetôn qui appartient aux Philistins. ¹⁶Lorsque le bivouac reçut cette nouvelle : « Zimri a conspiré, il a même tué le roi ! » tout Israël, le jour même, dans le camp, proclama roi sur Israël Omri, le chef de l'armée. ¹⁷Omri et tout Israël avec lui levèrent le siège de Gibbetôn et vinrent bloquer Tirça. ¹⁸Quand Zimri vit que la ville était prise, il entra dans le donjon du palais royal, brûla sur lui le palais et périt. ¹⁹Ce fut pour le péché qu'il commit en faisant ce qui déplaît à Yahvé, en imitant la conduite de Jéroboam et le péché où il avait entraîné Israël.

²⁰Le reste de l'histoire de Zimri et la conspiration qu'il ourdit, ce-

la n'est-il pas écrit au livre des Annales des rois d'Israël ? ²¹Alors le peuple d'Israël se divisa : une moitié se rallia à Tibni fils de Ginat, pour le faire roi, l'autre moitié à Omri. ²²Mais le parti d'Omri l'emporta sur celui de Tibni fils de Ginat ; Tibni mourut et Omri devint roi.

Règne d'Omri en Israël (885-874).

²³La trente et unième année d'Asa, roi de Juda, Omri devint roi sur Israël, pour douze ans. Il régna six années à Tirça. ²⁴Puis il acquit de Shémer le mont Samarie pour deux talents d'argent ; il y construisit une ville que, d'après le nom de Shémer, possesseur de la montagne, il nomma Samarie. ²⁵Omri fit ce qui déplaît à Yahvé et fut pire que tous ses devanciers. ²⁶Il imita en tout la conduite de Jéroboam fils de Nebat et les péchés où il avait entraîné Israël, irritant Yahvé, Dieu d'Israël, par leurs vaines idoles. ²⁷Le reste de l'histoire d'Omri, ce qu'il a fait et ses exploits, cela n'est-il pas écrit au livre des Annales des rois d'Israël ? ²⁸Omri se coucha avec ses pères et on l'enterra à Samarie. Son fils Achab régna à sa place.

Introduction au règne d'Achab (874-853).

²⁹Achab fils d'Omri devint roi sur Israël en la trente-huitième année d'Asa, roi de Juda, et il régna vingt-deux ans sur Israël à Samarie. ³⁰Achab fils d'Omri fit ce qui déplaît à Yahvé et fut pire que tous ses devanciers. ³¹La moindre chose fut qu'il imita les péchés de Jéroboam fils de Nebat : il prit pour femme Jézabel, fille d'Ittobaal, roi des Sidoniens, et se mit à servir Baal et à se prosterner devant lui ; ³²il lui dressa un autel dans le temple de Baal qu'il construisit à Samarie. ³³Achab installa aussi le pieu sacré et fit encore d'autres offenses, irritant Yahvé, Dieu d'Israël, plus que tous les rois d'Israël ses prédécesseurs. ³⁴De son temps, Hiel de Béthel rebâtit Jéricho ; au prix de son premier-né Abiram il en établit le fondement et au prix de son dernier-né Segub il en posa les portes, selon la parole que Yahvé avait dite par le ministère de Josué, fils de Nûn.

5. Le cycle d'Élie

I. LA GRANDE SÉCHERESSE

L'annonce du fléau.

17 ¹Élie le Tishbite, un des habitants de Galaad, dit à Achab : « Par Yahvé vivant, le Dieu d'Israël que je sers, il n'y aura ces an-

nées-ci ni rosée ni pluie sauf à mon commandement. »

Au torrent de Kerit.

²La parole de Yahvé lui fut adressée en ces termes : ³« Va-

t'en d'ici, dirige-toi vers l'orient et cache-toi au torrent de Kerit, qui est à l'est du Jourdain. ⁴Tu boiras au torrent et j'ordonne aux corbeaux de te donner à manger là-bas. » ⁵Il partit donc et il fit comme Yahvé avait dit et alla s'établir au torrent de Kerit, à l'est du Jourdain. ⁶Les corbeaux lui apportaient du pain et de la viande le matin, du pain et de la viande le soir, et il buvait au torrent.

À Sarepta. Le miracle de la farine et de l'huile. 2 R 4 1-7. ↗ Lc 4 25-26.

⁷Mais il arriva au bout d'un certain temps que le torrent sécha, car il n'y avait pas eu de pluie dans le pays. ⁸Alors la parole de Yahvé lui fut adressée en ces termes : ⁹« Lève-toi et va à Sarepta, qui appartient à Sidon, et tu y demeureras. Voici que j'ordonne là-bas à une veuve de te donner à manger. » ¹⁰Il se leva et alla à Sarepta. Comme il arrivait à l'entrée de la ville, il y avait là une veuve qui ramassait du bois ; il l'interpella et lui dit : « Apporte-moi donc un peu d'eau dans la cruche, que je boive ! » ¹¹Comme elle allait la chercher, il lui cria : « Apporte-moi donc un morceau de pain dans ta main ! » ¹²Elle répondit : « Par Yahvé vivant, ton Dieu ! je n'ai pas de pain cuit ; je n'ai qu'une poignée de farine dans une jarre et un peu d'huile dans une cruche, je suis à ramasser deux bouts de bois, je vais préparer cela pour moi et mon fils, nous mangerons et nous mourrons. » ¹³Mais Élie lui dit : « Ne crains rien, va faire comme tu dis ; seulement, prépare-m'en d'abord une petite galette, que tu m'apporteras : tu en feras ensuite pour toi et ton fils. ¹⁴Car ainsi parle Yahvé, Dieu d'Israël :

Jarre de farine ne s'épuisera,
cruche d'huile ne se videra,
jusqu'au jour où Yahvé enverra
la pluie sur la face de la terre. »

¹⁵Elle alla et fit comme avait dit Élie, et ils mangèrent, elle, lui et sa maison, pendant longtemps. ¹⁶La jarre de farine ne s'épuisa pas et la cruche d'huile ne se vida pas, selon la parole que Yahvé avait dite par le ministère d'Élie.

La résurrection du fils de la veuve. 2 R 4 18-37. Lc 7 11-17.

¹⁷Après ces événements, il arriva que le fils de la maîtresse de maison tomba malade, et sa maladie fut si violente qu'enfin il expira. ¹⁸Alors elle dit à Élie : « Qu'ai-je à faire avec toi, homme de Dieu ? Tu es donc venu chez moi pour rappeler mes fautes et faire mourir mon fils ! » ¹⁹Il lui dit : « Donne-moi ton fils » ; il l'enleva de son sein, le monta dans la chambre haute où il habitait et le coucha sur son lit. ²⁰Puis il invoqua Yahvé et dit : « Yahvé, mon Dieu, veux-tu donc aussi du mal à la veuve qui m'héberge, pour que tu fasses mourir son fils ? » ²¹Il s'étendit trois fois sur l'enfant et il invoqua Yahvé : « Yahvé, mon Dieu, je t'en prie, fais revenir en lui l'âme de cet enfant ! » ²²Yahvé exauça l'appel d'Élie, l'âme de l'enfant revint en lui et il reprit vie. ²³Élie le prit, le descendit de la chambre haute dans la maison et le remit à sa mère ; et Élie dit : « Voici, ton fils est vivant. » ²⁴La femme lui répondit : « Maintenant je sais que

tu es un homme de Dieu et que la parole de Yahvé dans ta bouche est vérité ! »

Rencontre d'Élie et d'Obadyahu.

18 ¹Il se passa longtemps et la parole de Yahvé fut adressée à Élie, la troisième année, en ces termes : « Va te montrer à Achab, je vais envoyer la pluie sur la face de la terre. » ²Et Élie partit pour se montrer à Achab.

Comme la famine s'était aggravée à Samarie, ³Achab fit appeler Obadyahu, le maître du palais – cet Obadyahu craignait beaucoup Yahvé : ⁴lorsque Jézabel massacra les prophètes de Yahvé, il prit cent prophètes et les cacha cinquante à la fois dans une grotte, où il les ravitaillait de pain et d'eau – ⁵et Achab dit à Obadyahu : « Va dans le pays, vers toutes les sources et tous les torrents ; peut-être trouverons-nous de l'herbe pour maintenir en vie chevaux et mulets et ne pas abattre de bétail. » ⁶Ils se partagèrent le pays pour le parcourir : Achab partit seul par un chemin et Obadyahu partit seul par un autre chemin. ⁷Comme celui-ci était en route, voici qu'il rencontra Élie ; il le reconnut et se prosterna face contre terre en disant : « Te voilà donc, Monseigneur Élie ! » ⁸Il lui répondit : « Me voilà ! Va dire à ton maître : voici Élie. » ⁹Mais l'autre dit : « Quel péché ai-je commis, que tu livres ton serviteur aux mains d'Achab, pour me faire mourir ? ¹⁰Par Yahvé vivant, ton Dieu ! il n'y a pas de nation ni de royaume où mon maître n'ait envoyé te chercher, et quand on eut répondu : "Il n'est pas là", il a fait

jurer le royaume et la nation qu'on ne t'avait pas trouvé. ¹¹Et maintenant tu ordonnes : "Va dire à ton maître : voici Élie", ¹²mais quand je t'aurai quitté, l'Esprit de Yahvé t'emportera je ne sais où, je viendrai informer Achab, il ne te trouvera pas et il me tuera ! Pourtant ton serviteur craint Yahvé depuis sa jeunesse. ¹³N'a-t-on pas appris à Monseigneur ce que j'ai fait quand Jézabel a massacré les prophètes de Yahvé ? J'ai caché cent des prophètes de Yahvé, cinquante à la fois, dans une grotte, et je les ai ravitaillés de pain et d'eau. ¹⁴Et maintenant, tu ordonnes : "Va dire à ton maître : voici Élie." Mais il me tuera ! » ¹⁵Élie lui répondit : « Aussi vrai que vit Yahvé Sabaot que je sers, aujourd'hui même je me montrerai à lui. »

Élie et Achab.

¹⁶Obadyahu partit à la rencontre d'Achab et lui annonça la chose ; et Achab alla au-devant d'Élie. ¹⁷Dès qu'il vit Élie, Achab lui dit : « Te voilà, toi, le fléau d'Israël ! » ¹⁸Élie répondit : « Ce n'est pas moi qui suis le fléau d'Israël, mais c'est toi et ta famille, parce que vous avez abandonné les commandements de Yahvé et que tu as suivi les Baals. ¹⁹Maintenant, envoie rassembler tout Israël près de moi sur le mont Carmel, avec les quatre cent cinquante prophètes de Baal, et les quatre cents prophètes d'Ashéra, qui mangent à la table de Jézabel. »

Le sacrifice du Carmel.

²⁰Achab convoqua tout Israël et rassembla les prophètes sur le mont Carmel. ²¹Élie s'approcha

de tout le peuple et dit : « Jusqu'à quand clocherez-vous des deux jarrets ? Si Yahvé est Dieu, suivez-le ; si c'est Baal, suivez-le. » Et le peuple ne put rien lui répondre. ²²Élie poursuivit : « Moi, je reste seul comme prophète de Yahvé, et les prophètes de Baal sont quatre cent cinquante. ²³Donnez-nous deux jeunes taureaux ; qu'ils en choisissent un pour eux, qu'ils le dépècent et le placent sur le bois, mais qu'ils n'y mettent pas le feu. Moi, je préparerai l'autre taureau et je le placerai sur le bois et je n'y mettrai pas le feu. ²⁴Vous invoquerez le nom de votre dieu et moi, j'invoquerai le nom de Yahvé : le dieu qui répondra par le feu, c'est lui qui est Dieu. » Tout le peuple répondit : « C'est bien. » ²⁵Élie dit alors aux prophètes de Baal : « Choisissez-vous un taureau et commencez, car vous êtes les plus nombreux. Invoquez le nom de votre dieu, mais ne mettez pas le feu. » ²⁶Ils prirent le taureau qu'il leur avait donné et le préparèrent, et ils invoquèrent le nom de Baal, depuis le matin jusqu'à midi, en disant : « Ô Baal, réponds-nous ! » Mais il n'y eut ni voix ni réponse ; et ils dansaient en pliant le genou devant l'autel qu'ils avaient fait. ²⁷À midi, Élie se moqua d'eux et dit : « Criez plus fort, car c'est un dieu : il a des soucis ou des affaires, ou bien il est en voyage ; peut-être il dort et il se réveillera ! » ²⁸Ils crièrent plus fort et ils se tailladèrent, selon leur coutume, avec des épées et des lances jusqu'à l'effusion du sang. ²⁹Quand midi fut passé, ils se mirent à vaticiner jusqu'à l'heure de la présentation de l'offrande, mais il n'y eut aucune voix, ni réponse, ni signe d'attention.

³⁰Alors Élie dit à tout le peuple : « Approchez-vous de moi » ; et tout le peuple s'approcha de lui. Il répara l'autel de Yahvé qui avait été démoli. ³¹Élie prit douze pierres, selon le nombre des tribus des fils de Jacob, à qui Dieu s'était adressé en disant : « Ton nom sera Israël », ³²et il construisit un autel au nom de Yahvé. Il fit un canal d'une contenance de deux boisseaux de semence autour de l'autel. ³³Il disposa le bois, dépeça le taureau et le plaça sur le bois. ³⁴Puis il dit : « Emplissez quatre jarres d'eau et versez-les sur l'holocauste et sur le bois » ; il dit : « Doublez », et ils doublèrent ; il dit : « Triplez », et ils triplèrent. ³⁵L'eau se répandit autour de l'autel et même le canal fut rempli d'eau. ³⁶À l'heure où l'on présente l'offrande, Élie le prophète s'approcha et dit : « Yahvé, Dieu d'Abraham, d'Isaac et d'Israël, qu'on sache aujourd'hui que tu es Dieu en Israël, que je suis ton serviteur et que c'est par ton ordre que j'ai accompli toutes ces choses. ³⁷Réponds-moi, Yahvé, réponds-moi, pour que ce peuple sache que c'est toi, Yahvé, qui es Dieu et qui convertis leur cœur ! » ³⁸Et le feu de Yahvé tomba et dévora l'holocauste et le bois, les pierres et la terre, et il absorba l'eau qui était dans le canal. ³⁹Tout le peuple le vit ; les gens tombèrent la face contre terre et dirent : « C'est Yahvé qui est Dieu ! C'est Yahvé qui est Dieu ! » ⁴⁰Élie leur dit : « Saisissez les prophètes de Baal, que pas

un d'eux n'échappe ! », et ils les saisirent. Élie les fit descendre près du torrent du Qishôn, et là il les égorgea.

La fin de la sécheresse.

⁴¹Élie dit à Achab : « Monte, mange et bois, car j'entends le grondement de la pluie. » ⁴²Pendant qu'Achab montait pour manger et boire, Élie monta vers le sommet du Carmel, il se courba vers la terre et mit son visage entre ses genoux. ⁴³Il dit à son serviteur : « Monte donc et regarde du côté de la mer. » Il monta, regarda et dit : « Il n'y a rien du tout. » Élie reprit : « Retourne sept fois. » ⁴⁴À la septième fois, le serviteur dit : « Voici un nuage, petit comme une main d'homme, qui monte de la mer. » Alors Élie dit : « Monte dire à Achab : Attelle et descends, pour que la pluie ne t'arrête pas. » ⁴⁵Sur le coup, le ciel s'obscurcit de nuages et de tempête et il y eut une grosse pluie. Achab monta en char et partit pour Yizréel. ⁴⁶La main de Yahvé fut sur Élie, il ceignit ses reins et courut devant Achab jusqu'à l'arrivée à Yizréel.

II. ÉLIE À L'HOREB

En route vers l'Horeb.

19 ¹Achab apprit à Jézabel tout ce qu'Élie avait fait et comment il avait massacré tous les prophètes par l'épée. ²Alors Jézabel envoya un messager à Élie avec ces paroles : « Que les dieux me fassent tel mal et y ajoutent tel autre, si demain à cette heure je ne fais pas de ta vie comme de la vie de l'un d'entre eux ! » ³Voyant cela, il se leva et partit pour sauver sa vie. Il arriva à Bersabée qui est à Juda, et il laissa là son serviteur. ⁴Pour lui, il marcha dans le désert un jour de chemin et il alla s'asseoir sous un genêt. Il souhaita de mourir et dit : « C'en est assez maintenant, Yahvé ! Prends ma vie, car je ne suis pas meilleur que mes pères. » ⁵Il se coucha et s'endormit sous un genêt. Mais voici qu'un ange le toucha et lui dit : « Lève-toi et mange. » ⁶Il regarda et voici qu'il y avait à son chevet une galette cuite sur les pierres chauffées et une gourde d'eau. Il mangea et but, puis il se recoucha. ⁷Mais l'ange de Yahvé revint une seconde fois, le toucha et dit : « Lève-toi et mange, autrement le chemin sera trop long pour toi. » ⁸Il se leva, mangea et but, puis soutenu par cette nourriture il marcha quarante jours et quarante nuits jusqu'à la montagne de Dieu, l'Horeb.

La rencontre avec Dieu. Ex 33 18 – 34 9.

⁹Là, il entra dans la grotte et il y resta pour la nuit. Voici que la parole de Yahvé lui fut adressée, lui disant : « Que fais-tu ici, Élie ? » ¹⁰Il répondit : « Je suis rempli d'un zèle jaloux pour Yahvé Sabaot, parce que les Israélites ont abandonné ton alliance, qu'ils ont abattu tes autels et tué tes prophètes par l'épée. Je suis resté moi seul et ils cherchent à m'enlever

la vie. » ¹¹Il lui fut dit : « Sors et tiens-toi dans la montagne devant Yahvé. » Et voici que Yahvé passa. Il y eut un grand ouragan, si fort qu'il fendait les montagnes et brisait les rochers, en avant de Yahvé, mais Yahvé n'était pas dans l'ouragan ; et après l'ouragan un tremblement de terre, mais Yahvé n'était pas dans le tremblement de terre ; ¹²et après le tremblement de terre un feu, mais Yahvé n'était pas dans le feu ; et après le feu, la voix d'un silence subtil. ¹³Dès qu'Élie l'entendit, il se voila le visage avec son manteau, il sortit et se tint à l'entrée de la grotte. Alors une voix lui parvint, qui dit : « Que fais-tu ici, Élie ? » ¹⁴Il répondit : « Je suis rempli d'un zèle jaloux pour Yahvé Sabaot, parce que les Israélites ont abandonné ton alliance, qu'ils ont abattu tes autels et tué tes prophètes par l'épée. Je suis resté moi seul, et ils cherchent à m'enlever la vie. »

¹⁵Yahvé lui dit : « Va, retourne par le même chemin, vers le désert de Damas. Tu iras oindre Hazaël comme roi d'Aram. ¹⁶Tu oin-dras Jéhu fils de Nimshi comme roi d'Israël, et tu oindras Élisée fils de Shaphat, d'Abel-Mehola, comme prophète à ta place. ¹⁷Celui qui échappera à l'épée de Hazaël, Jéhu le fera mourir, et celui qui échappera à l'épée de Jéhu, Élisée le fera mourir. ¹⁸Mais j'épargnerai en Israël sept milliers, tous les genoux qui n'ont pas plié devant Baal et toutes les bouches qui ne l'ont pas baisé. »

L'appel d'Élisée.

¹⁹Il partit de là et il trouva Élisée fils de Shaphat, tandis qu'il labourait douze arpents, lui-même étant au douzième. Élie passa près de lui et jeta sur lui son manteau. ²⁰Élisée abandonna ses bœufs, courut derrière Élie et dit : « Laisse-moi embrasser mon père et ma mère, puis j'irai à ta suite. » Élie lui répondit : « Va, retourne, que t'ai-je donc fait ? » ²¹Élisée le quitta, prit la paire de bœufs et l'immola. Il se servit du harnais des bœufs pour les faire cuire, et donna à ses gens, qui mangèrent. Puis il se leva et suivit Élie comme son serviteur.

III. GUERRES ARAMÉENNES

Siège de Samarie.

20 ¹Ben-Hadad, roi d'Aram, rassembla toute son armée – il y avait avec lui trente-deux rois, des chevaux et des chars – et il vint investir Samarie et lui donner l'assaut. ²Il envoya en ville des messagers à Achab, roi d'Israël, ³et lui fit dire : « Ainsi parle Ben-Hadad. Ton argent et ton or sont à moi, tes femmes et tes enfants les meilleurs sont à moi. » ⁴Le roi d'Israël donna cette réponse : « À tes ordres, Monseigneur le roi ! Je suis à toi avec tout ce qui m'appartient. »

⁵Mais les messagers revinrent et dirent : « Ainsi parle Ben-Hadad. Je t'ai mandé : "Donne-moi ton argent et ton or, tes femmes

et tes enfants." ⁶Sois sûr que demain à pareille heure, je t'enverrai mes serviteurs, ils fouilleront ta maison et les maisons de tes serviteurs, ils mettront la main sur tout ce qui était désirable à tes yeux et ils l'emporteront. »

⁷Le roi d'Israël convoqua tous les anciens du pays et dit : « Reconnaissez clairement que celui-là nous veut du mal ! Il me réclame mes femmes et mes enfants, pourtant je ne lui ai pas refusé mon argent et mon or, et je n'ai pas refusé. » ⁸Tous les anciens et tout le peuple lui dirent : « N'obéis pas ! ne consens pas ! » ⁹Il donna donc cette réponse aux messagers de Ben-Hadad : « Dites à Monseigneur le roi : Tout ce que tu as demandé à ton serviteur la première fois, je le ferai ; mais cette autre exigence, je ne puis la satisfaire. » Et les messagers partirent, emportant la réponse.

¹⁰Alors Ben-Hadad lui envoya ce message : « Que les dieux me fassent tel mal et qu'ils y ajoutent encore tel autre, s'il y a assez de poignées de décombres à Samarie pour tout le peuple qui me suit ! » ¹¹Mais le roi d'Israël fit cette réponse : « Dites : Que celui qui boucle son ceinturon ne se glorifie pas comme celui qui le défait ! » ¹²Lorsque Ben-Hadad apprit cela – il était à boire avec les rois sous les tentes –, il commanda à ses serviteurs : « À vos postes ! » et ils prirent leurs positions contre la ville.

Victoire israélite.

¹³Alors un prophète vint trouver Achab, roi d'Israël, et dit : « Ainsi parle Yahvé. As-tu vu cette grande foule ? Voici que je la livre aujourd'hui en ta main et tu reconnaîtras que je suis Yahvé. » ¹⁴Achab dit : « Par qui ? » Le prophète reprit : « Ainsi parle Yahvé : Par les cadets des chefs des districts. » Achab demanda : « Qui engagera le combat ? » Le prophète répondit : « Toi. »

¹⁵Achab passa en revue les cadets des chefs des districts. Ils étaient deux cent trente-deux. Après eux, il passa en revue toute l'armée, tous les Israélites, ils étaient sept mille. ¹⁶Ils firent une sortie à midi, alors que Ben-Hadad était à s'enivrer sous les tentes, lui et ces trente-deux rois, ses alliés. ¹⁷Les cadets des chefs des districts sortirent d'abord. On envoya dire à Ben-Hadad : « Des hommes sont sortis de Samarie. » ¹⁸Il dit : « S'ils sont sortis pour la paix, prenez-les vivants, et s'ils sont sortis pour le combat, prenez-les vivants aussi ! » ¹⁹Donc ceux-ci sortirent de la ville, les cadets des chefs des districts, puis l'armée derrière eux, ²⁰et ils frappèrent chacun son homme. Aram s'enfuit et Israël le poursuivit ; Ben-Hadad, roi d'Aram, se sauva sur un cheval avec des cavaliers. ²¹Alors le roi d'Israël sortit ; il frappa les chevaux et les chars et infligea à Aram une grande défaite.

Intermède.

²²Le prophète s'approcha du roi d'Israël et lui dit : « Allons ! Prends courage et considère bien ce que tu dois faire, car au retour de l'année le roi d'Aram marchera contre toi. »

²³Les serviteurs du roi d'Aram lui dirent : « Leur Dieu est un

il était écrit dans les lettres qu'elle leur avait envoyées. ¹²Ils proclamèrent un jeûne et mirent Nabot en tête du peuple. ¹³Alors arrivèrent les deux vauriens, qui s'assirent en face de lui, et les vauriens témoignèrent contre Nabot devant le peuple en disant : « Nabot a maudit Dieu et le roi. » On le fit sortir hors de la ville, on le lapida et il mourut. ¹⁴Puis on envoya dire à Jézabel : « Nabot a été lapidé et il est mort. » ¹⁵Lorsque Jézabel eut appris que Nabot avait été lapidé et qu'il était mort, elle dit à Achab : « Lève-toi et prends possession de la vigne de Nabot de Yizréel, qu'il n'a pas voulu te céder pour de l'argent, car Nabot n'est plus en vie, il est mort. » ¹⁶Quand Achab apprit que Nabot était mort, il se leva pour descendre à la vigne de Nabot de Yizréel et en prendre possession.

Élie fulmine la condamnation divine. 2 S 12.

¹⁷Alors la parole de Yahvé fut adressée à Élie le Tishbite en ces termes : ¹⁸« Lève-toi et descends à la rencontre d'Achab, roi d'Israël à Samarie. Le voici qui est dans la vigne de Nabot, où il est descendu pour se l'approprier. ¹⁹Tu lui diras ceci : Ainsi parle Yahvé : Tu as assassiné, et de plus tu usurpes ! Tu lui diras : Ainsi parle Yahvé : À l'endroit même où les chiens ont lapé le sang de Nabot, les chiens laperont ton sang à toi aussi. » ²⁰Achab dit à Élie : « Tu m'as donc rattrapé, ô mon ennemi ! » Élie répondit : « Oui, je t'ai rattrapé. Parce que tu as agi en fourbe, faisant ce qui déplaît à Yahvé, ²¹voici que je vais faire venir sur toi le malheur : je balaierai ta race, j'exterminerai les mâles de la famille d'Achab, liés ou libres en Israël. ²²Je traiterai ta maison comme celle de Jéroboam fils de Nebat et celle de Basha fils d'Ahiyya, car tu as provoqué ma colère et fait pécher Israël. ²³(Contre Jézabel aussi Yahvé a prononcé une parole : "Les chiens dévoreront Jézabel dans le champ de Yizréel.") ²⁴Celui de la famille d'Achab qui mourra dans la ville, les chiens le mangeront, et celui qui mourra dans la campagne, les oiseaux du ciel le mangeront. »

²⁵ Il n'y eut vraiment personne comme Achab pour agir en fourbe, faisant ce qui déplaît à Yahvé, parce que sa femme Jézabel l'avait séduit. ²⁶Il a agi d'une manière tout à fait abominable, s'attachant aux idoles, comme avaient fait les Amorites que Yahvé chassa devant les Israélites.

Repentir d'Achab.

²⁷Quand Achab entendit ces paroles, il déchira ses vêtements, mit un sac à même sa chair, jeûna, coucha avec le sac et marcha à pas lents. ²⁸Alors la parole de Yahvé fut adressée à Élie le Tishbite en ces termes : ²⁹« As-tu vu comme Achab s'est humilié devant moi ? Parce qu'il s'est humilié devant moi, je ne ferai pas venir le malheur pendant son temps ; c'est au temps de son fils que je ferai venir le malheur sur sa maison. »

V. NOUVELLE GUERRE ARAMÉENNE

Achab décide une expédition à Ramot de Galaad. ‖ 2 Ch 18.

22 ¹On fut tranquille pendant trois ans, sans combat entre Aram et Israël. ²La troisième année, Josaphat, roi de Juda, vint visiter le roi d'Israël. ³Le roi d'Israël dit à ses officiers : « Vous savez bien que Ramot de Galaad est à nous, et nous ne faisons rien pour l'arracher des mains du roi d'Aram ! » ⁴Il dit à Josaphat : « Viendras-tu avec moi combattre à Ramot de Galaad ? » Josaphat répondit au roi d'Israël : « Il en sera pour moi comme pour toi, pour mes gens comme pour tes gens, pour mes chevaux comme pour tes chevaux. »

Les faux prophètes prédisent le succès. ‖ 2 Ch 18 4-11.

⁵Cependant Josaphat dit au roi d'Israël : « Je te prie, consulte d'abord la parole de Yahvé. » ⁶Le roi d'Israël rassembla les prophètes au nombre d'environ quatre cents, et leur demanda : « Dois-je aller attaquer Ramot de Galaad, ou dois-je y renoncer ? » Ils répondirent : « Monte, Yahvé la livrera aux mains du roi. » ⁷Mais Josaphat dit : « N'y a-t-il donc ici aucun autre prophète de Yahvé, par qui nous puissions le consulter ? » ⁸Le roi d'Israël répondit à Josaphat : « Il y a encore un homme par qui on peut consulter Yahvé, mais je le hais, car il ne prophétise jamais le bien à mon sujet, rien que le mal, c'est Michée fils de Yimla. » Josaphat dit : « Que le roi ne parle pas ainsi ! » ⁹Le roi d'Israël appela un eu-

nuque et dit : « Fais vite venir Michée fils de Yimla. »

¹⁰Le roi d'Israël et Josaphat, roi de Juda, étaient assis chacun sur son siège, en grand costume, sur l'aire devant la porte de Samarie, et tous les prophètes se livraient à leurs transports devant eux. ¹¹Sédécias fils de Kenaana se fit des cornes de fer et dit : « Ainsi parle Yahvé. Avec cela tu encorneras les Araméens jusqu'au dernier. » ¹²Et tous les prophètes faisaient la même prédiction, disant : « Monte à Ramot de Galaad ! Tu réussiras, Yahvé la livrera aux mains du roi. »

Le prophète Michée prédit l'échec. ‖ 2 Ch 18 12-27.

¹³Le messager qui était allé chercher Michée lui dit : Voici que les prophètes n'ont qu'une seule bouche pour parler en faveur du roi. Tâche de parler comme l'un d'eux et prédis le succès. » ¹⁴Mais Michée répondit : « Par Yahvé vivant ! Ce que Yahvé me dira, c'est cela que j'énoncerai ! » ¹⁵Il arriva près du roi, et le roi lui demanda : « Michée, devons-nous aller à Ramot de Galaad pour combattre, ou devons-nous y renoncer ? » Il lui répondit : « Monte ! Tu réussiras. Yahvé la livrera aux mains du roi. » ¹⁶Mais le roi lui dit : « Combien de fois me faudra-t-il t'adjurer de ne me dire que la vérité au nom de Yahvé ? » ¹⁷Alors il prononça :

« J'ai vu tout Israël dispersé sur les montagnes

comme un troupeau sans pasteur.

Et Yahvé a dit : Ils n'ont plus de maître,
que chacun retourne en paix chez soi ! »

[18] Le roi d'Israël dit alors à Josaphat : « Ne t'avais-je pas dit qu'il prophétisait pour moi non le bien mais le mal ! » [19] Michée reprit : « Écoute plutôt la parole de Yahvé. J'ai vu Yahvé assis sur son trône ; toute l'armée du ciel se tenait en sa présence, à sa droite et à sa gauche. [20] Yahvé demanda : "Qui trompera Achab pour qu'il marche contre Ramot de Galaad et qu'il y succombe ?" Ils répondirent celui-ci d'une manière, celui-là d'une autre. [21] Alors l'Esprit s'avança et se tint devant Yahvé : "C'est moi, dit-il, qui le tromperai." Yahvé lui demanda : "Comment ?" [22] Il répondit : "J'irai et je me ferai esprit de mensonge dans la bouche de tous ses prophètes." Yahvé dit : "Tu le tromperas, tu réussiras. Va et fais ainsi." [23] Voici donc que Yahvé a mis un esprit de mensonge dans la bouche de tous tes prophètes qui sont là, mais Yahvé a prononcé contre toi le malheur. » [24] Alors Sédécias fils de Kenaana s'approcha et frappa Michée à la mâchoire, en disant : « Par où l'esprit de Yahvé m'a-t-il quitté pour te parler ? » [25] Michée repartit : « C'est ce que tu verras, le jour où tu fuiras dans une chambre retirée pour te cacher. » [26] Le roi d'Israël ordonna : « Saisis Michée et remets-le à Amôn, gouverneur de la ville, et au fils du roi Yoash. [27] Tu leur diras : Ainsi parle le roi. Mettez cet homme en prison et nourrissez-le strictement de pain et d'eau jusqu'à ce que je revienne sain et sauf. » [28] Michée dit : « Si tu reviens sain et sauf, c'est que Yahvé n'a pas parlé par ma bouche. Et il dit : Écoutez, tous les peuples. »

Mort d'Achab à Ramot de Galaad. ‖ 2 Ch **18** 28-34.

[29] Le roi d'Israël et Josaphat, roi de Juda, montèrent contre Ramot de Galaad. [30] Le roi d'Israël dit à Josaphat : « Je me déguiserai pour marcher au combat, mais toi, revêts ton costume ! » Le roi d'Israël se déguisa et marcha au combat. [31] Le roi d'Aram avait donné cet ordre à ses trente-deux commandants de chars : « Vous n'attaquerez ni petit ni grand, mais seulement le roi d'Israël. » [32] Lorsque les commandants de chars virent Josaphat, ils dirent : « C'est sûrement le roi d'Israël », et ils dirigèrent le combat de son côté ; mais Josaphat poussa son cri de guerre [33] et, lorsque les commandants de chars virent que ce n'était pas le roi d'Israël, ils s'éloignèrent de lui.

[34] Or un homme banda son arc sans savoir qui il visait et atteignit le roi d'Israël entre le corselet et les appliques de la cuirasse. Celui-ci dit à son charrier : « Tourne bride et fais-moi sortir du camp, car je me sens mal. » [35] Mais le combat devint plus violent ce jour-là, on soutint le roi debout sur son char en face des Araméens, et le soir il mourut ; le sang de sa blessure coulait dans le fond du char. [36] Au coucher du soleil, un cri se répandit dans le camp : « Chacun à sa ville et chacun à son pays ! » [37] Et le roi mourut ; on alla à Samarie et on en-

terra le roi à Samarie. [38]On lava à grande eau son char à l'étang de Samarie, les chiens lapèrent le sang et les prostituées s'y baignèrent, selon la parole que Yahvé avait dite.

VI. APRÈS LA MORT D'ACHAB

Conclusion du règne d'Achab.

[39]Le reste de l'histoire d'Achab, tout ce qu'il a fait, la maison d'ivoire qu'il construisit, toutes les villes qu'il bâtit, cela n'est-il pas écrit au livre des Annales des rois d'Israël ? [40]Achab se coucha avec ses pères et son fils Ochozias régna à sa place.

Règne de Josaphat en Juda (870-848). ‖ 2 Ch 20 31 – 21 1.

[41]Josaphat fils d'Asa devint roi sur Juda en la quatrième année d'Achab, roi d'Israël. [42]Josaphat avait trente-cinq ans à son avènement et il régna vingt-cinq ans à Jérusalem ; sa mère s'appelait Azuba, fille de Shilhi. [43]Il suivit entièrement la conduite de son père Asa, sans dévier, faisant ce qui est juste au regard de Yahvé. [44]Seulement, les hauts lieux ne disparurent pas ; le peuple continua d'offrir des sacrifices et de l'encens sur les hauts lieux. [45]Josaphat fut en paix avec le roi d'Israël.

[46]Le reste de l'histoire de Josaphat, la vaillance qu'il déploya et les guerres qu'il livra, cela n'est-il pas écrit au livre des Annales des rois de Juda ? [47]Le reste des pros-

titués sacrés qui avaient subsisté au temps de son père Asa, il les fit disparaître du pays. [48]Il n'y avait pas de roi établi sur Édom, mais un préfet y était roi. [49]Josaphat construisit des vaisseaux de Tarsis pour aller chercher l'or à Ophir, mais il ne put y aller, car les vaisseaux se brisèrent à Éçyôn-Gébèr. [50]Alors Ochozias fils d'Achab dit à Josaphat : « Mes serviteurs iront avec tes serviteurs sur les vaisseaux » ; mais Josaphat n'accepta pas. [51]Josaphat se coucha avec ses pères et on l'enterra avec ses pères dans la Cité de David, son ancêtre ; son fils Joram régna à sa place.

Le roi Ochozias d'Israël (853-852) et le prophète Élie.

[52]Ochozias, fils d'Achab, devint roi sur Israël à Samarie en la dix-septième année de Josaphat, roi de Juda, et régna deux ans sur Israël. [53]Il fit ce qui déplaît à Yahvé et suivit la voie de son père et celle de sa mère, et celle de Jéroboam fils de Nebat qui avait entraîné Israël au péché. [54]Il rendit un culte à Baal et se prosterna devant lui, et il irrita Yahvé, Dieu d'Israël, tout comme avait fait son père.

Deuxième livre
des Rois

1 ¹Après la mort d'Achab, Moab se révolta contre Israël.

²Comme Ochozias était tombé du balcon de son appartement à Samarie et qu'il allait mal, il envoya des messagers à qui il dit : « Allez consulter Baal Zebub, dieu d'Éqrôn, pour savoir si je guérirai de mon mal présent. » ³Mais l'Ange de Yahvé dit à Élie le Tishbite : « Debout ! monte à la rencontre des messagers du roi de Samarie et dis-leur : N'y a-t-il donc pas de Dieu en Israël, que vous alliez consulter Baal Zebub, dieu d'Éqrôn ? ⁴C'est pourquoi ainsi parle Yahvé : Le lit où tu es monté, tu n'en descendras pas, tu mourras certainement. » Et Élie s'en alla.

⁵Les messagers revinrent vers Ochozias, qui leur dit : « Pourquoi donc revenez-vous ? » ⁶Ils lui répondirent : « Un homme nous a abordés et nous a dit : "Allez, retournez auprès du roi qui vous a envoyés, et dites-lui : Ainsi parle Yahvé. N'y a-t-il donc pas de Dieu en Israël, que tu envoies consulter Baal Zebub, dieu d'Éqrôn ? C'est pourquoi le lit où tu es monté, tu n'en descendras pas, tu mourras certainement." » ⁷Il leur demanda : « De quel genre était l'homme qui vous a abordés et vous a dit ces paroles ? » ⁸Et ils lui répondirent : « C'était un homme avec une toison et un pagne de peau autour des reins. » Il dit : « C'est Élie le Tishbite ! »

⁹Il lui envoya un cinquantenier avec sa cinquantaine, qui monta vers lui – il était assis au sommet de la montagne – et lui dit : « Homme de Dieu ! Le roi a ordonné : Descends ! » ¹⁰Élie répondit et dit au cinquantenier : « Si je suis un homme de Dieu, qu'un feu descende du ciel et te dévore, toi et ta cinquantaine », et un feu descendit du ciel et le dévora, lui et sa cinquantaine. ¹¹Le roi lui envoya de nouveau un autre cinquantenier avec sa cinquantaine, qui prit la parole et lui dit : « Homme de Dieu ! Le roi a donné cet ordre : Dépêche-toi de descendre ! » ¹²Élie répondit et lui dit : « Si je suis un homme de Dieu, qu'un feu descende du ciel et te dévore, toi et ta cinquantaine », et un feu descendit du ciel et le dévora, lui et sa cinquantaine. ¹³Le roi envoya encore un troisième cinquantenier et sa cinquantaine. Le troisième cinquantenier arriva, plia les genoux devant Élie et le supplia ainsi : « Homme de Dieu ! Que ma vie et celle de ces cinquante serviteurs que voici aient quelque prix à tes yeux ! ¹⁴Un feu est descendu du ciel et a dévoré les deux premiers cinquanteniers et leur cinquantaine ; mais maintenant, que ma vie ait quelque prix à tes yeux ! » ¹⁵L'ange de Yahvé dit à Élie : « Descends avec lui, n'aie pas peur de lui. » Il se leva et des-

cendit avec lui vers le roi, [16]à qui il dit : « Ainsi parle Yahvé. Puisque tu as envoyé des messagers consulter Baal Zebub, dieu d'Éqrôn – n'y a-t-il donc pas de Dieu en Israël, dont la parole puisse être consultée ? –, eh bien ! tu ne descendras pas du lit où tu es monté, tu mourras certainement. »

[17]Il mourut, selon la parole de Yahvé qu'Élie avait prononcée. Joram devint roi à sa place – en la deuxième année de Joram fils de Josaphat, roi de Juda ; en effet il n'avait pas de fils. [18]Le reste de l'histoire d'Ochozias, ce qu'il a fait, cela n'est-il pas écrit au livre des Annales des rois d'Israël ?

6. Le cycle d'Élisée

I. LES DÉBUTS

Enlèvement d'Élie, qui a pour successeur Élisée.

2 [1]Voici ce qui arriva lorsque Yahvé enleva Élie au ciel dans le tourbillon : Élie et Élisée partirent de Gilgal, [2]et Élie dit à Élisée : « Reste donc ici, car Yahvé ne m'envoie qu'à Béthel » ; mais Élisée répondit : « Aussi vrai que Yahvé est vivant et que tu vis toi-même, je ne te quitterai pas ! » et ils descendirent à Béthel. [3]Les frères prophètes, qui résident à Béthel, sortirent à la rencontre d'Élisée et lui dirent : « Sais-tu qu'aujourd'hui Yahvé va emporter ton maître par-dessus ta tête ? » Il dit : « Moi aussi je sais ; silence ! » [4]Élie lui dit : « Élisée ! Reste donc ici, car Yahvé ne m'envoie qu'à Jéricho » ; mais il répondit : « Aussi vrai que Yahvé est vivant et que tu vis toi-même, je ne te quitterai pas ! » et ils allèrent à Jéricho. [5]Les frères prophètes qui résident à Jéricho s'approchèrent d'Élisée et lui dirent : « Sais-tu qu'aujourd'hui Yahvé

va emporter ton maître par-dessus ta tête ? » Il dit : « Moi aussi je sais ; silence ! » [6]Élie lui dit : « Reste donc ici, car Yahvé ne m'envoie qu'au Jourdain » ; mais il répondit : « Aussi vrai que Yahvé est vivant et que tu vis toi-même, je ne te quitterai pas ! » et ils s'en allèrent tous deux.

[7]Cinquante frères prophètes vinrent et s'arrêtèrent à distance, au loin, pendant que tous deux se tenaient au bord du Jourdain. [8]Alors Élie prit son manteau, le roula et frappa les eaux, qui se divisèrent d'un côté et de l'autre, et tous deux traversèrent à pied sec. [9]Dès qu'ils eurent passé, Élie dit à Élisée : « Demande : Que puis-je faire pour toi avant d'être enlevé d'auprès de toi ? » Et Élisée répondit : « Que me revienne une double part de ton esprit ! » [10]Élie reprit : « Tu demandes une chose difficile : si tu me vois pendant que je serai enlevé d'auprès de toi, cela t'arrivera ; sinon, cela n'arrivera pas. » [11]Or, comme ils marchaient en conversant, voici qu'un char de

feu et des chevaux de feu se mirent entre eux deux, et Élie monta au ciel dans le tourbillon. [12]Élisée voyait et il criait : « Mon père ! Mon père ! Char d'Israël et son attelage ! » puis il ne le vit plus et, saisissant ses vêtements, il les déchira en deux. [13]Il ramassa le manteau d'Élie, qui avait glissé, et revint se tenir sur la rive du Jourdain.

[14]Il prit le manteau d'Élie qui avait glissé et il frappa les eaux en disant : « Où est Yahvé, le Dieu d'Élie ? » Il frappa lui aussi les eaux, qui se divisèrent d'un côté et de l'autre, et Élisée traversa. [15]Les frères prophètes de Jéricho le virent à distance et dirent : « L'esprit d'Élie s'est reposé sur Élisée ! » ; ils vinrent à sa rencontre et se prosternèrent à terre devant lui. [16]Ils lui dirent : « Il y a ici avec tes serviteurs cinquante braves. Permets qu'ils aillent à la recherche de ton maître ; peut-être l'Esprit de Yahvé l'a-t-il enlevé et jeté sur quelque montagne ou dans quelque vallée », mais il répondit : « N'envoyez personne. » [17]Cependant, comme ils l'importunaient de leurs instances, il dit : « Envoyez ! » Ils envoyèrent donc cinquante hommes, qui cherchèrent pendant trois jours sans le trouver. [18]Ils revinrent vers Élisée qui était resté à Jéricho, et il leur dit : « Ne vous avais-je pas prévenus de ne pas aller ? »

La puissance d'Élisée.

[19]Les hommes de la ville dirent à Élisée : « La ville est un séjour agréable, comme Monseigneur peut voir, mais les eaux sont malsaines et le pays stérile. » [20]Il dit : « Apportez-moi une écuelle neuve où vous aurez mis du sel », et ils la lui apportèrent. [21]Il alla où jaillissaient les eaux, il y jeta du sel et dit : « Ainsi parle Yahvé : J'assainis ces eaux, il ne viendra plus de là ni mort ni stérilité. » [22]Et les eaux furent assainies jusqu'à ce jour, selon la parole qu'Élisée avait dite.

[23]Il monta de là à Béthel, et, comme il montait par le chemin, de jeunes garçons sortirent de la ville et se moquèrent de lui, en disant : « Monte, tondu ! Monte, tondu ! » [24]Il se retourna, les vit et les maudit au nom de Yahvé. Alors deux ourses sortirent du bois et déchirèrent quarante-deux des enfants. [25]Il alla de là au mont Carmel, puis il revint à Samarie.

II. LA GUERRE MOABITE

Règne de Joram en Israël (852-841).

3 [1]Joram fils d'Achab devint roi sur Israël à Samarie en la dix-huitième année de Josaphat roi de Juda, et il régna douze ans. [2]Il fit ce qui déplaît à Yahvé ; non pas pourtant comme son père et sa mère, car il supprima la stèle de Baal que son père avait faite. [3]Seulement, il resta attaché aux péchés où Jéroboam fils de Nebat entraîna Israël et ne s'en détourna pas.

Expédition d'Israël et de Juda contre Moab.

[4]Mésha, roi de Moab, était éleveur de troupeaux et il livrait en

tribut au roi d'Israël cent mille agneaux et cent mille béliers avec leur laine ; [5]mais, à la mort d'Achab, le roi de Moab se révolta contre le roi d'Israël.

[6]En ce temps-là, le roi Joram sortit de Samarie et passa en revue tout Israël. [7]Ensuite, il envoya ce message à Josaphat, roi de Juda : « Le roi de Moab s'est révolté contre moi. Viendras-tu faire la guerre avec moi en Moab ? » Il répondit : « Je viendrai ! Il en sera pour moi comme pour toi ; pour mon peuple comme pour ton peuple, pour mes chevaux comme pour tes chevaux ! » [8]Il ajouta : « Par quel chemin monterons-nous ? » et l'autre répondit : « Par le chemin du désert d'Édom. »

[9]Le roi d'Israël, le roi de Juda et le roi d'Édom partirent. Ils firent un détour de sept jours de marche et l'eau manqua pour la troupe et pour les bêtes de somme qui suivaient. [10]Le roi d'Israël s'écria : « Malheur ! c'est que Yahvé a appelé les trois rois que nous sommes pour les livrer aux mains de Moab ! » [11]Mais le roi de Juda dit : « N'y a-t-il pas ici un prophète de Yahvé, que nous consultions Yahvé par lui ? » Alors un des serviteurs du roi d'Israël répondit : « Il y a Élisée fils de Shaphat, qui versait l'eau sur les mains d'Élie. » [12]Josaphat dit : « Il a la parole de Yahvé. » Le roi d'Israël, Josaphat et le roi d'Édom descendirent donc vers lui. [13]Mais Élisée dit au roi d'Israël : « Qu'ai-je à faire avec toi ? Va trouver les prophètes de ton père et les prophètes de ta mère ! » Le roi d'Israël lui répondit : « Mais non ! c'est que Yahvé a appelé les trois rois que nous som-

mes pour les livrer aux mains de Moab ! » [14]Élisée reprit : « Par la vie de Yahvé Sabaot, que je sers, si je n'avais égard à Josaphat, roi de Juda, je ne ferais pas attention à toi, je ne te regarderais même pas. [15]Maintenant, amenez-moi un musicien. » Or, comme le musicien jouait, la main de Yahvé fut sur lui [16]et il dit : « Ainsi parle Yahvé : "Creusez dans cette vallée des fosses et des fosses", [17]car ainsi parle Yahvé : "Vous ne verrez pas de vent, vous ne verrez pas de pluie, et cette vallée se remplira d'eau, et vous boirez, vous, vos troupeaux et vos bêtes de somme." [18]Encore cela est-il peu aux yeux de Yahvé, car il livrera Moab entre vos mains. [19]Vous frapperez toutes les villes fortes et toutes les villes de choix, vous abattrez tous les arbres de rapport, vous boucherez toutes les sources et vous désolerez tous les meilleurs champs en y jetant des pierres. » [20]Or, le matin à l'heure de la présentation de l'offrande, voici que l'eau venait de la direction d'Édom et la contrée en fut remplie.

[21]Les Moabites ayant appris que les rois étaient montés pour les combattre, tous ceux qui étaient en âge de porter les armes et au-delà furent convoqués, et ils se tenaient sur la frontière. [22]Quand ils se levèrent le matin et que le soleil brilla sur les eaux, les Moabites virent de loin les eaux rouges comme du sang. [23]Ils dirent : « C'est du sang ! Sûrement les rois se sont entre-tués, ils se sont mutuellement frappés. Et maintenant, au pillage, Moab ! » [24]Mais quand ils arrivèrent au camp des Israélites, ceux-ci se

dressèrent et battirent les Moabites, qui s'enfuirent devant eux ; et
ils allèrent de l'avant, les taillant
en pièces. 25Ils détruisaient les villes, ils jetaient chacun sa pierre
dans tous les meilleurs champs
pour les remplir, ils bouchaient
toutes les sources et abattaient tous
les arbres de rapport. Finalement,
il ne resta plus à Qir-Haréset que
ses pierres : les frondeurs l'encer-
clèrent et la battirent de leurs
coups. 26Quand le roi de Moab vit
qu'il ne pouvait pas soutenir le
combat, il prit avec lui sept cents
hommes armés de l'épée pour faire
une trouée et aller vers le roi
d'Édom, mais ils n'y réussirent
pas. 27Alors il prit son fils aîné, qui
devait régner à sa place, et il l'offrit
en holocauste sur le rempart. Il y
eut une grande colère sur les Israélites, qui décampèrent loin de lui et
rentrèrent au pays.

III. QUELQUES MIRACLES D'ÉLISÉE

L'huile de la veuve. 1 R 17 8-15.

4 1La femme d'un des frères
prophètes implora Élisée en
ces termes : « Ton serviteur, mon
mari, est mort, et tu sais que ton
serviteur craignait Yahvé. Or le
prêteur sur gages est venu pour
prendre mes deux enfants et en faire ses esclaves. » 2Élisée lui dit :
« Que puis-je faire pour toi ? Dis-
moi, qu'as-tu à la maison ? » Elle
répondit : « Ta servante n'a rien du
tout à la maison, sauf un flacon
d'huile. » 3Alors, il dit : « Va emprunter dehors des vases à tous tes
voisins, des vases vides et pas trop
peu ! 4Puis tu rentreras, tu fermeras
la porte sur toi et sur tes fils et tu
verseras l'huile dans tous ces vases, en les mettant de côté à mesure
qu'ils seront pleins. » 5Elle le quitta et ferma la porte sur elle et sur
ses fils ; ceux-ci lui tendaient les
vases et elle ne cessait de verser.
6Or, quand les vases furent pleins,
elle dit à son fils : « Tends-moi encore un vase », mais il répondit :
« Il n'y a plus de vase » ; alors
l'huile cessa de couler. 7Elle alla
rendre compte à l'homme de Dieu,
qui dit : « Va vendre cette huile, tu
rachèteras ton gage et tu vivras du
reste, toi et tes fils ! »

Élisée, la Shunamite et son fils.

8Un jour qu'Élisée passait à
Shunem, une femme de qualité
qui y vivait l'invita à table. Depuis, chaque fois qu'il passait, il
se rendait là pour manger. 9Elle
dit à son mari : « Vois ! Je suis
sûre que c'est un saint homme de
Dieu qui passe toujours par chez
nous. 10Construisons-lui donc une
petite chambre haute avec des
murs, et nous y mettrons pour lui
un lit, une table, un siège et une
lampe : quand il viendra chez
nous, il se retirera là. » 11Un jour
qu'il vint là, il se retira dans la
chambre haute et s'y coucha. 12Il
dit à Géhazi son serviteur : « Appelle cette Shunamite. » – Il l'appela et elle se tint devant lui.
– 13Élisée reprit : « Dis-lui : Tu
t'es donné tout ce souci pour
nous. Que peut-on faire pour toi ?
Y a-t-il un mot à dire pour toi au

roi ou au chef de l'armée ? » Mais elle répondit : « Je séjourne au milieu des miens. » ¹⁴Il continua : « Alors, que peut-on faire pour elle ? » Géhazi répondit : « Eh bien ! Elle n'a pas de fils et son mari est âgé. » ¹⁵Élisée dit : « Appelle-la. » – Le serviteur l'appela et elle se tint à l'entrée. ¹⁶– « En cette saison, l'an prochain, dit-il, tu tiendras un fils dans tes bras. » Mais elle dit : « Non, Monseigneur homme de Dieu, ne trompe pas ta servante ! » ¹⁷Or la femme conçut et elle enfanta un fils en cette saison, l'année suivante, comme lui avait dit Élisée.

1 R 17 17-24.

¹⁸L'enfant grandit. Un jour il alla trouver son père auprès des moissonneurs ¹⁹et il dit à son père : « Oh ! ma tête ! ma tête ! » et le père ordonna à un serviteur de le porter à sa mère. ²⁰Celui-ci le prit et le conduisit à sa mère ; il resta sur ses genoux jusqu'à midi et il mourut. ²¹Elle monta l'étendre sur le lit de l'homme de Dieu, ferma la porte et sortit. ²²Elle appela son mari et dit : « Envoie-moi l'un des serviteurs avec une ânesse, je cours chez l'homme de Dieu et je reviens. » ²³Il demanda : « Pourquoi vas-tu chez lui aujourd'hui ? Ce n'est pas la néoménie ni le sabbat », mais elle répondit : « Reste en paix. » ²⁴Elle fit seller l'ânesse et dit à son serviteur : « Mène-moi, va ! Ne m'arrête pas en route sans que je te l'ordonne » ; ²⁵elle partit et alla vers l'homme de Dieu, au mont Carmel. Lorsque l'homme de Dieu la vit de loin, il dit à son serviteur Géhazi : « Voici cette Shunamite. ²⁶Maintenant, cours à

sa rencontre et demande-lui : Vas-tu bien ? Ton mari va-t-il bien ? Ton enfant va-t-il bien ? » Elle répondit : « Bien. » ²⁷Quand elle rejoignit l'homme de Dieu sur la montagne, elle saisit ses pieds. Géhazi s'approcha pour la repousser, mais l'homme de Dieu dit : « Laisse-la, car son âme est dans l'amertume ; Yahvé me l'a caché, il ne m'a rien annoncé. » ²⁸Elle dit : « Avais-je demandé un fils à Monseigneur ? Ne t'avais-je pas dit de ne pas me leurrer ? »

²⁹Élisée dit à Géhazi : « Ceins tes reins, prends mon bâton en main et va ! Si tu rencontres quelqu'un, tu ne le salueras pas, et si quelqu'un te salue, tu ne lui répondras pas. Tu étendras mon bâton au-dessus de l'enfant. » ³⁰Mais la mère de l'enfant dit : « Aussi vrai que Yahvé est vivant et que tu vis toi-même, je ne te quitterai pas ! » Alors il se leva et la suivit. ³¹Géhazi les avait précédés et il avait étendu le bâton au-dessus de l'enfant, mais il n'y eut ni voix ni réaction. Il revint au-devant d'Élisée et lui rapporta ceci : « L'enfant ne s'est pas réveillé. » ³²Élisée arriva à la maison ; là était l'enfant, mort et couché sur son propre lit. ³³Il entra, ferma la porte sur eux deux et pria Yahvé. ³⁴Puis il monta sur le lit, s'étendit sur l'enfant, mit sa bouche contre sa bouche, ses yeux contre ses yeux, ses mains contre ses mains, il se replia sur lui et la chair de l'enfant se réchauffa. ³⁵Il se remit à marcher de long en large dans la maison, puis remonta et se replia sur lui : alors l'enfant éternua jusqu'à sept fois et ouvrit les yeux. ³⁶Il appela Géhazi et lui

dit : « Fais venir cette Shunamite. » Il l'appela. Lorsqu'elle arriva près de lui, il dit : « Prends ton fils. » [37]Elle entra, tomba à ses pieds et se prosterna à terre, puis elle prit son fils et sortit.

La marmite empoisonnée.

[38]Élisée revint à Gilgal pendant que la famine était dans le pays. Comme les frères prophètes étaient assis devant lui, il dit à son serviteur : « Mets la grande marmite sur le feu et cuis une soupe pour les frères prophètes. » [39]L'un d'eux sortit dans la campagne pour ramasser des herbes, trouva des sarments sauvages, sur lesquels il cueillit des coloquintes, plein son vêtement. Il revint et les coupa en morceaux dans la marmite de soupe, car on ne savait pas ce que c'était. [40]On versa à manger aux hommes. Mais à peine eurent-ils goûté le potage qu'ils poussèrent un cri : « Homme de Dieu ! Il y a la mort dans la marmite ! » et ils ne purent pas manger. [41]Alors Élisée dit : « Eh bien ! apportez de la farine. » Il la jeta dans la marmite et dit : « Verse aux gens et qu'ils mangent. » – Il n'y avait plus rien de mauvais dans la marmite.

La multiplication des pains.

Mt 14 13-21 ; 15 32-38.

[42]Un homme vint de Baal-Shalisha et apporta à l'homme de Dieu du pain de prémices, vingt pains d'orge et du grain frais dans sa besace. Celui-ci ordonna : « Offre aux gens et qu'ils mangent », [43]mais son serviteur répondit : « Comment servirai-je cela à cent personnes ? » Il reprit : « Offre aux gens et qu'ils mangent, car ainsi a parlé Yahvé : "On mangera et on en aura de reste." » [44]Il leur servit, ils mangèrent et en eurent de reste, selon la parole de Yahvé.

La guérison de Naamân.

5 [1]Naamân, chef de l'armée du roi d'Aram, était un homme en grande considération et faveur auprès de son maître, car c'était par lui que Yahvé avait accordé la victoire aux Araméens, mais ce vaillant homme était lépreux. [2]Or les Araméens, sortis en razzia, avaient enlevé du territoire d'Israël une petite fille qui était entrée au service de la femme de Naamân. [3]Elle dit à sa maîtresse : « Ah ! si seulement mon maître s'adressait au prophète de Samarie ! Il le délivrerait de sa lèpre. » [4]Naamân alla informer son seigneur : « Voilà, dit-il, de quelle et quelle manière a parlé la jeune fille qui vient du pays d'Israël. » [5]Le roi d'Aram répondit : « Pars donc, je vais envoyer une lettre au roi d'Israël. » Naamân partit, prenant avec lui dix talents d'argent, six mille sicles d'or et dix habits de fête. [6]Il présenta au roi d'Israël la lettre, ainsi conçue : « En même temps que te parvient cette lettre, je t'envoie mon serviteur Naamân, pour que tu le délivres de sa lèpre. » [7]À la lecture de la lettre, le roi d'Israël déchira ses vêtements et dit : « Suis-je un dieu qui puisse donner la mort et la vie, pour que celui-là me demande de délivrer quelqu'un de sa lèpre ? Pour sûr, rendez-vous bien compte qu'il me cherche querelle ! »

[8]Mais quand Élisée l'homme de Dieu apprit que le roi d'Israël

avait déchiré ses vêtements, il fit dire au roi : « Pourquoi as-tu déchiré tes vêtements ? Qu'il vienne donc vers moi, et il saura qu'il y a un prophète en Israël. » [9]Naamân arriva avec son attelage et son char et s'arrêta à la porte de la maison d'Élisée, [10]et Élisée envoya un messager lui dire : « Va te baigner sept fois dans le Jourdain, ta chair redeviendra nette. » [11]Naamân, irrité, s'en alla en disant : « Je m'étais dit : Sûrement il sortira et se présentera lui-même, puis il invoquera le nom de Yahvé son Dieu, il agitera la main sur l'endroit malade et délivrera la partie lépreuse. [12]Est-ce que les fleuves de Damas, l'Abana et le Parpar, ne valent pas mieux que toutes les eaux d'Israël ? Ne pourrais-je pas m'y baigner pour être purifié ? » Il tourna bride et partit en colère. [13]Mais ses serviteurs s'approchèrent et s'adressèrent à lui en ces termes : « Mon père ! Si le prophète t'avait prescrit quelque chose de difficile, ne l'aurais-tu pas fait ? Combien plus, lorsqu'il te dit : "Baigne-toi et tu seras purifié." » [14]Il descendit donc et se plongea sept fois dans le Jourdain, selon la parole de l'homme de Dieu : sa chair redevint comme la chair d'un petit enfant ; il était purifié.

[15]Il revint chez l'homme de Dieu avec toute son escorte, il entra, se présenta devant lui et dit : « Oui, je sais désormais qu'il n'y a pas de Dieu par toute la terre sauf en Israël ! Maintenant, accepte, je te prie, un présent de ton serviteur. » [16]Mais Élisée répondit : « Aussi vrai qu'est vivant Yahvé que je sers, je n'accepterai

rien. » Naamân le pressa d'accepter, mais il refusa. [17]Alors Naamân dit : « Puisque c'est non, permets qu'on donne à ton serviteur de quoi charger de terre deux mulets, car ton serviteur n'offrira plus ni holocauste ni sacrifice à d'autres dieux qu'à Yahvé. [18]Seulement, que Yahvé pardonne ceci à ton serviteur : quand mon maître va au temple de Rimmôn pour y adorer, il s'appuie sur mon bras et je me prosterne dans le temple de Rimmôn. Veuille Yahvé, quand je me prosternerai dans le temple de Rimmôn, pardonner cette action à son serviteur ! » [19]Élisée lui répondit : « Va en paix », et Naamân s'éloigna un bout de chemin.

[20]Géhazi, le serviteur d'Élisée, l'homme de Dieu, se dit : « Mon maître a ménagé Naamân, cet Araméen, en n'acceptant pas de lui ce qu'il avait offert. Aussi vrai que Yahvé est vivant, je cours après lui et j'en obtiendrai quelque chose. » [21]Et Géhazi se lança à la poursuite de Naamân. Lorsque Naamân le vit courir derrière lui, il sauta de son char à sa rencontre et demanda : « Cela va-t-il bien ? » [22]Il répondit : « Bien. Mon maître m'a envoyé te dire : À l'instant m'arrivent deux jeunes gens de la montagne d'Éphraïm, des frères prophètes. Donne pour eux, je te prie, un talent d'argent et deux habits de fête. » [23]Naamân dit : « Veuille accepter deux talents », et il insista ; il lia les deux talents d'argent dans deux sacs, avec les deux habits de fête, et les remit à deux de ses serviteurs qui les portèrent devant Géhazi. [24]Quand il arriva à l'Ophel, il les prit de leurs mains et les déposa

dans la maison ; puis il congédia les hommes, qui s'en allèrent. [25]Quant à lui, il vint se tenir près de son maître. Élisée lui demanda : « D'où viens-tu, Géhazi ? » Il répondit : « Ton serviteur n'est allé nulle part. » [26]Mais Élisée lui dit : « Mon cœur n'était-il pas présent lorsque quelqu'un a quitté son char à ta rencontre ? Maintenant tu as reçu l'argent, et tu peux acheter avec cela jardins, oliviers et vignes, petit et gros bétail, serviteurs et servantes. [27]Mais la lèpre de Naamân s'attachera à toi et à ta postérité pour toujours. » Et Géhazi s'éloigna de lui blanc de lèpre comme la neige.

La hache perdue et retrouvée.

6 [1]Les frères prophètes dirent à Élisée : « Voici que l'endroit où nous habitons près de toi est trop étroit pour nous. [2]Allons donc jusqu'au Jourdain ; nous y prendrons chacun une poutre et nous nous ferons là une demeure. » Il répondit : « Allez. » [3]L'un d'eux dit : « Consens à accompagner tes serviteurs », et il répondit : « J'irai » ; [4]il partit avec eux. Arrivés au Jourdain, ils coupèrent le bois. [5]Or, comme l'un deux abattait sa poutre, la lame de fer tomba dans l'eau, et il s'écria : « Hélas, Monseigneur ! Et encore elle était empruntée ! » [6]Mais l'homme de Dieu lui demanda : « Où est-elle tombée ? » et l'autre lui montra la place. Alors il cassa un bout de bois, le jeta à cet endroit et fit flotter le fer. [7]Il dit : « Retire-le », et l'homme étendit la main et le prit.

IV. GUERRES ARAMÉENNES

Élisée capture tout un détachement araméen.

[8]Le roi d'Aram était en guerre avec Israël. Il tint conseil avec ses officiers et dit : « À telle et telle place sera mon camp. » [9]Mais l'homme de Dieu envoya dire au roi d'Israël : « Sois sur tes gardes, ne traverse pas cette place, car les Araméens y descendent », [10]et le roi d'Israël envoya des hommes à la place que l'homme de Dieu lui avait dite. Il l'avertissait et le roi se tenait sur ses gardes, et cela pas rien qu'une ou deux fois. [11]Le cœur du roi d'Aram fut troublé par cette affaire, il convoqua ses officiers et leur demanda : « Ne m'apprendrez-vous pas qui parmi les nôtres est pour le roi d'Israël ? » [12]L'un de ses officiers répondit : « Non, Monseigneur le roi ; c'est Élisée, le prophète d'Israël, qui révèle au roi d'Israël les paroles que tu prononces dans ta chambre à coucher. » [13]Il dit : « Allez, voyez où il est, et j'enverrai le saisir. » On lui fit ce rapport : « Voici qu'il est à Dotân. » [14]Alors le roi envoya là-bas des chevaux, des chars et une forte troupe, qui arrivèrent de nuit et cernèrent la ville.

[15]Le serviteur de l'homme de Dieu se leva de bon matin et sortit. Et voilà qu'une troupe entourait la ville avec des chevaux et des chars ! Son serviteur lui dit : « Ah !

Monseigneur, comment allons-nous faire ? » [16]Mais il répondit : « N'aie pas peur, car il y en a plus avec nous qu'avec eux. » [17]Et Élisée fit cette prière : « Yahvé, daigne ouvrir ses yeux pour qu'il voie ! » Yahvé ouvrit les yeux du serviteur et il vit : voilà que la montagne était couverte de chevaux et de chars de feu autour d'Élisée !

[18]Comme les Araméens descendaient vers lui, Élisée pria ainsi Yahvé : « Daigne frapper ces gens de berlue », et il les frappa de berlue, selon la parole d'Élisée. [19]Alors Élisée leur dit : « Ce n'est pas le chemin, et ce n'est pas la ville. Suivez-moi, je vous conduirai vers l'homme que vous cherchez. » Mais il les conduisit à Samarie. [20]À leur entrée dans Samarie, Élisée dit : « Yahvé, ouvre les yeux de ces gens et qu'ils voient. » Yahvé ouvrit leurs yeux et ils virent : voilà qu'ils étaient au milieu de Samarie !

[21]Le roi d'Israël, en les voyant, dit à Élisée : « Faut-il les tuer, mon père ? » [22]Mais il répondit : « Ne les tue pas. Ceux même que ton épée et ton arc ont fait captifs, les mets-tu à mort ? Offre-leur du pain et de l'eau pour qu'ils mangent et qu'ils boivent, et qu'ils aillent chez leur maître. » [23]Le roi leur servit un grand festin ; après qu'ils eurent mangé et bu, il les congédia et ils partirent chez leur maître. Les bandes araméennes ne revinrent plus sur le territoire d'Israël.

La famine dans Samarie assiégée.

[24]Il advint, après cela, que Ben-Hadad, roi d'Aram, rassembla toute son armée et vint mettre le siège devant Samarie. [25]Il y eut une grande famine à Samarie et le siège fut si dur que la tête d'âne valait quatre-vingts sicles d'argent et le quarteron d'oignons sauvages cinq sicles d'argent.

[26]Comme le roi d'Israël passait sur le rempart, une femme lui cria : « Au secours, Monseigneur le roi ! » [27]Il répondit : « Si Yahvé ne te secourt pas, d'où pourrais-je te secourir ? Serait-ce de l'aire ou du pressoir ? » [28]Puis le roi lui dit : « Qu'as-tu ? » Elle reprit : « Cette femme m'a dit : "Donne ton fils, que nous le mangions aujourd'hui, et nous mangerons mon fils demain." [29]Nous avons fait cuire mon fils et nous l'avons mangé ; le jour d'après, je lui ai dit : "Donne ton fils, que nous le mangions", mais elle a caché son fils. » [30]Quand le roi entendit les paroles de cette femme, il déchira ses vêtements ; le roi passait sur le rempart, et le peuple vit qu'en dessous, il portait le sac à même le corps. [31]Il dit : « Que Dieu me fasse tel mal et y ajoute tel autre, si la tête d'Élisée fils de Shaphat lui reste aujourd'hui sur les épaules ! »

Élisée annonce la fin imminente de l'épreuve.

[32]Élisée était assis dans sa maison et les anciens étaient assis avec lui, et le roi se fit précéder par un messager. Mais avant que celui-ci n'arrivât jusqu'à lui, Élisée dit aux anciens : « Avez-vous vu que ce fils d'assassin a donné l'ordre qu'on m'ôte la tête ! Voyez : quand arrivera le messager, fermez la porte et repoussez-le avec la porte. Est-ce que le bruit des pas de son maître ne le suit

point ? » [33]Il leur parlait encore que le messager descendit chez lui et dit : « Voici que tout ce mal vient de Yahvé ! Pourquoi garderais-je confiance en Yahvé ? »

7 [1]Élisée dit : « Écoutez la parole de Yahvé ! Ainsi parle Yahvé : Demain à pareille heure, on aura un boisseau de gruau pour un sicle et deux boisseaux d'orge pour un sicle à la porte de Samarie. » [2]L'écuyer sur le bras de qui s'appuyait le roi répondit à l'homme de Dieu : « À supposer même que Yahvé fasse des fenêtres dans le ciel, cette parole se réaliserait-elle ? » Élisée dit : « Tu le verras de tes yeux, mais tu n'en mangeras pas. »

On découvre le camp araméen abandonné.

[3]Or quatre hommes se trouvaient – car ils étaient lépreux – à l'entrée de la porte et ils se disaient entre eux : « Pourquoi restons-nous ici à attendre la mort ? [4]Si nous décidons d'entrer en ville, il y a la famine dans la ville et nous y mourrons ; si nous restons ici, nous mourrons de même. Venez ! Désertons et passons au camp des Araméens : s'ils nous laissent la vie, nous vivrons, et s'ils nous tuent, eh bien ! nous mourrons ! » [5]Au crépuscule, ils se levèrent pour aller au camp des Araméens ; ils arrivèrent à la limite du camp, et voilà qu'il n'y avait personne ! [6]Car Yahvé avait fait entendre dans le camp des Araméens un bruit de chars et de chevaux, le bruit d'une grande armée, et ils s'étaient dit entre eux : « Le roi d'Israël a pris à solde contre nous les rois des Hittites et

les rois d'Égypte, pour qu'ils marchent contre nous. » [7]Ils se levèrent et s'enfuirent au crépuscule : abandonnant leurs tentes, leurs chevaux et leurs ânes, bref le camp comme il était, ils s'enfuirent pour sauver leur vie. [8]Ces lépreux donc arrivèrent à la limite du camp et pénétrèrent dans une tente ; ayant mangé et bu, ils emportèrent de là argent, or et vêtements qu'ils allèrent cacher. Puis ils revinrent, pénétrèrent dans une autre tente et en emportèrent du butin qu'ils allèrent cacher.

Fin du siège et de la famine.

[9]Alors ils se dirent entre eux : « Nous faisons là quelque chose d'injuste. Ce jour-ci est un jour de bonne nouvelle, et nous nous taisons ! Si nous attendons que le matin se lève, un châtiment nous frappera. Maintenant, venez ! Allons porter la nouvelle au palais. » [10]Ils vinrent, appelèrent les gardes à la porte de la ville et leur annoncèrent : « Nous sommes allés au camp des Araméens. Il n'y a là personne, aucun bruit humain, seulement les chevaux à l'entrave, les ânes à l'entrave, et les tentes telles quelles. » [11]Les gardes de la porte crièrent, et on porta la nouvelle à l'intérieur du palais.

[12]Le roi se leva de nuit et dit à ses officiers : « Je vais vous expliquer ce que les Araméens nous ont fait. Comme ils savent que nous sommes affamés, ils ont quitté le camp pour se cacher dans la campagne en se disant : ils sortiront de la ville, nous les prendrons vivants et nous entrerons dans la ville. » [13]L'un de ses officiers répondit : « Qu'on prenne donc cinq des che-

vaux survivants, qui restent ici – il leur arrivera comme à l'ensemble d'Israël qui reste dans la ville, comme à l'ensemble d'Israël qui a péri –, nous les enverrons et nous verrons. » [14]On prit deux attelages, que le roi envoya derrière les Araméens en disant : « Allez et voyez. » [15]Ils les suivirent jusqu'au Jourdain ; la route était jonchée de vêtements et de matériel que les Araméens avaient abandonnés dans leur panique ; les messagers revinrent et informèrent le roi.

[16]Le peuple sortit et pilla le camp des Araméens : le boisseau de gruau fut à un sicle et les deux boisseaux d'orge à un sicle, selon la parole de Yahvé. [17]Le roi avait mis de surveillance à la porte l'écuyer sur le bras duquel il s'appuyait ; le peuple le foula aux pieds, à la porte, et il mourut, selon ce qu'avait dit l'homme de Dieu (ce qu'il avait dit lorsque le roi était descendu chez lui. [18]Il arriva ce que l'homme de Dieu dit au roi : « On aura deux boisseaux d'orge pour un sicle et un boisseau de gruau pour un sicle, demain à pareille heure, à la porte de Samarie. » [19]L'écuyer répondit à l'homme de Dieu : « À supposer même que Yahvé fasse des fenêtres dans le ciel, cette parole se réaliserait-elle ? » Élisée dit : « Tu le verras de tes yeux, mais tu n'en mangeras pas. » [20]C'est ce qui lui arriva : le peuple le foula aux pieds à la porte, et il mourut).

Épilogue à l'histoire de la Shunamite.

8 [1]Élisée avait dit à la femme dont il avait fait revenir le fils à la vie : « Lève-toi, va-t'en avec ta famille et séjourne où tu pourras, car Yahvé a appelé la famine, déjà elle vient sur le pays, pour sept ans. » [2]La femme se leva et fit ce qu'avait dit l'homme de Dieu : elle partit, elle et sa famille, et séjourna sept ans au pays des Philistins. [3]Au bout de sept années, cette femme revint du pays des Philistins et elle alla faire appel au roi pour sa maison et pour son champ.

[4]Or le roi s'entretenait avec Géhazi, le serviteur de l'homme de Dieu : « Raconte-moi, disait-il, toutes les grandes choses qu'Élisée a faites. » [5]Il racontait justement au roi comment il avait fait revivre l'enfant mort quand la femme dont Élisée avait ressuscité le fils en appela au roi pour sa maison et pour son champ, et Géhazi dit : « Monseigneur le roi, voici cette femme, et voici son fils qu'Élisée a fait revenir à la vie. » [6]Le roi interrogea la femme et elle lui fit le récit. Alors le roi lui donna un eunuque, auquel il commanda : « Qu'on lui restitue tout ce qui est à elle et tous les revenus du champ depuis le jour où elle a quitté le pays jusqu'à maintenant. »

Élisée et Hazaël de Damas.

[7]Élisée vint à Damas. Le roi d'Aram, Ben-Hadad, était malade et on lui annonça : « L'homme de Dieu est venu jusque chez nous. » [8]Alors le roi dit à Hazaël : « Prends avec toi un présent, va au-devant de l'homme de Dieu et consulte par lui Yahvé pour savoir si je guérirai de ce mal que j'ai. » [9]Hazaël alla au-devant d'Élisée et emporta en présent tout ce qu'il y avait de meilleur à Damas, la

charge de quarante chameaux. Il vint et, se tenant devant lui : « Ton fils Ben-Hadad roi d'Aram, dit-il, m'a envoyé te demander : Guérirai-je de mon mal présent ? » [10]Élisée lui répondit : « Va lui dire : "Tu peux guérir", mais Yahvé m'a fait voir que sûrement tu mourra. » [11]Puis ses traits se figèrent, il les figea à l'extrême, et l'homme de Dieu pleura. [12]Hazaël dit : « Pourquoi Monseigneur pleure-t-il ? » Élisée répondit : « C'est que je sais le mal que tu feras aux Israélites : tu mettras le feu à leurs places fortes, tu tueras par l'épée l'élite de leurs guerriers, tu écraseras leurs petits enfants, tu éventreras leurs femmes enceintes. » [13]Hazaël dit : « Mais qu'est ton serviteur ? Comment ce chien pourrait-il accomplir cette grande chose ? » Élisée répondit : « Dans une vision de Yahvé, je t'ai vu roi d'Aram. »

[14]Hazaël quitta Élisée et alla chez son maître, qui lui demanda : « Que t'a dit Élisée ? » Il répondit : « Il m'a dit que tu pourrais guérir. » [15]Le lendemain, il prit une couverture, qu'il trempa dans l'eau et étendit sur sa figure. Ben-Hadad mourut et Hazaël régna à sa place.

Règne de Joram en Juda (848-841). ‖ 2 Ch 21.

[16]La cinquième année de Joram fils d'Achab, roi d'Israël – Josaphat étant roi de Juda –, Joram fils de Josaphat devint roi de Juda. [17]Il avait trente-deux ans à son avènement et régna huit ans à Jérusalem. [18]Il imita la conduite des rois d'Israël, comme avait fait la maison d'Achab, car c'était une fille

d'Achab qu'il avait prise comme épouse, et il fit ce qui déplaît à Yahvé. [19]Cependant Yahvé ne voulut pas détruire Juda, à cause de son serviteur David, selon la promesse qu'il lui avait faite de lui laisser une lampe, ainsi qu'à ses fils, pour toujours.

[20]De son temps, Édom s'affranchit de la domination de Juda et se donna un roi. [21]Joram passa à Çaïr, et avec lui tous les chars... Il se leva de nuit et força la ligne des Édomites qui l'encerclaient, et les commandants de chars avec lui ; le peuple s'enfuit à ses tentes. [22]Ainsi Édom s'affranchit de la domination de Juda, jusqu'à ce jour ; Libna aussi se révolta. Dans ce temps-là...

[23]Le reste de l'histoire de Joram, tout ce qu'il a fait, cela n'est-il pas écrit au livre des Annales des rois de Juda ? [24]Joram se coucha avec ses pères et on l'enterra avec ses pères dans la Cité de David. Son fils Ochozias régna à sa place.

Règne d'Ochozias en Juda (841). ‖ 2 Ch 22 1-6.

[25]La douzième année de Joram fils d'Achab, roi d'Israël, Ochozias fils de Joram devint roi de Juda. [26]Ochozias avait vingt-deux ans à son avènement et il régna un an à Jérusalem. Le nom de sa mère était Athalie, fille d'Omri, roi d'Israël. [27]Il imita la conduite de la famille d'Achab et fit ce qui déplaît à Yahvé, comme la famille d'Achab, car il lui était allié.

[28]Il alla avec Joram fils d'Achab pour combattre Hazaël, roi d'Aram, à Ramot de Galaad. Mais les Araméens blessèrent Joram.

²⁹Le roi Joram revint à Yizréel pour faire soigner les blessures reçues des Araméens à Ramot lorsqu'il combattait Hazaël roi d'Aram, et Ochozias fils de Joram, roi de Juda, descendit à Yizréel pour visiter Joram fils d'Achab parce qu'il était souffrant.

V. HISTOIRE DE JÉHU

Un disciple d'Élisée donne l'onction royale à Jéhu.

9 ¹Le prophète Élisée appela l'un des frères prophètes et lui dit : « Ceins tes reins, prends avec toi cette fiole d'huile et va à Ramot de Galaad. ²Arrivé là, cherche à voir Jéhu fils de Yehoshaphat fils de Nimshi. L'ayant trouvé, fais qu'il se lève d'entre ses compagnons et conduis-le dans une chambre retirée. ³Tu prendras la fiole d'huile et tu la répandras sur sa tête en disant : "Ainsi parle Yahvé. Je t'ai oint comme roi d'Israël", puis ouvre la porte et sauve-toi sans tarder. »

⁴Le jeune homme, le jeune prophète, partit pour Ramot de Galaad. ⁵Lorsqu'il arriva, les chefs de l'armée étaient assis ensemble ; il dit : « J'ai un mot à te dire, chef. » Jéhu demanda : « Auquel d'entre nous ? » Il répondit : « À toi, chef. » ⁶Alors Jéhu se leva et entra dans la maison. Le jeune homme lui versa l'huile sur la tête et lui dit : « Ainsi parle Yahvé, Dieu d'Israël. Je t'ai oint comme roi sur le peuple de Yahvé, sur Israël. ⁷Tu frapperas la maison d'Achab, ton maître, et je vengerai le sang de mes serviteurs les prophètes et de tous les serviteurs de Yahvé sur Jézabel ⁸et toute la maison d'Achab périra. J'exterminerai les mâles de la famille d'Achab, liés ou libres en Israël. ⁹Je traiterai la maison d'Achab comme celle de Jéroboam fils de Nebat et celle de Basha fils d'Ahiyya. ¹⁰Quant à Jézabel, les chiens la dévoreront dans le champ de Yizréel ; personne ne l'enterrera. » Puis il ouvrit la porte et s'enfuit.

Jéhu est proclamé roi.

¹¹Jéhu sortit pour rejoindre les officiers de son maître. Ils lui demandèrent : « Tout va-t-il bien ? Pourquoi ce fou est-il venu à toi ? » Il répondit : « Vous connaissez l'homme et sa chanson ! » ¹²Mais ils dirent : « C'est faux ! Explique-nous donc ! » Il dit : « Il m'a parlé de telle et telle façon et a dit : Ainsi parle Yahvé : Je t'ai oint comme roi d'Israël. » ¹³Aussitôt, tous prirent leurs manteaux et les étendirent sous lui, à même les degrés ; ils sonnèrent du cor et crièrent : « Jéhu est roi ! »

Jéhu prépare l'usurpation du pouvoir.

¹⁴Jéhu fils de Yehoshaphat fils de Nimshi forma une conspiration contre Joram. – Joram, avec tout Israël, gardait alors Ramot de Galaad contre une attaque de Hazaël, roi d'Aram. ¹⁵Mais le roi Joram était revenu à Yizréel pour faire soigner les blessures que les Araméens lui avaient infligées dans

les combats qu'il soutenait contre Hazaël, roi d'Aram. – Jéhu dit : « Si c'est votre sentiment, que personne ne s'échappe de la ville et n'aille porter la nouvelle à Yizréel ! » [16]Jéhu monta en char et partit pour Yizréel ; Joram y était alité et Ochozias, roi de Juda, était descendu le visiter.

[17]Le guetteur, posté sur la tour de Yizréel, vit la troupe de Jéhu qui arrivait et annonça : « Je vois une troupe. » Joram ordonna : « Qu'on prenne un cavalier, qu'on l'envoie au-devant de ces gens et qu'il demande : Cela va-t-il bien ? » [18]Le cavalier alla au-devant de Jéhu et demanda : « Ainsi parle le roi : Cela va-t-il bien ? » – « Que t'importe si cela va bien ? répondit Jéhu. Passe derrière moi. » Le guetteur annonça : « Le messager les a rejoints et ne revient pas. » [19]Le roi envoya un second cavalier ; celui-ci les rejoignit et demanda : « Ainsi parle le roi : Cela va-t-il bien ? » – « Que t'importe si cela va bien ? répondit Jéhu. Passe derrière moi. » [20]Le guetteur annonça : « Il les a rejoints et ne revient pas. La manière de conduire est celle de Jéhu fils de Nimshi : il conduit comme un fou ! » [21]Joram dit : « Qu'on attelle ! » et on attela son char. Joram, roi d'Israël, et Ochozias, roi de Juda, partirent, chacun sur son char, au-devant de Jéhu. Ils se rejoignirent dans le champ de Nabot de Yizréel.

Meurtre de Joram.

[22]Dès que Joram vit Jéhu, il demanda : « Cela va-t-il bien, Jéhu ? » Celui-ci répondit : « Quelle question, tant que durent les prostitutions de ta mère Jézabel et ses nombreux sortilèges ! » [23]Joram tourna bride et s'enfuit, en disant à Ochozias : « Trahison, Ochozias ! » [24]Jéhu avait bandé son arc, il atteignit Joram entre les épaules et la flèche traversa le cœur du roi, qui s'affaissa sur son char. [25]Jéhu dit à Bidqar son écuyer : « Enlève-le et jette-le dans le champ de Nabot de Yizréel. Souviens-toi : lorsque moi et toi nous étions tous deux en char derrière son père Achab, Yahvé a prononcé contre lui cette sentence : [26]"Je l'assure ! J'ai vu hier le sang de Nabot et le sang de ses fils, oracle de Yahvé. Je te rendrai la pareille dans ce champ même, oracle de Yahvé." Enlève-le donc et jette-le dans le champ, selon la parole de Yahvé. »

Meurtre d'Ochozias. ‖ 2 Ch 22 8-9.

[27]Quand Ochozias, roi de Juda, eut vu cela, il prit la fuite sur la route de Bet-ha-Gân, mais Jéhu le poursuivit et ordonna : « Lui aussi, frappez-le ! » On le blessa sur son char, à la montée de Gur, qui est près de Yibleam, et il se réfugia à Megiddo où il mourut. [28]Ses serviteurs le portèrent en char à Jérusalem et l'ensevelirent dans son tombeau avec ses pères, dans la Cité de David. [29]C'était en la onzième année de Joram fils d'Achab qu'Ochozias était devenu roi de Juda.

Meurtre de Jézabel.

[30]Jéhu rentra à Yizréel et Jézabel l'apprit. Elle se farda les yeux, s'orna la tête, se mit à la fenêtre [31]et, lorsque Jéhu franchit la porte, elle dit : « Cela va-t-il bien, Zimri, assassin de son maître ? » [32]Jéhu leva la tête vers la fenêtre et dit :

« Qui est avec moi, qui ? » et deux ou trois eunuques se penchèrent vers lui. [33]Il dit : « Jetez-la en bas. » Ils la jetèrent en bas, son sang éclaboussa le mur et les chevaux, et Jéhu lui passa sur le corps. [34]Il entra, mangea et but, puis il ordonna : « Occupez-vous de cette maudite et donnez-lui la sépulture, car elle est fille de roi. » [35]On alla pour l'ensevelir, mais on ne trouva d'elle que le crâne, les pieds et les mains. [36]On revint en informer Jéhu, qui dit : « C'est la parole de Yahvé, qu'il a prononcée par le ministère de son serviteur Élie le Tishbite : "Dans le champ de Yizréel, les chiens dévoreront la chair de Jézabel, [37]le cadavre de Jézabel sera comme du fumier épandu dans la campagne, dans le champ de Yizréel, en sorte qu'on ne pourra pas dire : C'est Jézabel !" »

Massacre de la famille royale d'Israël. Jg 9 5. 1 R 15 29 ; 16 11. 2 R 11 1.

10 [1]Il y avait à Samarie soixante-dix fils d'Achab. Jéhu écrivit des lettres qu'il envoya à Samarie aux commandants de la ville, aux anciens et aux tuteurs des enfants d'Achab. Il disait : [2]« Maintenant – quand cette lettre vous parviendra –, vous avez avec vous les fils de votre maître, vous avez les chars et les chevaux, une ville forte et des armes. [3]Voyez quel est, parmi les fils de votre maître, le meilleur et le plus digne, mettez-le sur le trône de son père, et combattez pour la maison de votre maître. » [4]Ils eurent une très grande peur et dirent : « Voilà que les deux rois n'ont pas tenu devant lui, comment pourrions-nous tenir nous-mêmes ? » [5]Le maître du palais, le

commandant de la ville, les anciens et les tuteurs envoyèrent ce message à Jéhu : « Nous sommes tes serviteurs, nous ferons tout ce que tu ordonneras, nous ne proclamerons pas de roi, fais ce qui te paraît bon. » [6]Jéhu leur écrivit une seconde lettre, où il disait : « Si donc vous êtes pour moi et si vous voulez m'écouter, prenez les chefs des hommes de la maison de votre maître et venez me trouver demain à cette heure à Yizréel. » (Il y avait soixante-dix fils du roi chez les grands de la ville, qui les élevaient.) [7]Dès que cette lettre leur parvint, ils prirent les fils du roi, les égorgèrent tous les soixante-dix, mirent leurs têtes dans des corbeilles et les lui envoyèrent à Yizréel. [8]Le messager vint annoncer à Jéhu : « On a apporté les têtes des fils du roi. » Il dit : « Mettez-les en deux tas à l'entrée de la porte, jusqu'au matin. » [9]Le matin, il sortit et, se tenant debout, il dit à tout le peuple : « Soyez sans reproche ! Moi, j'ai conspiré contre mon maître et je l'ai assassiné, mais tous ceux-là, qui les a tués ? [10]Sachez donc que rien ne tombera à terre de l'oracle que Yahvé a prononcé contre la famille d'Achab : Yahvé a fait ce qu'il avait dit par le ministère de son serviteur Élie. » [11]Et Jéhu frappa tous ceux qui restaient de la maison d'Achab à Yizréel, tous ses grands, ses familiers, ses prêtres ; il n'en laissa échapper aucun.

Massacre des princes de Juda. ‖ 2 Ch 22 8.

[12]Jéhu partit et alla à Samarie. Comme il était en route, à Bet-Éqèd-des-Pasteurs, [13]il y trouva

les frères d'Ochozias, roi de Juda, et demanda : « Qui êtes-vous ? » Ils répondirent : « Nous sommes les frères d'Ochozias et nous descendons saluer les fils du roi et les fils de la reine mère. » ¹⁴Il ordonna : « Prenez-les vivants. » On les prit vivants et il les égorgea à la citerne de Bet-Éqèd, au nombre de quarante-deux ; il n'en épargna pas un seul.

Jéhu et Yonadab.

¹⁵Parti de là, il trouva Yonadab fils de Rékab, qui venait à sa rencontre ; il le salua et lui dit : « Ton cœur est-il loyalement avec le mien, comme mon cœur est avec le tien ? » Yonadab répondit : « Oui. » – « Si c'est oui, donne-moi la main. » Yonadab lui donna la main et Jéhu le fit monter près de lui sur le char. ¹⁶Il lui dit : « Viens avec moi, tu admireras mon zèle pour Yahvé », et il l'emmena sur son char. ¹⁷Il entra dans Samarie et frappa tous les survivants de la famille d'Achab à Samarie, il l'extermina, selon la parole que Yahvé avait dite à Élie.

Massacre des fidèles de Baal et destruction de son temple.

¹⁸Jéhu rassembla tout le peuple et lui dit : « Achab a vénéré Baal un peu, Jéhu va le vénérer beaucoup. ¹⁹Maintenant, appelez-moi tous les prophètes de Baal, tous ses fidèles et tous ses prêtres, qu'il n'en manque pas un, car j'ai à offrir un grand sacrifice à Baal. Quiconque s'abstiendra perdra la vie. » – Jéhu agissait par ruse, pour anéantir les fidèles de Baal. – ²⁰Il ordonna : « Convoquez une assemblée sainte pour Baal » ; et ils la convoquèrent. ²¹Jéhu envoya des messagers dans tout Israël et tous les fidèles de Baal arrivèrent, il n'en resta pas un qui ne vînt. Ils se rendirent au temple de Baal, qui fut rempli d'un mur à l'autre. ²²Jéhu dit au gardien du vestiaire : « Sors des vêtements pour tous les fidèles de Baal », et il sortit pour eux les vêtements. ²³Jéhu vint au temple de Baal avec Yonadab fils de Rékab et dit aux fidèles de Baal : « Assurez-vous bien qu'il n'y a pas de serviteurs de Yahvé ici avec vous, mais rien que des fidèles de Baal », ²⁴et il s'avança pour offrir des sacrifices et des holocaustes.

Or Jéhu avait posté au-dehors quatre-vingts de ses gens et avait dit : « Si l'un de vous laisse échapper un des hommes que je vais vous livrer, sa vie paiera pour la vie de l'autre. » ²⁵Lorsque Jéhu eut achevé d'offrir l'holocauste, il ordonna aux gardes et aux écuyers : « Entrez, frappez-les ! Que pas un ne sorte ! » Les gardes et les écuyers entrèrent, les passèrent au fil de l'épée et arrivèrent jusqu'au sanctuaire du temple de Baal. ²⁶Ils enlevèrent la stèle du temple de Baal et la brûlèrent. ²⁷Ils démolirent la stèle de Baal, ils démolirent aussi le temple de Baal et en firent un cloaque, ce qu'il est resté jusqu'à maintenant.

Règne de Jéhu en Israël (841-814).

²⁸Ainsi Jéhu fit que Baal disparut d'Israël. ²⁹Cependant Jéhu ne se détourna pas des péchés de Jéroboam fils de Nebat, où il avait entraîné Israël, les veaux d'or de Béthel et de Dan. ³⁰Yahvé dit à Jéhu : « Parce que tu as bien exécuté

ce qui m'était agréable et que tu as accompli tout ce que j'avais dans le cœur contre la maison d'Achab, tes fils jusqu'à la quatrième génération s'assiéront sur le trône d'Israël. » ³¹Mais Jéhu ne suivit pas fidèlement et de tout son cœur la loi de Yahvé, Dieu d'Israël : il ne se détourna pas des péchés de Jéroboam, où il avait entraîné Israël.

³²En ce temps-là, Yahvé commença à tailler dans Israël et Hazaël battit les Israélites dans tout le territoire ³³à partir du Jourdain vers le soleil levant, tout le pays de Galaad, le pays des Gadites, des Rubénites, des Manassites, depuis Aroër qui est sur le torrent d'Arnon, Galaad et Bashân.

³⁴Le reste de l'histoire de Jéhu, tout ce qu'il a fait, tous ses exploits, cela n'est-il pas écrit au livre des Annales des rois d'Israël ? ³⁵Il se coucha avec ses pères et on l'enterra à Samarie ; son fils Joachaz devint roi à sa place. ³⁶Jéhu avait régné sur Israël pendant vingt-huit ans à Samarie.

VI. DU RÈGNE D'ATHALIE À LA MORT D'ÉLISÉE

Histoire d'Athalie (841-835).
|| 2 Ch **22** 9 – **23** 21.

11 ¹Lorsque la mère d'Ochozias, Athalie, eut appris que son fils était mort, elle entreprit d'exterminer toute la descendance royale. ²Mais Yehosheba, fille du roi Joram et sœur d'Ochozias, retira furtivement Joas, le fils d'Ochozias, du groupe des fils du roi qu'on massacrait et elle le mit, avec sa nourrice, dans la chambre des lits ; elle le déroba ainsi à Athalie et il ne fut pas mis à mort. ³Il resta six ans avec elle, caché dans le Temple de Yahvé, pendant qu'Athalie régnait sur le pays.

⁴La septième année, Yehoyada envoya chercher les centeniers des Cariens et des gardes, et les fit venir auprès de lui, dans le Temple de Yahvé. Il conclut un pacte avec eux, leur fit prêter serment dans le temple de Yahvé et leur montra le fils du roi. ⁵Il leur donna cet ordre : « Voici ce que vous allez faire : le tiers de ceux d'entre vous qui terminent le jour du sabbat et assurent la garde du palais royal, ⁶le tiers à la porte de Sûr et le tiers à la porte derrière les gardes, vous prendrez la faction au temple, à tour de rôle. ⁷Quant aux deux sections d'entre vous qui prennent le service le jour du sabbat, elles assureront la faction au Temple de Yahvé, auprès du roi. ⁸Vous ferez un cercle autour du roi ; chacun aura ses armes à la main et quiconque voudra forcer vos rangs sera mis à mort. Vous accompagnerez le roi dans ses allées et venues. »

⁹Les centeniers firent tout ce que leur avait ordonné le prêtre Yehoyada. Ils prirent chacun leurs hommes, ceux terminant le service le jour du sabbat en même temps que ceux débutant le jour du sabbat. Ils vinrent auprès du prêtre Yehoyada. ¹⁰Le prêtre donna aux centeniers les lances et les boucliers du roi David, qui étaient dans le Temple de Yahvé. ¹¹Les

gardes se rangèrent, leurs armes à la main, depuis l'angle sud jusqu'à l'angle nord du Temple, entourant le roi. ¹²Alors Yehoyada fit sortir le fils du roi, il lui imposa le diadème et lui remit le document de l'alliance ; on le fit roi et on lui donna l'onction. On battit des mains et on cria : « Vive le roi ! »

¹³Entendant la clameur des gardes et du peuple, Athalie se rendit vers le peuple au Temple de Yahvé. ¹⁴Quand elle vit le roi debout sur l'estrade, selon l'usage, les chefs et les trompettes près du roi, tout le peuple du pays exultant de joie et sonnant de la trompette, Athalie déchira ses vêtements et cria : « Trahison ! Trahison ! » ¹⁵Alors le prêtre Yehoyada donna un ordre aux centeniers chargés de la troupe : « Faites-la sortir entre les rangs, leur dit-il, et si quelqu'un la suit, qu'on le passe au fil de l'épée » ; car le prêtre s'était dit : « Il ne faut pas qu'elle soit tuée dans le Temple de Yahvé. » ¹⁶Ils mirent la main sur elle et, quand elle arriva au palais royal par l'Entrée des Chevaux, là elle fut mise à mort.

¹⁷Yehoyada conclut entre Yahvé, le roi et le peuple l'alliance par laquelle celui-ci s'obligeait à être le peuple de Yahvé ; de même entre le roi et le peuple. ¹⁸Tout le peuple du pays se rendit ensuite au temple de Baal et le démolit ; on brisa de belle façon ses autels et ses images et on tua Mattân, prêtre de Baal, devant les autels. Le prêtre établit des postes de surveillance pour le Temple de Yahvé, ¹⁹puis il prit des centeniers, les Cariens et les gardes, et tout le peuple du pays. Ils firent

descendre le roi du Temple de Yahvé et entrèrent au palais par la porte des Gardes. Joas s'assit sur le trône des rois. ²⁰Tout le peuple du pays était en liesse et la ville était calme. Quant à Athalie, on la fit périr par l'épée dans le palais royal.

Règne de Joas en Juda (835-796). ‖ 2 Ch 24 1-16, 23-27.

12 ¹Joas avait sept ans à son avènement. ²En la septième année de Jéhu, Joas devint roi et il régna quarante ans à Jérusalem ; sa mère s'appelait Çibya et était de Bersabée. ³Joas fit ce qui est agréable à Yahvé, pendant toute sa vie, car le prêtre Yehoyada l'avait instruit. ⁴Seulement, les hauts lieux ne disparurent pas et le peuple continuait d'offrir sacrifices et encens sur les hauts lieux.

⁵Joas dit aux prêtres : « Tout l'argent des redevances sacrées qu'on apporte au Temple de Yahvé, l'argent des taxes personnelles et tout l'argent offert volontairement au Temple, ⁶les prêtres le recevront chacun des gens de sa connaissance et ils feront au Temple toutes les réparations qu'il y a à faire. » ⁷Or, en la vingt-troisième année du roi Joas, les prêtres n'avaient pas réparé le Temple ; ⁸alors le roi Joas appela le prêtre Yehoyada et les prêtres et il leur dit : « Pourquoi ne réparez-vous pas le Temple ? Il ne faut plus que vous receviez l'argent des gens de votre connaissance, vous le donnerez pour le dommage du Temple. » ⁹Les prêtres consentirent à ne pas accepter d'argent du peuple et à n'être plus chargés de réparer le Temple.

¹⁰Le prêtre Yehoyada prit un coffre, perça un trou dans son couvercle et le plaça à côté de l'autel, à droite quand on entre dans le Temple de Yahvé, et les prêtres gardiens du seuil y déposaient tout l'argent livré au Temple de Yahvé. ¹¹Quand ils voyaient qu'il y avait beaucoup d'argent dans le coffre, le secrétaire royal et le grand prêtre montaient, ramassaient puis comptaient l'argent qui se trouvait dans le Temple de Yahvé. ¹²Une fois l'argent éprouvé, on le remettait aux maîtres d'œuvre attachés au Temple de Yahvé et ceux-ci le dépensaient pour les charpentiers et les ouvriers du bâtiment qui travaillaient au Temple de Yahvé, ¹³pour les maçons et les tailleurs de pierres, et pour acheter le bois et les pierres de taille, destinés à la réparation du Temple de Yahvé, bref pour tous les frais de réparation du Temple. ¹⁴Mais on ne faisait dans le Temple de Yahvé ni bassins d'argent, ni couteaux, ni bols à aspersion, ni trompettes, ni aucun objet d'or ou d'argent avec l'argent qui y était livré; ¹⁵on le donnait aux maîtres d'œuvre qui l'employaient à réparer le Temple de Yahvé. ¹⁶On ne tenait pas de comptes avec les gens aux mains desquels on remettait l'argent pour le donner aux artisans, car ils agissaient avec probité. ¹⁷Quant à l'argent versé pour la satisfaction d'un délit ou d'un péché, il n'était pas livré au Temple de Yahvé, il était pour les prêtres.

¹⁸Alors Hazaël, roi d'Aram, partit en guerre contre Gat et la prit, puis il se disposa à monter contre Jérusalem. ¹⁹Joas, roi de Juda, prit tout ce qu'avaient consacré les rois de Juda, ses pères, Josaphat, Joram et Ochozias, ce qu'il avait consacré lui-même et tout l'or qu'on trouva dans les trésors du Temple de Yahvé et du palais royal; il envoya le tout à Hazaël, roi d'Aram, et celui-ci s'éloigna de Jérusalem.

²⁰Le reste de l'histoire de Joas et tout ce qu'il a fait, cela n'est-il pas écrit au livre des Annales des rois de Juda? ²¹Ses officiers se soulevèrent et ourdirent un complot; ils frappèrent Joas au Bet-Millo à la descente de Silla. ²²Ce furent Yozakar fils de Shiméat et Yehozabad fils de Shomer qui le frappèrent, et il mourut. On l'enterra avec ses pères dans la Cité de David et son fils Amasias régna à sa place.

Règne de Joachaz en Israël (814-798).

13 ¹En la vingt-troisième année de Joas fils d'Ochozias, roi de Juda, Joachaz fils de Jéhu devint roi sur Israël à Samarie. Il régna dix-sept ans. ²Il fit ce qui déplaît à Yahvé et imita le péché de Jéroboam fils de Nebat, où celui-ci avait entraîné Israël; il ne s'en détourna pas.

³Alors la colère de Yahvé s'enflamma contre les Israélites et il les livra à Hazaël, roi d'Aram, et à Ben-Hadad, fils de Hazaël, tout le temps. ⁴Mais Joachaz chercha à apaiser Yahvé, et Yahvé l'exauça, car il avait vu l'oppression que le roi d'Aram faisait subir à Israël. ⁵Yahvé donna à Israël un libérateur; ils s'affranchirent de l'em-

prise d'Aram, et les Israélites habitèrent leurs tentes comme auparavant. ⁶Seulement, ils ne se détournèrent pas du péché de la maison de Jéroboam, où celle-ci avait entraîné Israël : ils y persistèrent, et même le pieu sacré resta dressé à Samarie. ⁷Yahvé ne laissa comme troupes à Joachaz que cinquante cavaliers, dix chars et dix mille hommes de pied ; le roi d'Aram les avait exterminés et rendus comme poussière qu'on foule aux pieds.

⁸Le reste de l'histoire de Joachaz, tout ce qu'il a fait et ses exploits, cela n'est-il pas écrit au livre des Annales des rois d'Israël ? ⁹Joachaz se coucha avec ses pères, on l'enterra à Samarie et son fils Joas régna à sa place.

Règne de Joas en Israël (798-783).

¹⁰En la trente-septième année de Joas, roi de Juda, Joas fils de Joachaz devint roi sur Israël à Samarie ; il régna seize ans. ¹¹Il fit ce qui déplaît à Yahvé, il ne se détourna pas du péché de Jéroboam fils de Nebat, où celui-ci avait entraîné Israël, il y persista.

¹²Le reste de l'histoire de Joas, tout ce qu'il a fait et ses exploits, comment il fit la guerre à Amasias, roi de Juda, cela n'est-il pas écrit au livre des Annales des rois d'Israël ? ¹³Joas se coucha avec ses pères et Jéroboam monta sur son trône. Joas fut enterré à Samarie avec les rois d'Israël.

Mort d'Élisée.

¹⁴Quand Élisée fut frappé de la maladie dont il devait mourir, Joas, le roi d'Israël, descendit vers lui, pleura sur son visage et dit : « Mon père ! Mon père ! Char d'Israël et son attelage ! » ¹⁵Élisée lui dit : « Va chercher un arc et des flèches », et il alla chercher un arc et des flèches. ¹⁶Élisée dit au roi d'Israël : « Bande l'arc », et il le banda. Élisée mit ses mains sur les mains du roi, ¹⁷puis il dit : « Ouvre la fenêtre vers l'orient », et il l'ouvrit. Alors Élisée dit : « Tire ! » et il tira. Élisée dit : « Flèche de victoire pour Yahvé ! Flèche de victoire contre Aram ! Tu battras Aram à Apheq, complètement. »

¹⁸Élisée dit : « Prends les flèches » ; et il les prit. Élisée dit au roi d'Israël : « Frappe contre terre », il frappa trois coups et il s'arrêta. ¹⁹Alors l'homme de Dieu s'irrita contre lui : « Il fallait frapper cinq ou six coups ! Alors tu aurais battu Aram complètement ; maintenant, tu ne le battras que trois fois ! »

²⁰Élisée mourut et on l'enterra. Des bandes de Moabites faisaient incursion dans le pays chaque année. ²¹Il arriva que des gens qui portaient un homme en terre virent la bande ; ils jetèrent l'homme dans la tombe d'Élisée et partirent. L'homme toucha les ossements d'Élisée : il reprit vie et se dressa sur ses pieds.

Victoire sur les Araméens.

²²Hazaël, roi d'Aram, avait opprimé les Israélites pendant toute la vie de Joachaz. ²³Mais Yahvé leur fit grâce et les prit en pitié. Il se tourna vers eux à cause de l'alliance qu'il avait conclue avec Abraham, Isaac et Jacob ; il ne voulut pas les anéantir et ne les

rejeta pas loin de sa face, jusqu'à présent. ²⁴Hazaël, roi d'Aram, mourut et son fils Ben-Hadad régna à sa place. ²⁵Alors Joas, fils de Joachaz, reprit des mains de Ben-Hadad, fils de Hazaël, les villes que Hazaël avait enlevées par les armes à son père Joachaz. Joas le battit trois fois et recouvra les villes d'Israël.

7. Les deux royaumes jusqu'à la prise de Samarie

Règne d'Amasias en Juda (796-781). ‖ 2 Ch 25 1-4, 11-12, 17-28.

14 ¹En la deuxième année de Joas fils de Joachaz, roi d'Israël, Amasias fils de Joas devint roi de Juda. ²Il avait vingt-cinq ans à son avènement et régna vingt-neuf ans à Jérusalem ; sa mère s'appelait Yehoaddân et était de Jérusalem. ³Il fit ce qui est agréable à Yahvé, non pas pourtant comme son ancêtre David ; il imita en tout Joas, son père. ⁴Seulement, les hauts lieux ne disparurent pas et le peuple continuait d'offrir sacrifices et encens sur les hauts lieux.

⁵Lorsque le pouvoir royal fut affermi entre ses mains, il tua ceux de ses officiers qui avaient tué le roi son père. ⁶Mais il ne mit pas à mort les fils des meurtriers, selon ce qui est écrit dans le livre de la Loi de Moïse, où Yahvé a ordonné : *Les pères ne seront pas mis à mort pour les fils, ni les fils pour les pères, mais chacun sera mis à mort pour son propre crime.*

⁷C'est lui qui battit les Édomites dans la vallée du Sel, au nombre de dix mille hommes, et qui prit de haute lutte la Roche, il lui donna le nom de Yoqtéel, qu'elle porte jusqu'à ce jour.

⁸Alors Amasias envoya des messagers à Joas fils de Joachaz fils de Jéhu, roi d'Israël, pour lui dire : « Viens et mesurons-nous ! » ⁹Joas, roi d'Israël, retourna ce message à Amasias, roi de Juda : « Le chardon du Liban manda ceci au cèdre du Liban : "Donne ta fille pour femme à mon fils", mais les bêtes sauvages du Liban passèrent et foulèrent le chardon. ¹⁰Tu as remporté une victoire sur Édom et tu te montes la tête ! Sois glorieux et reste chez toi. Pourquoi provoquer le malheur et amener ta chute et celle de Juda avec toi ? »

¹¹Mais Amasias n'écouta pas, et Joas, roi d'Israël, se mit en campagne. Ils se mesurèrent, lui et Amasias, roi de Juda, à Bet-Shémesh qui appartient à Juda. ¹²Juda fut battu devant Israël et chacun s'enfuit à sa tente. ¹³Quant au roi de Juda, Amasias fils de Joas fils d'Ochozias, le roi d'Israël Joas le fit prisonnier à Bet-Shémesh. Il vint à Jérusalem, il fit une brèche au rempart de Jérusalem, depuis la porte d'Éphraïm jusqu'à la porte de l'Angle, sur quatre cents coudées. ¹⁴Il prit tout l'or et l'argent et tout le mobilier qui se trouvaient dans le Temple

de Yahvé et dans le trésor du palais royal, en plus des otages, et retourna à Samarie.

¹⁵Le reste de l'histoire de Joas, tout ce qu'il a fait et ses exploits, et comment il fit la guerre à Amasias, roi de Juda, cela n'est-il pas écrit au livre des Annales des rois d'Israël ? ¹⁶Joas se coucha avec ses pères et on l'enterra à Samarie auprès des rois d'Israël : Jéroboam, son fils, régna à sa place.

¹⁷Amasias, fils de Joas, roi de Juda, vécut encore quinze ans après la mort de Joas, fils de Joachaz, roi d'Israël. ¹⁸Le reste de l'histoire d'Amasias, cela n'est-il pas écrit au livre des Annales des rois de Juda ? ¹⁹On trama un complot contre lui à Jérusalem, il s'enfuit vers Lakish, mais on le fit suivre à Lakish et mettre à mort là-bas. ²⁰On le transporta avec des chevaux et on l'enterra à Jérusalem auprès de ses pères, dans la Cité de David. ²¹Tout le peuple de Juda choisit Ozias, qui avait seize ans, et le fit roi à la place de son père Amasias. ²²C'est lui qui rebâtit Élat et la rendit à Juda, après que le roi se fut couché avec ses pères.

Règne de Jéroboam II en Israël (783-743).

²³En la quinzième année d'Amasias fils de Joas, roi de Juda, Jéroboam fils de Joas devint roi d'Israël à Samarie ; il régna quarante et un ans. ²⁴Il fit ce qui déplaît à Yahvé, il ne se détourna pas de tous les péchés de Jéroboam fils de Nebat, où celui-ci avait entraîné Israël.

²⁵C'est lui qui recouvra le territoire d'Israël, depuis l'Entrée de Hamat jusqu'à la mer de la Araba, selon ce que Yahvé, Dieu d'Israël, avait dit par le ministère de son serviteur, le prophète Jonas fils d'Amittaï, qui était de Gat-Hépher. ²⁶Car Yahvé avait vu la très amère détresse d'Israël, plus de liés ni de libres et personne pour secourir Israël. ²⁷Yahvé n'avait pas décidé d'effacer le nom d'Israël de dessous le ciel et il le sauva par les mains de Jéroboam fils de Joas.

²⁸Le reste de l'histoire de Jéroboam, tout ce qu'il a fait et ses exploits, comment il guerroya et comment il fit revenir Damas et Hamat à Juda et à Israël, cela n'est-il pas écrit au livre des Annales des rois d'Israël ? ²⁹Jéroboam se coucha avec ses pères, les rois d'Israël, et son fils Zacharie régna à sa place.

Règne d'Ozias en Juda (781-740). ‖ 2 Ch 26 3-4, 21-23.

15 ¹En la vingt-septième année de Jéroboam, roi d'Israël, Ozias fils d'Amasias devint roi de Juda. ²Il avait seize ans à son avènement et régna cinquante-deux ans à Jérusalem ; sa mère s'appelait Yekolyahu et était de Jérusalem. ³Il fit ce qui est agréable à Yahvé, comme tout ce qu'avait fait son père Amasias. ⁴Seulement, les hauts lieux ne disparurent pas et le peuple continuait d'offrir sacrifices et encens sur les hauts lieux.

⁵Mais Yahvé frappa le roi et il fut affligé de la lèpre jusqu'au jour de sa mort. Il demeura confiné à la chambre ; Yotam, son fils, était maître du palais et administrait le peuple.

[6]Le reste de l'histoire d'Ozias, et tout ce qu'il a fait, cela n'est-il pas écrit au livre des Annales des rois de Juda ? [7]Ozias se coucha avec ses pères, on l'enterra avec ses pères dans la Cité de David et son fils Yotam devint roi à sa place.

Règne de Zacharie en Israël (743).

[8]En la trente-huitième année d'Ozias, roi de Juda, Zacharie fils de Jéroboam devint roi sur Israël à Samarie, pour six mois. [9]Il fit ce qui déplaît à Yahvé, comme avaient fait ses pères, il ne se détourna pas des péchés de Jéroboam fils de Nebat, où celui-ci avait entraîné Israël.

[10]Shallum fils de Yabesh fit une conspiration contre lui, il le frappa à mort devant le peuple et devint roi à sa place.

[11]Le reste de l'histoire de Zacharie est écrit au livre des Annales des rois d'Israël. [12]C'était ce que Yahvé avait dit à Jéhu : « Tes fils jusqu'à la quatrième génération s'assiéront sur le trône d'Israël » ; et il en fut ainsi.

Règne de Shallum en Israël (743).

[13]Shallum fils de Yabesh devint roi en la trente-neuvième année d'Ozias, roi de Juda, et régna un mois à Samarie.

[14]Menahem fils de Gadi monta de Tirça, entra à Samarie, y frappa à mort Shallum fils de Yabesh et devint roi à sa place.

[15]Le reste de l'histoire de Shallum et le complot qu'il trama, cela est écrit au livre des Annales des rois d'Israël. [16]C'est alors que Menahem châtia Tipsah – tuant tous ceux qui y étaient – et son territoire en partant de Tirça, parce qu'on ne lui avait pas ouvert les portes ; il châtia la ville et éventra toutes les femmes enceintes.

Règne de Menahem en Israël (743-738).

[17]En la trente-neuvième année d'Ozias, roi de Juda, Menahem fils de Gadi devint roi sur Israël ; il régna dix ans à Samarie. [18]Il fit ce qui déplaît à Yahvé, il ne se détourna pas, sa vie durant, des péchés de Jéroboam fils de Nebat, où celui-ci avait entraîné Israël.

[19]Pul, roi d'Assyrie, envahit le pays. Menahem donna à Pul mille talents d'argent pour qu'il le soutînt et qu'il affermît le pouvoir royal entre ses mains. [20]Menahem préleva cette somme sur Israël, sur tous les notables, pour la donner au roi d'Assyrie, à raison de cinquante sicles d'argent par tête. Alors le roi d'Assyrie s'en retourna et ne resta pas là, dans le pays.

[21]Le reste de l'histoire de Menahem, et tout ce qu'il a fait, cela n'est-il pas écrit au livre des Annales des rois d'Israël ? [22]Menahem se coucha avec ses pères et Peqahya, son fils, devint roi à sa place.

Règne de Peqahya en Israël (738-737).

[23]En la cinquantième année d'Ozias, roi de Juda, Peqahya fils de Menahem devint roi sur Israël à Samarie, pour deux ans. [24]Il fit ce qui déplaît à Yahvé, il ne se détourna pas des péchés de Jéroboam fils de Nebat, où celui-ci avait entraîné Israël.

[25]Son écuyer Péqah fils de Remalyahu complota contre lui et le

frappa à Samarie, dans le donjon du palais royal, ainsi que Argob et Ariéh. Il y avait avec lui cinquante hommes de Galaad. Il fit mourir le roi et régna à sa place.

²⁶Le reste de l'histoire de Peqahya, et tout ce qu'il a fait, cela est écrit au livre des Annales des rois d'Israël.

Règne de Péqah en Israël (737-732).

²⁷En la cinquante-deuxième année d'Ozias, roi de Juda, Péqah fils de Remalyahu devint roi sur Israël à Samarie ; il régna vingt ans. ²⁸Il fit ce qui déplaît à Yahvé, il ne se détourna pas des péchés de Jéroboam fils de Nebat, où celui-ci avait entraîné Israël.

²⁹Au temps de Péqah, roi d'Israël, Téglat-Phalasar, roi d'Assyrie, vint s'emparer de Iyyôn, d'Abel-Bet-Maaka, de Yanoah, de Qédesh, de Haçor, de Galaad, de la Galilée, tout le pays de Nephtali, et il déporta les habitants en Assyrie. ³⁰Osée fils d'Éla ourdit un complot contre Péqah fils de Remalyahu, il le frappa à mort et devint roi à sa place dans la vingtième année de Yotam, fils d'Ozias.

³¹Le reste de l'histoire de Péqah, et tout ce qu'il a fait, cela est écrit au livre des Annales des rois d'Israël.

Règne de Yotam en Juda (740-736). ‖ 2 Ch 27 1-4, 7-9.

³²En la deuxième année de Péqah fils de Remalyahu, roi d'Israël, Yotam fils d'Ozias devint roi de Juda. ³³Il avait vingt-cinq ans à son avènement et il régna seize ans à Jérusalem ; sa mère s'appe-

lait Yerusha, fille de Sadoq. ³⁴Il fit ce qui est agréable à Yahvé, imitant en tout la conduite de son père Ozias. ³⁵Seulement, les hauts lieux ne disparurent pas, le peuple continuait d'offrir sacrifices et encens sur les hauts lieux.

C'est lui qui construisit la Porte Supérieure du Temple de Yahvé.

³⁶Le reste de l'histoire de Yotam, et tout ce qu'il a fait, cela n'est-il pas écrit au livre des Annales des rois de Juda ? ³⁷En ces jours-là, Yahvé commença d'envoyer contre Juda Raçôn, roi d'Aram, et Péqah, fils de Remalyahu. ³⁸Yotam se coucha avec ses pères, on l'enterra avec ses pères dans la Cité de David, son ancêtre, et son fils Achaz devint roi à sa place.

Règne d'Achaz en Juda (736-716). ‖ 2 Ch 28.

16 ¹En la dix-septième année de Péqah fils de Remalyahu, Achaz fils de Yotam devint roi de Juda. ²Achaz avait vingt ans à son avènement et il régna seize ans à Jérusalem. Il ne fit pas ce qui est agréable à Yahvé, son Dieu, comme avait fait David son ancêtre. ³Il imita la conduite des rois d'Israël, et même il fit passer son fils par le feu, selon les coutumes abominables des nations que Yahvé avait chassées devant les Israélites. ⁴Il offrit des sacrifices et de l'encens sur les hauts lieux, sur les collines et sous tout arbre verdoyant.

⁵C'est alors que Raçôn, roi d'Aram, et Péqah fils de Remalyahu, roi d'Israël, partirent en guerre contre Jérusalem, ils assiégèrent Achaz mais ils ne purent le vaincre. ⁶En ce temps-là, Raçôn, roi d'Aram, recouvra Élat pour

Édom ; il expulsa les Judéens d'Élat, les Édomites y entrèrent et ils y sont restés jusqu'à ce jour. [7]Alors Achaz envoya des messagers à Téglat-Phalasar, roi d'Assyrie, pour lui dire : « Je suis ton serviteur et ton fils ! Viens me délivrer des mains du roi d'Aram et du roi d'Israël, qui se sont levés contre moi. » [8]Achaz prit l'argent et l'or qu'on trouva dans le Temple de Yahvé et dans les trésors du palais royal et envoya le tout en présent au roi d'Assyrie. [9]Le roi d'Assyrie l'exauça, il monta contre Damas et s'en empara ; il déporta les habitants à Qir et fit mourir Raçôn.

[10]Le roi Achaz alla à Damas pour rencontrer Téglat-Phalasar, roi d'Assyrie, et il vit l'autel qui était à Damas. Alors le roi Achaz envoya au prêtre Uriyya l'image de l'autel et son modèle, avec le détail de sa structure. [11]Le prêtre Uriyya construisit l'autel ; toutes les instructions que le roi Achaz avait envoyées de Damas, le prêtre Uriyya les exécuta avant que le roi Achaz revînt de Damas. [12]Lorsque le roi Achaz arriva de Damas, il vit l'autel, il s'en approcha et il y monta. [13]Il fit fumer sur l'autel son holocauste et ses oblations, versa sa libation et répandit le sang de ses sacrifices de communion. [14]Quant à l'autel de bronze qui était devant Yahvé, il le déplaça de devant le Temple, où il était entre le nouvel autel et le Temple de Yahvé, et le mit à côté du nouvel autel, vers le nord. [15]Le roi Achaz fit ce commandement au prêtre Uriyya : « C'est sur le grand autel que tu feras fumer l'holocauste du matin et l'oblation du soir, l'holocauste du roi et son oblation, l'holocauste,

l'oblation et les libations de tout le peuple ; tu répandras sur lui tout le sang des holocaustes et des sacrifices. Pour ce qui concerne l'autel de bronze, je vais m'en occuper. » [16]Le prêtre Uriyya fit tout ce que lui avait ordonné le roi Achaz.

[17]Le roi Achaz mit en pièces les bases roulantes, il en détacha les traverses et les bassins, il descendit la Mer de bronze de dessus les bœufs qui la supportaient et la posa sur le pavé de pierres. [18]En considération du roi d'Assyrie, il modifia, dans le Temple de Yahvé, le portique du sabbat, qu'on avait construit dans le Temple, et l'entrée du roi, à l'extérieur.

[19]Le reste de l'histoire d'Achaz, et tout ce qu'il a fait, cela n'est-il pas écrit au livre des Annales des rois de Juda ? [20]Achaz se coucha avec ses pères, on l'enterra dans la Cité de David et son fils Ézéchias régna à sa place.

Règne d'Osée en Israël (732-724).

17 [1]En la douzième année d'Achaz, roi de Juda, Osée fils d'Éla devint roi sur Israël à Samarie ; il régna neuf ans. [2]Il fit ce qui déplaît à Yahvé, non pas pourtant comme les rois d'Israël ses prédécesseurs.

[3]Salmanasar, roi d'Assyrie, monta contre Osée, qui se soumit à lui et lui paya tribut. [4]Mais le roi d'Assyrie découvrit qu'Osée le trahissait : celui-ci avait envoyé des messagers à Sô, roi d'Égypte, et il n'avait pas livré le tribut au roi d'Assyrie, comme chaque année. Alors le roi d'Assyrie le fit mettre en prison, chargé de chaînes.

Prise de Samarie (721). = 18 9-11.

⁵Le roi d'Assyrie envahit tout le pays et vint assiéger Samarie, pendant trois ans. ⁶En la neuvième année d'Osée, le roi d'Assyrie prit Samarie et déporta les Israélites en Assyrie. Il les établit à Halah et sur le Habor, fleuve de Gozân, et dans les villes des Mèdes.

Réflexions sur la ruine du royaume d'Israël.

⁷Cela arriva parce que les Israélites avaient péché contre Yahvé leur Dieu, qui les avait fait monter du pays d'Égypte, les soustrayant à l'emprise de Pharaon, roi d'Égypte. Ils adorèrent d'autres dieux, ⁸ils suivirent les coutumes des nations que Yahvé avait chassées devant eux, et celles établies par les rois d'Israël. ⁹Les Israélites proférèrent des paroles inconvenantes contre Yahvé leur Dieu, ils se construisirent des hauts lieux partout où ils habitaient, depuis les tours de garde jusqu'aux villes fortes. ¹⁰Ils se dressèrent des stèles et des pieux sacrés sur toute colline élevée et sous tout arbre verdoyant. ¹¹Ils sacrifièrent sur tous les hauts lieux à la manière des nations que Yahvé avait expulsées devant eux et ils y commirent de mauvaises actions, provoquant la colère de Yahvé. ¹²Ils rendirent un culte aux idoles, alors que Yahvé leur avait dit : « Vous ne ferez pas cette chose-là. »

¹³Pourtant, Yahvé avait fait cette injonction à Israël et à Juda, par le ministère de tous les prophètes et de tous les voyants : « Convertissez-vous de votre mauvaise conduite, avait-il dit, et observez mes commandements et mes lois, selon toute la Loi que j'ai prescrite à vos pères et que je leur ai communiquée par le ministère de mes serviteurs les prophètes. » ¹⁴Mais ils n'obéirent pas et raidirent leur nuque comme avaient fait leurs pères, qui n'avaient pas cru en Yahvé leur Dieu. ¹⁵Ils méprisèrent ses lois, ainsi que l'alliance qu'il avait conclue avec leurs pères et les ordres formels qu'il leur avait intimés. À la poursuite de la Vanité, ils sont devenus vanité, à l'imitation des nations d'alentour, bien que Yahvé leur eût commandé de ne pas faire comme elles. ¹⁶Ils rejetèrent tous les commandements de Yahvé leur Dieu, et se firent des idoles fondues, les deux veaux, ils se firent un pieu sacré, ils se prosternèrent devant toute l'armée du ciel et rendirent un culte à Baal. ¹⁷Ils firent passer leurs fils et leurs filles par le feu, ils pratiquèrent la divination et la sorcellerie, ils se vendirent pour faire le mal au regard de Yahvé, provoquant sa colère. ¹⁸Alors Yahvé fut profondément irrité contre Israël et l'écarta de devant sa face. Il ne resta que la seule tribu de Juda.

¹⁹Juda non plus n'observa pas les commandements de Yahvé son Dieu, et suivit les coutumes qu'Israël avait établies. ²⁰Et Yahvé repoussa toute la race d'Israël, il l'humilia et la livra aux pillards, tant qu'enfin il la rejeta loin de sa face. ²¹Il avait, en effet, détaché Israël de la maison de David, et Israël avait proclamé roi Jéroboam fils de Nebat ; Jéroboam avait détourné Israël de Yahvé et l'avait entraîné dans un grand pé-

ché. [22]Les Israélites imitèrent tous les péchés que Jéroboam avait commis, ils ne s'en détournèrent pas, [23]tant qu'enfin Yahvé écarta Israël de sa face, comme il l'avait annoncé par le ministère de ses serviteurs, les prophètes ; il déporta les Israélites loin de leur pays, en Assyrie, où ils sont encore aujourd'hui.

Colonisations en Samarie.

[24]Le roi d'Assyrie fit venir des gens de Babylone, de Kuta, de Avva, de Hamat et de Sepharvayim et les établit dans les villes de la Samarie à la place des Israélites ; ils prirent possession de la Samarie et demeurèrent dans ses villes.

[25]Au début de leur installation dans le pays, ils ne révéraient pas Yahvé et celui-ci envoya contre eux des lions, qui en firent un massacre. [26]Ils dirent au roi d'Assyrie : « Les nations que tu as déportées pour les établir dans les villes de la Samarie ne connaissent pas le rite du dieu du pays, et il a envoyé contre elles des lions. Ceux-ci les font mourir parce qu'elles ne connaissent pas le rite du dieu du pays. » [27]Alors le roi d'Assyrie donna cet ordre : « Qu'on fasse partir là-bas l'un des prêtres que vous en avez déportés, qu'il aille s'y établir et qu'il leur enseigne le rite du dieu du pays. » [28]Alors vint l'un des prêtres qu'on avait déportés de Samarie et il s'installa à Béthel ; il leur enseignait comment ils devaient révérer Yahvé.

[29]Chaque nation se fit ses dieux et les mit dans les temples des hauts lieux, qu'avaient faits les Samaritains ; chaque nation agit ainsi dans les villes qu'elle habitait. [30]Les gens de Babylone avaient fait un Sukkot-Benot, les gens de Kuta un Nergal, les gens de Hamat un Ashima, [31]les Avvites un Nibhaz et un Tartaq, et les gens de Sepharvayim brûlaient leurs enfants au feu en l'honneur d'Adrammélek et d'Anammélek, dieux de Sepharvayim. [32]Ils révéraient aussi Yahvé et ils se firent, en les prenant parmi eux, des prêtres des hauts lieux, qui officiaient pour eux dans les temples des hauts lieux. [33]Ils révéraient Yahvé et ils servaient leurs dieux, selon le rite des nations d'où ils avaient été déportés. [34]Encore aujourd'hui, ils suivent leurs anciens rites.

Ils ne révéraient pas Yahvé et ils ne se conformaient pas à leurs règles et à leurs rites, à la loi et aux commandements que Yahvé avait prescrits aux enfants de Jacob, à qui il avait imposé le nom d'Israël. [35]Yahvé avait conclu avec eux une alliance et il leur avait fait cette prescription : « Vous ne révérerez pas les dieux étrangers, vous ne vous prosternerez pas devant eux, vous ne leur rendrez pas de culte et vous ne leur offrirez pas de sacrifices. [36]C'est seulement à Yahvé, qui vous a fait monter du pays d'Égypte par la grande puissance de son bras étendu, qu'iront votre révérence, votre adoration et vos sacrifices. [37]Vous observerez les règles et les rites, la loi et les commandements qu'il vous a donnés par écrit pour vous y conformer toujours, et vous ne révérerez pas de dieux étrangers. [38]N'oubliez pas l'alliance que j'ai conclue avec vous et ne révérez pas de dieux étrangers, ³⁹révérez seulement Yahvé, votre Dieu, et il vous délivrera de la main de tous vos ennemis. » ⁴⁰Mais ils n'obéirent pas, et ils continuent de suivre leur ancien rite.

⁴¹Donc ces nations révéraient Yahvé et rendaient un culte à leurs idoles ; leurs enfants et les enfants de leurs enfants continuent de faire aujourd'hui comme avaient fait leurs pères.

8. Les derniers temps du royaume de Juda

I. ÉZÉCHIAS, LE PROPHÈTE ISAÏE ET L'ASSYRIE

Introduction au règne d'Ézéchias (716-687).

18 ¹En la troisième année d'Osée fils d'Éla, roi d'Israël, Ézéchias fils d'Achaz devint roi de Juda. ²Il avait vingt-cinq ans à son avènement et il régna vingt-neuf ans à Jérusalem ; sa mère s'appelait Abi, fille de Zekarya. ³Il fit ce qui est agréable à Yahvé, imitant tout ce qu'avait fait David, son ancêtre. ⁴C'est lui qui supprima les hauts lieux, brisa les stèles, coupa le pieu sacré et mit en pièces le serpent d'airain que Moïse avait fabriqué. Jusqu'à ce temps-là, en effet, les Israélites lui offraient des sacrifices ; on l'appelait Nehushtân.

⁵C'est en Yahvé, Dieu d'Israël, qu'il mit sa confiance. Après lui, aucun roi de Juda ne lui fut comparable ; et pas plus avant lui. ⁶Il resta attaché à Yahvé, sans jamais se détourner de lui, et il observa les commandements que Yahvé avait prescrits à Moïse. ⁷Aussi Yahvé fut-il avec lui et il réussit dans toutes ses entreprises. Il se révolta contre le roi d'Assyrie et ne lui fut plus soumis. ⁸C'est lui qui battit les Philistins jusqu'à Gaza, dévastant leur territoire, depuis les tours de garde jusqu'aux villes fortes.

Rappel de la prise de Samarie. = 17 1-6.

⁹En la quatrième année d'Ézéchias, qui était la septième année d'Osée fils d'Éla, roi d'Israël, Salmanasar, roi d'Assyrie, attaqua Samarie et y mit le siège. ¹⁰On la prit au bout de trois ans. Ce fut en la sixième année d'Ézéchias, qui était la neuvième année d'Osée, roi d'Israël, que Samarie tomba. ¹¹Le roi d'Assyrie déporta les Israélites en Assyrie et les conduisit à Halah et sur le Habor, fleuve de Gozân, et dans les villes des Mèdes. ¹²C'était parce qu'ils n'avaient pas obéi à la parole de Yahvé, leur Dieu, et qu'ils avaient transgressé son alliance, tout ce qu'avait prescrit Moïse, le serviteur de Yahvé. Ils n'avaient rien écouté ni rien pratiqué.

Invasion de Sennachérib.

¹³En la quatorzième année du roi Ézéchias, Sennachérib, roi d'Assyrie, monta contre toutes les

villes fortes de Juda et s'en empara. [14]Alors Ézéchias, roi de Juda, envoya ce message au roi d'Assyrie, à Lakish : « J'ai mal agi ! Détourne de moi tes coups. Je me plierai à ce que tu m'imposeras. » Le roi d'Assyrie exigea d'Ézéchias, roi de Juda, trois cents talents d'argent et trente talents d'or, [15]et Ézéchias livra tout l'argent qui se trouvait dans le Temple de Yahvé et dans les trésors du palais royal. [16]C'est alors qu'Ézéchias fit sauter le revêtement des battants et des montants des portes du sanctuaire de Yahvé, que..., roi de Juda, avait plaqués de métal, et le livra au roi d'Assyrie.

Mission du grand échanson.
|| 2 Ch 32 9-19. || Is 36 2-22.

[17]De Lakish, le roi d'Assyrie envoya vers le roi Ézéchias à Jérusalem le commandant en chef, le grand eunuque et le grand échanson avec un important corps de troupes. Ils montèrent donc et arrivèrent à Jérusalem. Étant montés et arrivés, ils se postèrent près du canal de la piscine supérieure, qui est sur le chemin du champ du Foulon. [18]Ils appelèrent le roi. Le maître du palais Élyaqim fils de Hilqiyyahu, le secrétaire Shebna et le héraut Yoah fils d'Asaph sortirent à leur rencontre. [19]Le grand échanson leur dit : « Dites à Ézéchias : Ainsi parle le grand roi, le roi d'Assyrie. Quelle est cette confiance sur laquelle tu te reposes ? [20]Tu t'imagines que paroles en l'air valent conseil et vaillance pour faire la guerre. En qui donc mets-tu ta confiance, pour t'être révolté contre moi ?

[21]Voici que tu te fies au soutien de ce roseau brisé, l'Égypte, qui pénètre et perce la main de qui s'appuie sur lui. Tel est Pharaon, roi d'Égypte, pour tous ceux qui se fient en lui. [22]Vous me direz peut-être : "C'est en Yahvé, notre Dieu, que nous avons confiance", mais n'est-ce pas lui dont Ézéchias a supprimé les hauts lieux et les autels en disant aux gens de Juda et de Jérusalem : "C'est devant cet autel, à Jérusalem, que vous vous prosternerez" ? [23]Eh bien ! fais un pari avec Monseigneur le roi d'Assyrie : je te donnerai deux mille chevaux si tu peux trouver des cavaliers pour les monter ! [24]Comment ferais-tu reculer un gouverneur, un des moindres serviteurs de mon maître ? Mais tu t'es fié à l'Égypte pour avoir chars et cavaliers ! [25]Et puis, est-ce sans la volonté de Yahvé que je suis monté contre ce lieu pour le dévaster ? C'est Yahvé qui m'a dit : Monte contre ce pays et dévaste-le ! »

[26]Élyaqim, fils de Hilqiyyahu, Shebna et Yoah dirent au grand échanson : « Je t'en prie, parle à tes serviteurs en araméen, car nous l'entendons, ne nous parle pas en judéen à portée des oreilles du peuple qui est sur le rempart. » [27]Mais le grand échanson leur dit : « Est-ce à ton maître ou à toi que Monseigneur m'a envoyé dire ces choses, n'est-ce pas plutôt aux gens assis sur le rempart et condamnés à manger leurs excréments et à boire leur urine avec vous ? » [28]Alors le grand échanson se tint debout, il cria d'une voix forte, en langue judéenne, et pronon-

ça ces mots : « Écoutez la parole du grand roi, le roi d'Assyrie. ²⁹Ainsi parle le roi : Qu'Ézéchias ne vous abuse pas, car il ne pourra pas vous délivrer de ma main. ³⁰Qu'Ézéchias n'entretienne pas votre confiance en Yahvé en disant : "Sûrement Yahvé nous délivrera, cette ville ne tombera pas entre les mains du roi d'Assyrie." ³¹N'écoutez pas Ézéchias, car ainsi parle le roi d'Assyrie : Faites la paix avec moi, rendez-vous à moi et chacun de vous mangera le fruit de sa vigne et de son figuier, chacun boira l'eau de sa citerne, ³²jusqu'à ce que je vienne et que je vous emmène vers un pays comme le vôtre, un pays de froment et de moût, un pays de pain et de vignobles, un pays d'huile et de miel, pour que vous viviez et ne mouriez pas. Mais n'écoutez pas Ézéchias, car il vous abuse en disant : "Yahvé nous délivrera !" ³³Les dieux des nations ont-ils vraiment délivré chacun leur pays des mains du roi d'Assyrie ? ³⁴Où sont les dieux de Hamat et d'Arpad, où sont les dieux de Sepharvayim, de Héna et de Ivva ? Ont-ils délivré Samarie de ma main ? ³⁵Parmi tous les dieux des pays, lesquels ont délivré leur pays de ma main, pour que Yahvé délivre Jérusalem ? »

³⁶Le peuple garda le silence et ne lui répondit pas un mot, car tel était l'ordre du roi : « Vous ne lui répondrez pas. » ³⁷Le maître du palais Élyaqim fils de Hilqiyyahu, le secrétaire Shebna et le héraut Yoah fils d'Asaph vinrent auprès d'Ézéchias, les vêtements déchirés, et ils lui rapportèrent les paroles du grand échanson.

Recours au prophète Isaïe. ‖ Is 37 1-7.

19 ¹À ce récit, le roi Ézéchias déchira ses vêtements, se couvrit d'un sac et se rendit au Temple de Yahvé. ²Il envoya le maître du palais Élyaqim, le secrétaire Shebna et les anciens des prêtres, couverts de sacs, auprès du prophète Isaïe fils d'Amoç. ³Ceux-ci lui dirent : « Ainsi parle Ézéchias : Ce jour-ci est un jour d'angoisse, de châtiment et d'opprobre. Les enfants sont à terme et la force manque pour enfanter. ⁴Puisse Yahvé, ton Dieu, entendre les paroles du grand échanson, que le roi d'Assyrie, son maître, a envoyé insulter le Dieu vivant, et puisse Yahvé, ton Dieu, punir les paroles qu'il a entendues ! Adresse une prière en faveur du reste qui subsiste encore. »

⁵Lorsque les ministres du roi Ézéchias furent arrivés auprès d'Isaïe, ⁶celui-ci leur dit : « Vous direz à votre maître : Ainsi parle Yahvé. N'aie pas peur des paroles que tu as entendues, des blasphèmes que les valets du roi d'Assyrie ont lancés contre moi. ⁷Voici que je vais mettre en lui un esprit et, sur une nouvelle qu'il entendra, il retournera dans son pays et, dans son pays, je le ferai tomber sous l'épée. »

Départ du grand échanson. ‖ Is 37 8-9.

⁸Le grand échanson s'en retourna et retrouva le roi d'Assyrie en train de combattre contre Libna. Le grand échanson avait appris en effet que le roi avait décampé de Lakish, ⁹car il avait reçu

cette nouvelle au sujet de Tirhaqa, roi de Kush : « Voici qu'il est parti en guerre contre toi. »

Lettre de Sennachérib à Ézéchias. ‖ Is 37 9-20. ‖ 2 Ch 32 17.

De nouveau, Sennachérib envoya des messagers à Ézéchias pour lui dire : 10« Vous parlerez ainsi à Ézéchias, roi de Juda : Que ton Dieu, en qui tu te confies, ne t'abuse pas en disant : "Jérusalem ne sera pas livrée aux mains du roi d'Assyrie !" 11Tu as appris ce que les rois d'Assyrie ont fait à tous les pays, les vouant à l'anathème, et toi, tu serais délivré ! 12Les ont-ils délivrées, les dieux des nations que mes pères ont dévastées, Gozân, Harân, Réçeph, et les Édénites qui étaient à Telassar ? 13Où sont le roi de Hamat, le roi d'Arpad, le roi de Laïr, de Sepharvayim, de Héna et de Ivva ? »

14Ézéchias prit la lettre des mains des messagers et la lut. Puis il monta au Temple de Yahvé et la déplia devant Yahvé. 15Et Ézéchias fit cette prière en présence de Yahvé : « Yahvé, Dieu d'Israël, qui sièges sur les chérubins, c'est toi qui es seul Dieu de tous les royaumes de la terre, c'est toi qui as fait le ciel et la terre. 16Prête l'oreille, Yahvé, et entends, ouvre les yeux, Yahvé, et vois ! Entends les paroles de Sennachérib, qui a envoyé des insultes au Dieu vivant. 17Il est vrai, Yahvé, les rois d'Assyrie ont exterminé les nations et leur pays, 18ils ont jeté au feu leurs dieux, car ce n'étaient pas des dieux, mais l'ouvrage de mains d'hommes, du bois et de la pierre, alors ils les ont anéantis. 19Mais maintenant, Yahvé, notre Dieu, sauve-nous de sa main, je t'en supplie, et que tous les royaumes de la terre sachent que toi seul es Dieu, Yahvé ! »

Intervention d'Isaïe. ‖ Is 37 21-35.

20Alors Isaïe, fils d'Amoç, envoya dire à Ézéchias : « Ainsi parle Yahvé, Dieu d'Israël. J'ai entendu la prière que tu m'as adressée au sujet de Sennachérib, roi d'Assyrie. 21Voici l'oracle que Yahvé a prononcé contre lui :

Elle te méprise, elle te raille,
la vierge, fille de Sion.
Elle hoche la tête après toi,
la fille de Jérusalem.
22Qui donc as-tu insulté, blasphémé ?
Contre qui as-tu parlé haut et levé ton regard altier ?
Contre le Saint d'Israël !
23Par tes messagers, tu as insulté le Seigneur.
Tu as dit : "Avec mes nombreux chars,
j'ai gravi le sommet des monts,
les dernières cimes du Liban.
J'ai coupé sa haute futaie de cèdres
et ses plus beaux cyprès.
J'ai atteint son ultime retraite,
son parc forestier.
24Moi, j'ai creusé et j'ai bu des eaux étrangères,
j'ai asséché sous la plante de mes pieds
tous les fleuves d'Égypte."
25Entends-tu bien ? De longue date,
j'ai préparé cela,
aux jours antiques j'en fis le dessein,
maintenant je le réalise.
Ton destin fut de réduire en tas de ruines

des villes fortifiées.

²⁶Leurs habitants, les mains débiles,

épouvantés et confondus,

furent comme plantes des champs,

verdure du gazon,

herbes des toits et blé malade avant croissance.

²⁷Quand tu t'assieds,

quand tu sors ou tu entres, je le sais

et quand tu t'emportes contre moi.

²⁸Parce que tu t'es emporté contre moi,

que ton insolence est montée à mes oreilles,

je passerai mon anneau à ta narine

et mon mors à tes lèvres,

je te ramènerai sur la route par laquelle tu es venu.

²⁹Ceci te servira de signe ;

On mangera cette année du grain tombé,

et l'an prochain du grain de jachère,

mais, le troisième an, semez et moissonnez,

plantez des vignes et mangez de leur fruit.

³⁰Le reste survivant de la maison de Juda produira de nouvelles racines en bas et des fruits en haut.

³¹Car de Jérusalem sortira un reste,

et des réchappés, du mont Sion.

L'amour jaloux de Yahvé Sabaot fera cela !

³²Voici donc ce que dit Yahvé sur le roi d'Assyrie :

Il n'entrera pas dans cette ville,

il n'y lancera pas de flèche,

il ne tendra pas de bouclier contre elle,

il n'y entassera pas de remblai.

³³Par la route qui l'amena, il s'en retournera,

il n'entrera pas dans cette ville, oracle de Yahvé.

³⁴Je protégerai cette ville et la sauverai

à cause de moi et de mon serviteur David. »

Échec et mort de Sennachérib.

‖ 2 Ch **32** 21-22. ‖ Is **37** 36-38.

³⁵Cette même nuit, l'Ange de Yahvé sortit et frappa dans le camp assyrien cent quatre-vingt-cinq mille hommes. Le matin, au réveil, ce n'étaient plus que des cadavres. ³⁶Sennachérib roi d'Assyrie leva le camp et partit. Il s'en retourna et resta à Ninive. ³⁷Un jour qu'il était prosterné dans le temple de Nisrok, son dieu, Adrammélek et Saréçer le frappèrent avec l'épée et se sauvèrent au pays d'Ararat. Asarhaddon, son fils, devint roi à sa place.

Maladie et guérison d'Ézéchias.

‖ 2 Ch **32** 24. ‖ Is **38** 1-6, 21-22, 7-8.

20 ¹En ces jours-là, Ézéchias fut atteint d'une maladie mortelle. Le prophète Isaïe, fils d'Amoç, vint lui dire : « Ainsi parle Yahvé. Mets ordre à ta maison, car tu vas mourir, tu ne vivras pas. » ²Ézéchias se tourna vers le mur et fit cette prière à Yahvé : ³« Ah ! Yahvé, souviens-toi, de grâce, que je me suis conduit fidèlement et en toute probité de cœur devant toi, et que j'ai fait ce qui était bien à tes yeux. » Et Ézéchias versa d'abondantes larmes.

[4]Isaïe n'était pas encore sorti du milieu de la ville que lui parvint la parole de Yahvé : [5]« Retourne dire à Ézéchias, chef de mon peuple : Ainsi parle Yahvé, Dieu de ton ancêtre David. J'ai entendu ta prière, j'ai vu tes larmes. Je vais te guérir : dans trois jours, tu monteras au Temple de Yahvé. [6]J'ajouterai quinze années à ta vie, je te délivrerai, toi et cette ville, de la main du roi d'Assyrie, je protégerai cette ville à cause de moi et de mon serviteur David. » [7]Isaïe dit : « Prenez un pain de figues » ; on en prit un, on l'appliqua sur l'ulcère et le roi guérit.

[8] Ézéchias dit à Isaïe : « A quel signe connaîtrai-je que Yahvé va me guérir et que, dans trois jours, je monterai au Temple de Yahvé ? » [9]Isaïe répondit : « Voici, de la part de Yahvé, le signe qu'il fera ce qu'il a dit : Veux-tu que l'ombre avance de dix degrés, ou qu'elle recule de dix degrés ? » [10]Ézéchias dit : « C'est peu de chose pour l'ombre de gagner dix degrés ! Non ! Que plutôt l'ombre recule de dix degrés ! » [11]Le prophète Isaïe invoqua Yahvé et celui-ci fit reculer l'ombre sur les degrés où elle avait descendu les degrés d'Achaz – dix degrés en arrière.

Ambassade de Mérodak-Baladan. ‖ Is 39.

[12]En ce temps-là, Mérodak-Baladan, fils de Baladan, roi de Babylone, envoya des lettres et un présent à Ézéchias, car il avait appris qu'Ézéchias avait été malade. [13]Ézéchias écouta les messagers et leur montra sa chambre du trésor, l'argent, l'or, les aromates, l'huile précieuse, ainsi que son arsenal et tout ce qui se trouvait dans ses magasins. Il n'y eut rien qu'Ézéchias ne leur montrât dans son palais et dans tout son domaine.

[14]Alors le prophète Isaïe vint chez le roi Ézéchias et lui demanda : « Qu'ont dit ces gens-là et d'où sont-ils venus chez toi ? » Ézéchias répondit : « Ils sont venus d'un pays lointain, de Babylone. » [15]Isaïe reprit : « Qu'ont-ils vu dans ton palais ? » Ézéchias répondit : « Ils ont vu tout ce qu'il y a dans mon palais ; il n'y a, dans mes magasins, rien que je ne leur aie montré. »

[16]Alors Isaïe dit à Ézéchias : « Écoute la parole de Yahvé : [17]Des jours viennent où tout ce qui est dans ton palais, tout ce qu'ont amassé tes pères jusqu'à ce jour, sera emporté à Babylone, rien ne sera laissé, dit Yahvé. [18]Parmi les fils issus de toi, ceux que tu as engendrés, on en prendra pour être eunuques dans le palais du roi de Babylone. » [19]Ézéchias dit à Isaïe : « C'est une parole favorable de Yahvé que tu annonces. » Il pensait en effet : « Pourquoi pas ? S'il y a paix et sûreté pendant ma vie ! »

Conclusion du règne d'Ézéchias.

[20]Le reste de l'histoire d'Ézéchias, tous ses exploits, et comment il a construit la piscine et le canal pour amener l'eau dans la ville, cela n'est-il pas écrit au livre des Annales des rois de Juda ? [21]Ézéchias se coucha avec ses pères et son fils Manassé régna à sa place.

II. DEUX ROIS CONTROVERSÉS

Règne de Manassé en Juda (687-642). ‖ 2 Ch 33 1-10.

21 ¹Manassé avait douze ans à son avènement et il régna cinquante-cinq ans à Jérusalem ; sa mère s'appelait Hephçiba. ²Il fit ce qui déplaît à Yahvé, imitant les abominations des nations que Yahvé avait chassées devant les Israélites. ³Il rebâtit les hauts lieux qu'avait détruits Ézéchias, son père, il éleva des autels à Baal et fabriqua un pieu sacré, comme avait fait Achab, roi d'Israël, il se prosterna devant toute l'armée du ciel et lui rendit un culte. ⁴Il construisit des autels dans le Temple de Yahvé, au sujet duquel Yahvé avait dit : « C'est à Jérusalem que je placerai mon Nom. »

⁵Il construisit des autels à toute l'armée du ciel dans les deux cours du Temple de Yahvé. ⁶Il fit passer son fils par le feu. Il pratiqua les incantations et la divination, installa des nécromants et des devins, il multiplia les actions que Yahvé regarde comme mauvaises, provoquant ainsi sa colère. ⁷Il plaça l'idole d'Ashéra, qu'il avait faite, dans le Temple au sujet duquel Yahvé avait dit à David et à son fils Salomon : « Dans ce Temple et dans Jérusalem, la ville que j'ai choisie dans toutes les tribus d'Israël, je placerai mon Nom à jamais. ⁸Je ne ferai plus errer les pas des Israélites loin de la terre que j'ai donnée à leurs pères, pourvu qu'ils veillent à pratiquer tout ce que je leur ai commandé, selon toute la Loi qu'a prescrite pour eux mon serviteur Moïse. » ⁹Mais ils n'obéirent pas, Manassé les égara, au point qu'ils agirent plus mal que les nations que Yahvé avait exterminées devant les Israélites.

¹⁰Alors Yahvé parla ainsi, par le ministère de ses serviteurs les prophètes : ¹¹« Parce que Manassé, roi de Juda, a commis ces abominations, qu'il a agi plus mal que tout ce qu'avaient fait avant lui les Amorites et qu'il a entraîné Juda lui aussi à pécher avec ses idoles, ¹²ainsi parle Yahvé, Dieu d'Israël : Voici que je fais venir sur Jérusalem et sur Juda un malheur tel que les deux oreilles en tinteront à quiconque l'apprendra. ¹³Je passerai sur Jérusalem le même cordeau que sur Samarie, le même niveau que pour la maison d'Achab, j'écurerai Jérusalem comme on écure un plat, qu'on retourne à l'envers après l'avoir écuré. ¹⁴Je rejetterai les restants de mon héritage, je les livrerai entre les mains de leurs ennemis, ils serviront de proie et de butin à tous leurs ennemis, ¹⁵parce qu'ils ont fait ce qui me déplaît et qu'ils ont provoqué ma colère, depuis le jour où leurs pères sont sortis d'Égypte jusqu'à ce jour-ci. »

¹⁶Manassé répandit aussi le sang innocent en si grande quantité qu'il inonda Jérusalem d'un bout à l'autre, en plus des péchés qu'il avait fait commettre à Juda en agissant mal au regard de Yahvé.

¹⁷Le reste de l'histoire de Manassé et tout ce qu'il a fait, les péchés qu'il a commis, cela n'est-il pas écrit au livre des Annales des rois de Juda ? ¹⁸Manassé se

coucha avec ses pères et on l'enterra dans le jardin de son palais, le jardin d'Uzza ; son fils Amon régna à sa place.

Règne d'Amon en Juda (642-640). ‖ 2 Ch 33 21-25.

[19] Amon avait vingt-deux ans à son avènement et il régna deux ans à Jérusalem ; sa mère s'appelait Meshullémèt, fille de Haruç, et était de Yotba. [20] Il fit ce qui déplaît à Yahvé, comme avait fait son père Manassé. [21] Il suivit en tout la conduite de son père, rendit un culte aux idoles qu'il avait servies et se prosterna devant el-les. [22] Il abandonna Yahvé, Dieu de ses ancêtres, et ne suivit pas la voie de Yahvé.

[23] Les serviteurs d'Amon complotèrent contre lui et ils tuèrent le roi dans son palais. [24] Mais le peuple du pays frappa tous ceux qui avaient conspiré contre le roi Amon et proclama roi à sa place son fils Josias.

[25] Le reste de l'histoire d'Amon et tout ce qu'il a fait, cela n'est-il pas écrit au livre des Annales des rois de Juda ? [26] On l'enterra dans son tombeau, dans le jardin d'Uzza, et son fils Josias régna à sa place.

III. JOSIAS ET LA RÉFORME RELIGIEUSE

Introduction au règne de Josias (640-609). ‖ 2 Ch 34 1-2.

22 [1] Josias avait huit ans à son avènement et il régna trente et un ans à Jérusalem ; sa mère s'appelait Yedida, fille de Adaya, et était de Boçqat. [2] Il fit ce qui est agréable à Yahvé et imita en tout la conduite de son ancêtre David, sans en dévier ni à droite ni à gauche.

Découverte du livre de la Loi. ‖ 2 Ch 34 8-18.

[3] En la dix-huitième année du roi Josias, le roi envoya le secrétaire Shaphân, fils d'Açalyahu fils de Meshullam, au Temple de Yahvé : [4] « Monte, lui dit-il, chez le grand prêtre Hilqiyyahu pour qu'il fasse le compte de l'argent qui a été apporté au Temple de Yahvé et que les gardiens du seuil ont recueilli du peuple. [5] Qu'il le remette aux maîtres d'œuvre attachés au Temple de Yahvé et que ceux-ci le dépensent pour les ouvriers qui travaillent aux réparations dans le Temple de Yahvé, [6] pour les charpentiers, les ouvriers du bâtiment et les maçons, pour acheter le bois et les pierres de taille destinés à la réparation du Temple. [7] Mais qu'on ne leur demande pas compte de l'argent qui leur est remis, car ils agissent avec probité. »

[8] Le grand prêtre Hilqiyyahu dit au secrétaire Shaphân : « J'ai trouvé le livre de la Loi dans le Temple de Yahvé. » Et Hilqiyyahu donna le livre à Shaphân, qui le lut. [9] Le secrétaire Shaphân vint chez le roi et lui rapporta ceci : « Tes serviteurs, dit-il, ont versé l'argent qui se trouvait dans le Temple et l'ont remis aux maîtres d'œuvre attachés au Temple de Yahvé. » [10] Puis le secrétaire Sha-

phân annonça au roi : « Le prêtre Hilqiyyahu m'a donné un livre » et Shaphân le lut devant le roi.

Consultation de la prophétesse Hulda.
‖ 2 Ch 34 19-28.

¹¹En entendant les paroles contenues dans le livre de la Loi, le roi déchira ses vêtements. ¹²Il donna cet ordre au prêtre Hilqiyyahu, à Ahiqam fils de Shaphân, à Akbor fils de Mikaya, au secrétaire Shaphân, et à Asaya, ministre du roi : ¹³« Allez consulter Yahvé pour moi, pour le peuple et pour tout Juda à propos des paroles de ce livre qui vient d'être trouvé. Grande doit être la colère de Yahvé, qui s'est enflammée contre nous parce que nos pères n'ont pas obéi aux paroles de ce livre, en pratiquant tout ce qui y est écrit pour nous. »

¹⁴Le prêtre Hilqiyyahu, Ahiqam, Akbor, Shaphân et Asaya se rendirent auprès de la prophétesse Hulda, femme de Shallum fils de Tiqva fils de Harhas, le gardien des vêtements ; elle habitait à Jérusalem dans la ville neuve. Ils lui exposèrent la chose ¹⁵et elle leur répondit : « Ainsi parle Yahvé, Dieu d'Israël. Dites à l'homme qui vous a envoyés vers moi : ¹⁶"Ainsi parle Yahvé. Je vais amener le malheur sur ce lieu et sur ses habitants, tout ce que dit le livre qu'a lu le roi de Juda, ¹⁷parce qu'ils m'ont abandonné et qu'ils ont sacrifié à d'autres dieux, pour m'irriter par leurs actions. Ma colère s'est enflammée contre ce lieu, elle ne s'éteindra pas." ¹⁸Et vous direz au roi de Juda qui vous a envoyés pour consulter Yahvé : "Ainsi parle Yahvé, Dieu d'Israël : Les paroles que tu as entendues... ¹⁹Mais parce que ton cœur a été touché et que tu t'es humilié devant Yahvé en entendant ce que j'ai prononcé contre ce lieu et ses habitants qui deviendront un objet d'épouvante et de malédiction, et parce que tu as déchiré tes vêtements et pleuré devant moi, moi aussi, j'ai entendu, oracle de Yahvé. ²⁰C'est pourquoi je te réunirai à tes pères, tu seras recueilli en paix dans vos tombeaux, tes yeux ne verront pas tous les malheurs que je fais venir sur ce lieu." » Ils portèrent la réponse au roi.

Lecture solennelle de la Loi.
‖ 2 Ch 34 29-31.

23 ¹Alors le roi fit convoquer auprès de lui tous les anciens de Juda et de Jérusalem, ²et le roi monta au Temple de Yahvé avec tous les hommes de Juda et tous les habitants de Jérusalem, les prêtres et les prophètes et tout le peuple du plus petit au plus grand. Il lut devant eux tout le contenu du livre de l'alliance trouvé dans le Temple de Yahvé. ³Le roi était debout sur l'estrade et il conclut devant Yahvé l'alliance qui l'obligeait à suivre Yahvé et à garder ses commandements, ses instructions et ses lois, de tout son cœur et de toute son âme, pour rendre effectives les clauses de l'alliance écrite dans ce livre. Tout le peuple adhéra à l'alliance.

Réforme religieuse en Juda.
‖ 2 Ch 34 3-5.

⁴Le roi ordonna à Hilqiyyahu, le grand prêtre, aux prêtres en second et aux gardiens du seuil de

retirer du sanctuaire de Yahvé tous les objets de culte qui avaient été faits pour Baal, pour Ashéra et pour toute l'armée du ciel ; il les brûla en dehors de Jérusalem, dans les champs du Cédron, et porta leur cendre à Béthel. 5Il supprima les faux prêtres que les rois de Juda avaient installés et qui sacrifiaient dans les hauts lieux, dans les villes de Juda et les environs de Jérusalem, et ceux qui sacrifiaient à Baal, au soleil, à la lune, aux constellations et à toute l'armée du ciel. 6Il transporta du Temple de Yahvé en dehors de Jérusalem, à la vallée du Cédron, le pieu sacré et le brûla dans la vallée du Cédron ; il le réduisit en cendres et jeta ses cendres à la fosse commune. 7Il démolit les maisons des prostitués sacrés, qui étaient dans le Temple de Yahvé et où les femmes tissaient des voiles pour Ashéra.

8Il fit venir des villes de Juda tous les prêtres et il profana les hauts lieux où ces prêtres avaient sacrifié, depuis Géba jusqu'à Bersabée. Il démolit les hauts lieux des portes, celui qui était à l'entrée de la porte de Josué, gouverneur de la ville, celui qui était à gauche quand on se tenait à la porte de la ville. 9Toutefois les prêtres des hauts lieux ne pouvaient pas monter à l'autel de Yahvé à Jérusalem, mais ils mangeaient des pains sans levain au milieu de leurs frères. 10Il profana le Tophèt de la vallée de Ben-Hinnom, pour que personne ne fît plus passer son fils ou sa fille par le feu en l'honneur de Molek. 11Il fit disparaître les chevaux que les rois de Juda avaient dédiés au soleil à l'entrée du Temple de Yah-

vé, près de la chambre de l'eunuque Netân-Mélek, dans les dépendances, et il brûla au feu les chars du soleil. 12Les autels qui étaient sur la terrasse de la chambre haute d'Achaz et qu'avaient bâtis les rois de Juda, et ceux qu'avait bâtis Manassé dans les deux cours du Temple de Yahvé, le roi les démolit, les brisa là et jeta leur poussière dans la vallée du Cédron. 13Les hauts lieux qui étaient en face de Jérusalem, au sud du mont des Oliviers, et que Salomon roi d'Israël avait bâtis pour Astarté, l'horreur des Sidoniens, pour Kemosh, l'horreur des Moabites, et pour Milkom, l'abomination des Ammonites, le roi les profana. 14Il brisa aussi les stèles, coupa les pieux sacrés et combla leur emplacement avec des ossements humains.

La réforme s'étend à l'ancien royaume du Nord.

15De même pour l'autel qui était à Béthel, le haut lieu bâti par Jéroboam fils de Nebat qui avait entraîné Israël dans le péché, il démolit aussi cet autel et ce haut lieu, il brûla le haut lieu et le réduisit en poussière ; il brûla le pieu sacré. 16Josias se retourna et vit les tombeaux qui étaient là, dans la montagne ; il envoya prendre les ossements de ces tombeaux et les brûla sur l'autel. Ainsi il le profana, accomplissant la parole de Yahvé qu'avait annoncée l'homme de Dieu qui avait annoncé ces choses 17et il demanda : « Quel est le monument que je vois ? » Les hommes de la ville lui répondirent : « C'est le tombeau de l'homme de Dieu qui est venu de

Juda et qui a annoncé ces choses que tu as accomplies contre l'autel de Béthel. » – ¹⁸« Laissez-le en paix, dit le roi, et que personne ne dérange ses ossements. » On laissa donc ses ossements intacts avec les ossements du prophète qui était venu de Samarie.

|| 2 Ch **34** 6-7.

¹⁹Josias fit également disparaître tous les temples des hauts lieux qui étaient dans les villes de la Samarie, et que les rois d'Israël avaient bâtis pour l'irritation de Yahvé et il agit à leur endroit exactement comme il avait agi à Béthel. ²⁰Tous les prêtres des hauts lieux qui étaient là furent immolés par lui sur les autels et il y brûla des ossements humains. Puis il revint à Jérusalem.

Célébration de la Pâque. || 2 Ch **35** 1, 18-19.

²¹Le roi donna cet ordre à tout le peuple : « Célébrez une Pâque en l'honneur de Yahvé votre Dieu, de la manière qui est écrite dans ce livre de l'alliance. » ²²On n'avait pas célébré une Pâque comme celle-là depuis les jours des Juges qui avaient régi Israël et pendant tout le temps des rois d'Israël et des rois de Juda. ²³C'est seulement en la dix-huitième année du roi Josias qu'une telle Pâque fut célébrée en l'honneur de Yahvé à Jérusalem.

Conclusion sur la réforme religieuse.

²⁴De plus, les nécromants et les devins, les dieux domestiques et les idoles, et toutes les horreurs qu'on pouvait voir dans le pays de Juda et à Jérusalem, Josias les fit disparaître, en exécution des paroles de la Loi inscrites au livre qu'avait trouvé le prêtre Hilqiyyahu dans le Temple de Yahvé. ²⁵Il n'y eut avant lui aucun roi qui se fût, comme lui, tourné vers Yahvé de tout son cœur, de toute son âme et de toute sa force, en toute fidélité à la Loi de Moïse, et après lui il ne s'en leva pas qui lui fût comparable.

²⁶Pourtant, Yahvé ne revint pas de l'ardeur de sa grande colère, qui s'était enflammée contre Juda pour les déplaisirs que Manassé lui avait causés. ²⁷Yahvé décida : « J'écarterai Juda aussi de devant moi, comme j'ai écarté Israël, je rejetterai cette ville que j'avais élue, Jérusalem, et le Temple dont j'avais dit : Là sera mon Nom. »

Fin du règne de Josias. || 2 Ch **35** 26-27.

²⁸Le reste de l'histoire de Josias, et tout ce qu'il a fait, cela n'est-il pas écrit au livre des Annales des rois de Juda ?

|| 2 Ch **35** 20-24 ; **36** 1.

²⁹De son temps, le Pharaon Neko, roi d'Égypte, monta vers le roi d'Assyrie, sur le fleuve de l'Euphrate. Le roi Josias se porta au-devant de lui mais Neko le fit périr à Megiddo, à la première rencontre. ³⁰Ses serviteurs transportèrent son corps en char depuis Megiddo, ils le ramenèrent à Jérusalem et l'ensevelirent dans son tombeau. Le peuple du pays prit Joachaz fils de Josias ; on lui donna l'onction et on le proclama roi à la place de son père.

IV. LA RUINE DE JÉRUSALEM

Règne de Joachaz en Juda (609). ‖ 2 Ch 36 2-4.

³¹Joachaz avait vingt-trois ans à son avènement et il régna trois mois à Jérusalem ; sa mère s'appelait Hamital, fille de Yirmeyahu, et était de Libna. ³²Il fit ce qui déplaît à Yahvé, tout comme avaient fait ses pères.

³³Le Pharaon Neko le mit aux chaînes à Ribla, dans le territoire de Hamat, pour qu'il ne règne plus à Jérusalem, et il imposa au pays une contribution de cent talents d'argent et de talents d'or. ³⁴Le Pharaon Neko établit comme roi Élyaqim, fils de Josias, à la place de son père Josias, et il changea son nom en celui de Joiaqim. Quant à Joachaz, il le prit et il vint en Égypte, où il mourut.

³⁵Joiaqim livra à Pharaon l'argent et l'or mais il dut imposer le pays pour livrer la somme exigée par Pharaon : il leva sur chacun, selon sa fortune, l'argent et l'or qu'il fallait donner au Pharaon Neko.

Règne de Joiaqim en Juda (609-598). ‖ 2 Ch 36 5-7.

³⁶Joiaqim avait vingt-cinq ans à son avènement et il régna onze ans à Jérusalem ; sa mère s'appelait Zebida, fille de Pedaya, et était de Ruma. ³⁷Il fit ce qui déplaît à Yahvé, tout comme avaient fait ses pères.

24 ¹De son temps, Nabuchodonosor, roi de Babylone, fit campagne, et Joiaqim lui fut soumis pendant trois ans puis se révolta de nouveau contre lui. ²Yahvé envoya sur lui les bandes des Chaldéens, celles des Araméens, celles des Moabites, celles des Ammonites, il les envoya sur Juda pour le détruire, conformément à la parole que Yahvé avait prononcée par le ministère de ses serviteurs les prophètes. ³Cela arriva à Juda uniquement sur l'ordre de Yahvé, qui voulait l'écarter de devant sa face, pour les péchés de Manassé, pour tout ce qu'avait fait celui-ci ⁴et aussi pour le sang innocent qu'il avait répandu, inondant Jérusalem de sang innocent. Yahvé ne voulut pas pardonner.

⁵Le reste de l'histoire de Joiaqim et tout ce qu'il a fait, cela n'est-il pas écrit au livre des Annales des rois de Juda ? ⁶Joiaqim se coucha avec ses pères et Joiakîn son fils régna sa place.

⁷Le roi d'Égypte ne sortit plus de son pays, car le roi de Babylone avait conquis, depuis le Torrent d'Égypte jusqu'au fleuve de l'Euphrate, tout ce qui appartenait au roi d'Égypte.

Introduction au règne de Joiakîn (598). ‖ 2 Ch 36 9.

⁸Joiakîn avait dix-huit ans à son avènement et il régna trois mois à Jérusalem ; sa mère s'appelait Nehushta, fille d'Elnatân, et était de Jérusalem. ⁹Il fit ce qui déplaît à Yahvé, tout comme avait fait son père.

La première déportation. ‖ 2 Ch 36 10.

¹⁰En ce temps-là, les officiers de Nabuchodonosor, roi de Babylone, marchèrent contre Jérusalem

et la ville fut investie. [11]Nabuchodonosor, roi de Babylone, vint lui-même attaquer la ville, pendant que ses officiers l'assiégeaient. [12]Alors Joiakîn, roi de Juda, se rendit au roi de Babylone, lui, sa mère, ses officiers, ses dignitaires et ses eunuques, et le roi de Babylone les fit prisonniers ; c'était en la huitième année de son règne.

[13]Celui-ci emporta tous les trésors du Temple de Yahvé et les trésors du palais royal et il brisa tous les objets d'or que Salomon, roi d'Israël, avait fabriqués pour le sanctuaire de Yahvé, comme l'avait annoncé Yahvé. [14]Il emmena en exil tout Jérusalem, tous les dignitaires et tous les notables, soit dix mille exilés, et tous les forgerons et serruriers ; seule fut laissée la plus pauvre population du pays. [15]Il déporta Joiakîn à Babylone ; de même la mère du roi, les femmes du roi, ses eunuques, les nobles du pays, il les fit partir en exil de Jérusalem à Babylone. [16]Tous les gens de condition, au nombre de sept mille, les forgerons et les serruriers, au nombre de mille, tous les hommes en état de porter les armes, furent conduits en exil à Babylone par le roi de Babylone.

[17]Le roi de Babylone établit comme roi à la place de Joiakîn son oncle Mattanya, dont il changea le nom en celui de Sédécias.

Introduction au règne de Sédécias en Juda (598-587). ‖ 2 Ch 36 11-12. ‖ Jr 52 1-3.

[18]Sédécias avait vingt ans à son avènement et il régna onze ans à Jérusalem ; sa mère s'appelait Hamital, fille de Yirmeyahu, et était de Libna. [19]Il fit ce qui déplaît à

Yahvé, tout comme avait fait Joiaqim. [20]Cela arriva à Jérusalem et à Juda à cause de la colère de Yahvé, tant qu'enfin il les rejeta de devant sa face.

Siège de Jérusalem. ‖ Jr 52 3-11. ‖ 2 Ch 36 13. ‖ Jr 39 1-7.

Sédécias se révolta contre le roi de Babylone.

25 [1]En la neuvième année de son règne, au dixième mois, le dix du mois, Nabuchodonosor, roi de Babylone, vint attaquer Jérusalem avec toute son armée, il campa devant la ville et la cerna d'un retranchement. [2]La ville fut investie jusqu'à la onzième année de Sédécias. [3]Le neuf du mois, alors que la famine sévissait dans la ville et que la population n'avait plus rien à manger, [4]une brèche fut faite au rempart de la ville. Alors tous les hommes de guerre s'échappèrent de nuit par la porte entre les deux murs, qui est près du jardin du roi – les Chaldéens cernaient la ville – et ils prirent le chemin de la Araba. [5]Les troupes chaldéennes poursuivirent le roi et l'atteignirent dans les plaines de Jéricho, où tous ses soldats se dispersèrent loin de lui. [6]Les Chaldéens s'emparèrent du roi et le menèrent à Ribla auprès du roi de Babylone ; ils le firent passer en jugement. [7]Ils firent égorger les fils de Sédécias sous ses yeux, puis Nabuchodonosor creva les yeux de Sédécias, le mit aux fers et l'emmena à Babylone.

Sac de Jérusalem et seconde déportation. ‖ Jr 52 12-27 ; 39 8-10.

[8]Au cinquième mois, le sept du mois – c'était en la dix-neuvième

année de Nabuchodonosor, roi de Babylone –, Nebuzaradân, commandant de la garde, officier du roi de Babylone, fit son entrée à Jérusalem. [9]Il incendia le Temple de Yahvé, le palais royal et toutes les maisons de Jérusalem ; il brûla toute maison de grand. [10]Les troupes chaldéennes qui étaient avec le commandant de la garde abattirent les remparts qui entouraient Jérusalem. [11]Nebuzaradân, commandant de la garde, déporta le reste de la population laissée dans la ville, les transfuges qui avaient passé au roi de Babylone et le reste de la foule. [12]Du petit peuple du pays, le commandant de la garde laissa une partie, comme vignerons et comme laboureurs.

[13]Les Chaldéens brisèrent les colonnes de bronze du Temple de Yahvé, les bases roulantes et la Mer de bronze qui étaient dans le Temple de Yahvé, et ils en emportèrent le bronze à Babylone. [14]Ils prirent aussi les vases à cendres, les pelles, les couteaux, les navettes et tous les ustensiles de bronze qui servaient au culte. [15]Le commandant de la garde prit les encensoirs et les coupes d'aspersion, tout ce qui était en or et tout ce qui était en argent. [16]Quant aux deux colonnes, à la Mer unique et aux bases roulantes, que Salomon avait fabriquées pour le Temple de Yahvé, on ne pouvait évaluer ce que pesait le bronze de tous ces objets. [17]La hauteur d'une colonne était de dix-huit coudées, elle avait un chapiteau de bronze et la hauteur du chapiteau était de trois coudées ; il y avait un treillis et des grenades autour du chapiteau, le tout en bronze. De même pour la seconde colonne.

[18]Le commandant de la garde fit prisonniers Seraya, le prêtre en chef, Çephanyahu, le prêtre en second, et les trois gardiens du seuil. [19]De la ville, il fit prisonniers un eunuque, préposé aux hommes de guerre, cinq des familiers du roi, qui furent trouvés dans la ville, le secrétaire du chef de l'armée, chargé de la conscription, et soixante hommes du pays, qui furent trouvés dans la ville. [20]Nebuzaradân, commandant de la garde, les prit et les mena auprès du roi de Babylone à Ribla, [21]et le roi de Babylone les fit mettre à mort à Ribla, au pays de Hamat. Ainsi Juda fut déporté loin de sa terre.

Godolias, gouverneur de Juda.

[22]Quant à la population qui était restée dans le pays de Juda et qu'avait laissée Nabuchodonosor, roi de Babylone, celui-ci lui préposa Godolias fils d'Ahiqam fils de Shaphân. [23]Tous les officiers des troupes et leurs hommes apprirent que le roi de Babylone avait institué Godolias gouverneur et ils vinrent auprès de lui à Miçpa : Yishmaël fils de Netanya, Yohanân fils de Qaréah, Seraya fils de Tanhumèt, le Netophatite, Yaazanyahu, le Maakatite, eux et leurs hommes. [24]Godolias leur fit un serment, à eux et à leurs hommes, et leur dit : « Ne craignez pas d'être serviteurs des Chaldéens, demeurez dans le pays, servez le roi de Babylone et vous vous en trouverez bien. »

[25]Mais, au septième mois, Yishmaël fils de Netanya fils d'Élishama, qui était de race royale, et dix hommes avec lui, vinrent frapper à mort Godolias, ain-

si que les Judéens et les Chaldéens qui étaient avec lui à Miçpa. [26]Alors tout le peuple, du plus petit au plus grand, et les chefs des troupes partirent et allèrent en Égypte, parce qu'ils eurent peur des Chaldéens.

La grâce du roi Joiakîn. ‖ Jr 52 31-34.

[27]En la trente-septième année de la déportation de Joiakîn, roi de Juda, au douzième mois, le vingt-sept du mois, Évil-Mérodak, roi de Babylone, en l'année de son avènement, fit grâce à Joiakîn, roi de Juda, et le tira de prison. [28]Il lui parla avec faveur et lui accorda un siège supérieur à ceux des autres rois qui étaient avec lui à Babylone. [29]Joiakîn quitta ses vêtements de captif et mangea toujours à la table du roi, sa vie durant. [30]Son entretien fut assuré constamment par le roi, jour après jour, sa vie durant.

Les livres des Chroniques d'Esdras et de Néhémie

Introduction

Un second groupe de livres double en grande partie puis prolonge l'histoire deutéronomiste. Les deux livres des Chroniques et les livres d'Esdras et de Néhémie sont l'œuvre d'un même auteur, un lévite de Jérusalem qui écrit au début de l'époque grecque, avant 300 av. J.-C.

Les livres des **Chroniques** sont écrits à une époque où le peuple, privé de son indépendance politique, jouissait cependant d'une sorte d'autonomie : il vivait sous la direction de ses prêtres, selon les règles de sa loi religieuse ; le Temple et ses cérémonies étaient le centre de la vie nationale. Le Chroniste considère que c'est sous David que se sont le mieux réalisées les conditions du règne de Dieu sur la terre et que la communauté doit vivre dans l'esprit de David, avec un constant souci de réforme et de retour aux traditions.

1 Ch 1-9 donne des listes généalogiques qui s'attardent sur la tribu de Juda et la descendance de David, sur les lévites, sur les habitants de Jérusalem. L'histoire de David occupe toute la fin du premier livre. Les démêlés avec Saül sont omis, comme la faute avec Bethsabée, les drames de famille et les révoltes, mais la prophétie de Natân est mise en relief, **17**, et une place considérable est faite aux institutions religieuses. Dans l'histoire de Salomon, **2 Ch 1-9**, la construction du Temple, la prière du roi lors de la dédicace et les promesses que Dieu fait en réponse occupent la plus grande place. À partir du schisme, le Chroniste ne se préoccupe que du royaume de Juda et de la dynastie davidique. Les rois sont jugés d'après leur fidélité ou leur infidélité aux principes de l'Alliance, selon qu'ils se rapprochent ou s'écartent du modèle donné par David, **10-36**. Les désordres sont suivis de réformes, dont les plus profondes sont celles d'Ézéchias et de Josias. Les rois impies précipitent le désastre. Les Chroniques s'achèvent par la permission donnée par Cyrus de reconstruire le Temple.

Pour écrire cette histoire, l'auteur a utilisé librement – sans les citer – les livres de la Genèse et des Nombres, de Samuel et des Rois. En revanche, il se réfère à des « livres » des rois d'Israël ou des rois d'Israël et de Juda, à un « midrash » du livre des Rois, à des « paroles » ou des « visions » de tel ou tel prophète – écrits qui nous sont inconnus. Le Chroniste est un théologien qui, à la lumière des expériences anciennes et d'abord de l'expérience davidique, pense les conditions du royaume idéal ; il fait confluer dans une synthèse le passé, le présent et l'avenir : il projette à l'époque de David toute l'organisation cultuelle qu'il a sous les yeux, il omet tout ce qui pourrait amoindrir son héros. Son ouvrage vaut moins pour une reconstitution du passé que comme un tableau de l'état et des préoccupations de son époque. Car le Chroniste écrit pour ses contemporains. Il leur rappelle que la vie de la nation dépend de sa fidélité à Dieu et que cette fidélité s'exprime par l'obéissance à la Loi et la régularité d'un culte animé par une vraie piété. Il veut que son peuple soit une communauté sainte, condition pour que se réalisent les promesses faites à David.

Les livres d'**Esdras** et de **Néhémie** sont la continuation de l'œuvre du Chroniste.

Esd 1-6 : après les cinquante années de l'Exil, dont il ne parle pas, le Chroniste reprend l'histoire au moment où l'édit de Cyrus, en 538 av. J.-C., autorise les Juifs à retourner à Jérusalem pour y reconstruire le Temple (qui sera achevé en 515). **7-10** : Esdras, un scribe chargé des affaires juives à la cour de Perse, arrive à Jérusalem ; il a autorité pour imposer à la communauté la Loi de Moïse, reconnue comme loi du roi.

Ne 1-7 : Néhémie, échanson d'Artaxerxès, se fait donner par le roi la mission d'aller à Jérusalem pour en relever les murailles et repeupler la ville. **7-10** Entre-temps, Néhémie a été nommé gouverneur. Esdras fait une lecture solennelle de la Loi, on célèbre la fête des Tentes, le peuple confesse ses péchés et s'engage à observer la Loi. **11-13** : Néhémie, après être retourné en Perse, revient pour une seconde mission.

Ces livres sont la seule source d'information que nous ayons sur l'activité d'Esdras et de Néhémie et l'histoire de la Restauration juive après l'Exil. Ils complètent les renseignements qu'on peut tirer des prophètes Aggée, Zacharie et Malachie, mais surtout ils utilisent et citent textuellement des documents contemporains des faits. Cependant les procédés de composition du Chroniste posent des problèmes insurmontables aux historiens modernes et la chronologie de l'activité de Néhémie comme celle d'Esdras sont impossibles à établir. Un seul point est sûr : Néhémie était à Jérusalem de 445 à 433 av. J.-C.

L'intention de l'auteur est de donner un tableau synthétique de la Restauration juive et des idées qui l'ont animée. Esdras est le père du judaïsme, avec ses trois idées essentielles : la Race élue, le Temple, la Loi. Sa foi ardente et la nécessité de sauvegarder la communauté renaissante expliquent l'intransigeance de ses réformes et le particularisme qu'il imposa aux siens. Néhémie est au service des mêmes idées, mais il agit sur un autre plan : dans Jérusalem restaurée et repeuplée par lui, il donne à son peuple la possibilité et le goût d'une vie nationale. Il laissa un grand souvenir et Ben Sira chante l'éloge de « celui qui releva pour nous les murs en ruine » (Si **49** 13).

Premier livre des Chroniques

1. *Autour de David : Les généalogies*

I. D'ADAM À ISRAËL

Origine des trois grands groupes. || Gn 5.

1 ¹Adam, Seth, Énosh, ²Qénân, Mahalaléel, Yéred, ³Hénok, Mathusalem, Lamek, ⁴Noé, Sem, Cham et Japhet.

Les Japhétites. || Gn 10 2-4.

⁵Fils de Japhet : Gomer, Magog, les Mèdes, Yavân, Tubal, Méshek, Tiras.

⁶Fils de Gomer : Ashkenaz, Riphat, Togarma. ⁷Fils de Yavân : Elisha, Tarshish, les Kittim, les Rodanéens.

Les Chamites. || Gn 10 6-8, 13-18.

⁸Fils de Cham : Kush, Miçrayim, Put, Canaan.

⁹Fils de Kush : Séba, Havila, Sabta, Rama, Sabteka. Fils de Rama : Sheba, Dedân. ¹⁰Kush engendra Nemrod, qui fut le premier potentat sur la terre.

¹¹Miçrayim engendra les gens de Lud, de Anam, de Lehab, de Naphtuh, ¹²de Patros, de Kasluh d'où sont sortis les Philistins, et de Kaphtor. ¹³Canaan engendra Sidon, son premier-né, puis Hèt, ¹⁴et le Jébuséen, l'Amorite, le Girgashite, ¹⁵le Hivvite, l'Arqite,

le Sinite, ¹⁶l'Arvadite, le Çemarite, le Hamatite.

Les Sémites. || Gn 10 22-29.

¹⁷Fils de Sem : Élam, Ashshur, Arpakshad, Lud et Aram ;
Uç, Hul, Géter et Méshek.
¹⁸Arpakshad engendra Shélah et Shélah engendra Éber. ¹⁹À Éber naquirent deux fils : le premier s'appelait Péleg, car ce fut en son temps que la terre fut divisée, et son frère s'appelait Yoqtân.

²⁰Yoqtân engendra Almodad, Shéleph, Haçarmavet, Yérah, ²¹Hadoram, Uzal, Diqla, ²²Ébal, Abimaël, Shéba, ²³Ophir, Havila, Yobab ; tous ceux-là sont fils de Yoqtân.

De Sem à Abraham. || Gn 11 10-26.

²⁴Arpakshad, Shélah, ²⁵Éber, Péleg, Réu, ²⁶Serug, Nahor, Térah, ²⁷Abram – c'est Abraham. ²⁸Fils d'Abraham : Isaac et Ismaël. ²⁹Voici leur postérité :

Les Ismaélites. || Gn 25 13-16, 2-4.

Le premier-né d'Ismaël, Nebayot, puis Qédar, Adbéel, Mibsam, ³⁰Mishma, Duma, Massa, Hadad, Téma, ³¹Yetur, Naphish et

Qédma. Tels sont les fils d'Ismaël.

³²Fils de Qetura, concubine
d'Abraham. Elle enfanta Zimrân,
Yoqshân, Medân, Madiân, Yishbaq et Shuah. Fils de Yoqshân :
Sheba et Dedân. ³³Fils de Madiân : Épha, Épher, Hanok, Abida, Eldaa. Tous ceux-là sont fils
de Qetura.

Isaac et Ésaü. ‖ Gn 25 19 ; 36 10-13, 15-17.

³⁴Abraham engendra Isaac. Fils
d'Isaac : Ésaü et Israël.

³⁵Fils d'Ésaü : Éliphaz, Réuel,
Yéush, Yalam et Qorah. ³⁶Fils
d'Éliphaz : Témân, Omar, Çephi,
Gaétam, Qenaz, Timna, Amaleq.
³⁷Fils de Réuel : Nahat, Zérah,
Shamma, Mizza.

Séïr. ‖ Gn 36 20-28.

³⁸Fils de Séïr : Lotân, Shobal,
Çibéôn, Ana, Dishôn, Éçer, Di-
shân. ³⁹Fils de Lotân : Hori et Ho-
mam. Sœur de Lotân, Timna.
⁴⁰Fils de Shobal : Alyân, Mana-
hat, Ébal, Shephi, Onam. Fils de
Cibéôn : Ayya et Ana. ⁴¹Fils de
Ana : Dishôn. Fils de Dishôn :
Hamrân, Éshbân, Yitrân, Kerân.
⁴²Fils d'Éçer : Bilhân, Zaavân,
Yaaqân. Fils de Dishân : Uç et
Arân.

Les rois d'Édom. ‖ Gn 36 31-39.

⁴³Voici les rois qui régnèrent
au pays d'Édom avant que ne régnât un roi des Israélites : Béla
fils de Béor, et sa ville s'appelait
Dinhaba. ⁴⁴Béla mourut et à sa
place régna Yobab, fils de Zérah,
de Boçra. ⁴⁵Yobab mourut et à sa
place régna Husham, du pays des
Témanites. ⁴⁶Husham mourut et à
sa place régna Hadad, fils de Bedad, qui battit les Madianites
dans les Champs de Moab ; sa
ville s'appelait Avvit. ⁴⁷Hadad
mourut et à sa place régna Samla
de Masréqa. ⁴⁸Samla mourut et à
sa place régna Shaûl de Rehobot-
ha-Nahar. ⁴⁹Shaûl mourut et à sa
place régna Baal-Hanân fils
d'Akbor. ⁵⁰Baal-Hanân mourut et
à sa place régna Hadad. Sa ville
s'appelait Paï ; sa femme s'appelait Mehétabéel, fille de Matred
de Mé-Zahab.

Les chefs d'Édom. ‖ Gn 36 40-43.

⁵¹Hadad mourut et il y eut alors
des chefs en Édom : le chef Timna, le chef Alya, le chef Yetèt, ⁵²le
chef Oholibama, le chef Éla, le
chef Pinôn, ⁵³le chef Qenaz, le
chef Témân, le chef Mibçar, ⁵⁴le
chef Magdiel, le chef Iram. Tels
sont les chefs d'Édom.

II. JUDA

Fils d'Israël. ‖ Gn 35 23-26.

2 ¹Voici les fils d'Israël : Ruben, Siméon, Lévi, Juda, Issachar et Zabulon, ²Dan, Joseph et
Benjamin, Nephtali, Gad et Asher.

Descendants de Juda. ‖ Gn 38 2-5,
7, 27-30. ‖ Gn 46 12. ‖ 1 R 5 11.

³Fils de Juda : Ér, Onân et Shéla. Tous trois lui naquirent de Bat-
Shua, la Cananéenne. Er, premier-

né de Juda, déplut à Yahvé ; il le fit mourir. [4]Tamar, la belle-fille de Juda, lui enfanta Pérèç et Zérah. Il y eut en tout cinq fils de Juda.

[5]Fils de Pérèç : Heçrôn et Hamul.

[6]Fils de Zérah : Zimri, Étân, Hémân, Kalkol et Darda, cinq en tout.

[7]Fils de Karmi : Akar, qui fit le malheur d'Israël pour avoir violé l'anathème.

[8]Fils d'Étân : Azarya.

Origines de David. || Nb 1 7. || Rt 4 19-22.

[9]Fils de Heçrôn : lui naquirent : Yerahméel, Ram, Kelubaï.

[10]Ram engendra Amminadab, Amminadab engendra Nahshôn, prince des fils de Juda, [11]Nahshôn engendra Salma et Salma engendra Booz. [12]Booz engendra Obed, et Obed engendra Jessé. [13]Jessé engendra Éliab son premier-né, Abinadab le second, Shiméa le troisième, [14]Netanéel le quatrième, Raddaï le cinquième, [15]Oçem le sixième, David le septième. [16]Ils eurent pour sœurs Çeruya et Abigayil. Fils de Çeruya : Abishaï, Joab et Asahel : trois. [17]Abigayil enfanta Amasa ; le père d'Amasa fut Yéter l'Ismaélite.

Caleb. Jos 14 6. 1 Ch 2 42s ; 4 11s.

[18]Caleb, fils de Heçrôn, engendra Yeriot d'Azuba sa femme ; en voici les fils : Yésher, Shobab et Ardôn. [19]Azuba mourut et Caleb épousa Éphrata, qui lui enfanta Hur. [20]Hur engendra Uri et Uri engendra Beçaléel.

[21]Puis Heçrôn s'unit à la fille de Makir, père de Galaad. Il l'épousa alors qu'il avait soixante ans et elle lui enfanta Segub. [22]Segub engendra Yaïr qui détint vingt-trois villes dans le pays de Galaad. [23]Puis Aram et Geshur leur prirent les Douars de Yaïr, Qenat et ses dépendances, soixante villes. Tous ceux-là étaient fils de Makir père de Galaad.

[24]Après la mort de Heçrôn, Caleb s'unit à Éphrata, femme de son père Heçrôn, qui lui enfanta Ashehur, père de Teqoa.

Yerahméel.

[25]Yerahméel, fils aîné de Heçrôn, eut des fils : Ram son premier-né, Buna, Orèn, Oçem, Ahiyya. [26]Yerahméel eut une autre femme du nom de Atara ; elle fut la mère d'Onam.

[27]Les fils de Ram, premier-né de Yerahméel, furent Maaç, Yamîn et Éqer.

[28]Les fils d'Onam furent Shammaï et Yada. Fils de Shammaï : Nadab et Abishur. [29]La femme d'Abishur s'appelait Abihayil ; elle lui enfanta Ahbân et Molid. [30]Fils de Nadab : Séled et Appaïm. Séled mourut sans fils. [31]Fils d'Appaïm : Yishéï ; fils de Yishéï : Shéshân ; fils de Shéshân : Ahlaï. [32]Fils de Yada, frère de Shammaï : Yéter et Yonatân. Yéter mourut sans fils. [33]Fils de Yonatân : Pélèt et Zaza.

Tels furent les fils de Yerahméel.

[34]Shéshân n'eut pas de fils, mais des filles. Il avait un serviteur égyptien dénommé Yarha, [35]auquel Shéshân donna sa fille pour épouse. Elle lui enfanta Attaï. [36]Attaï engendra Natân, Natân engendra Zabad, [37]Zabad engendra Ephlal, Ephlal engendra

Obed, [38]Obed engendra Yéhu, Yéhu engendra Azarya, [39]Azarya engendra Héleç, Héleç engendra Éléasa, [40]Éléasa engendra Sismaï, Sismaï engendra Shallum, [41]Shallum engendra Yeqamya, Yeqamya engendra Élishama.

Caleb.

[42]Fils de Caleb, frère de Yerahméel : Mésha, son premier-né ; c'est le père de Ziph ; et les fils de Maresha, père de Hébrôn. [43]Fils de Hébrôn : Qorah, Tappuah, Réqem et Shéma. [44]Shéma engendra Raham, père de Yorqéam. Réqem engendra Shammaï. [45]Le fils de Shammaï fut Maôn et Maôn fut le père de Bet-Çur. [46]Épha, concubine de Caleb, enfanta Harân, Moça et Gazèz. Harân engendra Gazèz. [47]Fils de Yahdaï : Régem, Yotam, Geshân, Pélèt, Épha et Shaaph. [48]Maaka, concubine de Caleb, enfanta Shéber et Tirhana. [49]Elle enfanta Shaaph, père de Madmanna, et Sheva, père de Makbena et père de Gibéa.

La fille de Caleb était Aksa. [50]Tels furent les descendants de Caleb.

Hur.

Fils de Hur, premier-né d'Éphrata : Shobal, père de Qiryat-Yéarim, [51]Salma, père de Bethléem, Harèph, père de Bet-Gader. [52]Shobal, père de Qiryat-Yéarim, eut des fils : Haroé, soit la moitié des Manahatites, [53]et les clans de Qiryat-Yéarim, Yitrites, Putites, Shumatites et Mishraïtes. Les gens de Çoréa et d'Eshtaol en sont issus.

[54]Fils de Salma : Bethléem, les Netophatites, Atrot Bet-Yoab, la moitié des Manahatites, les Çoréatites, [55]les clans Sophrites habitant Yabèç, les Tiréatites, les Shiméatites, les Sukatites. Ce sont les Qénites qui viennent de Hammat, père de la maison de Rékab.

III. LA MAISON DE DAVID

Fils de David.

= 14 3-7. ‖ 2 S 5 14-16.

3 [1]Voici les fils de David qui lui naquirent à Hébron : Amnon l'aîné, d'Ahinoam de Yizréel ; Daniyyel le deuxième, d'Abigayil de Karmel ; [2]Absalom le troisième, fils de Maaka, fille de Talmaï, roi de Geshur ; Adonias le quatrième, fils de Haggit ; [3]Shephatya le cinquième, d'Abital ; Yitréam, le sixième, de Égla sa femme. [4]Il y en eut donc six qui lui naquirent à Hébron, où il régna sept ans et six mois.

Il régna trente-trois ans à Jérusalem. [5]Voici les fils qui lui naquirent à Jérusalem : Shiméa, Shobab, Natân, Salomon, tous quatre enfants de Bat-Shua, fille de Ammiel ; [6]Yibhar, Élishama, Éliphélèt, [7]Nogah, Népheg, Yaphia, [8]Élishama, Élyada, Éliphélèt : neuf.

[9]Ce sont là tous les fils de David, sans compter les fils des concubines. Tamar était leur sœur.

Rois de Juda.

[10]Fils de Salomon : Roboam ; Abiyya son fils, Asa son fils, Josaphat son fils, [11]Joram son fils, Ochozias son fils, Joas son fils, [12]Amasias son fils, Azarias son fils, Yotam son fils, [13]Achaz son fils, Ézéchias son fils, Manassé son fils, [14]Amon son fils, Josias son fils. [15]Fils de Josias : Yohanân l'aîné, Joiaqim le deuxième, Sédécias le troisième, Shallum le quatrième. [16]Fils de Joiaqim : Jékonias son fils, Sédécias son fils.

La lignée royale après l'Exil.

[17]Fils de Jékonias le captif : Shéaltiel son fils, [18]puis Malki-ram, Pedaya, Shéneaççar, Yeqamya, Hoshama, Nedabya. [19]Fils de Pedaya : Zorobabel et Shiméï. Fils de Zorobabel : Meshullam et Hananya ; Shelomit était leur sœur. [20]Fils de Meshullam : Hashuba, Ohel, Bérékya, Hasadya, Yushab-Hésed : cinq. [21]Fils de Hananya : Pelatya et Yeshaya ; les fils de Rephaya, les fils d'Arnân, les fils d'Obadya, les fils de Shekanya. [22]Fils de Shekanya : Shemaya, Hattush, Yigéal, Bariah, Néarya, Shaphat : six. [23]Fils de Néarya : Elyoénaï, Hizqiyya, Azriqam : trois. [24]Fils d'Elyoénaï : Hodaïvahu, Élyashib, Pelaya, Aqqub, Yohanân, Delaya, Anani : sept.

IV. LES TRIBUS MÉRIDIONALES

Juda. Shobal.

4 [1]Fils de Juda : Pérèç, Heçrôn, Karmi, Hur, Shobal. [2]Reaya, fils de Shobal, engendra Yahat, et Yahat engendra Ahumaï et Lahad. Ce sont les clans Çoréatites.

Hur. Cf. 2 50.

[3]Voici Abi-Étam, Yizréel, Yishma et Yidbash, dont la sœur s'appelait Haçlelponi. [4]Penuel était père de Gedor, Ézer père de Husha. Tels sont les fils de Hur, premier-né d'Éphrata, père de Bethléem.

Ashehur.

[5]Ashehur, père de Teqoa, eut deux femmes : Héléa et Naara. [6]Naara lui enfanta Ahuzam, Hépher, les Timnites et les Ahashtarites. Tels sont les fils de Naara. [7]Fils de Héléa : Çéret, Çohar, Etnân. [8]Qoç engendra Anub, Haççobéba et les clans d'Aharhel, fils de Harum. [9]Yabeç l'emporta sur ses frères. Sa mère lui donna le nom de Yabeç en disant : « J'ai enfanté dans la détresse. » [10]Yabeç invoqua le Dieu d'Israël : « Si vraiment tu me bénis, dit-il, tu accroîtras mon territoire, ta main sera avec moi, tu feras s'éloigner le malheur et ma détresse prendra fin. » Dieu lui accorda ce qu'il avait demandé.

Caleb.

[11]Kelub, frère de Shuha, engendra Mehir ; c'est le père d'Eshtôn. [12]Eshtôn engendra Bet-Rapha, Pa-

séah, Tehinna, père de Ir-Nahash. Tels sont les hommes de Rékab.

|| Jg **1** 13.

¹³Fils de Qenaz : Otniel et Seraya. Fils de Otniel : Hatat et Meonotaï ; ¹⁴Meonotaï engendra Ophra. Seraya engendra Yoab père de Gé-Harashim. Ils étaient en effet artisans.

|| Nb **13** 6.

¹⁵Fils de Caleb fils de Yephunné : Ir, Éla et Naam. Fils d'Éla : Qenaz.

¹⁶Fils de Yehalléléel : Ziph, Zipha, Tirya, Asaréel.

¹⁷Fils de Ezra : Yéter, Méred, Épher, Yalôn. Puis elle conçut Miryam, Shammaï et Yishba père d'Eshtemoa, ¹⁸dont la femme judéenne enfanta Yéred père de Gedor, Héber père de Soko et Yequtiel père de Zanoah. Tels sont les fils de Bitya, la fille du Pharaon qu'avait épousée Méred.

¹⁹Fils de la femme de Hodiyya, sœur de Naham père de Qéïla le Garmite et d'Eshtemoa le Maakatite.

²⁰Fils de Shimôn : Amnôn, Rinna, Ben-Hanân, Tilôn.

Fils de Yishéï : Zohet et Ben-Zohet.

Shéla.

²¹Fils de Shéla, fils de Juda : Er père de Léka, Lada père de Maresha et les clans des producteurs de byssus à Bet-Ashbéa, ²²Yoqim, les hommes de Kozeba, Yoash et Saraph qui allèrent se marier en Moab avant de revenir à Bethléem. (Ces événements sont anciens.) ²³Ce sont eux qui étaient potiers et habitaient Netayim et Gedéra. Ils demeuraient là avec le roi, attachés à son atelier.

Siméon. || Gn **46** 10. || Nb **26** 12s.

²⁴Fils de Siméon : Nemuel, Yamîn, Yarib, Zérah, Shaûl. ²⁵Son fils Shallum, son fils Mibsam, son fils Mishma. ²⁶Fils de Mishma : Hammuel son fils, Zakkur son fils, Shiméï son fils. ²⁷Shiméï eut seize fils et six filles, mais ses frères n'eurent pas beaucoup d'enfants et l'ensemble de leurs clans ne se développa pas autant que les fils de Juda.

|| Jos **19** 1-8.

²⁸Ils habitèrent Bersabée, Molada et Haçar-Shual, ²⁹Bilha, Éçém et Tolad, ³⁰Bétuel, Horma et Ciqlag, ³¹Bet-Markabot, Haçar-Susim, Bet-Biréï, Shaarayim. Telles furent leurs villes jusqu'au règne de David. ³²Ils eurent pour villages : Étam, Ayîn, Rimmôn, Tokèn et Ashân, cinq villes, ³³et tous les villages qui entouraient ces villes jusqu'à Baalat. C'est là qu'ils demeurèrent et qu'ils furent enregistrés : ³⁴Meshobab, Yamlek, Yosha fils d'Amaçya, ³⁵Yoël, Yéhu fils de Yoshibya, fils de Seraya, fils d'Asiel, ³⁶Élyoénaï, Yaaqoba, Yeshohaya, Asaya, Adiel, Yesimiel, Benaya, ³⁷Ziza, Ben-Shiphéï, Ben-Allôn, Ben-Yedaya, Ben-Shimri, Ben-Shemaya. ³⁸Ces hommes, recensés nominativement, étaient princes dans leurs clans et leurs familles s'accrurent énormément. ³⁹Ils allèrent du col de Gedor jusqu'à l'orient de la vallée, cherchant pâture pour leur petit bétail. ⁴⁰Ils trouvèrent de bons et gras pâturages, le pays était vaste, tranquille et pacifié. Des Chamites en effet y habitaient auparavant.

⁴¹Les Siméonites, inscrits nominativement, arrivèrent au temps d'Ézéchias, roi de Juda ; ils conquirent leurs tentes et les abris qui se trouvaient là. Ils les vouèrent à un anathème qui dure encore de nos jours et ils s'établirent à leur place, car il y avait là des pâturages pour leur petit bétail.

⁴²Certains d'entre eux, appartenant aux fils de Siméon, gagnèrent la montagne de Séïr : cinq hommes ayant à leur tête Pelatya, Nearya, Rephaya, Uzziel, les fils de Yishéï. ⁴³Ils battirent le reste des réchappés d'Amaleq et demeurèrent là jusqu'à nos jours.

V. LES TRIBUS DE TRANSJORDANIE

Ruben.

5 ¹Fils de Ruben, premier-né d'Israël. Il était en effet le premier-né ; mais quand il eut violé la couche de son père, son droit d'aînesse fut donné aux fils de Joseph, fils d'Israël, et il ne fut plus compté comme aîné. ²Juda prévalut sur ses frères et obtint un prince issu de lui, mais le droit d'aînesse appartenait à Joseph.

‖ Gn 46 9. ‖ Nb 26 5s.

³Fils de Ruben premier-né d'Israël : Hénok, Pallu, Heçrôn, Karmi.

Yoël.

⁴Fils de Yoël : Shemaya son fils, Gog son fils, Shiméï son fils, ⁵Mika son fils, Reaya son fils, Baal son fils, ⁶Bééra son fils que Téglat-Phalasar, roi d'Assyrie, emmena en captivité. Il fut prince des Rubénites.

⁷Ses frères, par clans, groupés selon leur parenté : Yeïel en tête, Zekaryahu, ⁸Béla fils de Azaz, fils de Shéma, fils de Yoël.

Habitat de Ruben. ‖ Nb 32 37s.

C'est Ruben qui, établi à Aroër, s'étendait jusqu'à Nebo et Baal-

Meôn. ⁹À l'orient, son habitat atteignait le seuil du désert que limite le fleuve Euphrate, car il avait de nombreux troupeaux au pays de Galaad.

¹⁰Au temps de Saül, ils firent la guerre aux Hagrites, qui tombèrent entre leurs mains et ils s'établirent dans leurs tentes sur toute la zone orientale de Galaad.

Gad. Jos 13 24-28. Gn 46 16. Nb 26 15-18. Dt 3 10s.

¹¹À leur côté, les fils de Gad habitaient le pays du Bashân jusqu'à Salka : ¹²Yoël en tête, Shapham le second, puis Yanaï et Shaphat en Bashân.

¹³Leurs frères, par familles : Mikaël, Meshullam, Sheba, Yoraï, Yakân, Zia, Éber : sept. ¹⁴Voici les fils d'Abihayil : Ben-Huri, Ben-Yaroah, Ben-Giléad, Ben-Mikaël, Ben-Yeshishaï, Ben-Yahdo, Ben-Buz. ¹⁵Ahi, fils de Abdiel, fils de Guni, était le chef de leur famille.

¹⁶Ils étaient établis en Galaad, en Bashân et ses dépendances, ainsi que dans tous les pâturages du Sharon jusqu'à leurs extrêmes limites. ¹⁷C'est à l'époque de Yotam, roi de

Juda, et de Jéroboam, roi d'Israël, qu'ils furent tous enregistrés.

¹⁸Les fils de Ruben, les fils de Gad, la demi-tribu de Manassé, certains de leurs guerriers, hommes armés du bouclier, de l'épée, tirant de l'arc et exercés au combat, au nombre de quarante-quatre mille sept cent soixante aptes à faire campagne, ¹⁹firent la guerre aux Hagrites, à Yetur, à Naphish et à Nodab. ²⁰Dieu leur vint en aide contre eux, et les Hagrites, ainsi que tous leurs alliés, tombèrent en leur pouvoir, car ils avaient fait appel à Dieu dans le combat, et ils furent exaucés pour avoir mis en lui leur confiance. ²¹Ils razzièrent les troupeaux des Hagrites, cinquante mille chameaux, deux cent cinquante mille têtes de petit bétail, deux mille ânes, et cent mille personnes, ²²car, Dieu ayant mené le combat, la plupart avaient été tués. Et ils s'installèrent à leur place jusqu'à l'exil.

La demi-tribu de Manassé.
‖ Nb 32 39.

²³Les fils de la demi-tribu de Manassé s'établirent dans le pays entre Bashân et Baal-Hermôn, le Senir et le mont Hermon.

Ils étaient nombreux. ²⁴Voici les chefs de leurs familles : Épher, Yishéï, Éliel, Azriel, Yirmeya, Hodavya, Yahdiel. C'étaient des preux valeureux, des hommes renommés, chefs de leurs familles.

²⁵Mais ils furent infidèles envers le Dieu de leurs pères, et se prostituèrent aux dieux des peuples du pays que Dieu avait anéantis devant eux. ²⁶Le Dieu d'Israël excita l'animosité de Pul, roi d'Assyrie, et celle de Téglat-Phalasar, roi d'Assyrie. Il déporta Ruben, Gad et la demi-tribu de Manassé, et les emmena à Halah et sur le Habor, à Hara et au fleuve de Gozân. Ils y sont encore aujourd'hui.

VI. LÉVI

L'ascendance des grands prêtres. ‖ Gn 46 11. ‖ Nb 26 59-60.

²⁷Fils de Lévi : Gershôn, Qehat et Merari. ²⁸Fils de Qehat : Amram, Yiçhar, Hébrôn, Uzziel. ²⁹Fils d'Amram : Aaron, Moïse et Miryam. Fils d'Aaron : Nadab et Abihu, Éléazar et Itamar.

³⁰Éléazar engendra Pinhas, Pinhas engendra Abishua, ³¹Abishua engendra Buqqi, Buqqi engendra Uzzi, ³²Uzzi engendra Zerahya, Zerahya engendra Merayot, ³³Merayot engendra Amarya, Amarya engendra Ahitub, ³⁴Ahitub engendra Sadoq, Sadoq engendra Ahimaaç, ³⁵Ahimaaç engendra Azarya, Azarya engendra Yohanân, ³⁶Yohanân engendra Azarya. C'est lui qui exerça le sacerdoce dans le Temple qu'avait bâti Salomon à Jérusalem. ³⁷Azarya engendra Amarya, Amarya engendra Ahitub, ³⁸Ahitub engendra Sadoq, Sadoq engendra Shallum, ³⁹Shallum engendra Hilqiyya, Hilqiyya engendra Azarya, ⁴⁰Azarya engendra Seraya, Seraya engendra Yehoçadaq ⁴¹et Yehoça-

daq dut partir quand Yahvé, par la main de Nabuchodonosor, exila Juda et Jérusalem.

Descendance de Lévi. || Nb 3 17-20.

6 [1]Fils de Lévi : Gershom, Qehat et Merari.

[2]Voici les noms des fils de Gershom : Libni et Shiméï. [3]Fils de Qehat : Amram, Yiçhar, Hébrôn, Uzziel. [4]Fils de Merari : Mahli et Mushi. Tels sont les clans de Lévi groupés selon leurs pères.

[5]Pour Gershom : Libni son fils, Yahat son fils, Zimma son fils, [6]Yoah son fils, Iddo son fils, Zérah son fils, Yéatraï son fils.

[7]Fils de Qehat : Amminadab son fils, Coré son fils, Assir son fils, [8]Elqana son fils, Ébyasaph son fils, Assir son fils, [9]Tahat son fils, Uriel son fils, Uzziya son fils, Shaûl son fils. [10]Fils d'Elqana : Amasaï et Ahimot. [11]Elqana son fils, Çôphaï son fils, Nahat son fils, [12]Élyab son fils, Yeroham son fils, Elqana son fils. [13]Fils d'Elqana : Samuel l'aîné et Abiyya le second.

[14]Fils de Merari : Mahli, Libni son fils, Shiméï son fils, Uzza son fils, [15]Shiméa son fils, Haggiyya son fils, Asaya son fils.

Les chantres.

[16]Voici ceux que David chargea de diriger le chant dans le Temple de Yahvé, lorsque l'arche y eut trouvé le repos. [17]Ils furent au service du chant devant la demeure de la Tente du Rendez-vous jusqu'à ce que Salomon eût construit à Jérusalem le Temple de Yahvé, et ils remplissaient leur fonction en se conformant à leur règle.

[18]Voici ceux qui étaient en fonction et leurs fils :

Parmi les fils de Qehat : Hémân le chantre, fils de Yoël, fils de Samuel, [19]fils d'Elqana, fils de Yeroham, fils d'Éliel, fils de Toah, [20]fils de Çuph, fils d'Elqana, fils de Mahat, fils de Amasaï, [21]fils d'Elqana, fils de Yoël, fils de Azarya, fils de Çephanya, [22]fils de Tahat, fils d'Assir, fils d'Ébyasaph, fils de Coré, [23]fils de Yiçhar, fils de Qehat, fils de Lévi, fils d'Israël.

[24]Son frère Asaph se tenait à sa droite : Asaph, fils de Bérékyahu, fils de Shiméa, [25]fils de Mikaël, fils de Baaséya, fils de Malkiyya, [26]fils d'Etni, fils de Zérah, fils d'Adaya, [27]fils d'Étân, fils de Zimma, fils de Shiméï, [28]fils de Yahat, fils de Gershom, fils de Lévi.

[29]À gauche, leurs frères, fils de Merari : Étân, fils de Qishi, fils d'Abdi, fils de Malluk, [30]fils de Hashabya, fils d'Amaçya, fils de Hilqiyya, [31]fils d'Amçi, fils de Bani, fils de Shémer, [32]fils de Mahli, fils de Mushi, fils de Merari, fils de Lévi.

Les autres lévites.

[33]Leurs frères les lévites étaient entièrement adonnés au service de la Demeure du Temple de Dieu. [34]Aaron et ses fils faisaient fumer les offrandes sur l'autel des holocaustes et sur l'autel des parfums ; ils s'occupaient exclusivement des choses très saintes et du rite d'expiation sur Israël ; ils se conformaient à tout ce qu'avait ordonné Moïse, serviteur de Dieu.

[35]Voici les fils d'Aaron : Éléazar son fils, Pinhas son fils, Abishua son fils, [36]Buqqi son fils, Uzzi son fils, Zerahya son fils,

[37]Merayot son fils, Amarya son fils, Ahitub son fils, [38]Sadoq son fils, Ahimaaç son fils.

Habitat des Aaronides. ‖ Jos 21 4, 10-19.

[39]Voici leurs lieux d'habitation, selon les limites de leurs campements :

Aux fils d'Aaron, du clan de Qehat (car c'est sur eux que tomba le sort), [40]on donna Hébron, dans le pays de Juda, avec les pâturages environnants. [41]On donna la campagne et les villages à Caleb, fils de Yephunné, [42]mais on donna aux fils d'Aaron les villes de refuge : Hébron, Libna et ses pâturages, Yattir, Eshtemoa et ses pâturages, [43]Hilaz et ses pâturages, Debir et ses pâturages, [44]Ashân et ses pâturages, Bet-Shémesh et ses pâturages. [45]Sur la tribu de Benjamin on leur donna Géba et ses pâturages, Alémèt et ses pâturages, Anatot et ses pâturages. Leurs clans comprenaient en tout treize villes.

Habitat des autres lévites. ‖ Jos 21 5-8, 9, 20-39.

[46]Les autres fils de Qehat obtinrent au sort dix villes prises aux clans de la tribu, de la demi-tribu, moitié de Manassé. [47]Les fils de Gershom et leurs clans obtinrent treize villes prises sur la tribu d'Issachar, la tribu d'Asher, la tribu de Nephtali et la tribu de Manassé en Bashân. [48]Les fils de Merari et leurs clans obtinrent au sort douze villes prises sur la tribu de Ruben, la tribu de Gad et la tribu de Zabulon. [49]Les fils d'Israël attribuèrent aux lévites ces villes avec leurs pâturages.

[50]Sur les tribus des fils de Juda, des fils de Siméon et des fils de Benjamin, ils attribuèrent aussi par tirage au sort les villes auxquelles ils donnèrent leurs noms.

[51]C'est sur la tribu d'Éphraïm que furent prises les villes du territoire de quelques clans des fils de Qehat. [52]On leur donna les villes de refuge suivantes : Sichem et ses pâturages dans la montagne d'Éphraïm, Gézer et ses pâturages, [53]Yoqméam et ses pâturages, Bet-Horôn et ses pâturages, [54]Ayyalôn et ses pâturages, Gat-Rimmôn et ses pâturages, [55]ainsi que sur la demi-tribu de Manassé : Aner et ses pâturages, Bileam et ses pâturages. Ceci pour le clan des autres fils de Qehat.

[56]Pour les fils de Gershom, on prit, sur les clans de la demi-tribu de Manassé, Golân en Bashân et ses pâturages, Ashtarot et ses pâturages, — [57]sur la tribu d'Issachar, Cadès et ses pâturages, Daberat et ses pâturages, [58]Ramot et ses pâturages, Anem et ses pâturages, — [59]sur la tribu d'Asher, Mashal et ses pâturages, Abdôn et ses pâturages, [60]Huqoq et ses pâturages, Rehob et ses pâturages, — [61]sur la tribu de Nephtali, Qédesh en Galilée et ses pâturages, Hammôn et ses pâturages, Qiryatayim et ses pâturages.

[62]Pour les autres fils de Merari : sur la tribu de Zabulon : Rimmôn et ses pâturages, Tabor et ses pâturages, — [63]au-delà du Jourdain vers Jéricho, à l'orient du Jourdain, sur la tribu de Ruben : Béçer dans le désert et ses pâturages, Yahça et ses pâturages, [64]Qedémot et ses pâturages, Mephaat et ses pâturages, — [65]sur la tribu de

Gad : Ramot en Galaad et ses pâturages, Mahanayim et ses pâturages, [66]Heshbôn et ses pâturages, Yazèr et ses pâturages.

VII. LES TRIBUS DU NORD

Issachar. Gn 46 13. || Nb 26 23-24. Cf. Jg 10 1.

7 [1]Pour les fils d'Issachar : Tola, Pua, Yashub, Shimrôn : quatre.

[2]Fils de Tola : Uzzi, Rephaya, Yeriel, Yahmaï, Yibsam, Shemuel, chefs des familles de Tola. Celles-ci comptaient, au temps de David, vingt-deux mille six cents preux valeureux, groupés selon leur parenté. [3]Fils de Uzzi : Yizrahya. Fils de Yizrahya : Mikaël, Obadya, Yoël, Yishshiyya. En tout cinq chefs [4]responsables des troupes de combat, comptant trente-six mille hommes, répartis selon leur parenté et leurs familles ; il y avait en effet beaucoup de femmes et d'enfants. [5]Ils avaient des frères appartenant à tous les clans d'Issachar, vaillants preux au nombre de quatre-vingt-sept mille hommes, ils appartenaient tous à un groupement.

Benjamin. Cf. 8 1 s. || Gn 46 21. || Nb 26 38.

[6]Benjamin : Béla, Béker, Yediael : trois.

[7]Fils de Béla : Eçbôn, Uzzi, Uzziel, Yerimot et Iri : cinq, chefs de famille, preux valeureux, groupant vingt-deux mille trente-quatre hommes.

[8]Fils de Béker : Zemira, Yoash, Éliézer, Élyoénaï, Omri, Yerémot, Abiyya, Anatot, Alémèt, tous ceux-là étaient les fils de Béker ; [9]fils

chefs de leurs familles, vaillants preux, groupèrent selon leur parenté vingt mille deux cents hommes.

[10]Fils de Yediael : Bilhân. Fils de Bilhân : Yéush, Benjamin, Éhud, Kenaana, Zetân, Tarshish, Ahishahar. [11]Tous ces fils de Yediael devinrent des chefs de famille, preux valeureux, au nombre de dix-sept mille deux cents hommes aptes à faire campagne et à combattre.

[12]Shuppim et Huppim. Fils de Ir : Hushim ; son fils : Aher.

Nephtali. || Gn 46 24. || Nb 26 48-50.

[13]Fils de Nephtali : Yahaçiel, Guni, Yéçer, Shallum. Ils étaient fils de Bilha.

Manassé.

[14]Fils de Manassé : Asriel qu'enfanta sa concubine araméenne. Elle enfanta Makir, père de Galaad. [15]Makir prit une femme pour Huppim et Shuppim. Le nom de sa sœur était Maaka.

Le nom du second était Çelophehad. Çelophehad eut des filles. [16]Maaka, femme de Makir, enfanta un fils qu'elle appela Péresh. Son frère s'appelait Shéresh et ses fils Ulam et Réqem.

[17]Le fils de Ulam : Bedân. Tels furent les fils de Galaad, fils de Makir, fils de Manassé. [18]Il avait pour sœur Hammolékèt. Elle enfanta Ishehod, Abiézer et Mahla.

[19]Shemida eut des fils : Ahyân, Sichem, Liqhi et Aniam.

Éphraïm. ‖ Nb 26 35.

[20]Fils d'Éphraïm : Shutélah. Béred son fils, Tahat son fils, Éléada son fils, Tahat son fils, [21]Zabad son fils, Shutélah son fils, Ézer et Éléad.

Des gens de Gat natifs du pays les tuèrent, car ils étaient descendus razzier leurs troupeaux. [22]Leur père Éphraïm s'en lamenta longtemps et ses frères vinrent le consoler. [23]Il s'en fut alors trouver sa femme ; elle conçut et enfanta un fils qu'il nomma Béria car « sa maison était dans le malheur. » [24]Il eut pour fille Shééra qui bâtit Bet-Horôn, le bas et le haut, et Uzzèn-Shééra.

[25]Réphah son fils ; Réshef, et Télah son fils, Tahân son fils, [26]Ladân son fils, Ammihud son fils, Élishama son fils, [27]Nôn son fils, Josué son fils.

[28]Ils possédaient des domaines et habitaient à Béthel et dans ses dépendances, à Naarân à l'est, à Gézer et dans ses dépendances à l'ouest, à Sichem et dans ses dépendances, et même à Ayya et ses dépendances. [29]Bet-Shéân avec ses dépendances, Tanak avec ses dépendances, Megiddo avec ses dépendances, Dor avec ses dépendances, étaient aux mains des fils de Manassé. C'est là que demeuraient les fils de Joseph, fils d'Israël.

Asher. ‖ Gn 46 17. ‖ Nb 26 44 s.

[30]Fils d'Asher : Yimna, Yishva, Yishvi, Béria ; Sérah leur sœur.

[31]Fils de Béria : Héber et Malkiel. C'est le père de Birzayit. [32]Héber engendra Yaphlet, Shémer, Hotam et Shua leur sœur.

[33]Fils de Yaphlet : Pasak, Bimhal et Ashvat. Tels sont les fils de Yaphlet.

[34]Fils de Shémer son frère : Rohga, Hubba et Aram.

[35]Fils de Hélem son frère : Çophah, Yimna, Shélesh et Amal. [36]Fils de Çophah : Suah, Harnépher, Shual, Béri et Yimra, [37]Béçer, Hod, Shamma, Shilsha, Yitrân et Bééra. [38]Fils de Yitrân : Yephunné, Pispa, Ara.

[39]Fils d'Ulla : Arah, Hanniel, Riçya.

[40]Tous ceux-là étaient fils d'Asher, chefs des familles, hommes d'élite, vaillants preux, premiers des princes, ils se groupèrent en troupes de combat comptant vingt-six mille hommes.

VIII. BENJAMIN ET JÉRUSALEM

Descendance de Benjamin.
‖ Gn 46 21. ‖ Nb 26 38-40.

8 [1]Benjamin engendra Béla son premier-né, Ashbel le second, Ahrah le troisième, [2]Noha le quatrième, Rapha le cinquième. [3]Béla eut des fils : Addar, Géra père d'Éhud, [4]Abishua, Naamân et Ahoah, [5]Géra, Shephupham et Huram.

À Géba.

[6]Voici les fils d'Éhud. Ce sont eux qui furent les chefs de famille des habitants de Géba et les trans-

portèrent à Manahat : [7]Naamân, Ahiyya et Géra. C'est lui qui les emmena en captivité ; il engendra Uzza et Ahihud.

En Moab.

[8]Il engendra Shaharayim dans les Champs de Moab après qu'il eut répudié ses femmes, Hushim et Baara. [9]De Hodèsh, sa femme, il eut pour fils Yobab, Çibya, Mésha, Malkom, [10]Yéuç, Sakya, Mirma. Tels furent ses fils, chefs de famille.

À Ono et Lod.

[11]De Hushim il eut pour fils Abitub et Elpaal. [12]Fils d'Elpaal : Éber, Mishéam et Shémed : c'est lui qui bâtit Ono, et Lod avec ses dépendances.

À Ayyalôn.

[13]Béria et Shéma. Ils étaient chefs de famille des habitants d'Ayyalôn et mirent en fuite les habitants de Gat.
[14]Son frère : Shéshaq.

À Jérusalem.

Yerémot, [15]Zebadya, Arad, Éder, [16]Mikaël, Yishpa et Yoha étaient fils de Béria.
[17]Zebadya, Meshullam, Hizqi, Haber, [18]Yishmeraï, Yizlia, Yobab étaient fils d'Elpaal.
[19]Yaqim, Zikri, Zabdi, [20]Élyoénaï, Çilletaï, Éliel, [21]Adaya, Beraya, Shimrat étaient fils de Shiméï.
[22]Yishpân, Éber, Éliel, [23]Abdôn, Zikri, Hanân, [24]Hananya, Élam, Antotiyya, [25]Yiphdéya, Penuel étaient fils de Shéshaq.
[26]Shamsheraï, Sheharya, Atalya, [27]Yaaréshya, Éliyya, Zikri étaient fils de Yeroham.
[28]Tels étaient les chefs des familles groupées selon leur parenté. Ils habitèrent Jérusalem.

À Gabaôn.

[29]À Gabaôn habitaient Yeïel, le père de Gabaôn, dont la femme s'appelait Maaka, [30]son fils premier-né Abdôn, ainsi que Çur, Qish, Baal, Ner, Nadab, [31]Gedor, Ahyo, Zaker et Miqlot. [32]Miqlot engendra Shiméa ; mais eux, contrairement à leurs frères, habitaient Jérusalem avec leurs frères.

Saül et sa famille. ‖ 1 S **14** 49-51. = 1 Ch **9** 39-43.

[33]Ner engendra Qish, Qish engendra Saül, Saül engendra Jonathan, Malki-Shua, Abinadab et Eshbaal. [34]Fils de Jonathan : Meribbaal. Meribbaal engendra Mika. [35]Fils de Mika : Pitôn, Mélek, Taréa, Ahaz. [36]Ahaz engendra Yehoadda, Yehoadda engendra Alémèt, Azmavèt et Zimri. Zimri engendra Moça, [37]Moça engendra Binéa.
Rapha son fils, Éléasa son fils, Açel son fils. [38]Açel eut six fils dont voici les noms : Azriqam son premier-né, puis Yishmaël, Shéarya, Obadya, Hanân. Ils étaient tous fils de Açel.
[39]Fils d'Esheq son frère : Ulam son premier-né, Yéush le second, Éliphélèt le troisième. [40]Ulam eut des fils, hommes preux et valeureux, tirant de l'arc. Ils eurent beaucoup de fils et de petits-fils, cent cinquante. Tous ceux-là étaient fils de Benjamin.

Jérusalem ville israélite et ville sainte.

9 ¹Tous les Israélites furent répartis par groupes et se trouvaient inscrits sur le livre des rois d'Israël et de Juda quand ils furent déportés à Babylone à cause de leurs prévarications.

‖ Ne **11** 3-19.

²Les premiers à habiter dans leurs villes et leur patrimoine furent les Israélites, les prêtres, les lévites et les « donnés » ; ³à Jérusalem habitèrent des Judéens, des Benjaminites, des Éphraïmites et des Manassites.

⁴Utaï, fils d'Ammihud, fils de Omri, fils d'Imri, fils de Bani, l'un des fils de Péréç fils de Juda. ⁵Des Shélanites, Asaya, l'aîné, et ses fils. ⁶Des fils de Zérah, Yéuel. Plus leurs frères : six cent quatre-vingt-dix hommes.

⁷Parmi les fils de Benjamin : Sallu fils de Meshullam, fils de Hodavya, fils de Hassenua ; ⁸Yibneya fils de Yeroham ; Éla fils de Uzzi, fils de Mikri ; Meshullam fils de Shephatya, fils de Réuel, fils de Yibniyya. ⁹Ils avaient neuf cent cinquante-six frères groupés selon leur parenté. Tous ces hommes étaient chefs, chacun de leur famille.

¹⁰Parmi les prêtres : Yedaya, Yehoyarib, Yakîn, ¹¹Azarya fils de Hilqiyya, fils de Meshullam, fils de Sadoq, fils de Merayot, fils d'Ahitub, chef du Temple de Dieu. ¹²Adaya, fils de Yeroham, fils de Pashehur, fils de Malkiyya, Maasaï fils de Adiel, fils de Yahzéra, fils de Meshullam, fils de Meshillémit, fils d'Immer. ¹³Ils avaient des frères, chefs de famil-

le, mille sept cent soixante vaillants preux qui étaient affectés au service du Temple de Dieu.

¹⁴Parmi les lévites : Shemaya, fils de Hashshub, fils d'Azriqam, fils de Hashabya des fils de Merari, ¹⁵Baqbaqar, Héresh, Galal. Mattanya, fils de Mika, fils de Zikri, fils d'Asaph, ¹⁶Obadya, fils de Shemaya, fils de Galal, fils de Yedutûn, Bérékya, fils d'Asa, fils d'Elqana, qui demeurait dans les villages des Netophatites.

¹⁷Les portiers : Shallum, Aqqub, Talmôn, Ahimân et leurs frères. Shallum, le chef, ¹⁸se tient encore maintenant à la porte royale, à l'orient. C'étaient eux les portiers des camps des Lévites : ¹⁹Shallum, fils de Qoré, fils d'Ébyasaph, fils de Coré, et ses frères les Coréites, de la même famille, vaquaient au service liturgique ; ils gardaient les seuils de la Tente, et leurs pères, responsables du camp de Yahvé, en avaient gardé l'accès. ²⁰Pinhas, fils d'Éléazar, en avait été autrefois le chef responsable (que Yahvé soit avec lui !). ²¹Zacharie, fils de Meshélémya, était portier à l'entrée de la Tente du Rendez-vous. ²²Les portiers des seuils appartenaient tous à l'élite ; il y en avait deux cent douze. Ils étaient groupés dans leurs villages. Ce sont eux qu'établirent David et Samuel le voyant, à cause de leur fidélité. ²³Ils avaient avec leurs fils la responsabilité des portes du Temple de Yahvé, de la maison de la Tente. ²⁴Aux quatre points cardinaux se tenaient des portiers, à l'est, à l'ouest, au nord et au sud. ²⁵Leurs frères, qui habitaient leurs villages, venaient se joindre à eux

de temps en temps pour une semaine ; [26]car les quatre chefs des portiers, eux, y demeuraient en permanence. C'étaient les Lévites qui étaient responsables des chambres et des réserves de la maison de Dieu. [27]Ils passaient la nuit aux alentours de la maison de Dieu car ils en avaient la garde et devaient l'ouvrir chaque matin.

[28]Certains d'entre eux avaient la charge des objets du culte ; ils les comptaient quand ils les rentraient et les sortaient. [29]Certains autres étaient responsables du mobilier, de tout le mobilier sacré, de la fleur de farine, du vin, de l'huile, de l'encens et des parfums, [30]tandis que ceux qui préparaient le mélange aromatique destiné aux parfums étaient des prêtres.

[31]L'un des Lévites, Mattitya – c'était le premier-né de Shallum le Coréite –, fut, à cause de sa fidélité, chargé de la confection des offrandes cuites à la plaque. [32]Parmi leurs frères, quelques Qehatites étaient chargés des pains à disposer en rangées, chaque sabbat.

[33]Voici les chantres, chefs de familles lévitiques. Ils avaient été détachés dans les pièces du Temple, car ils étaient chargés d'officier jour et nuit. = 8 28.

[34]Tels étaient les chefs des familles lévitiques groupés selon leur parenté. Ces chefs habitaient Jérusalem.

IX. SAÜL, PRÉDÉCESSEUR DE DAVID

Origines de Saül. = 8 29-38.

[35]À Gabaôn habitaient le père de Gabaôn, Yeïel, dont la femme s'appelait Maaka, [36]et son fils premier-né Abdôn, ainsi que Çur, Qish, Baal, Ner, Nadab, [37]Gedor, Ahyo, Zekarya et Miqlot. [38]Miqlot engendra Shiméam. Mais eux, contrairement à leurs frères, habitaient Jérusalem avec leurs frères.

[39]Ner engendra Qish, Qish engendra Saül, Saül engendra Jonathan, Malki-Shua, Abinadab, Eshbaal. [40]Fils de Jonathan : Meribbaal. Meribbaal engendra Mika. [41]Fils de Mika : Pitôn, Mélek, Taréa. [42]Ahaz engendra Yara, Yara engendra Alémèt, Azmavèt et Zimri ; Zimri engendra Moça. [43]Moça engendra Binéa. Rephaya son fils, Éléasa son fils, Açel son fils. [44]Açel eut six fils dont voici les noms : Azriqam, son premier-né, Yishmaël, Shéarya, Obadya, Hanân ; tels sont les fils de Açel.

Bataille de Gelboé, mort de Saül. ‖ 1 S 31 1-13.

10 [1]Les Philistins livrèrent bataille à Israël. Les Israélites s'enfuirent devant eux et tombèrent, frappés à mort, sur le mont Gelboé. [2]Les Philistins serrèrent de près Saül et ses fils et ils tuèrent Jonathan, Abinadab et Malki-Shua, les fils de Saül. [3]Le poids du combat se porta sur Saül. Les tireurs d'arc le surprirent et il frémit à la vue des tireurs. [4]Alors Saül dit à son écuyer : « Tire ton épée et transperce-moi, de peur que ces incirconcis ne viennent et ne se jouent de moi. » Mais son écuyer ne voulut pas, car il était rempli d'effroi. Alors Saül prit son épée et se jeta sur elle. ⁵Voyant que Saül était mort, l'écuyer se jeta lui aussi sur son épée et mourut avec lui. ⁶Ainsi moururent ensemble Saül, ses trois fils et toute sa maison. ⁷Lorsque tous les Israélites qui étaient dans la vallée virent que les hommes d'Israël étaient en déroute et que Saül et ses fils avaient péri, ils abandonnèrent leurs villes et prirent la fuite. Les Philistins vinrent s'y établir.

⁸Le lendemain, les Philistins, venus pour détrousser les morts, trouvèrent Saül et ses fils gisant sur le mont Gelboé. ⁹Ils le dépouillèrent, enlevèrent sa tête et ses armes, et les firent porter à la ronde dans le pays philistin, pour annoncer la bonne nouvelle à leurs idoles et à leur peuple. ¹⁰Ils déposèrent ses armes dans la maison de leur dieu ; quant à son crâne, ils le clouèrent dans le temple de Dagôn.

¹¹Lorsque tous les habitants de Yabesh de Galaad eurent appris tout ce que les Philistins avaient fait à Saül, ¹²tous les braves se mirent en route. Ils enlevèrent les corps de Saül et de ses fils, les apportèrent à Yabesh, ensevelirent leurs ossements sous le tamaris de Yabesh et jeûnèrent pendant sept jours.

¹³Saül mourut pour s'être montré infidèle envers Yahvé : il n'avait pas observé la parole de Yahvé et de plus avait interrogé et consulté un revenant. ¹⁴Il n'avait pas consulté Yahvé, qui le fit mourir et transféra la royauté à David, fils de Jessé.

2. David, fondateur du culte du Temple

I. LA ROYAUTÉ DE DAVID

Sacre de David comme roi d'Israël. ‖ 2 S 5 1-3.

11 ¹Alors tous les Israélites se rassemblèrent autour de David, à Hébron, et dirent : « Vois! Nous sommes de ton os et de ta chair. ²Autrefois déjà, même quand Saül régnait sur nous, c'était toi qui rentrais et sortais avec Israël, et Yahvé ton Dieu t'a dit : "C'est toi qui paîtras mon peuple Israël et c'est toi qui seras chef de mon peuple Israël". »

³Tous les anciens d'Israël vinrent donc auprès du roi à Hébron. David conclut un pacte avec eux à Hébron, en présence de Yahvé, et ils oignirent David comme roi d'Israël selon la parole de Yahvé transmise par Samuel.

Prise de Jérusalem. ‖ 2 S 5 6-10.

⁴David, avec tout Israël, marcha sur Jérusalem (c'est-à-dire Jébus) ; les habitants du pays étaient les Jébuséens. ⁵Les habitants de Jébus dirent à David : « Tu n'en-

treras pas ici. » Mais David s'empara de la forteresse de Sion ; c'est la Cité de David. ⁶Et David dit : « Quiconque frappera le premier un Jébuséen deviendra chef et prince. » Joab, fils de Çeruya, monta le premier et devint chef. ⁷David s'établit dans la forteresse, aussi l'a-t-on appelée Cité de David. ⁸Puis il restaura le pourtour de la ville, aussi bien le Millo que le pourtour, et c'est Joab qui restaura le reste de la ville. ⁹David allait grandissant et Yahvé Sabaot était avec lui.

Les preux de David. ‖ 2 S **23** 8-39.

¹⁰Voici les chefs des preux de David, ceux qui devinrent puissants avec lui sous son règne et qui, avec tout Israël, l'avaient fait roi selon la parole de Yahvé sur Israël. ¹¹Voici la liste des preux de David :

Yashobéam, fils de Hakmoni, le chef des Trois : c'est lui qui brandit sa lance sur trois cents victimes à la fois.

¹²Après lui Éléazar fils de Dodo, l'Ahohite. C'était l'un des trois preux. ¹³Il était avec David à Pas-Dammim quand les Philistins s'y rassemblèrent pour le combat. Il y avait un champ entièrement planté d'orge ; l'armée prit la fuite devant les Philistins, ¹⁴mais ils se postèrent au milieu du champ, le dégagèrent et battirent les Philistins. Yahvé opéra là une grande victoire.

¹⁵Trois d'entre les Trente descendirent vers David, au rocher proche de la grotte d'Adullam, tandis qu'une compagnie de Philistins campait dans le val des Rephaïm. ¹⁶David était alors dans le repaire tandis qu'il y avait encore un préfet philistin à Bethléem. ¹⁷David exprima ce désir : « Qui me fera boire l'eau du puits qui est à la porte de Bethléem ? » ¹⁸Les trois, s'ouvrant un passage au travers du camp philistin, tirèrent de l'eau du puits qui est à la porte de Bethléem ; ils l'emportèrent et l'offrirent à David, mais il ne voulut pas en boire et il la répandit en libation à Yahvé. ¹⁹Il dit : « Dieu me garde de faire cela ! Boirais-je le sang de ces hommes au prix de leur vie ? Car c'est en risquant leur vie qu'ils l'ont apportée ! » Il ne voulut donc pas boire. Voilà ce qu'ont fait ces trois preux.

²⁰Abishaï, frère de Joab, fut, lui, le chef des Trente. C'est lui qui brandit sa lance sur trois cents victimes, et il se fit un nom parmi les Trente. ²¹Il fut doublement illustre plus que les Trente et devint leur capitaine, mais il ne fut pas compté parmi les Trois.

²²Benaya, fils de Yehoyada, un brave prodigue en exploits, originaire de Qabçéel. C'est lui qui abattit les deux héros de Moab, et c'est lui qui descendit et tua le lion dans la citerne, un jour de neige. ²³C'est lui aussi qui tua l'Égyptien, le colosse de cinq coudées qui avait en main une lance semblable à un liais de tisserand ; il descendit contre lui avec un bâton, arracha la lance de la main de l'Égyptien et tua celui-ci avec sa propre lance. ²⁴Voilà ce qu'accomplit Benaya fils de Yehoyada et il se fit un nom parmi les Trente preux. ²⁵Il fut plus illustre que les Trente, mais ne fut pas compté parmi les Trois ; David le mit à la tête de sa garde personnelle.

²⁶Preux vaillants : Asahel, frère

de Joab, Elhanân fils de Dodo, de Bethléem, [27]Shammot le Harorite, Hèleç le Pelonite, [28]Ira fils d'Iqqesh, de Teqoa, Abiézer d'Anatot, [29]Sibbekaï de Husha, Ilaï d'Ahoh, [30]Maheraï de Netopha, Héled fils de Baana, de Netopha, [31]Itaï fils de Ribaï, de Gibéa des fils de Benjamin, Benaya de Piréatôn, [32]Huraï, des Torrents de Gaash, Abiel de Bet-ha-Araba, [33]Azmavèt de Bahurim, Élyahba de Shaalbôn, [34]Bené-Hashem de Gizôn, Yonatân fils de Shagé, de Harar, [35]Ahiam fils de Sakar, de Harar, Éliphélèt fils d'Ur, [36]Hépher, de Mekéra, Ahiyya le Pelonite, [37]Hèçro de Karmel, Naaraï fils d'Ezbaï, [38]Yoël frère de Natân, Mibhar fils de Hagri, [39]Çéleq l'Ammonite, Nahraï de Béérot, écuyer de Joab fils de Çeruya, [40]Ira de Yattir, Gareb de Yattir, [41]Urie le Hittite. – Zabad fils d'Ahlaï, [42]Adina fils de Shiza le Rubénite, chef des Rubénites et responsable des Trente, [43]Hanân fils de Maaka, Yoshaphat le Mitnite, [44]Uziyya d'Ashtarot, Shama et Yéuel fils de Hotam d'Aroër, [45]Yediael fils de Shimri et Yoha son frère le Tiçite, [46]Éliel le Mahavite, Yeribaï et Yoshavya, fils d'Elnaam, Yitma le Moabite, [47]Éliel, Obed et Yaasiel, de Çoba.

Les premiers ralliés à David.

12 [1]Voici ceux qui rejoignirent David à Çiqlag alors qu'il était encore retenu loin de Saül fils de Qish ; c'étaient des preux, des combattants à la guerre, [2]qui pouvaient tirer à l'arc de la main droite et de la gauche, en utilisant pierres et flèches.

Des frères de Saül le Benjaminite : [3]Ahiézer le chef, et Yoash, fils de Hashshemaa de Gibéa, Yeziel et Pélèt, fils d'Azmavèt, Beraka et Yéhu d'Anatot, [4]Yishmaya de Gabaôn, un preux parmi les Trente et à la tête des Trente ; [5]Yirmeya, Yahaziel, Yohanân et Yozabad de Gedérot, [6]Éléuzaï, Yerimot, Béalya, Shemaryahu, Shephatyahu de Hariph, [7]Elqana, Yishiyyahu, Azaréel, Yoézer, Yashobéam, Coréites, [8]Yoéla, Zebadya, fils de Yeroham de Gedor.

[9]Des Gadites firent sécession pour rejoindre David dans son refuge du désert. C'étaient des preux vaillants, des hommes de guerre prêts à combattre, sachant manier le bouclier et la lance. Ils faisaient figure de lions ; par l'agilité, ils ressemblaient aux gazelles sur les montagnes. [10]Ézer était le chef, Obadya le second, Éliab le troisième, [11]Mashmanna le quatrième, Yirmeya le cinquième, [12]Attaï le sixième, Éliel le septième, [13]Yohanân le huitième, Elzabad le neuvième, [14]Yirmeyahu le dixième, Makbannaï le onzième. [15]Tels étaient les fils de Gad, chefs de corps ; un commandait à cent s'il était petit, à mille s'il était grand. [16]Ce sont eux qui passèrent le Jourdain, au premier mois, tandis qu'il coule partout à pleins bords, et qui mirent en fuite les riverains tant à l'orient qu'à l'occident.

[17]Quelques Benjaminites et Judéens s'en vinrent aussi trouver David en son refuge. [18]David s'avança au-devant d'eux, prit la parole et leur dit : « Si c'est en amis que vous venez à moi pour me prêter main-forte, je suis disposé à m'unir à vous, mais si c'est pour

me tromper au profit de mes ennemis alors que mes mains n'ont fait aucun tort, que le Dieu de nos pères le voie et fasse justice ! »

[19] L'Esprit revêtit alors Amasaï, chef des Trente :

« On est à toi, David
et avec toi, fils de Jessé !
Paix, paix à toi
et paix à celui qui t'assiste
car c'est ton Dieu qui t'assiste ! »

David les accueillit et les mit parmi les chefs de troupe.

[20] Quelques Manassites se rendirent à David alors qu'il venait lutter avec les Philistins contre Saül. Mais ils ne leur prêtèrent pas main-forte car, s'étant consultés, les princes des Philistins renvoyèrent David en disant : « Il irait se rendre à son seigneur Saül au prix de nos têtes ! » [21] Il partait donc pour Çiqlag quand quelques Manassites se rendirent à lui : Adnah, Yozabad, Yediaël, Mikaël, Yozabad, Élihu, Çilletaï, chefs des milliers de Manassé. [22] Ce fut un renfort pour David et sa troupe, car ils étaient tous de vaillants preux et devinrent officiers dans l'armée.

[23] Jour après jour, en effet, David recevait des renforts, si bien que son camp devint un camp gigantesque.

Les guerriers qui le firent roi.

[24] Voici le nombre des guerriers équipés pour la guerre qui rejoignirent David à Hébron pour lui transférer la royauté de Saül selon l'ordre de Yahvé :

[25] Fils de Juda portant le bouclier et la lance : six mille huit cents guerriers équipés pour la guerre ;

[26] des fils de Siméon, sept mille cent preux vaillants à la guerre ;

[27] des fils de Lévi, quatre mille six cents, [28] ainsi que Yehoyada, commandant les Aaronides avec trois mille sept cents de ces derniers, [29] Sadoq, jeune preux vaillant, et vingt-deux officiers de sa famille ;

[30] des fils de Benjamin, trois mille frères de Saül, la majorité d'entre eux demeurant jusqu'alors au service de la maison de Saül ;

[31] des fils d'Éphraïm, vingt mille huit cents preux vaillants, hommes illustres de leur famille ;

[32] de la demi-tribu de Manassé, dix-huit mille hommes nominativement désignés pour aller proclamer David roi ;

[33] des fils d'Issachar, sachant discerner les moments où Israël devait agir et la manière de le faire, deux cents chefs et tous leurs frères à leurs ordres ;

[34] de Zabulon, cinquante mille hommes aptes au service militaire, en ordre de combat, avec toutes sortes d'armes, et prêts à prêter main-forte d'un cœur résolu ;

[35] de Nephtali, mille officiers et avec eux trente-sept mille hommes munis du bouclier et de la lance ;

[36] des Danites, vingt-huit mille six cents hommes en ordre de combat ;

[37] d'Asher, quarante mille hommes partant en guerre en ordre de combat ;

[38] de Transjordanie, cent vingt mille hommes de Ruben, de Gad, de la demi-tribu de Manassé, avec toutes sortes d'armes de guerre ;

[39] Tous ces hommes de guerre, venus en renfort en bon ordre, se

rendirent à Hébron de plein cœur pour proclamer David roi sur tout Israël ; tous les autres Israélites étaient d'ailleurs unanimes pour conférer la royauté à David. ⁴⁰Trois jours durant, ils demeurèrent là à manger et à boire avec David.

Leurs frères avaient tout apprêté pour eux ; ⁴¹de plus, les environs et jusque d'Issachar, Zabulon et Nephtali, on leur faisait parvenir des vivres, par ânes, chameaux, mulets et bœufs : farine, figues et gâteaux de raisins, vin et huile, gros et petit bétail en masse, car c'était liesse en Israël.

L'arche ramenée de Qiryat-Yéarim.

13 ¹David tint conseil avec les officiers de milliers et de centaines et avec tous les commandants. ²Il dit à toute l'assemblée d'Israël : « Si cela vous convient et que cela vienne de Yahvé notre Dieu, nous enverrons des messagers à nos autres frères de toutes les terres d'Israël, ainsi qu'aux prêtres et aux lévites dans leurs villes et champs attenants, afin qu'ils s'unissent à nous. ³Nous ramènerons alors auprès de nous l'arche de notre Dieu ; nous ne nous en sommes pas souciés en effet au temps de Saül. »

⁴Toute l'assemblée décida d'agir ainsi, car c'était chose juste aux yeux de tout le peuple. ⁵David rassembla tout Israël, depuis le Shihor d'Égypte jusqu'à l'Entrée de Hamat, pour ramener de Qiryat-Yéarim l'arche de Dieu. ⁶Puis David et tout Israël allèrent à Baala, vers Qiryat-Yéarim en Juda, afin de faire monter de là l'arche de Dieu qui porte le nom de Yahvé

siégeant sur les chérubins. ⁷C'est à la maison d'Abinadab qu'on chargea l'arche de Dieu sur un chariot neuf. Uzza et Ahyo conduisaient le chariot. ⁸David et tout Israël dansaient devant Dieu de toutes leurs forces en chantant au son des cithares, des harpes, des tambourins, des cymbales et des trompettes. ⁹Comme on arrivait à l'aire du Javelot, Uzza étendit la main pour retenir l'arche, car les bœufs la faisaient verser. ¹⁰Alors la colère de Dieu s'enflamma contre Uzza et il le frappa pour avoir porté la main sur l'arche ; Uzza mourut là, devant Dieu. ¹¹David fut fâché de ce que Yahvé eût foncé sur Uzza et il donna à ce lieu le nom de Péréç-Uzza, qu'il a gardé jusqu'à maintenant.

¹²Ce jour-là, David eut peur de Dieu et dit : « Comment ferais-je entrer chez moi l'arche de Dieu ? » ¹³Et David ne mena pas l'arche chez lui, dans la Cité de David, mais il la fit conduire vers la maison d'Obed-Édom de Gat. ¹⁴L'arche de Dieu resta trois mois chez Obed-Édom, dans sa maison ; Yahvé bénit la maison d'Obed-Édom et tout ce qui lui appartenait.

David à Jérusalem, son palais et ses enfants. ‖ 2 S 5 11-16.

14 ¹Hiram, roi de Tyr, envoya une ambassade à David, avec du bois de cèdre, des maçons et des charpentiers, pour lui construire une maison. ²Alors David sut que Yahvé l'avait confirmé comme roi d'Israël et que sa royauté était hautement exaltée à cause d'Israël son peuple.
= **3** 5-8.

³À Jérusalem, David prit enco-

re des femmes et il engendra encore des fils et des filles. ⁴Voici les noms des enfants qui lui naquirent à Jérusalem : Shammua, Shobab, Natân, Salomon, ⁵Yibhar, Élishua, Elpalèt, ⁶Nogah, Népheg, Yaphia, ⁷Élishama, Baalyada, Éliphélèt.

Victoire sur les Philistins. ‖ 2 S 5 17-25.

⁸Lorsque les Philistins eurent appris qu'on avait oint David comme roi de tout Israël, ils montèrent tous pour s'emparer de lui. À cette nouvelle, David partit au-devant d'eux. ⁹Les Philistins arrivèrent et se déployèrent dans le val des Rephaïm. ¹⁰Alors David consulta Dieu : « Dois-je attaquer les Philistins ? demanda-t-il, et les livreras-tu entre mes mains ? » Yahvé lui répondit : « Attaque ! et je les livrerai entre tes mains. » ¹¹Ils montèrent à Baal-Peraçim, et là, David les battit. Et David dit : « Par

ma main Dieu a ouvert une brèche dans mes ennemis comme une brèche faite par les eaux. » C'est pourquoi on appela cet endroit Baal-Peraçim. ¹²Ils avaient abandonné sur place leurs dieux : « Qu'ils brûlent au feu ! » dit David.

¹³Les Philistins recommencèrent à se déployer dans le val. ¹⁴David consulta de nouveau Dieu et Dieu lui répondit : « Ne les attaque pas. Va derrière eux, à quelque distance, tourne-les, et aborde-les vis-à-vis des micocouliers. ¹⁵Et quand tu entendras un bruit de pas à la cime des micocouliers, alors tu engageras le combat : c'est que Dieu sort devant toi pour battre l'armée philistine. » ¹⁶David fit comme Dieu lui avait ordonné : il défit l'armée philistine depuis Gabaôn jusqu'à Gézer.

¹⁷La renommée de David s'étendit dans toutes les régions et Yahvé le fit redouter de toutes les nations.

II. L'ARCHE DANS LA CITÉ DE DAVID

Préparatifs du transport.

15 ¹Il se bâtit des édifices dans la Cité de David, il prépara un lieu pour l'arche de Dieu, il dressa pour elle une tente, ²puis il dit : « L'arche de Dieu ne peut pas être transportée, sinon par les lévites ; car Yahvé les a choisis pour porter l'arche de Yahvé et en assurer à jamais le service. »

³Alors David rassembla tout Israël à Jérusalem pour faire monter l'arche de Yahvé qu'il lui avait préparé. ⁴Il réunit les fils d'Aaron et les Lévites :

⁵pour les fils de Qehat, Uriel l'officier et ses cent vingt frères, ⁶pour les fils de Merari, Asaya l'officier et ses deux cent vingt frères, ⁷pour les fils de Gershom, Yoël l'officier et ses cent trente frères, ⁸pour les fils d'Éliçaphân, Shemaya l'officier et ses deux cents frères, ⁹pour les fils d'Hébrôn, Éliel l'officier et ses quatre-vingts frères, ¹⁰pour les fils d'Uzziel, Amminadab l'officier et ses cent douze frères.

¹¹David convoqua les prêtres Sadoq et Ébyatar, les lévites

Uriel, Asaya, Yoël, Shemaya, Éliel et Amminadab, [12]il leur dit : « Vous êtes les chefs des familles lévitiques ; sanctifiez-vous, vous et vos frères, et faites monter l'arche de Yahvé, le Dieu d'Israël, au lieu que je lui ai préparé. [13]Parce que vous n'étiez pas là la première fois, Yahvé avait foncé sur nous : nous ne nous étions pas adressés à lui suivant la règle. » [14]Prêtres et lévites se sanctifièrent pour faire monter l'arche de Yahvé, le Dieu d'Israël, [15]et les lévites transportèrent l'arche de Dieu, les barres sur leurs épaules, comme l'avait prescrit Moïse, selon la parole de Yahvé.

[16]David dit alors aux officiers des lévites de placer leurs frères les chantres, avec tous les instruments d'accompagnement, harpes, cithares et cymbales ; on les entendait retentir d'une musique qui remplissait de liesse. [17]Les lévites placèrent Hémân fils de Yoël, Asaph l'un de ses frères, fils de Bérekyahu, Étân fils de Qushayahu, l'un des Merarites leurs frères. [18]Ils avaient avec eux leurs frères du second ordre : Zekaryahu, Ben, Yeaziel, Shemiramot, Yehiel, Unni, Éliab, Benaya, Maaséyahu, Mattityahu, Éliphléhu, Miqnéyahu, Obed-Édom, Yeïel, les portiers ; [19]Hémân, Asaph et Étân, les chantres, jouaient avec éclat de la cymbale de bronze. [20]Zekarya, Aziel, Shemiramot, Yehiel, Unni, Éliab, Maaséyahu, Benaya jouaient de la lyre pour voix de soprano. [21]Mattityahu, Éliphléhu, Miqnéyahu, Obed-Édom, Yeïel et Azazyahu, donnant le rythme, jouaient de la cithare à l'octave. [22]Kenanyahu,

officier des lévites chargés du transport, commandait le transport, car il s'y entendait. [23]Bérékya et Elqana faisaient fonction de portiers près de l'arche. [24]Les prêtres Shebanyahu, Yoshaphat, Netanéel, Amasaï, Zekaryahu, Benayahu et Éliézer sonnaient de la trompette devant l'arche de Dieu. Obed-Édom et Yehiyya étaient portiers près de l'arche.

La cérémonie du transport.
‖ 2 S 6 12-19.

[25]David donc, les anciens d'Israël et les officiers de milliers faisaient en grande liesse monter l'arche de l'alliance de Yahvé depuis la maison d'Obed-Édom. [26]Et tandis que Dieu assistait les lévites qui portaient l'arche de l'alliance de Yahvé, on immola sept taureaux et sept béliers. [27]David, revêtu d'un manteau de byssus, dansait en tournoyant ainsi que tous les lévites porteurs de l'arche, les chantres et Kenanya l'officier chargé du transport. David était aussi couvert de l'éphod de lin. [28]Tout Israël fit monter l'arche de l'alliance de Yahvé en poussant des acclamations, au son du cor, des trompettes et des cymbales, en faisant retentir lyres et cithares. [29]Or, comme l'arche de l'alliance de Yahvé atteignait la Cité de David, la fille de Saül, Mikal, regarda par la fenêtre et vit le roi David danser et exulter ; dans son cœur elle le méprisa.

16 [1]On introduisit l'arche de Dieu et on la déposa au centre de la tente que David avait fait dresser pour elle. On offrit devant Dieu des holocaustes et des sacrifices de communion. [2]Lorsque

David eut achevé d'offrir ces holocaustes et ces sacrifices de communion, il bénit le peuple au nom de Yahvé. ³Puis il fit une distribution à tous les Israélites, hommes et femmes ; pour chacun, une couronne de pain, une masse de dattes et un gâteau de raisins secs.

Le service des lévites devant l'arche.

⁴David mit des lévites en service devant l'arche de Yahvé pour célébrer, glorifier et louer Yahvé, le Dieu d'Israël, ⁵Asaph le premier, Zekarya en second, puis Aziel, Shemiramot, Yehiel, Mattitya, Éliab, Benayahu, Obed-Édom et Yeïel. Ils jouaient de la lyre et de la cithare, tandis qu'Asaph faisait retentir les cymbales. ⁶Les prêtres Benayahu et Yahaziel ne cessaient pas de jouer de la trompette devant l'arche de l'alliance de Dieu. ⁷Ce jour-là David, louant le premier Yahvé, confia cette louange à Asaph et à ses frères :

|| Ps 105 1-15.

⁸Rendez grâce à Yahvé, criez son nom,
annoncez parmi les peuples ses hauts faits !
⁹Chantez-le, jouez pour lui,
répétez toutes ses merveilles !
¹⁰Tirez gloire de son nom de sainteté,
joie pour les cœurs qui cherchent Yahvé !
¹¹Recherchez Yahvé et sa force,
sans relâche poursuivez sa face !
¹²rappelez-vous quelles merveilles il a faites,
ses miracles et les jugements de sa bouche !

¹³Lignée d'Israël son serviteur,
enfants de Jacob, ses élus,
¹⁴c'est lui Yahvé notre Dieu ;
sur toute la terre ses jugements !

¹⁵Rappelez-vous à jamais son alliance,
parole promulguée pour mille générations,
¹⁶pacte conclu avec Abraham,
serment qu'il fit à Isaac.

¹⁷Il l'érigea en loi pour Jacob,
pour Israël en alliance à jamais,
¹⁸disant : « Je te donne une terre,
Canaan, votre part d'héritage,
¹⁹là où l'on a pu vous compter,
peu nombreux, étrangers au pays. »

²⁰Ils allaient de nation en nation,
d'un royaume à un peuple différent ;
²¹il ne laissa personne les opprimer,
à cause d'eux il châtia des rois :
²²« Ne touchez pas à qui m'est consacré,
à mes prophètes ne faites pas de mal ! »

|| Ps 96.

²³chantez à Yahvé, toute la terre !
Proclamez jour après jour son salut,
²⁴racontez aux nations sa gloire,
à tous les peuples ses merveilles !

²⁵Très grand Yahvé, et louable hautement,
redoutable, lui, par-dessus tous les dieux.

²⁶Néant, tous les dieux des nations.

C'est Yahvé qui fit les cieux.

²⁷Devant lui, splendeur et majesté,

dans son sanctuaire puissance et allégresse.

²⁸Rapportez à Yahvé, familles des peuples,

rapportez à Yahvé gloire et puissance,

²⁹rapportez à Yahvé la gloire de son nom.

Présentez l'oblation, portez-la devant lui,

adorez Yahvé dans son parvis de sainteté !

³⁰Tremblez devant lui, toute la terre !

Il fixa l'univers, inébranlable.

³¹Joie au ciel ! exulte la terre !

Dites chez les païens : « C'est Yahvé qui règne ! »

³²Que gronde la mer et sa plénitude !

Que jubile la campagne, et tout son fruit !

³³Que tous les arbres des forêts crient de joie !

à la face de Yahvé, car il vient pour juger la terre.

|| Ps 106 1, 47-48.

³⁴Rendez grâces à Yahvé, car il est bon,

car éternel est son amour !

³⁵Dites : Sauve-nous, Dieu de notre salut,

rassemble-nous, retire-nous du milieu des païens,

que nous rendions grâces à ton saint nom,

et nous félicitions en ta louange.

³⁶Béni soit Yahvé le Dieu d'Israël

depuis toujours jusqu'à toujours !

Et que tout le peuple dise Amen !

Alleluia !

³⁷David laissa là, devant l'arche de l'alliance de Yahvé, Asaph et ses frères, pour assurer un service permanent devant l'arche suivant le rituel quotidien, ³⁸ainsi qu'Obed-Édom et ses soixante-huit frères. Obed-Édom, fils de Yedutûn, et Hosa étaient portiers. ³⁹Quant au prêtre Sadoq et aux prêtres ses frères, il les laissa devant la Demeure de Yahvé, sur le haut lieu de Gabaôn, ⁴⁰pour offrir en permanence des holocaustes à Yahvé sur l'autel des holocaustes, matin et soir, et faire tout ce qui est écrit dans la Loi de Yahvé prescrite à Israël. ⁴¹Il y avait avec eux Hémân, Yedutûn, et le restant de l'élite que l'on avait nominativement désignée pour rendre grâces à Dieu, « car éternel est son amour ». ⁴²Ils avaient avec eux Hémân et Yedutûn, chargés de faire retentir les trompettes, les cymbales et les instruments accompagnant les cantiques divins. Les fils de Yedutûn étaient préposés à la porte.

|| 2 S 6 19-20.

⁴³Tout le peuple s'en alla, chacun chez soi, et David s'en retourna bénir sa maisonnée.

Prophétie de Natân. || 2 S 7 1-17.

17 ¹Quand David habita sa maison, il dit au prophète Natân : « Voici que j'habite une maison de cèdre et l'arche de l'alliance de Yahvé est sous les tentures ! » ²Natân répondit à David : « Tout ce qui te tient à cœur, fais-le, car Dieu est avec toi. » [3]Mais, cette même nuit, la parole de Dieu fut adressée à Natân en ces termes [4]« Va dire à David mon serviteur : Ainsi parle Yahvé. Ce n'est pas toi qui me bâtiras une maison pour que j'y habite. [5]Oui, je n'ai jamais habité de maison depuis le jour où j'ai fait monter Israël jusqu'à aujourd'hui, mais j'allais de tente en tente et d'abri en abri. [6]Pendant tout le temps où j'ai voyagé avec tout Israël, ai-je dit à un seul des Juges d'Israël que j'avais institués comme pasteurs de mon peuple : Pourquoi ne me bâtissez-vous pas une maison de cèdre ? [7]Voici maintenant ce que tu diras à mon serviteur David : Ainsi parle Yahvé Sabaot. C'est moi qui t'ai pris au pâturage, derrière les brebis, pour être chef de mon peuple Israël. [8]J'ai été avec toi partout où tu allais, j'ai supprimé devant toi tous tes ennemis. Je te donnerai un renom égal à celui des plus grands sur la terre. [9]Je fixerai un lieu à mon peuple Israël, je l'y planterai et il demeurera en cette place, il ne sera plus ballotté et les méchants ne continueront pas à le ruiner comme auparavant, [10]depuis le temps où j'instituais des Juges sur mon peuple Israël. Je soumettrai tous tes ennemis. Je t'annonce que Yahvé te fera une maison, [11]et quand il sera pleinement temps de rejoindre tes pères je maintiendrai après toi ton lignage ; ce sera l'un de tes fils dont j'affermirai le règne. [12]C'est lui qui me bâtira une maison et j'affermirai pour toujours son trône. [13]Je serai pour lui un père et il sera pour moi un fils ; je ne lui retirerai pas ma faveur comme je l'ai retirée à celui qui t'a précédé.

[14]Je le maintiendrai à jamais dans ma maison et dans mon royaume, et son trône sera à jamais affermi. »

[15]Natân communiqua à David toutes ces paroles et toute cette révélation.

Prière de David. ‖ 2 S 7 18-29.

[16]Alors le roi David entra, s'assit devant Yahvé et dit : « Qui suis-je, Yahvé Dieu, et quelle est ma maison, pour que tu m'aies mené jusque-là ? [17]Mais cela est trop peu à tes yeux, ô Dieu, et tu étends tes promesses à la maison de ton serviteur pour un lointain avenir. Tu me fais voir comme un groupe d'hommes, celui qui l'élève c'est Yahvé Dieu. [18]Qu'est-ce que David pourrait faire de plus pour toi, vu la gloire que tu as donnée à ton serviteur ? Toi-même, tu as distingué ton serviteur. [19]Yahvé, à cause de ton serviteur, et selon ton cœur, tu as eu cette magnificence de révéler toutes ces grandeurs. [20]Yahvé, il n'y a personne comme toi et il n'y a pas d'autre Dieu que toi seul, comme l'ont appris nos oreilles. [21]Y a-t-il, comme ton peuple Israël, un autre peuple sur la terre qu'un Dieu soit allé racheter pour en faire son peuple, pour le rendre fameux et opérer en sa faveur de grandes et terribles choses, en chassant des nations devant ton peuple que tu as racheté d'Égypte ? [22]Tu t'es donné à jamais pour peuple Israël, ton peuple, et toi, Yahvé, tu es devenu son Dieu. [23]Et maintenant, que subsiste à jamais, Yahvé, la promesse que tu as faite à ton ser-

viteur et à sa maison, et agis comme tu l'as dit. ²⁴Que cette promesse subsiste et que ton Nom soit exalté à jamais ! Que l'on dise : "Yahvé Sabaot est le Dieu d'Israël, il est Dieu pour Israël". La maison de David ton serviteur sera affermie devant toi, ²⁵car c'est toi, mon Dieu, qui as fait cette révélation à ton serviteur : lui bâtir une maison. C'est pourquoi ton serviteur se trouve devant toi à te prier. ²⁶Oui, Yahvé, c'est toi qui es Dieu, et tu as fait cette belle promesse à ton serviteur. ²⁷Tu as alors consenti à bénir la maison de ton serviteur pour qu'elle demeure toujours en ta présence. Car c'est toi, Yahvé, qui as béni : elle est bénie à jamais. »

Les guerres de David. ‖ 2 S 8 1-14.

18 ¹Il advint après cela que David battit les Philistins et les abaissa. Il prit des mains des Philistins Gat et ses dépendances. ²Puis il battit Moab, les Moabites furent asservis à David et payèrent tribut.

³David battit Hadadézer, roi de Çoba, à Hamat, alors qu'il allait établir son pouvoir sur le fleuve de l'Euphrate. ⁴David lui prit mille chars, sept mille charriers et vingt mille hommes de pied, et David coupa les jarrets de tous les attelages, il n'en garda que cent. ⁵Les Araméens de Damas vinrent au secours de Hadadézer, roi de Çoba, mais David tua aux Araméens vingt-deux mille hommes. ⁶Puis David établit des gouverneurs dans l'Aram de Damas, les Araméens furent asservis à David et payèrent tribut. Partout où allait David, Dieu lui donnait la victoi-

re. ⁷David prit les rondaches d'or que portait la garde de Hadadézer et les emporta à Jérusalem. ⁸De Tibhat et de Kûn, villes de Hadadézer, David enleva une énorme quantité de bronze dont Salomon fit la Mer de bronze, les colonnes et les ustensiles de bronze.

⁹Lorsque Tôou, roi de Hamat, apprit que David avait défait toute l'armée de Hadadézer, roi de Çoba, ¹⁰il dépêcha son fils Hadoram au roi David pour le saluer et le féliciter d'avoir fait la guerre à Hadadézer et de l'avoir vaincu, car Hadadézer était en guerre avec Tôou. Il envoya toutes sortes d'objets d'or, d'argent et de bronze ; ¹¹le roi David les consacra aussi à Yahvé, avec l'argent et l'or qu'il avait prélevés sur toutes les nations, Édom, Moab, Ammonites, Philistins, Amaleq.

¹²Abishaï, fils de Çeruya, battit les Édomites dans la vallée du Sel, au nombre de dix-huit mille. ¹³Il établit des gouverneurs en Édom et tous les Édomites devinrent sujets de David. Partout où David allait, Dieu lui donna la victoire.

L'administration du royaume. ‖ 2 S 8 15-18.

¹⁴David régna sur tout Israël, faisant droit et justice à tout son peuple.

¹⁵Joab, fils de Çeruya, commandait l'armée ; Yehoshaphat, fils d'Ahilud, était héraut ; ¹⁶Sadoq, fils d'Ahitub, et Ahimélek, fils d'Ébyatar, étaient prêtres ; Shavsha était secrétaire ; ¹⁷Benayahu, fils de Yehoyada, commandait les Kerétiens et les Pelétiens. Les fils de David étaient les premiers aux côtés du roi.

Insulte aux ambassadeurs de David. ‖ 2 S 10 1-5.

19 ¹Après cela, il advint que Nahash, roi des Ammonites, mourut et que son fils régna à sa place. ²David se dit : « J'agirai avec bonté envers Hanûn, fils de Nahash, parce que son père a agi avec bonté envers moi. » Et David envoya des messagers lui présenter des condoléances au sujet de son père. Mais lorsque les serviteurs de David arrivèrent au pays des Ammonites, auprès de Hanûn, à l'occasion de ces condoléances, ³les princes des Ammonites dirent à Hanûn : « T'imagines-tu que David veuille honorer ton père parce qu'il t'a envoyé des porteurs de condoléances ? N'est-ce pas plutôt pour explorer, renverser et espionner le pays que ses serviteurs sont venus à toi ? » ⁴Alors Hanûn se saisit des serviteurs de David, il les rasa et coupa leurs vêtements à mi-hauteur jusqu'aux fesses, puis les congédia. ⁵On alla informer David de ce qui était arrivé à ces hommes : il envoya quelqu'un à leur rencontre, car ces gens étaient couverts de honte, et le roi leur fit dire : « Restez à Jéricho jusqu'à ce que votre barbe ait repoussé, puis vous reviendrez. »

Première campagne ammonite. ‖ 2 S 10 6-14.

⁶Les Ammonites virent bien qu'ils s'étaient rendus odieux à David ; Hanûn et les Ammonites envoyèrent mille talents d'argent pour prendre à leur solde des Araméens de Mésopotamie, des Araméens de Maaka et des gens de Çoba, chars et charriers. ⁷Ils prirent à leur solde le roi de Maaka, ses troupes, et trente-deux mille chars ; ils vinrent camper devant Médba tandis que les Ammonites, après avoir quitté leurs villes et s'être rassemblés, arrivaient pour la bataille. ⁸À cette nouvelle, David envoya Joab avec toute l'armée, les preux. ⁹Les Ammonites sortirent et se rangèrent en bataille à l'entrée de la ville, mais les rois qui étaient venus étaient à part en rase campagne. ¹⁰Voyant qu'il avait un front de combat à la fois devant et derrière lui, Joab fit choix de toute l'élite d'Israël et la mit en ligne face aux Araméens. ¹¹Il confia à son frère Abishaï le reste de l'armée et le mit en ligne face aux Ammonites. ¹²Il dit : « Si les Araméens l'emportent sur moi, tu viendras à mon secours ; si les Ammonites l'emportent sur toi, je te secourrai. ¹³Aie bon courage et montrons-nous forts pour notre peuple et pour les villes de notre Dieu ! et que Yahvé fasse ce qui lui semblera bon ! » ¹⁴Joab et la troupe qui était avec lui engagèrent le combat contre les Araméens, qui lâchèrent pied devant eux. ¹⁵Quand les Ammonites virent que les Araméens avaient fui, ils lâchèrent pied à leur tour devant Abishaï, le frère de Joab, et rentrèrent dans la ville. Alors Joab retourna à Jérusalem.

Victoire sur les Araméens. ‖ 2 S 10 15-19.

¹⁶Voyant qu'ils avaient été battus devant Israël, les Araméens envoyèrent des messagers et mobilisèrent les Araméens qui sont

de l'autre côté du Fleuve ; Shophak, général de Hadadézer, était à leur tête. [17]Cela fut rapporté à David qui rassembla tout Israël, passa le Jourdain, les atteignit et prit position près d'eux. Puis David se rangea en ordre de combat en face des Araméens, qui lui livrèrent bataille. [18]Mais les Araméens lâchèrent pied devant Israël et David leur tua sept mille attelages et quarante mille hommes de pied ; il fit aussi périr Shophak le général. [19]Quand les vassaux de Hadadézer se virent battus devant Israël, ils firent la paix avec David et lui furent assujettis. Les Araméens ne voulurent plus porter secours aux Ammonites.

Seconde campagne ammonite.
‖ 2 S **11** 1 ; **12** 26, 30-31.

20 [1]Au retour de l'année, au temps où les rois se mettent en campagne, Joab emmena les troupes et ravagea le pays des Ammonites. Puis il vint mettre le siège devant Rabba, tandis que David restait à Jérusalem. Joab abattit Rabba et la démantela. [2]David ôta de la tête de Milkom la couronne qui s'y trouvait. Il constata qu'elle pesait un talent d'or et qu'elle en-

châssait une pierre précieuse. David la mit sur sa tête. Il emporta le butin de la ville en énorme quantité. [3]Quant à sa population, il la fit sortir, la mit à manier la scie, les pics de fer ou les haches. Ainsi agit-il envers toutes les villes des Ammonites. Puis David et toute l'armée revinrent à Jérusalem.

Exploits contre les Philistins.
‖ 2 S **21** 18-22. Cf. 1 S **17**.

[4]Après cela, la guerre se poursuivit avec les Philistins à Gézer. C'est alors que Sibbekaï de Husha tua Sippaï, un descendant des Rephaïm. Les Philistins furent abaissés. [5]La bataille reprit encore avec les Philistins. Elhanân, fils de Yaïr, tua Lahmi, frère de Goliath de Gat ; le bois de sa lance était comme un liais de tisserand. [6]Il y eut encore un combat à Gat et il se trouva là un homme de grande taille qui avait vingt-quatre doigts, six à chaque extrémité. Il était, lui aussi, descendant de Rapha. [7]Comme il défiait Israël, Yehonatân, fils de Shiméa frère de David, le tua. [8]Ces hommes étaient issus de Rapha à Gat et ils succombèrent sous la main de David et de ses gardes.

III. VERS LA CONSTRUCTION DU TEMPLE

Le dénombrement. ‖ 2 S **24** 1-9.

21 [1]Satan se dressa contre Israël et il incita David à dénombrer les Israélites. [2]David dit à Joab et aux chefs du peuple : « Allez compter Israël, de Bersabée à Dan, puis revenez m'en faire con-

naître le chiffre. » [3]Joab répondit : « Que Yahvé accroisse son peuple de cent fois autant ! Monseigneur le roi, ne sont-ils pas tous les serviteurs de Monseigneur ? Pourquoi Monseigneur fait-il cette enquête ? Pourquoi Israël deviendrait-il coupable ? » ⁴Cependant l'ordre du roi s'imposa à Joab. Joab partit, il parcourut tout Israël, puis rentra à Jérusalem. ⁵Joab fournit à David le chiffre obtenu pour le recensement du peuple ; tout Israël comptait onze cent mille hommes tirant l'épée, et Juda quatre cent soixante-dix mille hommes tirant l'épée. ⁶L'ordre du roi avait tant répugné à Joab qu'il n'avait recensé ni Lévi ni Benjamin.

La peste et le pardon divin.
|| 2 S 24 10-17.

⁷Dieu vit avec déplaisir cette affaire et il frappa Israël. ⁸David dit alors à Dieu : « C'est un grand péché que j'ai commis en cette affaire ! Maintenant, veuille pardonner cette faute à ton serviteur, car j'ai commis une grande folie. » ⁹Yahvé dit alors à Gad, le voyant de David : ¹⁰« Va dire à David : Ainsi parle Yahvé. Je te propose trois choses : choisis-en une et je l'exécuterai pour toi. » ¹¹Donc Gad se rendit chez David et lui dit : « Ainsi parle Yahvé. Il te faut accepter ¹²soit trois années de famine, soit un désastre de trois mois devant tes ennemis, l'épée de tes adversaires dans les reins, soit l'épée de Yahvé et trois jours de peste dans le pays, l'ange de Yahvé ravageant tout le territoire d'Israël ! Vois maintenant ce que je dois répondre à celui qui m'envoie. » ¹³David répondit à Gad : « Je suis dans une grande anxiété... Ah ! que je tombe entre les mains de Yahvé, car sa miséricorde est immense, mais que je ne tombe pas entre les mains des hommes ! »

¹⁴Yahvé envoya donc la peste en Israël et, parmi les Israélites, soixante-dix mille hommes tombèrent. ¹⁵Puis Dieu envoya l'ange vers Jérusalem pour l'exterminer ; mais au moment de l'exterminer, Yahvé regarda et se repentit de ce mal ; et il dit à l'ange exterminateur : « Assez ! Retire ta main. »

L'ange de Yahvé se tenait alors près de l'aire d'Ornân le Jébuséen. ¹⁶ Levant les yeux, David vit l'ange de Yahvé qui se tenait entre terre et ciel, l'épée dégainée à la main, tendue vers Jérusalem. Revêtus de sacs, David et les anciens tombèrent alors face contre terre, ¹⁷et David dit à Dieu : « N'est-ce pas moi qui ai ordonné de recenser le peuple ? N'est-ce pas moi qui ai péché et qui ai commis le mal ? Mais ceux-là, c'est le troupeau, qu'ont-ils fait ? Yahvé, mon Dieu, que ta main s'appesantisse donc sur moi et sur ma famille, mais que ton peuple échappe au fléau ! »

Construction d'un autel. || 2 S 24 18-25.

¹⁸L'ange de Yahvé dit alors à Gad : « Que David monte et élève un autel à Yahvé sur l'aire d'Ornân le Jébuséen. » ¹⁹David monta donc selon la parole que Gad lui avait dite au nom de Yahvé. ²⁰Or, en se retournant, Ornân avait vu l'ange et il se cachait avec ses quatre fils. Ornân était en train de battre le froment ²¹lorsque David se rendit auprès de lui. Ornân regarda, vit David, sortit de l'aire, et se prosterna devant David, la face contre terre. ²²David dit alors à Ornân : « Cède-moi l'emplacement de cette aire afin que j'y construise un autel pour Yahvé. Cède-le moi pour sa pleine valeur

en argent. Ainsi le fléau s'écartera du peuple. » ²³Ornân dit alors à David : « Prends, et que Monseigneur le roi fasse ce qui lui semble bon ! Vois : je donne les bœufs pour les holocaustes, le traîneau pour le bois et le grain pour l'oblation. Je donne le tout. » ²⁴Mais le roi David répondit à Ornân : « Non pas ! je veux l'acheter pour sa pleine valeur en argent ; car je ne veux pas prendre pour Yahvé ce qui t'appartient et offrir ainsi des holocaustes qui ne me coûtent rien. » ²⁵David donna à Ornân pour ce lieu le poids de six cents sicles d'or.

²⁶David construisit là un autel pour Yahvé, et il offrit des holocaustes et des sacrifices de communion. Il invoqua Yahvé ; Yahvé lui répondit en faisant tomber du ciel le feu sur l'autel des holocaustes ²⁷et il ordonna à l'ange de remettre l'épée au fourreau. ²⁸À cette époque, voyant que Yahvé lui avait répondu sur l'aire d'Ornân le Jébuséen, David y fit un sacrifice. ²⁹La Demeure de Yahvé que Moïse avait faite dans le désert et l'autel des holocaustes se trouvaient à cette époque sur le haut lieu de Gabaôn, ³⁰mais David n'avait pu y aller devant Dieu pour s'adresser à lui, tant l'épée de l'ange de Yahvé lui avait fait peur.

22 ¹Puis David dit : « C'est ici la maison de Yahvé Dieu et ce sera l'autel pour les holocaustes d'Israël. »

Préparatifs pour la construction du Temple.

²David ordonna de rassembler les étrangers qui se trouvaient dans le pays d'Israël, puis il préposa des carriers à la taille des pierres pour la construction de la maison de Dieu. ³David d'autre part entreposa beaucoup de fer pour les clous des battants de porte et pour les crampons, ainsi que du bronze en quantité impossible à peser, ⁴et des troncs de cèdre en nombre incalculable, car Sidoniens et Tyriens avaient apporté à David des troncs de cèdre en abondance.

⁵Puis David dit : « Mon fils Salomon est jeune et faible ; et cette maison qu'il doit bâtir pour Yahvé doit être magnifique, elle doit avoir renom et gloire dans tous les pays. J'en ferai pour lui les préparatifs. » Aussi David, avant de mourir, fit-il de grands préparatifs ; ⁶puis il appela son fils Salomon et lui ordonna de bâtir une maison pour Yahvé, le Dieu d'Israël. ⁷David dit à Salomon : « Mon fils, j'ai désiré bâtir une maison pour le nom de Yahvé mon Dieu. ⁸Mais la parole de Yahvé me fut adressée : "Tu as versé beaucoup de sang et livré de grandes batailles, tu ne bâtiras pas de maison à mon nom car en ma présence tu as répandu beaucoup de sang à terre. ⁹Voici qu'un fils t'est né ; lui sera un homme de paix et je le mettrai en paix avec tous ses ennemis alentour, car Salomon sera son nom, et c'est en ses jours que je donnerai à Israël paix et tranquillité. ¹⁰Il bâtira une maison à mon nom, il sera pour moi un fils et je serai pour lui un père, j'affermirai le trône de sa royauté sur Israël pour toujours." ¹¹Que Yahvé, ô mon fils, soit maintenant avec toi, et te fasse achever avec succès la construction de la maison de Yahvé ton

Dieu, comme il l'a dit de toi. ¹²Qu'il te donne cependant perspicacité et discernement, qu'il te donne ses ordres sur Israël pour que tu observes la Loi de Yahvé ton Dieu ! ¹³Tu ne réussiras que si tu observes et mets en pratique les lois et les coutumes que Yahvé a prescrites à Moïse pour Israël. Sois fort et tiens bon ! Ne crains pas, ne tremble pas ! ¹⁴Voici que jusque dans ma pauvreté j'ai pu mettre de côté pour la maison de Yahvé cent mille talents d'or, un million de talents d'argent, tant de bronze et de fer qu'on ne peut les peser. J'ai aussi entreposé du bois et des pierres et tu en ajouteras d'autres. ¹⁵Il y aura avec toi maints artisans, carriers, sculpteurs et charpentiers, toutes sortes d'experts en tous arts. ¹⁶Quant à l'or, à l'argent, au bronze et au fer, on ne saurait les compter. Va ! agis, et que Yahvé soit avec toi. »

¹⁷David ordonna alors à tous les officiers d'Israël de prêter main-forte à Salomon, son fils : ¹⁸« Yahvé, votre Dieu, n'est-il pas avec vous ? Car il vous a donné partout le repos, puisqu'il a livré entre mes mains les habitants du pays et que le pays a été soumis à Yahvé et à son peuple. ¹⁹Donnez maintenant votre cœur et votre âme à la recherche de Yahvé, votre Dieu. Allez, bâtissez le sanctuaire de Yahvé votre Dieu, pour amener à cette maison construite au nom de Yahvé l'arche de l'alliance de Yahvé et les objets sacrés de Dieu.

Classes et fonctions des lévites.

23 ¹Devenu vieux et rassasié de jours, David donna à son fils Salomon la royauté sur Israël.

²Il réunit tous les officiers d'Israël, les prêtres et les lévites.

³On recensa les lévites de trente ans et plus. En les comptant tête par tête, on trouva trente-huit mille hommes ; ⁴vingt-quatre mille d'entre eux présidaient aux offices de la maison de Yahvé, six mille étaient scribes et juges, ⁵quatre mille portiers, et quatre mille louaient Yahvé, avec les instruments que David avait faits à cette intention.

⁶Puis David répartit les lévites en classes : Gershôn, Qehat et Merari.

⁷Pour les Gershonites : Ladân et Shiméï. ⁸Fils de Ladân : Yehiel, le premier, Zétam, Yoël, trois en tout. ⁹Fils de Shiméï : Shelomit, Haziel, Harân, trois en tout. Ce sont les chefs de famille de Ladân. ¹⁰Fils de Shiméï : Yahat, Zina, Yéush, Béria ; ce furent là les fils de Shiméï, quatre en tout. ¹¹Yahat était l'aîné, Ziza le second, puis Yéush et Béria qui n'eurent pas beaucoup d'enfants et furent enregistrés en une seule famille.

¹²Fils de Qehat : Amram, Yichar, Hébrôn, Uzziel, quatre en tout. ¹³Fils de Amram : Aaron et Moïse. Aaron fut mis à part pour consacrer les choses très saintes, lui et ses fils à jamais, faire fumer l'encens devant Yahvé, le servir et bénir en son nom à jamais. ¹⁴Moïse fut un homme de Dieu dont les fils reçurent le nom de la tribu de Lévi. ¹⁵Fils de Moïse : Gershom et Éliézer. ¹⁶Fils de Gershom : Shebuel, le premier. ¹⁷Il y eut des fils d'Éliézer : Rehabya, le premier. Éliézer n'eut pas d'autres fils, mais les fils de Rehabya furent extrêmement

nombreux. [18]Fils de Yiçhar : Shelomit le premier. [19]Fils de Hébrôn : Yeriyyahu le premier, Amarya le second, Yahaziel le troisième, Yeqaméam le quatrième. [20]Fils d'Uzziel : Mika le premier, Yishshiyya le second.

[21]Fils de Merari : Maḥli et Mushi. Fils de Maḥli : Éléazar et Qish. [22]Éléazar mourut sans avoir de fils, mais des filles qu'enlevèrent les fils de Qish leurs frères. [23]Fils de Mushi : Maḥli, Éder, Yerémot, trois en tout.

[24]Tels étaient les fils de Lévi par familles, les chefs de maison et ceux qu'on recensait nominativement, tête par tête ; quiconque était âgé de vingt ans et plus était affecté au service de la maison de Yahvé. [25]Car David avait dit : « Yahvé, Dieu d'Israël, a donné le repos à son peuple et il demeure pour toujours à Jérusalem. [26]Les lévites n'auront plus à transporter la Demeure et les objets destinés à son service. » [27]En effet, selon les dernières paroles de David, les lévites qui furent comptés étaient âgés de vingt ans et plus. [28]Ils sont chargés de se tenir sous les ordres des fils d'Aaron pour le service du Temple de Yahvé dans les parvis et les salles, pour la purification de chaque chose consacrée ; ils font le service du Temple de Dieu. [29]Ils sont aussi chargés du pain à disposer en rangées, de la fleur de farine destinée à l'oblation, des galettes sans levain, de celles qui étaient préparées à la plaque ou sous forme de mélange, et de toutes les mesures de capacité et de longueur. [30]Ils ont à s'y tenir chaque matin pour célébrer et pour louer Yahvé, et de même

le soir, [31]ainsi que pour toute offrande d'holocaustes à Yahvé lors des sabbats, des néoménies et des solennités, selon le nombre fixé par la règle. Cette charge leur incombe en permanence devant Yahvé. [32]Ils observent, au service du Temple de Yahvé, le rituel de la Tente du Rendez-vous, le rituel du sanctuaire et le rituel des fils d'Aaron, leurs frères.

Les classes des prêtres. ‖ Nb 3 2-4.

24 [1]Classes des fils d'Aaron : fils d'Aaron : Nadab, Abihu, Éléazar et Itamar. [2]Nadab et Abihu moururent en présence de leur père sans laisser de fils, et c'est Éléazar et Itamar qui devinrent prêtres. [3]David les répartit en classes, ainsi que Sadoq, l'un des fils d'Éléazar, et Ahimélek, l'un des fils d'Itamar, et les recensa selon leurs services. [4]Les fils d'Éléazar se trouvèrent avoir plus de chefs de preux que les fils d'Itamar ; on forma seize classes avec les chefs de famille des fils d'Éléazar et huit avec les chefs de famille des fils d'Itamar. [5]On les répartit au sort, les uns comme les autres ; il y eut des officiers consacrés, des officiers de Dieu, parmi les fils d'Éléazar, comme parmi les fils d'Itamar. [6]L'un des lévites, le scribe Shemaya, fils de Netanéel, les inscrivit en présence du roi, des officiers, du prêtre Sadoq, d'Ahimélek fils d'Ébyatar, des chefs de familles sacerdotales et lévitiques ; on tirait une fois au sort pour chaque famille des fils d'Éléazar, toutes les deux fois pour les fils d'Itamar.

[7]Yehoyarib fut le premier sur qui tomba le sort, Yedaya le second,

[8]Harim le troisième, Séorim le quatrième, [9]Malkiyya le cinquième, Miyyamîn le sixième, [10]Haqqoç le septième, Abiyya le huitième, [11]Yéshua le neuvième, Shekanyahu le dixième, [12]Élyashib le onzième, Yaqim le douzième, [13]Huppa le treizième, Ishbaal le quatorzième, [14]Bilga le quinzième, Immer le seizième, [15]Hézir le dix-septième, Happiçèç le dix-huitième, [16]Petahya le dix-neuvième, Yehèzqel le vingtième, [17]Yakîn le vingt et unième, Gamul le vingt-deuxième, [18]Delayahu le vingt-troisième, Maazyahu le vingt-quatrième.

[19]Tels sont ceux qui furent recensés selon leur service, pour entrer dans le Temple de Yahvé, conformément à leur règle, règle transmise par Aaron, leur père, comme le lui avait prescrit Yahvé, Dieu d'Israël.

[20]Quant aux autres fils de Lévi : Pour les fils de Amram : Shubaël. Pour les fils de Shubaël, Yehdeyahu. [21]Pour Rehabyahu, pour les fils de Rehabyahu, l'aîné Yishshiyya. [22]Pour les Yiçharites, Shelomot ; pour les fils de Shelomot, Yahat. [23]Fils de Hébrôn : Yeriyya le premier, Amaryahu le second, Yahaziel le troisième, Yeqaméam le quatrième. [24]Fils de Uzziel : Mika ; pour les fils de Mika, Shamir ; [25]frère de Mika, Yishshiyya ; pour les fils de Yishshiyya, Zekaryahu. [26]Fils de Merari : Mahli et Mushi. Fils de Yaaziyyahu, son fils ; [27]fils de Merari : pour Yaaziyyahu son fils : Shoham, Zakkur et Ibri ; [28]pour Mahli, Éléazar qui n'eut pas de fils ; [29]pour Qish : fils de Qish, Yerahméel. [30]Fils de Mushi : Mahli, Éder, Yerimot.

Tels furent les fils de Lévi, répartis par familles. [31]Comme les fils d'Aaron, leurs frères, ils tirèrent au sort en présence du roi David, de Sadoq, d'Ahimélek, et des chefs de familles sacerdotales et lévitiques, les premières familles comme les plus petites.

Les chantres.

25 [1]Pour le service, David et les officiers mirent à part les fils d'Asaph, de Hémân et de Yedutûn, les prophètes qui s'accompagnaient de lyres, de cithares et de cymbales, et l'on compta les hommes affectés à ce service.

[2]Pour les fils d'Asaph : Zakkur, Yoseph, Netanya, Asarééla ; les fils d'Asaph dépendaient de leur père qui prophétisait sous la direction du roi.

[3]Pour Yedutûn : fils de Yedutûn : Gedalyahu, Çeri, Yeshayahu, Hashabyahu, Mattityahu ; ils étaient six sous la direction de leur père Yedutûn qui prophétisait au son des lyres en l'honneur et à la louange de Yahvé.

[4]Pour Hémân : fils de Hémân : Buqqiyyahu, Mattanyahu, Uzziel, Shebuel, Yerimot, Hananya, Hanani, Éliata, Giddalti, Româmti-Ézer, Yoshbeqasha, Malloti, Hotir, Mahaziot. [5]Tous ceux-là étaient fils de Hémân, le voyant du roi qui transmettait les paroles de Dieu, pour exalter sa puissance. Dieu donna à Hémân quatorze fils et trois filles ; [6]ils chantaient tous sous la direction de leur père dans le Temple de Yahvé, au son des cymbales, des cithares et des lyres, au service du Temple de Dieu, sous les ordres du roi.

Asaph, Yedutûn, Hémân, [7]ceux

qui avaient appris à chanter pour Yahvé, furent comptés avec leurs frères ; ils étaient en tout deux cent quatre-vingt-huit à s'y entendre. [8]Ils tirèrent au sort l'ordre à observer, pour le petit comme pour le grand, pour le maître comme pour l'élève. [9]Le premier sur qui tomba le sort fut l'Asaphite Yoseph. Le second fut Gedalyahu ; avec ses fils et ses frères ils étaient douze. [10]Le troisième fut Zakkur ; avec ses fils et ses frères ils étaient douze. [11]Le quatrième fut Yiçri ; avec ses fils et ses frères ils étaient douze. [12]Le cinquième fut Netanyahu ; avec ses fils et ses frères ils étaient douze. [13]Le sixième fut Buqqiyyahu ; avec ses fils et ses frères ils étaient douze. [14]Le septième fut Yesarééla ; avec ses fils et ses frères ils étaient douze. [15]Le huitième fut Yeshayahu ; avec ses fils et ses frères ils étaient douze. [16]Le neuvième fut Mattanyahu ; avec ses fils et ses frères ils étaient douze. [17]Le dixième fut Shiméï ; avec ses fils et ses frères ils étaient douze. [18]Le onzième fut Azaréel ; avec ses fils et ses frères ils étaient douze. [19]Le douzième fut Hashabyahu ; avec ses fils et ses frères ils étaient douze. [20]Le treizième fut Shubaël ; avec ses fils et ses frères ils étaient douze. [21]Le quatorzième fut Mattityahu ; avec ses fils et ses frères ils étaient douze. [22]Le quinzième fut Yerémot ; avec ses fils et ses frères ils étaient douze. [23]Le seizième fut Hananyahu ; avec ses fils et ses frères ils étaient douze. [24]Le dix-septième fut Yoshbeqasha ; avec ses fils et ses frères ils étaient douze. [25]Le dix-huitième fut Hanani ; avec ses fils et ses frères ils étaient douze. [26]Le dix-neuvième

fut Malloti ; avec ses fils et ses frères ils étaient douze. [27]Le vingtième fut Élyata ; avec ses fils et ses frères ils étaient douze. [28]Le vingt et unième fut Hotir ; avec ses fils et ses frères ils étaient douze. [29]Le vingt-deuxième fut Giddalti ; avec ses fils et ses frères ils étaient douze. [30]Le vingt-troisième fut Mahaziot ; avec ses fils et ses frères ils étaient douze. [31]Le vingt-quatrième fut Româmti-Ézer ; avec ses fils et ses frères ils étaient douze.

Les portiers. Cf. 9 17-27.

26 [1]Quant aux classes de portiers :

Pour les Coréites : Meshélémyahu, fils de Qoré, l'un des fils d'Asaph. [2]Meshélémyahu eut des fils : Zekaryahu le premier, Yediael le second, Zebadyahu le troisième, Yatniel le quatrième, [3]Élam le cinquième, Yehohanân le sixième, Élyehoénaï le septième.

[4]Obed-Édom eut des fils : Shemaya l'aîné, Yehozabad le second, Yoah le troisième, Sakar le quatrième, Netanéel le cinquième, [5]Ammiel le sixième, Issachar le septième, Péulletaï le huitième ; Dieu en effet l'avait béni. [6]À son fils Shemaya naquirent des fils qui eurent autorité sur leurs familles, car ce furent des preux valeureux. [7]Fils de Shemaya : Otni, Rephaël, Obed, Elzabad, et ses frères les vaillants Élihu et Semakyahu. [8]Tous ceux-là étaient fils d'Obed-Édom. Eux, leurs fils et leurs frères eurent dans leur service une haute valeur. Pour Obed-Édom, soixante-deux.

[9]Meshélémyahu eut des fils et des frères : dix-huit hommes vaillants.

[10]Hosa, l'un des fils de Merari,

eut des fils. Shimri était le premier, car, sans qu'il fût l'aîné, son père l'avait mis en tête. [11]Hilqiyya était le second, Tebalyahu le troisième, Zekaryahu le quatrième. Treize en tout, fils et frères de Hosa.

[12]Ceux-ci eurent leurs classes de portiers. Les chefs de ces preux avaient des charges correspondantes à celles de leurs frères au service du Temple de Yahvé. [13]Pour chaque porte, on tira au sort par famille, qu'elle soit petite ou grande. [14]Pour l'Est, le sort tomba sur Shélèmyahu, dont le fils Zekaryahu donnait des conseils avisés. On tira les sorts et le Nord échut à ce dernier. [15]Obed-Édom eut le Sud et ses fils les magasins. [16]Shuppim et Hosa eurent l'Ouest avec la porte du Tronc abattu sur la chaussée supérieure. Règles correspondant aux charges : [17]six lévites (par jour) à l'Est, quatre par jour au Nord, quatre par jour au Sud, deux par deux aux magasins ; [18]pour le Parbar à l'Ouest : quatre pour la chaussée, deux pour le Parbar. [19]Telles étaient les classes de portiers chez les Coréites et les Merarites.

Autres fonctions lévitiques.

[20]Les lévites, leurs frères, étaient responsables des trésors du Temple de Dieu, et affectés aux trésors des offrandes consacrées. [21]Les fils de Ladân, fils de Gershôn par Ladân, avaient les Yéhiélites pour chefs des familles de Ladân le Gershonite. [22]Les Yéhiélites, Zétam et Yoël son frère, furent responsables des trésors du Temple de Yahvé.

[23]Quant aux Amramites, Yiçharites, Hébronites et Uzziélites : [24]Shebuel, fils de Gershom, fils de Moïse, était chef responsable des trésors. [25]Ses frères par Éliézer : Rehabyahu son fils, Yeshayahu son fils, Yoram son fils, Zikri son fils et Shelomit son fils. [26]Ce Shelomit et ses frères furent responsables de tous les trésors des offrandes consacrées par le roi David et par les chefs de familles, à titre d'officiers de milliers, de centaines et de corps [27](ils les avaient consacrées sur le butin de guerre pour enrichir le Temple de Yahvé), [28]ainsi que de tout ce qu'avait consacré Samuel le voyant, Saül fils de Qish, Abner fils de Ner et Joab fils de Çeruya. Tout ce que l'on consacrait fut sous la responsabilité de Shelomit et de ses frères.

[29]Pour les Yiçharites : Kenanyahu et ses fils, affectés aux affaires profanes en Israël à titre de scribes et de juges.

[30]Pour les Hébronites : Hashabyahu et ses frères, mille sept cents guerriers responsables de la surveillance d'Israël à l'ouest du Jourdain, pour toutes les affaires de Yahvé et le service du roi. [31]Pour les Hébronites : Yeriyya le chef. En l'an quarante du règne de David, on fit des recherches sur les parentés des familles Hébronites, et l'on trouva parmi eux de vaillants preux à Yazèr, en Galaad. [32]Quant aux frères de Yeriyya, deux mille sept cents guerriers chefs de familles, le roi David les nomma inspecteurs des Rubénites, des Gadites et de la demi-tribu de Manassé, en toute affaire divine et royale.

Organisation civile et militaire.

27 [1]Les Israélites d'après leur nombre :

Chefs de familles, officiers de

milliers et de centaines et leurs scribes au service du roi, pour tout ce qui concernait les classes en activité pour un mois, tous les mois de l'année. Chaque classe était de vingt-quatre mille hommes.

²Le responsable de la première classe, affecté au premier mois, était Yashobéam, fils de Zabdiel. Il était responsable d'une classe de vingt-quatre mille hommes. ³C'était l'un des fils de Pérèç, chef de tous les officiers du corps affecté au premier mois. ⁴Le responsable de la classe du second mois était Dodaï l'Ahohite et sa classe, avec Miqlôt comme commandant ; il était responsable d'une classe de vingt-quatre mille hommes. ⁵L'officier du troisième corps affecté au troisième mois était Benayahu, fils de Yehoyada, le prêtre en chef. Il était responsable d'une classe de vingt-quatre mille hommes. ⁶C'est ce Benayahu qui fut le héros des Trente, et eut la responsabilité des Trente et de sa classe. Il eut pour fils Ammizabad.

⁷Le quatrième, affecté au quatrième mois, était Asahel, frère de Joab ; son fils Zebadya lui succéda. Il était responsable d'une classe de vingt-quatre mille hommes.

⁸Le cinquième, affecté au cinquième mois, était l'officier Shamehut, le Yizerahite. Il était responsable d'une classe de vingt-quatre mille hommes. ⁹Le sixième, affecté au sixième mois, était Ira, fils d'Iqqesh, de Teqoa ; il était responsable d'une classe de vingt-quatre mille hommes. ¹⁰Le septième, affecté au septième mois, était Héleç, le Pelonite, l'un des fils d'Éphraïm ; il était responsable d'une classe de vingt-

quatre mille hommes. ¹¹Le huitième, affecté au huitième mois, était Sibbekaï, de Husha, un Zarhite ; il était responsable d'une classe de vingt-quatre mille hommes. ¹²Le neuvième, affecté au neuvième mois, était Abiézer d'Anatot, un Benjaminite ; il était responsable d'une classe de vingt-quatre mille hommes. ¹³Le dixième, affecté au dixième mois, était Mahraï de Netopha, un Zarhite ; il était responsable d'une classe de vingt-quatre mille hommes. ¹⁴Le onzième, affecté au onzième mois, était Benaya, de Piréatôn, un fils d'Éphraïm ; il était responsable d'une classe de vingt-quatre mille hommes. ¹⁵Le douzième, affecté au douzième mois, était Heldaï, de Netopha, d'Otniel ; il était responsable d'une classe de vingt-quatre mille hommes. ¹⁶Responsables des tribus d'Israël : Éliézer, fils de Zikri, commandait les Rubénites, Shephatyahu fils de Maaka les Siméonites, ¹⁷Hashabya fils de Qemuel les Lévites, Sadoq les Aaronides, ¹⁸Élihu, l'un des frères de David, les Judéens, Omri fils de Mikaël les Issacharites, ¹⁹Yishmayahu fils d'Obadyahu les Zabulonites, Yerimot fils d'Azriel les Nephtalites, ²⁰Hoshéa fils d'Azazyahu les Éphraïmites, Yoël fils de Pedayahu la demi-tribu de Manassé, ²¹Yiddo fils de Zekaryahu la demi-tribu de Manassé en Galaad, Yaasiel fils d'Abner les Benjaminites, ²²Azaréel fils de Yeroham les Danites. Tels furent les officiers des tribus d'Israël.

²³David ne fit pas le dénombrement de ceux qui avaient vingt ans et au-dessous, parce que Dieu avait dit qu'il multiplierait les Israélites

comme les étoiles des cieux.
[24]Joab, fils de Çeruya, commença
à faire le compte, mais ne l'acheva
pas. C'est pourquoi la Colère éclata contre Israël, et le chiffre n'atteignit pas celui qu'on trouve dans
les Annales du roi David.

[25]Responsable des provisions
du roi : Azmavèt, fils d'Adiel.
Responsable des provisions dans
les villes, bourgs et forteresses de
la province : Yehonatân, fils de
Uzziyyahu. [26]Responsable des ouvriers agricoles employés à la culture du sol : Ezri, fils de Kelub.
[27]Responsable des vignobles :
Shiméï, de Rama. Responsable de
ceux qui, dans les vignobles,
étaient affectés aux réserves de
vin : Zabdi, de Shepham. [28]Res-
ponsable des oliviers et des sycomores dans le Bas-Pays : Baal-
Hanân, de Géder. Responsable
des réserves d'huile : Yoash.
[29]Responsable du gros bétail pâ-
turant en Sarôn : Shitraï, de Sarôn. Responsable du gros bétail
dans les vallées : Shaphat, fils de
Adlaï. [30]Responsable des chameaux : Obil, l'Ismaélite. Responsable des ânesses : Yehdeyahu, de Méronot. [31]Responsable du
petit bétail : Yaziz, le Hagrite.
Tous ceux-là furent les responsables des biens appartenant au roi
David.

[32]Yehonatân, oncle de David,
conseiller, homme avisé, et scribe, s'occupait des enfants du roi
avec Yehiel, fils d'Hakmoni.
[33]Ahitophel était conseiller du roi.
Hushaï l'Arkite était ami du roi.
[34]Yehoyada, fils de Benayahu, et
Ébyatar succédèrent à Ahitophel.
Joab était le général des armées
du roi.

Instructions de David concernant le Temple.

28 [1]David réunit à Jérusalem
tous les officiers d'Israël, officiers des tribus et officiers des
classes au service du roi, officiers
de milliers et de centaines, officiers chargés de tous les biens et
des troupeaux du roi et de ses fils,
ainsi que les eunuques et les preux,
tous les preux vaillants. [2]Le roi
David se leva et, debout, déclara :
« Écoutez-moi, mes frères et
mon peuple. J'ai désiré, moi, édifier une demeure stable pour l'arche de l'alliance de Yahvé, pour
le piédestal de notre Dieu. J'ai fait
les préparatifs de construction
[3]mais Dieu m'a dit : "Ne bâtis pas
de maison à mon nom, car tu as
été un homme de guerre et tu as
versé le sang."

[4]De toute la maison de mon père, c'est moi que Yahvé, le Dieu
d'Israël, a choisi pour être à jamais
roi sur Israël. C'est en effet Juda
qu'il a choisi pour guide, c'est ma
famille qu'il a choisie dans la maison de Juda, et parmi les fils de
mon père, c'est en moi qu'il s'est
complu à donner un roi à tout Israël. [5]De tous mes fils – car Yahvé
m'en a donné beaucoup – c'est
mon fils Salomon qu'il a choisi
pour siéger sur le trône de la royauté de Yahvé sur Israël : "[6]C'est ton
fils Salomon, m'a-t-il dit, qui bâtira ma Maison et mes parvis, car
c'est lui que j'ai choisi pour fils et
je serai pour lui un père. [7]Je lui ai
préparé une royauté éternelle s'il
pratique avec courage, comme
aujourd'hui, mes commandements et mes lois."

[8]Et maintenant, devant tout Is-

raël qui nous voit, devant l'assemblée de Yahvé, devant notre Dieu qui nous entend, gardez, scrutez les commandements de Yahvé votre Dieu, afin de posséder ce bon pays et de le transmettre après vous pour toujours en héritage à vos fils.

⁹Toi, Salomon mon fils, connais le Dieu de ton père, sers-le d'un cœur sans partage, d'une âme bien disposée, car Yahvé sonde tous les cœurs et pénètre tous les desseins qu'ils forgent. Si tu le recherches, il se fera trouver de toi, si tu le délaisses, il te rejettera pour toujours. ¹⁰Considère maintenant que Yahvé t'a choisi pour lui bâtir une maison pour sanctuaire. Sois ferme et agis ! »

¹¹David donna à son fils Salomon le modèle du vestibule, des bâtiments, des magasins, des chambres hautes, des pièces de fond à l'intérieur, de la salle du propitiatoire ; ¹²il lui donna aussi la description de tout ce qu'il concevait concernant les parvis du Temple de Yahvé, les pièces du pourtour, les trésors du Temple de Dieu et les saintes réserves, ¹³les classes de prêtres et de lévites, toutes les charges du service du Temple de Yahvé, tout le mobilier pour le service du Temple de Yahvé, ¹⁴l'or en lingots, l'or destiné à chacun des objets de tel ou tel service, l'argent en lingots destiné à tous les objets d'argent, pour chacun des objets de tel ou tel service, ¹⁵les lingots destinés aux chandeliers d'or et à leurs lampes, l'or en lingots destiné à chaque chandelier et à ses lampes, les lingots destinés aux chandeliers d'argent, pour le chandelier et ses lampes suivant l'usage de chaque chandelier, ¹⁶l'or en lingots destiné aux tables des rangées de pain, pour chacune des tables, l'argent destiné aux tables d'argent, ¹⁷les fourchettes, les coupes d'aspersion, les aiguières en or pur, les lingots d'or pour les coupes, pour chacune des coupes, les lingots d'argent pour les coupes, pour chacune des coupes, ¹⁸les lingots d'or épuré destinés à l'autel des parfums. Il lui donna le modèle du char divin, des chérubins d'or aux ailes déployées couvrant l'arche de l'alliance de Yahvé, ¹⁹l'ensemble selon ce que Yahvé avait écrit de sa main pour faire comprendre tout le travail dont il donnait le modèle.

²⁰David dit alors à son fils Salomon : « Sois ferme et courageux, agis sans crainte ni tremblement, car Yahvé Dieu, mon Dieu, est avec toi. Il ne te laissera pas sans force et sans soutien avant que tu n'aies achevé tout le travail à accomplir pour la Maison de Yahvé. ²¹Voici les classes des prêtres et des lévites pour tout le service de la maison de Dieu, chaque volontaire habile en n'importe quel travail te secondera dans toute cette œuvre ; les officiers et tout le peuple sont à tes ordres. »

Les offrandes.

29 ¹Le roi David dit alors à toute l'assemblée : « Mon fils Salomon, celui qu'a choisi Dieu, est jeune et faible alors que l'œuvre est grande, car ce palais n'est pas destiné à un homme mais à Yahvé Dieu. ²De toutes mes forces, j'ai préparé la Maison de mon Dieu : l'or pour ce qui doit être en or, l'argent pour ce qui doit être en argent, le bronze pour ce qui doit être en bronze, le fer pour ce qui doit être en fer, le bois pour ce qui doit être en bois, des cornalines, des pierries à enchâsser, des escarboucles et des pierres multicolores, toutes sortes de pierres précieuses et quantité d'albâtre. ³Plus encore, ce que je possède personnellement en or et en argent, je le donne à la Maison de mon Dieu, par amour pour la Maison de mon Dieu en plus de ce que j'ai préparé pour le Temple saint : ⁴trois mille talents d'or, en or d'Ophir, sept mille talents d'argent épuré pour en plaquer les parois des salles.

⁵Qu'il s'agisse d'or pour ce qui doit être en or, d'argent pour ce qui doit être en argent, ou d'œuvre de main d'orfèvre, qui d'entre vous aujourd'hui est volontaire pour le consacrer à Yahvé ? »

⁶Les officiers chefs de familles, les officiers des tribus d'Israël, les officiers de milliers et de centaines et les officiers chargés des travaux royaux furent volontaires. ⁷Ils donnèrent pour le service de la Maison de Dieu cinq mille talents d'or, dix mille dariques, dix mille talents d'argent, dix-huit mille talents de bronze et cent mille talents de fer. ⁸Y ajoutant ce qui se trouva comme pierres, ils remirent tout cela au trésor de la Maison de Yahvé, à la disposition de Yehiel le Gershonite. ⁹Le peuple se réjouit de ce qu'ils avaient fait, car c'était d'un cœur sans partage qu'ils avaient ainsi fait des offrandes volontaires pour Yahvé ; le roi David lui-même en conçut une grande joie.

Action de grâces de David.

¹⁰Il bénit alors Yahvé sous les yeux de toute l'assemblée. David dit : « Béni sois-tu, Yahvé, Dieu d'Israël notre père, depuis toujours et à jamais ! ¹¹À toi, Yahvé, la grandeur, la force, la splendeur, la durée et la gloire, car tout ce qui est au ciel et sur la terre est à toi. À toi, Yahvé, la royauté : tu es souverainement élevé au-dessus de tout. ¹²La richesse et la gloire te précèdent, tu es maître de tout, dans ta main sont la force et la puissance ; à ta main d'élever et d'affermir qui que ce soit. ¹³À cette heure, ô notre Dieu, nous te célébrons, nous louons ton éclatant renom ; ¹⁴car qui suis-je et qu'est-ce que mon peuple pour être en mesure de faire de telles offrandes volontaires ? Car tout vient de toi et c'est de ta main même que nous t'avons donné. ¹⁵Car nous ne sommes devant toi que des étrangers et des hôtes comme tous nos pères ; nos jours sur terre passent comme l'ombre et il n'est point d'espoir. ¹⁶Yahvé, notre Dieu, tout ce que nous avons amoncelé pour la construction d'une Maison à ton saint nom provient de ta main, et tout est à toi. ¹⁷Je sais, ô mon Dieu, que tu sondes les cœurs et que tu te plais à la droiture, c'est d'un cœur droit que je t'ai fait toutes ces offrandes et, à cette heure, j'ai vu avec joie ton peuple, ici présent, te faire ces offrandes volontaires. ¹⁸Yahvé, Dieu d'Abraham, d'Isaac et d'Israël nos pères, garde à jamais cela, formes-en les dispositions de cœur de ton peuple, et fixe en toi leurs cœurs. ¹⁹À mon fils Salomon donne un cœur intègre pour qu'il garde tes commandements, tes témoignages et tes lois, qu'il les mette tous en pratique et bâtisse ce palais que je t'ai préparé. »

[20]Puis David dit à toute l'assemblée : « Bénissez donc Yahvé votre Dieu ! » Et toute l'assemblée bénit Yahvé, Dieu de ses pères, et s'agenouilla pour se prosterner devant Dieu et devant le roi.

Avènement de Salomon ; fin de David. Cf. Ex 24 5, 11.

[21]Puis les Israélites, le lendemain de ce jour, offrirent des sacrifices et des holocaustes à Yahvé : mille taureaux, mille béliers, mille agneaux avec les libations conjointes, ainsi que de multiples sacrifices pour tout Israël. [22]Ils mangèrent et burent en ce jour devant Yahvé, dans une grande liesse. Puis, ayant fait Salomon, fils de David, roi pour la seconde fois, ils l'oignirent au nom de Yahvé comme chef, et oignirent Sadoq comme prêtre. [23]Salomon s'assit sur le trône de Yahvé pour régner à la place de David son père. Il prospéra et tout Israël lui obéit. [24]Tous les officiers, tous les preux et même tous les fils du roi David se soumirent au roi Salomon. [25]Sous les yeux de tout Israël, Yahvé porta à son faîte la grandeur de Salomon et lui donna un règne d'une splendeur que n'avait jamais connue aucun de ceux qui avaient régné avant lui sur Israël.

[26]David, fils de Jessé, avait régné sur tout Israël.

|| 1 R 2 11.

[27]Son règne sur Israël avait duré quarante ans ; à Hébron il avait régné sept ans et à Jérusalem il avait régné trente-trois ans. [28]Il mourut dans une heureuse vieillesse, rassasié de jours, de richesses et d'honneur. Puis Salomon son fils régna à sa place. [29]L'histoire du roi David, du début à la fin, n'est-ce pas écrit dans l'histoire de Samuel le voyant, l'histoire de Natân le prophète, l'histoire de Gad le voyant, [30]avec son règne entier, ses prouesses, et les heurs et malheurs qu'il dut traverser ainsi qu'Israël et tous les royaumes des pays ?

Deuxième livre des Chroniques

3. Salomon et la construction du Temple

Salomon reçoit la Sagesse. || 1 R 3 4-15. 1 Ch 16 39 ; 21 29.

1 [1]Salomon, fils de David, s'affermit sur son trône. Yahvé son Dieu était avec lui et porta au faîte sa grandeur. [2]Salomon parla alors à tout Israël, aux officiers de milliers et de centaines, aux juges et à tous les princes de tout Israël, chefs de famille. [3]Puis, avec toute l'assemblée, Salomon se rendit au haut lieu de Gabaôn où se trouvait en effet la Tente du Rendez-vous de Dieu, faite dans le désert par Moïse, serviteur de Yahvé ; [4]mais David avait fait monter l'arche de Dieu de Qiryat-Yéarim jusqu'à l'endroit qu'il avait préparé pour elle : il lui avait en effet dressé une tente à Jérusalem. [5]L'autel de bronze qu'avait fait Beçaléel, fils de Uri, fils de Hur, était là devant la Demeure de Yahvé où Salomon et l'assemblée venaient le consulter. [6]C'est là que Salomon, en présence de Dieu, monta à l'autel de bronze qui était attenant à la Tente du Rendez-vous et il y offrit mille holocaustes.

[7]La nuit même, Dieu se montra à Salomon et lui dit : « Demande ce que je dois te donner. » [8]Salomon répondit à Dieu : « Tu as témoigné une grande bienveillance à David mon père et tu m'as établi roi à sa place. [9]Yahvé Dieu, la promesse que tu as faite à mon père David s'accomplit maintenant puisque tu m'as établi roi sur un peuple aussi nombreux que la poussière de la terre. [10]Donne-moi donc à présent sagesse et savoir pour agir en chef à la tête de ce peuple, car qui pourrait gouverner un peuple aussi grand que le tien ? »

[11]Dieu dit à Salomon : « Puisque tel est ton désir, puisque tu n'as demandé ni richesse, ni trésors, ni gloire, ni la vie de tes ennemis, puisque tu n'as pas même demandé de longs jours, mais sagesse et savoir pour gouverner mon peuple dont je t'ai établi roi, [12]la sagesse et le savoir te sont donnés. Je te donne aussi richesse, trésors et gloire comme n'en eut aucun des rois qui t'ont précédé et comme n'en auront point ceux qui viendront après toi. »

[13]Salomon quitta le haut lieu de Gabaôn pour Jérusalem, loin de la Tente du Rendez-vous ; il régna sur Israël.

1 R **10** 26-29. = 2 Ch **9** 25.

[14]Il rassembla des chars et des chevaux ; il eut mille quatre cents chars et mille deux cents chevaux, et il les cantonna dans les villes des chars et près du roi à Jérusalem. [15]Le roi fit que l'argent et l'or étaient aussi communs à Jérusalem que les cailloux, et les cèdres aussi nombreux que les sycomores du Bas-Pays. [16]Les chevaux de Salomon étaient importés de Muçur et de Cilicie ; les courtiers du roi en prenaient livraison en Cilicie à prix d'argent. [17]Ils s'en allaient aussi importer d'Égypte des chars à six cents sicles l'unité ; un cheval en valait cent cinquante ; il en était de même pour tous les rois des Hittites et les rois d'Aram qui les importaient par leur entremise.

Derniers préparatifs. Huram de Tyr. = 2 17. Cf. 1 R **5** 29-30.

[18]Salomon ordonna de bâtir une maison au nom de Yahvé et une autre pour y régner lui-même. **2** [1]Il enrôla soixante-dix mille hommes pour le transport, quatre-vingt mille pour extraire les pierres de la montagne et trois mille six cents contremaîtres.

|| 1 R **5** 15-20.

[2]Puis Salomon envoya ce message à Huram, roi de Tyr : « Agis comme tu l'as fait envers mon père David en lui envoyant des cèdres pour se bâtir une maison où

il résiderait. ³Or voici que je bâtis une maison au nom de Yahvé mon Dieu pour reconnaître sa sainteté, brûler devant lui de l'encens parfumé, avoir en permanence des pains rangés, offrir des holocaustes le matin, le soir, aux sabbats, aux néoménies et aux solennités de Yahvé notre Dieu ; et cela pour toujours en Israël. ⁴La maison que je bâtis sera grande, car notre Dieu est plus grand que tous les dieux. ⁵Qui serait en mesure de lui bâtir une maison quand les cieux et les cieux des cieux ne le peuvent contenir ? Et moi, qui suis-je pour lui bâtir une maison, si ce n'est pour que les fumées montent devant lui ? ⁶Envoie-moi maintenant un homme habile à travailler l'or, l'argent, le bronze, le fer, l'écarlate, le cramoisi et la pourpre violette, et connaissant l'art de la gravure ; il travaillera avec les artisans qui sont près de moi dans Juda et à Jérusalem, eux que mon père David a mis à ma disposition. ⁷Envoie-moi du Liban des troncs de cèdre, de genévrier et d'algummim, car je sais que tes serviteurs savent abattre les arbres du Liban. Mes serviteurs travailleront avec les tiens. ⁸Ils me prépareront du bois en quantité, car la maison que je veux bâtir sera d'une grandeur étonnante. ⁹Je livre pour les bûcherons qui abattront les arbres vingt mille muids de froment, vingt mille muids d'orge, vingt mille mesures de vin et vingt mille mesures d'huile, ceci pour l'entretien de tes serviteurs. »

¹⁰Huram, roi de Tyr, répondit par une lettre qu'il envoya à Salomon : « C'est parce qu'il aime son peuple que Yahvé t'en a fait le roi. » ¹¹Puis il ajouta : « Béni soit Yahvé le Dieu d'Israël ! Il a fait les cieux et la terre, il a donné au roi David un fils sage, sensé et intelligent, qui va bâtir une maison pour Yahvé et une autre pour y régner lui-même. ¹²J'envoie aussitôt un homme habile et intelligent, Huram-Abi, ¹³fils d'une Danite, et de père tyrien. Il sait travailler l'or, l'argent, le bronze, le fer, la pierre, le bois, l'écarlate, la pourpre violette, le byssus, le cramoisi, graver n'importe quoi et concevoir des projets. C'est lui qu'on fera travailler avec tes artisans et ceux de Monseigneur David, ton père. ¹⁴Que soient alors envoyés à ses serviteurs le froment, l'orge, l'huile et le vin dont a parlé Monseigneur.

|| 1 R 5 22-26.

¹⁵Quant à nous, nous abattrons au Liban tout le bois dont tu auras besoin, nous l'amènerons à Joppé en radeaux par mer, et c'est toi qui le feras monter à Jérusalem. »

Les travaux.

¹⁶Salomon fit le compte de tous les étrangers en résidence en terre d'Israël, d'après le recensement qu'en avait fait David son père, et on en trouva cent cinquante-trois mille six cents. ¹⁷Il en affecta soixante-dix mille aux transports, quatre-vingt mille aux carrières de la montagne, trois mille six cents à la direction du travail de ces gens.

|| 1 R 6.

3 ¹Salomon commença alors la construction de la maison de Yahvé. C'était à Jérusalem, sur le mont Moriyya, là où son père David avait eu une vision. C'était le lieu préparé par David, l'aire d'Ornân le Jébuséen. ²Salomon commença les constructions au second mois de la quatrième année de son règne. ³Voici que l'édifice de la maison de Dieu, fondée par Salomon, eut une longueur de soixante coudées – coudée d'ancienne mesure – et une largeur de vingt. ⁴Le vestibule qui se trouvait par-devant avait une longueur de vingt coudées couvrant la largeur de la maison et une hauteur de cent vingt coudées. Salomon en revêtit d'or pur l'intérieur. ⁵Quant à la grande salle, il la plaqua en bois de genévrier qu'il recouvrit d'un bel or et y dressa des palmes et des guirlandes. ⁶Il sertit alors la salle de pierres précieuses, éclatantes ; l'or était de l'or de Parvayim, ⁷il en recouvrit la salle, les poutres, les seuils, les parois et les portes, et grava ensuite des chérubins sur les parois.

⁸Puis il bâtit la salle du Saint des Saints dont la longueur de vingt coudées couvrait la largeur de la grande salle, et dont la largeur était de vingt coudées. Il la plaqua pour six cents talents d'un bel or ; ⁹les clous d'or pesaient cinquante sicles. Il plaqua d'or les chambres hautes. ¹⁰Dans la salle du Saint des Saints il fit deux chérubins, ouvrage en métal forgé qu'il plaqua d'or. ¹¹Les ailes des chérubins avaient vingt coudées de long, chacune d'elles ayant cinq coudées et touchant l'une à la paroi de la salle, l'autre à celle de l'autre chérubin. ¹²L'une des ailes de cinq coudées d'un chérubin touchait à la paroi de la salle ; la seconde, de cinq coudées, touchait à l'aile de l'autre chérubin.

¹³Déployées, les ailes de ces chérubins mesuraient vingt coudées. Eux-mêmes se tenaient debout, face à la Salle.

¹⁴Il fit le Rideau de pourpre violette et écarlate, de cramoisi et de byssus ; il y appliqua des chérubins.

‖ 1 R 7 15-22.

¹⁵Devant la salle, il fit deux colonnes longues de trente-cinq coudées que surmontait un chapiteau de cinq coudées. ¹⁶Dans le Debir, il fit des guirlandes qu'il disposa au haut des colonnes et fit cent grenades qu'il mit dans les guirlandes. ¹⁷Il dressa les colonnes devant le Hékal, l'une à droite et l'autre à gauche, et il appela Yakîn celle de droite, Boaz celle de gauche.

‖ 1 R 7 23-26.

4 ¹Il fit un autel de bronze, long de vingt coudées, large de vingt et haut de dix. ²Puis il coula la Mer en métal fondu, de dix coudées de bord à bord, à pourtour circulaire, de cinq coudées de hauteur ; un fil de trente coudées en mesurait le tour. ³Il y avait, sous le pourtour, des animaux ressemblant à des bœufs, l'encerclant tout autour. Incurvées sur dix coudées du pourtour de la Mer, deux rangées de bœufs avaient été coulées avec la masse. ⁴La Mer reposait sur douze bœufs, trois regardaient vers le nord, trois regardaient vers l'ouest, trois regardaient vers le sud, trois regardaient vers l'est : la Mer s'élevait au-dessus d'eux et tous leurs arrière-trains étaient tournés vers l'intérieur. ⁵Son épaisseur était d'un palme et son bord avait la même forme que le bord d'une coupe, comme une fleur. Elle contenait trois mille mesures.

1 R 7 38-39, 49-50.

⁶Il fit dix bassins et en plaça cinq à droite et cinq à gauche pour y laver la victime de l'holocauste que l'on y purifiait, mais c'est dans la Mer que les prêtres se lavaient. ⁷Il fit les dix chandeliers d'or du modèle prescrit et les mit dans le Hékal, cinq à droite et cinq à gauche. ⁸Il fit dix tables qu'il installa dans le Hékal, cinq à droite et cinq à gauche. Il fit cent coupes d'aspersion en or.

1 R 7 12.

⁹Il fit le parvis des prêtres, la grande cour et ses portes qu'il revêtit de bronze. ¹⁰Quant à la Mer, il l'avait placée à distance du côté droit, au sud-est.

1 R 7 40-51.

¹¹Huram fit les vases à cendres, les pelles, les bols à aspersion. Il acheva tout l'ouvrage dont l'avait chargé le roi Salomon pour le Temple de Dieu : ¹²deux colonnes ; les tores des chapiteaux qui étaient au sommet des colonnes ; les deux treillis pour couvrir les deux tores des chapiteaux qui étaient au sommet des colonnes ; ¹³les quatre cents grenades pour les deux treillis : les grenades pour chaque treillis étaient en deux rangées, pour couvrir les deux tores des chapiteaux qui étaient au sommet des colonnes ; ¹⁴il fit les bases ; il fit les bassins sur les bases ; ¹⁵la Mer unique et les douze bœufs sous la Mer ; ¹⁶les vases à cendres, les pelles, les fourchettes, et tous leurs accessoires que fit en bronze poli Huram-Abi pour le roi Salomon, pour le Temple de Yahvé. ¹⁷C'est dans le district du Jourdain que le roi coula en pleine terre, entre Sukkot et Çeréda. ¹⁸Salomon fit tous ces objets en grand nombre, car on ne calculait pas le poids du bronze.

¹⁹Salomon fit tous les objets destinés au Temple de Dieu : l'autel d'or et les tables sur lesquelles étaient les pains d'oblation ; ²⁰les chandeliers et leurs lampes qui devaient, selon la règle, briller devant le Debir, en or fin ; ²¹les fleurons, les lampes et les mouchettes, en or (et c'était de l'or pur) ; ²²les couteaux, les coupes d'aspersion, les coupes et les encensoirs, en or fin ; l'entrée du Temple, les portes intérieures (pour le Saint des Saints) et les portes du Temple (pour le Hékal), en or.

5 ¹Alors fut achevé tout le travail que fit Salomon pour le Temple de Yahvé ; et Salomon apporta ce que son père David avait consacré, l'argent, l'or et tous les vases, qu'il mit dans le trésor du Temple de Dieu.

Transfert de l'arche d'alliance.

‖ 1 R 8 1-9.

²Alors Salomon convoqua à Jérusalem les anciens d'Israël, tous les chefs des tribus et les princes des familles israélites, pour faire monter de la Cité de David, qui est Sion, l'arche de l'alliance de Yahvé. ³Tous les hommes d'Israël se rassemblèrent auprès du roi, au septième mois, pendant la fête. ⁴Tous les anciens d'Israël vinrent, et ce furent les lévites, qui portèrent l'arche. ⁵Ils portèrent l'arche et la Tente du Rendez-vous avec tous les objets sacrés

qui y étaient ; ce sont les prêtres lévites qui les transportèrent.

⁶Puis le roi Salomon et toute la communauté d'Israël, réunie près de lui devant l'arche, sacrifièrent moutons et bœufs en quantité innombrable et incalculable. ⁷Les prêtres apportèrent l'arche de l'alliance de Yahvé à sa place, au Debir du Temple, c'est-à-dire au Saint des Saints, sous les ailes des chérubins. ⁸Les chérubins étendaient leurs ailes au-dessus de l'emplacement de l'arche et abritaient l'arche et ses barres. ⁹Celles-ci étaient assez longues pour qu'on vît leur extrémité en prolongement de l'arche, devant le Debir, mais pas en dehors de là ; elles y sont restées jusqu'à ce jour. ¹⁰Il n'y avait rien dans l'arche, sauf les deux tables que Moïse y déposa à l'Horeb, lorsque Yahvé avait conclu une alliance avec les Israélites à leur sortie d'Égypte.

Dieu prend possession de son Temple. ‖ 1 R 8 10-13.

¹¹Or, quand les prêtres sortirent du sanctuaire, – en effet, tous les prêtres qui se trouvaient là s'étaient sanctifiés sans garder l'ordre des classes ; ¹²les chantres lévites au complet : Asaph, Hémân et Yedutûn avec leurs fils et leurs frères s'étaient revêtus de byssus et jouaient des cymbales, de la lyre et de la cithare et se tenant à l'orient de l'autel, et cent vingt prêtres les accompagnaient en sonnant des trompettes. ¹³Chacun de ceux qui jouaient de la trompette ou qui chantaient, louaient et célébraient Yahvé d'une seule voix ; élevant la voix au son des trompettes, des cymbales et des instruments d'accompagnement, ils louaient Yahvé « car il est bon, car éternel est son amour » –, le sanctuaire fut rempli par la nuée de la gloire de Yahvé.

¹⁴Les prêtres ne purent pas continuer leur fonction à cause de la nuée, car la gloire de Yahvé remplissait le Temple de Dieu.

6 ¹Alors Salomon dit :
« Yahvé a décidé d'habiter la nuée obscure.

²Moi, je t'ai construit une demeure princière, une résidence où tu habites à jamais. »

Discours de Salomon au peuple. ‖ 1 R 8 14-21.

³Puis le roi se retourna et bénit toute l'assemblée d'Israël. Toute l'assemblée d'Israël se tenait debout ; ⁴il dit :
« Béni soit Yahvé, Dieu d'Israël, qui a accompli de sa main ce qu'il avait promis de sa bouche à mon père David en ces termes : ⁵"Depuis le jour où j'ai fait sortir mon peuple du pays d'Égypte, je n'ai pas choisi de ville, dans toutes les tribus d'Israël, pour qu'on y bâtît une maison où serait mon Nom, ni choisi d'homme pour qu'il fût chef de mon peuple Israël. ⁶Mais j'ai choisi Jérusalem pour qu'y fût mon Nom et j'ai choisi David pour qu'il commandât à mon peuple Israël." ⁷Mon père David eut dans l'esprit de bâtir une maison pour le Nom de Yahvé, Dieu d'Israël, ⁸mais Yahvé dit à mon père David : "Tu as eu dans l'esprit de bâtir une maison pour mon Nom, et tu as bien fait. ⁹Seulement, ce n'est pas toi qui bâtiras cette maison, c'est ton fils, issu de tes reins,

qui bâtira la maison pour mon Nom. [10]Yahvé a réalisé la parole qu'il avait dite : j'ai succédé à mon père David et je me suis assis sur le trône d'Israël comme avait dit Yahvé, j'ai construit la maison pour le Nom de Yahvé, Dieu d'Israël, [11]et j'y ai placé l'arche où est l'alliance que Yahvé a conclue avec les Israélites. »

Prière personnelle de Salomon.

|| 1 R 8 22-29.

[12]Puis il se tint devant l'autel de Yahvé, en présence de toute l'assemblée d'Israël et il étendit les mains. [13]Or Salomon avait fait un socle de bronze qu'il avait mis au milieu de la cour ; il avait cinq coudées de long, cinq de large et trois de haut. Salomon y monta, s'y tint et s'y agenouilla en présence de toute l'assemblée d'Israël. Il étendit les mains vers le ciel [14]et dit :

« Yahvé, Dieu d'Israël ! Il n'y a aucun Dieu pareil à toi dans les cieux ni sur la terre, toi qui es fidèle à l'alliance et gardes la bienveillance à l'égard de tes serviteurs, quand ils marchent de tout leur cœur devant toi. [15]Tu as tenu à ton serviteur David, mon père, la promesse que tu lui avais faite, et ce que tu avais dit de ta bouche, tu l'as accompli aujourd'hui de ta main. [16]Et maintenant, Yahvé, Dieu d'Israël, tiens à ton serviteur David, mon père, la promesse que tu lui as faite, quand tu as dit : "Tu ne seras jamais dépourvu d'un descendant qui soit devant moi, assis sur le trône d'Israël, à condition que tes fils veillent à leur conduite et suivent ma loi comme toi-même tu as marché devant moi." [17]Maintenant donc,

Yahvé, Dieu d'Israël, que se vérifie la parole que tu as dite à ton serviteur David ! [18]Mais Dieu habiterait-il vraiment avec les hommes sur la terre ? Voici que les cieux et les cieux des cieux ne le peuvent contenir, moins encore cette maison que j'ai construite ! [19]Sois attentif à la prière et à la supplication de ton serviteur, Yahvé, mon Dieu, écoute l'appel et la prière que ton serviteur fait devant toi ! [20]Que tes yeux soient ouverts jour et nuit sur cette maison, sur ce lieu où tu as dit mettre ton Nom. Écoute la prière que ton serviteur fera en ce lieu.

Prière pour le peuple.

|| 1 R 8 30-51.

[21]« Écoute les supplications de ton serviteur et de ton peuple Israël, lorsqu'ils prieront en ce lieu. Toi, écoute du lieu où tu résides, du ciel, écoute et pardonne.

[22]Si un homme pèche contre son prochain, et qu'il s'engage par un serment imprécatoire et qu'il vienne prononcer ce serment devant ton autel dans ce Temple, [23]toi, écoute du ciel et agis ; juge entre tes serviteurs : rends au méchant son dû en faisant retomber sa conduite sur sa tête, et justifie l'innocent en lui rendant selon sa justice.

[24]Si ton peuple Israël est battu devant l'ennemi parce qu'il aura péché contre toi, s'il se convertit, loue ton Nom, prie et supplie devant toi dans ce Temple, [25]toi, écoute du ciel, pardonne le péché de ton peuple Israël, et ramène-le dans le pays que tu lui as donné comme à ses pères.

[26]Quand le ciel sera fermé et qu'il n'y aura pas de pluie parce qu'ils auront péché contre toi, s'ils

prient en ce lieu, louent ton Nom, se repentent de leur péché, parce que tu les auras humiliés, ²⁷toi, écoute du ciel, pardonne le péché de tes serviteurs et de ton peuple Israël – tu leur indiqueras la bonne voie qu'ils doivent suivre –, et arrose de pluie ta terre, que tu as donnée en héritage à ton peuple.

²⁸Quand le pays subira la famine, la peste, la rouille ou la nielle, quand surviendront les sauterelles ou les criquets, quand l'ennemi de ce peuple assiégera l'une de ses portes, quand il y aura n'importe quel fléau ou n'importe quelle épidémie, ²⁹quelle que soit la prière ou la supplication, qu'elle soit d'un homme quelconque ou de tout Israël ton peuple, si l'on éprouve peine ou douleur et si l'on tend les mains vers ce Temple, ³⁰toi, écoute du ciel où tu résides, pardonne et rends à chaque homme selon sa conduite, puisque tu connais son cœur – tu es le seul à connaître le cœur des hommes –, ³¹en sorte qu'ils te craindront et suivront tes voies tous les jours qu'ils vivront sur la terre que tu as donnée à nos pères.

³²Même l'étranger qui n'est pas d'Israël ton peuple, s'il vient d'un pays lointain à cause de la grandeur de ton Nom, de ta main forte et de ton bras étendu, s'il vient et prie dans ce Temple, ³³toi, écoute du ciel où tu résides, exauce toutes les demandes de l'étranger afin que tous les peuples de la terre reconnaissent ton Nom et te craignent comme le fait ton peuple Israël, et qu'ils sachent que ce Temple que j'ai bâti porte ton Nom.

³⁴Si ton peuple part en guerre contre ses ennemis par le chemin où tu l'auras envoyé, s'il prie, tourné vers la ville que tu as choisie et vers le Temple que j'ai construit pour ton Nom, ³⁵écoute du ciel sa prière et sa supplication et fais-lui justice.

³⁶Quand ils pécheront contre toi – car il n'y a aucun homme qui ne pèche –, quand tu seras irrité contre eux, quand tu les livreras à l'ennemi et que leurs conquérants les emmèneront captifs dans un pays lointain ou proche, ³⁷s'ils rentrent en eux-mêmes, dans le pays où ils auront été déportés, s'ils se repentent et te supplient dans le pays de leur captivité en disant : "Nous avons péché, nous avons mal agi, nous nous sommes pervertis", ³⁸s'ils reviennent à toi de tout leur cœur et de toute leur âme dans le pays de leur captivité où ils ont été déportés et s'ils prient, tournés vers le pays que tu as donné à leurs pères, vers la ville que tu as choisie et le Temple que j'ai bâti pour ton Nom, ³⁹écoute du ciel où tu résides, écoute leur prière et leur supplication, fais-leur justice et pardonne à ton peuple les péchés commis envers toi.

Conclusion de la prière. ‖ 1 R 8 52.

⁴⁰« Maintenant, ô mon Dieu, que tes yeux soient ouverts et tes oreilles attentives aux prières faites en ce lieu ! ⁴¹Et maintenant ‖ Ps 132 8-10.

Dresse-toi, Yahvé Dieu,
    fixe-toi, toi et l'arche de ta force !
Que tes prêtres, Yahvé Dieu, se revêtent de salut
    et que tes fidèles jubilent dans le bonheur !

⁴²Yahvé Dieu, n'écarte pas la face de ton oint,

souviens-toi des grâces faites à David ton serviteur ! »

La dédicace. ‖ 1 R **8** 62-66.

7 ¹Quand Salomon eut fini de prier, le feu descendit du ciel, consuma l'holocauste et les sacrifices, et la gloire de Yahvé remplit le Temple. ²Les prêtres ne purent entrer dans la maison de Yahvé, car la gloire de Yahvé remplissait la maison de Yahvé. ³Tous les Israélites, voyant le feu descendre et la gloire de Yahvé reposer sur le Temple, se prosternèrent face contre terre sur le pavé ; ils adorèrent et célébrèrent Yahvé « car il est bon, car éternel est son amour ». ⁴Le roi et tout le peuple sacrifièrent devant Yahvé. ⁵Le roi Salomon immola en sacrifice vingt-deux mille bœufs et cent vingt mille moutons, et le roi et tout le peuple dédièrent le Temple de Dieu. ⁶Les prêtres se tenaient à leur poste et les lévites célébraient Yahvé avec les instruments qu'avait faits le roi David pour accompagner les cantiques de Yahvé « car éternel est son amour ». C'étaient eux qui exécutaient les louanges composées par David. À leurs côtés, les prêtres sonnaient de la trompette et tout Israël se tenait debout.

⁷Salomon consacra le milieu de la cour qui était devant le Temple de Yahvé, car c'est là qu'il offrit les holocaustes et les graisses des sacrifices de communion. L'autel de bronze qu'avait fait Salomon ne pouvait en effet contenir l'holocauste, l'oblation et les graisses. ⁸En ce temps-là, Salomon célébra la fête pendant sept jours et tous les Israélites avec lui, un très grand rassemblement depuis l'Entrée de Hamat jusqu'au Torrent d'Égypte. ⁹Le huitième jour eut lieu une réunion solennelle, car on avait célébré la dédicace de l'autel pendant sept jours et célébré la fête pendant sept jours. ¹⁰Le vingt-troisième jour du septième mois, Salomon renvoya le peuple chacun chez soi, joyeux et le cœur content du bien que Yahvé avait fait à David, à Salomon et à son peuple Israël.

Avertissement divin. ‖ 1 R **9** 1-9.

¹¹Salomon acheva le Temple de Yahvé et le palais royal et il mena à bien tout ce qu'il désirait faire dans la maison de Yahvé et la sienne. ¹²Yahvé apparut alors de nuit à Salomon et lui dit : « J'ai entendu ta prière et je me suis choisi ce lieu pour qu'il soit la maison des sacrifices. ¹³Quand je fermerai le ciel et que la pluie fera défaut, quand j'ordonnerai aux sauterelles de dévorer le pays, quand j'enverrai la peste sur mon peuple, ¹⁴si mon peuple sur qui est invoqué mon Nom s'humilie, prie, recherche ma présence et se repent de sa mauvaise conduite, moi, du ciel, j'écouterai, je pardonnerai ses péchés et je restaurerai son pays. ¹⁵Désormais mes yeux sont ouverts, et mes oreilles attentives à la prière faite en ce lieu. ¹⁶J'ai désormais choisi et consacré cette maison afin que mon Nom y soit à jamais ; mes yeux et mon cœur y seront toujours. ¹⁷Pour toi, si tu marches devant moi comme a fait ton père David, si tu agis selon tout ce que je te commande et si tu observes mes lois et mes ordonnances, ¹⁸je maintiendrai ton trône

royal comme je m'y suis engagé envers ton père David quand j'ai dit : "Il ne te manquera jamais un descendant qui règne en Israël." [19]Mais si vous m'abandonnez, si vous délaissez les lois et les commandements que je vous ai proposés, si vous allez servir d'autres dieux et leur rendez hommage, [20]j'arracherai les Israélites de ma terre que je leur avais donnée ; ce Temple que j'ai consacré à mon Nom, je le rejetterai de ma présence et j'en ferai la fable et la risée de tous les peuples. [21]Ce Temple qui aura été sublime, tous ceux qui le longeront seront stupéfaits et diront : "Pourquoi Yahvé a-t-il fait cela à ce pays et à ce Temple ?" [22]Et l'on répondra : "Parce qu'ils ont abandonné Yahvé, le Dieu de leurs pères, qui les avait fait sortir du pays d'Égypte, qu'ils se sont attachés à d'autres dieux et qu'ils leur ont rendu hommage et culte, voilà pourquoi il leur a envoyé tous ces maux". »

Conclusion : Achèvement des constructions. ‖ 1 R 9 10-25.

8 [1]Au bout des vingt années pendant lesquelles Salomon construisit le Temple de Yahvé et son propre palais, [2]il restaura les villes que lui avait données Huram et y établit les Israélites. [3]Puis il alla à Hamat de Çoba, dont il se rendit maître ; [4]il restaura Tadmor dans le désert et toutes les villes-entrepôts qu'il avait édifiées dans le pays de Hamat. [5]Il restaura Bet-Horôn-le-Haut et Bet-Horôn-le-Bas, villes fortifiées, munies de murs, de portes et de barres, [6]ainsi que Baalat, toutes les villes-entrepôts qu'avait Salo-

mon, toutes les villes de chars et les villes de chevaux, et ce qu'il plut à Salomon de construire à Jérusalem, au Liban et dans tous les pays qui lui étaient soumis.

[7]Tout ce qui restait des Hittites, des Amorites, des Perizzites, des Hivvites et des Jébuséens, qui n'étaient pas des Israélites [8]et dont les descendants étaient restés après eux dans le pays sans être exterminés par les Israélites, Salomon les leva comme hommes de corvée ; ils le sont encore. [9]Mais Salomon ne fit point des Israélites des esclaves travaillant pour lui, car ils servaient comme soldats : ils étaient les officiers de ses écuyers, les officiers de sa charrerie et de sa cavalerie. [10]Voici les officiers des préfets dont disposait le roi Salomon : deux cent cinquante qui commandaient au peuple.

[11]Salomon fit monter de la Cité de David la fille de Pharaon jusqu'à la maison qu'il lui avait construite. Il disait en effet : « Une femme ne saurait demeurer à cause de moi dans le palais de David, roi d'Israël ; ce sont des lieux sacrés où vint l'arche de Yahvé. »

[12]Salomon offrit alors des holocaustes à Yahvé sur l'autel de Yahvé qu'il avait bâti devant le Vestibule. [13]Selon le rituel quotidien des holocaustes, conformément à l'ordre de Moïse sur les sabbats, les néoménies et les trois solennités annuelles : la fête des Azymes, la fête des Semaines et la fête des Tentes, [14]il établit, selon la règle de David son père, les classes des prêtres dans leur service, les lévites dans leur fonction pour louer et officier près des prêtres selon le rituel quotidien, et les

portiers, selon leur classe respective, à chaque porte, car tels avaient été les ordres de David, homme de Dieu. [15]Sur aucun autre point, même au sujet des réserves, ils ne s'écartèrent des ordres du roi relatifs aux prêtres et aux lévites. [16]Et toute l'œuvre de Salomon, qui n'avait été que préparée jusqu'au jour de la fondation du Temple de Yahvé, fut parfaite lorsqu'il eut achevé le Temple de Yahvé.

Gloire de Salomon. || 1 R 9 26-28.

[17]Alors Salomon gagna Éçyôn-Géber et Élat, au bord de la mer, au pays d'Édom. [18]Huram lui envoya des navires montés par ses serviteurs ainsi que des serviteurs qui connaissaient la mer. Avec des serviteurs de Salomon ils allèrent à Ophir et en rapportèrent quatre cent cinquante talents d'or qu'ils remirent au roi Salomon.

1 R **10** 1-25.

9 [1]La reine de Saba apprit la renommée de Salomon et vint à Jérusalem éprouver Salomon par des énigmes. Elle arriva avec de très grandes richesses, des chameaux chargés d'aromates, quantité d'or et de pierres précieuses. Quand elle se fut rendue auprès de Salomon, elle s'entretint avec lui de tout ce qu'elle avait médité. [2]Salomon l'éclaira sur toutes ses questions et aucune ne fut pour lui un secret qu'il ne pût élucider. [3]Lorsque la reine de Saba vit la sagesse de Salomon, le palais qu'il s'était construit, [4]le menu de sa table, le placement de ses officiers, le service de ses gens et leur livrée, ses échansons et leur livrée, les holocaustes qu'il offrait au Temple de Yahvé, le cœur lui manqua [5]et elle lui dit au roi : « Ce que j'ai entendu dire dans mon pays sur toi et sur ta sagesse était donc vrai ! [6]Je n'ai pas voulu croire ce qu'on disait avant de venir et de voir de mes yeux, mais vraiment on ne m'avait pas appris la moitié de l'étendue de ta sagesse : tu surpasses la renommée dont j'avais eu l'écho. [7]Bienheureux tes gens, bienheureux tes serviteurs que voici, qui se tiennent continuellement devant toi et qui entendent ta sagesse ! [8]Béni soit Yahvé, ton Dieu, qui t'a montré sa faveur en te plaçant sur son trône comme roi au nom de Yahvé ton Dieu ; c'est parce que ton Dieu aime Israël et veut te maintenir à jamais qu'il t'en a donné la royauté pour exercer le droit et la justice. » [9]Elle donna au roi cent vingt talents d'or, une grande quantité d'aromates et des pierres précieuses. Les aromates que la reine de Saba apporta au roi Salomon étaient incomparables. [10]De même les serviteurs de Huram et les serviteurs de Salomon qui rapportèrent l'or d'Ophir, rapportèrent du bois d'algummim et des pierres précieuses. [11]Le roi fit avec le bois d'algummim des planchers pour le Temple de Yahvé et pour le palais royal, des lyres et des harpes pour les musiciens ; on n'avait encore jamais rien vu de pareil dans le pays de Juda. [12]Quant au roi Salomon, il offrit à la reine de Saba tout ce dont elle manifesta l'envie, sans compter ce qu'elle avait apporté au roi. Puis elle s'en retourna et alla dans son pays, elle et ses serviteurs.

¹³Le poids de l'or qui arriva à Salomon en une année fut de six cent soixante-six talents d'or, ¹⁴sans compter ce qui venait des marchands et des courtiers importateurs ; tous les rois d'Arabie, tous les gouverneurs du pays apportaient également de l'or et de l'argent à Salomon. ¹⁵Le roi Salomon fit deux cents grands boucliers d'or battu, sur chacun desquels il appliqua six cents sicles d'or battu, ¹⁶et trois cents petits boucliers d'or battu, sur chacun desquels il appliqua trois cents sicles d'or, et il les déposa dans la Galerie de la Forêt du Liban. ¹⁷Le roi fit aussi un grand trône d'ivoire et le plaqua d'or raffiné. ¹⁸Ce trône avait six degrés et un marchepied d'or qui lui étaient attachés, des bras de part et d'autre du siège et deux lions debout près des bras. ¹⁹Douze lions se tenaient de part et d'autre des six degrés. On n'a rien fait de semblable dans aucun royaume.

²⁰Tous les vases à boire du roi Salomon étaient en or et tout le mobilier de la Galerie de la Forêt du Liban était en or fin ; car on faisait fi de l'argent au temps du roi Salomon. ²¹En effet le roi avait des navires allant à Tarsis avec les serviteurs de Huram et tous les trois ans les navires revenaient de Tarsis chargés d'or, d'argent, d'ivoire, de singes et de guenons. ²²Le roi Salomon surpassa en richesse et en sagesse tous les rois de la terre. ²³Tous les rois de la terre voulaient être reçus par Salomon pour profiter de la sagesse que Dieu lui avait mise au cœur ²⁴et chacun apportait son présent : vases d'argent et vases d'or, vêtements, armes et aromates, chevaux et mulets, et ainsi d'année en année.

‖ 1 R 5 6 ; **10** 26. = 2 Ch 1 14.

²⁵Salomon eut quatre mille stalles pour ses chevaux et ses chars, et douze mille chevaux qu'il cantonna dans les villes de chars et près du roi à Jérusalem.

1 R 5 1 ; **10** 27-28. = 2 Ch 1 15.

²⁶Il étendit son pouvoir sur tous les rois depuis le Fleuve jusqu'au pays des Philistins et jusqu'à la frontière d'Égypte. ²⁷Il rendit l'argent aussi commun à Jérusalem que les cailloux, et les cèdres aussi nombreux que les sycomores du Bas-Pays. ²⁸On importait pour Salomon des chevaux de Muçur et de tous les pays.

Mort de Salomon. ‖ 1 R 11 41-43.

²⁹Le reste de l'histoire de Salomon, du début à la fin, n'est-ce pas écrit dans l'histoire de Natân le prophète, dans la prophétie d'Ahiyya de Silo, et dans la vision de Yéddo le voyant concernant Jéroboam fils de Nebat ? ³⁰Salomon régna quarante ans à Jérusalem sur tout Israël. ³¹Puis il se coucha avec ses pères et on l'enterra dans la Cité de David, son père, et son fils Roboam régna à sa place.

4. *Les premières réformes de la monarchie*

I. ROBOAM ET LE REGROUPEMENT DES LÉVITES

Le schisme. ‖ 1 R 12 1-19.

10 ¹Roboam se rendit à Sichem, car c'est à Sichem que tout Israël était venu pour le proclamer roi. ²Dès que Jéroboam fils de Nebat en fut informé – il était en Égypte, où il avait fui le roi Salomon – il revint d'Égypte. ³On le fit appeler et il vint avec tout Israël.

Ils parlèrent ainsi à Roboam : ⁴« Ton père a rendu pénible notre joug, allège maintenant le dur servage de ton père, la lourdeur du joug qu'il nous imposa, et nous te servirons. » ⁵Il leur répondit : « Attendez trois jours, puis revenez vers moi. » Et le peuple s'en alla.

⁶Le roi Roboam prit conseil des anciens, qui avaient servi son père Salomon de son vivant, et demanda : « Que conseillez-vous de répondre à ce peuple ? » ⁷Ils lui répondirent : « Si tu te montres bon envers ces gens, si tu leur es bienveillant et leur donnes de bonnes paroles, alors ils resteront toujours tes serviteurs. » ⁸Mais il repoussa le conseil que les anciens lui avaient donné et consulta des jeunes gens qui l'assistaient, ses compagnons d'enfance. ⁹Il leur demanda : « Que conseillez-vous que nous répondions à ce peuple, qui m'a parlé ainsi : "Allège le joug que ton père nous a imposé" ? » ¹⁰Les jeunes gens, ses compagnons d'enfance, lui répondirent : « Voici ce que tu diras au peuple qui t'a dit : "Ton père a rendu pesant notre joug, mais toi allège notre charge", voici ce que tu leur répondras : "Mon petit doigt est plus gros que les reins de mon père ! ¹¹Ainsi mon père vous a fait porter un joug pesant, moi, j'ajouterai encore à votre joug ; mon père vous a châtiés avec des lanières, je le ferai, moi, avec des fouets à pointes de fer !" »

¹²Jéroboam, avec tout le peuple, vint à Roboam le troisième jour, selon cet ordre qu'il avait donné : « Revenez vers moi le troisième jour. » ¹³Le roi leur répondit durement. Le roi Roboam rejeta le conseil des anciens ¹⁴et, suivant le conseil des jeunes, il leur parla ainsi : « Mon père a rendu pesant votre joug, moi j'y ajouterai encore ; mon père vous a châtiés avec des lanières, je le ferai, moi, avec des fouets à pointes de fer. » ¹⁵Le roi n'écouta donc pas le peuple : c'était une intervention de Dieu, pour accomplir la parole que Yahvé avait dite à Jéroboam, fils de Nebat, par le ministère d'Ahiyya de Silo, ¹⁶et à tous les Israélites, à savoir : que le roi ne les écouterait pas. Ils répliquèrent alors au roi :

« Quelle part avons-nous sur David ?

Nous n'avons pas d'héritage sur le fils de Jessé.

Chacun à ses tentes, Israël !

Et maintenant, pourvois à ta maison, David. »

Tout Israël regagna ses tentes. ¹⁷Quant aux Israélites qui habitaient les villes de Juda, Roboam régna sur eux. [18]Le roi Roboam dépêcha Adoram, le chef de la corvée, mais les Israélites le lapidèrent et il mourut ; alors le roi Roboam se vit contraint de monter sur son char pour fuir à Jérusalem. [19]Et Israël fut séparé de la maison de David, jusqu'à ce jour.

Activité de Roboam. ‖ 1 R 12 21-24.

11 [1]Roboam se rendit à Jérusalem ; il convoqua la maison de Juda et de Benjamin, soit cent quatre-vingt mille guerriers d'élite, pour combattre Israël et rendre le royaume à Roboam. [2]Mais la parole de Yahvé fut adressée à Shemaya, l'homme de Dieu, en ces termes : [3]« Dis ceci à Roboam, fils de Salomon, roi de Juda, et à tous les Israélites qui sont en Juda et en Benjamin : [4]Ainsi parle Yahvé. N'allez pas vous battre contre vos frères ; que chacun retourne chez soi, car cet événement vient de moi. » Ils écoutèrent les paroles de Yahvé et firent demi-tour au lieu de marcher contre Jéroboam.

[5]Roboam habita Jérusalem et construisit des villes fortifiées en Juda. [6]Il restaura Bethléem, Étam et Teqoa, [7]Bet-Çur, Soko, Adullam, [8]Gat, Maresha, Ziph, [9]Adorayim, Lakish, Azéqa, [10]Çoréa, Ayyalôn, Hébron ; c'étaient des villes fortifiées en Juda et en Benjamin. [11]Il les fortifia puissamment et y mit des commandants, ainsi que des réserves de vivres, d'huile et de vin. [12]Dans chacune de ces villes il y avait des boucliers et des lances. Il les rendit extrêmement fortes et fut maître de Juda et de Benjamin.

Le clergé près de Roboam.

[13]Les prêtres et les lévites qui se trouvaient dans tout Israël quittèrent leur territoire pour s'établir près de lui. [14]Les lévites, en effet, abandonnèrent leurs pâturages et leurs patrimoines et vinrent en Juda et à Jérusalem, Jéroboam et ses fils les ayant exclus du sacerdoce de Yahvé. [15]Jéroboam avait établi des prêtres pour les hauts lieux, pour les satyres et pour les veaux qu'il avait fabriqués. [16]Des membres de toutes les tribus d'Israël qui avaient à cœur de rechercher Yahvé, Dieu d'Israël, les suivirent et vinrent à Jérusalem afin de sacrifier à Yahvé, Dieu de leurs pères. [17]Ils renforcèrent le royaume de Juda et, pendant trois ans, soutinrent Roboam, fils de Salomon, car c'est pendant trois ans qu'il suivit la voie de David et de Salomon.

La famille de Roboam. 1 R 11 1-13.

[18]Roboam prit pour femme Mahalat, fille de Yerimot, fils de David, et d'Abihayil, fille d'Éliab, fils de Jessé. [19]Elle lui donna des fils : Yéush, Shemarya et Zaham. [20]Il épousa après elle Maaka, fille d'Absalom, qui lui enfanta Abiyya, Attaï, Ziza et Shelomit. [21]Roboam aima Maaka, fille d'Absalom, plus que toutes ses autres femmes et concubines. Il avait en effet pris dix-huit femmes et soixante concubines, et engendré vingt-huit fils et soixante filles. [22]Roboam fit d'Abiyya, fils de Maaka, le chef de famille, prince parmi ses frères, afin de le faire roi. [23]Roboam fut avisé et il répartit certains de ses fils dans toutes les régions de Juda et de Ben-

jamin et dans toutes les villes fortifiées ; il les pourvut de vivres en abondance et il demanda pour eux beaucoup de femmes.

L'infidélité de Roboam.

12 ¹Alors que sa royauté s'était établie et affermie, Roboam abandonna la Loi de Yahvé, et tout Israël avec lui. ²La cinquième année du règne de Roboam, le roi d'Égypte, Sheshonq, marcha contre Jérusalem, car elle avait été infidèle à Yahvé. ³Avec mille deux cents chars, soixante mille chevaux et une innombrable armée de Libyens, de Sukkiens et de Kushites, qui vint avec lui d'Égypte, ⁴il prit les villes fortifiées de Juda et atteignit Jérusalem. ⁵Shemaya, le prophète, vint trouver Roboam et les officiers judéens qui, devant Sheshonq, s'étaient regroupés près de Jérusalem, et il leur dit : « Ainsi parle Yahvé. Vous m'avez abandonné, aussi vous ai-je abandonnés moi-même aux mains de Sheshonq. » ⁶Alors les officiers israélites et le roi s'humilièrent et dirent : « Yahvé est juste. » ⁷Quant Yahvé vit qu'ils s'humiliaient, la parole de Yahvé fut adressée à Shemaya en ces termes : « Ils se sont humiliés, je ne les exterminerai pas ; sous peu je leur permettrai d'échapper et ce n'est pas par les mains de Sheshonq que ma colère s'abattra sur Jérusalem. ⁸Mais ils deviendront ses esclaves et ils apprécieront ce que c'est que de me servir et de servir les royaumes des pays ! »

‖ 1 R **14** 26-28.

⁹Le roi d'Égypte Sheshonq marcha contre Jérusalem. Il se fit livrer les trésors du Temple de Yahvé et ceux du palais royal, absolument tout, jusqu'aux boucliers d'or qu'avait faits Salomon ; ¹⁰à leur place le roi Roboam fit des boucliers de bronze et les confia aux chefs des gardes qui veillaient à la porte du palais royal : ¹¹chaque fois que le roi allait au Temple de Yahvé, les gardes venaient les prendre, puis ils les rapportaient à la salle des gardes.

¹²Mais parce qu'il s'était humilié, la colère de Yahvé se détourna de lui et ne l'anéantit pas complètement. Qui plus est, d'heureux événements survinrent en Juda, ¹³le roi Roboam put s'affermir dans Jérusalem et régner.

‖ 1 R **14** 21.

Il avait en effet quarante et un ans à son avènement et il régna dix-sept ans à Jérusalem, la ville que Yahvé avait choisie entre toutes les tribus d'Israël pour y placer son Nom. Sa mère s'appelait Naama, l'Ammonite. ¹⁴Il fit le mal, parce qu'il n'avait pas disposé son cœur à rechercher Yahvé.

‖ 1 R **14** 29-31.

¹⁵L'histoire de Roboam, du début à la fin, cela n'est-il pas écrit dans l'histoire du prophète Shemaya et du voyant Iddo selon le registre généalogique ? Il y eut tout le temps des combats entre Roboam et Jéroboam. ¹⁶Roboam se coucha avec ses pères et fut enterré dans la Cité de David ; son fils Abiyya régna à sa place.

II. ABIYYA ET LA FIDÉLITÉ AU SACERDOCE LÉGITIME

La guerre. ‖ 1 R 15 1-2, 7.

13 ¹La dix-huitième année du règne de Jéroboam, Abiyya devint roi de Juda ²et régna trois ans à Jérusalem. Sa mère s'appelait Mikayahu, fille d'Uriel, de Gibéa. Il y eut guerre entre Abiyya et Jéroboam. ³Abiyya engagea le combat avec une armée de guerriers vaillants – quatre cent mille hommes d'élite – et Jéroboam se rangea en bataille contre lui avec huit cent mille hommes d'élite, preux vaillants.

Le discours d'Abiyya.

⁴Abiyya se posta sur le mont Çemarayim, situé dans la montagne d'Éphraïm, et s'écria : « Jéroboam et vous tous, Israélites, écoutez-moi ! ⁵Ne savez-vous pas que Yahvé, le Dieu d'Israël, a donné pour toujours à David la royauté sur Israël ? C'est une alliance infrangible pour lui et pour ses fils. ⁶Jéroboam, fils de Nebat, serviteur de Salomon, fils de David, s'est dressé et révolté contre son seigneur ; ⁷des gens de rien, des vauriens, se sont unis à lui et se sont imposés à Roboam, fils de Salomon ; Roboam n'était encore qu'un jeune homme, timide de caractère, et n'a pas pu leur résister. ⁸Or vous parlez maintenant de tenir tête à la royauté de Yahvé qu'exercent les fils de David, et vous voilà en foule immense, accompagnés des veaux d'or que vous a faits pour dieux Jéroboam ! ⁹N'avez-vous pas expulsé les prêtres de Yahvé, fils d'Aaron, et les lévites, pour vous faire des prêtres comme s'en font les peuples des pays : quiconque vient avec un taureau et sept béliers pour se faire donner l'investiture, peut devenir prêtre de ce qui n'est point Dieu ! ¹⁰Notre Dieu à nous, c'est Yahvé, et nous ne l'avons pas abandonné : les fils d'Aaron sont prêtres au service de Yahvé et les lévites officient. ¹¹Chaque matin et chaque soir nous faisons fumer les holocaustes pour Yahvé, nous avons l'encens aromatique, les pains rangés sur la table pure, le candélabre d'or avec ses lampes qui brûlent chaque soir. Car nous gardons les ordonnances de Yahvé notre Dieu que vous, vous avez abandonnées. ¹²Voici que Dieu est en tête avec nous, voici ses prêtres et les trompettes dont ils vont sonner pour que l'on pousse le cri de guerre contre vous ! Israélites, ne luttez pas avec Yahvé, le Dieu de vos pères, car vous n'aboutirez à rien. »

La bataille.

¹³Jéroboam fit faire un mouvement tournant à l'embuscade qui atteignit leurs arrières ; l'armée était face à Juda, et l'embuscade par-derrière. ¹⁴Faisant volte-face, les Judéens se virent combattus de front et de dos. Ils firent appel à Yahvé, les prêtres sonnèrent de la trompette, ¹⁵les hommes de Juda poussèrent le cri de guerre, et, tandis qu'ils poussaient ce cri, Dieu frappa Jéroboam et tout Israël devant Abiyya et Juda. ¹⁶Les Israélites s'enfuirent devant Juda et Dieu les livra aux mains des Judéens. ¹⁷Abiyya et son armée leur infligèrent une cuisante défaite : cinq cent mille hommes d'élite tombèrent

morts parmi les Israélites. ¹⁸En ce temps-là, les Israélites furent humiliés, les enfants de Juda raffermis pour s'être appuyés sur Yahvé, Dieu de leurs pères.

Fin du règne.

¹⁹Abiyya poursuivit Jéroboam et lui conquit des villes : Béthel et ses dépendances, Yeshana et ses dépendances, Éphrôn et ses dépendances. ²⁰Jéroboam perdit alors sa puissance durant la vie d'Abiyyahu ; Yahvé le frappa et il mourut. ²¹Abiyyahu s'affermit ; il épousa quatorze femmes et engendra vingt-deux fils et seize filles. ²²Le reste de l'histoire d'Abiyya, sa conduite et ses actions sont écrits dans le Midrash du prophète Iddo. ²³Puis Abiyya se coucha avec ses pères et on l'enterra dans la Cité de David ; son fils Asa régna à sa place.

III. ASA ET SES RÉFORMES CULTUELLES

La paix d'Asa.

Le pays, de son temps, fut tranquille pendant dix ans.

|| 1 R 15 11-12.

14 ¹Asa fit ce qui est bien et juste aux yeux de Yahvé, son Dieu. ²Il supprima les autels de l'étranger et les hauts lieux, il brisa les stèles, mit en pièces les ashéras ³et dit aux Judéens de rechercher Yahvé, le Dieu de leurs pères, et de pratiquer loi et commandement. ⁴Il supprima de toutes les villes de Juda les hauts lieux et les autels à encens. Aussi le royaume fut-il calme sous son règne ; ⁵il restaura les villes fortifiées de Juda, car le pays était calme et ne participa à aucune guerre en ces années-là, Yahvé lui ayant donné la tranquillité.

⁶« Restaurons ces villes, dit-il à Juda, entourons-les d'un mur, de tours, de portes et de barres ; le pays est encore à notre disposition car nous avons cherché Yahvé, notre Dieu ; aussi nous a-t-il recherchés et nous a-t-il donné la tranquillité sur toutes nos frontières. »

Ils restaurèrent et prospérèrent.

⁷Asa disposa d'une armée de trois cent mille Judéens, portant le bouclier et la lance, et de deux cent quatre-vingt mille Benjaminites portant la rondache et tirant de l'arc, tous preux valeureux.

L'invasion de Zérah.

⁸Zérah le Kushite fit une incursion avec une armée de mille milliers et de trois cents chars, et il atteignit Maresha. ⁹Asa sortit à sa rencontre et se rangea en bataille dans la vallée de Çephata, à Maresha. ¹⁰Asa invoqua Yahvé son Dieu et dit : « Il n'en est point comme toi, Yahvé, pour secourir le puissant aussi bien que celui qui est sans force. Porte-nous secours, Yahvé notre Dieu ! C'est sur toi que nous nous appuyons et c'est en ton nom que nous nous heurtons à cette foule. Yahvé, tu es notre Dieu. Que le mortel ne te résiste pas ! »

¹¹Yahvé battit les Kushites devant Asa et les Judéens : les Kushites s'enfuirent ¹²et Asa les poursuivit avec son armée jusqu'à Gérar. Il tomba tant de Kushites qu'ils ne purent subsister, car ils

s'étaient brisés devant Yahvé et son camp. On ramassa une grande quantité de butin, [13]on conquit toutes les villes aux alentours de Gérar, car la Terreur de Yahvé s'était appesantie sur elles, et on les pilla toutes, car il s'y trouvait beaucoup de butin. [14]On s'en prit même aux tentes des troupeaux et l'on razzia nombre de moutons et de chameaux, puis l'on revint à Jérusalem.

L'exhortation d'Azaryahu et la réforme.

15 [1]L'esprit de Dieu vint sur Azaryahu, fils d'Oded, [2]qui sortit au-devant d'Asa. Il lui dit : « Asa, et vous tous, de Juda et de Benjamin, écoutez-moi ! Yahvé est avec vous quand vous êtes avec lui. Quand vous le recherchez il se laisse trouver par vous, quand vous l'abandonnez il vous abandonne. [3]Israël passera bien des jours sans Dieu fidèle, sans prêtre pour l'enseigner, et sans loi ; [4]mais dans sa détresse il reviendra à Yahvé, Dieu d'Israël, il le recherchera et Yahvé se laissera trouver par lui. [5]En ce temps-là, aucun adulte ne connaîtra la paix, mais des tribulations multiples pèseront sur tous les habitants du pays. [6]Les nations s'écraseront l'une contre l'autre, les villes l'une contre l'autre, car Dieu les frappera par toutes sortes de détresses. [7]Mais vous, soyez fermes et que vos mains ne faiblissent point, car vos actions auront leur récompense. »

[8]Quand Asa entendit ces paroles et cette prophétie, il se décida à faire disparaître les horribles idoles de tout le pays de Juda et de Benjamin et des villes qu'il avait conquises dans la montagne d'Éphraïm, puis il remit en état l'autel de Yahvé qui se trouvait devant le Vestibule de Yahvé. [9]Il réunit tout Juda et Benjamin, ainsi que les Éphraïmites, les Manassites et les Siméonites qui séjournaient avec eux, car beaucoup d'Israélites s'étaient ralliés à Asa en voyant que Yahvé, son Dieu, était avec lui. [10]Le troisième mois de la quinzième année du règne d'Asa, ils se réunirent à Jérusalem. [11]Ils offrirent en sacrifice à Yahvé, ce jour-là, une part du butin qu'ils rapportaient, sept cents bœufs et sept mille moutons. [12]Ils s'engagèrent par une alliance à chercher Yahvé, le Dieu de leurs pères, de tout leur cœur et de toute leur âme ; [13]quiconque ne chercherait pas Yahvé, Dieu d'Israël, serait mis à mort, grand ou petit, homme ou femme. [14]Ils prêtèrent serment à Yahvé à voix haute et par acclamation, au son des trompettes et des cors ; [15]tous les Judéens furent joyeux de ce serment qu'ils avaient prêté de tout leur cœur. C'est de plein gré qu'ils cherchèrent Yahvé. Aussi se laissa-t-il trouver par eux et leur donna-t-il la tranquillité sur toutes leurs frontières.

‖ 1 R **15** 13-15.

[16]Même Maaka, mère du roi Asa, se vit retirer par lui la dignité de Grande Dame, parce qu'elle avait fait une horreur pour Ashéra ; Asa abattit son horreur, la réduisit en poudre et la brûla dans la vallée du Cédron. [17]Les hauts lieux ne disparurent pas d'Israël ; pourtant le cœur d'Asa resta intègre toute sa vie. [18]Il déposa dans le Temple de Dieu les saintes offrandes de son père et ses propres offrandes, de l'argent, de l'or et du mobilier.

[19]Il n'y eut point de guerre jusqu'à la trente-cinquième année du règne d'Asa.

Guerre avec Israël. ‖ 1 R 15 16-22.

16 [1]La trente-sixième année du règne d'Asa, Basha, roi d'Israël, marcha contre Juda ; il fortifia Rama pour bloquer les communications d'Asa, roi de Juda. [2]Alors Asa puisa de l'or et de l'argent dans les trésors du Temple de Yahvé et du palais royal pour en faire l'envoi à Ben-Hadad, le roi d'Aram, qui résidait à Damas, avec ce message : [3]« Alliance entre moi et toi, entre mon père et ton père ! Je t'envoie de l'argent et de l'or ; va, romps ton alliance avec Basha, roi d'Israël, pour qu'il s'éloigne de moi ! » [4]Ben-Hadad exauça le roi Asa et envoya ses chefs d'armée contre les villes d'Israël ; il conquit Iyyôn, Dan, Abel-Mayim et tous les entrepôts des villes de Nephtali. [5]Quand Basha l'apprit, il arrêta les travaux de Rama et fit cesser l'ouvrage. [6]Alors le roi Asa amena tout Juda ; on enleva les pierres et le bois avec lesquels Basha fortifiait Rama, et on s'en servit pour fortifier Géba et Miçpa.

[7]C'est alors que Hanani le voyant vint trouver Asa, roi de Juda. Il lui dit : « Parce que tu t'es appuyé sur le roi d'Aram et non sur Yahvé ton Dieu, les forces du roi d'Aram échapperont à tes mains. [8]Kushites et Libyens ne formaient-ils pas une armée nombreuse avec une grande multitude de chars et de chevaux ? Or n'ont-ils pas été livrés entre tes mains parce que tu t'étais appuyé sur Yahvé ? [9]Puisque Yahvé parcourt des yeux toute la terre pour affermir ceux dont le cœur est tout entier tourné vers lui, tu as cette foisci agi en insensé et tu auras désormais la guerre. » [10]S'emportant contre le voyant, Asa le mit aux ceps en prison, car cela l'avait irrité ; il prit en ce temps-là de dures mesures contre une partie du peuple.

Fin du règne. ‖ 1 R 15 23-24.

[11]L'histoire d'Asa, du début à la fin, est écrite au livre des Rois de Juda et d'Israël. [12]Asa eut les pieds malades, d'une maladie très grave dans la trente-neuvième année de son règne ; même alors, il n'eut pas recours dans sa maladie à Yahvé mais aux médecins. [13]Asa se coucha avec ses pères et mourut dans la quarante et unième année de son règne. [14]On l'enterra dans la sépulture qu'il s'était fait creuser dans la Cité de David. On l'étendit sur un lit tout rempli d'aromates, d'essences et d'onguents préparés ; l'on fit pour lui un feu tout à fait grandiose.

IV. JOSAPHAT ET L'ADMINISTRATION

La puissance de Josaphat.

17 [1]Son fils Josaphat régna à sa place et affermit son pouvoir sur Israël. [2]Il mit des troupes dans toutes les villes fortifiées de Juda et établit des préfets dans le pays de Juda et dans les villes d'Éphraïm qu'avait conquises Asa, son père.

Son souci de la Loi.

³Yahvé fut avec Josaphat, car sa conduite fut celle qu'avait d'abord suivie son père David et il ne rechercha pas les Baals. ⁴C'est bien le Dieu de son père qu'il rechercha, et il marcha selon ses commandements sans imiter les actions d'Israël. ⁵Yahvé maintint le royaume entre ses mains ; tous les Judéens payaient tribut à Josaphat, si bien qu'il eut beaucoup de richesses et d'honneur. ⁶Son cœur progressa dans les voies de Yahvé et il supprima de nouveau en Juda les hauts lieux et les ashéras.

⁷La troisième année de son règne, il envoya ses officiers : Ben-Hayil, Obadya, Zekarya, Netanéel, Mikayahu, instruire les cités judéennes. ⁸Des lévites les accompagnaient : Shemayahu, Netanyahu, Zebadyahu, Asahel, Shemiramot, Yehonatân, Adoniyyahu, Tobiyyahu, lévites, ainsi que les prêtres Elishama et Yehoram. ⁹Ils se mirent à enseigner en Juda, munis du livre de la Loi de Yahvé, et firent le tour des cités judéennes, en instruisant le peuple. ¹⁰La Terreur de Yahvé s'étendit sur tous les royaumes des pays qui entouraient Juda ; ils ne firent pas la guerre à Josaphat. ¹¹Des Philistins lui apportèrent en tribut des présents et de l'argent ; les Arabes eux-mêmes lui amenèrent du petit bétail : sept mille sept cents béliers et sept mille sept cents boucs. ¹²Josaphat grandissant allait au plus haut ; il édifia en Juda des citadelles et des villes-entrepôts.

L'armée.

¹³Il eut d'importants services dans les cités judéennes et des guer-riers, des vaillants preux, à Jérusalem. ¹⁴En voici la répartition par familles : Pour Juda : officiers de milliers : Adna l'officier, avec trois cents milliers de vaillants preux ; ¹⁵à ses ordres, Yehohanân l'officier, avec deux cent quatre-vingts milliers ; ¹⁶à ses ordres, Amasya, fils de Zikri, engagé volontaire au service de Yahvé, avec deux cents milliers de vaillants preux.

¹⁷De Benjamin : le vaillant preux Élyada avec deux cents milliers armés de l'arc et de la rondache ; ¹⁸à ses ordres, Yehozabad, avec cent quatre-vingts milliers équipés pour la guerre.

¹⁹Tels étaient ceux qui servaient le roi, sans compter les hommes qu'il avait mis dans les places fortes de tout Juda.

L'alliance avec Achab et l'intervention des prophètes. ‖ 1 R 22 1-35.

18 ¹Josaphat eut donc beaucoup de richesses et d'honneur et il s'allia par mariage avec Achab. ²Au bout de quelques années, il vint visiter Achab à Samarie. Achab immola quantité de moutons et de bœufs pour lui et sa suite afin de l'inciter à attaquer Ramot de Galaad. ³Achab, roi d'Israël, dit à Josaphat, roi de Juda : « Viendras-tu avec moi à Ramot de Galaad ? » Il lui répondit : « Il en sera de la bataille pour moi comme pour toi, pour mes gens comme pour tes gens. »

⁴Cependant Josaphat dit au roi d'Israël : « Je te prie, consulte d'abord la parole de Yahvé. » ⁵Le roi d'Israël rassembla les prophètes, au nombre de quatre cents, et leur demanda : « Devons-nous aller attaquer Ramot de Galaad, ou

dois-je y renoncer ? » Ils répondirent : « Monte, Dieu la livrera aux mains du roi. » ⁶Mais Josaphat dit : « N'y a-t-il donc ici aucun prophète de Yahvé, par qui nous puissions le consulter ? » ⁷Le roi d'Israël répondit à Josaphat : « Il y a encore un homme par qui on peut consulter Yahvé, mais je le hais, car il ne prophétise jamais le bien à mon sujet, mais toujours du mal : c'est Michée, fils de Yimla. » Josaphat dit : « Que le roi ne parle pas ainsi ! » ⁸Le roi d'Israël appela un eunuque et dit : « Fais venir Michée, fils de Yimla. »

⁹Le roi d'Israël et Josaphat, roi de Juda, étaient assis, chacun sur son trône, en grand costume ; ils siégeaient sur l'aire devant la porte de Samarie et tous les prophètes se livraient à leurs transports devant eux. ¹⁰Sédécias, fils de Kenaana, se fit des cornes de fer et dit : « Ainsi parle Yahvé. Avec cela tu encorneras les Araméens jusqu'au dernier. » ¹¹Et tous les prophètes faisaient la même prédiction, disant : « Monte à Ramot de Galaad ! Tu réussiras, Yahvé la livrera aux mains du roi. »

¹²Le messager qui était allé chercher Michée lui dit : « Voici que les prophètes n'ont qu'une seule bouche pour parler en faveur du roi. Tâche de parler comme l'un d'eux et prédis le succès. » ¹³Mais Michée répondit : « Par Yahvé vivant ! Ce que mon Dieu dira, c'est cela que j'énoncerai. » ¹⁴Il arriva près du roi, et le roi lui demanda : « Michée, devons-nous aller combattre à Ramot de Galaad, ou dois-je y renoncer ? » Il répondit : « Montez !

Vous réussirez, ses habitants seront livrés entre vos mains. » ¹⁵Mais le roi lui dit : « Combien de fois me faudra-t-il t'adjurer de ne me dire que la vérité au nom de Yahvé ? » ¹⁶Alors il prononça :

« J'ai vu tout Israël dispersé sur les montagnes
comme un troupeau sans pasteur.

Et Yahvé a dit : ils n'ont plus de maître,
que chacun retourne en paix chez soi ! »

¹⁷Le roi d'Israël dit alors à Josaphat : « Ne t'avais-je pas dit qu'il prophétisait pour moi non le bien mais le mal ? » ¹⁸Michée reprit :

« Écoutez plutôt la parole de Yahvé : J'ai vu Yahvé assis sur son trône ; toute l'armée du ciel se tenait à sa droite et à sa gauche. ¹⁹Yahvé demanda : "Qui trompera Achab, le roi d'Israël, pour qu'il marche contre Ramot de Galaad et qu'il y succombe ?" Ils répondirent, celui-ci d'une manière et celui-là d'une autre. ²⁰Alors l'Esprit s'avança et se tint devant Yahvé : "C'est moi, dit-il, qui le tromperai." Yahvé lui demanda : "Comment ?" ²¹Il répondit : "J'irai et je me ferai esprit de mensonge dans la bouche de tous ses prophètes." Yahvé dit : "Tu le tromperas, tu réussiras. Va et fais ainsi." ²²Voici donc que Yahvé a mis un esprit de mensonge dans la bouche de tes prophètes qui sont là, mais Yahvé a prononcé contre toi le malheur. »

²³Alors Sédécias, fils de Kenaana, s'approcha et frappa Michée à la mâchoire, en disant : « Par quel-

le voie l'esprit de Yahvé m'a-t-il quitté pour te parler ? » ²⁴Michée repartit : « C'est ce que tu verras le jour où tu fuiras dans une chambre retirée pour te cacher. » ²⁵Le roi d'Israël ordonna : « Saisissez Michée, et remettez-le à Amon, gouverneur de la ville, et au fils du roi, Yoash. ²⁶Vous leur direz : "Ainsi parle le roi. Mettez cet homme en prison et nourrissez-le strictement de pain et d'eau jusqu'à ce que je revienne sain et sauf". » ²⁷Michée dit : « Si tu reviens sain et sauf, c'est que Yahvé n'a pas parlé par ma bouche. » Puis il dit : « Écoutez, tous les peuples. »

Le combat. Intervention d'un prophète.

²⁸Le roi d'Israël et Josaphat, roi de Juda, marchèrent contre Ramot de Galaad. ²⁹Le roi d'Israël dit à Josaphat : « Je me déguiserai pour marcher au combat, mais toi, revêts ton costume ! » Le roi d'Israël se déguisa et ils marchèrent au combat. ³⁰Le roi d'Aram avait donné cet ordre à ses commandants de chars : « Vous n'attaquerez ni petit ni grand, mais seulement le roi d'Israël. » ³¹Lorsque les commandants de chars virent Josaphat, ils dirent : « C'est le roi d'Israël », et ils concentrèrent sur lui le combat ; mais Josaphat poussa son cri de guerre, Yahvé lui vint en aide et Dieu les entraîna loin de lui. ³²Lorsque les commandants de chars virent que ce n'était pas le roi d'Israël, ils s'éloignèrent de lui.

³³Or un homme banda son arc sans savoir qui il visait et atteignit le roi d'Israël entre le corselet et les appliques de la cuirasse. Ce-

lui-ci dit au charrier : « Tourne bride et fais-moi sortir du camp, car je me sens mal. » ³⁴Mais le combat se fit plus violent ce jour-là ; le roi d'Israël, jusqu'au soir, resta debout sur son char en face des Araméens et, au coucher du soleil, il mourut.

19 ¹Josaphat, roi de Juda, retourna sain et sauf chez lui, à Jérusalem. ²Jéhu, fils de Hanani le voyant, sortit à sa rencontre et dit au roi Josaphat : « Porte-t-on secours au méchant ? Aimerais-tu ceux qui haïssent Yahvé, pour attirer ainsi sur toi sa colère ? ³Néanmoins, on a trouvé en toi quelque chose de bon, car tu as extirpé du pays les ashéras et tu as disposé ton cœur à la recherche de Dieu. »

Réformes judiciaires.

⁴Josaphat, roi de Juda, après un séjour à Jérusalem, repartit à travers son peuple depuis Bersabée jusqu'à la montagne d'Éphraïm, afin de le ramener à Yahvé, le Dieu de ses pères. ⁵Il établit des juges dans le pays pour toutes les villes fortifiées de Juda, dans chaque ville. ⁶Il dit à ces juges : « Soyez attentifs à ce que vous faites, car vous ne jugez pas au nom des hommes mais de Yahvé, lui qui est avec vous quand vous prononcez une sentence. ⁷Que la crainte de Yahvé pèse maintenant sur vous ! Prenez garde à ce que vous faites, car Yahvé notre Dieu ne consent ni aux fraudes, ni aux privilèges, ni aux cadeaux acceptés. »

⁸En outre, Josaphat établit à Jérusalem des prêtres, des lévites et des chefs de famille israélites, pour promulguer les sentences de

Yahvé et juger les procès. Ils étaient revenus à Jérusalem. ⁹Et Josaphat leur donna ainsi ses prescriptions : « Vous remplirez de telles fonctions dans la crainte de Yahvé, dans la fidélité et l'intégrité du cœur. ¹⁰Quel que soit le procès qu'introduiront devant vous vos frères établis dans leurs villes : affaire de meurtre, de contestation sur la Loi, sur un commandement, sur des décrets ou des coutumes, vous les éclairerez pour qu'ils ne se rendent point coupables devant Yahvé et que sa colère n'éclate pas contre vous et vos frères ; en agissant ainsi vous ne serez point coupables.

¹¹Voici qu'Amaryahu, le premier prêtre, vous contrôlera pour toute affaire de Yahvé et Zebadyahu, fils de Yishmaël, chef de la maison de Juda, pour toute affaire royale. Les lévites vous serviront de scribes. Soyez fermes, mettez cela en pratique, et Yahvé sera là avec le bonheur. »

Une guerre sainte.

20 ¹Après cela les Moabites et les Ammonites, accompagnés de Méûnites, s'en vinrent combattre Josaphat. ²On vint en informer Josaphat en ces termes : « Une foule immense s'avance contre toi d'au-delà de la mer, d'Édom ; la voici à Haçaçôn Tamar, c'est-à-dire En-Gaddi. »

³Josaphat prit peur et se tourna vers Yahvé. Il s'adressa à lui et proclama un jeûne pour tout Juda. ⁴Les Judéens se rassemblèrent pour chercher secours auprès de Yahvé ; ce sont même toutes les cités judéennes qui vinrent chercher secours auprès de Yahvé.

⁵Lors de cette assemblée des Judéens et des Hiérosolymites dans le Temple de Yahvé, Josaphat se tint debout devant le nouveau parvis ⁶et s'écria : « Yahvé, Dieu de nos pères, n'est-ce pas toi le Dieu qui est dans les cieux ? N'est-ce pas toi qui domines sur tous les royaumes des nations ? Dans ta main sont la force et la puissance, et nul ne peut tenir contre toi. ⁷N'est-ce pas toi qui es notre Dieu, toi qui, devant Israël ton peuple, as dépossédé les habitants de ce pays ? Ne l'as-tu pas donné à la race d'Abraham que tu aimeras éternellement ? ⁸Ils s'y sont établis et y ont construit un sanctuaire à ton Nom en disant : ⁹"Si le malheur s'abat sur nous, guerre, punition, peste, ou famine, nous nous tiendrons devant ce Temple et devant toi, car ton Nom est dans ce Temple. Du fond de notre détresse nous crierons vers toi, tu nous entendras et tu nous sauveras."

¹⁰Vois à cette heure les Ammonites, Moab et les montagnards de Séïr ; tu n'as pas laissé Israël les envahir lorsqu'il venait du pays d'Égypte, il s'est au contraire écarté d'eux sans les détruire ; ¹¹or voici qu'ils nous récompensent en venant nous chasser des possessions que tu nous as léguées. ¹²Ô notre Dieu, n'en feras-tu pas justice, car nous sommes sans force devant cette foule immense qui nous attaque. Nous, nous ne savons que faire, aussi est-ce sur toi que se portent nos regards. »

¹³Tous les Judéens se tenaient debout en présence de Yahvé, et même leurs familles, leurs femmes et leurs fils. ¹⁴Au milieu de l'assemblée, l'Esprit de Yahvé fut

sur Yahaziel, fils de Zekaryahu, fils de Benaya, fils de Yeïel, fils de Mattanya le lévite, l'un des fils d'Asaph. [15]Il s'écria : « Prêtez l'oreille, vous tous Judéens et habitants de Jérusalem, et toi, roi Josaphat ! Ainsi vous parle Yahvé : Ne craignez pas, ne vous effrayez pas devant cette foule immense ; ce combat n'est pas le vôtre mais celui de Dieu. [16]Descendez demain contre eux : voici qu'ils empruntent la montée de Çiç et vous les rencontrerez à l'extrémité de la vallée, près du désert de Yeruel. [17]Vous n'aurez pas à y combattre. Tenez-vous là, prenez position, vous verrez le salut que Yahvé vous réserve. Juda et Jérusalem, ne craignez pas, ne vous effrayez pas, partez demain à leur rencontre et Yahvé sera avec vous. »

[18]Josaphat s'inclina, la face contre terre, tous les Judéens et les habitants de Jérusalem se prosternèrent devant Yahvé pour l'adorer. [19]Les lévites – des Qehatites et des Coréites – se mirent alors à louer Yahvé, Dieu d'Israël, à pleine voix.

[20]De grand matin, ils se levèrent et partirent pour le désert de Teqoa. À leur départ, Josaphat, debout, s'écria : « Écoutez-moi, Judéens et habitants de Jérusalem ! Croyez en Yahvé votre Dieu et vous vous maintiendrez, croyez en ses prophètes et vous réussirez. » [21]Puis, après avoir tenu conseil avec le peuple, il plaça au départ, devant les guerriers, les chantres de Yahvé qui le louaient, vêtus d'ornements sacrés, en disant : « Louez Yahvé, car éternel est son amour. » [22]Au moment où ils entonnaient l'exaltation et la louange, Yahvé tendit une embuscade contre les Ammonites, Moab et les montagnards de Séïr qui attaquaient Juda, et qui se virent alors battus. [23]Les Ammonites et les Moabites se dressèrent contre les habitants de la montagne de Séïr pour les vouer à l'anathème et les anéantir, mais en exterminant les habitants de Séïr ils ne s'entraidaient que pour leur propre perte.

[24]Les Judéens atteignaient le point d'où l'on a vue sur le désert et allaient faire face à la foule, quand il n'y avait déjà plus que cadavres à terre et aucun rescapé. [25]Josaphat vint avec son armée razzier du butin, et ils trouvèrent parmi eux en abondance des richesses, des cadavres et des objets précieux ; ils en ramassèrent plus qu'ils n'en pouvaient porter et ils passèrent trois jours à razzier ce butin tant il était abondant. [26]Le quatrième jour, ils se rassemblèrent dans la vallée de Beraka ; ils y bénirent en effet Yahvé, d'où le nom de vallée de Beraka donné à ce lieu jusqu'à nos jours. [27]Puis tous les hommes de Juda et de Jérusalem revinrent tout joyeux à Jérusalem, avec Josaphat à leur tête, car Yahvé les avait réjouis aux dépens de leurs ennemis. [28]Ils entrèrent à Jérusalem, dans le Temple de Yahvé, au son des lyres, des cithares et des trompettes, [29]et la terreur de Dieu s'abattit sur tous les royaumes des pays quand ils apprirent que Yahvé avait combattu les ennemis d'Israël. [30]Le règne de Josaphat fut calme et Dieu lui donna la tranquillité sur toutes ses frontières.

Fin du règne. ‖ 1 R 22 41-51.

³¹Josaphat régna sur Juda ; il avait trente-cinq ans à son avènement et il régna vingt-cinq ans à Jérusalem ; sa mère s'appelait Azuba, fille de Shilhi. ³²Il suivit la conduite de son père Asa sans dévier, faisant ce qui est juste au regard de Yahvé. ³³Cependant les hauts lieux ne disparurent pas et le peuple continua à ne pas fixer son cœur dans le Dieu de ses pères. ³⁴Le reste de l'histoire de Josaphat, du début à la fin, se trouve écrit dans les Actes de Jéhu, fils de Hanani, qui ont été portés sur le livre des Rois d'Israël.

³⁵Après quoi, Josaphat, roi de Juda, se lia à Ochozias, roi d'Israël. C'est celui-ci qui le poussa à mal faire. ³⁶Il s'associa avec lui pour construire des navires à destination de Tarsis ; c'est à Éçyôn-Géber qu'ils les construisirent. ³⁷Éliézer, fils de Dodavahu de Maresha, prophétisa alors contre Josaphat : « Parce que tu t'es associé à Ochozias, dit-il, Yahvé a fait une brèche dans tes œuvres. » Les navires se brisèrent et ne furent pas en mesure de partir pour Tarsis.

21 ¹Josaphat se coucha avec ses pères et on l'enterra avec eux dans la Cité de David ; son fils Joram régna à sa place.

V. IMPIÉTÉ ET DÉSASTRES DE JORAM, OCHOZIAS, ATHALIE ET JOAS

Règne de Joram.

²Joram avait des frères, fils de Josaphat : Azarya, Yehiel, Zekaryahu, Azaryahu, Mikaël et Shephatyahu ; ce sont là tous les fils de Josaphat, roi d'Israël. ³Leur père leur avait fait de multiples dons en argent, en or, en joyaux et en villes fortifiées de Juda, mais il avait laissé la royauté à Joram, car c'était l'aîné. ⁴Joram put s'établir à la tête du royaume de son père, puis, s'étant affermi, il fit passer au fil de l'épée tous ses frères, plus quelques officiers d'Israël.

‖ 2 R 8 17-19.

⁵Joram avait trente-deux ans à son avènement et il régna huit ans à Jérusalem. ⁶Il imita la conduite des rois d'Israël, comme avait fait la maison d'Achab, car il avait épousé une fille d'Achab ; et il fit ce qui déplaît à Yahvé. ⁷Cependant Yahvé ne voulut pas détruire la maison de David à cause de l'alliance qu'il avait conclue avec lui et selon la promesse qu'il lui avait faite de lui laisser toujours une lampe ainsi qu'à ses fils.

‖ 2 R 8 20-22.

⁸De son temps, Édom s'affranchit de la domination de Juda et se donna un roi. ⁹Joram passa la frontière, et avec lui ses officiers et tous ses chars. Il se leva de nuit, et força la ligne des Édomites qui l'encerclaient, et les commandants de chars avec lui. ¹⁰Ainsi Édom s'affranchit de la domination de Juda, jusqu'à ce jour. C'est aussi l'époque où Libna s'affranchit de sa domination.

Il avait en effet abandonné Yahvé, le Dieu de ses pères. ¹¹C'est aussi lui qui institua des hauts lieux sur les montagnes de Juda, qui fit se prostituer les habitants de Jérusalem et s'égarer les Judéens. [12]Un écrit du prophète Élie lui parvint alors, qui disait : « Ainsi parle Yahvé, le Dieu de ton père David. Parce que tu n'as pas suivi la conduite de Josaphat ton père, ni celle d'Asa, roi de Juda, [13]mais parce que tu as suivi la conduite des rois d'Israël et que tu es cause de la prostitution des Judéens et des habitants de Jérusalem, comme l'a été la maison d'Achab, et parce que tu as en outre assassiné tes frères, ta famille, qui étaient meilleurs que toi, [14]Yahvé va frapper d'un grand désastre ton peuple et tes fils, tes femmes et tous tes biens. [15]Toi-même tu seras frappé de nombreuses maladies, d'un mal d'entrailles tel que par cette maladie, jour après jour, tu te videras de tes entrailles. »

[16]Yahvé excita contre Joram l'animosité des Philistins et des Arabes voisins des Kushites. [17]Ils attaquèrent Juda, y pénétrèrent, et razzièrent tous les biens qui se trouvaient appartenir à la maison du roi, et même ses fils et ses femmes, et il ne lui resta d'autre fils qu'Ochozias, le plus petit d'entre eux. [18]Après tout cela, Yahvé le frappa d'une maladie d'entrailles incurable ; [19]cela arriva jour après jour, et vers la fin de la deuxième année, il se vida de ses entrailles et mourut dans de cruelles souffrances. Le peuple ne lui fit pas de feux comme il en avait fait pour ses pères.

2 R **8** 24a.

[20]Il avait trente-deux ans à son avènement et régna huit ans à Jérusalem. Il s'en alla sans laisser

de regrets et on l'enterra dans la Cité de David, mais non dans les sépultures royales.

Règne d'Ochozias. ‖ 2 R **8** 24b-29.

22 [1]Les habitants de Jérusalem firent roi à sa place Ochozias, son plus jeune fils, car la troupe qui, avec les Arabes, avait fait incursion dans le camp, avait assassiné les aînés. Ainsi Ochozias, fils de Joram, devint roi de Juda. [2]Il avait quarante-deux ans à son avènement et il régna un an à Jérusalem. Le nom de sa mère était Athalie, fille de Omri. [3]Lui aussi imita la conduite de la maison d'Achab, car sa mère lui donnait de mauvais conseils. [4]Il fit ce qui déplaît à Yahvé, comme la famille d'Achab, car ce sont ces gens qui, pour sa perte, devinrent ses conseillers après la mort de son père. [5]Il suivit en outre leur politique et alla avec Joram, fils d'Achab, roi d'Israël, pour combattre Hazaël, roi d'Aram, à Ramot de Galaad. Mais les Araméens blessèrent Joram ; [6]il revint à Yizréel pour faire soigner les blessures reçues à Rama en combattant Hazaël, roi d'Aram.

‖ 2 R **9** 21 ; **10** 12-14 ; **9** 28-29.

Ochozias, fils de Joram, roi de Juda, descendit à Yizréel, pour visiter Joram, fils d'Achab, parce qu'il était souffrant. [7]Dieu fit de cette visite à Joram la perte d'Ochozias. À son arrivée, il sortit avec Joram à la rencontre de Jéhu, fils de Nimshi, oint par Yahvé pour en finir avec la maison d'Achab. [8]Alors qu'il s'employait à faire justice de la maison d'Achab, Jéhu rencontra les officiers de Juda et les neveux d'Ochozias, ses serviteurs ; il les tua, 9puis se mit à la recherche d'Ochozias. On se saisit de lui tandis qu'il essayait de se cacher dans Samarie et on l'amena à Jéhu, qui l'exécuta. Mais on l'ensevelit parce qu'on disait : « C'est le fils de Josaphat qui recherchait Yahvé de tout son cœur. » Il n'y avait personne dans la maison d'Ochozias qui fût en mesure de régner.

Le crime d'Athalie. ‖ 2 R 11 1-3.

10Lorsque la mère d'Ochozias, Athalie, eut appris que son fils était mort, elle entreprit d'exterminer toute la descendance royale de la maison de Juda. 11Mais Yehoshéba, fille du roi, retira furtivement Joas, fils d'Ochozias, du groupe des fils du roi qu'on massacrait et elle le mit, avec sa nourrice, dans la chambre des lits. Ainsi Yehoshéba, fille du roi Joram et femme du prêtre Yehoyada (et elle était sœur d'Ochozias), put le soustraire à Athalie et éviter qu'elle ne le tuât. 12Il resta six ans avec eux, caché dans le Temple de Dieu, pendant qu'Athalie régnait sur le pays.

Avènement de Joas et mort d'Athalie. ‖ 2 R 11 4-16.

23 1La septième année, Yehoyada se décida. Il envoya chercher les officiers de centaines, Azarya fils de Yeroham, Yishmaël fils de Yehohanân, Azaryahu fils d'Obed, Maaséyahu fils d'Adayahu, Élishaphat fils de Zikri, qui étaient liés à lui par un pacte. 2Ils parcoururent Juda, rassemblèrent les lévites de toutes les cités judéennes et les chefs de famille israélites. Ils vinrent à Jérusalem 3et

toute cette Assemblée conclut un pacte avec le roi dans le Temple de Dieu. « Voici le fils du roi, leur dit Yehoyada. Qu'il règne, comme l'a déclaré Yahvé des fils de David ! 4Voici ce que vous allez faire : tandis que le tiers d'entre vous, prêtres, lévites et portiers des seuils, entrera pour le sabbat, 5un tiers se trouvera au palais royal, un tiers à la porte du Fondement et tout le peuple dans les parvis du Temple de Yahvé. 6Que personne n'entre dans le Temple de Yahvé, sinon les prêtres et les lévites de service, car ils sont consacrés. Tout le peuple observera les ordonnances de Yahvé. 7Les lévites feront cercle autour du roi, chacun ses armes à la main, et ils accompagneront le roi partout où il ira ; mais quiconque entrera dans le Temple sera mis à mort. »

8Les lévites et tous les Judéens exécutèrent tout ce que leur avait ordonné le prêtre Yehoyada. Ils prirent chacun leurs hommes, ceux qui commençaient la semaine et ceux qui la terminaient, le prêtre Yehoyada n'ayant exempté aucune des classes. 9Puis le prêtre donna aux centeniers les lances, les rondaches et les boucliers du roi David, qui étaient dans le Temple de Dieu. 10Il rangea tout le peuple, chacun son arme à la main, depuis l'angle sud jusqu'à l'angle nord du Temple, entourant l'autel et le Temple pour faire cercle autour du roi. 11On fit alors sortir le fils du roi, on lui imposa le diadème et on lui donna le document d'alliance. Puis Yehoyada et ses fils lui donnèrent l'onction royale et s'écrièrent : « Vive le roi ! »

12Entendant les cris du peuple qui se précipitait vers le roi et l'acclamait, Athalie se rendit auprès du peuple au Temple de Yahvé. [13]Quand elle vit le roi debout sur l'estrade, à l'entrée, les chefs et les trompettes auprès du roi, tout le peuple du pays exultant de joie et sonnant de la trompette, les chantres avec les instruments de musique dirigeant le chant des hymnes, Athalie déchira ses vêtements et s'écria : « Trahison ! Trahison ! » [14]Mais Yehoyada fit sortir les officiers de centaines, qui commandaient la troupe, et leur dit : « Faites-la sortir entre les rangs, et si quelqu'un la suit, qu'on la passe au fil de l'épée » ; car le prêtre avait dit : « Ne la tuez pas dans le Temple de Yahvé ». [15]Ils mirent la main sur elle et, quand elle arriva au palais royal, à l'entrée de la porte des Chevaux, là ils la mirent à mort.

La réforme de Yehoyada. ‖ 2 R 11
17-20.

[16]Yehoyada conclut entre tout le peuple et le roi une alliance par laquelle le peuple s'obligeait à être le peuple de Yahvé. [17]Tout le peuple se rendit ensuite au temple de Baal et le démolit ; on brisa ses autels et ses images et on tua Mattân, prêtre de Baal, devant les autels. [18]Yehoyada établit des postes de surveillance du Temple de Yahvé, confiés aux prêtres lévites. C'est à eux que David avait donné pour part le Temple de Yahvé afin d'offrir les holocaustes de Yahvé comme il est écrit dans la Loi de Moïse, dans la joie et avec des chants, selon les ordres de David. [19]Il installa des portiers aux entrées du Temple de Yahvé pour qu'en aucun cas un homme impur n'y pénétrât. [20]Puis il prit les centeniers, les notables, ceux qui avaient une autorité publique et tout le peuple du pays ; et il fit descendre le roi du Temple de Yahvé. Ils entrèrent au palais royal par la voûte centrale de la Porte Supérieure, et ils firent asseoir le roi sur le trône royal. [21]Tout le peuple du pays était en joie, mais la ville ne bougea pas. Quant à Athalie, on la fit périr par l'épée.

Joas restaure le Temple. ‖ 2 R 12
1-17.

24 [1]Joas avait sept ans à son avènement et il régna quarante ans à Jérusalem ; sa mère s'appelait Çibya, elle était de Bersabée. [2]Joas fit ce qui est agréable à Yahvé tout le temps que vécut le prêtre Yehoyada, [3]qui lui avait fait épouser deux femmes dont il eut des fils et des filles. [4]Après quoi Joas désira restaurer le Temple de Yahvé.

[5]Il réunit les prêtres et les lévites et leur dit : « Partez dans les cités judéennes et recueillez auprès de tous les Israélites de l'argent pour réparer le Temple de votre Dieu, autant qu'il en faudra chaque année. Hâtez cette affaire. » Mais les lévites ne se pressèrent pas. [6]Alors le roi appela Yehoyada, le premier d'entre eux, et lui dit : « Pourquoi n'as-tu pas exigé des lévites qu'ils fassent rentrer de Juda et de Jérusalem le tribut de Moïse, serviteur de Yahvé et de l'assemblée d'Israël, pour la Tente du Témoignage ? [7]Athalie et ses fils qu'elle a pervertis ont endommagé le Temple de Dieu et ont même attribué aux Baals tous les revenus sacrés du Temple de Yahvé. » [8]Et le roi or-

donna de faire un coffre, qu'ils mirent devant la porte du Temple de Yahvé. [9]On proclama en Juda et à Jérusalem qu'il fallait apporter à Yahvé le tribut que Moïse, le serviteur de Dieu, avait imposé à Israël dans le désert. [10]Tous les officiers et tout le peuple vinrent avec joie jeter leur dû dans le coffre jusqu'à paiement complet.

[11]Or, au moment d'apporter le coffre à l'administration royale qui était aux mains des lévites, ceux-ci virent qu'il y avait beaucoup d'argent ; le secrétaire royal vint avec le préposé du premier prêtre ; ils soulevèrent le coffre, l'emportèrent, puis le remirent en place. Ils firent ainsi chaque jour et recueillirent beaucoup d'argent. [12]Le roi et Yehoyada le donnèrent au maître d'œuvre attaché au service du Temple de Yahvé. Les salariés, maçons et charpentiers, se mirent à restaurer le Temple de Yahvé ; des forgerons et des bronziers travaillèrent aussi à le réparer. [13]Les maîtres d'œuvre s'étant donc mis au travail, les réparations progressèrent entre leurs mains, ils réédifièrent le Temple de Dieu dans ses dimensions propres et le consolidèrent. [14]Quand ils eurent terminé, ils apportèrent au roi et à Yehoyada le reste de l'argent ; on en fabriqua du mobilier pour le Temple de Yahvé, vases pour le service et les holocaustes, coupes et objets d'or et d'argent.

On put ainsi offrir l'holocauste perpétuel dans le Temple de Yahvé tout le temps que vécut Yehoyada. [15]Puis Yehoyada vieillit et mourut rassasié de jours. Il avait cent trente ans à sa mort [16]et on l'ensevelit avec les rois dans la Cité de David,

car il avait bien agi en Israël envers Dieu et son Temple.

Défaillance de Joas et châtiment.

[17]Après la mort de Yehoyada, les officiers de Juda vinrent se prosterner devant le roi, et cette fois le roi les écouta. [18]Les Judéens abandonnèrent le Temple de Yahvé, Dieu de leurs pères, pour rendre un culte aux pieux sacrés et aux idoles. À cause de cette faute, la colère de Dieu s'abattit sur Juda et sur Jérusalem. [19]Des prophètes leur furent envoyés pour les ramener à Yahvé ; mais ils témoignèrent contre eux sans qu'ils prêtent l'oreille. [20]L'Esprit de Dieu revêtit Zacharie, le fils du prêtre Yehoyada, qui se tint debout devant le peuple et lui dit : « Ainsi parle Dieu. Pourquoi transgressez-vous les commandements de Yahvé sans aboutir à rien ? Parce que vous avez abandonné Yahvé, il vous abandonne. » [21]Ils se liguèrent alors contre lui et sur l'ordre du roi le lapidèrent sur le parvis du Temple de Yahvé. [22]Le roi Joas, oubliant la générosité que lui avait témoignée Yehoyada, père de Zacharie, tua Zacharie son fils, qui en mourant s'écria : « Yahvé verra et demandera compte ! »

‖ 2 R **12** 18-22.

[23]Or, au retour de l'année, l'armée araméenne partit en guerre contre Joas. Elle atteignit Juda et Jérusalem, extermina parmi la population tous les officiers et envoya toutes leurs dépouilles au roi de Damas. [24]Certes, l'armée araméenne n'était venue qu'avec peu d'hommes, mais c'est une armée considérable que Yahvé livra en-

tre ses mains pour l'avoir abandonné, lui, le Dieu de leurs pères.

Les Araméens firent justice de Joas, ²⁵et quand ils le quittèrent, le laissant gravement malade, ses serviteurs se conjurèrent contre lui pour venger les fils du prêtre Yehoyada et le tuèrent sur son lit. Il mourut et on l'ensevelit dans la Cité de David, mais non pas dans les sépultures royales. ²⁶Voici les conjurés : Zabad fils de Shiméat l'Ammonite, Yehozabad fils de Shimrit la Moabite. ²⁷Quant à ses fils, l'importance du tribut qui lui fut imposé et la restauration du Temple de Dieu, on trouvera cela consigné dans le Midrash du livre des Rois. Amasias, son fils, régna à sa place.

VI. DEMI-PIÉTÉ ET DEMI-SUCCÈS D'AMASIAS, OZIAS ET YOTAM

Avènement d'Amasias. ‖ 2 R 14 2-6.

25 ¹Amasias devint roi à l'âge de vingt-cinq ans et régna vingt-neuf ans à Jérusalem. Sa mère s'appelait Yehoaddân, et était de Jérusalem. ²Il fit ce qui est agréable à Yahvé, non pas pourtant d'un cœur sans défaillance. ³Lorsque le royaume se fut affermi sous son gouvernement, il mit à mort ceux de ses officiers qui avaient tué le roi son père. ⁴Mais il ne fit pas mourir leurs fils, car il est écrit dans la Loi, dans le livre de Moïse, que Yahvé a prescrit : *Les pères ne seront pas mis à mort pour les fils et les fils ne seront pas mis à mort pour les pères, mais chacun sera mis à mort pour son propre crime.*

Guerre contre Édom.

⁵Amasias réunit les Judéens et les constitua en familles avec officiers de milliers et de centaines pour tout Juda et Benjamin. Il recensa ceux qui avaient vingt ans et plus et il en trouva trois cent mille, hommes d'élite aptes à faire campagne, la lance et le bouclier au poing. ⁶Il enrôla ensuite comme mercenaires, pour cent talents d'argent, cent mille preux vaillants d'Israël. ⁷Un homme de Dieu vint alors le trouver et lui dit : « Ô Roi, il ne faut pas que les troupes d'Israël viennent se joindre à toi, car Yahvé n'est ni avec Israël ni avec aucun des Éphraïmites. ⁸Car s'ils viennent, tu auras beau agir et combattre vaillamment, Dieu ne t'en fera pas moins trébucher devant tes ennemis, car c'est en Dieu qu'est le pouvoir de soutenir et d'abattre. » ⁹Amasias répondit à l'homme de Dieu : « Quoi ! Et les cent talents que j'ai donnés à la troupe d'Israélites ! » — « Yahvé a de quoi t'en donner beaucoup plus que cela », dit l'homme de Dieu. ¹⁰Amasias détacha alors de la sienne la troupe qui lui était venue d'Éphraïm et la renvoya chez elle ; ces gens furent très excités contre Juda et retournèrent chez eux fort en colère.

‖ 2 R 14 7.

¹¹Amasias se décida à partir à la tête de ses troupes, il gagna la vallée du Sel et battit dix mille fils de

Séïr. [12]Les Judéens emmenèrent vivants dix mille captifs qu'ils conduisirent au sommet de la Roche, d'où ils les précipitèrent ; tous s'écrasèrent. [13]Quant à la troupe qu'avait congédiée Amasias au lieu de l'emmener combattre avec lui, elle envahit les villes de Juda, de Samarie à Bet-Horôn, battit une troupe de trois milliers et fit un grand pillage.

[14]Une fois rentré de sa campagne victorieuse contre les Édomites, Amasias introduisit les dieux des fils de Séïr, en fit ses dieux, se prosterna devant eux et les encensa. [15]La colère de Yahvé s'enflamma contre Amasias, il lui envoya un prophète qui lui dit : « Pourquoi recherches-tu les dieux de ce peuple, qui n'ont pu le sauver de ta main ? » [16]Il lui parlait encore qu'Amasias l'interrompit : « T'avons-nous nommé conseiller du roi ? Arrête-toi, si tu ne veux pas qu'on te frappe. » Le prophète s'arrêta, puis il dit : « Je sais que Dieu a tenu conseil pour ta perte, puisque tu as agi ainsi et que tu n'as pas écouté mon conseil. »

Guerre contre Israël. ‖ 2 R **14** 8-14.

[17]Après avoir tenu conseil, Amasias, roi de Juda, envoya dire à Joas, fils de Joachaz, fils de Jéhu, roi d'Israël : « Viens et mesurons-nous ! » [18]Joas, roi d'Israël, retourna ce message à Amasias, roi de Juda : « Le chardon du Liban manda ceci au cèdre du Liban : "Donne ta fille pour femme à mon fils", mais les bêtes sauvages du Liban passèrent et foulèrent le chardon. [19]"Me voici vainqueur d'Édom", as-tu dit, et tu te

montes la tête ! Sois glorieux et reste maintenant chez toi. Pourquoi provoquer le malheur et amener ta chute et celle de Juda avec toi ? »

[20]Mais Amasias n'écouta pas ; c'était le fait de Dieu qui voulait livrer ces gens-là pour avoir recherché les dieux d'Édom. [21]Joas, roi d'Israël, se mit en campagne. Ils se mesurèrent, lui et Amasias, roi de Juda, à Bet-Shémesh qui appartient à Juda. [22]Juda fut battu devant Israël et chacun s'enfuit à sa tente. [23]Quant au roi de Juda, Amasias, fils de Joas, fils de Joachaz, le roi d'Israël Joas le fit prisonnier à Bet-Shémesh et l'emmena à Jérusalem. Il fit une brèche au rempart de Jérusalem, depuis la porte d'Éphraïm jusqu'à la porte de l'Angle, sur quatre cents coudées. [24]Il prit tout l'or et l'argent, tout le mobilier qui se trouvait dans le Temple de Dieu chez Obed-Édom, les trésors du palais royal, des otages, et retourna à Samarie.

Fin du règne. ‖ 2 R **14** 17-20.

[25]Amasias, fils de Joas, roi de Juda, vécut encore quinze ans après la mort de Joas, fils de Joachaz, roi d'Israël. [26]Le reste de l'histoire d'Amasias, du début à la fin, n'est-il pas écrit au livre des Rois de Juda et d'Israël ? [27]Après l'époque où Amasias se détourna de Yahvé, on trama contre lui un complot à Jérusalem ; il s'enfuit vers Lakish, mais on le fit poursuivre à Lakish et mettre à mort là-bas. [28]On le transporta avec des chevaux et on l'enterra auprès de ses pères dans la Cité de Juda.

Les débuts d'Ozias. ‖ 2 R 14 21-22 ;
15 2-4.

26 ¹Tout le peuple de Juda choisit Ozias, qui avait seize ans, et le fit roi à la place de son père Amasias. ²C'est lui qui rebâtit Élat et la rendit à Juda, après que le roi se fut couché avec ses pères. ³Ozias avait seize ans à son avènement et il régna cinquante-deux ans à Jérusalem ; sa mère s'appelait Yekolyahu et était de Jérusalem. ⁴Il fit ce qui est agréable à Yahvé, comme tout ce qu'avait fait son père Amasias ; ⁵il s'appliqua à rechercher Dieu tant que vécut Zekaryahu, celui qui l'instruisait dans la vision de Dieu. Tant qu'il chercha Yahvé, celui-ci le fit réussir.

Sa puissance.

⁶Il partit combattre les Philistins, démantela les murailles de Gat, celles de Yabné et d'Ashdod, puis restaura des villes dans la région d'Ashdod et chez les Philistins. ⁷Dieu l'aida contre les Philistins, les Arabes, les habitants de Gur-Baal et les Méûnites. ⁸Les Ammonites payèrent tribut à Ozias. Sa renommée s'étendit jusqu'au seuil de l'Égypte, car il était devenu extrêmement puissant. ⁹Ozias construisit des tours à Jérusalem, à la porte de l'Angle, à la porte de la Vallée, à l'Encoignure, et il les fortifia. ¹⁰Il construisit aussi des tours dans le désert et creusa de nombreuses citernes, car il disposait d'un cheptel abondant dans le Bas-Pays et sur le Plateau, de laboureurs et de vignerons dans les montagnes et les vergers ; il avait en effet le goût de l'agriculture. ¹¹Ozias eut une armée entraînée, prête à entrer en campagne, répartie en groupes recensés sous la surveillance du scribe Yeïel et du greffier Maaséyahu ; elle était sous les ordres de Hananyahu, l'un des officiers royaux. ¹²Le nombre total des chefs de famille de ces preux vaillants était de deux mille six cents. ¹³Ils avaient sous leurs ordres l'armée de campagne, soit trois cent sept mille cinq cents guerriers, d'une grande valeur militaire pour prêter mainforte au roi contre l'ennemi. ¹⁴À chaque campagne Ozias leur distribuait boucliers, lances, casques, cuirasses, arcs et pierres de fronde. ¹⁵Il fit faire à Jérusalem des engins inventés par les ingénieurs, à placer sur les tours et les saillants pour lancer des flèches et de grosses pierres. Son renom s'étendit au loin, et il dut sa puissance à un secours vraiment miraculeux.

Orgueil et châtiment.

¹⁶Quand il fut devenu puissant, son cœur s'enorgueillit jusqu'à le perdre : il prévariqua envers Yahvé son Dieu. Il vint dans la grande salle du Temple de Yahvé pour faire l'encensement sur l'autel des parfums. ¹⁷Le prêtre Azaryahu, ainsi que quatre-vingts vertueux prêtres de Yahvé, vinrent ¹⁸s'opposer au roi Ozias et lui dirent : « Ce n'est pas à toi, Ozias, d'encenser Yahvé, mais aux prêtres descendants d'Aaron consacrés à cet effet. Quitte le sanctuaire, car tu as prévariqué et tu n'as plus droit à la gloire qui vient de Yahvé Dieu. » ¹⁹Ozias, tenant dans ses mains l'encensoir à parfum, s'emporta. Mais alors qu'il s'emportait contre les prêtres, la lèpre

bourgeonna sur son front, en présence des prêtres, dans le Temple de Yahvé, près de l'autel des parfums ! [20]Azaryahu, premier prêtre, et tous les prêtres se tournèrent vers lui et lui virent la lèpre au front. Ils l'expulsèrent en hâte et il se hâta lui-même de sortir, car Yahvé l'avait frappé.

|| 2 R **15** 5-7.

[21]Le roi Ozias fut affligé de la lèpre jusqu'au jour de sa mort. Il demeura confiné à la chambre, lépreux, vraiment exclu du Temple de Yahvé. Son fils Yotam était maître du palais et administrait le peuple du pays. [22]Le reste de l'histoire d'Ozias, du début à la fin, a été écrit par le prophète Isaïe, fils d'Amoç. [23]Puis Ozias se coucha avec ses pères et on l'enterra avec eux dans le terrain des sépultures royales, car on disait : « C'est un lépreux. » Son fils Yotam devint roi à sa place.

Le règne de Yotam. || 2 R **15** 32-38.

27 [1]Yotam avait vingt-cinq ans à son avènement et il régna seize ans à Jérusalem ; sa mère s'appelait Yerusha, fille de Sadoq. [2]Il fit ce qui est agréable à Yahvé, imitant en tout la conduite de son père Ozias. Seulement il n'entra pas dans le sanctuaire de Yahvé. Mais le peuple continua à se perdre.

[3]C'est lui qui construisit la Porte Supérieure du Temple de Yahvé, et fit de nombreux travaux au mur de l'Ophel. [4]Il construisit des villes dans la montagne de Juda ainsi que des citadelles et des tours dans les terres labourables.

[5]Il combattit le roi des Ammonites. Il l'emporta sur eux et les Ammonites lui livrèrent cette année-là cent talents d'argent, dix mille muids de froment et dix mille d'orge. C'est cela que les Ammonites durent lui rendre ; il en fut de même la seconde et la troisième année. [6]Yotam devint puissant, car il se conduisait avec fermeté en présence de Yahvé son Dieu.

[7]Le reste de l'histoire de Yotam, toutes ses guerres et sa politique, est écrit dans le livre des rois d'Israël et de Juda. [8]Il avait vingt-cinq ans à son avènement et il régna seize ans à Jérusalem. [9]Puis Yotam se coucha avec ses pères, on l'enterra dans la Cité de David, et son fils Achaz devint roi à sa place.

5. *Les grandes réformes d'Ézéchias et de Josias*

I. *L'IMPIÉTÉ D'ACHAZ, PÈRE D'ÉZÉCHIAS*

Aperçu sur le règne. || 2 R **16** 2-4.

28 [1]Achaz avait vingt ans à son avènement et il régna seize ans à Jérusalem. Il ne fit pas ce qui est agréable à Yahvé comme avait fait David son ancêtre. [2]Il imita la conduite des rois d'Israël et même il fit fondre des idoles pour les

Baals, ³il fit fumer des offrandes dans le val des fils de Hinnom et fit passer ses fils par le feu, selon les coutumes abominables des nations que Yahvé avait chassées devant les Israélites. ⁴Il offrit des sacrifices et de l'encens sur les hauts lieux, sur les collines et sous tout arbre verdoyant.

L'invasion. 2 R 16 ; Is 7-9.

⁵Yahvé son Dieu le livra aux mains du roi des Araméens. Ceux-ci le battirent et lui enlevèrent de nombreux captifs qu'ils emmenèrent à Damas. Il fut livré aussi aux mains du roi d'Israël, qui lui infligea une lourde défaite. ⁶Péqah, fils de Remalyahu, tua en un seul jour cent vingt mille hommes en Juda, tous vaillants, pour avoir abandonné Yahvé, le Dieu de leurs pères. ⁷Zikri, héros éphraïmite, tua Maaséyahu, fils du roi, Azriqam, chef du palais, et Elqana, le lieutenant du roi. ⁸Les Israélites firent à leurs frères deux cent mille prisonniers, femmes, fils et filles ; ils razzièrent de plus un important butin et emmenèrent le tout à Samarie.

Les Israélites écoutent le prophète Oded.

⁹Il y avait là un prophète de Yahvé nommé Oded. Il sortit au-devant des troupes qui arrivaient à Samarie et leur dit : « Voici que Yahvé, le Dieu de vos pères, a livré les Judéens entre vos mains parce qu'il était irrité contre eux, mais vous les avez massacrés avec une telle fureur que le ciel en est atteint. ¹⁰Et vous parlez maintenant de réduire les enfants de Juda et de Jérusalem à devenir vos serviteurs et vos servantes !

Mais vous-mêmes, n'êtes-vous pas coupables envers Yahvé votre Dieu ? ¹¹Écoutez-moi maintenant, rendez les prisonniers faits à vos frères, car l'ardente colère de Yahvé vous menace. »

¹²Certains des chefs éphraïmites, Azaryahu fils de Yehohanân, Bérékyahu fils de Meshillemot, Yehizqiyyahu fils de Shallum, Amasa fils de Hadlaï, s'élevèrent alors contre ceux qui revenaient de l'expédition. ¹³Ils leur dirent : « Vous ne ferez pas entrer ici ces prisonniers, car c'est de nous rendre coupables envers Yahvé que vous parlez, c'est d'ajouter à nos péchés et à nos fautes, alors que notre culpabilité est énorme et qu'une ardente colère menace Israël. » ¹⁴L'armée abandonna alors les prisonniers et le butin en présence des officiers et de toute l'assemblée. ¹⁵Des hommes, qui avaient été nominativement désignés, se mirent à réconforter les prisonniers. Prélevant sur le butin, ils habillèrent tous ceux qui étaient nus ; ils les vêtirent, les chaussèrent, les nourrirent, les désaltérèrent et les abritèrent. Puis il les reconduisirent, les éclopés montés sur des ânes, et les amenèrent auprès de leurs frères à Jéricho, la ville des palmiers. Puis ils rentrèrent à Samarie.

Fautes et mort d'Achaz. ‖ 2 R 16 7. Cf. Is 7-8.

¹⁶C'est alors que le roi Achaz envoya demander aux rois d'Assyrie de lui porter secours. ¹⁷Les Édomites envahirent de nouveau Juda, le battirent et emmenèrent des prisonniers. ¹⁸Les Philistins se répandirent dans les

villes du Bas-Pays et du Négeb de Juda. Ils prirent Bet-Shémesh, Ayyalôn, Gedérot, Soko et ses dépendances, Timna et ses dépendances, Gimzo et ses dépendances, et s'y établirent. [19]Yahvé abaissa en effet Juda à cause d'Achaz, roi d'Israël, qui laissait aller Juda et était infidèle à Yahvé.

|| 2 R **16** 8, 12-13, 17.

[20]Téglat-Phalasar, roi d'Assyrie, l'attaqua et l'assiégea sans pouvoir l'emporter ; [21]mais Achaz dut prélever une part des biens du Temple de Yahvé et des maisons royale et princières, pour les envoyer au roi d'Assyrie, sans recevoir secours de lui. [22]Tandis qu'il était assiégé, il accrut son infidélité envers Yahvé, lui, le roi Achaz, [23]en offrant des sacrifices aux dieux de Damas dont il était la victime : « Puisque les dieux des rois d'Aram leur prêtent main-forte, disait-il, je leur sacrifierai pour qu'ils m'aident. » Mais ce furent eux qui causèrent sa chute, et celle de tout Israël.

[24]Achaz rassembla le mobilier du Temple de Dieu, il le mit en pièces, ferma les portes du Temple de Yahvé et se fit des autels à tous les coins de rue de Jérusalem ; [25]il institua des hauts lieux dans toutes les cités judéennes pour y encenser d'autres dieux, et provoqua l'irritation de Yahvé, le Dieu de ses pères.

|| 2 R **16** 19-20.

[26]Le reste de son histoire et de toute sa politique, du début à la fin, est écrit dans le livre des Rois de Juda et d'Israël. [27]Achaz se coucha avec ses pères, on l'enterra dans la Cité, à Jérusalem, sans le transporter dans les tombeaux des rois d'Israël. Son fils Ézéchias régna à sa place.

II. LA RESTAURATION D'ÉZÉCHIAS

Aperçu sur le règne. || 2 R **18** 1-3.

29 [1]Ézéchias devint roi à l'âge de vingt-cinq ans et il régna vingt-neuf ans à Jérusalem ; sa mère s'appelait Abiyya, fille de Zekaryahu. [2]Il fit ce qui est agréable à Yahvé, imitant tout ce qu'avait fait David son ancêtre.

Purification du Temple.

[3]C'est lui qui ouvrit les portes du Temple de Yahvé, le premier mois de la première année de son règne, et qui les restaura. [4]Puis il fit venir les prêtres et les lévites, les réunit sur la place orientale [5]et leur dit :

« Écoutez-moi, lévites ! Sanctifiez-vous maintenant, consacrez le Temple de Yahvé, Dieu de nos pères, et éliminez du sanctuaire la souillure. [6]Nos pères ont prévariqué et fait ce qui déplaît à Yahvé notre Dieu. Ils l'ont abandonné ; ils ont détourné leurs faces de la Demeure de Yahvé, et lui ont tourné le dos. [7]Ils ont même fermé les portes du Vestibule, ils ont éteint les lampes et n'ont plus fait fumer d'encens, ils n'ont plus offert d'holocaustes au Dieu d'Israël dans le sanctuaire. [8]La colère de Yahvé s'est appesantie sur Juda et sur Jérusalem ; il en a fait un objet d'épouvante, de stupeur et de dérision, comme vous le voyez de vos propres yeux. [9]Aussi nos pères sont-ils tombés sous l'épée, nos fils, nos filles et nos femmes sont-ils partis prisonniers. [10]Je veux maintenant conclure une alliance avec Yahvé, Dieu d'Israël, pour qu'il détourne de nous l'ardeur de sa colère. [11]Ô mes fils, ne soyez plus négligents, car c'est vous que Yahvé a choisis pour vous tenir en sa présence, pour le servir, pour vaquer à son culte et à ses encensements. »

[12]Les lévites se levèrent : Mahat fils de Amasaï ; Yoël fils de Azaryahu, des fils de Qehat ; des Merarites : Qish fils d'Abdi et Azaryahu fils de Yehalléléel ; des Gershonites : Yoah fils de Zimma et Éden fils de Yoah ; [13]des fils d'Éliçaphân : Shimri et Yeïel ; des fils d'Asaph : Zekaryahu et Mattanyahu ; [14]des fils de Hémân : Yehiel et Shiméï ; des fils de Yedutûn : Shemaya et Uzziel. [15]Ils réunirent leurs frères, se sanctifièrent et, conformément à l'ordre du roi, selon les paroles de Yahvé, vinrent purifier le Temple de Yahvé.

[16]Les prêtres entrèrent dans le Temple de Yahvé pour le purifier. Ils emportèrent sur le parvis du Temple de Yahvé toutes les choses impures qu'ils trouvèrent dans le sanctuaire de Yahvé, et les lévites en firent des tas qu'ils allèrent déposer à l'extérieur, dans la vallée du Cédron. [17]Ayant commencé cette consécration le premier jour du premier mois, ils purent entrer dans le Vestibule de Yahvé le huit du mois ; ils mirent huit jours à consacrer le Temple de Yahvé et terminèrent le seizième jour du premier mois.

Le sacrifice d'expiation.

[18]Ils se rendirent alors dans les appartements du roi Ézéchias et lui dirent : « Nous avons entièrement purifié le Temple de Yahvé, l'autel des holocaustes et tous ses accessoires, la table des rangées de pains et tous ses accessoires. [19]Tous les objets qu'avait rejetés le roi Achaz durant son règne impie, nous les avons réinstallés et consacrés ; les voici devant l'autel de Yahvé. »

[20]Le roi Ézéchias se leva aussitôt, il réunit les officiers de la ville et monta au Temple de Yahvé. [21]On fit venir sept taureaux, sept béliers et sept agneaux, plus sept boucs en vue du sacrifice pour le péché, à l'intention de la monarchie, du sanctuaire et de Juda. Le roi dit alors aux prêtres, fils d'Aaron, d'offrir les holocaustes sur l'autel de Yahvé. [22]Ils immolèrent les taureaux ; les prêtres recueillirent le sang qu'ils versèrent sur l'autel. Puis ils immolèrent les béliers, dont ils versèrent le sang sur l'autel, et les agneaux, dont ils versèrent le sang sur l'autel. [23]Ils firent alors approcher les boucs, destinés au sacrifice pour le péché, devant le roi et l'assemblée qui leur imposèrent les mains. [24]Les prêtres les immolèrent et de leur sang versé sur l'autel firent un sacrifice pour le péché afin d'accomplir le rite d'expiation sur tout Israël ; c'était en effet pour tout Israël que le roi avait ordonné les holocaustes et le sacrifice pour le péché.

[25]Il plaça ensuite les lévites dans le Temple de Yahvé avec des cym-

bales, des lyres et des cithares selon les prescriptions de David, de Gad le voyant du roi, et de Natân le prophète ; l'ordre venait en effet de Dieu par l'intermédiaire de ses prophètes. [26]Quand on eut placé les lévites avec les instruments de David et les prêtres avec les trompettes, [27]Ézéchias ordonna d'offrir les holocaustes sur l'autel ; l'holocauste commençait quand on entonna les chants de Yahvé et quand les trompettes sonnèrent, accompagnées des instruments de David, roi d'Israël. [28]Toute l'assemblée se prosterna, chacun chantant les hymnes ou faisant retentir les trompettes jusqu'à l'achèvement de l'holocauste.

Reprise du culte.

[29]Quand l'holocauste fut terminé, le roi et tous ceux qui l'accompagnaient à ce moment fléchirent le genou et se prosternèrent. [30]Puis le roi Ézéchias et les officiers dirent aux lévites de louer Yahvé avec les paroles de David et d'Asaph le voyant ; ils le firent jusqu'à exaltation, puis tombèrent et se prosternèrent. [31]Ézéchias prit alors la parole et dit : « Vous voici maintenant consacrés à Yahvé. Approchez-vous, apportez dans le Temple de Yahvé les victimes et les sacrifices de louange. » L'assemblée apporta les victimes et les sacrifices de louange et toutes sortes d'holocaustes en dons votifs. [32]Le nombre des victimes de ces holocaustes fut de soixante-dix bœufs, cent béliers, deux cents agneaux, tous en holocaustes pour Yahvé ; [33]six bœufs et trois mille moutons furent consacrés. [34]Les prêtres furent toutefois trop peu nombreux pour pouvoir dépecer tous ces holocaustes, et leurs frères les lévites leur prêtèrent main-forte jusqu'à ce que cette opération fût terminée et les prêtres sanctifiés ; les lévites avaient été en effet mieux disposés que les prêtres à se sanctifier. [35]Il y eut de plus un abondant holocauste des graisses des sacrifices de communion, et des libations conjointes à l'holocauste. Ainsi fut rétabli le culte dans le Temple de Yahvé. [36]Ézéchias et tout le peuple se réjouirent de ce que Dieu eût disposé le peuple à agir sur-le-champ.

Convocation pour la Pâque.

30 [1]Ézéchias envoya des messagers à tout Israël et Juda, et écrivit même des lettres à Éphraïm et à Manassé, pour que l'on vienne au Temple de Yahvé à Jérusalem célébrer une Pâque pour Yahvé, le Dieu d'Israël. [2]Le roi, ses officiers et toute l'assemblée de Jérusalem furent d'avis de la célébrer le second mois [3]puisqu'on ne pouvait plus la faire au moment même, les prêtres ne s'étant pas sanctifiés en nombre suffisant et le peuple ne s'étant pas rassemblé à Jérusalem. [4]La chose parut juste au roi et à toute l'assemblée. [5]On décida de faire passer à travers tout Israël, de Bersabée à Dan, un appel à venir célébrer à Jérusalem une Pâque pour Yahvé, Dieu d'Israël ; peu, en effet, s'étaient conformés à l'Écriture. [6]Des courriers partirent, avec des lettres de la main du roi et des officiers, dans tout Israël et Juda. Ils devaient dire, selon l'ordre du roi : « Israélites, revenez à Yahvé, le Dieu d'Abraham, d'Isaac et d'Israël, et il reviendra à ceux d'entre vous qui restent après avoir échappé à la poigne des rois d'Assyrie. [7]Ne soyez pas comme vos pères et vos frères qui ont prévariqué envers Yahvé, le Dieu de leurs pères, et ont été livrés par lui à la ruine comme vous le voyez. [8]Ne raidissez plus vos nuques comme l'ont fait vos pères. Soumettez-vous à Yahvé, venez à son sanctuaire qu'il a consacré pour toujours, servez Yahvé votre Dieu et il détournera de vous son ardente colère. [9]Si vous revenez vraiment à Yahvé, vos frères et vos fils trouveront grâce devant leurs conquérants, ils reviendront en ce pays, car Yahvé votre Dieu est plein de pitié et de tendresse. Si vous revenez à lui, il ne détournera pas de vous sa face. »

[10]Les courriers parcoururent, de ville en ville, le pays d'Éphraïm et de Manassé, et même de Zabulon, mais on se moqua d'eux et on les tourna en dérision. [11]Toutefois, quelques hommes d'Asher, de Manassé et de Zabulon s'humilièrent et vinrent à Jérusalem. [12]C'est plutôt en Juda que la main de Dieu agit pour donner à tous un seul cœur, afin d'exécuter les prescriptions du roi et des officiers contenues dans la Parole de Yahvé. [13]Un peuple nombreux se rassembla à Jérusalem pour célébrer au deuxième mois la fête des Azymes. Une assemblée extrêmement nombreuse [14]se mit à enlever les autels qui étaient dans Jérusalem et tous les brûle-parfums, pour les jeter dans la vallée du Cédron.

La Pâque et les Azymes.

[15]On immola la Pâque le quatorze du second mois. Pleins de confusion, les prêtres et les lévites se sanctifièrent et purent porter les holocaustes au Temple de Yahvé. [16]Puis ils se tinrent à leur poste, conformément à leurs statuts selon la loi de Moïse, homme de Dieu. Les prêtres versaient le sang qu'ils prenaient de la main des lévites, [17]car il y avait beaucoup de gens dans l'assemblée qui ne s'étaient pas sanctifiés et les lévites étaient chargés d'immoler les victimes pascales au profit de ceux qui n'avaient pas la pureté requise pour les consacrer à Yahvé. [18]En effet, la majorité du peuple, beaucoup d'Éphraïmites, de Manassites, de fils d'Issachar et de Zabulon, ne s'étaient pas purifiés ; ils avaient mangé la Pâque sans se conformer à l'Écriture. Mais Ézéchias pria pour eux ; il dit : « Que Yahvé dans sa bonté couvre la faute de [19]quiconque s'est disposé de cœur à chercher Dieu, Yahvé, le Dieu de leurs pères, même s'il n'a pas la pureté requise pour les choses saintes ! » [20]Yahvé exauça Ézéchias et laissa le peuple sain et sauf.

[21]Les Israélites qui se trouvaient à Jérusalem célébrèrent pendant sept jours, et en grande joie, la fête des Azymes, tandis que les lévites et les prêtres louaient chaque jour Yahvé de toutes leurs forces. [22]Ézéchias encouragea les lévites qui avaient tous l'intelligence des choses de Yahvé, et pendant sept jours ils prirent part au festin de la solennité, célébrant les sacrifices de communion et louant Yahvé, le

Dieu de leurs pères. ²³Puis toute l'assemblée fut d'avis de célébrer sept autres jours de fête et ils en firent sept jours de joie. ²⁴Car Ézéchias, roi de Juda, avait fait un prélèvement de mille taureaux et de sept mille moutons pour l'assemblée, et les officiers un autre de mille taureaux et de dix mille moutons. Les prêtres se sanctifièrent en masse, ²⁵et toute l'assemblée des Judéens se réjouit, ainsi que les prêtres, les lévites, toute l'assemblée venue d'Israël, les réfugiés venus du pays d'Israël aussi bien que ceux qui habitaient en Juda. ²⁶Il y eut grande joie à Jérusalem, car depuis les jours de Salomon, fils de David, roi d'Israël, rien de semblable ne s'était produit à Jérusalem. ²⁷Les prêtres lévites se mirent à bénir le peuple. Leur voix fut entendue et leur prière reçue en Sa demeure sainte des cieux.

Réforme du culte. ‖ 2 R 18 4.

31 ¹Quand tout cela fut terminé, tous les Israélites qui se trouvaient là allèrent dans les villes de Juda briser les stèles, couper les pieux sacrés, saccager les hauts lieux et les autels pour en débarrasser entièrement tout Juda, Benjamin, Éphraïm et Manassé. Puis tous les Israélites retournèrent dans leurs villes, chacun dans son patrimoine.

Restauration du clergé. Cf. 2 Ch 8 12-14.

²Ézéchias rétablit les classes sacerdotales et lévitiques, chacun dans sa classe, selon son service, qu'il fût prêtre ou lévite, qu'il s'agît d'holocaustes, de sacrifices de communion, de service liturgique, d'action de grâces ou d'hymne, – dans les portes du camp de Yahvé. ³Le roi prit une part sur ses biens pour les holocaustes, holocaustes du matin et du soir, holocaustes des sabbats, des néoménies et des solennités, comme il est écrit dans la Loi de Yahvé. ⁴Puis il dit au peuple, aux habitants de Jérusalem, de livrer la part des prêtres et des lévites afin qu'ils puissent observer la Loi de Yahvé. ⁵Dès qu'on eut répandu cette parole, les Israélites accumulèrent les prémices du froment, du vin, de l'huile, du miel et de tous les produits agricoles, et ils apportèrent une large dîme de tout. ⁶Les Israélites et les Judéens, qui habitaient les cités judéennes, apportèrent eux aussi la dîme du gros et du petit bétail et la dîme des choses saintes consacrées à Yahvé ; ils les apportèrent, tas après tas. ⁷C'est au troisième mois qu'ils commencèrent à faire ces tas et ils les achevèrent le septième. ⁸Ézéchias et les officiers vinrent voir les tas et bénirent Yahvé et Israël, son peuple. ⁹Ézéchias interrogea à ce sujet les prêtres et les lévites. ¹⁰C'est Azaryahu, de la maison de Sadoq, et premier prêtre, qui lui répondit : « Dès les premiers prélèvements apportés au Temple de Yahvé, dit-il, on a pu manger, se rassasier, et avoir même de larges excédents, car Yahvé a béni son peuple ; ce qui reste, c'est cette masse-ci. »

¹¹Ézéchias ordonna de mettre en état des pièces dans le Temple de Yahvé. On le fit ¹²et l'on apporta fidèlement les prélèvements, les dîmes et les choses consacrées. Le lévite Konanyahu en fut le chef res-

ponsable avec son frère Shiméï pour second. ¹³Yehiel, Azazyahu, Nahat, Asahel, Yerimot, Yozabad, Éliel, Yismakyahu, Mahat et Benayahu en étaient les surveillants sous les ordres de Konanyahu et de son frère Shiméï, sous le gouvernement du roi Ézéchias et d'Azaryahu, chef du Temple de Dieu. ¹⁴Qoré, fils de Yimna le lévite, gardien de la porte orientale, avait la charge des offrandes volontaires faites à Dieu ; il fournissait le prélèvement de Yahvé et les choses très saintes. ¹⁵Éden, Minyamîn, Yéshua, Shemayahu, Amaryahu et Shekanyahu l'assistaient fidèlement dans les villes sacerdotales pour faire les distributions à leurs frères répartis en classes, autant au grand qu'au petit, ¹⁶et, sans tenir compte de leur enregistrement, aux hommes à partir de l'âge de trois ans et plus, à tous ceux qui allaient au Temple de Yahvé, selon le rituel quotidien, assurer le service de leurs fonctions, selon leurs classes. ¹⁷Les prêtres furent enregistrés par familles et les lévites, âgés de vingt ans et plus, selon leurs fonctions et leurs classes. ¹⁸Ils furent enregistrés avec toutes les personnes à leur charge, femmes, fils et filles, toute l'assemblée, car ils devaient se sanctifier avec fidélité. ¹⁹Pour les prêtres, fils d'Aaron, qui se trouvaient dans les terrains de pâturage de leurs villes et dans chaque ville, il y eut des hommes inscrits nominativement pour faire les répartitions à tout mâle parmi les prêtres et à tous ceux qui étaient enregistrés parmi les lévites.

²⁰C'est ainsi qu'agit Ézéchias en tout Juda. Il fit ce qui était bon, juste et loyal devant Yahvé, son Dieu. ²¹Tout ce qu'il entreprit au service du Temple de Dieu, au sujet de la Loi et des commandements, il le fit en cherchant Dieu de tout son cœur, et il réussit.

L'invasion de Sennachérib.

|| 2 R **18** 13.

32 ¹Après ces actes de loyauté eut lieu l'invasion de Sennachérib, roi d'Assyrie. Il envahit Juda, campa devant les villes fortes et ordonna de lui en forcer les murs. ²Ézéchias, observant que Sennachérib, en arrivant, se proposait d'attaquer Jérusalem, ³décida avec ses officiers et ses preux d'obstruer les eaux des sources qui se trouvaient à l'extérieur de la ville. Ceux-ci lui prêtèrent leur concours ⁴et beaucoup de gens se groupèrent pour obstruer toutes les sources ainsi que le cours d'eau qui coulait dans les terres : « Pourquoi, disaient-ils, les rois d'Assyrie trouveraient-ils à leur arrivée des eaux abondantes ? » ⁵Ézéchias se fortifia : il fit maçonner toutes les brèches de la muraille qu'il surmonta de tours et pourvut d'un second mur à l'extérieur, répara le Millo de la Cité de David, et fabriqua quantité d'armes de jet et de boucliers. ⁶Puis il mit des généraux à la tête du peuple, les réunit près de lui sur la place de la porte de la cité et les encouragea en ces termes : ⁷« Soyez fermes et tenez bon ; ne craignez pas, ne tremblez pas devant le roi d'Assur et devant toute la foule qui l'accompagne, car Ce qui est avec nous est plus puissant que ce qui est avec lui. ⁸Avec lui il n'y a qu'un bras de chair, mais avec nous il y a Yahvé, notre Dieu, qui nous secourt et combat nos combats. » Le peuple fut réconforté par les paroles d'Ézéchias, roi de Juda.

Paroles impies de Sennachérib.

|| 2 R **18** 17-37. || Is **36** 1-22.

⁹Après cela Sennachérib, roi d'Assyrie, tandis qu'il se trouvait lui-même devant Lakish avec toutes ses forces, envoya ses serviteurs à Jérusalem, à Ézéchias, roi de Juda, et à tous les Judéens qui se trouvaient à Jérusalem. Ils dirent : ¹⁰« Ainsi parle Sennachérib, roi d'Assyrie : Sur quoi repose votre confiance pour demeurer ainsi dans Jérusalem assiégée ? ¹¹Ézéchias ne vous abuse-t-il pas, ne vous livre-t-il pas à la mort, par la faim et par la soif, quand il dit : "Yahvé notre Dieu nous délivrera de la main du roi d'Assyrie" ? ¹²N'est-ce pas cet Ézéchias qui a supprimé ses hauts lieux et ses autels et qui a déclaré à Juda et à Jérusalem : "C'est devant un seul autel que vous vous prosternerez et sur lui que vous ferez monter l'encens" ? ¹³Ne savez-vous pas ce que moi-même et mes pères nous avons fait à tous les peuples des pays ? Les dieux des nations de ces pays ont-ils pu les délivrer de ma main ? ¹⁴Parmi tous les dieux des nations que mes pères ont vouées à l'anathème, quel est celui qui a pu délivrer son peuple de ma main ? Votre dieu pourrait-il alors vous délivrer de ma main ? ¹⁵Et maintenant, qu'Ézéchias ne vous leurre pas ! Qu'il ne vous abuse pas ainsi ! Ne le croyez pas, car aucun dieu d'aucune nation ni d'aucun royaume ne peut délivrer son peuple de ma main pas plus que de celle de mes pères ; vos

dieux ne vous délivreront pas davantage de ma main. »

|| 2 R **19** 9-13. || Is **37** 9-13.

¹⁶Ses serviteurs parlaient encore contre Yahvé Dieu et son serviteur Ézéchias, ¹⁷quand Sennachérib écrivit une lettre pour insulter Yahvé, Dieu d'Israël ; il en parlait ainsi : « Pas plus que les dieux des nations des pays n'ont délivré leurs peuples de ma main, le dieu d'Ézéchias n'en délivrera son peuple. » ¹⁸Ils s'adressaient en criant, en judéen, au peuple de Jérusalem qui se trouvait sur les murs, pour l'effrayer et le bouleverser et par suite capturer la ville ; ¹⁹ils parlaient du Dieu de Jérusalem comme de l'un des dieux des peuples de la terre, œuvre de mains humaines.

Succès de la prière d'Ézéchias.

|| 2 R **19** 15, 35-37 ; **20** 12. || Is **37** 15, 36-38.

²⁰Dans cette situation, le roi Ézéchias et le prophète Isaïe, fils d'Amoç, prièrent et implorèrent le ciel. ²¹Yahvé envoya un ange qui extermina tous les vaillants preux, les capitaines et les officiers, dans le camp du roi d'Assyrie ; celui-ci s'en retourna, le visage couvert de honte, dans son pays ; puis il entra dans le temple de son dieu où quelques-uns de ses enfants le frappèrent de l'épée. ²²Ainsi Yahvé sauva Ézéchias et les habitants de Jérusalem de la main de Sennachérib, roi d'Assyrie, et de la main de tous les autres. Il les protégea sur toutes leurs frontières. ²³Beaucoup apportèrent à Jérusalem une oblation à Yahvé et des présents à Ézéchias roi de Juda qui, à la suite de ces événements, acquit du prestige aux yeux de toutes les nations.

|| 2 R **20** 1s, 12-19. || Is **38** 1 s ; **39** 1-8.

²⁴En ces jours-là, Ézéchias tomba malade et fut sur le point de mourir. Il pria Dieu qui lui parla et lui accorda un miracle. ²⁵Mais Ézéchias ne répondit pas au bienfait reçu, son cœur s'enorgueillit et la Colère s'appesantit sur lui, sur Juda et sur Jérusalem. ²⁶Toutefois Ézéchias s'humilia de l'orgueil de son cœur, ainsi que les habitants de Jérusalem : la colère de Yahvé cessa de s'appesantir sur eux du vivant d'Ézéchias. ²⁷Ézéchias eut pléthore de richesses et de gloire. Il se constitua des trésors en or, argent, pierres précieuses, onguents, boucliers et toutes sortes d'objets précieux. ²⁸Il eut des entrepôts pour les rentrées de blé, de vin et d'huile, des étables pour les différentes espèces de son bétail, et des parcs pour ses troupeaux. ²⁹Il se fit des villes et un cheptel abondant en gros et en petit bétail. Dieu lui avait vraiment donné pléthore de biens.

Résumé du règne, mort d'Ézéchias. || 2 R **20** 20-21.

³⁰C'est Ézéchias qui obstrua l'issue supérieure des eaux du Gihôn et les dirigea vers le bas de la Cité de David, à l'ouest. Ézéchias réussit dans toutes ses entreprises. ³¹Et même avec les interprètes des officiers babyloniens envoyés près de lui pour enquêter sur le miracle qui avait eu lieu dans le pays, c'est pour l'éprouver que Dieu l'abandonna, et pour connaître le fond de son cœur. ³²Le reste de l'histoire d'Ézéchias, les témoignages de sa piété et de ses travaux, se trouvent écrits dans la vision du prophète Isaïe, fils d'Amoç, au livre des rois de Juda et d'Israël. ³³Ézéchias se coucha avec ses pères et on l'enterra sur la montée des tombeaux des fils de David. À sa mort, tous les Judéens et les habitants de Jérusalem lui rendirent honneur. Son fils Manassé régna à sa place.

III. IMPIÉTÉ DE MANASSÉ ET D'AMON

Manassé détruit l'œuvre d'Ézéchias. || 2 R **21** 1-18.

33 ¹Manassé avait douze ans à son avènement et il régna cinquante-cinq ans à Jérusalem. ²Il fit ce qui déplaît à Yahvé, imitant les abominations des nations que Yahvé avait chassées devant les Israélites. ³Il rebâtit les hauts lieux qu'avaient détruits Ézéchias son père, il éleva des autels aux Baals et fabriqua des pieux sacrés, il se prosterna devant toute l'armée du ciel et lui rendit un culte. ⁴Il construisit des autels dans le Temple de Yahvé, dont Yahvé avait dit : « C'est à Jérusalem que mon Nom sera à jamais. »

⁵Il construisit des autels à toute l'armée du ciel dans les deux cours du Temple de Yahvé. ⁶C'est lui qui fit passer ses enfants par le feu dans la vallée des fils de Hinnom. Il pratiqua les incantations, la divination et la magie, installa des nécromants et des devins, et multiplia les actions que Yahvé regarde comme mauvaises, provoquant ainsi sa co-

lère. [7]Il plaça l'idole, qu'il avait fait sculpter, dans le Temple de Dieu, dont Dieu avait dit à David et à son fils Salomon : « Dans ce Temple et dans Jérusalem, la ville que j'ai choisie entre toutes les tribus d'Israël, je placerai mon Nom à jamais. [8]Je ne détournerai plus les pas des Israélites de la terre où j'ai établi vos pères, pourvu qu'ils veillent à pratiquer tout ce que je leur ai commandé selon toute la Loi, les prescriptions et les coutumes transmises par Moïse. » [9]Mais Manassé égara les Judéens et les habitants de Jérusalem, au point qu'ils agirent encore plus mal que les nations que Yahvé avait exterminées devant les Israélites. [10]Yahvé parla à Manassé et à son peuple, mais ils ne prêtèrent pas l'oreille.

Captivité et conversion.

[11]Alors Yahvé fit venir contre eux les généraux du roi d'Assyrie qui capturèrent Manassé avec des crocs, le mirent aux fers et l'emmenèrent à Babylone. [12]À l'occasion de cette épreuve, il chercha à apaiser Yahvé, son Dieu, il s'humilia profondément devant le Dieu de ses pères ; [13]il le pria et lui se laissa fléchir. Il entendit sa supplication et le réintégra dans sa royauté, à Jérusalem. Manassé reconnut que c'est Yahvé qui est Dieu. [14]Après quoi, il restaura la muraille extérieure de la Cité de David, à l'ouest du Gihôn situé dans le ravin, jusqu'à la porte des Poissons ; elle entoura l'Ophel et il la suréleva beaucoup. Il mit des généraux dans toutes les villes fortifiées de Juda. [15]Il écarta alors du Temple de Yahvé les dieux de l'étranger et la statue, ainsi que tous les autels qu'il avait construits sur la montagne du Temple et dans Jérusalem ; il les jeta hors de la ville. [16]Il rétablit l'autel de Yahvé, y offrit des sacrifices de communion et de louange et ordonna aux Judéens de servir Yahvé, Dieu d'Israël ; [17]mais le peuple continuait de sacrifier sur les hauts lieux, bien qu'à Yahvé son Dieu.

‖ 2 R **21** 17-18.

[18]Le reste de l'histoire de Manassé, la prière qu'il fit à son Dieu et les paroles des voyants qui s'adressèrent à lui au nom de Yahvé, Dieu d'Israël, se trouvent dans les Actes des rois d'Israël. [19]Sa prière et son exaucement, tous ses péchés et son impiété, les endroits où il avait construit des hauts lieux et dressé des pieux sacrés et des idoles avant de s'être humilié, sont consignés dans l'histoire de Hozaï. [20]Manassé se coucha avec ses pères et on l'enterra dans son palais. Son fils Amon régna à sa place.

Endurcissement d'Amon. ‖ 2 R **21** 19-26.

[21]Amon avait vingt-deux ans à son avènement et il régna deux ans à Jérusalem. [22]Il fit ce qui déplaît à Yahvé, comme avait fait son père Manassé. Amon sacrifia et rendit un culte à toutes les idoles qu'avait faites son père Manassé. [23]Il ne s'humilia pas devant Yahvé comme s'était humilié son père Manassé ; au contraire, lui, Amon, se rendit gravement coupable. [24]Ses serviteurs complotèrent contre lui et ils le tuèrent dans son palais ; [25]mais le peuple du pays frappa tous ceux qui avaient conspiré contre Amon et proclama roi à sa place son fils Josias.

IV. LA RÉFORME DE JOSIAS

Aperçu sur le règne. || 2 R 22 1-2.

34 ¹Josias avait huit ans à son avènement et il régna trente et un ans à Jérusalem. ²Il fit ce qui est agréable à Yahvé et suivit la conduite de son ancêtre David sans en dévier ni à droite ni à gauche.

Premières réformes. || 2 R 23 4-20.

³La huitième année de son règne, n'étant encore qu'un jeune homme, il commença à rechercher le Dieu de David son ancêtre. La douzième année de son règne, il commença à purifier Juda et Jérusalem des hauts lieux, des pieux sacrés, des idoles sculptées et fondues. ⁴On démolit devant lui les autels des Baals, il arracha les autels à encens qui étaient placés sur eux, il brisa les pieux sacrés, les idoles sculptées et fondues, et les réduisit en une poussière qu'il répandit sur les tombeaux de ceux qui leur avaient offert des sacrifices. ⁵Il brûla les ossements des prêtres sur leurs autels et purifia ainsi Juda et Jérusalem. ⁶Dans les villes de Manassé, d'Éphraïm, de Siméon, et même de Nephtali, et dans les territoires saccagés qui les entouraient, ⁷il démolit les autels, les pieux sacrés, brisa et pulvérisa les idoles, il abattit les autels à encens dans tout le pays d'Israël, puis il revint à Jérusalem.

Les travaux du Temple. || 2 R 22 3-7.

⁸La dix-huitième année de son règne, dans le but de purifier le pays et le Temple, il envoya Shaphân, fils d'Açalyahu, Maaséyahu, gouverneur de la ville, et Yoah, fils de Yoahaz le héraut, pour réparer le Temple de Yahvé son Dieu. ⁹Ils allèrent remettre à Hilqiyyahu, le grand prêtre, l'argent qui avait été apporté au Temple de Dieu et que les lévites gardiens du seuil avaient recueilli : l'argent provenant de Manassé, d'Éphraïm, de tout le reste d'Israël, ainsi que de tous les Judéens et Benjaminites qui habitaient Jérusalem. ¹⁰Ils le remirent aux maîtres d'œuvre attachés au Temple de Yahvé et ceux-ci l'utilisèrent pour les travaux de restauration et de réparation du Temple. ¹¹Ils en donnèrent aux charpentiers et aux ouvriers du bâtiment pour acheter les pierres de taille et le bois nécessaire au chaînage et aux charpentes des bâtiments qu'avaient endommagés les rois de Juda.

¹²Ces hommes travaillèrent avec fidélité à cette œuvre ; ils étaient sous la surveillance de Yahat et de Obadyahu, lévites des fils de Merari, de Zekarya et de Meshullam, Qehatites contremaîtres, des lévites experts dans les instruments d'accompagnement du chant, ¹³de ceux qui étaient à la tête des transporteurs et de ceux qui dirigeaient tous les maîtres d'œuvre de chaque service, et enfin de quelques lévites, scribes, greffiers et portiers.

Découverte de la Loi. || 2 R 22 8-13.

¹⁴Quand on retira l'argent déposé au Temple de Yahvé, le prêtre Hilqiyyahu trouva le livre de la Loi de Yahvé transmise par Moïse. ¹⁵Hilqiyyahu prit la parole

et dit au secrétaire Shaphân : « J'ai trouvé le livre de la Loi dans le Temple de Yahvé. » Et Hilqiyyahu donna le livre à Shaphân. [16]Shaphân remit le livre au roi et lui rapporta encore ceci : « Tout ce qui a été confié à tes serviteurs, ils l'exécutent, [17]ils ont fondu l'argent qui se trouvait dans le Temple de Yahvé et l'ont remis aux mains des subordonnés et des maîtres d'œuvre. » [18]Puis le secrétaire Shaphân annonça au roi : « Le prêtre Hilqiyyahu m'a donné un livre » ; et Shaphân y fit une lecture au roi.

[19]En entendant les paroles de la Loi, le roi déchira ses vêtements. [20]Il donna cet ordre à Hilqiyyahu, à Ahiqam fils de Shaphân, à Abdôn fils de Mika, au secrétaire Shaphân et à Asaya, ministre du roi : [21]« Allez consulter Yahvé pour moi et pour ce qui reste d'Israël et de Juda, à propos des paroles du livre qui vient d'être trouvé. Grande doit être la colère de Yahvé qui s'est répandue sur nous parce que nos pères n'ont pas observé la parole de Yahvé en pratiquant tout ce qui est écrit dans ce livre. »

L'oracle de la prophétesse.
|| 2 R **22** 14-20.

[22]Hilqiyyahu et les gens du roi se rendirent auprès de la prophétesse Hulda, femme de Shallum, fils de Toqhat, fils de Hasra, le gardien des vêtements ; elle habitait à Jérusalem dans la ville neuve. Ils lui parlèrent en ce sens [23]et elle répondit : « Ainsi parle Yahvé, Dieu d'Israël. Dites à l'homme qui vous a envoyés vers moi : [24]Ainsi parle Yahvé. Je vais amener le malheur sur ce lieu et sur ses habitants, tou-

tes les malédictions écrites dans le livre qu'on a lu devant le roi de Juda, [25]parce qu'ils m'ont abandonné et qu'ils ont sacrifié à d'autres dieux pour m'irriter par toutes leurs actions. Ma colère s'est enflammée contre ce lieu, elle ne s'éteindra pas. [26]Et vous direz au roi de Juda qui vous a envoyés pour consulter Yahvé : Ainsi parle Yahvé, Dieu d'Israël : les paroles que tu as entendues... [27]Mais parce que ton cœur a été touché et que tu t'es humilié devant Dieu en entendant les paroles qu'il a prononcées contre ce lieu et ses habitants, parce que tu t'es humilié, que tu as déchiré tes vêtements et que tu as pleuré devant moi, moi aussi je t'ai entendu, oracle de Yahvé. [28]Voici que je te réunirai à tes pères, tu seras recueilli en paix dans ton sépulcre, tes yeux ne verront pas tous les malheurs que je fais venir sur ce lieu et sur ses habitants. » Ils portèrent la réponse au roi.

Renouvellement de l'alliance.
|| 2 R **23** 1-3.

[29]Alors le roi fit convoquer tous les anciens de Juda et de Jérusalem, [30]et le roi monta au Temple de Yahvé avec tous les hommes de Juda, les habitants de Jérusalem, les prêtres, les lévites et tout le peuple, du plus grand au plus petit. Il lut devant eux tout le contenu du livre de l'alliance trouvé dans le Temple de Yahvé. [31]Le roi était debout à son poste, et il conclut devant Yahvé l'alliance qui l'obligeait à suivre Yahvé, à garder ses commandements, ses instructions et ses lois, de tout son cœur et de toute son âme, et à mettre en pratique les clauses de l'alliance écrites dans ce

livre. [32]Il y fit adhérer quiconque se trouvait à Jérusalem ou dans Benjamin, et les habitants de Jérusalem se conformèrent à l'alliance de Dieu, le Dieu de leurs pères. [33]Josias enleva toute chose abominable de tous les territoires appartenant aux Israélites. Pendant toute sa vie, il mit au service de Yahvé leur Dieu quiconque se trouvait en Israël. Ils ne s'écartèrent pas de Yahvé, le Dieu de leurs pères.

Préparation de la Pâque. ‖ 2 R 23 21.

35 [1]Josias célébra alors à Jérusalem une Pâque pour Yahvé et on immola la Pâque le quatorzième jour du premier mois.

[2]Josias rétablit les prêtres dans leurs offices et les mit en mesure de vaquer au service du Temple de Yahvé. [3]Puis il dit aux lévites, eux qui avaient l'intelligence pour tout Israël et qui étaient consacrés à Yahvé : « Déposez l'arche sainte dans le Temple qu'a bâti Salomon, fils de David, roi d'Israël. Ce n'est plus un fardeau pour vos épaules. Servez maintenant Yahvé votre Dieu et Israël son peuple. [4]Disposez-vous par familles selon vos classes, comme l'a fixé par écrit David, roi d'Israël, et libellé son fils Salomon. [5]Tenez-vous dans le sanctuaire, à la disposition des fractions des familles, à la disposition de vos frères laïcs ; les lévites auront une part dans la famille. [6]Immolez la Pâque, sanctifiez-vous, et soyez à la disposition de vos frères en agissant selon la parole de Yahvé transmise par Moïse. »

La solennité.

[7]Josias préleva alors pour les laïcs du petit bétail, des agneaux et des chevreaux, au nombre de trente mille, toutes victimes pascales pour tous ceux qui se trouvaient là, plus trois mille bœufs. Ce bétail était pris sur les biens du roi. [8]Ses officiers firent aussi un prélèvement en offrande volontaire pour le peuple, pour les prêtres et les lévites. Hilqiyyahu, Zekaryahu et Yehiel, chefs du Temple de Dieu, donnèrent aux prêtres, en victimes pascales, deux mille six cents têtes de petit bétail et trois cents bœufs. [9]Les officiers des lévites Konanyahu, Shemayahu et Netaneel son frère, Hashabyahu, Yeïel et Yozabad prélevèrent pour les lévites, comme victimes pascales, cinq mille têtes de petit bétail et cinq cents bœufs. [10]L'ordre de la liturgie fut fixé, les prêtres à leur place et les lévites selon leurs classes, conformément aux prescriptions royales. [11]Ils immolèrent la Pâque ; les prêtres répandirent le sang qu'ils recevaient des mains des lévites, et les lévites dépecèrent les victimes. [12]Ils mirent à part l'holocauste pour le donner aux fractions des familles du peuple qui devaient faire une offrande à Yahvé, comme il est écrit dans le livre de Moïse ; il en fut de même pour le gros bétail. [13]Ils cuirent au feu la Pâque selon la règle, et cuirent les mets sacrés dans des terrines, des marmites et des plats creux qu'ils portèrent en hâte à tout le peuple. [14]Après quoi ils préparèrent la Pâque pour eux-mêmes et pour les prêtres – les prêtres, fils d'Aaron, ayant été occupés jusqu'à la nuit à offrir l'holocauste et les graisses ; c'est pourquoi les lévites préparèrent la Pâque pour eux-mêmes et pour les prêtres, fils d'Aaron. [15]Les

chantres, fils d'Asaph, étaient à leur poste, selon les prescriptions de David ; ni Asaph, ni Hémân, ni Yedutûn le voyant du roi, ni les portiers à chaque porte, n'eurent à quitter leur service, car leurs frères lévites leur préparèrent tout.

16 C'est ainsi que toute la liturgie de Yahvé fut, ce jour-là, organisée de manière à célébrer la Pâque et à offrir des holocaustes sur l'autel de Yahvé selon les prescriptions du roi Josias. 17 C'est à ce moment que les Israélites présents célébrèrent la Pâque et pendant sept jours la fête des Azymes.

‖ 2 R 23 22.

18 On n'avait pas célébré une Pâque comme celle-là en Israël depuis l'époque de Samuel le prophète ; aucun roi d'Israël n'avait célébré une Pâque semblable à celle que célébra Josias avec les prêtres, les lévites, tous les Judéens et Israélites présents, et les habitants de Jérusalem.

Fin tragique du règne. ‖ 2 R 23 23, 29-30.

19 C'est la dix-huitième année du règne de Josias que cette Pâque fut célébrée. 20 Après tout ce que fit Josias pour remettre en ordre le Temple, Neko, roi d'Égypte, monta combattre à Karkémish sur l'Euphrate. Josias s'étant porté à sa rencontre, 21 il lui envoya des messagers pour lui dire : « Qu'ai-je à faire avec toi, roi de Juda ? Ce n'est pas toi que je viens attaquer aujourd'hui, mais c'est une autre maison que j'ai à combattre, et Dieu m'a dit de me hâter. Laisse donc faire Dieu qui est avec moi, de peur qu'il ne cause ta perte. » 22 Mais Josias ne renonça pas à l'affronter, car il se déguisa pour le combattre et n'écouta pas ce que lui disait Neko au nom de Dieu. Il livra bataille dans la trouée de Megiddo ; 23 les archers tirèrent sur le roi Josias et le roi dit à ses serviteurs : « Emportez-moi, car je me sens très mal. » 24 Ses serviteurs le tirèrent hors de son char, le firent monter sur un autre de ses chars et le ramenèrent à Jérusalem où il mourut. On l'enterra dans les sépultures de ses pères. Tout Juda et Jérusalem firent un deuil pour Josias ; 25 Jérémie composa une lamentation sur Josias, que tous les chanteurs et chanteuses récitent encore aujourd'hui dans leurs lamentations sur Josias ; on en a fait une règle en Israël, et on trouve ces chants consignés dans les Lamentations.

26 Le reste de l'histoire de Josias, les témoignages de sa piété, conformes à tout ce qui est écrit dans la loi de Yahvé, 27 son histoire, du début à la fin, tout cela est écrit dans le livre des Rois d'Israël et de Juda.

V. SITUATION D'ISRAËL À LA FIN DE LA MONARCHIE

Joachaz. ‖ 2 R 23 30-34.

36 1 Le peuple du pays prit Joachaz, fils de Josias, et on le fit roi à la place de son père à Jérusalem. 2 Joachaz avait vingt-trois ans à son avènement et il régna trois mois à Jérusalem. 3 Le roi d'Égypte l'enleva de Jérusalem et imposa au pays une contribution de cent talents d'argent et d'un talent d'or. [4]Puis le roi d'Égypte établit son frère Élyaqim comme roi sur Juda et Jérusalem, et il changea son nom en celui de Joiaqim. Quant à Joachaz, son frère, Neko le prit et l'emmena en Égypte.

Joiaqim. ‖ 2 R 23 36-37 ; 24 1 s, 5.

[5]Joiaqim avait vingt-cinq ans à son avènement et il régna onze ans à Jérusalem ; il fit ce qui déplaît à Yahvé, son Dieu. [6]Nabuchodonosor, roi de Babylone, fit campagne contre lui et le mit aux fers pour l'emmener à Babylone. [7]Nabuchodonosor emporta aussi à Babylone une partie du mobilier du Temple de Yahvé et le déposa dans son palais de Babylone. [8]Le reste de l'histoire de Joiaqim, les abominations qu'il commit et ce qui a été relevé contre lui, cela est écrit dans le livre des Rois d'Israël et de Juda. Joiakîn son fils régna à sa place.

Joiakîn. ‖ 2 R 24 8-17.

[9]Joiakîn avait huit ans à son avènement et il régna trois mois et dix jours à Jérusalem ; il fit ce qui déplaît à Yahvé. [10]Au retour de l'année, le roi Nabuchodonosor l'envoya chercher et le fit conduire à Babylone avec le mobilier précieux du Temple de Yahvé, et il établit Sédécias son frère comme roi sur Juda et Jérusalem.

Sédécias. ‖ 2 R 24 18-20. ‖ Jr 52 1-3.

[11]Sédécias avait vingt et un ans à son avènement et il régna onze ans à Jérusalem. [12]Il fit ce qui déplaît à Yahvé, son Dieu. Il ne s'humilia pas devant le prophète Jéré-

mie venu sur l'ordre de Yahvé. [13]Il se révolta en outre contre le roi Nabuchodonosor auquel il avait prêté serment par Dieu. Il raidit sa nuque et endurcit son cœur au lieu de revenir à Yahvé, le Dieu d'Israël.

La nation.

[14]De plus, tous les chefs des prêtres et le peuple multiplièrent les infidélités, imitant toutes les abominations des nations, et souillèrent le Temple que Yahvé s'était consacré à Jérusalem. [15]Yahvé, le Dieu de leurs pères, leur envoya sans se lasser des messagers, car il voulait épargner son peuple et sa Demeure. [16]Mais ils tournaient en dérision les envoyés de Dieu, ils méprisaient ses paroles, ils se moquaient de ses prophètes, tant qu'enfin la colère de Yahvé contre son peuple fut telle qu'il n'y eut plus de remède.

La ruine.

[17]Il fit monter contre eux le roi des Chaldéens qui passa au fil de l'épée leurs jeunes guerriers dans leur sanctuaire et n'épargna ni le jeune homme, ni la jeune fille, ni le vieillard, ni l'homme à la tête chenue. Dieu les livra tous entre ses mains.

‖ 2 R 25 14, 9s.

[18]Tous les objets du Temple de Dieu, grands et petits, les trésors du Temple de Yahvé, les trésors du roi et de ses officiers, il emporta le tout à Babylone. [19]On brûla le Temple de Dieu, on abattit les murailles de Jérusalem, on incendia tous ses palais et l'on détruisit tous ses objets précieux. [20]Puis Nabuchodonosor déporta à Babylone le reste échappé à l'épée ; ils durent

le servir ainsi que ses fils jusqu'à l'établissement du royaume perse, [21]accomplissant ainsi ce que Yahvé avait dit par la bouche de Jérémie : « Jusqu'à ce que le pays ait acquitté ses sabbats, il chômera durant tous les jours de la désolation, jusqu'à ce que soixante-dix ans soient révolus. »

Vers l'avenir. ‖ Esd 1 1-3.

[22]Et la première année de Cyrus, roi de Perse, pour accomplir la parole de Yahvé prononcée par Jérémie, Yahvé éveilla l'esprit de Cyrus, roi de Perse, qui fit proclamer – et même afficher – dans tout son royaume : [23]« Ainsi parle Cyrus, roi de Perse : Yahvé, le Dieu du ciel, m'a remis tous les royaumes de la terre ; c'est lui qui m'a chargé de lui bâtir un Temple à Jérusalem, en Juda. Quiconque, parmi vous, fait partie de tout son peuple, que son Dieu soit avec lui et qu'il monte ! »

Le livre d'Esdras

1. Le retour d'exil et la reconstruction du Temple

Le retour des Sionistes.

1 ¹Or la première année de Cyrus, roi de Perse, pour accomplir la parole de Yahvé prononcée par Jérémie, Yahvé éveilla l'esprit de Cyrus, roi de Perse, qui fit proclamer – et même afficher – dans tout son royaume : ²« Ainsi parle Cyrus, roi de Perse : Yahvé, le Dieu du ciel, m'a remis tous les royaumes de la terre, c'est lui qui m'a chargé de lui bâtir un Temple à Jérusalem, en Juda. ³Quiconque, parmi vous, fait partie de tout son peuple, que son Dieu soit avec lui ! Qu'il monte à Jérusalem, en Juda, et bâtisse le Temple de Yahvé, le Dieu d'Israël – c'est le Dieu qui est à Jérusalem. ⁴Qu'à tous les rescapés, partout, la population des lieux où ils résident apporte une aide en argent, en or, en équipement et en montures, en même temps que des offrandes de dévotion pour le Temple de Dieu qui est à Jérusalem. »

⁵Alors les chefs de famille de Juda et de Benjamin, les prêtres et les lévites, bref tous ceux dont Dieu avait éveillé l'esprit, se levèrent pour aller bâtir le Temple de Yahvé, à Jérusalem ; ⁶et tous leurs voisins leur apportèrent toute sorte d'aide : argent, or, équipement, montures et cadeaux précieux, sans compter toutes les offrandes de dévotion.

⁷Le roi Cyrus fit prendre les ustensiles du Temple de Yahvé que Nabuchodonosor avait apportés de Jérusalem et offerts au temple de son dieu. ⁸Cyrus, roi de Perse, les remit aux mains de Mithridate, le trésorier, qui les dénombra pour Sheshbaççar, le prince de Juda. ⁹Voici leur inventaire : bassins d'or : 30 ; bassins d'argent 1 000, réparés : 29 ; ¹⁰coupes d'or : 30 ; coupes d'argent : 1 000, abîmées : 410 ; autres ustensiles : 1 000. ¹¹Total des ustensiles d'or et d'argent : 5 400. Tout cela, Sheshbaççar le rapporta, quand on fit remonter les exilés de Babylone à Jérusalem.

Liste des Sionistes. ‖ Ne 7 6-72a.

2 ¹Voici les gens de la province qui revinrent de la captivité et de l'exil, ceux que Nabuchodonosor, roi de Babylone, avait déportés à Babylone ; ils retournèrent à Jérusalem et en Juda, chacun dans sa ville. ²Ils arrivèrent avec Zorobabel, Josué, Néhémie, Seraya, Réélaya, Nahamani, Mordokaï, Bilshân, Mispar, Bigvaï, Rehum, Baana.

Liste des hommes du peuple d'Israël : ³les fils de Paréosh : 2 172 ; ⁴les fils de Shephatya : 372 ; ⁵les fils d'Arah : 775 ; ⁶les fils de Pahat-Moab, c'est-à-dire les fils de Josué et de Yoab : 2 812 ; ⁷les fils d'Élam : 1 254 ; ⁸les fils de Zattu : 945 ; ⁹les fils de Zakkaï : 760 ; [10]les fils de Bani : 642 ; [11]les fils de Bébaï : 623 ; [12]les fils de Azgad : 1 222 ; [13]les fils d'Adoniqam : 666 ; [14]les fils de Bigvaï : 2 056 ; [15]les fils de Adîn : 454 ; [16]les fils d'Ater, c'est-à-dire de Yehizqiyya : 98 ; [17]les fils de Béçaï : 323 ; [18]les fils de Yora : 112 ; [19]les fils de Hashum : 223 ; [20]les fils de Gibbar : 95 ; [21]les fils de Bethléem : 123 ; [22]les hommes de Netopha : 56 ; [23]les hommes d'Anatot : 128 ; [24]les fils de Azmavèt : 42 ; [25]les fils de Qiryat-Yéarim, Kephira et Béérot : 743 ; [26]les fils de Rama et Géba : 621 ; [27]les hommes de Mikmas : 122 ; [28]les hommes de Béthel et de Aï : 223 ; [29]les fils de Nebo : 52 ; [30]les fils de Magbish : 156 ; [31]les fils d'un autre Élam : 1 254 ; [32]les fils de Harim : 320 ; [33]les fils de Lod, Hadid et Ono : 725 ; [34]les fils de Jéricho : 345 ; [35]les fils de Senaa : 3 630.

[36]Les prêtres : les fils de Yedaya, c'est-à-dire de la maison de Josué : 973 ; [37]les fils d'Immer : 1 052 ; [38]les fils de Pashehur : 1 247 ; [39]les fils de Harim : 1 017.

[40]Les lévites : les fils de Josué, et Qadmiel, des fils de Hodavya : 74.

[41]Les chantres : les fils d'Asaph : 128.

[42]Les fils des portiers : les fils de Shallum, les fils d'Ater, les fils de Talmôn, les fils de Aqqub, les fils de Hatita, les fils de Shobaï : en tout 139.

[43]Les « donnés » : les fils de Çiha, les fils de Hasupha, les fils de Tabbaot, [44]les fils de Qéros, les fils de Sia, les fils de Padôn, [45]les fils de Lebana, les fils de Hagaba, les fils de Aqqub, [46]les fils de Hagab, les fils de Shamlaï, les fils de Hanân, [47]les fils de Giddel, les fils de Gahar, les fils de Reaya, [48]les fils de Reçîn, les fils de Neqoda, les fils de Gazzam, [49]les fils de Uzza, les fils de Paséah, les fils de Bésaï, [50]les fils d'Asna, les fils des Méûnites, les fils des Nephusites, [51]les fils de Baqbuq, les fils de Haqupha, les fils de Harhur, [52]les fils de Baçlut, les fils de Mehida, les fils de Harsha, [53]les fils de Barqos, les fils de Sisra, les fils de Témah, [54]les fils de Neçiah, les fils de Hatipha.

[55]Les fils des esclaves de Salomon : les fils de Sotaï, les fils de Has-Sophérèt, les fils de Peruda, [56]les fils de Yaala, les fils de Darqôn, les fils de Giddel, [57]les fils de Shephatya, les fils de Hattil, les fils de Pokérèt-ha-Çebayim, les fils de Ami. [58]Total des « donnés » et des fils des esclaves de Salomon : 392.

[59]Quant aux suivants, qui venaient de Tel-Mélah, Tel-Harsha, Kerub, Addân et Immer, ils ne purent faire connaître si leur famille et leur race étaient d'origine israélite : [60]les fils de Delaya, les fils de Tobiyya, les fils de Neqoda : 652. [61]Et parmi les fils des prêtres : les fils de Hobayya, les fils d'Haqqoç, les fils de Barzillaï – celui-ci avait pris pour femme l'une des filles de Barzillaï, le Galaadite, dont il adopta le nom. [62]Ceux-là recherchèrent leurs registres généalogiques mais ne les trouvèrent pas : on les écarta donc du sacerdoce comme impurs [63]et Son Excellence leur interdit de manger des aliments sacrés jusqu'à ce qu'un prêtre se levât pour l'Urim et le Tummim.

[64]L'assemblée tout entière se montait à 42 360 individus, [65]sans compter leurs esclaves et leurs servantes au nombre de 7 337. Ils avaient aussi 200 chanteurs et chanteuses. [66]Leurs chevaux étaient au nombre de 736, leurs mulets au nombre de 245, [67]leurs chameaux au nombre de 435 et leurs ânes au nombre de 6 720.

[68]Un certain nombre de chefs de famille, en arrivant au Temple de Yahvé qui est à Jérusalem, firent des offrandes de dévotion pour le Temple de Dieu, afin qu'on le rétablît en son site. [69]Selon leurs possibilités, ils versèrent au trésor du culte 61 000 drachmes d'or, 5 000 mines d'argent et 100 tuniques sacerdotales.

[70]Prêtres, lévites et une partie du peuple s'installèrent à Jérusalem ; chantres, portiers et « donnés » dans leurs villes, et tous les autres Israélites dans leurs villes.

La reprise du culte. ‖ Ne 7 72b-8 1.

3 [1]Quand arriva le septième mois – les Israélites étant ainsi dans leurs villes – tout le peuple se rassembla comme un seul homme à Jérusalem. [2]Josué, fils de Yoçadaq, avec ses frères les prêtres, et Zorobabel, fils de Shéaltiel, avec ses frères, se mirent à rebâtir l'autel du Dieu d'Israël, pour y offrir des holocaustes, comme il est écrit dans la Loi de Moïse, l'homme de Dieu. [3]On rétablit l'autel en son site – malgré la crainte où l'on était des peuples des pays – et l'on y offrit des holocaustes à Yahvé, holocaustes du matin et du soir ; [4]on célébra la fête des Tentes, comme il est écrit, avec autant d'holocaustes quoti-

diens qu'il est fixé pour chaque jour ; [5]puis, outre l'holocauste perpétuel, on offrit ceux prévus pour les sabbats, néoménies et toutes solennités consacrées à Yahvé, plus ceux que chacun voulait offrir par dévotion à Yahvé. [6]Dès le premier jour du septième mois, on commença à offrir des holocaustes à Yahvé, bien que les fondations du sanctuaire de Yahvé ne fussent pas encore posées.

[7]Puis on donna de l'argent aux tailleurs de pierre et aux charpentiers ; aux Sidoniens et aux Tyriens on remit vivres, boissons et huile, pour qu'ils acheminent par mer jusqu'à Jaffa du bois de cèdre en provenance du Liban, selon l'autorisation accordée par Cyrus, roi de Perse. [8]C'est la seconde année de leur arrivée au Temple de Dieu à Jérusalem, le deuxième mois, que Zorobabel, fils de Shéaltiel, et Josué, fils de Yoçadaq, avec le reste de leurs frères, les prêtres, les lévites et tous les gens rentrés de captivité à Jérusalem, commencèrent l'ouvrage, et ils confièrent aux lévites de vingt ans et au-dessus la direction des travaux du Temple de Yahvé. [9]Josué, ses fils et ses frères, Qadmiel et ses fils, les fils de Hodavya, se mirent donc d'un seul cœur à diriger les travailleurs du chantier, au Temple de Dieu. [10]Quand les bâtisseurs eurent posé les fondations du sanctuaire de Yahvé, les prêtres en costume, avec des trompettes, ainsi que les lévites, fils d'Asaph, avec des cymbales, se présentèrent pour louer Yahvé, selon les prescriptions de David, roi d'Israël ; [11]ils chantèrent à Yahvé louange et action de grâces : « Car il est bon, car

éternel est son amour » pour Israël. Et le peuple tout entier poussait de grandes clameurs en louant Yahvé, parce que le Temple de Yahvé avait ses fondations. [12]Cependant, maints prêtres, maints lévites et chefs de famille, déjà âgés et qui avaient vu le premier Temple, pleuraient très fort tandis qu'on posait les fondations sous leurs yeux, mais beaucoup d'autres élevaient la voix en joyeuses clameurs. [13]Et nul ne pouvait distinguer le bruit des clameurs joyeuses du bruit des lamentations du peuple ; car le peuple poussait d'immenses clameurs dont l'éclat se faisait entendre très loin.

Le dossier antisamaritain : obstruction samaritaine sous Cyrus.

4 [1]Mais lorsque les ennemis de Juda et de Benjamin apprirent que les exilés construisaient un sanctuaire à Yahvé, le Dieu d'Israël, [2]ils s'en vinrent trouver Zorobabel, Josué et les chefs de famille et leur dirent : « Nous voulons bâtir avec vous, car, comme vous, nous cherchons votre Dieu et lui sacrifions depuis le temps d'Asarhaddon, roi d'Assur, qui nous amena ici. » [3]Zorobabel, Josué et les autres chefs de familles israélites leur répondirent : « Il ne convient point que nous bâtissions, vous et nous, un Temple à notre Dieu : C'est à nous seuls de bâtir pour Yahvé le Dieu d'Israël, comme nous l'a prescrit Cyrus, roi de Perse. » [4]Alors le peuple du pays se mit à décourager les gens de Juda et à les effrayer pour qu'ils ne bâtissent plus ; [5]on soudoya contre eux des conseillers pour faire échouer leur plan, pendant tout le temps de Cy-

rus, roi de Perse, jusqu'au règne de Darius, roi de Perse.

Obstruction samaritaine sous Xerxès et Artaxerxès.

[6]Sous le règne de Xerxès, au début de son règne, ils rédigèrent une plainte contre les habitants de Juda et de Jérusalem.

[7]Au temps d'Artaxerxès, Mithridate, Tabéel et leurs autres collègues écrivirent contre Jérusalem à Artaxerxès, roi de Perse. Le texte du document était d'écriture araméenne et de langue araméenne. [8]Puis Rehum, gouverneur, et Shimshaï, secrétaire, écrivirent au roi Artaxerxès, contre Jérusalem, la lettre qui suit – [9]Rehum, le gouverneur, Shimshaï, le secrétaire et leurs autres collègues ; les juges et les légats, fonctionnaires perses ; les gens d'Uruk, de Babylone et de Suse – c'est-à-dire les Élamites – [10]et les autres peuples que le grand et illustre Assurbanipal a déportés et établis dans les villes de Samarie et dans le reste de la Transeuphratène.

[11]Voici la copie de la lettre qu'ils lui envoyèrent : « Au roi Artaxerxès, tes serviteurs, les gens de Transeuphratène :

Maintenant donc [12]le roi doit être informé que les Juifs, montés de chez toi vers nous, et venus à Jérusalem, sont en train de rebâtir la ville rebelle et perverse ; ils commencent à restaurer les remparts et ils creusent les fondations. [13]Maintenant le roi doit être informé que si cette ville est rebâtie et les remparts restaurés, on ne paiera plus impôts, contributions ni droits de passage, et qu'en fin de compte mon roi sera lésé. [14]Maintenant, mangeant le sel du palais, il ne nous paraît pas décent de voir cet affront fait au roi ; aussi envoyons-nous au roi ces informations [15]pour qu'on fasse des recherches dans les Mémoriaux de tes pères : dans ces Mémoriaux, tu trouveras et constateras que cette ville est une ville rebelle, néfaste aux rois et aux provinces, et qu'on y a fomenté des séditions depuis les temps anciens. C'est pourquoi cette ville fut détruite. [16]Nous informons le roi que si cette ville est rebâtie et ses remparts relevés, tu n'auras bientôt plus de territoires en Transeuphratène ! »

[17]Le roi envoya cette réponse : « À Rehum, gouverneur, à Shimshaï, secrétaire, et à leurs autres collègues, résidant à Samarie et ailleurs, en Transeuphratène, paix !

Maintenant donc [18]le document que vous nous avez envoyé a été, devant moi, lu dans sa traduction. [19]Sur mon ordre, on a fait des recherches et l'on a trouvé que cette ville s'est soulevée contre les rois depuis les temps anciens et que des révoltes et des séditions s'y produisirent. [20]Des rois puissants ont régné à Jérusalem, qui dominèrent toute la Transeuphratène : on leur payait impôt, contributions et droits de passage. [21]Donnez donc l'ordre qu'on interrompe l'entreprise de ces hommes : cette ville ne doit pas être rebâtie tant que je n'aurai rien décidé. [22]Gardez-vous d'agir avec négligence en cette affaire, de peur que le mal n'empire au préjudice des rois. »

[23]Dès que la copie du document du roi Artaxerxès eut été lue devant Rehum, le gouverneur,

Shimshaï, le secrétaire, et leurs collègues, ils partirent en toute hâte pour Jérusalem chez les Juifs et, par la force des armes, arrêtèrent leurs travaux.

La construction du Temple (520-515).

[24]C'est ainsi qu'avaient été arrêtés les travaux pour le Temple de Dieu à Jérusalem : ils demeurèrent interrompus jusqu'à la deuxième année du règne de Darius, roi de Perse.

5 [1]Alors les prophètes Aggée et Zacharie, fils d'Iddo, se mirent à prophétiser pour les Juifs de Juda et de Jérusalem, au nom du Dieu d'Israël qui était sur eux. [2]Sur ce, Zorobabel, fils de Shéaltiel, et Josué, fils de Yoçadaq, se levèrent et commencèrent à bâtir le Temple de Dieu à Jérusalem : les prophètes de Dieu étaient avec eux, leur donnant de l'aide. [3]En ce temps-là, Tattenaï, gouverneur de Transeuphratène, Shetar-Boznaï et leurs collègues vinrent les trouver et leur demandèrent : « Qui vous a donné un permis pour rebâtir ce Temple et restaurer cette charpente ? [4]Comment s'appellent les hommes qui construisent cet édifice ? » [5]Mais les yeux de leur Dieu étaient sur les anciens des Juifs : on ne les força pas à s'arrêter en attendant qu'un rapport parvînt à Darius et que fît retour un acte officiel à propos de cette affaire.

[6]Copie de la lettre que Tattenaï, gouverneur de Transeuphratène, Shetar-Boznaï et ses collègues, les autorités en Transeuphratène, expédièrent au roi Darius. [7]Ils lui adressèrent un rapport dont voici la teneur :

« Au roi Darius, paix entière ! ⁸Le roi doit être informé que nous nous sommes rendus dans le district de Juda, au Temple du grand Dieu : il se rebâtit en blocs de pierre et des poutres sont mises dans les murs ; le travail est activement exécuté et progresse entre leurs mains. ⁹Interrogeant alors ces anciens, nous leur avons dit : "Qui vous a donné un permis pour rebâtir ce Temple et restaurer cette charpente ?" ¹⁰Nous leur avons encore demandé leurs noms pour t'en informer ; nous avons ainsi pu transcrire le nom des hommes qui commandent à ces gens.

¹¹Or ils nous firent cette réponse : "Nous sommes les serviteurs du Dieu du ciel et de la terre ; nous rebâtissons un Temple qui resta debout, jadis, durant bien des années, et qu'un grand roi d'Israël construisit et acheva. ¹²Mais nos pères ayant irrité le Dieu du ciel, il les livra aux mains de Nabuchodonosor le Chaldéen, roi de Babylone, qui détruisit ce Temple et déporta le peuple à Babylone. ¹³Cependant, la première année de Cyrus, roi de Babylone, le roi Cyrus donna l'ordre de rebâtir ce Temple de Dieu ; ¹⁴en outre, les ustensiles d'or et d'argent du Temple de Dieu, dont Nabuchodonosor avait dépouillé le sanctuaire de Jérusalem et qu'il avait transférés en celui de Babylone, le roi Cyrus les fit enlever du sanctuaire de Babylone et remettre à un nommé Sheshbaççar, qu'il institua gouverneur ; ¹⁵il lui dit : "Prends ces ustensiles, va les rapporter au sanctuaire de Jérusalem, et que le Temple de Dieu soit rebâti sur son ancien site" ; ¹⁶ce

Sheshbaççar vint donc, posa les fondations du Temple de Dieu à Jérusalem ; et depuis lors jusqu'à présent, on le construit, sans qu'il soit encore terminé.

¹⁷Maintenant donc, s'il plaît au roi, qu'on recherche dans les trésors du roi, à Babylone, s'il est vrai qu'ordre a été donné par le roi Cyrus de reconstruire ce Temple de Dieu à Jérusalem. Et la décision du roi sur cette affaire, qu'on nous l'envoie ! »

6 ¹Alors, sur l'ordre du roi Darius, on fit des recherches dans les trésors où étaient déposées les archives à Babylone, ²et l'on trouva à Ecbatane, la forteresse sise dans la province des Mèdes, un rouleau dont voici la teneur :

« Mémorandum.

³La première année du roi Cyrus, le roi Cyrus a ordonné :
Temple de Dieu à Jérusalem.

Le Temple sera rebâti comme lieu où l'on offre des sacrifices et ses fondations seront préservées. Sa hauteur sera de soixante coudées, sa largeur de soixante coudées. ⁴Il y aura trois assises de blocs de pierres et une assise de bois. La dépense sera couverte par la maison du roi. ⁵En sus, les ustensiles d'or et d'argent du Temple de Dieu que Nabuchodonosor enleva au sanctuaire de Jérusalem et emporta à Babylone, on les restituera, pour que tout reprenne sa place au sanctuaire de Jérusalem et soit déposé dans le Temple de Dieu. »

⁶« Maintenant donc, Tattenaï, gouverneur de Transeuphratène, Shetar-Boznaï, et vous leurs collègues, les autorités en Transeu-

phratène, écartez-vous de là ; [7]laissez travailler à ce Temple de Dieu le gouverneur de Juda et les anciens des Juifs : ils peuvent rebâtir ce Temple de Dieu sur son emplacement. [8]Voici mes ordres concernant votre ligne de conduite vis-à-vis de ces anciens des Juifs pour la reconstruction de ce Temple de Dieu : c'est sur les fonds royaux – c'est-à-dire sur l'impôt de Transeuphratène – que les dépenses de ces gens leur seront exactement, et sans interruption, remboursées. [9]Ce qu'il leur faut pour les holocaustes du Dieu du ciel : jeunes taureaux, béliers et agneaux, et aussi blé, sel, vin et huile, leur sera, sans négligence, quotidiennement fourni suivant les indications des prêtres de Jérusalem, [10]pour qu'on offre au Dieu du ciel des sacrifices d'agréable odeur et qu'on prie pour la vie du roi et de ses fils. [11]J'ordonne encore ceci : quiconque transgressera cet édit, on arrachera de sa maison une poutre : elle sera dressée et il y sera empalé ; quant à sa maison, on en fera, pour ce forfait, un bourbier. [12]Que le Dieu qui fait résider là son Nom renverse tout roi ou peuple qui entreprendraient de passer outre en détruisant ce Temple de Dieu à Jérusalem ! Moi Darius, j'ai donné cet ordre. Qu'il soit ponctuellement exécuté ! »

[13]Alors Tattenaï, gouverneur de Transeuphratène, Shetar-Boznaï et leurs collègues exécutèrent ponctuellement les instructions envoyées par le roi Darius. [14]Quant aux anciens des Juifs, ils continuèrent à bâtir, avec succès, sous l'inspiration d'Aggée le pro-

phète et de Zacharie, fils d'Iddo. Ils achevèrent la construction conformément à l'ordre du Dieu d'Israël et à l'ordre de Cyrus et de Darius. [15]Ce Temple fut terminé le vingt-troisième jour du mois d'Adar, c'était la sixième année du règne du roi Darius. [16]Les Israélites – les prêtres, les lévites et le reste des exilés – firent avec joie la dédicace de ce Temple de Dieu ; [17]ils offrirent, pour la dédicace de ce Temple de Dieu, cent taureaux, deux cents béliers, quatre cents agneaux et, en sacrifice pour le péché de tout Israël, douze boucs suivant le nombre des tribus d'Israël. [18]Puis ils installèrent les prêtres selon leurs catégories et les lévites selon leurs classes au service du Temple de Dieu, à Jérusalem, comme il est écrit dans le livre de Moïse.

La Pâque de 515.

[19]Les exilés célébrèrent la Pâque le quatorze du premier mois. [20]Les lévites, comme un seul homme, s'étaient purifiés : tous étaient purs ; ils immolèrent donc la pâque pour tous les exilés, pour leurs frères les prêtres et pour eux-mêmes. [21]Mangèrent la pâque : les Israélites qui étaient revenus d'exil et tous ceux qui, ayant rompu avec l'impureté des nations du pays, s'étaient joints à eux pour chercher Yahvé, le Dieu d'Israël. [22]Ils célébrèrent avec joie pendant sept jours la fête des Azymes, car Yahvé les avait remplis de joie, ayant incliné vers eux le cœur du roi d'Assur, pour qu'il fortifiât leurs mains dans les travaux du Temple de Dieu, le Dieu d'Israël.

2. L'organisation de la communauté

Mission et personnalité d'Esdras.

7 [1]Après ces événements, sous le règne d'Artaxerxès, roi de Perse, Esdras, fils de Seraya, fils de Azarya, fils de Hilqiyya, [2]fils de Shallum, fils de Sadoq, fils d'Ahitub, [3]fils d'Amarya, fils de Azarya, fils de Merayot, [4]fils de Zerahya, fils de Uzzi, fils de Buqqi, [5]fils d'Abishua, fils de Pinhas, fils d'Éléazar, fils du grand prêtre Aaron, [6]cet Esdras monta de Babylone. C'était un scribe versé dans la Loi de Moïse, qu'avait donnée Yahvé, le Dieu d'Israël. Comme la main de Yahvé, son Dieu, était sur lui, le roi lui accorda tout ce qu'il demandait. [7]Un certain nombre d'Israélites, de prêtres, de lévites, de chantres, de portiers et de « donnés » montèrent à Jérusalem la septième année du roi Artaxerxès. [8]Il arriva à Jérusalem le cinquième mois : c'était la septième année du roi. [9]Il avait en effet fixé au premier jour du premier mois son départ de Babylone et c'est le premier jour du cinquième mois qu'il parvint à Jérusalem : la main bienveillante de son Dieu était sur lui ! [10]Car Esdras avait appliqué son cœur à scruter la Loi de Yahvé, à la pratiquer et à enseigner, en Israël, les lois et les coutumes.

Le firman d'Artaxerxès.

[11]Voici la copie du document que le roi Artaxerxès remit à Esdras, le prêtre-scribe, savant interprète des commandements de Yahvé et de ses lois concernant Israël.

[12]« Artaxerxès, le roi des rois, au prêtre Esdras, secrétaire de la Loi du Dieu du ciel, paix parfaite.

Maintenant donc, [13]j'ai donné l'ordre que quiconque en mon royaume fait partie du peuple d'Israël, de ses prêtres ou de ses lévites et est volontaire pour aller à Jérusalem, peut partir avec toi, [14]puisque tu es envoyé par le roi et ses sept conseillers pour inspecter Juda et Jérusalem d'après la Loi de ton Dieu, que tu as en mains, [15]et pour porter l'argent et l'or que le roi et ses conseillers ont offerts par dévotion au Dieu d'Israël qui réside à Jérusalem, [16]ainsi que tout l'argent et l'or que tu auras reçus dans toute la province de Babylone, avec les offrandes de dévotion que le peuple et les prêtres auront faites pour le Temple de leur Dieu à Jérusalem. [17]Donc, avec cet argent tu auras soin d'acheter taureaux, béliers, agneaux, ainsi que les oblations et libations qui les accompagnent : tu en feras offrande sur l'autel du Temple de votre Dieu à Jérusalem ; [18]quant à l'argent et l'or qui resteront, vous les emploierez comme il vous semblera bon, à toi et à tes frères, en vous conformant à la volonté de votre Dieu. [19]Les ustensiles qu'on t'a remis pour le service du Temple de ton Dieu, dépose-les devant ton Dieu, à Jérusalem. [20]Ce qui serait encore nécessaire au Temple de ton Dieu et qu'il t'incomberait de lui procurer, tu le procureras du trésor royal. [21]C'est moi-même, le roi Artaxerxès, qui donne cet ordre à

tous les trésoriers de Transeuphratène : "Tout ce que vous demandera le prêtre Esdras, secrétaire de
la Loi du Dieu du ciel, qu'on y
fasse ponctuellement droit ²²jusqu'à concurrence de cent talents
d'argent, cent muids de blé, cent
mesures de vin, cent mesures
d'huile ; le sel sera fourni à volonté. ²³Tout ce qu'ordonne le
Dieu du ciel doit être exécuté avec
zèle pour le Temple du Dieu du
ciel, de peur que la Colère ne se
lève sur le royaume du roi et de
ses fils. ²⁴On vous informe encore
qu'il est interdit de percevoir impôt, contribution, ou droit de passage sur tous les prêtres, lévites,
chantres, portiers, « donnés »,
bref sur les servants de cette maison de Dieu."

²⁵Quant à toi, Esdras, en vertu
de la sagesse de ton Dieu, que tu
as en mains, établis des scribes et
des juges qui exercent la justice
pour tout le peuple de Transeuphratène, c'est-à-dire tous ceux
qui connaissent la Loi de ton
Dieu. Qui ne la connaît pas, vous
devrez l'en instruire. ²⁶Quiconque
n'observerait pas la Loi de ton
Dieu – qui est la Loi du roi –,
qu'une rigoureuse justice lui soit
appliquée : mort, bannissement,
amende ou emprisonnement. »

Voyage d'Esdras de Babylone en Palestine.

²⁷Béni soit Yahvé, le Dieu de
nos pères, qui inspira ainsi au
cœur du roi de glorifier le Temple
de Yahvé à Jérusalem, ²⁸et qui
tourna vers moi la faveur du roi,
de ses conseillers et de tous les
fonctionnaires royaux les plus
puissants. Quant à moi, je pris

courage, car la main de Yahvé
mon Dieu était sur moi, et je rassemblai des chefs d'Israël, pour
qu'ils partent avec moi.

8 ¹Voici, avec leur généalogie,
les chefs de famille qui partirent avec moi de Babylone sous
le règne du roi Artaxerxès.

²Des fils de Pinhas : Gershom ;
des fils d'Itamar : Daniyyel ; des
fils de David : Hattush, ³fils de
Shekanya ; des fils de Paréosh :
Zekarya, avec qui furent enregistrés cent cinquante mâles ; ⁴des
fils de Pahat-Moab : Élyehoénaï,
fils de Zerahya, et avec lui deux
cents mâles ; ⁵des fils de Zattu :
Shekanya, fils de Yahaziel, et
avec lui trois cents mâles ; ⁶des
fils de Adîn : Ébed, fils de Yonatân, et avec lui cinquante mâles ;
⁷des fils de Élam : Yeshaya, fils
d'Atalya, et avec lui soixante-dix
mâles ; ⁸des fils de Shephatya :
Zebadya, fils de Mikaël, et avec
lui quatre-vingts mâles ; ⁹des fils
de Yoab : Obadya, fils de Yehiel,
et avec lui deux cent dix-huit mâles ; ¹⁰des fils de Bani : Shelomit,
fils de Yosiphya, et avec lui cent
soixante mâles ; ¹¹des fils de Bébaï : Zekarya, fils de Bébaï, et
avec lui vingt-huit mâles ; ¹²des
fils de Azgad : Yohanân, fils de
Haqqatân, et avec lui cent dix mâles ; ¹³des fils d'Adoniqam : les
cadets dont voici les noms : Éliphélèt, Yeïel et Shemaya, et avec
eux soixante mâles ; ¹⁴et des fils
de Bigvaï : Utaï, fils de Zabud, et
avec lui soixante-dix mâles.

¹⁵Je les rassemblai près de la rivière qui coule vers Ahava. Nous
campâmes là trois jours. J'y re-
marquai des laïcs et des prêtres,
mais n'y trouvai aucun lévite.

¹⁶Alors je dépêchai Éliézer, Ariel, Shemaya, Élnatân, Yarib, Élnatân, Natân, Zekarya et Meshullam, hommes judicieux, ¹⁷et les mandatai auprès d'Iddo, chef en la localité de Kasiphya ; je mis en leur bouche les paroles qu'ils devaient adresser à Iddo et à ses frères, fixés dans la localité de Kasiphya : nous fournir des servants pour le Temple de notre Dieu. ¹⁸Or, grâce à la main bienveillante de notre Dieu qui était sur nous, ils nous fournirent un homme avisé, des fils de Mahli, fils de Lévi, fils d'Israël, Shérébya, avec ses fils et frères : dix-huit hommes ; ¹⁹plus Hashabya et avec lui son frère Yeshaya, des fils de Merari, ainsi que leurs fils : vingt hommes. ²⁰Et parmi les « donnés » que David et les chefs avaient procurés aux lévites pour les servir : deux cent vingt « donnés ». Tous furent enregistrés nommément.

²¹Je proclamai là, près de la rivière d'Ahava, un jeûne : il s'agissait de nous humilier devant notre Dieu et de lui demander un heureux voyage pour nous, les personnes à notre charge et tous nos biens. ²²Car j'aurais eu honte de réclamer au roi une troupe et des cavaliers pour nous protéger de l'ennemi pendant la route ; nous avions au contraire déclaré au roi : « La main de notre Dieu s'étend favorablement sur tous ceux qui le cherchent ; mais sa puissance et sa colère sont sur tous ceux qui l'abandonnent. » ²³Nous jeûnâmes donc, invoquant notre Dieu à cette intention, et il nous exauça.

²⁴Je choisis douze des chefs des prêtres, en plus de Shérébya et Hashabya et avec eux dix de leurs frères ; ²⁵je leur pesai l'argent, l'or et les ustensiles, les offrandes que le roi, ses conseillers, ses grands et tous les Israélites se trouvant là avaient faites pour le Temple de notre Dieu. ²⁶Je pesai donc et remis en leurs mains six cent cinquante talents d'argent, cent ustensiles d'argent de deux talents, cent talents d'or, ²⁷vingt coupes d'or de mille dariques et deux vases d'un beau cuivre brillant, qui étaient précieux comme de l'or. ²⁸Je leur déclarai : « Vous êtes consacrés à Yahvé ; ces ustensiles sont sacrés ; cet argent et cet or sont voués à Yahvé, le Dieu de vos pères. ²⁹Veillez-y et gardez-les jusqu'à ce que vous puissiez les peser devant les chefs des prêtres et des lévites et les chefs de familles d'Israël, à Jérusalem, dans les salles du Temple de Yahvé. » ³⁰Prêtres et lévites prirent alors en charge l'argent, l'or et les ustensiles ainsi pesés pour les transporter à Jérusalem, au Temple de notre Dieu.

³¹Le douze du premier mois, nous quittâmes la rivière d'Ahava pour aller à Jérusalem : la main de notre Dieu était sur nous, et, sur la route, il nous protégea des attaques des ennemis et des pillards. ³²Nous arrivâmes à Jérusalem et y restâmes trois jours au repos. ³³Le quatrième jour, l'argent, l'or et les ustensiles furent pesés dans le Temple de notre Dieu et remis entre les mains du prêtre Merémot, fils d'Uriyya, avec qui était Éléazar, fils de Pinhas ; auprès d'eux se tenaient les lévites Yozabad, fils de Josué, et Noadya, fils de Binnuï. ³⁴Nombre

et poids, tout y était. On enregistra le poids total.

En ce temps-là, [35]ceux qui revenaient de captivité, les exilés, offrirent des holocaustes au Dieu d'Israël : douze taureaux pour tout Israël, quatre-vingt-seize béliers, soixante-douze agneaux, douze boucs pour le péché : le tout en holocauste à Yahvé.

[36]Et l'on remit les ordonnances du roi aux satrapes royaux et aux gouverneurs de Transeuphratène, lesquels vinrent en aide au peuple et au Temple de Dieu.

La rupture des mariages avec des étrangers.

9 [1]Cela réglé, les chefs m'abordèrent en disant : « Le peuple d'Israël, les prêtres et les lévites n'ont point rompu avec les peuples des pays plongés dans leurs abominations – Cananéens, Hittites, Perizzites, Jébuséens, Ammonites, Moabites, Égyptiens et Amorites ! – [2]mais, pour eux et pour leurs fils, ils ont pris femmes parmi leurs filles : la race sainte s'est mêlée aux peuples des pays : chefs et magistrats, les premiers, ont participé à cette infidélité ! » [3]À cette nouvelle, je déchirai mon vêtement et mon manteau, m'arrachai les cheveux et les poils de barbe et m'assis accablé. [4]Tous ceux qui tremblaient aux paroles du Dieu d'Israël se rassemblèrent autour de moi, devant cette infidélité des exilés. Quant à moi, je restai assis, accablé, jusqu'à l'oblation du soir. [5]À l'oblation du soir, je sortis de ma prostration ; vêtement et manteau déchirés, je tombai à genoux, étendis les mains vers Yahvé, mon Dieu, [6]et dis :

« Mon Dieu, j'ai honte et je rougis de lever mon visage vers toi, mon Dieu. Car nos iniquités se sont multipliées jusqu'à dépasser nos têtes, et nos fautes se sont amoncelées jusqu'au ciel. [7]Depuis les jours de nos pères jusqu'à ce jour, nous sommes grandement coupables : pour nos iniquités nous fûmes livrés, nous, nos rois et nos prêtres, aux mains des rois des pays, à l'épée, à la captivité, au pillage et à la honte, comme c'est le cas aujourd'hui. [8]Mais à présent, pour un bref moment, Yahvé notre Dieu nous a fait une grâce en nous conservant des rescapés et en nous accordant de nous fixer dans son lieu saint : ainsi notre Dieu a-t-il illuminé nos yeux et nous a-t-il donné quelque répit en notre servitude. [9]Car nous sommes esclaves ; mais dans notre servitude notre Dieu ne nous a point abandonnés : il nous a concilié la faveur des rois de Perse, nous accordant un répit pour que nous puissions relever le Temple de notre Dieu et restaurer ses ruines, et nous procurant un abri sûr en Juda et à Jérusalem. [10]Mais maintenant, notre Dieu, que pourrons-nous dire, après cela ? Car nous avons abandonné tes commandements, [11]que, par tes serviteurs les prophètes, tu avais prescrits en ces termes : "Le pays où vous entrez pour en prendre possession est un pays souillé par la souillure des peuples des pays, par les abominations dont ils l'ont infesté d'un bout à l'autre avec leurs impuretés. [12]Eh bien ! ne donnez pas vos filles à leurs fils et ne prenez pas leurs filles pour vos fils ; ne vous souciez jamais de leur paix ni de leur bonheur, afin que vous deveniez forts, que vous mangiez les meilleurs fruits du pays et le laissiez en patrimoine à vos fils pour toujours."

¹³Or après tout ce qui nous est advenu par nos actions mauvaises et notre grande faute – bien que, ô notre Dieu, tu aies réduit le poids de nos iniquités et nous aies laissé les rescapés que voici ! – ¹⁴pourrions-nous encore violer tes commandements et nous allier à ces gens abominables ? Ne t'irriterais-tu pas jusqu'à nous détruire, sans que subsiste un reste et des rescapés ? ¹⁵Yahvé, Dieu d'Israël, tu es juste car nous sommes restés un groupe de rescapés, comme c'est le cas aujourd'hui. Nous voici devant toi avec notre faute ! Oui, il est impossible à cause de cela de subsister en ta présence ! »

10 ¹Comme Esdras, pleurant et prosterné devant le Temple de Dieu, faisait cette prière et cette confession, une immense assemblée d'Israël, hommes, femmes et enfants, s'était réunie autour de lui, et le peuple pleurait abondamment. ²Alors Shekanya, fils de Yehiel, l'un des fils d'Élam, prenant la parole, dit à Esdras : « Nous avons trahi notre Dieu en épousant des femmes étrangères, prises parmi les peuples du pays. Eh bien ! malgré cela, il y a encore un espoir pour Israël. ³Nous allons prendre devant notre Dieu l'engagement solennel de renvoyer toutes nos femmes étrangères et les enfants qui en sont nés, nous conformant au conseil de Monseigneur et de

ceux qui tremblent au commandement de notre Dieu. Que l'on agisse selon la Loi ! ⁴Lève-toi ! cette affaire te regarde, mais nous serons à tes côtés. Courage et à l'œuvre ! » ⁵Alors Esdras se leva et fit jurer aux chefs des prêtres et des lévites et à tout Israël qu'ils agiraient comme il avait été dit. On jura. ⁶Esdras quitta le devant du Temple de Dieu et se rendit à la salle de Yohanân, fils d'Élyashib, où il passa la nuit sans manger de pain ni boire d'eau, car il était dans le deuil à cause de l'infidélité des exilés.

⁷On fit publier en Juda et à Jérusalem, à l'adresse de tous les exilés, qu'ils eussent à se réunir à Jérusalem : ⁸quiconque n'y viendrait pas dans les trois jours – tel fut l'avis des chefs et des anciens – verrait tout son bien voué à l'anathème et serait lui-même exclu de la communauté des exilés. ⁹Tous les hommes de Juda et de Benjamin s'assemblèrent donc à Jérusalem dans les trois jours : ce fut le neuvième mois, au vingtième jour du mois ; tout le peuple s'installa sur la place du Temple de Dieu, tremblant à cause de cette affaire et parce qu'il pleuvait à verse. ¹⁰Alors le prêtre Esdras se leva et leur déclara : « Vous avez commis une infidélité en épousant des femmes étrangères : ainsi avez-vous ajouté à la faute d'Israël ! ¹¹Mais à présent rendez grâces à Yahvé, le Dieu de vos pères, et accomplissez sa volonté en vous séparant des peuples du pays et des femmes étrangères. » ¹²Toute l'assemblée répondit à forte voix : « Oui, notre devoir est d'agir suivant tes consignes !

¹³Mais le peuple est nombreux et c'est la saison des pluies : il n'y a pas moyen de rester dehors ; de plus ce n'est pas une entreprise d'un jour ou deux, car nous sommes nombreux à avoir été rebelles en cette matière. ¹⁴Que nos chefs représentent l'assemblée entière : tous ceux qui dans nos villes ont épousé des femmes étrangères viendront aux dates assignées, accompagnés des anciens et des juges de chaque ville, jusqu'à ce que nous ayons détourné la fureur de notre Dieu, motivée par cette affaire. »

¹⁵Seuls Yonatân, fils d'Asahel, et Yahzeya, fils de Tiqva, firent opposition à cette procédure, soutenus par Meshullam et le lévite Shabtaï. ¹⁶Les exilés agirent comme on l'avait proposé. Le prêtre Esdras se choisit des chefs de famille, selon leurs maisons, tous nommément désignés. Ils commencèrent à siéger le premier jour du dixième mois pour examiner les cas. ¹⁷Et le premier jour du premier mois, ils en eurent fini avec tous les hommes qui avaient épousé des femmes étrangères.

La liste des coupables.

¹⁸Parmi les prêtres, voici ceux que l'on trouva avoir épousé des femmes étrangères : parmi les fils de Josué, fils de Yoçadaq, et parmi ses frères : Maaséya, Éliézer, Yarib et Gedalya ; ¹⁹ils s'engagèrent par serment à renvoyer leurs femmes et, pour leur faute, ils offrirent un bélier en sacrifice de réparation.

²⁰Parmi les fils d'Immer : Hanani et Zebadya ;

²¹parmi les fils de Harim : Maaséya, Éliyya, Shemaya, Yehiel et Uziyya ;

²²parmi les fils de Pashehur : Élyoénaï, Maaséya, Yishmaël, Netanéel, Yozabad et Éléasa.

²³Parmi les lévites : Yozabad, Shiméï, Qélaya – le même que Qelita –, Petahya, Yehuda et Éliézer.

²⁴Parmi les chantres : Élyashib et Zakkur.

Parmi les portiers : Shallum, Télem et Uri.

²⁵Et parmi les Israélites :

des fils de Paréosh : Ramya, Yizziyya, Malkiyya, Miyyamîn, Éléazar, Malkiyya et Benaya ;

²⁶des fils d'Élam : Mattanya, Zekarya, Yehiel, Abdi, Yerémot et Éliyya ;

²⁷des fils de Zattu : Élyoénaï, Élyashib, Mattanya, Yerémot, Zabad et Aziza ;

²⁸des fils de Bébaï : Yohanân, Hananya Zabbaï, Atlaï ;

²⁹des fils de Bigvaï : Meshullam, Malluk, Yedaya, Yashub, Yishal, Yerémot ;

³⁰des fils de Pahat-Moab : Adna, Kelal, Benaya, Maaséya, Mattanya, Beçaléel, Binnuï et Menassé ;

³¹des fils de Harim : Éliézer, Yishshiyya, Malkiyya, Shemaya, Shiméôn, ³²Binyamîn, Malluk, Shemarya ;

³³des fils de Hashum : Mattenaï, Mattatta, Zabad, Éliphélèt, Yérémaï, Menassé, Shiméï ;

³⁴des fils de Bani : Maadaï, Amram, Yoël, ³⁵Benaya, Bédya, Kelaya, ³⁶Vanya, Merémot, Élyashib, ³⁷Mattanya, Mattenaï et Yaasaï ;

³⁸des fils de Binnuï : Shiméï, ³⁹Shélémya, Natân et Adaya ;

⁴⁰des fils de Zakkaï : Shashaï, Sharaï, ⁴¹Azaréel, Shélémya, Shemarya, ⁴²Shallum, Amarya, Yoseph ;

⁴³des fils de Nebo : Yeïel, Mattitya, Zabad, Zebina, Yaddaï, Yoël, Benaya.

⁴⁴Ceux-là avaient tous pris des femmes étrangères : ils les renvoyèrent, femmes et enfants.

Le livre de Néhémie

Vocation de Néhémie : sa mission pour Juda.

1 [1]Paroles de Néhémie, fils de Hakalya.

Au mois de Kisleu, la vingtième année, comme je me trouvais dans la citadelle de Suse, [2]Hanani, l'un de mes frères, arriva avec des gens de Juda. Je les interrogeai sur les Juifs – les rescapés restés de la captivité – et sur Jérusalem. [3]Ils me répondirent : « Ceux qui sont restés de la captivité, là-bas dans la province, sont en grande détresse et dans la confusion, il y a des brèches dans le rempart de Jérusalem et ses portes ont été incendiées. » [4]À ces mots, je m'assis et pleurai ; je fus plusieurs jours dans le deuil, jeûnant et priant devant le Dieu du ciel.

[5]Et je dis : « Ah ! Yahvé, Dieu du ciel, toi, le Dieu grand et redoutable qui garde l'alliance et la grâce à ceux qui l'aiment et observent ses commandements, [6]que ton oreille soit attentive, et tes yeux ouverts, pour écouter la prière de ton serviteur. Je te l'adresse maintenant, jour et nuit, pour les Israélites, tes serviteurs, et je confesse les péchés des Israélites que nous avons commis contre toi : moi-même et la maison de mon père, nous avons péché ! [7]Nous avons très mal agi envers toi, n'observant pas les commandements, lois et coutumes que tu avais prescrits à Moïse, ton serviteur. [8]Souviens-toi cependant de la parole que tu prescrivis à Moïse ton serviteur : "Si vous êtes infidèles, je vous disperserai parmi les peuples ; [9]mais si, revenant à moi, vous observez mes commandements et les pratiquez, vos bannis seraient-ils à l'extrémité des cieux, je les en rassemblerais et les ramènerais au Lieu que j'ai choisi pour y faire habiter mon Nom." [10]Ils sont tes serviteurs et ton peuple que tu as rachetés par ta grande puissance et à la force de ton bras ! [11]Ah ! Seigneur, que ton oreille soit attentive à la prière de ton serviteur, à la prière de tes serviteurs, qui se plaisent à craindre ton Nom. Je t'en supplie, accorde maintenant le succès à ton serviteur et obtiens-lui bon accueil devant cet homme. »

J'étais alors échanson du roi.

2 [1]Au mois de Nisan, la vingtième année du roi Artaxerxès, comme j'étais chargé du vin, je pris le vin et l'offris au roi. Je n'avais, auparavant, jamais été triste. [2]Aussi le roi me dit-il : « Pourquoi ce triste visage ? Tu n'es pourtant pas malade ? Non, c'est assurément une affliction du cœur ! » Je fus pris d'une vive appréhension [3]et dis au roi : « Que le roi vive à jamais ! Comment mon visage ne serait-il pas triste quand la ville où sont les tombeaux de mes pères est en ruines et ses portes dévorées par le feu ? » [4]Et le roi de me dire : « Quelle est donc ta requête ? » J'invoquai le Dieu du ciel [5]et répondis au roi : « S'il plaît au roi et que tu sois satisfait de ton serviteur, laisse-moi aller en Juda, dans la ville des tombeaux de mes pères, que je la reconstruise. » [6]Le roi me demanda – la reine était alors assise à ses côtés – : « Jusques à quand durera ton voyage ? Quand reviendras-tu ? » Je lui fixai une date, qui convint au roi, et il m'autorisa à partir. [7]Je dis encore au roi : « S'il plaît au roi, qu'on me donne des lettres pour les gouverneurs de Transeuphratène, afin qu'ils me laissent passer jusqu'à ce que j'arrive en Juda ; [8]et aussi une lettre pour Asaph, l'inspecteur du parc royal, afin qu'il me fournisse du bois de construction pour les portes de la citadelle du Temple, le rempart de la ville et la maison où j'habiterai. » Le roi me l'accorda, car la main bienveillante de mon Dieu était sur moi.

[9]Je me rendis donc chez les gouverneurs de Transeuphratène et leur remis les lettres du roi. Le roi m'avait fait escorter par des officiers de l'armée et des cavaliers.

[10]Quand Sânballat, le Horonite, et Tobiyya, le fonctionnaire ammonite, furent informés, ils se montrèrent fort contrariés qu'un homme fût venu travailler au bien des Israélites.

Décision de rebâtir le rempart de Jérusalem.

[11]Arrivé à Jérusalem, j'y restai trois jours. [12]Puis je me levai, de nuit, accompagné de quelques hommes, sans avoir confié à personne ce que mon Dieu m'avait inspiré d'accomplir pour Jérusalem, et sans avoir avec moi d'autre animal que ma propre monture. [13]La nuit donc, sortant par la porte de la Vallée, je me rendis devant la fontaine du Dragon, puis à la porte du Fumier : je fis l'inspection du rempart de Jérusalem, où il y avait des brèches et dont les portes avaient été incendiées. [14]Je poursuivis mon chemin vers la porte de la Fontaine et l'étang du Roi, et ne trouvai plus de passage pour la bête que je chevauchais. [15]Je remontai donc de nuit par le ravin, inspectant toujours le rempart, et rentrai par la porte de la Vallée. Je m'en revins ainsi, [16]sans que les conseillers sachent où j'étais allé ni ce que je faisais. Jusqu'ici je n'avais rien communiqué aux Juifs : ni aux prêtres, ni aux grands, ni aux magistrats, ni aux autres responsables ; [17]je leur dis alors : « Vous voyez la détresse où nous sommes : Jérusalem est en ruines, ses portes sont incendiées. Venez ! reconstruisons le rempart de Jérusalem, et nous ne serons plus insultés ! » [18]Et je leur exposai comment la main bienveillante de mon Dieu avait été sur moi, leur rapportant aussi les paroles que le roi m'avait dites. « Levons-nous ! s'écrièrent-ils, et construisons ! » et ils affermirent leurs mains pour ce bel ouvrage.

[19]À ces nouvelles, Sânballat, le Horonite, Tobiyya, le fonctionnaire ammonite, et Géshem, l'Arabe, se moquèrent de nous et nous regardèrent avec mépris en disant : « Que faites-vous là ? Allez-vous vous révolter contre le roi ? » [20]Mais je leur répliquai en ces termes : « C'est le Dieu du ciel qui nous fera réussir. Nous, ses serviteurs, nous allons nous mettre à construire. Quant à vous, vous n'avez ni part, ni droit, ni souvenir dans Jérusalem. »

Les volontaires à la reconstruction.

3 ¹Élyashib, le grand prêtre, et ses frères les prêtres se levèrent et construisirent la porte des Brebis ; ils en firent la charpente, fixèrent ses battants, verrous et barres, et continuèrent jusqu'à la tour des Cent et jusqu'à la tour de Hananéel. ²À leur suite, construisirent les gens de Jéricho ; à leur suite, construisit Zakkur, fils d'Imri. ³Les fils de Ha-Senaa construisirent la porte des Poissons ; ils en firent la charpente, fixèrent ses battants, verrous et barres. ⁴À leur suite répara Merémot, fils d'Uriyya, fils d'Haqqoç ; à sa suite répara Meshullam, fils de Bérékya, fils de Meshèzabéel ; à sa suite répara Sadoq, fils de Baana. ⁵À sa suite réparèrent les gens de Teqoa, mais leurs notables refusèrent de mettre leur nuque au service de leurs seigneurs. ⁶Quant à la porte du Quartier neuf, Yoyada, fils de Paséah, et Meshullam, fils de Besodya, la réparèrent ; ils en firent la charpente, fixèrent ses battants, verrous et barres. ⁷À leur suite, réparèrent Melatya de Gabaôn et Yadôn de Méronot, ainsi que les gens de Gabaôn et de Miçpa, pour le compte du gouverneur de Transeuphratène. ⁸A leur suite répara Uzziel, membre de la corporation des orfèvres, et à sa suite répara Hananya, de la corporation des parfumeurs : ils renforcèrent Jérusalem jusqu'à la muraille large. ⁹À leur suite répara Rephaya, fils de Hur, chef de la moitié du district de Jérusalem. ¹⁰À leur suite répara Yedaya, fils de Harumaph, devant sa maison ; à sa suite répara Hattush,

fils de Hashabnéya. ¹¹Malkiyya, fils de Harim, et Hashshub, fils de Pahat-Moab, réparèrent le secteur suivant jusqu'à la tour des Fours. ¹²À leur suite répara Shallum, fils de Hallohesh, chef de la moitié du district de Jérusalem, lui et ses fils. ¹³Quant à la porte de la Vallée, Hanûn et les habitants de Zanoah la réparèrent : ils la construisirent, fixèrent ses battants, verrous et barres et firent mille coudées de mur, jusqu'à la porte du Fumier. ¹⁴Quant à la porte du Fumier, Malkiyya, fils de Rékab, chef du district de Bet-ha-Kérem, la répara, lui et ses fils : il fixa ses battants, verrous et barres.

¹⁵Quant à la porte de la Fontaine, Shallum, fils de Kol-Hozé, chef du district de Miçpa, la répara : il la construisit, la couvrit, fixa ses battants, verrous et barres. Il refit aussi le mur de la citerne de Siloé, jouxtant le jardin du roi, jusqu'aux escaliers qui descendent de la Cité de David. ¹⁶Après lui Néhèmya, fils d'Azbuq, chef de la moitié du district de Bet-Çur, répara jusqu'en face des tombeaux de David, jusqu'à la citerne construite et jusqu'à la Maison des Preux. ¹⁷Après lui, les lévites réparèrent : Rehum, fils de Bani ; à sa suite répara Hashabya, chef de la moitié du district de Qéïla, pour son district ; ¹⁸à sa suite réparèrent leurs frères : Binnuï, fils de Hénadad, chef de la moitié du district de Qéïla ; ¹⁹à sa suite Ézer, fils de Yeshua, chef de Miçpa, répara un autre secteur, en face de la montée de l'Arsenal, à l'Encoignure.

²⁰Après lui Baruk, fils de Zabbaï, répara un autre secteur, depuis l'Encoignure jusqu'à la porte

de la maison d'Élyashib, le grand prêtre. [21]Après lui Merémot, fils d'Uriyya, fils d'Haqqoç, répara un autre secteur, depuis l'entrée de la maison d'Élyashib jusqu'à son extrémité. [22]Après lui les prêtres qui habitaient le district travaillaient aux réparations. [23]Après eux Binyamîn et Hashshub réparèrent en face de leurs maisons. Après eux Azarya, fils de Maaséya, fils d'Ananya, répara à côté de sa maison. [24]Après lui Binnuï, fils de Hénadad, répara un autre secteur, depuis la maison d'Azarya jusqu'à l'Encoignure et à l'Angle. [25]Après lui Palal, fils d'Uzaï, répara vis-à-vis de l'Encoignure et de la tour qui fait saillie sur le Palais royal supérieur et est située dans la cour de la prison. Après lui Pedaya, fils de Paréosh, répara [26] jusque devant la porte des Eaux, vers l'orient et jusqu'à la tour saillante. [27]Après lui les gens de Teqoa réparèrent un autre secteur, vis-à-vis de la grande tour en saillie jusqu'au mur de l'Ophel.

[28]À partir de la porte des Chevaux, les prêtres travaillèrent aux réparations, chacun en face de sa maison. [29]Après eux Sadoq, fils d'Immer, répara en face de sa maison. Après lui répara Shemaya, fils de Shekanya, gardien de la porte de l'Orient. [30]Après lui Hananya, fils de Shélémya, et Hanûn, sixième fils de Çalaph, réparèrent un autre secteur. Après lui Meshullam, fils de Bérékya, répara vis-à-vis de son habitation. [31]Après lui Malkiyya, de la corporation des orfèvres, répara jusqu'à la demeure des « donnés » et des commerçants, en face de la porte de la Surveillance, jusqu'à la salle haute de l'Angle. [32]Et entre la salle haute de l'Angle et la porte des Brebis, les orfèvres et les commerçants réparèrent.

Réactions chez les ennemis des Juifs.

[33]Lorsque Sânballat apprit que nous reconstruisions le rempart, il se mit en colère et se montra fort irrité. Il se moqua des Juifs, [34]et s'écria devant ses frères et devant l'aristocratie de Samarie : « Qu'entreprennent là ces misérables Juifs ? ... Vont-ils y renoncer ? ou sacrifier ? ou en finir en un jour ? Feront-ils revivre ces pierres, tirées de monceaux de décombres et même calcinées ? » [35]Tobiyya l'Ammonite se tenait à ses côtés ; il dit : « Pour ce qu'ils construisent, si un chacal y montait, il démolirait leur muraille de pierres ! » [36]Écoute, ô notre Dieu, comme nous voilà méprisés ! Fais retomber leurs insultes sur leur tête. Livre-les au mépris en un pays de captivité ! [37]Ne pardonne point leur iniquité et que leur péché ne soit pas effacé devant toi : car ils ont offensé les bâtisseurs !

[38]Or nous rebâtissions le rempart qui fut réparé tout entier jusqu'à mi-hauteur. Le peuple avait le cœur à l'ouvrage.

4 [1]Lorsque Sânballat, Tobiyya, les Arabes, les Ammonites et les Ashdodites apprirent que les réparations du rempart de Jérusalem avançaient – que les brèches commençaient à être comblées –, ils se mirent fort en colère ; [2]ils se jurèrent tous mutuellement de venir attaquer Jérusalem et de me confondre.

³Nous invoquâmes alors notre Dieu et, pour protéger la ville, nous établîmes contre eux une garde de jour et de nuit. ⁴Juda disait néanmoins : « Les forces des porteurs fléchissent, il y a trop de décombres : nous n'arriverons jamais à relever le rempart ! » ⁵Et nos ennemis déclaraient : « Avant qu'ils ne sachent et ne voient rien, nous surgirons au milieu d'eux : alors nous les massacrerons et mettrons fin à l'entreprise ! » ⁶Or il arrivait des Juifs qui habitaient près d'eux et qui dix fois nous avertirent : « Ils montent contre nous de toutes les localités qu'ils habitent ! » ⁷On se posta donc en contrebas, dans l'espace derrière le rempart, aux endroits découverts ; je disposai le peuple par familles, avec ses épées, ses lances et ses arcs. ⁸Voyant leur peur, je me levai et fis aux grands, aux magistrats et au reste du peuple cette déclaration : « Ne craignez pas ces gens ! Pensez au Seigneur, grand et redoutable, et combattez pour vos frères, vos fils, vos filles, vos femmes et vos maisons ! » ⁹Quand nos ennemis apprirent que nous étions renseignés et que Dieu avait déjoué leur plan, ils se retirèrent et nous retournâmes tous au rempart, chacun à son travail.

¹⁰Mais, à partir de ce jour, la moitié seulement de mes hommes participaient au travail, les autres, munis de lances, de boucliers, d'arcs et de cuirasses, se tenaient derrière toute la maison de Juda ¹¹qui bâtissait le rempart. Les porteurs aussi étaient armés : d'une main chacun assurait son travail, l'autre main serrant un javelot. ¹²Chacun des bâtisseurs, tandis qu'il travaillait, portait son épée attachée aux reins. Un sonneur de cor se tenait à mon côté. ¹³Je dis aux grands, aux magistrats et au reste du peuple : « Le chantier est important et étendu et nous sommes dispersés sur le rempart, loin les uns des autres ; ¹⁴rassemblez-vous autour de nous à l'endroit d'où vous entendrez le son du cor, et notre Dieu combattra pour nous. » ¹⁵Ainsi menions-nous le travail depuis le lever de l'aurore jusqu'à l'apparition des étoiles. ¹⁶En ce temps-là, je dis encore au peuple : « Chacun, avec son serviteur, devra passer la nuit à Jérusalem : de la sorte, nous utiliserons la nuit pour la surveillance et le jour pour le travail. » ¹⁷Mais ni moi, ni mes frères, ni mes gens, ni les hommes de garde qui me suivaient ne quittions nos vêtements ; chacun gardait son javelot à sa droite.

Difficultés sociales sous Néhémie. Apologie de son administration.

5 ¹Une grande plainte s'éleva parmi les gens du peuple et leurs femmes contre leurs frères juifs. ²Les uns disaient : « Nous devons donner en gage nos fils et nos filles pour recevoir du blé, manger et vivre. » ³D'autres disaient : « Nous devons engager nos champs, nos vignes et nos maisons pour recevoir du blé pendant la famine. » ⁴D'autres encore disaient : « Pour acquitter l'impôt du roi, nous avons dû emprunter de l'argent sur nos champs et nos vignes ; ⁵et alors que nous avons la même chair que nos frères, que nos enfants valent les leurs, nous devons livrer en esclavage nos fils et nos filles ; il en est, parmi nos filles, qui

sont asservies ! Nous n'y pouvons rien, puisque nos champs et nos vignes sont déjà à d'autres. »

⁶Je me mis fort en colère quand j'entendis leur plainte et ces paroles. ⁷Ayant délibéré en moi-même, je tançai les grands et les magistrats en ces termes : « Quel fardeau chacun de vous impose à son frère ! » Et convoquant contre eux une grande assemblée, ⁸je leur dis : « Nous avons, dans la mesure de nos moyens, racheté nos frères juifs qui s'étaient vendus aux nations. Et c'est vous maintenant qui vendez vos frères pour que nous les rachetions ! » Ils gardèrent le silence et ne trouvèrent rien à répliquer. ⁹Je poursuivis : « Ce que vous faites là n'est pas bien. Ne voulez-vous pas marcher dans la crainte de notre Dieu, pour éviter les insultes des nations, nos ennemies ? ¹⁰Moi aussi, mes frères et mes gens, nous leur avons prêté de l'argent et du blé. Eh bien ! faisons abandon de cette dette. ¹¹Restituez-leur sans délai leurs champs, leurs vignes, leurs oliviers et leurs maisons, et remettez-leur la dette de l'argent, du blé, du vin et de l'huile que vous leur avez prêtés. » ¹²Ils répondirent : « Nous restituerons ; nous n'exigerons plus rien d'eux ; nous agirons comme tu l'as dit. » J'appelai alors les prêtres et leurs fis jurer d'agir suivant cette promesse. ¹³Puis je secouai le pli de mon vêtement en disant : « Que Dieu secoue de la sorte, hors de sa maison et de son bien, tout homme qui ne tiendra pas cette parole : qu'il soit ainsi secoué et vidé ! » Et toute l'assemblée répondit : « Amen ! » et loua

Yahvé. Et le peuple agit suivant cet engagement.

¹⁴Bien plus, depuis le jour où le roi m'institua gouverneur au pays de Juda, de la vingtième à la trente-deuxième année du roi Artaxerxès, pendant douze ans, moi et mes frères n'avons jamais mangé la provende du gouverneur. ¹⁵Or les anciens gouverneurs, qui m'ont précédé, pressuraient le peuple : ils lui prenaient chaque jour, pour la provende, quarante sicles d'argent ; leurs serviteurs aussi opprimaient le peuple. Moi au contraire je n'ai jamais agi de la sorte, par crainte de Dieu.

¹⁶Je me suis également appliqué au travail de ce rempart, bien que je ne fusse propriétaire d'aucun champ ! Tous mes gens étaient là, réunis à la tâche.

¹⁷À ma table mangeaient les grands et les magistrats, au nombre de cent cinquante, sans compter ceux qui nous venaient des nations environnantes. ¹⁸Quotidiennement on apprêtait à mes frais un bœuf, six moutons de choix et des volailles ; tous les dix jours, on apportait quantité d'outres de vin. Malgré cela, je n'ai jamais réclamé la provende du gouverneur, car sur ce peuple pesait un lourd service.

¹⁹Souviens-toi, mon Dieu, en ma faveur, de tout ce que j'ai fait pour ce peuple !

Intrigues des ennemis de Néhémie. Achèvement du rempart.

6 ¹Quand Sânballat, Tobiyya, Géshem l'Arabe et nos autres ennemis eurent appris que j'avais reconstruit le rempart et qu'il n'y restait plus une brèche – à cette date toutefois je n'avais pas encore fixé les battants aux portes –, ²Sânballat et Géshem m'expédièrent ce message : « Viens, rencontrons-nous à Ha-Kephirim, dans la vallée d'Ono. » Mais ils méditaient de me faire du mal. ³Je leur envoyai donc des messagers avec cette réponse : « Je suis occupé à un grand travail et ne puis descendre : pourquoi le travail s'arrêterait-il, quand je le quitterais pour descendre vers vous ? » ⁴Quatre fois ils m'adressèrent la même invitation et je leur retournai la même réponse. ⁵Alors, une cinquième fois, Sânballat m'envoya son serviteur, porteur d'une lettre ouverte ⁶où il était écrit : « On entend dire parmi les nations et Gashmu confirme que toi et les Juifs songeriez à un soulèvement ; c'est pourquoi tu construirais le rempart ; et c'est toi qui deviendrais leur roi ; ⁷tu aurais même mis en place des prophètes pour proclamer à ton profit dans Jérusalem : Il y a un roi en Juda ! Maintenant ces bruits-là vont parvenir aux oreilles du roi : aussi, viens, que nous tenions conseil ensemble. » ⁸Mais je lui fis répondre : « Rien n'est arrivé de semblable à ce que tu affirmes et ce n'est qu'une invention de ton cœur ! » ⁹Car ils voulaient tous nous effrayer, se disant : « Leurs mains se lasseront de l'entreprise et elle ne sera jamais exécutée. » Or, au contraire je fortifiais mes mains !

¹⁰Un jour j'étais allé chez Shemaya, fils de Delaya, fils de Méhétabéel, qui se trouvait empêché. Il prononça :

« Rendons-nous au Temple de Dieu,
à l'intérieur du sanctuaire :

fermons bien les portes du sanctuaire,
car on va venir pour te tuer,
oui, cette nuit, on viendra te tuer ! »

¹¹Mais je répondis : « Un homme comme moi, prendre la fuite ? Et quel est l'homme de mon état qui pénétrerait dans le sanctuaire pour sauver sa vie ? Non, je n'irai pas ! » ¹²Je reconnus que ce n'était pas Dieu qui l'avait envoyé, mais il avait prononcé sur moi cet oracle parce que Tobiyya l'avait acheté, ¹³ pour que, pris de frayeur, j'agisse de la sorte et en vienne à pécher ; cela leur servirait à me faire une mauvaise réputation et ils pourraient m'outrager ! ¹⁴Souviens-toi, mon Dieu, de Tobiyya, pour ce qu'il a commis ; et aussi de Noadya, la prophétesse, et des autres prophètes qui voulurent m'effrayer.

¹⁵Le rempart fut achevé le vingt-cinq Élul, en cinquante-deux jours. ¹⁶Quand tous nos ennemis l'apprirent et que toutes les nations autour de nous l'eurent vu, ce fut une grande merveille à leurs yeux et ils reconnurent que ce travail avait été accompli grâce à notre Dieu.

¹⁷À cette même époque, les grands de Juda multipliaient leurs lettres à l'adresse de Tobiyya et celles de Tobiyya leur parvenaient ; ¹⁸car il avait en Juda beaucoup d'alliés, étant le gendre de Shekanya, fils d'Ara, et son fils Yohanân ayant pris pour femme la fille de Meshullam, fils de Bérékya. ¹⁹Ils vantaient même, en ma présence, ses bonnes actions et lui rapportaient mes paroles. Et

Tobiyya envoyait des lettres pour m'effrayer.

7 ¹Quand le rempart fut reconstruit et que j'eus fixé les battants, les portiers (les chantres et les lévites) furent installés. ²Je confiai l'administration de Jérusalem à Hanani, mon frère, et à Hananya, commandant de la citadelle, car c'était un homme de confiance et qui craignait Dieu plus que beaucoup d'autres ; ³je leur dis : « Les portes de Jérusalem ne seront ouvertes que lorsque le soleil commencera à chauffer ; et il sera encore haut quand on devra clore et verrouiller les battants ; on établira des piquets de garde pris parmi les habitants de Jérusalem, chacun à son poste, et chacun devant sa maison. »

Le repeuplement de Jérusalem.

⁴La ville était spacieuse et grande, mais ne comptait qu'une faible population et il n'y avait pas de familles constituées. ⁵Aussi mon Dieu m'inspira-t-il de rassembler les grands, les magistrats et le peuple pour en faire le recensement généalogique. Je mis la main sur le registre généalogique de ceux qui étaient revenus au début, et j'y trouvai consigné :

Liste des premiers Sionistes.
|| Esd **2** 1-70.

⁶Voici les gens de la province qui revinrent de la captivité et de l'exil. Après avoir été déportés par Nabuchodonosor, roi de Babylone, ils retournèrent à Jérusalem et en Juda, chacun dans sa ville. ⁷Ils arrivèrent avec Zorobabel, Josué, Néhémie, Azarya, Raamya, Nahamani, Mordokaï, Bilshân, Mispérèt, Bigvaï, Nehum, Baana.

Nombre des hommes du peuple d'Israël : ⁸les fils de Paréosh : 2 172 ; ⁹les fils de Shephatya : 372 ; ¹⁰les fils d'Arah : 652 ; ¹¹les fils de Pahat-Moab, c'est-à-dire les fils de Josué et de Yoab : 2 818 ; ¹²les fils de Élam : 1 254 ; ¹³les fils de Zattu : 845 ; ¹⁴les fils de Zakkaï : 760 ; ¹⁵les fils de Binnuï : 648 ; ¹⁶les fils de Bébaï : 628 ; ¹⁷les fils de Azgad : 2 322 ; ¹⁸les fils d'Adoniqam : 667 ; ¹⁹les fils de Bigvaï : 2 067 ; ²⁰les fils de Adîn : 655 ; ²¹les fils d'Ater, c'est-à-dire de Hizqiyya : 98 ; ²²les fils de Hashum : 328 ; ²³les fils de Béçaï : 324 ; ²⁴les fils de Hariph : 112 ; ²⁵les fils de Gabaôn : 95 ; ²⁶les hommes de Bethléem et de Netopha : 188 ; ²⁷les hommes d'Anatot : 128 ; ²⁸les hommes de Bet-Azmavèt : 42 ; ²⁹les hommes de Qiryat-Yéarim, Kephira et Béérot : 743 ; ³⁰les hommes de Rama et Géba : 621 ; ³¹les hommes de Mikmas : 122 ; ³²les hommes de Béthel et de Aï : 123 ; ³³les hommes de l'autre Nebo : 52 ; ³⁴les fils de l'autre Élam : 1 254 ; ³⁵les fils de Harim : 320 ; ³⁶les fils de Jéricho : 345 ; ³⁷les fils de Lod, Hadid et Ono : 721 ; ³⁸les fils de Senaa : 3 930.

³⁹Les prêtres : les fils de Yedaya, c'est-à-dire la maison de Josué : 973 ; ⁴⁰les fils d'Immer : 1 052 ; ⁴¹les fils de Pashehur : 1 247 ; ⁴²les fils de Harim : 1 017.

⁴³Les lévites : les fils de Josué, c'est-à-dire Qadmiel, les fils de Hodva : 74.

⁴⁴Les chantres : les fils d'Asaph : 148.

⁴⁵Les portiers : les fils de Shal-

lum, les fils d'Ater, les fils de Talmôn, les fils de Aqqub, les fils de
Hatita, les fils de Shobaï : 138.

⁴⁶Les « donnés » : les fils de Çiha, les fils de Hasupha, les fils de
Tabbaot, ⁴⁷les fils de Qéros, les fils
de Sia, les fils de Padôn, ⁴⁸les fils
de Lebana, les fils de Hagaba, les
fils de Shalmaï, ⁴⁹les fils de Hanân, les fils de Giddel, les fils de
Gahar, ⁵⁰les fils de Reaya, les fils
de Reçîn, les fils de Neqoda, ⁵¹les
fils de Gazzam, les fils d'Uzza, les
fils de Paséah, ⁵²les fils de Bésaï,
les fils des Méûnites, les fils des
Nephusites, ⁵³les fils de Baqbuq,
les fils de Haqupha, les fils de
Harhur, ⁵⁴les fils de Baçlit, les fils
de Mehida, les fils de Harsha, ⁵⁵les
fils de Barqos, les fils de Sisra, les
fils de Témah, ⁵⁶les fils de Neçiah,
les fils de Hatipha.

⁵⁷Les fils des esclaves de Salomon : les fils de Sotaï, les fils de
Sophérèt, les fils de Perida, ⁵⁸les
fils de Yaala, les fils de Darqôn,
les fils de Giddel, ⁵⁹les fils de Shephatya, les fils de Hattil, les fils
de Pokérèt-haç-Çebayim, les fils
d'Amôn. ⁶⁰Total des « donnés » et
des fils des esclaves de Salomon :
392.

⁶¹Les gens suivants, qui venaient de Tel-Mélah, Tel-Harsha,
Kerub, Addôn et Immer, ne purent faire connaître si leur famille
et leur race étaient d'origine israélite : ⁶²les fils de Delaya, les fils
de Tobiyya, les fils de Neqoda :
642. ⁶³Et parmi les prêtres, les fils
de Hobayya, les fils d'Haqqoç, les
fils de Barzillaï – celui-ci avait
pris pour femme l'une des filles
de Barzillaï, le Galaadite, dont il
adopta le nom. ⁶⁴Ceux-là recherchèrent leur registre généalogique

mais on ne le trouva pas : on les
écarta donc du sacerdoce comme
impurs, ⁶⁵et Son Excellence leur
interdit de manger des aliments
sacrés jusqu'à ce qu'un prêtre se
levât pour l'Urim et le Tummim.

⁶⁶L'assemblée tout entière se
montait à 42 360 individus, ⁶⁷sans
compter leurs esclaves et servantes au nombre de 7 337. Ils
avaient aussi 245 chanteurs et
chanteuses. ⁶⁸On comptait 435
chameaux et 6 720 ânes.

⁶⁹Un certain nombre de chefs
de famille firent des dons pour les
travaux. Son Excellence versa au
trésor   mille   drachmes   d'or,
50 coupes et 30 tuniques sacerdotales. ⁷⁰Des chefs de famille versèrent au trésor des travaux
20 000 drachmes d'or et 2 200
mines d'argent. ⁷¹Quant aux dons
faits par le reste du peuple, ils se
montèrent   à   20 000   drachmes
d'or, 2 000 mines d'argent et
67 tuniques sacerdotales.

⁷² Prêtres, lévites et une partie
du peuple s'installèrent à Jérusalem ; portiers, chantres, « donnés » dans leurs villes, et tous les
autres Israélites dans leurs villes.

Le jour de naissance du Judaïs-me : Esdras lit la Loi. La fête des Tentes.

8 Or quand arriva le septième
mois – les Israélites étant
ainsi dans leurs villes –, ¹tout le
peuple se rassembla comme un
seul homme sur la place située devant la porte des Eaux. Ils dirent
au scribe Esdras d'apporter le livre de la Loi de Moïse, que Yahvé
avait prescrite à Israël. ²Alors le
prêtre Esdras apporta la Loi devant l'assemblée, qui se compo-

sait des hommes, des femmes et de tous ceux qui avaient l'âge de raison. C'était le premier jour du septième mois. ³Sur la place située devant la porte des Eaux, il lut dans le livre, depuis l'aube jusqu'à midi, en présence des hommes, des femmes et de ceux qui avaient l'âge de raison : tout le peuple tendait l'oreille au livre de la Loi.

⁴Le scribe Esdras se tenait sur une estrade de bois, construite pour la circonstance ; près de lui se tenaient : à sa droite, Mattitya, Shéma, Anaya, Uriyya, Hilqiyya et Maaséya, et, à sa gauche, Pedaya, Mishaël, Malkiyya, Hashum, Hashbaddana, Zekarya et Meshullam. ⁵Esdras ouvrit le livre au regard de tout le peuple – car il dominait tout le peuple – et, quand il l'ouvrit, tout le peuple se mit debout. ⁶Alors Esdras bénit Yahvé, le grand Dieu ; tout le peuple, mains levées, répondit : « Amen ! Amen ! », puis ils s'inclinèrent et se prosternèrent devant Yahvé, le visage contre terre. ⁷(Josué, Bani, Shérébya, Yamîn, Aqqub, Shabtaï, Hodiyya, Maaséya, Qelita, Azarya, Yozabad, Hanân, Pelaya, qui étaient lévites, expliquaient la Loi au peuple, pendant que le peuple demeurait debout.) ⁸Et Esdras lut dans le livre de la Loi de Dieu, traduisant et donnant le sens : ainsi l'on comprenait la lecture.

⁹Alors (Son Excellence Néhémie et) Esdras, le prêtre-scribe (et les lévites qui instruisaient le peuple) dit à tout le peuple : « Ce jour est saint pour Yahvé, votre Dieu ! Ne soyez pas tristes, ne pleurez pas ! » Car tout le peuple pleurait

en entendant les paroles de la Loi. ¹⁰Il leur dit encore : « Allez, mangez des viandes grasses, buvez des boissons douces et faites porter sa part à qui n'a rien de prêt. Car ce jour est saint pour notre Seigneur ! Ne vous affligez point : la joie de Yahvé est votre forteresse ! » ¹¹Et les lévites calmaient tout le peuple en disant « Taisez-vous : ce jour est saint. Ne vous affligez point ! » ¹²Et tout le peuple s'en fut manger, boire, distribuer des parts et se livrer à grande liesse : car ils avaient compris les paroles qu'on leur avait communiquées.

¹³Le deuxième jour, les chefs de famille de tout le peuple, les prêtres et les lévites se réunirent autour du scribe Esdras, pour scruter les paroles de la Loi. ¹⁴Ils trouvèrent écrit, dans la Loi que Yahvé avait prescrite par le ministère de Moïse, que les Israélites habiteront sous des huttes durant la fête du septième mois ¹⁵et qu'ils annonceront et feront publier dans toutes leurs villes et à Jérusalem : « Allez dans la montagne et rapportez des rameaux d'olivier, de pin, de myrte, de palmier et d'autres arbres feuillus, pour faire des huttes, comme il est écrit. » ¹⁶Le peuple partit : ils rapportèrent des rameaux et se firent des huttes, chacun sur son toit, dans leurs cours, dans les parvis du Temple de Dieu, sur la place de la porte des Eaux et sur celle de la porte d'Éphraïm. ¹⁷Toute l'assemblée, ceux qui étaient revenus de la captivité, construisit ainsi des huttes et y habita – les Israélites n'avaient rien fait de tel depuis les jours de Josué, fils de

Nûn, jusqu'à ce jour. Et il y eut très grande liesse.

[18]Esdras lut dans le livre de la Loi de Dieu chaque jour, du premier au dernier. Sept jours durant, on célébra la fête ; le huitième, il y eut, comme prescrit, une réunion solennelle.

Cérémonie expiatoire.

9 [1]Le vingt-quatrième jour de ce mois, les Israélites, revêtus de sacs et la tête couverte de poussière, se rassemblèrent pour un jeûne. [2]La race d'Israël se sépara de tous les gens de souche étrangère : debout, ils confessèrent leurs péchés et les iniquités de leurs pères. [3]Debout, et chacun à sa place, ils lurent dans le livre de la Loi de Yahvé leur Dieu, durant un quart de la journée ; pendant un autre quart, ils confessaient leurs péchés et se prosternaient devant Yahvé leur Dieu. [4]Prenant place sur l'estrade des lévites, Josué, Binnuï, Qadmiel, Shebanya, Bunni, Shérébya, Bani, Kenani crièrent à voix forte vers Yahvé leur Dieu, [5]et les lévites Josué, Qadmiel, Bani, Hashbabnéya, Shérébya, Hôdiyya, Shebanya, Petahya dirent : « Levez-vous, bénissez Yahvé votre Dieu ! »

Béni sois-tu, Yahvé notre Dieu, d'éternité en éternité !
Et qu'on bénisse ton Nom de gloire
qui surpasse toute bénédiction et louange !

[6]C'est toi, Yahvé, qui es l'Unique !
Tu fis les cieux, les cieux des cieux et toute leur armée,

la terre et tout ce qu'elle porte,
les mers et tout ce qu'elles renferment.
Tout cela, c'est toi qui l'animes
et l'armée des cieux devant toi se prosterne.

[7]Tu es Yahvé, Dieu,
qui fis choix d'Abram,
le tiras d'Ur des Chaldéens
et lui donnas le nom d'Abraham.

[8]Trouvant son cœur fidèle devant toi,
tu fis alliance avec lui,
pour lui donner le pays du Cananéen,
du Hittite et de l'Amorite,
du Perizzite, du Jébuséen et du Girgashite,
à lui et à sa postérité.
Et tu as tenu tes promesses,
car tu es juste.

[9]Tu vis la détresse de nos pères en Égypte,
tu entendis leur cri près de la mer des Roseaux.

[10]Tu opéras signes et prodiges contre Pharaon,
tous ses valets et tout le peuple de son pays ;
car tu savais quelle fut envers eux leur arrogance.
Tu t'acquis un renom qui dure encore.

[11]La mer, tu l'ouvris devant eux :
ils passèrent au milieu de la mer à pied sec.
Dans les abîmes tu précipitas leurs poursuivants,
telle une pierre dans des eaux impétueuses.

[12]Par une colonne de nuée, tu les guidas le jour,
la nuit, par une colonne de feu,

pour illuminer devant eux la voie

où ils chemineraient.

¹³Tu es descendu sur le mont Sinaï,

et du ciel leur as parlé ;

et tu leur as donné

des ordonnances justes,

des lois sûres,

des préceptes et des commandements excellents ;

¹⁴tu leur fis connaître

ton saint sabbat ;

tu leur prescrivis commandements, préceptes et Loi

par le ministère de Moïse, ton serviteur.

¹⁵Du ciel tu leur fournis le pain pour leur faim,

du roc tu fis jaillir l'eau pour leur soif.

Tu leur commandas d'aller

prendre possession du pays

que tu avais fait serment

de leur donner.

¹⁶Mais nos pères s'enorgueillirent,

ils raidirent la nuque, ils n'obéirent point à tes ordres.

¹⁷Ils refusèrent d'obéir, oublieux des merveilles

que tu avais accomplies pour eux ;

ils raidirent la nuque, ils se mirent en tête

de retourner en Égypte, à leur esclavage.

Mais tu es le Dieu des pardons,

plein de pitié et de tendresse,

lent à la colère et riche en bonté :

tu ne les as pas abandonnés !

¹⁸Même quand ils se fabriquèrent

un veau de métal fondu,

déclarèrent : « C'est là ton Dieu qui t'a fait monter d'Égypte ! »

et commirent de grands blasphèmes,

¹⁹toi, dans ton immense tendresse,

tu ne les as pas abandonnés au désert :

la colonne de nuée ne s'écarta point d'eux

pour les guider de jour sur la route,

ni la colonne de feu la nuit,

pour illuminer devant eux la route

où ils chemineraient.

²⁰Tu leur as donné ton bon esprit

pour les rendre sages,

tu n'as pas retenu ta manne loin de leur bouche

et tu leur as fourni l'eau pour leur soif.

²¹Quarante ans tu en pris soin au désert :

ils ne manquèrent de rien,

ni leurs habits ne s'usèrent,

ni leurs pieds n'enflèrent.

²²Et tu leur livras des royaumes et des peuples

et les leur attribuas en cantons frontaliers :

ils ont pris possession du pays de Sihôn, roi d'Heshbôn,

et du pays d'Og, roi du Bashân.

²³Et tu multiplias leurs fils

comme étoiles du ciel

et tu les introduisis dans le pays

où tu avais dit à leurs pères

d'entrer pour en prendre possession.

²⁴Les fils envahirent et conquirent ce pays

et tu abaissas devant eux

les habitants du pays, les Cananéens,

que tu livras entre leurs mains,
leurs rois et les peuples du pays
pour les traiter à leur gré ;
25ils s'emparèrent de villes fortifiées
et d'une terre grasse ;
ils héritèrent de maisons
regorgeant de tous biens,
de citernes déjà creusées, de vignes, d'oliviers,
d'arbres fruitiers à profusion :
ils mangèrent, ils se rassasiè-
rent, ils engraissèrent,
ils firent leurs délices de tes immenses biens.

26Mais voici qu'indociles, révoltés contre toi,
ils jetèrent ta Loi derrière leur
dos,
ils tuèrent les prophètes qui les
avertissaient
pour te les ramener
et commirent de grands blasphèmes.
27Tu les livras alors aux mains
de leurs oppresseurs,
qui les opprimèrent.
Au temps de leur oppression,
ils criaient vers toi,
et toi, du ciel, tu les entendais
et dans ton immense tendresse
tu leur accordais
des sauveurs qui les délivraient
des mains de leurs oppresseurs.
28Mais, sitôt en paix, voilà
qu'ils refaisaient le mal devant
toi,
et tu les abandonnais aux mains
de leurs ennemis, qui les tyrannisaient.
Eux, de nouveau, criaient vers
toi,
et toi, du ciel, tu les entendais :

que de fois dans ta tendresse ne
les délivras-tu pas !
29Tu les avertis pour les ramener à ta Loi :
mais ils s'enorgueillirent, ils
n'obéirent pas à tes commandements,
ils péchèrent contre tes ordonnances, celles-là mêmes
où trouve vie l'homme qui les
observe,
ils présentèrent une épaule rebelle,
raidirent leur nuque et n'obéirent point.
30Tu fus patient avec eux
bien des années ;
tu les avertis par ton Esprit,
par le ministère de tes prophètes ;
mais ils n'écoutèrent pas.
Alors tu les livras aux mains
des peuples des pays.
31Dans ton immense tendresse,
tu ne les as pas exterminés,
tu ne les as pas abandonnés,
car tu es un Dieu plein de pitié
et de tendresse.
32Et maintenant, ô notre Dieu,
toi le Dieu grand, puissant et redoutable,
qui maintiens l'alliance et la
bonté,
ne compte pas pour rien tout cet
accablement
qui est tombé sur nous, sur nos
rois, nos chefs,
nos prêtres, nos prophètes et
tout ton peuple,
depuis le temps des rois d'Assur
jusqu'à ce jour.
33Tu as été juste
en tout ce qui nous est advenu,
car tu as montré ta fidélité,
alors que nous agissions mal.

³⁴Oui, nos rois, nos chefs, nos prêtres et nos pères

n'ont pas suivi ta Loi,

inattentifs à tes commandements et aux obligations

que tu leur imposais.

³⁵Tant qu'ils furent en leur royaume,

parmi les grands biens que tu leur accordais,

et dans le vaste et fertile pays que tu avais mis devant eux,

ils ne t'ont point servi

et ne se sont pas détournés de leurs actions mauvaises.

³⁶Voici que nous sommes aujourd'hui asservis,

et le pays que tu avais donné à nos pères

pour jouir de ses fruits et de ses biens,

voici que nous y sommes en servitude.

³⁷Ses produits profitent aux rois,

que tu nous imposas, pour nos péchés,

et qui disposent à leur gré de nos personnes et de notre bétail.

Nous sommes en grande détresse.

Procès-verbal de l'engagement pris par la communauté.

10 ¹... À cause de tout cela, nous prenons un ferme engagement, et par écrit. Sur le document scellé figurent nos chefs, nos lévites et nos prêtres...

²Sur le document scellé figuraient :

Néhémie fils de Hakalya et Çidqiyya,

³Seraya, Azarya, Yirmeya, ⁴Pashehur, Amarya, Malkiyya, ⁵Hattush, Shebanya, Malluk, ⁶Harim, Merémot, Obadya, ⁷Daniyyel, Ginnetôn, Baruk, ⁸Meshullam, Abiyya, Miyyamîn, ⁹Maazya, Bilgaï, Shemaya : ce sont les prêtres.

¹⁰Puis les lévites : Josué, fils d'Azanya, Binnuï, des fils de Hénadad, Qadmiel, ¹¹et leurs frères Shekanya, Hodavya, Qelita, Pelaya, Hanân, ¹²Mika, Rehob, Hashabya, ¹³Zakkur, Shérébya, Shebanya, ¹⁴Hodiyya, Bani, Kenani.

¹⁵Les chefs du peuple : Paréosh, Pahat-Moab, Élam, Zattu, Bani, ¹⁶Bunni, Azgad, Bébaï, ¹⁷Adoniyya, Bigvaï, Adîn, ¹⁸Ater, Hizqiyya, Azzur, ¹⁹Hodiyya, Hashum, Béçaï, ²⁰Hariph, Anatot, Nobaï, ²¹Magpiash, Meshullam, Hézir, ²²Meshézabéel, Sadoq, Yaddua, ²³Pelatya, Hanân, Anaya, ²⁴Hoshéa, Hananya, Hashshub, ²⁵Hallohesh, Pilha, Shobèq, ²⁶Rehum, Hashabna, Maaséya, ²⁷Ahiyya, Hanân, Anân, ²⁸Malluk, Harim, Baana.

²⁹... et le reste du peuple, les prêtres, les lévites, les portiers, les chantres, les « donnés », bref, tous ceux qui se sont séparés des peuples des pays pour adhérer à la Loi de Dieu, et aussi leurs femmes, leurs fils et filles, tous ceux qui ont l'âge de raison, ³⁰se joignent à leurs frères et chefs et s'engagent, par imprécation et serment, à marcher selon la Loi de Dieu, donnée par le ministère de Moïse, le serviteur de Dieu, à garder et observer tous les commandements de Yahvé notre Dieu, ses coutumes et ses lois.

³¹En particulier : nous ne donnerons plus nos filles aux peuples du pays et ne prendrons plus leurs filles pour nos fils.

³²Si les peuples du pays appor-

tent pour les vendre, le jour du sabbat, des marchandises ou quelque denrée que ce soit, nous ne leur achèterons rien un jour de sabbat ni un jour sacré.

Nous ferons abandon des produits du sol, la septième année, et de toute créance.

³³Nous nous sommes imposé comme obligations :

de donner un tiers de sicle par an pour le culte du Temple de notre Dieu : ³⁴pour le pain d'oblation, pour l'oblation perpétuelle et l'holocauste perpétuel, pour les sacrifices des sabbats, des néoménies, des solennités, et pour les mets sacrés, pour les sacrifices pour le péché qui assurent l'expiation en faveur d'Israël, bref pour tout le service du Temple de notre Dieu ;

³⁶ et d'apporter chaque année au Temple de Yahvé les prémices de notre sol et les prémices de tous les fruits de tous les arbres, ³⁷ainsi que les premiers-nés de nos fils et de notre bétail, comme il est écrit dans la Loi – les premiers-nés de notre gros et menu bétail, apportés au Temple de notre Dieu, étant destinés aux prêtres en fonction dans le Temple de notre Dieu. ³⁸De plus, la meilleure part de nos moutures, des fruits de tout arbre, du vin nouveau et de l'huile, nous l'apporterons aux prêtres, dans les salles du Temple de notre Dieu ; et la dîme de notre sol, aux lévites – ce sont les lévites eux-mêmes qui lèveront la dîme dans toutes les villes de notre culte ; ³⁹un prêtre, fils d'Aaron, accompagnera les lévites quand ils lèveront la dîme ; les lévites achemineront la dîme de la dîme

vers le Temple de notre Dieu, vers les salles du Trésor ; ⁴⁰ᵃᵇcar c'est dans ces salles que les Israélites et les lévites apportent les redevances de blé, de vin et d'huile ; là se trouve aussi le matériel du sanctuaire, des prêtres en service, des portiers et des chantres.

³⁵Nous avons aussi réglé par le sort, prêtres, lévites et peuple, la question des livraisons de bois qu'on doit faire au Temple de notre Dieu, chaque famille à son tour, à dates fixes, chaque année, pour le brûler sur l'autel de Yahvé notre Dieu, comme il est écrit dans la Loi.

⁴⁰ᶜNous ne négligerons plus le Temple de notre Dieu.

Le synœcisme de Néhémie. Listes diverses.

11 ¹Alors les chefs du peuple s'établirent à Jérusalem. Le reste du peuple tira au sort pour qu'un homme sur dix vînt résider à Jérusalem, la Ville sainte, tandis que les neuf autres resteraient dans les villes. ²Et le peuple bénit tous les hommes qui furent volontaires pour résider à Jérusalem.

³Voici les chefs de la province qui étaient établis à Jérusalem et dans les villes de Juda. Israélites, prêtres, lévites, « donnés » et fils des esclaves de Salomon demeuraient dans leurs villes, chacun en sa propriété.

La population juive à Jérusalem.

⁴À Jérusalem demeuraient des fils de Juda et des fils de Benjamin :

Parmi les fils de Juda : Ataya, fils de Uzziyya, fils de Zekarya, fils d'Amarya, fils de Shephatya, fils de Mahalaléel, des descendants de Pérèç ; [5]Maaséya, fils de Baruk, fils de Kol-Hozé, fils de Hazaya, fils de Adaya, fils de Yoyarib, fils de Zekarya, descendant de Shéla. [6]Le total des descendants de Pérèç fixés à Jérusalem était de 468, hommes de condition.

[7]Voici les fils de Benjamin : Sallu, fils de Meshullam, fils de Yoëd, fils de Pedaya, fils de Qolaya, fils de Maaséya, fils d'Itiel, fils de Yeshaya, [8]et ses frères, Gabbaï, Sallaï : 928.

[9]Yoël, fils de Zikri, les commandait, et Yehuda, fils de Hassenua, commandait en second la ville.

[10]Parmi les prêtres : Yedaya, fils de Yoyaqim, fils de [11]Seraya, fils d'Hilqiyya, fils de Meshullam, fils de Sadoq, fils de Merayot, fils d'Ahitub, chef du Temple de Dieu, [12]et ses frères qui vaquaient au service du Temple : 822 ; Adaya, fils de Yeroham, fils de Pelalya, fils d'Amçi, fils de Zekarya, fils de Pashehur, fils de Malkiyya, [13]et ses frères, chefs de famille : 242 ; et Amasaï, fils d'Azaréel, fils d'Ahzaï, fils de Meshillémot, fils d'Immer, [14]et ses frères, hommes de condition : 128.

Zabdiel, fils de Haggadol, les commandait.

[15]Parmi les lévites : Shemaya, fils de Hashshub, fils d'Azriqam, fils de Hashabya, fils de Bunni ; [16]Shabtaï et Yozabad, ceux des chefs lévitiques responsables des affaires extérieures du Temple de Dieu ; [17]Mattanya, fils de Mika, fils de Zabdi, fils d'Asaph, qui dirigeait les hymnes, entonnait l'action de grâces pour la prière ; Baq-

buqya, le second parmi ses frères ; Obadya, fils de Shammua, fils de Galal, fils de Yedutûn. [18]Total des lévites dans la Ville sainte : 284.

[19]Les portiers : Aqqub, Talmôn et leurs frères, qui montaient la garde aux portes : 172.

Notes complémentaires.

[21]Les « donnés » habitaient l'Ophel ; Çiha et Gishpa étaient à la tête des « donnés ». – [22]Le chef des lévites de Jérusalem était Uzzi, fils de Bani, fils de Hashabya, fils de Mattanya, fils de Mika ; il faisait partie des fils d'Asaph, les chantres chargés du service du Temple de Dieu ; [23]car ils faisaient l'objet d'une instruction royale et un règlement fixait aux chantres leur rôle jour par jour. – [24]Petahya, fils de Meshézabéel, qui appartenait aux fils de Zérah, fils de Juda, était à la disposition du roi pour toutes les affaires du peuple.

[20]Quant au reste des Israélites, des prêtres, et des lévites, ils demeuraient dans toutes les villes de Juda, chacun dans son domaine, [25]et dans les villages situés dans leurs champs.

La population juive en province.

Des fils de Juda demeuraient à Qiryat-ha-Arba et dans ses dépendances, à Dibôn et dans ses dépendances, à Yeqqabçéel et dans les villages de son ressort, [26]à Yeshua, à Molada, à Bet-Pélèt, [27]à Haçar-Shual, à Bersabée et dans ses dépendances, [28]à Çiqlag, à Mekona et dans ses dépendances, [29]à En-Rimmôn, à Çoréa, à Yarmut, [30]Zanoah, Adullam et les villages de leur ressort, Lakish et sa campagne, Azéqa et ses dépendances : ils s'établirent donc de Bersabée jusqu'au val d'Hinnom. ³¹Des fils de Benjamin habitaient Géba, Mikmas, Ayya et Béthel ainsi que ses dépendances, ³²Anatot, Nob, Ananya, ³³Haçor, Rama, Gittayim, ³⁴Hadid, Çeboyim, Neballat, ³⁵Lod et Ono, et le val des Artisans.

³⁶Des groupes de lévites se trouvaient tant en Juda qu'en Benjamin.

Prêtres et lévites de retour sous Zorobabel et Josué.

12 ¹Voici les prêtres et les lévites qui revinrent avec Zorobabel, fils de Shéaltiel, et Josué :

Seraya, Yirmeya, Esdras, ²Amarya, Malluk, Hattush, ³Shekanya, Rehum, Merémot, ⁴Iddo, Ginnetôn, Abiyya, ⁵Miyyamîn, Maadya, Bilga, ⁶Shemaya ; plus : Yoyarib, Yedaya, ⁷Sallu, Amoq, Hilqiyya, Yedaya.

Tels étaient les chefs des prêtres, et leurs frères, au temps de Josué, ⁸c'est-à-dire les lévites, étaient : Josué, Binnuï, Qadmiel, Shérébya, Yehuda, Mattanya – ce dernier, avec ses frères, dirigeait les hymnes d'action de grâces, ⁹tandis que Baqbuqya, Unni et leurs frères leur faisaient vis-à-vis, selon leurs classes respectives.

Liste généalogique des grands prêtres.

¹⁰Josué engendra Yoyaqim ; Yoyaqim engendra Élyashib ; Élyashib engendra Yoyada ; ¹¹Yoyada engendra Yohanân ; et Yohanân engendra Yaddua.

Prêtres et lévites au temps du grand prêtre Yoyaqim.

¹²Au temps de Yoyaqim, les familles sacerdotales avaient pour chefs : famille de Seraya : Meraya ; famille de Yirmeya : Hananya ; ¹³famille d'Esdras : Meshullam ; famille d'Amarya : Yehohanân ; ¹⁴famille de Malluk : Yonatân ; famille de Shebanya : Yoseph ; ¹⁵famille de Harim : Adna ; famille de Merayot : Helqaï ; ¹⁶famille d'Iddo : Zekarya ; famille de Ginnetôn : Meshullam ; ¹⁷famille d'Abiyya : Zikri ; famille de Minyamîn : ... ; famille de Moadya : Piltaï ; ¹⁸famille de Bilga : Shammua ; famille de Shemaya : Yehonatân ; ¹⁹plus : famille de Yoyarib : Mattenaï ; famille de Yedaya : Uzzi ; ²⁰famille de Sallaï : Qallaï ; famille d'Amoq : Éber ; ²¹famille de Hilqiyya : Hashabya ; famille de Yedaya : Netanéel.

²²Au temps d'Élyashib, de Yoyada, de Yohanân et de Yaddua, les chefs des familles des prêtres furent enregistrés sur le Livre des Chroniques jusqu'au règne de Darius le Perse.

²³Les fils de Lévi.

Les chefs des familles furent enregistrés sur le Livre des Chroniques, mais seulement jusqu'au temps de Yohanân, petit-fils d'Élyashib.

²⁴Les chefs des lévites étaient : Hashabya, Shérébya, Josué, Binnuï, Qadmiel ; et leurs frères, qui leur faisaient face pour exécuter les hymnes de louange et d'action de grâces selon les instructions de David, homme de Dieu, une classe correspondant à l'autre, ²⁵étaient : Mattanya, Baqbuqya et Obadya.

Quant à Meshullam, Talmôn et Aqqub, portiers, ils montaient la garde aux magasins près des portes.

²⁶Ceux-ci vivaient au temps de Yoyaqim, fils de Josué, fils de Yoçadaq, et au temps de Néhémie le gouverneur et d'Esdras le prêtre-scribe.

Dédicace du rempart de Jérusalem.

²⁷Lors de la dédicace du rempart de Jérusalem, on alla chercher les lévites partout où ils résidaient pour les amener à Jérusalem : il s'agissait de célébrer la dédicace dans la liesse avec chants d'action de grâces et musique de cymbales, de luths et de cithares. ²⁸Les chantres, fils de Lévi, se rassemblèrent donc, du district qui entoure Jérusalem, des villages des Netophatites, ²⁹de Bet-ha-Gilgal, des champs de Géba et d'Azmavèt : car les chantres s'étaient construit des villages tout autour de Jérusalem. ³⁰Prêtres et lévites se purifièrent eux-mêmes, puis ils purifièrent le peuple, les portes et le rempart.

³¹Je fis alors monter les chefs de Juda sur le rempart et organisai deux grands chœurs. Le premier chemina par la crête du rempart, vers la droite, en direction de la porte du Fumier ; ³²derrière lui marchaient Hoshaya et une moitié des chefs de Juda — ³³ainsi qu'Azarya, Esdras, Meshullam, ³⁴Yehuda, Benjamin, Shemaya et Yirmeya, ³⁵choisis parmi les prêtres et munis de trompettes ; puis Zekarya, fils de Yonatân, fils de Shemaya, fils de Mattanya, fils de Mika, fils de Zakkur, fils d'Asaph, ³⁶avec ses frères Shemaya, Aza-

réel, Milalaï, Gilalaï, Maaï, Netanéel, Yehuda, Hanani, munis des instruments de musique de David, l'homme de Dieu. Et Esdras, le scribe, marchait à leur tête. — ³⁷À la porte de la Fontaine, ils montèrent droit devant eux, près des escaliers de la Cité de David, par la crête du rempart, et par la montée du Palais de David, jusqu'à la porte des Eaux, à l'orient.

³⁸Quant au second chœur, il chemina vers la gauche : je le suivis, avec la moitié des chefs du peuple, par la crête du rempart, par-dessus la tour des Fours et jusqu'à la muraille large, ³⁹puis par-dessus la porte d'Éphraïm, la porte des Poissons, la tour de Hananéel et la tour des Cent, jusqu'à la porte des Brebis ; on fit halte à la porte de la Garde.

⁴⁰Les deux chœurs prirent ensuite place dans le Temple de Dieu. — J'avais avec moi une moitié des magistrats ⁴¹ainsi que les prêtres Élyaqim, Maaséya, Minyamîn, Mika, Élyoénaï, Zekarya, Hananya, munis de trompettes, ⁴²plus Maaséya, Shemaya, Éléazar, Uzzi, Yehohanân, Malkiyya, Élam et Ézer. — Les chantres se firent entendre sous la direction de Yizrahya. ⁴³On offrit ce jour-là d'importants sacrifices et les gens se livrèrent à la joie : c'est que Dieu leur avait accordé grand sujet de joie ; les femmes aussi et les enfants se réjouirent. Et la joie de Jérusalem s'entendit de loin.

Une époque idéale.

⁴⁴En ce temps-là, on préposa aux salles prévues pour les provisions, prélèvements, prémices et dîmes, des hommes qui y rassem-

bleraient, du territoire des villes, les parts que la Loi alloue aux prêtres et aux lévites. Car Juda mettait sa joie dans les prêtres et les lévites en fonction. ⁴⁵Ce sont eux qui assuraient le service de leur Dieu et le service des purifications – ainsi que les chantres et les portiers –, suivant les prescriptions de David et de Salomon son fils. ⁴⁶Car dès les jours de David et d'Asaph, depuis bien longtemps, il existait un chef des chantres et des cantiques de louange et d'action de grâces à Dieu. ⁴⁷Donc tout Israël, au temps de Zorobabel et au temps de Néhémie, versait aux chantres et aux portiers les parts qui leur revenaient, d'après leurs besoins quotidiens. On remettait aux lévites les redevances sacrées et les lévites les remettaient aux fils d'Aaron.

13 ¹En ce temps-là, on lut au peuple dans le livre de Moïse et l'on y trouva écrit : « *L'Ammonite et le Moabite ne seront pas admis à l'assemblée de Dieu, et cela pour toujours,* ²*car ils ne sont pas venus à la rencontre des Israélites avec le pain et l'eau. Ils soudoyèrent* contre eux *Balaam, pour les maudire, mais notre Dieu changea la malédiction en bénédiction.* » ³Dès qu'on eut entendu la Loi, on exclut d'Israël tout élément étranger.

La deuxième mission de Néhémie.

⁴Mais auparavant, le prêtre Élyashib avait été préposé aux salles du Temple de notre Dieu. Lié à Tobiyya, ⁵il lui avait aménagé une salle spacieuse, où l'on plaçait précédemment les offrandes, l'encens, les ustensiles, la dî-

me du blé, du vin et de l'huile, c'est-à-dire les parts des lévites, des chantres et des portiers et ce qu'on prélevait pour les prêtres. ⁶J'étais, durant tout cela, absent de Jérusalem, car dans la trente-deuxième année d'Artaxerxès, roi de Babylone, j'étais parti auprès du roi ; mais, au bout d'un certain temps, je demandai au roi un congé ⁷et revins à Jérusalem. J'appris alors la mauvaise action qu'avait faite Élyashib en faveur de Tobiyya, en lui aménageant une salle dans le parvis du Temple de Dieu. ⁸Cela me déplut fort : je jetai donc à la rue, hors de la salle, tout le mobilier de Tobiyya, ⁹et j'ordonnai qu'on purifiât les salles ; puis j'y fis réintégrer les ustensiles du Temple de Dieu, les offrandes et l'encens.

¹⁰J'appris également que les parts des lévites ne rentraient plus et que les lévites et les chantres chargés du service s'étaient enfuis chacun vers son champ. ¹¹Aussi tançai-je les magistrats en ces termes : « Pourquoi le Temple de Dieu est-il à l'abandon ? » Je les rassemblai donc et les rétablis dans leur fonction. ¹²Alors tout Juda apporta aux magasins la dîme du blé, du vin et de l'huile. ¹³Je préposai aux magasins le prêtre Shélémya, le scribe Sadoq, Pedaya, l'un des lévites, et, pour les assister, Hanân, fils de Zakkur, fils de Mattanya, car ils passaient pour intègres ; leur office fut de faire les distributions à leurs frères. ¹⁴Pour cela, souviens-toi de moi, mon Dieu : n'efface pas les actes de piété que j'ai accomplis pour le Temple de mon Dieu et ses observances.

¹⁵En ces jours-là, je vis en Juda des gens qui foulaient au pressoir, le jour du sabbat ; d'autres apportaient des gerbes de blé, les chargeaient sur des ânes, avec du vin, des raisins, des figues et toutes sortes de fardeaux, qu'ils voulaient introduire à Jérusalem le jour du sabbat : je les avertis de ne point vendre de denrées. ¹⁶À Jérusalem même, des Tyriens, qui habitaient là, apportaient du poisson et des marchandises de tout genre pour les vendre aux Judéens le jour du sabbat. ¹⁷Aussi tançai-je les grands de Juda, leur déclarant : « Quelle chose exécrable vous faites là, en profanant le jour du sabbat ! ¹⁸N'est-ce pas ainsi qu'ont agi vos pères ? Alors notre Dieu fit venir tout ce malheur sur nous et sur cette ville. Et vous, vous accroissez la Colère contre Israël en profanant le sabbat. » ¹⁹Aussi, dès que l'ombre eut gagné les portes de Jérusalem, juste avant le sabbat, j'ordonnai la fermeture des battants et je dis qu'on ne les rouvre qu'après le sabbat. Je postai quelques-uns de mes gens aux portes pour qu'aucun fardeau n'entrât le jour du sabbat. ²⁰Une fois ou deux, des marchands, des trafiquants en tous genres de marchandises passèrent la nuit hors de Jérusalem, ²¹mais je les avertis, leur déclarant : « Pourquoi passer la nuit aux abords du mur ? Si vous recommencez, je mettrai la main sur vous ! » Depuis ce moment, ils ne sont plus venus le jour du sabbat. ²²J'ordonnai aux lévites de se purifier et de venir surveiller les portes, pour qu'on observât saintement le jour du sabbat. Pour cela aussi souviens-toi de moi, mon Dieu, et prends-moi en pitié, selon ta grande miséricorde !

²³En ces jours-là encore, je vis des Juifs qui avaient épousé des femmes ashdodites, ammonites ou moabites. ²⁴Quant à leurs enfants, la moitié parlait l'ashdodien ou la langue de tel ou tel peuple, mais ne savait plus parler le juif. ²⁵Je les tançai et les maudis, en frappai plusieurs, leur arrachai les cheveux et les adjurai de par Dieu : « Vous ne devez pas donner vos filles à leurs fils, ni prendre pour femmes aucune de leurs filles, pour vos fils ou pour vous-mêmes ! ²⁶N'est-ce pas en cela qu'a péché Salomon, roi d'Israël ? Parmi tant de nations, aucun roi ne lui fut semblable ; il était aimé de son Dieu ; Dieu l'avait fait roi sur tout Israël. Même lui, les femmes étrangères l'entraînèrent à pécher ! ²⁷Faudra-t-il entendre dire que vous commettez aussi ce grand crime : trahir notre Dieu en vous mariant avec des femmes étrangères ? »

²⁸L'un des fils de Yoyada, fils d'Élyashib, le grand prêtre, était le gendre de Sânballat, le Horonite. Je le chassai loin de moi. ²⁹Souviens-toi de ces gens, mon Dieu, pour l'avilissement causé au sacerdoce et à l'alliance des prêtres et lévites.

³⁰Je les purifiai donc de tout élément étranger. J'établis, pour les prêtres et les lévites, les règlements qui délimitaient à chacun sa tâche. ³¹J'en établis également pour les livraisons du bois à dates fixées, et pour les prémices.

Souviens-toi de moi, mon Dieu, pour mon bonheur !

Les livres de Tobie, de Judith et d'Esther

Introduction

On ne possède plus les originaux sémitiques des livres de Tobie et de Judith. Leur texte est mal fixé. Le livre d'Esther présente une forme courte (hébreu) et une forme longue (grec). [Dans la présente traduction, les additions du grec sont données en italique et avec une numérotation spéciale.] Ils ont en commun un certain genre littéraire : ils racontent des histoires, peut-être à partir de faits réels, mais en prenant beaucoup de liberté avec l'histoire et la géographie. Par exemple (Jdt), l'itinéraire guerrier d'Holopherne est un défi à la géographie et la ville de Béthulie ne peut être située sur une carte malgré les apparentes précisions topographiques ; Mardochée (Est), s'il avait été déporté du temps de Nabuchodonosor, aurait eu cent cinquante ans sous Xerxès. Le propos de ces livres n'étant pas de faire de l'histoire, il importe de déterminer l'intention de chacun et de dégager l'enseignement qu'il donne.

Le livre de **Tobie** est une histoire familiale. Le jeune Tobie, fils de Tobit, un déporté pieux, observant et charitable devenu aveugle, est conduit par l'ange Raphaël à Ecbatane, où son parent Ragouël a une fille, Sarra, qui a vu mourir successivement sept fiancés, tués au soir des noces par le démon Asmodée. Tobie épousera Sarra et rapportera le remède qui guérira l'aveugle. Le livre de Tobie est un récit d'édification, où les devoirs envers les morts et le conseil de l'aumône ont une place marquante. Le sens du mariage et de la famille s'y exprime. L'ange Raphaël manifeste et masque tout à la fois l'action de Dieu, dont il est l'instrument : c'est cette Providence quotidienne, cette proximité d'un Dieu bienveillant, que le livre invite à reconnaître.

Le livre s'inspire de modèles bibliques, surtout des récits patriarcaux de la Genèse, et offre des points de contact avec la Sagesse d'Ahikar, ouvrage dont le fond remonte au moins au ve siècle av. J.-C. Il semble avoir été écrit vers 200 av. J.-C., peut-être en Palestine et probablement en araméen.

Le livre de **Judith** est l'histoire d'une victoire du peuple élu sur ses ennemis, grâce à l'intervention d'une femme. La petite nation juive est affrontée à l'imposante armée d'Holopherne, qui doit soumettre le monde au roi Nabuchodonosor et détruire tout autre culte que celui de Nabuchodonosor déifié. Les Juifs, assiégés, sont sur le point de se rendre.

Alors paraît Judith, une jeune veuve, belle, sage, pieuse et décidée. Elle reproche aux chefs de la ville leur manque de confiance en Dieu, prie, se pare et se fait conduire devant Holopherne dont elle tranche la tête. Pris de panique, les Assyriens s'enfuient ; le peuple exalte Judith et se rend à Jérusalem pour une solennelle action de grâces.

Il semble que l'auteur ait multiplié délibérément les entorses à l'histoire pour détacher l'attention d'un contexte historique précis afin de la reporter tout entière sur le drame religieux. Le livre de Judith est un récit habilement composé, qui s'apparente aux apocalypses. Holopherne, serviteur de Nabuchodonosor, est une synthèse des puissances du mal. Judith, dont le nom signifie « la Juive », représente le parti de Dieu, identifié à celui de la nation. Ce livre a des contacts certains avec Daniel, Ézéchiel et Joël ; la scène est située dans la plaine d'Esdrelon, près de la plaine d'Harmagedôn où saint Jean placera la bataille eschatologique. La victoire de Judith récompense sa prière, son observance scrupuleuse des règles de pureté légale, et cependant la perspective du livre est universaliste. Le livre a été écrit en Palestine vers le milieu du IIe siècle avant notre ère, dans l'atmosphère de ferveur nationale et religieuse créée par le soulèvement des Maccabées.

Le livre d'**Esther** raconte, comme celui de Judith, une délivrance de la nation par l'intermédiaire d'une femme. Les Juifs établis en Perse sont menacés d'extermination par la haine d'un vizir omnipotent, Aman. Ils sont sauvés grâce à l'intervention d'Esther, une jeune compatriote devenue reine – elle-même dirigée par son oncle Mardochée –, qui retourne la situation : Aman est pendu, Mardochée prend sa place, les Juifs massacrent leurs ennemis. La fête des Purim est instituée pour commémorer cette victoire et on recommande aux Juifs de la célébrer chaque année.

Ce récit illustre l'hostilité dont les Juifs étaient l'objet dans le monde antique, à cause de la singularité de leur vie qui les mettait en opposition avec la loi du prince (comparer avec la persécution d'Antiochus Épiphane) ; leur nationalisme exacerbé est une réaction de défense. L'élévation de Mardochée et d'Esther et la délivrance qui en résulte rappellent l'histoire de Daniel, et surtout celle de Joseph, opprimé puis exalté pour le salut de son peuple. Dans le récit de la Genèse sur Joseph, Dieu ne manifeste pas extérieurement sa puissance et cependant il dirige les événements. De même, dans le livre hébreu d'Esther, qui évite de nommer Dieu, la Providence conduit toutes les péripéties du drame. Les acteurs le savent et mettent toute leur confiance en Dieu, qui réalisera son dessein de salut.

Le livre peut avoir été composé dans le deuxième quart du IIe siècle av. J.-C. Son rapport original avec la fête des Purim est incertain : les origines de la fête sont obscures, il est possible que le livre lui ait été rattaché secondairement et ait servi à la justifier historiquement.

Tobie

1 ¹Histoire de Tobit, fils de Tobiel, fils d'Ananiel, fils d'Adouel, fils de Gabaël, de la lignée d'Asiel, de la tribu de Nephtali. ²Aux jours de Salmanasar, roi d'Assyrie, il fut déporté de Tibé, qui se trouve au sud de Kédès-Nephtali, en Haute-Galilée, au-dessus de Hasor, à l'ouest, au soleil couchant, et au nord de Shephat.

1. Le déporté

³Moi, Tobit, j'ai marché sur des chemins de vérité et dans les bonnes œuvres tous les jours de ma vie. J'ai fait beaucoup d'aumônes à mes frères et à mes compatriotes déportés avec moi à Ninive, au pays d'Assyrie. ⁴Dans ma jeunesse, quand j'étais encore dans mon pays, la terre d'Israël, toute la tribu de Nephtali mon ancêtre se détacha de la maison de David et de Jérusalem. C'était pourtant la ville choisie parmi toutes les tribus d'Israël pour leurs sacrifices ; c'était là que le Temple où Dieu réside avait été bâti et dédié pour toutes les générations à venir. ⁵Tous mes frères, et la maison de Nephtali, eux, sacrifiaient au veau qu'avait fait Jéroboam, roi d'Israël, à Dan, sur tous les monts de Galilée.

⁶Bien des fois, j'étais absolument seul à venir en pèlerinage à Jérusalem, pour satisfaire à la loi qui oblige tout Israël à perpétuité. Je courais à Jérusalem, avec les prémices des fruits et des animaux, la dîme du bétail, et la première tonte des brebis. ⁷Je les donnais aux prêtres, fils d'Aaron, pour l'autel. Aux lévites, alors en fonction à Jérusalem, je donnais la dî-

me du vin et du blé, des olives, des grenades et des autres fruits. Je prélevais en espèces la seconde dîme, six ans de suite, et j'allais la dépenser à Jérusalem chaque année. ⁸Je donnais la troisième aux orphelins, aux veuves et aux étrangers qui vivent avec les Israélites ; je la leur apportais en présent tous les trois ans. Nous la mangions, fidèles à la fois aux prescriptions de la Loi mosaïque et aux recommandations de Debbora, mère d'Ananiel, notre père ; parce que mon père était mort, en me laissant orphelin. ⁹À l'âge d'homme, je pris une femme de notre parenté, qui s'appelait Anna ; elle me donna un fils que je nommai Tobie.

¹⁰Lors de la déportation en Assyrie, quand je fus emmené, je vins à Ninive. Tous mes frères, et ceux de ma race, mangeaient les mets des païens ; ¹¹pour moi, je me gardai de manger les mets des païens. ¹²Comme j'avais été fidèle à mon Dieu de tout mon cœur, ¹³le Très-Haut me donna la faveur de Salmanasar, dont je devins l'homme d'affaires. ¹⁴Je voyageais en Médie, où je passai des marchés pour lui, jusqu'à sa

mort ; et je déposai chez Gabaël, frère de Gabri, à Rhagès de Médie, des sacs d'argent pour dix talents.

15À la mort de Salmanasar, Sennachérib, son fils, lui succéda ; les routes de Médie se fermèrent, et je ne pus continuer à m'y rendre. 16Aux jours de Salmanasar, j'avais fait souvent l'aumône à mes frères de race, 17je donnais mon pain aux affamés, et des habits à ceux qui étaient nus ; et j'enterrais, quand j'en voyais, les cadavres de mes compatriotes, jetés par-dessus les remparts de Ninive. 18J'enterrai de même ceux que tua Sennachérib. – Quand il revint en fuyard de Judée, après le châtiment du Roi du Ciel sur le blasphémateur, Sennachérib, dans sa colère, tua un grand nombre d'Israélites. – Alors, je dérobais leurs corps pour les ensevelir ; Sennachérib les cherchait et ne les trouvait plus. 19Un Ninivite vint informer le roi que j'étais le fossoyeur clandestin. Quand je sus le roi renseigné sur mon compte, que je me vis recherché pour être mis à mort, j'eus peur, et je pris la fuite. 20Tous mes biens furent saisis ; tout fut confisqué pour le trésor ; rien ne me resta, que ma femme Anna, et que mon fils Tobie.

21Moins de quarante jours après, le roi fut assassiné par ses deux fils, qui s'enfuirent dans les monts Ararat. Asarhaddon, son fils, lui succéda. Ahikar, fils de mon frère Anaël, fut chargé des comptes du royaume, et il avait la direction générale des affaires. 22Alors Ahikar intercéda pour moi, et je pus redescendre à Ninive. C'est que Ahikar, sous Sennachérib, roi d'Assyrie, avait été grand échanson, garde du sceau, administrateur et maître des comptes ; et Asarhaddon l'avait maintenu en fonctions. Il était de ma parenté, c'était mon neveu.

2. L'aveugle

2 1Sous le règne d'Asarhaddon, je revins donc chez moi, et ma femme Anna me fut rendue avec mon fils Tobie. À notre fête de la Pentecôte (la fête des Semaines), il y eut un bon dîner. Je pris ma place au repas, 2on m'apporta la table et on m'apporta plusieurs plats. Alors je dis à mon fils Tobie : « Va chercher, mon enfant, parmi nos frères déportés à Ninive, un pauvre qui soit de cœur fidèle, et amène-le pour partager mon repas. J'attends que tu reviennes, mon enfant. » 3Tobie sortit donc en quête d'un pauvre parmi nos frères, mais il revint et dit : « Père ! » Je répondis : « Eh bien, mon enfant? » Il reprit : « Père, il y a quelqu'un de notre peuple qui vient d'être assassiné, il a été étranglé, puis jeté sur la place du marché, et il y est encore. » 4Je ne fis qu'un bond, laissai mon repas intact, enlevai l'homme de la place, et le déposai dans une chambre, en attendant le coucher du soleil pour l'enterrer. 5Je rentrai me laver, et je mangeai mon pain dans le chagrin, 6avec

le souvenir des paroles du prophète Amos sur Béthel :

*Vos fêtes seront changées en
deuil*

*et tous vos chants en lamenta-
tions.*

7Et je pleurai. Puis, quand le soleil fut couché, j'allai, je creusai
une fosse et je l'ensevelis. 8Mes
voisins disaient en riant : « Tiens !
Il n'a plus peur. » (Il faut se rappeler que ma tête avait déjà été
mise à prix pour ce motif-là.) « La
première fois, il s'est enfui ; et le
voilà qui se remet à enterrer les
morts ! »

9Ce soir-là, je pris un bain, et
j'allai dans la cour, je m'étendis
le long du mur de la cour. Comme
il faisait chaud, j'avais le visage
découvert, 10je ne savais pas qu'il
y avait, au-dessus de moi, des
moineaux dans le mur. De la fiente me tomba dans les yeux, toute
chaude ; elle provoqua des taches
blanches que je dus aller faire soigner par les médecins. Plus ils
m'appliquaient d'onguents, plus
les taches m'aveuglaient, et finalement la cécité fut complète. Je
restai quatre ans privé de la vue,
tous mes frères en furent désolés
; et Ahikar pourvut à mon entretien
pendant deux années, avant son
départ en Élymaïde.

11À ce moment-là, ma femme
Anna prit du travail d'ouvrière, elle filait de la laine et recevait de
la toile à tisser, 12elle livrait sur
commande et on lui payait le prix.
Or, le sept du mois de Dystros,
elle termina une pièce et elle la
livra aux clients. Ils lui donnèrent
tout son dû, et de plus ils lui firent
cadeau d'un chevreau pour un repas. 13En rentrant chez moi, le

chevreau se mit à bêler, j'appelai
ma femme et lui dis : « D'où sort
ce cabri ? Et s'il avait été volé ?
Rends-le donc à ses maîtres, nous
n'avons pas le droit de manger le
produit d'un vol. » 14Elle me dit :
« Mais c'est un cadeau qu'on m'a
donné par-dessus le marché ! » Je
ne la crus pas, et je lui dis de le
rendre à ses propriétaires (j'en
rougissais devant elle). Alors elle
répliqua : « Où sont donc tes aumônes ? Où sont donc tes bonnes
œuvres ? Tout le monde sait ce
que cela t'a rapporté ! »

3 1L'âme désolée, je soupirai,
je pleurai, et je commençai
cette prière de lamentation :

2Tu es juste, Seigneur,

et toutes tes œuvres sont justes.

Toutes tes voies sont grâce et
vérité,

et tu es le Juge du monde.

3Et maintenant, toi, Seigneur,
souviens-toi de moi, regarde-moi.

Ne me punis pas pour mes péchés,

ni pour mes ignorances,

ni pour celles de mes pères.

Car nous avons péché devant
toi

4et violé tes commandements ;

et tu nous as livrés au pillage,

à la captivité et à la mort,

à la fable, à la risée et au blâme

de tous les peuples où tu nous
as dispersés.

5Et maintenant, tous tes décrets
sont vrais,

quand tu me traites selon mes
fautes

et celles de mes pères.

Car nous n'avons pas obéi à tes
ordres,

ni marché en vérité devant toi.

⁶Et maintenant, traite-moi comme il te plaira,
daigne me retirer la vie :
je veux être délivré de la terre
et redevenir terre.
Car la mort vaut mieux pour moi que la vie.
J'ai subi des outrages sans raison,
et j'ai une immense douleur !

Seigneur, j'attends que ta décision
me délivre de cette épreuve.
Laisse-moi partir au séjour éternel,
ne détourne pas ta face de moi, Seigneur.
Car mieux vaut mourir que passer ma vie
en face d'un mal inexorable,
et je ne veux plus m'entendre outrager.

3. Sarra

⁷Le même jour, il advint que Sarra, fille de Ragouël, habitant d'Ecbatane en Médie, entendit aussi les insultes d'une servante de son père. ⁸Il faut savoir qu'elle avait été donnée sept fois en mariage, et qu'Asmodée, le pire des démons, avait tué ses maris l'un après l'autre, avant qu'ils se soient unis à elle comme de bons époux. Et la servante de dire : « Oui, c'est toi qui tues tes maris ! En voilà déjà sept à qui tu as été donnée, et tu n'as pas eu de chance une seule fois ! ⁹Si tes maris sont morts, ce n'est pas une raison pour nous châtier ! Va donc les rejoindre, qu'on ne voie jamais de toi ni garçon ni fille ! » ¹⁰Ce jour-là, elle eut du chagrin, elle sanglota, elle monta dans la chambre de son père, avec le dessein de se pendre. Puis, à la réflexion, elle pensa : « Et si l'on blâmait mon père ? On lui dira : "Tu n'avais qu'une fille chérie, et, de malheur, elle s'est pendue !" Je ne veux pas affliger la vieillesse de mon père jusqu'au séjour des morts. Je ferais mieux de ne pas

me pendre, et de supplier le Seigneur de me faire mourir, afin que je n'entende plus d'insultes pendant ma vie. » ¹¹À l'instant, elle étendit les bras du côté de la fenêtre, elle pria ainsi :

Tu es béni, Dieu de miséricorde !
Que ton Nom soit béni dans les siècles,
et que toutes tes œuvres te bénissent dans l'éternité !

¹²Et maintenant, je lève mon visage
et je tourne les yeux vers toi.
¹³Que ta parole me délivre de la terre,
je ne veux plus m'entendre outrager !

¹⁴Tu le sais, toi, Seigneur,
je suis restée pure,
aucun homme ne m'a touchée,
¹⁵je n'ai pas déshonoré mon nom, ni celui de mon père,
sur ma terre d'exil.

Je suis la fille unique de mon père,

il n'a pas d'autre enfant pour
héritier,
il n'a pas de frère auprès de lui,
il ne lui reste aucun parent,
à qui je doive me réserver.

J'ai perdu déjà sept maris,
pourquoi devrais-je vivre encore ?
S'il te déplaît de me faire mourir,
regarde-moi avec pitié,
je ne veux plus m'entendre outrager !

¹⁶Cette fois-ci, leur prière, à
l'un et à l'autre, fut agréée devant
la Gloire de Dieu, ¹⁷et Raphaël fut
envoyé pour les guérir tous les
deux. Il devait enlever les taches
blanches des yeux de Tobit, pour
qu'il voie de ses yeux la lumière
de Dieu ; et il devait donner Sarra,
fille de Ragouël, en épouse à Tobie, fils de Tobit, et la dégager
d'Asmodée, le pire des démons.
Car c'est à Tobie qu'elle revenait
de droit, avant tous les autres pré-
tendants. À ce moment-là, Tobit
rentrait de la cour dans la maison ;
et Sarra, fille de Ragouël, de son
côté, était en train de descendre
de la chambre.

4. Tobie

4 ¹Ce jour-là, Tobit pensa à
l'argent qu'il avait déposé
chez Gabaël, à Rhagès de Médie,
²et il se dit : « J'en suis venu à
demander la mort, je ferais bien
d'appeler mon fils Tobie, pour lui
parler de cette somme, avant de
mourir. » ³Il fit venir son fils Tobie auprès de lui, et parla ainsi :
« Quand je mourrai, fais-moi
un enterrement convenable.
Honore ta mère, et ne la délaisse en
aucun jour de ta vie. Fais ce qui
lui plaît, et ne lui fournis aucun
sujet de tristesse. ⁴Souviens-toi,
mon enfant, de tant de dangers
qu'elle a courus pour toi, quand
tu étais dans son sein. Et quand
elle mourra, enterre-la auprès de
moi, dans la même tombe.
⁵Mon enfant, sois tous les jours
fidèle au Seigneur. N'aie pas la volonté de pécher, ni de transgresser
ses lois. Fais de bonnes œuvres
tous les jours de ta vie, et ne suis

pas les sentiers de l'injustice. ⁶Car,
si tu agis dans la vérité, tu réussiras
dans toutes tes actions, comme
tous ceux qui pratiquent la justice.
⁷Prends sur tes biens pour faire
l'aumône. Ne détourne jamais ton
visage d'un pauvre, et Dieu ne détournera pas le sien de toi. ⁸Mesure
ton aumône à ton abondance : si tu
as beaucoup, donne davantage ; si
tu as peu, donne moins, mais n'hésite pas à faire l'aumône. ⁹C'est te
constituer un beau trésor pour le
jour du besoin. ¹⁰Car l'aumône délivre de la mort, et elle empêche
d'aller dans les ténèbres. ¹¹L'aumône est une offrande de valeur,
pour tous ceux qui la font en présence du Très-Haut.
¹²Garde-toi, mon enfant, de toute inconduite. Choisis une femme
du sang de tes pères. Ne prends pas
une femme étrangère à la tribu de
ton père, parce que nous sommes
les fils des prophètes. Souviens-toi

de Noé, d'Abraham, d'Isaac et de Jacob, nos pères dès le commencement. Ils ont tous pris une femme dans leur parenté, et ils ont été bénis dans leurs enfants, et leur race aura la terre en héritage. ¹³Toi aussi, mon enfant, préfère tes frères, n'aie pas le cœur de mépriser tes frères, les fils et les filles de ton peuple, et prends ta femme parmi eux. Parce que l'orgueil entraîne la ruine, et beaucoup d'inquiétude ; l'oisiveté amène la pauvreté et la pénurie, car la mère de la famine, c'est l'oisiveté.

¹⁴Ne fais pas attendre au lendemain le salaire de ceux qui travaillent pour toi, mais paie-le tout de suite. Si tu sers Dieu, tu seras récompensé. Sois vigilant, mon fils, dans toutes tes œuvres, et bien élevé dans toute ta conduite. ¹⁵Ne fais à personne ce que tu n'aimerais pas subir. Ne bois pas de vin jusqu'à l'ivresse, et n'aie pas la débauche pour compagne de ta route.

¹⁶Donne de ton pain à ceux qui ont faim, et de tes habits à ceux qui sont nus. De tout ce que tu as en abondance, prends pour faire l'aumône ; et quand tu fais l'aumône, n'aie pas de regrets dans les yeux. ¹⁷Sois prodigue de pain et de vin sur le tombeau des justes, mais non pour le pécheur.

¹⁸Prends l'avis de toute personne sage, et ne méprise pas un conseil profitable. ¹⁹En toute circonstance, bénis le Seigneur Dieu, demande-lui de diriger tes voies, et de faire aboutir tes sentiers et tes projets. Car la sagesse n'est pas le propre de toute nation, c'est le Seigneur qui leur donne de vouloir le bien. A son gré, il élève, ou il abaisse jusqu'au fond du séjour des morts. Et maintenant, mon enfant, rappelle-toi ces commandements, et ne les laisse pas s'effacer de ton cœur.

²⁰Maintenant, mon enfant, je t'informe que j'ai déposé dix talents d'argent chez Gabaël, fils de Gabri, à Rhagès de Médie. ²¹N'aie pas peur, mon enfant, si nous sommes devenus pauvres. Tu as une grande richesse, si tu crains Dieu, si tu évites toute espèce de péché, et si tu fais ce qui plaît au Seigneur ton Dieu. »

5. *Le compagnon*

5 ¹Alors Tobie répondit à son père Tobit : « Je ferai, père, tout ce que tu m'as commandé. ²Seulement, comment faire pour lui reprendre ce dépôt ? Lui ne me connaît pas, et moi, je ne le connais pas non plus. Quel signe de reconnaissance vais-je lui donner, pour qu'il me croie et qu'il me remette l'argent ? De plus, je ne sais pas les routes à prendre pour ce voyage en Médie. » ³Alors Tobit répondit à son fils Tobie : « Nous avons échangé nos signatures sur un billet, et je l'ai coupé en deux pour que nous en ayons chacun la moitié. J'ai pris l'une, et j'ai mis l'autre avec l'argent. Dire que cela fait vingt ans que j'ai mis cet argent en dépôt ! Maintenant, mon enfant, cherche-toi quelqu'un de sérieux pour compagnon de voyage, il sera à nos frais jusqu'à ton retour ; et puis va toucher cet argent chez Gabaël. »

⁴Tobie sortit, en quête d'un bon guide capable de venir avec lui en Médie. Dehors, il trouva Raphaël, l'ange, debout face à lui, sans se douter que c'était un ange de Dieu. ⁵Il lui dit : « D'où es-tu, mon ami ? » L'ange répondit : « Je suis l'un des Israélites tes frères, je suis venu chercher du travail par là. » Tobie lui dit : « Sais-tu la route pour aller en Médie ? » ⁶L'autre répondit : « Bien sûr ! J'y ai été plusieurs fois, je connais tous les chemins par cœur. Je suis allé fréquemment en Médie, j'ai été reçu chez Gabaël, l'un de nos frères qui habite à Rhagès de Médie. Il faut bien deux jours de marche normale, d'Ecbatane à Rhagès ; Rhagès est situé dans la montagne, et Ecbatane est au milieu de la plaine. » ⁷Tobie lui dit : « Attends-moi, mon ami, que j'aille prévenir mon père : j'ai besoin que tu viennes avec moi, je te paierai tes journées. » ⁸L'autre répondit : « Bien, j'attends. Seulement ne sois pas long. »

⁹Tobie alla prévenir son père qu'il avait trouvé quelqu'un de leurs frères israélites. Et le père dit : « Présente-le-moi, que je m'informe de sa famille et de sa tribu. Il faut voir si l'on peut compter sur lui pour t'accompagner, mon enfant. » Tobie sortit donc l'appeler : « Mon ami, dit-il, mon père te demande. »

¹⁰L'ange entra dans la maison. Tobit salua le premier, et l'autre lui répondit par des souhaits de bonheur. Tobit reprit : « Puis-je encore avoir du bonheur ? Je suis un aveu-

gle, je ne vois plus l'éclat du ciel, je suis plongé dans l'obscurité, comme les morts qui ne contemplent plus la lumière. Je suis un enterré vivant, j'entends la voix des gens sans les voir. » L'ange lui dit : « Aie confiance, Dieu ne tardera pas à te guérir. Aie confiance ! » Tobit lui dit : « Mon fils Tobie désire aller en Médie. Veux-tu te joindre à lui comme guide ? Frère, je te paierai. » Il répondit : « Je veux bien l'accompagner, je sais tous les chemins, je suis souvent allé en Médie, j'en ai traversé toutes les plaines et les montagnes, et j'en connais toutes les pistes. » ¹¹Tobit dit : « Frère, de quelle famille et de quelle tribu es-tu ? Veux-tu me l'indiquer, frère ? » – ¹²« Que peut te faire ma tribu ? » – ¹³« Je veux savoir pour de bon de qui tu es fils et quel est ton nom » – ¹³« Je suis Azarias, fils d'Ananias le grand, l'un de tes frères. » – ¹⁴« Sois le bienvenu, salut, frère ! Ne te froisse pas si j'ai désiré connaître ta vraie famille : il se trouve que tu es mon parent, de belle et bonne lignée. Je connais Ananias et Nathân, les deux fils de Séméias le grand. Ils venaient avec moi à Jérusalem, nous y avons adoré ensemble, et ils n'ont pas quitté la bonne route. Tes frères sont des hommes de bien, tu es de bonne souche : sois le bienvenu ! »

¹⁵Il poursuivit : « Je t'engage pour une drachme par jour, avec ton entretien, comme pour mon fils. Voyage donc avec mon fils, ¹⁶et je dépasserai le prix convenu. » L'ange répondit : « Je ferai le voyage avec lui. Ne crains rien. Notre départ se passera bien, et notre retour aussi, parce que la route

est sûre. » [17]Tobit lui dit : « Sois béni, frère ! » Puis il s'adressa à son fils : « Mon enfant, dit-il, prépare ce qu'il te faut pour le voyage, et pars avec ton frère. Que le Dieu qui est dans les cieux vous protège là-bas, et qu'il vous ramène sains et saufs auprès de moi ! Que son ange vous accompagne de sa protection, mon enfant ! »

Tobie sortit pour se mettre en route, et il embrassa son père et sa mère. Tobit lui dit : « Bon voyage ! » [18]Sa mère pleura, et elle dit à Tobit : « Pourquoi as-tu décidé le départ de mon enfant ? N'est-ce pas lui le bâton de notre main, lui qui va et vient devant nous ? [19]J'espère que l'argent ne passe pas avant tout, mais qu'il ne compte pas à côté de notre enfant ! [20]Le mode de vie que Dieu nous avait donné nous suffisait bien. » [21]Il lui dit : « Ne te fais pas des idées ! Notre enfant ira bien en partant, il ira encore bien en rentrant à la maison. Le jour où il te reviendra, tes yeux verront qu'il va toujours très bien. Ne te fais pas des idées, n'aie pas d'inquiétude pour eux, ma sœur. [22]Un bon ange l'accompagnera, il fera bon voyage, et il reviendra en bien bonne santé ! »

6

[1]Et elle cessa de pleurer.

6. Le poisson

[2]L'enfant partit avec l'ange, et le chien suivit derrière. Ils marchèrent tous les deux, et quand vint le premier soir, ils campèrent le long du Tigre. [3]L'enfant descendit au fleuve se laver les pieds, quand un gros poisson sauta de l'eau, et faillit lui avaler le pied. Le garçon cria, [4]et l'ange lui dit : « Attrape le poisson, et ne le lâche pas ! » Le garçon vint à bout du poisson, et le tira sur la rive. [5]L'ange lui dit : « Ouvre-le, enlève le fiel, le cœur et le foie ; mets-les à part, et jette les entrailles, parce que le fiel, le cœur et le foie font des remèdes utiles. » [6]Le jeune homme ouvrit le poisson, préleva le fiel, le cœur et le foie. Il fit frire un peu de poisson pour son repas, et il en garda pour le saler. Ils marchèrent ensuite tous deux ensemble jusqu'auprès de la Médie.

[7]Alors le garçon posa à l'ange cette question : « Frère Azarias, quel remède y a-t-il donc dans le cœur, le foie et le fiel de poisson ? » [8]Il répondit : « On brûle le cœur et le foie de poisson, et leur fumée s'emploie dans le cas d'un homme, ou d'une femme, que tourmente un démon ou un esprit malin : toute espèce de malaise disparaît définitivement sans laisser aucune trace. [9]Quant au fiel, il sert d'onguent pour les yeux, quand on a des taches blanches sur l'œil : il n'y a plus qu'à souffler sur les taches pour les guérir. »

[10]Ils pénétrèrent en Médie, ils étaient déjà rendus près d'Ecbatane, [11]quand Raphaël dit au jeune homme : « Frère Tobie ! » Il répondit : « Eh bien ? » L'ange reprit : « Ce soir nous devons loger chez Ragouël, c'est un parent à toi. Il a

une fille du nom de Sarra, [12]mais, à part Sarra, il n'a ni garçon ni fille. Or c'est toi son plus proche parent, elle te revient par priorité, et tu peux prétendre à l'héritage de son père. C'est une enfant sérieuse, courageuse, très gentille, et son père l'aime bien. [13]Tu as le droit de la prendre. Écoute-moi, frère, je parlerai de la jeune fille à son père, dès ce soir, pour te la retenir comme fiancée ; et quand nous reviendrons de Rhagès, nous ferons le mariage. Je certifie que Ragouël n'a absolument pas le droit de te la refuser, ou de la fiancer à un autre. Ce serait encourir la mort, d'après les termes du livre de Moïse, du moment qu'il saurait que la parenté te donne avant tout autre le droit de prendre sa fille. Alors, écoute-moi, frère. Dès ce soir, nous parlons de la jeune fille, et nous faisons la demande en mariage. À notre retour de Rhagès, nous la prendrons, pour l'emmener avec nous chez toi. »

[14]Tobie répondit à Raphaël : « Frère Azarias, je me suis laissé dire qu'elle a déjà été donnée sept fois en mariage, et que, chaque fois, son mari est mort dans la chambre des noces. Il mourait le soir où il entrait dans sa chambre, et j'ai entendu des gens dire que c'était un démon qui les tuait, [15]si bien que j'ai un peu peur. Elle, il ne lui fait rien, parce qu'il l'aime ;

mais dès que quelqu'un veut s'en approcher, il le tue. Je suis le seul fils de mon père, et je ne tiens pas à mourir, je ne veux pas que mon père et ma mère s'affligent toute leur vie sur moi jusqu'au tombeau : ils n'ont pas d'autre fils pour les enterrer. » [16]Il lui dit : « Oublieras-tu les avis de ton père ? Il t'a pourtant recommandé de prendre une femme de la maison de ton père. Alors, écoute-moi, frère. Ne tiens pas compte de ce démon, et prends-la. Je te garantis que, dès ce soir, elle te sera donnée pour femme. [17]Seulement, quand tu seras entré dans la chambre, prends le foie et le cœur du poisson, mets-en un peu sur les braises de l'encens. L'odeur se répandra, [18]le démon la respirera, il s'enfuira, et il n'y a pas de danger qu'on le reprenne autour de la jeune fille. Puis, au moment de vous unir, levez-vous d'abord tous les deux pour prier. Demandez au Seigneur du Ciel de vous accorder sa grâce et sa protection. N'aie pas peur, elle t'a été destinée dès l'origine, [19]c'est à toi de la sauver. Elle te suivra, et je gage qu'elle te donnera des enfants qui te seront comme des frères. N'hésite pas. » [20]Et quand Tobie entendit parler Raphaël, qu'il sut que Sarra était sa sœur, parente de la famille de son père, il l'aima, au point de ne plus pouvoir en détacher son cœur.

7. Ragouël

7 [1]À l'entrée d'Ecbatane, Tobie dit : « Frère Azarias, mène-moi tout droit chez notre frère Ragouël. » Il le conduisit à la mai-

son de Ragouël, qu'ils trouvent assis à la porte de la cour. Ils le saluèrent les premiers, et il répondit : « Je vous salue bien, frères, vous êtes les bienvenus ! » Et il les fit entrer dans sa maison. [2]Il dit à sa femme Edna : « Que ce jeune homme ressemble donc à mon frère Tobit ! » [3]Edna leur demanda d'où ils étaient, et ils lui dirent : « Nous sommes les fils de Nephtali déportés à Ninive. » – [4]« Connaissez-vous notre frère Tobit ? » – « Oui. » – « Comment va-t-il ? » – [5]« Il est toujours en vie, et il se porte bien. » Et Tobie ajouta : « C'est mon père. » [6]D'un bond, Ragouël fut debout, il l'embrassa et il pleura. [7]Puis il parla et lui dit : « Béni sois-tu, mon enfant ! Tu es le fils d'un père excellent. Quel malheur qu'un homme si juste et si bienfaisant soit devenu aveugle ! » Il tomba au cou de son frère Tobie, et il pleura. [8]Et sa femme pleura sur lui, et puis leur fille Sarra aussi. [9]Et il tua un mouton du troupeau, et on leur fit une réception chaleureuse.

On se lava, on se baigna, on se mit à table. Alors Tobie dit à Raphaël : « Frère Azarias, si tu demandais à Ragouël de me donner ma sœur Sarra ? » [10]Ragouël surprit ces paroles, et dit au jeune homme : « Mange et bois, ne gâte pas ta soirée, parce que personne n'a le droit de prendre ma fille Sarra, si ce n'est toi, mon frère. Aussi bien ne suis-je pas libre, moi non plus, de la donner à un autre, puisque tu es son plus proche parent. Maintenant, mon petit, je vais te parler franchement. [11]J'ai tenté sept fois de lui trouver un mari parmi nos frères, et tous sont morts, le premier soir, quand ils entraient dans sa chambre. Pour le moment, mon enfant,

mange et bois, le Seigneur vous accordera sa grâce et sa paix. » Et Tobie de déclarer : « Je ne veux pas entendre parler de boire et de manger, tant que tu n'as pas pris de décision vis-à-vis de moi. » Ragouël répondit : « Soit ! Puisque, aux termes de la Loi de Moïse, elle t'est donnée, c'est le Ciel qui décrète qu'on te la donne. Je te confie donc ta sœur. Désormais tu es son frère, et elle est ta sœur. Elle t'est donnée à partir d'aujourd'hui pour toujours. Le Seigneur du Ciel vous sera favorable ce soir, mon enfant, et vous accordera sa grâce et sa paix. » [12]Ragouël fit venir sa fille Sarra, il lui prit la main, et la remit à Tobie avec ces paroles : « Je te la confie, c'est la loi et la décision écrite dans le livre de Moïse qui te l'attribuent pour femme. Prends-la, emmène-la chez ton père, en bonne conscience. Que le Dieu du Ciel vous donne de faire en paix un bon voyage ! » [13]Puis il s'adressa à la mère, et lui dit d'aller chercher une feuille pour écrire. Il rédigea le contrat de mariage, comme quoi il donnait à Tobie sa fille pour épouse, en application de l'article de la Loi de Moïse.

[14]Après quoi, on se mit à manger et à boire. [15]Ragouël appela sa femme Edna et lui dit : « Ma sœur, prépare la seconde chambre, où tu la conduiras. » [16]Elle alla faire le lit de la chambre comme il lui avait dit, et elle y mena sa fille. Elle pleura sur elle, puis elle essuya ses larmes et dit : [17]« Aie confiance, ma fille ! Que le Seigneur du Ciel change ton chagrin en joie ! Aie confiance, ma fille ! » Et elle sortit.

8. La tombe

8 ¹Quand on eut fini de boire et de manger, on parla d'aller se coucher, et l'on conduisit le jeune homme depuis la salle du repas jusque dans la chambre. ²Tobie se souvint des conseils de Raphaël, il prit son sac, il en tira le cœur et le foie du poisson, et il en mit sur les braises de l'encens. ³L'odeur du poisson incommoda le démon, qui s'enfuit par les airs jusqu'en Égypte. Raphaël l'y poursuivit, l'entrava et le garrotta sur-le-champ.

⁴Cependant les parents étaient sortis en refermant la porte. Tobie se leva du lit, et dit à Sarra : « Debout, ma sœur ! Il faut prier tous deux, et recourir à notre Seigneur, pour obtenir sa grâce et sa protection. » ⁵Elle se leva et ils se mirent à prier pour obtenir d'être protégés, et il commença ainsi :

Tu es béni, Dieu de nos pères,
et ton Nom est béni
dans tous les siècles des siècles !
Que te bénissent les cieux,
et toutes tes créatures
dans tous les siècles !

⁶C'est toi qui as créé Adam,
c'est toi qui as créé Ève sa femme,
pour être son secours et son appui,
et la race humaine est née de ces deux-là.
C'est toi qui as dit :
Il ne faut pas que l'homme reste seul,
faisons-lui une aide semblable à lui.

⁷Et maintenant, ce n'est pas le plaisir
que je cherche en prenant ma sœur,
mais je le fais d'un cœur sincère.
Daigne avoir pitié d'elle et de moi
et nous mener ensemble à la vieillesse !

⁸Et ils dirent de concert : « Amen, amen ! » ⁹Et ils se couchèrent pour la nuit.

Or Ragoüel se leva, il appela les serviteurs, et ils vinrent l'aider à creuser une tombe. ¹⁰Il avait pensé : « Pourvu qu'il ne meure pas ! Nous serions couverts de ridicule et de honte. » ¹¹Une fois la fosse achevée, Ragoüel revint à la maison, il appela sa femme ¹²et lui dit : « Si tu envoyais une servante à la chambre voir si Tobie est en vie ? Parce que, s'il est mort, on l'enterrerait sans que personne en sache rien. » ¹³On avertit la servante, on alluma la lampe, on ouvrit la porte, et la servante entra. Elle les trouva dormant tous deux d'un profond sommeil ; ¹⁴elle ressortit, et leur dit tout bas : « Il n'est pas mort, tout va bien. » ¹⁵Ragoüel bénit le Dieu du Ciel par ces paroles :

Tu es béni, mon Dieu,
par toute bénédiction pure !
Qu'on te bénisse dans tous les siècles !

¹⁶Tu es béni de m'avoir réjoui,
ce que je redoutais n'est pas arrivé,
mais tu nous as traités
avec ton immense bienveillance.

17Tu es béni d'avoir eu pitié
de ce fils unique et de cette fille
unique.
Donne-leur, Maître, ta grâce et
ta protection,
fais-les poursuivre leur vie,
dans la joie et dans la grâce !

18Et il fit combler la tombe par
les serviteurs, avant le petit jour.
19Il fit faire par sa femme une
fournée de pains, il alla au troupeau, prit deux bœufs et quatre
moutons, il les recommanda à la
cuisine, et l'on commença les préparatifs. 20Il fit venir Tobie et lui
déclara : « Pendant quatorze
jours, il n'est pas question que tu
bouges d'ici. Tu resteras là où tu
es, à manger et à boire, chez moi.
Tu rendras la joie à ma fille après
tous ses chagrins. 21Après, emporte d'ici la moitié de tout ce que
j'ai, et retourne sans encombre auprès de ton père. Quand nous serons morts, ma femme et moi,
vous aurez l'autre moitié. Aie
confiance, mon garçon ! Je suis
ton père, et Edna est ta mère.
Nous sommes tes parents, comme
ceux de ta sœur, désormais. Aie
confiance, mon enfant ! »

9. Les noces

9 1Alors Tobie s'adressa à Raphaël : 2« Frère Azarias, dit-
il, emmène quatre serviteurs et
deux chameaux, et pars pour Rhagès. 3Tu iras chez Gabaël, tu lui
donneras le reçu, et tu t'occuperas
de l'argent ; enfin tu l'inviteras à
venir à mes noces avec toi. 4Tu sais
que mon père doit compter les
jours, et que je ne puis en perdre
un seul sans le contrarier. 5Tu vois
bien à quoi Ragouël s'est engagé :
je suis tenu par son serment. »
Raphaël partit donc pour Rhagès de
Médie, avec les quatre serviteurs
et les deux chameaux. Ils descendirent chez Gabaël, à qui il présenta le reçu. Il lui fit part du mariage
de Tobie, fils de Tobit, et de son
invitation aux noces. Gabaël se mit
à lui compter les sacs avec leurs
sceaux intacts, et ils les chargèrent
sur les chameaux. 6Ils partirent ensemble de bonne heure pour la noce, et ils arrivèrent chez Ragouël,
où ils trouvèrent Tobie en train de
dîner. Il se leva et le salua, Gabaël
pleura, et le bénit avec ces paroles :
« Excellent fils d'un père parfait,
juste et bienfaisant ! Que le Seigneur te donne la bénédiction du
Ciel, à toi, et à ta femme, au père
et à la mère de ta femme ! Béni soit
Dieu de m'avoir fait voir le portrait
vivant de mon cousin Tobit ! »

10 1Cependant, de jour en jour,
Tobit comptait les journées
que demandait le voyage, à l'aller
et au retour. Le nombre fut atteint,
sans que le fils eût paru. 2Alors il
pensa : « Pourvu qu'il ne soit pas
retenu là-bas ! Pourvu que Gabaël
ne soit pas mort ! Il n'y a peut-être
eu personne pour lui donner l'argent ! » 3Et il commença à être
contrarié. 4Sa femme Anna disait :
« Mon enfant est mort ! Il n'est
plus au nombre des vivants ! » Et
elle se mettait à pleurer et à se lamenter sur son fils. Elle disait :
5« Quel malheur ! Mon enfant, je
t'ai laissé partir, toi, la lumière de

mes yeux ! » [6]Et Tobit répondait : « Du calme, ma sœur ! Ne te fais pas de idées ! Il va bien ! Ils auront eu là-bas un contretemps. Son compagnon est quelqu'un de sérieux, et l'un de nos frères. Ne te désole pas, ma sœur. Il va arriver d'un moment à l'autre. » [7]Mais elle répliquait : « Laisse-moi, n'essaie pas de me tromper. Mon enfant est mort. » Et, tous les jours, elle sortait soudain, pour surveiller la route par où son fils était parti. Elle ne croyait plus personne. Quand le soleil était couché, elle rentrait, pour pleurer et gémir à longueur de nuits sans pouvoir dormir.

À la fin des quatorze jours de noces, que Ragouël avait juré de faire en l'honneur de sa fille, Tobie vint lui dire : « Laisse-moi partir, parce que mon père et ma mère ne doivent plus penser me revoir. Aussi, je t'en prie, père, laisse-moi rentrer chez mon père, je t'ai expliqué dans quel état je l'ai laissé. » [8]Ragouël dit à Tobie : « Reste, mon fils, reste avec moi. J'enverrai des messagers à ton père Tobit donner de tes nouvelles. » [9]Tobie insista : « Non, je te demande la liberté de retourner chez mon père. » [10]Sur-le-champ, Ragouël lui remit son épouse Sarra. Il donnait à Tobie la moitié de ses biens, en serviteurs et servantes, en bœufs et brebis, ânes et chameaux, et en habits, argent et us-

tensiles. [11]Il les laissait ainsi partir contents. Pour Tobie, il eut ces paroles d'adieu : « Bonne santé, mon enfant, et bon voyage ! Que le Seigneur du Ciel soit favorable, à toi et à ta femme Sarra ! J'espère bien voir vos enfants avant de mourir. » [12]À sa fille Sarra, il dit : « Va chez ton beau-père, puisque désormais ils sont tes parents, comme ceux qui t'ont donné la vie. Va en paix, ma fille. Je compte n'entendre dire que du bien de toi, tant que je vivrai. » Il leur fit ses adieux, et il leur donna congé.

[13]À son tour, Edna dit à Tobie : « Fils et frère très cher, qu'il plaise au Seigneur de te ramener ! Je souhaite vivre assez pour voir vos enfants, à toi et à ma fille Sarra, avant de mourir. En présence du Seigneur je confie ma fille à ta garde. Ne lui fais jamais de la peine durant ta vie. Va en paix, mon fils. Désormais je suis ta mère, et Sarra est ta sœur. Puissions-nous tous vivre heureux pareillement, tous les jours de notre vie ! » Et elle les embrassa tous les deux, et elle les laissa partir bien contents.

[14]Tobie partit satisfait de chez Ragouël. Tout joyeux, il bénissait le Seigneur du Ciel et de la Terre et Roi de l'univers de l'heureux succès de son voyage. Il bénit ainsi Ragouël et sa femme Edna : « Puissé-je avoir le bonheur de vous honorer tous les jours de ma vie ! »

10. *Les yeux*

11 [1]Ils approchaient de Kasérîn, en face de Ninive. [2]Raphaël dit : « Tu sais dans quel état nous avons laissé ton père, [3]prenons de l'avance sur ta femme, pour aller préparer la maison, pendant qu'elle arrive avec les autres. » ⁴Ils marchèrent tous deux ensemble (il lui avait bien recommandé d'emporter le fiel), et le chien les suivit.

⁵Anna était assise, à surveiller la route par où viendrait son fils. ⁶Elle pressentit que c'était lui, et elle dit au père : « Voici ton fils qui arrive avec son compagnon ! »

⁷Raphaël dit à Tobie, avant qu'il eût rejoint son père : « Je te garantis que les yeux de ton père vont s'ouvrir. ⁸Tu lui appliqueras sur l'œil le fiel de poisson : la drogue mordra, et lui tirera des yeux une petite peau blanche. Et ton père cessera d'être aveugle et verra la lumière. »

⁹La mère courut se jeter au cou de son fils : « Maintenant, disait-elle, je puis mourir, je t'ai revu ! » Et elle pleura. ¹⁰Tobit se leva, il trébuchait, mais il réussit à franchir la porte de la cour. Tobie se dirigea à sa rencontre ¹¹(il portait dans sa main le fiel de poisson). Il lui souffla dans les yeux, et lui dit, en le tenant bien : « Aie confiance, père ! » Puis il appliqua la drogue, et la laissa quelque temps, ¹²et enfin, de chaque main, il lui ôta une petite peau du coin des yeux. ¹³Alors son père tomba à son cou ¹⁴et il pleura. Il s'écria : « Je te vois, mon fils, lumière de mes yeux ! » Et il dit :

Béni soit Dieu !
Béni son grand Nom !

Bénis tous ses saints anges !
Béni son grand Nom
dans tous les siècles !
¹⁵Parce qu'il m'avait frappé,
et qu'il a eu pitié de moi,
et que je vois mon fils Tobie !

Tobie entra dans la maison, de joie il bénissait Dieu à haute voix. Puis il mit son père au courant : son voyage a bien marché, il rapporte l'argent ; il a épousé Sarra, fille de Ragouël ; elle le suit de peu, elle n'est pas loin des portes de Ninive.

¹⁶Tobit partit à la rencontre de sa belle-fille, vers les portes de Ninive, en louant Dieu dans sa joie. Quand les gens de Ninive le virent marcher en se passant de guide, et avancer avec sa vigueur d'autrefois, ils furent émerveillés. ¹⁷Tobit proclama devant eux que Dieu avait eu pitié de lui, et lui avait ouvert les yeux. Enfin Tobit approcha de Sarra, l'épouse de son fils Tobie, et il la bénit en ces termes : « Sois la bienvenue, ma fille ! Béni soit ton Dieu de t'avoir fait venir chez nous, ma fille ! Béni soit ton père, béni soit mon fils Tobie, et bénie sois-tu, ma fille ! Sois la bienvenue chez toi, dans la joie et la bénédiction ! Entre, ma fille. » Ce jour-là fut une fête pour tous les Juifs de Ninive, ¹⁸et ses cousins Ahikar et Nadab vinrent partager la joie de Tobit.

11. *Raphaël*

12 ¹À la fin des noces, Tobit appela son fils Tobie, et lui dit : « Mon enfant, pense à régler ce qui est dû à ton compagnon, tu dépasseras le prix convenu. » ²Il demanda : « Père, combien vais-je lui donner pour ses services ? Même en lui laissant la moitié des biens qu'il a rapportés avec moi, je n'y perds pas. ³Il me ramène sain et sauf, il a soigné ma femme, il rapporte avec moi l'argent, et enfin il t'a guéri ! Combien lui donner encore pour cela ? » ⁴Tobit lui dit : « Il a bien mérité la moitié de ce qu'il a rapporté. » ⁵Tobie fit donc venir son compagnon, et lui dit : « Prends la moitié de ce que tu as ramené, pour prix de tes services, et va en paix. »

⁶Alors Raphaël les prit tous les deux à l'écart, et il leur dit : « Bénissez Dieu, célébrez-le devant tous les vivants, pour le bien qu'il vous a fait. Bénissez et chantez son Nom. Faites connaître à tous les hommes les actions de Dieu comme elles le méritent, et ne vous lassez pas de le remercier. ⁷Il convient de garder le secret du roi, tandis qu'il convient de révéler et de publier les œuvres de Dieu. Remerciez-le dignement. Faites ce qui est bien, et le malheur ne vous atteindra pas.

⁸Mieux vaut la prière avec le jeûne, et l'aumône avec la justice, que la richesse avec l'iniquité. Mieux vaut pratiquer l'aumône, que thésauriser de l'or. ⁹L'aumône sauve de la mort et elle purifie de tout péché. Ceux qui font l'aumône sont rassasiés de jours ; ¹⁰ceux qui font le péché et le mal se font du tort à eux-mêmes.

¹¹Je vais vous dire toute la vérité, sans rien vous cacher : je vous ai déjà enseigné qu'il con-

vient de garder le secret du roi, tandis qu'il convient de révéler dignement les œuvres de Dieu. ¹²Vous saurez donc que, lorsque vous étiez en prière, toi et Sarra, c'était moi qui présentais vos suppliques devant la Gloire du Seigneur et qui les lisais ; et de même lorsque tu enterrais les morts. ¹³Quand tu n'as pas hésité à te lever, et à quitter la table, pour aller ensevelir un mort, j'ai été envoyé pour éprouver ta foi, ¹⁴et Dieu m'envoya en même temps pour te guérir, ainsi que ta belle-fille Sarra. ¹⁵Je suis Raphaël, l'un des sept Anges qui se tiennent toujours prêts à pénétrer auprès de la Gloire du Seigneur. »

¹⁶Ils furent remplis d'effroi tous les deux ; ils se prosternèrent, et ils eurent grand-peur. ¹⁷Mais il leur dit : « Ne craignez point, la paix soit avec vous. Bénissez Dieu à jamais. ¹⁸Pour moi, quand j'étais avec vous, ce n'est pas à moi que vous deviez ma présence, mais à la volonté de Dieu : c'est lui qu'il faut bénir au long des jours, lui qu'il faut chanter. ¹⁹Vous avez cru me voir manger, ce n'était qu'une apparence. ²⁰Alors, bénissez le Seigneur sur la terre, et rendez grâces à Dieu. Je vais remonter à Celui qui m'a envoyé. Écrivez tout ce qui est arrivé. » ²¹Et il s'éleva. Quand ils se redressèrent, il n'était plus visible. Ils louèrent Dieu par des hymnes ; ils le remercièrent d'avoir opéré de telles merveilles : un ange de Dieu ne leur était-il pas apparu !

12. Sion

13 ¹Et il dit :

Béni soit Dieu qui vit à jamais,
  car son règne dure dans tous les siècles !
  ²Car tour à tour il châtie et il pardonne,
  il fait descendre aux profondeurs des enfers
  et il retire de la grande Perdition :
  personne n'échappe à sa main.
  ³Célébrez-le en face des nations,
  vous, enfants d'Israël !
  Car s'il vous a dispersés parmi elles,
  ⁴c'est là qu'il vous a montré sa grandeur.
  Exaltez-le en face de tous les vivants,
  c'est lui notre Seigneur
  et c'est lui notre Dieu
  et c'est lui notre Père
  et il est Dieu dans tous les siècles !

⁵S'il vous châtie pour vos iniquités,
  il aura pitié de vous tous,
  il vous rassemblera de toutes les nations
  où vous aurez été dispersés.
  ⁶Si vous revenez à lui
  du fond du cœur et de toute votre âme,
  pour agir dans la vérité devant lui,
  alors il reviendra vers vous,
  et ne vous cachera plus sa face.
  Regardez donc comme il vous a traités,
  rendez-lui grâces à haute voix.
  Bénissez le Seigneur de justice,
  et exaltez le Roi des siècles.

⁷Pour moi, je le célèbre
  sur ma terre d'exil,
  je fais connaître sa force et sa grandeur
  au peuple des pécheurs.
  Pécheurs, revenez à lui,
  pratiquez la justice devant lui ;
  peut-être vous sera-t-il favorable
  et vous fera-t-il miséricorde !
  ⁸Pour moi, j'exalte Dieu
  et mon âme se réjouit
  dans le Roi du Ciel.
  Que sa grandeur soit sur toutes les lèvres,
  et qu'on le célèbre à Jérusalem !

⁹Jérusalem, cité sainte,
  Dieu te frappa pour les œuvres de tes mains
  et il aura encore pitié des fils des justes.
  ¹⁰Remercie dignement le Seigneur
  et bénis le Roi des siècles,
  pour qu'en toi son Temple
  soit rebâti dans la joie
  et qu'en toi il réjouisse tous les exilés,
  et qu'en toi il aime tous les malheureux,
  pour toutes les générations à venir.

¹¹Une vive lumière illuminera
  toutes les contrées de la terre ;
  des peuples nombreux viendront de loin,

de toutes les extrémités de la terre,

séjourner près du saint Nom du Seigneur Dieu,

les mains portant des présents au Roi du Ciel.

En toi des générations de générations

manifesteront leur allégresse,

et le nom de l'Élue durera dans les générations à venir.

¹²Maudit soit qui t'insultera,

maudit soit qui te détruira,

qui renversera tes murs,

qui abattra tes tours,

qui brûlera tes maisons !

Et béni éternellement qui te bâtira !

¹³Alors tu exulteras et tu te réjouiras

sur les fils des justes,

car ils seront tous rassemblés

et ils béniront le Seigneur des siècles.

¹⁴Bienheureux ceux qui t'aiment !

heureux ceux qui se réjouiront de ta paix !

heureux ceux qui se seront lamentés

sur tous tes châtiments !

Car ils vont se réjouir en toi,

et ils verront tout ton bonheur à l'avenir.

¹⁵Mon âme bénit le Seigneur, le grand Roi,

¹⁶parce que Jérusalem sera rebâtie,

et sa Maison pour tous les siècles !

Quel bonheur, s'il reste quelqu'un de ma race,

pour voir ta gloire et louer le Roi du Ciel !

Les portes de Jérusalem seront bâties

de saphir et d'émeraude,

et tous tes murs de pierre précieuse ;

les tours de Jérusalem seront bâties en or,

et leurs remparts en or pur.

¹⁷Les rues de Jérusalem seront pavées

de rubis et de pierres d'Ophir ;

les portes de Jérusalem retentiront

de cantiques d'allégresse ;

¹⁸et toutes ses maisons diront :

Alleluia ! Béni soit le Dieu d'Israël !

En toi l'on bénira le saint Nom,

dans les siècles des siècles !

14 ¹Fin des hymnes de Tobit.

13. Ninive

Tobit mourut en paix à l'âge de cent douze ans, et il fut enterré à Ninive avec honneur. ²Il avait soixante-deux ans quand il devint aveugle ; et, depuis sa guérison, il vécut dans l'abondance, il pratiqua l'aumône, et il continua toujours à bénir Dieu et à célébrer sa grandeur. ³Sur le point de mourir, il fit venir son fils Tobie, et lui donna ses instructions : « Mon fils, emmène tes enfants, ⁴cours en Médie, parce que je crois à la parole de Dieu que Nahum a dite sur Ninive. Tout s'accomplira, tout se réalisera, de ce que les prophètes d'Israël, que Dieu a envoyés, ont annoncé contre l'Assyrie et contre Ninive ; rien ne sera retranché de leurs paroles. Tout arrivera en son temps. On sera plus à l'abri en Médie qu'en Assyrie et qu'en Babylonie. Parce que je sais et je crois, moi, que tout ce que Dieu a dit s'accomplira, cela sera, et il ne tombera pas un mot des prophéties.

Nos frères qui habitent le pays d'Israël seront tous recensés et déportés loin de leur belle patrie. Tout le sol d'Israël sera un désert. Et Samarie et Jérusalem seront un désert. Et la Maison de Dieu sera, pour un temps, désolée et brûlée. ⁵Puis, de nouveau, Dieu en aura pitié, et il les ramènera au pays d'Israël. Ils rebâtiront sa Maison, moins belle que la première, en attendant que les temps soient révolus. Mais alors, tous revenus de leur captivité, ils rebâtiront Jérusalem dans sa magnificence, et en elle la Maison de Dieu sera rebâtie, comme l'ont annoncé les prophètes d'Israël. ⁶Et tous les peuples de la terre entière se convertiront, et ils craindront Dieu en vérité. Tous, ils répudieront leurs faux dieux, qui les ont fait s'égarer dans l'erreur. ⁷Et ils béniront le Dieu des siècles dans la justice. Tous les Israélites, épargnés en ces jours-là, se souviendront de Dieu avec sincérité. Ils viendront se rassembler à Jérusalem, et désormais ils habiteront la terre d'Abraham en sécurité, et elle sera leur propriété. Et ceux-là se réjouiront, qui aiment Dieu en vérité. Et ceux-là disparaîtront de la terre, qui accomplissent le péché et l'injustice.

⁸Et maintenant, mes enfants, je vous en fais un devoir, servez Dieu en vérité, et faites ce qui lui plaît. Imposez à vos enfants l'obligation de faire la justice et l'aumône, de se souvenir de Dieu, de bénir son Nom en tout temps, en vérité, et de toutes leurs forces.

⁹Alors, toi, mon fils, quitte Ninive, ne reste pas ici. ¹⁰Dès que tu auras enterré ta mère auprès de moi, pars le jour même, quel qu'il soit, et ne demeure plus dans ce pays, où je vois triompher sans vergogne la perfidie et l'iniquité. Regarde, mon enfant, tout ce qu'a fait Nadab à son père nourricier, Ahikar. Ne fut-il pas réduit à descendre vivant sous la terre ? Mais Dieu a fait payer son infamie au criminel, à la face de sa victime, parce que Ahikar revint à la lumière, tandis que Nadab entra dans les ténèbres éternelles, en châtiment de son dessein contre la vie d'Ahikar. À cause de ses bonnes œuvres, Ahikar échappa au filet mortel que lui avait tendu Nadab, et Nadab y tomba pour sa perte. ¹¹Ainsi, mes enfants, voyez où mène l'aumône, et où conduit l'iniquité, c'est-à-dire à la mort. Mais le souffle me manque. »

Ils l'étendirent sur le lit, il mourut, et il fut enterré avec honneur.

¹²Quand sa mère mourut, Tobie l'enterra auprès de son père. Puis il partit pour la Médie, avec sa femme et ses enfants. Il habita Ecbatane, chez Ragouël son beau-père. ¹³Il entoura la vieillesse de ses beaux-parents de respect et d'attention, puis il les enterra à

Ecbatane de Médie. Tobie héritait du patrimoine de Ragouël, comme de celui de son père Tobit. ¹⁴Il vécut honoré jusqu'à l'âge de cent dix-sept ans. ¹⁵Il fut témoin de la ruine de Ninive avant de mourir. Il vit les Ninivites prisonniers et déportés en Médie par Cyaxare, roi de Médie. Il bénit Dieu de tout ce qu'il infligea aux Ninivites et aux Assyriens. Avant sa mort, il put se réjouir du sort de Ninive, et bénir le Seigneur Dieu dans les siècles des siècles. Amen.

Judith

1. La campagne d'Holopherne

Nabuchodonosor et Arphaxad.

1 ¹C'était en la douzième année de Nabuchodonosor, qui régna sur les Assyriens à Ninive la grande ville. Arphaxad régnait alors sur les Mèdes à Ecbatane. ²Il entoura cette ville d'un mur d'enceinte en pierres de taille larges de trois coudées et longues de six, donnant au rempart une hauteur de soixante-dix coudées et une largeur de cinquante. ³Aux portes il dressa des tours de cent coudées de haut sur soixante de large à leurs fondations, ⁴les portes elles-mêmes s'élevant à soixante-dix coudées avec une largeur de quarante, ce qui permettait la sortie du gros de ses forces et le défilé de ses fantassins.

⁵Or, vers cette époque, le roi Nabuchodonosor livra bataille au roi Arphaxad dans la grande plaine située sur le territoire de Ragau. ⁶À ses côtés s'étaient rangés tous les peuples des montagnes, tous ceux de l'Euphrate, du Tigre, de l'Hydaspe, et ceux des plaines soumises au roi des Élyméens Arioch. Ainsi de nombreux peuples se rassemblèrent pour prendre part à la bataille des fils de Chéléoud.

⁷Nabuchodonosor, roi des Assyriens, envoya un message à tous les habitants de la Perse, à tous ceux de la région occidentale, de la Cilicie, de Damas, du Liban, de l'Anti-Liban, à tous ceux de la côte, ⁸aux peuplades du Carmel, de Galaad, de la Haute-Galilée, de la grande plaine d'Esdrelon, ⁹aux gens de Samarie et des villes de sa dépendance, à ceux d'au-delà du Jourdain, jusqu'à Jérusalem, Batanée, Chélous, Cadès, le fleuve d'Égypte, Taphnès, Ramsès, tout le territoire de Goshèn, ¹⁰au-delà de Tanis et de Memphis, et à tous les habitants de l'Égypte jusqu'aux confins de l'Éthiopie. ¹¹Mais les habitants de ces contrées ne firent pas cas de l'appel de Nabuchodonosor, roi des Assyriens, et ne se joignirent pas à lui pour faire campagne. Ils ne le craignaient pas car, à leurs yeux, il paraissait un isolé. Ils renvoyèrent donc ses messagers les mains vides et déshonorés. ¹²Nabuchodonosor en éprouva une violente colère contre tous ces pays. Il jura par son trône et son royaume de se venger et de dévaster par l'épée tous les territoires de Cilicie, de Damascène, de Syrie, ainsi que ceux de Moab, des Ammonites, de Judée et d'Égypte, jusqu'aux frontières des deux mers.

Campagne contre Arphaxad.

¹³Avec ses propres forces, il livra bataille au roi Arphaxad en la dix-septième année et, dans ce combat, le vainquit. Il culbuta toute son armée, sa cavalerie, ses chars, ¹⁴se soumit ses villes et parvint jusqu'à Ecbatane. Là il s'em-

para des tours, ravagea les places, faisant un objet de honte de tout ce qui constituait sa parure. [15]Puis il prit Arphaxad dans les montagnes de Ragau, le perça de ses javelots et l'extermina définitivement.

[16]Il s'en retourna ensuite avec ses troupes et l'immense foule qui s'était jointe à eux, incommensurable cohue d'hommes armés. Alors, dans l'insouciance, ils s'adonnèrent à la bonne chère, lui et son armée, cent vingt jours durant.

Campagne occidentale.

2 [1]La dix-huitième année, le vingt-deuxième jour du premier mois, le bruit courut au palais que Nabuchodonosor, roi des Assyriens, allait tirer vengeance de toute la terre, comme il l'avait dit. [2]Tous ses aides de camp et notables convoqués, il tint avec eux un conseil secret, et décida de sa propre bouche la destruction totale de toute la contrée. [3]Alors on décréta de faire périr quiconque n'avait pas répondu à l'appel du roi.

[4]Le conseil terminé, Nabuchodonosor, roi des Assyriens, fit appeler Holopherne, général en chef de ses armées et son second. Il lui dit : [5]« Ainsi parle le grand roi, maître de toute la terre : Pars, prends avec toi des gens d'une valeur éprouvée, à peu près vingt mille fantassins et un fort contingent de chevaux avec douze mille cavaliers, [6]puis marche contre toute la région occidentale, puisque ces gens ont résisté à mon appel. [7]Mande-leur de préparer la terre et l'eau, car, dans ma fureur, je vais marcher contre eux. Des

pieds de mes soldats je couvrirai toute la surface du pays et je le livrerai au pillage. [8]Leurs blessés rempliront les ravins et, comblés de leurs cadavres, torrents et fleuves déborderont. [9]Je les emmènerai en captivité jusqu'au bout du monde. [10]Va donc ! Commence par me conquérir toute cette région. S'ils se livrent à toi, tu me les réserveras pour le jour de leur châtiment. [11]Quant aux insoumis, que ton œil n'en épargne aucun. Voue-les à la tuerie et au pillage dans tout le territoire qui t'est confié. [12]Car je suis vivant, moi, et vivante est la puissance de ma royauté ! J'ai dit. Tout cela, je l'accomplirai de ma main ! [13]Et toi, ne néglige rien des ordres de ton maître, mais agis strictement selon ce que je t'ai prescrit, sans plus tarder ! »

[14]Sorti de chez son souverain, Holopherne convoqua tous les princes, les généraux, les officiers de l'armée d'Assur, [15]puis dénombra des guerriers d'élite, conformément aux ordres de son maître : environ cent vingt mille hommes plus douze mille archers montés. [16]Il les disposa en formation normale de combat. [17]Il prit ensuite des chameaux, des ânes, des mulets en immense quantité pour porter les bagages, des brebis, des bœufs, des chèvres sans nombre pour le ravitaillement. [18]Chaque homme reçut d'amples provisions ainsi que beaucoup d'or et d'argent comptés par la maison du roi.

[19]Puis, avec toute son armée, il partit en expédition devant le roi Nabuchodonosor afin de submerger toute la contrée occidentale de

ses chars, de ses cavaliers, de ses fantassins d'élite. ²⁰Une foule composite marchait à sa suite, aussi nombreuse que les sauterelles, que les grains de sable de la terre. Aucun chiffre n'en pourrait évaluer la multitude.

Étapes de l'armée d'Holopherne.

²¹Ils quittèrent donc Ninive et marchèrent trois jours durant dans la direction de la plaine de Bektileth. De Bektileth ils s'en vinrent camper près des montagnes situées à gauche de la Haute-Cilicie. ²²De là, avec toute son armée, fantassins, cavaliers et chars, Holopherne s'engagea dans la région montagneuse. ²³Il pourfendit Put et Lud, rançonna tous les fils de Rassis et ceux d'Ismaël cantonnés à l'orée du désert au sud de Chéléôn, ²⁴longea l'Euphrate, traversa la Mésopotamie, détruisit de fond en comble toutes les villes fortifiées qui dominent le torrent d'Abrona et parvint jusqu'à la mer. ²⁵Puis il s'empara des territoires de la Cilicie, taillant en pièces quiconque lui résistait, arriva jusqu'aux limites méridionales de Japhet, en face de l'Arabie, ²⁶encercla tous les Madianites, brûla leurs campements et pilla leurs bergeries, ²⁷descendit ensuite dans la plaine de Damas à l'époque de la moisson des blés, mit le feu aux champs, fit disparaître menu et gros bétail, pilla les villes, dévasta les campagnes et passa au fil de l'épée tous les jeunes gens. ²⁸Crainte et tremblement s'emparèrent de tous les habitants de la côte : ceux de Sidon et de Tyr, ceux de Sour, d'Okina et de Jamnia. La terreur régnait parmi les populations d'Azot et d'Ascalon.

3 ¹Des envoyés, porteurs de messages de paix, furent alors dépêchés vers lui. ²« Nous sommes, dirent-ils, les serviteurs du grand roi Nabuchodonosor et nous nous prosternons devant toi. Fais de nous ce qu'il te plaira. ³Nos parcs à bestiaux, notre territoire tout entier, tous nos champs de blé, notre menu et gros bétail, tous les enclos de nos campements sont à ta disposition. Uses-en comme bon te semblera. ⁴Nos villes mêmes et leurs habitants sont à ton service. Viens, avance-toi vers elles selon ton bon plaisir. » ⁵Ces hommes se présentèrent donc devant Holopherne et lui transmirent en ces termes leur message.

⁶Avec son armée il descendit ensuite vers la côte, établit des garnisons dans toutes les villes fortifiées et y préleva des hommes d'élite comme troupes auxiliaires. ⁷Les habitants de ces cités et de toutes celles d'alentour l'accueillirent parés de couronnes et dansant au son des tambourins. ⁸Mais il n'en dévasta pas moins leurs sanctuaires et coupa leurs arbres sacrés, conformément à la mission reçue d'exterminer tous les dieux indigènes pour obliger les peuples à ne plus adorer que le seul Nabuchodonosor et forcer toute langue et toute race à l'invoquer comme dieu.

⁹Il arriva ainsi en face d'Esdrelon, près de Dôtaia, bourgade sise en avant de la grande chaîne de Judée, ¹⁰campa entre Géba et Scythopolis et y demeura tout un

mois pour réapprovisionner ses forces.

Alerte en Judée.

4 ¹Les Israélites établis en Judée, apprenant ce que Holopherne, général en chef de Nabuchodonosor roi des Assyriens, avait fait aux différents peuples et comment, après avoir dépouillé leurs temples, il les avait livrés à la destruction, ²furent saisis d'une extrême frayeur à son approche et tremblèrent pour Jérusalem et le Temple du Seigneur leur Dieu. ³À peine venaient-ils de remonter de captivité, et le regroupement du peuple en Judée, la purification du mobilier sacré, de l'autel et du Temple profanés étaient choses récentes.

⁴Ils alertèrent donc toute la Samarie, Kona, Bethorôn, Belmaïn, Jéricho, Choba, Ésora et la vallée de Salem. ⁵Les sommets des plus hautes montagnes furent occupés, les bourgs qui s'y trouvaient, fortifiés. On prépara des approvisionnements en vue de la guerre, car les champs venaient d'être moissonnés. ⁶Le grand prêtre Ioakim, alors en résidence à Jérusalem, écrivit aux habitants de Béthulie et de Bétomestaïm, villes situées en face d'Esdrelon et vers la plaine de Dotaïn, ⁷pour leur dire d'occuper les hautes passes de la montagne, seule voie d'accès vers la Judée. Il leur serait d'ailleurs aisé d'arrêter les assaillants, l'étroitesse du passage ne permettant d'y avancer que deux de front. ⁸Les Israélites exécutèrent les ordres du grand prêtre Ioakim et du Conseil des anciens du peuple d'Israël, siégeant à Jérusalem.

Les grandes supplications.

⁹Avec une ardeur soutenue, tous les hommes d'Israël crièrent vers Dieu et s'humilièrent devant lui. ¹⁰Eux, leurs femmes, leurs enfants, leurs troupeaux, tous ceux qui vivaient avec eux, mercenaires ou esclaves, ceignirent leurs reins de sacs. ¹¹Tous les Israélites de Jérusalem, femmes et enfants compris, se prosternèrent devant le sanctuaire et, la tête couverte de cendres, étendirent les mains devant le Seigneur. ¹²Ils entourèrent d'un sac l'autel lui-même. À grands cris ils suppliaient unanimement et avec ardeur le Dieu d'Israël de ne pas livrer leurs enfants au pillage, leurs femmes au rapt, les villes de leur héritage à la destruction, le Temple à la profanation et à l'ironie outrageante des païens. ¹³Attentif à leur voix, le Seigneur prit en considération leur détresse.

Dans toute la Judée et à Jérusalem devant le sanctuaire du Seigneur Tout-Puissant le peuple jeûnait de longs jours. ¹⁴Le grand prêtre Ioakim et tous ceux qui se tenaient devant le Seigneur, prêtres et ministres du Seigneur, le sac sur les reins, offraient l'holocauste perpétuel, les oblations votives et les dons volontaires du peuple, ¹⁵et, le turban couvert de cendres, ils suppliaient intensément le Seigneur de visiter la maison d'Israël.

Conseil de guerre dans le camp d'Holopherne.

5 ¹On annonça à Holopherne, général en chef de l'armée assyrienne, que les Israélites se préparaient au combat : ils avaient, disait-on, fermé les passes de la montagne, fortifié les hautes cimes et, dans les plaines, disposé des obstacles. ²Il entra alors dans une très violente colère, convoqua tous les princes de Moab, tous les généraux d'Ammon, tous les satrapes du littoral. ³« Hommes de Canaan, leur dit-il, renseignez-moi : quel est ce peuple qui demeure dans la région montagneuse ? Quelles sont les villes qu'il habite ? Quelle est l'importance de son armée ? En quoi résident sa puissance et sa force ? Quel est le roi qui est à sa tête et dirige son armée ? ⁴Pourquoi a-t-il dédaigné de venir audevant de moi, contrairement à ce qu'ont fait tous les habitants de la région occidentale ? »

⁵Achior, chef de tous les Ammonites, lui répondit : « Que Monseigneur écoute, je t'en prie, les paroles prononcées par ton serviteur. Je vais te dire la vérité sur ce peuple de montagnards qui demeure tout près de toi. De la bouche de ton serviteur aucun mensonge ne sortira. ⁶Les gens de ce peuple sont des descendants des Chaldéens. ⁷Anciennement, ils vinrent habiter en Mésopotamie parce qu'ils n'avaient pas voulu suivre les dieux de leurs pères établis en Chaldée. ⁸Ils s'écartèrent donc de la voie de leurs ancêtres et adorèrent le Dieu du ciel, Dieu qu'ils avaient reconnu. Bannis alors de la face de leurs dieux, ils s'enfuirent en Mésopotamie où ils habitèrent longtemps. ⁹Leur Dieu leur ayant signifié de sortir de leur résidence et de s'en aller au pays de Canaan, ils s'y installèrent et y furent surabondamment comblés d'or, d'argent et de nombreux troupeaux. ¹⁰Ils descendirent ensuite en Égypte, car une famine s'était abattue sur la terre de Canaan, et ils y demeurèrent tant qu'ils y trouvèrent de la nourriture. Là ils devinrent une grande multitude et une race innombrable. ¹¹Mais le roi d'Égypte se dressa contre eux et se joua d'eux en les astreignant au travail des briques. On les humilia, on les assujettit à l'esclavage. ¹²Ils crièrent vers leur Dieu, qui frappa la terre d'Égypte tout entière de plaies sans remède. Les Égyptiens les chassèrent alors loin d'eux. ¹³Devant eux Dieu dessécha la mer Rouge ¹⁴et les conduisit par le chemin du Sinaï et de Cadès Barné. Après avoir repoussé tous les habitants du désert, ¹⁵ils s'établirent dans le pays des Amorites et, vigoureusement, exterminèrent tous les habitants de Heshbôn. Puis, traversant le Jourdain, ils prirent possession de toute la montagne, ¹⁶expulsant devant eux les Cananéens, les Perizzites, les Jébuséens, les Sichémites ainsi que tous les Girgashites, et ils y habitèrent de longs jours. ¹⁷Tant qu'ils ne péchèrent pas en présence de leur Dieu, la prospérité fut avec eux, car ils ont un Dieu qui hait l'iniquité. ¹⁸Quand au contraire ils s'écartèrent de la voie qu'il leur avait assignée, une partie fut complètement détruite en de multiples guerres, l'autre fut conduite en captivité dans une terre étrangère. Le Temple de leur Dieu fut rasé et leurs villes tombèrent au pouvoir de leurs adversaires. ¹⁹Alors ils se retournèrent de nouveau vers leur Dieu, remontèrent de leur dispersion, des lieux où ils

avaient été disséminés, reprirent possession de Jérusalem où se trouve leur Temple et repeuplèrent la montagne demeurée déserte. ²⁰Et maintenant, maître et seigneur, s'il y a dans ce peuple quelque égarement, s'ils ont péché contre leur Dieu, alors assurons-nous qu'il y a bien en eux cette cause de chute. Puis montons, attaquons-les. ²¹Mais s'il n'y a pas d'injustice dans leur nation, que Monseigneur s'abstienne, de peur que leur Seigneur et Dieu ne les protège. Nous serions alors la risée de toute la terre ! »

²²Quand Achior eut cessé de parler, toute la foule massée autour de la tente se prit à murmurer. Les notables d'Holopherne, tous les habitants de la côte comme ceux de Moab parlaient de le mettre en pièces. ²³« Qu'avons-nous donc à craindre des Israélites ? C'est un peuple sans force ni puissance, incapable de tenir dans un combat un peu rude. ²⁴Allons donc ! Montons et ton armée n'en fera qu'une bouchée, ô notre maître, Holopherne ! »

Achior est livré aux Israélites.

6 ¹Quand se fut apaisé le tumulte des gens attroupés autour du Conseil, Holopherne, général en chef de l'armée d'Assur, invectiva Achior devant toute la foule des étrangers et les Ammonites : ²« Qui es-tu donc, Achior, toi avec les mercenaires d'Éphraïm, pour vaticiner chez nous comme tu le fais aujourd'hui et pour nous dissuader de partir en guerre contre la race d'Israël ? Tu prétends que leur Dieu les protégera ? Qui donc est dieu hormis Nabuchodonosor ?

C'est lui qui va envoyer sa puissance et les faire disparaître de la face de la terre, et ce n'est pas leur Dieu qui les sauvera ! ³Mais nous, ses serviteurs, nous les broierons comme un seul homme ! Ils ne pourront contenir la puissance de nos chevaux. ⁴Nous les brûlerons pêle-mêle. Leurs monts s'enivreront de leur sang et leurs plaines seront remplies de leurs cadavres. Loin de pouvoir tenir pied devant nous, ils périront du premier au dernier, dit le roi Nabuchodonosor, le maître de toute la terre. Car il a parlé et ses paroles ne seront pas vaines. ⁵Toi donc, Achior, mercenaire ammonite, toi qui as proféré ce discours en un moment d'emportement, à partir d'aujourd'hui tu ne verras plus mon visage jusqu'au jour où je me serai vengé de cette engeance évadée d'Égypte. ⁶Alors l'épée de mes soldats et la lance de mes serviteurs te transperceront le flanc. Tu tomberas parmi les blessés quand je me tournerai contre Israël. ⁷Mes serviteurs vont maintenant te mener dans la montagne et te laisser près d'une des villes situées dans les défilés. ⁸Tu ne périras pas sans partager leur ruine. ⁹Ne prends pas cet air abattu si tu nourris le secret espoir qu'elles ne seront pas capturées ! J'ai dit ; aucune de mes paroles ne restera sans effet. »

¹⁰Holopherne ordonna aux gens de service dans sa tente de saisir Achior, de le mener à Béthulie et de le remettre aux mains des Israélites. ¹¹Les serviteurs le prirent donc, le conduisirent hors du camp à travers la plaine et de là, prenant la direction de la montagne, ils parvinrent aux sources si-

tuées en contrebas de Béthulie. [12]Quand les hommes de la ville les virent, ils prirent leurs armes, sortirent de la cité et gagnèrent la crête de la montagne, tandis que, pour les empêcher de monter, les frondeurs les criblaient de pierres. [13]Aussi purent-ils tout juste se glisser au bas des pentes, ligoter Achior et le laisser étendu au pied de la montagne avant de s'en retourner vers leur maître.

[14]Les Israélites descendirent alors de leur ville, s'arrêtèrent près de lui, le délièrent, le conduisirent à Béthulie et le présentèrent aux chefs de la cité, [15]qui étaient alors Ozias, fils de Michée, de la tribu de Siméon, Chabris, fils de Gothoniel, et Charmis, fils de Melchiel. [16]Ceux-ci convoquèrent les anciens de la ville. Les jeunes gens et les femmes accoururent aussi à l'assemblée. Ozias interrogea Achior, debout au milieu du peuple, sur ce qui était arrivé. [17]Prenant la parole, il leur fit connaître les délibérations du conseil d'Holopherne, tout ce qu'il avait lui-même dit parmi les chefs assyriens, ainsi que les rodomontades d'Holopherne à l'adresse de la maison d'Israël. [18]Alors le peuple se prosterna, adora Dieu et cria : [19]« Seigneur, Dieu du ciel, considère leur orgueil démesuré et prends en pitié l'humiliation de notre race. En ce jour, tourne un visage favorable vers ceux qui te sont consacrés. » [20]Puis on rassura Achior, vivement félicité. [21]Au sortir de la réunion, Ozias le prit chez lui et offrit un banquet aux anciens. Durant toute cette nuit-là on implora le secours du Dieu d'Israël.

2. *Le siège de Béthulie*

Campagne contre Israël.

7 [1]Le lendemain, Holopherne fit donner ordre à toute son armée, et à toute la foule des auxiliaires qui s'étaient rangés à ses côtés, de lever le camp pour se porter sur Béthulie, d'occuper les hautes passes de la montagne et d'engager ainsi la guerre contre les Israélites. [2]En ce même jour tous les hommes d'armes levèrent donc le camp. Leur armée sur pied de guerre comprenait cent vingt mille fantassins et douze mille cavaliers, sans compter les bagages et la multitude considérable des gens de pied mêlés à eux. [3]Ils s'engagèrent dans le vallon proche de Béthulie en direction de la source et se déployèrent en profondeur, de Dotaïn jusqu'à Belbaïn, et en longueur, de Béthulie jusqu'à Cyamôn, située en face d'Esdrelon. [4]Quand les Israélites aperçurent cette multitude, tout tremblants ils se dirent entre eux : « Et maintenant ils vont tondre tout le pays ! Ni les cimes les plus élevées, ni les gorges, ni les collines ne pourront tenir sous leur masse ! » [5]Chacun prit ses armes, sur les tours des feux furent allumés et l'on passa cette nuit-là à veiller.

[6]Le deuxième jour, Holopherne déploya toute sa cavalerie sous les yeux des Israélites qui étaient à

Béthulie. [7]Il explora les montées qui conduisaient à leur ville, reconnut les sources d'eau, les occupa, y plaça des postes de soldats et revint lui-même à son armée. [8]Puis, les princes des fils d'Ésaü, les chefs du peuple des Moabites et les généraux du district côtier s'approchèrent de lui et lui dirent : [9]« Que notre maître veuille bien nous écouter et son armée n'aura pas une seule blessure. [10]Ce peuple des Israélites ne compte pas tant sur ses lances que sur la hauteur des monts où il habite. Il n'est certes pas facile d'escalader les cimes de ses montagnes !

« [11]Alors, maître, ne combats pas contre eux en bataille rangée, et pas un homme de ton peuple ne tombera. [12]Reste dans ton camp et gardes-y tous les hommes de ton armée, mais que tes serviteurs s'emparent de la source qui jaillit au pied de la montagne. [13]C'est là en effet que se ravitaillent en eau les habitants de Béthulie. La soif les poussera donc à te livrer leur ville. Pendant ce temps nous et nos gens nous monterons sur les crêtes des monts les plus proches et nous y camperons en avant-postes : ainsi pas un seul homme ne sortira de la ville. [14]La faim les consumera, eux, leurs femmes et leurs enfants, et, avant même que l'épée ne les atteigne, ils seront déjà étendus dans les rues devant leurs demeures. [15]Et tu leur feras payer fort cher leur révolte et leur refus de venir pacifiquement à ta rencontre. »

[16]Leurs propos plurent à Holopherne ainsi qu'à tous ses officiers et il décida d'agir selon leurs suggestions. [17]Une troupe de Moabites partit donc et avec eux cinq mil-le Assyriens. Ils se glissèrent dans le vallon et s'emparèrent des points d'eau et des sources des Israélites. [18]Les Édomites et les Ammonites montèrent de leur côté, prirent position dans la montagne en face de Dotaïn, et envoyèrent de leurs hommes au sud et à l'est en face d'Égrebel qui est près de Chous, sur le torrent de Mochmour. Le reste de l'armée assyrienne prit position dans la plaine et couvrit toute la région. Tentes et bagages formaient un campement d'une masse énorme car leur multitude était considérable.

[19]Les Israélites crièrent vers le Seigneur leur Dieu. Ils perdaient courage, car les ennemis les avaient entourés et leur coupaient toute retraite. [20]Durant trente-quatre jours l'armée assyrienne, fantassins, chars et cavaliers, les tint encerclés. Les habitants de Béthulie virent se vider toutes les jarres d'eau [21]et les citernes s'épuiser. On ne pouvait plus boire à sa soif un seul jour, car l'eau était rationnée. [22]Les enfants s'affolaient, les femmes et les adolescents défaillaient de soif. Ils tombaient dans les rues et aux issues des portes de la ville, sans force aucune.

[23]Tout le peuple, adolescents, femmes et enfants, se rassembla autour d'Ozias et des chefs de la ville, poussant de grands cris et disant en présence de tous les anciens : [24]« Que Dieu soit juge entre vous et nous, car vous nous avez causé un immense préjudice en ne traitant pas amicalement avec les Assyriens. [25]Maintenant, il n'y a plus personne qui puisse nous secourir. Dieu nous a livrés entre leurs mains pour être terras-

sés par la soif en face d'eux et périr totalement. 26Appelez-les donc tout de suite. Livrez entièrement la ville au pillage des gens d'Holopherne et de toute son armée. 27Après tout, il vaut bien mieux pour nous devenir leur proie. Ainsi nous serons esclaves sans doute, mais nous vivrons et nous ne verrons pas de nos yeux la mort de nos petits, ni le trépas de nos femmes et de nos enfants. 28Nous vous adjurons par le ciel et la terre ainsi que par notre Dieu, le Seigneur de nos pères, qui nous punit à cause de nos fautes et pour les transgressions de nos pères, d'agir de cette façon aujourd'hui même. » 29L'assemblée tout entière se livra à une immense lamentation et tous crièrent à haute voix vers le Seigneur Dieu.

30Ozias leur dit : « Courage, frères, tenons encore cinq jours. D'ici là le Seigneur notre Dieu aura pitié de nous, car il ne nous abandonnera pas jusqu'au bout ! 31Si, ce délai écoulé, aucun secours ne nous est parvenu, alors je suivrai votre avis. » 32Puis il congédia le peuple, chacun dans ses quartiers. Les hommes s'en allèrent sur les remparts et les tours de la cité, renvoyant femmes et enfants à la maison. La ville était plongée dans une profonde consternation.

3. Judith

Présentation de Judith.

8 1En ces mêmes jours, Judith fut informée de ces faits. Elle était fille de Merari, fils d'Ox, fils de Joseph, fils d'Oziel, fils d'Elkia, fils d'Ananias, fils de Gédéon, fils de Raphen, fils d'Achitob, fils d'Élias, fils d'Helkias, fils d'Éliab, fils de Nathanaël, fils de Salamiel, fils de Sarasadé, fils d'Israël. 2Son mari, Manassé, de même tribu et de même famille, était mort à l'époque de la moisson des orges. 3Il surveillait les lieurs de gerbes dans les champs quand, frappé d'insolation, il dut s'aliter et mourut dans sa ville, à Béthulie, où on l'ensevelit avec ses pères dans le champ situé entre Dotaïn et Balamôn. 4Devenue veuve, Judith vécut en sa maison durant trois ans et quatre mois. 5Sur la terrasse elle s'était aménagé une chambre haute. Elle portait un sac sur les reins, se vêtait d'habits de deuil 6et jeûnait tous les jours de son veuvage, hormis les veilles de sabbat, les sabbats, les veilles de néoménies, les néoménies, ainsi que les jours de fête et de liesse de la maison d'Israël. 7Or elle était très belle et d'aspect charmant. Son mari Manassé lui avait laissé de l'or, de l'argent, des serviteurs, des servantes, des troupeaux et des champs, et elle habitait au milieu de tous ses biens 8sans que personne eût rien à lui reprocher, car elle craignait Dieu grandement.

Judith et les anciens.

9Elle apprit donc que le peuple, découragé par la pénurie d'eau, avait murmuré contre le chef de la cité. Elle sut aussi tout ce qu'Ozias leur avait dit et comment il leur avait juré de livrer la ville aux Assyriens au bout de cinq jours. [10]Alors elle envoya la servante préposée à tous ses biens appeler Chabris et Charmis, anciens de la ville. [11]Quand ils furent chez elle, elle leur dit :

« Écoutez-moi, chefs des habitants de Béthulie. Vraiment vous avez eu tort de parler aujourd'hui comme vous l'avez fait devant le peuple et de vous engager contre Dieu, en faisant serment de livrer la ville à nos ennemis si le Seigneur ne vous portait secours dans le délai fixé ! [12]Allons ! Qui donc êtes-vous pour tenter Dieu en ce jour et pour vous dresser au-dessus de lui parmi les enfants des hommes ? [13]Et maintenant vous mettez le Seigneur Tout-Puissant à l'épreuve ! Vous ne comprendrez donc rien au grand jamais ! [14]Si vous êtes incapables de scruter les profondeurs du cœur de l'homme et de démêler les raisonnements de son esprit, comment donc pourrez-vous pénétrer le Dieu qui a fait toutes ces choses, scruter sa pensée et comprendre ses desseins ? Non, frères, gardez-vous d'irriter le Seigneur notre Dieu ! [15]S'il n'est pas dans ses intentions de nous sauver avant cette échéance de cinq jours, il peut nous protéger dans le délai qu'il voudra, comme il peut nous détruire à la face de nos ennemis. [16]Mais vous, n'exigez pas de garanties envers les desseins du Seigneur notre Dieu. Car on ne met pas Dieu au pied du mur comme un homme, on ne lui fait pas de sommations comme à un fils d'homme. [17]Dans l'attente patiente de son salut, appelons-le plutôt à notre secours. Il écoutera notre voix si tel est son bon plaisir.

« [18]À vrai dire, il ne s'est trouvé, naguère pas plus qu'aujourd'hui, ni une de nos tribus, ni une de nos familles, ni une de nos bourgs, ni une de nos cités qui se soit prosternée devant des dieux faits de main d'homme, comme cela s'est produit jadis, [19]ce qui fut cause que nos pères furent livrés à l'épée et au pillage et succombèrent misérablement devant leurs ennemis. [20]Mais nous, nous ne connaissons pas d'autre Dieu que Lui. Aussi pouvons-nous espérer qu'il ne nous regardera pas avec dédain et ne se détournera pas de notre race.

« [21]Si en effet on s'empare de nous, comme vous l'envisagez, toute la Judée aussi sera prise et nos lieux saints pillés. Notre sang devra alors répondre de leur profanation. [22]Le meurtre de nos frères, la déportation du pays, le dépeuplement de notre héritage retomberont sur nos têtes parmi les nations dont nous serons devenus les esclaves et nous serons alors pour nos nouveaux maîtres un scandale et une honte, [23]car notre servitude n'aboutira pas à un retour en grâce, mais le Seigneur notre Dieu en fera une punition infamante. [24]Et maintenant, frères, mettons-nous en avant pour nos frères, car leur vie dépend de nous, et le sanctuaire, le Temple et l'autel reposent sur nous.

« [25]Pour toutes ces raisons, rendons plutôt grâces au Seigneur notre Dieu qui nous met à l'épreuve, tout comme nos pères. [26]Rap-

pelez-vous tout ce qu'il a fait à
Abraham, toutes les épreuves
d'Isaac, tout ce qui arriva à Jacob
en Mésopotamie de Syrie alors
qu'il gardait les brebis de Laban,
son oncle maternel. ²⁷Comme il
les éprouva pour scruter leur
cœur, de même ce n'est pas une
vengeance que Dieu tire de nous,
mais c'est plutôt un avertissement
dont le Seigneur frappe ceux qui
le touchent de près. »

²⁸Ozias lui répondit : « Tout ce
que tu viens de dire, tu l'as dit
dans un excellent esprit et personne n'y contredira. ²⁹Bien sûr, ce
n'est pas d'aujourd'hui que se
manifeste ta sagesse. Dès ta prime
jeunesse le peuple tout entier a reconnu ton intelligence tout comme l'excellence foncière de ton
cœur. ³⁰Mais les gens avaient tellement soif ! Ils nous ont con-
traints de faire ce que nous leur
avions promis et de nous y engager par un serment irrévocable.
³¹Et maintenant, puisque tu es une
femme pieuse, prie le Seigneur de
nous envoyer une averse qui remplisse nos citernes afin que nous
ne soyons plus épuisés. »

— ³²« Écoutez-moi bien, leur
répondit Judith. Je vais accomplir
une action dont le souvenir se
transmettra aux enfants de notre
race d'âge en âge. ³³Vous, trou-
vez-vous cette nuit à la porte de
la ville. Moi, je sortirai avec ma
servante et, avant la date où vous
aviez pensé livrer la ville à nos
ennemis, par mon entremise le
Seigneur visitera Israël. ³⁴Quant à
vous, ne cherchez pas à connaître
ce que je vais faire. Je ne vous le
dirai pas avant de l'avoir exécu-
té. » — ³⁵« Va en paix ! lui dirent

Ozias et les chefs. Que le Seigneur Dieu te conduise pour tirer
vengeance de nos ennemis ! »
³⁶Et, quittant la chambre haute, ils
rejoignirent leurs postes.

Prière de Judith.

9 ¹Judith tomba le visage contre terre, répandit de la cen-
dre sur sa tête, se dépouilla même
du sac dont elle était revêtue et, à
haute voix, cria vers le Seigneur.
C'était l'heure où, à Jérusalem, au
Temple de Dieu, on offrait l'encens du soir. Elle dit :

²« Seigneur, Dieu de mon père
Siméon,

tu l'armas d'un glaive vengeur
contre les étrangers

qui défirent la ceinture d'une
vierge, à sa honte,

mirent son flanc à nu, à sa confusion,

et profanèrent son sein, à son
déshonneur ;

car tu as dit : "Cela ne sera
pas", et ils le firent.

³C'est pourquoi tu as livré leurs
chefs au meurtre,

et leur couche, avilie par leur
duperie,

fut dupée jusqu'au sang.

Tu as frappé les esclaves avec
les princes

et les princes avec leurs serviteurs.

⁴Tu as livré leurs femmes au
rapt

et leurs filles à la captivité,

et toutes leurs dépouilles au
partage,

au profit de tes fils préférés

qui avaient brûlé de zèle pour
toi,

avaient eu horreur de la souillure infligée à leur sang

et t'avaient appelé à leur secours.

Ô Dieu, ô mon Dieu,

exauce la pauvre veuve que je
suis,

⁵puisque c'est toi qui as fait le
passé

et ce qui arrive maintenant et
ce qui arrivera plus tard.

Le présent et l'avenir, tu les as
conçus,

et ce qui est arrivé, c'est ce que
tu avais dans l'esprit.

⁶Tes desseins se présentèrent

et dirent : « Nous sommes là ! »

Car toutes tes voies sont préparées

et tes jugements portés avec
prévoyance.

⁷Voici les Assyriens : ils se prévalent de leur armée,

se glorifient de leurs chevaux et
de leurs cavaliers,

se targuent de la valeur de leurs
fantassins.

Ils ont compté sur la lance et le
bouclier,

sur l'arc et sur la fronde ;

et ils n'ont pas reconnu en toi

le Seigneur briseur de guerres.

⁸À toi le nom de Seigneur !

Et toi, brise leur violence par ta
puissance,

fracasse leur force dans ta colère !

Car ils ont projeté de profaner
tes lieux saints,

de souiller la tente où siège ton
Nom glorieux

et de renverser par le fer la corne de ton autel.

⁹Regarde leur outrecuidance,

envoie ta colère sur leurs têtes,

donne à ma main de veuve

la vaillance escomptée.

¹⁰Par la ruse de mes lèvres,

frappe l'esclave avec le chef

et le chef avec son serviteur.

Brise leur arrogance

par une main de femme.

¹¹Ta force ne réside pas dans le
nombre,

ni ton autorité dans les violents,

mais tu es le Dieu des humbles,

le secours des opprimés,

le soutien des faibles,

l'abri des délaissés,

le sauveur des désespérés.

¹²Oui, oui, Dieu de mon père,

Dieu de l'héritage d'Israël,

Maître du ciel et de la terre,

Créateur des eaux,

Roi de tout ce que tu as créé,

toi, exauce ma prière.

¹³Donne-moi un langage séducteur,

pour blesser et pour meurtrir

ceux qui ont formé de si noirs
desseins

contre ton alliance

et ta sainte demeure

et la montagne de Sion

et la maison qui appartient à tes
fils.

¹⁴Et fais connaître à tout peuple
et à toute tribu

que tu es le Seigneur, Dieu de
toute puissance et de toute force,

et que le peuple d'Israël n'a
d'autre protecteur que toi. »

4. *Judith et Holopherne*

Judith se rend auprès d'Holopherne.

10 ¹Ainsi criait Judith vers le Dieu d'Israël. Au terme de sa prière, ²elle se releva de sa prosternation, appela sa servante, descendit dans l'appartement où elle se tenait aux jours de sabbat et de fête. ³Là, ôtant le sac qui l'enveloppait et quittant ses habits de deuil, elle se baigna, s'oignit d'un généreux parfum, peigna sa chevelure, ceignit un turban et revêtit le costume de joie qu'elle mettait du vivant de son mari Manassé. ⁴Elle chaussa ses sandales, mit ses colliers, ses anneaux, ses bagues, ses pendants d'oreilles, tous ses bijoux, elle se fit aussi belle que possible pour séduire les regards de tous les hommes qui la verraient. ⁵Puis elle donna à sa servante une outre de vin et une cruche d'huile, remplit une besace de galettes de farine d'orge, de gâteaux de fruits secs et de pains purs, et lui remit toutes ces provisions empaquetées. ⁶Elles sortirent alors dans la direction de la porte de Béthulie. Elles y trouvèrent posté Ozias, avec deux anciens de la ville, Chabris et Charmis. ⁷Quand ils virent Judith le visage transformé et les vêtements changés, sa beauté les jeta dans la plus grande stupéfaction. Alors ils lui dirent :

⁸« Que le Dieu de nos pères te tienne en sa bienveillance !

Qu'il donne accomplissement à tes desseins

pour la glorification des enfants d'Israël

et pour l'exaltation de Jérusalem ! »

⁹Judith adora Dieu et leur dit : « Faites-moi ouvrir la porte de la ville, que je puisse sortir et réaliser tous les souhaits que vous venez de m'exprimer. » Ils ordonnèrent donc aux jeunes gardes de lui ouvrir comme elle l'avait demandé. ¹⁰Ils obéirent et Judith sortit avec sa servante, suivie du regard par les gens de la ville pendant toute la descente de la montagne jusqu'à la traversée du vallon. Puis ils ne la virent plus.

¹¹Comme elles marchaient droit devant elles dans le vallon, un poste avancé d'Assyriens se porta à leur rencontre ¹²et, se saisissant de Judith, ils l'interrogèrent. « De quel parti es-tu ? D'où viens-tu ? Où vas-tu ? » — « Je suis, répondit-elle, une fille des Hébreux et je m'enfuis de chez eux, car ils ne seront pas longs à vous servir de pâture. ¹³Et je viens voir Holopherne, le général de votre armée, pour lui donner des renseignements sûrs. Je lui montrerai le chemin par où passer pour se rendre maître de toute la montagne sans perdre un homme ni une vie. » ¹⁴En l'entendant parler les hommes la regardaient et n'en revenaient pas de la trouver si belle : ¹⁵« Ç'aura été ton salut, lui dirent-ils, que d'avoir pris les devants et d'être descendue voir notre maître ! Va donc le trouver dans sa tente, voici des nôtres pour t'accompagner et te remettre entre ses mains. ¹⁶Une fois devant lui, ne crains rien. Répète-lui ce que tu

viens de nous dire, et il te traitera bien. » [17]Ils détachèrent alors cent de leurs hommes qui se joignirent à elle et à sa servante et les conduisirent auprès de la tente d'Holopherne.

[18]La nouvelle de son arrivée s'étant répandue parmi les tentes, il en résulta dans le camp une agitation générale. Elle était encore à l'extérieur de la tente d'Holopherne, attendant d'être annoncée, que déjà autour d'elle on faisait cercle. [19]On ne se lassait pas d'admirer son étonnante beauté, et d'admirer par contrecoup les Israélites. « Qui donc pourrait encore mépriser un peuple qui a des femmes pareilles ? se disait-on à l'envi. Ce ne serait pas bien avisé d'en laisser debout un seul homme ! Les survivants seraient capables de séduire la terre entière ! »

[20]Les gardes du corps d'Holopherne et ses aides de camp sortirent et introduisirent Judith dans la tente. [21]Holopherne reposait sur un lit placé sous une draperie de pourpre et d'or, rehaussée d'émeraudes et de pierres précieuses. [22]On la lui annonça et il sortit sous l'auvent de la tente, précédé de porteurs de flambeaux d'argent. [23]Quand Judith se trouva en présence du général et de ses aides de camp, la beauté de son visage les stupéfia tous. Elle se prosterna devant lui, la face contre terre. Mais les serviteurs la relevèrent.

Première entrevue de Judith et d'Holopherne.

11 [1]« Confiance, femme, lui dit Holopherne. Ne crains rien. Je n'ai jamais fait de mal à personne qui ait choisi de servir Nabuchodonosor, roi de toute la terre. [2]Maintenant même, si ton peuple de montagnards ne m'avait pas méprisé, je n'aurais pas levé la lance contre lui. Ce sont eux qui l'ont voulu. [3]Mais, dis-moi, pourquoi t'es-tu enfuie de chez eux pour venir chez nous ? ... En tout cas ç'aura été ton salut ! Courage ! Cette nuit-ci te verra encore en vie, et les autres aussi ! [4]Personne ne te fera de mal, va ! Mais on te traitera bien, comme cela se pratique avec les serviteurs de mon seigneur le roi Nabuchodonosor. »

[5]Et Judith : « Daigne accueillir favorablement les paroles de ton esclave et que ta servante puisse parler devant toi. Cette nuit je ne proférerai aucun mensonge devant Monseigneur. [6]Suis seulement les avis de ta servante, et Dieu mènera ton affaire à bonne fin, mon Seigneur n'échouera pas dans ses entreprises. [7]Vive Nabuchodonosor, roi de toute la terre, lui qui t'a envoyé remettre toute âme vivante dans le droit chemin, et vive sa puissance ! Car, grâce à toi, ce ne sont pas seulement les hommes qui le servent, mais par l'effet de ta force, les bêtes sauvages elles-mêmes, les troupeaux et les oiseaux du ciel vivront pour Nabuchodonosor et pour toute sa maison !

« [8]Nous avons, en effet, entendu parler de ton talent et des ressources de ton esprit. C'est chose connue de toute la terre que, dans tout l'empire, tu es singulièrement capable, riche en expérience, étonnant dans la conduite de la guerre. [9]Et puis, nous connaissons le discours prononcé par Achior

sa servante, puis mangea et but en face de lui. [20]Holopherne était sous son charme, aussi but-il une telle quantité de vin qu'en aucun jour de sa vie il n'en avait tant absorbé.

13 [1]Quand il se fit tard, ses officiers se hâtèrent de partir. Bagoas ferma la tente de l'extérieur, après avoir éconduit d'auprès de son maître ceux qui s'y trouvaient encore. Ils allèrent se coucher, fatigués par l'excès de boisson, [2]et Judith fut laissée seule dans la tente avec Holopherne effondré sur son lit, noyé dans le vin. [3]Judith dit alors à sa servante de se tenir dehors, près de la chambre à coucher, et d'attendre sa sortie comme elle le faisait chaque jour. Elle avait d'ailleurs eu soin de dire qu'elle sortirait pour sa prière et avait parlé dans le même sens à Bagoas.

[4]Tous s'en étaient allés de chez Holopherne et nul, petit ou grand, n'avait été laissé dans la chambre à coucher. Debout près du lit, Judith dit en elle-même :

« Seigneur, Dieu de toute force, en cette heure, favorise l'œuvre de mes mains
pour l'exaltation de Jérusalem.
[5]C'est maintenant le moment de ressaisir ton héritage
et de réaliser mes plans
pour écraser les ennemis levés contre nous. »

[6]Elle s'avança alors vers la traverse du lit proche de la tête d'Holopherne, en détacha son cimeterre, [7]puis s'approchant de la couche elle saisit la chevelure de l'homme et dit : « Rends-moi forte en ce jour, Seigneur, Dieu d'Is-

raël ! » [8]Par deux fois elle le frappa au cou, de toute sa force, et détacha sa tête. [9]Elle fit ensuite rouler le corps loin du lit et enleva la draperie des colonnes. Peu après elle sortit et donna la tête d'Holopherne à sa servante, [10]qui la mit dans la besace à vivres, et toutes deux sortirent du camp comme elles avaient coutume de le faire pour aller prier. Une fois le camp traversé, elles contournèrent le ravin, gravirent la pente de Béthulie et parvinrent aux portes.

Judith apporte à Béthulie la tête d'Holopherne.

[11]De loin Judith cria aux gardiens des portes : « Ouvrez, ouvrez la porte ! Car le Seigneur notre Dieu est encore avec nous pour accomplir des prouesses en Israël et déployer sa force contre nos ennemis comme il l'a fait aujourd'hui ! » [12]Quand les hommes de la ville eurent entendu sa voix, ils se hâtèrent de descendre à la porte de leur cité et appelèrent les anciens. [13]Du plus petit jusqu'au plus grand tout le monde accourut, car on ne s'attendait pas à son arrivée. Les gens ouvrirent la porte, accueillirent ces femmes, firent du feu pour y voir et les entourèrent. [14]D'une voix forte Judith leur dit : « Louez Dieu ! Louez-le ! Louez le Dieu qui n'a pas détourné sa miséricorde de la maison d'Israël, mais qui, cette nuit, a par ma main brisé nos ennemis. » [15]Elle tire alors la tête de sa besace et la leur montre : « Voici la tête d'Holopherne, le général en chef de l'armée d'Assur, et voici la draperie sous laquelle il gisait dans son ivresse !

Le Seigneur l'a frappé par la main d'une femme ! [16]Vive le Seigneur qui m'a gardée dans mon entreprise ! Car mon visage n'a séduit cet homme que pour sa perte. Il n'a pas péché avec moi pour ma honte et mon déshonneur. » [17]En proie à une grande émotion, tout le peuple se prosterna pour adorer Dieu et cria d'une seule voix : « Béni sois-tu, ô notre Dieu, toi qui, en ce jour, as anéanti les ennemis de ton peuple ! » [18]Ozias, à son tour, dit à Judith :

« Sois bénie, ma fille, par le Dieu Très-Haut,

plus que toutes les femmes de la terre ;

et béni soit le Seigneur Dieu,

Créateur du ciel et de la terre,

lui qui t'a conduite pour trancher la tête

du chef de nos ennemis !

[19]Jamais la confiance dont tu as fait preuve

ne s'effacera de l'esprit des hommes ;

mais ils se souviendront éternellement

de la puissance de Dieu.

[20]Fasse Dieu que tu sois éternellement exaltée

et récompensée de mille biens,

puisque tu n'as pas ménagé ta vie

quand notre race était humiliée,

mais que tu as conjuré notre ruine

en marchant droit devant notre Dieu. »

Tout le peuple répondit : « Amen ! Amen ! »

5. *La victoire*

Les Juifs assaillent le camp assyrien.

14 [1]Judith leur dit : « Écoutez-moi, frères. Prenez cette tête, suspendez-la au faîte de vos remparts. [2]Puis, quand l'aube aura paru et que le soleil sera levé sur la terre, prenez chacun vos armes et que tout homme valide sorte de la ville. Sur cette troupe établissez un chef, tout comme si vous vouliez descendre dans la plaine vers le poste avancé des Assyriens. Mais ne descendez pas. [3]Les Assyriens prendront leur équipement, gagneront leur camp et éveilleront les chefs de leur armée. On se précipitera alors vers la tente d'Holopherne et on ne le trouvera pas. La frayeur s'emparera d'eux et ils fuiront devant vous. [4]Vous, et tous ceux qui habitent dans le territoire d'Israël, vous n'aurez plus qu'à les poursuivre et à les abattre dans leur retraite.

[5]« Mais avant d'agir ainsi, appelez-moi Achior l'Ammonite, pour qu'il voie et reconnaisse le contempteur de la maison d'Israël, celui qui l'avait envoyé parmi nous comme un homme voué d'avance à la mort. » [6]On fit donc venir Achior de chez Ozias. Sitôt arrivé, à la vue de la tête d'Holopherne que tenait un des hommes de l'assemblée du peuple, il tomba la face contre terre et s'éva-

nouit. ⁷On le releva. Il se jeta alors aux pieds de Judith et, se prosternant devant elle, s'écria :

« Bénie sois-tu dans toutes les tentes de Juda

et parmi tous les peuples ;

ceux qui entendront prononcer ton nom

seront saisis d'effroi !

⁸Et maintenant dis-moi ce que tu as fait durant ces jours. » Et Judith lui raconta, au milieu de tout le peuple, tout ce qu'elle avait fait depuis le jour de sa sortie de Béthulie jusqu'au moment où elle parlait. ⁹Quand elle se fut tue, le peuple poussa de puissantes acclamations et emplit la ville de cris d'allégresse. ¹⁰Achior, voyant tout ce qu'avait fait le Dieu d'Israël, crut fermement en lui, se fit circoncire et fut admis définitivement dans la maison d'Israël.

¹¹Quand l'aube parut, les gens de Béthulie pendirent la tête d'Holopherne au rempart. Chacun prit ses armes et tous sortirent par bandes sur les pentes de la montagne. ¹²Ce que voyant, les Assyriens dépêchèrent des messagers vers leurs chefs qui, à leur tour, se rendirent chez les stratèges, les chiliarques et tous leurs officiers. ¹³On parvint ainsi jusqu'à la tente d'Holopherne. « Éveille notre maître, dit-on à son intendant. Ces esclaves ont osé descendre vers nous et nous attaquer pour se faire complètement massacrer. » ¹⁴Bagoas entra donc. Il frappa des mains devant le rideau de la tente, pensant qu'Holopherne dormait avec Judith. ¹⁵Mais comme personne ne semblait rien entendre, il ouvrit et pénétra dans la chambre à coucher et le trouva jeté sur le seuil, mort, la tête coupée. ¹⁶Il poussa alors un grand cri, pleura, sanglota, hurla et déchira ses vêtements, ¹⁷puis pénétra dans la tente où logeait Judith et ne la trouva pas. Alors, s'élançant dans la foule, il cria : ¹⁸« Ah ! les esclaves se sont rebellés ! Une femme des Hébreux a couvert de honte la maison de Nabuchodonosor. Holopherne gît à terre, décapité ! » ¹⁹À ces mots les chefs de l'armée d'Assur, l'esprit complètement bouleversé, déchirèrent leurs tuniques et firent retentir le camp de leurs cris et de leurs clameurs.

15 ¹Lorsque ceux qui étaient encore dans leurs tentes apprirent la nouvelle, ils en furent frappés de stupeur. ²Pris de crainte et de tremblement ils ne purent rester deux ensemble : ce fut la débandade. Chacun s'enfuit par les sentiers de la plaine ou de la montagne. ³Ceux qui étaient campés dans la région montagneuse autour de Béthulie se mirent à fuir eux aussi. Alors les hommes de guerre d'Israël foncèrent sur eux. ⁴Ozias dépêcha des messagers à Bétomestaïm, à Bèbè, à Chobé, à Kola, dans le territoire d'Israël tout entier, afin d'y faire connaître tout ce qui venait de se passer et d'inviter toutes les populations à se jeter sur les ennemis et à les anéantir. ⁵À peine les Israélites furent-ils avertis que d'un seul élan ils tombèrent tous sur eux et les frappèrent jusqu'à Choba. Ceux de Jérusalem et de toute la montagne se joignirent également à eux, car ils avaient aussi été mis au courant de ce qui s'était passé dans le camp ennemi. Puis ce furent les gens de Galaad et de Ga-

...

lilée qui les prirent de flanc et les frappèrent durement jusqu'à proximité de Damas et de sa région. [6]Quant aux autres, demeurés à Béthulie, ils se jetèrent sur le camp d'Assur, le pillèrent et s'enrichirent extrêmement. [7]Les Israélites, de retour du carnage, se rendirent maîtres du reste. Les gens des bourgs et des villages de la montagne et de la plaine s'emparèrent aussi d'un immense butin, car il y en avait en quantité.

Actions de grâces.

[8]Le grand prêtre Ioakim et tout le Conseil des anciens d'Israël qui étaient à Jérusalem vinrent contempler les bienfaits dont le Seigneur avait comblé Israël, pour voir Judith et la saluer. [9]En entrant chez elle, tous la bénirent ainsi d'une seule voix :

« Tu es la gloire de Jérusalem !
Tu es le suprême orgueil d'Israël !
Tu es le grand honneur de notre race !

[10]En accomplissant tout cela de ta main,
tu as bien mérité d'Israël,
et Dieu a ratifié ce que tu as fait.
Bénie sois-tu par le Seigneur Tout-Puissant
dans la suite des temps ! »

Et tout le peuple reprit : « Amen ! »

[11]La population pilla le camp trente jours durant. On donna à Judith la tente d'Holopherne, toute son argenterie, sa literie, ses bassins et tout son mobilier. Elle le prit, en chargea sa mule, attela ses chariots et y amoncela le tout. [12]Toutes les femmes d'Israël, accourues pour la voir, s'organisèrent en chœur de danse pour la fêter. Judith prit en main des thyrses et en donna aux femmes qui l'accompagnaient. [13]Judith et ses compagnes se couronnèrent d'olivier. Puis elle se mit en tête du peuple et conduisit le chœur des femmes. Tous les hommes d'Israël, en armes et couronnés, l'accompagnaient au chant des hymnes. [14]Au milieu de tout Israël, Judith entonna ce chant d'action de grâces et tout le peuple clama l'hymne :

16 [1]« Entonnez un chant à mon Dieu sur les tambourins,
chantez le Seigneur avec les cymbales,
mêlez pour lui le psaume au cantique,
exaltez et invoquez son nom !
[2]Car le Seigneur est un Dieu briseur de guerres ;
il a établi son camp au milieu de son peuple,
pour m'arracher de la main de mes adversaires.
[3]Assur descendit des montagnes du septentrion,
il vint avec les myriades de son armée.
Leur multitude obstruait les torrents,
leurs chevaux couvraient les collines.
[4]Ils parlaient d'embraser mon pays,
de passer mes adolescents au fil de l'épée,
de jeter à terre mes nourrissons,
de livrer au butin mes enfants
et mes jeunes filles au rapt.

⁵Mais le Seigneur Tout-Puissant le leur interdit
  par la main d'une femme.
⁶Car leur héros n'est pas tombé devant des jeunes gens,
  ce ne sont pas des fils de titans qui l'ont frappé,
  ni de fiers géants qui l'ont attaqué,
  mais c'est Judith, fille de Merari,
  qui l'a désarmé par la beauté de son visage.

⁷Elle avait déposé son vêtement de deuil
  pour le réconfort des affligés d'Israël,
  elle avait oint son visage de parfums,
⁸elle avait emprisonné sa chevelure sous un turban,
  elle avait mis une robe de lin pour le séduire.
⁹Sa sandale ravit son regard,
  sa beauté captiva son âme...
  et le cimeterre lui trancha le cou !

¹⁰Les Perses frémirent de son audace
  et les Mèdes furent confondus de sa hardiesse.
¹¹Alors mes humbles crièrent, et eux prirent peur,
  mes faibles hurlèrent, et eux furent saisis d'effroi ;
  ils enflèrent leur voix, et eux reculèrent.
¹²Des enfants de femmelettes les tuèrent,
  ils les transpercèrent comme des fils de déserteurs.
  Ils périrent dans la bataille de mon Seigneur !

¹³Je veux chanter à mon Dieu un cantique nouveau.
  Seigneur, tu es grand, tu es glorieux,
  admirable dans ta force, invincible.
¹⁴Que toute ta création te serve !
  Car tu as dit et les êtres furent,
  tu envoyas ton souffle et ils furent construits,
  et personne ne peut résister à ta voix.
¹⁵Les montagnes crouleraient-elles
  pour se mêler aux flots,
  les rochers fondraient-ils comme la cire devant ta face,
  qu'à ceux qui te craignent tu serais encore propice.

¹⁶Certes, c'est peu de chose qu'un sacrifice d'agréable odeur,
  et moins encore la graisse qui t'est brûlée en holocauste ;
  mais qui craint le Seigneur est grand toujours.

¹⁷Malheur aux nations qui se dressent contre ma race !
  Le Seigneur Tout-Puissant les châtiera au jour du jugement.
  Il enverra le feu et les vers dans leurs chairs
  et ils pleureront de douleur éternellement.

¹⁸Quand ils furent arrivés à Jérusalem, tous se prosternèrent devant Dieu et, une fois le peuple purifié, ils offrirent leurs holocaustes, leurs oblations volontaires et leurs dons. ¹⁹Judith voua à Dieu, en anathème, tout le mobilier d'Holopherne donné par le

peuple et la draperie qu'elle avait elle-même enlevée de son lit. [20]La population se livra à l'allégresse devant le Temple, à Jérusalem, trois mois durant, et Judith resta avec eux.

Vieillesse et mort de Judith.

[21]Ce temps écoulé, chacun revint chez soi. Judith regagna Béthulie et y demeura dans son domaine. De son vivant elle devint célèbre dans tout le pays. [22]Beaucoup la demandèrent en mariage, mais elle ne connut point d'homme tous les jours de sa vie depuis que son mari Manassé était mort

et avait été réuni à son peuple. [23]Son renom croissait de plus en plus tandis qu'elle avançait en âge dans la maison de son mari. Elle atteignit cent cinq ans. Elle affranchit sa servante, puis mourut à Béthulie et fut ensevelie dans la caverne où reposait son mari Manassé. [24]La maison d'Israël célébra son deuil durant sept jours. Avant de mourir elle avait réparti ses biens dans la parenté de son mari Manassé et dans la sienne propre.

[25]Plus personne n'inquiéta les Israélites du temps de Judith ni longtemps encore après sa mort.

Esther

Préliminaires

Songe de Mardochée.

1 ¹ᵃ*La deuxième année du règne du grand roi Assuérus, le premier jour de Nisan, un songe vint à Mardochée, fils de Yaïr, fils de Shiméï, fils de Qish, de la tribu de Benjamin,* ¹ᵇ*Juif établi à Suse et personnage considérable comme attaché à la cour.* ¹ᶜ*Il était du nombre des déportés que, de Jérusalem, le roi de Babylone, Nabuchodonosor, avait emmenés en captivité avec le roi de Juda, Jékonias.*

¹ᵈ*Or, voici quel fut ce songe. Cris et fracas, le tonnerre gronde, le sol tremble, bouleversement sur toute la terre.* ¹ᵉ*Deux énormes dragons s'avancent, l'un et l'autre prêts au combat. Ils poussent un hurlement ;* ¹ᶠ*il n'a pas plus tôt retenti que toutes les nations se préparent à la guerre contre le peuple des justes.* ¹ᵍ*Jour de ténèbres et d'obscurité ! Tribulation, détresse, angoisse, épouvante fondent sur la terre.* ¹ʰ*Bouleversé de terreur devant les maux qui l'attendent, le peuple juste tout entier se prépare à périr et crie vers Dieu.* ¹ⁱ*Or, à son cri, comme d'une petite source, naît un grand fleuve, des eaux débordantes.* ¹ᵏ*La lumière se lève avec le soleil. Les humbles sont exaltés et dévorent les puissants.*

¹ˡ*À son réveil, Mardochée, devant ce songe et la pensée des desseins de Dieu, y porta toute son attention et, jusqu'à la nuit, s'efforça de multiples façons d'en pénétrer le sens.*

Complot contre le roi.

¹ᵐ*Mardochée logeait à la cour avec Bigtân et Téresh, deux eunuques du roi, gardes du palais.* ¹ⁿ*Ayant eu vent de ce qu'ils machinaient et pénétré leurs desseins, il découvrit qu'ils s'apprêtaient à porter la main sur le roi Assuérus, et le mit au courant.* ¹ᵒ*Le roi fit donner la question aux deux eunuques, et, sur leurs aveux, les envoya au supplice.* ¹ᵖ*Il fit ensuite consigner l'histoire dans ses Mémoires cependant que Mardochée, de son côté, la couchait aussi par écrit.* ¹ᑫ*Puis le roi lui confia une fonction au palais et, pour le récompenser, le gratifia de présents.* ¹ʳ*Mais Aman, fils de Hamdata, l'Agagite, avait la faveur du roi, et, pour cette affaire des deux eunuques royaux, il médita de nuire à Mardochée.*

1. Assuérus et Vasthi

Festin d'Assuérus.

1 ¹C'était au temps d'Assuérus, cet Assuérus dont l'empire s'étendait de l'Inde à l'Éthiopie, soit sur cent vingt-sept
provinces. ²En ce temps-là, comme il siégeait sur son trône royal,
à la citadelle de Suse, ³la troisième année de son règne, il donna
un banquet, présidé par lui, à tous
ses grands officiers et serviteurs
chefs de l'armée des Perses et des
Mèdes, nobles et gouverneurs de
provinces. ⁴Il voulait étaler à leurs
yeux la richesse et la magnificence de son royaume ainsi que
l'éclat splendide de sa grandeur,
pendant une longue suite de jours,
exactement cent quatre-vingts.

⁵Ce temps écoulé, ce fut alors
toute la population de la citadelle
de Suse, du plus grand au plus petit, qui se vit offrir par le roi un banquet de sept jours, sur l'esplanade
du jardin du palais royal. ⁶Ce
n'étaient que tentures de toile blanche et de pourpre violette attachées
par des cordons de byssus et de
pourpre rouge, eux-mêmes suspendus à des anneaux d'argent
fixés sur des colonnes de marbre
blanc, lits d'or et d'argent posés sur
un dallage de pierres rares, de marbre blanc, de nacre et de mosaïques ! ⁷Pour boire, des coupes d'or,
toutes différentes, et abondance de
vin offert par le roi avec une libéralité royale. ⁸Le décret royal toutefois ne contraignait pas à boire,
le roi ayant prescrit à tous les officiers de sa maison que chacun fût
traité comme il l'entendait.

L'affaire Vasthi.

⁹La reine Vasthi, de son côté,
avait offert aux femmes un festin
dans le palais royal d'Assuérus.
¹⁰Le septième jour, mis en gaieté
par le vin, le roi ordonna à Mehu-
mân, à Bizzeta, à Harbona, à Bigta,
à Abgata, à Zétar et à Karkas, les
sept eunuques attachés au service
personnel du roi Assuérus, ¹¹de lui
amener la reine Vasthi coiffée du
diadème royal, en vue de faire
montre de sa beauté au peuple et
aux grands officiers. Le fait est
qu'elle était très belle. ¹²Mais la
reine Vasthi refusa de venir selon
l'ordre du roi que les eunuques lui
avaient transmis. L'irritation du roi
fut extrême et sa colère s'enflamma. ¹³Il s'adressa aux sages versés
dans la science des lois – car c'est
ainsi que les affaires du roi étaient
traitées, en présence de tous ceux
qui étaient versés dans la science
de la loi et du droit. ¹⁴Il fit venir
près de lui Karshena, Shétar, Ad-
mata, Tarshish, Mérès, Marsena et
Memukân, sept grands officiers
perses et mèdes admis à voir la face
du roi et siégeant aux premières
places du royaume. ¹⁵« Selon la loi,
dit-il, que faut-il faire à la reine
Vasthi pour n'avoir pas obtempéré
à l'ordre du roi Assuérus que les
eunuques lui transmettaient ? »
¹⁶Et en présence du roi et des
grands officiers, Memukân répondit : « Ce n'est pas seulement contre le roi que la reine Vasthi a mal
agi, c'est aussi contre tous les
grands officiers et contre toutes les
populations répandues à travers les

provinces du roi Assuérus. ¹⁷La façon d'agir de la reine ne manquera
pas de venir à la connaissance de
toutes les femmes, qui regarderont
leur mari avec mépris. "Le roi Assuérus lui-même, pourront-elles
dire, avait donné l'ordre de lui
amener la reine Vasthi, et elle n'est
pas venue !" ¹⁸aujourd'hui même
les femmes des grands officiers
perses et mèdes vont parler à tous
les grands officiers du roi de ce
qu'elles ont appris de la façon
d'agir de la reine, et ce sera grand
mépris et grande colère. ¹⁹Si tel est
le bon plaisir du roi, qu'un édit
émané de lui s'inscrive, irrévocable, parmi les lois des Perses et des
Mèdes, pour interdire à Vasthi de
paraître en présence du roi Assuérus, et que le roi confère sa qualité
de reine à une autre qui vaille
mieux qu'elle. ²⁰Puis l'ordonnance portée par le roi sera promulguée dans tout son royaume, qui
est grand, et lors les femmes rendront honneur à leur mari, du plus
grand jusqu'au plus humble. »

²¹Ce discours plut au roi et aux
grands officiers, et le roi suivit
l'avis de Memukân. ²²Il envoya
des lettres à toutes les provinces
de l'empire, à chaque province selon son écriture et à chaque peuple selon sa langue, afin que tout
mari fût maître chez lui.

2. Mardochée et Esther

Esther devient reine.

2 ¹Quelque temps après, sa fureur calmée, le roi Assuérus
se souvint de Vasthi, il se rappela
la conduite qu'elle avait eue, les
décisions prises à son sujet. ²Les
courtisans de service auprès du roi
lui dirent : « Que l'on recherche
pour le roi des jeunes filles, vierges
et belles. ³Que le roi constitue des
commissaires dans toutes les provinces de son royaume afin de rassembler tout ce qu'il y a de jeunes
filles vierges et belles à la citadelle
de Suse, dans le harem, sous l'autorité de Hégé, eunuque du roi, gardien des femmes. Celui-ci leur
donnera tout ce qu'il faut pour
leurs soins de beauté ⁴et la jeune
fille qui aura plu au roi succédera
comme reine à Vasthi. » L'avis
convint au roi, et c'est ce qu'il fit.

⁵Or, à la citadelle de Suse vivait un Juif nommé Mardochée,
fils de Yaïr, fils de Shiméï, fils de
Qish, de la tribu de Benjamin,
⁶qui avait été exilé de Jérusalem
parmi les déportés emmenés avec
le roi de Juda, Jékonias, par le roi
de Babylone, Nabuchodonosor,
⁷et élevait alors une certaine Ha-
dassa, autrement dit Esther, fille
de son oncle, car orpheline de père et de mère. Elle avait belle
prestance et agréable aspect, et,
à la mort de ses parents, Mardochée l'avait prise avec lui comme
si elle eût été sa fille.

⁸L'ordre royal et le décret pro-
clamés, une foule de jeunes filles
furent donc rassemblées à la citadelle de Suse et confiées à Hégé.
Esther fut prise et amenée au palais royal. Or, confiée comme les
autres à l'autorité de Hégé, gar-

dien des femmes, [9]la jeune fille lui plut et gagna sa faveur. Il prit à cœur de lui donner au plus vite ce qui lui revenait pour sa parure et pour sa subsistance et, de plus, lui attribua sept suivantes choisies de la maison du roi, puis la transféra, avec ses suivantes, dans un meilleur appartement du harem. [10]Esther n'avait révélé ni son peuple ni sa parenté, car Mardochée le lui avait défendu. [11]Chaque jour celui-ci se promenait devant le vestibule du harem pour avoir des nouvelles de la santé d'Esther et de tout ce qui lui advenait.

[12]Chaque jeune fille devait se présenter à son tour au roi Assuérus au terme du délai fixé par le statut des femmes, soit douze mois. L'emploi de ce temps de préparation était tel : pendant six mois les jeunes filles usaient de l'huile de myrrhe, et pendant six autres mois du baume et des onguents employés pour les soins de beauté féminine. [13]Quand elle se présentait au roi, chaque jeune fille obtenait tout ce qu'elle demandait pour le prendre avec elle en passant du harem au palais royal. [14]Elle s'y rendait au soir et, le lendemain matin, regagnait un autre harem, confié à Shaashgaz, l'eunuque royal préposé à la garde des concubines. Elle ne retournait pas vers le roi à moins que le roi ne s'en fût épris et ne la rappelât nommément.

[15]Mais Esther, fille d'Abihayil, lui-même oncle de Mardochée qui l'avait adoptée pour fille, son tour venu de se rendre chez le roi, ne demanda rien d'autre que ce qui lui fut indiqué par l'eunuque royal Hégé, commis à la garde des fem-

mes. Et voici qu'Esther trouva grâce devant tous ceux qui la virent. [16]Elle fut conduite au roi Assuérus, au palais royal, le dixième mois, qui est Tébèt, en la septième année de son règne, [17]et le roi la préféra à toutes les autres femmes, elle trouva devant lui faveur et grâce plus qu'aucune autre jeune fille. Il posa donc le diadème royal sur sa tête et la choisit pour reine à la place de Vasthi.

[18]Après cela le roi donna un grand festin, le festin d'Esther, à tous les grands officiers et serviteurs, accorda un jour de repos à toutes les provinces et prodigua des présents avec une libéralité royale.

Mardochée et Aman.

[19]En passant, comme les jeunes filles, dans le second harem, [20]Esther n'avait révélé ni sa parenté ni son peuple, ainsi que le lui avait prescrit Mardochée dont elle continuait à observer les instructions comme au temps où elle était sous sa tutelle. [21]Mardochée était alors attaché à la Royale Porte. Mécontents, deux eunuques royaux, Bigtân et Téresh, du corps des gardes du seuil, complotèrent de porter la main sur le roi Assuérus. [22]Mardochée en eut vent, informa la reine Esther et celle-ci, à son tour, en parla au roi au nom de Mardochée. [23]Après enquête, le fait se révéla exact. Ces deux-là furent envoyés au gibet et, en présence du roi, une relation de l'histoire fut consignée dans le livre des Chroniques.

3 [1]Quelque temps après, le roi Assuérus distingua Aman, fils de Hamdata, du pays d'Agag. Il l'éleva en dignité, lui accorda prééminence sur tous les grands officiers, ses collègues, [2]et tous les serviteurs du roi, préposés au service de sa Porte, s'agenouillaient et se prosternaient devant lui, car tel était l'ordre du roi. Mardochée refusa de fléchir le genou et de se prosterner. [3]« Pourquoi transgresses-tu l'ordre royal ? » dirent à Mardochée les serviteurs du roi préposés à la Royale Porte. [4]Mais ils avaient beau le lui répéter tous les jours, il ne les écoutait pas. Ils dénoncèrent alors le fait à Aman, pour voir si Mardochée persisterait dans son attitude (car il leur avait dit qu'il était Juif). [5]Aman put en effet constater que Mardochée ne fléchissait pas le genou devant lui ni ne se prosternait : il en prit un accès de fureur. [6]Comme on l'avait instruit du peuple de Mardochée, il lui parut que ce serait peu de ne frapper que lui et il prémédita de faire disparaître, avec Mardochée, tous les Juifs établis dans tout le royaume d'Assuérus.

3. Les Juifs menacés

Décret d'extermination des Juifs.

[7]L'an douze d'Assuérus, le premier mois, qui est Nisan, on tira, sous les yeux d'Aman, le « Pûr » (c'est-à-dire les sorts), par jour et par mois. Le sort étant tombé sur le douzième mois, qui est Adar, [8]Aman dit au roi Assuérus : « Au milieu des populations, dans toutes les provinces de ton royaume, est dispersé un peuple à part. Ses lois ne ressemblent à celles d'aucun autre et les lois royales sont pour lui lettre morte. Les intérêts du roi ne permettent pas de le laisser tranquille. [9]Que sa perte soit donc signée, si le roi le trouve bon, et je verserai à ses fonctionnaires, au compte du Trésor royal, dix mille talents d'argent. » [10]Le roi ôta alors son anneau de sa main et le donna à Aman, fils de Hamdata l'Agagite, le persécuteur des Juifs. [11]« Garde ton argent, lui répondit-il. Quant à ce peuple, je te le livre, fais-en ce que tu voudras ! »

[12]Une convocation fut donc adressée aux scribes royaux pour le treize du premier mois et l'on mit par écrit tout ce qu'Aman avait ordonné aux satrapes du roi, aux gouverneurs de chaque province et aux grands officiers de chaque peuple, selon l'écriture de chaque province et la langue de chaque peuple. Le rescrit fut signé du nom d'Assuérus, scellé de son anneau, [13]et des courriers transmirent à toutes les provinces du royaume des lettres mandant de détruire, tuer et exterminer tous les Juifs, depuis les adolescents jusqu'aux vieillards, enfants et femmes compris, le même jour, à savoir le treize du douzième mois, qui est Adar, et de mettre à sac leurs biens.

[13a]*Voici le texte de cette lettre :*

« *Le Grand Roi Assuérus aux gouverneurs des cent vingt-sept provinces qui vont de l'Inde à l'Éthiopie, et aux chefs de district, leurs subordonnés :*

¹³ᵇ*Placé à la tête de peuples sans nombre et maître de toute la terre, je me suis proposé de ne point me laisser enivrer par l'orgueil du pouvoir et de toujours gouverner dans un grand esprit de modération et avec bienveillance afin d'octroyer à mes sujets la perpétuelle jouissance d'une existence sans orages, et, mon royaume offrant les bienfaits de la civilisation et la libre circulation d'une de ses frontières à l'autre, d'y instaurer cet objet de l'universel désir qu'est la paix.* ¹³ᶜ*Or, mon conseil entendu sur les moyens de parvenir à cette fin, l'un de mes conseillers, de qui la sagesse parmi nous éminente, l'indéfectible dévouement, l'inébranlable fidélité ont fait leurs preuves, et dont les prérogatives viennent immédiatement après les nôtres, Aman,* ¹³ᵈ*nous a dénoncé, mêlé à toutes les tribus du monde, un peuple mal intentionné, en opposition par ses lois avec toutes les nations, et faisant constamment fi des ordonnances royales, au point d'être un obstacle au gouvernement que nous assurons à la satisfaction générale.*

¹³ᵉ*Considérant donc que ledit peuple, unique en son genre, se trouve sur tous les points en conflit avec l'humanité entière, qu'il en diffère par un régime de lois étranges, qu'il est hostile à nos intérêts, qu'il commet les pires méfaits jusqu'à menacer la stabilité de notre royaume.*

¹³ᶠ*Pour ces motifs, nous ordonnons que toutes les personnes à vous signalées dans les lettres d'Aman, commis au soin de nos intérêts et pour nous un second père, soient radicalement exterminées, femmes et enfants inclus, par l'épée de leurs ennemis, sans pitié ni ménagement aucun, le quatorzième jour du douzième mois, soit Adar, de la présente année,* ¹³ᵍ*afin que, ces opposants d'aujourd'hui comme d'hier étant précipités de force dans l'Hadès en un jour, stabilité et tranquillité plénières soient désormais assurées à l'État. »*

¹⁴La copie de cet édit, destiné à être promulgué comme loi dans chaque province, fut publiée parmi toutes les populations afin que chacun se tînt prêt au jour dit. ¹⁵Sur l'ordre du roi, les courriers partirent dans les plus brefs délais. L'édit fut promulgué d'abord à la citadelle de Suse.

Et tandis que le roi et Aman se prodiguaient en festins et beuveries, dans la ville de Suse régnait la consternation.

Mardochée et Esther vont conjurer le péril.

4 ¹Sitôt instruit de ce qui venait d'arriver, Mardochée déchira ses vêtements et prit le sac et la cendre. Puis il parcourut toute la ville en l'emplissant de ses cris de douleur, ²et il alla jusqu'en face de la Porte Royale que nul ne pouvait franchir revêtu d'un sac. ³Dans les provinces, partout où parvinrent l'ordre et le décret royal, ce ne fut plus, parmi les Juifs, que deuil, jeûne, larmes et lamentations. Le sac et la cendre devinrent la couche de beaucoup.

⁴Les servantes et eunuques d'Esther vinrent l'avertir. La rei-

ne fut saisie d'angoisse. Elle fit envoyer des vêtements à Mardochée pour qu'il les mît et abandonnât son sac. Mais il les refusa. ⁵Mandant alors Hataq, l'un des eunuques mis par le roi à son service, Esther le dépêcha à Mardochée avec mission de s'enquérir de ce qui se passait et de lui demander les motifs de sa conduite.

⁶Hataq sortit et s'en vint vers Mardochée, sur la place, devant la Porte Royale. ⁷Mardochée le mit au courant des événements et, notamment, de la somme qu'Aman avait offert de verser au Trésor du roi pour l'extermination des Juifs. ⁸Il lui remit aussi une copie de l'édit d'extermination publié à Suse : il devait la montrer à Esther pour qu'elle soit renseignée. Et il enjoignait à la reine d'aller chez le roi implorer sa clémence et plaider la cause du peuple auquel elle appartenait. ⁸ᵃ« *Souviens-toi, lui fit-il dire, des jours de ton abaissement où je te nourrissais de ma main. Car Aman, le second personnage du royaume, a demandé au roi notre mort.* ⁸ᵇ*Prie le Seigneur, parle pour nous au roi, arrache-nous à la mort !* »

⁹Hataq revint et rapporta ce message à Esther. ¹⁰Celle-ci répondit, avec ordre de répéter ses paroles à Mardochée : ¹¹« Serviteurs du roi et habitants des provinces, tous savent que pour quiconque, homme ou femme, pénètre sans convocation chez le roi jusque dans le vestibule intérieur, il n'y a qu'une loi : il doit mourir, à moins qu'en lui tendant son sceptre d'or le roi ne lui fasse grâce de la vie. Et il y a trente jours que je n'ai pas été invitée à approcher le roi ! »

¹²Ces paroles d'Esther furent transmises à Mardochée, ¹³qui répondit à son tour : « Ne va pas t'imaginer que, parce que tu es dans le palais, seule d'entre les Juifs tu pourras être sauvée. ¹⁴Ce sera tout le contraire. Si tu t'obstines à te taire quand les choses en sont là, salut et délivrance viendront aux Juifs d'un autre lieu, et toi et la maison de ton père vous périrez. Qui sait ? Peut-être est-ce en prévision d'une circonstance comme celle-ci que tu as accédé à la royauté ? »

¹⁵Esther lui fit dire : ¹⁶« Va rassembler tous les Juifs de Suse. Jeûnez à mon intention. Ne mangez ni ne buvez de trois jours et de trois nuits. De mon côté, avec mes servantes, j'observerai le même jeûne. Ainsi préparée, j'entrerai chez le roi malgré la loi et, s'il faut périr, je périrai. » ¹⁷Mardochée se retira et exécuta les instructions d'Esther.

Prière de Mardochée.

¹⁷ᵃ*Priant alors le Seigneur au souvenir de toutes ses grandes œuvres il s'exprima en ces termes :*

¹⁷ᵇ *« Seigneur, Seigneur, Roi tout-puissant,*
tout est soumis à ton pouvoir
et il n'y a personne qui puisse te tenir tête
dans ta volonté de sauver Israël.

¹⁷ᶜ *Oui, c'est toi qui as fait le ciel et la terre*
et toutes les merveilles qui sont sous le firmament.
Tu es le Maître de l'univers
et il n'y a personne qui puisse te résister, Seigneur.

17d *Toi, tu connais tout !*

Tu le sais, toi, Seigneur,

*ni suffisance, ni orgueil, ni glo-
riole*

*ne m'ont fait faire ce que j'ai
fait :*

refuser de me prosterner

devant l'orgueilleux Aman.

*Volontiers je lui baiserais la
plante des pieds*

pour le salut d'Israël.

17e *Mais ce que j'ai fait, c'était
pour ne pas mettre la gloire
d'un homme*

*plus haut que la gloire de
Dieu ;*

*et je ne me prosternerai devant
personne*

si ce n'est devant toi, Seigneur,

*et ce que je ferai là ne sera pas
orgueil.*

17f *Et maintenant, Seigneur
Dieu,*

Roi, Dieu d'Abraham,

épargne ton peuple !

car on machine notre ruine,

*on projette de détruire ton anti-
que héritage.*

17g *Ne délaisse pas cette part
qui est ta part,*

*que tu t'es rachetée de la terre
d'Égypte !*

17h *Exauce ma prière,*

sois propice à ta part d'héritage

et tourne notre deuil en joie,

*afin que nous vivions pour
chanter ton nom, Seigneur.*

Et ne laisse pas disparaître

*la bouche de ceux qui te
louent. »*

17i *Et tout Israël criait de toutes
ses forces, car la mort était devant ses yeux.*

Prière d'Esther.

17k *La reine Esther cherchait
aussi refuge près du Seigneur dans
le péril de mort qui avait fondu sur
elle. Elle avait quitté ses vêtements
somptueux pour prendre des habits de détresse et de deuil. Au lieu
de fastueux parfums, elle avait
couvert sa tête de cendres et d'ordures. Elle humiliait durement son
corps, et les tresses de sa chevelure
défaite remplissaient tous les lieux
témoins ordinaires de ses joyeuses
parures. Et elle suppliait le Seigneur Dieu d'Israël en ces termes :*

17l *« Ô mon Seigneur, notre
Roi, tu es l'Unique !*

*Viens à mon secours, car je suis
seule*

et n'ai d'autre recours que toi,

et je vais jouer ma vie.

17m *J'ai appris, dès le berceau,
au sein de ma famille,*

*que c'est toi, Seigneur, qui as
choisi*

Israël entre tous les peuples

*et nos pères parmi tous leurs
ancêtres,*

*pour être ton héritage à ja-
mais ;*

*et tu les as traités comme tu
l'avais dit.*

17n *Et puis nous avons péché
contre toi,*

*et tu nous as livrés aux mains
de nos ennemis*

*pour les honneurs rendus à
leurs dieux.*

Tu es juste, Seigneur !

17o *Mais ils ne se sont pas con-
tentés*

*de l'amertume de notre servi-
tude ;*

ils ont mis leurs mains dans celles de leurs idoles
en vue d'abolir l'arrêt sorti de tes lèvres,
de faire disparaître ton héritage,
de clore les bouches qui te louent,
d'éteindre ton autel et la gloire de ta maison ;
17p *et d'ouvrir à la place la bouche des nations*
pour la louange des idoles de néant,
et pour s'extasier à jamais devant un roi de chair.

17q *N'abandonne pas ton sceptre, Seigneur,*
à ceux qui ne sont pas.
Point de sarcasmes sur notre ruine !
Retourne ces projets contre leurs auteurs,
et du premier de nos assaillants,
fais un exemple !

17r *Souviens-toi, Seigneur, manifeste-toi*
au jour de notre tribulation !
Et moi, donne-moi du courage,
Roi des dieux et dominateur de toute autorité.

17s *Mets sur mes lèvres un langage charmeur*
lorsque je serai en face du lion,
et tourne son cœur à la haine de notre ennemi,
pour que celui-ci y trouve sa perte
avec tous ses pareils.

17t *Et nous, sauve-nous par ta main*
et viens à mon secours, car je suis seule
et n'ai rien à part toi, Seigneur !

17u *De toute chose tu as connaissance*
et tu sais que je hais la gloire des impies,
que j'abhorre la couche des incirconcis
et celle de tout étranger.

17w *Tu sais la nécessité qui me tient,*
que j'ai horreur de l'insigne de ma grandeur,
qui ceint mon front dans mes jours de représentation,
la même horreur que d'un linge souillé,
et ne le porte pas dans mes jours de tranquillité.

17x *Ta servante n'a pas mangé à la table d'Aman,*
ni prisé les festins royaux,
ni bu le vin des libations.

17y *Ta servante ne s'est pas réjouie*
depuis le jour de son changement jusqu'à présent,
si ce n'est en toi, Seigneur, Dieu d'Abraham.

17z *Ô Dieu, dont la force l'emporte sur tous,*
écoute la voix des désespérés,
tire-nous de la main des méchants
et libère-moi de ma peur ! »

Esther se présente au palais.

5 1*Le troisième jour, lorsqu'elle eut cessé de prier, elle quitta ses vêtements de suppliante et se revêtit de toute sa splendeur.* 1a*Ainsi devenue éclatante de beauté, elle invoqua le*

Dieu qui veille sur tous et les sauve. Puis elle prit avec elle deux servantes. Sur l'une elle s'appuyait mollement. L'autre l'accompagnait et soulevait son vêtement. ¹ᵇ*À l'apogée de sa beauté, elle rougissait et son visage joyeux était comme épanoui d'amour. Mais la crainte faisait gémir son cœur.* ¹ᶜ*Franchissant toutes les portes, elle se trouva devant le roi. Il était assis sur son trône royal, revêtu de tous les ornements de ses solennelles apparitions, tout rutilant d'or et de pierreries, redoutable au possible.* ¹ᵈ*Il leva son visage empourpré de splendeur et, au comble de la colère, regarda. La reine s'effondra. Dans son évanouissement son teint blêmit et elle appuya la tête sur la servante qui l'accompagnait.* ¹ᵉ*Dieu changea le cœur du roi et l'inclina à la douceur. Anxieux, il s'élança de son trône et la prit dans ses bras jusqu'à ce qu'elle se remît, la réconfortant par des paroles apaisantes.* ¹ᶠ*« Qu'y a-t-il, Esther ? Je suis ton frère ! Rassure-toi ! Tu ne mourras pas. Notre ordonnance ne vaut que pour le commun des gens. Approche-toi. »* ²*Levant son sceptre d'or il le posa sur le cou d'Esther, l'embrassa et lui dit : « Parle-moi ! »* – ²ᵃ*« Seigneur, lui dit-elle, je t'ai vu pareil à un ange de Dieu. Mon cœur s'est alors troublé et j'ai eu peur de ta splendeur. Car tu es admirable, Seigneur, et ton visage est plein de charmes. »* ²ᵇ*Tandis qu'elle parlait, elle défaillit. Le roi se troubla et tout son entourage cherchait à la ranimer.* ³« Qu'y a-t-il, reine Esther ? lui dit le roi. Dis-

moi ce que tu désires, et, serait-ce la moitié du royaume, c'est accordé d'avance ! » – ⁴« Plairait-il au roi, répondit Esther, de venir aujourd'hui avec Aman au banquet que je lui ai préparé ? » – ⁵« Qu'on prévienne aussitôt Aman pour combler le souhait d'Esther », dit alors le roi.

Le roi et Aman vinrent ainsi au banquet préparé par Esther ⁶et, pendant le banquet, le roi redit à Esther : « Dis-moi ce que tu demandes, c'est accordé d'avance ! Dis-moi ce que tu désires, serait-ce la moitié du royaume, c'est chose faite ! » – ⁷« Ce que je demande, ce que je désire ? répondit Esther. ⁸Si vraiment j'ai trouvé grâce aux yeux du roi, s'il lui plaît d'exaucer ma demande et de combler mon désir, que demain encore le roi vienne avec Aman au banquet que je leur donnerai et j'y exécuterai l'ordre du roi. »

⁹Ce jour-là Aman sortit joyeux et le cœur en fête, mais quand, à la Porte Royale, il vit Mardochée ne point se lever devant lui ni bouger de sa place, il fut pris de colère contre lui. ¹⁰Néanmoins il se contint. Revenu chez lui, il convoqua ses amis et sa femme Zéresh ¹¹et, longuement, devant eux, parla de son éblouissante richesse, du nombre de ses enfants, de tout ce dont le roi l'avait comblé pour l'élever et l'exalter au-dessus de tous ses grands officiers et serviteurs. ¹²« Ce n'est pas tout, ajouta-t-il, la reine Esther vient de m'inviter avec le roi, et moi seul, à un banquet qu'elle lui offrait, et bien plus, je suis encore invité par elle avec le roi demain. ¹³Mais que me fait tout cela aussi longtemps que je verrai

Mardochée, le Juif, siéger à la Porte Royale ! » — ¹⁴« Fais seulement dresser une potence de cinquante coudées, lui répondirent sa femme, Zéresh, et ses amis ; demain matin tu demanderas au roi qu'on y pende Mardochée ! Tu pourras alors, tout joyeux, aller rejoindre le roi au banquet ! » Ravi du conseil, Aman fit préparer la potence.

4. Revanche des Juifs

Déconvenue d'Aman.

6 ¹Or, cette nuit-là, comme le sommeil le fuyait, le roi réclama le livre des Mémoires ou Chroniques pour s'en faire donner lecture. ²Il s'y trouvait la dénonciation par Mardochée de Bigtân et Téresh, les deux eunuques gardes du seuil, coupables d'avoir projeté d'attenter à la vie d'Assuérus. ³« Et quelle distinction, quelle dignité, s'enquit le roi, furent pour cela conférées à ce Mardochée ? » — « Rien n'a été fait pour lui », répondirent les courtisans de service. ⁴Le roi leur demanda alors : « Qui est dans le vestibule ? » C'était juste le moment où Aman arrivait dans le vestibule extérieur du palais royal pour demander au roi de faire pendre Mardochée à la potence dressée pour lui par ses soins, ⁵si bien que les courtisans répondirent : « C'est Aman qui se tient dans le vestibule. » – « Qu'il entre ! » ordonna le roi, ⁶et, sitôt entré : « Comment faut-il traiter un homme que le roi veut honorer ? » – « Quel autre que moi le roi voudrait-il honorer ? », se dit Aman. ⁷« Le roi veut honorer quelqu'un ? répondit-il donc, ⁸qu'on prenne des vêtements princiers, de ceux que porte le roi ; qu'on amène un cheval, de ceux que monte le roi et sur la tête duquel on aura mis un diadème royal. ⁹Puis vêtements et cheval seront confiés à l'un des plus nobles des grands officiers royaux. Celui-ci revêtira alors de ce costume l'homme que le roi veut honorer et le conduira à cheval sur la grand-place en criant devant lui : Voyez comment l'on traite l'homme que le roi veut honorer ! » – ¹⁰« Ne perds pas un instant, répondit le roi à Aman, prends vêtements et cheval, et tout ce que tu viens de dire, fais-le à Mardochée, le Juif, l'attaché de la Royale Porte. Surtout, n'omets rien de ce que tu as dit ! »

¹¹Prenant donc vêtements et cheval, Aman habilla Mardochée, puis le promena à cheval sur la grand-place en criant devant lui : « Voyez comment l'on traite l'homme que le roi veut honorer ! » ¹²Après quoi Mardochée s'en revint à la Porte Royale tandis qu'Aman, de son côté, rentrait précipitamment chez lui, consterné et le visage voilé. ¹³Il raconta à sa femme Zéresh et à tous ses amis ce qui venait d'arriver. Sa femme Zéresh et ses amis lui dirent : « Tu viens de commencer à déchoir devant Mardochée : s'il est de la race des Juifs, tu ne pour-

ras plus reprendre le dessus. Au contraire tu tomberas sans cesse plus bas devant lui. »

Aman au banquet d'Esther.

[14]La conversation n'était pas achevée qu'arrivèrent les eunuques du roi, venus chercher Aman pour le conduire en hâte au banquet offert par Esther.

7 [1]Le roi et Aman allèrent banqueter chez la reine Esther, [2]et ce deuxième jour, pendant le banquet, le roi dit encore à Esther : « Dis-moi ce que tu demandes, reine Esther, c'est accordé d'avance ! Dis-moi ce que tu désires ; serait-ce la moitié du royaume, c'est chose faite ! » – [3]« Si vraiment j'ai trouvé grâce à tes yeux, ô roi, lui répondit la reine Esther, et si tel est ton bon plaisir, accorde-moi la vie, voilà ma demande, et la vie de mon peuple, voilà mon désir. [4]Car nous sommes livrés, mon peuple et moi, à l'extermination, à la tuerie et à l'anéantissement. Si encore nous avions seulement été livrés comme esclaves ou servantes, je me serais tue. Mais en l'occurrence le persécuteur sera hors d'état de compenser le dommage qui va en résulter pour le roi. » [5]Mais Assuérus prit la parole et dit à la reine Esther : « Qui est-ce ? Où est l'homme qui a pensé agir ainsi ? » [6]Alors Esther : « Le persécuteur, l'ennemi, c'est Aman, c'est ce misérable ! » À la vue du roi et de la reine, Aman fut glacé de terreur. [7]Furieux, le roi se leva et quitta le banquet pour gagner le jardin du palais, cependant qu'Aman demeurait près de la reine Esther pour implorer la grâce

de la vie, sentant trop bien que le roi avait décidé sa perte.

[8]Quand le roi revint du jardin dans la salle du banquet, il trouva Aman effondré sur le divan où Esther était étendue. « Va-t-il après cela faire violence à la reine chez moi, dans le palais ? » s'écria-t-il. À peine le mot était-il sorti de sa bouche qu'un voile fut jeté sur la face d'Aman. [9]Harbona, un des eunuques, dit en présence du roi : « Justement il y a une potence de cinquante coudées qu'Aman a fait préparer pour ce Mardochée qui a parlé pour le bien du roi ; elle est toute dressée dans sa maison » – « Qu'on l'y pende », ordonna le roi. [10]Aman fut donc pendu à la potence dressée par lui pour Mardochée et la colère du roi s'apaisa.

La faveur royale passe aux Juifs.

8 [1]Ce jour même le roi Assuérus donna à la reine Esther la maison d'Aman, le persécuteur des Juifs, et Mardochée fut présenté au roi, à qui Esther avait révélé ce qu'il était pour elle. [2]Le roi avait repris son anneau à Aman ; il l'ôta de son doigt pour le donner à Mardochée à qui, de son côté, Esther confia la gestion de la maison d'Aman.

[3]Esther alla une seconde fois parler au roi. Elle se jeta à ses pieds, elle pleura, elle se le rendit favorable en vue de faire échouer la méchanceté d'Aman l'Agagite et le dessein qu'il avait conçu contre les Juifs. [4]Le roi lui tendit son sceptre d'or. Esther se releva donc et se tint debout en face de lui. [5]« Si tel est le bon plaisir du roi, lui dit-elle, et si vraiment j'ai trou-

vé grâce devant lui, si ma demande de lui paraît juste et si je suis moi-même agréable à ses yeux, qu'il veuille révoquer expressément les lettres qu'Aman, fils de Hamdata, l'Agagite, a fait écrire pour perdre les Juifs de toutes les provinces royales. ⁶Comment pourrais-je voir mon peuple dans le malheur qui va l'atteindre ? Comment pourrais-je être témoin de l'extermination de ma parenté ? »

⁷Le roi Assuérus répondit à la reine Esther et au Juif Mardochée : « En ce qui me concerne, j'ai donné à Esther la maison d'Aman après l'avoir fait pendre pour avoir voulu perdre les Juifs. ⁸Pour vous, écrivez au sujet des Juifs ce que vous jugerez bon, au nom du roi. Scellez ensuite de l'anneau royal. Car tout édit rédigé au nom du roi et scellé de son sceau est irrévocable. » ⁹Les scribes royaux furent convoqués aussitôt – c'était le troisième mois, qui est Sivân, le vingt-troisième jour – et, sur l'ordre de Mardochée, ils écrivirent aux Juifs, aux satrapes, aux gouverneurs, aux grands officiers des provinces échelonnées de l'Inde à l'Éthiopie, soit cent vingt-sept provinces, à chaque province selon son écriture, à chaque peuple selon sa langue et aux Juifs selon leur écriture et leur langue. ¹⁰Ces lettres, rédigées au nom du roi Assuérus et scellées de son sceau, furent portées par des courriers montés sur des chevaux des haras du roi. ¹¹Le roi y octroyait aux Juifs, en quelque ville qu'ils fussent, le droit de se rassembler pour mettre leur vie en sûreté, avec permission d'exterminer, égorger et détruire tous

gens armés des peuples ou des provinces qui voudraient les attaquer, avec leurs femmes et leurs enfants, comme aussi de piller leurs biens. ¹²Cela se ferait le même jour dans toutes les provinces du roi Assuérus, le treizième jour du douzième mois, qui est Adar.

Décret de réhabilitation.

¹²ᵃ*Voici le texte de cette lettre :*
¹²ᵇ*« Le grand roi Assuérus aux satrapes des cent vingt-sept provinces qui s'étendent de l'Inde à l'Éthiopie, aux gouverneurs de province et à tous ses loyaux sujets, salut !*

¹²ᶜ*Bien des gens, lorsque sur leur tête l'extrême bonté de leurs bienfaiteurs accumule les honneurs, n'en conçoivent que de l'orgueil. Il ne leur suffit pas de chercher à nuire à nos sujets, mais, leur satiété même leur devenant un fardeau insupportable, ils montent leurs machinations contre leurs propres bienfaiteurs ;* ¹²ᵈ*et, non contents de bannir la reconnaissance du cœur des hommes, enivrés plutôt par les applaudissements d'une foule qui ignore le bien, alors que tout est à jamais sous le regard de Dieu, ils se flattent d'échapper à sa justice qui hait les méchants.* ¹²ᵉ*Ainsi maintes et maintes fois est-il arrivé aux autorités constituées, pour avoir confié à des amis l'administration des affaires et s'en être laissé influencer, de porter avec eux le poids du sang innocent au prix d'irrémédiables malheurs,* ¹²ᶠ*les sophismes menteurs d'une nature perverse ayant égaré l'irréprochable droiture d'intentions du pouvoir.* ¹²ᵍ*Il n'est que d'ouvrir*

les yeux : sans même aller jusqu'aux récits d'autrefois que nous venons de rappeler, regardez seulement sous vos pas, que d'impiétés perpétrées par cette peste des gouvernants indignes ! ^12h*Aussi bien nos efforts vont-ils tendre à assurer à tous, dans l'avenir, la tranquillité et la paix du royaume,* ^12i*en procédant aux changements opportuns et en jugeant toujours les affaires qui nous seront soumises dans un esprit de bienveillant accueil.*

^12k*C'est ainsi qu'Aman, fils de Hamdata, un Macédonien, en toute vérité étranger au sang perse et très éloigné de notre bonté, avait été reçu chez nous comme hôte* ^12l*et avait rencontré de notre part les sentiments d'amitié que nous portons à tous les peuples, jusqu'au point de se voir proclamer "notre père" et de se voir révérer par tous de la prosternation, comme placé immédiatement après le trône royal.* ^12m*Or, incapable de tenir son rang élevé, il s'appliqua à nous ôter le pouvoir et la vie.* ^12n*Nous avons un sauveur, un homme qui toujours a été notre bienfaiteur, Mardochée, une irréprochable compagne de notre royauté, Esther ; Aman, par les manœuvres de ses tortueux sophismes, nous en a demandé la mort, avec celle de tout leur peuple,* ^12o*pensant, par ces premières mesures, nous réduire à l'isolement et remplacer la domination perse par celle des Macédoniens.* ^12p*Mais nous, loin de trouver en ces Juifs, voués à la disparition par ce triple scélérat, des criminels, nous les voyons régis par les plus justes des lois.* ^12q*Ils sont les fils du Très-Haut, du grand Dieu vivant, à qui nous et nos ancêtres devons le maintien du royaume dans l'état le plus florissant.* ^12r*Vous ferez donc bien de ne pas tenir compte des lettres envoyées par Aman, fils de Hamdata, leur auteur ayant été pendu aux portes de Suse avec toute sa maison, digne châtiment que Dieu, Maître de l'univers, lui a incontinent infligé.* ^12s*Affichez une copie de la présente lettre en tout lieu, laissez les Juifs suivre ouvertement les lois qui leur sont propres et portez-leur assistance contre qui les attaquerait au propre jour fixé pour les écraser, soit le treizième jour du douzième mois, qui est Adar.* ^12t*Car ce jour qui devait être un jour de ruine, la suprême souveraineté de Dieu vient de le changer en un jour d'allégresse en faveur de la race choisie.* ^12u*Quant à vous, parmi vos fêtes solennelles, célébrez ce jour mémorable par force banquets, afin qu'il soit dès maintenant et demeure à l'avenir, pour vous et pour les Perses de bonne volonté, le souvenir de votre salut, et pour vos ennemis le mémorial de leur ruine.*

^12x*Toute ville, et, plus généralement, toute contrée qui ne suivra pas ces instructions sera impitoyablement dévastée par le fer et le feu, rendue impraticable aux hommes et pour toujours odieuse aux bêtes sauvages et aux oiseaux eux-mêmes. »*

^13La copie de cet édit, destiné à être promulgué comme loi dans chaque province, fut publiée parmi toutes les populations afin que les Juifs se tinssent prêts au jour dit à tirer vengeance de leurs ennemis. ¹⁴Les courriers, montant des chevaux royaux, partirent en grande hâte et diligence sur l'ordre du roi. Le décret fut aussi publié dans la citadelle de Suse. ¹⁵Mardochée sortit de chez le roi revêtu d'un habit princier de pourpre violette et de lin blanc, couronné d'un grand diadème d'or et portant un manteau de byssus et de pourpre rouge. La ville de Suse tout entière retentit d'allégresse. ¹⁶Ce fut, pour les Juifs, un jour de lumière, de liesse, d'exultation et de triomphe. ¹⁷Dans toutes les provinces, dans toutes les villes, partout enfin où parvinrent les ordres du décret royal, ce ne fut pour les Juifs, qu'allégresse, liesse, banquets et fêtes. Parmi la population du pays bien des gens se firent juifs, car la crainte des Juifs s'appesantit sur eux.

Le grand jour des Purim.

9 ¹Les ordres du décret royal entrant en vigueur le douzième mois, Adar, au treizième jour, ce jour où les ennemis des Juifs s'étaient flattés de les écraser vit la situation retournée : ce furent les Juifs qui écrasèrent leurs ennemis. ²Dans toutes les provinces du roi Assuérus ils se rassemblèrent dans les villes qu'ils habitaient afin de frapper ceux qui avaient comploté leur perte. Personne ne leur résista, car la peur des Juifs pesait sur toutes les populations. ³Grands officiers des provinces, satrapes, gouverneurs, fonctionnaires royaux, tous soutinrent les Juifs par crainte de Mardochée. ⁴Mardochée était en effet un personnage éminent au palais, sa renommée se répandait dans toutes les provinces : Mardochée était en train de devenir un grand homme.

⁵Les Juifs frappèrent donc tous leurs ennemis à coups d'épée. Ce fut un massacre, une extermination, et ils firent ce qu'ils voulurent de leurs adversaires. ⁶À la seule citadelle de Suse les Juifs mirent à mort et exterminèrent cinq cents hommes, ⁷notamment Parshândata, Dalphôn, Aspata, ⁸Porata, Adalya, Aridata, ⁹Parmashta, Arisaï, Aridaï et Yezata, ¹⁰les dix fils d'Aman, fils de Hamdata, le persécuteur des Juifs. Mais ils ne se livrèrent pas au pillage.

¹¹Le dénombrement des victimes égorgées à la citadelle de Suse parvint au roi le jour même. ¹²Le roi dit à la reine Esther : « Dans la seule citadelle de Suse, les Juifs ont mis à mort et exterminé cinq cents hommes, ainsi que les dix fils d'Aman. Que n'auront-ils pas fait dans le reste des provinces royales ! Et maintenant, dis-moi ce que tu as à demander, c'est accordé d'avance ! Dis-moi ce que tu désires de plus, c'est chose faite ! » – ¹³« Si tel est le bon plaisir du roi, répondit Esther, les Juifs de Suse ne pourraient-ils pas appliquer encore demain le décret porté pour aujourd'hui ? Quant aux dix fils d'Aman, qu'on suspende leurs cadavres au gibet ! » ¹⁴Sur quoi, le roi en ayant donné l'ordre, le décret fut proclamé à Suse et les dix fils d'Aman pendus. ¹⁵Ainsi, les Juifs de Suse se réunirent aussi le quatorzième jour d'Adar et ils égorgèrent trois cents hommes dans Suse, mais ils ne se livrèrent pas au pillage.

[16]De leur côté, les Juifs des provinces royales se réunirent aussi pour mettre leur vie en sûreté. Ils se débarrassèrent de leurs ennemis en égorgeant soixante-quinze mille de leurs adversaires, sans se livrer au pillage. [17]C'était le treizième jour du mois d'Adar. Le quatorzième ils se reposèrent et de ce jour ils firent un jour de festins et de liesse. [18]Pour les Juifs de Suse qui s'étaient réunis le treizième et le quatorzième jour, c'est le quinzième qu'ils se reposèrent, faisant pareillement de ce jour un jour de festins et de liesse. [19]Ce qui explique que ce soit le quatorzième jour d'Adar que les Juifs de la campagne, ceux qui habitent des villages non fortifiés, célèbrent dans l'allégresse et les banquets, par des festivités et l'échange mutuel de portions, [19a]*tandis que pour ceux des villes, le jour heureux qu'ils passent dans la joie en envoyant des portions à leurs voisins est le quinzième jour d'Adar.*

5. La fête des Purim

Institution officielle de la fête des Purim.

[20]Mardochée consigna par écrit ces événements. Puis il envoya des lettres à tous les Juifs qui se trouvaient dans les provinces du roi Assuérus, proches ou lointaines. [21]Il les y engageait à célébrer chaque année le quatorzième et le quinzième jour d'Adar, [22]parce que ces jours sont ceux où les Juifs se sont débarrassés de leurs ennemis, et ce mois celui où, pour eux, l'affliction fit place à l'allégresse et le deuil aux festivités. Il les conviait donc à faire de ces journées des jours de festins et de liesse, à y échanger mutuellement des portions et à y faire des largesses aux pauvres.

[23]Les Juifs adoptèrent ces pratiques qu'ils avaient commencé d'observer et au sujet desquelles Mardochée leur avait écrit : [24]Aman, fils de Hamdata, l'Agagite, le persécuteur de tous les Juifs, avait machiné leur perte et il avait tiré le « Pûr », c'est-à-dire les sorts, pour leur confusion et leur ruine. [25]Mais quand il fut rentré chez le roi pour lui demander de faire pendre Mardochée, le mauvais dessein qu'il avait conçu contre les Juifs se retourna contre lui, et il fut pendu, ainsi que ses fils, à la potence. [26]C'est la raison pour laquelle ces jours furent appelés les Purim, du mot « Pûr ». C'est aussi pourquoi, d'après les termes de cette lettre de Mardochée, d'après ce qu'ils avaient eux-mêmes constaté ou d'après ce qui était parvenu jusqu'à eux, [27]les Juifs s'engagèrent de plein gré, eux, leur postérité, et tous ceux qui s'adjoindraient à eux, à célébrer sans faute ces deux jours-là, d'après ce texte et à cette date, d'année en année. [28]Ainsi commémorés et célébrés de génération en génération, dans chaque famille, dans chaque province, chaque ville, ces jours des Purim

ne disparaîtront pas de chez les Juifs, leur souvenir ne périra pas au sein de leur race.

²⁹La reine Esther, fille d'Abihayil, écrivit avec toute autorité pour donner force de loi à cette seconde lettre, ³⁰et fit envoyer des lettres à tous les Juifs des cent vingt-sept provinces du royaume d'Assuérus, comme paroles de paix et consignes de fidélité, ³¹pour leur enjoindre d'observer ces jours des Purim à leur date, comme le leur avait commandé le Juif Mardochée et de la façon dont on les y avait obligés, eux-mêmes et leur race, en y joignant des ordonnances de jeûne et de lamentations. ³²Ainsi l'ordonnance d'Esther fixa la loi des Purim et elle fut écrite dans un livre.

Éloge de Mardochée.

10 ¹Le roi Assuérus leva tribut sur le continent et sur les îles de la mer. ²Tous les exploits de sa vigueur et de sa vaillance, ainsi que la relation de l'élévation de Mardochée qu'il avait exalté, tout cela est écrit dans le livre des Chroniques des rois des Mèdes et des Perses. ³Car le Juif Mardochée était le premier après le roi Assuérus. C'était un homme considéré par les Juifs, aimé par la multitude de ses frères, recherchant le bien de son peuple et se préoccupant du bonheur de sa race.

³ᵃEt Mardochée dit : « C'est de Dieu qu'est venu tout cela ! ³ᵇSi je me remémore le songe que j'eus à ce sujet, rien n'a été omis : ³ᶜni la petite source qui devient un fleuve, ni la lumière qui brille, ni le soleil, ni l'abondance d'eaux. Esther est ce fleuve, elle qu'épousa le roi et qu'il fit reine. ³ᵈLes deux dragons, c'est Aman et moi. ³ᵉLes peuples, ce sont ceux qui se coalisèrent pour détruire le nom des Juifs. ³ᶠMon peuple, c'est Israël, ceux qui crièrent vers Dieu et furent sauvés. Oui, le Seigneur a sauvé son peuple, le Seigneur nous a arrachés à tous ces maux, Dieu a accompli des prodiges et des merveilles comme il n'y en eut jamais parmi les nations. ³ᵍDe fait, il a établi deux destinées, l'une en faveur de son peuple, l'autre pour les nations. ³ʰEt ces destinées se sont accomplies à l'heure, au temps et au jour arrêtés selon son dessein et chez tous les peuples. ³ⁱDieu, alors, s'est souvenu de son peuple, il a fait justice à son héritage, ³ᵏpour qui ces jours, les quatorzième et quinzième du mois d'Adar, seront désormais des jours d'assemblée, de liesse et de joie devant Dieu, pour toutes les générations et à perpétuité, dans Israël, son peuple. »

Note sur la traduction grecque du livre.

³ˡLa quatrième année du règne de Ptolémée et de Cléopâtre, Dosithée, qui se disait prêtre et lévite, ainsi que son fils Ptolémée, apportèrent la présente lettre concernant les Purim. Ils la donnaient comme authentique et traduite par Lysimaque, fils de Ptolémée, de la communauté de Jérusalem.

Les livres
des Maccabées

Introduction

Les deux Livres des Maccabées ne font pas partie du canon de la
Bible hébraïque, mais ils ont été reconnus par l'Église chrétienne
(livres deutérocanoniques). Ils se rapportent à l'histoire des luttes menées au IIe s. av. J.-C. par le peuple juif contre les souverains séleucides pour obtenir la liberté religieuse et politique. Leur titre vient du
surnom de Maccabée donné au principal héros de cette histoire et
étendu ensuite à ses frères.

Le **Premier livre des Maccabées** campe dans son introduction les
adversaires en présence : d'un côté l'hellénisme conquérant d'Antiochus Épiphane qui profane le Temple et déchaîne la persécution, de
l'autre, Mattathias qui lance l'appel à la guerre sainte. Le corps du livre
est consacré aux actions des trois fils de Mattathias qui prennent successivement la tête de la résistance. **3-9** : Judas Maccabée (166-160
av. J.-C.) remporte une série de victoires sur les généraux d'Antiochus,
purifie le Temple et obtient pour les Juifs la liberté de vivre selon leurs
coutumes. Il meurt sur le champ de bataille. **9-12** : son frère Jonathan
(160-142) lui succède. Les manœuvres politiques l'emportent alors sur
les opérations militaires. Jonathan est nommé grand prêtre. Le territoire
soumis à son contrôle s'étend et la paix intérieure semble assurée, quand
il tombe entre les mains de Tryphon, qui le fait périr ainsi que le jeune
Antiochus VI. **13-16** : le frère de Jonathan, Simon (142-134), soutient
Démétrius II, qui reprend le pouvoir, et il est reconnu par lui puis par
Antiochus VII comme grand prêtre, stratège et ethnarque des Juifs.
L'autonomie politique est ainsi obtenue. C'est une époque de paix et
de prospérité. Mais Antiochus VII se retourne contre les Juifs et Simon,
avec deux de ses fils, est assassiné par son gendre.

Le récit couvre ainsi quarante ans, de l'avènement d'Antiochus
Épiphane, en 175, à l'avènement de Jean Hyrcan, en 134 av. J.-C. Il
a été écrit en hébreu, mais n'est conservé que par une traduction
grecque. Son auteur est un Juif palestinien, qui a composé son ouvrage
vraisemblablement vers 100 av. J.-C. C'est un document précieux
pour l'histoire de ce temps, à condition que l'on tienne compte de son
genre littéraire (imité des anciennes chroniques d'Israël) et des intentions de l'auteur. Car, bien qu'il s'étende longuement sur les événements de guerre et sur les intrigues politiques, il entend raconter une
histoire religieuse. L'auteur considère les malheurs du peuple comme

une punition du péché et il rapporte à l'assistance de Dieu les succès de ses champions. C'est un Juif zélé pour sa foi, adversaire déterminé de l'hellénisation et rempli d'admiration pour les héros qui ont conquis au peuple sa liberté religieuse puis son indépendance nationale.

Le **Deuxième livre des Maccabées** n'est pas la continuation du premier. Il est parallèle aux chap. **1-7** de 1 M, prenant les événements un peu plus tôt, à la fin du règne de Séleucus IV, prédécesseur d'Antiochus Épiphane, et les suivant jusqu'à la défaite de Nikanor, avant la mort de Judas Maccabée. Il couvre une quinzaine d'années.

Le genre est très différent de 1 M. Le livre, écrit en grec, se donne comme l'abrégé de l'œuvre d'un certain Jason de Cyrène. Le style, hellénistique, un peu ampoulé, est celui d'un prédicateur plutôt que d'un historien, bien que la connaissance des institutions grecques et des personnages de l'époque dont il fait preuve soit très supérieure à celle de l'auteur de 1 M. De fait, son but est de plaire et d'édifier en racontant la guerre de libération conduite par Judas Maccabée, soutenue par des apparitions célestes, gagnée grâce à l'intervention divine. Il considère la persécution elle-même comme un effet de la miséricorde de Dieu corrigeant son peuple avant que la mesure du péché ne soit comble.

Il écrit pour les Juifs d'Alexandrie et son intention est de réveiller le sentiment de leur communauté avec les Juifs de Palestine. Il veut les intéresser spécialement au sort du Temple, centre de la vie religieuse selon la Loi, objet de haine pour les Gentils. Cette préoccupation se marque dans le plan du livre. Après l'épisode d'Héliodore, **3**, qui souligne la sainteté inviolable du sanctuaire, la première partie, **4-10**, s'achève par la mort d'Antiochus Épiphane, le persécuteur qui a souillé le Temple, et par l'institution de la fête de la Dédicace. La seconde partie, **10-15**, s'achève également par la mort d'un persécuteur, Nikanor, qui a menacé le Temple, et par l'institution d'une fête commémorative. Répondant au même objet, les deux lettres attachées au début du livre, sont des invitations adressées par les Juifs de Jérusalem à leurs frères d'Égypte pour célébrer avec eux la fête de la purification du Temple, la Dédicace.

L'ouvrage de Jason de Cyrène a pu être composé peu après 160 av. J.-C. et résumé vers 124 av. J.-C. La valeur historique du livre est réelle mais pose de nombreux problèmes aux historiens d'aujourd'hui. Le système chronologique suivi par chacun des deux livres nous est mieux connu depuis la découverte d'une tablette cunéiforme qui a permis de fixer la date de la mort d'Antiochus Épiphane. On constate que 1 M suit le comput macédonien, tandis que 2 M suit le comput juif, analogue au comput babylonien. Mais avec des exceptions.

Premier livre
des Maccabées

1. Préambule

Alexandre et les Diadoques.

1 ¹Après qu'Alexandre, fils de Philippe, Macédonien sorti du pays de Chettiim, eut battu Darius, roi des Perses et des Mèdes, et fut devenu roi à sa place en commençant par l'Hellade, ²il entreprit de nombreuses guerres, s'empara de mainte place forte et mit à mort les rois de la contrée. ³Il poussa jusqu'aux extrémités du monde en amassant les dépouilles d'une quantité de nations, et la terre se tut devant lui. Son cœur s'exalta et s'enfla d'orgueil ; ⁴il rassembla une armée très puissante, soumit provinces, nations, dynastes et en fit ses tributaires. ⁵Après cela, il dut s'aliter et connut qu'il allait mourir. ⁶Il fit venir ses officiers, les nobles qui avaient été élevés avec lui depuis le jeune âge, et partagea entre eux son royaume pendant qu'il était encore en vie. ⁷Alexandre avait régné douze ans quand il mourut. ⁸Ses officiers prirent le pouvoir chacun dans son gouvernement. ⁹Tous ceignirent le diadème après sa mort, et leurs fils après eux durant de longues années : sur la terre, ils firent foisonner le malheur.

Antiochus Épiphane et la pénétration de l'hellénisme en Israël.
‖ 2 M 4 7, 9-17.

¹⁰Il sortit d'eux un rejeton impie, Antiochus Épiphane, fils du roi Antiochus, qui, d'abord otage à Rome, devint roi l'an cent trente-sept de la royauté des Grecs. ¹¹En ces jours-là surgit d'Israël une génération de vauriens qui séduisirent beaucoup de personnes en disant : « Allons, faisons alliance avec les nations qui nous entourent, car depuis que nous sommes séparés d'elles, bien des maux nous sont advenus. » ¹²Ce discours leur parut bon. ¹³Plusieurs parmi le peuple s'empressèrent d'aller trouver le roi, qui leur donna l'autorisation d'observer les coutumes païennes. ¹⁴Ils construisirent donc un gymnase à Jérusalem, selon les usages des nations, ¹⁵se refirent des prépuces et renièrent l'alliance sainte pour s'associer aux nations. Ils se vendirent pour faire le mal.

Première campagne d'Égypte et pillage du Temple. 2 M 5. Cf. Dn 11 25-39.

¹⁶Quand il vit son règne affermi, Antiochus voulut devenir roi du pays d'Égypte, afin de régner

sur les deux royaumes. [17] Entré en Égypte avec une armée imposante, des chars, des éléphants (et des cavaliers) et une grande flotte, [18] il attaqua le roi d'Égypte, Ptolémée, qui recula devant lui et s'enfuit ; beaucoup d'hommes restèrent sur le terrain. [19] Les villes fortes égyptiennes furent prises et Antiochus s'empara des dépouilles du pays. [20] Ayant ainsi vaincu l'Égypte et pris le chemin du retour en l'année cent quarante-trois, il marcha contre Israël et sur Jérusalem avec une armée imposante.

[21] Entré dans le sanctuaire avec arrogance, Antiochus enleva l'autel d'or, le candélabre de lumière avec tous ses accessoires, [22] la table d'oblation, les vases à libation, les coupes, les cassolettes d'or, le voile, les couronnes, la décoration d'or sur la façade du Temple, dont il détacha tout le placage. [23] Il prit l'argent et l'or ainsi que les ustensiles précieux et fit main basse sur les trésors cachés qu'il trouva. [24] Emportant le tout, il s'en alla dans son pays ; il versa beaucoup de sang et proféra des paroles d'une extrême insolence.

[25] Israël fut l'objet d'un grand deuil dans tout le pays :
[26] Chefs et anciens gémirent,
jeunes filles et jeunes gens dépérirent,
et la beauté des femmes s'altéra.
[27] Le nouveau marié entonna un thrène ;
assise dans la chambre, l'épouse fut en deuil.
[28] La terre trembla à cause de ses habitants
et la honte couvrit toute la maison de Jacob.

Intervention du Mysarque et construction de l'Akra. ‖ 2 M 5 24-26.

[29] Deux ans après, le roi envoya dans les villes de Juda le Mysarque, qui vint à Jérusalem avec une armée imposante. [30] Il tint aux habitants des discours faussement pacifiques et gagna leur confiance, puis il tomba sur la ville à l'improviste, lui assénant un coup terrible, et fit périr beaucoup de gens d'Israël. [31] Il pilla la ville, y mit le feu, détruisit ses maisons et son mur d'enceinte. [32] Ses gens réduisirent en captivité leur femmes et les enfants et s'approprièrent le bétail. [33] Alors ils rebâtirent la Cité de David, avec un grand mur très fort, muni de tours puissantes et ils s'en firent une citadelle. [34] Ils y installèrent une race de pécheurs, des vauriens, et ils s'y fortifièrent ; [35] ils y emmagasinèrent armes et provisions, y déposèrent les dépouilles de Jérusalem qu'ils avaient rassemblées, et cela devint un piège redoutable.

[36] Ce fut une embuscade pour le lieu saint,
un adversaire maléfique en tout temps pour Israël.
[37] Ils répandirent le sang innocent autour du sanctuaire
et souillèrent le lieu saint.
[38] À cause d'eux s'enfuirent les habitants de Jérusalem
et celle-ci devint une colonie d'étrangers ;
elle fut étrangère à sa progéniture
et ses propres enfants l'abandonnèrent.
[39] Son sanctuaire désolé devint comme un désert,

ses fêtes se changèrent en deuil,
    ses sabbats en dérision
    et son honneur en mépris.
40À sa gloire se mesura son avilissement
    et sa grandeur fit place au deuil.

Installation des cultes païens.
|| 2 M 6 1-10.

41Le roi publia ensuite dans tout son royaume l'ordre de n'avoir à former tous qu'un seul peuple 42et de renoncer chacun à ses coutumes : toutes les nations se conformèrent aux prescriptions royales. 43Beaucoup d'Israélites firent bon accueil à son culte, sacrifiant aux idoles et profanant le sabbat. 44Le roi envoya aussi, par messagers, à Jérusalem et aux villes de Juda, des édits leur enjoignant de suivre des coutumes étrangères à leur pays, 45de bannir du sanctuaire holocaustes, sacrifice et libation, de profaner sabbats et fêtes, 46de souiller le sanctuaire et tout ce qui est saint, 47d'élever autels, lieux de culte et temples d'idoles, d'immoler des porcs et des animaux impurs, 48de laisser leurs fils incirconcis, de se rendre abominables par toute sorte d'impuretés et de profanations, 49oubliant ainsi la Loi et altérant toutes les observances. 50Quiconque n'agirait pas selon l'ordre du roi serait puni de mort. 51Conformément à toutes ces prescriptions, le roi écrivit à tout son royaume, créa des inspecteurs pour tout le peuple et enjoignit aux villes de Juda de sacrifier dans chaque vil-

le. 52Beaucoup de gens du peuple se rallièrent à eux, quiconque en somme abandonnait la Loi. Ils firent du mal dans le pays. 53Ils réduisirent Israël à se cacher dans tous ses lieux de refuge.

54Le quinzième jour de Kisleu en l'an cent quarante-cinq, le roi construisit l'Abomination de la désolation sur l'autel des holocaustes et, dans les villes de Juda circonvoisines, on éleva des autels. 55Aux portes des maisons et sur les places, on brûlait de l'encens. 56Quant aux livres de la Loi, ceux qu'on trouvait étaient jetés au feu après avoir été lacérés. 57Découvrait-on chez quelqu'un un exemplaire de l'Alliance, ou quelque autre se conformait-il à la Loi, la décision du roi le mettait à mort. 58Ils sévissaient chaque mois dans les villes contre les Israélites pris en contravention ; 59le vingt-cinq de chaque mois, on sacrifiait sur l'autel dressé sur l'autel des holocaustes. 60Les femmes qui avaient fait circoncire leurs enfants, ils les mettaient à mort, suivant l'édit, 61avec leurs nourrissons pendus à leur cou, exécutant aussi leurs proches et ceux qui avaient opéré la circoncision.

62Cependant plusieurs en Israël se montrèrent fermes et furent assez forts pour ne pas manger de mets impurs. 63Ils acceptèrent de mourir plutôt que de se contaminer par la nourriture et de profaner la sainte alliance et, en effet, ils moururent. 64Une grande colère plana sur Israël.

2. *Mattathias déchaîne la guerre sainte*

Mattathias et ses fils.

2 [1]En ces jours-là, Mattathias, fils de Jean, fils de Syméon, prêtre de la lignée de Ioarib, quitta Jérusalem pour s'établir à Modîn. [2]Il avait cinq fils : Jean surnommé Gaddi, [3]Simon appelé Thassi, [4]Judas appelé Maccabée, [5]Éléazar appelé Auârân, Jonathès appelé Apphous. [6]À la vue des impiétés qui se perpétraient en Juda et à Jérusalem, [7]il s'écria : « Malheur à moi ! Suis-je né pour voir la ruine de mon peuple et la ruine de la ville sainte, et pour rester là assis tandis que la ville est livrée aux mains des ennemis et le sanctuaire au pouvoir des étrangers ?

[8]Son Temple est devenu comme un homme vil,

[9]les objets qui faisaient sa gloire ont été emmenés captifs,

ses petits enfants périrent égorgés sur ses places

et ses adolescents par l'épée de l'ennemi.

[10]Quelle nation n'a pas hérité de ses droits royaux

et ne s'est emparée de ses dépouilles ?

[11]Toute sa parure lui a été ravie.

De libre qu'elle était, elle est devenue esclave.

[12]Voici que le lieu saint, notre beauté et notre gloire, est réduit en désert,

voici que les nations l'ont profané.

[13]À quoi bon vivre encore ? »

[14]Mattathias et ses fils déchirèrent leurs vêtements, revêtirent des sacs et menèrent grand deuil.

L'épreuve du sacrifice à Modîn.

[15]Les officiers du roi chargés d'imposer l'apostasie vinrent à la ville de Modîn pour les sacrifices. [16]Beaucoup d'Israélites vinrent à eux, mais Mattathias et ses fils se tinrent ensemble à part. [17]Prenant la parole, les officiers du roi s'adressèrent à Mattathias en ces termes : « Tu es chef célèbre et puissant dans cette ville, appuyé par des fils et des frères. [18]Avance donc le premier pour exécuter l'ordre du roi, comme l'ont fait toutes les nations, les chefs de Juda et ceux qu'on a laissés à Jérusalem. Tu seras, toi et tes fils, parmi les amis du roi ; toi et tes fils serez honorés de dons en argent et en or ainsi que d'une quantité de cadeaux. » [19]Mattathias répliqua d'une voix forte : « Quand toutes les nations établies dans l'empire du roi lui obéiraient, chacune désertant le culte de ses pères, et se conformerait à ses ordonnances, [20]moi, mes fils et mes frères, nous suivrons l'alliance de nos pères. [21]Dieu nous garde d'abandonner Loi et observances ! [22]Nous n'écouterons pas les ordres du roi. Nous ne dévierons pas de notre religion ni à droite ni à gauche. » [23]Dès qu'il eut achevé ce discours, un Juif s'avança, à la vue de tous, pour sacrifier sur l'autel de Modîn, selon le décret du roi. [24]À cette vue, le zèle de Mattathias s'enflamma et ses reins frémirent. Pris d'une juste colère, il courut et l'égorgea

sur l'autel. ²⁵Quant à l'homme du roi qui obligeait à sacrifier, il le tua dans le même temps, puis il renversa l'autel. ²⁶Son zèle pour la Loi fut semblable à celui que Pinhas exerça contre Zimri, fils de Salu. ²⁷Mattathias se mit à crier d'une voix forte à travers la ville : « Quiconque a le zèle de la Loi et maintient l'alliance, qu'il me suive ! » ²⁸Lui-même et ses fils s'enfuirent dans les montagnes, laissant dans la ville tout ce qu'ils possédaient.

L'épreuve du sabbat au désert.
|| 2 M 6 11.

²⁹Nombre de gens soucieux de justice et de Loi descendirent au désert pour s'y fixer, ³⁰eux, leurs enfants, leurs femmes et leur bétail, parce que le malheur s'était appesanti sur eux. ³¹On annonça aux officiers royaux et aux forces en résidence à Jérusalem, dans la Cité de David, que des gens qui avaient rejeté l'ordonnance du roi étaient descendus vers les retraites cachées du désert. ³²Une forte troupe se mit à leur poursuite et les atteignit. Ayant dressé son camp en face d'eux, elle se disposa à les attaquer le jour du sabbat ³³et leur dit : « En voilà assez ! Sortez, obéissez à l'ordre du roi et vous aurez la vie sauve. » – ³⁴« Nous ne sortirons pas, dirent les autres, et nous n'observerons pas l'ordre donné par le roi de violer le jour du sabbat. » ³⁵Assaillis sans retard, ³⁶ils s'abstinrent de riposter, de lancer des pierres, de barricader leurs cachettes. ³⁷« Mourons tous dans notre droiture, déclaraient-ils ; le ciel et la terre sont pour nous témoins que vous nous faites périr injuste-

ment. » ³⁸La troupe leur donna l'assaut en plein sabbat et ils succombèrent, eux, leurs femmes, leurs enfants et leur bétail, au nombre d'un millier de personnes.

Activité de Mattathias et de son parti.

³⁹Lorsqu'ils l'apprirent, Mattathias et ses amis les pleurèrent amèrement ⁴⁰et se dirent les uns aux autres : « Si nous faisons tous comme ont fait nos frères, si nous ne luttons pas contre les nations pour notre vie et nos observances, ils nous auront vite exterminés de la terre. » ⁴¹Ce jour-là même, ils prirent cette décision : « Tout homme qui viendrait nous attaquer le jour du sabbat, combattons-le en face, et ainsi nous ne mourrons pas tous comme nos frères sont morts dans les cachettes. »

⁴²Alors s'adjoignit à eux la congrégation des Assidéens, hommes valeureux d'entre Israël et tout ce qu'il y avait de dévoué à la Loi. ⁴³Tous ceux qui fuyaient les mauvais traitements vinrent grossir leur nombre et leur fournir un appui. ⁴⁴Ils se composèrent une forte armée, frappèrent les pécheurs dans leur colère et les mécréants dans leur fureur ; le reste s'enfuit chez les nations pour y trouver sauvegarde. ⁴⁵Mattathias et ses amis firent une tournée pour détruire les autels ⁴⁶et circoncire de force tous les enfants incirconcis qu'ils trouvèrent sur le territoire d'Israël. ⁴⁷Ils chassèrent les insolents et l'entreprise prospéra entre leurs mains. ⁴⁸Ils arrachèrent la Loi de la main des nations et des rois et réduisirent le pécheur à l'impuissance.

Testament et mort de Matta-
thias.

⁴⁹Cependant les jours de Mattathias approchaient de leur fin. Il
dit alors à ses fils : « Voici maintenant le règne de l'arrogance et
de l'outrage, le temps du bouleversement et l'explosion de la colère. ⁵⁰À vous maintenant, mes
enfants, d'avoir le zèle de la Loi,
et de donner vos vies pour l'alliance de nos pères.

⁵¹« Souvenez-vous des œuvres
accomplies par nos pères en leur
temps,
vous gagnerez une grande gloire et un nom immortel.
⁵²Abraham n'a-t-il pas été trouvé fidèle dans l'épreuve
et cela ne lui a-t-il pas été
compté comme justice ?
⁵³Joseph, au temps de sa détresse, observa la Loi,
aussi est-il devenu Seigneur de
l'Égypte.
⁵⁴Pinhas, notre père, pour avoir
brûlé d'un beau zèle,
a reçu l'alliance d'un sacerdoce
éternel.
⁵⁵Josué, pour avoir rempli son
mandat,
est devenu juge en Israël.
⁵⁶Caleb, pour avoir attesté le
vrai dans l'assemblée,
a reçu un héritage dans le pays.
⁵⁷David, pour sa piété,
hérita d'un trône royal pour les
siècles.
⁵⁸Élie, pour avoir brûlé du zèle
de la Loi,
a été enlevé jusqu'au ciel.

⁵⁹Ananias, Azarias, Misaël,
pour avoir eu confiance,
furent sauvés de la flamme.
⁶⁰Daniel, pour sa droiture,
a été sauvé de la gueule des
lions.
⁶¹Et comprenez ainsi que de génération en génération
ceux qui espèrent en Lui ne fai-
bliront pas.
⁶²Ne redoutez point les menaces de l'homme pécheur,
car sa gloire s'en va au fumier
et aux vers ;
⁶³aujourd'hui il est exalté et demain on ne le trouve plus,
car il retourne à la poussière
d'où il est venu
et ses calculs sont anéantis.
⁶⁴Mes enfants, soyez forts et tenez fermement à la Loi,
parce que c'est elle qui vous
comblera de gloire.
⁶⁵« Voici Syméon, votre frère,
je sais qu'il est homme de bon
conseil : écoutez-le toujours, il
vous tiendra lieu de père. ⁶⁶Quant
à Judas Maccabée, vaillant dès
son jeune âge, il sera lui-même le
chef de votre armée, il conduira
la guerre contre les peuples.
⁶⁷Vous autres, adjoignez-vous
tous les observateurs de la Loi et
assurez la vengeance de votre
peuple. ⁶⁸Rendez aux nations le
mal qu'elles vous ont fait et attachez-vous aux préceptes de la
Loi. » ⁶⁹Après cela il les bénit et
fut réuni à ses pères. ⁷⁰Il mourut
en l'année cent quarante-six et fut
enseveli dans le caveau de ses pères à Modîn, et tout Israël mena
sur lui un grand deuil.

3. *Judas Maccabée chef des Juifs (166-160 av. J.-C.)*

Éloge de Judas Maccabée.

3 [1] Judas, appelé Maccabée, son fils, se leva à sa place ; [2] tous ses frères et tous les partisans de son père lui prêtèrent leur concours. Ils menèrent le combat d'Israël avec entrain.

[3] Il étendit le renom de son peuple,

revêtit la cuirasse comme un géant

et ceignit ses armes de guerre.

Il engagea mainte bataille,

protégeant le camp par son épée,

[4] rival du lion dans ses hauts faits,

pareil au lionceau rugissant sur sa proie.

[5] Il fit la chasse aux mécréants qu'il dépistait

et livra au feu les perturbateurs de son peuple.

[6] Les mécréants furent abattus par la terreur qu'il inspirait,

tous les ouvriers d'iniquité furent bouleversés,

et la libération dans sa main fut menée à bon terme.

[7] Il causa d'amers déboires à plus d'un roi,

réjouit Jacob par ses actions,

et sa mémoire sera en bénédiction à jamais.

[8] Il parcourut les villes de Juda

pour en exterminer les impies,

et détourna d'Israël la Colère.

[9] Son nom retentit jusqu'aux extrémités de la terre,

il a rassemblé ceux qui étaient perdus.

Premiers succès de Judas. ‖ 2 M 8 1-7.

[10] Apollonius rassembla des païens et un fort contingent de Samarie pour faire la guerre à Israël. [11] Judas le sut et sortit à sa rencontre ; il le défit et le tua. Beaucoup tombèrent blessés à mort et le reste s'enfuit. [12] On ramassa les dépouilles ; Judas s'attribua l'épée d'Apollonius et s'en servit au combat tous les jours de sa vie. [13] À la nouvelle que Judas avait rassemblé autour de lui un assemblage de croyants et de gens de guerre, Séron, général de l'armée de Syrie, [14] se dit à lui-même : « Je me ferai un nom et me couvrirai de gloire dans le royaume. Je combattrai Judas et ses hommes, qui méprisent les ordres du roi. » [15] Il partit donc à son tour et avec lui monta une puissante armée d'impies pour l'aider à tirer vengeance des Israélites. [16] Comme il approchait de la montée de Bethoron, Judas sortit à sa rencontre avec une poignée d'hommes. [17] À la vue de l'armée qui s'avançait contre eux, ceux-ci dirent à Judas : « Comment pourrons-nous, en si petit nombre, lutter contre une si forte multitude ? Nous sommes exténués, n'ayant rien mangé aujourd'hui. » [18] Judas répondit : « Qu'une multitude tombe aux mains d'un petit nombre est chose facile, et il est indiffé-

rent au Ciel d'opérer le salut au moyen de beaucoup ou de peu d'hommes, [19]car la victoire à la guerre ne tient pas à l'importance de la troupe : c'est du Ciel que vient la force. [20]Ceux-ci viennent contre nous, débordant d'insolence et d'iniquité, pour nous exterminer, nous, nos femmes et nos enfants, et nous dépouiller. [21]Mais nous, nous combattons pour nos vies et pour nos lois, [22]et lui les brisera devant nous, ne craignez rien de leur part. » [23]Lorsqu'il eut cessé de parler, il bondit sur eux à l'improviste. Séron et son armée furent écrasés. [24]Ils les poursuivirent à la descente de Bethoron jusqu'à la plaine. Huit cents hommes environ succombèrent et le reste s'enfuit au pays des Philistins. [25]Judas et ses frères commencèrent à être redoutés et l'effroi fondit sur les nations d'alentour. [26]Son nom parvint jusqu'au roi et toutes les nations commentaient les batailles de Judas.

Préparatifs d'Antiochus contre la Perse et la Judée. Régence de Lysias.

[27]Lorsqu'il entendit ces récits, Antiochus entra dans une grande fureur ; il envoya rassembler toutes les forces de son royaume, une armée très puissante. [28]Il ouvrit son trésor, distribua la solde aux troupes pour un an et leur enjoignit d'être prêtes à toute éventualité. [29]Il s'aperçut alors que l'argent manquait dans ses coffres et que les tributs de la province avaient diminué, par suite des dissensions et du fléau qu'il avait déchaînés dans le pays en supprimant les lois qui existaient de toute antiquité.

[30]Il craignit de ne pas avoir, comme il était arrivé plus d'une fois, de quoi fournir aux dépenses et aux largesses qu'il faisait auparavant d'une main prodigue, surpassant en cela les rois ses prédécesseurs. [31]L'anxiété s'emparait de son âme, il décida de gagner la Perse pour lever les tributs des provinces et ramasser beaucoup d'argent. [32]Il laissa Lysias, homme de la noblesse et de la famille royale, à la tête de ses affaires depuis l'Euphrate jusqu'à la frontière de l'Égypte, [33]et le chargea de la tutelle d'Antiochus, son fils, jusqu'à son retour. [34]Il lui confia la moitié de ses troupes, avec les éléphants, et lui dicta toutes ses volontés, en particulier au sujet des habitants de la Judée et de Jérusalem : [35]il devait envoyer contre eux une armée pour extirper et faire disparaître la force d'Israël et le petit reste de Jérusalem, effacer leur souvenir de ce lieu, [36]établir des fils d'étrangers sur tout leur territoire et distribuer leur pays en lots. [37]Le roi prit avec lui la moitié restante des troupes et partit d'Antioche, capitale de son royaume, l'an cent quarante-sept ; il traversa l'Euphrate et poursuivit sa marche à travers les provinces d'en haut.

Gorgias et Nikanor conduisent en Judée l'armée de Syrie. ‖ 2 M 8 8-15.

[38]Lysias se choisit Ptolémée fils de Dorymène, Nikanor et Gorgias, personnages puissants d'entre les amis du roi. [39]Il envoya avec eux quarante mille hommes de pied et sept mille cavaliers pour envahir le pays de Juda et le dévaster suivant l'ordre du roi. [40]S'étant mis en

marche avec toute leur armée, ils arrivèrent près d'Emmaüs dans le Bas-Pays et y dressèrent leur camp. [41]Les trafiquants de la province l'apprirent par la renommée ; ils prirent avec eux de l'or et de l'argent en grande quantité ainsi que des entraves et s'en vinrent au camp pour acheter comme esclaves les Israélites. Un contingent d'Idumée et du pays des Philistins se joignit à eux. [42]Judas et ses frères virent que le malheur s'aggravait et que des armées campaient sur leur territoire. Ils connurent aussi la consigne donnée par le roi de livrer leur peuple à une destruction radicale. [43]Ils se dirent alors les uns aux autres : « Relevons notre peuple de sa ruine et luttons pour notre peuple et notre saint lieu. » [44]On convoqua l'assemblée pour se préparer à la guerre, se livrer à la prière et implorer pitié et miséricorde.

[45]Or Jérusalem était dépeuplée comme un désert,
de ses enfants nul n'y entrait, nul n'en sortait.
Le sanctuaire était foulé aux pieds
et les fils d'étrangers logeaient dans la Citadelle,
devenue un caravansérail pour les nations.
La joie avait disparu de Jacob
et l'on n'entendait plus ni flûte ni lyre.

Réunion des Juifs à Maspha.
|| 2 M **8** 16-23.

[46]Ils se rassemblèrent donc et vinrent à Maspha en face de Jérusalem, car il y avait eu jadis à Maspha un lieu de prière pour Israël. [47]Ils jeûnèrent ce jour-là, revêtirent des sacs, répandirent de la cendre sur leur tête et déchirèrent leurs vêtements. [48]Ils déployèrent le livre de la Loi pour y découvrir ce que les païens demandaient aux représentations de leurs faux dieux. [49]Ils apportèrent les ornements sacerdotaux, les prémices et les dîmes, ils firent paraître les Naziréens qui avaient accompli la période de leur vœu. [50]Ils disaient en élevant la voix vers le Ciel : « Que faire de ces gens-là et où les emmener ? [51]Ton lieu saint, on l'a foulé aux pieds et profané, tes prêtres sont dans le deuil et l'humiliation, [52]et voici que les nations se sont liguées contre nous afin de nous faire disparaître. Tu connais leurs desseins à notre égard. [53]Comment pourrons-nous résister en face d'elles si tu ne viens pas à notre secours ? » [54]Ils firent ensuite sonner les trompettes et poussèrent de grands cris.

[55]Après cela, Judas institua des chefs du peuple, chefs de milliers, de centaines, de cinquantaines et de dizaines. [56]À ceux qui étaient en train de bâtir une maison, ou qui venaient de se fiancer, de planter une vigne, ou qui avaient peur, il dit de s'en retourner chacun à sa demeure comme le permettait la Loi. [57]La colonne se mit alors en marche et vint camper au sud d'Emmaüs. [58]« Équipez-vous, dit Judas, soyez des braves, tenez-vous prêts à combattre demain ces nations qui sont massées contre nous pour notre ruine et celle de notre sanctuaire, [59]car il vaut mieux pour nous mourir dans la bataille qu'être spectateurs des malheurs de notre nation et de no-

tre lieu saint. ⁶⁰Ce que le Ciel aura voulu, il l'accomplira. »

La bataille d'Emmaüs. ‖ 2 M 8 23-29.

4 ¹Gorgias prit avec lui cinq mille hommes de pied et mille cavaliers d'élite, détachement qui partit de nuit ²en vue de faire irruption dans le camp des Juifs et de les frapper à l'improviste. Les gens de la Citadelle lui servaient de guides. ³Ce qu'ayant entendu, Judas lui-même se mit en marche avec ses braves pour battre l'armée royale qui était à Emmaüs, ⁴pendant que ses effectifs se trouvaient encore dispersés en dehors du camp. ⁵Gorgias, de son côté, étant arrivé de nuit au camp de Judas, n'y trouva personne et se mit à chercher les Juifs dans les montagnes car, disait-il : « Ils fuient devant nous. » ⁶Au petit jour, Judas parut dans la plaine avec trois mille hommes. Seulement, ceux-ci n'avaient pas les armures ni les épées qu'ils auraient voulues. ⁷Ils apercevaient le camp des païens, puissant et fortifié, une cavalerie qui l'environnait, bref, des gens qui avaient l'expérience de la guerre.

⁸Judas dit à ses hommes : « Ne craignez pas cette multitude et ne redoutez pas leur attaque. ⁹Rappelez-vous que nos pères furent sauvés à la mer Rouge quand Pharaon les poursuivait avec une armée, ¹⁰et maintenant crions vers le Ciel : s'il veut de nous, il se souviendra de son alliance avec nos pères et il écrasera aujourd'hui cette armée que voici devant nous. ¹¹Alors toutes les nations reconnaîtront qu'il y a quelqu'un qui rachète et sauve Israël. »

¹²Les étrangers levèrent leurs regards et, voyant les Juifs marcher contre eux, ¹³ils sortirent du camp pour livrer bataille. Les soldats de Judas sonnèrent de la trompette ¹⁴et engagèrent le combat. Les nations furent écrasées, elles s'enfuirent vers la plaine, ¹⁵mais tous les ennemis qui se trouvaient à l'arrière tombèrent sous l'épée. La poursuite atteignit Gazara et les plaines de l'Idumée, d'Azôtos et de Iamnia : trois mille hommes environ y succombèrent.

¹⁶Revenu de la chasse qu'il venait de donner à la tête de sa troupe, ¹⁷Judas dit au peuple : « Ne soyez pas avides de butin, car un autre combat nous menace. ¹⁸Gorgias et son détachement sont dans la montagne tout près de nous. Tenez tête maintenant à nos ennemis et combattez-les ; après cela vous ramasserez le butin en toute sécurité. » ¹⁹Judas achevait à peine sa phrase qu'une section se fit voir épiant du haut de la montagne. ²⁰Elle constata que les leurs avaient dû fuir et que le camp avait été la proie des flammes : la fumée que l'on apercevait le manifestait encore. ²¹Un tel spectacle les remplit de panique. Voyant en outre dans la plaine l'armée de Judas prête au combat, ²²ils s'enfuirent tous au pays des Philistins. ²³Judas revint alors pour le pillage du camp. On emporta beaucoup d'or et d'argent monnayés, des étoffes teintes de pourpre violette et de pourpre marine et autres grandes richesses. ²⁴Les Juifs, à leur retour, louaient et bénissaient le Ciel en disant : « Il est bon et

son amour est éternel ! » [25]Une insigne délivrance s'est opérée ce jour-là en Israël.

[26]Ceux des étrangers qui avaient échappé vinrent annoncer à Lysias tout ce qui était arrivé. [27]Cette nouvelle le bouleversa et lui fit perdre courage, car les affaires avec Israël n'avaient pas été comme il aurait voulu et le résultat était le contraire de ce qu'avait ordonné le roi.

Première campagne de Lysias.
‖ 2 M 11 1-12.

[28]L'année suivante, pourtant, Lysias rassembla soixante mille hommes d'élite et cinq mille cavaliers afin de venir à bout des Juifs. [29]Ils vinrent en Idumée et campèrent à Bethsour. Judas se porta à leur rencontre avec dix mille hommes. [30]Quand il vit cette armée puissante, il pria en ces termes : « Tu es béni, sauveur d'Israël, toi qui as brisé l'attaque du puissant guerrier par la main de ton serviteur David et qui as livré le camp des Philistins aux mains de Jonathan, fils de Saül, et de son écuyer. [31]Enferme de la même façon cette armée entre les mains d'Israël, ton peuple ; qu'ils ne retirent que honte de leurs forces et de leur cavalerie. [32]Sème la panique dans leurs rangs, fais fondre l'assurance qu'ils mettent dans leur force et qu'ils soient ébranlés par leur défaite. [33]Renverse-les sous l'épée de ceux qui t'aiment, et que te louent dans les hymnes tous ceux qui connaissent ton nom ! » [34]On en vint aux mains et il tomba de l'armée de Lysias jusqu'à cinq mille hommes, et cela dans le corps à corps.

[35]Voyant la déroute de son armée et l'intrépidité des soldats de Judas qui étaient prêts à vivre ou à mourir courageusement, Lysias reprit le chemin d'Antioche où il recruta des étrangers pour revenir en Judée avec plus de troupes qu'auparavant.

Purification du Temple et dédicace.
‖ 2 M 10 1-8.

[36]Alors Judas et ses frères dirent : « Voici nos ennemis écrasés, allons purifier le sanctuaire et faire la dédicace. » [37]Toute l'armée s'assembla et ils montèrent au mont Sion. [38]Ils virent là le lieu saint désolé, l'autel profané, les portes brûlées, des arbrisseaux poussés dans les parvis comme dans un bois ou sur une montagne, et les chambres détruites. [39]Ils déchirèrent alors leurs vêtements, menèrent un grand deuil et répandirent de la cendre sur leur tête. [40]Ils tombaient ensuite la face contre terre et, au signal donné par les trompettes, ils poussaient des cris vers le Ciel.

[41]Judas donna l'ordre à des hommes de combattre ceux qui étaient dans la Citadelle jusqu'à ce qu'il eût nettoyé le sanctuaire. [42]Puis il choisit des prêtres sans tache et zélés pour la Loi, [43]qui purifièrent le sanctuaire et reléguèrent en un lieu impur les pierres de la souillure.

[44]On délibéra sur ce qu'on devait faire de l'autel des holocaustes, qui avait été profané, [45]et il leur vint l'heureuse idée de le supprimer de peur qu'il ne leur devînt un sujet d'opprobre, du fait que les païens l'avaient souillé. Ils le démolirent [46]et en déposèrent les

pierres sur la montagne de la Demeure en un endroit convenable, en attendant la venue d'un prophète qui se prononcerait à leur sujet. [47]Ils prirent des pierres brutes, selon la Loi, et en bâtirent un autel nouveau sur le modèle du précédent. [48]Ils réparèrent le sanctuaire et l'intérieur de la Demeure et sanctifièrent les parvis. [49]Ayant fait de nouveaux ustensiles sacrés, ils introduisirent dans le Temple le candélabre, l'autel des parfums et la table. [50]Ils firent fumer l'encens sur l'autel et allumèrent les lampes du candélabre qui brillèrent à l'intérieur du Temple. [51]Ils déposèrent les pains sur la table, suspendirent les rideaux et achevèrent tout ce qu'ils avaient entrepris.

[52]Le vingt-cinq du neuvième mois – nommé Kisleu – en l'an cent quarante-huit, ils se levèrent au point du jour [53]et offrirent un sacrifice légal sur le nouvel autel des holocaustes qu'ils avaient construit. [54]L'autel fut inauguré au son des hymnes, des cithares, des lyres et des cymbales, à la même époque et le même jour que les païens l'avaient profané. [55]Le peuple entier se prosterna pour adorer, puis il fit monter la louange vers le Ciel qui l'avait conduit au succès. [56]Huit jours durant, ils célébrèrent la dédicace de l'autel, offrant des holocaustes avec allégresse et le sacrifice de communion et d'action de grâces. [57]Ils ornèrent la façade du Temple de couronnes d'or et d'écussons, remirent à neuf les entrées ainsi que les chambres qu'ils pourvurent de portes. [58]Une grande joie régna parmi le peuple et l'opprobre infligé par les païens fut effacé.

[59]Judas décida avec ses frères et toute l'assemblée d'Israël que les jours de la dédicace de l'autel seraient célébrés en leur temps chaque année pendant huit jours, à partir du vingt-cinq du mois de Kisleu, avec joie et allégresse. [60]Ils bâtirent ce temps-là tout autour du mont Sion des murs élevés et de fortes tours, de peur que les nations ne vinssent comme auparavant fouler ces lieux. [61]Judas y plaça une garnison pour le garder. Il fortifia Bethsour pour que le peuple eût une forteresse face à l'Idumée.

Expédition contre les Iduméens et les Ammonites.

5 [1]Lorsque les nations d'alentour eurent appris que l'autel avait été reconstruit et le sanctuaire rétabli comme il était auparavant, elles en furent très irritées [2]et décidèrent d'exterminer les descendants de Jacob qui vivaient au milieu d'elles ; elles se mirent à opérer des meurtres et des expulsions parmi le peuple.

[3]Judas fit la guerre aux fils d'Ésaü en Idumée, au pays d'Akrabattène, parce qu'ils tenaient assiégés les Israélites. Il leur porta un grand coup, les refoula et s'empara de leurs dépouilles. [4]Il se souvint aussi de la méchanceté des fils de Baïân qui étaient pour le peuple un piège et un traquenard par les embûches qu'ils lui dressaient sur les chemins. [5]Les ayant bloqués dans leurs tours, il les assiégea et les voua à l'anathème ; il mit le feu à ces tours et les brûla avec tous ceux qui s'y trouvaient. [6]Puis il passa chez les Ammonites, chez

qui il trouva une forte troupe et un peuple nombreux que commandait Timothée. [7]Il leur livra de nombreux combats ; ils furent écrasés devant lui et il les tailla en pièces. [8]Il prit Iazèr et les villages de son ressort, et revint en Judée.

Préliminaires des campagnes en Galilée et en Galaad.

[9]Les nations en Galaad se coalisèrent contre les Israélites qui habitaient sur leur territoire afin de les exterminer, et ceux-ci se réfugièrent dans la forteresse de Dathéma. [10]Ils envoyèrent à Judas et à ses frères des lettres ainsi conçues : « Les nations qui nous entourent sont coalisées contre nous pour nous exterminer. [11]Elles se disposent à venir prendre la forteresse où nous avons trouvé un refuge et c'est Timothée qui commande leur armée. [12]Viens donc maintenant nous arracher de leurs mains, car déjà nombre d'entre nous ont succombé. [13]Tous nos frères établis au pays de Tobie ont été mis à mort, on a emmené en captivité leurs femmes et leurs enfants, pris leurs biens et fait périr en ces lieux environ un millier d'hommes. » [14]On était encore à lire ces lettres, quand arrivèrent de la Galilée d'autres messagers, les vêtements déchirés, porteurs des mêmes nouvelles : [15]« De Ptolémaïs, disaient-ils, de Tyr et de Sidon, on s'est coalisé contre nous avec toute la Galilée des Nations pour nous exterminer. » [16]Lorsque Judas et le peuple eurent entendu ces discours, ils tinrent une grande assemblée pour délibérer sur ce qu'ils devaient faire en faveur de leurs frères en butte à la tribulation et aux attaques des

ennemis. [17]Judas dit à son frère Simon : « Choisis-toi des hommes et va délivrer tes frères qui sont en Galilée ; moi et Jonathan, mon frère, nous irons en Galaaditide. » [18]Il laissa en Judée Joseph, fils de Zacharie, et Azarias, chef du peuple, avec le reste de l'armée pour faire la garde. [19]Il leur donna cet ordre : « Gouvernez ce peuple et n'engagez pas de combat avec les nations jusqu'à notre retour. » [20]À Simon furent assignés trois mille hommes pour aller en Galilée, à Judas huit mille hommes pour la Galaaditide.

Expéditions en Galilée et en Galaaditide.

[21]Étant donc allé dans la Galilée, Simon livra plusieurs combats aux païens, qui furent balayés devant lui ; [22]il les poursuivit jusqu'à la porte de Ptolémaïs. Ils avaient laissé sur le terrain environ trois mille hommes dont il recueillit les dépouilles. [23]Il prit avec lui les Juifs de Galilée et d'Arbatta avec leurs femmes, leurs enfants et tout leur avoir, et les emmena en Judée au milieu d'une joie débordante.

|| 2 M **12** 10-31.

[24]Cependant Judas Maccabée et Jonathan, son frère, passaient le Jourdain et marchaient trois jours dans le désert. [25]Ils rencontrèrent les Nabatéens qui les accueillirent avec des sentiments pacifiques et leur racontèrent tout ce qui était arrivé à leurs frères en Galaaditide [26]et comment nombre d'entre eux se trouvaient enfermés à Bosora, à Bosor, en Aléma, à Chaspho, à Maked et à Karnaïn, qui sont toutes de fortes et grandes villes ; [27]qu'il y en avait aussi

d'enfermés dans les autres villes de Galaaditide et que leurs ennemis avaient résolu pour demain d'attaquer ces places fortes, de s'en emparer et d'y exterminer en un seul jour tous ceux qui s'y trouvent. [28]Brusquement, Judas fit prendre à son armée le chemin de Bosora à travers le désert. Il prit la ville et, après avoir passé tous les mâles au fil de l'épée et ramassé tout le butin, il la livra aux flammes. [29]Il en repartit nuitamment et l'on marcha jusqu'aux abords de la forteresse. [30]Au point du jour, en levant les yeux ils aperçurent une foule innombrable dressant des échelles et des machines pour s'emparer de la place ; déjà on attaquait. [31]Voyant que l'attaque était commencée et qu'une clameur immense mêlée au son des trompettes montait de la ville vers le ciel, [32]Judas dit aux hommes de son armée : « Combattez aujourd'hui pour vos frères ! » [33]Il les fit avancer en trois corps sur les arrières de l'ennemi. Les trompettes sonnèrent et les invocations retentirent. [34]Les troupes de Timothée, reconnaissant que c'était Maccabée, prirent la fuite à son approche. Celui-ci leur infligea une grande défaite, car ils laissèrent ce jour-là près de huit mille hommes sur le terrain. [35]S'étant ensuite retourné sur Aléma, il l'attaqua, la prit, et, après avoir tué tous les mâles et ramassé le butin, il la livra aux flammes. [36]De là il alla s'emparer de Chaspho, de Maked, de Bosor et des autres villes de Galaaditide. [37]Après ces événements Timothée rassembla une autre armée et vint camper en face

de Raphôn, de l'autre côté du torrent. [38]Judas envoya reconnaître le camp et on lui fit ce rapport : « Auprès de ce chef se sont groupés tous les païens qui nous entourent, formant une armée extrêmement nombreuse [39]où des Arabes ont été enrôlés comme auxiliaires ; ils sont campés au-delà du torrent, prêts à venir t'attaquer. » Judas alla à leur rencontre. [40]Mais Timothée dit aux commandants de son armée, au moment où Judas et sa troupe approchaient du cours d'eau : « S'il passe vers nous le premier, nous ne pourrons lui résister, parce qu'il aura un grand avantage sur nous ; [41]mais s'il a peur et campe de l'autre côté du fleuve, nous traverserons en face de lui et nous le vaincrons. »

[42]Lorsqu'il arriva près du cours d'eau, Judas posta le long du torrent les scribes du peuple et leur donna cette consigne : « Ne laissez personne dresser sa tente, mais que tous marchent au combat ! » [43]Il traversa le premier et marcha sur l'ennemi ; tout le peuple le suivit. Il écrasa devant lui tous les païens, qui jetèrent leurs armes et coururent chercher refuge dans le sanctuaire de Karnaïn. [44]Les Juifs s'emparèrent d'abord de la ville, puis brûlèrent le temple avec tous ceux qui étaient dedans. Karnaïn fut renversée et désormais on ne put résister à Judas.

[45]Judas rassembla tous les Israélites qui étaient en Galaaditide, depuis le plus petit jusqu'au plus grand, avec leurs femmes, leurs enfants et leurs bagages, une troupe immense en route vers le pays

de Juda. 46Ils arrivèrent à Éphrôn, ville importante et très forte située sur le chemin. Comme on ne pouvait la tourner ni sur la droite ni sur la gauche, il ne restait qu'à la traverser. 47Les habitants leur refusèrent le passage et bloquèrent les portes avec des pierres. 48Judas leur envoya un message conçu en ces termes pacifiques : « Nous allons traverser votre pays pour aller dans le nôtre ; nul ne vous fera de mal, nous ne ferons que passer en piétons. » Mais ils refusèrent de lui ouvrir. 49Judas fit alors publier dans les rangs que chacun gardât la position où il était. 50Les braves de l'armée prirent position. Judas fit donner l'assaut tout le jour et toute la nuit et la ville tomba en son pouvoir. 51Il fit passer tous les mâles au fil de l'épée, détruisit la ville jusqu'aux fondements, en ravit les dépouilles et traversa la place sur le corps des tués. 52Ils franchirent le Jourdain pour entrer dans la Grande Plaine en face de Bethsân. 53Judas s'employait à rallier les traînards et à encourager le peuple tout le long de la route jusqu'à son arrivée au pays de Juda. 54Ils gravirent le mont Sion avec joie et allégresse et offrirent des holocaustes parce qu'ils étaient revenus en paix sans perdre aucun des leurs.

Revers de Iamnia.

55Pendant que Judas et Jonathan étaient au pays de Galaad, et Simon, son frère, en Galilée devant Ptolémaïs, 56Joseph, fils de Zacharie, et Azarias, chefs de l'armée, apprirent leurs gestes de bravoure et les combats qu'ils avaient livrés, 57et ils se dirent : « Faisons-nous un nom, nous aussi, et allons combattre les nations qui sont autour de nous. » 58Ils donnèrent des ordres aux forces qu'ils commandaient et marchèrent sur Iamnia. 59Gorgias et ses hommes sortirent de la ville à leur rencontre pour leur livrer combat. 60Joseph et Azarias furent mis en fuite et poursuivis jusqu'aux frontières de la Judée. Il périt ce jour-là environ deux mille hommes du peuple d'Israël. 61Ce fut une grande déroute parmi le peuple, parce qu'ils n'avaient pas écouté Judas ni ses frères, s'imaginant qu'ils se signaleraient par leur bravoure. 62Mais ils n'étaient pas de la race de ces hommes à qui il était donné de sauver Israël.

Succès en Idumée et en Philistie.

63Le noble Judas et ses frères furent en grand honneur devant tout Israël et toutes les nations où l'on entendait prononcer leur nom ; 64les foules se pressaient autour d'eux pour les acclamer. 65Judas avec ses frères partit en guerre contre les fils d'Ésaü dans la région du midi ; il prit de force Hébron et les villages de son ressort, abattit ses fortifications et livra au feu les tours de son enceinte. 66Ayant levé son camp, il partit pour gagner le pays des Philistins et traversa Marisa. 67Ce jour-là périrent dans le combat des prêtres qui voulaient y signaler leur bravoure en prenant part imprudemment à la lutte. 68Judas se dirigea ensuite sur Azôtos, district des Philistins, renversa leurs autels, livra au feu les images taillées de leurs dieux, y sou-

mit les villes à un pillage en règle et revint au pays de Juda.

Fin d'Antiochus Épiphane.

|| 2 M **9**. Cf. 2 M **1** 11-17.

6 ¹Cependant le roi Antiochus
parcourait les provinces d'en
haut. Il apprit qu'il y avait en Perse une ville du nom d'Élymaïs, fameuse par ses richesses, son argent et son or, ²avec un temple
très riche renfermant des pièces
d'armure en or, des cuirasses et
des armes qu'y avait laissées
Alexandre, fils de Philippe, roi de
Macédoine, qui régna le premier
sur les Grecs. ³Il vint donc tenter
de prendre cette ville pour la piller, mais il n'y réussit pas, les
gens de la ville ayant eu connaissance de la chose. ⁴Ils s'opposè-
rent à lui les armes à la main. Il
fut mis en fuite et quitta les lieux
avec beaucoup de tristesse pour
regagner Babylone. ⁵Il était encore en Perse quand on vint lui annoncer la déroute des armées qui
étaient entrées dans le pays de Juda. ⁶Lysias, en particulier, s'étant
avancé avec une forte armée, avait
dû fuir devant les Juifs devenus
plus redoutables grâce aux armes,
aux ressources et à la quantité de
dépouilles enlevées aux armées
vaincues ; ⁷ceux-ci avaient renversé l'abomination construite par
lui sur l'autel à Jérusalem et entouré leur lieu saint de hautes murailles comme auparavant, ainsi
que Bethsour, une de ses villes.
⁸A ces nouvelles, le roi, frappé de
stupeur, fut en proie à une violente agitation : il se jeta sur sa couche
et tomba malade de chagrin
parce que les choses ne s'étaient
pas passées selon ses désirs. ⁹Il

demeura là plusieurs jours, retom-
bant sans cesse dans une profonde
mélancolie. Lorsqu'il se vit sur le
point de mourir, ¹⁰il convoqua
tous ses amis et leur dit : « Le
sommeil s'est retiré de mes yeux
et mon cœur est abattu par l'inquiétude. ¹¹Je me suis dit à moi-
même : A quelle affliction suis-je
réduit et en quel flot de tristesse
suis-je maintenant plongé ? Moi
qui étais bon et aimé au temps de
ma puissance ! ¹²Mais à cette heure je me souviens des maux dont
j'ai été l'auteur à Jérusalem,
quand je pris tous les objets d'argent et d'or qui s'y trouvaient et
que j'envoyai exterminer sans
motif les habitants de Juda. ¹³Je
reconnais donc que c'est à cause
de cela que ces malheurs m'ont
atteint et que je meurs d'une profonde affliction sur une terre
étrangère ! »

Avènement d'Antiochus V.

¹⁴Il fit appeler Philippe, un de
ses amis, et l'établit sur tout le
royaume. ¹⁵Il lui donna son diadème, sa robe et son sceau, pour qu'il
prît soin de l'éducation et de l'entretien d'Antiochus, son fils, en
vue du trône. ¹⁶Le roi Antiochus
mourut en ce lieu, l'année cent
quarante-neuf. ¹⁷Lysias, à la nouvelle de sa mort, lui donna pour
successeur son fils Antiochus qu'il
avait élevé depuis son enfance et
qu'il surnomma Eupator.

Le siège de la Citadelle de Jéru-
salem par Judas Maccabée.

¹⁸Les gens de la Citadelle blo-
quaient Israël autour du sanctuaire et s'ingéniaient à lui faire du
mal en toute occasion, et à soute-

nir les païens. [19]Résolu à les exterminer, Judas convoqua tout le peuple pour les assiéger. [20]On se rassembla et l'on mit le siège devant la Citadelle en l'an cent cinquante ; on construisit des batteries et des machines. [21]Mais des assiégés rompirent le blocus, et avec eux des Israélites impies, [22]qui allèrent chez le roi et lui dirent : « Jusqu'à quand tarderas-tu à nous rendre justice et à venger nos frères ? [23]Nous avons consenti volontiers à servir ton père, à nous conduire selon ses ordres et à observer ses édits ; [24] à cause de cela nos concitoyens nous ont pris en aversion. Bien plus, ils ont tué tous ceux d'entre nous qui sont tombés entre leurs mains et ont pillé nos héritages. [25]Ils ont porté la main non seulement sur nous mais encore sur tous tes territoires. [26]Voici qu'ils investissent aujourd'hui la Citadelle de Jérusalem pour s'en rendre maîtres et qu'ils ont fortifié le sanctuaire et Bethsour. [27]Si tu ne te hâtes pas de les prévenir, ils en feront encore davantage et tu ne pourras plus les arrêter. »

Campagne d'Antiochus V et de Lysias. Bataille de Bethzacharia.

[28]À ces mots, le roi se mit en colère et réunit tous ses amis, les chefs de son armée et les maréchaux. [29]Des autres royaumes et des îles de la mer il lui vint aussi des troupes mercenaires. [30]Le nombre de ses forces s'éleva à cent mille fantassins, vingt mille cavaliers et trente-deux éléphants dressés au combat. [31]Ils vinrent par l'Idumée et assiégèrent Bethsour qu'ils combattirent long-temps à l'aide de machines. Mais les autres, opérant des sorties, y mettaient le feu et luttaient vaillamment.

[32]Alors Judas partit de la Citadelle et vint camper à Bethzacharia en face du camp royal. [33]Le roi, debout de grand matin, enleva sa troupe d'un bond sur le chemin de Bethzacharia où les armées prirent leur position de combat et sonnèrent de la trompette. [34]On exposa à la vue des éléphants du jus de raisin et de mûre pour les disposer à l'attaque. [35]Les bêtes furent réparties parmi les phalanges. Près de chaque éléphant on rangea mille hommes cuirassés de cottes de mailles et coiffés de casques de bronze, sans compter cinq cents cavaliers d'élite affectés à chaque bête. [36]Ceux-ci prévenaient tous les mouvements de la bête et l'accompagnaient partout sans jamais s'en éloigner. [37]Sur chaque éléphant, comme appareil défensif, une solide tour de bois était assujettie par des sangles, et dans chacune se trouvaient les trois guerriers combattant sur les bêtes, en plus de leur cornac. [38]Quant au reste de la cavalerie, le roi la répartit sur les deux flancs de l'armée pour harceler l'ennemi et couvrir les phalanges.

[39]Lorsque le soleil frappa de ses rayons les boucliers d'or et d'airain, les montagnes en furent illuminées et brillèrent comme des flambeaux allumés. [40]Une partie de l'armée royale se déploya sur les hauts de la montagne et une autre en contrebas ; ils avançaient en formation solide et ordonnée. [41]Tous étaient troublés en entendant les clameurs de cette multi-

tude, le bruit de sa marche et le fracas de ses armes, armée immense et forte s'il en fut. [42]Judas et sa troupe s'avancèrent pour engager le combat, et six cents hommes de l'armée du roi succombèrent. [43]Éléazar surnommé Auârân aperçut alors une des bêtes caparaçonnée d'un harnais royal et surpassant toutes les autres par la taille. S'imaginant que le roi était dessus, [44]il se sacrifia pour sauver son peuple et acquérir un nom immortel. [45]Il eut la hardiesse de courir sur la bête au milieu de la phalange, tuant à droite et à gauche, si bien que, devant lui, les ennemis s'écartèrent de part et d'autre. [46]S'étant glissé sous l'éléphant, il le frappa par en dessous et le tua. La bête s'écroula à terre sur Éléazar qui mourut sur place. [47]Les Juifs, voyant les forces du royaume et l'impétuosité des troupes, se retirèrent devant elles.

Prise de Bethsour et siège du mont Sion par les Syriens.

[48]L'armée royale monta au-devant des Juifs à Jérusalem, et le roi mit en état de siège la Judée et le mont Sion, [49]tandis qu'il faisait la paix avec ceux de Bethsour qui évacuèrent la ville : ils n'avaient pas de vivres pour soutenir un siège, car c'était l'année sabbatique accordée à la terre. [50]Le roi prit Bethsour et y plaça une garnison pour la garder. [51]Il assiégea assez longtemps le sanctuaire, dressant contre lui batteries et machines, lance-flammes et balistes, scorpions pour flèches et frondes. [52]Les assiégés aussi dressèrent des machines contre celles des assiégeants et l'on combattit long-

temps. [53]Mais il n'y avait pas de vivres dans les dépôts parce que c'était la septième année et que les Israélites ramenés en Judée du milieu des nations avaient consommé les dernières réserves. [54]On laissa peu d'hommes dans le saint lieu parce qu'on était en proie à la famine ; les autres se dispersèrent chacun chez soi.

Le roi accorde aux Juifs la liberté religieuse.

[55]Philippe, que le roi Antiochus avait de son vivant choisi pour élever Antiochus, son fils, en vue du trône, [56]était revenu de Perse et de Médie avec les troupes qui avaient accompagné le roi, et cherchait à s'emparer de la direction des affaires. [57]Lysias n'eut rien de plus pressé que de signifier le départ. Il dit au roi, aux généraux de l'armée et aux hommes : « Nous dépérissons chaque jour, notre ration se fait maigre et le lieu que nous assiégeons est bien fortifié. Du reste, les affaires du royaume nous attendent. [58]Donnons donc la main droite à ces hommes, faisons la paix avec eux et avec toute leur nation. [59]Accordons-leur de vivre suivant leurs coutumes comme auparavant, car c'est à cause des coutumes que nous avons abolies qu'ils se sont irrités et ont fait tout cela. » [60]Le roi et les chefs approuvant ce motif, il envoya traiter de la paix avec les Juifs, qui acceptèrent. [61]Le roi et les chefs confirmèrent l'accord par serment et là-dessus les assiégés sortirent de la forteresse. [62]Alors le roi entra au mont Sion et, voyant la force de ce lieu, il viola le serment qu'il avait prêté et donna l'ordre de démanteler toute

l'enceinte. ⁶³Puis il partit en toute hâte et retourna à Antioche où il trouva Philippe maître de la ville. Il lui livra bataille et s'empara de la ville par la force.

Démétrius Iᵉʳ devient roi. Il envoie Bacchidès et Alkime en Judée. ‖ 2 M 14 1-10.

7 ¹L'année cent cinquante et un, Démétrius, fils de Séleucus, quitta Rome, et aborda avec un petit nombre d'hommes dans une ville maritime où il inaugura son règne. ²Il arriva, comme il gagnait la résidence royale de ses pères, que l'armée se saisit d'Antiochus et de Lysias pour les lui amener. ³Lorsqu'il eut connaissance de la chose, il dit : « Ne me faites point voir leur visage. » ⁴L'armée les tua et Démétrius s'assit sur son trône. ⁵Alors tous les hommes d'Israël sans loi ni piété vinrent le trouver, conduits par Alkime, qui voulait exercer la charge de grand prêtre. ⁶Ils accusèrent le peuple devant le roi en disant : « Judas et ses frères ont fait périr tous tes amis et il nous a expulsés de notre pays. ⁷Envoie donc maintenant un homme en qui tu aies confiance : qu'il aille voir tous les ravages que Judas a exercés parmi nous et dans les domaines du roi, pour qu'il punisse ces gens-là et tous ceux qui leur viennent en aide. »

⁸Le souverain choisit Bacchidès, un des amis du roi, gouverneur de la Transeuphratène, grand du royaume et fidèle au roi. ⁹Il l'envoya avec l'impie Alkime, à qui il confirma le sacerdoce, et lui enjoignit de tirer vengeance des Israélites. ¹⁰S'étant mis en route, ils vinrent avec une nombreuse armée au pays de Juda. Ils envoyèrent à Judas et à ses frères des messagers porteurs de propositions pacifiques mais trompeuses. ¹¹Mais eux n'accordèrent aucun crédit à leurs discours, voyant qu'ils étaient venus avec une forte armée. ¹²Cependant une commission de scribes se réunit chez Alkime et Bacchidès pour chercher une solution équitable. ¹³Les Assidéens étaient les premiers d'entre les Israélites à leur demander la paix ; ¹⁴ils disaient : « C'est un prêtre de la race d'Aaron qui est venu avec les troupes : il ne nous fera pas de mal. » ¹⁵Il leur tint des discours pacifiques et leur assura sous serment : « Nous ne chercherons à vous faire aucun mal, pas plus qu'à vos amis. » ¹⁶Ils le crurent, et cependant il fit arrêter soixante d'entre eux, qu'il exécuta le même jour, suivant la parole de l'Écriture : ¹⁷*Ils ont dispersé la chair de tes saints et répandu leur sang autour de Jérusalem, et il n'y avait personne qui les ensevelît.* ¹⁸Alors la crainte et la terreur s'emparèrent de tout le peuple : « Il n'y a chez eux, disait-on, ni vérité ni justice, car ils ont violé leur engagement et le serment qu'ils avaient fait. »

¹⁹Bacchidès partit de Jérusalem et vint camper à Bethzeth, d'où il envoya arrêter nombre de personnages qui avaient passé de son côté avec quelques-uns du peuple ; il les égorgea et les jeta dans le grand puits. ²⁰Il remit ensuite la province à Alkime, laissant avec lui une armée pour le soutenir. Bacchidès s'en revint chez le roi. ²¹Alkime soutint la lutte pour la

dignité de grand prêtre. ²²Tous ceux qui troublaient le peuple se groupèrent autour de lui, se rendirent maîtres du pays de Juda et firent beaucoup de mal en Israël. ²³Voyant que toute la malfaisance d'Alkime et de ses partisans contre les Israélites surpassait celle des nations, ²⁴Judas parcourut à la ronde tout le territoire de la Judée pour tirer vengeance des transfuges et les empêcher de circuler à travers la contrée.

Nikanor en Judée. Combat de Chapharsalama. ‖ 2 M **14** 12-14, 30.

²⁵Lorsqu'il vit que Judas et ses partisans étaient devenus plus forts et qu'il se reconnut impuissant à leur résister, Alkime retourna chez le roi et les accusa des pires méfaits. ²⁶Le roi envoya Nikanor, un de ses généraux du rang des illustres, haineux et hostile à l'égard d'Israël, avec mission d'exterminer le peuple. ²⁷Arrivé à Jérusalem avec une armée nombreuse, Nikanor fit adresser à Judas et à ses frères des propositions pacifiques insidieuses ainsi conçues : ²⁸« Qu'il n'y ait pas de guerre entre vous et moi ; je viendrai avec une faible escorte pour vous rencontrer en paix. » ²⁹Il arriva chez Judas et ils se saluèrent l'un l'autre pacifiquement, mais les ennemis étaient prêts à enlever Judas. ³⁰S'apercevant qu'il était venu chez lui avec des intentions perfides, Judas eut peur de lui et ne voulut plus le voir. ³¹Nikanor reconnut alors que son dessein était découvert, et marcha contre Judas pour le combattre près de Chapharsalama. ³²Du côté de Nikanor, cinq cents hommes environ succombèrent et les autres s'enfuirent dans la Cité de David.

Menaces contre le Temple. ‖ 2 M **14** 31-36.

³³Après ces événements, Nikanor monta au mont Sion. Des prêtres sortirent du lieu saint avec des anciens du peuple pour le saluer pacifiquement et lui montrer l'holocauste qui s'offrait pour le roi. ³⁴Mais lui se moqua d'eux, les tourna en dérision, les souilla et se répandit en paroles insolentes. ³⁵Dans un accès de colère, il proféra ce serment : « Si Judas n'est pas cette fois livré entre mes mains avec son armée, dès que je serai revenu, la paix rétablie, je brûlerai cet édifice ! » Il sortit furieux. ³⁶Les prêtres rentrèrent et, s'arrêtant devant l'autel et le temple, ils dirent avec larmes : ³⁷« C'est toi qui as choisi cette maison pour qu'elle porte ton nom afin qu'elle fût pour ton peuple une demeure de prière et de supplication ; ³⁸exerce ta vengeance sur cet homme et sur son armée, qu'ils tombent sous l'épée ! Souviens-toi de leurs blasphèmes et ne leur accorde pas de relâche ! »

Le jour de Nikanor à Adasa. ‖ 2 M **15** 22-24.

³⁹Nikanor quittant Jérusalem alla camper à Bethoron où vint le rejoindre une armée de Syrie. ⁴⁰Judas, de son côté, campa en Adasa avec trois mille hommes. Il fit alors cette prière : ⁴¹« Lorsque les messagers du roi eurent blasphémé, ton ange sortit et frappa cent quatre-vingt-cinq mille des siens. ⁴²Écrase de même aujourd'hui en notre présence cette ar-

mée, afin que tous les autres sachent qu'il a tenu un langage impie contre ton sanctuaire, et juge-le selon sa méchanceté ! »

‖ 2 M **15** 25-36.

⁴³Les armées se livrèrent bataille le treize du mois de Adar, celle de Nikanor fut écrasée et lui-même tué le premier dans le combat. ⁴⁴Quand ils le virent tomber, les soldats de Nikanor jetèrent leurs armes et prirent la fuite. ⁴⁵Les Juifs les poursuivirent une journée de chemin, depuis Adasa jusqu'aux abords de Gazara, sonnant derrière eux les trompettes en fanfare. ⁴⁶De tous les villages judéens à la ronde on sortait pour encercler les fuyards qui se retournaient les uns sur les autres. Tous tombèrent par l'épée et pas un seul n'en réchappa. ⁴⁷Les dépouilles et le butin ramassés, on coupa la tête de Nikanor et la main droite qu'il avait insolemment dressée ; elles furent apportées et dressées en vue de Jérusalem. ⁴⁸Le peuple fut rempli de joie et fêta ce jour-là comme une grande journée d'allégresse. ⁴⁹On décréta que ce jour serait célébré chaque année le treize Adar. ⁵⁰Le pays de Juda fut en repos pendant un peu de temps.

Éloge des Romains.

8 ¹Or Judas entendit parler des Romains. Ils étaient, disait-on, puissants, bienveillants aussi envers tous ceux qui s'attachaient à leur cause, accordant leur amitié à quiconque s'adressait à eux. ²(Leur puissance en effet était fort grande.) On lui raconta leurs guerres et les exploits qu'ils avaient accomplis chez les Gaulois, comment ils s'étaient rendus maîtres de ce peuple et l'avaient soumis au tribut, ³tout ce qu'ils avaient fait dans le pays d'Espagne pour s'emparer des mines d'argent et d'or qui s'y trouvaient, ⁴comment ils avaient eu raison de tout ce pays grâce à leur esprit averti et à leur persévérance (car l'endroit était fort éloigné de chez eux) ; il en avait été de même des rois venus pour les attaquer des extrémités de la terre, ils les avaient écrasés, leur infligeant un grand désastre, tandis que les autres leur apportaient un tribut annuel ; ⁵enfin ils avaient abattu par les armes Philippe, Persée, roi des Kitiens, et les autres qui s'étaient levés contre eux, et ils les avaient soumis. ⁶Antiochus le Grand, roi de l'Asie, qui s'était avancé pour les combattre avec cent vingt éléphants, de la cavalerie, des chars et une armée considérable, avait été entièrement défait par eux ⁷et capturé vivant. À lui et à ses successeurs sur le trône étaient imposés, à termes fixés, le paiement d'un lourd tribut et la livraison d'otages. ⁸On lui enlevait le pays indien, la Médie, la Lydie et quelques-unes de ses plus belles provinces au profit du roi Eumène. ⁹Ceux de la Grèce ayant formé le dessein d'aller les exterminer, ¹⁰les Romains, l'ayant su, avaient envoyé contre eux un seul général ; ils leur firent une guerre où tombèrent un grand nombre de victimes, ils emmenèrent en captivité femmes et enfants, ils pillèrent leurs biens, assujettirent leurs pays, détruisirent leurs forteresses et réduisirent leurs personnes en servitude comme elles le sont encore aujourd'hui. [11]Quant aux autres royaumes et aux îles qui leur avaient résisté, les Romains les avaient détruits et asservis.

[12]Mais à leurs amis et à ceux qui se reposent sur eux, ils ont gardé leur amitié. Ils ont assujetti les rois voisins et les rois éloignés, tous ceux qui entendent leur nom les redoutent. [13]Tous ceux à qui ils veulent prêter secours et conférer la royauté, règnent ; ils déposent au contraire qui il leur plaît : ils ont atteint une puissance considérable. [14]Malgré tout cela aucun d'entre eux n'a ceint le diadème ni revêtu la pourpre pour en tirer gloire. [15]Ils se sont créé un conseil où chaque jour délibèrent trois cent vingt membres continuellement occupés du peuple pour le maintenir en bon ordre. [16]Ils confient chaque année à un seul homme le pouvoir et la domination sur tout leur empire : tous obéissent à ce seul homme sans qu'il y ait d'envie ou de jalousie parmi eux.

Alliance des Juifs avec les Romains.

[17]Ayant choisi Eupolème, fils de Jean, de la maison d'Akkôs, et Jason, fils d'Éléazar, Judas les envoya à Rome conclure avec les Romains amitié et alliance, [18]et obtenir d'être délivrés du joug, car ils voyaient que la royauté des Grecs réduisait Israël en servitude. [19]Ils arrivèrent à Rome au bout d'un très long voyage et, entrés au Sénat, ils prirent la parole en ces termes : [20]« Judas, dit Maccabée, et ses frères avec le peuple juif nous ont envoyés vers vous pour conclure avec vous un traité d'alliance et de paix et pour être inscrits au nombre de vos alliés et de vos amis. » [21]La requête plut aux sénateurs. [22]Voici la copie de la lettre qu'ils gravèrent sur des tables de bronze et envoyèrent à Jérusalem pour y être chez les Juifs un document de paix et d'alliance :

[23]« Prospérité aux Romains et à la nation des Juifs sur mer et sur terre à jamais ! Loin d'eux le glaive et l'ennemi ! [24]S'il arrive une guerre, à Rome d'abord, ou à quelqu'un de ses alliés sur toute l'étendue de sa domination, [25]la nation des Juifs combattra avec elle, suivant ce que lui dicteront les circonstances, de tout cœur ; [26]ils ne donneront aux adversaires et ne leur fourniront ni blé, ni armes, ni argent, ni vaisseaux : ainsi en a décidé Rome, et ils garderont leurs engagements sans recevoir de garantie. [27]De même, s'il arrive d'abord une guerre à la nation des Juifs, les Romains combattront avec elle de toute leur âme, suivant ce que leur dicteront les circonstances. [28]Il ne sera donné aux assaillants ni blé, ni armes, ni argent, ni vaisseaux : ainsi en a décidé Rome, et ils garderont leurs engagements sans dol. [29]C'est en ces termes que les Romains ont conclu leur convention avec le peuple des Juifs. [30]Que si, dans la suite, les uns et les autres décident d'y ajouter ou en retrancher quelque chose, ils le feront à leur gré et ce qu'ils auront ajouté ou retranché sera obligatoire.

[31]Au sujet des maux que le roi Démétrius leur a causés, nous lui avons écrit en ces termes : "Pourquoi fais-tu peser ton joug sur les Juifs, nos amis alliés ? [32]Si donc ils t'accusent encore, nous soutien-

drons leurs droits et nous te combattrons sur mer et sur terre". »

Le combat de Béerzeth et la mort de Judas Maccabée.

9 [1]Cependant Démétrius, ayant appris que Nikanor avait succombé avec son armée dans le combat, envoya de nouveau au pays de Juda Bacchidès et Alkime, à la tête de l'aile droite. [2]Ceux-ci prirent le chemin de la Galilée et assiégèrent Mésaloth au territoire d'Arbèles et, s'en étant emparés, ils y tuèrent un grand nombre d'habitants. [3]Le premier mois de l'année cent cinquante-deux, ils dressèrent leur camp devant Jérusalem, [4]puis ils partirent et allèrent à Béerzeth avec vingt mille fantassins et deux mille cavaliers. [5]Judas avait établi son camp à Éléasa, ayant avec lui trois mille guerriers d'élite. [6]À la vue du grand nombre des ennemis, ils furent pris de frayeur et beaucoup s'échappèrent du camp, où il ne resta plus que huit cents hommes. [7]Judas vit que son armée s'était dérobée alors que le combat le pressait ; son cœur en fut brisé parce qu'il n'avait plus le temps de rassembler les siens. [8]Dans son désarroi, il dit cependant à ceux qui étaient restés : « Debout ! marchons contre nos adversaires si par hasard nous pouvons les combattre. » [9]Eux l'en dissuadaient : « Nous ne pouvons, disaient-ils, rien d'autre pour le moment que sauver notre vie, quitte à revenir avec nos frères pour reprendre la lutte. Nous sommes vraiment trop peu. » [10]Judas répliqua : « Loin de moi d'agir ainsi et de fuir devant eux. Si notre heure est arrivée, mourons bravement

pour nos frères et ne laissons rien à reprendre à notre gloire. »

[11]L'armée sortit du camp et s'arrêta face à l'ennemi. La cavalerie fut partagée en deux escadrons, les frondeurs et les archers marchaient sur le front de l'armée ainsi que les troupes de choc, tous les vaillants. [12]Bacchidès se tenait à l'aile droite, la phalange s'avança des deux côtés au son de la trompette. Ceux du côté de Judas sonnèrent aussi la trompette [13]et la terre fut ébranlée par la clameur des armées. Le combat s'engagea le matin et dura jusqu'au soir.

[14]Judas s'aperçut que Bacchidès et le fort de son armée se trouvaient à droite : autour de lui se groupèrent tous les hommes de cœur, [15]l'aile droite fut écrasée par eux et ils la poursuivirent jusqu'aux monts Azâra. [16]Cependant, voyant que l'aile droite était enfoncée, les Syriens de l'aile gauche se rabattirent sur les talons de Judas et de ses compagnons, les prenant à revers. [17]La lutte devint acharnée et, de part et d'autre, un grand nombre tombèrent frappés. [18]Judas succomba lui aussi, et le reste prit la fuite.

Funérailles de Judas Maccabée.

[19]Jonathan et Simon enlevèrent leur frère Judas et l'ensevelirent au tombeau de ses pères à Modîn. [20]Tout Israël le pleura et mena sur lui un grand deuil, redisant plusieurs jours cette lamentation : [21]« Comment est-il tombé, le héros qui sauvait Israël ? » [22]Le reste des actions de Judas, de ses guerres, des exploits qu'il accomplit et de ses titres de gloire, n'a pas été écrit ; il y en avait trop.

4. *Jonathan chef des Juifs et grand prêtre (160-143 av. J.-C.)*

Triomphe du parti grec. Jonathan chef de la résistance.

²³Après la mort de Judas, les sans-loi se montrèrent sur tout le territoire d'Israël et tous les artisans d'iniquité reparurent. ²⁴Comme en ces jours-là sévissait une très grande disette, le pays passa de leur côté. ²⁵Bacchidès choisit à dessein des hommes impies pour administrer le pays. ²⁶Ceux-ci exerçaient sur les amis de Judas perquisitions et enquêtes, puis les faisaient comparaître devant Bacchidès qui les punissait et les tournait en dérision. ²⁷Il sévit alors en Israël une oppression telle qu'il ne s'en était pas produite de pareille depuis le jour où l'on n'y avait plus vu de prophète.

²⁸Alors tous les amis de Judas se rassemblèrent et dirent à Jonathan : ²⁹« Depuis que ton frère Judas est mort, il ne se trouve plus d'homme semblable à lui pour s'opposer à nos ennemis, les Bacchidès et quiconque hait notre nation. ³⁰Nous te choisissons donc aujourd'hui même pour être à sa place notre chef et notre guide dans la lutte que nous avons entreprise. » ³¹C'est à ce moment-là que Jonathan prit le commandement et la succession de son frère Judas.

Jonathan au désert de Thékoé. Épisodes sanglants autour de Médaba.

³²Bacchidès, l'ayant appris, cherchait à faire périr Jonathan. ³³Celui-ci, en ayant eu connaissance, ainsi que son frère Simon et tous ceux qui l'accompagnaient s'enfuirent au désert de Thékoé et campèrent près de l'eau de la citerne Asphar. ³⁴(Bacchidès le sut le jour du sabbat et vint lui aussi avec toute son armée au-delà du Jourdain.)

³⁵Jonathan envoya son frère qui commandait à la troupe demander à ses amis les Nabatéens de mettre en dépôt chez eux ses bagages qui étaient considérables. ³⁶Mais les fils de Amraï, ceux de Médaba, sortirent, s'emparèrent de Jean et de tout ce qu'il avait et partirent avec leur butin. ³⁷Après ces événements, on annonça à Jonathan et à Simon, son frère, que les fils de Amraï célébraient une grande noce et amenaient en grande pompe depuis Nabatha la fiancée, fille d'un des grands personnages de Canaan. ³⁸Ils se souvinrent alors de la fin sanglante de leur frère Jean, et montèrent se cacher sous l'abri de la montagne. ³⁹En levant les yeux ils virent paraître, au milieu d'un bruit confus, une nombreux équipage, puis le fiancé, ses amis et ses frères s'avançant au-devant du cortège avec des tambourins, des musiques et un riche équipement guerrier. ⁴⁰De leur embuscade les Juifs se jetèrent sur eux et les massacrèrent, faisant de nombreuses victimes, tandis que les survivants fuyaient vers la montagne, et que toutes leurs dépouilles étaient emportées. ⁴¹Ainsi *les noces se changèrent en deuil et les accents musicaux en lamen-*

tations. ⁴²Ayant vengé de la sorte le sang de leur frère, ils revinrent aux rives fangeuses du Jourdain.

Le passage du Jourdain.

⁴³Bacchidès, l'ayant appris, vint le jour du sabbat jusqu'aux berges du Jourdain avec une nombreuse armée. ⁴⁴Alors Jonathan dit à ses gens : « Debout ! Luttons pour nos vies, car aujourd'hui ce n'est pas comme hier et avant-hier. ⁴⁵Voici que nous avons le combat en face de nous et derrière nous, ici l'eau du Jourdain, là le marais et le fourré, il n'y a pas où battre en retraite. ⁴⁶Maintenant donc, criez vers le Ciel afin d'échapper au pouvoir de vos ennemis. » ⁴⁷Le combat s'engagea et Jonathan étendit la main pour frapper Bacchidès, mais ce dernier lui échappa en se rejetant en arrière. ⁴⁸Alors Jonathan et ses compagnons sautèrent dans le Jourdain et atteignirent l'autre bord à la nage, mais les adversaires ne franchirent pas le fleuve à leur suite. ⁴⁹En cette journée, environ mille hommes restèrent sur le terrain du côté de Bacchidès.

Fortifications de Bacchidès. Mort d'Alkime.

⁵⁰De retour à Jérusalem, Bacchidès se mit à construire des villes fortes en Judée : la forteresse qui est à Jéricho, Emmaüs, Bethoron, Béthel, Tamnatha, Pharathôn et Tephôn, avec de hautes murailles, des portes et des verrous, ⁵¹laissant en chacune d'elles une garnison pour sévir contre Israël. ⁵²Il fortifia la ville de Bethsour, Gazara et la Citadelle ; il y plaça des hommes armés et des dépôts de vivres. ⁵³Il prit comme otages les fils des chefs du pays et les fit mettre sous garde dans la Citadelle de Jérusalem.

⁵⁴Et en l'année cent cinquante-trois, au deuxième mois, Alkime ordonna d'abattre le mur de la cour intérieure du sanctuaire ; il détruisit les travaux des prophètes, il commença à démolir. ⁵⁵En ce temps-là, Alkime eut une attaque et ses entreprises se trouvèrent empêchées. Sa bouche s'obstrua et fut paralysée de sorte qu'il lui fut désormais impossible de prononcer une seule parole et de donner des ordres concernant sa maison. ⁵⁶Alkime mourut à cette époque au milieu de vives souffrances. ⁵⁷Voyant qu'Alkime était mort, Bacchidès revint chez le roi et le pays de Juda fut en repos durant deux ans.

Le siège de Bethbassi.

⁵⁸Tous les sans-loi tinrent conseil : « Voici, disaient-ils, que Jonathan et les siens vivent tranquilles en toute confiance ; nous ferons donc venir maintenant Bacchidès et il les arrêtera tous en une seule nuit. » ⁵⁹Étant allés le trouver, ils en délibérèrent avec lui. ⁶⁰Bacchidès se mit en route avec une forte armée et écrivit en secret à tous ses alliés de Judée pour leur demander de se saisir de Jonathan et de ses compagnons, mais ils ne le purent, leur dessein ayant été éventé. ⁶¹Ceux-là, par contre, appréhendèrent parmi les hommes du pays, auteurs de cette scélératesse, une cinquantaine d'individus, et les massacrèrent. ⁶²Jonathan et Simon se retirèrent ensuite avec leurs partisans à

Bethbassi dans le désert, ils relevèrent ce qui était ruiné de cette place et la consolidèrent. [63]Bacchidès, en ayant eu connaissance, rassembla tous ses gens et fit appel à ses partisans de Judée. [64]Il vint camper près de Bethbassi, l'attaqua durant de nombreux jours et fit construire des machines. [65]Laissant son frère Simon dans la ville, Jonathan sortit dans la campagne et marcha avec une poignée de gens. [66]Il battit Odoméra et ses frères ainsi que les fils de Phasirôn dans leur campement ; ces gens se mirent à combattre eux aussi et à monter avec les troupes. [67]Simon et ses hommes firent une sortie et incendièrent les machines. [68]Ils combattirent Bacchidès qui, écrasé par eux, tomba dans un accablement profond parce que son plan et son attaque n'avaient pas réussi. [69]Il entra en fureur contre les mécréants qui lui avaient conseillé de venir dans le pays, il en tua beaucoup et, avec ses gens, il décida de retourner chez lui. [70]À cette nouvelle, Jonathan lui envoya des députés pour conclure avec lui la paix et la reddition des prisonniers. [71]Il accepta et fut fidèle à ses engagements : il lui jura de ne pas chercher à lui faire du mal durant tous les jours de sa vie. [72]Après avoir rendu les prisonniers qu'il avait faits auparavant au pays de Juda, Bacchidès s'en retourna chez lui et ne revint plus sur le territoire des Juifs. [73]L'épée se reposa en Israël et Jonathan s'installa à Machmas où il se mit à juger le peuple, et il fit disparaître les impies du milieu d'Israël.

Compétition d'Alexandre Balas. Il institue Jonathan grand prêtre.

10 [1]L'an cent soixante, Alexandre, fils d'Antiochus Épiphane, se mit en marche et vint occuper Ptolémaïs. Il fut reçu et c'est là qu'il inaugura son règne. [2]A cette nouvelle, le roi Démétrius rassembla une très forte armée et marcha contre lui pour le combattre. [3]Démétrius envoyait d'autre part à Jonathan une lettre des plus pacifiques lui promettant de l'élever en dignité. [4]Il se disait en effet : « Hâtons-nous de faire la paix avec ces gens-là avant qu'il ne la fassent avec Alexandre contre nous, [5]car Jonathan se souviendra de tous les maux que nous avons causés à sa personne, à ses frères et à sa nation. » [6]Il lui donna même l'autorisation de lever des troupes, de fabriquer des armes, et de se dire son allié, et prescrivit de lui rendre les otages qui étaient dans la Citadelle.

[7]Jonathan s'en vint à Jérusalem et lut le message en présence de tout le peuple et des gens de la Citadelle. [8]Une grande crainte les saisit lorsqu'ils entendirent que le roi lui avait accordé la faculté de lever des troupes. [9]Les gens de la Citadelle rendirent les otages à Jonathan qui les remit à leurs parents. [10]Jonathan habita Jérusalem et se mit à rebâtir et à restaurer la ville. [11]Il ordonna en particulier aux entrepreneurs des travaux de reconstruire le rempart et d'entourer le mont Sion de pierres de taille pour le fortifier, ce qui fut exécuté. [12]Les étrangers qui étaient dans les forteresses que Bacchi-

dès avait bâties prirent la fuite :
¹³chacun d'eux abandonna son
poste pour retourner en son pays.
¹⁴À Bethsour seulement on laissa
quelques-uns de ceux qui avaient
abandonné la Loi et les préceptes,
car c'était leur refuge.

¹⁵Le roi Alexandre apprit les
promesses que Démétrius avait
mandées à Jonathan. On lui raconta aussi les guerres et les exploits
dans lesquels lui et ses frères
s'étaient signalés et les peines
qu'ils avaient endurées. ¹⁶« Trouverons-nous jamais, s'écria-t-il,
un homme pareil ? Faisons-nous
donc de lui un ami et un allié ! »
¹⁷Il lui écrivit une lettre et la lui
envoya libellée en ces termes :
¹⁸« Le roi Alexandre à son frère
Jonathan, salut. ¹⁹Nous avons appris à ton sujet que tu es un homme puissant et que tu mérites
d'être notre ami. ²⁰Aussi, nous
t'établissons aujourd'hui grand
prêtre de ta nation et te donnons
le titre d'ami du roi – et il lui envoyait en même temps une chlamyde de pourpre et une couronne
d'or – afin que tu embrasses notre
parti et que tu nous gardes ton
amitié. »

²¹Et Jonathan revêtit les ornements sacrés le septième mois de
l'an cent soixante en la fête des
Tentes ; il rassembla des troupes
et fabriqua beaucoup d'armes.

Lettre de Démétrius Iᵉʳ à Jona-than.

²²Instruit de ces faits, Démétrius en fut contrarié et dit :
²³« Qu'avons-nous fait pour
qu'Alexandre ait capté avant nous
l'amitié des Juifs pour affermir sa
position ? ²⁴Je leur écrirai moi

aussi en termes persuasifs avec
des offres de situation élevée et de
richesses, afin qu'ils soient une aide pour moi. » ²⁵Et il leur écrit
en ces termes :

« Le roi Démétrius à la nation
des Juifs, salut. ²⁶Vous avez gardé
les conventions passées avec nous
et persévéré dans notre amitié,
vous n'êtes pas passés du côté de
nos ennemis, nous l'avons appris
et nous nous en sommes réjouis.
²⁷Continuez donc encore à nous
conserver votre fidélité et nous ré-
compenserons par des bienfaits ce
que vous faites pour nous. ²⁸Nous
vous accorderons beaucoup de remises et nous vous ferons des faveurs. ²⁹Dès à présent je vous libère et je décharge tous les Juifs
des contributions, des droits sur le
sel et des couronnes. ³⁰Et du tiers
des produits du sol et de la moitié
du fruit des arbres qui me revient,
je fais dès aujourd'hui et pour toujours la remise au pays de Juda et
aux trois nomes qui lui sont annexés de la Samarie-Galilée... à
partir de ce jour pour tout le
temps. ³¹Que Jérusalem soit sainte et exempte ainsi que son territoire, ses dîmes et ses droits.

³²Je renonce à la possession de
la Citadelle qui est à Jérusalem et
je la cède au grand prêtre pour
qu'il y établisse des hommes qu'il
choisira lui-même pour la garder.
³³Toute personne juive emmenée
captive hors du pays de Juda dans
toute l'étendue de mon royaume,
je lui rends la liberté sans rançon.
Je veux que tous soient exempts
d'impôts, même pour leurs bêtes.
³⁴Que toutes les solennités, les
sabbats, les néoménies, les jours
prescrits et les trois jours qui pré-

cèdent et qui suivent soient des jours de rémission et de franchise pour tous les Juifs qui sont dans mon royaume, [35]et personne n'aura la faculté d'exiger un paiement ni d'inquiéter quelqu'un d'entre eux pour n'importe quelle affaire. [36]On enrôlera des Juifs dans les armées du roi jusqu'au nombre de trente mille soldats et il leur sera donné la solde qui revient à toutes les troupes du roi. [37]Il en sera aussi placé dans les forteresses royales les plus importantes et il en sera établi dans les emplois de confiance du royaume ; que leurs préposés et leurs chefs sortent de leurs rangs et vivent selon leurs lois, comme le roi l'a ordonné pour le pays de Juda.

[38]Quant aux trois nomes ajoutés à la Judée aux dépens de la province de Samarie, qu'ils soient annexés à la Judée et considérés comme relevant d'un seul homme, n'obéissant à nulle autre autorité qu'à celle du grand prêtre. [39]Je donne en présent Ptolémaïs et le territoire qui s'y rattache au sanctuaire de Jérusalem pour couvrir les dépenses exigées par le culte. [40]Pour moi, je donne chaque année quinze mille sicles d'argent à prendre sur la liste royale dans les localités convenables. [41]Et tout le surplus, que les fonctionnaires n'ont pas versé comme dans les années antérieures, ils le donneront dorénavant pour les travaux du Temple. [42]En outre, les cinq mille sicles d'argent, somme qu'on prélevait sur les profits du sanctuaire dans le compte de chaque année, même cela est abandonné comme revenant aux prêtres qui font le service liturgique. [43]Quiconque se sera réfugié dans le Temple de Jérusalem et dans toutes ses limites, redevable des impôts royaux et de toute autre dette, sera libre avec tous les biens qu'il possède dans mon royaume. [44]Pour les travaux de construction et de restauration du sanctuaire, les dépenses seront aussi prélevées sur le compte du roi. [45]Pour reconstruire les murs de Jérusalem et fortifier son enceinte, les dépenses seront encore prélevées sur le compte du roi, ainsi que pour relever les murs des villes en Judée. »

Jonathan repousse les offres de Démétrius. Mort du roi.

[46]Lorsque Jonathan et le peuple eurent entendu ces paroles, ils n'y crurent pas et refusèrent de les admettre, parce qu'ils se souvenaient des grands maux que Démétrius avait causés à Israël, et de l'oppression qu'il avait fait peser sur eux. [47]Ils se décidèrent en faveur d'Alexandre parce qu'il l'emportait à leurs yeux en gratifications, et ils furent ses constants alliés. [48]Alors le roi Alexandre rassembla de grandes forces et s'avança contre Démétrius. [49]Les deux rois ayant engagé le combat, l'armée d'Alexandre prit la fuite. Démétrius se mit à sa poursuite et l'emporta sur ses soldats. [50]Il mena fortement le combat jusqu'au coucher du soleil. Mais ce jour-là même Démétrius succomba.

Mariage d'Alexandre avec Cléopâtre. Jonathan stratège et gouverneur.

[51]Alexandre envoya à Ptolémée, roi d'Égypte, des ambassa-

deurs, avec ce message : [52]« Puisque je suis revenu dans mon royaume, que je me suis assis sur le trône de mes pères, que je me suis emparé du pouvoir, puisque j'ai écrasé Démétrius, que j'ai pris possession de notre pays, [53]puisque je lui ai livré bataille et qu'il a été écrasé par nous, lui et son armée, et que nous sommes monté sur son siège royal, [54]faisons donc amitié l'un avec l'autre et donne-moi donc ta fille pour épouse, je serai ton gendre et je te donnerai, ainsi qu'à elle, des présents dignes de toi. »

[55]Le roi Ptolémée répondit en ces termes : « Heureux le jour où tu es rentré dans le pays de tes pères et où tu as occupé leur siège royal ! [56]Maintenant je ferai pour toi ce que tu as écrit, mais viens à ma rencontre à Ptolémaïs afin que nous nous voyions l'un l'autre, et je serai ton beau-père comme tu l'as dit. »

[57]Ptolémée partit d'Égypte, lui et Cléopâtre, sa fille, et vint à Ptolémaïs en l'an cent soixante-deux. [58]Le roi Alexandre vint au-devant de Ptolémée ; celui-ci lui donna sa fille Cléopâtre et célébra son mariage à Ptolémaïs avec grande magnificence, comme il sied à des rois. [59]Le roi Alexandre écrivit à Jonathan de venir le trouver. [60]Ce dernier se rendit à Ptolémaïs avec apparat et rencontra les deux rois ; il leur donna de l'argent et de l'or ainsi qu'à leurs amis, il fit de nombreux présents et trouva grâce à leurs yeux. [61]Alors s'unirent contre lui des vauriens, la peste d'Israël, pour se plaindre de lui, mais le roi ne leur prêta aucune attention ; [62]il ordonna même

d'ôter à Jonathan ses habits et de le revêtir de la pourpre, ce qui fut exécuté. [63]Le roi le fit asseoir auprès de lui et dit à ses dignitaires : « Sortez avec lui au milieu de la ville et publiez que personne n'élève de plainte contre lui sur n'importe quelle affaire et que nul ne l'inquiète pour quelque raison que ce soit. » [64]Quand ils virent les honneurs qu'on lui rendait, à la voix du héraut, et la pourpre sur ses épaules, tous ses accusateurs prirent la fuite. [65]Le roi lui fit l'honneur de l'inscrire au rang des premiers amis et de l'instituer stratège et méridarque. [66]Aussi Jonathan revint-il à Jérusalem dans la paix et la joie.

Démétrius II. Apollonius, gouverneur de Cœlé-Syrie, battu par Jonathan.

[67]En l'an cent soixante-cinq, Démétrius, fils de Démétrius, vint de Crète dans le pays de ses pères. [68]Le roi Alexandre, l'ayant appris, en fut très contrarié et revint à Antioche. [69]Démétrius confirma Apollonius qui était gouverneur de la Cœlé-Syrie, lequel rassembla une grande armée et, étant venu camper à Iamnia, envoya dire à Jonathan le grand prêtre :

[70]« Tu es absolument seul à t'élever contre nous, et moi je suis devenu un objet de dérision et d'injure à cause de toi. Pourquoi exerces-tu ton autorité contre nous dans les montagnes ? [71]Si donc tu as confiance dans tes forces, descends maintenant vers nous dans la plaine et là mesurons-nous l'un avec l'autre, car avec moi se trouve la force des villes. [72]Informe-toi et apprends

qui je suis et quels sont les autres qui nous prêtent leur concours. Ils disent que vous ne pourrez pas nous résister puisque deux fois tes pères ont été mis en fuite dans leur pays. ⁷³Et maintenant tu ne pourras pas résister à la cavalerie ni à une grande armée dans cette plaine où il n'y a ni rocher, ni caillasse, ni endroit pour fuir. »

⁷⁴Lorsque Jonathan eut entendu les paroles d'Apollonius, son esprit fut tout remué ; il fit choix de dix mille hommes et partit de Jérusalem, et Simon son frère le rejoignit avec une troupe de secours. ⁷⁵Il dressa son camp contre Joppé ; les gens de la ville lui avaient fermé ses portes parce qu'il y avait une garnison d'Apollonius dans Joppé, et l'attaque commença. ⁷⁶Pris de peur, les habitants ouvrirent les portes et Jonathan fut maître de Joppé. ⁷⁷Mis au courant, Apollonius rangea en ordre de bataille trois mille cavaliers et une nombreuse infanterie, et se dirigea sur Azôtos comme pour traverser le pays, tandis qu'en même temps il s'enfonçait dans la plaine, parce qu'il avait un grand nombre de cavaliers en qui il avait confiance. ⁷⁸Jonathan se mit à le poursuivre du côté d'Azôtos, et les deux armées en vinrent aux mains. ⁷⁹Or Apollonius avait laissé mille cavaliers cachés derrière eux. ⁸⁰Jonathan sut qu'il y avait une embuscade derrière lui. Les cavaliers entourèrent son armée et lancèrent leurs traits sur la troupe depuis le matin jusqu'au soir. ⁸¹La troupe tint bon, comme l'avait ordonné Jonathan, tandis que leurs chevaux se fatiguèrent. ⁸²Simon entraîna ses forces et at-

taqua la phalange une fois la cavalerie épuisée, et les ennemis furent écrasés par lui et prirent la fuite. ⁸³La cavalerie se débanda à travers la plaine et les fuyards gagnèrent Azôtos et entrèrent dans Beth-Dagôn, le temple de leur idole, afin d'y trouver le salut. ⁸⁴Mais Jonathan mit le feu à Azôtos et aux villes des alentours, il prit leurs dépouilles et livra aux flammes le sanctuaire de Dagôn et ceux qui s'y étaient réfugiés. ⁸⁵Ceux qui tombèrent sous l'épée, avec ceux qui furent brûlés, se trouvèrent au nombre de huit mille. ⁸⁶Jonathan partit de là pour aller camper près d'Ascalon ; les habitants de cette ville sortirent à sa rencontre en grand apparat. ⁸⁷Jonathan revint ensuite à Jérusalem avec les siens, chargés d'un grand butin. ⁸⁸Lorsque le roi Alexandre apprit ces événements, il accorda de nombreux honneurs à Jonathan. ⁸⁹Il lui envoya une agrafe d'or comme il est d'usage de l'accorder aux parents des rois, et lui donna en propriété Akkarôn et tout son territoire.

Ptolémée VI soutient Démétrius II. Il meurt ainsi qu'Alexandre Balas.

11 ¹Le roi d'Égypte rassembla des forces nombreuses comme le sable qui est sur le bord de la mer, ainsi que beaucoup de vaisseaux, et il chercha à s'emparer par ruse du royaume d'Alexandre pour l'ajouter à son propre royaume. ²Il s'en vint en Syrie avec des paroles de paix, les gens des villes lui ouvraient leurs portes et venaient à sa rencontre parce que l'ordre du roi Alexandre était de le recevoir, car il était son beau-père. ³Mais dès qu'il entrait dans les villes, Ptolémée casernait des troupes en garnison dans chaque ville. ⁴Lorsqu'il approcha d'Azôtos, on lui montra le sanctuaire de Dagôn incendié, Azôtos et ses environs ravagés, les cadavres épars, et les restes calcinés de ceux que Jonathan avait brûlés dans la guerre, car ils en avaient fait des tas sur le parcours du roi. ⁵Et ils racontèrent au roi ce qu'avait fait Jonathan pour qu'il le blâmât, mais le roi garda le silence. ⁶Et Jonathan vint à la rencontre du roi à Joppé avec apparat, ils échangèrent des salutations et couchèrent en ce lieu. ⁷Jonathan accompagna le roi jusqu'au fleuve appelé Éleuthère, puis revint à Jérusalem. ⁸Quant au roi Ptolémée, il se rendit maître des villes de la côte jusqu'à Séleucie-sur-Mer ; il méditait de mauvais desseins contre Alexandre. ⁹Il envoya des ambassadeurs au roi Démétrius pour lui dire : « Viens, concluons ensemble un traité : je te donnerai ma fille que possède Alexandre et tu régneras sur le royaume de ton père. ¹⁰Je me repens de lui avoir donné ma fille, car il a cherché à me tuer. » ¹¹Il lui reprochait cela parce qu'il convoitait son royaume. ¹²Ayant enlevé sa fille, il la donna à Démétrius ; il changea d'attitude avec Alexandre et leur inimitié devint manifeste. ¹³Ptolémée fit son entrée à Antioche et ceignit le diadème de l'Asie, de sorte qu'il mit à son front deux diadèmes, celui d'Égypte et celui d'Asie. ¹⁴Le roi Alexandre se trouvait en Cilicie en ce temps-là, parce que les gens de cette contrée s'étaient révoltés.

¹⁵Alexandre, instruit de tout cela, s'avança contre lui pour livrer bataille ; Ptolémée de son côté se mit en mouvement, marcha à sa rencontre avec une forte armée et le mit en fuite. ¹⁶Alexandre s'enfuit en Arabie pour y trouver un refuge, et le roi Ptolémée triompha. ¹⁷L'Arabe Zabdiel trancha la tête d'Alexandre et l'envoya à Ptolémée. ¹⁸Le roi Ptolémée mourut le surlendemain et les Égyptiens qui étaient dans ses places fortes furent tués par les habitants de celles-ci. ¹⁹Démétrius devint roi en l'année cent soixante-sept.

Premiers rapports entre Démétrius II et Jonathan.

²⁰En ces jours-là, Jonathan réunit ceux de la Judée pour attaquer la Citadelle qui est à Jérusalem et ils dressèrent contre elle de nombreuses machines. ²¹Alors des gens haïssant leur nation, des vauriens, s'en allèrent trouver le roi pour lui annoncer que Jonathan faisait le siège de la Citadelle. ²²À cette nouvelle, le roi fut irrité et, aussitôt averti, il partit sans retard et vint à Ptolémaïs. Il écrivit à Jonathan de cesser le siège et de venir le trouver pour conférer avec lui à Ptolémaïs le plus vite possible. ²³Dès qu'il eut reçu cet avis, Jonathan ordonna de poursuivre le siège, choisit pour compagnons des anciens d'Israël et des prêtres, et se livra lui-même au danger. ²⁴Prenant avec lui de l'argent, de l'or, des vêtements et autres cadeaux en quantité, il se rendit auprès du roi à Ptolémaïs et trouva grâce à ses yeux. ²⁵Certains mécréants de la nation portaient contre lui des accusations, ²⁶mais le

roi agit avec lui comme avaient agi ses prédécesseurs et il l'exalta en présence de tous ses amis. [27]Il lui confirma la grand-prêtrise et toutes les autres distinctions qu'il avait auparavant, et il le fit compter parmi les premiers amis. [28]Jonathan demanda au roi d'exempter d'impôts la Judée, ainsi que les trois toparchies de la Samaritide, lui promettant en retour trois cents talents. [29]Le roi consentit et écrivit à Jonathan sur tout ceci une lettre tournée de cette manière :

Nouvelle charte en faveur des Juifs. 10 26-45.

[30]« Le roi Démétrius à Jonathan, son frère, et à la nation des Juifs, salut. [31]La copie de la lettre que nous avons écrite à votre sujet à Lasthène notre parent, nous vous l'adressons aussi afin que vous en preniez connaissance : [32]Le roi Démétrius à Lasthène, son père, salut. [33]À la nation des Juifs qui sont nos amis et observent ce qui est juste envers nous, nous sommes décidés à faire du bien à cause des bons sentiments qu'ils ont à notre égard. [34]Nous leur confirmons et le territoire de la Judée et les trois nomes d'Aphéréma, de Lydda et de Ramathaïm. Ils ont été ajoutés de la Samarie à la Judée, ainsi que toutes leurs dépendances, en faveur de tous ceux qui sacrifient à Jérusalem, en échange des redevances régaliennes que le roi y percevait auparavant chaque année sur les produits de la terre et les fruits des arbres. [35]Quant aux autres droits que nous avons sur les dîmes et les impôts qui nous reviennent, sur les marais salants et les couronnes qui nous étaient dues, à dater de ce jour nous leur en faisons remise totale. [36]Il ne sera dérogé en rien à toutes ces faveurs, désormais et en aucun pays. [37]Ayez donc soin d'en faire une copie qui soit donnée à Jonathan et placée sur la montagne sainte en un lieu apparent. »

Démétrius II secouru par les troupes de Jonathan à Antioche.

[38]Le roi Démétrius, voyant que le pays était en repos sous sa direction et que rien ne lui offrait de résistance, renvoya toute son armée, chacun dans son foyer, sauf les forces étrangères qu'il avait recrutées dans les îles des nations. Aussi toutes les troupes qu'il tenait de ses pères se mirent à le haïr. [39]Or Tryphon, ancien partisan d'Alexandre, s'apercevant que toutes les troupes murmuraient contre Démétrius, se rendit chez Iamlikou, l'Arabe qui élevait Antiochus, le jeune fils d'Alexandre. [40]Il lui demandait avec insistance de lui livrer l'enfant pour qu'il régnât à la place de son père. Il le mit au courant de tout ce qu'avait ordonné Démétrius et de la haine que lui portaient ses armées. Il resta là de longs jours.

[41]Cependant Jonathan envoyait demander au roi Démétrius de faire sortir de la Citadelle de Jérusalem et des autres forteresses leurs garnisons toujours en guerre avec Israël. [42]Démétrius envoya dire à Jonathan : « Non seulement je ferai cela pour toi et pour ta nation, mais je te comblerai d'honneurs ainsi que ta nation dès que j'en trouverai l'occasion favorable. [43]Pour le moment tu ferais bien

d'expédier des hommes à mon secours, car toutes mes armées ont fait défection. » ⁴⁴Jonathan lui envoya à Antioche trois mille hommes aguerris ; quand ils arrivèrent chez le roi, celui-ci se réjouit de leur venue. ⁴⁵Les gens de la ville se massèrent au centre de la ville au nombre de près de cent vingt mille dans l'intention de faire périr le roi. ⁴⁶Celui-ci se réfugia dans le palais tandis que les citadins occupaient les rues de la ville et commençaient l'attaque. ⁴⁷Aussi le roi appela-t-il à son aide les Juifs, qui se rassemblèrent tous auprès de lui, pour se répandre à travers la ville et y tuer ce jour-là jusqu'à cent mille habitants. ⁴⁸Ils incendièrent la ville, faisant en même temps un butin considérable : c'est ainsi qu'ils sauvèrent le roi. ⁴⁹Lorsque les gens de la ville virent que les Juifs s'étaient rendus maîtres de la ville comme ils voulaient, ils perdirent courage et firent entendre au roi des cris suppliants : ⁵⁰« Donne-nous la main droite et que les Juifs cessent de combattre contre nous et contre la ville ! » ⁵¹Ils jetèrent leurs armes et firent la paix. Les Juifs furent couverts de gloire en présence du roi et devant tous ceux qui font partie de son royaume. S'étant fait un nom dans ses états, ils revinrent à Jérusalem chargés d'un riche butin. ⁵²Le roi Démétrius s'affermit sur le trône royal et le pays fut en repos sous sa direction. ⁵³Mais il manqua à toutes les paroles données, devint tout autre à l'égard de Jonathan, ne reconnut plus les services que celui-ci lui avait rendus et lui infligea mille vexations.

Jonathan contre Démétrius II. Simon reprend Bethsour. Affaire d'Asor.

⁵⁴Après cela Tryphon revint et avec lui Antiochus, tout jeune enfant, qui commença à régner et ceignit le diadème. ⁵⁵Et toutes les troupes dont Démétrius s'était débarrassé se groupèrent autour de lui et firent la guerre à Démétrius, qui fut mis en fuite et en déroute. ⁵⁶Tryphon prit les éléphants et s'empara d'Antioche.

⁵⁷Le jeune Antiochus écrivit à Jonathan en ces termes : « Je te confirme dans le souverain sacerdoce et je t'établis sur les quatre nomes et veux que tu sois parmi les amis du roi. » ⁵⁸Il lui envoyait en même temps des vases d'or et un service de table, lui donnait l'autorisation de boire dans des coupes d'or, de porter la pourpre et l'agrafe d'or. ⁵⁹Il institua Simon, son frère, stratège depuis l'Échelle de Tyr jusqu'aux frontières d'Égypte. ⁶⁰Jonathan partit et se mit à parcourir la Transeuphratène et les cités. Toutes les troupes de Syrie se rangèrent auprès de lui pour combattre avec lui ; arrivé à Ascalon, les habitants de la ville vinrent le recevoir magnifiquement. ⁶¹Il se rendit de là à Gaza. Gaza ferma ses portes, aussi en fit-il le siège, livrant sa banlieue au feu et au pillage. ⁶²Les gens de Gaza implorèrent Jonathan, qui leur accorda la paix mais prit comme otages les fils de leurs chefs qu'il envoya à Jérusalem. Il parcourut ensuite la contrée jusqu'à Damas. ⁶³Jonathan apprit que les généraux de Démétrius étaient arrivés à Kédès de Galilée avec une nom-

breuse armée, pour l'écarter de sa charge, ⁶⁴et il s'en alla à leur rencontre, tout en laissant son frère Simon dans le pays. ⁶⁵Simon assiégea Bethsour, la combattit durant de longs jours et en bloqua les habitants ⁶⁶qui lui demandèrent de faire la paix, ce qu'il leur accorda. Leur ayant fait évacuer la place, il prit possession de la ville et y plaça une garnison. ⁶⁷De son côté, Jonathan avec son armée était venu camper près des eaux du Gennèsar et de grand matin il atteignit la plaine d'Asor. ⁶⁸L'armée des étrangers s'avança à sa rencontre dans la plaine, après avoir détaché une embuscade contre Jonathan dans les montagnes. Tandis que cette armée marchait directement sur les Juifs, ⁶⁹les hommes de l'embuscade surgirent de leur cachette et engagèrent le combat. ⁷⁰Tous les soldats de Jonathan prirent la fuite, personne ne resta, à l'exception de Mattathias, fils d'Absalom, et de Judas, fils de Chalfi, généraux de ses troupes. ⁷¹Alors Jonathan déchira ses vêtements, répandit de la poussière sur sa tête et pria. ⁷²Revenu au combat il mit en déroute l'ennemi, qui prit la fuite. ⁷³A cette vue, ceux des siens qui fuyaient retournèrent vers lui et ils poursuivirent ensemble l'ennemi jusqu'à Kédès où était son camp, et eux-mêmes campèrent en ce lieu. ⁷⁴Il périt en cette journée-là trois mille hommes des troupes étrangères et Jonathan retourna à Jérusalem.

Relations de Jonathan avec Rome et Sparte.

12 ¹Jonathan, voyant que les circonstances lui étaient favorables, choisit des hommes qu'il envoya à Rome pour confirmer et renouveler l'amitié avec les Romains. ²Aux Spartiates et en d'autres lieux il envoya des lettres dans le même sens. ³Ils se rendirent donc à Rome, entrèrent au Sénat et dirent : « Jonathan le grand prêtre et la nation des Juifs nous ont envoyés renouveler l'amitié et l'alliance avec eux telles qu'elles étaient auparavant. » ⁴Le Sénat leur donna des lettres pour les autorités de chaque pays, recommandant de les acheminer en paix jusqu'au pays de Juda.

⁵Voici la copie de la lettre que Jonathan écrivit aux Spartiates :

⁶« Jonathan, grand prêtre, le sénat de la nation, les prêtres et le reste du peuple des Juifs aux Spartiates leurs frères, salut ! ⁷Déjà au temps passé, une lettre fut envoyée au grand prêtre Onias de la part d'Areios qui régnait parmi vous, attestant que vous êtes nos frères, comme le montre la copie ci-dessous. ⁸Onias reçut avec honneur l'homme qui était envoyé et prit la lettre, qui traitait clairement d'alliance et d'amitié. ⁹Pour nous, quoique nous n'en ayons pas besoin, ayant pour consolation les saints livres qui sont en nos mains, ¹⁰nous avons essayé d'envoyer renouveler la fraternité et l'amitié qui nous lient à vous afin que nous ne devenions pas des étrangers pour vous, car bien des années se sont écoulées depuis que vous nous avez envoyé une missive. ¹¹Quant à nous, nous ne cessons pas, en toute occasion, de faire mémoire de vous aux fêtes et aux autres jours fériés, dans les sacrifices que nous offrons et dans nos prières, comme il est juste et

convenable de se souvenir de ses frères. [12]Nous nous réjouissons de votre gloire. [13]Mais pour nous, tribulations et guerres se sont multipliées et les rois nos voisins nous ont combattus. [14]Nous n'avons pas voulu vous être à charge à propos de ces guerres, ni à nos autres alliés et amis, [15]car du Ciel nous vient un secours qui nous sauve. Aussi avons-nous été arrachés à nos ennemis, et ceux-ci ont été humiliés. [16]Nous avons donc choisi Nouménios, fils d'Antiochos, et Antipater, fils de Jason, et nous les avons envoyés aux Romains pour renouveler l'amitié et l'alliance qui nous unissaient à eux auparavant. [17]Nous leur avons mandé d'aller aussi chez vous, de vous saluer et de vous remettre notre lettre concernant le renouvellement de notre fraternité. [18]Et maintenant vous ferez bien de nous répondre à ce sujet. »

[19]Voici la copie de la lettre qu'on avait envoyée à Onias :

[20]« Areios, roi des Spartiates, à Onias, grand prêtre, salut. [21]Il a été trouvé dans un récit au sujet des Spartiates et des Juifs qu'ils sont frères et qu'ils sont de la race d'Abraham. [22]Maintenant que nous savons cela, vous ferez bien de nous écrire au sujet de votre prospérité. [23]Quant à nous, nous vous écrivons : Vos troupeaux et vos biens sont à nous et les nôtres sont à vous. En conséquence nous ordonnons qu'on vous apporte un message en ce sens. »

Jonathan en Cœlé-Syrie, Simon en Philistie.

[24]Jonathan apprit que les généraux de Démétrius étaient revenus avec une armée plus nombreuse qu'auparavant pour lui faire la guerre. [25]Il partit de Jérusalem et se porta à leur rencontre dans le pays de Hamath, car il ne leur donna pas le loisir d'entrer dans son territoire. [26]Il envoya des espions dans leur camp ; ceux-ci revinrent et lui annoncèrent qu'ils étaient disposés à tomber, la nuit, sur les Juifs. [27]Au coucher du soleil, Jonathan ordonna aux siens de veiller et d'avoir les armes sous la main pour être prêts au combat toute la nuit, et disposa des avant-postes tout autour du camp. [28]À la nouvelle que Jonathan et les siens étaient prêts au combat, les ennemis eurent peur et, le cœur pénétré d'épouvante, allumèrent des feux dans leur camp et s'esquivèrent. [29]Mais Jonathan et sa troupe ne s'aperçurent de leur départ qu'au matin, car ils voyaient briller les feux. [30]Jonathan se mit à leur poursuite mais ne les atteignit pas, parce qu'ils avaient franchi le fleuve Éleuthère. [31]Jonathan se tourna contre les Arabes appelés Zabadéens, les battit et s'empara de leurs dépouilles, [32]puis, ayant levé le camp, il vint à Damas et parcourut toute la province. [33]Quant à Simon, il était parti et avait marché jusqu'à Ascalon et aux places voisines. Il se détourna sur Joppé et l'occupa. [34]Il avait appris en effet que les habitants voulaient livrer cette place forte aux partisans de Démétrius ; il y plaça une garnison pour la garder.

Travaux à Jérusalem.

[35]Une fois revenu, Jonathan réunit l'assemblée des anciens du peu-

ple et décida avec eux d'édifier des forteresses en Judée, ³⁶de surélever les murs de Jérusalem, de dresser une haute barrière entre la Citadelle et la ville pour séparer celle-là de la ville et pour qu'elle fût isolée, afin que ses gens ne pussent ni acheter ni vendre. ³⁷Ils se réunirent pour rebâtir la ville : il était tombé une partie du mur du torrent qui est au levant ; il remit à neuf le quartier appelé Chaphénatha. ³⁸Quant à Simon, il rebâtit Adida dans le Bas-Pays, la fortifia et y déposa des portes munies de verrous.

Jonathan tombe aux mains de ses ennemis.

³⁹Tryphon songeait à régner sur l'Asie, à ceindre le diadème et à mettre la main sur le roi Antiochus. ⁴⁰Redoutant que Jonathan ne le laissât pas faire et qu'il ne lui fît au besoin la guerre, il cherchait un biais pour l'appréhender et le faire périr ; s'étant mis en mouvement, il vint à Bethsân. ⁴¹Jonathan sortit à sa rencontre avec quarante mille hommes choisis pour la bataille rangée, et vint à Bethsân. ⁴²Tryphon, voyant qu'il était venu avec une armée nombreuse, se garda de mettre la main sur lui. ⁴³Il le reçut même avec honneur, le recommanda à tous ses amis, lui fit des cadeaux et ordonna à ses amis et à ses troupes de lui obéir comme à lui-même. ⁴⁴Il dit à Jonathan : « Pourquoi as-tu fatigué tout ce peuple alors qu'il n'y a pas entre nous menace de guerre ? ⁴⁵Renvoie-les donc chez eux, choisis-toi quelques hommes pour t'accompagner et viens avec moi à Ptolémaïs. Je te livrerai cette ville ainsi que les autres forteresses, le reste des troupes et tous les fonctionnaires, puis, prenant le chemin du retour, je m'en irai, car c'est dans ce but que je suis venu ici. » ⁴⁶Lui faisant confiance, Jonathan agit suivant ses dires : il renvoya ses troupes, qui regagnèrent le pays de Juda. ⁴⁷Il garda avec lui trois mille hommes dont il détacha deux mille en Galilée, et mille allèrent avec lui. ⁴⁸Lorsque Jonathan fut entré à Ptolémaïs, les Ptolémaïtes fermèrent les portes, se saisirent de sa personne et passèrent tous ceux qui étaient entrés avec lui au fil de l'épée. ⁴⁹Tryphon envoya des troupes et de la cavalerie en Galilée et dans la Grande Plaine pour exterminer tous les partisans de Jonathan. ⁵⁰Ceux-ci comprirent qu'il avait été pris et qu'il était perdu comme ceux qui se trouvaient avec lui ; ils s'encouragèrent les uns les autres et marchèrent en rangs serrés, prêts au combat. ⁵¹Ceux qui les poursuivaient, voyant qu'ils luttaient pour leur vie, s'en retournèrent. ⁵²Ils arrivèrent tous sains et saufs au pays de Juda, pleurèrent Jonathan et ses compagnons et furent en proie à une grande frayeur ; tout Israël mena un grand deuil. ⁵³Toutes les nations d'alentour cherchèrent à les exterminer : « Ils n'ont pas de chef, disaient-ils, ni d'aide, il est temps de les attraper et nous effacerons leur souvenir du milieu des hommes. »

5. Simon, grand prêtre et ethnarque des Juifs (143-134 av. J.-C.)

Simon prend le commandement.

13 ¹Simon apprit que Tryphon avait réuni une grande armée pour aller ravager le pays de Juda. ²Voyant que le peuple tremblait d'épouvante, il monta à Jérusalem, rassembla le peuple ³qu'il exhorta en ces termes : « Vous n'êtes pas sans savoir tout ce que moi, mes frères et la maison de mon père avons fait pour les lois et le saint lieu, ainsi que les guerres et les tribulations que nous avons vues. ⁴C'est bien pour cela que tous mes frères ont péri, oui, pour la cause d'Israël, et que moi je suis resté tout seul. ⁵Maintenant, loin de moi d'épargner ma vie en aucun temps d'oppression ! car je ne suis pas meilleur que mes frères. ⁶Mais plutôt je vengerai ma nation, le lieu saint, vos femmes et vos enfants, parce que toutes les nations se sont coalisées pour nous anéantir, poussées par la haine. » ⁷À ces paroles, l'esprit du peuple se ralluma ; ⁸ils répondirent d'une voix forte : « Tu es notre guide à la place de Judas et de Jonathan, ton frère ; ⁹prends la direction de notre guerre et tout ce que tu nous diras, nous le ferons. » ¹⁰Il rassembla tous les hommes aptes au combat, se hâta d'achever les murs de Jérusalem et la fortifia. ¹¹Il envoya à Joppé Jonathan, fils d'Absalom, avec une troupe importante ; celui-ci en chassa les habitants et s'y établit.

Simon repousse Tryphon de la Judée.

¹²Tryphon partit de Ptolémaïs avec une nombreuse armée pour entrer dans le pays de Juda, ayant avec lui Jonathan prisonnier. ¹³Simon vint alors camper à Adida, en face de la plaine. ¹⁴Tryphon, ayant appris que Simon avait remplacé son frère Jonathan et qu'il était sur le point d'engager la lutte avec lui-même, lui dépêcha des messagers pour lui dire : ¹⁵« C'est au sujet de l'argent que ton frère Jonathan doit au trésor royal, à raison des fonctions qu'il remplissait, que nous le tenons captif. ¹⁶Envoie donc maintenant cent talents d'argent et deux de ses fils en otages, de peur qu'une fois relâché il ne se rebelle contre nous ; alors nous le laisserons aller. » ¹⁷Simon, bien qu'il connût la fausseté des paroles que lui adressaient les messagers, envoya prendre l'argent et les enfants, de peur de s'attirer une grande inimitié de la part du peuple qui aurait dit : ¹⁸« C'est parce que je n'ai pas envoyé l'argent et les enfants que Jonathan a péri. » ¹⁹Il envoya donc les enfants et les cent talents, mais Tryphon le trompa en ne renvoyant pas Jonathan. ²⁰Après cela, Tryphon se mit en marche pour envahir le pays et le ravager ; il fit un détour par le chemin d'Adôra : Simon et son armée lui faisaient obstacle partout où il passait. ²¹Cependant ceux de la Citadelle dépêchaient à Tryphon

des messagers le pressant de venir chez eux par le désert et de leur faire parvenir des vivres. [22]Tryphon disposa alors toute sa cavalerie pour y aller, mais dans cette nuit-là il tomba une neige si abondante qu'il ne put s'y rendre. Il partit de là et se rendit en Galaaditide. [23]Aux approches de Baskama, il tua Jonathan, qui fut enseveli en ce lieu. [24]Tryphon, s'en retournant, regagna son pays.

Jonathan enseveli dans le mausolée de Modîn construit par Simon.

[25]Simon envoya recueillir les ossements de Jonathan, son frère, et il l'ensevelit à Modîn, ville de ses pères. [26]Tout Israël mena sur lui un grand deuil et se lamenta durant de longs jours. [27]Simon bâtit sur la sépulture de son père et de ses frères un monument de pierres polies tant par derrière qu'en façade, assez haut pour être vu. [28]Il érigea sept pyramides, l'une en face de l'autre, à son père, à sa mère et à ses quatre frères. [29]Il les entoura d'un ouvrage consistant en hautes colonnes surmontées de panoplies, pour un souvenir éternel, et, à côté des panoplies, de vaisseaux sculptés pour être vus par tous ceux qui naviguent sur la mer. [30]Tel est le mausolée qu'il fit à Modîn, et qui existe encore aujourd'hui.

Faveurs de Démétrius II à l'égard de Simon.

[31]Or Tryphon, usant de perfidie avec le jeune roi Antiochus, le mit à mort. [32]Il régna à sa place, ceignit le diadème de l'Asie et fit beaucoup de mal dans le pays. [33]Quant à Simon, il rebâtit les forteresses de Judée, les entoura de hautes tours et de murs élevés munis de portes et de verrous et, dans ces forteresses, il entreposa des vivres. [34]En outre, Simon désigna des hommes qu'il envoya au roi Démétrius pour que celui-ci accordât rémission à la province, parce que tous les actes de Tryphon n'étaient que rapines. [35]Le roi Démétrius envoya une réponse à sa demande dans une lettre libellée comme suit :

[36]« Le roi Démétrius à Simon, grand prêtre, ami des rois, aux anciens et à la nation des Juifs, salut. [37]Nous avons agréé la couronne d'or et la palme que vous nous avez envoyées et nous sommes disposés à faire avec vous une paix complète et à écrire aux fonctionnaires de vous accorder des remises. [38]Tout ce que nous avons statué à votre égard reste stable, et les forteresses que vous avez construites sont à vous. [39]Nous vous remettons les erreurs et les manquements commis jusqu'à ce jour ainsi que la couronne que vous devez, et si quelque autre droit était perçu à Jérusalem, qu'il ne soit plus exigé. [40]Si quelques-uns d'entre vous étaient aptes à s'enrôler dans notre garde du corps, qu'ils se fassent inscrire et que la paix soit faite entre nous. » [41]L'an cent soixante-dix le joug des nations fut ôté d'Israël, [42]et le peuple commença à écrire sur les actes et les contrats : « En la première année sous Simon, grand prêtre éminent, stratège et higoumène des Juifs. »

Prise de Gazara par Simon.

|| 2 M **10** 32-38.

[43]En ces jours-là, Simon vint mettre le siège devant Gazara et

l'investir avec ses troupes. Il construisit une tour roulante, la fit donner contre la ville, ouvrit une brèche dans l'un des bastions et s'en empara. [44]Ceux qui étaient dans la tour sautèrent dans la place, ce qui y produisit une agitation considérable. [45]Les habitants de la ville avec leurs femmes et leurs enfants montèrent sur le rempart et, déchirant leurs vêtements, ils demandèrent à grands cris à Simon de faire la paix avec eux : [46]« Ne nous traite pas, dirent-ils, selon notre méchanceté, mais selon ta miséricorde. » [47]Simon fit un arrangement avec eux et ne les combattit pas. Seulement, il les chassa de la ville, purifia les maisons dans lesquelles il y avait des idoles, et alors il y entra au chant des hymnes et des bénédictions. [48]Il en bannit toute impureté, y établit des hommes qui pratiquaient la Loi et, l'ayant fortifiée, il s'y bâtit pour lui-même une résidence.

Conquête de la Citadelle de Jérusalem par Simon.

[49]Quant à ceux de la Citadelle à Jérusalem, ils étaient empêchés de sortir et de se rendre à la campagne, d'acheter et de vendre : ils eurent terriblement faim et nombre d'entre eux furent emportés par la famine. [50]Ils demandèrent avec cris à Simon de faire la paix avec eux, ce qu'il leur accorda. Il les chassa de là et purifia la Citadelle de toute souillure. [51]Les Juifs y firent leur entrée le vingt-trois du deuxième mois de l'an cent soixante et onze, avec des acclamations et des palmes, au son des lyres, des cymbales et des harpes, au chant des hymnes et des

cantiques, parce qu'un grand ennemi avait été brisé et jeté hors d'Israël. [52]Simon ordonna de célébrer chaque année ce jour-là avec jubilation. Il fortifia la montagne du sanctuaire du côté de la Citadelle et y habita lui et les siens. [53]Simon vit que Jean, son fils, était vraiment un homme ; aussi l'établit-il chef de toutes les forces ; il résidait à Gazara.

Éloge de Simon.

14 [1]En l'année cent soixante-douze, le roi Démétrius réunit son armée et s'en alla en Médie se procurer des secours afin de combattre Tryphon. [2]Arsace, roi de Perse et de Médie, ayant appris que Démétrius était entré sur son territoire, envoya un de ses généraux le capturer vivant. [3]Celui-ci partit et défit l'armée de Démétrius, dont il se saisit ; il l'amena à Arsace, qui le mit en prison.

[4]Le pays de Juda fut en repos durant tous les jours du règne de Simon.

Il chercha le bien de sa nation
  et son autorité fut agréée des siens,
comme sa magnificence, durant toute sa vie.

[5]En plus de ses titres de gloire,
  il prit Joppé, en fit son port,
  et s'ouvrit un accès aux îles de la mer.

[6]Il recula les frontières de sa nation,
  tout en gardant le pays en main,
[7]et regroupa la foule des captifs.

Il maîtrisa Gazara, Bethsour et la Citadelle,
  il en extirpa les impuretés

et nul ne se trouva pour lui résister.

⁸Les gens cultivaient leur terre en paix,

la terre donnait ses produits

et les arbres de la plaine leurs fruits.

⁹Les vieillards sur les places étaient assis,

tous s'entretenaient de la prospérité,

les jeunes revêtaient de magnifiques armures.

¹⁰Aux villes il fournit des vivres,

il les munit de fortifications,

si bien que sa gloire parvint au bout du monde.

¹¹Il fit la paix dans le pays

et Israël éprouva une grande allégresse.

¹²Chacun s'assit sous sa vigne et son figuier

et il n'y avait personne pour l'inquiéter.

¹³Quiconque le combattait dans le pays disparut

et, en ces jours-là, les rois furent écrasés.

¹⁴Il affermit tous les humbles de son peuple

et supprima tout impie et tout méchant.

Il observa la Loi,

¹⁵couvrit de gloire le sanctuaire

et l'enrichit de vases nombreux.

Renouvellement de l'alliance avec Sparte et Rome.

¹⁶Lorsqu'on apprit à Rome, et jusqu'à Sparte, que Jonathan était mort, on en fut profondément affligé. ¹⁷Mais lorsqu'on entendit que Simon, son frère, lui avait succédé comme grand prêtre et qu'il était maître du pays et des villes qui s'y trouvaient, ¹⁸ils lui écrivirent sur des tablettes de bronze pour renouveler avec lui l'amitié et l'alliance qu'ils avaient conclues avec Judas et Jonathan ses frères. ¹⁹Lecture en fut donnée devant l'assemblée à Jérusalem. ²⁰Voici la copie des lettres qu'envoyèrent les Spartiates :

« Les magistrats et la ville des Spartiates à Simon, grand prêtre, aux anciens, aux prêtres et au reste du peuple des Juifs, salut. ²¹Les ambassadeurs que vous avez envoyés à notre peuple nous ont informés de votre gloire et de votre bonheur, nous avons été enchantés de leur venue. ²²Nous avons enregistré leurs déclarations parmi les décisions populaires en ces termes : Nouménios, fils d'Antiochos, et Antipater, fils de Jason, ambassadeurs des Juifs, sont venus chez nous pour renouer amitié avec nous. ²³Et il a plu au peuple de recevoir ces personnages avec honneur et de déposer la copie de leurs discours aux archives publiques, pour que le peuple de Sparte en garde le souvenir. Il en a été exécuté par ailleurs une copie pour Simon le grand prêtre. »

²⁴Après cela, Simon envoya Nouménios à Rome avec un grand bouclier d'or du poids de mille mines, pour confirmer l'alliance avec eux.

Décret honorifique en faveur de Simon.

²⁵En apprenant ces faits, on dit parmi le peuple : « Quel témoignage de reconnaissance donnerons-nous à Simon et à ses fils ? ²⁶Car il s'est montré ferme, lui aussi bien

que ses frères et la maison de son père ; il a, en les combattant, repoussé les ennemis d'Israël loin de lui, et établi sa liberté. » Aussi gravèrent-ils un texte sur des tables de bronze et le placèrent-ils sur des stèles au mont Sion. [27]Voici la copie de ce texte :

« Le dix-huit Élul de l'an cent soixante-douze qui est la troisième année de Simon, grand prêtre éminent, en Asaramel, [28]en la grande assemblée des prêtres, du peuple, des princes de la nation et des anciens du pays, on nous a notifié ceci :

[29]Lorsque des combats incessants eurent lieu dans la contrée, Simon, fils de Mattathias, descendant des fils de Ioarib, et ses frères se sont exposés au danger et ont tenu tête aux ennemis de leur nation, afin que leur sanctuaire demeurât debout ainsi que la Loi, et ils ont acquis à leur nation une grande gloire. [30]Jonathan rassembla sa nation et devint son grand prêtre, puis il alla rejoindre son peuple. [31]Les ennemis des Juifs voulurent envahir leur pays pour ravager leur territoire et porter la main sur leur sanctuaire. [32]Alors Simon se leva et combattit pour sa nation. Il dépensa beaucoup de ses propres richesses, fournit des armes aux hommes vaillants de sa nation et leur donna une solde ; [33]il fortifia les villes de Judée ainsi que Bethsour, sur les limites de la Judée, où se trouvaient auparavant les armes des ennemis, et il y mit une garnison de guerriers juifs. [34]Il fortifia Joppé sur la mer et Gazara sur les limites d'Azôtos, habitée naguère par des ennemis, où il plaça des colons juifs et entreposa tout ce qui

convenait à leur entretien. [35]Le peuple vit la fidélité de Simon et la gloire qu'il se proposait de donner à sa nation ; ils le constituèrent leur higoumène et leur grand prêtre à cause de tous les services qu'il avait rendus, à cause de la justice et de la fidélité qu'il garda envers sa nation et parce qu'il avait travaillé de toutes manières à l'élévation de son peuple. [36]En ces jours, il lui fut donné d'extirper de son pays les nations et ceux qui étaient dans la Cité de David à Jérusalem, dont ils s'étaient fait une citadelle d'où ils opéraient des sorties, souillant les alentours du sanctuaire et portant une atteinte grave à sa sainteté. [37]Il y établit des guerriers juifs et la fortifia pour la sécurité du pays et de la ville, et il exhaussa les murailles de Jérusalem.

[38]Le roi Démétrius lui confirma en conséquence la souveraine sacrificature, [39]il l'éleva au rang des amis et l'entoura d'un éclat considérable. [40]Le roi en effet avait appris que les Romains appelaient les Juifs amis, alliés et frères, qu'ils avaient reçu avec honneur les ambassadeurs de Simon, [41]et que les Juifs et les prêtres avaient jugé bon que Simon fût higoumène et grand prêtre pour toujours jusqu'à ce que paraisse un prophète accrédité ; [42]et aussi qu'il fût leur stratège et prît soin de désigner les responsables de la fabrique du sanctuaire, de l'administration du pays, des armements et des places fortes ; [43](qu'il prît soin du sanctuaire), qu'il fût obéi de tous, que tous les actes dans le pays fussent rédigés en son nom, qu'il fût revêtu de la pourpre et portât des ornements d'or. [44]Il ne sera permis à personne

du peuple et d'entre les prêtres de rejeter un de ces points, ni de contredire les ordres qu'il donnera, ni de tenir un conciliabule dans le pays à son insu, ni de revêtir la pourpre ou de porter l'agrafe d'or. [45]Quiconque agira contrairement à ces décisions ou en rejettera un point, sera passible d'une peine. [46]Le peuple trouva bon d'accorder à Simon le droit d'agir suivant ces dispositions. [47]Simon accepta et il consentit à exercer le souverain sacerdoce, à être stratège et ethnarque des Juifs et des prêtres, à être à la tête de tous. [48]Ils décrétèrent que cet écrit serait gravé sur des tables de bronze qui devraient être placées dans l'enceinte du sanctuaire en un lieu apparent, [49]et que des copies en seraient déposées dans le Trésor pour être à la disposition de Simon et de ses fils. »

Lettre d'Antiochus VII et siège de Dôra.

15 [1]Antiochus, fils du roi Démétrius, envoya, des îles de la mer, à Simon, prêtre et ethnarque des Juifs, et à toute la nation, [2]une lettre ainsi conçue :

« Le roi Antiochus à Simon, grand prêtre et ethnarque, et à la nation des Juifs, salut. [3]Puisque des malfaiteurs se sont emparés du royaume de nos pères, que je prétends revendiquer la possession du royaume afin de le rétablir dans sa situation antérieure, et que j'ai levé quantité de troupes et équipé des vaisseaux de guerre [4]avec l'intention de débarquer dans le pays et de poursuivre ceux qui l'ont ruiné et qui ont dévasté beaucoup de villes de mon royaume, [5]je te confirme donc maintenant toutes les remises que t'ont concédées les rois, mes prédécesseurs, et la dispense de tous les autres présents qu'ils t'ont accordée. [6]Je te permets de battre monnaie à ton empreinte, avec cours légal dans ton pays. [7]Que Jérusalem et le sanctuaire soient libres ; que toutes les armes que tu as fabriquées et les forteresses que tu as bâties et que tu occupes te demeurent. [8]Que tout ce que tu dois au trésor royal et ce que tu lui devras dans l'avenir te soit remis dès maintenant et pour toujours. [9]Lorsque nous aurons conquis notre royaume, nous te gratifierons, toi, ta nation et le sanctuaire, de tels honneurs que votre gloire deviendra éclatante sur toute la terre. »

[10]L'année cent soixante-quatorze, Antiochus se mit en marche vers le pays de ses pères, et toutes les troupes s'en vinrent à lui, de sorte qu'il resta peu de monde avec Tryphon. [11]Antiochus se mit à sa poursuite et Tryphon s'enfuit à Dôra sur la mer, [12]car il savait que les malheurs s'amassaient sur lui et que ses troupes l'avaient abandonné. [13]Antiochus vint camper devant Dôra, avec cent vingt mille combattants et huit mille cavaliers. [14]Il investit la ville, et les vaisseaux s'approchèrent du côté de la mer, de sorte qu'il pressait la ville par terre et par mer et ne laissait personne entrer ni sortir.

Retour de l'ambassade de Rome en Judée et promulgation de l'alliance avec les Romains.

[15]Cependant, Nouménios et ses compagnons arrivèrent de Rome avec des lettres adressées aux rois et aux pays ; en voici la teneur :

[16]« Lucius, consul des Romains, au roi Ptolémée, salut. [17]Les ambassadeurs des Juifs sont venus chez nous en amis et en alliés pour renouveler l'amitié et l'alliance de jadis, envoyés par le grand prêtre Simon et le peuple des Juifs. [18]Ils ont apporté un bouclier d'or de mille mines. [19]Il nous a plu, en conséquence, d'écrire aux rois et aux pays de ne pas leur chercher noise, de ne pas leur faire la guerre, ni à leurs villes, ni à leur pays, et de ne pas s'allier à ceux qui les attaqueraient. [20]Nous avons décrété de recevoir le bouclier de leur part. [21]Si donc des gens pernicieux se sont enfuis de leur pays pour se réfugier chez vous, livrez-les au grand prêtre Simon pour qu'il les punisse suivant leurs lois. »

[22]La même lettre fut adressée au roi Démétrius, à Attale, à Ariarathe, à Arsace [23]et à tous les pays, à Sampsamè, aux Spartiates, à Délos, à Myndos, à Sicyone, à la Carie, à Samos, à la Pamphylie, à la Lycie, à Halicarnasse, à Rhodes, à Phasélis, à Cos, à Sidè, à Arados, à Gortyne, à Cnide, à Chypre et à Cyrène. [24]Ils rédigèrent une copie de ces lettres pour le grand prêtre Simon.

Antiochus VII assiégeant Dôra devient hostile à Simon et le fait réprimander.

[25]Le roi Antiochus campait devant Dôra, dans le faubourg, faisant avancer continuellement les détachements contre la ville et construisant des machines. Il bloquait Tryphon de sorte qu'on ne pouvait ni sortir ni entrer. [26]Simon lui envoya deux mille hommes d'élite pour prendre part au combat, avec de l'argent, de l'or et un matériel considérable. [27]Il ne voulut pas les recevoir ; bien plus, il révoqua tout ce dont il avait convenu avec Simon auparavant et il devint tout autre à son égard. [28]Il lui envoya Athénobius, un de ses amis, pour conférer avec lui et lui dire : « Vous occupez Joppé, Gazara et la Citadelle qui est à Jérusalem, villes de mon royaume. [29]Vous avez dévasté leurs territoires, vous avez fait beaucoup de mal au pays et vous vous êtes rendu maîtres de nombreuses localités de mon royaume. [30]Rendez donc maintenant les villes que vous avez prises et les impôts des cantons dont vous vous êtes emparés en dehors des limites de la Judée. [31]Ou bien donnez à leur place cinq cents talents d'argent et, pour les dévastations que vous avez commises et pour les impôts des villes, cinq cents autres talents ; sinon, nous viendrons vous faire la guerre. » [32]Athénobius, ami du roi, vint à Jérusalem et vit la magnificence de Simon, son buffet garni de vases d'or et d'argent et tout l'apparat dont il s'entourait. Il en fut stupéfait et lui fit connaître les paroles du roi. [33]Simon lui répondit en ces termes : « Ce n'est point une terre étrangère que nous avons prise ni des biens d'autrui que nous avons conquis, mais c'est l'héritage de nos pères : c'est injustement que nos ennemis l'ont possédé un certain temps. [34]Mais nous, trouvant l'occasion favorable, nous récupérons l'héritage de nos pères. [35]Quant à Joppé et à Gazara que tu réclames, ces villes faisaient beaucoup de mal au peuple et dé-

solaient notre pays, pour elles nous donnerons cent talents. » L'envoyé ne lui répondit mot. [36]Il s'en revint furieux chez le roi et lui fit connaître la réponse et la magnificence de Simon, bref, tout ce qu'il avait vu, ce qui mit le roi dans une grande colère.

Le gouverneur Kendébée harcèle la Judée.

[37]Or Tryphon, étant monté sur un bateau, s'enfuit à Orthosia. [38]Le roi institua Kendébée épistratège de la Zone Maritime et lui confia une armée de fantassins et de cavaliers. [39]Il lui donna l'ordre de camper en face de la Judée et lui enjoignit de construire Kédrôn, de consolider ses portes et de guerroyer contre le peuple ; quant au roi il se mit à la poursuite de Tryphon. [40]Kendébée se rendit à Iamnia et ne tarda pas à provoquer le peuple, à envahir la Judée, à faire des prisonniers et à massacrer. [41]Il rebâtit Kédrôn et y cantonna des cavaliers et des fantassins pour opérer des sorties et patrouiller sur les chemins de Judée, comme le roi le lui avait ordonné.

Victoire des fils de Simon sur Kendébée.

16 [1]Jean monta de Gazara et avertit Simon son père de ce que Kendébée était en train d'accomplir. [2]Simon appela alors ses deux fils les plus âgés, Judas et Jean, et leur dit : « Mes frères et moi, et la maison de mon père, nous avons combattu les ennemis d'Israël depuis notre jeunesse jusqu'à ce jour, et nos mains ont réussi à sauver Israël maintes fois. [3]Maintenant je suis vieux, tandis que vous, par la miséricorde du ciel, vous êtes d'un âge suffisant : prenez ma place et celle de mon frère et partez combattre pour notre nation, et que le secours du Ciel soit avec vous. » [4]Puis il choisit dans le pays vingt mille combattants et des cavaliers qui marchèrent sur Kendébée et passèrent la nuit à Modîn. [5]S'étant levés le matin, ils s'avancèrent vers la plaine. Et voici qu'une armée nombreuse venait à leur rencontre, fantassins et cavaliers, mais il y avait un torrent entre eux. [6]Jean prit position en face des ennemis, lui et sa troupe, et, voyant que la troupe craignait de traverser le torrent, il passa le premier. À cette vue, ses hommes à leur tour passèrent après lui. [7]Il divisa la troupe (en deux corps) avec les cavaliers au milieu des fantassins, car la cavalerie des adversaires était fort nombreuse. [8]Les trompettes retentirent et Kendébée fut mis en fuite avec son armée ; beaucoup tombèrent frappés à mort ; ceux qui échappèrent s'enfuirent vers la forteresse. [9]C'est alors que fut blessé Judas, le frère de Jean. Quant à Jean, il les poursuivit jusqu'à ce que Kendébée arrivât à Kédrôn qu'il avait rebâtie. [10]Ils s'enfuirent jusqu'aux tours qui sont dans les champs d'Azôtos, que Jean incendia. Deux mille d'entre eux succombèrent et il retourna en paix dans la Judée.

Mort tragique de Simon à Dôk. Son fils Jean lui succède.

[11]Ptolémée fils d'Aboubos avait été établi stratège de la plaine de Jéricho ; il possédait beau-

coup d'or et d'argent, [12] car il était le gendre du grand prêtre. [13] Son cœur s'enorgueillit ; il aspira à se rendre maître du pays et formait des desseins perfides contre Simon et ses fils pour les supprimer. [14] Or Simon faisait une tournée d'inspection dans les villes du pays, soucieux de ce qui regardait leur administration. Il descendit à Jéricho, lui et ses fils Mattathias et Judas, l'année cent soixante-dix-sept, au onzième mois qui est le mois de Shebat. [15] Le fils d'Aboubos les reçut par ruse dans une petite forteresse, nommée Dôk, qu'il avait bâtie. Il leur servit un grand banquet et cacha des hommes dans le fortin. [16] Lorsque Simon fut ivre ainsi que ses fils, Ptolémée se leva avec ses hommes et, prenant leurs armes, ils se précipitèrent sur Simon dans la salle du festin et le tuèrent avec ses deux fils et quelques-uns de ses serviteurs. [17] Il commit ainsi une grande perfidie et rendit le mal pour le bien.

[18] Ptolémée en écrivit un rapport qu'il adressa au roi, afin de se faire envoyer des troupes de secours et de lui livrer les villes et la province. [19] Il envoya d'autres émissaires à Gazara pour supprimer Jean, et manda par lettre aux chiliarques de venir auprès de lui pour qu'il leur donnât de l'argent, de l'or et des présents. [20] Il en dépêcha d'autres pour prendre possession de Jérusalem et de la montagne du sanctuaire. [21] Mais quelqu'un, ayant pris les devants, avait annoncé à Jean, à Gazara, que son père et ses frères avaient péri, et il dit : « Il a envoyé quelqu'un pour te tuer toi aussi. » [22] À cette nouvelle, Jean fut tout bouleversé ; il arrêta les hommes venus pour le tuer et les mit à mort, car il savait qu'ils cherchaient à le perdre. [23] Quant au reste des actions de Jean, ses combats et les exploits qu'il accomplit, les remparts qu'il construisit et ses autres entreprises, [24] cela est écrit dans le livre des Annales de son pontificat depuis le jour où il devint grand prêtre après son père.

Deuxième livre des Maccabées

1. Lettres aux Juifs d'Égypte

PREMIÈRE LETTRE

1 ¹À leurs frères, aux Juifs qui sont en Égypte, salut ; les Juifs, leurs frères, qui sont à Jérusalem et ceux du pays de Judée leur souhaitent une paix excellente. ²Que Dieu vous comble de ses bienfaits, qu'il se souvienne de son alliance avec Abraham, Isaac et Jacob, ses fidèles serviteurs. ³Qu'il vous donne à tous un cœur pour l'adorer et accomplir ses volontés généreusement et de bon gré. ⁴Qu'il ouvre votre cœur à sa loi et à ses préceptes et qu'il instaure la paix. ⁵Qu'il exauce vos prières et se réconcilie avec vous, qu'il ne vous abandonne pas au temps du malheur. ⁶En ce moment, ici même, nous sommes en prière pour vous. ⁷Sous le règne de Démétrius, l'an cent soixante-neuf, nous, les Juifs, nous vous avons écrit ceci : « Au cours de la détresse et de la crise qui fondirent sur nous en ces années, depuis que Jason et ses partisans avaient trahi la terre sainte et le royaume, ⁸ils incendièrent la grande porte (du Temple) et répandirent le sang innocent. Alors nous avons prié le Seigneur et nous avons été exaucés ; nous avons offert un sacrifice et de la fleur de farine ; nous avons allumé les lampes et exposé les pains. » ⁹Et maintenant nous vous écrivons pour que vous célébriez la fête des Tentes du mois de Kisleu. ¹⁰En l'année cent quatre-vingt-huit.

DEUXIÈME LETTRE

Adresse.

Ceux qui sont à Jérusalem et ceux qui sont en Judée, le sénat et Judas, à Aristobule, conseiller du roi Ptolémée et issu de la race des prêtres consacrés, aux Juifs qui sont en Égypte, salut et bonne santé.

Action de grâces pour le châtiment d'Antiochus.

¹¹Sauvés par Dieu de graves périls, nous le remercions grandement de ce qu'il est notre champion contre le roi, ¹²car c'est lui qui a emporté ceux qui ont marché en armes contre la ville sainte.

¹³Leur chef, en effet, étant allé en Perse, fut taillé en pièces avec son armée qui paraissait irrésistible, dans le temple de Nanaia, grâce à un expédient dont usèrent les prêtres de la déesse. ¹⁴Sous prétexte d'épouser Nanaia, Antiochus se rendit en ce lieu avec ses amis dans le but d'en recevoir les très grandes richesses à titre de dot. ¹⁵Les prêtres du Nanaion les avaient exposées, et lui s'était présenté avec quelques personnes dans l'enceinte du sanctuaire. Dès qu'Antiochus fut entré dans le temple, ils le fermèrent et, ¹⁶ayant ouvert la porte secrète dans les lambris du plafond, ils foudroyèrent le chef en lançant des pierres. Ils le coupèrent en morceaux et jetèrent la tête à ceux qui se trouvaient dehors. ¹⁷Qu'en toute chose notre Dieu soit béni, lui qui a livré (à la mort) les sacrilèges !

Le feu sacré miraculeusement conservé.

¹⁸Comme nous allons célébrer, le vingt-cinq Kisleu, la purification du Temple, nous avons jugé bon de vous en informer, afin que vous aussi vous la célébriez à la manière de la fête des Tentes et du feu qui se manifesta quand Néhémie, ayant construit le sanctuaire et l'autel, offrit des sacrifices. ¹⁹Lorsque nos pères, en effet, furent emmenés en Perse, les prêtres pieux d'alors prirent du feu de l'autel et le cachèrent secrètement dans une cavité semblable à un puits desséché. Ils l'y mirent en sûreté de telle sorte que l'endroit demeurât ignoré de tous. ²⁰Nombre d'années s'étant écoulées, lorsque tel fut le bon plaisir de Dieu, Néhé-

mie, envoyé par le roi de Perse, fit rechercher le feu par les descendants des prêtres qui l'avaient caché. ²¹Comme ils expliquaient qu'en fait ils n'avaient pas trouvé de feu, mais une eau épaisse, il leur ordonna d'en puiser et de la rapporter. Quand on l'eut apportée, Néhémie commanda aux prêtres de répandre cette eau sur ce qui était nécessaire aux sacrifices, le bois et ce qu'on avait placé dessus. ²²Cet ordre une fois exécuté, et le moment venu où le soleil, d'abord obscurci par les nuages, se remit à briller, un grand brasier s'alluma, ce qui suscita l'admiration de tout le monde. ²³Tandis que le sacrifice se consumait, les prêtres faisaient la prière : tous les prêtres avec Jonathan qui entonnait, les autres reprenant comme Néhémie. ²⁴Cette prière était ainsi conçue : « Seigneur, Seigneur Dieu, créateur de toutes choses, redoutable, fort, juste, miséricordieux, le seul roi, le seul bon, ²⁵le seul libéral, le seul juste, tout-puissant et éternel, qui sauves Israël de tout mal, qui as fait de nos pères tes élus et les as sanctifiés, ²⁶reçois ce sacrifice pour tout ton peuple d'Israël ; garde ton héritage et sanctifie-le. ²⁷Rassemble ceux d'entre nous qui sont dispersés, délivre ceux qui sont en esclavage parmi les nations, regarde favorablement ceux qui sont objets de mépris et d'abomination, afin que les nations reconnaissent que tu es notre Dieu. ²⁸Châtie ceux qui nous tyrannisent et nous outragent insolemment, ²⁹implante ton peuple dans ton lieu saint, comme l'a dit Moïse. »

³⁰Les prêtres exécutaient les hymnes sur la harpe. ³¹Quand le

sacrifice fut consumé, Néhémie ordonna de verser le reste de l'eau sur de grandes pierres. ³²Cela fait, une flamme s'alluma, qui fut absorbée par l'éclat concurrent du feu de l'autel. ³³Lorsque le fait eut été divulgué et qu'on eut raconté au roi des Perses que, dans le lieu où les prêtres déportés avaient caché le feu, une eau avait paru avec laquelle Néhémie et ses compagnons avaient purifié les offrandes du sacrifice, ³⁴le roi, ayant vérifié l'événement, entoura le lieu et fit un sanctuaire. ³⁵À ceux à qui le roi le concédait, il faisait part des grands revenus qu'il en retirait. ³⁶Néhémie et ses gens nommèrent ce liquide « nephtar », ce qui s'interprète par purification, mais on l'appelle généralement naphte.

Jérémie cache le matériel du culte.

2 ¹On trouve dans les documents que le prophète Jérémie donna l'ordre aux déportés de prendre du feu, comme on l'a indiqué, ²et comment, leur ayant donné la Loi, le prophète recommanda à ceux qu'on emmenait de ne pas oublier les préceptes du Seigneur et de ne pas s'égarer dans leurs pensées en voyant des statues d'or et d'argent et les ornements dont elles étaient revêtues. ³Entre autres conseils analogues, il leur adressa celui de ne pas laisser la Loi s'éloigner de leur cœur. ⁴Il y avait dans cet écrit que, averti par un oracle, le prophète se fit accompagner par la tente et l'arche, lorsqu'il se rendit à la montagne où Moïse, étant monté, contempla l'héritage de Dieu. ⁵Arrivé là, Jérémie trouva

une habitation en forme de grotte et il y introduisit la tente, l'arche, l'autel des parfums, puis il en obstrua l'entrée. ⁶Quelques-uns de ses compagnons, étant venus ensuite pour marquer le chemin par des signes, ne purent le retrouver. ⁷Ce qu'apprenant, Jérémie leur fit des reproches : « Ce lieu sera inconnu, dit-il, jusqu'à ce que Dieu ait opéré le rassemblement de son peuple et lui ait fait miséricorde. ⁸Alors le Seigneur manifestera de nouveau ces objets, la gloire du Seigneur apparaîtra ainsi que la Nuée, comme elle se montra au temps de Moïse et quand Salomon pria pour que le saint lieu fût glorieusement consacré. » ⁹On racontait en outre comment, doué du don de sagesse, celui-ci offrit le sacrifice de la dédicace et de l'achèvement du sanctuaire. ¹⁰De même que Moïse avait prié le Seigneur et fait descendre le feu du ciel qui consuma le sacrifice, ainsi Salomon pria et le feu venu d'en haut dévora les holocaustes. ¹¹Moïse avait dit : « Parce qu'il n'a pas été mangé, le sacrifice pour le péché a été consumé. » ¹²Salomon célébra pareillement les huit jours de fête.

La bibliothèque de Néhémie.

¹³Outre ces mêmes faits, il était encore raconté dans ces écrits et dans les Mémoires de Néhémie comment ce dernier, fondant une bibliothèque, y réunit les livres qui concernaient les rois, les écrits des prophètes et de David, et les lettres des rois au sujet des offrandes. ¹⁴Judas pareillement a rassemblé tous les livres dispersés à cause de la guerre qu'on nous a faite, et ils

sont entre nos mains. [15]Si donc vous en avez besoin, envoyez-nous des gens qui vous en rapporteront.

Invitation à la Dédicace.

[16]Puisque nous sommes sur le point de célébrer la purification, nous vous en écrivons. Vous ferez bien par conséquent d'en célébrer les jours. [17]Le Dieu qui a sauvé tout son peuple et qui a conféré à tous l'héritage, la royauté, le sacerdoce et la sanctification, [18]comme il l'avait promis par la Loi, ce Dieu, certes, nous l'espérons, aura bientôt pitié de nous et, des régions qui sont sous le ciel, il nous rassemblera dans le saint lieu, car il nous a arrachés à de grands maux et il l'a purifié.

2. Préface de l'auteur

[19]L'histoire de Judas Maccabée et de ses frères, la purification du très grand sanctuaire, la dédicace de l'autel, [20]les guerres contre Antiochus Épiphane et son fils Eupator, [21]et les manifestations célestes produites en faveur des braves qui luttèrent généreusement pour le judaïsme, de telle sorte que malgré leur petit nombre ils pillèrent toute la contrée et mirent en fuite les hordes barbares, [22]recouvrèrent le sanctuaire fameux dans tout l'univers, délivrèrent la ville, rétablirent les lois menacées d'abolition, le Seigneur leur ayant été propice avec toute sa mansuétude, [23]tout cela ayant été exposé en cinq livres par Jason de Cyrène, nous essaierons de le résumer en un seul ouvrage. [24]Considérant le flot des chiffres et la difficulté qu'éprouvent ceux qui veulent entrer dans les détours des récits de l'histoire, à cause de l'abondance de la matière, [25]nous avons eu le souci d'offrir de l'agrément à ceux qui se contentent d'une simple lecture, de la commodité à ceux qui aiment à confier les faits à leur mémoire, de l'avantage à tous indistinctement. [26]Pour nous qui avons assumé le pénible labeur de ce résumé, c'est là non une tâche aisée, mais une affaire de sueurs et de veilles, [27]non moins difficile que celle de l'ordonnateur d'un festin qui cherche à procurer la satisfaction des autres. De la même façon, pour rendre service à nombre de gens, nous supporterons agréablement ce pénible labeur, [28]laissant à l'écrivain le soin d'être complet sur chaque événement pour nous efforcer de suivre les contours d'un simple précis. [29]De même en effet que l'architecte d'une maison neuve doit s'occuper de toute la structure, tandis que celui qui se charge de la décorer de peintures à l'encaustique doit rechercher ce qui est approprié à l'ornementation, ainsi, pensé-je, en est-il pour nous. [30]Pénétrer dans les questions et en faire le tour pour en examiner avec curiosité tout le détail appartient à celui qui compose l'histoire, [31]mais, à celui qui fait une adaptation, il faut concéder qu'il recherche la concision de l'exposé et renonce à une histoire exhaustive.

³²Commençons donc ici notre relation sans rien ajouter à ce qui a été dit, car il serait sot d'être diffus avant d'entamer l'histoire et concis dans l'histoire elle-même.

3. Histoire d'Héliodore

La venue d'Héliodore à Jérusalem.

3 ¹Tandis que la ville sainte était habitée dans une paix complète et qu'on y observait les lois le plus exactement possible, à cause de la piété du grand prêtre Onias et de sa haine pour le mal, ²il arrivait que les rois eux-mêmes honoraient le saint lieu et rehaussaient la gloire du Temple par les dons les plus magnifiques, ³si bien que Séleucus, roi d'Asie, couvrait de ses revenus personnels toutes les dépenses nécessaires au service des sacrifices. ⁴Mais un certain Simon, de la tribu de Bilga, institué prévôt du Temple, se trouva en désaccord avec le grand prêtre sur la police des marchés de la ville. ⁵Comme il ne pouvait l'emporter sur Onias, il alla trouver Apollonius, fils de Thraséos, qui était à cette époque le stratège de Cœlé-Syrie et de Phénicie. ⁶Il rapporta que le trésor de Jérusalem regorgeait de richesses indicibles au point que la quantité des sommes en était incalculable et nullement en rapport avec le compte exigé par les sacrifices : il était possible de les faire tomber en la possession du roi. ⁷Au cours d'une entrevue avec le roi, Apollonius mit celui-ci au courant des richesses qu'on lui avait dénoncées. Arrêtant son choix sur Héliodore, qui était à la tête des affaires, le roi l'envoya avec ordre de procéder à l'enlèvement des susdites richesses. ⁸Aussitôt Héliodore se mettait en route, en apparence pour inspecter les villes de Cœlé-Syrie et de Phénicie, en fait pour accomplir les intentions du roi. ⁹Arrivé à Jérusalem, et reçu avec bienveillance par le grand prêtre et par la ville, il fit part de ce qu'on avait dévoilé et manifesta le but de sa présence, demandant ensuite si véritablement il en était ainsi. ¹⁰Le grand prêtre lui représenta que le trésor contenait les dépôts des veuves et des orphelins ¹¹et une somme appartenant à Hyrcan, fils de Tobie, personnage occupant une très haute situation, et qu'à l'encontre de ce que colportait faussement l'impie Simon, il y avait en tout quatre cents talents d'argent et deux cents talents d'or ; ¹²qu'au reste il était absolument impossible de faire tort à ceux qui s'étaient confiés à la sainteté de ce lieu, à la majesté et à l'inviolabilité d'un Temple vénéré dans le monde entier.

La ville est bouleversée.

¹³Mais Héliodore, en vertu des ordres qu'il avait reçus du roi, soutenait absolument que ces richesses devaient être confisquées au profit du trésor royal. ¹⁴Au jour

fixé par lui, il entrait pour dresser un inventaire de ces richesses. Une grande anxiété régna dans toute la ville. [15]Revêtus de leurs habits sacerdotaux, les prêtres, prosternés devant l'autel, invoquaient le ciel, auteur de la loi sur les dépôts, le priant de conserver ces biens intacts à ceux qui les avaient déposés. [16]À voir l'aspect du grand prêtre, on ne pouvait manquer de sentir une blessure jusqu'au fond du cœur, tant son air et l'altération de son teint trahissaient l'angoisse de son âme. [17]En proie à la frayeur et au tremblement dans tout son corps, cet homme manifestait à ceux qui le regardaient la souffrance installée dans son cœur. [18]Des gens se précipitaient par groupes hors des maisons pour prier tous ensemble parce que le saint lieu était menacé d'opprobre. [19]Les femmes, ceintes de sacs au-dessous des seins, remplissaient les rues ; les jeunes filles qui étaient tenues à la maison couraient, les unes aux portes, les autres sur les murs, certaines se penchaient aux fenêtres : [20]toutes, les mains tendues vers le ciel, proféraient leur supplication. [21]C'était pitié de voir la prostration confuse de la multitude et l'appréhension du grand prêtre en proie à une grande inquiétude. [22]Pendant que d'un côté on demandait au Seigneur tout-puissant de garder intacts, en toute sûreté, les dépôts à ceux qui les avaient confiés, [23]Héliodore, d'autre part, exécutait ce qui avait été décidé.

Châtiment d'Héliodore.

[24]Il était déjà là avec ses gardes, près du Trésor, lorsque le Souverain des Esprits et de toute Puissance se manifesta, avec un tel éclat que tous ceux qui avaient osé entrer là, frappés par la force de Dieu, se trouvèrent sans vigueur ni courage. [25]À leurs yeux apparut un cheval monté par un redoutable cavalier et richement caparaçonné ; bondissant avec impétuosité, il agitait contre Héliodore ses sabots de devant. L'homme qui le montait paraissait avoir une armure d'or. [26]Deux autres jeunes hommes lui apparurent en même temps, d'une force remarquable, éclatants de beauté, couverts d'habits magnifiques ; s'étant placés l'un d'un côté, l'autre de l'autre, ils le flagellaient sans relâche, lui portant une grêle de coups. [27]Héliodore, soudain tombé à terre, fut environné d'épaisses ténèbres. On le ramassa pour le mettre dans une litière, [28]et cet homme, qui venait d'entrer dans la chambre dudit trésor avec un nombreux entourage et tous ses gardes du corps, fut emporté, incapable de s'aider lui-même, par des gens qui reconnaissaient ouvertement la souveraineté de Dieu.

[29]Pendant que cet homme, sous le coup de la puissance divine, gisait sans voix, privé de tout espoir et de tout secours, [30]les autres bénissaient le Seigneur qui avait miraculeusement glorifié son saint lieu. Et le sanctuaire, qui un instant auparavant était plein de frayeur et de trouble, fut, par la manifestation du Seigneur tout-puissant, débordant de joie et d'allégresse. [31]Certains des compagnons d'Héliodore s'empressèrent de demander à Onias de prier le Très-Haut et d'accorder la

vie à celui qui gisait n'ayant plus qu'un souffle.

³²Dans la crainte que le roi ne soupçonnât par hasard les Juifs d'avoir joué un mauvais tour à Héliodore, le grand prêtre offrit un sacrifice pour le retour de cet homme à la vie. ³³Alors que le grand prêtre offrait le sacrifice d'expiation, les mêmes jeunes hommes apparurent à Héliodore revêtus des mêmes habits, et, se tenant debout, lui dirent : « Rends mille actions de grâces au grand prêtre Onias, car c'est en considération de lui que le Seigneur t'accorde la vie sauve. ³⁴Quant à toi, ainsi fustigé du Ciel, annonce à tous la grandeur de la force de Dieu. » Ayant dit ces paroles, ils disparurent.

Conversion d'Héliodore.

³⁵Héliodore, ayant offert un sacrifice au Seigneur et fait les plus grands vœux à celui qui lui avait conservé la vie, prit amicalement congé d'Onias et revint avec son armée auprès du roi. ³⁶Il rendait témoignage à tous des œuvres du Dieu très grand qu'il avait contemplées de ses yeux. ³⁷Au roi lui demandant quel homme lui paraissait propre à être envoyé une fois encore à Jérusalem, Héliodore répondit : ³⁸« Si tu as quelque ennemi ou quelque conspirateur contre l'État, envoie-le là-bas et il te reviendra déchiré par les fouets, si toutefois il en réchappe, car il y a vraiment pour le lieu saint une puissance toute particulière de Dieu. ³⁹Celui qui a sa demeure dans le ciel veille sur ce lieu et le protège ; ceux qui y viennent avec de mauvais desseins, il les frappe et les fait périr. » ⁴⁰C'est ainsi que se passèrent les choses relatives à Héliodore et à la sauvegarde du trésor sacré.

4. Propagande hellénistique et persécution sous Antiochus Épiphane

Méfaits du prévôt Simon.

4 ¹Le susdit Simon, passé dénonciateur du trésor et de la patrie, calomniait Onias comme si ce dernier avait fait assaillir Héliodore et avait été l'artisan de ce malheur. ²Le bienfaiteur de la cité, le protecteur de ses frères de race, le zélé observateur des lois, il osait en faire un ennemi de la chose publique. ³Cette haine grandit au point que des meurtres furent commis par des affidés de Simon. ⁴Considérant combien une telle rivalité était fâcheuse, et qu'Apollonius, fils de Ménesthée, stratège de Cœlé-Syrie et Phénicie, ne faisait qu'accroître la méchanceté de Simon, ⁵Onias se transporta chez le roi, non pour être l'accusateur de ses concitoyens, mais ayant en vue l'intérêt général et particulier de tout le peuple. ⁶Il voyait bien en effet que, sans une intervention royale, il était impossible d'obtenir désormais la paix publique, et que Simon ne mettrait pas un terme à sa folie.

Jason, le grand prêtre, introduit l'hellénisme.

[7]Séleucus ayant quitté cette vie et Antiochus, surnommé Épiphane, lui ayant succédé, Jason, frère d'Onias, usurpa le pontificat : [8]il promit au roi, au cours d'une entrevue, trois cent soixante talents d'argent et quatre-vingts talents à prélever sur quelque autre revenu. [9]Il s'engageait en outre à payer cent cinquante autres talents si le roi lui donnait pouvoir d'établir un gymnase et une éphébie et de dresser la liste des Antiochéens de Jérusalem. [10]Le roi ayant consenti, Jason, dès qu'il eut saisi le pouvoir, amena ses frères de race à la pratique de la vie grecque. [11]Il supprima les franchises que les rois, par philanthropie, avaient accordées aux Juifs grâce à l'entremise de Jean, père de cet Eupolème qui sera envoyé en ambassade pour conclure un traité d'amitié et d'alliance avec les Romains ; détruisant les institutions légitimes, Jason inaugura des usages contraires à la Loi. [12]Il se fit en effet un plaisir de fonder un gymnase au pied même de l'acropole, et il conduisit les meilleurs des éphèbes sous le pétase. [13]L'hellénisme atteignit une telle vigueur et la mode étrangère un tel degré, par suite de l'excessive perversité de Jason impie et pas du tout pontife, [14]que les prêtres ne montraient plus aucun zèle pour le service de l'autel, mais que, méprisant le Temple et négligeant les sacrifices, ils se hâtaient de prendre part, dès l'appel du gong, à la distribution, prohibée par la Loi, de l'huile dans la palestre ; [15]ne faisant aucun cas des honneurs de leur patrie, ils estimaient au plus haut point les gloires helléniques. [16]C'est bien pour ces raisons qu'ils se trouvèrent ensuite dans des situations pénibles, et qu'en ceux-là mêmes dont ils cherchaient à copier les façons de vivre et auxquels ils voulaient ressembler en tout, ils rencontrèrent des ennemis et des bourreaux. [17]On ne viole pas impunément les lois divines, c'est ce que démontrera la période suivante.

[18]Comme on célébrait à Tyr les jeux quadriennaux en présence du roi, [19]l'abject Jason envoya des ambassadeurs, à titre d'Antiochéens de Jérusalem, portant avec eux trois cents drachmes d'argent pour le sacrifice à Héraclès. Mais ceux-là mêmes qui les portaient jugèrent qu'il ne convenait pas de les affecter au sacrifice et qu'elles seraient réservées à une autre dépense. [20]Ainsi, l'argent destiné au sacrifice d'Héraclès par celui qui l'envoyait fut affecté, à cause de ceux qui l'apportaient, à la construction des trirèmes.

Antiochus Épiphane acclamé à Jérusalem.

[21]Apollonius, fils de Ménesthée, avait été envoyé en Égypte pour assister aux noces du roi Philométor. Antiochus apprit que ce dernier était devenu hostile à ses affaires et se préoccupa de sa propre sécurité : c'est ce qui l'amena à Joppé, d'où il se rendit à Jérusalem. [22]Grandement reçu par Jason et par la ville, il fut introduit à la lumière des flambeaux et au milieu des acclamations. À la suite

de quoi, il emmena l'armée camper en Phénicie.

Ménélas devient grand prêtre.

²³Au bout de trois ans, Jason envoya Ménélas, frère du Simon signalé plus haut, porter l'argent au roi et mener à bien les négociations des affaires urgentes. ²⁴Ménélas, s'étant fait recommander au roi et l'ayant abordé avec les manières d'un personnage de marque, se fit attribuer le pontificat à lui-même, offrant trois cents talents d'argent de plus que n'avait offert Jason. ²⁵Muni des lettres royales d'investiture, il s'en revint, n'ayant rien qui fût digne de la grand-prêtrise mais n'apportant que les fureurs d'un tyran cruel et les rages d'une bête sauvage. ²⁶Ainsi Jason qui avait supplanté son propre frère, supplanté à son tour par un autre, dut gagner en fugitif l'Ammanitide. ²⁷Quant à Ménélas, il possédait sans doute le pouvoir, mais il ne versait rien au roi des sommes qu'il lui avait promises. ²⁸Sostrate cependant, préfet de l'acropole, lui présentait des réclamations, car c'est à lui que revenait la perception des impôts. Aussi bien tous les deux furent-ils convoqués par le roi. ²⁹Tandis que Ménélas laissait pour le remplacer comme grand prêtre son propre frère Lysimaque, Sostrate laissait Kratès, le chef des Chypriotes.

Le meurtre d'Onias.

³⁰Sur ces entrefaites, il arriva que les habitants de Tarse et de Mallos se révoltèrent parce que leurs villes avaient été données en présent à Antiochis, la concubine du roi. ³¹Le roi alla donc en hâte régler cette affaire, laissant pour le remplacer Andronique, l'un des grands dignitaires. ³²Convaincu de saisir une occasion favorable, Ménélas déroba quelques vases d'or du sanctuaire, il en fit cadeau à Andronique et réussit à en vendre d'autres à Tyr et aux villes voisines. ³³Devant l'évidence du fait, Onias lui adressa des reproches, après s'être retiré dans le lieu inviolable de Daphné voisine d'Antioche. ³⁴En conséquence Ménélas, prenant à part Andronique le pressait de supprimer Onias. Andronique vint donc trouver Onias : se fiant à la ruse et lui tendant la main droite avec serment, il le décida, sans toutefois dissiper tout soupçon, à sortir de son asile, et le mit à mort sur-le-champ sans tenir compte de la justice. ³⁵Pour ce motif, non seulement les Juifs, mais aussi beaucoup de gens parmi les autres peuples furent indignés et trouvèrent intolérable le meurtre injuste de cet homme.

³⁶Lorsque le roi fut rentré des régions ciliciennes, les Juifs de la capitale et les Grecs qui partageaient leur haine de la violence vinrent le trouver au sujet du meurtre injustifié d'Onias. ³⁷Antiochus, contristé jusqu'au fond de l'âme et touché de compassion, versa des larmes au souvenir de la prudence et de la modération du défunt. ³⁸Enflammé d'indignation, il dépouilla immédiatement Andronique de la pourpre et déchira ses vêtements, puis l'ayant fait mener par toute la ville, il envoya hors de ce monde le meurtrier, à l'endroit même où il avait exercé son impiété sur Onias, le

Seigneur le frappant ainsi d'un juste châtiment.

Lysimaque périt au cours d'une sédition.

[39]Or, un grand nombre de vols sacrilèges ayant été commis dans la ville par Lysimaque d'accord avec Ménélas, et le bruit s'en étant répandu au-dehors, le peuple s'ameuta contre Lysimaque, alors que beaucoup d'objets d'or avaient déjà été dispersés. [40]Comme la multitude s'était soulevée, débordante de colère, Lysimaque arma près de trois mille hommes et prit l'initiative des violences ; marchait en tête un certain Auranos, homme avancé en âge, et non moins en folie. [41]Prenant conscience de l'attaque de Lysimaque, les uns s'armaient de pierres, les autres de gourdins, certains prenaient à pleines mains la cendre qui se trouvait là, et tous assaillirent pêle-mêle les gens de Lysimaque. [42]Aussi bien leur firent-ils beaucoup de blessés et quelques morts ; ils mirent le reste en fuite et, quant au voleur sacrilège, ils le massacrèrent près du Trésor.

Ménélas acquitté à prix d'argent.

[43]Sur ces faits un procès fut intenté à Ménélas. [44]Lorsque le roi vint à Tyr, les trois hommes envoyés par le sénat soutinrent devant lui la justice de leur cause. [45]Voyant déjà la partie perdue, Ménélas promit des sommes importantes à Ptolémée, fils de Dorymène, pour qu'il gagnât le roi à sa cause. [46]Aussi Ptolémée, ayant emmené le roi sous un portique comme pour prendre le frais, le fit changer d'avis, [47]si bien qu'il renvoya Ménélas, l'auteur de tout ce mal, absous des accusations portées contre lui, et qu'il condamna à mort des malheureux qui, s'ils avaient plaidé leur cause même devant des Scythes, eussent été renvoyés innocents. [48]Ceux donc qui avaient pris la défense de la ville, des bourgs et des vases sacrés subirent sans délai cette peine injuste. [49]Aussi vit-on même des Tyriens, outrés d'une telle méchanceté, pourvoir magnifiquement à leur sépulture. [50]Quant à Ménélas, grâce à la cupidité des puissants, il se maintint au pouvoir, grandissant en malice et se posant en principal adversaire de ses concitoyens.

Seconde campagne d'Égypte.

5 [1]Vers ce temps-là Antiochus préparait sa seconde attaque contre l'Égypte. [2]Il arriva que dans toute la ville, pendant près de quarante jours, apparurent, courant dans les airs, des cavaliers vêtus de robes brodées d'or, des troupes armées disposées en cohortes, [3]des escadrons de cavalerie rangés en ordre de bataille, des attaques et des charges conduites de part et d'autre, des boucliers agités, des forêts de piques, des épées tirées hors du fourreau, des traits volants, un éclat fulgurant d'armures d'or et de cuirasses de tout modèle. [4]Aussi tous priaient pour que cette apparition fût de bon augure.

Agression de Jason et répression d'Épiphane.

[5]Or, sur un faux bruit de la mort d'Antiochus, Jason, ne prenant

avec lui pas moins d'un millier d'hommes, dirigea à l'improviste une attaque contre la ville. La muraille forcée et la ville finalement prise, Ménélas se réfugia dans l'acropole. [6]Jason se livra sans pitié au massacre de ses propres concitoyens, sans penser qu'un succès remporté sur ses frères de race était le plus grand des insuccès, croyant remporter des trophées sur des ennemis et non sur des compatriotes. [7]D'un côté, il ne réussit pas à s'emparer du pouvoir et, de l'autre, ses machinations ayant tourné à sa honte, il s'en alla chercher de nouveau un refuge en Ammanitide. [8]Sa conduite perverse trouva donc un terme : enfermé chez Arétas, tyran des Arabes, puis s'enfuyant de sa ville, poursuivi par tous, détesté parce qu'il reniait les lois, exécré comme le bourreau de sa patrie et de ses concitoyens, il échoua en Égypte. [9]Lui qui avait banni un grand nombre de personnes de leur patrie, il périt sur la terre étrangère, étant parti pour Lacédémone dans l'espoir d'y trouver un refuge en considération d'une commune origine. [10]Lui qui avait jeté tant d'hommes sur le sol sans sépulture, nul ne le pleura et ne lui rendit les derniers devoirs ; il n'eut aucune place dans le tombeau de ses pères.

[11]Lorsque ces faits furent arrivés à la connaissance du roi, celui-ci en conclut que la Judée faisait défection. Il quitta donc l'Égypte, furieux comme une bête sauvage, et prit la ville à main armée. [12]Il ordonna ensuite aux soldats d'abattre sans pitié ceux qu'ils rencontreraient et d'égorger ceux qui monteraient dans leurs maisons. [13]On extermina jeunes et vieux, on supprima femmes et enfants, on égorgea jeunes filles et nourrissons. [14]Il y eut quatre-vingt mille victimes en ces trois jours, dont quarante mille tombèrent sous les coups et autant furent vendus comme esclaves.

Pillage du Temple.

[15]Non content de cela, il osa pénétrer dans le sanctuaire le plus saint de toute la terre, avec pour guide Ménélas, qui en était venu à trahir les lois et la patrie. [16]Il prit de ses mains impures les vases sacrés et rafla de ses mains profanes les offrandes que les autres rois y avaient déposées pour l'accroissement, la gloire et la dignité du saint lieu. [17]Antiochus s'exaltait en pensée, ne voyant pas que le Seigneur était irrité pour peu de temps à cause des péchés des habitants de la ville – d'où venait cette indifférence envers le lieu saint. [18]En tout cas, s'ils n'avaient pas été plongés dans une multitude de péchés, lui aussi, à l'instar d'Héliodore envoyé par le roi Séleucus pour inspecter le trésor, il aurait été, dès son arrivée, flagellé et détourné de sa témérité. [19]Mais le Seigneur a choisi non pas le peuple à cause du lieu saint, mais le lieu à cause du peuple. [20]C'est pourquoi le lieu lui-même, après avoir participé aux malheurs du peuple, a eu part ensuite aux bienfaits ; délaissé au moment de la colère du Tout-Puissant, il a été de nouveau, en vertu de sa réconciliation avec le grand Souverain, restauré dans toute sa gloire.

²¹Antiochus, après avoir enlevé au Temple dix-huit cents talents, se hâta de retourner à Antioche, croyant, dans sa superbe, à cause de l'exaltation de son cœur, rendre navigable la terre ferme et rendre la mer praticable à la marche. ²²Mais il laissa des préposés pour faire du mal à la nation ; à Jérusalem, Philippe, Phrygien de race, de caractère plus barbare encore que celui qui l'avait institué ; ²³sur le mont Garizim, Andronicus ; et en plus de ceux-ci, Ménélas qui plus méchamment que les autres dominait sur ses concitoyens.

Intervention d'Apollonius le Mysarque.

Nourrissant à l'égard des Juifs une hostilité foncière, ²⁴le roi envoya le mysarque Apollonius à la tête d'une armée, soit vingt-deux mille hommes, avec ordre d'égorger tous ceux qui étaient dans la force de l'âge et de vendre les femmes et les enfants. ²⁵Arrivé en conséquence à Jérusalem, et jouant le personnage pacifique, il attendit jusqu'au saint jour du sabbat où, profitant du repos des Juifs, il commanda à ses subordonnés une prise d'armes. ²⁶Tous ceux qui étaient sortis pour assister au spectacle, il les fit massacrer et, envahissant la ville avec ses soldats en armes, il mit à mort une multitude de gens.

²⁷Or Judas, appelé aussi Maccabée, se trouvant avec une dizaine d'autres, se retira dans le désert, vivant comme les bêtes sauvages sur les montagnes avec ses compagnons, ne mangeant jamais que des herbes pour ne pas contracter de souillures.

Installation des cultes païens.

‖ 1 M 1 45-51.

6 ¹Peu de temps après, le roi envoya Géronte l'Athénien pour forcer les Juifs à enfreindre les lois de leurs pères et à ne plus régler leur vie sur les lois de Dieu, ²pour profaner le Temple de Jérusalem et le dédier à Zeus Olympien, et celui du mont Garizim à Zeus Hospitalier, comme le demandaient les habitants du lieu. ³L'invasion de ces maux était, même pour la masse, pénible et difficile à supporter. ⁴Le sanctuaire était rempli de débauches et d'orgies par des païens qui s'amusaient avec des prostituées et avaient commerce avec des femmes dans les parvis sacrés, et qui encore y apportaient des choses défendues. ⁵L'autel était couvert de victimes illicites, réprouvées par les lois. ⁶Il n'était même pas permis de célébrer le sabbat, ni de garder les fêtes de nos pères, ni simplement de confesser que l'on était Juif. ⁷On était conduit par une amère nécessité à participer chaque mois au repas rituel, le jour de la naissance du roi et, lorsque arrivaient les fêtes dionysiaques, on devait, couronné de lierre, accompagner le cortège de Dionysos. ⁸Un décret fut rendu, à l'instigation des gens de Ptolémaïs, pour que, dans les villes grecques du voisinage, l'on tînt la même conduite à l'égard des Juifs, et que ceux-ci prissent part au repas rituel, ⁹avec ordre d'égorger ceux qui ne se décideraient pas à adopter les coutumes grecques. Tout cela faisait prévoir l'imminence de la calamité.

|| 1 M **1** 60-61 ; **2** 32-38.

¹⁰Ainsi deux femmes furent déférées en justice pour avoir circoncis leurs enfants. On les produisit en public à travers la ville, leurs enfants suspendus à leurs mamelles, avant de les précipiter ainsi du haut des remparts. ¹¹D'autres s'étaient rendus ensemble dans des cavernes voisines pour y célébrer en cachette le septième jour. Dénoncés à Philippe, ils furent brûlés ensemble, se gardant bien de se défendre eux-mêmes par respect pour la sainteté du jour.

Le sens providentiel de la persécution. 5 17-20 ; 7 16-19, 32-38.

¹²Je recommande à ceux qui auront ce livre entre les mains de ne pas se laisser déconcerter à cause de ces calamités, et de croire que ces persécutions ont eu lieu non pour la ruine mais pour la correction de notre race. ¹³Quand les pécheurs ne sont pas laissés longtemps à eux-mêmes, mais que les châtiments ne tardent pas à les atteindre, c'est une marque de grande bonté. ¹⁴À l'égard des autres nations, le Maître attend avec longanimité, pour les châtier, qu'elles arrivent à combler la mesure de leurs iniquités ; ce n'est pas ainsi qu'il a jugé à propos d'agir avec nous, ¹⁵afin qu'il n'ait pas à nous punir plus tard lorsque nos péchés auraient atteint leur pleine mesure. ¹⁶Aussi bien ne retire-t-il jamais de nous sa miséricorde : en le châtiant par l'adversité, il n'abandonne pas son peuple. ¹⁷Qu'il nous suffise d'avoir rappelé cette vérité ; après ces quelques mots, il nous faut revenir à notre récit.

Le martyre d'Éléazar.

¹⁸Éléazar, un des premiers docteurs de la Loi, homme déjà avancé en âge et du plus noble extérieur, était contraint, tandis qu'on lui ouvrait la bouche de force, de manger de la chair de porc. ¹⁹Mais lui, préférant une mort glorieuse à une existence infâme, marchait volontairement au supplice de la roue, ²⁰non sans avoir craché sa bouchée, comme le doivent faire ceux qui ont le courage de rejeter ce à quoi il n'est pas permis de goûter par amour de la vie. ²¹Ceux qui présidaient à ce repas rituel interdit par la Loi le prirent à part, car cet homme était pour eux une vieille connaissance ; ils l'engagèrent à faire apporter des viandes dont il était permis de faire usage, et qu'il aurait lui-même préparées ; il n'avait qu'à feindre de manger des chairs de la victime, comme le roi l'avait ordonné, ²²afin qu'en agissant de la sorte, il fût préservé de la mort et profitât de cette humanité due à la vieille amitié qui les liait. ²³Mais lui, prenant une noble résolution, digne de son âge, de l'autorité de sa vieillesse et de ses vénérables cheveux blanchis dans le labeur, digne d'une conduite parfaite depuis l'enfance et surtout de la sainte législation établie par Dieu même, il fit une réponse en conséquence, disant qu'on l'envoyât sans tarder au séjour des morts. ²⁴« À notre âge, ajouta-t-il, il ne convient pas de feindre, de peur que nombre de jeunes, persuadés qu'Éléazar aurait embrassé à quatre-vingt-dix ans les mœurs des étrangers, ²⁵ne s'égarent eux aus-

si, à cause de moi et de ma dissimulation, et cela pour un tout petit
reste de vie. J'attirerais ainsi sur
ma vieillesse souillure et déshonneur, ²⁶et quand j'échapperais
pour le présent au châtiment des
hommes, je n'éviterai pas, vivant
ou mort, les mains du Tout-Puissant. ²⁷C'est pourquoi, si je quitte
maintenant la vie avec courage, je
me montrerai digne de ma vieillesse, ²⁸ayant laissé aux jeunes le
noble exemple d'une belle mort,
volontaire et généreuse, pour les
vénérables et saintes lois. »

Ayant ainsi parlé, il alla tout
droit au supplice de la roue,
²⁹mais ceux qui l'y conduisaient
changèrent en malveillance la
bienveillance qu'ils avaient eue
pour lui un peu auparavant, à cause du discours qu'il venait de tenir
et qui à leur point de vue était de
la folie. ³⁰Lui, de son côté, étant
sur le point de mourir sous les
coups, dit en soupirant : « Au Seigneur qui a la science sainte, il est
manifeste que, pouvant échapper
à la mort, j'endure sous les fouets
des douleurs cruelles dans mon
corps, mais qu'en mon âme je les
souffre avec joie à cause de la
crainte qu'il m'inspire. »

³¹Il quitta donc la vie de cette
manière (laissant dans sa mort,
non seulement à la jeunesse, mais
à la grande majorité de la nation,
un exemple de courage et un mémorial de vertu).

Le martyre des sept frères. Cf.
He **11** 35.

7 ¹Il arriva aussi que sept frères
ayant été arrêtés avec leur mère, le roi voulut les contraindre, en
leur infligeant les fouets et les nerfs

de bœuf, à toucher à la viande de
porc (interdite par la Loi). ²L'un
d'eux se faisant leur porte-parole :
« Que vas-tu, dit-il, demander et
apprendre de nous ? Nous sommes
prêts à mourir plutôt que d'enfreindre les lois de nos pères. » ³Le roi,
hors de lui, fit mettre sur le feu des
poêles et des chaudrons. ⁴Sitôt
qu'ils furent brûlants, il ordonna de
couper la langue à celui qui avait
été leur porte-parole, de lui enlever
la peau de la tête et de lui trancher
les extrémités, sous les yeux de ses
autres frères et de sa mère. ⁵Lorsqu'il fut complètement impotent, il
commanda de l'approcher du feu,
respirant encore, et de le faire passer à la poêle. Tandis que la vapeur
de la poêle se répandait au loin, les
autres s'exhortaient mutuellement
avec leur mère à mourir avec vaillance : ⁶« Le Seigneur Dieu voit,
disaient-ils, et il a en vérité compassion de nous selon que Moïse
l'a annoncé par le cantique qui pro-
teste ouvertement en ces termes :
"Et il aura pitié de ses serviteurs". »

⁷Lorsque le premier eut quitté la
vie de cette manière, on amena le
second pour le supplice. Après lui
avoir arraché la peau de la tête
avec les cheveux, on lui demandait : « Veux-tu manger du porc,
avant que ton corps ne soit torturé
membre par membre ? » ⁸Il répondit dans la langue de ses pères :
« Non ! » C'est pourquoi lui aussi
fut à son tour soumis aux tourments. ⁹Au moment de rendre le
dernier soupir : « Scélérat que tu
es, dit-il, tu nous exclus de cette
vie présente, mais le Roi du monde
nous ressuscitera pour une vie
éternelle, nous qui mourons pour
ses lois. »

¹⁰Après lui on châtia le troisième. Il présenta aussitôt sa langue comme on le lui demandait et tendit ses mains avec intrépidité ; ¹¹(il déclara courageusement : « C'est du Ciel que je tiens ces membres, mais à cause de ses lois je les méprise et c'est de lui que j'espère les recouvrer de nouveau. ») ¹²Le roi lui-même et son escorte furent frappés du courage de ce jeune homme qui comptait les souffrances pour rien.

¹³Ce dernier une fois mort, on soumit le quatrième aux mêmes tourments et tortures. ¹⁴Sur le point d'expirer il s'exprima de la sorte : « Mieux vaut mourir de la main des hommes en tenant de Dieu l'espoir d'être ressuscité par lui, car pour toi il n'y aura pas de résurrection à la vie. »

¹⁵On amena ensuite le cinquième et on le tortura. ¹⁶Mais lui, fixant les yeux sur le roi, lui disait : « Tu as, quoique corruptible, autorité sur les hommes, tu fais ce que tu veux. Ne pense pas cependant que notre race soit abandonnée de Dieu. ¹⁷Pour toi, prends patience et tu verras sa grande puissance, comme il te tourmentera toi et ta race. »

¹⁸Après celui-là ils amenèrent le sixième, qui dit, sur le point de mourir : « Ne te fais pas de vaine illusion, c'est à cause de nous-mêmes que nous souffrons cela, ayant péché envers notre propre Dieu (aussi nous est-il arrivé des choses étonnantes). ¹⁹Mais toi, ne t'imagine pas que tu seras impuni après avoir entrepris de faire la guerre à Dieu. »

²⁰Éminemment admirable et digne d'une illustre mémoire fut la mère qui, voyant mourir ses sept fils dans l'espace d'un seul jour, le supporta courageusement en vertu des espérances qu'elle plaçait dans le Seigneur. ²¹Elle exhortait chacun d'eux, dans la langue de ses pères, et, remplie de nobles sentiments, elle animait d'un mâle courage son raisonnement de femme. Elle leur disait : ²²« Je ne sais comment vous avez apparu dans mes entrailles ; ce n'est pas moi qui vous ai gratifiés de l'esprit et de la vie ; ce n'est pas moi qui ai organisé les éléments qui composent chacun de vous. ²³Aussi bien le Créateur du monde, qui a formé le genre humain et qui est à l'origine de toute chose, vous rendra-t-il, dans sa miséricorde, et l'esprit et la vie, parce que vous vous méprisez maintenant vous-mêmes pour l'amour de ses lois. »

²⁴Antiochus se crut vilipendé et soupçonna un outrage dans ces paroles. Comme le plus jeune était encore en vie, non seulement il l'exhortait par des paroles, mais il lui donnait par des serments l'assurance de le rendre à la fois riche et très heureux, s'il abandonnait les traditions ancestrales, en faire son ami et de lui confier de hauts emplois. ²⁵Le jeune homme ne prêtant à cela aucune attention, le roi fit approcher la mère et l'engagea à donner à l'adolescent des conseils pour sauver sa vie. ²⁶Lorsqu'il l'eut longuement exhortée, elle consentit à persuader son fils. ²⁷Elle se pencha donc vers lui et, mystifiant le tyran cruel, elle s'exprima de la sorte dans la langue de ses pères : « Mon fils, aie pitié de moi qui t'ai porté neuf mois dans mon

sein, qui t'ai allaité trois ans, qui t'ai nourri et élevé jusqu'à l'âge où tu es (et pourvu à ton entretien). [28]Je t'en conjure, mon enfant, regarde le ciel et la terre et vois tout ce qui est en eux, et sache que Dieu les a faits de rien et que la race des hommes est faite de la même manière. [29]Ne crains pas ce bourreau, mais, te montrant digne de tes frères, accepte la mort, afin que je te retrouve avec eux dans la miséricorde. »

[30]À peine achevait-elle de parler que le jeune homme dit : « Qu'attendez-vous ? Je n'obéis pas aux ordres du roi, j'obéis aux ordres de la Loi qui a été donnée à nos pères par Moïse. [31]Et toi, qui t'es fait l'inventeur de toute la calamité qui fond sur les Hébreux, tu n'échapperas pas aux mains de Dieu. [32](Nous autres, nous souffrons à cause de nos propres péchés.) [33]Si, pour notre châtiment et notre correction, notre Seigneur qui est vivant s'est courroucé un moment contre nous, il se réconciliera de nouveau avec ses serviteurs. Mais toi [34]ô impie et le plus infect de tous les hommes, ne t'élève pas sans raison, te berçant de vains espoirs et levant la main contre ses serviteurs, [35]car tu n'as pas encore échappé au jugement de Dieu qui peut tout et qui voit tout. [36]Quant à nos frères, après avoir supporté une douleur passagère, en vue d'une vie intarissable, ils sont tombés pour l'alliance de Dieu, tandis que toi, par le jugement de Dieu, tu porteras le juste châtiment de ton orgueil. [37]Pour moi, je livre comme mes frères mon corps et ma vie pour les lois de mes pères, suppliant Dieu d'être bientôt favorable à notre nation et de t'amener par les épreuves et les fléaux à confesser qu'il est le seul Dieu. [38]Puisse enfin s'arrêter sur moi et sur mes frères la colère du Tout-Puissant justement déchaînée sur toute notre race ! »

[39]Le roi, hors de lui, sévit contre ce dernier encore plus cruellement que contre les autres, le sarcasme lui étant particulièrement amer. [40]Ainsi trépassa le jeune homme, sans s'être souillé, et avec une parfaite confiance dans le Seigneur. [41]Enfin la mère mourut la dernière, après ses fils.

[42]Mais en voilà assez sur la question des repas rituels et des tortures monstrueuses.

5. Victoire du judaïsme.
Mort du persécuteur
et purification du Temple

Judas Maccabée dans le maquis.

8 [1]Or Judas, appelé aussi Maccabée, et ses compagnons, s'introduisant secrètement dans les villages, appelaient à eux leurs frères de race, et s'adjoignant ceux qui demeuraient fermes dans le judaïsme, ils en rassemblèrent jusqu'à six mille. [2]Ils suppliaient le Seigneur d'avoir les yeux sur le peuple que tout le monde accablait, d'avoir pitié du Temple profané par les hommes impies, [3]d'avoir compassion de la ville en train d'être détruite et réduite au niveau du sol, d'écouter le sang qui criait jusqu'à lui, [4]de se souvenir aussi du massacre criminel des enfants innocents et de se venger des blasphèmes lancés contre son nom.

[5]Une fois à la tête d'un corps de troupe, le Maccabée devint désormais invincible aux nations, la colère du Seigneur s'étant changée en miséricorde. [6]Tombant à l'improviste sur des villes et des villages, il les brûlait ; occupant les positions favorables, il infligeait à l'ennemi de très lourdes pertes. [7]Pour de telles opérations, il choisissait surtout la complicité de la nuit, et la renommée de sa vaillance se répandait partout.

Campagne de Nikanor et de Gorgias. ‖ 1 M 3 38–4 25.

[8]Voyant cet homme s'affirmer peu à peu et remporter des succès de plus en plus fréquents, Philippe écrivit à Ptolémée, stratège de Cœlé-Syrie et Phénicie, de venir au secours des affaires du roi. [9]Ayant fait choix de Nikanor, fils de Patrocle, du rang des premiers amis, le roi l'envoya sans retard, à la tête d'au moins vingt mille hommes de diverses nations, pour qu'il exterminât la race entière des Juifs. Il lui adjoignit Gorgias, général de métier rompu aux choses de la guerre. [10]Nikanor comptait, à part lui, acquitter au moyen de la vente des Juifs qu'on ferait prisonniers le tribut de deux mille talents dû par le roi aux Romains.

[11]Il s'empressa d'envoyer aux villes maritimes une invitation à venir acheter des esclaves juifs, promettant de leur en livrer quatre-vingt-dix pour un talent ; il ne s'attendait pas à la sanction qui devait s'ensuivre pour lui de la main du Tout-Puissant.

[12]La nouvelle de l'avance de Nikanor parvint à Judas. Quand celui-ci eut averti les siens de l'approche de l'armée ennemie, [13]les lâches et ceux qui manquaient de foi en la justice de Dieu prirent la fuite et gagnèrent d'autres lieux. [14]Les autres vendaient tout ce qui leur restait et priaient le Seigneur de les délivrer de l'impie Nikanor qui les avait vendus avant même une rencontre eût lieu : [15]sinon à cause d'eux, du moins en considération des alliances conclues avec leurs pères et parce qu'ils portaient eux-mêmes son nom auguste et plein de majesté.

[16]Maccabée, ayant donc réuni ses hommes au nombre de six mille, les exhorte à ne pas être frappés de crainte devant les ennemis et à n'avoir cure de la multitude des païens qui les attaquent injustement, mais à combattre avec vaillance, [17]ayant devant les yeux l'outrage qu'ils ont commis contre le lieu saint et le traitement indigne infligé à la ville bafouée, enfin la ruine des usages traditionnels. [18]« Eux, ajouta-t-il, se fient aux armes et aux actes audacieux, tandis que nous autres, nous avons placé notre confiance en Dieu, le Tout-Puissant, capable de renverser en un clin d'œil ceux qui marchent contre nous, et avec eux le monde entier. » [19]Il leur énuméra

les cas de protection dont leurs aïeux furent favorisés, celui qui eut lieu sous Sennachérib, comment avaient péri cent quatre-vingt-cinq mille hommes ; [20]celui qui arriva en Babylonie dans une bataille livrée aux Galates, comment ceux qui prenaient part à l'action, en tout huit mille avec quatre mille Macédoniens, ceux-ci étant aux abois, les huit mille avaient détruit cent vingt mille ennemis, grâce au secours qui leur était venu du Ciel, et avaient fait un grand butin.

[21]Après les avoir remplis de confiance par ces paroles, et les avoir disposés à mourir pour leurs lois et leur patrie, il divisa son armée en quatre corps. [22]À la tête de chaque corps il mit ses frères Simon, Joseph et Jonathas, donnant à chacun d'eux quinze cents hommes. [23]En outre, il ordonna à Esdrias de lire le Livre saint, puis, ayant donné pour mot d'ordre : « Secours de Dieu ! » il prit la tête du premier corps et attaqua Nikanor. [24]Le Tout-Puissant s'étant fait leur allié, ils égorgèrent plus de neuf mille ennemis, blessèrent et mutilèrent la plus grande partie des soldats de Nikanor et les mirent tous en fuite. [25]L'argent de ceux qui étaient venus les acheter tomba entre leurs mains. S'étant attardés assez longtemps à les poursuivre, ils revinrent sur leurs pas, pressés par l'heure, [26]car c'était la veille du sabbat, et, pour ce motif, ils ne s'attardèrent pas à leur poursuite. [27]Quand ils eurent ramassé les armes des ennemis et enlevé leurs dépouilles, ils se livrèrent à la célébration du sabbat, multipliant les bénédictions et

louant le Seigneur qui les avait sauvés et avait fixé à ce jour la première manifestation de sa miséricorde. [28]Après le sabbat, ils distribuèrent une part du butin à ceux qu'avait lésés la persécution, aux veuves et aux orphelins ; eux-mêmes et leurs enfants se partagèrent le reste. [29]Cela fait, ils organisèrent une supplication commune, priant le Seigneur miséricordieux de se réconcilier entièrement avec ses serviteurs.

Timothée et Bacchidès vaincus.

[30]Se mesurant avec les soldats de Timothée et de Bacchidès, ils en tuèrent plus de vingt mille et emportèrent de bien hautes forteresses. Ils divisèrent leur immense butin en deux parts égales, l'une pour eux-mêmes, l'autre pour les victimes de la persécution, les orphelins et les veuves, sans oublier les vieillards. [31]Ils apportèrent un grand soin à recueillir les armes ennemies et les entreposèrent en des lieux convenables. Quant au reste des dépouilles, ils le portèrent à Jérusalem. [32]Ils tuèrent le phylarque qui se trouvait dans l'entourage de Timothée, homme fort impie qui avait causé beaucoup de mal aux Juifs. [33]Pendant qu'ils célébraient les fêtes de la victoire dans leur patrie, ils brûlèrent ceux qui avaient mis le feu aux portes saintes et s'étaient avec Callisthène réfugiés dans une même petite maison, et qui reçurent ainsi le digne salaire de leur profanation.

Fuite et confession de Nikanor.

[34]Le triple scélérat Nikanor, qui avait amené les mille marchands

pour la vente des Juifs, [35]humilié, avec l'aide du Seigneur, par des gens qui, pensait-il à part lui, étaient ce qu'il y avait de plus bas, Nikanor, dépouillant son habit d'apparat, s'isolant même de tous les autres, fuyant à travers champs à la manière d'un esclave échappé, parvint à Antioche, ayant une chance extraordinaire alors que son armée avait été détruite. [36]Et celui qui avait promis aux Romains de réaliser un tribut avec le prix des captifs de Jérusalem proclama que les Juifs avaient un défenseur, que les Juifs étaient invulnérables par cela même qu'ils suivaient les lois que lui-même avait dictées.

Fin d'Antiochus Épiphane.
|| 1 M 6 1-16. Cf. 2 M 1 11-17.

9 [1]Vers ce temps-là, Antiochus était piteusement revenu des régions de la Perse. [2]En effet, une fois entré dans la ville qu'on appelle Persépolis, il s'était mis en devoir d'en piller le temple et d'opprimer la ville. Aussi la foule, se soulevant, recourut-elle aux armes, et il arriva qu'Antiochus, mis en fuite par les habitants du pays, dut opérer une retraite humiliante. [3]Comme il se trouvait vers Ecbatane, il apprit ce qui était arrivé à Nikanor et aux gens de Timothée. [4]Transporté de fureur, il pensait faire payer aux Juifs l'injure de ceux qui l'avaient mis en fuite et, pour ce motif, il ordonna au conducteur de pousser son char sans s'arrêter jusqu'au terme du voyage. Mais déjà il était accompagné par la sentence du Ciel. Il avait dit en effet, dans son orgueil : « Arrivé à Jérusalem, je ferai de cette ville la fosse commune des Juifs. » [5]Mais le Seigneur qui voit tout, le Dieu d'Israël, le frappa d'une plaie incurable et invincible. À peine avait-sil achevé sa phrase qu'une douleur d'entrailles sans remède le saisit et que des souffrances aiguës le torturaient au-dedans, [6]ce qui était pleine justice, puisqu'il avait infligé aux entrailles des autres des tourments nombreux et étranges. [7]Il ne rabattait pourtant rien de son arrogance ; toujours rempli d'orgueil, il exhalait contre les Juifs le feu de sa colère et commandait d'accélérer la marche, quand il tomba soudain du char qui roulait avec fracas, le corps entraîné dans une chute malheureuse, et tous les membres tordus. [8]Lui qui tout à l'heure croyait, dans sa jactance surhumaine, commander aux flots de la mer, lui qui s'imaginait peser dans la balance la hauteur des montagnes, se voyait gisant à terre, puis transporté dans une litière, faisant éclater aux yeux de tous la puissance de Dieu, [9]à telle enseigne que les yeux de l'impie fourmillaient de vers et que, lui vivant, ses chairs se détachaient par lambeaux avec d'atroces douleurs, enfin que la puanteur de cette pourriture soulevait le cœur de toute l'armée. [10]Celui qui naguère semblait toucher aux astres du ciel, personne maintenant ne pouvait l'escorter à cause de l'incommodité intolérable de cette odeur.

[11]Là donc, il commença, tout brisé, à dépouiller cet excès d'orgueil et à prendre conscience des réalités sous le fouet divin, torturé par des crises douloureuses.

[12]Comme lui-même ne pouvait supporter son infection, il avoua : « Il est juste de se soumettre à Dieu, et, simple mortel, de ne pas penser à s'égaler à la divinité. » [13]Mais les prières de cet être abject allaient vers un Maître qui ne devait plus avoir pitié de lui : [14]il promettait de déclarer libre la ville sainte que naguère il gagnait en toute hâte pour la raser et la transformer en fosse commune, [15]de faire de tous les Juifs les égaux des Athéniens, eux qu'il jugeait indignes de la sépulture et bons à servir de pâture aux oiseaux de proie ou à être jetés aux bêtes avec leurs enfants, [16]d'orner des plus belles offrandes le saint Temple qu'il avait jadis dépouillé, de lui rendre au double tous les vases sacrés et de subvenir de ses propres revenus aux frais des sacrifices, [17]et finalement de devenir lui-même juif et de parcourir tous les lieux habités pour y proclamer la toute-puissance de Dieu.

Lettre d'Antiochus aux Juifs.

[18]Comme ses souffrances ne se calmaient d'aucune façon, car le jugement équitable de Dieu pesait sur lui, et qu'il voyait son état désespéré, il écrivit aux Juifs la lettre transcrite ci-dessous, sous forme de supplique. Elle était ainsi libellée :

[19]« Aux excellents Juifs, aux citoyens, Antiochus roi et stratège : salut, santé et bonheur parfaits ! [20]Si vous vous portez bien ainsi que vos enfants, et que vos affaires aillent suivant vos désirs, nous en rendons de très grandes actions de grâces. [21]Pour moi, je suis étendu sans force sur lit et je garde un affectueux souvenir de vous.

« À mon retour des régions de la Perse, atteint d'un mal fâcheux, j'estimai nécessaire de veiller à la sûreté de tous. [22]Ce n'est pas que je désespère de mon état, ayant au contraire le ferme espoir d'échapper à cette maladie. [23]Mais, considérant que mon père, chaque fois qu'il portait les armes dans les pays d'en haut, désignait son futur successeur, [24]afin que, en cas d'un événement inattendu ou d'un bruit fâcheux, ceux qui étaient dans les provinces n'en pussent être troublés, sachant à qui il avait laissé la direction des affaires, [25]après avoir songé en outre que les souverains proches de nous et les voisins de notre royaume épient les circonstances et attendent les éventualités, j'ai désigné comme roi mon fils Antiochus, que plus d'une fois, lorsque je parcourais les satrapies d'en haut, j'ai confié et recommandé à la plupart d'entre vous. Je lui ai écrit d'ailleurs la lettre transcrite ci-dessous. [26]Je vous prie donc et vous conjure, vous souvenant des bienfaits que vous avez reçus de moi en public et en particulier, de conserver chacun, pour mon fils également, les dispositions favorables que vous éprouvez pour moi. [27]Je suis en effet persuadé que, plein de douceur et d'humanité, il suivra scrupuleusement mes intentions et s'entendra bien avec vous. »

[28]Ainsi ce meurtrier, ce blasphémateur, en proie aux pires souffrances, semblables à celles qu'il avait fait endurer aux autres, eut le sort lamentable de perdre la

vie loin de son pays, en pleine montagne. [29]Philippe, son familier, ramena son corps, mais, craignant le fils d'Antiochus, il se retira en Égypte auprès de Ptolémée Philométor.

Purification du Temple. ‖ 1 M 4 36-61.

10 [1]Maccabée, avec ses compagnons, recouvra sous la conduite du Seigneur le sanctuaire et la ville [2]et détruisit les autels élevés par les étrangers sur la place publique ainsi que les lieux du culte. [3]Une fois le Temple purifié, ils bâtirent un autre autel, puis, ayant tiré des étincelles de pierres à feu, ils prirent de ce feu et, après deux ans d'interruption, ils offrirent un sacrifice, firent fumer l'encens, allumèrent les lampes et exposèrent les pains de proposition. [4]Cela fait, prosternés sur le ventre, ils prièrent le Seigneur de ne plus les laisser tomber dans de tels maux, mais de les corriger avec mesure, s'il leur arrivait jamais de pécher, et de ne pas les livrer aux nations blasphématrices et barbares. [5]Ce fut le jour même où le Temple avait été profané par les étrangers que tomba le jour de la purification du Temple, c'est-à-dire le vingt-cinq du même mois qui est Kisleu. [6]Ils célébrèrent avec allégresse huit jours de fête à la manière des Tentes, se souvenant comment naguère, aux jours de la fête des Tentes, ils gîtaient dans les montagnes et dans les grottes à la façon des bêtes sauvages. [7]C'est pourquoi, portant des thyrses, de beaux rameaux et des palmes, ils firent monter des hymnes vers Celui qui avait mené à bien la purification de son lieu saint. [8]Ils décrétèrent par un édit public confirmé par un vote que toute la nation des Juifs solenniserait chaque année ces jours-là.

6. Lutte de Judas contre les peuples voisins et contre Lysias, ministre d'Eupator

Débuts du règne d'Antiochus Eupator.

[9]Telles furent donc les circonstances de la mort d'Antiochus surnommé Épiphane. [10]Nous allons maintenant exposer les faits qui concernent Antiochus Eupator, fils de cet impie, en résumant les maux causés par les guerres. [11]Ayant hérité du royaume, ce prince promut à la tête des affaires un certain Lysias, stratège en chef de Cœlé-Syrie et Phénicie. [12]Quant à Ptolémée, surnommé Makrôn, le premier à observer la justice envers les Juifs, à cause des torts qu'on leur infligeait, il s'était efforcé de les administrer pacifiquement. [13]Accusé en conséquence par les amis du roi auprès d'Eupator, il s'entendait, en toute occasion, appeler traître, pour avoir abandonné Chypre que lui avait confié Philométor, avoir passé du côté d'Antiochus Épiphane et n'avoir pas fait honneur

à la dignité de sa charge : il quitta l'existence en s'empoisonnant.

Gorgias et les forteresses iduméennes. || 1 M 5 1-8.

[14]Gorgias, devenu stratège de la région, entretenait des troupes mercenaires et saisissait toutes les occasions pour faire la guerre aux Juifs. [15]En même temps, les Iduméens, maîtres de forteresses bien situées, harcelaient les Juifs, et, accueillant les proscrits de Jérusalem, tentaient de fomenter la guerre. [16]Maccabée et ses compagnons, après avoir fait des prières publiques et demandé à Dieu de se faire leur allié, se mirent en mouvement contre les forteresses des Iduméens. [17]Les ayant attaquées avec vigueur, ils se rendirent maîtres de ces positions et repoussèrent tous ceux qui combattaient sur le rempart ; ils égorgeaient quiconque tombait entre leurs mains, ils n'en tuèrent pas moins de vingt mille. [18]Neuf mille hommes au moins s'étant réfugiés dans deux tours remarquablement fortes, ayant avec eux tout ce qu'il faut pour soutenir un siège, [19]Maccabée laissa pour les assiéger Simon et Joseph avec Zacchée et les siens en nombre suffisant, et partit en personne pour des endroits où il y avait urgence. [20]Mais les gens de Simon, avides de richesses, se laissèrent gagner à prix d'argent par quelques-uns de ceux qui gardaient les tours et, pour une somme de soixante-dix mille drachmes, ils en laissèrent s'échapper un certain nombre. [21]Quand on eut annoncé à Maccabée ce qui était arrivé, il réunit les chefs du peuple,

il accusa les coupables d'avoir vendu leurs frères à prix d'argent en relâchant contre eux leurs ennemis. [22]Il les fit donc exécuter comme traîtres et aussitôt après il s'empara des deux tours. [23]Menant tout à bonne fin par la valeur de ses armes, il tua dans ces deux forteresses plus de vingt mille hommes.

Judas bat Timothée et prend Gazara.

[24]Timothée, qui avait été battu précédemment par les Juifs, ayant levé des forces étrangères en grand nombre et réuni quantité de chevaux venus d'Asie, parut bientôt en Judée, s'imaginant qu'il allait s'en rendre maître par les armes. [25]À son approche, Maccabée et ses hommes se répandirent en supplications devant Dieu, la tête saupoudrée de terre et les reins ceints d'un cilice. [26]Prosternés contre le soubassement antérieur de l'autel, ils demandaient à Dieu de leur être favorable, de se déclarer l'ennemi de leurs ennemis, l'adversaire de leurs adversaires, suivant les claires expressions de la Loi. [27]Ayant pris les armes au sortir de cette prière, ils s'avancèrent hors de la ville, jusqu'à une sérieuse distance, et, quand ils furent près de l'ennemi, ils s'arrêtèrent. [28]Au moment même où se diffusait la clarté du soleil levant, ils en vinrent aux mains de part et d'autre, les uns ayant pour gage du succès et de la victoire, outre leur vaillance, le recours au Seigneur, les autres prenant leur emportement pour guide des batailles. [29]Au fort du combat, apparurent du ciel aux ennemis, sur des chevaux aux

freins d'or, cinq hommes magnifiques qui se mirent à la tête des Juifs [30]et, prenant en même temps Maccabée au milieu d'eux et le couvrant de leurs armures, le gardaient invulnérable. Ils lançaient aussi des traits et la foudre sur les adversaires qui, bouleversés par l'éblouissement, se dispersaient dans le plus grand désordre. [31]Vingt mille cinq cents fantassins et six cents cavaliers furent alors égorgés. [32]Quant à Timothée, il s'enfuit en personne dans une place très forte appelée Gazara, où Chéréas était stratège.

|| 1 M 13 43-48.

[33]Pendant quatre jours, Maccabée et les siens l'assiégèrent avec une ardeur joyeuse. [34]Confiants dans la force de la place, ceux qui se trouvaient à l'intérieur proféraient d'énormes blasphèmes et lançaient des paroles impies. [35]Le cinquième jour commençant à poindre, vingt jeunes gens de la troupe de Maccabée, que les blasphèmes avaient enflammés de colère, s'élancèrent contre la muraille, animés d'un mâle courage et d'une ardeur farouche, et ils massacrèrent quiconque se présentait devant eux. [36]D'autres montaient pareillement contre les assiégés en les prenant à revers, mettaient le feu aux tours et, ayant allumé des bûchers, brûlèrent vifs les blasphémateurs. Cependant, brisant les portes, les premiers accueillirent le reste de l'armée et, à leur tête, s'emparèrent de la ville. [37]Ils égorgèrent Timothée, qui s'était caché dans une citerne, et avec lui son frère Chéréas et Apollophane. [38]Après avoir accompli ces exploits, ils bénirent avec des hymnes et des louanges le Seigneur qui accordait de si grands bienfaits à Israël et qui lui donnait la victoire.

Première campagne de Lysias.
|| 1 M 4 26-35.

11 [1]Très peu de temps après, Lysias, tuteur et parent du roi, à la tête des affaires du royaume, très affecté par les derniers événements, [2]assembla environ quatre-vingt mille hommes de pied, avec toute sa cavalerie, et se mit en marche contre les Juifs, comptant bien faire de la Ville une résidence pour les Grecs, [3]soumettre le sanctuaire à un impôt comme les autres lieux de culte des nations et vendre tous les ans la dignité de grand prêtre, [4]ne tenant aucun compte de la puissance de Dieu, mais pleinement confiant dans ses myriades de fantassins, dans ses milliers de cavaliers et ses quatre-vingts éléphants.

[5]Ayant donc pénétré en Judée, il s'approcha de Bethsour, qui est une place forte distante de Jérusalem d'environ cinq schoenes, et la pressa vivement. [6]Lorsque Maccabée et les siens apprirent que Lysias assiégeait les forteresses, ils prièrent le Seigneur avec gémissements et larmes, de concert avec la foule, d'envoyer un bon ange à Israël pour le sauver. [7]Maccabée lui-même, prenant les armes le premier, exhorta les autres à s'exposer avec lui au danger pour secourir leurs frères. Ceux-là donc s'élancèrent ensemble, remplis d'ardeur ; [8]ils se trouvaient encore près de Jérusalem lorsqu'un cavalier vêtu de blanc apparut à leur tête, agitant des armes d'or. [9]Alors tous à la fois bénirent le Dieu miséri-

cordieux et se sentirent animés d'une telle ardeur qu'ils étaient prêts à transpercer, non seulement des hommes, mais encore les bêtes les plus sauvages et des murailles de fer. [10]Ils s'avancèrent en ordre de bataille, aidés par un allié venu du ciel, le Seigneur ayant eu pitié d'eux. [11]Ils foncèrent donc à la façon des lions sur les ennemis, couchèrent sur le sol onze mille fantassins et seize cents cavaliers, et contraignirent tous les autres à fuir. [12]La plupart n'en réchappèrent que blessés et sans armes. Lysias lui-même sauva sa vie par une fuite honteuse.

Paix avec les Juifs. Quatre lettres concernant le traité. ‖ 1 M 6 57-61.

[13]Mais Lysias, qui ne manquait pas de sens, réfléchit sur le revers qu'il venait d'essuyer ; comprenant que les Hébreux étaient invincibles puisque le Dieu puissant combattait avec eux, il leur envoya une députation [14]pour les amener à un arrangement sous toutes conditions équitables, et leur promettait de contraindre le roi à devenir leur ami. [15]Maccabée consentit à tout ce que proposait Lysias, n'ayant souci que du bien public. Tout ce que Maccabée transmit par écrit à Lysias au sujet des Juifs, le roi l'accorda.

[16]La lettre écrite aux Juifs par Lysias était ainsi libellée : « Lysias au peuple juif, salut. [17]Jean et Absalom, vos émissaires, m'ayant remis l'acte transcrit ci-dessous, m'ont prié de ratifier les choses qu'il contenait. [18]J'ai donc exposé au roi ce qui devait lui être soumis. Quant à ce qui était possible,

je l'ai accordé. [19]Si donc vous conservez vos dispositions favorables envers les intérêts de l'État, je m'efforcerai à l'avenir de travailler à votre bien. [20]Quant aux matières de détail, j'ai donné des ordres à vos envoyés et à mes gens pour en conférer avec vous. [21]Portez-vous bien. L'an cent quarante-huit, le vingt-quatre de Dioscore. »

[22]La lettre du roi contenait ce qui suit : « Le roi Antiochus à son frère Lysias, salut. [23]Notre père ayant émigré vers les dieux, et nous-même désirant que ceux de notre royaume soient à l'abri des troubles pour s'appliquer au soin de leurs propres affaires, [24]ayant appris d'autre part que les Juifs ne consentent pas à l'adoption des mœurs grecques voulue par notre père, mais que, préférant leur manière de vivre particulière, ils demandent qu'on leur permette l'observation de leurs lois, [25]désirant donc que ce peuple aussi reste tranquille, nous décidons que le Temple leur soit rendu et qu'ils puissent vivre selon les coutumes de leurs ancêtres. [26]Tu feras donc bien d'envoyer quelqu'un vers eux pour leur tendre la main afin que, au fait du parti adopté par nous, ils aient confiance et vaquent joyeusement à leurs propres affaires. »

[27]La lettre du roi à la nation des Juifs était ainsi conçue : « Le roi Antiochus au Sénat des Juifs et aux autres Juifs, salut. [28]Si vous allez bien, cela est conforme à nos vœux, et nous-même nous sommes en bonne santé. [29]Ménélas nous a fait connaître le désir que vous avez de retourner à vos propres demeures. [30]Tous ceux qui, jusqu'au trente

Xanthique, retourneront chez eux, obtiendront l'assurance de l'impunité. [31]Les Juifs auront l'usage de leurs aliments spéciaux et de leurs lois comme auparavant. Que nul d'entre eux ne soit molesté d'aucune façon pour des fautes commises par ignorance. [32]J'envoie pareillement Ménélas pour vous tranquilliser. [33]Portez-vous bien. L'an cent quarante-huit, le quinze Xanthique. »

[34]Les Romains adressèrent aussi aux Juifs une lettre de cette teneur : « Quintus Memmius, Titus Manilius, Manius Sergius, légats romains, au peuple des Juifs, salut. [35]Les choses que Lysias, parent du roi, vous a accordées, nous vous les concédons aussi. [36]Quant à celles qu'il a jugé devoir soumettre au roi, envoyez-nous quelqu'un sans délai, après les avoir bien examinées, afin que nous les exposions au roi d'une façon qui vous soit avantageuse, car nous nous rendons à Antioche. [37]Aussi bien, hâtez-vous de nous expédier des gens afin que nous sachions, nous aussi, quelles sont vos intentions. [38]Portez-vous bien. L'an cent quarante-huit, le quinze de Dioscore. »

Affaires de Joppé et de Iamnia.

12 [1]Ces traités conclus, Lysias revint chez le roi, tandis que les Juifs se remettaient aux travaux des champs. [2]Parmi les stratèges en place, Timothée et Apollonius, fils de Gennéos, et aussi Hiéronyme et Démophon, à qui s'ajoutait Nikanor le Cypriarque, ne laissaient goûter aux Juifs ni repos, ni tranquillité. [3]Les habitants de Joppé com-

mirent un acte particulièrement impie. Ils invitèrent les Juifs domiciliés chez eux à monter avec leurs femmes et leurs enfants sur des barques qu'ils avaient préparées eux-mêmes, comme si nulle inimitié n'existait à leur égard. [4]Sur l'assurance d'un décret rendu par le peuple de la ville, les Juifs acceptèrent comme des gens désireux de la paix et sans défiance, mais quand ils furent au large, on les coula à fond au nombre d'au moins deux cents.

[5]Dès que Judas eut appris la cruauté commise contre les gens de sa nation, il fit savoir ses ordres à ceux qui étaient avec lui, [6]et, après avoir invoqué Dieu, le juge équitable, il marcha contre les meurtriers de ses frères. De nuit, il incendia le port, brûla les vaisseaux et passa au fil de l'épée ceux qui y avaient cherché un refuge. [7]Mais la place ayant été fermée, il partit dans le dessein d'y revenir pour extirper toute la cité des Joppites. [8]Averti que ceux de Iamnia voulaient jouer le même tour aux Juifs qui habitaient parmi eux, [9]il attaqua de nuit les Iamnites, incendia le port avec la flotte, de telle sorte que les lueurs des flammes furent aperçues jusqu'à Jérusalem quoique distante de deux cent quarante stades.

Expédition en Galaaditide.

‖ 1 M **5** 24-54.

[10]Il s'était éloigné de là de neuf stades dans une marche contre Timothée, lorsque tombèrent sur lui des Arabes au nombre d'au moins cinq mille hommes de pied et cinq cents cavaliers. [11]Un violent combat s'étant engagé, et les soldats de

Judas l'ayant emporté avec l'aide de Dieu, les nomades vaincus demandèrent à Judas de leur donner la main droite, promettant de lui livrer du bétail et de lui être utiles en tout le reste. ¹²Comprenant qu'en réalité ils pourraient lui rendre beaucoup de services, Judas consentit à faire la paix avec eux et, après qu'on se fut donné la main, ils se retirèrent sous la tente.

¹³Judas attaqua aussi une certaine ville forte, entourée de remparts, habitée par un mélange de nations et dont le nom était Kaspîn. ¹⁴Confiants dans la puissance de leurs murs et leurs dépôts de vivres, les assiégés se montraient grossiers à l'excès envers Judas et les siens, joignant aux insultes les blasphèmes et des propos impies. ¹⁵Judas et ses compagnons, ayant invoqué le grand Souverain du monde qui, sans béliers ni machines de guerre, renversa Jéricho au temps de Josué, assaillirent le mur avec férocité. ¹⁶Devenus maîtres de la ville par la volonté de Dieu, ils firent un carnage indescriptible, au point que l'étang voisin, large de deux stades, paraissait rempli par le sang qui y avait coulé.

La bataille du Karnion. ‖1 M 5 37-44.

¹⁷Comme ils s'étaient éloignés à sept cent cinquante stades de là, ils atteignirent le Charax, chez les Juifs appelés Toubiens. ¹⁸Quant à Timothée, ils ne le trouvèrent point dans ces parages, car il avait quitté les lieux sans avoir rien fait, mais non sans avoir laissé sur un certain point une très forte garnison. ¹⁹Dosithée et Sosipater, généraux du Maccabée, s'y rendirent et

tuèrent les hommes laissés par Timothée dans la forteresse au nombre de plus de dix mille. ²⁰Maccabée, de son côté, ayant distribué ses troupes en cohortes, nomma ceux qui seraient à leur tête et s'élança contre Timothée, qui avait autour de lui cent vingt mille fantassins et deux mille cinq cents cavaliers. ²¹Informé de l'approche de Judas, Timothée envoya tout d'abord les femmes, les enfants et le reste des bagages au lieu dit le Karnion, car la place était inexpugnable et difficile d'accès à cause des passes étroites de toute la contrée. ²²La cohorte de Judas parut la première : l'épouvante s'étant emparée de l'ennemi, ainsi que la crainte que leur inspirait la manifestation de Celui qui voit tout, ils prirent la fuite en tous sens, de telle sorte que souvent ils se blessaient entre eux et se transperçaient de leurs propres épées. ²³Judas les poursuivit avec une vigueur extrême, embrochant ces criminels dont il fit périr jusqu'à trente mille hommes. ²⁴Timothée, étant tombé lui-même aux mains des gens de Dosithée et de Sosipater, les conjura avec beaucoup d'artifice de le laisser aller sain et sauf, affirmant qu'il avait en son pouvoir des parents et même des frères de beaucoup d'entre eux, à qui il pourrait arriver d'être supprimés. ²⁵Quand il les eut persuadés par de longs discours qu'il leur restituerait ces hommes sains et saufs en vertu de l'engagement qu'il prenait, ils le relâchèrent pour sauver leurs frères.

²⁶S'étant rendu au Karnion et à l'Atargatéion, Judas égorgea vingt-cinq mille hommes.

Retour par Éphrôn et Scythopolis.

27 Après leur désastre (et leur perte), il conduisit son armée contre Éphrôn, ville forte où habitait Lysanias. De robustes jeunes gens, rangés devant les murailles, combattaient avec vigueur, et, à l'intérieur, il y avait des quantités de machines et de projectiles en réserve. 28 Mais, ayant invoqué le Souverain qui brise par sa puissance les forces des ennemis, les Juifs se rendirent maîtres de la ville et couchèrent sur le sol, parmi ceux qui s'y trouvaient, environ vingt-cinq mille hommes. 29 Partis de là, ils foncèrent sur Scythopolis, à six stades de Jérusalem. 30 Mais les Juifs qui s'y étaient fixés, ayant attesté que les Scythopolites avaient eu pour eux de la bienveillance et leur avaient réservé un accueil humain au temps du malheur, 31 Judas et les siens remercièrent ces derniers et les engagèrent à se montrer encore à l'avenir bien disposés pour leur race.

Ils arrivèrent à Jérusalem très peu avant la fête des Semaines.

Campagne contre Gorgias.

32 Après la fête appelée Pentecôte, ils foncèrent contre Gorgias, stratège de l'Idumée. 33 Celui-ci sortit à la tête de trois mille fantassins et quatre cents cavaliers, 34 qui engagèrent une bataille rangée où il arriva qu'un certain nombre de Juifs succombèrent.

35 Le dénommé Dosithée, cavalier du corps des Toubiens, homme vaillant, se rendit maître de la personne de Gorgias et, l'ayant saisi par la chlamyde, il l'entraînait de force en vue de capturer vivant ce maudit, mais un cavalier thrace, se jetant sur Dosithée, lui trancha l'épaule, et Gorgias s'enfuit à Marisa. 36 Cependant ceux qui se trouvaient avec Esdrias combattaient depuis longtemps et tombaient d'épuisement. Judas supplia le Seigneur de se montrer leur allié et leur guide dans le combat. 37 Entonnant ensuite à pleine voix dans la langue des pères le cri de guerre avec des hymnes, il mit en déroute les gens de Gorgias.

Le sacrifice pour les morts.

38 Judas, ayant ensuite rallié son armée, se rendit à la ville d'Odollam et, le septième jour de la semaine survenant, ils se purifièrent selon la coutume et célébrèrent le sabbat en ce lieu. 39 Le jour suivant, on vint trouver Judas (au temps où la nécessité s'en imposait) pour relever les corps de ceux qui avaient succombé et les inhumer avec leurs proches dans le tombeau de leurs pères. 40 Or ils trouvèrent sous la tunique de chacun des morts des objets consacrés aux idoles de Iamnia et que la Loi interdit aux Juifs. Il fut donc évident pour tous que cela avait été la cause de leur mort. 41 Tous donc, ayant béni la conduite du Seigneur, juge équitable qui rend manifestes les choses cachées, 42 se mirent en prière pour demander que le péché commis fût entièrement pardonné, puis le valeureux Judas exhorta la troupe à se garder pure de tout péché, ayant sous les yeux ce qui était arrivé à cause de la faute de ceux qui étaient tombés. 43 Puis, ayant fait une collecte d'environ deux

mille drachmes, il l'envoya à Jérusalem afin qu'on offrît un sacrifice pour le péché, agissant fort bien et noblement d'après le concept de la résurrection. [44]Car, s'il n'avait pas espéré que les soldats tombés dussent ressusciter, il était superflu et sot de prier pour les morts, [45]et s'il envisageait qu'une très belle récompense est réservée à ceux qui s'endorment dans la piété, c'était là une pensée sainte et pieuse. Voilà pourquoi il fit faire ce sacrifice expiatoire pour les morts, afin qu'ils fussent délivrés de leur péché.

Campagne d'Antiochus V et de Lysias. Supplice de Ménélas.

13 [1]L'an cent quarante-neuf, la nouvelle parvint à Judas qu'Antiochus Eupator marchait sur la Judée avec une troupe nombreuse [2]et accompagné de son tuteur Lysias, qui était à la tête des affaires ; il avait une armée grecque de cent dix mille fantassins, cinq mille trois cents cavaliers, vingt-deux éléphants et trois cents chars armés de faux.

[3]Ménélas se joignit à eux et se mit à circonvenir Antiochus avec beaucoup d'astuce, non pour le salut de sa patrie, mais avec l'espoir d'être rétabli dans sa dignité. [4]Mais le Roi des rois éveilla contre ce scélérat la colère d'Antiochus et, Lysias ayant démontré au roi que Ménélas était la cause de tous les maux, Antiochus ordonna de le conduire à Bérée et de l'y faire périr suivant la coutume du lieu. [5]Il y a en ce lieu une tour de cinquante coudées, pleine de cendre, munie d'un dispositif circulaire qui, de tout autour, fai-

sait tomber dans la cendre. [6]C'est là qu'on fait monter l'homme coupable de pillage, sacrilège ou de quelques autres forfaits énormes et qu'on le précipite pour le faire périr. [7]Tel fut le supplice dont mourut le prévaricateur, et Ménélas ne fut même pas enterré, [8]et cela en toute justice, car il avait commis beaucoup de péchés contre l'autel dont le feu et la cendre étaient purs, et c'est dans la cendre qu'il trouva la mort.

Prières et succès des Juifs près de Modîn.

[9]Le roi s'avançait donc, l'esprit hanté de desseins barbares, pour faire voir aux Juifs des choses pires que celles qui leur étaient advenues sous son père. [10]Judas, l'ayant appris, prescrivit au peuple d'invoquer le Seigneur jour et nuit pour que, cette fois encore, il vînt au secours de ceux qui allaient être privés de la Loi, de la patrie et du sanctuaire sacré, [11]et qu'il ne laissât pas ce peuple, qui commençait seulement à reprendre haleine, tomber au pouvoir des nations de triste renom. [12]Lorsqu'ils eurent tous exécuté cet ordre avec ensemble et imploré le Seigneur miséricordieux avec des larmes et des jeûnes, prosternés pendant trois jours continus, Judas les encouragea et leur enjoignit de se tenir prêts. [13]Après un entretien particulier avec les Anciens, il résolut de ne pas attendre que l'armée royale envahît la Judée et devînt maîtresse de la ville, mais de se mettre en marche et de décider de toute l'affaire avec l'assistance du Seigneur.

[14]Ayant donc remis la décision au Créateur du monde, exhorté

ensuite ses compagnons à combattre généreusement jusqu'à la mort, pour les lois, pour le sanctuaire, la ville, la patrie et les institutions, il fit camper son armée aux environs de Modîn. [15]Quand il eut donné aux siens comme mot d'ordre : « Victoire de Dieu ! », il attaqua avec une élite de jeunes braves la tente du roi pendant la nuit. Parmi les hommes campés, il en tua environ deux mille et ses gens transpercèrent le plus grand des éléphants avec son cornac. [16]ils remplirent finalement le camp d'épouvante et de confusion et se retirèrent avec un plein succès, [17]alors que déjà le jour commençait à poindre. Et cela se fit grâce à la protection dont le Seigneur couvrait Judas.

Antiochus V traite avec les Juifs. ‖ 1 M 6 48-63.

[18]Le roi, ayant tâté de la hardiesse des Juifs, essaya d'attaquer les places au moyen d'artifices. [19]Il s'approcha de Bethsour, forteresse puissante des Juifs, mais il était repoussé, mis en échec, vaincu. [20]Judas fit passer aux assiégés ce qui leur était nécessaire, [21]mais Rodokos, de l'armée juive, dévoilait les secrets aux ennemis : il fut recherché, arrêté et exécuté. [22]Pour la seconde fois, le roi parlementa avec ceux de Bethsour ; il leur tendit la main, prit la leur, se retira, attaqua Judas et ses hommes et eut le dessous. [23]Il apprit que Philippe, laissé à la tête des affaires, avait fait un coup de tête à Antioche. Bouleversé, il donna aux Juifs de bonnes paroles, composa avec eux et leur jura de garder toutes les conditions justes. Après cette réconciliation, il offrit un sacrifice, honora le Temple et fut généreux envers le lieu saint.

[24]Il fit bon accueil à Maccabée et laissa Hégémonide stratège depuis Ptolémaïs jusqu'au pays des Gerréniens. [25]Il se rendit à Ptolémaïs, mais les habitants de cette ville, n'agréant pas ce traité, s'en indignaient fort et voulurent en violer les conventions. [26]Alors Lysias monta à la tribune, défendit de son mieux ces conventions, persuada les esprits, les calma, les amena à la bienveillance et partit pour Antioche.

Il en alla ainsi de l'offensive et de la retraite du roi.

7. Lutte contre Nikanor, général de Démétrius Ier. Le jour de Nikanor

Intervention du grand prêtre Alkime.

14 [1]Après un intervalle de trois ans, Judas et ses compagnons apprirent que Démétrius, fils de Séleucus, ayant abordé au port de Tripoli avec une forte armée et une flotte, [2]s'était emparé du pays et avait fait périr Antiochus et son tuteur Lysias. [3]Un certain Alkime, précédemment devenu grand prêtre, mais qui s'était volontairement souillé au temps de la révolte, comprenant qu'il n'y avait pour lui de salut en aucune façon, ni désormais d'accès possible au saint autel, [4]vint trouver le roi Démétrius vers l'an cent cinquante et un, et lui offrit une couronne d'or avec une palme et, de plus, des rameaux d'olivier dus selon l'usage par le Temple ; et, ce jour-là, il ne fit rien de plus.

[5]Mais il trouva une occasion complice de sa démence quand, l'ayant appelé dans son conseil, Démétrius l'interrogea sur les dispositions et les desseins des Juifs. Il répondit : [6]« Ceux des Juifs qu'on appelle Assidéens, dont Judas Maccabée a pris la direction, fomentent la guerre et les séditions, ne laissant pas le royaume jouir du calme. [7]C'est pourquoi, ayant été dépouillé de ma dignité héréditaire, je veux dire du souverain pontificat, je suis venu ici, [8]d'abord avec le souci sincère des intérêts du roi, ensuite en considération de nos concitoyens, car la déraison de ceux que j'ai nommés plonge toute notre race dans une grande infortune. [9]Toi donc, ô roi, quand tu auras pris connaissance de chacun de ces griefs, daigne pourvoir au salut de notre pays et de notre nation menacée de toutes parts, suivant cette bienfaisance affable que tu témoignes à tout le monde, [10]car tant que Judas sera en vie, il sera impossible à l'État de goûter la paix. »

[11]Dès qu'il eut parlé de la sorte, les autres amis du roi, hostiles à l'action de Judas, s'empressèrent d'enflammer Démétrius. [12]Ayant aussitôt fixé son choix sur Nikanor, qui était devenu éléphantarque, il le promut stratège de Judée et le fit partir [13]avec l'ordre de faire périr Judas, de disperser ceux qui étaient avec lui et d'introniser Alkime grand prêtre du plus grand des sanctuaires. [14]Quant aux païens de Judée, qui avaient fui devant Judas, ils se rassemblèrent par troupes autour de Nikanor, pensant bien que l'infortune et le malheur des Juifs tourneraient à leur propre avantage.

Nikanor fait amitié avec Judas.

‖ 1 M 7 27-28.

[15]Informés de l'arrivée de Nikanor et de l'agression des païens, les Juifs répandirent sur eux de la poussière et implorèrent Celui qui avait constitué son peuple pour l'éternité et qui ne manquait jamais de secourir son propre héritage avec des signes manifestes. [16]Sur l'ordre de leur chef, ils partirent aussitôt du lieu où ils se trouvaient et en vinrent aux mains avec eux au bourg de Dessau. [17]Simon, frère de Judas, avait engagé le combat avec Nikanor, mais à cause de l'arrivée subite des adversaires, il avait subi un léger échec. [18]Toutefois, apprenant quelle était la valeur de Judas et de ses compagnons, leur assurance dans les combats livrés pour la patrie, Nikanor craignit de s'en remettre au jugement par le sang. [19]Aussi envoya-t-il Posidonius, Théodote et Mattathias pour tendre la main aux Juifs et recevoir la leur. [20]Après un examen approfondi des propositions, le chef les communiqua aux troupes, et, les avis ayant été unanimes, elles manifestèrent leur assentiment au traité.

²¹On fixa un jour où les chefs s'aboucheraient en particulier. De part et d'autre s'avança un véhicule ; on plaça des sièges d'honneur. ²²Judas avait aposté aux endroits favorables des gens en armes, prêts à intervenir en cas de perfidie soudaine de la part des ennemis. Dans leur entretien ils se mirent d'accord. ²³Nikanor séjourna à Jérusalem sans y rien faire de déplacé. Au contraire, il renvoya ces foules qui, par bandes, s'étaient groupées autour de lui. ²⁴Il avait sans cesse Judas devant les yeux, éprouvant pour cet homme une inclination de cœur. ²⁵Il l'engagea à se marier et à avoir des enfants. Judas se maria, goûta la tranquillité, jouit de la vie.

Alkime rallume les hostilités et Nikanor menace le Temple.

²⁶Alkime, voyant leur bonne entente, et s'étant procuré une copie du traité conclu, s'en vint chez Démétrius et lui dit que Nikanor avait des idées contraires aux intérêts de l'État, car l'adversaire même de son royaume, Judas, il l'avait promu diadoque. ²⁷Le roi entra en fureur et, excité par les calomnies de ce misérable, il écrivit à Nikanor, lui déclarant qu'il éprouvait un grand déplaisir de ces conventions et lui donnant l'ordre d'envoyer sans retard à Antioche le Maccabée chargé de chaînes. ²⁸Au reçu de ces lignes, Nikanor fut bouleversé, car il lui en coûtait de violer les conventions avec un homme qui n'avait commis aucune injustice. ²⁹Mais comme il n'était pas facile de s'opposer au roi, il épiait une occasion favorable pour accomplir cet ordre au moyen d'un stratagème.

|| 1 M 7 29-30, 33-38.

³⁰De son côté, Maccabée, remarquant que Nikanor se comportait plus sèchement à son égard et que son abord ordinaire se faisait plus rude, pensa qu'une telle sévérité ne présageait rien de très bon. Il rassembla donc un grand nombre de ses partisans et se déroba à Nikanor. ³¹Quand l'autre reconnut qu'il avait été joué de belle manière par cet homme, il se rendit au Sanctuaire très grand et saint, pendant que les prêtres offraient les sacrifices accoutumés, et commanda de lui livrer cet homme. ³²Comme ils assuraient avec serment qu'ils ne savaient où était l'homme qu'il cherchait, ³³Nikanor leva la main droite vers le Temple et affirma avec serment : « Si vous ne me livrez pas Judas enchaîné, je raserai cette demeure de Dieu, je détruirai l'autel et, au même endroit, j'élèverai à Dionysos un sanctuaire splendide. » ³⁴Sur de telles paroles, il se retira. Mais les prêtres, de leur côté, tendirent les mains vers le ciel, implorant en ces termes Celui qui a toujours combattu pour notre nation : ³⁵« Ô toi Seigneur, qui n'as besoin de rien, il t'a plu que le Temple où tu habites se trouve au milieu de nous. ³⁶Maintenant donc, Seigneur saint de toute sainteté, préserve pour jamais de toute profanation cette Maison qui vient d'être purifiée. »

Mort de Razis.

³⁷On dénonça alors à Nikanor un des anciens de Jérusalem nommé Razis, homme zélé pour ses

concitoyens, jouissant d'un excellent renom et qu'on appelait Père des Juifs à cause de son affection pour eux. [38]Inculpé de Judaïsme dans les premiers temps de la révolte, il avait exposé avec toute la constance possible son corps et sa vie pour le Judaïsme. [39]En vue de montrer la malveillance qu'il nourrissait à l'égard des Juifs, Nikanor envoya plus de cinq cents soldats pour l'arrêter, [40]car il ne doutait pas que faire disparaître cet homme ne fût un grand coup porté aux Juifs. [41]Comme ces troupes étaient sur le point de s'emparer de la tour et forçaient le porche, l'ordre étant donné de mettre le feu et de brûler les portes, Razis, cerné de toutes parts, dirigea son épée contre lui-même ; [42]il choisit noblement de mourir plutôt que de tomber entre des mains criminelles et de subir des outrages indignes de sa noblesse. [43]Son coup ayant manqué le bon endroit, dans la hâte du combat, et les troupes se ruant à l'intérieur des portes, il courut allégrement en haut de la muraille et se précipita avec intrépidité sur la foule. [44]Tous s'étant reculés aussitôt, il s'en vint choir au milieu de l'espace vide. [45]Respirant encore, et enflammé d'ardeur, il se releva tout ruisselant de sang et, malgré de très douloureuses blessures, il traversa la foule en courant. Enfin, debout sur une roche escarpée, [46]et déjà tout à fait exsangue, il s'arracha les entrailles et, les prenant à deux mains, il les projeta sur la foule, priant le maître de la vie et de l'esprit de les lui rendre un jour. Ce fut ainsi qu'il mourut.

Blasphèmes de Nikanor.

15 [1]Apprenant que Judas et les siens étaient dans les parages de Samarie, Nikanor prit le parti de les attaquer sans risque, le jour du repos. [2]Les Juifs qui le suivaient par contrainte lui dirent : « Ne va pas les faire périr d'une façon si sauvage et si barbare, mais rends gloire au jour que Celui qui veille sur toutes choses a sanctifié de préférence. » [3]Alors ce triple scélérat demanda s'il y avait au ciel un souverain qui eût prescrit de célébrer le jour du sabbat. [4]Comme ceux-ci lui répliquaient : « C'est le Seigneur vivant lui-même, souverain au ciel, qui a ordonné d'observer le septième jour », [5]l'autre reprit : « Et moi aussi je suis souverain sur terre : je commande qu'on prenne les armes et qu'on fasse le service du roi. » Toutefois, il ne fut pas maître de réaliser son funeste dessein.

Exhortation et songe de Judas.

[6]Tandis que Nikanor, se redressant avec une extrême jactance, décidait d'ériger un trophée commun avec les dépouilles de Judas et de ses compagnons, [7]Maccabée, de son côté, gardant une confiance inaltérable, avait plein espoir d'obtenir du secours de la part du Seigneur. [8]Il engageait ceux qui se trouvaient avec lui à ne pas redouter l'attaque des païens, mais, au souvenir des secours qui étaient déjà venus du Ciel, à compter qu'en ce moment aussi, du Tout-Puissant leur viendrait la victoire. [9]En les encourageant à l'aide de la Loi et des Prophètes, en évoquant à leur esprit

les combats qu'ils avaient déjà soutenus, il les remplit d'une nouvelle ardeur. [10]Ayant ainsi réveillé leur ardeur, il acheva de les exhorter en leur montrant la déloyauté des païens et la violation de leurs serments.

[11]Ayant armé chacun d'eux moins de la sécurité que donnent les boucliers et les lances que de l'assurance fondée sur les bonnes paroles, il leur raconta un songe digne de foi, une sorte de vision, qui les réjouit tous. [12]Voici le spectacle qui lui avait été offert : l'ex-grand prêtre Onias, cet homme de bien, d'un abord modeste et de mœurs douces, distingué dans son langage et adonné dès l'enfance à toutes les pratiques de la vertu, Onias étendait les mains et priait pour toute la communauté des Juifs. [13]Ensuite était apparu à Judas, de la même manière, un homme remarquable par ses cheveux blancs et par sa dignité, revêtu d'une prodigieuse et souveraine majesté. [14]Prenant la parole, Onias disait : « Celui-ci est l'ami de ses frères, qui prie beaucoup pour le peuple et pour la ville sainte tout entière, Jérémie, le prophète de Dieu. » [15]Puis Jérémie, avançant la main droite, donnait à Judas une épée d'or et prononçait ces paroles en la lui remettant : [16]« Prends ce glaive saint, il est un don de Dieu, avec lui tu briseras les ennemis. »

Dispositions des combattants.

[17]Excités par les excellentes paroles de Judas, capables d'inspirer de la vaillance et de donner aux jeunes une âme d'homme fait, les Juifs décidèrent de ne pas se retrancher dans un camp, mais de prendre bravement l'offensive et, dans un corps à corps, de remettre la décision à la fortune des armes, puisque la ville, la religion et le sanctuaire étaient en péril, [18]car l'inquiétude au sujet des femmes, des enfants, des frères et des proches se réduisait à peu de chose, tandis que la plus grande et la première des craintes était pour le temple consacré. [19]L'angoisse de ceux qui avaient été laissés dans la ville n'était pas moindre, inquiets qu'ils étaient au sujet de l'action qui allait se livrer en rase campagne. [20]Pendant que tous attendaient le prochain dénouement et que déjà les ennemis, ayant opéré leur concentration, se rangeaient en ordre de bataille, les éléphants étant ramenés sur une position favorable et la cavalerie rangée sur les ailes, [21]Maccabée observait les troupes présentes, l'appareil varié de leur armement et l'aspect farouche des éléphants. Il leva les mains vers le ciel et invoqua le Seigneur qui opère les prodiges, sachant bien que ce n'est pas à l'aide des armes, mais selon ce qu'il juge, qu'il accorde la victoire à ceux qui en sont dignes.

|| 1 M 7 40-42. Cf. 2 M **8** 19.

[22]Il prononça en ces termes l'invocation suivante : « Ô toi, Maître, tu as envoyé ton ange sous Ézéchias, roi de la Judée, et il a exterminé cent quatre-vingt-cinq mille hommes de l'armée de Sennachérib ; [23]maintenant encore, ô Souverain des cieux, envoie un bon ange devant nous pour semer la crainte et l'effroi. [24]Que par la grandeur de ton bras soient frappés ceux qui sont venus, le blas-

phème à la bouche, attaquer ton peuple saint ! » Et il termina sur ces mots.

Défaite et mort de Nikanor.
‖ 1 M 7 43-50.

²⁵Or, tandis que les gens de Nikanor s'avançaient au son des trompettes et au chant du péan, ²⁶les hommes de Judas en vinrent aux mains avec l'ennemi en faisant des invocations et des prières. ²⁷Combattant de leurs mains et priant Dieu de leur cœur, ils couchèrent sur le sol au moins trente-cinq mille hommes, et se réjouirent grandement de cette manifestation de Dieu. ²⁸La besogne une fois terminée, et comme ils s'en retournaient avec joie, ils reconnurent que Nikanor était tombé revêtu de son armure.

²⁹Alors, au milieu des clameurs et de la confusion, ils bénissaient le souverain Maître dans la langue de leurs pères. ³⁰Celui qui au premier rang s'était consacré, corps et âme, à ses concitoyens, qui avait conservé pour ses compatriotes l'affection du jeune âge, ordonna de couper la tête de Nikanor et son bras jusqu'à l'épaule, et de les porter à Jérusalem. ³¹Il s'y rendit lui-même et, après avoir convoqué ses compatriotes et placé les prêtres devant l'autel, il envoya chercher les gens de la Citadelle : ³²il leur montra la tête de l'abominable Nikanor et la main que cet infâme avait étendue avec tant d'insolence contre la sainte Maison du Tout-Puissant. ³³Puis,

ayant coupé la langue de l'impie Nikanor, il dit qu'on la donnât par morceaux aux oiseaux et qu'on suspendît en face du Temple le salaire de sa folie. ³⁴Tous alors firent monter vers le ciel des bénédictions au Seigneur glorieux, en ces termes : « Béni soit Celui qui a gardé son saint lieu exempt de souillure ! »

³⁵Judas attacha la tête de Nikanor à la Citadelle, comme un signe manifeste et visible à tous du secours du Seigneur. ³⁶Ils décrétèrent tous par un vote public de ne pas laisser passer ce jour inaperçu, mais de célébrer le treizième jour du douzième mois, appelé Adar en araméen, la veille du jour dit de Mardochée.

Épilogue de l'abréviateur.

³⁷Ainsi se passèrent les choses concernant Nikanor, et, comme depuis ce temps-là la ville demeura en la possession des Hébreux, je finirai également mon ouvrage ici même. ³⁸Si la composition en est bonne et réussie, c'est aussi ce que j'ai voulu. A-t-elle peu de valeur et ne dépasse-t-elle pas la médiocrité ? C'est tout ce que j'ai pu faire... ³⁹Comme il est nuisible de boire seulement du vin ou seulement de l'eau, tandis que le vin mêlé à l'eau est agréable et produit une délicieuse jouissance, de même c'est l'art de disposer le récit qui charme l'entendement de ceux qui lisent le livre. C'est donc ici que j'y mettrai fin.

Les livres poétiques
et sapientiaux

Introduction

On donne le nom de « livres sapientiaux » à cinq livres de l'Ancien Testament : Job, les Proverbes, l'Ecclésiaste, l'Ecclésiastique et la Sagesse ; on y joint improprement les Psaumes et le Cantique des Cantiques. Ces livres représentent un courant de pensée qu'on retrouve dans une partie des livres de Tobie et de Baruch.

La littérature sapientielle a fleuri dans tout l'Ancien Orient sous forme d'écrits divers, de proverbes, de fables, de poèmes ; maximes d'Amenemopé en Égypte, Sagesse d'Ahiqar, d'origine assyrienne, de langue araméenne et traduite en plusieurs langues anciennes. La caractéristique de cette sagesse est d'être internationale, d'avoir peu de préoccupations religieuses et de s'exercer sur le plan profane. Elle éclaire la destinée des individus, non par une réflexion philosophique à la manière des Grecs, mais en cueillant les fruits de l'expérience. Elle est un art de bien vivre, elle enseigne à l'homme à se conformer à l'ordre de l'univers – ce qui devrait lui donner le moyen d'être heureux et de réussir. Mais ce n'est pas toujours le cas et cette expérience justifie le pessimisme de certains ouvrages de sagesse, en Égypte comme en Mésopotamie.

Les premières œuvres sapientielles d'Israël ressemblent beaucoup à celles de ses voisins. Les parties anciennes des Proverbes ne donnent guère que des préceptes de sagesse humaine. Si l'on excepte l'Ecclésiastique et la Sagesse, qui sont les plus récents, les livres sapientiaux n'abordent pas les grands thèmes de l'AT : la Loi, l'Alliance, l'Élection, le Salut. Les sages d'Israël ne s'inquiètent pas de l'histoire et de l'avenir de leur peuple, ils se penchent sur la destinée des individus, comme leurs confrères orientaux. Mais ils l'envisagent à la lumière de la religion yahviste. L'opposition sagesse-folie devient ainsi une opposition entre justice et iniquité, piété et impiété : la vraie sagesse est la crainte de Dieu et la crainte de Dieu est la piété.

Mais cette valeur religieuse de la sagesse ne s'est dégagée que peu à peu. Le terme hébreu a une signification complexe, il peut désigner l'habileté manuelle ou professionnelle, le sens politique, le discernement, et aussi l'astuce, le savoir-faire, l'art de la magie. Cette sagesse peut s'exercer pour le bien et pour le mal, et cette ambiguïté peut expliquer les jugements défavorables que les prophètes portent sur les sages et aussi qu'on ait mis longtemps avant de parler de la « sagesse » de Dieu : c'est seulement dans des écrits postexiliques qu'on dira que Dieu seul est sage, d'une sagesse transcendante que l'homme voit à l'œuvre dans la création, mais qu'il est impuissant à scruter. Dans le grand prologue des Proverbes, 1–9, la Sagesse divine parle comme une personne ; dans Jb, 28, elle apparaît comme distincte de Dieu, dans Si 24, la Sagesse se dit envoyée en Israël par Dieu. Ainsi, la Sagesse attribut de Dieu se détache-t-elle de lui et devient une personne.

La destinée des individus étant la préoccupation dominante des sages, le problème de la rétribution avait pour eux une importance capitale. C'est dans leur milieu et par leur réflexion que la doctrine « c'est Dieu qui récompense les bons et qui punit les méchants » évolue. Dn 12 2 explicitera la foi en une rétribution outre-tombe et le livre de la Sagesse affirme que « Dieu a créé l'homme pour l'immortalité » et qu'après la mort l'âme fidèle jouira d'un bonheur sans fin auprès de Dieu, tandis que les impies recevront leur châtiment.

La forme la plus simple et la plus ancienne de la littérature sapientielle est le *mâshâl*, c'est-à-dire une formule frappante, un dicton populaire ou une maxime facilement mémorisable que le père ou la mère apprend à ses enfants et qui servent de règles de conduite. Puis le *mâshâl* se développera, deviendra parabole, allégorie, discours et raisonnement, objet d'enseignement. La sagesse est un privilège de la classe instruite qui sait écrire : sages et scribes apparaissent côte à côte dans Jr 8, et Si 38–39 exalte, en l'opposant aux métiers manuels, le métier du scribe qui lui permet d'acquérir la sagesse. Les scribes fournissaient au roi ses fonctionnaires, et c'est à la cour que se développèrent d'abord les doctrines de sagesse. Un des recueils des Proverbes a été rassemblé par « les gens d'Ézéchias, roi de Juda », Pr 25. Mais ces sages n'étaient pas seulement des collecteurs de maximes antiques, ils écrivaient eux-mêmes. Deux œuvres littéraires, l'histoire de Joseph et celle de la succession au trône de David, peuvent être considérées comme des écrits de sagesse.

Le milieu des sages est donc bien différent des milieux d'où sont sortis les écrits sacerdotaux et les écrits prophétiques. Les sages ne s'intéressent pas spécialement au culte et ils ne paraissent pas émus par les malheurs du peuple ni travaillés par la grande espérance qui le soutient. Mais, à partir de l'Exil, ces trois courants confluent. Le prologue des Proverbes prend le ton de la prédication prophétique, l'Ecclésiastique et la Sagesse méditent longuement sur l'Histoire Sainte. L'Ecclésiastique vénère le sacerdoce, il est un fervent du culte, enfin il identifie la Sagesse et la Loi : c'est l'alliance entre le scribe (ou le sage) et le docteur de la Loi, qu'on retrouvera aux temps évangéliques.

C'est, dans l'Ancien Testament, le terme d'un long chemin au début duquel on plaçait Salomon. Salomon fut loué comme le plus grand sage d'Israël, et les deux recueils les plus importants et les plus anciens des Proverbes lui sont attribués, ce qui explique le titre donné à tout le livre. On mit également sous son nom l'Ecclésiaste, la Sagesse et le Cantique.

Le livre de Job

Introduction

Le personnage principal de ce drame, Job, est censé vivre à l'époque patriarcale, aux confins de l'Arabie et du pays d'Édom, dans une région dont les sages étaient célèbres, et d'où viennent aussi ses trois amis. La tradition le tenait pour un grand juste qui était resté fidèle à Dieu dans une épreuve exceptionnelle. L'auteur s'est servi de cette vieille histoire pour encadrer son livre.

Job qui vivait riche et heureux s'est retrouvé dépouillé de tout. Ses amis, Éliphaz, Bildad et Çophar, viennent pour le plaindre. Job clame son innocence. Mais tous les trois défendent la thèse traditionnelle des rétributions terrestres : si Job souffre, c'est qu'il a péché ; il peut paraître juste à ses propres yeux mais il ne l'est pas aux yeux de Dieu. À ces considérations théoriques, Job oppose son expérience douloureuse et les injustices qui remplissent le monde. Il y revient sans cesse, et sans cesse se heurte au mystère d'un Dieu juste qui afflige le juste. Il n'avance pas, il se débat dans la nuit. Dans son désarroi moral, il a des cris de révolte et des paroles de soumission, comme il a des crises et des répits dans sa souffrance physique. Ce mouvement alterné atteint deux sommets : l'acte de foi du chap. **19** et la protestation finale d'innocence du chap. **31**.

Intervient un nouveau personnage, Élihu, qui donne tort à la fois à Job et à ses amis et essaie de justifier la conduite de Dieu. Lui aussi maintient la liaison entre souffrance et péché personnel. Il est interrompu par Yahvé lui-même qui, « du sein de la tempête », c'est-à-dire dans le cadre des antiques théophanies, répond à Job. Ou plutôt il refuse de répondre, car l'homme n'a pas le droit de mettre en jugement Dieu, qui est infiniment sage et tout-puissant. Et Job reconnaît qu'il a parlé sans intelligence. Yahvé blâme les trois interlocuteurs de Job et rend à celui-ci des fils et des filles et le double de ses biens. La leçon religieuse du livre est claire : l'homme doit persister dans la foi alors même que son esprit ne reçoit pas d'apaisement.

L'auteur de Job ne nous est connu que par le livre qu'il a composé. C'était certainement un Israélite, nourri des œuvres des prophètes et des enseignements des sages. Il habitait probablement la Palestine, mais il a dû voyager ou séjourner à l'étranger, particulièrement en Égypte. Le livre est postérieur à Jérémie et à Ézéchiel, avec lesquels il a des contacts d'expression et de pensée, et sa langue est fortement teintée d'aramaïsmes. Cela nous reporte après l'Exil, à un moment où l'obsession du sort de la nation fait place au souci des destinées individuelles. La date la plus indiquée, mais sans raisons décisives, est le début du Ve siècle avant notre ère.

Job

1. Prologue

Satan met Job à l'épreuve.

1 ¹Il y avait jadis, au pays de Uç, un homme appelé Job : un homme intègre et droit qui craignait Dieu et se détournait du mal. ²Sept fils et trois filles lui étaient nés. ³Il possédait aussi sept mille brebis, trois mille chameaux, cinq cents paires de bœufs et cinq cents ânesses, avec de très nombreux serviteurs. Cet homme était le plus fortuné de tous les fils de l'Orient. ⁴Ses fils avaient coutume d'aller festoyer chez l'un d'entre eux, à tour de rôle, et d'envoyer chercher leurs trois sœurs pour manger et boire avec eux. ⁵Or, une fois terminé le cycle de ces festins, Job les faisait venir pour les purifier et, le lendemain, à l'aube, il offrait un holocauste pour chacun d'eux. Car il se disait : « Peut-être mes fils ont-ils péché et maudit Dieu dans leur cœur ! » Ainsi faisait Job, chaque fois.

⁶Le jour où les Fils de Dieu venaient se présenter devant Yahvé, le Satan aussi s'avançait parmi eux.⁷Yahvé dit alors au Satan : « D'où viens-tu ? » – « De parcourir la terre, répondit-il, et de m'y promener. » ⁸Et Yahvé reprit : « As-tu remarqué mon serviteur Job ? Il n'a point son pareil sur la terre : un homme intègre et droit, qui craint Dieu et se détourne du mal ! » ⁹Et le Satan de répliquer : « Est-ce pour rien que Job craint Dieu ? ¹⁰Ne l'as-tu pas entouré d'une haie, ainsi que sa maison et son domaine alentour ? Tu as béni toutes ses entreprises, ses troupeaux pullulent dans le pays. ¹¹Mais étends la main et touche à tout ce qu'il possède ; je gage qu'il te maudira en face ! » – ¹²« Soit ! dit Yahvé au Satan, tout ce qu'il possède est en ton pouvoir. Évite seulement de porter la main sur lui. » Et le Satan sortit de devant Yahvé.

¹³Le jour où les fils et les filles de Job étaient en train de manger et de boire chez leur frère aîné, ¹⁴un messager vint dire à Job : « Tes bœufs labouraient et les ânesses paissaient à côté d'eux ¹⁵quand les Sabéens ont fondu sur eux et les ont enlevés, après avoir passé les serviteurs au fil de l'épée. Moi seul, j'en ai réchappé et je suis venu te l'annoncer. » ¹⁶Il parlait encore quand un autre survint et dit : « Le feu de Dieu est tombé du ciel ; il a brûlé les brebis et les pâtres jusqu'à les consumer. Moi seul, j'en ai réchappé et suis venu te l'annoncer. » ¹⁷Il parlait encore quand un autre survint et dit : « Les Chaldéens, divisés en trois bandes, ont fait un raid contre les chameaux et ils les ont enlevés, après avoir passé les serviteurs au fil de l'épée. Moi seul, j'en ai réchappé et suis venu te l'annoncer. » ¹⁸Il parlait encore

quand un autre survint et dit : « Tes fils et tes filles étaient en train de manger et de boire du vin dans la maison de leur frère aîné. ¹⁹Et voilà qu'un vent violent a soufflé du désert. Il a heurté les quatre coins de la maison et elle est tombée sur les jeunes gens, qui ont péri. Moi seul, j'en ai réchappé et suis venu te l'annoncer. »

²⁰Alors Job se leva, déchira son vêtement et se rasa la tête. Puis, tombant sur le sol, il se prosterna ²¹et dit :

« Nu, je suis sorti du sein maternel,

nu, j'y retournerai.

Yahvé avait donné, Yahvé a repris :

que le nom de Yahvé soit béni ! »

²²En tout cela, Job ne pécha point et il n'imputa rien d'indigne à Dieu.

2 ¹Un autre jour où les Fils de Dieu venaient se présenter devant Yahvé, le Satan aussi s'avançait parmi eux. ²Yahvé dit alors au Satan : « D'où viens-tu ? » – « De parcourir la terre, répondit-il, et de m'y promener. » ³Et Yahvé reprit : « As-tu remarqué mon serviteur Job ? Il n'a point son pareil sur la terre : un homme intègre et droit, qui craint Dieu et se détourne du mal ! Il persévère dans son intégrité et c'est en vain que tu m'as excité contre lui pour le détruire. » ⁴Et Satan de répliquer : « Peau après peau. Tout ce que l'homme possède, il le donne pour sa vie ! ⁵Mais étends la main, touche à ses os et à sa chair et je gage qu'il te maudira en face ! » – ⁶« Soit ! dit Yahvé au Satan, il est en ton pouvoir mais respecte pourtant sa vie. » ⁷Et le Satan sortit de devant Yahvé.

Il frappa Job d'un ulcère malin, depuis la plante des pieds jusqu'au sommet de la tête. ⁸Job prit un tesson pour se gratter et il s'installa parmi les cendres. ⁹Alors sa femme lui dit : « Pourquoi persévérer dans ton intégrité ? Maudis donc Dieu et meurs ! » ¹⁰Job lui répondit : « Tu parles comme une folle. Si nous accueillons le bonheur comme un don de Dieu, comment ne pas accepter de même le malheur ! » En tout cela, Job ne pécha point en paroles.

¹¹Trois amis de Job apprirent tous les malheurs qui l'avaient frappé. Ils arrivèrent chacun de son pays, Éliphaz de Témân, Bildad de Shuah, Çophar de Naamat. Ensemble, ils décidèrent d'aller le plaindre et le consoler. ¹²De loin, fixant les yeux sur lui, ils ne le reconnurent pas. Alors ils éclatèrent en sanglots. Chacun déchira son vêtement et jeta de la poussière sur sa tête. ¹³Puis, s'asseyant à terre près de lui, ils restèrent ainsi durant sept jours et sept nuits. Aucun ne lui adressa la parole, au spectacle d'une si grande douleur.

2. Dialogue

I. PREMIER CYCLE DE DISCOURS

Job maudit le jour de sa naissance.
Jr 20 14-18

3 ¹Enfin Job ouvrit la bouche et maudit le jour de sa naissance.
²Il prit la parole et dit :

³Périsse le jour qui me vit naître
  et la nuit qui a dit : « Un garçon a été conçu. »
⁴Ce jour-là, qu'il soit ténèbres,
  que Dieu, de là-haut, ne le réclame pas,
  que la lumière ne brille pas sur lui !
⁵Que le revendiquent ténèbre et ombre épaisse,
  qu'une nuée s'installe sur lui,
  qu'une éclipse en fasse sa proie !
⁶Oui, que l'obscurité le possède,
  qu'il ne s'ajoute pas aux jours de l'année,
  n'entre point dans le compte des mois !
⁷Cette nuit-là, qu'elle soit stérile,
  qu'elle ignore les cris de joie !
⁸Que la maudissent ceux qui maudissent les jours
  et sont prêts à réveiller Léviathan !
⁹Que se voilent les étoiles de son aube,
  qu'elle attende en vain la lumière
  et ne voie point s'ouvrir les paupières de l'aurore !
¹⁰Car elle n'a pas fermé sur moi la porte du ventre,
  pour cacher à mes yeux la souffrance.

¹¹Pourquoi ne suis-je pas mort au sortir du sein,
  n'ai-je péri aussitôt enfanté ?
¹²Pourquoi s'est-il trouvé deux genoux pour m'accueillir,
  deux mamelles pour m'allaiter ?
¹³Maintenant je serais couché en paix,
  je dormirais d'un sommeil reposant,
¹⁴avec les rois et les grands ministres de la terre,
  qui se sont bâti des mausolées,
¹⁵ou avec les princes qui ont de l'or en abondance
  et de l'argent plein leurs tombes.
¹⁶Ou bien, tel l'avorton caché, je n'aurais pas existé,
  comme les petits qui ne voient pas le jour.

¹⁷Là prend fin l'agitation des méchants,
  là se reposent les épuisés.
¹⁸Les captifs de même sont laissés tranquilles
  et n'entendent plus les cris du surveillant.

¹⁹Là voisinent petits et grands,
et l'esclave est libéré de son maître.
²⁰Pourquoi donner à un malheureux la lumière,
la vie à ceux qui ont l'amertume au cœur,
²¹qui aspirent après la mort sans qu'elle vienne,
fouillent à sa recherche plus que pour un trésor ?
²²Ils se réjouiraient en face du tertre funèbre,
exulteraient de trouver la tombe.
²³Pourquoi ce don à l'homme dont la route est cachée
et que Dieu entoure d'une haie ?

²⁴Pour nourriture, j'ai mes soupirs,
comme l'eau s'épanchent mes rugissements.
²⁵Toutes mes craintes se réalisent
et ce que je redoute m'arrive.
²⁶Pour moi, ni tranquillité, ni paix,
ni repos : rien que du tourment !

Confiance en Dieu.

4 ¹Éliphaz de Témân prit la parole et dit :

²Si on t'adresse la parole, tu vas perdre patience ?
Mais qui pourrait garder le silence !
³Vois, tu faisais la leçon à beaucoup,
tu rendais vigueur aux mains défaillantes ;
⁴tes propos redressaient l'homme qui chancelle,
fortifiaient les genoux qui ploient.
⁵Et maintenant, ton tour venu, tu perds patience,
atteint toi-même, te voilà tout bouleversé !
⁶Ta piété n'est-elle pas ton assurance,
ton espérance, n'est-ce pas une vie intègre ?
⁷Souviens-toi : quel est l'innocent qui a péri ?
Où donc des hommes droits sont-ils exterminés ?
⁸J'ai bien vu : ceux qui labourent le malheur
et sèment la souffrance, les moissonnent.
⁹Sous l'haleine de Dieu ils périssent,
au souffle de sa colère ils sont anéantis.
¹⁰Les rugissements du lion, les cris du fauve,
les crocs des lionceaux sont brisés.
¹¹Le lion périt faute de proie,
et les petits de la lionne se dispersent.
¹²J'ai eu aussi une révélation furtive,
mon oreille en a perçu le murmure.
¹³À l'heure où les visions nocturnes agitent les pensées,
quand une torpeur tombe sur les humains,
¹⁴un frisson d'épouvante me saisit
et remplit tous mes os d'effroi.

¹⁵Un souffle glissa sur ma face,
    hérissa le poil de ma chair.
¹⁶Quelqu'un se dressa... je ne reconnus pas son visage,
    mais l'image restait devant mes yeux.
  Un silence... puis une voix se fit entendre :
¹⁷« Un mortel est-il juste devant Dieu,
    en face de son Auteur, un homme serait-il pur ?
¹⁸À ses serviteurs mêmes, Dieu ne fait pas confiance,
    et il convainc ses anges d'égarement.
¹⁹Que dire des hôtes de ces maisons d'argile,
    posées elles-mêmes sur la poussière ?
  On les écrase comme une mite ;
²⁰un jour suffit à les pulvériser.
  À jamais ils disparaissent, sans qu'on y prenne garde,
²¹Les cordes de leur tente sont arrachées,
    et ils meurent dénués de sagesse. »

5 ¹Appelle maintenant ! Est-ce qu'on te répondra ?
    Auquel des saints t'adresseras-tu ?
²En vérité, le dépit fait mourir l'insensé
    et la jalousie fait périr le sot.
³Moi, j'ai vu un insensé prendre racine,
  Et soudain j'ai maudit sa demeure :
⁴« Que ses fils soient privés de tout salut,
    accablés à la Porte sans défenseur ;
⁵Que sa moisson nourrisse des affamés,
    car Dieu la lui ôte d'entre les crocs,
    et des hommes altérés en convoitent les biens. »
⁶Non, la misère ne sourd pas de terre,
    la peine ne germe pas du sol.

⁷Mais l'homme est né pour la souffrance
    comme les étincelles s'envolent vers le haut.
⁸Quant à moi, j'aurais recours à Dieu,
    à lui j'exposerais ma cause.
⁹Il est l'auteur d'œuvres grandioses et insondables,
    de merveilles qu'on ne peut compter.
¹⁰Il répand la pluie sur la terre,
    envoie les eaux sur les campagnes.
¹¹S'il veut relever les humiliés,
    pousser les affligés au comble du bonheur,
¹²il déjoue les desseins des gens habiles,
    incapables de mener à bien leurs intrigues.
¹³Il prend les sages au piège de leurs habiletés,
    rend stupides les conseillers retors.
¹⁴En plein jour ils se heurtent aux ténèbres,
    ils tâtonnent à midi comme dans la nuit.

¹⁵Il arrache de leur gueule l'homme ruiné
et le pauvre des mains du puissant.
¹⁶Alors le faible renaît à l'espoir
et l'injustice doit fermer la bouche.

¹⁷Oui, heureux l'homme que Dieu corrige !
Aussi, ne méprise pas la leçon de Shaddaï !
¹⁸Lui, qui blesse, puis panse la plaie,
qui meurtrit, puis guérit de sa main,
¹⁹six fois de l'angoisse il te délivrera,
et une septième le mal t'épargnera.
²⁰Dans une famine, il te sauvera de la mort ;
à la guerre, des atteintes de l'épée.
²¹Tu seras à l'abri du fouet de la langue,
sans crainte à l'approche du pillage.
²²Tu riras du pillage et de la famine
et tu ne craindras pas les bêtes sauvages.
²³Tu auras un pacte avec les pierres des champs,
les bêtes sauvages seront en paix avec toi.
²⁴Tu trouveras ta tente prospère,
ton bercail au complet quand tu le visiteras.
²⁵Tu verras ta postérité s'accroître,
tes rejetons pousser comme l'herbe des champs.
²⁶Tu entreras dans la tombe bien mûr,
comme on entasse la meule en son temps.
²⁷Voilà ce que nous avons observé : c'est ainsi !
À toi d'écouter et d'en faire ton profit.

L'homme accablé connaît seul sa misère.

6 ¹Job prit la parole et dit :

²Oh ! Si l'on pouvait peser mon affliction,
mettre sur une balance tous mes maux ensemble !
³Mais c'est plus lourd que le sable des mers,
voilà pourquoi mes paroles bredouillent.
⁴Les flèches de Shaddaï en moi sont plantées,
mon humeur boit leur venin
et les terreurs de Dieu sont en ligne contre moi.
⁵Voit-on braire l'onagre auprès de l'herbe tendre,
le bœuf mugir à portée du fourrage ?
⁶Un aliment fade se mange-t-il sans sel,
le blanc de l'œuf a-t-il quelque saveur ?
⁷Or ce que mon appétit se refuse à toucher,
c'est là ma nourriture de malade.

⁸Oh ! que se réalise donc ma prière,
que Dieu réponde à mon attente !

⁹Que Lui consente à m'écraser,
    qu'il dégage sa main et me supprime !
¹⁰J'aurai du moins cette consolation,
    ce sursaut de joie en de cruelles souffrances,
    de n'avoir pas renié les décrets du Saint.
¹¹Ai-je donc assez de force pour attendre ?
    Voué à une telle fin, à quoi bon patienter ?
¹²Ma force est-elle celle du roc,
    ma chair est-elle de bronze ?
¹³Aurai-je pour appui le néant
    et tout secours n'a-t-il pas fui loin de moi ?
¹⁴Refuser la pitié à son prochain,
    c'est rejeter la crainte de Shaddaï.

¹⁵Mes frères ont trahi comme un torrent,
    comme le cours des torrents qui débordent.
¹⁶La glace assombrit leurs eaux,
    au-dessus d'eux fond la neige,
¹⁷mais, dès la saison brûlante, ils tarissent,
    ils s'évanouissent sous l'ardeur du soleil.
¹⁸Pour eux, les caravanes quittent les pistes,
    s'enfoncent dans le désert et s'y perdent.
¹⁹Les caravanes de Téma les fixent des yeux,
    en eux espèrent les convois de Saba.
²⁰Leur confiance se voit déçue ;
    arrivés près d'eux, ils restent confondus.
²¹Tels vous êtes pour moi à cette heure :
    à la vue du fléau, vous prenez peur.
²²Vous ai-je donc dit : « Faites-moi tel don,
    offrez tel présent pour moi sur vos biens ;
²³arrachez-moi à l'étreinte d'un oppresseur,
    délivrez-moi des mains d'un violent ? »
²⁴Instruisez-moi, alors je me tairai ;
    montrez-moi en quoi j'ai pu errer.
²⁵On supporte sans peine des discours équitables,
    mais vos critiques, que visent-elles ?
²⁶Prétendez-vous censurer des paroles,
    propos de désespoir qu'emporte le vent ?
²⁷Vous iriez jusqu'à tirer au sort un orphelin,
    à faire bon marché de votre ami !
²⁸Allons, je vous en prie, tournez-vous vers moi.
    vous mentirais-je en face ?
²⁹Retournez-vous, je vous en prie, pas de fausseté ;
    retournez-vous, car je reste dans mon droit.
³⁰Y a-t-il de la fausseté sur mes lèvres ?
    Mon palais ne sait-il plus discerner l'infortune ?

7 ¹N'est-ce pas un temps de service qu'accomplit l'homme sur
[terre,
n'y mène-t-il pas la vie d'un mercenaire ?
²Tel l'esclave soupirant après l'ombre
ou l'ouvrier tendu vers son salaire,
³j'ai en partage des mois d'illusion,
à mon compte des nuits de souffrance.
⁴Étendu sur ma couche, je me dis : « À quand le jour ? »
Sitôt levé : « Quand serai-je au soir ? »
Et des pensées folles m'obsèdent jusqu'au crépuscule.
⁵Vermine et croûtes terreuses couvrent ma chair,
ma peau gerce et suppure.
⁶Mes jours ont couru plus vite que la navette
et disparu sans espoir.
⁷Souviens-toi que ma vie n'est qu'un souffle,
que mes yeux ne reverront plus le bonheur !
⁸Désormais je serai invisible à tout regard,
tes yeux seront sur moi et j'aurai disparu.
⁹Comme la nuée se dissipe et passe,
qui descend au shéol n'en remonte pas.
¹⁰Il ne revient pas habiter sa maison
et sa demeure ne le connaît plus.
¹¹Et c'est pourquoi je ne puis me taire,
je parlerai dans l'angoisse de mon esprit,
je me plaindrai dans l'amertume de mon âme.
¹²Suis-je la Mer, moi, ou le monstre marin,
pour que tu postes une garde contre moi ?
¹³Si je dis : « Mon lit me soulagera,
ma couche atténuera ma plainte »,
¹⁴alors tu m'effraies par des songes,
tu m'épouvantes par des visions.
¹⁵Ah ! je voudrais être étranglé :
la mort plutôt que mes douleurs !
¹⁶Je m'en moque, je ne vivrai pas toujours ;
aussi, laisse-moi, mes jours ne sont qu'un souffle !
¹⁷Qu'est-ce donc que l'homme pour en faire si grand cas,
pour fixer sur lui ton attention,
¹⁸pour l'inspecter chaque matin,
pour le scruter à tout instant ?
¹⁹Cesseras-tu enfin de me regarder,
pour me laisser le temps d'avaler ma salive ?
²⁰Si j'ai péché, que t'ai-je fait, à toi,
l'observateur attentif de l'homme ?
Pourquoi m'as-tu pris pour cible,
pourquoi te suis-je à charge ?

²¹Ne peux-tu tolérer mon offense,
    passer sur ma faute ?
  Car bientôt je serai couché dans la poussière,
    tu me chercheras, et je ne serai plus.

Le cours nécessaire de la justice divine.

8 ¹Bildad de Shuah prit la parole et dit :

²Jusqu'à quand parleras-tu de la sorte,
    et tiendras-tu des propos semblables à un grand vent ?
³Dieu peut-il fléchir le droit,
    Shaddaï fausser la justice ?
⁴Si tes fils ont péché contre lui,
    il les a livrés au pouvoir de leur faute.
⁵Quant à toi, si tu recherches Dieu,
    si tu implores Shaddaï,
⁶si tu es irréprochable et droit,
    dès maintenant, il veillera sur toi
    et il restaurera ta place et ton droit.
⁷Ta condition ancienne te paraîtra comme rien,
    si grand sera ton avenir.

⁸Interroge la génération passée,
    médite sur l'expérience acquise par ses pères.
⁹Nous, nés d'hier, nous ne savons rien,
    notre vie sur terre passe comme une ombre.
¹⁰Mais eux, ils t'instruiront, te parleront,
    et leur pensée livrera ces sentences :
¹¹« Le papyrus pousse-t-il hors des marais ?
    Privé d'eau, le jonc peut-il croître ?
¹²Quand il est encore dans sa fraîcheur et non cueilli,
    avant toute autre herbe il se dessèche.
¹³Tel est le sort de ceux qui oublient Dieu,
    ainsi périt l'espoir de l'impie.
¹⁴Sa confiance n'est que filandre,
    sa sécurité, une maison d'araignée.
¹⁵S'appuie-t-il sur sa demeure, elle ne tient pas ;
    s'y cramponne-t-il, elle ne résiste pas.
¹⁶Plein de sève au soleil,
    au-dessus du jardin il lançait ses jeunes pousses.
¹⁷Ses racines entrelacées sur un tertre pierreux,
    il puisait sa vie au milieu des rochers.
¹⁸On l'arrache de son lieu ;
    son lieu le renie : "Je ne t'ai jamais vu !"
¹⁹Et le voilà pourrissant sur le chemin,
    tandis que du sol, d'autres germent.

²⁰Non, Dieu ne rejette pas l'homme intègre,
  il ne prête pas main-forte aux méchants.
²¹Le rire peut de nouveau remplir ta bouche,
  la joie éclater sur tes lèvres.
²²Tes ennemis seront couverts de honte,
  et la tente des méchants disparaîtra. »

La justice divine domine le droit.

9 ¹Job prit la parole et dit :

²En vérité, je sais bien qu'il en est ainsi :
  l'homme pourrait-il se justifier devant Dieu ?
³À celui qui se plaît à discuter avec lui,
  il ne répond même pas une fois sur mille.
⁴Parmi les plus sages et les plus robustes
  qui donc lui tiendrait tête impunément ?
⁵Il déplace les montagnes à leur insu
  et les renverse dans sa colère.
⁶Il ébranle la terre de son site
  et fait vaciller ses colonnes.
⁷À sa défense, le soleil ne se lève pas,
  il met un sceau sur les étoiles.
⁸Lui seul a déployé les Cieux
  et foulé le dos de la Mer.
⁹Il a fait l'Ourse et Orion,
  les Pléiades et les Chambres du Sud.
¹⁰Il est l'auteur d'œuvres grandioses et insondables,
  de merveilles qu'on ne peut compter.
¹¹S'il passe sur moi, je ne le vois pas
  et il glisse imperceptible.
¹²S'il ravit une proie, qui l'en empêchera
  et qui osera lui dire : « Que fais-tu ? »
¹³Dieu ne renonce pas à sa colère :
  sous lui restent prostrés les satellites de Rahab.

¹⁴Et moi, je voudrais me défendre,
  je choisirais mes arguments contre lui ?
¹⁵Même si je suis dans mon droit, je reste sans réponse ;
  c'est mon juge qu'il faudrait supplier.
¹⁶Et si, sur mon appel, il daignait me répondre,
  je ne puis croire qu'il écouterait ma voix,
¹⁷lui, qui m'écrase pour un cheveu,
  qui multiplie sans raison mes blessures
¹⁸et ne me laisse même pas reprendre mon souffle,
  tant il me rassasie d'amertume !
¹⁹Recourir à la force ? Il l'emporte en vigueur !
  Au tribunal ? Mais qui donc l'assignera ?

²⁰Si je me justifie, sa bouche peut me condamner ;
    si je m'estime parfait, me déclarer pervers.
²¹Mais suis-je parfait ? Je ne le sais plus moi-même,
    et je rejette ma vie !
²²Car c'est tout un, et j'ose dire :
    il fait périr de même l'homme intègre et le méchant.
²³Quand un fléau mortel s'abat soudain,
    il se rit de la détresse des innocents.
²⁴Dans un pays livré au pouvoir d'un méchant,
    il met un voile sur la face des juges.
    Si ce n'est pas lui, qui donc alors ?
²⁵Mes jours passent, plus rapides qu'un coureur,
    ils s'enfuient sans voir le bonheur.
²⁶Ils glissent comme des nacelles de jonc,
    comme un aigle fond sur sa proie.
²⁷Si je décide d'oublier ma plainte,
    de changer de mine pour faire gai visage,
²⁸je redoute tous mes tourments,
    car, je le sais, tu ne me tiens pas pour innocent !
²⁹Et si j'ai commis le mal,
    à quoi bon me fatiguer en vain ?
³⁰Que je me lave avec de la saponaire,
    que je purifie mes mains à la soude ?
³¹Tu me plonges alors dans l'ordure,
    et mes vêtements mêmes me prennent en horreur !
³²Car lui n'est pas, comme moi, un homme : impossible de lui
    de comparaître ensemble en justice.   [répondre,
³³Pas d'arbitre entre nous
    pour poser la main sur nous deux,
³⁴pour écarter de moi ses rigueurs,
    chasser l'épouvante de sa terreur !
³⁵Je parlerai pourtant, sans le craindre,
    car je ne suis pas tel à mes yeux !

10 ¹Puisque la vie m'est en dégoût,
    je veux donner libre cours à ma plainte,
    je veux parler dans l'amertume de mon âme.
²Je dirai à Dieu : Ne me condamne pas,
    indique-moi pourquoi tu me prends à partie.
³Est-ce bien, pour toi, de me faire violence,
    de rejeter l'œuvre de tes mains
    et de favoriser les desseins des méchants ?
⁴Aurais-tu des yeux de chair
    et ta manière de voir serait-elle celle des hommes ?
⁵Ton existence est-elle celle des mortels,
    tes années passent-elles comme les jours de l'homme ?

⁶Toi, qui recherches ma faute
et fais une enquête sur mon péché,
⁷tu sais bien que je ne suis pas coupable
et que nul ne peut me soustraire à tes mains !
⁸Tes mains m'ont façonné, créé ;
puis, te ravisant, tu voudrais me détruire !
⁹Souviens-toi : tu m'as fait comme on pétrit l'argile
et tu me renverras à la poussière.
¹⁰Ne m'as-tu pas coulé comme du lait
et fait cailler comme du laitage,
¹¹vêtu de peau et de chair,
tissé en os et en nerfs ?
¹²Puis tu m'as gratifié de la vie,
et tu veillais avec sollicitude sur mon souffle.
¹³Mais tu gardais une arrière-pensée ;
je sais que tu te réservais
¹⁴de me surveiller si je pèche
et de ne pas m'innocenter de mes fautes.
¹⁵Suis-je coupable, malheur à moi !
suis-je dans mon droit, je n'ose lever la tête,
moi, saturé d'outrages, ivre de peines !
¹⁶Fier comme un lion, tu me prends en chasse,
tu multiplies tes exploits à mon propos,
¹⁷tu renouvelles tes attaques,
ta fureur sur moi redouble,
tes troupes fraîches se succèdent contre moi.

¹⁸Oh ! Pourquoi m'as-tu fait sortir du sein ?
J'aurais péri alors : nul œil ne m'aurait vu,
¹⁹je serais comme n'ayant pas été,
du ventre on m'aurait porté à la tombe.
²⁰Et ils durent si peu, les jours de mon existence !
Place-toi loin de moi, pour me permettre un peu de joie,
²¹avant que je m'en aille sans retour
au pays des ténèbres et de l'ombre épaisse,
²²où règnent l'obscurité et le désordre,
où la clarté même ressemble à la nuit sombre.

La sagesse de Dieu appelle l'aveu de Job.

11 ¹Çophar de Naamat prit la parole et dit :

²Le bavard restera-t-il sans réponse ?
Suffit-il d'être loquace pour avoir raison ?
³Ton verbiage rendra-t-il muets les autres,
te moqueras-tu sans qu'on te confonde ?
⁴Tu as dit : « Ma conduite est pure,
je suis irréprochable à tes yeux. »

⁵Si seulement Dieu voulait parler,
  ouvrir les lèvres à cause de toi,
⁶s'il te dévoilait les secrets de la Sagesse,
  qui déconcertent toute sagacité,
  tu saurais que Dieu te demande compte de ta faute.
⁷Prétends-tu sonder la profondeur de Dieu,
  atteindre la limite de Shaddaï ?
⁸Elle est plus haute que les cieux : que feras-tu ?
  Plus profonde que le shéol : que sauras-tu ?
⁹Elle serait plus longue que la terre à mesurer
  et plus large que la mer.
¹⁰S'il intervient pour enfermer et convoquer l'assemblée,
  qui l'en empêchera ?
¹¹Car lui connaît les faiseurs d'illusion ;
  il voit le crime et y prête attention.
¹²Aussi l'écervelé doit-il s'assagir :
  ânon sauvage que l'homme à sa naissance !

¹³Si tu redresses tes pensées,
  et tends tes paumes vers lui,
¹⁴si tu répudies le mal dont tu serais responsable
  et ne laisses pas l'injustice habiter sous tes tentes,
¹⁵tu lèveras un front pur,
  tu seras ferme et sans crainte.
¹⁶Ta souffrance, tu n'y songeras plus,
  tu t'en souviendras comme d'eaux écoulées.
¹⁷Alors débutera une existence plus radieuse que le midi
  et l'obscurité même sera comme le matin.
¹⁸Confiant car il y a de l'espoir,
  même après la confusion, tu te coucheras en sécurité.
¹⁹Lorsque tu reposeras, nul ne te troublera,
  et bien des gens rechercheront ta faveur.
²⁰Les méchants, eux, tournent des yeux éteints,
  tout refuge leur fait défaut ;
  leur espoir, c'est de rendre l'âme.

La sagesse de Dieu se manifeste surtout par les ravages de sa puissance.

12 ¹Job prit la parole et dit :

²Vraiment, vous êtes la voix du peuple,
  avec vous mourra la Sagesse.
³Moi aussi, j'ai de l'intelligence, tout comme vous,
  je ne vous cède en rien,
  et qui donc ne sait tout cela ?
⁴Mais un homme devient la risée de son ami,
  quand il crie vers Dieu pour avoir une réponse.

On se moque du juste intègre.
⁵« À l'infortune, le mépris ! opinent les gens heureux,
un coup de plus à qui chancelle ! »
⁶Cependant, les tentes des pillards sont en paix :
pleine sécurité pour ceux qui provoquent Dieu
et pour celui qui met Dieu dans son poing !
⁷Interroge pourtant le bétail pour t'instruire,
les oiseaux du ciel pour t'informer.
⁸Parle à la terre, elle te donnera des leçons,
ils te renseigneront, les poissons des mers.
⁹Car lequel ignore, parmi eux tous,
que la main de Dieu a fait tout cela !
¹⁰Il tient en son pouvoir l'âme de tout vivant
et le souffle de toute chair d'homme.

¹¹L'oreille n'apprécie-t-elle pas les discours,
comme le palais goûte les mets ?
¹²La sagesse est l'affaire des vieillards,
le discernement le fait du grand âge.
¹³Mais en Lui résident sagesse et puissance,
à lui le conseil et le discernement.
¹⁴S'il détruit, nul ne peut rebâtir,
s'il emprisonne quelqu'un, nul n'ouvrira.
¹⁵S'il retient les eaux, c'est la sécheresse ;
s'il les relâche, elles bouleversent la terre.
¹⁶En lui vigueur et sagacité,
à lui appartiennent l'égaré et celui qui l'égare.
¹⁷Il rend stupides les conseillers du pays
et frappe les juges de démence.
¹⁸Il délie la ceinture des rois
et passe une corde à leurs reins.
¹⁹Il fait marcher nu-pieds les prêtres
et renverse les puissances établies.
²⁰Il ôte la parole aux plus assurés,
ravit le discernement aux vieillards.
²¹Il déverse le mépris sur les nobles,
dénoue le ceinturon des forts.
²²Il dévoile les profondeurs des ténèbres,
amène à la lumière l'ombre épaisse.
²³Il agrandit des nations, puis les ruine :
il fait s'étendre des peuples, puis les supprime.
²⁴Il ôte l'esprit aux chefs du peuple du pays,
les fait errer dans un désert sans routes,
²⁵tâtonner dans les ténèbres, sans lumière,
et tituber comme sous l'ivresse.

13 ¹Tout cela, je l'ai vu de mes yeux,
   entendu de mes oreilles, et compris.
²J'en sais, moi, autant que vous,
   je ne vous cède en rien.
³Mais c'est à Shaddaï que je parle,
   à Dieu que je veux présenter mes griefs.
⁴Vous, vous n'êtes que des charlatans,
   des médecins de fantaisie !
⁵Qui donc vous imposera le silence,
   la seule sagesse qui vous convienne !
⁶Écoutez, je vous prie, mes griefs,
   soyez attentifs au plaidoyer de mes lèvres.
⁷Est-ce pour Dieu que vous proférez des paroles injustes,
   pour lui ces propos mensongers ?
⁸Prenez-vous ainsi son parti,
   est-ce pour Dieu que vous plaidez ?
⁹Serait-il bon qu'il vous scrutât ?
   L'abuse-t-on comme on abuse un homme ?
¹⁰Il vous infligerait une sévère réprimande
   pour votre partialité secrète.
¹¹Est-ce que sa majesté ne vous effraie pas ?
   Sa terreur ne fond-elle pas sur vous ?
¹²Vos leçons apprises sont des sentences de cendre,
   vos défenses, des défenses d'argile.
¹³Faites silence ! C'est moi qui vais parler,
   quoi qu'il m'advienne.
¹⁴Je prends ma chair entre mes dents,
   je place ma vie dans mes mains,
¹⁵il peut me tuer : je n'ai d'autre espoir
   que de défendre devant lui ma conduite.
¹⁶Et cela même me sauvera,
   car un impie n'oserait comparaître en sa présence.

¹⁷Écoutez, écoutez mes paroles,
   prêtez l'oreille à mes déclarations.
¹⁸Voici : je vais procéder en justice,
   conscient d'être dans mon droit.
¹⁹Qui veut plaider contre moi ?
   D'avance, j'accepte d'être réduit au silence et de périr !
²⁰Fais-moi seulement deux concessions,
   alors je ne me cacherai pas loin de ta face :
²¹Écarte ta main qui pèse sur moi
   et ne m'épouvante plus par ta terreur.
²²Puis engage le débat et je répondrai ;
   ou plutôt je parlerai et tu me répliqueras.

²³Combien de fautes et de péchés ai-je commis ?
  Dis-moi quelle a été ma transgression, mon péché ?
²⁴Pourquoi caches-tu ta face
  et me considères-tu comme ton ennemi ?
²⁵Veux-tu effrayer une feuille chassée par le vent,
  poursuivre une paille sèche ?
²⁶Toi qui rédiges contre moi d'amères sentences
  et m'imputes mes fautes de jeunesse,
²⁷qui as mis mes pieds dans les ceps,
  observes tous mes sentiers
  et prends l'empreinte de mes pas !

²⁸Et lui s'effrite comme un bois vermoulu,
  ou comme un vêtement dévoré par la teigne,

14 ¹l'homme, né de la femme,
  qui a la vie courte, mais des tourments à satiété.
²Pareil à la fleur, il éclôt puis se fane,
  il fuit comme l'ombre sans arrêt.
³Et sur cet être tu gardes les yeux ouverts,
  tu l'amènes en jugement devant toi !
⁴Mais qui donc extraira le pur de l'impur ?
  Personne !
⁵Puisque ses jours sont comptés,
  que le nombre de ses mois dépend de toi,
  que tu lui fixes un terme infranchissable,
⁶détourne de lui tes yeux et laisse-le,
  tel un mercenaire, finir sa journée.
⁷L'arbre conserve un espoir,
  une fois coupé, il peut renaître encore
  et ses rejetons continuent de pousser.
⁸Même avec des racines qui ont vieilli en terre
  et une souche qui périt dans le sol,
⁹dès qu'il flaire l'eau, il bourgeonne
  et se fait une ramure comme un jeune plant.
¹⁰Mais l'homme, s'il meurt, reste inerte ;
  quand un humain expire, où donc est-il ?
¹¹Les eaux de la mer pourront disparaître,
  les fleuves tarir et se dessécher
¹²l'homme une fois couché ne se relèvera pas,
  les cieux s'useront avant qu'il ne s'éveille,
  ou ne soit réveillé de son sommeil.

¹³Oh ! Si tu m'abritais dans le shéol,
  si tu m'y cachais, tant que dure ta colère,
  si tu me fixais un délai, pour te souvenir ensuite de moi :
¹⁴– car, une fois mort, peut-on revivre ? –

tous les jours de mon service j'attendrais,
    jusqu'à ce que vienne ma relève.
¹⁵Tu appellerais et je te répondrais ;
    tu voudrais revoir l'œuvre de tes mains.
¹⁶Tandis que maintenant tu comptes tous mes pas,
    tu n'observerais plus mon péché,
¹⁷tu scellerais ma transgression dans un sachet
    et tu couvrirais ma faute.

¹⁸Hélas ! Comme une montagne finit par s'écrouler,
    le rocher par changer de place,
¹⁹l'eau par user les pierres,
    l'averse par emporter la poussière du sol,
    ainsi, l'espoir de l'homme, tu l'anéantis.
²⁰Tu le terrasses pour toujours et il s'en va ;
    tu le défigures, puis tu le congédies.
²¹Ses fils sont-ils honorés, il n'en sait rien ;
    sont-ils méprisés, il ne s'en rend pas compte.
²²Il n'a de souffrance que pour son corps,
    il ne se lamente que sur lui-même.

II. DEUXIÈME CYCLE DE DISCOURS

Job se condamne par son langage.

15 ¹Éliphaz de Témân prit la parole et dit :

²Un sage répond-il par des raisons en l'air
    et se repaît-il d'un vent d'est ?
³Se défend-il avec des mots inutiles
    et des discours sans profit ?
⁴Tu fais plus : tu supprimes la piété,
    tu discrédites les pieux entretiens devant Dieu.
⁵Ta faute te dicte de telles paroles
    et tu choisis le langage des gens habiles.
⁶Ta propre bouche te condamne, et non pas moi,
    tes lèvres mêmes témoignent contre toi.

⁷Es-tu né le premier des hommes ?
    Est-ce qu'on t'enfanta avant les collines ?
⁸As-tu écouté au conseil de Dieu
    et accaparé la sagesse ?
⁹Que sais-tu que nous ne sachions,
    que comprends-tu qui nous dépasse ?
¹⁰Il y a même parmi nous une tête chenue, un vieillard,
    chargé d'ans plus que ton père.
¹¹Fais-tu peu de cas de ces consolations divines
    et du ton modéré de nos paroles ?

¹²Comme la passion t'emporte !
　　Et quels yeux tu roules,
¹³quand tu tournes contre Dieu ta colère
　　en proférant tes discours !
¹⁴Comment l'homme serait-il pur,
　　resterait-il juste, l'enfant de la femme ?
¹⁵À ses Saints mêmes Dieu ne fait pas confiance,
　　et les Cieux ne sont pas purs à ses yeux.
¹⁶Combien moins cet être abominable et corrompu,
　　l'homme, qui boit l'iniquité comme l'eau !
¹⁷Je veux t'instruire, écoute-moi,
　　et ce que j'ai vu, je vais te le raconter,
¹⁸ce que disent les sages, ce qu'ils ne cachent pas,
　　et qui vient de leurs pères,
¹⁹à qui seuls fut donné le pays,
　　sans qu'aucun étranger fût passé parmi eux.
²⁰« La vie du méchant est un tourment continuel,
　　les années réservées au tyran sont comptées.
²¹Le cri d'alarme résonne à ses oreilles,
　　en pleine paix le dévastateur fond sur lui.
²²Il ne croit plus échapper aux ténèbres
　　car on le guette pour l'épée,
²³assigné en pâture au vautour.
　　Il sait que sa ruine est imminente.
　　L'heure des ténèbres ²⁴l'épouvante,
　　la détresse et l'angoisse l'envahissent,
　　comme lorsqu'un roi s'apprête à l'assaut.
²⁵Il levait la main contre Dieu,
　　il osait braver Shaddaï !
²⁶Il fonçait sur lui la tête baissée,
　　avec un bouclier aux bosses massives.
²⁷Son visage s'était couvert de graisse,
　　le lard s'était accumulé sur ses reins.
²⁸Il avait occupé des villes détruites,
　　des maisons inhabitées
　　et prêtes à tomber en ruines ;
²⁹mais il ne s'enrichira pas, sa fortune ne tiendra pas,
　　il ne couvrira plus le pays de son ombre,
³⁰(il n'échappera pas aux ténèbres),
　　la flamme desséchera ses jeunes pousses,
　　sa fleur sera emportée par le vent.
³¹Qu'il ne se fie pas à sa taille élevée,
　　car il se ferait illusion.
³²Avant le temps se flétriront ses palmes
　　et ses rameaux ne reverdiront plus.

³³Comme une vigne il secouera ses fruits verts,
il rejettera, tel l'olivier, sa floraison.
³⁴Oui, l'engeance de l'impie est stérile,
un feu dévore la tente de l'homme vénal.
³⁵Qui conçoit la peine engendre le malheur
et prépare en soi un fruit de déception. »

De l'injustice des hommes à la justice de Dieu.

16 ¹Job prit la parole et dit :

²Que de fois ai-je entendu de tels propos,
et quels pénibles consolateurs vous faites !
³« Y aura-t-il une fin à ces paroles en l'air ? »
Ou encore : « Quel mal te pousse à te défendre ? »
⁴Oh ! moi aussi, je saurais parler comme vous,
si vous étiez à ma place ;
je pourrais vous accabler de discours
en hochant la tête sur vous,
⁵vous réconforter en paroles,
puis cesser d'agiter les lèvres.
⁶Mais quand je parle, ma souffrance ne cesse pas,
si je me tais, en quoi disparaît-elle ?
⁷Et maintenant elle me pousse à bout ;
tu as frappé d'horreur tout mon entourage ⁸et il me presse,
mon calomniateur s'est fait mon témoin,
il se dresse contre moi, il m'accuse en face ;
⁹sa colère déchire et me poursuit,
en montrant des dents grinçantes.
Mes adversaires aiguisent sur moi leurs regards,
¹⁰ouvrent une bouche menaçante.
Leurs railleries m'atteignent comme des soufflets ;
ensemble ils s'ameutent contre moi.
¹¹Oui, Dieu m'a livré à des injustes,
entre les mains des méchants, il m'a jeté.
¹²Je vivais tranquille quand il m'a fait chanceler,
saisi par la nuque pour me briser.
Il a fait de moi sa cible :
¹³il me cerne de ses traits,
transperce mes reins sans pitié
et répand à terre mon fiel.
¹⁴Il ouvre en moi brèche sur brèche,
fonce sur moi tel un guerrier.
¹⁵J'ai cousu un sac sur ma peau,
jeté mon front dans la poussière.
¹⁶Mon visage est rougi par les larmes
et l'ombre couvre mes paupières.

¹⁷Pourtant, point de violence dans mes mains,
   et ma prière est pure.
¹⁸Ô terre, ne couvre point mon sang,
   et que mon cri monte sans arrêt.
¹⁹Dès maintenant, j'ai dans les cieux un témoin,
   là-haut se tient mon défenseur.
²⁰Interprète de mes pensées auprès de Dieu,
   devant qui coulent mes larmes,
²¹qu'il plaide la cause d'un homme aux prises avec Dieu,
   comme un mortel défend son semblable.
²²Car mes années de vie sont comptées,
   et je m'en vais par le chemin sans retour.

17 ¹Mon souffle en moi s'épuise
   et les fossoyeurs pour moi s'assemblent.
²Je n'ai pour compagnons que des railleurs,
   dont la dureté obsède mes veilles.
³Place donc toi-même ma caution près de toi,
   car lequel voudrait toper dans ma main ?
⁴Tu as fermé leur cœur à la raison,
   aussi tu ne les laisseras pas triompher.
⁵Tel celui qui invite des amis à un partage,
   quand les yeux de ses fils languissent,
⁶je suis devenu la fable des gens,
   quelqu'un à qui l'on crache au visage.
⁷Mes yeux s'éteignent de chagrin,
   tous mes membres sont comme l'ombre.
⁸À cette vue, les hommes droits restent stupéfaits,
   l'innocent s'indigne contre l'impie ;
⁹le juste s'affermit dans ses voies,
   l'homme aux mains pures redouble d'énergie.
¹⁰Allons, vous tous, revenez à la charge,
   et je ne trouverai pas un sage parmi vous !
¹¹Mes jours ont fui, avec mes projets,
   et les fibres de mon cœur sont rompues.
¹²On veut faire de la nuit le jour ;
   la lumière serait plus proche que les ténèbres.
¹³Or mon espoir, c'est d'habiter le shéol,
   d'étendre ma couche dans les ténèbres.
¹⁴Je crie au sépulcre : « Tu es mon père ! »
   à la vermine : « C'est toi ma mère et ma sœur ! »
¹⁵Où donc est-elle, mon espérance ?
   Et mon bonheur, qui l'aperçoit ?
¹⁶Vont-ils descendre à mes côtés au shéol,
   sombrer de même dans ma poussière ?

La colère ne peut rien contre l'ordre de la justice.

18 ¹Bildad de Shuah prit la parole et dit :

²Jusqu'à quand mettrez-vous des entraves aux discours ?
   Réfléchissez, puis nous parlerons.
³Pourquoi nous considères-tu comme des bêtes,
   passons-nous à tes yeux pour des gens bornés ?
⁴Ô toi qui te déchires dans ta colère,
   la terre à cause de toi sera-t-elle abandonnée
   et les rochers quitteront-ils leur place ?
⁵La lumière du méchant doit s'éteindre,
   sa flamme ardente ne plus briller.
⁶La lumière s'assombrit sous sa tente,
   sa lampe au-dessus de lui s'éteint.
⁷Ses pas vigoureux se rétrécissent,
   ses propres desseins le font trébucher.
⁸Car ses pieds le jettent dans un filet
   et il avance parmi les rets.
⁹Un lacet le saisit au talon
   et le piège se referme sur lui.
¹⁰Le nœud pour le prendre est caché en terre,
   une trappe l'attend sur le sentier.
¹¹De toutes parts des terreurs l'épouvantent
   et elles le suivent pas à pas.
¹²En pleine vigueur, il est affamé,
   le malheur se tient à ses côtés.
¹³Le mal dévore sa peau,
   le Premier-né de la Mort ronge ses membres.
¹⁴On l'arrache à l'abri de sa tente,
   et tu le traîneras chez le roi des frayeurs.
¹⁵Tu peux habiter la tente qui n'est plus la sienne,
   et l'on répand du soufre sur son bercail.
¹⁶En bas ses racines se dessèchent,
   en haut se flétrit sa ramure.
¹⁷Son souvenir disparaît du pays,
   son nom s'efface dans la contrée.
¹⁸Poussé de la lumière aux ténèbres,
   il se voit banni de la terre.
¹⁹Il n'a ni lignée ni postérité parmi son peuple,
   aucun survivant en ses lieux de séjour.
²⁰Sa fin frappe de stupeur l'Occident
   et l'Orient est saisi d'effroi.
²¹Point d'autre sort pour les demeures de l'injustice.
   Voilà ce que devient le lieu de quiconque méconnaît Dieu.

Le triomphe de la foi dans l'abandon de Dieu et des hommes.

19 ¹Job prit la parole et dit :

²Jusqu'à quand allez-vous me tourmenter
et m'écraser par vos discours ?

³Voilà dix fois que vous m'insultez
et me malmenez sans vergogne.

⁴Même si je m'étais égaré,
mon égarement resterait en moi seul.

⁵Mais, en vérité, quand vous pensez triompher de moi
et m'imputer mon opprobre,

⁶sachez que Dieu lui-même m'a fait du tort
et enveloppé de son filet.

⁷Si je crie à la violence, pas de réponse ;
si j'en appelle, point de jugement.

⁸Il a dressé sur ma route un mur infranchissable,
mis des ténèbres sur mes sentiers.

⁹Il m'a dépouillé de ma gloire,
ôté la couronne de ma tête.

¹⁰Il me sape de toutes parts pour me faire disparaître ;
il déracine comme un arbre mon espérance.

¹¹Enflammé de colère contre moi,
il me considère comme son adversaire.

¹²Ensemble ses troupes sont arrivées ;
elles ont frayé vers moi leur chemin d'approche,
campé autour de ma tente.

¹³Mes frères, il les a écartés de moi,
mes relations s'appliquent à m'éviter.

¹⁴Mes proches et mes familiers ont disparu,
les hôtes de ma maison m'ont oublié.

¹⁵Mes servantes me tiennent pour un intrus,
je suis un étranger à leurs yeux.

¹⁶Si j'appelle mon serviteur, il ne répond pas,
quand de ma bouche je l'implore.

¹⁷Mon haleine répugne à ma femme,
ma puanteur à mes propres frères.

¹⁸Même les gamins me témoignent du mépris :
si je me lève, ils se mettent à dauber sur moi.

¹⁹Tous mes intimes m'ont en horreur,
mes préférés se sont retournés contre moi.

²⁰Mes os sont collés à ma peau et à ma chair,
ah ! si je pouvais m'en tirer avec la peau de mes dents !

²¹Pitié, pitié pour moi, ô vous mes amis !
car c'est la main de Dieu qui m'a frappé.

²²Pourquoi vous acharner sur moi comme Dieu lui-même,
sans vous rassasier de ma chair ?

²³Oh ! je voudrais qu'on écrive mes paroles,
    qu'elles soient gravées en une inscription,
²⁴avec un ciseau de fer et du plomb,
    sculptées dans le roc pour toujours !
²⁵Je sais, moi, que mon Défenseur est vivant,
    que lui, le dernier, se lèvera sur la poussière.
²⁶Une fois qu'ils m'auront arraché cette peau qui est mienne,
    hors de ma chair, je verrai Dieu*.
²⁷Celui que je verrai sera pour moi,
    celui que mes yeux regarderont ne sera pas un étranger.
    Et mes reins en moi se consument.
²⁸Lorsque vous dites : « Comment l'accabler,
    quel prétexte trouverons-nous en lui ? »
²⁹Craignez pour vous-mêmes l'épée,
    car la colère s'enflammera contre les fautes,
    et vous saurez qu'il y a un jugement.

L'ordre de la justice est sans exception.

20 ¹Çophar de Naamat prit la parole et dit :

²Oui mes pensées s'agitent pour répondre,
    à cause de l'impatience qui me possède.
³J'entends une leçon qui m'outrage,
    mais mon esprit me souffle la réponse.
⁴Ne sais-tu pas que, de tout temps,
    depuis que l'homme fut mis sur terre,
⁵l'allégresse du méchant est brève
    et la joie de l'impie ne dure qu'un instant.
⁶Même si sa taille s'élevait jusqu'aux cieux,
    si sa tête touchait la nue,
⁷comme un fantôme il disparaît à jamais,
    et ceux qui le voyaient disent : « Où est-il ? »
⁸Il s'envole comme un songe insaisissable,
    il s'enfuit comme une vision nocturne.
⁹L'œil habitué à sa vue ne l'aperçoit plus,
    à sa demeure il devient invisible.
¹⁰Ses fils devront indemniser les pauvres,
    ses propres mains restituer ses richesses.
¹¹Ses os étaient pleins d'une vigueur juvénile :
    la voilà étendue avec lui dans la poussière.
¹²Le mal était doux à sa bouche :
    il l'abritait sous sa langue,
¹³il le gardait soigneusement,
    le retenait au milieu du palais.
¹⁴Cet aliment dans ses entrailles se corrompt,
    devient au-dedans du fiel d'aspic.

¹⁵Il doit vomir les richesses englouties,
de son ventre, Dieu les fait dégurgiter.
¹⁶Il suçait du venin d'aspic :
la langue de la vipère le tue.
¹⁷Il ne connaîtra plus les ruisseaux d'huile,
les torrents de miel et de laitage.
¹⁸Il rendra ses gains sans pouvoir les avaler,
il ne jouira plus de la prospérité de ses affaires.
¹⁹Parce qu'il a détruit les cabanes des pauvres,
volé des maisons au lieu d'en bâtir,
²⁰parce que son appétit s'est montré insatiable,
il ne sauvera rien de son trésor ;
²¹parce que nul n'échappait à sa voracité,
sa prospérité ne durera pas.
²²En pleine abondance, l'angoisse le saisira,
la misère, de toute sa force, fondra sur lui,
²³Dieu lâche sur lui l'ardeur de sa colère,
lance contre sa chair une pluie de traits.
²⁴S'il fuit devant l'arme de fer,
l'arc de bronze le transperce.
²⁵Une flèche sort de son dos,
une pointe étincelante de son foie.
Les terreurs s'avancent contre lui,
²⁶toutes les ténèbres cachées lui sont réservées.
Un feu qu'on n'allume pas le dévore
et consume ce qui reste sous sa tente.
²⁷Les cieux dévoilent son iniquité,
et la terre se dresse contre lui.
²⁸Le revenu de sa maison s'écoule,
comme des torrents, au jour de la colère.
²⁹Tel est le sort que Dieu réserve au méchant,
l'héritage qu'il destine à sa personne.

Le démenti des faits.

21 ¹Job prit la parole et dit :

²Écoutez, écoutez mes paroles,
accordez-moi cette consolation.
³Souffrez que je parle à mon tour ;
quand j'aurai fini, libre à vous de railler.
⁴Est-ce que moi je m'en prends à un homme ?
Est-ce sans raison que je perds patience ?
⁵Prêtez-moi attention : vous serez stupéfaits,
et vous mettrez la main sur votre bouche.
⁶Moi-même, quand j'y songe, je suis épouvanté,
ma chair est saisie d'un frisson.

⁷Pourquoi les méchants restent-ils en vie,
  vieillissent-ils et accroissent-ils leur puissance ?
⁸Leur postérité devant eux s'affermit
  et leurs rejetons sous leurs yeux subsistent.
⁹La paix de leurs maisons n'a rien à craindre,
  les rigueurs de Dieu les épargnent.
¹⁰Leur taureau féconde à coup sûr,
  leur vache met bas sans avorter.
¹¹Ils laissent courir leurs gamins comme des brebis,
  leurs enfants bondir.
¹²Ils chantent avec tambourins et cithares,
  se réjouissent au son de la flûte.
¹³Leur vie s'achève dans le bonheur,
  ils descendent en paix au shéol.

¹⁴Eux, pourtant, disent à Dieu : « Écarte-toi de nous,
  connaître tes voies ne nous plaît pas !
¹⁵Qu'est-ce que Shaddaï pour que nous le servions,
  quel profit pour nous à l'invoquer ? »
¹⁶Leur bonheur n'est-il pas entre leurs mains,
  le conseil des méchants s'est éloigné de lui.

¹⁷Voit-on souvent la lampe du méchant s'éteindre,
  le malheur fondre sur lui,
  la Colère divine distribuer des souffrances ?
¹⁸Sont-ils comme la paille face au vent
  comme la bale qu'emporte l'ouragan ?
¹⁹Dieu se réserverait de le punir dans ses enfants ?
  Mais qu'il soit donc châtié lui-même et qu'il le sache !
²⁰Que, de ses yeux, il assiste à sa ruine,
  qu'il s'abreuve à la fureur de Shaddaï !
²¹Que peut lui faire, après lui, le sort de sa maison,
  quand la série de ses mois sera tranchée ?
²²Mais enseigne-t-on à Dieu la science,
  à Celui qui juge les êtres d'en haut ?
²³Tel encore meurt en pleine vigueur,
  au comble du bonheur et de la paix,
²⁴les flancs chargés de graisse
  et la moelle de ses os tout humide.
²⁵Et tel autre périt l'amertume dans l'âme,
  sans avoir goûté au bonheur.
²⁶Ensemble, dans la poussière, ils se couchent,
  et la vermine les recouvre.
²⁷Oh ! je sais bien quelles sont vos idées,
  vos mauvaises pensées sur mon compte.
²⁸« Qu'est devenue, dites-vous, la maison du grand seigneur,
  où est la tente qu'habitaient des méchants ? »

29 N'interrogez-vous pas les voyageurs,
    méconnaissez-vous leurs témoignages ?
30 Au jour du désastre, le méchant est épargné,
    au jour de la fureur, il est mis à l'abri.
31 Et qui donc lui reproche en face sa conduite,
    et lui rend ce qu'il a fait ?
32 Il est emporté au cimetière,
    où il veille sur son tertre.
33 Les mottes du ravin lui sont douces,
    et, derrière lui, toute la population défile.
34 Que signifient donc vos vaines consolations ?
    Et quelle tromperie que vos réponses !

III. TROISIÈME CYCLE DE DISCOURS

Dieu ne châtie qu'au nom de la justice.

22 ¹Éliphaz de Témân prit la parole et dit :

2 Un homme peut-il être utile à Dieu,
    quand un être sensé n'est utile qu'à soi ?
3 Shaddaï est-il intéressé par ta justice,
    tire-t-il profit de ta conduite intègre ?
4 Serait-ce à cause de ta piété qu'il te corrige
    et qu'il entre en jugement avec toi ?
5 N'est-ce pas plutôt pour ta grande méchanceté,
    pour tes fautes illimitées ?
6 Tu as exigé de tes frères des gages injustifiés,
    dépouillé de leurs vêtements ceux qui sont nus ;
7 omis de désaltérer l'homme assoiffé
    et refusé le pain à l'affamé ;
8 livré la terre à un homme de main,
    pour que s'y installe le favori ;
9 renvoyé les veuves les mains vides
    et broyé le bras des orphelins.
10 Voilà pourquoi des filets t'enveloppent
    et des frayeurs soudaines t'épouvantent.
11 Ou bien c'est l'obscurité, tu n'y vois plus
    et la masse des eaux te submerge.

12 Dieu n'est-il pas au plus haut des cieux ?
    Vois comme est haute la voûte des étoiles !
13 Et tu as dit : « Que connaît Dieu ?
    Peut-il juger à travers la nuée sombre ?
14 Les nuages sont pour lui un voile opaque
    et il circule au pourtour des cieux. »

¹⁵Veux-tu donc suivre la route antique
  que foulèrent les hommes pervers ?
¹⁶Ils furent enlevés avant le temps
  et un fleuve noya leurs fondations.
¹⁷Car ils disaient à Dieu : « Éloigne-toi de nous !
  Que peut nous faire Shaddaï ? »
¹⁸Et c'est lui qui comblait de biens leurs maisons,
  alors que le conseil des méchants s'était éloigné de lui.
¹⁹À ce spectacle, les justes se sont réjouis
  et l'homme intègre s'est moqué d'eux :
²⁰« Comme ils ont été supprimés, nos adversaires !
  et quel feu a dévoré leur abondance ! »

²¹Allons ! Réconcilie-toi avec lui et fais la paix :
  ainsi ton bonheur te sera rendu.
²²Recueille de sa bouche la doctrine
  et place ses paroles dans ton cœur.
²³Si tu reviens à Shaddaï, tu seras réhabilité,
  si tu éloignes de ta tente l'injustice,
²⁴si tu déposes ton or sur la poussière,
  l'Ophir parmi les cailloux du torrent,
²⁵Shaddaï sera pour toi des lingots d'or
  et de l'argent en monceaux.
²⁶Alors tu feras de Shaddaï tes délices
  et tu lèveras vers Dieu ta face.
²⁷Tes prières, il les exaucera
  et tu pourras acquitter tes vœux.
²⁸Toutes tes entreprises réussiront
  et sur ta route brillera la lumière.
²⁹Car il abaisse l'entreprise orgueilleuse,
  mais il sauve l'homme qui a les yeux baissés.
³⁰Il délivre même celui qui n'est pas innocent :
  il sera délivré par la pureté de tes mains.

Dieu est loin, et le mal triomphe.

23 ¹Job prit la parole et dit :

²Encore aujourd'hui ma plainte est une révolte ;
  ma main comprime mon gémissement.
³Oh ! Si je savais comment l'atteindre,
  parvenir jusqu'à sa demeure,
⁴j'ouvrirais un procès devant lui,
  ma bouche serait pleine de griefs.
⁵Je connaîtrais les termes de sa réponse,
  attentif à ce qu'il me dirait.
⁶Jetterait-il toute sa force dans ce débat avec moi ?
  Non, il lui suffirait de me prêter attention.

⁷Il reconnaîtrait dans son adversaire un homme droit,
et je triompherais de mon juge.
⁸Si je vais vers l'orient, il est absent ;
vers l'occident, je ne l'aperçois pas.
⁹Quand il agit au nord, je ne le vois pas.
il reste invisible, si je me tourne au midi.
¹⁰Et pourtant, la voie qui est la mienne, il la connaît !
Qu'il me passe au creuset : or pur j'en sortirai !
¹¹Mon pied s'est attaché à ses pas,
j'ai gardé sa voie sans dévier ;
¹²je n'ai pas négligé le commandement de ses lèvres,
j'ai abrité dans mon sein les paroles de sa bouche.
¹³Mais lui décide, qui le fera changer ?
Ce qu'il a projeté, il l'accomplit.
¹⁴Il exécutera donc ma sentence,
comme tant d'autres de ses décrets !
¹⁵C'est pourquoi, devant lui, je suis terrifié ;
plus j'y songe, plus il me fait peur.
¹⁶Dieu a brisé mon courage,
Shaddaï me remplit d'effroi.
¹⁷Car je n'ai pas été anéanti devant les ténèbres,
mais il a recouvert ma face d'obscurité.

24 ¹Pourquoi Shaddaï n'a-t-il pas des temps en réserve,
et ses fidèles ne voient-ils pas ses jours ?
²Les méchants déplacent les bornes,
ils enlèvent troupeau et berger.
³On emmène l'âne des orphelins,
on prend en gage le bœuf de la veuve.
⁴Les indigents doivent s'écarter du chemin,
les pauvres du pays se cacher tous ensemble.
⁵Tels les onagres du désert, ils sortent à leur travail,
cherchant dès l'aube une proie,
et le soir, du pain pour leurs petits.
⁶Ils moissonnent dans le champ d'un vaurien,
ils pillent la vigne d'un méchant.
¹⁰Ils s'en vont nus, sans vêtements ;
affamés, ils portent les gerbes.
¹¹Entre deux murettes, ils pressent l'huile ;
altérés, ils foulent les cuves.
⁷Ils passent la nuit nus, sans vêtements,
sans couverture contre le froid.
⁸L'averse des montagnes les transperce ;
faute d'abri, ils étreignent le rocher.
⁹On arrache l'orphelin à la mamelle,
on prend en gage le nourrisson du pauvre.

¹²De la ville on entend gémir les mourants,
les blessés, dans un souffle, crier à l'aide.
Et Dieu reste sourd à la prière !

¹³D'autres sont de ceux qui repoussent la lumière :
ils en méconnaissent les chemins,
n'en fréquentent pas les sentiers.
¹⁴Il fait noir quand l'assassin se lève,
pour tuer le pauvre et l'indigent.
Durant la nuit rôde le voleur,
¹⁶ᵃDans les ténèbres, il perfore les maisons.
¹⁵L'œil de l'adultère épie le crépuscule :
« Personne ne me verra », dit-il,
et il met un voile sur son visage.
¹⁶ᵇPendant le jour, ils se cachent,
ceux qui ne veulent pas connaître la lumière.
¹⁷Pour eux tous, le matin devient l'ombre de la mort,
car ils éprouvent les terreurs de l'ombre de la mort.
¹⁸Ce n'est plus qu'un fétu à la surface des eaux,
son domaine est maudit dans le pays,
nul ne prend le chemin de sa vigne.

¹⁹Comme une chaleur sèche fait disparaître l'eau des neiges,
ainsi le shéol celui qui a péché.
²⁰Le sein qui l'a formé l'oublie et son nom n'est plus mentionné.
Ainsi est foudroyée comme un arbre l'iniquité.
²¹Il a maltraité la femme stérile, privée d'enfants,
il s'est montré dur pour la veuve.
²²Mais Celui qui se saisit des tyrans avec force
surgit et lui ôte l'assurance de la vie.
²³Il le laissait s'appuyer sur une sécurité trompeuse,
mais, des yeux, il surveillait ses voies.
²⁴Élevé pour un temps, il disparaît,
il s'affaisse comme l'arroche qu'on cueille,
il se fane comme la tête des épis.
²⁵N'en est-il pas ainsi ? Qui me convaincra de mensonge,
et réduira mes paroles à néant ?

Grandeur de Dieu.

25 ¹Bildad de Shuah prit la parole et dit :

²C'est un souverain redoutable,
Celui qui fait régner la paix dans ses hauteurs.
³Peut-on dénombrer ses troupes ?
Contre qui ne surgit pas son éclair ?
⁴Et l'homme se croirait juste devant Dieu,
il serait pur, l'enfant de la femme ?

⁵La lune même est sans éclat,
les étoiles ne sont pas pures à ses yeux.
⁶Combien moins l'homme, cette vermine,
un fils d'homme, ce vermisseau ?

Réponse à Bildad. Grandeur de Dieu.

26 ¹Job prit la parole et dit :

²Comme tu sais bien soutenir le faible,
secourir le bras sans vigueur !
³Quels bons conseils tu donnes à l'ignorant,
comme ton savoir est fertile en ressources !
⁴Mais ces discours, à qui s'adressent-ils,
et d'où provient l'esprit qui sort de toi ?
⁵ Les Ombres tremblent sous terre,
les eaux et leurs habitants sont dans l'effroi.
⁶Devant lui, le Shéol est à nu,
la Perdition à découvert.
⁷C'est lui qui a étendu le Septentrion sur le vide,
suspendu la terre sans appui.
⁸Il enferme les eaux dans ses nuages,
sans que la nuée crève sous leur poids.
⁹Il couvre la face de la pleine lune
et déploie sur elle sa nuée.
¹⁰Il a tracé un cercle à la surface des eaux,
aux confins de la lumière et des ténèbres.
¹¹Les colonnes des cieux sont ébranlées,
frappées de stupeur quand il menace.
¹²Par sa force, il a brassé la Mer,
par son intelligence, écrasé Rahab.
¹³Son souffle a clarifié les Cieux,
sa main transpercé le Serpent Fuyard.
¹⁴Tout cela, c'est l'extérieur de ses œuvres,
et nous n'en saisissons qu'un faible écho.
Mais le tonnerre de sa puissance, qui le comprendra ?

Job, innocent, connaît la puissance de Dieu.

27 ¹Et Job continua de s'exprimer en sentences et dit :

²Par le Dieu vivant qui me refuse justice,
par Shaddaï qui m'emplit d'amertume,
³tant qu'un reste de vie m'animera,
que le souffle de Dieu passera dans mes narines,
⁴mes lèvres ne diront rien de mal,
ma langue n'exprimera aucun mensonge.
⁵Bien loin de vous donner raison,
jusqu'à mon dernier souffle, je maintiendrai mon innocence.

⁶Je tiens à ma justice et ne lâche pas ;
    ma conscience, ne me reproche aucun de mes jours.
⁷Que mon ennemi ait le sort du méchant,
    mon adversaire celui de l'injuste !
⁸Quel profit peut espérer l'impie
    quand Dieu lui retire la vie ?
⁹Est-ce que Dieu entend ses cris,
    quand fond sur lui la détresse ?
¹⁰Faisait-il ses délices de Shaddaï,
    invoquait-il Dieu en tout temps ?
¹¹Mais je vous instruis sur la puissance de Dieu,
    sans rien vous cacher des pensées de Shaddaï.
¹²Et si vous tous aviez su l'observer,
    à quoi bon vos vains discours dans le vide ?

Discours de Çophar : le maudit.

¹³Voici le lot que Dieu assigne au méchant,
    l'héritage que le violent reçoit de Shaddaï.
¹⁴Si ses fils se multiplient, c'est pour l'épée,
    et ses descendants n'apaiseront pas leur faim.
¹⁵Les survivants seront ensevelis par la Peste,
    sans que ses veuves puissent les pleurer.
¹⁶S'il accumule l'argent comme la poussière,
    s'il entasse des vêtements comme de la glaise,
¹⁷qu'il les entasse ! un juste les revêtira,
    un innocent recevra l'argent en partage.
¹⁸Il s'est bâti une maison d'araignée,
    il s'est construit une hutte de gardien :
¹⁹riche il se couche, mais c'est la dernière fois ;
    quand il ouvre les yeux, plus rien.
²⁰Les terreurs l'assaillent en plein jour,
    la nuit, un tourbillon l'enlève.
²¹Un vent d'est le soulève et l'entraîne,
    l'arrache à son lieu de séjour.
²²Sans pitié, on le prend pour cible,
    il doit fuir des mains menaçantes.
²³On applaudit à sa ruine,
    on le siffle partout où il va.

IV. ÉLOGE DE LA SAGESSE

La Sagesse inaccessible à l'homme.

28 ¹Il existe, pour l'argent, des mines,
    pour l'or, un lieu où on l'épure.
²Le fer est tiré du sol,
    la pierre fondue livre du cuivre.

³On met fin aux ténèbres,
on fouille jusqu'à l'extrême limite
la pierre obscure et sombre.
⁴Des étrangers percent les ravins
en des lieux non fréquentés,
et ils oscillent, suspendus, loin des humains.
⁵La terre d'où sort le pain
est ravagée en dessous par le feu.
⁶Là, les pierres sont le gisement du saphir,
et aussi des parcelles d'or.
⁷L'oiseau de proie en ignore le sentier,
l'œil du vautour ne l'aperçoit pas.
⁸Il n'est point foulé par les fauves altiers,
le lion ne l'a jamais frayé.
⁹L'homme s'attaque au silex,
il bouleverse les montagnes dans leurs racines.
¹⁰Dans les roches il perce des canaux,
l'œil ouvert sur tout objet précieux.
¹¹Il explore les sources des fleuves,
amène au jour ce qui restait caché.
¹²Mais la Sagesse, d'où provient-elle ?
Où se trouve-t-elle, l'Intelligence ?

¹³L'homme en ignore le chemin,
on ne la découvre pas sur la terre des vivants.
¹⁴L'Abîme déclare : « Je ne la contiens pas ! »
et la Mer : « Elle n'est point chez moi ! »
¹⁵On ne peut l'acquérir avec l'or massif,
la payer au poids de l'argent,
¹⁶l'évaluer avec l'or d'Ophir,
l'agate précieuse ou le saphir.
¹⁷On ne lui compare pas l'or ou le verre,
on ne l'échange point contre un vase d'or fin.
¹⁸Coraux et cristal ne méritent pas mention,
mieux vaudrait pêcher la Sagesse que les perles.
¹⁹Auprès d'elle, la topaze de Kush est sans valeur
et l'or pur perd son poids d'échange.
²⁰Mais la Sagesse, d'où provient-elle ?
Où se trouve-t-elle, l'Intelligence ?

²¹Elle se dérobe aux yeux de tout vivant,
elle se cache aux oiseaux du ciel.
²²La Perdition et la Mort déclarent :
« La rumeur de sa renommée est parvenue à nos oreilles. »
²³Dieu seul en a discerné le chemin
et connu, lui, où elle se trouve.

²⁴(Car il voit jusqu'aux extrémités de la terre,
    il aperçoit tout ce qui est sous les cieux.)
²⁵Lorsqu'il voulut donner du poids au vent,
    jauger les eaux avec une mesure ;
²⁶quand il imposa une loi à la pluie,
    une route aux roulements du tonnerre,
²⁷alors il la vit et l'évalua,
    il la pénétra et même la scruta.
²⁸Puis il dit à l'homme :
    « La crainte du Seigneur, voilà la sagesse ;
    fuir le mal, voilà l'intelligence. »

V. *CONCLUSION DU DIALOGUE*

Plaintes et apologie de Job
A. Les jours d'antan.

29 ¹Job continua de s'exprimer en sentences et dit :

²Qui me fera revivre les mois d'antan,
    ces jours où Dieu veillait sur moi,
³où sa lampe brillait sur ma tête
    et sa lumière me guidait dans les ténèbres !
⁴Tel que j'étais aux jours de mon automne,
    quand Dieu protégeait ma tente,
⁵que Shaddaï demeurait avec moi
    et que mes garçons m'entouraient ;
⁶quand mes pieds baignaient dans le laitage,
    que le rocher versait des ruisseaux d'huile !

⁷Si je sortais vers la porte de la ville,
    si j'installais mon siège sur la place,
⁸à ma vue, les jeunes gens se retiraient,
    les vieillards se mettaient debout.
⁹Les notables arrêtaient leurs discours
    et mettaient la main sur leur bouche.
¹⁰La voix des chefs s'étouffait
    et leur langue se collait au palais.
²¹ Ils m'écoutaient, dans l'attente,
    silencieux pour entendre mon avis.
²²Quand j'avais parlé, nul ne répliquait,
    et sur eux, goutte à goutte, tombaient mes paroles.
²³Ils m'attendaient comme la pluie,
    leur bouche s'ouvrait comme pour l'ondée de printemps.
²⁴Si je leur souriais, ils n'osaient y croire,
    ils recueillaient sur mon visage tout signe de faveur.

²⁵Je leur indiquais la route en siégeant à leur tête,
  tel un roi installé parmi ses troupes,
  et je les menais partout à mon gré.

¹¹À m'entendre, on me félicitait,
  à me voir, on me rendait témoignage.
¹²Car je délivrais le pauvre en détresse
  et l'orphelin privé d'appui.
¹³La bénédiction du mourant se posait sur moi
  et je rendais la joie au cœur de la veuve.
¹⁴J'avais revêtu la justice comme un vêtement,
  j'avais le droit pour manteau et turban.
¹⁵J'étais les yeux de l'aveugle,
  les pieds du boiteux.
¹⁶C'était moi le père des pauvres ;
  la cause d'un inconnu, je l'examinais.
¹⁷Je brisais les crocs de l'homme inique,
  d'entre ses dents j'arrachais sa proie.

¹⁸Et je disais : « Je mourrai dans mon nid,
  après des jours nombreux comme le phénix.
¹⁹Mes racines ont accès à l'eau,
  la rosée se dépose la nuit sur mon feuillage.
²⁰Ma gloire sera toujours nouvelle
  et dans ma main mon arc reprendra force. »

B. Détresse présente.

30 ¹Et maintenant, je suis la risée
  de gens qui sont plus jeunes que moi,
  et dont les pères étaient trop vils à mes yeux
  pour les mêler aux chiens de mon troupeau.
²Aussi bien, la force de leurs mains m'eût été inutile :
  ils avaient perdu toute vigueur,
³épuisée par la disette et la famine,
  car ils rongeaient la steppe,
  ce sombre lieu de ruine et de désolation ;
⁴ils cueillaient l'arroche sur le buisson
  faisaient leur pain des racines de genêt.
⁵Bannis de la société des hommes,
  qui les hue comme des voleurs,
⁶ils logent au flanc des ravins,
  dans les grottes ou les crevasses du rocher.
⁷Des buissons, on les entend braire,
  ils s'entassent sous les chardons.
⁸Fils de vauriens, bien plus, d'hommes sans nom,
  ils sont rejetés par le pays.
⁹Et maintenant, voilà qu'ils me chansonnent.
  Qu'ils font de moi leur fable !

¹⁰Saisis d'horreur, ils se tiennent à distance,
    devant moi, ils crachent sans retenue.
¹¹Et parce qu'il a détendu mon arc et m'a terrassé,
    ils rejettent la bride en ma présence.
¹²Leur engeance surgit à ma droite,
    ils font glisser mes pieds
    et fraient vers moi leurs chemins sinistres.
¹³Ils me ferment toute issue,
    en profitent pour me perdre et nul ne les arrête,
¹⁴ils pénètrent comme par une large brèche
    ils se roulent sous les décombres.
¹⁵Les terreurs se tournent contre moi,
    mon assurance est chassée comme par le vent,
    mon salut disparaît comme un nuage.

¹⁶Et maintenant, la vie en moi s'écoule,
    les jours d'affliction m'ont saisi.
¹⁷La nuit, le mal perce mes os
    et mes rongeurs ne dorment pas.
¹⁸Avec violence il m'a pris par le vêtement,
    serré au col de ma tunique.
¹⁹Il m'a jeté dans la boue,
    je suis comme poussière et cendre.

²⁰Je crie vers Toi et tu ne réponds pas ;
    je me présente sans que tu me remarques.
²¹Tu es devenu cruel à mon égard,
    ta main vigoureuse sur moi s'acharne.
²²Tu m'emportes à cheval sur le vent
    et tu me dissous dans une tempête.
²³Oui, je sais que tu me fais retourner vers la mort,
    vers le rendez-vous de tout vivant.

²⁴Pourtant, n'ai-je pas tendu la main au pauvre,
    quand, dans sa détresse, il réclamait justice ?
²⁵N'ai-je pas pleuré sur celui dont la vie est pénible,
    éprouvé de la pitié pour l'indigent ?
²⁶J'espérais le bonheur, et le malheur est venu ;
    j'attendais la lumière : voici l'obscurité.
²⁷Mes entrailles bouillonnent sans relâche,
    les jours d'affliction m'ont atteint.
²⁸Je marche, assombri, sans soleil,
    si je me dresse dans l'assemblée, c'est pour crier.
²⁹Je suis devenu le frère des chacals
    et le compagnon des autruches.
³⁰Ma peau sur moi s'est noircie,
    mes os sont brûlés par la fièvre.

31Ma harpe est accordée aux chants de deuil,
 ma flûte à la voix des pleureurs.

Apologie de Job.

31 1J'avais fait un pacte avec mes yeux,
 au point de ne fixer aucune vierge.

2Or, quel partage Dieu fait-il donc de là-haut,
 quel lot Shaddaï assigne-t-il de son ciel ?

3N'est-ce pas le désastre qu'il réserve à l'injuste
 et l'adversité aux hommes malfaisants ?

4Ne voit-il pas ma conduite,
 ne compte-t-il point tous mes pas ?

5Ai-je fait route avec l'illusion,
 pressé le pas vers la fraude ?

6Qu'il me pèse sur une balance exacte :
 lui, Dieu, reconnaîtra mon intégrité !

7Si mes pas ont dévié du droit chemin,
 si mon cœur fut entraîné par mes yeux
 et si une souillure adhère à mes mains,

8qu'un autre mange ce que j'ai semé
 et que soient arrachées mes jeunes pousses !

9Si mon cœur fut séduit par une femme,
 si j'ai épié à la porte de mon prochain,

10que ma femme se mette à moudre pour autrui,
 que d'autres aient commerce avec elle !

11J'aurais commis là une impudicité,
 un crime passible de justice,

12ce serait le feu qui dévore jusqu'à la Perdition
 et détruirait jusqu'à la racine tout mon revenu.

13Si j'ai méconnu les droits de mon serviteur,
 de ma servante, dans leurs litiges avec moi,

14que ferai-je quand Dieu surgira ?
 Lorsqu'il fera l'enquête, que répondrai-je ?

15Ne les a-t-il pas créés comme moi dans le ventre ?
 Un même Dieu nous forma dans le sein.

38Si ma terre crie vengeance contre moi
 et que ses sillons pleurent avec elle,

39si j'ai mangé de ses produits sans payer,
 fait expirer ses propriétaires,

40aqu'au lieu de froment y poussent les ronces,
 à la place de l'orge, l'herbe fétide !

16Ai-je été insensible aux besoins des faibles,
 laissé languir les yeux de la veuve ?

17Ai-je mangé seul mon morceau de pain,
 sans que l'orphelin en ait mangé ?

¹⁸Alors que Dieu, dès mon enfance, m'a élevé comme un père,
   guidé depuis le sein maternel !
¹⁹Ai-je vu un miséreux sans vêtements,
   un pauvre sans couverture,
²⁰sans que leurs reins m'aient béni,
   que la toison de mes agneaux les ait réchauffés ?
²¹Ai-je agité la main contre un orphelin,
   me sachant soutenu à la Porte ?
²²Qu'alors mon épaule se détache de ma nuque
   et que mon bras se rompe au coude !
²³Car le châtiment de Dieu serait ma terreur,
   je ne tiendrais pas devant sa majesté.

²⁴Ai-je placé dans l'or ma confiance
   et dit à l'or fin : « Ô ma sécurité ? »
²⁵Me suis-je réjoui de mes biens nombreux,
   des richesses acquises par mes mains ?
²⁶À la vue du soleil dans son éclat,
   de la lune radieuse dans sa course,
²⁷mon cœur, en secret, s'est-il laissé séduire,
   pour leur envoyer de la main un baiser ?
²⁸Ce serait encore une faute criminelle,
   car j'aurais renié le Dieu suprême.
²⁹Me suis-je réjoui de l'infortune de mon ennemi,
   ai-je exulté quand le malheur l'atteignait,
³⁰moi, qui ne permettais pas à ma langue de pécher,
   de réclamer sa vie dans une malédiction ?
³¹Et ne disaient-ils pas, les gens de ma tente :
   « Trouve-t-on quelqu'un qu'il n'ait pas rassasié de
                                                    [viande ? »
³²Jamais étranger ne coucha dehors,
   au voyageur ma porte restait ouverte.
³³Ai-je dissimulé aux hommes mes transgressions,
   caché ma faute dans mon sein ?
³⁴Ai-je eu peur de la rumeur publique,
   ai-je redouté le mépris des familles,
   et me suis-je tenu coi, n'osant franchir ma porte ?

³⁵Ah ! qui fera donc que l'on m'écoute ?
   J'ai dit mon dernier mot : à Shaddaï de me répondre !
Le libelle qu'aura rédigé mon adversaire,
³⁶je veux le porter sur mon épaule,
   le ceindre comme un diadème.
³⁷Je lui rendrai compte de tous mes pas
   et je m'avancerai vers lui comme un prince.

⁴⁰ᵇFin des paroles de Job.

3. Discours d'Élihu

Intervention d'Élihu.

32 ¹Ces trois hommes cessèrent de répondre à Job parce qu'il s'estimait juste. ²Mais voici que se mit en colère Élihu, fils de Barakéel le Buzite, du clan de Ram. Sa colère s'enflamma contre Job parce qu'il prétendait avoir raison contre Dieu ; ³elle s'enflamma également contre ses trois amis, qui n'avaient plus rien trouvé à répliquer et ainsi avaient laissé les torts à Dieu. ⁴Élihu avait attendu pour parler avec Job, car ils étaient ses anciens ; ⁵mais quand il vit que ces trois hommes n'avaient plus de réponse à la bouche, sa colère éclata. ⁶Et il prit la parole, lui, Élihu, fils de Barakéel le Buzite, et il dit :

Exorde.

Je suis tout jeune encore,
    et vous êtes des anciens ;
aussi je craignais, intimidé,
    de vous manifester mon savoir.
⁷Je me disais : « L'âge parlera,
    les années nombreuses feront connaître la sagesse. »
⁸À la vérité, c'est un esprit dans l'homme,
    c'est le souffle de Shaddaï qui rend intelligent.
⁹Le grand âge ne donne pas la sagesse,
    ni la vieillesse, l'intelligence de ce qui est juste.
¹⁰Aussi, je dis, écoute-moi,
    je vais montrer, moi aussi, mon savoir.

¹¹Jusqu'ici, j'attendais vos paroles,
    j'ouvrais l'oreille à vos raisonnements,
    tandis que chacun cherchait ses mots.
¹²Sur vous se fixait mon attention.
    Et je vois qu'aucun n'a confondu Job,
    nul d'entre vous n'a démenti ses paroles.
¹³Ne dites donc pas : « Nous avons trouvé la sagesse ;
    Dieu seul peut le réfuter, non un homme. »
¹⁴Ce n'est pas contre moi qu'il aligne les mots,
    ce n'est pas avec vos paroles que je lui répliquerai.

¹⁵Ils sont restés interdits, sans réponse ;
    les mots leur ont manqué.
¹⁶Et j'attendais ! Puisqu'ils ne parlent plus,
    qu'ils ont cessé de se répondre,
¹⁷je prendrai la parole à mon tour,
    je vais montrer moi aussi mon savoir.

¹⁸Car je suis plein de mots,
  oppressé par un souffle intérieur.
¹⁹En mon sein, c'est comme un vin nouveau cherchant issue
  comme des outres neuves qui éclatent.
²⁰Parler me soulagera,
  j'ouvrirai les lèvres et je répondrai.
²¹Je ne prendrai le parti de personne,
  à aucun je ne dirai des mots flatteurs.
²²Je ne sais point flatter,
  car mon Créateur me supprimerait sous peu.

La présomption de Job.

33 ¹Mais veuille, Job, écouter mes dires,
  tends l'oreille à toutes mes paroles.
²Voici que j'ouvre la bouche
  et ma langue articule des mots sur mon palais.
³La rectitude de mon cœur parlera,
  mes lèvres exprimeront la vérité.
⁵Si tu le peux, réponds-moi !
  Tiens-toi prêt devant moi, prends position !
⁶Vois, pour Dieu, je suis ton égal,
  comme toi, d'argile je suis pétri.
⁴C'est l'esprit de Dieu qui m'a fait,
  le souffle de Shaddaï qui m'anime.
⁷Aussi ma terreur ne t'effraiera point,
  ma main ne pèsera pas sur toi.

⁸Comment as-tu pu dire à mes oreilles
  car – j'ai entendu le son de tes paroles :
⁹« Je suis pur, sans transgression ;
  je suis net et sans faute.
¹⁰Mais il invente des griefs contre moi
  et il me considère comme son ennemi.
¹¹Il met mes pieds dans les ceps
  et surveille tous mes sentiers » ?
¹²Or, en cela, je t'en réponds, tu as eu tort,
  car Dieu est plus grand que l'homme.
¹³Pourquoi lui chercher querelle
  parce qu'il ne te répond pas mot pour mot ?
¹⁴Dieu parle d'une façon
  et puis d'une autre, sans qu'on prête attention.
¹⁵Par des songes, par des visions nocturnes,
  quand une torpeur s'abat sur les humains
  et qu'ils sont endormis sur leur couche,
¹⁶alors il ouvre l'oreille des humains,
  il y scelle les avertissements qu'il leur donne,

¹⁷pour détourner l'homme de ses œuvres
    et protéger le puissant de l'orgueil.
¹⁸Il préserve ainsi son âme de la fosse,
    sa vie du passage par le Canal.
¹⁹Il le corrige aussi sur son grabat par la douleur,
    quand ses os tremblent sans arrêt,
²⁰quand sa vie prend en dégoût la nourriture
    et son appétit les friandises ;
²¹quand sa chair disparaît au regard
    et que se dénudent les os qui étaient cachés ;
²²quand son âme approche de la fosse
    et sa vie du séjour des morts.
²³Alors s'il se trouve près de lui un Ange,
    un Médiateur pris entre mille,
qui rappelle à l'homme son devoir,
²⁴le prenne en pitié et déclare :
    « Exempte-le de descendre dans la fosse
        j'ai trouvé une rançon »,
²⁵sa chair retrouve une fraîcheur juvénile,
    il revient aux jours de son adolescence.
²⁶Il prie Dieu qui lui rend sa faveur,
    il voit dans l'allégresse la face
de celui qui rend à l'homme sa justice ;
²⁷il fait entendre devant les hommes ce cantique :
    « J'avais péché et perverti le droit
        Il ne m'a pas rendu la pareille.
²⁸Il a exempté mon âme de passer par la fosse
    et fait jouir ma vie de la lumière. »
²⁹Voilà tout ce que fait Dieu,
    deux fois, trois fois pour l'homme,
³⁰afin d'arracher son âme à la fosse
    et de faire briller sur lui la lumière des vivants.

³¹Sois attentif, Job, écoute-moi bien :
    tais-toi, j'ai encore à parler.
³²Si tu as quelque chose à dire, réplique-moi,
    parle, car je veux te donner raison.
³³Sinon, écoute-moi :
    fais silence, et je t'enseignerai la sagesse.

L'échec des trois Sages à disculper Dieu.

34 ¹Élihu reprit son discours et dit :

²Et vous, les sages, écoutez mes paroles,
    vous, les savants, prêtez-moi l'oreille.
³Car l'oreille apprécie les discours
    comme le palais goûte les mets.

⁴Examinons ensemble ce qui est juste,
     voyons entre nous ce qui est bien.
⁵Job a dit : « Je suis juste
     et Dieu écarte mon droit.
⁶Malgré mon bon droit, je passe pour un menteur,
     une flèche m'a blessé sans que j'aie péché. »
⁷Où trouver un homme tel que Job,
     qui boive le sarcasme comme l'eau,
⁸fasse route avec les malfaiteurs,
     marche du même pas que les méchants ?
⁹N'a-t-il pas dit : « L'homme ne tire aucun profit
     à se plaire dans la société de Dieu ? »

¹⁰Aussi écoutez-moi, en hommes de sens.
     Qu'on écarte de Dieu le mal,
     de Shaddaï, l'injustice !
¹¹Car il rend à l'homme selon ses œuvres,
     traite chacun d'après sa conduite.
¹²En vérité, Dieu n'agit jamais mal,
     Shaddaï ne pervertit pas le droit.
¹³Autrement qui donc aurait confié la terre à ses soins,
     l'aurait chargé de l'univers entier ?
¹⁴S'il n'appliquait sa pensée qu'à lui-même,
     s'il concentrait en lui son souffle et son haleine,
¹⁵toute chair expirerait à la fois
     et l'homme retournerait à la poussière.
¹⁶Si tu sais comprendre, écoute ceci,
     prête l'oreille au son de mes paroles.
¹⁷Un ennemi du droit saurait-il gouverner ?
     Oserais-tu condamner le Juste tout-puissant ?
¹⁸Lui, qui dit à un roi : « Vaurien ! »
     traite les nobles de méchants,
¹⁹n'a pas égard aux princes
     et ne distingue pas du faible l'homme important.
   Car tous sont l'œuvre de ses mains.
²⁰Ils meurent soudain en pleine nuit,
     le peuple s'agite et ils disparaissent,
     on écarte un tyran sans effort.
²¹Car ses yeux surveillent les voies de l'homme
     et il regarde tous ses pas.
²²Pas de ténèbres ou d'ombre épaisse
     où puissent se cacher les malfaiteurs.
²³Il n'envoie pas d'assignation à l'homme,
     pour qu'il se présente devant Dieu en justice.
²⁴Il brise les grands sans enquête
     et en met d'autres à leur place.

²⁵C'est qu'il connaît leurs œuvres !
   Il les renverse de nuit et on les piétine.
²⁶Comme des criminels, il les soufflette,
   en public il les enchaîne,
²⁷car ils se sont détournés de lui,
   n'ont rien compris à ses voies,
²⁸jusqu'à faire monter vers lui le cri du faible,
   lui faire entendre l'appel des humbles.
²⁹Mais s'il reste immobile qui le condamnera ?
   s'il cache sa face, qui l'apercevra ?
   Pourtant il veille sur les nations et les hommes,
³⁰pour que ne règnent pas des hommes pervers,
   qu'il n'y ait pas de pièges pour le peuple.
³¹Mais si on dit à Dieu :
   « J'ai expié, je ne ferai plus le mal ;
³²ce qui est hors de ma vue, toi, montre-le-moi :
   si j'ai commis l'injustice, je ne recommencerai plus »,
³³d'après toi, devrait-il punir ?
   Mais tu t'en moques !
   Comme c'est toi qui choisis et non pas moi,
   fais-nous part de ta science.
³⁴Mais les gens sensés me diront,
   ainsi que tout sage qui m'écoute :
³⁵« Job ne parle pas avec science,
   ses propos manquent d'intelligence.
³⁶Veuille donc l'examiner à fond,
   pour ses réponses dignes de celles des méchants.
³⁷Car il ajoute à son péché la rébellion,
   sème le doute parmi nous
   et multiplie contre Dieu ses paroles. »

Dieu n'est pas indifférent aux affaires humaines.

35 ¹Élihu reprit son discours et dit :

²Crois-tu assurer ton droit,
   affirmer ta justice devant Dieu,
³d'oser lui dire : « Que t'importe à toi,
   ou quel avantage pour moi, si j'ai péché ou non ? »
⁴Eh bien ! moi, je te répondrai,
   et à tes amis en même temps.

⁵Considère les cieux et regarde,
   vois comme les nuages sont plus élevés que toi !
⁶Si tu pèches, en quoi l'atteins-tu ?
   Si tu multiplies tes offenses, lui fais-tu quelque mal ?
⁷Si tu es juste, que lui donnes-tu,
   ou que reçoit-il de ta main ?

⁸Ce sont tes semblables qu'affecte ta méchanceté,
    des mortels que concerne ta justice.
⁹Ils gémissent sous le poids de l'oppression,
    ils crient au secours sous la tyrannie des grands,
¹⁰mais nul ne pense à dire : « Où est Dieu, mon auteur,
    lui qui fait éclater dans la nuit les chants d'allégresse,
¹¹qui nous rend plus avisés que les bêtes sauvages,
    plus sages que les oiseaux du ciel ? »
¹²Alors on crie, sans qu'il réponde,
    sous le coup de l'orgueil des méchants.
¹³Assurément Dieu n'écoute pas ce qui est illusoire,
    Shaddaï n'y prête pas attention.
¹⁴Et encore moins quand tu dis : « Je ne le vois pas,
    mon procès est ouvert devant lui et je l'attends. »
¹⁵Ou bien : « Sa colère ne châtie pas,
    et il n'a pas connaissance de la révolte. »
¹⁶Job, alors, ouvre la bouche pour parler dans le vide,
    par ignorance, il multiplie les mots.

Le vrai sens des souffrances de Job.

36 ¹Élihu continua et dit :

²Patiente un peu et laisse-moi t'instruire,
    car je n'ai pas tout dit en faveur de Dieu.
³Je veux tirer mon savoir de très loin,
    pour justifier mon Créateur.
⁴En vérité, mes paroles ignorent le mensonge,
    et un homme d'une science accomplie est près de toi.
⁵Vois, Dieu est puissant, il ne se moque pas,
    il est puissant par la fermeté de sa pensée.
⁶Il ne laisse pas vivre le méchant,
    mais rend justice aux pauvres,
⁷il ne quitte pas le juste des yeux.
    Avec les rois, sur leur trône il les installe
    pour siéger à jamais, et ils sont exaltés.
⁸Mais qu'il les lie avec des chaînes,
    ils sont pris dans les liens de l'affliction.
⁹Il leur révèle leurs actes,
    les fautes d'orgueil qu'ils ont commises.
¹⁰Il ouvre leurs oreilles à une leçon
    il leur dit de tourner le dos au mal.
¹¹S'ils écoutent et se montrent dociles,
    leurs jours s'achèvent dans le bonheur
    et leurs années dans les délices.
¹²Sinon, ils passent par le Canal
    et ils périssent en insensés.

¹³Oui, les endurcis, qui manifestent leur colère
 et ne crient pas à l'aide quand il les enchaîne,
¹⁴meurent en pleine jeunesse
 et leur vie est parmi les prostitués.
¹⁵Mais il sauve le pauvre par sa pauvreté,
 il l'avertit dans sa misère.
¹⁶Toi aussi, il veut te faire passer de l'angoisse
 en un lieu spacieux où rien ne gêne,
 et la table disposée pour toi débordera de graisse.
¹⁷Si tu instruis le procès du méchant,
 on assurera un procès équitable.
¹⁸Prends garde d'être séduit par l'abondance,
 corrompu par de riches présents.
¹⁹Fais comparaître le grand comme l'homme sans or,
 l'homme au bras puissant comme le faible.
²⁰N'écrase pas ceux qui te sont étrangers
 pour mettre à leur place ta parenté.
²¹Garde-toi de te porter vers l'injustice,
 car c'est pour cela que l'affliction t'éprouve.

Hymne à la Sagesse toute-puissante. Si 42 15-43 33.

²²Vois, Dieu est sublime par sa force
 et quel maître lui comparer ?
²³Qui lui a indiqué la voie à suivre,
 qui oserait lui dire : « Tu as commis l'injustice ? »
²⁴Songe plutôt à magnifier son œuvre,
 que l'homme a célébrée par des cantiques.
²⁵C'est un spectacle offert à tous,
 à distance l'homme la regarde.
²⁶Oui, Dieu est si grand qu'il dépasse notre science,
 et le nombre de ses ans reste incalculable.
²⁷C'est lui qui réduit les gouttes d'eau,
 pulvérise la pluie en brouillard.
²⁸Et les nuages déversent celle-ci,
 la font ruisseler sur la foule humaine.
³¹Par eux il sustente les peuples,
 leur donne la nourriture en abondance.
²⁹Qui comprendra encore les déploiements de sa nuée,
 le grondement menaçant de sa tente ?
³⁰Il déploie devant lui son éclair,
 il submerge les fondements de la mer.
³²Ses deux paumes, il les recouvre de l'éclair
 et lui fixe le but à atteindre.
³³Son fracas en annonce la venue,
 enflammant la colère contre l'iniquité.

37 ¹Mon cœur lui-même en tremble
et bondit hors de sa place.
²Écoutez, écoutez le fracas de sa voix,
le grondement qui sort de sa bouche !
³Son éclair est lâché sous l'étendue des cieux,
il atteint les extrémités de la terre.
⁴Derrière lui mugit une voix,
car Dieu tonne de sa voix superbe.
Et il ne retient pas ses foudres
tant que sa voix retentit.
⁵Oui, Dieu tonne à pleine voix ses merveilles,
il accomplit des œuvres grandioses qui nous dépassent.
⁶Quand il dit à la neige : « Tombe sur la terre ! »
aux averses : « Pleuvez dru ! »
⁷alors il suspend l'activité des hommes,
pour que chacun reconnaisse là son œuvre.
⁸Les animaux regagnent leurs repaires
et s'abritent dans leurs tanières.
⁹De la Chambre australe sort l'ouragan
et les vents du nord amènent le froid.
¹⁰Au souffle de Dieu se forme la glace
et la surface des eaux se durcit.
¹¹Il charge d'humidité les nuages
et les nuées d'orage diffusent son éclair.
¹²Et lui les fait circuler
et préside à leur alternance.
Ils exécutent en tout ses ordres,
sur la face de son monde terrestre.
¹³Soit pour châtier les peuples de la terre,
soit pour une œuvre de bonté, il les envoie.
¹⁴Écoute ceci, Job, sans broncher,
et réfléchis aux merveilles de Dieu.
¹⁵Sais-tu comment Dieu leur commande,
et comment sa nuée fait luire l'éclair ?
¹⁶Sais-tu comment il suspend les nuages en équilibre,
prodige d'une science consommée ?
¹⁷Toi, quand tes vêtements sont brûlants
et que la terre se tient immobile sous le vent du sud,
¹⁸peux-tu étendre comme lui la nue,
durcie comme un miroir de métal fondu ?
¹⁹Apprends-moi ce qu'il faut lui dire :
mieux vaut ne plus discuter à cause de nos ténèbres.
²⁰Mes paroles comptent-elles pour lui,
est-il informé des ordres d'un homme ?

²¹Un temps la lumière devient invisible,
    lorsque les nuages l'obscurcissent ;
  puis le vent passe et les balaie,
²²et du nord arrive la clarté.
    Dieu s'entoure d'une splendeur redoutable ;
²³lui, Shaddaï, nous ne pouvons l'atteindre.
    Suprême par la force et l'équité,
    maître en justice sans opprimer,
²⁴il s'impose à la crainte des hommes ;
    à lui la vénération de tous les esprits sensés !

4. *Les discours de Yahvé*

PREMIER DISCOURS

La Sagesse créatrice confond Job.

38 ¹Yahvé répondit à Job du sein de la tempête et dit :

²Quel est celui-là qui obscurcit mes plans
    par des propos dénués de sens ?
³Ceins tes reins comme un brave :
    je vais t'interroger et tu m'instruiras.
⁴Où étais-tu quand je fondai la terre ?
    Parle, si ton savoir est éclairé.
⁵Qui en fixa les mesures, le saurais-tu,
    ou qui tendit sur elle le cordeau ?
⁶Sur quel appui s'enfoncent les socles ?
    Qui posa sa pierre angulaire,
⁷parmi le concert joyeux des étoiles du matin
    et les acclamations unanimes des Fils de Dieu ?
⁸Qui enferma la mer à deux battants,
    quand elle sortit du sein, bondissante ;
⁹quand je mis sur elle une nuée pour vêtement
    et fis des nuages sombres ses langes ;
¹⁰quand je découpai pour elle sa limite
    et plaçai portes et verrou ?
¹¹« Tu n'iras pas plus loin, lui dis-je,
    ici se brisera l'orgueil de tes flots ! »

¹²As-tu, une fois dans ta vie, commandé au matin ?
    Assigné l'aurore à son poste,
¹³pour qu'elle saisisse la terre par les bords
    et en secoue les méchants ?
¹⁴Alors elle la change en argile de sceau
    et la teint comme un vêtement ;

¹⁵elle ôte aux méchants leur lumière,
brise le bras qui se levait.
¹⁶As-tu pénétré jusqu'aux sources marines,
circulé au fond de l'Abîme ?
¹⁷Les portes de la Mort te furent-elles montrées,
as-tu vu les portes du pays de l'ombre de mort ?
¹⁸As-tu quelque idée des étendues terrestres ?
Raconte, si tu sais tout cela.
¹⁹De quel côté habite la lumière,
et les ténèbres, où résident-elles,
²⁰pour que tu puisses les conduire dans leur domaine,
et distinguer les accès de leur maison ?
²¹Si tu le sais, c'est qu'alors tu étais né,
et tu comptes des jours bien nombreux !

²²Es-tu parvenu jusqu'aux dépôts de neige ?
As-tu vu les réserves de grêle,
²³que je ménage pour les temps de détresse,
pour les jours de bataille et de guerre ?
²⁴De quel côté se divise l'éclair,
où se répand sur terre le vent d'est ?
²⁵Qui perce un canal pour l'averse,
fraie la route aux roulements du tonnerre,
²⁶pour faire pleuvoir sur une terre sans hommes,
sur un désert que nul n'habite,
²⁷pour abreuver les solitudes désolées,
faire germer l'herbe sur la steppe ?
²⁸La pluie a-t-elle un père,
ou qui engendre les gouttes de rosée ?
²⁹De quel ventre sort la glace,
et le givre des cieux, qui l'enfante,
³⁰quand les eaux disparaissent en se pétrifiant
et que devient compacte la surface de l'abîme ?

³¹Peux-tu nouer les liens des Pléiades,
desserrer les cordes d'Orion,
³²amener la Couronne en son temps,
conduire l'Ourse avec ses petits ?
³³Connais-tu les lois des Cieux,
appliques-tu leur charte sur terre ?
³⁴Ta voix s'élève-t-elle jusqu'aux nuées
et la masse des eaux t'obéit-elle ?
³⁵Sur ton ordre, les éclairs partent-ils,
en te disant : « Nous voici ? »
³⁶Qui a mis dans l'ibis la sagesse,
donné au coq l'intelligence ?
³⁷Qui dénombre les nuages avec compétence

et incline les outres des cieux,
³⁸tandis que la poussière s'agglomère
et que collent ensemble les glèbes ?

³⁹Chasses-tu pour la lionne une proie,
apaises-tu l'appétit des lionceaux,
⁴⁰quand ils sont tapis dans leurs tanières,
aux aguets dans le fourré ?
⁴¹Qui prépare au corbeau sa provende,
lorsque ses petits crient vers Dieu
et se dressent sans nourriture ?

39 ¹Sais-tu quand les bouquetins font leurs petits ?
As-tu observé des biches en travail ?
²Combien de mois dure leur gestation,
quelle est l'époque de leur délivrance ?
³Alors elles s'accroupissent pour mettre bas,
elles se débarrassent de leurs portées.
⁴Et quand leurs petits ont pris des forces et grandi,
ils partent dans le désert et ne reviennent plus près d'elles.

⁵Qui a lâché l'onagre en liberté,
délié la corde de l'âne sauvage ?
⁶À lui, j'ai donné la steppe pour demeure,
la plaine salée pour habitat.
⁷Il se rit du tumulte des villes
et n'entend pas l'ânier vociférer.
⁸Il explore les montagnes, son pâturage,
à la recherche de toute verdure.

⁹Le bœuf sauvage voudra-t-il te servir,
passer la nuit chez toi devant la crèche ?
¹⁰Attacheras-tu un bœuf par une corde au sillon,
hersera-t-il les vallons derrière toi ?
¹¹Peux-tu compter sur sa force très grande
et lui laisser la peine de tes travaux ?
¹²Seras-tu assuré de son retour,
pour amasser ton grain sur ton aire ?

¹³ L'aile de l'autruche bat allègrement,
et que n'a-t-elle le pennage de la cigogne et du faucon ?
¹⁴Elle abandonne à terre ses œufs,
les confie à la chaleur du sol.
¹⁵Elle oublie qu'un pied peut les fouler,
une bête sauvage les écraser.
¹⁶Dure pour ses petits comme pour des étrangers,
d'une peine inutile elle ne s'inquiète pas.
¹⁷C'est que Dieu l'a privée de sagesse,
ne lui a point départi l'intelligence.

¹⁸Mais sitôt qu'elle se dresse et se soulève,
    elle défie le cheval et son cavalier.

¹⁹Donnes-tu au cheval la bravoure,
    revêts-tu son cou d'une crinière ?

²⁰Le fais-tu bondir comme la sauterelle ?
    Son hennissement altier répand la terreur.

²¹Il piaffe de joie dans le vallon,
    avec vigueur il s'élance au-devant des armes.

²²Il se moque de la peur et ne craint rien,
    il ne recule pas devant l'épée.

²³Sur lui résonnent le carquois,
    la lance étincelante et le javelot.

²⁴Frémissant d'impatience, il dévore l'espace ;
    il ne se tient plus quand sonne la trompette

²⁵à chaque coup de trompette, il crie : Héah !
    Il flaire de loin la bataille,
    la voix tonnante des chefs et le cri de guerre.

²⁶Est-ce avec ton discernement que le faucon prend son vol,
    qu'il déploie ses ailes vers le sud ?

²⁷Sur ton ordre que l'aigle s'élève
    et place son nid dans les hauteurs ?

²⁸Il fait du rocher son habitat nocturne,
    d'un pic rocheux sa forteresse.

²⁹Il guette de là sa proie
    et ses yeux de loin l'aperçoivent.

³⁰Ses petits lapent le sang,
    où il y a des tués, il est là.

40 ¹Alors Yahvé s'adressant à Job lui dit :

²L'adversaire de Shaddaï a-t-il à critiquer ?
    Le censeur de Dieu va-t-il répondre ?

³Et Job répondit à Yahvé :

⁴J'ai parlé à la légère : que te répliquerai-je ?
    Je mettrai plutôt ma main sur ma bouche.

⁵J'ai parlé une fois, je ne répéterai pas ;
    deux fois, je n'ajouterai rien.

SECOND DISCOURS

Maîtrise de Dieu sur les forces du mal.

⁶Yahvé répondit à Job du sein de la tempête et dit :

⁷Ceins tes reins comme un brave :
    je vais t'interroger et tu m'instruiras.

⁸Veux-tu vraiment casser mon jugement,
   me condamner pour assurer ton droit ?
⁹As-tu donc un bras comme celui de Dieu,
   ta voix peut-elle tonner pareillement ?
¹⁰Allons, pare-toi de majesté et de grandeur,
   revêts-toi de splendeur et de gloire.
¹¹Fais éclater les fureurs de ta colère,
   d'un regard, courbe l'arrogant.
¹²D'un regard, ravale l'homme superbe,
   écrase sur place les méchants.
¹³Enfouis-les ensemble dans le sol,
   emprisonne-les chacun dans le cachot.
¹⁴Et moi-même je te rendrai hommage,
   car tu peux assurer ton salut par ta droite.

Béhémoth.

¹⁵Mais regarde donc Béhémoth, ma créature, tout comme toi !
   Il se nourrit d'herbe, comme le bœuf.
¹⁶Vois, sa force réside dans ses reins,
   sa vigueur dans les muscles de son ventre.
¹⁷Il raidit sa queue comme un cèdre,
   les nerfs de ses cuisses s'entrelacent.
¹⁸Ses os sont des tubes d'airain,
   sa carcasse, comme du fer forgé.
¹⁹C'est lui la première des œuvres de Dieu.
   Son Auteur le menaça de l'épée,
²⁰lui interdit la région des montagnes
   et toutes les bêtes sauvages qui s'y ébattent.
²¹Sous les lotus, il est couché,
   il se cache dans les roseaux des marécages.
²²Le couvert des lotus lui sert d'ombrage
   et les saules du torrent le protègent.
²³Si le fleuve se déchaîne, il ne s'émeut pas ;
   un Jourdain lui jaillirait jusqu'à la gueule sans qu'il bronche.
²⁴Qui donc le saisira par les yeux,
   lui percera le nez avec des pieux ?

Léviathan.

²⁵Et Léviathan, le pêches-tu à l'hameçon,
   avec une corde comprimes-tu sa langue ?
²⁶Fais-tu passer un jonc dans ses naseaux,
   avec un croc perces-tu sa mâchoire ?
²⁷Est-ce lui qui te suppliera longuement,
   te parlera d'un ton timide ?
²⁸Conclura-t-il une alliance avec toi,
   pour devenir ton serviteur à vie ?

²⁹T'amusera-t-il comme un passereau,
    l'attacheras-tu pour la joie de tes filles ?
³⁰Sera-t-il mis en vente par des associés,
    puis débité entre marchands ?
³¹Cribleras-tu sa peau de dards,
    le harponneras-tu à la tête comme un poisson ?
³²Pose seulement la main sur lui :
    au souvenir de la lutte, tu ne recommenceras plus !

41

¹Ton espérance serait illusoire,
    car sa vue seule suffit à terrasser.
²Personne n'est assez féroce pour l'exciter,
    qui donc, alors, irait me tenir tête ?
³Qui m'a fait une avance, qu'il me faille rembourser ?
    Tout ce qui est sous les cieux est à moi !

⁴Je ne veux pas taire ses membres,
    le détail de ses exploits, la beauté de ses membres.
⁵Qui a découvert par devant sa tunique,
    pénétré dans sa double cuirasse ?
⁶Qui a ouvert les battants de sa gueule ?
    La terreur règne autour de ses dents !
⁷Son dos, ce sont des rangées de boucliers,
    que ferme un sceau de pierre.
⁸Ils se touchent si près
    qu'un souffle ne peut s'y infiltrer.
⁹Ils adhèrent l'un à l'autre
    et font un bloc sans fissure.
¹⁰Son éternuement projette de la lumière,
    ses yeux ressemblent aux paupières de l'aurore.
¹¹De sa gueule jaillissent les torches,
    il s'en échappe des étincelles de feu.
¹²De ses naseaux sort une fumée,
    comme un chaudron qui bout sur le feu.
¹³Son souffle allumerait des charbons,
    une flamme sort de sa gueule.
¹⁴Sur son cou est campée la force,
    et devant lui bondit l'épouvante.
¹⁷Quand il se dresse, les flots prennent peur
    et les vagues de la mer se retirent.
¹⁵Les fanons de sa chair sont soudés ensemble :
    ils adhèrent à elle, inébranlables.
¹⁶Son cœur est dur comme le roc,
    résistant comme la meule de dessous.
¹⁸L'épée l'atteint sans se fixer,
    de même lance, javeline ou dard.
¹⁹Pour lui, le fer n'est que paille,

    et l'airain, du bois pourri.
20Les traits de l'arc ne le font pas fuir :
    les pierres de fronde se changent en fétu.
21La massue lui semble un fétu,
    il se rit du javelot qui vibre.
22Il a sous lui des tessons aigus,
    comme une herse il passe sur la vase.
23Il fait bouillonner le gouffre comme une chaudière,
    il change la mer en brûle-parfums.
24Il laisse derrière lui un sillage lumineux,
    l'abîme semble couvert d'une toison blanche.
25Sur terre, il n'a point son pareil,
    il a été fait intrépide.
26Il regarde en face les plus hautains,
    il est roi sur tous les fils de l'orgueil.

Dernière réponse de Job.

42 ¹Et Job fit cette réponse à Yahvé :

²Je sais que tu es tout-puissant :
    ce que tu conçois, tu peux le réaliser.
³Qui est celui-là qui voile tes plans,
    par des propos dénués de sens ?
Oui, j'ai raconté des œuvres grandioses que je ne comprends
                                [pas,
    des merveilles qui me dépassent et que j'ignore.
⁴(Écoute, laisse-moi parler :
    je vais t'interroger et tu m'instruiras.)
⁵Je ne te connaissais que par ouï-dire,
    mais maintenant mes yeux t'ont vu.
⁶Aussi je me rétracte
    et m'afflige sur la poussière et sur la cendre.

5. *Épilogue*

Yahvé blâme les trois sages.

⁷Après qu'il eut ainsi parlé à Job, Yahvé s'adressa à Éliphaz de Témân : « Ma colère s'est enflammée contre toi et tes deux amis, car vous n'avez pas parlé de moi avec droiture comme l'a fait mon serviteur Job. ⁸Et maintenant, procurez-vous sept taureaux et sept béliers, puis allez vers mon serviteur Job. Vous offrirez pour vous un holocauste, tandis que mon serviteur Job priera pour vous. Ce n'est que par égard pour lui que je ne vous infligerai pas ma disgrâce pour n'avoir pas, comme mon serviteur Job, parlé avec

droite de moi. » ⁹Éliphaz de Té-mân, Bildad de Shuah, Çophar de Naamat s'en furent exécuter l'ordre de Yahvé. Et Yahvé eut égard à Job.

Yahvé restaure la fortune de Job.

¹⁰Et Yahvé restaura la situation de Job, tandis qu'il intercédait pour ses amis ; et même Yahvé accrut au double tous les biens de Job. ¹¹Celui-ci vit venir vers lui tous ses frères et toutes ses sœurs ainsi que tous ceux qui le fréquentaient autrefois. Partageant le pain avec lui dans sa maison, ils s'apitoyaient sur lui et le consolaient de tous les maux que Yahvé lui avait infligés. Chacun lui fit cadeau d'une pièce d'argent, chacun

lui laissa un anneau d'or. ¹²Yahvé bénit la condition dernière de Job plus encore que l'ancienne. Il posséda quatorze mille brebis, six mille chameaux, mille paires de bœufs et mille ânesses. ¹³Il eut sept fils et trois filles. ¹⁴La première, il la nomma « Tourterelle », la seconde « Cinnamome » et la troisième « Corne à fard. » ¹⁵Dans tout le pays on ne trouvait pas d'aussi belles femmes que les filles de Job. Et leur père leur donna une part d'héritage en compagnie de leurs frères. ¹⁶Après cela Job vécut encore cent quarante ans, et il vit ses fils et les fils de ses fils jusqu'à la quatrième génération. ¹⁷Puis Job mourut chargé d'ans et rassasié de jours.

Les Psaumes

Introduction

Comme ses voisins d'Égypte, de Mésopotamie et de Canaan, Israël a pratiqué la poésie lyrique sous toutes ses formes. Certaines pièces sont enchâssées dans les livres historiques (le cantique de Moïse, Ex **15**, l'hymne de victoire de Débora, Jg **5**, l'élégie de David sur Saül et Jonathan, 2 S **1**, etc.), mais l'essentiel nous est parvenu par le Psautier.

Le **Psautier** (du grec *Psaltèrion*, nom de l'instrument à cordes qui accompagnait les chants) est la collection des cent cinquante psaumes. Du Ps **10** au Ps **148**, la numérotation de la Bible hébraïque (qui est suivie ici) est en avance d'une unité sur celle de la Bible grecque et de la Vulgate, qui réunissent les Ps **9** et **10** et les Ps **114** et **115** mais coupent en deux le Ps **116** et le Ps **147**.

Du point de vue stylistique, on distingue trois grands genres : les hymnes, les supplications et les actions de grâces.

1. Les hymnes : Ps **8, 19, 29, 33, 46-48, 76, 84, 87, 93, 96-100, 103-106, 113, 114, 117, 122, 135, 136, 145-150** exhortent à louer Dieu en raison des prodiges accomplis par lui dans la nature et dans l'histoire. Ainsi les « Cantiques de Sion », Ps **46, 48, 76, 87**, exaltent la Ville sainte, séjour du Très-Haut et but des pèlerinages, et les « Psaumes du Règne de Dieu », spécialement Ps **47, 93, 96-98**, célèbrent le règne universel de Yahvé.

2. Les supplications ou lamentations peuvent être collectives ou individuelles. Elles adressent à Dieu un appel au secours. Dans les supplications collectives : Ps **12, 44, 60, 74, 79, 80, 83, 85, 106, 123, 129, 137**, l'occasion en est un désastre national ou une indigence commune ; on demande alors le salut et la restauration du peuple. Les Ps **74** et **137**, au moins, reflètent, comme le recueil des Lamentations attribuées à Jérémie, les suites de la ruine de Jérusalem en 587 ; le Ps **85** exprime les sentiments des rapatriés. Le Ps **106** est une confession générale des fautes de la nation. Les supplications individuelles : Ps **3, 5-7, 13, 17, 22, 25, 26, 28, 31, 35, 38, 42-43, 51, 54-57, 59, 63, 64, 69-71, 77, 86, 102, 120, 130, 140-143**, sont particulièrement nombreuses et leur contenu est très varié : on demande à être délivré d'un péril de mort, de la persécution, de l'exil, de la maladie, de la calomnie, du péché...

3. Les actions de grâces : le remerciement en constitue l'essentiel, ainsi les Ps **18, 21, 30, 33, 34, 40, 65-68, 92, 116, 118, 124, 129, 138, 144**.

Ces genres se mélangent fréquemment. Le Ps **89** commence comme un hymne, se continue par un oracle et se termine par une lamentation.

Le long Ps **119** est un hymne à la Loi, mais il est aussi une lamentation individuelle et il expose une doctrine de Sagesse. Car bien des éléments, en eux-mêmes étrangers à la lyrique, se sont introduits dans le Psautier. Les Ps **1, 112** et **127** sont de pures compositions sapientielles. D'autres psaumes ont accueilli des oracles ou sont des oracles développés, ainsi les Ps **2, 50, 75, 81, 82, 85, 95, 110**.

Un certain nombre de chants « royaux » peuvent avoir été des psaumes d'intronisation visant un roi de leur époque. Mais, en Israël, le roi étant l'Oint de Yahvé, le « Messie », le « messianisme royal », qui débute avec la prophétie de Natân, 2 S **7**, s'exprime dans les commentaires qu'en donnent les Ps **89** et **132** et spécialement dans les Ps **2, 72, 110**. Ces psaumes ont contribué à entretenir le peuple dans l'attente d'un roi futur qui apporterait le salut définitif et instaurerait le règne de Dieu sur terre. Les chrétiens ont vu sa réalisation dans le Christ (titre qui signifie Oint en grec comme Messie en hébreu). Le Ps **110** est le texte du Psautier le plus souvent cité dans le Nouveau Testament.

Les titres rapportent les psaumes à David, à Asaph, aux fils de Coré, et des psaumes isolés à Hémân, Étân (ou Yedutûn), Moïse et Salomon. D'autres sont sans attribution. Ces titres ne voulaient peut-être pas, à l'origine, désigner les auteurs de ces psaumes. La formule hébraïque qui est employée établit seulement une certaine relation du psaume avec le personnage nommé, soit à cause de la convenance du sujet soit parce que ce psaume appartenait à un recueil mis sous son nom. Il est raisonnable d'admettre que les recueils d'Asaph et des fils de Coré ont été composés par des chantres du Temple. Semblablement, le recueil davidique doit, de quelque manière, se rattacher au grand roi, « chantre des cantiques d'Israël », 2 S **23** 1. Un assez grand nombre de Psaumes remonteraient à l'époque monarchique, en particulier les psaumes « royaux », mais on ne peut les dater avec précision. En revanche, les psaumes du Règne de Yahvé, chargés de réminiscences d'autres psaumes et de la seconde partie d'Isaïe, ont été composés pendant l'Exil ; de même, évidemment, les psaumes qui, comme le Ps **137**, parlent de la ruine de Jérusalem et de la déportation. Le Retour est chanté dans le Ps **126**. La période qui suit paraît avoir été féconde en compositions psalmiques : c'est le moment où le culte s'épanouit dans le Temple restauré, où les chantres montent en dignité et sont assimilés aux lévites, où également les sages empruntent le genre psalmique pour diffuser leurs enseignements : ainsi fera Ben Sira.

Le Psautier que nous possédons est le terme d'une longue activité. Plusieurs recueils ont d'abord coexisté, puis des collecteurs les ont réunis. Finalement, le Psautier fut divisé, sans doute à l'imitation du Pentateuque, en cinq livres qui furent séparés par de courtes doxologies. Le Ps **150** sert de longue doxologie finale, tandis que le Ps **1** est comme une préface mise à l'ensemble.

Les Psaumes

Psaume 1

Les deux voies.

¹Heureux l'homme qui ne suit pas le conseil des impies,
ni dans la voie des pécheurs ne s'arrête,
ni au siège des railleurs ne s'assied,
²mais se plaît dans la loi de Yahvé,
mais murmure sa loi jour et nuit !

³Il est comme un arbre planté près des ruisseaux ;
qui donne son fruit en la saison
et jamais son feuillage ne sèche ;
tout ce qu'il fait réussit :
⁴pour les impies rien de tel !

Mais ils sont comme la bale qu'emporte le vent.
⁵Ainsi, les impies ne tiendront pas au Jugement,
ni les pécheurs, à l'assemblée des justes.
⁶Car Yahvé connaît la voie des justes,
mais la voie des impies se perd.

Psaume 2

Le drame messianique. Cf. Ps 110.

¹Pourquoi ces nations en tumulte,
ces peuples qui murmurent en vain ?
²Les rois de la terre s'insurgent,
les princes tiennent tête à Yahvé
et à son Messie :
³« Rompons leurs chaînes,
débarrassons-nous de leurs liens ! »
⁴Celui qui siège dans les cieux s'en amuse,
Yahvé les tourne en dérision.
⁵Puis dans sa colère il leur parle,
dans sa fureur il les épouvante :
⁶« C'est moi qui ai sacré mon roi
sur Sion, ma montagne sainte. »

⁷Je publierai le décret de Yahvé :
Il m'a dit : « Tu es mon fils,
moi, aujourd'hui, je t'ai engendré.
⁸Demande, et je te donne les nations pour héritage,
pour domaine les extrémités de la terre ;

⁹tu les briseras avec un sceptre de fer,
comme un vase de potier tu les casseras. »

¹⁰Et maintenant, rois, comprenez,
corrigez-vous, juges de la terre !
¹¹Servez Yahvé avec crainte,
¹²baisez ses pieds avec tremblement ;
qu'il s'irrite, et vous vous perdez en chemin :
en un instant flambe sa colère.

Heureux qui s'abrite en lui !

Psaume 3

Appel matinal du juste persécuté.

¹*Psaume. De David. Quand il fuyait devant son fils Absalom.*

²Yahvé, qu'ils sont nombreux mes oppresseurs,
nombreux ceux qui se dressent contre moi,
³nombreux ceux qui disent de moi :
« Point de salut pour lui en son Dieu ! »   *Pause.*

⁴Mais toi, Yahvé, bouclier
ma gloire ! tu me redresses la tête.
⁵À pleine voix je crie vers Yahvé,
il me répond de sa montagne sainte.   *Pause.*

⁶Et moi, je me couche et m'endors,
je m'éveille : Yahvé est mon soutien.
⁷Je ne crains pas ces gens par milliers
qui forment un cercle contre moi.

⁸Dresse-toi, Yahvé !
Sauve-moi, mon Dieu !
Tu frappes à la joue tous mes ennemis,
les dents des impies, tu les brises.
⁹À Yahvé, le salut !
Sur ton peuple, ta bénédiction !   *Pause.*

Psaume 4

Prière du soir.

¹*Du maître de chant. Avec instruments à cordes. Psaume. De David.*

²Quand je crie, réponds-moi, Dieu de ma justice,
dans l'angoisse tu m'as mis au large :
pitié pour moi, écoute ma prière !

³Fils d'homme, jusqu'où irez-vous dans l'insulte à ma gloire,
dans l'amour du néant et la course au mensonge ?   *Pause.*

⁴Sachez que Yahvé met à part son fidèle,
Yahvé écoute quand je crie vers lui.

⁵Frémissez et ne péchez plus,
parlez en votre cœur, sur votre couche faites silence.   *Pause.*

⁶Offrez des sacrifices et faites confiance à Yahvé.

⁷Beaucoup disent : « Qui nous fera voir le bonheur ? »
Fais lever sur nous la lumière de ta face.

Yahvé, ⁸tu as mis en mon cœur plus de joie
qu'aux jours où leur froment, leur vin nouveau débordent.

⁹En paix, tout aussitôt, je me couche et m'endors :
c'est toi, Yahvé, qui m'établis à part, en sûreté.

Psaume 5

Prière du matin.

¹*Du maître de chant. Sur les flûtes. Psaume. De David.*

²Ma parole, écoute-la, Yahvé,
    discerne ma plainte,
³sois attentif à la voix de mon appel,
    ô mon Roi et mon Dieu !

C'est toi que je prie, ⁴Yahvé !
    Au matin tu écoutes ma voix ;
au matin je me prépare pour toi
    et je reste aux aguets.

⁵Tu n'es pas un Dieu agréant l'impiété,
    le méchant n'est pas ton hôte ;
⁶non, les arrogants ne tiennent pas
    devant ton regard.

Tu hais tous les malfaisants,
⁷tu fais périr les menteurs ;
l'homme de sang et de fraude,
    Yahvé le déteste.

⁸Et moi, par la grandeur de ton amour,
    j'accède à ta maison ;
vers ton temple sacré je me prosterne,
    pénétré de ta crainte.

⁹Yahvé, guide-moi dans ta justice
    à cause de ceux qui me guettent,
aplanis devant moi ton chemin.

¹⁰Non, rien n'est sûr dans leur bouche,
en leur fond il n'y a que ruine,
leur gosier est un sépulcre béant,
mielleuse se fait leur langue.

¹¹Traite-les en coupables, ô Dieu,
qu'ils échouent dans leurs projets ;
pour leurs crimes sans nombre, chasse-les,
puisqu'ils se révoltent contre toi.

¹²Joie pour tous ceux que tu abrites,
allégresse à jamais ;
tu les protèges, en toi exultent
ceux qui aiment ton nom.

¹³Car toi, tu bénis le juste, Yahvé,
comme un bouclier, ta faveur le couronne.

Psaume 6

Imploration dans l'épreuve.

¹*Du maître de chant. Sur les instruments à cordes. Sur l'octacorde. Psaume. De David.*

²Yahvé, ne me châtie point dans ta colère,
ne me reprends point dans ta fureur.
³Pitié pour moi, Yahvé, je suis à bout de force,
guéris-moi, Yahvé, mes os sont bouleversés,
⁴mon âme est toute bouleversée.

Mais toi, Yahvé, jusques à quand ?
⁵Reviens, Yahvé, délivre mon âme,
sauve-moi, en raison de ton amour.
⁶Car, dans la mort, nul souvenir de toi :
dans le shéol, qui te louerait ?

⁷Je me suis épuisé en gémissements,
chaque nuit, je baigne ma couche ;
de mes larmes j'arrose mon lit,
⁸mon œil est rongé de pleurs.
Insolence chez tous mes oppresseurs ;
⁹loin de moi, tous les malfaisants !

Car Yahvé entend la voix de mes sanglots ;
¹⁰Yahvé entend ma supplication,
Yahvé accueillera ma prière.
¹¹Tous mes ennemis, honteux, bouleversés,
qu'ils reculent, soudain couverts de honte !

Psaume 7

Prière du juste persécuté.

¹*Lamentation. De David. Qu'il chanta à Yahvé à propos de Kush*
le Benjaminite.

²Yahvé mon Dieu, en toi j'ai mon abri,
   sauve-moi de tous mes poursuivants, délivre-moi ;
³qu'il n'emporte comme un lion mon âme,
   lui qui déchire, et personne qui délivre !

⁴Yahvé mon Dieu, si j'ai fait cela,
   laissé la fraude sur mes mains,
⁵si j'ai rendu le mal à mon bienfaiteur,
   en épargnant sans raison mon oppresseur,
⁶que l'ennemi poursuive mon âme et l'atteigne !
   Qu'il écrase ma vie contre terre
   et relègue mes entrailles dans la poussière !   *Pause.*

*

⁷Lève-toi, Yahvé, dans ta colère,
   dresse-toi contre les excès de mes oppresseurs,
      veille à mon côté
      toi qui ordonnes le jugement.
⁸Que l'assemblée des nations t'environne,
      reviens au-dessus d'elle.
⁹(Yahvé est l'arbitre des peuples.)

   Juge-moi, Yahvé, selon ma justice
      et selon mon intégrité.
¹⁰Mets fin à la malice des impies,
      affermis le juste,
   toi qui sondes les cœurs et les reins,
      ô Dieu le juste !

¹¹Mon bouclier est auprès de Dieu,
   le sauveur des cœurs droits,
¹²Dieu le juste juge,
   lent à la colère,
   mais Dieu en tout temps menaçant.

*

¹³Si l'homme ne se reprend pas,
   qu'il affûte son épée,
   qu'il bande son arc et l'apprête,
¹⁴c'est pour lui qu'il apprête les engins de mort
   et fait de ses flèches des brandons ;

¹⁵le voici en travail de malice,
 il a conçu la peine, il enfante le mécompte.

¹⁶Il ouvre une fosse et la creuse,
 il tombera dans le trou qu'il a fait ;
¹⁷sa peine reviendra sur sa tête,
 sa violence lui retombera sur le crâne.
¹⁸Je rendrai grâce à Yahvé pour sa justice,
 je veux jouer pour le Nom du Très-Haut.

Psaume 8

Puissance du nom divin.

¹*Du maître de chant. Sur la ... de Gat. Psaume. De David.*

²Yahvé, notre Seigneur,
 qu'il est puissant ton nom par toute la terre !

Lui qui redit ta majesté plus haute que les cieux
³par la bouche des enfants, des tout petits,
 tu l'établis, lieu fort, à cause de tes adversaires
 pour réduire l'ennemi et le rebelle.

⁴À voir ton ciel, ouvrage de tes doigts,
 la lune et les étoiles, que tu fixas,
⁵qu'est donc le mortel, que tu t'en souviennes,
 le fils d'Adam, que tu le veuilles visiter ?

⁶À peine le fis-tu moindre qu'un dieu ;
 tu le couronnes de gloire et de beauté,
⁷pour qu'il domine sur l'œuvre de tes mains ;
 tout fut mis par toi sous ses pieds,

⁸brebis et bœufs, tous ensemble,
 et même les bêtes des champs,
⁹l'oiseau du ciel et les poissons de la mer,
 quand il va par les sentiers des mers.

¹⁰Yahvé, notre Seigneur,
 qu'il est puissant ton nom par toute la terre !

Psaume 9-10

Dieu abat les impies et sauve les humbles.

¹*Du maître de chant. Sur hautbois et harpe. Psaume. De David.*

Aleph.   ²Je te rends grâce, Yahvé, de tout mon cœur,
 j'énumère toutes tes merveilles,

     ³j'exulte et me réjouis en toi,
      je joue pour ton nom, Très-Haut.

Bét.   ⁴Mes ennemis retournent en arrière,
      ils fléchissent, ils périssent devant ta face,
     ⁵quand tu m'as rendu sentence et jugement,
      siégeant sur le trône en juste juge.

Gimel.   ⁶Tu as maté les païens, fait périr l'impie,
      effacé leur nom pour toujours et à jamais ;
     ⁷l'ennemi est achevé, ruines sans fin,
      tu as renversé des villes, et leur souvenir a péri.

Hé.   Voici, ⁸Yahvé siège pour toujours,
      il affermit pour le jugement son trône ;
     ⁹lui, il jugera le monde avec justice,
      prononcera sur les nations avec droiture.

Vav.   ¹⁰Que Yahvé soit un lieu fort pour l'opprimé,
      un lieu fort aux temps de détresse !
     ¹¹En toi se confient ceux qui connaissent ton nom,
      tu n'abandonnes point ceux qui te cherchent, Yahvé.

Zaïn.   ¹²Jouez pour Yahvé, l'habitant de Sion,
      racontez parmi les peuples ses hauts faits !
     ¹³Lui qui s'enquiert du sang se souvient d'eux,
      il n'oublie pas le cri des malheureux.

Hèt.   ¹⁴Pitié pour moi, Yahvé, vois mon malheur,
      tu me fais remonter des portes de la mort,
     ¹⁵que je publie toute ta louange
      aux portes de la fille de Sion, joyeux de ton salut.

Tèt.   ¹⁶Les païens ont croulé dans la fosse qu'ils ont faite,
      au filet qu'ils ont tendu, leur pied s'est pris.
     ¹⁷Yahvé s'est fait connaître, il a rendu le jugement,
      il a lié l'impie à son propre piège.
                        Sourdine. Pause.

Yod.   ¹⁸Que les impies retournent au shéol,
      tous ces païens qui oublient Dieu !
Kaph.   ¹⁹Car le pauvre n'est pas oublié jusqu'à la fin,
      l'espoir des malheureux ne périt pas à jamais.

     ²⁰Dresse-toi, Yahvé, que l'homme ne triomphe,
      qu'ils soient jugés, les païens, devant ta face !

²¹Jette, Yahvé, sur eux l'épouvante,
    qu'ils connaissent, les païens, qu'ils sont hommes !
                                     Pause.

Lamed. **10** ¹Pourquoi, Yahvé, restes-tu loin,
    te caches-tu aux temps de détresse ?
    ²Sous l'orgueil de l'impie le malheureux est pourchassé,
    il est pris aux ruses que l'autre a combinées.

(Mem.) ³L'impie se loue des désirs de son âme,
    l'homme avide qui bénit méprise Yahvé,
(Nun.) ⁴l'impie, arrogant, ne cherche point :
    « Pas de Dieu ! » voilà toute sa pensée.

    ⁵À chaque instant ses démarches aboutissent,
    tes jugements sont trop hauts pour lui,
    tous ses rivaux, il souffle sur eux.

    ⁶Il dit en son cœur : « Je tiendrai bon
    il ne m'arrivera jamais aucun malheur. »
(Samek.)
Phé. ⁷Malédiction, fraude et violence lui emplissent la bouche,
    sous sa langue peine et méfait ;
    ⁸il est assis à l'affût dans les roseaux,
    sous les couverts il massacre l'innocent.

Aïn. Des yeux il épie le misérable,
    ⁹à l'affût, bien couvert, comme un lion dans son fourré,
    à l'affût pour ravir le malheureux,
    il ravit le malheureux en le traînant dans son filet.

(Çadé) ¹⁰Il épie, s'accroupit, se tapit,
    le misérable tombe en son pouvoir ;
    ¹¹il dit en son cœur : « Dieu oublie,
    il se couvre la face pour ne pas voir jusqu'à la fin. »

Qoph. ¹²Dresse-toi, Yahvé ! Ô Dieu, lève ta main,
    n'oublie pas les malheureux !
    ¹³Pourquoi l'impie blasphème-t-il Dieu,
    dit-il en son cœur : « Tu ne chercheras point ? »

Resh. ¹⁴Tu as vu, toi, la peine et les pleurs,
    tu regardes pour les prendre en ta main :
    à toi le misérable s'abandonne,
    l'orphelin, toi, tu le secours.

Shin. ¹⁵Brise le bras de l'impie, du méchant,
    tu chercheras son impiété, tu ne la trouveras plus.

¹⁶Yahvé est roi pour toujours et à jamais,
les païens ont disparu de sa terre.

Tav.   ¹⁷Le désir des humbles, tu l'écoutes, Yahvé,
tu affermis leur cœur, tu tends l'oreille,
¹⁸pour juger l'orphelin et l'opprimé :
qu'il cesse de faire peur, l'homme né de la terre !

Psaume **11** (10)

Confiance du juste.

¹*Du maître de chant. De David.*

En Yahvé j'ai mon abri.
Comment dites-vous à mon âme :
« Fuis à ta montagne, passereau.

²« Vois les impies bander leur arc,
ils ajustent leur flèche à la corde
pour viser dans l'ombre les cœurs droits ;
³si les fondations sont ruinées, que peut le juste ? »

⁴Yahvé dans son palais de sainteté,
Yahvé, dans les cieux est son trône ;
ses yeux contemplent le monde,
ses paupières éprouvent les fils d'Adam.

⁵Yahvé éprouve le juste et l'impie.
Qui aime la violence, son âme le hait.
⁶Il fera pleuvoir sur les impies des charbons,
feu et soufre et vent de tempête,
c'est la coupe qu'ils auront en partage.

⁷Yahvé est juste, il aime la justice,
les cœurs droits contempleront sa face.

Psaume **12** (11)

Contre le monde menteur.

¹*Du maître de chant. Sur l'octacorde. Psaume. De David.*

²Au secours, Yahvé ! il n'y a plus d'homme fidèle,
la loyauté a disparu d'entre les fils d'Adam.
³On ne fait que mentir, chacun à son prochain,
lèvres trompeuses, langage d'un cœur double.

⁴Que Yahvé retranche toute lèvre trompeuse,
la langue qui fait de grandes phrases,

⁵ceux qui disent : « La langue est notre fort,
  nos lèvres sont pour nous, qui serait notre maître ? »

⁶À cause du pauvre qu'on dépouille, du malheureux qui gémit,
  maintenant je me dresse, déclare Yahvé :
  j'assurerai le salut à ceux qui y aspirent.

⁷Les paroles de Yahvé sont des paroles sincères,
  argent natif qui sort de terre, sept fois épuré ;

⁸toi, Yahvé, tu y veilleras.
  Tu le protégeras d'une telle engeance à jamais.
⁹De tous côtés les impies s'agitent,
  la corruption grandit chez les fils d'Adam.

Psaume 13 (12)

Appel confiant.

¹*Du maître de chant. Psaume. De David.*

²Jusques à quand, Yahvé, m'oublieras-tu ? jusqu'à la fin ?
  Jusques à quand me vas-tu cacher ta face ?
³Jusques à quand mettrai-je en mon âme la révolte,
  en mon cœur le chagrin, de jour et de nuit ?
  Jusques à quand mon adversaire aura-t-il le dessus ?

⁴Regarde, réponds-moi, Yahvé mon Dieu !
  Illumine mes yeux, que dans la mort je ne m'endorme.
⁵Que mon ennemi ne dise : « Je l'emporte sur lui »,
  que mes oppresseurs n'exultent à me voir chanceler !

⁶Pour moi, en ton amour je me confie ;
  que mon cœur exulte, admis en ton salut,
  que je chante à Yahvé pour le bien qu'il m'a fait,
  que je joue pour le nom de Yahvé le Très-Haut !

Psaume 14 (13)

= Ps 53.

L'homme sans Dieu.

¹*Du maître de chant. De David.*

L'insensé a dit en son cœur :
  « Non, plus de Dieu ! »
Corrompues, abominables leurs actions ;
  personne n'agit bien.

²Des cieux Yahvé se penche
  vers les fils d'Adam,

pour voir s'il en est un de sensé,
un qui cherche Dieu.

3 Tous ils sont dévoyés,
ensemble pervertis.
Non, personne n'agit bien,
non, pas un seul.

4 Ne le savent-ils pas, tous les malfaisants ?
Ils mangent mon peuple,
voilà le pain qu'ils mangent,
ils n'invoquent pas Yahvé.

5 Là, ils se sont mis à trembler,
car Dieu est pour la race du juste :
6 vous bafouez la révolte du pauvre,
mais Yahvé est son abri.

7 Qui donnera de Sion le salut à Israël ?
Lorsque Yahvé ramènera les captifs de son peuple,
allégresse en Jacob et joie pour Israël !

Psaume 15 (14)
L'hôte de Yahvé.

1 *Psaume. De David.*

Yahvé, qui logera sous ta tente,
habitera sur ta sainte montagne ?

2 Celui qui marche en parfait,
celui qui pratique la justice
et dit la vérité de son cœur,
3 sans laisser courir sa langue ;

qui ne lèse en rien son frère,
ne jette pas d'insulte à son prochain,
4 méprise du regard le réprouvé,
mais honore les craignants de Yahvé ;

qui jure à ses dépens sans se dédire,
5 ne prête pas son argent à intérêt,
n'accepte rien pour nuire à l'innocent.
Qui fait ainsi jamais ne chancellera.

Psaume 16 (15)
Yahvé, ma part d'héritage.

1 *À mi-voix. De David.*

Garde-moi, ô Dieu, mon refuge est en toi.
2 Tu as dit à Yahvé : « C'est toi mon Seigneur,

mon bonheur n'est pas au-dessus de toi »,
³aux saints qui sont sur la terre :

« Ceux-là, mes Puissants, tout mon plaisir est en eux. »
⁴leurs idoles foisonnent, ils courent vers un autre.
Verser leurs libations de sang ? jamais !
Faire monter leurs noms sur mes lèvres ? jamais !

⁵Yahvé, ma part d'héritage et ma coupe,
c'est toi qui garantis mon lot ;
⁶le cordeau me marque un enclos de délices,
et l'héritage est pour moi magnifique.

⁷Je bénis Yahvé qui s'est fait mon conseil,
et même la nuit, mon cœur m'instruit.
⁸J'ai mis Yahvé devant moi sans relâche ;
puisqu'il est à ma droite, je ne puis chanceler.

⁹Aussi, mon cœur exulte, mes entrailles jubilent,
et ma chair reposera en sûreté ;
¹⁰car tu ne peux abandonner mon âme au shéol,
tu ne peux laisser ton fidèle voir la fosse.

¹¹Tu m'apprendras le chemin de vie,
devant ta face, plénitude de joie,
en ta droite, délices éternelles.

Psaume 17 (16)

Appel de l'innocent.

¹*Prière. De David.*

Écoute, Yahvé, la justice,
sois attentif à mon cri ;
prête l'oreille à ma prière,
point de fraude sur mes lèvres.
²De ta face sortira mon jugement,
tes yeux verront où est le droit.

³Tu sondes mon cœur, tu me visites la nuit,
tu m'éprouves sans trouver en moi d'infamie :
ma bouche n'a point péché ⁴à la façon des hommes,
la parole de tes lèvres, moi je l'ai gardée.

Aux sentiers prescrits, ⁵affermis mes pas,
à tes traces, que mes pieds ne chancellent.
⁶Je suis là, je t'appelle, car tu réponds, ô Dieu !
Tends l'oreille vers moi, écoute mes paroles,
⁷signale tes grâces, toi qui sauves
ceux qui recourent à ta droite contre les assaillants.

8Garde-moi comme la prunelle de l'œil,
à l'ombre de tes ailes cache-moi

9aux regards de ces impies qui me ravagent ;
ennemis au fond de l'âme, ils me cernent.

10Ils sont enfermés dans leur graisse,
ils parlent, l'arrogance à la bouche.

11Ils marchent contre moi, maintenant ils m'encerclent,
ils ont l'œil sur moi pour me terrasser.

12Leur apparence est d'un lion impatient d'arracher
et d'un lionceau tapi dans sa cachette.

13Dresse-toi, Yahvé, affronte-le, renverse-le,
par ton épée délivre mon âme de l'impie,

14des mortels, par ta main, Yahvé,
des mortels qui, dans la vie, ont leur part de ce monde !

Avec tes réserves tu leur rempliras le ventre,
leurs fils seront rassasiés
et ils laisseront le surplus à leurs enfants.

15Moi, dans la justice, je contemplerai ta face,
au réveil je me rassasierai de ton image.

Psaume 18 (17)

‖ 2 S 22.

Te Deum royal.

1*Du maître de chant. Du serviteur de Yahvé, David, qui adressa à
Yahvé les paroles de ce cantique, quand Yahvé l'eut délivré de tous
ses ennemis et de la main de Saül. Il dit :*

2Je t'aime, Yahvé, ma force
(mon sauveur, tu m'as sauvé de la violence).

3Yahvé est mon roc et ma forteresse,
mon libérateur, c'est mon Dieu.

Je m'abrite en lui, mon rocher,
mon bouclier et ma force de salut, ma citadelle.

4Loué soit-il ! J'invoque Yahvé,
et je suis sauvé de mes ennemis.

5Les flots de la Mort m'enveloppaient,
les torrents de Bélial m'épouvantaient ;

6les filets du Shéol me cernaient,
les pièges de la Mort m'attendaient.

7Dans mon angoisse j'invoquai Yahvé,
vers mon Dieu je lançai mon cri ;
il entendit de son temple ma voix
et mon cri parvint à ses oreilles.

⁸Et la terre s'ébranla et chancela,
les assises des montagnes frémirent,
(sous sa colère elles furent ébranlées) ;
⁹une fumée monta à ses narines
et de sa bouche un feu dévorait
(des braises s'y enflammèrent).

¹⁰Il inclina les cieux et descendit,
une sombre nuée sous ses pieds ;
¹¹il chevaucha un chérubin et vola,
il plana sur les ailes du vent.

¹²Il fit des ténèbres son voile,
sa tente, ténèbre d'eau, nuée sur nuée ;
¹³un éclat devant lui enflammait
grêle et braises de feu.

¹⁴Yahvé tonna des cieux,
le Très-Haut donna de la voix ;
¹⁵il décocha ses flèches et les dispersa,
il lança les éclairs et les chassa.

¹⁶Et le lit de la mer apparut,
les assises du monde se découvrirent,
au grondement de ta menace, Yahvé,
au vent du souffle de tes narines.

¹⁷Il tend la main d'en haut et me prend,
il me retire des grandes eaux,
¹⁸il me délivre d'un puissant ennemi,
d'adversaires plus forts que moi.

¹⁹Ils m'attendaient au jour de mon malheur,
mais Yahvé fut pour moi un appui ;
²⁰il m'a dégagé, mis au large,
il m'a sauvé, car il m'aime.

²¹Yahvé me rend selon ma justice,
selon la pureté de mes mains me rétribue,
²²car j'ai gardé les voies de Yahvé
sans faillir loin de mon Dieu.

²³Ses jugements sont tous devant moi,
ses décrets, je ne les ai pas écartés,
²⁴je suis irréprochable envers lui,
je me garde contre le péché.

²⁵Et Yahvé me rétribue selon ma justice,
ma pureté qu'il voit de ses yeux.
²⁶Tu es fidèle avec le fidèle,
sans reproche avec l'irréprochable,

27pur avec qui est pur
   mais rusant avec le fourbe,
28toi qui sauves le peuple des humbles,
   et rabaisses les yeux hautains.

29C'est toi, Yahvé, ma lampe,
   mon Dieu éclaire ma ténèbre ;
30avec toi j'écrase la bande armée,
   avec mon Dieu je saute la muraille.

31Dieu, sa voie est sans reproche
   et la parole de Yahvé sans alliage.
   Il est, lui, le bouclier
   de quiconque s'abrite en lui.

32Qui donc est Dieu, hors Yahvé ?
   Qui est Rocher, sinon notre Dieu ?
33Ce Dieu qui me ceint de force
   et rend ma voie irréprochable,

34qui égale mes pieds à ceux des biches
   et me tient debout sur les hauteurs,
35qui instruit mes mains au combat,
   mes bras à bander l'arc d'airain.

36Tu me donnes ton bouclier de salut
   (ta droite me soutient), tu ne cesses de m'exaucer,
37tu élargis mes pas sous moi
   et mes chevilles n'ont point fléchi.

38Je poursuis mes ennemis et les atteins,
   je ne reviens pas qu'ils ne soient achevés ;
39je les frappe, ils ne peuvent se relever,
   ils tombent, ils sont sous mes pieds.

40Tu m'as ceint de force pour le combat,
   tu fais ployer sous moi mes agresseurs ;
41mes ennemis, tu me fais voir leur dos,
   ceux qui me haïssent, je les extermine.

42Ils crient, et pas de sauveur,
   vers Yahvé, mais pas de réponse ;
43je les broie comme poussière au vent,
   je les foule comme la boue des ruelles.

44Tu me délivres des querelles de mon peuple,
   tu me mets à la tête des nations ;
   le peuple que j'ignorais m'est asservi,

45les fils d'étrangers me font leur cour,
   ils sont tout oreille et m'obéissent ;

⁴⁶les fils d'étrangers faiblissent,
　　ils quittent en tremblant leurs réduits.

⁴⁷Vive Yahvé, et béni soit mon rocher,
　　exalté, le Dieu de mon salut,
⁴⁸le Dieu qui me donne les vengeances
　　et prosterne les peuples sous moi !

⁴⁹Me délivrant d'ennemis furieux,
　　tu m'exaltes par-dessus mes agresseurs,
　　tu me libères de l'homme de violence.

⁵⁰Aussi je te louerai, Yahvé, chez les païens,
　　et je veux jouer pour ton nom :

⁵¹« Il multiplie pour son roi les délivrances
　　et montre de l'amour pour son oint,
　　pour David et sa descendance à jamais. »

Psaume 19 (18)

Yahvé, soleil de justice.

¹*Du maître de chant. Psaume. De David.*

²Les cieux racontent la gloire de Dieu,
　　et l'œuvre de ses mains, le firmament l'annonce ;
³le jour au jour en publie le récit
　　et la nuit à la nuit transmet la connaissance.

⁴Non point récit, non point langage,
　　nulle voix qu'on puisse entendre,
⁵mais pour toute la terre en ressortent les lignes
　　et les mots jusqu'aux limites du monde.

Là-haut, pour le soleil il dressa une tente,
⁶et lui, comme un époux qui sort de son pavillon,
　　se réjouit, vaillant, de courir sa carrière.

⁷À la limite des cieux il a son lever
　　et sa course atteint à l'autre limite,
　　à sa chaleur rien n'est caché.

⁸La loi de Yahvé est parfaite,
　　réconfort pour l'âme ;
　　le témoignage de Yahvé est véridique,
　　sagesse du simple.

⁹Les préceptes de Yahvé sont droits,
　　joie pour le cœur ;
　　le commandement de Yahvé est limpide,
　　lumière des yeux.

¹⁰La crainte de Yahvé est pure,
     immuable à jamais ;
  les jugements de Yahvé sont vérité,
     équitables toujours,

¹¹désirables plus que l'or,
     qu'une masse d'or fin ;
  savoureux plus que le miel,
     que le suc des rayons.

¹²Aussi ton serviteur s'en pénètre,
     les observer est grand profit.
¹³Mais qui s'avise de ses faux pas ?
     Purifie-moi du mal caché.

¹⁴Préserve aussi ton serviteur de l'orgueil,
     qu'il n'ait sur moi nul empire !
  Alors je serai irréprochable
     et pur du grand péché.

¹⁵Agrée les paroles de ma bouche
     et le murmure de mon cœur,
  sans trêve devant toi, Yahvé,
     mon rocher, mon rédempteur !

Psaume **20** (19)

Prière pour le roi.

¹*Du maître de chant. Psaume. De David.*

²Qu'il te réponde, Yahvé, au jour d'angoisse,
     qu'il te protège, le nom du Dieu de Jacob !
³Qu'il t'envoie du sanctuaire un secours
     et de Sion qu'il te soutienne !

⁴Qu'il se rappelle toutes tes offrandes
     ton holocauste, qu'il le trouve savoureux !   *Pause.*
⁵Qu'il te donne selon ton cœur
     et tous tes desseins, qu'il les accomplisse !

⁶Alors nous crierons de joie en ton salut,
     au nom de notre Dieu nous pavoiserons !

  Que Yahvé accomplisse toutes tes requêtes !

⁷Maintenant je connais que Yahvé
     donne le salut à son messie,
  des cieux de sainteté il lui répondra
     par les gestes sauveurs de sa droite.

⁸Aux uns les chars, aux autres les chevaux,
à nous d'invoquer le nom de Yahvé notre Dieu.
⁹Eux, ils plient, ils tombent,
nous, debout, nous tenons.

¹⁰Yahvé, sauve le roi,
réponds-nous au jour de notre appel.

Psaume **21 (20)**
Liturgie de couronnement.

¹*Du maître de chant. Psaume. De David.*

²En ta force, Yahvé, le roi se réjouit ;
combien ton salut le comble d'allégresse !
³Tu lui as accordé le désir de son cœur,
tu n'as point refusé le souhait de ses lèvres.   *Pause.*

⁴Car tu l'as prévenu de bénédictions de choix,
tu as mis sur sa tête une couronne d'or fin ;
⁵tu lui as accordé la vie qu'il demandait,
longueur de jours, encore et à jamais.

⁶Grande gloire lui fait ton salut,
tu as mis sur lui le faste et l'éclat ;
⁷oui, tu l'établis en bénédiction pour toujours,
tu le réjouis de bonheur près de ta face ;

⁸oui, le roi se confie en Yahvé,
la grâce du Très-Haut le garde du faux pas.
⁹Ta main trouvera tous tes adversaires,
ta droite trouvera tes ennemis ;

¹⁰tu feras d'eux une fournaise au jour de ta face,
Yahvé les engloutira dans sa colère, le feu les avalera ;
¹¹leur fruit, tu l'ôteras de la terre,
leur semence, d'entre les fils d'Adam.

¹²S'ils dirigent contre toi le malheur,
s'ils mûrissent un plan : ils ne pourront rien.
¹³Oui, tu leur feras tourner le dos,
sur eux tu ajusteras ton arc.

¹⁴Lève-toi, Yahvé, dans ta force !
Nous chanterons, nous jouerons pour ta vaillance.

Psaume **22 (21)**
Souffrances et espoirs du juste.

¹*Du maître de chant. Sur « la biche de l'aurore ». Psaume. De David.*

²Mon Dieu, mon Dieu, pourquoi m'as-tu abandonné,
insoucieux de me sauver, malgré les mots que je rugis ?

³Mon Dieu, le jour j'appelle et tu ne réponds pas,
la nuit, point de silence pour moi.

⁴Et toi, le Saint,
qui habites les louanges d'Israël !
⁵en toi nos pères avaient confiance,
confiance, et tu les délivrais,
⁶vers toi ils criaient, et ils échappaient,
en toi leur confiance, et ils n'avaient pas honte.

⁷Et moi, ver et non pas homme,
risée des gens, mépris du peuple,
⁸tous ceux qui me voient me bafouent,
leur bouche ricane, ils hochent la tête :
⁹« Qu'il s'en remette à Yahvé, qu'il le délivre !
qu'il le libère, puisqu'il l'aime ! »

¹⁰C'est toi qui m'as tiré du ventre de ma mère,
qui m'as fait reposer sur sa poitrine ;
¹¹sur toi je fus jeté au sortir des entrailles ;
dès le ventre de ma mère, mon Dieu c'est toi.
¹²Ne sois pas loin : proche est l'angoisse,
point de secours !

¹³Des taureaux nombreux me cernent,
de fortes bêtes de Bashân m'encerclent ;
¹⁴contre moi bâille leur gueule,
lions lacérant et rugissant.

¹⁵Comme l'eau je m'écoule
et tous mes os se disloquent ;
mon cœur est pareil à la cire,
il fond au milieu de mes viscères ;
¹⁶mon palais est sec comme un tesson,
et ma langue collée à ma mâchoire.
Tu me couches dans la poussière de la mort.

¹⁷Des chiens nombreux me cernent,
une bande de vauriens m'entoure ;
comme pour déchiqueter mes mains et mes pieds.
¹⁸Je peux compter tous mes os,
les gens me voient, ils me regardent ;
¹⁹ils partagent entre eux mes habits
et tirent au sort mon vêtement.

²⁰Mais toi, Yahvé, ne sois pas loin,
ô ma force, vite à mon aide ;
²¹délivre de l'épée mon âme,
de la patte du chien, ma personne ;

²²sauve-moi de la gueule du lion,
de la corne du taureau, ma pauvre vie.

²³J'annoncerai ton nom à mes frères,
en pleine assemblée je te louerai :
²⁴« Vous qui craignez Yahvé, louez-le,
toute la race de Jacob, glorifiez-le,
redoutez-le, toute la race d'Israël. »

²⁵Car il n'a point méprisé,
ni dédaigné la pauvreté du pauvre,
il n'a point caché de lui sa face,
mais invoqué par lui il écouta.

²⁶De toi vient ma louange dans la grande assemblée,
j'accomplirai mes vœux devant ceux qui le craignent.
²⁷Les pauvres mangeront et seront rassasiés.
Ils loueront Yahvé, ceux qui le cherchent :
« Que vive votre cœur à jamais ! »

²⁸Tous les lointains de la terre se souviendront
et reviendront vers Yahvé ;
toutes les familles des nations se prosterneront devant lui.
²⁹À Yahvé la royauté, au maître des nations !
³⁰Oui, devant lui seul se prosterneront
tous les puissants de la terre, devant lui se courberont
tous ceux qui descendent à la poussière :
et pour celui qui ne vit plus, ³¹sa lignée le servira ;
on annoncera le Seigneur aux âges ³²à venir,
on racontera au peuple à naître sa justice :
Voilà son œuvre !

Psaume 23 (22)

Le bon Pasteur.

¹*Psaume. De David.*

Yahvé est mon berger, rien ne me manque.
²Sur des prés d'herbe fraîche il me fait reposer.

Vers les eaux du repos il me mène,
³il y refait mon âme ;
il me guide aux sentiers de justice
à cause de son nom.

⁴Passerais-je un ravin de ténèbre,
je ne crains aucun mal car tu es près de moi ;
ton bâton, ta houlette sont là qui me consolent.

⁵Devant moi tu apprêtes une table
face à mes adversaires ;

d'une onction tu me parfumes la tête,
  ma coupe déborde.

6Oui, grâce et bonheur me pressent
  tous les jours de ma vie ;
ma demeure est la maison de Yahvé
  en la longueur des jours.

Psaume 24 (23)

Liturgie d'entrée au sanctuaire.

1*Psaume. De David.*

À Yahvé la terre et sa plénitude,
  le monde et tout son peuplement ;
2c'est lui qui l'a fondée sur les mers,
  et sur les fleuves l'a fixée.

3Qui montera sur la montagne de Yahvé ?
  et qui se tiendra dans son lieu saint ?
4L'homme aux mains innocentes, au cœur pur :
  son âme ne se porte pas vers des riens,
  il ne jure pas pour tromper.

5Il obtiendra la bénédiction de Yahvé
  et la justice du Dieu de son salut.
6C'est la race de ceux qui Le cherchent,
  qui recherchent ta face, Dieu de Jacob.   *Pause.*

7Portes, levez vos frontons,
  élevez-vous, portails antiques,
  qu'il entre, le roi de gloire !

8Qui est-il, ce roi de gloire ?
C'est Yahvé, le fort, le vaillant,
Yahvé, le vaillant des combats.

9Portes, levez vos frontons,
  élevez-vous, portails antiques,
  qu'il entre, le roi de gloire !

10Qui est-il, ce roi de gloire ?
  C'est Yahvé Sabaot,
  c'est lui, le roi de gloire.   *Pause.*

Psaume 25 (24)

Prière dans le péril.

1*De David.*

Aleph.   Vers toi, Yahvé, j'élève mon âme,
                  2ô mon Dieu.

Bét.   En toi je me confie, que je n'aie point honte,
               que mes ennemis ne se rient de moi !

Gimel.   ³Pour qui espère en toi, point de honte,
               mais honte à qui trahit sans raison.

Dalèt.   ⁴Fais-moi connaître, Yahvé, tes voies,
               enseigne-moi tes sentiers.

Hé.   ⁵Dirige-moi dans ta vérité, enseigne-moi,
               c'est toi le Dieu de mon salut,

(Vav.)   en toi tout le jour j'espère.

Zaïn.   ⁶Souviens-toi de ta tendresse, Yahvé,
               de ton amour, car ils sont de toujours.

Hèt.   ⁷Ne te souviens pas des péchés de ma jeunesse,
               et de mes révoltes,
               mais de moi, selon ton amour souviens-toi,
               à cause de ta bonté, Yahvé.

Tèt.   ⁸Droiture et bonté que Yahvé,
               lui qui remet dans la voie les pécheurs,

Yod.   ⁹qui dirige les humbles dans la justice,
               qui enseigne aux malheureux sa voie.

Kaph.   ¹⁰Tous les sentiers de Yahvé sont amour et vérité
               pour qui garde son alliance et ses préceptes.

Lamed.   ¹¹A cause de ton nom, Yahvé,
               pardonne mes torts, car ils sont grands.

Mem.   ¹²Est-il un homme qui craigne Yahvé,
               il le remet dans la voie qu'il faut prendre ;

Nun.   ¹³son âme habitera le bonheur,
               sa lignée possédera la terre.

Samek.   ¹⁴Le secret de Yahvé est pour ceux qui le craignent,
               son alliance, pour qu'ils aient la connaissance.

Aïn.   ¹⁵Mes yeux sont toujours fixés sur Yahvé,
               car il tire mes pieds du filet.

Phé.   ¹⁶Tourne-toi vers moi, pitié pour moi,
               solitaire et malheureux que je suis.

Çadé.   ¹⁷L'angoisse grandit dans mon cœur,
               hors de mes tourments tire-moi.

(Qoph.)   ¹⁸Vois mon malheur et ma peine,
               efface tous mes péchés.

Resh.   ¹⁹Vois mes ennemis qui foisonnent,
               de quelle haine violente ils me haïssent.

Shin.   ²⁰Garde mon âme, délivre-moi,
               point de honte pour moi : tu es mon abri.

Tav.   ²¹Qu'intégrité et droiture me protègent,
               j'espère en toi, Yahvé.

           ²²Rachète Israël, ô Dieu,
               de toutes ses angoisses.

Psaume 26 (25)

Prière de l'innocent.

¹*De David.*

    Justice pour moi, Yahvé,
       moi j'ai marché en mon intégrité,
       je m'appuie sur Yahvé et ne dévie pas.

    ²Scrute-moi, Yahvé, éprouve-moi,
       passe au feu mes reins et mon cœur :
    ³j'ai devant les yeux ton amour
       et je marche en ta vérité.

    ⁴Je n'ai pas été m'asseoir avec le fourbe,
       chez l'hypocrite je ne veux entrer ;
    ⁵j'ai détesté le parti des méchants,
       avec l'impie je ne veux m'asseoir.

    ⁶Je lave mes mains en l'innocence
       et tourne autour de ton autel, Yahvé,
    ⁷faisant retentir l'action de grâces,
       en redisant toutes tes merveilles ;
    ⁸Yahvé, j'aime la beauté de ta Maison
       et le lieu du séjour de ta gloire.

    ⁹Ne joins pas mon âme aux pécheurs
       ni ma vie aux hommes de sang ;
    ¹⁰ils ont dans les mains l'infamie,
       leur droite est pleine de profits.

    ¹¹Pour moi je veux marcher en mon intégrité,
       rachète-moi, pitié pour moi ;
    ¹²mon pied se tient en droit chemin,
       je bénirai Yahvé dans les assemblées.

Psaume 27 (26)

Près de Dieu, point de crainte.

¹*De David.*

    Yahvé est ma lumière et mon salut,
       de qui aurais-je crainte ?

Yahvé est le rempart de ma vie,
devant qui tremblerais-je ?

²Quand s'avancent contre moi les méchants
pour dévorer ma chair,
ce sont eux, mes ennemis, mes oppresseurs,
qui chancellent et succombent.

³Qu'une armée vienne camper contre moi,
mon cœur est sans crainte ;
qu'une guerre éclate contre moi,
j'ai là ma confiance.

⁴Une chose qu'à Yahvé je demande,
la chose que je cherche,
c'est d'habiter la maison de Yahvé
tous les jours de ma vie,
de savourer la douceur de Yahvé,
de rechercher son palais.

⁵Car il me réserve en sa hutte un abri
au jour de malheur ;
il me cache au secret de sa tente,
il m'élève sur le roc.

⁶Maintenant ma tête s'élève
au-dessus des ennemis qui m'entourent,
et je viens sacrifier en sa tente
des sacrifices d'acclamation.

Je veux chanter, je veux jouer pour Yahvé.

⁷Écoute, Yahvé, mon cri d'appel,
pitié, réponds-moi !
⁸De toi mon cœur a dit :
« Cherche sa face. »
C'est ta face, Yahvé, que je cherche,
⁹ne me cache point ta face.

N'écarte pas ton serviteur avec colère ;
c'est toi mon secours.

Ne me laisse pas, ne m'abandonne pas,
Dieu de mon salut.
¹⁰Si mon père et ma mère m'abandonnent,
Yahvé m'accueillera.

¹¹Enseigne-moi, Yahvé, ta voie,
conduis-moi sur un chemin de droiture
à cause de ceux qui me guettent ;

[12]ne me livre pas à l'appétit de mes oppresseurs :
    contre moi se sont dressés de faux témoins
        qui soufflent la violence.

[13]Je le crois, je verrai la bonté de Yahvé
    sur la terre des vivants.
[14]Espère en Yahvé, prends cœur et prends courage,
    espère en Yahvé.

Psaume 28 (27)

Supplication et action de grâces.

[1]*De David.*

Vers toi, Yahvé, j'appelle,
    mon rocher, ne sois pas sourd !
que je ne sois, devant ton silence,
    comme ceux qui descendent à la fosse !

[2]Écoute la voix de ma prière
    quand je crie vers toi,
quand j'élève les mains,
    vers ton saint des saints.

[3]Ne me traîne pas avec les impies,
    avec les malfaisants,
qui parlent de paix à leur prochain,
    et le mal est dans leur cœur.

[4]Donne-leur, selon leurs œuvres
    et la malice de leurs actes,
selon l'ouvrage de leurs mains donne-leur,
    paie-les de leur salaire.

[5]Ils méconnaissent les œuvres de Yahvé,
    l'ouvrage de ses mains :
qu'il les abatte et ne les rebâtisse !

[6]Béni soit Yahvé, car il écoute
    la voix de ma prière !

[7]Yahvé ma force et mon bouclier,
    en lui mon cœur a foi ;
j'ai reçu aide, mon cœur exulte,
    je lui rends grâces par mes chants.

[8]Yahvé, force pour son peuple,
    forteresse de salut pour son messie.
[9]Sauve ton peuple, bénis ton héritage,
    conduis-les, porte-les à jamais !

Psaume 29 (28)

Hymne au Seigneur de l'orage.

[1]*Psaume. De David.*

Rapportez à Yahvé, fils de Dieu,
rapportez à Yahvé gloire et puissance,
[2]rapportez à Yahvé la gloire de son nom,
adorez Yahvé dans son éclat de sainteté.

[3]Voix de Yahvé sur les eaux, le Dieu de gloire tonne ;
Yahvé sur les eaux innombrables,
[4]voix de Yahvé dans la force, voix de Yahvé dans l'éclat ;

[5]voix de Yahvé, elle fracasse les cèdres,
Yahvé fracasse les cèdres du Liban,
[6]il fait bondir comme un veau le Liban,
et le Siryôn comme un bouvillon.

[7]Voix de Yahvé, elle taille des éclairs de feu ;
[8]voix de Yahvé, elle secoue le désert,
Yahvé secoue le désert de Cadès.
[9]Voix de Yahvé, elle secoue les térébinthes,
elle dépouille les futaies.

Dans son palais tout crie : Gloire !
[10]Yahvé a siégé pour le déluge,
il a siégé, Yahvé, en roi éternel.
[11]Yahvé donne la puissance à son peuple,
Yahvé bénit son peuple dans la paix.

Psaume 30 (29)

Action de grâces après un danger mortel.

[1]*Psaume. Cantique pour la dédicace de la Maison. De David.*

[2]Je t'exalte, Yahvé, qui m'as relevé,
tu n'as pas fait rire de moi mes ennemis.
[3]Yahvé mon Dieu, vers toi j'ai crié, tu m'as guéri.
[4]Yahvé, tu as tiré mon âme du shéol,
me ranimant d'entre ceux qui descendent à la fosse.

[5]Jouez pour Yahvé, vous, ses fidèles,
louez sa mémoire de sainteté.
[6]Sa colère est d'un instant, sa faveur pour la vie ;
au soir la visite des larmes, au matin les cris de joie.

[7]Moi, j'ai dit dans mon bonheur :
« Rien à jamais ne me fera chanceler ! »

⁸Yahvé, ta faveur m'a fixé sur de fortes montagnes ;
tu caches ta face, je suis bouleversé.

⁹Vers toi, Yahvé, j'appelle,
à mon Dieu je demande pitié :
¹⁰Que gagnes-tu à mon sang, à ma descente en la tombe ?
Te loue-t-elle, la poussière, annonce-t-elle ta vérité ?

¹¹Écoute, Yahvé, pitié pour moi !
Yahvé, sois mon secours !
¹²Pour moi tu as changé le deuil en une danse,
tu dénouas mon sac et me ceignis d'allégresse ;
¹³aussi mon cœur te chantera sans plus se taire,
Yahvé mon Dieu, je te louerai à jamais.

Psaume **31** (30)

Prière dans l'épreuve.

¹*Du maître de chant. Psaume. De David.*

²En toi, Yahvé, j'ai mon abri,
Sur moi pas de honte à jamais !
En ta justice affranchis-moi, délivre-moi,
³tends l'oreille vers moi, hâte-toi !

Sois pour moi un roc de force,
une maison fortifiée qui me sauve ;
⁴car mon rocher, mon rempart, c'est toi,
pour ton nom, guide-moi, conduis-moi !

⁵Tire-moi du filet qu'on m'a tendu,
car c'est toi ma force ;
⁶en tes mains je remets mon esprit,
c'est toi qui me rachètes, Yahvé.

Dieu de vérité, ⁷tu détestes
les servants de vaines idoles ;
pour moi, j'ai confiance en Yahvé
⁸que j'exulte et jubile en ton amour !

Toi qui as vu ma misère,
connu les angoisses de mon âme,
⁹tu ne m'as point livré aux mains de l'ennemi,
tu as mis au large mes pas.

¹⁰Pitié pour moi, Yahvé,
je suis dans la détresse !
Les pleurs me rongent les yeux,
la gorge et les entrailles.

¹¹Car ma vie se consume en affliction
    et mes années en soupirs ;
ma vigueur succombe à la misère
    et mes os se rongent.

¹²Tout ce que j'ai d'oppresseurs
    fait de moi un scandale ;
pour mes voisins je ne suis que dégoût,
    un effroi pour mes amis.

Ceux qui me voient dans la rue
    s'enfuient loin de moi,
¹³comme un mort oublié des cœurs,
    comme un objet de rebut.

¹⁴J'entends les calomnies des gens,
    terreur de tous côtés !
ils se groupent à l'envi contre moi,
    complotant de m'ôter la vie.

¹⁵Et moi, je m'assure en toi, Yahvé,
    je dis : C'est toi mon Dieu !
¹⁶Mes temps sont dans ta main, délivre-moi,
    des mains hostiles qui s'acharnent ;
¹⁷fais luire ta face sur ton serviteur,
    sauve-moi par ton amour.

¹⁸Yahvé, pas de honte sur moi qui t'invoque,
    mais honte sur les impies !
    Qu'ils aillent muets au shéol ;
¹⁹silence aux lèvres de mensonge
qui parlent du juste insolemment
    avec arrogance et mépris !

²⁰Qu'elle est grande, Yahvé, ta bonté !
    Tu la réserves pour qui te craint,
tu la dispenses à qui te prend pour abri
    face aux fils d'Adam.

²¹Tu les caches au secret de la face,
    loin des intrigues des hommes ;
tu les mets à couvert sous la tente,
    loin de la guerre des langues.

²²Béni soit Yahvé qui fit pour moi
    des merveilles d'amour
    (en une ville de rempart) !
²³Et moi je me disais en mon trouble :
    « Je suis ôté loin de tes yeux ! »
Et pourtant tu écoutas la voix de ma prière
    quand je criai vers toi.

²⁴Aimez Yahvé, vous tous, ses fidèles :
  Yahvé garde ceux qui sont loyaux,
mais il rétribue avec usure
  celui qui fait l'orgueilleux.
²⁵Courage, reprenez cœur, vous tous
  qui espérez Yahvé !

Psaume 32 (31)

L'aveu libère du péché.

¹*De David. Poème.*

  Heureux qui est absous de son péché,
    acquitté de sa faute !
²Heureux l'homme à qui Yahvé
    ne compte pas son tort,
    et dont l'esprit est sans fraude !

³Je me taisais, et mes os se consumaient
    à rugir tout le jour ;
⁴la nuit, le jour, ta main
    pesait sur moi ;
  mon cœur était changé en un chaume
    au plein feu de l'été.   *Pause.*

⁵Ma faute, je te l'ai fait connaître,
    je n'ai point caché mon tort ;
  j'ai dit : J'irai à Yahvé.
    Confesser mon péché.
  Et toi, tu as absous mon tort,
    pardonné ma faute.   *Pause.*

⁶Aussi tous tes fidèles te prient
    à l'heure de l'angoisse.
  Que viennent à déborder les grandes eaux,
    elles ne peuvent l'atteindre.
⁷Tu es pour moi un refuge,
    de l'angoisse tu me gardes,
    de chants de délivrance tu m'entoures.   *Pause.*

⁸Je t'instruirai, je t'apprendrai la route à suivre,
    les yeux sur toi, je serai ton conseil.

⁹Ne sois pas comme le cheval ou le mulet
    qui ne comprend ni la rêne ni le frein :
  qu'on s'avance pour le dompter,
    rien à faire pour qu'il s'approche de toi !

¹⁰Nombreux sont les tourments pour l'impie ;
    qui se fie en Yahvé, la grâce l'entoure.

¹¹Réjouissez-vous en Yahvé,
exultez, les justes,
criez de joie, tous les cœurs droits.

Psaume 33 (32)

Hymne à la Providence.

¹Criez de joie, les justes, pour Yahvé,
aux cœurs droits convient la louange.
²Rendez grâce à Yahvé sur la harpe,
jouez-lui sur la lyre à dix cordes ;
³chantez-lui un cantique nouveau,
de tout votre art accompagnez l'acclamation !

⁴Droite est la parole de Yahvé,
et toute son œuvre est vérité ;
⁵il chérit la justice et le droit,
de l'amour de Yahvé la terre est pleine.

⁶Par la parole de Yahvé les cieux ont été faits,
par le souffle de sa bouche, toute leur armée ;
⁷il rassemble l'eau des mers comme une digue,
il met en réserve les abîmes.

⁸Qu'elle tremble devant Yahvé, toute la terre,
qu'il soit craint de tous les habitants du monde !
⁹Il parle et cela est,
il commande, et cela existe.

¹⁰Yahvé déjoue le plan des nations,
il empêche les pensées des peuples ;
¹¹mais le plan de Yahvé subsiste à jamais,
les pensées de son cœur, d'âge en âge.
¹²Heureux le peuple dont Yahvé est le Dieu,
la nation qu'il s'est choisie en héritage !

¹³Du haut des cieux Yahvé regarde,
il voit tous les fils d'Adam ;
¹⁴du lieu de sa demeure il observe
tous les habitants de la terre ;
¹⁵lui seul forme leur cœur,
il discerne tous leurs actes.

¹⁶Le roi n'est pas sauvé par une grande force,
le brave préservé par sa grande vigueur.
¹⁷Mensonge qu'un cheval pour sauver,
avec sa grande force, pas d'issue.
¹⁸Voici, l'œil de Yahvé est sur ceux qui le craignent,
sur ceux qui espèrent son amour,

¹⁹pour préserver leur âme de la mort
et les faire vivre au temps de la famine.

²⁰Notre âme attend Yahvé,
notre secours et bouclier, c'est lui ;
²¹en lui, la joie de notre cœur,
en son nom de sainteté notre foi.
²²Sur nous soit ton amour, Yahvé,
comme notre espoir est en toi.

Psaume 34 (33)

Louange de la justice divine.

¹*De David. Quand, déguisant sa raison devant Abimélek, il se fit
chasser par lui et s'en alla.*

Aleph.	²Je bénirai Yahvé en tout temps, sa louange sans cesse en ma bouche ;
Bét.	³en Yahvé mon âme se loue, qu'ils écoutent, les humbles, qu'ils jubilent !
Gimel.	⁴Magnifiez avec moi Yahvé, exaltons ensemble son nom.
Dalèt.	⁵Je cherche Yahvé, il me répond et de toutes mes frayeurs me délivre.
Hé.	⁶Qui regarde vers lui resplendira et sur son visage point de honte.
Zaïn.	⁷Un pauvre a crié, Yahvé écoute, et de toutes ses angoisses il le sauve.
Hèt.	⁸Il campe, l'ange de Yahvé, autour de ceux qui le craignent, et il les dégage.
Tèt.	⁹Goûtez et voyez comme Yahvé est bon ; heureux qui s'abrite en lui !
Yod.	¹⁰Craignez Yahvé, vous les saints : qui le craint ne manque de rien.
Kaph.	¹¹Les jeunes fauves sont dénués, affamés ; qui cherche Yahvé ne manque d'aucun bien.
Lamed.	¹²Venez, fils, écoutez-moi, la crainte de Yahvé, je vous l'enseigne.
Mem.	¹³Où est l'homme qui désire la vie, épris de jours où voir le bonheur ?

Nun.	¹⁴Garde ta langue du mal,
	tes lèvres des paroles trompeuses ;
Samek.	¹⁵Évite le mal, fais le bien,
	recherche la paix et poursuis-la.
Aïn.	¹⁶Pour les justes, les yeux de Yahvé,
	et pour leurs clameurs, ses oreilles ;
Phé.	¹⁷contre les malfaisants, la face de Yahvé,
	pour ôter de la terre leur mémoire.
Çadé.	¹⁸Ils crient, Yahvé écoute,
	de toutes leurs angoisses il les délivre ;
Qoph.	¹⁹proche est Yahvé des cœurs brisés,
	il sauve les esprits abattus.
Resh.	²⁰Malheur sur malheur pour le juste,
	mais de tous Yahvé le délivre ;
	²¹Yahvé garde tous ses os,
Shin.	pas un ne sera brisé.
Tav.	²²Le mal tuera l'impie,
	qui déteste le juste expiera.
	²³Yahvé rachète l'âme de ses serviteurs,
	qui s'abrite en lui n'expiera point.

Psaume 35 (34)

Prière d'un juste persécuté.

¹*De David.*

Accuse, Yahvé, mes accusateurs,
assaille mes assaillants ;
²prends armure et bouclier
et te lève à mon aide ;
³brandis la lance et la pique
contre mes poursuivants.
Dis à mon âme : « C'est moi ton salut. »

⁴Honte et déshonneur sur ceux-là
qui cherchent mon âme !
Arrière ! qu'ils reculent confondus,
ceux qui ruminent mon malheur !
⁵Qu'ils soient de la bale au vent,
l'ange de Yahvé les poussant !
⁶que leur chemin soit ténèbre et glissade,
l'ange de Yahvé les poursuivant !

7Sans raison ils m'ont tendu leur filet,
　　creusé pour moi une fosse,
8la ruine vient sur eux sans qu'ils le sachent ;
　le filet qu'ils ont tendu les prendra,
　　dans la fosse, ils tomberont.

9Et mon âme exultera en Yahvé,
　　jubilera en son salut.
10Tous mes os diront : Yahvé,
　　qui est comme toi
　pour délivrer le petit du plus fort,
　　le pauvre du spoliateur ?

11Des témoins de mensonge se dressent,
　　que je ne connais pas.
　On me questionne, 12on me rend le mal pour le bien,
　　ma vie devient stérile.

13Et moi, pendant leurs maladies, vêtu d'un sac,
　　je m'humiliais par le jeûne,
　et ma prière reprenait dans mon cœur,
14comme pour un ami, pour un frère ;
　j'allais çà et là ;
　comme en deuil d'une mère,
　　assombri je me courbais.

15Ils se rient de ma chute, ils s'attroupent,
　　ils s'attroupent contre moi ;
　des étrangers, sans que je le sache,
　　déchirent sans répit ;
16si je tombe, ils m'encerclent,
　　ils grincent des dents contre moi.

17Seigneur, combien de temps verras-tu cela ?
　　Soustrais mon âme à leurs ravages,
　　aux lionceaux ma personne.

18Je te rendrai grâce dans la grande assemblée,
　　dans un peuple nombreux je te louerai.

19Que ne puissent rire de moi
　　ceux qui m'en veulent à tort,
　ni se faire des clins d'œil
　　ceux qui me haïssent sans cause !

20Ce n'est point de la paix qu'ils parlent
　　aux paisibles de la terre ;
　ils ruminent de perfides paroles,
21la bouche large ouverte contre moi ;
　ils disent : Ha ! ha !
　　notre œil a vu !

²²Tu as vu, Yahvé, ne te tais plus,
   Seigneur, ne sois pas loin de moi ;
²³réveille-toi, lève-toi, pour mon droit,
   Seigneur mon Dieu, pour ma cause ;
²⁴juge-moi selon ta justice, Yahvé mon Dieu,
   qu'ils ne se rient de moi !

²⁵Qu'ils ne disent en leur cœur : Ha ! ma foi !
   qu'ils ne disent : Nous l'avons englouti !
²⁶Honte et déshonneur
      ensemble sur ceux qui rient de mon malheur ;
   que honte et confusion les couvrent,
      ceux qui se grandissent à mes dépens !

²⁷Rires et cris de joie pour ceux-là
      que réjouit ma justice,
   ceux-là, qu'ils disent constamment :
      « Grand est Yahvé
   que réjouit la paix de son serviteur ! »

²⁸Et ma langue redira ta justice,
      tout le jour, ta louange.

Psaume 36 (35)

Malice du pécheur et bonté de Dieu.

¹*Du maître de chant. Du serviteur de Yahvé. De David.*

²C'est un oracle pour l'impie que le péché
      au fond de son cœur ;
   point de crainte de Dieu
      devant ses yeux.

³Il se voit d'un œil trop flatteur
   pour découvrir et détester son tort ;
⁴les paroles de sa bouche : fraude et méfait !
   c'est fini d'être un sage.

En fait de bien ⁵il rumine le méfait
      jusque sur sa couche ;
   il s'obstine dans la voie qui n'est pas bonne,
      la mauvaise, il n'en démord pas.

⁶Yahvé, dans les cieux ton amour,
      jusqu'aux nues, ta vérité ;
⁷ta justice, comme les montagnes de Dieu,
   tes jugements, le grand abîme.

L'homme et le bétail, tu les secours, Yahvé,
⁸qu'il est précieux, ton amour, ô Dieu !

Ainsi, les fils d'Adam :
à l'ombre de tes ailes ils ont abri.

⁹Ils s'enivrent de la graisse de ta maison,
au torrent de tes délices tu les abreuves ;
¹⁰en toi est la source de vie,
par ta lumière nous voyons la lumière.

¹¹Garde ton amour à ceux qui te connaissent,
et ta justice aux cœurs droits.
¹²Que le pied des superbes ne m'atteigne,
que la main des impies ne me chasse !

¹³Les voilà tombés, les malfaisants,
abattus sans pouvoir se relever.

Psaume 37 (36)

Le sort du juste et de l'impie.

¹*De David.*

Aleph.   Ne t'échauffe pas contre les méchants,
ne jalouse pas les artisans de fausseté :
²vite comme l'herbe ils sont fanés,
flétris comme le vert des prés.

Bét.   ³Compte sur Yahvé et agis bien,
habite la terre et vis tranquille,
⁴mets en Yahvé ta réjouissance :
il t'accordera plus que les désirs de ton cœur.

Gimel.   ⁵Remets ton sort à Yahvé,
compte sur lui, il agira ;
⁶il produira ta justice comme le jour,
comme le midi ton droit.

Dalèt.   ⁷Sois calme devant Yahvé et attends-le,
ne t'échauffe pas contre le parvenu,
l'homme qui use d'intrigues.

Hé.   ⁸Trêve à la colère, renonce au courroux,
ne t'échauffe pas, ce n'est que mal ;
⁹car les méchants seront extirpés,
qui espère Yahvé possédera la terre.

Vav.   ¹⁰Encore un peu, et plus d'impie,
tu t'enquiers de sa place, il n'est plus ;

¹¹mais les humbles posséderont la terre,
réjouis d'une grande paix.

Zaïn.   ¹²L'impie complote contre le juste
et grince des dents contre lui ;
¹³le Seigneur se moque de lui,
car il voit venir son jour.

Hèt.   ¹⁴Les impies tirent l'épée,
ils tendent l'arc, pour égorger l'homme droit,
pour renverser le pauvre et le petit ;
¹⁵l'épée leur entrera au cœur
et leurs arcs seront brisés.

Tèt.   ¹⁶Mieux vaut un peu pour le juste
que tant de fortune pour l'impie ;
¹⁷car les bras de l'impie seront brisés,
mais Yahvé soutient les justes.

Yod.   ¹⁸Yahvé connaît les jours des parfaits,
éternel sera leur héritage ;
¹⁹pas de honte pour eux aux mauvais jours,
dans la famine ils seront rassasiés.

Kaph.   ²⁰Cependant les impies périront,
les ennemis de Yahvé ;
ils s'en iront comme la parure des prés,
en fumée ils s'en iront.

Lamed.   ²¹L'impie emprunte et ne rend pas,
le juste a pitié, il donne ;
²²ceux qu'il bénit posséderont la terre,
ceux qu'il maudit seront extirpés.

Mem.   ²³Yahvé mène les pas de l'homme,
ils sont fermes et sa marche lui plaît ;
²⁴quand il tombe, il ne reste pas terrassé,
car Yahvé le soutient par la main.

Nun.   ²⁵J'étais jeune, et puis j'ai vieilli,
je n'ai pas vu le juste abandonné,
ni sa lignée cherchant du pain.
²⁶Tout le jour il a pitié, il prête,
sa lignée sera en bénédiction !

Samek.   ²⁷Évite le mal, agis bien,
tu auras une habitation pour toujours ;

28car Yahvé aime le droit,
il n'abandonne pas ses fidèles.

Aïn.   Les malfaisants seront détruits à jamais
et la lignée des impies extirpée ;
29les justes posséderont la terre,
là ils habiteront pour toujours.

Phé.   30La bouche du juste murmure la sagesse
et sa langue dit le droit ;
31la loi de son Dieu dans son cœur,
ses pas ne chancellent point.

Çadé.   32L'impie guette le juste
et cherche à le faire mourir ;
33à sa main Yahvé ne l'abandonne,
ne le laisse en justice condamner.

Qoph.   34Espère Yahvé et observe sa voie,
il t'exaltera pour que tu possèdes la terre :
tu verras les impies extirpés.

Resh.   35J'ai vu l'impie forcené
s'élever comme un cèdre du Liban ;
36je suis passé, voici qu'il n'était plus,
je l'ai cherché, on ne l'a pas trouvé.

Shin.   37Regarde le parfait, vois l'homme droit :
il y a pour le pacifique une postérité ;
38mais les rebelles seront tous anéantis,
la postérité des impies extirpée.

Tav.   39Le salut des justes vient de Yahvé,
leur lieu fort au temps de l'angoisse ;
40Yahvé les aide et les délivre,
il les délivrera des impies,
il les sauvera quand ils s'abritent en lui.

Psaume 38 (37)

Prière dans la détresse.

1*Psaume. De David. Pour commémorer.*

2Yahvé, ne me châtie pas dans ton courroux,
ne me reprends pas dans ta fureur.
3En moi tes flèches ont pénétré,

sur moi ta main s'est abattue,
⁴rien d'intact en ma chair sous ta colère,
   rien de sain dans mes os après ma faute.

⁵Mes fautes me dépassent la tête,
   comme un poids trop pesant pour moi ;
⁶mes plaies sont puanteur et pourriture
   à cause de ma folie ;
⁷ravagé, prostré, à bout,
   tout le jour, en deuil, je m'agite.

⁸Mes reins sont pleins de fièvre,
   plus rien d'intact en ma chair ;
⁹brisé, écrasé, à bout,
   je rugis, tant gronde mon cœur.

¹⁰Seigneur, tout mon désir est devant toi,
   pour toi mon soupir n'est point caché ;
¹¹le cœur me bat, ma force m'abandonne,
   et la lumière même de mes yeux.

¹²Amis et compagnons s'écartent de ma plaie,
   mes plus proches se tiennent à distance ;
¹³ils posent des pièges, ceux qui traquent mon âme,
   ils parlent de crime, ceux qui cherchent mon malheur,
   tout le jour ils ruminent des trahisons.

¹⁴Et moi, comme un sourd, je n'entends pas,
   comme un muet qui n'ouvre pas la bouche,
¹⁵comme un homme qui n'a rien entendu
   et n'a pas de réplique à la bouche.

¹⁶C'est toi, Yahvé, que j'espère,
   c'est toi qui répondras, Seigneur mon Dieu.
¹⁷J'ai dit : « Qu'ils ne se rient de moi,
   qu'ils ne gagnent sur moi quand mon pied chancelle ! »

¹⁸Or, je suis voué à la chute,
   mon tourment est devant moi sans relâche.
¹⁹Mon offense, oui, je la confesse,
   je suis anxieux de ma faute.

²⁰Ceux qui m'en veulent sans cause foisonnent,
   ils sont légion à me haïr à tort,
²¹à me rendre le mal pour le bien,
   à m'accuser quand je cherche le bien.

²²Ne m'abandonne pas, Yahvé,
   mon Dieu, ne sois pas loin de moi ;
²³vite, viens à mon aide,
   Seigneur, mon salut !

Psaume **39** (38)

Néant de l'homme devant Dieu.

¹*Du maître de chant. De Yedutûn. Psaume. De David.*

²J'ai dit : « Je garderai ma route,
sans laisser ma langue s'égarer,
je garderai à la bouche un bâillon,
tant que devant moi sera l'impie. »

³Je me suis tu, silence et calme ;
à voir sa chance, mon tourment s'exaspéra.

⁴Mon cœur brûlait en moi,
à force d'y songer le feu flamba
et ma langue vint à parler :

⁵« Fais-moi savoir, Yahvé, ma fin
et quelle est la mesure de mes jours,
que je sache combien je suis fragile.

⁶Vois, d'un empan tu fis mes jours,
ma durée est comme rien devant toi ;
rien qu'un souffle, tout homme qui se dresse,   *Pause.*
⁷rien qu'une ombre, l'humain qui va ;
rien qu'un souffle, les richesses qu'il entasse,
et il ne sait qui les ramassera. »

⁸Et maintenant, que puis-je attendre, Seigneur ?
Mon espérance, elle est en toi.

⁹De tous mes péchés délivre-moi,
ne me fais point la risée de l'insensé.

¹⁰Je me tais, je n'ouvre pas la bouche,
car c'est toi qui es à l'œuvre.

¹¹Éloigne de moi tes coups,
sous les assauts de ta main je me consume.

¹²Reprenant les torts, tu corriges l'homme,
comme la teigne, tu ronges ses désirs.
Rien qu'un souffle, tous les humains.   *Pause.*

¹³Écoute ma prière, Yahvé,
prête l'oreille à mon cri,
ne reste pas sourd à mes pleurs.
Car je suis l'étranger chez toi,
un passant comme tous mes pères.

¹⁴Détourne ton regard, que je respire,
avant que je m'en aille et ne sois plus.

Psaume **40** (39)

Action de grâces. Appel au secours.

¹*Du maître de chant. De David. Psaume.*

²J'espérais Yahvé d'un grand espoir,
il s'est penché vers moi,
il écouta mon cri.

³Il me tira du gouffre tumultueux,
de la vase du bourbier ;
il dressa mes pieds sur le roc,
affermissant mes pas.

⁴En ma bouche il mit un chant nouveau,
louange à notre Dieu ;
beaucoup verront et craindront,
ils auront foi en Yahvé.

⁵Heureux est l'homme, celui-là
qui met en Yahvé sa foi,
ne tourne pas du côté des rebelles
égarés dans le mensonge !

⁶Que de choses tu as faites, toi,
Yahvé mon Dieu,
tes merveilles, tes projets pour nous :
rien ne se mesure à toi !
Je veux l'annoncer, le redire :
il en est trop pour les énumérer.

⁷Tu ne voulais sacrifice ni oblation,
tu m'as ouvert l'oreille,
tu n'exigeais holocauste ni victime,
⁸alors j'ai dit : Voici, je viens.

Au rouleau du livre il m'est prescrit
⁹de faire tes volontés ;
mon Dieu, j'ai voulu ta loi
au profond de mes entrailles.

¹⁰J'ai annoncé la justice de Yahvé
dans la grande assemblée ;
vois, je ne ferme pas mes lèvres,
toi, tu le sais.

¹¹Je n'ai pas celé ta justice au profond de mon cœur,
j'ai dit ta fidélité, ton salut,
je n'ai pas caché ton amour et ta vérité
à la grande assemblée.

¹²Toi, Yahvé, tu ne fermes pas
    pour moi tes tendresses !
ton amour et ta vérité
    sans cesse me garderont.

¹³Car les malheurs m'assiègent,
    à ne pouvoir les dénombrer ;
mes torts retombent sur moi,
    je n'y peux plus voir ;
ils foisonnent plus que les cheveux de ma tête
    et le cœur me manque.   = **70.**

¹⁴Daigne, Yahvé, me secourir !
    Yahvé, vite à mon aide !
¹⁵Honte et déshonneur sur tous ceux-là
    qui cherchent mon âme pour la perdre !

Arrière ! honnis soient-ils,
    ceux que flatte mon malheur !
¹⁶qu'ils soient stupéfiés de honte,
    ceux qui me disent : Ha ! ha !

¹⁷Ils jubileront et se réjouiront en toi
    tous ceux qui te cherchent ;
ils rediront toujours : « Dieu est grand ! »
    ceux qui aiment ton salut.

¹⁸Et moi, pauvre et malheureux,
    le Seigneur pense à moi.
Toi, mon secours et sauveur,
    mon Dieu, ne tarde pas.

Psaume **41** (40)

Prière du malade abandonné.

¹*Du maître de chant. Psaume. De David.*

²Heureux qui pense au pauvre et au faible :
    au jour de malheur, Yahvé le délivre ;
³Yahvé le garde, il lui rend vie et bonheur sur terre :
    oh ! ne le livre pas à l'appétit de ses ennemis !
⁴Yahvé le soutient sur son lit de douleur ;
    tu refais tout entière la couche où il languit.

⁵Moi, j'ai dit : « Pitié pour moi, Yahvé !
    guéris mon âme, car j'ai péché contre toi ! »
⁶Parlant de moi, mes ennemis me malmènent :
    « Quand va-t-il mourir et son nom périr ? »

⁷Vient-on me voir, on dit des paroles en l'air,
　le cœur plein de malice, on déblatère au-dehors.

⁸Ensemble, tous ceux qui me haïssent chuchotent contre moi,
　ils m'imputent le malheur qui est sur moi :
⁹« C'est une plaie d'enfer qui gagne en lui,
　maintenant qu'il s'est couché, il n'aura plus de lever. »
¹⁰Même le confident sur qui je faisais fond
　et qui mangeait mon pain, se hausse à mes dépens.

¹¹Mais toi, Yahvé, pitié pour moi,
　fais-moi lever, je les paierai de leur dû, ces gens :
¹²par là, je connaîtrai que tu m'aimes,
　si l'ennemi ne lance plus contre moi son cri ;
¹³et moi, que tu soutiens, je resterai indemne,
　tu m'auras à jamais établi devant ta face.
¹⁴Béni soit Yahvé, le Dieu d'Israël,
　depuis toujours jusqu'à toujours.
　　　Amen ! Amen !

Psaume 42-43 (41-42)

Complainte du lévite exilé.

¹*Du maître de chant. Poème. Des fils de Coré.*

²Comme languit une biche
　après les eaux vives,
ainsi languit mon âme
　vers toi, mon Dieu.

³Mon âme a soif de Dieu,
　du Dieu vivant ;
quand irai-je et verrai-je
　la face de Dieu ?

⁴Mes larmes, c'est là mon pain,
　le jour, la nuit,
moi qui tout le jourentends dire :
　Où est-il, ton Dieu ?

⁵Oui, je me souviens, et mon âme
　sur moi s'épanche,
je m'avançais sous le toit du Très-Grand,
　vers la maison de Dieu,
parmi les cris de joie, l'action de grâces,
　la rumeur de la fête.

⁶Qu'as-tu, mon âme, à défaillir
　et à gémir sur moi ?

Espère en Dieu : à nouveau je lui rendrai grâce,
 le salut de ma face [7]et mon Dieu !

Mon âme est sur moi défaillante,
 alors je me souviens de toi :
depuis la terre du Jourdain et des Hermons,
 de toi, humble montagne.

[8]L'abîme appelant l'abîme
 au bruit de tes écluses,
la masse de tes flots et de tes vagues
 a passé sur moi.

[9]Le jour, Yahvé mande sa grâce
 et même pendant la nuit
le chant qu'elle m'inspire est une prière
 à mon Dieu vivant.

[10]Je dirai à Dieu mon Rocher :
 pourquoi m'oublies-tu ?
Pourquoi m'en aller en deuil,
 accablé par l'ennemi ?

[11]Touché à mort dans mes os,
 mes adversaires m'insultent
en me redisant tout le jour :
 Où est-il, ton Dieu ?

[12]Qu'as-tu, mon âme, à défaillir
 et à gémir sur moi ?
Espère en Dieu : à nouveau je lui rendrai grâces,
 le salut de ma face et mon Dieu !

43 [1]Juge-moi, Dieu, défends ma cause
 contre des gens sans fidélité ;
de l'homme perfide et pervers,
 délivre-moi.

[2]C'est toi le Dieu de ma force :
 pourquoi me rejeter ?
Pourquoi m'en aller en deuil,
 accablé par l'ennemi ?

[3]Envoie ta lumière et ta vérité :
 elles me guideront,
me mèneront à ta montagne sainte,
 jusqu'en tes Demeures.

[4]Et j'irai vers l'autel de Dieu,
 jusqu'au Dieu de ma joie.
J'exulterai, je te rendrai grâce sur la harpe,
 Dieu, mon Dieu.

⁵Qu'as-tu, mon âme, à défaillir
   et à gémir sur moi ?
Espère en Dieu : à nouveau je lui rendrai grâce
   le salut de ma face et mon Dieu !

Psaume 44 (43)

Élégie nationale.

¹*Du maître de chant. Des fils de Coré. Poème.*

²Ô Dieu, nous avons ouï de nos oreilles,
   nos pères nous ont raconté
l'œuvre que tu fis de leurs jours,
   aux jours d'autrefois, ³et par ta main.

Pour les planter, tu expulsas des nations,
   pour les étendre, tu malmenas des peuples ;
⁴ni leur épée ne conquit le pays,
   ni leur bras n'en fit des vainqueurs,
mais ce furent ta droite et ton bras
   et la lumière de ta face, car tu les aimais.

⁵C'est toi, mon Roi, mon Dieu,
   qui décidais les victoires de Jacob ;
⁶par toi, nous enfoncions nos oppresseurs,
   par ton nom, nous piétinions nos agresseurs.

⁷Ni dans mon arc n'était ma confiance,
   ni mon épée ne me fit vainqueur ;
⁸par toi nous vainquions nos oppresseurs,
   tu couvrais nos ennemis de honte ;
⁹en Dieu nous jubilions tout le jour,
   célébrant sans cesse ton nom.   *Pause.*

¹⁰Et pourtant, tu nous as rejetés et bafoués,
   tu ne sors plus avec nos armées ;
¹¹tu nous fais reculer devant l'oppresseur,
   nos ennemis ont pillé à cœur joie.

¹²Comme animaux de boucherie tu nous livres
   et parmi les nations tu nous as dispersés ;
¹³tu vends ton peuple à vil prix
   sans t'enrichir à ce marché.

¹⁴Tu fais de nous l'insulte de nos voisins,
   fable et risée de notre entourage ;
¹⁵tu fais de nous le proverbe des nations,
   hochement de tête parmi les peuples.

¹⁶Tout le jour, mon déshonneur est devant moi
et la honte couvre mon visage,
¹⁷sous les clameurs d'insulte et de blasphème,
au spectacle de la haine et de la vengeance.

¹⁸Tout cela nous advint sans t'avoir oublié,
sans avoir trahi ton alliance,
¹⁹sans que nos cœurs soient revenus en arrière,
sans que nos pas aient quitté ton sentier :
²⁰tu nous broyas au séjour des chacals,
nous couvrant de l'ombre de la mort.

²¹Si nous avions oublié le nom de notre Dieu,
tendu les mains vers un dieu étranger,
²²est-ce que Dieu ne l'eût pas aperçu,
lui qui sait les secrets du cœur ?
²³C'est pour toi qu'on nous massacre tout le jour,
qu'on nous traite en moutons d'abattoir.

²⁴Lève-toi, pourquoi dors-tu, Seigneur ?
Réveille-toi, ne rejette pas jusqu'à la fin !
²⁵Pourquoi caches-tu ta face,
oublies-tu notre oppression, notre misère ?

²⁶Car notre âme est effondrée dans la poussière,
notre ventre est collé à la terre.
²⁷Debout, viens à notre aide,
rachète-nous en raison de ton amour !

Psaume **45** (44)

Épithalame royal.

¹*Du maître de chant. Sur l'air : Des lys... Des fils de Coré. Poème.*
Chant d'amour.

²Mon cœur a frémi de paroles belles :
je dis mon œuvre pour un roi,
ma langue est le roseau d'un scribe agile.

³Tu es beau, le plus beau des enfants des hommes,
la grâce est répandue sur tes lèvres.
Aussi tu es béni de Dieu à jamais.

⁴Ceins ton épée sur ta cuisse, vaillant,
dans le faste et l'éclat ⁵va, chevauche,
pour la cause de la vérité, de la piété, de la justice.

Tends la corde sur l'arc, il rend terrible ta droite !
⁶Tes flèches sont aiguës, voici les peuples sous toi,
ils perdent cœur, les ennemis du roi.

⁷Ton trône est de Dieu pour toujours et à jamais !
Sceptre de droiture, le sceptre de ton règne !
⁸Tu aimes la justice, tu hais l'impiété.

C'est pourquoi Dieu, ton Dieu, t'a donné l'onction
d'une huile d'allégresse comme à nul de tes compagnons ;
⁹ton vêtement n'est plus que myrrhe et aloès.

Des palais d'ivoire, les harpes te ravissent.
¹⁰Parmi tes bien-aimées sont des filles de roi ;
à ta droite une dame, sous les ors d'Ophir.

¹¹Écoute, ma fille, regarde et tends l'oreille,
oublie ton peuple et la maison de ton père,
¹²alors le roi désirera ta beauté :
il est ton Seigneur, prosterne-toi devant lui !
¹³La fille de Tyr, par des présents, déridera ton visage,
et les peuples les plus riches, ¹⁴par maint joyau serti d'or.

Vêtue ¹⁵de brocarts, la fille de roi est amenée
au-dedans vers le roi, des vierges à sa suite.
On amène les compagnes qui lui sont destinées ;
¹⁶parmi joie et liesse, elles entrent au palais du roi.

¹⁷À la place de tes pères te viendront des fils ;
tu en feras des princes par toute la terre.

¹⁸Que je fasse durer ton nom d'âge en âge,
que les peuples te louent dans les siècles des siècles.

Psaume **46** (45)

Dieu est parmi nous.

¹*Du maître de chant. Des fils de Coré. Sur le hautbois. Cantique.*

²Dieu est pour nous refuge et force,
secours dans l'angoisse toujours offert.
³Aussi ne craindrons-nous si la terre est changée,
si les montagnes chancellent au cœur des mers,
⁴lorsque mugissent et bouillonnent leurs eaux
et que tremblent les monts à leur soulèvement.

      (Avec nous, Yahvé Sabaot,
      citadelle pour nous, le Dieu de Jacob !)   *Pause.*

⁵Un fleuve ! Ses bras réjouissent la cité de Dieu,
il sanctifie les demeures du Très-Haut.
⁶Dieu est en elle ; elle ne peut chanceler,
Dieu la secourt au tournant du matin ;
⁷des peuples mugissaient, des royaumes chancelaient,
il a élevé la voix, la terre se dissout.

⁸Avec nous, Yahvé Sabaot,
   citadelle pour nous, le Dieu de Jacob !   *Pause.*

⁹Allez, contemplez les hauts faits de Yahvé,
   lui qui remplit la terre de stupeurs.
¹⁰Il met fin aux guerres jusqu'au bout de la terre ;
   l'arc, il l'a rompu, la lance, il l'a brisée,
   il a brûlé les boucliers au feu.
¹¹« Arrêtez, connaissez que moi je suis Dieu,
   exalté sur les peuples, exalté sur la terre ! »

¹²Avec nous, Yahvé Sabaot,
   citadelle pour nous, le Dieu de Jacob !   *Pause.*

Psaume 47 (46)

Yahvé roi d'Israël et du monde.

¹*Du maître de chant. Des fils de Coré. Psaume.*

²Tous les peuples, battez des mains,
   acclamez Dieu en cris de joie !

³C'est Yahvé, le Très-Haut, le redoutable,
   le grand Roi sur toute la terre.
⁴Il tient des peuples sous notre joug
   et des nations sous nos pieds.

⁵Il a choisi pour nous notre héritage,
   l'orgueil de Jacob, qu'il aime.   *Pause.*

⁶Dieu monte parmi l'acclamation,
   Yahvé, aux éclats du cor.

⁷Sonnez pour notre Dieu, sonnez,
   sonnez pour notre Roi, sonnez !

⁸C'est le roi de toute la terre :
   sonnez pour Dieu, qu'on l'apprenne !
⁹Dieu, il règne sur les païens,
   Dieu siège sur son trône de sainteté.

¹⁰Les princes des peuples s'unissent :
   c'est le peuple du Dieu d'Abraham.
   À Dieu sont les pavois de la terre,
   au plus haut il est monté.

Psaume 48 (47)

Sion, montagne de Dieu.

¹*Cantique. Psaume. Des fils de Coré.*

²Grand, Yahvé, et louable hautement
  dans la ville de notre Dieu,
le mont sacré, ³superbe d'élan,
  joie de toute la terre ;

le mont Sion, cœur de l'Aquilon,
  cité du grand roi :
⁴Dieu, du milieu de ses palais,
  s'est révélé citadelle.

⁵Voici, des rois s'étaient ligués,
  avançant à la fois ;
⁶ils virent, et du coup stupéfaits,
  pris de panique, ils décampèrent.

⁷Là, un tremblement les saisit,
  un frisson d'accouchée,
⁸ce fut le vent d'est qui brise
  les vaisseaux de Tarsis.

⁹Comme on nous l'avait dit, nous l'avons vu
  dans la ville de notre Dieu,
dans la ville de Yahvé Sabaot ;
  Dieu l'affermit à jamais.   *Pause.*

¹⁰Nous méditons, Dieu, ton amour
  au milieu de ton temple !
¹¹Comme ton nom, Dieu, ta louange,
  jusqu'au bout de la terre !

Ta droite est remplie de justice,
¹²le mont Sion jubile ;
les filles de Juda exultent
  devant tes jugements.

¹³Longez Sion, parcourez-la,
  dénombrez ses tours ;
¹⁴que vos cœurs s'attachent à ses murs,
  détaillez ses palais ;

pour raconter aux âges futurs
¹⁵que lui est Dieu,
notre Dieu aux siècles des siècles,
  lui, il nous conduit !

Psaume **49** (48)

Le néant des richesses.

¹*Du maître de chant. Des fils de Coré. Psaume.*

²Écoutez ceci, tous les peuples,
  prêtez l'oreille, tous les habitants du monde,
³gens du commun et gens de condition,
  riches et pauvres ensemble !

⁴Ma bouche énonce la sagesse,
  et le murmure de mon cœur, l'intelligence ;
⁵je tends l'oreille à quelque proverbe,
  je résous sur la lyre mon énigme.

⁶Pourquoi craindre aux jours de malheur ?
  La malice me talonne et me cerne :
⁷eux se fient à leur fortune,
  se prévalent du surcroît de leur richesse.

⁸Mais l'homme ne peut acheter son rachat
  ni payer à Dieu sa rançon :
⁹il est coûteux, le rachat de son âme,
  et il manquera toujours ¹⁰pour que l'homme survive
  et jamais ne voie la fosse.

¹¹Or, il verra mourir les sages,
  périr aussi le fou et l'insensé,
  qui laissent à d'autres leur fortune.

¹²Leurs tombeaux sont à jamais leurs maisons,
  et leurs demeures d'âge en âge ;
  et ils avaient mis leur nom sur leurs terres !

¹³L'homme dans son luxe ne comprend pas,
  il ressemble au bétail muet.
¹⁴Ainsi vont-ils, sûrs d'eux-mêmes,
  et finissent-ils, contents de leur sort.　　　　　*Pause.*

¹⁵Troupeau que l'on parque au shéol,
  la Mort les mène paître,
  les hommes droits domineront sur eux.

Au matin s'évanouit leur image,
  le shéol, voilà leur résidence !
¹⁶Mais Dieu rachètera mon âme
  des griffes du shéol et me prendra.　　　　　*Pause.*

¹⁷Ne crains pas quand l'homme s'enrichit,
  quand s'accroît la gloire de sa maison.
¹⁸À sa mort, il n'en peut rien emporter,
  avec lui ne descend pas sa gloire.

¹⁹Son âme qu'en sa vie il bénissait
– et l'on te loue d'avoir pris soin de toi –
²⁰ira rejoindre la lignée de ses pères
qui plus jamais ne verront la lumière.

²¹L'homme dans son luxe ne comprend pas,
il ressemble au bétail muet.

Psaume **50** (49)
Pour le culte en esprit.

¹*Psaume. D'Asaph.*

Le Dieu des dieux, Yahvé, accuse,
il appelle la terre du levant au couchant.
²Depuis Sion, beauté parfaite, Dieu resplendit ;
³il vient, notre Dieu, il ne se taira point.

Devant lui, un feu dévore,
autour de lui, bourrasque violente ;
⁴il appelle les cieux d'en haut
et la terre pour juger son peuple.

⁵« Assemblez devant moi les miens,
qui scellèrent mon alliance en sacrifiant. »
⁶Les cieux annoncent sa justice :
« Dieu, c'est lui le juge ! »   *Pause.*

⁷« Écoute, mon peuple, j'accuse,
Israël, et je t'adjure,
moi, Dieu, ton Dieu.

⁸Ce n'est pas tes sacrifices que j'accuse,
tes holocaustes constamment devant moi ;
⁹je ne prendrai pas de ta maison un taureau,
ni de tes bergeries des boucs.

¹⁰Car tout fauve des forêts est à moi,
des animaux sur les montagnes par milliers ;
¹¹je connais tous les oiseaux des cieux,
toute bête des champs est pour moi.

¹²Si j'ai faim, je n'irai pas te le dire,
car le monde est à moi et son contenu.
¹³Vais-je manger la chair des taureaux,
le sang des boucs, vais-je le boire ?

¹⁴Offre à Dieu un sacrifice d'action de grâces,
accomplis tes vœux pour le Très-Haut ;

¹⁵appelle-moi au jour de l'angoisse,
je t'affranchirai et tu me rendras gloire. »

¹⁶Mais l'impie, Dieu lui déclare :

« Que viens-tu débiter mes commandements,
qu'as-tu mon alliance à la bouche,
¹⁷toi qui détestes la règle
et rejettes mes paroles derrière toi ?

¹⁸Si tu vois un voleur, tu fraternises,
tu es chez toi parmi les adultères ;
¹⁹tu livres ta bouche au mal
et ta langue trame la tromperie.

²⁰Tu t'assieds, tu accuses ton frère,
tu déshonores le fils de ta mère.
²¹Voilà ce que tu fais, et je me tairais ?
Penses-tu que je suis comme toi ?
Je te dénonce et m'explique devant toi.

²²Prenez bien garde, vous qui oubliez Dieu,
que je n'emporte, et personne pour délivrer !
²³Qui offre l'action de grâces me rend gloire,
à l'homme droit, je ferai voir le salut de Dieu. »

Psaume **51** (50)

Miserere.

¹*Du maître de chant. Psaume. De David.* ²*Quand Natân le prophète*
vint à lui parce qu'il était allé vers Bethsabée.

³Pitié pour moi, Dieu, en ta bonté,
en ta grande tendresse efface mon péché,
⁴lave-moi tout entier de mon mal
et de ma faute purifie-moi.

⁵Car mon péché, moi, je le connais,
ma faute est devant moi sans relâche ;
⁶contre toi, toi seul, j'ai péché,
ce qui est mal à tes yeux, je l'ai fait.

Pour que tu montres ta justice quand tu parles
et que paraisse ta victoire quand tu juges.
⁷Vois : mauvais je suis né,
pécheur ma mère m'a conçu.

⁸Mais tu aimes la vérité au fond de l'être,
dans le secret tu m'enseignes la sagesse.

⁹Ôte mes taches avec l'hysope, je serai pur ;
lave-moi, je serai blanc plus que neige.

¹⁰Rends-moi le son de la joie et de la fête :
qu'ils dansent, les os que tu broyas !
¹¹Détourne ta face de mes fautes,
et tout mon mal, efface-le.

¹²Dieu, crée pour moi un cœur pur,
restaure en ma poitrine un esprit ferme ;
¹³ne me repousse pas loin de ta face,
ne m'enlève pas ton esprit de sainteté.

¹⁴Rends-moi la joie de ton salut,
assure en moi un esprit magnanime.
¹⁵Aux rebelles j'enseignerai tes voies,
vers toi reviendront les pécheurs.

¹⁶Affranchis-moi du sang, Dieu, Dieu de mon salut,
et ma langue acclamera ta justice ;
¹⁷Seigneur, ouvre mes lèvres,
et ma bouche publiera ta louange.

¹⁸Car tu ne prends aucun plaisir au sacrifice,
un holocauste, tu n'en veux pas.
¹⁹Le sacrifice à Dieu, c'est un esprit brisé ;
d'un cœur brisé, broyé, Dieu, tu n'as point de mépris.

²⁰En ton bon vouloir, fais du bien à Sion :
rebâtis les remparts de Jérusalem !
²¹Alors tu te plairas aux sacrifices de justice
– holocauste et totale oblation –
alors on offrira de jeunes taureaux sur ton autel.

Psaume 52 (51)

Jugement du cynique.

¹*Du maître de chant. Poème. De David.* ²*Quand Doëg l'Édomite vint avertir Saül en lui disant : « David est entré dans la maison d'Ahimélek. »*

³Pourquoi te prévaloir du mal, homme fort ?
Dieu est fidèle tout le jour !
⁴Ta langue, comme un rasoir effilé,
rumine le crime, artisan d'imposture.

⁵Tu aimes mieux le mal que le bien,
le mensonge que la justice ;   *Pause.*

⁶tu aimes toute parole qui dévore,
    langue d'imposture.

⁷C'est pourquoi Dieu t'écrasera,
    te détruira jusqu'à la fin,
    t'arrachera de la tente,
t'extirpera de la terre des vivants.   *Pause.*

⁸Ils verront, les justes, ils craindront,
    ils se riront de lui :
⁹« Le voilà, l'homme qui n'a pas mis
    en Dieu sa forteresse,
mais se fiait au nombre de ses biens,
    se faisait fort de son crime ! »

¹⁰Et moi, comme un olivier verdoyant
    dans la maison de Dieu,
je compte sur l'amour de Dieu
    toujours et à jamais.

¹¹Je veux te rendre grâce à jamais,
    car tu as agi,
et j'espère ton nom, car il est bon,
    devant ceux qui t'aiment.

Psaume 53 (52)
= Ps 14.

L'homme sans Dieu.

¹*Du maître de chant. Pour la maladie. Poème. De David.*

²L'insensé a dit en son cœur :
    « Non, plus de Dieu ! »
Ils sont faux, corrompus, abominables ;
    personne n'agit bien.

³Des cieux Dieu se penche
    vers les fils d'Adam,
pour voir s'il en est un de sensé,
    un qui cherche Dieu ?

⁴Tous ils ont dévié,
    ensemble pervertis.
Non, personne n'agit bien,
    non, pas un seul.

⁵Ne le savent-ils pas, les malfaisants ?
    Ils mangent mon peuple,
voilà le pain qu'ils mangent,
    ils n'invoquent pas Dieu.

⁶Là ils se sont mis à trembler
   sans raison de trembler.
Car Dieu disperse les ossements de ton assiégeant,
   on les bafoue, car Dieu les rejette.

⁷Qui donnera de Sion le salut d'Israël ?
Lorsque Dieu ramènera les captifs de son peuple,
   allégresse en Jacob et joie pour Israël !

Psaume 54 (53)

Appel au Dieu justicier.

¹*Du maître de chant. Sur les instruments à cordes. Poème. De David.* ²*Lorsque les Ziphéens vinrent dire à Saül : « David n'est-il pas caché parmi nous ? »*

³Ô Dieu, par ton nom sauve-moi,
   par ton pouvoir fais-moi raison ;
⁴ô Dieu, entends ma prière,
   écoute les paroles de ma bouche !

⁵Contre moi ont surgi des orgueilleux,
   des forcenés pourchassent mon âme,
   point de place pour Dieu devant eux.   *Pause.*

⁶Mais voici Dieu qui vient à mon secours,
   le Seigneur avec ceux qui soutiennent mon âme.
⁷Que retombe le mal sur ceux qui me guettent,
   Yahvé, par ta vérité détruis-les !

⁸De grand cœur je t'offrirai le sacrifice,
   je rendrai grâce à ton nom, car il est bon,
⁹car il m'a délivré de toute angoisse,
   mes ennemis me sont donnés en spectacle.

Psaume 55 (54)

Prière du calomnié.

¹*Du maître de chant. Sur les instruments à cordes. Poème. De David.*

²Entends, ô Dieu, ma prière,
   ne te dérobe pas à ma supplique,
³donne-moi audience, réponds-moi,
   je divague en ma plainte.

Je frémis ⁴sous les cris de l'ennemi,
   sous les huées de l'impie ;
ils me chargent de crimes,
   avec rage ils m'accusent.

⁵Mon cœur se tord en moi,
   les affres de la mort tombent sur moi ;
⁶crainte et tremblement me pénètrent,
   un frisson m'étreint.

⁷Et je dis :
Qui me donnera des ailes comme à la colombe,
   que je m'envole et me pose ?
⁸Voici, je m'enfuirais au loin,
   je gîterais au désert.   *Pause.*

⁹J'aurais bientôt un asile
   contre le vent de calomnie,
et l'ouragan ¹⁰qui dévore, Seigneur,
   et le flux de leur langue.

Je vois en effet la violence
   et la discorde en la ville ;
¹¹de jour et de nuit elles tournent
   en haut de ses remparts.

Crime et peine sont au-dedans
   ¹²la ruine est au-dedans ;
jamais de sa grand-place ne s'éloignent
   fraude et tyrannie.

¹³Si encore un ennemi m'insultait,
   je pourrais le supporter ;
si contre moi s'élevait mon rival,
   je pourrais me dérober.

¹⁴Mais toi, un homme de mon rang,
   mon ami, mon familier,
¹⁵nous savourions ensemble l'intimité,
   dans la maison de Dieu nous marchions avec émotion !

¹⁶Que sur eux fonde la Mort,
   qu'ils descendent vivants au shéol,
      car le mal est chez eux,
   il est au milieu d'eux.

¹⁷Pour moi, vers Dieu j'appelle
   et Yahvé me sauve ;
¹⁸le soir et le matin et à midi
   je me plains et frémis.

Il entend mon cri,
¹⁹il rachète dans la paix mon âme
   de la guerre qu'on me fait :
ils sont en procès avec moi.

[20]Or Dieu entendra, il les humiliera,
    lui qui trône dès l'origine ;   *Pause.*
pour eux, point d'amendement :
    ils ne craignent pas Dieu.

[21]Il étend les mains contre ses alliés,
    il a violé son pacte ;

[22]plus onctueuse que la crème est sa bouche
    et son cœur fait la guerre ;
ses discours sont plus doux que l'huile
    et ce sont des épées nues.

[23]Décharge sur Yahvé ton fardeau
    et lui te subviendra,
il ne peut laisser à jamais
    chanceler le juste.

[24]Et toi, ô Dieu, tu les pousses
    dans le puits du gouffre,
les hommes de sang et de fraude,
    avant la moitié de leurs jours.

Et moi je compte sur toi.

Psaume 56 (55)

Le fidèle ne succombera pas.

[1]*Du maître de chant. Sur « l'oppression des princes lointains ». De David. À mi-voix. Quand les Philistins s'emparèrent de lui à Gat.*

[2]Pitié pour moi, ô Dieu, on me harcèle,
    tout le jour des assaillants me pressent.
[3]Ceux qui me guettent me harcèlent tout le jour :
    ils sont nombreux ceux qui m'assaillent là-haut.

[4]Le jour où je crains, moi je compte sur toi.
[5]Sur Dieu dont je loue la parole,
    sur Dieu je compte et ne crains plus,
    que me fait à moi la chair ?

[6]Tout le jour ils s'en prennent à mes paroles,
    contre moi tous leurs pensers vont à mal ;
[7]ils s'ameutent, se cachent, épient mes traces,
    comme pour surprendre mon âme.

[8]À cause du forfait, rejette-les,
    dans ta colère, ô Dieu, abats les peuples !
[9]Tu as compté, toi, mes déboires,
    recueille mes larmes dans ton outre !

¹⁰Alors mes ennemis reculeront
   le jour où j'appelle.
   Je le sais, Dieu est pour moi.
¹¹Sur Dieu dont je loue la parole,
   sur Yahvé dont je loue la parole,
¹²sur Dieu je compte et ne crains plus,
   que me fait à moi un homme ?

¹³À ma charge, ô Dieu, les vœux que je t'ai faits,
   j'acquitte envers toi les actions de grâces ;
¹⁴car tu sauvas mon âme de la mort
   pour que je marche à la face de Dieu
      dans la lumière des vivants.

Psaume 57 (56)

Au milieu des « lions ».

¹*Du maître de chant. « Ne détruis pas. » De David. À mi-voix.
Quand il s'enfuit de devant Saül dans la caverne.*

²Pitié pour moi, ô Dieu, pitié pour moi,
   en toi s'abrite mon âme,
   à l'ombre de tes ailes je m'abrite,
   tant que soit passé le fléau.

³J'appelle vers Dieu le Très-Haut,
   le Dieu qui a tout fait pour moi ;
⁴que des cieux il envoie et me sauve,
   qu'il confonde celui qui me harcèle,   *Pause.*
   que Dieu envoie son amour et sa vérité.

⁵Mon âme est couchée parmi les lions,
   qui dévorent les fils d'Adam ;
   leurs dents, une lance et des flèches,
   leur langue, une épée acérée.

⁶Ô Dieu, élève-toi sur les cieux !
   Sur toute la terre, ta gloire !
⁷Ils tendaient un filet sous mes pas,
   mon âme était courbée ;
   ils creusaient devant moi une trappe,
   ils sont tombés dedans.   *Pause.*

⁸Mon cœur est prêt, ô Dieu,
   mon cœur est prêt ;
   je veux chanter, je veux jouer pour toi !
⁹éveille-toi, ma gloire ;
   éveille-toi, harpe, cithare,
   que j'éveille l'aurore !

¹⁰Je veux te louer chez les peuples, Seigneur,
    jouer pour toi dans les pays ;
¹¹grand jusqu'aux cieux ton amour,
    jusqu'aux nues, ta vérité.
¹²Ô Dieu, élève-toi sur les cieux.
    Sur toute la terre, ta gloire !

Psaume 58 (57)

Le juge des juges terrestres.

¹*Du maître de chant. « Ne détruis pas. » De David. À mi-voix.*

²Est-il vrai, êtres divins, que vous disiez la justice,
    que vous jugiez selon le droit les fils d'Adam ?
³Mais non ! de cœur vous fabriquez le faux,
    de vos mains, sur terre, vous pesez l'arbitraire.

⁴Ils sont dévoyés dès le sein, les impies,
    égarés dès le ventre, ceux qui disent l'erreur ;
⁵ils ont du venin comme un venin de serpent,
    sourds comme l'aspic qui se bouche l'oreille
⁶de peur d'entendre la voix des enchanteurs,
    du charmeur expert en charmes.

⁷Ô Dieu, brise en leur bouche leurs dents,
    arrache les crocs des lionceaux, Yahvé.
⁸Qu'ils s'écoulent comme les eaux qui s'en vont,
    comme l'herbe qu'on piétine, qu'ils se fanent !
⁹Comme la limace qui s'en va fondant
    ou l'avorton de la femme qui ne voit pas le soleil !

¹⁰Avant qu'ils ne poussent en épines comme la ronce :
    verte ou brûlée, que la Colère en tempête l'emporte !
¹¹Joie pour le juste de voir la vengeance :
    il lavera ses pieds dans le sang de l'impie.
¹²Et l'on dira : oui, il est un fruit pour le juste ;
    oui, il est un Dieu qui juge sur terre.

Psaume 59 (58)

Contre les impies.

¹*Du maître de chant. « Ne détruis pas. » De David. À mi-voix.*
Quand Saül envoya surveiller sa maison pour le mettre à mort.

²Délivre-moi de mes ennemis, mon Dieu,
    contre mes agresseurs protège-moi,
³délivre-moi des ouvriers de mal,
    des hommes de sang sauve-moi.

⁴Voici qu'ils guettent mon âme,
  des puissants s'en prennent à moi ;
  sans péché ni faute en moi, Yahvé,
⁵sans aucun tort, ils accourent et se préparent.

  Réveille-toi, sois devant moi et regarde,
⁶et toi, Yahvé, Dieu Sabaot, Dieu d'Israël,
  lève-toi pour visiter tous ces païens,
  sans pitié pour tous ces traîtres malfaisants !   *Pause.*

⁷Ils reviennent au soir,
  ils grognent comme un chien,
  ils rôdent par la ville.

⁸Voici qu'ils déblatèrent à pleine bouche,
  sur leurs lèvres sont des épées :
  « Y a-t-il quelqu'un qui entende ? »

⁹Toi, Yahvé, tu t'en amuses,
  tu te ris de tous les païens ;
¹⁰ô ma force, vers toi je regarde.

  Oui, c'est Dieu ma citadelle,
¹¹le Dieu de mon amour vient à moi,
  Dieu me fera voir ceux qui me guettent.

¹²Ne les massacre pas, que mon peuple n'oublie,
  fais-en par ta puissance des errants, des pourchassés,
  ô notre bouclier, Seigneur !

¹³Péché sur leur bouche, la parole de leurs lèvres :
  qu'ils soient donc pris à leur orgueil,
  pour le blasphème, pour le mensonge qu'ils débitent.

¹⁴Détruis en ta colère, détruis, qu'ils ne soient plus !
  Et qu'on sache que c'est Dieu le Maître
  en Jacob, jusqu'aux bouts de la terre !   *Pause.*

¹⁵Ils reviennent au soir,
  ils grognent comme un chien,
  ils rôdent par la ville ;
¹⁶les voici en chasse pour manger,
  tant qu'ils n'ont pas leur soûl, ils grondent.

¹⁷Et moi, je chanterai ta force,
  j'acclamerai ton amour au matin ;
  tu as été pour moi une citadelle,
  un refuge au jour de mon angoisse.

¹⁸Ô ma force, pour toi je jouerai ;
  oui, c'est Dieu ma citadelle,
    le Dieu de mon amour.

Psaume 60 (59)

Prière nationale après la défaite.

¹*Du maître de chant. Sur « Un lys est le précepte ». À mi-voix. De David. Pour apprendre.* ²*Quand il lutta avec Aram Naharayim et Aram de Çoba, et que Joab revint pour battre Édom dans la vallée du Sel, douze mille hommes.*

³Dieu, tu nous as rejetés, rompus,
  tu étais irrité, reviens à nous !
⁴Tu as fait trembler la terre, tu l'as fendue ;
  guéris ses brèches, car elle chancelle !

⁵Tu en fis voir de dures à ton peuple,
  tu nous fis boire du vin de vertige ;
⁶tu donnas à tes fidèles le signal
  de leur débâcle sous le tir de l'arc.   *Pause.*

= Ps **108** 7-14.

⁷Pour que soient délivrés tes bien-aimés,
  sauve par ta droite, et réponds-nous.

⁸Dieu a parlé dans son sanctuaire :
  « J'exulte, je partage Sichem,
  j'arpente la vallée de Sukkot.

⁹À moi Galaad, à moi Manassé,
  Éphraïm, l'armure de ma tête,
  Juda, mon bâton de commandement,

¹⁰Moab, le bassin où je me lave !
  sur Édom, je jette ma sandale.
  Crie donc victoire contre moi, Philistie ! »

¹¹Qui me mènera dans une ville forte,
  qui me conduira jusqu'en Édom,
¹²sinon toi, Dieu, qui nous as rejetés,
  Dieu qui ne sors plus avec nos armées.

¹³Porte-nous secours dans l'oppression :
  néant, le salut de l'homme !
¹⁴Avec Dieu, nous ferons des prouesses,
  et lui piétinera nos oppresseurs.

Psaume 61 (60)

Prière d'un exilé.

¹*Du maître de chant. Sur les instruments à cordes. De David.*

²Écoute, ô Dieu, mon cri,
  sois attentif à ma prière.

³Du bout de la terre vers toi j'appelle,
  le cœur me manque.
Au rocher qui s'élève loin de moi, conduis-moi.

⁴Car tu es pour moi un abri,
  une tour forte devant l'ennemi.
⁵Qu'à jamais je loge sous ta tente
  et m'abrite au couvert de tes ailes !　　　　　*Pause.*
⁶Car toi, ô Dieu, tu exauces mes vœux :
  tu accordes l'héritage de ceux qui craignent ton nom.

  ⁷Aux jours du roi ajoute les jours ;
    ses années : génération sur génération.
⁸Qu'il trône à jamais devant la face de Dieu !
  Assigne Amour et Fidélité pour le garder.

⁹Alors je jouerai sans fin pour ton nom,
  accomplissant mes vœux jour après jour.

Psaume **62** (61)

Dieu, seul espoir.

¹*Du maître de chant... Yedutûn. Psaume. De David.*

  ²En Dieu seul le repos pour mon âme,
    de lui mon salut ;
  ³lui seul mon rocher, mon salut,
    ma citadelle, je ne chancelle pas.

  ⁴Jusques à quand vous ruer sur un homme
    et l'abattre, vous tous,
  comme une muraille qui penche,
  une clôture qui croule ?
  ⁵Ils ne pensent qu'à lui faire perdre sa dignité.
    Ils prennent plaisir au mensonge ;
  de la bouche, ils bénissent,
    au-dedans ils maudissent.　　　　　*Pause.*

  ⁶En Dieu seul repose-toi, mon âme,
    de lui vient mon espoir ;
  ⁷lui seul mon rocher, mon salut,
    ma citadelle, je ne chancelle pas ;
  ⁸en Dieu mon salut et ma gloire,
    le rocher de ma force.

  En Dieu mon abri, ⁹fiez-vous à lui,
    peuple, en tout temps,
  devant lui épanchez votre cœur,
    Dieu nous est un abri !　　　　　*Pause.*

¹⁰Un souffle seulement, les fils d'Adam,
  un mensonge, les fils d'homme ;
sur la balance s'ils montaient ensemble,
  ils seraient moins qu'un souffle.

¹¹N'allez pas vous fier à la violence,
  vous essoufflant en rapines ;
aux richesses quand elles s'accroissent
  n'attachez pas votre cœur !

¹²Une fois Dieu a parlé,
  deux fois, j'ai entendu.
Ceci : que la force est à Dieu,
¹³à toi, Seigneur, l'amour ;
et ceci : toi, tu paies
  l'homme selon ses œuvres.

Psaume **63** (62)

Le désir de Dieu.

¹*Psaume. De David. Quand il était dans le désert de Juda.*

²Dieu, c'est toi mon Dieu, je te cherche,
  mon âme a soif de toi,
après toi languit ma chair,
  terre aride, altérée, sans eau.
³Oui, au sanctuaire je t'ai contemplé,
  voyant ta puissance et ta gloire.

⁴Meilleur que la vie, ton amour ;
  mes lèvres diront ton éloge.
⁵Oui, je veux te bénir en ma vie,
  à ton nom, élever les mains ;
⁶comme de graisse et de moelle se rassasie mon âme,
  lèvres jubilantes, louange en ma bouche.

⁷Quand je songe à toi sur ma couche,
  au long des veilles je médite sur toi,
⁸toi qui fus mon secours,
  et je jubile à l'ombre de tes ailes ;
⁹mon âme se presse contre toi,
  ta droite me sert de soutien.

¹⁰Mais ceux qui poussent mon âme à sa perte,
  qu'ils descendent au profond de la terre !
¹¹Qu'on les livre au tranchant de l'épée,
  qu'ils deviennent la part des chacals !
¹²Et le roi se réjouira en Dieu ;

qui jure par lui en tirera louange
quand les menteurs auront la bouche fermée.

Psaume 64 (63)

Châtiment des calomniateurs.

¹*Du maître de chant. Psaume. De David.*

²Écoute, ô Dieu, la voix de ma plainte,
contre la peur de l'ennemi garde ma vie ;
³au complot des méchants soustrais-moi,
à la meute des ouvriers de mal !

⁴Eux qui aiguisent leur langue comme une épée,
ils ajustent leur flèche, parole amère,
⁵pour tirer en cachette sur l'homme intègre,
ils tirent soudain et ne craignent rien.

⁶Ils s'encouragent dans leur méchante besogne,
ils calculent pour tendre des pièges,
ils disent : « Qui les verra ? »
⁷Ils combinent des méfaits :
« C'est parfait, tout est bien combiné ! »
Au fond de l'homme, le cœur est impénétrable.

⁸Dieu a tiré une flèche,
soudaines ont été leurs blessures ;
⁹il les fit choir à cause de leur langue,
tous ceux qui les voient hochent la tête.

¹⁰Tout homme alors craindra,
il publiera l'œuvre de Dieu,
et son action, il la comprendra.

¹¹Le juste aura sa joie en Yahvé
et son refuge en lui ;
ils s'en loueront, tous les cœurs droits.

Psaume 65 (64)

Hymne d'action de grâces.

¹*Du maître de chant. Psaume. De David. Cantique.*

²À toi la louange est due,
ô Dieu, dans Sion ;
que pour toi le vœu soit acquitté :
³tu écoutes la prière.

Jusqu'à toi vient toute chair
⁴avec ses œuvres de péché ;
nos fautes sont plus fortes que nous,
mais toi, tu les effaces.

⁵Heureux ton élu, ton familier,
   il demeure en tes parvis.
Rassasions-nous des biens de ta maison,
   des choses saintes de ton Temple.

⁶Tu nous réponds en prodiges de justice,
   Dieu de notre salut,
espoir des extrémités de la terre
   et des îles lointaines ;

⁷toi qui maintiens les montagnes par ta force,
   qui te ceins de puissance,
⁸qui apaises le fracas des mers,
   le fracas de leurs flots,
et la rumeur des peuples.

⁹Les habitants des bouts du monde
   sont pris de crainte à la vue de tes signes ;
aux portes du levant et du couchant
   tu leur fais pousser des acclamations.

¹⁰Tu visites la terre et la fais regorger,
   tu la combles de richesses.
Le ruisseau de Dieu est rempli d'eau,
   tu prépares les épis.

   Ainsi tu la prépares :
¹¹arrosant ses sillons, aplanissant ses mottes,
   tu la détrempes d'averses, tu bénis son germe.
¹²Tu couronnes une année de bienfaits,
   sur ton passage la graisse ruisselle ;
¹³ils ruissellent, les pacages du désert,
   les collines sont bordées d'allégresse ;
¹⁴les prairies se revêtent de troupeaux,
   les vallées se drapent de froment,

On clame,
   on chante des hymnes !

Psaume 66 (65)

Action de grâces publique.

¹*Du maître de chant. Cantique. Psaume.*

Acclamez Dieu, toute la terre,
²chantez à la gloire de son nom,
   rendez-lui sa louange de gloire,
³dites à Dieu : Que tu es redoutable !

À la mesure de ta force, tes œuvres.
Tes ennemis se font tes flatteurs ;
⁴toute la terre se prosterne devant toi,
elle te chante, elle chante pour ton nom.   *Pause.*

⁵Venez, voyez les gestes de Dieu,
redoutable en hauts faits pour les fils d'Adam :
⁶il changea la mer en terre ferme,
on passa le fleuve à pied sec.
Là, qu'on se réjouisse en lui,
⁷souverain de puissance éternelle !
Les yeux sur les nations, il veille,
sur les rebelles pour qu'ils ne se relèvent.   *Pause.*

⁸Peuples, bénissez notre Dieu,
faites retentir sa louange,
⁹lui qui rend notre âme à la vie,
et préserve nos pieds du faux pas.

¹⁰Tu nous as éprouvés, ô Dieu,
épurés comme on épure l'argent ;
¹¹tu nous as fait tomber dans le filet,
tu as mis sur nos reins une étreinte ;
¹²tu fis chevaucher à notre tête un mortel ;
nous sommes passés par le feu et par l'eau,
puis tu nous as fait sortir vers l'abondance.

¹³Je viens en ta maison avec des holocaustes,
j'acquitte envers toi mes vœux,
¹⁴ceux qui m'ouvrirent les lèvres,
que prononçait ma bouche en mon angoisse.

¹⁵Je t'offrirai de gras holocaustes
avec la fumée des béliers,
je le ferai avec des taureaux et des boucs.   *Pause.*

¹⁶Venez, écoutez, que je raconte,
vous tous les craignant-Dieu,
ce qu'il a fait pour mon âme.

¹⁷Vers lui ma bouche a crié,
l'éloge déjà sur ma langue.
¹⁸Si j'avais vu de la malice en mon cœur,
le Seigneur ne m'eût point écouté.
¹⁹Et pourtant Dieu m'a écouté,
attentif à la voix de ma prière.

    ²⁰Béni soit Dieu
    qui n'a pas écarté ma prière
    ni son amour loin de moi.

Psaume 67 (66)

Prière collective après la récolte annuelle.

¹*Du maître de chant. Sur les instruments à cordes. Psaume. Cantique.*

²Que Dieu nous prenne en grâce et nous bénisse,
faisant luire sur nous sa face !   *Pause.*
³Sur la terre on connaîtra tes voies,
parmi toutes les nations, ton salut.

⁴Que les peuples te rendent grâce, ô Dieu,
que les peuples te rendent grâce tous !

⁵Que les nations se réjouissent et crient de joie,
car tu juges le monde avec justice,
tu juges les peuples en droiture,
sur la terre tu gouvernes les nations.   *Pause.*

⁶Que les peuples te rendent grâce, ô Dieu,
que les peuples te rendent grâce tous !

⁷La terre a donné son produit,
Dieu, notre Dieu, nous bénit.
⁸Que Dieu nous bénisse et qu'il soit craint
de tous les lointains de la terre !

Psaume 68 (67)

La glorieuse épopée d'Israël.

¹*Du maître de chant. De David. Psaume. Cantique.*

²Que Dieu se dresse, et ses ennemis se dispersent,
et ses adversaires fuient devant sa face.
³Comme se dissipe la fumée, tu les dissipes ;
comme fond la cire en face du feu,
ils périssent, les impies, en face de Dieu.

⁴Mais les justes se réjouissent, ils exultent devant la face de Dieu,
dans la joie, ils jubilent.
⁵Chantez à Dieu, jouez pour son nom,
frayez la route au Chevaucheur des nuées,
son nom est Yahvé, exultez devant sa face.

⁶Père des orphelins, justicier des veuves,
c'est Dieu dans son lieu de sainteté ;
⁷Dieu donne à l'isolé le séjour d'une maison,
il ouvre aux captifs la porte du bonheur,
mais les rebelles demeurent sur un sol aride.

⁸Ô Dieu, quand tu sortis à la face de ton peuple,
quand tu foulas le désert, ⁹la terre trembla,   *Pause.*
les cieux mêmes fondirent en face de Dieu,
en face de Dieu, le Dieu d'Israël.

¹⁰Tu répandis, ô Dieu, une pluie de largesses,
ton héritage exténué, toi, tu l'affermis ;
¹¹ton troupeau trouva un séjour, celui-là
qu'en ta bonté, ô Dieu, tu préparais au pauvre.

¹²Le Seigneur a donné un ordre,
il a pour messagère une armée innombrable.
¹³Et les chefs d'armée détalaient, détalaient,
la belle du foyer partageait le butin.

¹⁴Resterez-vous au repos dans les enclos,
quand les ailes de la Colombe se couvrent d'argent,
et ses plumes d'un reflet d'or pâle ;
¹⁵quand Shaddaï, là-bas, disperse des rois,
et qu'il neige sur le Mont-Sombre ?

¹⁶Montagne de Dieu, la montagne de Bashân !
Montagne sourcilleuse, la montagne de Bashân !
¹⁷Pourquoi jalouser, montagnes sourcilleuses,
la montagne que Dieu a désirée pour séjour ?
Oui, Yahvé y demeurera jusqu'à la fin.

¹⁸Les équipages de Dieu sont des milliers de myriades ;
le Seigneur est parmi eux, et le Sinaï est au sanctuaire.
¹⁹Tu as gravi la hauteur, capturé des captifs,
reçu des hommes en tribut, même les rebelles,
pour que Yahvé Dieu ait une demeure.

²⁰Béni soit le Seigneur de jour en jour !
Il prend charge de nous, le Dieu de notre salut.   *Pause.*

²¹Le Dieu que nous avons est un Dieu de délivrances,
au Seigneur Yahvé sont les issues de la mort ;
²²mais Dieu abat la tête de ses ennemis,
le crâne chevelu du criminel qui rôde.

²³Le Seigneur a dit : « De Bashân je fais revenir,
je fais revenir des abîmes de la mer,
²⁴afin que tu enfonces ton pied dans le sang,
que la langue de tes chiens ait sa part d'ennemis. »

²⁵On a vu tes processions, ô Dieu,
les processions de mon Dieu, de mon roi, au sanctuaire :
²⁶les chantres marchaient devant, les musiciens derrière,
les jeunes filles au milieu, battant du tambourin.

²⁷En chœurs, ils bénissaient Dieu :
   c'est Yahvé, dès l'origine d'Israël.

²⁸Benjamin était là, le cadet ouvrant la marche ;
   les princes de Juda en robes multicolores,
   les princes de Zabulon, les princes de Nephtali.

²⁹Commande, ô mon Dieu, selon ta puissance,
   la puissance, ô Dieu, que tu as mise en œuvre pour nous,
³⁰depuis ton temple au-dessus de Jérusalem.
   Vers toi viendront les rois, apportant des présents.

³¹Menace la bête des roseaux,
   la bande de taureaux avec les peuples de veaux,
   qui s'humilie, avec des lingots d'argent !
   Disperse les peuples qui aiment la guerre.
³²Depuis l'Égypte, des grands viendront,
   l'Éthiopie tendra les mains vers Dieu.

³³Royaumes de la terre, chantez à Dieu
   jouez pour ³⁴le Chevaucheur des cieux,
   des cieux antiques.   *Pause.*
   Voici qu'il élève la voix, voix de puissance :
³⁵reconnaissez la puissance de Dieu.

   Sur Israël sa splendeur, dans les nues sa puissance :
³⁶redoutable est Dieu depuis son sanctuaire.
   C'est lui, le Dieu d'Israël,
   qui donne au peuple force et puissance.

   Béni soit Dieu !

Psaume 69 (68)

Lamentation.

¹*Du maître de chant. Sur l'air : Des lys... De David.*

²Sauve-moi, ô Dieu, car les eaux
   me sont entrées jusqu'à l'âme.

³J'enfonce dans la bourbe du gouffre,
   et rien qui tienne ;
   je suis entré dans l'abîme des eaux
   et le flot me submerge.

⁴Je m'épuise à crier, ma gorge brûle,
   mes yeux sont consumés d'attendre mon Dieu.

⁵Plus nombreux que les cheveux de la tête,
   ceux qui me haïssent sans cause ;

ils sont puissants ceux qui me détruisent,
ceux qui m'en veulent à tort.
(Ce que je n'ai pas pris, devrai-je le rendre ?)

⁶Ô Dieu, tu sais ma folie,
mes offenses sont à nu devant toi.

⁷Qu'ils ne rougissent pas de moi, ceux qui t'espèrent,
 Yahvé Sabaot !
Qu'ils n'aient pas honte de moi, ceux qui te cherchent,
 Dieu d'Israël !

⁸C'est pour toi que je souffre l'insulte,
que l'humiliation me couvre le visage,
⁹que je suis un étranger pour mes frères,
un inconnu pour les fils de ma mère ;
¹⁰car le zèle de ta maison me dévore,
l'insulte de tes insulteurs tombe sur moi.

¹¹Que j'afflige mon âme par le jeûne
et l'on m'en fait un sujet d'insulte ;
¹²que je prenne un sac pour vêtement
et pour eux je deviens une fable,
¹³le conte des gens assis à la porte
et la chanson des buveurs de boissons fortes.

¹⁴Et moi, t'adressant ma prière, Yahvé,
 au temps favorable,
en ton grand amour, Dieu, réponds-moi
 en la vérité de ton salut.

¹⁵Tire-moi du bourbier, que je n'enfonce,
 que j'échappe à mes adversaires,
 à l'abîme des eaux !

¹⁶Que le flux des eaux ne me submerge,
 que le gouffre ne me dévore,
 que la bouche de la fosse ne me happe !

¹⁷Réponds-moi, Yahvé : car ton amour est bonté ;
en ta grande tendresse regarde vers moi ;
¹⁸à ton serviteur ne cache point ta face,
l'angoisse est sur moi, vite, réponds-moi ;
¹⁹approche de mon âme, venge-la,
à cause de mes ennemis, rachète-moi.

²⁰Toi, tu connais mon insulte,
ma honte et mon humiliation.
Devant toi tous mes oppresseurs.
²¹L'insulte m'a brisé le cœur,
 jusqu'à défaillir.

J'espérais la compassion, mais en vain,
des consolateurs, et je n'en ai pas trouvé.

²²Pour nourriture ils m'ont donné du poison,
dans ma soif ils m'abreuvaient de vinaigre.
²³Que devant eux leur table soit un piège
et leur abondance un traquenard ;
²⁴que leurs yeux s'enténèbrent pour ne plus voir,
fais qu'à tout instant les reins leur manquent !

²⁵Déverse sur eux ton courroux,
que le feu de ta colère les atteigne ;
²⁶que leur enclos devienne un désert,
que leurs tentes soient sans habitants :
²⁷ils s'acharnent sur celui que tu frappes,
ils rajoutent aux blessures de ta victime.

²⁸Charge-les, tort sur tort,
qu'ils n'aient plus d'accès à ta justice ;
²⁹qu'ils soient rayés du livre de vie,
retranchés du compte des justes.

³⁰Et moi, courbé, blessé,
que ton salut, Dieu, me redresse !
³¹Je louerai le nom de Dieu par un cantique,
je le magnifierai par l'action de grâces ;
³²cela plaît à Yahvé plus qu'un taureau,
une forte bête avec corne et sabot.

³³Ils ont vu, les humbles, ils jubilent ;
chercheurs de Dieu, que vive votre cœur !
³⁴Car Yahvé exauce les pauvres,
il n'a pas méprisé ses captifs.
³⁵Que l'acclament le ciel et la terre,
la mer et tout ce qui s'y remue !

³⁶Car Dieu sauvera Sion,
il rebâtira les villes de Juda,
là, on habitera, on possédera ;
³⁷la lignée de ses serviteurs en hérite
et les amants de son nom y demeurent.

Psaume **70** (69)

= **40** 14-18.

Cri de détresse.

¹*Du maître de chant. De David. Pour commémorer.*

²Ô Dieu, vite à mon secours,
Yahvé, à mon aide !

³Honte et déshonneur sur ceux-là
  qui cherchent mon âme !

Arrière ! honnis soient-ils,
  ceux que flatte mon malheur ;
⁴qu'ils reculent couverts de honte,
  ceux qui disent : Ha ! Ha !

⁵Ils jubileront et se réjouiront en toi
  tous ceux qui te cherchent ;
ils rediront toujours : « Dieu est grand ! »
  ceux qui aiment ton salut !

⁶Et moi, pauvre et malheureux !
  ô Dieu, viens vite !
Toi, mon secours et mon sauveur,
  Yahvé, ne tarde pas !

Psaume **71** (70)

Prière d'un vieillard.

¹En toi, Yahvé, j'ai mon abri,
  sur moi pas de honte à jamais !
²En ta justice défends-moi, délivre-moi,
  tends vers moi l'oreille et sauve-moi.

³Sois pour moi un roc hospitalier,
  toujours accessible ;
tu as décidé de me sauver,
  car mon rocher, mon rempart, c'est toi.
⁴Mon Dieu, délivre-moi de la main de l'impie,
  de la poigne du fourbe et du violent.

⁵Car c'est toi mon espoir, Seigneur,
  Yahvé, ma foi dès ma jeunesse.
⁶Sur toi j'ai mon appui dès le sein,
  toi ma part dès les entrailles de ma mère,
  en toi ma louange sans relâche.

⁷Pour beaucoup je tenais du prodige,
  mais toi, tu es mon sûr abri.
⁸Ma bouche est remplie de ta louange,
  tout le jour, de ta splendeur.

⁹Ne me rejette pas au temps de ma vieillesse,
  quand décline ma vigueur, ne m'abandonne pas.
¹⁰Car mes ennemis parlent de moi,
  ceux qui guettent mon âme se concertent :

¹¹« Dieu l'a abandonné, pourchassez-le,
  empoignez-le, il n'a personne pour le défendre. »
¹²Dieu, ne sois pas loin de moi,
  mon Dieu, vite à mon aide.

¹³Honte et ruine sur ceux-là
    qui attaquent mon âme ;
  que l'insulte et l'humiliation les couvrent,
    ceux qui cherchent mon malheur !

¹⁴Et moi, sans relâche espérant,
    j'ajouterai à ta louange ;
¹⁵ma bouche racontera ta justice,
    tout le jour, ton salut.

¹⁶Je viendrai dans la puissance de Yahvé,
  pour rappeler ta justice, la seule.
¹⁷Ô Dieu, tu m'as instruit dès ma jeunesse,
  et jusqu'ici j'annonce tes merveilles.

¹⁸Or, vieilli, chargé d'années,
  ô Dieu, ne m'abandonne pas,
que j'annonce ton bras aux âges à venir,
ta puissance ¹⁹et ta justice, ô Dieu, jusqu'aux nues !

    Toi qui as fait de grandes choses,
      ô Dieu, qui est comme toi ?
²⁰Toi qui m'as fait tant voir de maux et de détresses,
    tu reviendras me faire vivre.
  Tu reviendras me tirer des abîmes de la terre,
²¹tu nourriras mon grand âge, tu viendras me consoler.

²²Or moi, je te rendrai grâce sur la lyre,
    en ta vérité, mon Dieu,
  je jouerai pour toi sur la harpe,
    Saint d'Israël.

²³Que jubilent mes lèvres, quand je jouerai pour toi,
    et mon âme que tu as rachetée !
²⁴Or ma langue tout le jour
    murmure ta justice :
  honte et déshonneur sur ceux-là
    qui cherchent mon malheur !

Psaume 72 (71)

Le roi promis.

¹*De Salomon.*
  Ô Dieu, donne au roi ton jugement,
    au fils de roi ta justice,

²qu'il rende à ton peuple sentence juste
   et jugement à tes petits.

³Montagnes, apportez, et vous collines,
   la paix au peuple.
 Avec justice ⁴il jugera le petit peuple,
  il sauvera les fils de pauvres,
   il écrasera leurs bourreaux.

⁵Il durera sous le soleil et la lune
   siècle après siècle ;
⁶il descendra comme la pluie sur le regain,
   comme la bruine mouillant la terre.

⁷En ses jours justice fleurira
   et grande paix jusqu'à la fin des lunes ;
⁸il dominera de la mer à la mer,
   du Fleuve jusqu'aux bouts de la terre.

⁹Devant lui se courbera la Bête,
   ses ennemis lécheront la poussière ;
¹⁰les rois de Tarsis et des îles
   rendront tribut.

 Les rois de Saba et de Seba
   feront offrande ;
¹¹tous les rois se prosterneront devant lui,
   tous les païens le serviront.

¹²Car il délivre le pauvre qui appelle
   et le petit qui est sans aide ;
¹³compatissant au faible et au pauvre,
   il sauve l'âme des pauvres.

¹⁴De l'oppression, de la violence, il rachète leur âme,
   leur sang est précieux à ses yeux.
¹⁵(Qu'il vive et que lui soit donné l'or de Saba !)
 On priera pour lui sans relâche,
   tout le jour, on le bénira.

¹⁶Foisonne le froment sur la terre,
   qu'il ondule au sommet des montagnes,
 comme le Liban quand il éveille ses fruits et ses fleurs,
   comme l'herbe de la terre !

¹⁷Soit béni son nom à jamais,
   qu'il dure sous le soleil !
 Bénies seront en lui toutes les races de la terre,
   que tous les païens le disent bienheureux !

¹⁸Béni soit Yahvé, le Dieu d'Israël,
qui seul a fait des merveilles ;
¹⁹béni soit à jamais son nom de gloire,
toute la terre soit remplie de sa gloire !
Amen ! Amen !

²⁰Fin des prières de David, fils de Jessé.

Psaume 73 (72)

La justice finale.

¹*Psaume. D'Asaph.*

Mais enfin, Dieu est bon pour Israël,
pour les hommes au cœur pur.

²Un peu plus, mon pied bronchait,
un rien, et mes pas glissaient,
³envieux que j'étais des arrogants
en voyant le bien-être des impies.

⁴Pour eux, point de tourments,
rien n'entame leur riche prestance ;
⁵de la peine des hommes ils sont absents,
avec Adam ils ne sont point frappés.

⁶C'est pourquoi l'orgueil est leur collier,
la violence, le vêtement qui les couvre ;
⁷la malice leur sort de la graisse,
l'artifice leur déborde du cœur.

⁸Ils ricanent, ils prônent le mal,
hautement ils prônent la force ;
⁹leur bouche s'arroge le ciel
et leur langue va bon train sur la terre.

¹⁰C'est pourquoi mon peuple va vers eux :
des eaux d'abondance leur adviennent.
¹¹Ils disent : « Comment Dieu saurait-il ?
Chez le Très-Haut y a-t-il connaissance ? »
¹²Voyez-le : ce sont des impies,
et, tranquilles toujours, ils entassent !

¹³Mais enfin pourquoi aurais-je gardé un cœur pur,
lavant mes mains en l'innocence ?

¹⁴Quand j'étais frappé tout le jour,
et j'avais mon châtiment chaque matin,
¹⁵si j'avais dit : « Je vais parler comme eux »,
j'aurais trahi la race de tes fils.

¹⁶Alors j'ai réfléchi pour comprendre :
   quelle peine c'était à mes yeux !
¹⁷jusqu'au jour où j'entrai aux sanctuaires divins,
   où je pénétrai leur destin.
¹⁸Mais enfin, tu en as fait des choses trompeuses,
   tu les fais tomber dans le chaos.

¹⁹Ah ! que soudain ils font horreur,
   disparus, achevés par l'épouvante !
²⁰Comme un songe au réveil, Seigneur,
   en t'éveillant, tu méprises leur image.

²¹Alors que s'aigrissait mon cœur
   et que j'avais les reins percés,
²²moi, stupide, je ne comprenais pas,
   j'étais une brute près de toi.

²³Et moi, qui restais près de toi,
   tu m'as saisi par ma main droite ;
²⁴par ton conseil tu me conduiras,
   et derrière la gloire tu m'attireras.

²⁵Qui donc aurais-je dans le ciel ?
   Avec toi, je suis sans désir sur la terre.
²⁶Et ma chair et mon cœur sont consumés :
   roc de mon cœur, ma part, Dieu à jamais !

²⁷Voici : qui s'éloigne de toi périra,
   tu extirpes ceux qui te sont adultères.
²⁸Pour moi, approcher Dieu est mon bien,
   j'ai placé dans le Seigneur mon refuge,
   afin de raconter toutes tes œuvres.

Psaume 74 (73)

Lamentation après le sac du Temple.

¹*Poème. D'Asaph.*

   Pourquoi, ô Dieu, rejeter jusqu'à la fin,
   fumer de colère contre le troupeau de ton bercail ?
²Rappelle-toi ton assemblée que tu as acquise dès l'origine,
   que tu rachetas, tribu de ton héritage,
   et ce mont Sion où tu fis ta demeure.

³Élève tes pas vers ce chaos sans fin :
   il a tout saccagé, l'ennemi, au sanctuaire ;
⁴dans le lieu de tes assemblées ont rugi tes adversaires,
   ils ont mis leurs insignes au fronton de l'entrée,
   des insignes ⁵qu'on ne connaissait pas.

Leurs cognées en plein bois, ⁶abattant les vantaux,
et par la hache et par la masse ils martelaient ;
⁷ils ont livré au feu ton sanctuaire,
profané jusqu'à terre la demeure de ton nom.

⁸Ils ont dit en leur cœur : « Écrasons-les d'un coup ! »
Ils ont brûlé dans le pays tout lieu d'assemblée sainte.
⁹Nos signes ont cessé, il n'est plus de prophètes,
et nul parmi nous ne sait jusques à quand.

¹⁰Jusques à quand, ô Dieu, blasphémera l'oppresseur ?
L'ennemi va-t-il outrager ton nom jusqu'à la fin ?
¹¹Pourquoi retires-tu ta main,
tiens-tu ta droite cachée en ton sein ?

¹²Pourtant, ô Dieu, mon roi dès l'origine,
l'auteur des délivrances au milieu du pays,
¹³toi qui fendis la mer par ta puissance,
qui brisas les têtes des monstres sur les eaux ;
¹⁴toi qui fracassas les têtes de Léviathan
pour en faire la pâture des bêtes sauvages,
¹⁵toi qui ouvris la source et le torrent,
toi qui desséchas des fleuves intarissables ;
¹⁶à toi le jour, et à toi la nuit,
toi qui agenças la lumière et le soleil,
¹⁷toi qui posas toutes les limites de la terre,
l'été et l'hiver, c'est toi qui les formas.

¹⁸Rappelle-toi, Yahvé, l'ennemi blasphème,
un peuple insensé outrage ton nom.
¹⁹Ne livre pas à la bête l'âme de ta tourterelle,
la vie de tes malheureux, ne l'oublie pas jusqu'à la fin.
²⁰Regarde vers l'alliance.
Ils sont pleins, les antres du pays,
repaires de violence.
²¹Que l'opprimé ne rentre pas couvert de honte,
que le pauvre et le malheureux louent ton nom !

²²Dresse-toi, ô Dieu, plaide ta cause,
rappelle-toi l'insensé qui te blasphème tout le jour !
²³N'oublie pas le vacarme de tes adversaires,
la clameur de tes ennemis, qui va toujours montant !

Psaume 75 (74)
Jugement total et universel.

¹*Du maître de chant. « Ne détruis pas. » Psaume. D'Asaph. Cantique.*
²À toi nous rendons grâce, ô Dieu, nous rendons grâce,
proche est ton nom, qu'on publie tes merveilles.

³« Au moment que j'aurai décidé,
je ferai, moi, droite justice ;
⁴la terre s'effondre et tous ses habitants ;
j'ai fixé, moi, ses colonnes.   *Pause.*

⁵« J'ai dit aux arrogants : Pas d'arrogance !
aux impies : Ne levez pas le front,
⁶ne levez pas si haut votre front,
ne parlez pas en raidissant l'échine. »

⁷Car ce n'est plus du levant au couchant,
ce n'est plus au désert des montagnes
⁸qu'en vérité Dieu, le juge,
abaisse l'un ou élève l'autre :
⁹Yahvé a en main une coupe,
où fermente un vin épicé ;
il en versera, ils en suceront la lie,
ils boiront, tous les impies de la terre.

¹⁰Et moi, j'annoncerai à jamais,
je jouerai pour le Dieu de Jacob ;
¹¹je briserai le front des impies ;
et le front du juste se relèvera.

Psaume 76 (75)

Ode au Dieu redoutable.

¹*Du maître de chant. Sur les instruments à cordes. Psaume.*
D'Asaph. Cantique.

²En Juda Dieu est connu,
en Israël grand est son nom ;
³sa tente s'est fixée en Salem
et sa demeure en Sion ;
⁴là, il a brisé les éclairs de l'arc,
le bouclier, l'épée et la guerre.   *Pause.*

⁵Lumineux que tu es, et célèbre
pour les monceaux de butin ⁶qu'on leur a pris ;
les braves ont dormi leur sommeil,
tous ces guerriers, les bras leur ont manqué ;
⁷sous ta menace, Dieu de Jacob,
char et cheval se sont figés.

⁸Toi, toi le terrible ! Qui tiendra
devant ta face, sous le coup de ta fureur ?
⁹Des cieux tu fais entendre la sentence,
la terre a peur et se tait

¹⁰quand Dieu se dresse pour le jugement,
pour sauver tous les humbles de la terre.   *Pause.*

¹¹La colère de l'homme te rend gloire,
des réchappés de la Colère, tu te ceindras ;
¹²faites des vœux, acquittez-les à Yahvé votre Dieu,
ceux qui l'entourent, faites offrande au Terrible ;
¹³il coupe le souffle des princes,
terrible aux rois de la terre.

Psaume 77 (76)

Méditation sur le passé d'Israël.

¹*Du maître de chant... Yedutûn. D'Asaph. Psaume.*

²Vers Dieu ma voix : je crie,
vers Dieu ma voix : il m'entend.

³Au jour d'angoisse j'ai cherché le Seigneur ;
la nuit, j'ai tendu la main sans relâche,
mon âme a refusé d'être consolée.
⁴Je me souviens de Dieu et je gémis,
je médite et le souffle me manque.   *Pause.*

⁵Tu as retenu les paupières de mes yeux,
je suis troublé, je ne puis parler ;
⁶j'ai pensé aux jours d'autrefois,
d'années séculaires ⁷je me souviens ;
je murmure dans la nuit en mon cœur,
je médite et mon esprit interroge

⁸Est-ce pour les siècles que le Seigneur rejette,
qu'il cesse de se montrer favorable ?
⁹Son amour est-il épuisé jusqu'à la fin,
achevée pour les âges des âges la Parole ?
¹⁰Est-ce que Dieu oublie d'avoir pitié,
ou de colère ferme-t-il ses entrailles ?   *Pause.*

¹¹Et je dis : « Voilà ce qui me blesse :
elle est changée, la droite du Très-Haut. »
¹²Je me souviens des hauts faits de Yahvé,
oui, je me souviens d'autrefois, de tes merveilles,
¹³je me murmure toute ton œuvre,
et sur tes hauts faits je médite :

¹⁴Ô Dieu, saintes sont tes voies !
quel dieu est grand comme Dieu ?
¹⁵Toi, le Dieu qui fait merveille,
tu fis savoir parmi les peuples ta force ;

¹⁶par ton bras tu rachetas ton peuple,
les enfants de Jacob et de Joseph.   *Pause.*

¹⁷Les eaux te virent, ô Dieu,
les eaux te virent et furent bouleversées,
les abîmes aussi s'agitaient.
¹⁸Les nuées déversèrent les eaux,
les nuages donnèrent de la voix,
tes flèches aussi filaient.

¹⁹Voix de ton tonnerre en son roulement.
Tes éclairs illuminaient le monde,
la terre s'agitait et tremblait.
²⁰Sur la mer fut ton chemin,
ton sentier sur les eaux innombrables.
Et tes traces, nul ne les connut.

²¹Tu guidas comme un troupeau ton peuple
par la main de Moïse et d'Aaron.

Psaume 78 (77)

Les leçons de l'histoire d'Israël.

¹*Poème. D'Asaph.*

Écoute, ô mon peuple, ma loi ;
tends l'oreille aux paroles de ma bouche ;
²j'ouvre la bouche en paraboles,
j'évoque du passé les mystères.

³Nous l'avons entendu et connu,
nos pères nous l'ont raconté ;
⁴nous ne le tairons pas à leurs enfants,
nous le raconterons à la génération qui vient :

les titres de Yahvé et sa puissance,
ses merveilles telles qu'il les fit ;
⁵il établit un témoignage en Jacob,
il mit une loi en Israël ;

il avait commandé à nos pères
de le faire connaître à leurs enfants,
⁶que la génération qui vient le connaisse,
les enfants qui viendront à naître.

Qu'ils se lèvent, qu'ils racontent à leurs enfants,
⁷qu'ils mettent en Dieu leur espoir,
qu'ils n'oublient pas les hauts faits de Dieu,
et ses commandements, qu'ils les observent ;

8qu'ils ne soient pas, à l'exemple de leurs pères,
une génération de révolte et de bravade,
génération qui n'a point le cœur sûr
et dont l'esprit n'est point fidèle à Dieu.

9Les fils d'Éphraïm, tireurs d'arc,
se retournèrent, le jour du combat ;
10ils ne gardaient pas l'alliance de Dieu,
ils refusaient de marcher dans sa loi ;

11ils avaient oublié ses hauts faits,
ses merveilles qu'il leur donna de voir :
12devant leurs pères il fit merveille
en terre d'Égypte, aux champs de Tanis.

13Il fendit la mer et les transporta,
il dressa les eaux comme une digue ;
14il les guida de jour par la nuée,
par la lueur d'un feu toute la nuit ;

15il fendit les rochers au désert,
il les abreuva comme à la source du grand abîme ;
16du roc il fit sortir des ruisseaux
et descendre les eaux en torrents.

17Mais de plus belle ils péchaient contre lui
et bravaient le Très-Haut dans le lieu sec ;
18ils tentèrent Dieu dans leur cœur,
demandant à manger à leur faim.

19Or ils parlèrent contre Dieu ;
ils dirent : « Est-il capable, Dieu,
de dresser une table au désert ?

20« Voici qu'il frappe le rocher,
les eaux coulent, les torrents s'échappent :
mais du pain, est-il capable d'en donner,
ou de fournir de la viande à son peuple ? »

21Alors Yahvé entendit, il s'emporta ;
un feu flamba contre Jacob,
et puis la Colère monta contre Israël,
22car ils étaient sans foi en Dieu,
ils étaient sans confiance en son salut.

23Aux nuées d'en haut il commanda,
il ouvrit les battants des cieux ;
24pour les nourrir il fit pleuvoir la manne,
il leur donna le froment des cieux ;
25du pain des Forts l'homme se nourrit,
il leur envoya des vivres à satiété.

²⁶Il fit lever dans les cieux le vent d'est,
   il fit venir par sa puissance le vent du sud,
²⁷il fit pleuvoir sur eux la viande comme poussière,
   la volaille comme sable des mers,
²⁸il en fit tomber au milieu de son camp,
   tout autour de sa demeure.

²⁹Ils mangèrent et furent bien rassasiés,
   il leur servit ce qu'ils désiraient ;
³⁰eux n'étaient pas revenus de leur désir,
   leur manger encore en la bouche,
³¹que la colère de Dieu monta contre eux :
   il massacrait parmi les robustes,
   abattait les cadets d'Israël.

³²Malgré tout, ils péchèrent encore,
   ils n'eurent pas foi en ses merveilles.
³³Il consuma en un souffle leurs jours,
   leurs années en une panique.

³⁴Quand il les massacrait, ils le cherchaient,
   ils revenaient, s'empressaient près de lui.
³⁵Ils se souvenaient : Dieu leur rocher,
   Dieu le Très-Haut, leur rédempteur !

³⁶Mais ils le flattaient de leur bouche,
   mais de leur langue ils lui mentaient,
³⁷leur cœur n'était pas sûr envers lui,
   ils étaient sans foi en son alliance.

³⁸Lui alors, dans sa tendresse,
   effaçait les torts au lieu de dévaster ;
   sans se lasser, il revenait de sa colère
   au lieu de réveiller tout son courroux.
³⁹Il se souvenait : eux, cette chair,
   souffle qui s'en va et ne revient pas.

⁴⁰Que de fois ils le bravèrent au désert,
   l'offensèrent parmi les solitudes !
⁴¹Ils revenaient tenter Dieu,
   affliger le Saint d'Israël,
⁴²sans nul souvenir de sa main,
   ni du jour qu'il les sauva de l'adversaire.

⁴³Lui qui en Égypte mit ses signes,
   ses miracles aux champs de Tanis,
⁴⁴fit tourner en sang leurs fleuves,
   leurs ruisseaux pour les priver de boire.

⁴⁵Il leur envoya des taons qui dévoraient,
des grenouilles qui les infestaient ;
⁴⁶il livra au criquet leurs récoltes
et leur labeur à la sauterelle ;
⁴⁷il massacra par la grêle leur vigne
et leurs sycomores par la gelée ;
⁴⁸il remit à la grêle leur bétail
et leurs troupeaux aux éclairs.

⁴⁹Il lâcha sur eux le feu de sa colère,
emportement et fureur et détresse,
un envoi d'anges de malheur ;
⁵⁰il fraya un sentier à sa colère.

Il n'exempta pas leur âme de la mort,
à la peste il remit leur vie ;
⁵¹il frappa tout premier-né en Égypte,
la fleur de la race aux tentes de Cham.

⁵²Il poussa comme des brebis son peuple,
les mena comme un troupeau dans le désert ;
⁵³il les guida sûrement, ils furent sans crainte,
leurs ennemis, la mer les recouvrit.

⁵⁴Il les amena vers son saint territoire,
la montagne que sa droite a conquise ;
⁵⁵il chassa devant eux les païens,
il leur marqua au cordeau un héritage ;
il installa sous leurs tentes les tribus d'Israël.

⁵⁶Ils tentaient, ils bravaient Dieu le Très-Haut,
se refusaient à garder ses témoignages ;
⁵⁷ils déviaient, ils trahissaient comme leurs pères,
se retournaient comme un arc infidèle ;
⁵⁸ils l'indignaient avec leurs hauts lieux,
par leurs idoles ils le rendaient jaloux.

⁵⁹Dieu entendit et s'emporta,
il rejeta tout à fait Israël ;
⁶⁰il délaissa la demeure de Silo,
la tente où il demeurait chez les hommes.

⁶¹Il livra sa force à la captivité,
aux mains de l'adversaire sa splendeur ;
⁶²il remit son peuple à l'épée,
contre son héritage il s'emporta.

⁶³Ses cadets, le feu les dévora,
ses vierges n'eurent pas de chant de noces ;

⁶⁴ses prêtres tombèrent sous l'épée,
    ses veuves ne firent pas de lamentations.

⁶⁵Il s'éveilla comme un dormeur, le Seigneur,
    comme un vaillant terrassé par le vin,
⁶⁶il frappa ses adversaires au dos,
    les livra pour toujours à la honte.

⁶⁷Il rejeta la tente de Joseph,
    il n'élut pas la tribu d'Éphraïm ;
⁶⁸il élut la tribu de Juda,
    la montagne de Sion qu'il aime.
⁶⁹Il bâtit comme les hauteurs son sanctuaire,
    comme la terre qu'il fonda pour toujours.

⁷⁰Il élut David son serviteur,
    il le tira des parcs à moutons,
⁷¹de derrière les brebis mères il l'appela
    pour paître Jacob son peuple
    et Israël son héritage ;
⁷²il les paissait d'un cœur parfait,
    et d'une main sage les guidait.

Psaume 79 (78)

Plainte nationale.

¹*Psaume. D'Asaph.*

    Dieu, ils sont venus, les païens, dans ton héritage,
    ils ont souillé ton temple sacré ;
    ils ont fait de Jérusalem un tas de ruines,
²ils ont livré le cadavre de tes serviteurs
    en pâture à l'oiseau des cieux,
    la chair de tes fidèles aux bêtes de la terre.

³Ils ont versé le sang comme de l'eau
    alentour de Jérusalem, et pas un fossoyeur.
⁴Nous voici la risée de nos voisins,
    fable et moquerie de notre entourage.
⁵Jusques à quand, Yahvé, ta colère ? Jusqu'à la fin ?
    Ta jalousie brûlera-t-elle comme un feu ?

⁶Déverse ta fureur sur les païens,
      eux qui ne te connaissent pas,
    et sur les royaumes, ceux-là
      qui n'invoquent pas ton nom.
⁷Car ils ont dévoré Jacob
      et dévasté sa demeure.

⁸Ne retiens pas contre nous les fautes des ancêtres,
  hâte-toi, préviens-nous par ta tendresse,
  nous sommes à bout de force ;
⁹aide-nous, Dieu de notre salut,
  par égard pour la gloire de ton nom ;
  délivre-nous, efface nos péchés,
  à cause de ton nom.

¹⁰Pourquoi les païens diraient-ils : « Où est leur Dieu ? »
  Que sous nos yeux les païens connaissent la vengeance
  du sang de tes serviteurs, qui fut versé !
¹¹Que vienne devant toi la plainte du captif,
  par ton bras puissant, épargne les clients de la mort !

¹²Fais retomber sept fois sur nos voisins, à pleine mesure,
  leur insulte, l'insulte qu'ils t'ont faite, Seigneur.
¹³Et nous, ton peuple, le troupeau de ton bercail,
  nous te rendrons grâce à jamais
  et d'âge en âge publierons ta louange.

Psaume **80** (79)

Prière pour la restauration d'Israël.

¹*Du maître de chant. Sur l'air : « Des lys sont les préceptes. »*
D'Asaph. Psaume.

²Pasteur d'Israël, écoute,
  toi qui mènes Joseph comme un troupeau ;
  toi qui sièges sur les Chérubins, resplendis
³devant Éphraïm, Benjamin et Manassé,
  réveille ta vaillance
  et viens à notre secours.
⁴Dieu, fais-nous revenir,
  fais luire ta face et nous serons sauvés.

⁵Jusques à quand, Yahvé Dieu Sabaot,
  prendras-tu feu contre la prière de ton peuple ?
⁶Tu l'as nourri d'un pain de larmes,
  abreuvé de larmes à triple mesure ;
⁷tu fais de nous une question pour nos voisins
  et nos ennemis se moquent de nous.

⁸Dieu Sabaot, fais-nous revenir,
  fais luire ta face et nous serons sauvés.

⁹Il était une vigne : tu l'arraches d'Égypte,
  tu chasses des nations pour la planter ;
¹⁰devant elle tu fais place nette,
  elle prend racine et remplit le pays.

¹¹Les montagnes étaient couvertes de son ombre,
    et de ses pampres les cèdres de Dieu ;
¹²elle étendait ses sarments jusqu'à la mer
    et du côté du Fleuve ses rejetons.

¹³Pourquoi as-tu rompu ses clôtures,
    et tout passant du chemin la grappille,
¹⁴le sanglier des forêts la ravage
    et la bête des champs la dévore ?

¹⁵Dieu Sabaot, reviens enfin,
    observe des cieux et vois,
    visite cette vigne : ¹⁶protège-la,
    celle que ta droite a plantée.
¹⁷Ils l'ont brûlée par le feu comme une ordure,
    au reproche de ta face ils périront.

¹⁸Ta main soit sur l'homme de ta droite,
    le fils d'Adam que tu as confirmé !
¹⁹Jamais plus nous n'irons loin de toi ;
    rends-nous la vie, qu'on invoque ton nom.

²⁰Yahvé Dieu Sabaot, fais-nous revenir,
    fais luire ta face et nous serons sauvés.

Psaume **81** (80)

Pour la fête des Tentes.

¹*Du maître de chant. Sur la... de Gat. D'Asaph.*

²Criez de joie pour Dieu notre force,
    acclamez le Dieu de Jacob.

³Ouvrez le concert, frappez le tambourin,
    la douce harpe ainsi que la lyre ;
⁴sonnez du cor au mois nouveau,
    à la pleine lune, au jour de notre fête.

⁵Car Israël a une loi,
    un jugement du Dieu de Jacob,
⁶un témoignage qu'il mit en Joseph
    quand il sortit contre la terre d'Égypte.

Un langage inconnu se fait entendre
⁷« Du fardeau j'ai déchargé son épaule,
    ses mains ont lâché le couffin ;
⁸dans la détresse tu as crié, je t'ai sauvé.

Je te répondis caché dans l'orage,
    je t'éprouvai aux eaux de Meriba.   *Pause.*

⁹Écoute, mon peuple, je t'adjure,
ô Israël, si tu pouvais m'écouter !

¹⁰Qu'il n'y ait point chez toi un dieu d'emprunt,
n'adore pas un dieu étranger ;
¹¹c'est moi, Yahvé, ton Dieu,
qui t'ai fait monter de la terre d'Égypte,
ouvre large ta bouche, et je l'emplirai.

¹²Mon peuple n'a pas écouté ma voix,
Israël ne s'est pas rendu à moi ;
¹³je les laissai à leur cœur endurci,
ils marchaient ne suivant que leur conseil.

¹⁴Ah ! si mon peuple m'écoutait,
si dans mes voies marchait Israël,
¹⁵en un instant j'abattrais ses ennemis
et contre ses oppresseurs tournerais ma main.

¹⁶Les ennemis de Yahvé l'aduleraient,
et leur temps serait à jamais révolu.
¹⁷Je l'aurais nourri de la fleur du froment,
je t'aurais rassasié avec le miel du rocher. »

Psaume **82** (81)

Contre les princes païens.

¹*Psaume. D'Asaph.*

À l'assemblée divine, Dieu préside,
au milieu des dieux il juge :

²« Jusques à quand jugerez-vous faussement,
soutiendrez-vous les prestiges des impies ?   *Pause.*
³Jugez pour le faible et l'orphelin,
au malheureux, à l'indigent rendez justice ;
⁴libérez le faible et le pauvre,
de la main des impies délivrez-les.

⁵Sans savoir, sans comprendre, ils vont par la ténèbre,
toute l'assise de la terre s'ébranle.
⁶Moi, j'ai dit : Vous, des dieux,
des fils du Très-Haut, vous tous ?
⁷Mais non ! comme l'homme vous mourrez,
comme un seul, ô princes, vous tomberez. »

⁸Dresse-toi, ô Dieu, juge la terre,
car tu domines sur toutes les nations.

Psaume **83** (82)

Contre les ennemis d'Israël.

¹*Psaume. Cantique. D'Asaph.*

²Ô Dieu, ne reste pas muet,
  plus de repos, plus de silence, ô Dieu !
³Voici, tes adversaires grondent,
  tes ennemis lèvent la tête.

⁴Contre ton peuple ils trament un complot,
  conspirent contre tes protégés ⁵et disent :
  « Venez, retranchons-les des nations,
  qu'on n'ait plus souvenir du nom d'Israël ! »

⁶Ils conspirent tous d'un seul cœur,
  contre toi ils scellent une alliance :
⁷les tentes d'Édom et les Ismaélites,
  Moab et les Hagrites,
⁸Gébal, Ammon, Amaleq,
  la Philistie avec les gens de Tyr ;
⁹même Assur s'est joint à eux,
  il prête main-forte aux fils de Lot.   *Pause.*

¹⁰Fais d'eux comme de Madiân et de Sisera,
  comme de Yabîn au torrent de Qishôn ;
¹¹ils furent détruits à En-Dor,
  ils ont servi de fumier à la glèbe.
¹²Traite leurs princes comme Oreb et Zéeb,
  comme Zébah et Çalmunna, tous leurs chefs,
¹³eux qui disaient : À nous
  l'empire sur les demeures de Dieu !

¹⁴Mon Dieu, traite-les comme une roue d'acanthe,
  comme un fétu en proie au vent.
¹⁵Comme un feu dévore une forêt,
  comme la flamme embrase les montagnes,
¹⁶ainsi poursuis-les de ta bourrasque,
  par ton ouragan remplis-les d'épouvante.
¹⁷Couvre leur face de honte,
  qu'ils cherchent ton nom, Yahvé !
¹⁸Sur eux la honte et l'épouvante pour toujours,
  la confusion et la perdition,
¹⁹et qu'ils le sachent : toi seul as nom Yahvé,
  Très-Haut sur toute la terre.

Psaume **84** (83)

Chant de pèlerinage.

¹*Du maître de chœur. Sur la... de Gat. Des fils de Coré. Psaume.*

²Que tes demeures sont désirables,
    Yahvé Sabaot !
³Mon âme soupire et languit
    après les parvis de Yahvé,
mon cœur et ma chair crient de joie
    vers le Dieu vivant.

⁴Le passereau même a trouvé une maison,
et l'hirondelle un nid pour elle,
où elle pose ses petits :
    tes autels, Yahvé Sabaot,
    mon Roi et mon Dieu.

⁵Heureux les habitants de ta maison,
    ils te louent sans cesse.   *Pause.*
⁶Heureux les hommes dont la force est en toi,
    qui gardent au cœur les montées.

⁷Quand ils passent au val du Baumier,
    où l'on ménage une fontaine,
surcroît de bénédiction, la pluie d'automne les enveloppe.
⁸Ils marchent de hauteur en hauteur,
    Dieu leur apparaît dans Sion.

⁹Yahvé Dieu Sabaot, écoute ma prière,
    prête l'oreille, Dieu de Jacob ;   *Pause.*
¹⁰ô Dieu notre bouclier, vois,
    regarde la face de ton messie.

¹¹Mieux vaut un jour en tes parvis
    que mille à ma guise,
rester au seuil dans la maison de mon Dieu
    qu'habiter la tente de l'impie.

¹²Car Dieu est soleil et bouclier,
    il donne grâce et gloire ;
Yahvé ne refuse pas le bonheur
    à ceux qui marchent en parfaits.

¹³Yahvé Sabaot,
heureux qui se fie en toi !

Psaume 85 (84)

Prière pour la paix et la justice.

¹*Du maître de chant. Des fils de Coré. Psaume.*

²Ta complaisance, Yahvé, est pour ta terre,
tu fais revenir les captifs de Jacob ;
³tu as déchargé ton peuple de sa faute,
tu as couvert tout son péché ;   *Pause.*
⁴tu as renoncé à ton emportement,
tu es revenu de l'ardeur de ta colère.

⁵Fais-nous revenir, Dieu de notre salut,
apaise ton ressentiment contre nous !
⁶Seras-tu pour toujours irrité contre nous,
garderas-tu ta colère d'âge en âge ?

⁷Ne reviendras-tu pas nous vivifier,
et ton peuple en toi se réjouira ?
⁸Fais-nous voir, Yahvé, ton amour,
que nous soit donné ton salut !

⁹J'écoute. Que dit Dieu ?
Ce que dit Yahvé, c'est la paix
pour son peuple et ses fidèles,
pourvu qu'ils ne reviennent à leur folie.
¹⁰Proche est son salut pour qui le craint,
et la Gloire habitera notre terre.

¹¹Amour et Vérité se rencontrent,
Justice et Paix s'embrassent ;
¹²Vérité germera de la terre,
et des cieux se penchera la Justice ;

¹³Yahvé lui-même donnera le bonheur
et notre terre donnera son fruit ;
¹⁴Justice marchera devant lui
et de ses pas tracera un chemin.

Psaume 86 (85)

Prière dans l'épreuve.

¹*Prière. De David.*

Tends l'oreille, Yahvé, réponds-moi,
pauvre et malheureux que je suis ;
²garde mon âme, car je suis ton fidèle,
sauve ton serviteur qui a confiance en toi.

Tu es mon Dieu, ³pitié pour moi, Seigneur,
c'est toi que j'appelle tout le jour ;
⁴réjouis l'âme de ton serviteur,
quand j'élève mon âme vers toi, Seigneur.

⁵Seigneur, tu es pardon et bonté,
plein d'amour pour tous ceux qui t'appellent ;
⁶Yahvé, entends ma prière,
attentif à la voix de ma plainte.

⁷Au jour de l'angoisse, je t'appelle,
car tu me réponds, Seigneur ;
⁸entre les dieux, pas un comme toi,
rien qui ressemble à tes œuvres.

⁹Toutes les nations que tu as faites
viendront se prosterner devant toi, Seigneur
et rendre gloire à ton nom ;
¹⁰car tu es grand et tu fais des merveilles,
toi, Dieu, et toi seul.

¹¹Enseigne-moi, Yahvé, tes voies,
afin que je marche en ta vérité,
rassemble mon cœur pour craindre ton nom.

¹²Je te rends grâce de tout mon cœur,
Seigneur mon Dieu,
à jamais je rendrai gloire à ton nom,
¹³car ton amour est grand envers moi,
tu as tiré mon âme du tréfonds du shéol.

¹⁴Ô Dieu, des orgueilleux ont surgi contre moi,
une bande de forcenés pourchasse mon âme,
point de place pour toi devant eux.

¹⁵Mais toi, Seigneur, Dieu de tendresse et de pitié,
lent à la colère, plein d'amour et de vérité,
¹⁶tourne-toi vers moi, pitié pour moi !

Donne à ton serviteur ta force
et ton salut au fils de ta servante,
¹⁷fais pour moi un signe de bonté.

Ils verront, mes ennemis, et rougiront,
car toi, Yahvé, tu m'aides et me consoles.

Psaume 87 (86)

Sion, mère des peuples.

¹*Des fils de Coré. Psaume. Cantique.*

Sa fondation sur les montagnes saintes,
  ²Yahvé la chérit,

préférant les portes de Sion
   à toute demeure de Jacob.

3Il parle de toi pour ta gloire,
   cité de Dieu :   *Pause.*
4« Je compte Rahab et Babylone
   parmi ceux qui me connaissent,
voyez Tyr, la Philistie ou l'Éthiopie,
   un tel y est né. »

5Mais de Sion l'on dira :
« Tout homme y est né »
et celui qui l'affermit, c'est le Très-Haut.

6Yahvé inscrit au registre les peuples :
   « Un tel y est né »,   *Pause.*
7et les princes, comme les enfants.
Tous font en toi leur demeure.

Psaume 88 (87)

Prière du fond de la détresse.

1*Cantique. Psaume. Des fils de Coré. Du maître de chant. Pour la
maladie. Pour l'affliction. Poème. De Hémân l'indigène.*

2Yahvé, Dieu de mon salut,
   lorsque je crie la nuit devant toi,
3que jusqu'à toi vienne ma prière,
   prête l'oreille à mes sanglots.

4Car mon âme est rassasiée de maux
   et ma vie est au bord du shéol ;
5déjà compté comme descendu dans la fosse,
   je suis un homme fini :

6congédié chez les morts,
   pareil aux tués
   qui gisent dans la tombe,
   eux dont tu n'as plus souvenir
   et qui sont retranchés de ta main.

7Tu m'as mis au tréfonds de la fosse,
   dans les ténèbres, dans les abîmes ;
8sur moi pèse ta colère,
   tu déverses toutes tes vagues.   *Pause.*

9Tu as éloigné de moi mes compagnons,
   tu as fait de moi une horreur pour eux ;
je suis enfermé et ne puis sortir,

¹⁰mon œil est usé par le malheur.
Je t'appelle, Yahvé, tout le jour,
je tends les mains vers toi :

¹¹« Pour les morts fais-tu des merveilles,
les ombres se lèvent-elles pour te louer ?   *Pause.*
¹²Parle-t-on de ton amour dans la tombe,
de ta vérité au lieu de perdition ?
¹³Connaît-on dans la ténèbre tes merveilles
et ta justice au pays de l'oubli ? »

¹⁴Et moi, je crie vers toi, Yahvé,
le matin, ma prière te prévient ;
¹⁵pourquoi, Yahvé, repousses-tu mon âme,
caches-tu loin de moi ta face ?

¹⁶Malheureux et mourant dès mon enfance,
j'ai enduré tes effrois, je suis à bout ;
¹⁷sur moi ont passé tes colères,
tes épouvantes m'ont réduit à rien.

¹⁸Elles me cernent comme l'eau tout le jour,
se referment sur moi toutes ensemble.
¹⁹Tu éloignes de moi amis et proches ;
ma compagnie, c'est la ténèbre.

Psaume **89** (88)

Hymne et prière au Dieu fidèle.

¹*Poème. D'Étân l'indigène.*

²L'amour de Yahvé à jamais je le chante,
d'âge en âge ma parole annonce ta vérité.
³Car tu as dit : l'amour est bâti à jamais,
les cieux, tu fondes en eux ta vérité.

⁴« J'ai fait une alliance avec mon élu,
j'ai juré à David mon serviteur :
⁵À tout jamais j'ai fondé ta lignée,
je te bâtis d'âge en âge un trône. »   *Pause.*

⁶Les cieux rendent grâce pour ta merveille, Yahvé,
pour ta vérité, dans l'assemblée des saints.
⁷Qui donc en les nues se compare à Yahvé,
s'égale à Yahvé parmi les fils des dieux ?
⁸Dieu redoutable au conseil des saints,
grand et terrible à tout son entourage,
⁹Yahvé, Dieu Sabaot, qui est comme toi ?
Yahvé puissant, que ta vérité entoure !

¹⁰C'est toi qui maîtrises l'orgueil de la mer,
   quand ses flots se soulèvent, c'est toi qui les apaises ;
¹¹c'est toi qui fendis Rahab comme un cadavre,
   dispersas tes adversaires par ton bras puissant.

¹²À toi le ciel, à toi aussi la terre,
   le monde et son contenu, c'est toi qui les fondas ;
¹³le nord et le midi, c'est toi qui les créas,
   le Tabor et l'Hermon à ton nom crient de joie.

¹⁴À toi ce bras et sa prouesse,
   puissante est ta main, sublime est ta droite ;
¹⁵Justice et Droit sont l'appui de ton trône,
   Amour et Vérité marchent devant ta face.

¹⁶Heureux le peuple qui sait l'acclamation !
   Yahvé, à la clarté de ta face ils iront ;
¹⁷en ton nom ils jubilent tout le jour,
   en ta justice ils s'exaltent.

¹⁸L'éclat de leur puissance, c'est toi,
   dans ta faveur tu exaltes notre vigueur ;
¹⁹car à Yahvé est notre bouclier ;
   à lui, Saint d'Israël, est notre roi.

²⁰Jadis, en vision, tu as parlé
   et tu as dit à tes fidèles :
   « J'ai prêté assistance à un preux,
   j'ai exalté un cadet de mon peuple.

²¹J'ai trouvé David mon serviteur,
   je l'ai oint de mon huile sainte ;
²²pour lui ma main sera ferme,
   mon bras aussi le rendra fort.

²³L'adversaire ne pourra le tromper,
   le pervers ne pourra l'accabler ;
²⁴j'écraserai devant lui ses oppresseurs
   ses adversaires, je les frapperai.

²⁵Ma vérité et mon amour avec lui,
   par mon nom s'exaltera sa vigueur ;
²⁶j'établirai sa main sur la mer
   et sur les fleuves sa droite.

²⁷Il m'appellera : "Toi, mon père,
   mon Dieu et le rocher de mon salut !"
²⁸si bien que j'en ferai l'aîné,
   le très-haut sur les rois de la terre.

²⁹À jamais je lui garde mon amour,
mon alliance est pour lui véridique ;
³⁰j'ai pour toujours établi sa lignée,
et son trône comme les jours des cieux.

³¹Si ses fils abandonnent ma loi,
ne marchent pas selon mes jugements,
³²s'ils profanent mes préceptes
et ne gardent pas mes commandements,

³³je punirai leur révolte avec le fouet,
leur faute avec des coups,
³⁴mais sans lui retirer mon amour,
sans faillir dans ma vérité.

³⁵Point ne profanerai mon alliance,
ne dédirai le souffle de mes lèvres ;
³⁶une fois j'ai juré par ma sainteté :
mentir à David, jamais !

³⁷Sa lignée à jamais sera,
et son trône comme le soleil devant moi,
³⁸comme est fondée la lune à jamais,
témoin véridique dans la nue. »   *Pause.*

³⁹Mais toi, tu as rejeté et répudié,
tu t'es emporté contre ton oint ;
⁴⁰tu as renié l'alliance de ton serviteur,
tu as profané jusqu'à terre son diadème.

⁴¹Tu as fait brèche à toutes ses clôtures,
tu as mis en ruines ses lieux forts ;
⁴²tous les passants du chemin l'ont pillé,
ses voisins en ont fait une insulte.

⁴³Tu as donné la haute main à ses oppresseurs,
tu as mis en joie tous ses ennemis ;
⁴⁴tu as brisé son épée contre le roc,
tu ne l'as pas épaulé dans le combat.

⁴⁵Tu as ôté son sceptre de splendeur,
renversé son trône jusqu'à terre ;
⁴⁶tu as écourté les jours de sa jeunesse,
étalé sur lui la honte.   *Pause.*

⁴⁷Jusques à quand, Yahvé, seras-tu caché ? jusqu'à la fin ?
Brûlera-t-elle comme un feu, ta colère ?
⁴⁸Souviens-toi de moi : quelle est ma durée ?
Pour quel néant as-tu créé les fils d'Adam ?
⁴⁹Qui donc vivra sans voir la mort,
soustraira son âme à la griffe du shéol ?   *Pause.*

⁵⁰Où sont les prémices de ton amour, Seigneur ?
Tu as juré à David sur ta vérité.
⁵¹Souviens-toi, Seigneur, de l'insulte à ton serviteur :
je reçois en mon sein tous les traits des peuples ;
⁵²ainsi tes adversaires, Yahvé, ont insulté,
ainsi insulté les traces de ton oint !

⁵³Béni soit Yahvé à jamais !
Amen ! Amen !

Psaume **90** (89)

Fragilité de l'homme.

¹*Prière. De Moïse, homme de Dieu.*

Seigneur, tu as été pour nous
un refuge d'âge en âge.

²Avant que les montagnes fussent nées,
enfantés la terre et le monde,
de toujours à toujours tu es Dieu.

³Tu fais revenir le mortel à la poussière
en disant : « Revenez, fils d'Adam ! »
⁴Car mille ans sont à tes yeux
comme le jour d'hier qui passe,
comme une veille dans la nuit.

⁵Tu les submerges de sommeil,
ils seront le matin comme l'herbe qui pousse ;
⁶le matin, elle fleurit et pousse,
le soir, elle se flétrit et sèche.

⁷Par ta colère, nous sommes consumés,
par ta fureur, épouvantés.
⁸Tu as mis nos torts devant toi,
nos secrets sous l'éclat de ta face.

⁹Sous ton courroux tous nos jours déclinent,
nous consommons nos années comme un soupir.
¹⁰Le temps de nos années, quelque soixante-dix ans,
quatre-vingts, si la vigueur y est ;
mais leur grand nombre n'est que peine et mécompte,
car elles passent vite, et nous nous envolons.

¹¹Qui sait la force de ta colère
et, te craignant, connaît ton courroux ?

¹²Fais-nous savoir comment compter nos jours,
que nous venions de cœur à la sagesse !

¹³Reviens, Yahvé ! Jusques à quand ?
Prends en pitié tes serviteurs.

¹⁴Rassasie-nous de ton amour au matin,
nous serons dans la joie et le chant tous les jours.
¹⁵Rends-nous en joies tes jours de châtiment
et les années où nous connûmes le malheur.

¹⁶Paraisse ton œuvre pour tes serviteurs,
ta splendeur soit sur leurs enfants !
¹⁷La douceur du Seigneur soit sur nous !
Confirme l'ouvrage de nos mains !

Psaume **91** (90)

Sous les ailes divines.

¹Qui habite le secret d'Élyôn
passe la nuit à l'ombre de Shaddaï,
²disant à Yahvé :
Mon abri, ma forteresse,
mon Dieu sur qui je compte !

³C'est lui qui t'arrache au filet de l'oiseleur,
à la peste fatale ;
⁴il te couvre de ses ailes,
tu as sous son pennage un abri.
Armure et bouclier, sa vérité.

⁵Tu ne craindras ni les terreurs de la nuit,
ni la flèche qui vole de jour,
⁶ni la peste qui marche en la ténèbre,
ni le fléau qui dévaste à midi.

⁷Qu'il en tombe mille à tes côtés
et dix mille à ta droite,
toi, tu restes hors d'atteinte.

⁸Il suffit que tes yeux regardent,
tu verras le salaire des impies,
⁹toi qui dis : Yahvé mon abri !
et qui fais d'Élyôn ton refuge.

¹⁰Le malheur ne peut fondre sur toi,
ni la plaie approcher de ta tente :
¹¹il a pour toi donné ordre à ses anges
de te garder en toutes tes voies.

¹²Sur leurs mains ils te porteront
pour qu'à la pierre ton pied ne heurte ;

¹³sur le fauve et la vipère tu marcheras,
tu fouleras le lionceau et le dragon.

¹⁴Puisqu'il s'attache à moi, je l'affranchis,
je l'exalte puisqu'il connaît mon nom.

¹⁵Il m'appelle et je lui réponds :
« Je suis près de lui dans la détresse,
je le délivre et je le glorifie,
¹⁶de longs jours je veux le rassasier
et je ferai qu'il voie mon salut. »

Psaume 92 (91)

Cantique du juste.

¹*Psaume. Cantique. Pour le jour du sabbat.*

²Il est bon de rendre grâce à Yahvé,
de jouer pour ton nom, Très-Haut,
³de publier au matin ton amour,
ta fidélité au long des nuits,
⁴sur la lyre à dix cordes et la cithare,
avec un murmure de harpe.

⁵Tu m'as réjoui, Yahvé, par tes œuvres,
devant l'ouvrage de tes mains je m'écrie :
⁶« Que tes œuvres sont grandes, Yahvé,
combien profonds tes pensers ! »
⁷L'homme stupide ne sait pas,
cela, l'insensé n'y comprend rien.

⁸S'ils poussent comme l'herbe, les impies,
s'ils fleurissent, tous les malfaisants,
c'est pour être abattus à jamais,
⁹mais toi, tu es élevé pour toujours, Yahvé.

¹⁰Voici : tes ennemis périssent,
tous les malfaisants se dispersent ;
¹¹tu me donnes la vigueur du taureau,
tu répands sur moi l'huile fraîche ;
¹²mon œil a vu ceux qui m'épiaient,
mes oreilles ont entendu les méchants.

¹³Le juste poussera comme un palmier,
il grandira comme un cèdre du Liban.
¹⁴Plantés dans la maison de Yahvé,
ils pousseront dans les parvis de notre Dieu.

¹⁵Dans la vieillesse encore ils portent fruit,
ils restent frais et florissants,

¹⁶pour publier que Yahvé est droit :
mon Rocher, en lui rien de faux.

Psaume 93 (92)

Le Dieu de majesté.

¹Yahvé règne, il est vêtu de majesté,
il est vêtu, Yahvé, enveloppé de puissance.

Oui, le monde est stable ; point ne bronchera.
²Ton trône est établi dès l'origine,
depuis toujours, tu es.

³Les fleuves déchaînent, ô Yahvé,
les fleuves déchaînent leur voix,
les fleuves déchaînent leur fracas ;

⁴plus que la voix des eaux innombrables,
plus superbe que le ressac de la mer ;
superbe est Yahvé dans les hauteurs.

⁵Ton témoignage est véridique entièrement ;
la sainteté est l'ornement de ta maison,
Yahvé, en la longueur des jours.

Psaume 94 (93)

Le Dieu de justice.

¹Dieu des vengeances, Yahvé,
Dieu des vengeances, parais !
²Lève-toi, juge de la terre,
retourne aux orgueilleux leur salaire !

³Jusques à quand les impies, Yahvé,
jusques à quand les impies exultant ?
⁴Ils déblatèrent, ils ont le verbe haut,
ils se rengorgent, tous les malfaisants.

⁵Et ton peuple, Yahvé, qu'ils écrasent,
et ton héritage qu'ils oppriment,
⁶la veuve et l'étranger, ils les égorgent,
et l'orphelin, ils l'assassinent !

⁷Et ils disent : « Yahvé ne voit pas,
le Dieu de Jacob ne prend pas garde. »
⁸Prenez garde, stupides entre tous !
insensés, quand aurez-vous l'intelligence ?

⁹Lui qui planta l'oreille n'entendrait pas ?
   S'il a façonné l'œil, il ne verrait pas ?
¹⁰Lui qui reprend les peuples ne punirait pas ?
   Lui qui enseigne à l'homme le savoir,
¹¹Yahvé sait les pensées de l'homme
   et qu'elles sont du vent.

¹²Heureux l'homme que tu reprends, Yahvé,
   et que tu enseignes par ta loi,
¹³pour lui donner le repos aux mauvais jours,
   tant que se creuse une fosse pour l'impie.

¹⁴Car Yahvé ne délaisse point son peuple,
   son héritage, point ne l'abandonne ;
¹⁵le jugement revient vers la justice,
   tous les cœurs droits lui font cortège.

¹⁶Qui se lève pour moi contre les méchants,
   qui tient tête pour moi aux malfaisants ?
¹⁷Si Yahvé ne me venait en aide,
   bientôt mon âme habiterait le silence.

¹⁸Quand je dis : « Mon pied chancelle »,
   ton amour, Yahvé, me soutient ;
¹⁹dans l'excès des soucis qui m'envahissent,
   tes consolations délectent mon âme.

²⁰Es-tu l'allié d'un tribunal de perdition,
   érigeant en loi le désordre ?
²¹On s'attaque à la vie du juste,
   et le sang innocent, on le condamne.

²²Mais Yahvé est pour moi une citadelle,
   et mon Dieu, le rocher de mon refuge ;
²³il retourne contre eux leur méfait
   et pour leur malice il les fait taire,
   il les fait taire, Yahvé notre Dieu !

Psaume 95 (94)

Invitatoire.

¹Venez, crions de joie pour Yahvé,
   acclamons le Rocher de notre salut ;
²approchons de sa face en rendant grâce,
   au son des musiques acclamons-le.

³Car c'est un Dieu grand que Yahvé,
   un Roi grand par-dessus tous les dieux ;
⁴en sa main sont les creux de la terre

et les hauts des montagnes sont à lui ;
⁵à lui la mer, c'est lui qui l'a faite,
la terre ferme, ses mains l'ont façonnée.

⁶Entrez, courbons-nous, prosternons-nous ;
à genoux devant Yahvé qui nous a faits !
⁷Car c'est lui notre Dieu,
et nous le peuple de son bercail,
le troupeau de sa main.

Aujourd'hui si vous écoutiez sa voix !
⁸« N'endurcissez pas vos cœurs comme à Meriba,
comme au jour de Massa dans le désert,
⁹où vos pères m'éprouvaient,
me tentaient, alors qu'ils me voyaient agir !

¹⁰Quarante ans cette génération m'a dégoûté
et je dis : Toujours ces cœurs errants,
ces gens-là n'ont pas connu mes voies.
¹¹Alors j'ai juré en ma colère :
jamais ils ne parviendront à mon repos. »

Psaume 96 (95)

‖1 Ch 16 23-33.

Yahvé roi et juge.

¹Chantez à Yahvé un chant nouveau !
Chantez à Yahvé, toute la terre !
²Chantez à Yahvé, bénissez son nom !

Proclamez jour après jour son salut,
³racontez aux païens sa gloire,
à tous les peuples ses merveilles !

⁴Grand, Yahvé, et louable hautement,
redoutable, lui, par-dessus tous les dieux !
⁵Néant, tous les dieux des nations.

C'est Yahvé qui fit les cieux ;
⁶devant lui, splendeur et majesté,
dans son sanctuaire, puissance et beauté.

⁷Rapportez à Yahvé, familles des peuples,
rapportez à Yahvé gloire et puissance,
⁸rapportez à Yahvé la gloire de son nom.

Présentez l'oblation, entrez en ses parvis,
⁹adorez Yahvé dans son éclat de sainteté.
Tremblez devant lui, toute la terre.

[10]Dites chez les païens : « Yahvé règne. »
Le monde est stable, point ne bronchera.
Sur les peuples il prononce avec droiture.

[11]Joie au ciel ! exulte la terre !
Que gronde la mer, et sa plénitude !
[12]Qu'exulte la campagne, et tout son fruit,
que tous les arbres des forêts crient de joie,

[13]à la face de Yahvé, car il vient,
car il vient pour juger la terre ;
il jugera le monde en justice
et les peuples en sa vérité.

Psaume 97 (96)

Yahvé triomphant.

[1]Yahvé règne ! Exulte la terre,
que jubilent les îles nombreuses !
[2]Ténèbre et Nuée l'entourent,
Justice et Droit sont l'appui de son trône.

[3]Un feu devant lui s'avance
et dévore à l'entour ses adversaires ;
[4]ses éclairs illuminent le monde,
la terre voit et chavire.

[5]Les montagnes fondent comme la cire
devant le Maître de toute la terre ;
[6]les cieux proclament sa justice
et tous les peuples voient sa gloire.

[7]Honte aux servants des idoles,
eux qui se vantent de vanités ;
prosternez-vous devant lui, tous les dieux.

[8]Sion entend et jubile,
les filles de Juda exultent
à cause de tes jugements, Yahvé.

[9]Car toi, tu es Yahvé,
Très-Haut sur toute la terre,
surpassant de beaucoup tous les dieux.

[10]Yahvé aime qui déteste le mal,
il garde l'âme de ses fidèles
et de la main des impies les délivre.

[11]La lumière se lève pour le juste,
et pour l'homme au cœur droit, la joie.

¹²Justes, jubilez en Yahvé,
louez sa mémoire de sainteté.

Psaume 98 (97)

Le juge de la terre.

¹*Psaume.*

Chantez à Yahvé un chant nouveau,
car il a fait des merveilles ;
le salut lui vint de sa droite,
de son bras très saint.

²Yahvé a fait connaître sa victoire,
aux yeux des païens révélé sa justice,
³se rappelant son amour et sa fidélité
pour la maison d'Israël.

Tous les lointains de la terre ont vu
le salut de notre Dieu.
⁴Acclamez Yahvé, toute la terre,
éclatez en cris de joie !

⁵Jouez pour Yahvé sur la harpe,
au son des instruments ;
⁶au son de la trompette et du cor acclamez
à la face du roi Yahvé.

⁷Gronde la mer et sa plénitude,
le monde et son peuplement ;
⁸que tous les fleuves battent des mains
et les montagnes crient de joie,

⁹à la face de Yahvé, car il vient
pour juger la terre,
il jugera le monde en justice
et les peuples en droiture.

Psaume 99 (98)

Dieu, roi juste et saint.

¹Yahvé règne, les peuples tremblent ;
il siège sur les Chérubins, la terre chancelle ;
²dans Sion Yahvé est grand.

Il s'exalte, lui, par-dessus tous les peuples ;
³qu'ils célèbrent ton nom grand et redoutable :
il est saint, lui, ⁴et puissant.

Le roi qui aime le jugement, c'est toi ;
tu as fondé droiture, jugement et justice,
    en Jacob c'est toi qui agis.

⁵Exaltez Yahvé notre Dieu,
    prosternez-vous vers son marchepied :
        lui, il est saint.

⁶Moïse, Aaron parmi ses prêtres, et Samuel,
    appelant son nom, en appelaient à Yahvé :
        et lui, il leur répondait.

⁷Dans la colonne de nuée, il parlait avec eux ;
    eux gardaient ses témoignages, la Loi qu'il leur donna.

⁸Yahvé notre Dieu, toi, tu leur répondais,
    Dieu de pardon que tu étais pour eux,
        mais te vengeant de leurs méfaits.

⁹Exaltez Yahvé notre Dieu,
    prosternez-vous vers sa sainte montagne :
        saint est Yahvé notre Dieu.

Psaume **100** (99)

Appel à la louange.

¹*Psaume. Pour l'action de grâces.*

Acclamez Yahvé, toute la terre,
²servez Yahvé dans l'allégresse,
    venez à lui avec des chants de joie !

³Sachez-le, c'est Yahvé qui est Dieu,
    il nous a faits et nous sommes à lui,
        son peuple et le troupeau de son bercail.

⁴Venez à ses portiques en rendant grâce,
    à ses parvis en chantant louange,
        rendez-lui grâce, bénissez son nom !

⁵Il est bon, Yahvé,
    éternel est son amour,
        et d'âge en âge, sa vérité.

Psaume **101** (100)

Le miroir des princes.

¹*De David. Psaume.*

Je chanterai amour et jugement,
    pour toi, Yahvé, je jouerai ;

²j'avancerai dans la voie des parfaits :
quand viendras-tu vers moi ?

Je suivrai la perfection de mon cœur
dans ma maison ;
³point de place devant mes yeux
pour rien de vil.

Je hais les façons des dévoyés,
elles n'ont sur moi nulle prise ;
⁴loin de moi le cœur tortueux,
le méchant, je l'ignore.

⁵Qui dénigre en secret son prochain,
celui-là, je le fais taire ;
l'œil hautain, le cœur enflé,
je ne puis les souffrir.

⁶J'ai les yeux sur les hommes loyaux du pays,
qu'ils demeurent avec moi ;
celui qui marche dans la voie des parfaits
sera mon servant.

⁷Point de demeure en ma maison
pour le faiseur de tromperie ;
le diseur de mensonges ne tient pas
devant mes yeux.

⁸Au matin, je les fais taire,
tous les impies du pays,
pour retrancher de la ville de Yahvé
tous les malfaisants.

Psaume **102** (101)

Prière dans le malheur.

¹*Prière pour un malheureux qui dans son accablement répand sa
plainte devant Yahvé.*

²Yahvé, entends ma prière,
que mon cri vienne jusqu'à toi ;
³ne cache pas loin de moi ta face
au jour où l'angoisse me tient ;
incline vers moi ton oreille,
au jour où je t'appelle, vite, réponds-moi !

⁴Car mes jours s'en vont en fumée,
mes os brûlent comme un brasier ;
⁵battu comme l'herbe, mon cœur sèche

et j'oublie de manger mon pain ;
⁶à force de crier ma plainte,
ma peau s'est collée à mes os.

⁷Je ressemble au pélican du désert,
je suis pareil à la hulotte des ruines ;
⁸je veille et je gémis,
comme l'oiseau solitaire sur le toit ;
⁹tout le jour mes ennemis m'outragent,
ceux qui me louaient maudissent par moi.

¹⁰La cendre est le pain que je mange,
je mêle à ma boisson mes larmes,
¹¹devant ta colère et ta fureur,
car tu m'as soulevé puis rejeté ;
¹²mes jours sont comme l'ombre qui décline,
et moi comme l'herbe je sèche.

¹³Mais toi, Yahvé, tu trônes à jamais ;
d'âge en âge, mémoire de toi !
¹⁴Toi, tu te dresseras, attendri pour Sion,
car il est temps de la prendre en pitié,
car l'heure est venue ;
¹⁵car tes serviteurs en chérissent les pierres,
pris de pitié pour sa poussière.

¹⁶Et les païens craindront le nom de Yahvé,
et tous les rois de la terre, ta gloire ;
¹⁷quand Yahvé rebâtira Sion,
il sera vu dans sa gloire ;
¹⁸il se tournera vers la prière du spolié,
il n'aura pas méprisé sa prière.

¹⁹On écrira ceci pour l'âge à venir
et un peuple nouveau louera Dieu :
²⁰il s'est penché du haut de son sanctuaire, Yahvé,
et des cieux a regardé sur terre,
²¹afin d'écouter le soupir du captif,
de libérer les clients de la mort,
²²pour publier dans Sion le nom de Yahvé,
sa louange dans Jérusalem,
²³quand se joindront peuples et royaumes
pour rendre un culte à Yahvé.

²⁴En chemin ma force a fléchi ;
le petit nombre de mes jours, ²⁵fais-le-moi savoir,
ne me prends pas à la moitié de mes jours,
d'âge en âge vont tes années.

²⁶Depuis longtemps tu as fondé la terre,
et les cieux sont l'ouvrage de tes mains ;
²⁷eux périssent, toi tu restes,
tous comme un vêtement ils s'usent,
comme un habit qu'on change, tu les changes ;
²⁸mais toi, le même, sans fin sont tes années.

²⁹Les fils de tes serviteurs auront une demeure
et leur lignée subsistera devant toi.

Psaume **103** (102)

Dieu est amour.

¹*De David.*

Bénis Yahvé, mon âme,
du fond de mon être, son saint nom,
²bénis Yahvé, mon âme,
n'oublie aucun de ses bienfaits.

³Lui qui pardonne toutes tes fautes,
qui te guérit de toute maladie ;
⁴qui rachète à la fosse ta vie,
qui te couronne d'amour et de tendresse ;
⁵qui rassasie de biens tes années,
et comme l'aigle se renouvelle ta jeunesse.

⁶Yahvé qui fait œuvre de justice
et fait droit à tous les opprimés
⁷révéla ses desseins à Moïse,
aux enfants d'Israël ses hauts faits.

⁸Yahvé est tendresse et pitié,
lent à la colère et plein d'amour ;
⁹elle n'est pas jusqu'à la fin, sa querelle,
elle n'est pas pour toujours, sa rancune ;
¹⁰il ne nous traite pas selon nos péchés,
ne nous rend pas selon nos fautes.

¹¹Comme est la hauteur des cieux sur la terre,
puissant est son amour pour qui le craint ;
¹²comme est loin l'orient de l'occident,
il éloigne de nous nos péchés.

¹³Comme est la tendresse d'un père pour ses fils,
tendre est Yahvé pour qui le craint ;
¹⁴il sait de quoi nous sommes pétris,
il se souvient que poussière nous sommes.

¹⁵L'homme ! ses jours sont comme l'herbe,
comme la fleur des champs il fleurit ;
¹⁶sur lui, qu'un souffle passe, il n'est plus,
jamais plus ne le connaîtra sa place.

¹⁷Mais l'amour de Yahvé pour qui le craint
est de toujours à toujours,
et sa justice pour les fils de leurs fils,
¹⁸pour ceux qui gardent son alliance,
qui se souviennent d'accomplir ses volontés.

¹⁹Yahvé a fixé son trône dans les cieux,
par-dessus tout sa royauté domine.
²⁰Bénissez Yahvé, tous ses anges,
héros puissants, qui accomplissez sa parole,
attentifs au son de sa parole.

²¹Bénissez Yahvé, toutes ses armées,
serviteurs, ouvriers de son désir.
²²Bénissez, Yahvé, toutes ses œuvres
en tous lieux de son empire.

Bénis Yahvé, mon âme.

Psaume **104** (103)

Les splendeurs de la création.

¹Bénis Yahvé, mon âme.
Yahvé, mon Dieu, tu es si grand !
Vêtu de faste et d'éclat,
²drapé de lumière comme d'un manteau,
tu déploies les cieux comme une tente,
³tu bâtis sur les eaux tes chambres hautes ;
faisant des nuées ton char,
tu t'avances sur les ailes du vent ;
⁴tu prends les vents pour messagers,
pour serviteurs un feu de flammes.

⁵Tu poses la terre sur ses bases,
inébranlable pour les siècles des siècles.
⁶De l'abîme tu la couvres comme d'un vêtement,
sur les montagnes se tenaient les eaux.

⁷À ta menace, elles prennent la fuite,
à la voix de ton tonnerre, elles s'échappent ;
⁸elles sautent les montagnes, elles descendent les vallées
vers le lieu que tu leur as assigné ;
⁹tu mets une limite à ne pas franchir,
qu'elles ne reviennent couvrir la terre.

¹⁰Dans les ravins tu fais jaillir les sources,
elles cheminent au milieu des montagnes ;
¹¹elles abreuvent toutes les bêtes des champs,
les onagres y calment leur soif ;
¹²l'oiseau des cieux séjourne près d'elles,
sous la feuillée il élève la voix.

¹³De tes chambres hautes, tu abreuves les montagnes ;
la terre se rassasie du fruit de tes œuvres ;
¹⁴tu fais croître l'herbe pour le bétail
et les plantes à l'usage des humains,

pour qu'ils tirent le pain de la terre
¹⁵et le vin qui réjouit le cœur de l'homme,
pour que l'huile fasse luire les visages
et que le pain fortifie le cœur de l'homme.

¹⁶Les arbres de Yahvé se rassasient,
les cèdres du Liban qu'il a plantés ;
¹⁷c'est là que nichent les passereaux,
sur leur cime la cigogne a son gîte ;
¹⁸aux chamois, les hautes montagnes,
aux damans, l'abri des rochers.

¹⁹Il fit la lune pour marquer les temps,
le soleil connaît son coucher.
²⁰Tu poses la ténèbre, c'est la nuit,
toutes les bêtes des forêts s'y remuent.
²¹Les lionceaux rugissent après la proie
et réclament à Dieu leur manger.

²²Quand se lève le soleil, ils se retirent
et vont à leurs repaires se coucher ;
²³l'homme sort pour son ouvrage,
faire son travail jusqu'au soir.

²⁴Que tes œuvres sont nombreuses, Yahvé !
toutes avec sagesse tu les fis,
la terre est remplie de ta richesse.

²⁵Voici la grande mer aux vastes bras,
et là le remuement sans nombre
des animaux petits et grands,
²⁶là des navires se promènent
et Léviathan que tu formas pour t'en rire.

²⁷Tous ils espèrent de toi
que tu donnes en son temps leur manger ;
²⁸tu leur donnes, eux, ils ramassent,
tu ouvres la main, ils se rassasient.

²⁹Tu caches ta face, ils s'épouvantent,
   tu retires leur souffle, ils expirent,
   à leur poussière ils retournent.
³⁰Tu envoies ton souffle, ils sont créés,
   tu renouvelles la face de la terre.

³¹À jamais soit la gloire de Yahvé,
   que Yahvé se réjouisse en ses œuvres !
³²Il regarde la terre, elle tremble,
   il touche les montagnes, elles fument !

³³Je veux chanter à Yahvé tant que je vis,
   je veux jouer pour mon Dieu tant que je dure.
³⁴Puisse mon langage lui plaire,
   moi, j'ai ma joie en Yahvé !
³⁵Que les pécheurs disparaissent de la terre,
   les impies, qu'il n'en soit jamais plus !

   Bénis Yahvé, mon âme.

Psaume 105 (104)

L'histoire merveilleuse d'Israël.

Alleluia !

¹Rendez grâce à Yahvé, criez son nom,
   annoncez parmi les peuples ses hauts faits ;
²chantez-le, jouez pour lui,
   récitez toutes ses merveilles ;
³tirez gloire de son nom de sainteté,
   joie pour les cœurs qui cherchent Yahvé !

⁴Recherchez Yahvé et sa force,
   sans relâche poursuivez sa face ;
⁵rappelez-vous quelles merveilles il a faites,
   ses miracles et les jugements de sa bouche.

⁶Lignée d'Abraham son serviteur,
   enfants de Jacob son élu,
⁷c'est lui Yahvé notre Dieu :
   sur toute la terre ses jugements.

⁸Il se rappelle à jamais son alliance,
   parole promulguée pour mille générations,
⁹pacte conclu avec Abraham,
   serment qu'il fit à Isaac.

¹⁰Il l'érigea en loi pour Jacob,
   pour Israël en alliance à jamais,

¹¹disant : « Je te donne une terre,
 Canaan, votre part d'héritage. »

¹²Tant qu'on put les compter,
 peu nombreux, étrangers au pays,
¹³tant qu'ils allaient de nation en nation,
 d'un royaume à un peuple différent,

¹⁴il ne laissa personne les opprimer,
 à cause d'eux il châtia des rois :
¹⁵« Ne touchez pas à qui m'est consacré ;
 à mes prophètes ne faites pas de mal. »

¹⁶Il appela sur le pays la famine,
 il brisa leur bâton, le pain ;
¹⁷il envoya devant eux un homme,
 Joseph vendu comme esclave.

¹⁸On affligea ses pieds d'entraves,
 on lui passa les fers au cou ;
¹⁹le temps passa, son oracle s'accomplit,
 la parole de Yahvé le justifia.

²⁰Le roi envoya l'élargir,
 le maître des peuples, lui ouvrir ;
²¹il l'établit seigneur sur sa maison,
 maître de toute sa richesse,

²²pour instruire à son gré ses princes ;
 de ses anciens il fit des sages.
²³Israël passa en Égypte,
 Jacob séjourna au pays de Cham.

²⁴Il fit croître son peuple abondamment,
 le fortifia plus que ses oppresseurs ;
²⁵changeant leur cœur, il les fit haïr son peuple
 et ruser avec ses serviteurs.

²⁶Il envoya son serviteur Moïse,
 Aaron qu'il s'était choisi ;
²⁷ils firent chez eux les signes qu'il avait dits,
 des miracles au pays de Cham.

²⁸Il envoya la ténèbre et enténébra,
 mais ils bravèrent ses ordres.
²⁹Il changea leurs eaux en sang
 et fit périr leurs poissons.

³⁰Leur pays grouilla de grenouilles
 jusque dans les chambres des rois ;
³¹il dit, et les insectes passèrent,
 les moustiques sur toute la contrée.

³²Il leur donna pour pluie la grêle,
    flammes de feu sur leur pays ;
³³il frappa leur vigne et leur figuier,
    il brisa les arbres de leur contrée.

³⁴Il dit, et les sauterelles passèrent,
    les criquets, et ils étaient sans nombre,
³⁵et ils mangèrent toute herbe en leur pays
    et ils mangèrent le fruit de leur terroir.

³⁶Il frappa tout premier-né dans leur pays,
    toute la fleur de leur race ;
³⁷il les fit sortir avec or et argent,
    et pas un dans leurs tribus ne trébuchait.

³⁸L'Égypte se réjouit de leur sortie,
    elle en était saisie de terreur ;
³⁹il déploya une nuée pour les couvrir,
    un feu pour éclairer de nuit.

⁴⁰Ils demandèrent, il fit passer les cailles,
    du pain des cieux il les rassasia ;
⁴¹il ouvrit le rocher, les eaux jaillirent,
    dans le lieu sec elles coulaient comme un fleuve.

⁴²Se rappelant sa parole sacrée
    envers Abraham son serviteur,
⁴³il fit sortir son peuple dans l'allégresse,
    parmi les cris de joie, ses élus.

⁴⁴Il leur donna les terres des païens,
    du labeur des nations ils héritèrent,
⁴⁵en sorte qu'ils gardent ses décrets
    et qu'ils observent ses lois.

Psaume 106 (105)

Confession nationale.

¹Alleluia !

Rendez grâce à Yahvé, car il est bon,
    car éternel est son amour !
²Qui dira les prouesses de Yahvé,
    fera retentir toute sa louange ?

³Heureux qui observe le droit,
    qui pratique en tout temps la justice !
⁴Souviens-toi de moi, Yahvé,
    par amour de ton peuple,

visite-moi par ton salut,
⁵que je voie le bonheur de tes élus,
  joyeux de la joie de ton peuple,
  glorieux avec ton héritage !

⁶Nous avons failli avec nos pères,
  nous avons dévié, renié ;
⁷nos pères en Égypte
  n'ont pas compris tes merveilles.

Ils n'eurent pas souvenir de ton grand amour,
  ils bravèrent le Très-Haut à la mer des Joncs.
⁸Il les sauva à cause de son nom,
  pour faire connaître sa prouesse.

⁹Il menaça la mer des Joncs, elle sécha,
  il les mena sur l'abîme comme au désert,
¹⁰les sauva de la main de l'ennemi,
  les racheta de la main de l'adversaire.

¹¹Et les eaux recouvrirent leurs oppresseurs,
  pas un d'entre eux n'échappa.
¹²Alors ils eurent foi en ses paroles,
  ils chantèrent sa louange.

¹³Ils coururent oublier ses actions,
  ils n'attendirent pas même son projet ;
¹⁴ils brûlaient de désir dans le désert,
  ils tentaient Dieu parmi les solitudes.

¹⁵Il leur accorda leur demande :
  il envoya la fièvre dans leur âme ;
¹⁶ils jalousèrent Moïse dans le camp,
  Aaron le saint de Yahvé.

¹⁷La terre s'ouvre, elle avale Datân
  et recouvre la bande d'Abiram ;
¹⁸un feu s'allume contre leur bande,
  une flamme embrase les renégats.

¹⁹Ils fabriquèrent un veau en Horeb,
  se prosternèrent devant une idole de métal ;
²⁰ils échangèrent leur gloire
  pour l'image du bœuf mangeur d'herbe.

²¹Ils oubliaient Dieu qui les sauvait,
  l'auteur de grandes choses en Égypte,
²²de merveilles en terre de Cham,
  d'épouvantes sur la mer des Joncs.

²³Il parlait de les supprimer,
  si ce n'est que Moïse son élu
  se tint sur la brèche devant lui
  pour détourner son courroux de détruire.

²⁴Ils refusèrent une terre de délices,
  ils n'eurent pas foi en sa parole ;
²⁵ils murmurèrent sous leurs tentes,
  ils n'écoutèrent pas la voix de Yahvé.

²⁶Il leva la main sur eux,
  pour les abattre au désert,
²⁷pour abattre leur lignée chez les païens,
  pour les parsemer dans les pays.

²⁸Ils se mirent au joug de Baal-Péor
  et mangèrent les sacrifices des morts.
²⁹Ils l'indignèrent par leurs pratiques,
  un fléau éclata contre eux.

³⁰Alors se lève Pinhas, il tranche,
  alors s'arrête le fléau ;
³¹justice lui en est rendue
  d'âge en âge et pour toujours.

³²Ils le fâchèrent aux eaux de Meriba ;
  mal en prit à Moïse par leur faute,
³³car ils aigrirent son esprit
  et ses lèvres parlèrent trop vite.

³⁴Ils ne supprimèrent pas les peuples,
  ceux que Yahvé leur avait dits,
³⁵et ils se mêlaient aux païens,
  ils apprenaient leurs manières d'agir.

³⁶Ils en servaient les idoles,
  elles devenaient pour eux un piège !
³⁷Ils avaient sacrifié leurs fils
  et leurs filles aux démons.

³⁸Ils versaient le sang innocent,
  le sang de leurs fils et de leurs filles
  qu'ils sacrifiaient aux idoles de Canaan,
  et le pays fut profané de sang.

³⁹Ils se souillaient par leurs actions,
  ils se prostituaient par leurs pratiques ;
⁴⁰Yahvé prit feu contre son peuple,
  il eut en horreur son héritage.

⁴¹Il les livra aux mains des païens,
leurs adversaires devinrent leurs maîtres ;
⁴²leurs ennemis furent leurs tyrans,
ils furent courbés sous leur main.

⁴³Mainte et mainte fois il les délivra,
mais eux par bravade se révoltaient
et s'enfonçaient dans leur tort ;
⁴⁴il eut un regard pour leur détresse
alors qu'il entendait leur cri.

⁴⁵Il se souvint pour eux de son alliance,
il s'émut selon son grand amour ;
⁴⁶il leur donna d'apitoyer
tous ceux qui les tenaient captifs.

⁴⁷Sauve-nous, Yahvé notre Dieu,
rassemble-nous du milieu des païens
afin de rendre grâce à ton saint nom,
de nous féliciter en ta louange.

⁴⁸Béni soit Yahvé le Dieu d'Israël
depuis toujours jusqu'à toujours !
Et tout le peuple dira : Amen !

Psaume **107** (106)

Dieu sauve l'homme de tout péril.

Alleluia !

¹Rendez grâce à Yahvé, car il est bon,
car éternel est son amour !

²Ils le diront, les rachetés de Yahvé,
qu'il racheta de la main de l'oppresseur,
³qu'il rassembla du milieu des pays,
orient et occident, nord et midi.

⁴Ils erraient au désert, dans les solitudes,
sans trouver le chemin d'une ville habitée ;
⁵ils avaient faim, surtout ils avaient soif,
leur âme en eux défaillait.

⁶Et ils criaient vers Yahvé dans la détresse,
de leur angoisse il les a délivrés,
⁷acheminés par un droit chemin
pour aller vers la ville habitée.

⁸Qu'ils rendent grâce à Yahvé de son amour,
de ses merveilles pour les fils d'Adam !

⁹Il rassasia l'âme avide,
  l'âme affamée, il la combla de biens.

¹⁰Habitants d'ombre et de ténèbre,
  captifs de la misère et des fers,
¹¹pour avoir bravé l'ordre de Dieu
  et méprisé le projet du Très-Haut,
¹²il ploya leur cœur sous la peine,
  ils succombaient, et pas un pour les aider.

¹³Et ils criaient vers Yahvé dans la détresse,
  de leur angoisse il les a délivrés,
¹⁴il les tira de l'ombre et la ténèbre
  et il rompit leurs chaînes.

¹⁵Qu'ils rendent grâce à Yahvé de son amour,
  de ses merveilles pour les fils d'Adam !
¹⁶Car il brisa les portes d'airain,
  les barres de fer, il les fracassa.

¹⁷Insensés, sur les chemins du péché,
  misérables à cause de leurs fautes,
¹⁸tout aliment les dégoûtait,
  ils touchaient aux portes de la mort.

¹⁹Et ils criaient vers Yahvé dans la détresse,
  de leur angoisse il les a délivrés.
²⁰Il envoya sa parole, il les guérit,
  à la fosse il arracha leur vie.

²¹Qu'ils rendent grâce à Yahvé de son amour,
  de ses merveilles pour les fils d'Adam !
²²Qu'ils sacrifient des sacrifices d'action de grâces,
  qu'ils répètent ses œuvres en chants de joie !

²³Descendus en mer sur les navires,
  ils faisaient négoce parmi les grandes eaux ;
²⁴ceux-là ont vu les œuvres de Yahvé,
  ses merveilles parmi les abîmes.

²⁵Il dit et fit lever un vent de bourrasque
  qui souleva les flots ;
²⁶montant aux cieux, descendant aux gouffres,
  sous le mal leur âme fondait ;
²⁷tournoyant, titubant comme un ivrogne,
  leur sagesse était toute engloutie.

²⁸Et ils criaient vers Yahvé dans la détresse,
  de leur angoisse il les a délivrés.
²⁹Il ramena la bourrasque au silence
  et les flots se turent.

³⁰Ils se réjouirent de les voir s'apaiser,
il les mena jusqu'au port de leur désir.

³¹Qu'ils rendent grâce à Yahvé de son amour,
de ses merveilles pour les fils d'Adam !
³²Qu'ils l'exaltent dans l'assemblée du peuple,
au conseil des anciens qu'ils le louent !

³³Il changeait les fleuves en désert,
et les sources d'eau en soif,
³⁴un pays de fruits en saline,
à cause de la malice des habitants.

³⁵Mais il changea le désert en nappe d'eau,
une terre sèche en source d'eau ;
³⁶là il fit habiter les affamés,
et ils fondèrent une ville habitée.

³⁷Ils ensemencent des champs, plantent des vignes,
et font du fruit à récolter.
³⁸Il les bénit et ils croissent beaucoup,
il ne laisse pas diminuer leur bétail.

³⁹Ils étaient diminués, défaillants,
sous l'étreinte des maux et des peines ;
⁴⁰déversant le mépris sur les princes,
il les perdait en un chaos sans chemin.

⁴¹Mais il relève le pauvre de sa misère,
il multiplie comme un troupeau les familles ;
⁴²les cœurs droits voient et se réjouissent,
tout ce qui ment a la bouche fermée.

⁴³Est-il un sage ? qu'il observe ces choses
et comprenne l'amour de Yahvé !

Psaume **108** (107)

Hymne matinal et prière nationale.

¹*Cantique. Psaume. De David.*

²Mon cœur est prêt, ô Dieu,
   – je veux chanter, je veux jouer ! –
allons, ma gloire,
³éveille-toi, harpe, cithare,
que j'éveille l'aurore !

⁴Je veux te louer chez les peuples, Yahvé,
jouer pour toi dans les pays ;
⁵grand par-dessus les cieux ton amour,
jusqu'aux nues, ta vérité.

⁶Ô Dieu, élève-toi sur les cieux.
  Sur toute la terre, ta gloire !

⁷Pour que soient délivrés tes bien-aimés,
  sauve par ta droite et réponds-nous.

⁸Dieu a parlé en son sanctuaire :
  « J'exulte, je partage Sichem,
  j'arpente la vallée de Sukkot.

⁹« À moi Galaad, à moi Manassé,
  Éphraïm, l'armure de ma tête,
  Juda, mon bâton de commandement,

¹⁰« Moab, le bassin où je me lave !
  sur Édom, je jette ma sandale,
  contre la Philistie je crie victoire. »

¹¹Qui me mènera dans une ville forte,
  qui me conduira jusqu'en Édom,
¹²sinon Dieu, toi qui nous as rejetés,
  Dieu qui ne sors plus avec nos armées.

¹³Porte-nous secours dans l'oppression :
  néant, le salut de l'homme !
¹⁴Avec Dieu nous ferons des prouesses,
  et lui piétinera nos oppresseurs.

Psaume 109 (108)

Psaume imprécatoire.

¹*Du maître de chant. De David. Psaume.*

  Dieu de ma louange, ne te tais plus !
²Bouche méchante et bouche d'imposture
    s'ouvrent contre moi.
  On me parle une langue de mensonge,
³de paroles de haine on m'entoure,
    on m'attaque sans raison.

⁴Pour prix de mon amitié, on m'accuse,
    et je ne suis que prière ;
⁵on amène sur moi le malheur
    pour prix du bienfait,
  la haine pour prix de mon amitié.

⁶« Suscite contre lui le méchant,
    que l'accusateur se tienne à sa droite ;
⁷du jugement qu'il sorte coupable,
    que sa prière soit tenue pour péché !

⁸Que les jours lui soient écourtés,
  qu'un autre prenne sa charge ;
⁹que ses enfants deviennent orphelins
  et sa femme, une veuve !

¹⁰Ses fils, qu'ils errent et qu'ils errent,
  qu'ils mendient et qu'on les chasse de leurs ruines ;
¹¹que l'usurier rafle tout son bien,
  que l'étranger pille son revenu !

¹²Que pas un ne lui reste charitable,
  que pas un n'ait pitié de ses orphelins,
¹³que soit retranchée sa descendance,
  qu'en une génération soit effacé leur nom !

¹⁴Que Yahvé se souvienne du tort de ses pères,
  que le péché de sa mère ne soit pas effacé ;
¹⁵qu'ils soient devant Yahvé constamment,
  pour qu'il retranche de la terre leur souvenir ! »

¹⁶Lui ne s'est pas souvenu d'être charitable :
  il pourchassait le pauvre et le malheureux,
  jusqu'à la mort, l'homme au cœur brisé.
¹⁷Il aimait la malédiction : elle vient à lui !
  Il ne goûtait pas la bénédiction : elle le quitte !

¹⁸Il revêtait la malédiction comme un manteau :
  elle entre au fond de lui comme de l'eau,
  et comme de l'huile dans ses os.
¹⁹Qu'elle lui soit un vêtement qui l'enveloppe,
  une ceinture qui l'enserre constamment !

²⁰Tel soit, de par Yahvé, le salaire de mes accusateurs
  qui profèrent le mal sur mon âme !
²¹Mais toi, Yahvé, agis pour moi selon ton nom,
  délivre-moi, car ton amour est bonté.

²²Pauvre et malheureux que je suis,
  mon cœur est blessé au fond de moi ;
²³comme l'ombre qui décline je m'en vais,
  on m'a secoué comme la sauterelle.

²⁴À tant jeûner mes genoux fléchissent,
  ma chair est amaigrie faute d'huile ;
²⁵on a fait de moi une insulte,
  ceux qui me voient hochent la tête.

²⁶Aide-moi, Yahvé mon Dieu,
  sauve-moi selon ton amour :
²⁷qu'ils le sachent, c'est là ta main,
  toi, Yahvé, voilà ton œuvre !

²⁸Eux maudissent, et toi tu béniras,
  ils attaquent, honte sur eux, et joie pour ton serviteur !
²⁹Qu'ils soient vêtus d'humiliation, ceux qui m'accusent,
  enveloppés de leur honte comme d'un manteau !

³⁰Grandes grâces à Yahvé sur mes lèvres,
  louange à lui parmi la multitude ;
³¹car il se tient à la droite du pauvre
  pour sauver de ses juges son âme.

Psaume 110 (109)

Cf. Ps 2.

Le Sacerdoce du Messie.

¹*De David. Psaume.*

Oracle de Yahvé à mon Seigneur : « Siège à ma droite,
  tant que j'aie fait de tes ennemis l'escabeau de tes pieds. »

²Ton sceptre de puissance, Yahvé l'étendra :
  depuis Sion, domine jusqu'au cœur de l'ennemi.

³À toi le principat au jour de ta naissance,
  les honneurs sacrés dès le sein, dès l'aurore de ta jeunesse.

⁴Yahvé l'a juré, il ne s'en dédira point :
  « Tu es prêtre à jamais selon l'ordre de Melchisédech. »

⁵À ta droite, Seigneur,
  il abat les rois au jour de sa colère ;
⁶il fait justice des nations, entassant des cadavres,
  il abat les têtes sur l'immensité de la terre.
⁷Au torrent il s'abreuve en chemin,
  c'est pourquoi il redresse la tête.

Psaume 111 (110)

Éloge des œuvres divines.

¹Alleluia !

Aleph.	Je rends grâce à Yahvé de tout cœur
Bèt.	dans le cercle des justes et l'assemblée.
Gimel.	²Grandes sont les œuvres de Yahvé,
Dalèt.	dignes d'étude pour qui les aime.
Hé.	³Faste et splendeur, son ouvrage ;
Vav.	sa justice demeure à jamais.
Zaïn.	⁴Il laisse un mémorial de ses merveilles.
Hèt.	Yahvé est tendresse et pitié.

Tèt.	⁵Il donne à qui le craint la nourriture,
Yod.	il se souvient de son alliance pour toujours.
Kaph.	⁶Il fait voir à son peuple la vertu de ses œuvres,
Lamed.	en lui donnant l'héritage des nations.
Mem.	⁷Justice et vérité, les œuvres de ses mains,
Nun.	fidélité, toutes ses lois,
Samek.	⁸établies pour toujours et à jamais,
Aïn.	accomplies avec droiture et vérité.
Phè.	⁹Il envoie la délivrance à son peuple,
Cadé.	il déclare pour toujours son alliance ;
Qoph.	saint et redoutable est son nom.
Resh.	¹⁰Principe du savoir : la crainte de Yahvé ;
Shin.	bien avisés tous ceux qui s'y tiennent.
Tav.	Sa louange demeure à jamais.

Psaume **112** (111)

Éloge du juste.

¹Alleluia !

Aleph.	Heureux l'homme qui craint Yahvé,
Bèt.	et se plaît fort à ses préceptes !
Gimel.	²Sa lignée sera puissante sur la terre,
Dalèt.	et bénie la race des hommes droits.
Hé.	³Opulence et bien-être en sa maison ;
Vav.	sa justice demeure à jamais.
Zaïn.	⁴Il se lève en la ténèbre, lumière des cœurs droits,
Hèt.	pitié, tendresse et justice.
Tèt.	⁵Bienheureux l'homme qui prend pitié et prête,
Yod.	qui règle ses affaires avec droiture.
Kaph.	⁶Non, jamais il ne chancelle,
Lamed.	en mémoire éternelle sera le juste.
Mem.	⁷Il ne craint pas d'annonces de malheur,
Nun.	ferme est son cœur, confiant en Yahvé ;
Samek.	⁸son cœur est assuré, il ne craint pas :
Aïn.	à la fin il toisera ses oppresseurs.
Phé.	⁹Il fait largesse, il donne aux pauvres ;
Cadé.	sa justice demeure à jamais,
Qoph.	sa vigueur rehausse son prestige.

Resh.   ¹⁰L'impie le voit et s'irrite,
Shin.   il grince des dents et dépérit.
Tav.   Le désir des impies va se perdre.

Psaume 113 (112)

Au Dieu de gloire et de pitié.

¹Alleluia !

Louez, serviteurs de Yahvé,
louez le nom de Yahvé !
²Béni soit le nom de Yahvé,
dès maintenant et à jamais !
³Du lever du soleil à son coucher,
loué soit le nom de Yahvé !

⁴Plus haut que tous les peuples, Yahvé !
plus haut que tous les cieux, sa gloire !
⁵Qui est comme Yahvé notre Dieu,
lui qui s'élève pour siéger
⁶et s'abaisse pour voir cieux et terre ?

⁷De la poussière il relève le faible,
du fumier il retire le pauvre,
⁸pour l'asseoir au rang des princes,
au rang des princes de son peuple.
⁹Il assied la stérile en sa maison,
mère en ses fils heureuse.

Psaume 114 (113 A)

Hymne pascal.

Alleluia !

¹Quand Israël sortit d'Égypte,
la maison de Jacob, de chez un peuple barbare,
²Juda lui devint un sanctuaire,
et Israël, le lieu de son empire.

³La mer voit et s'enfuit,
le Jourdain retourne en arrière ;
⁴les montagnes sautent comme des béliers
et les collines comme des agneaux.

⁵Qu'as-tu, mer, à t'enfuir,
Jourdain, à retourner en arrière,
⁶et vous, montagnes, à sauter comme des béliers,
collines, comme des agneaux ?

⁷Tremble, terre, devant la face du Maître,
  devant la face du Dieu de Jacob,
⁸qui change le rocher en étang
  et le caillou en source.

Psaume 115 (113 B)

Le seul vrai Dieu.

¹Non pas à nous, Yahvé, non pas à nous,
  mais à ton nom rapporte la gloire,
  pour ton amour et pour ta vérité !
²Que les païens ne disent : « Où est leur Dieu ? »

³Notre Dieu, il est dans les cieux,
  tout ce qui lui plaît, il le fait.
⁴Leurs idoles, or et argent,
  une œuvre de main d'homme !

⁵Elles ont une bouche et ne parlent pas,
  elles ont des yeux et ne voient pas,
⁶elles ont des oreilles et n'entendent pas,
  elles ont un nez et ne sentent pas.

⁷Leurs mains, mais elles ne touchent point,
  leurs pieds, mais ils ne marchent point,
  de leur gosier, pas un murmure !

⁸Que leurs auteurs leur ressemblent,
  tous ceux qui comptent sur elles !

⁹Maison d'Israël, mets ta foi en Yahvé,
  lui, leur secours et bouclier !
¹⁰Maison d'Aaron, mets ta foi en Yahvé,
  lui, leur secours et bouclier !
¹¹Ceux qui craignent Yahvé, ayez foi en Yahvé,
  lui, leur secours et bouclier !

¹²Yahvé se souvient de nous, il bénira,
  il bénira la maison d'Israël,
  il bénira la maison d'Aaron,
¹³il bénira ceux qui craignent Yahvé,
  les petits avec les grands.

¹⁴Que Yahvé vous fasse croître,
  vous et vos enfants !
¹⁵Bénis soyez-vous de Yahvé
  qui a fait le ciel et la terre !

¹⁶Le ciel, c'est le ciel de Yahvé,
  la terre, il l'a donnée aux fils d'Adam.

¹⁷Non, les morts ne louent point Yahvé,
le cri de ma prière,
ni tous ceux qui descendent au Silence ;
¹⁸mais nous, les vivants, nous bénissons Yahvé
dès maintenant et à jamais.

Psaume **116** (114-115)

Action de grâces.

Alleluia !

¹J'aime, lorsque Yahvé entend
le cri de ma prière,
²lorsqu'il tend l'oreille vers moi,
le jour où j'appelle.

³Les lacets de la mort m'enserraient,
les filets du shéol ;
l'angoisse et l'affliction me tenaient,
⁴j'appelai le nom de Yahvé.

De grâce, Yahvé, délivre mon âme !

⁵Yahvé a pitié, il est juste,
notre Dieu est tendresse ;
⁶Yahvé protège les simples,
je faiblissais, il m'a sauvé.

⁷Retourne, mon âme, à ton repos,
car Yahvé t'a fait du bien.
⁸Il a gardé mon âme de la mort, mes yeux des larmes
et mes pieds du faux pas :
⁹je marcherai à la face de Yahvé
sur la terre des vivants.

¹⁰Je crois, lors même que je dis :
« Je suis trop malheureux »,
¹¹moi qui ai dit dans mon trouble :
« Tout homme n'est que mensonge. »

¹²Comment rendrai-je à Yahvé
tout le bien qu'il m'a fait ?
¹³J'élèverai la coupe du salut,
j'appellerai le nom de Yahvé.

¹⁴J'accomplirai mes vœux envers Yahvé,
oui, devant tout son peuple !
¹⁵Elle coûte aux yeux de Yahvé,
la mort de ses fidèles.

¹⁶De grâce, Yahvé, je suis ton serviteur,
  je suis ton serviteur fils de ta servante,
    tu as défait mes liens.
¹⁷Je t'offrirai le sacrifice d'action de grâces,
  j'appellerai le nom de Yahvé.

¹⁸J'accomplirai mes vœux envers Yahvé,
  oui, devant tout son peuple,
¹⁹dans les parvis de la maison de Yahvé,
  au milieu de toi, Jérusalem !

Psaume **117** (116)

Appel à la louange.

Alleluia !

¹Louez Yahvé, tous les peuples,
  fêtez-le, tous les pays !
²Fort est son amour pour nous,
  pour toujours sa vérité.

Psaume **118** (117)

Liturgie pour la fête des Tentes.

Alleluia !

¹Rendez grâce à Yahvé, car il est bon,
  car éternel est son amour !

²Qu'elle le dise, la maison d'Israël :
  éternel est son amour !
³Qu'elle le dise, la maison d'Aaron :
  éternel est son amour !
⁴Qu'ils le disent, ceux qui craignent Yahvé :
  éternel est son amour !

⁵De mon angoisse, j'ai crié vers Yahvé,
  il m'exauça, me mit au large.
⁶Yahvé est pour moi, plus de crainte,
  que me fait l'homme, à moi ?
⁷Yahvé est pour moi, mon aide entre tous,
  j'ai toisé mes ennemis.

⁸Mieux vaut s'abriter en Yahvé
  que se fier en l'homme ;
⁹mieux vaut s'abriter en Yahvé
  que se fier aux puissants.

10Les païens m'ont tous entouré,
   au nom de Yahvé je les sabre ;
11ils m'ont entouré, enserré,
   au nom de Yahvé je les sabre ;

12ils m'ont entouré comme des guêpes,
   ils ont flambé comme feu de ronces,
   au nom de Yahvé je les sabre.

13On m'a poussé, poussé pour m'abattre,
   mais Yahvé me vient en aide ;
14ma force et mon chant, c'est Yahvé,
   il fut pour moi le salut.

15Clameurs de joie et de salut
   sous les tentes des justes :
   « La droite de Yahvé a fait prouesse,
16la droite de Yahvé a le dessus,
   la droite de Yahvé a fait prouesse ! »

17Non, je ne mourrai pas, je vivrai
   et publierai les œuvres de Yahvé ;
18il m'a châtié et châtié, Yahvé,
   à la mort il ne m'a pas livré.

19Ouvrez-moi les portes de justice,
   j'entrerai, je rendrai grâce à Yahvé !
20C'est ici la porte de Yahvé,
   les justes entreront.
21Je te rends grâce, car tu m'as exaucé,
   tu fus pour moi le salut.

22La pierre qu'ont rejetée les bâtisseurs
   est devenue la tête de l'angle ;
23c'est là l'œuvre de Yahvé,
   ce fut merveille à nos yeux.
24Voici le jour que fit Yahvé,
   pour nous allégresse et joie.

25De grâce, Yahvé, donne le salut !
   De grâce, Yahvé, donne la victoire !
26Béni soit au nom de Yahvé celui qui vient !
   Nous vous bénissons de la maison de Yahvé.
27Yahvé est Dieu, il nous illumine.

   Serrez vos cortèges, rameaux en main,
   jusqu'aux cornes de l'autel.

28C'est toi mon Dieu, je te rends grâce,
   mon Dieu, je t'exalte ;

je te rends grâce, car tu m'as exaucé,
  tu fus pour moi le salut.

²⁹Rendez grâce à Yahvé, car il est bon,
  car éternel est son amour !

Psaume 119 (118)

Éloge de la loi divine.

Aleph. ¹Heureux, impeccables en leur voie,
  ceux qui marchent dans la loi de Yahvé !
²Heureux, gardant son témoignage,
  ceux qui le cherchent de tout cœur,
³et qui sans commettre de mal,
  marchent dans ses voies !
⁴Toi, tu promulgues tes préceptes,
  à observer entièrement.
⁵Puissent mes voies se fixer
  à observer tes volontés.
⁶Alors je n'aurai nulle honte
  en revoyant tous tes commandements.
⁷Je te rendrai grâce en droiture de cœur,
  instruit de tes justes jugements.
⁸Tes volontés, je les veux observer,
  ne me délaisse pas entièrement.

Bèt. ⁹Comment, jeune, garder pur son chemin ?
  À observer ta parole.
¹⁰De tout mon cœur c'est toi que je cherche,
  ne m'écarte pas de tes commandements.
¹¹Dans mon cœur j'ai conservé tes promesses
  pour ne point faillir envers toi.
¹²Béni que tu es Yahvé,
  apprends-moi tes volontés !
¹³De mes lèvres je les ai tous énumérés,
  les jugements de ta bouche.
¹⁴Dans la voie de ton témoignage je jubile
  plus qu'en toute richesse.
¹⁵Sur tes préceptes je veux méditer
  et regarder à tes chemins.
¹⁶Je trouve en tes volontés mes délices,
  je n'oublie pas ta parole.

Gimel. ¹⁷Sois bon pour ton serviteur et je vivrai,
  j'observerai ta parole.
¹⁸Ouvre mes yeux : je regarderai
  aux merveilles de ta loi.

¹⁹Étranger que je suis sur la terre,
ne me cache pas tes commandements.
²⁰Mon âme se consume à désirer
en tout temps tes jugements.
²¹Tu t'en prends aux superbes, aux maudits,
qui sortent de tes commandements.
²²Décharge-moi de l'insulte et du mépris,
car je garde ton témoignage.
²³Que des princes tiennent séance et parlent contre moi,
ton serviteur médite tes volontés.
²⁴Ton témoignage, voilà mes délices,
tes volontés, mes conseillers.

Dalèt.

²⁵Mon âme est collée à la poussière,
vivifie-moi selon ta parole.
²⁶J'énumère mes voies, tu me réponds,
apprends-moi tes volontés.
²⁷Fais-moi comprendre la voie de tes préceptes,
je méditerai sur tes merveilles.
²⁸Mon âme se fond de chagrin,
relève-moi selon ta parole.
²⁹Détourne-moi de la voie de mensonge,
fais-moi la grâce de ta loi.
³⁰J'ai choisi la voie de vérité,
je me conforme à tes jugements.
³¹J'adhère à ton témoignage,
Yahvé, ne me déçois pas.
³²Je cours sur la voie de tes commandements,
car tu as mis mon cœur au large.

Hé.

³³Enseigne-moi, Yahvé, la voie de tes volontés,
je la veux garder en récompense.
³⁴Fais-moi comprendre et que je garde ta loi,
que je l'observe de tout cœur.
³⁵Guide-moi au chemin de tes commandements,
car j'ai là mon plaisir.
³⁶Infléchis mon cœur vers ton témoignage,
et non point vers le gain.
³⁷Libère mes yeux des images de rien,
vivifie-moi par ta parole.
³⁸Tiens ta promesse à ton serviteur,
afin qu'on te craigne.
³⁹Libère-moi de l'insulte qui m'épouvante,
tes jugements sont les bienvenus.
⁴⁰Voici, j'ai désiré tes préceptes,
vivifie-moi par ta justice.

Vav.   41Que me vienne ton amour, Yahvé,
              ton salut selon ta promesse !
           42Que je riposte à l'insulte par la parole,
              car je compte sur ta parole.
           43N'ôte pas de ma bouche la parole de vérité,
              car j'espère en tes jugements.
           44J'observerai ta loi sans relâche
              pour toujours et à jamais.
           45Je serai au large en ma démarche,
              car je cherche tes préceptes.
           46Devant les rois je parlerai de ton témoignage,
              et n'aurai nulle honte.
           47Tes commandements ont fait mes délices,
              je les ai beaucoup aimés.
           48Je tends les mains vers tes commandements que j'aime,
              tes volontés, je les médite.

Zaïn.   49Rappelle-toi ta parole à ton serviteur,
              dont tu fis mon espoir.
           50Voici ma consolation dans ma misère :
              ta promesse me vivifie.
           51Les superbes m'ont bafoué à plaisir,
              sur ta loi je n'ai pas fléchi.
           52Je me rappelle tes jugements d'autrefois,
              Yahvé, et je me console.
           53La fureur me prend devant les impies,
              qui délaissent ta loi.
           54Cantiques pour moi, que tes volontés,
              en ma demeure d'étranger.
           55Je me rappelle dans la nuit ton nom, Yahvé,
              et j'observe ta loi.
           56Voici qui est pour moi :
              garder tes préceptes.

Hèt.   57Ma part, ai-je dit, Yahvé,
              c'est d'observer tes paroles.
           58De tout cœur, je veux attendrir ta face,
              pitié pour moi selon ta promesse !
           59Je fais réflexion sur mes voies
              et je reviens à ton témoignage.
           60Je me hâte et je ne retarde
              d'observer tes commandements.
           61Les filets des impies m'environnent,
              je n'oublie pas ta loi.
           62Je me lève à minuit, te rendant grâce
              pour tes justes jugements,

⁶³allié que je suis de tous ceux qui te craignent
    et observent tes préceptes.
⁶⁴De ton amour, Yahvé, la terre est pleine,
    apprends-moi tes volontés.

Tèt.   ⁶⁵Tu as fait du bien à ton serviteur,
    Yahvé, selon ta parole.
⁶⁶Apprends-moi le bon sens et le savoir,
    car j'ai foi dans tes commandements.
⁶⁷Avant d'être affligé je m'égarais,
    maintenant j'observe ta promesse.
⁶⁸Toi, le bon, le bienfaisant,
    apprends-moi tes volontés.
⁶⁹Les superbes m'englent de mensonge,
    moi de tout cœur je garde tes préceptes.
⁷⁰Leur cœur est épais comme la graisse,
    moi, ta loi fait mes délices.
⁷¹Un bien pour moi, que d'être affligé
    afin d'apprendre tes volontés.
⁷²Un bien pour moi, que la loi de ta bouche,
    plus que millions d'or et d'argent.

Yod.   ⁷³Tes mains m'ont fait et fixé,
    fais-moi comprendre, j'apprendrai tes commande-
    ments.
⁷⁴Qui te craint me voit avec joie,
    car j'espère en ta parole.
⁷⁵Je sais, Yahvé, qu'ils sont justes, tes jugements,
    que tu m'affliges avec vérité.
⁷⁶Que ton amour me soit consolation,
    selon ta promesse à ton serviteur !
⁷⁷Que m'advienne ta tendresse et je vivrai,
    car ta loi fait mes délices.
⁷⁸Honte aux superbes qui m'accablent de mensonge !
    moi, je médite tes préceptes.
⁷⁹Que se tournent vers moi ceux qui te craignent
    et qui savent ton témoignage !
⁸⁰Que mon cœur soit impeccable en tes volontés :
    pas de honte alors pour moi.

Kaph.   ⁸¹Jusqu'au bout mon âme ira pour ton salut,
    j'espère en ta parole.
⁸²Jusqu'au bout mes yeux pour ta promesse,
    quand m'auras-tu consolé ?
⁸³Rendu pareil à une outre qu'on enfume,
    je n'oublie pas tes volontés.

⁸⁴Combien seront les jours de ton serviteur,
quand jugeras-tu mes persécuteurs ?
⁸⁵Des superbes me creusent des fosses
à l'encontre de ta loi.
⁸⁶Vérité, tous tes commandements : aide-moi,
quand le mensonge me persécute.
⁸⁷On viendrait à bout de moi sur terre,
sans que je laisse tes préceptes.
⁸⁸Selon ton amour vivifie-moi,
je garderai le témoignage de ta bouche.

Lamed.

⁸⁹À jamais, Yahvé, ta parole,
immuable aux cieux ;
⁹⁰d'âge en âge, ta vérité ;
tu fixas la terre, elle subsiste ;
⁹¹par tes jugements tout subsiste à ce jour,
car toute chose est ta servante.
⁹²Si ta loi n'eût fait mes délices,
je périssais dans la misère.
⁹³Jamais je n'oublierai tes préceptes,
par eux tu me vivifies.
⁹⁴Je suis tien, sauve-moi,
je cherche tes préceptes.
⁹⁵Que les impies me guettent pour ma perte,
je comprends ton témoignage.
⁹⁶De toute perfection j'ai vu le bout :
combien large, ton commandement !

Mem.

⁹⁷Que j'aime ta loi !
tout le jour, je la médite.
⁹⁸Plus que mes ennemis tu me rends sage
par ton commandement, toujours mien.
⁹⁹Plus que tous mes maîtres j'ai la finesse,
ton témoignage, je le médite.
¹⁰⁰Plus que les anciens j'ai l'intelligence,
tous tes préceptes, je les garde.
¹⁰¹À tout chemin de mal je soustrais mes pas,
pour observer ta parole.
¹⁰²De tes jugements je ne me détourne point,
car c'est toi qui m'enseignes.
¹⁰³Qu'elle est douce à mon palais ta promesse,
plus que le miel à ma bouche !
¹⁰⁴Par tes préceptes j'ai l'intelligence
et je hais tout chemin de mensonge.

Nun.

¹⁰⁵Une lampe sur mes pas, ta parole,
une lumière sur ma route.

106 J'ai juré d'observer, et je tiendrai,
    tes justes jugements.
107 Je suis au fond de la misère, Yahvé,
    vivifie-moi selon ta parole.
108 Agrée l'offrande de ma bouche, Yahvé,
    apprends-moi tes jugements.
109 Mon âme à tout moment entre mes mains,
    je n'oublie pas ta loi.
110 Que les impies me tendent un piège,
    je ne dévie pas de tes préceptes.
111 Ton témoignage est à jamais mon héritage,
    il est la joie de mon cœur.
112 J'infléchis mon cœur à faire tes volontés,
    récompense pour toujours.

Samek.   113 Je hais les cœurs partagés
    et j'aime ta loi.
114 Toi mon abri, mon bouclier,
    j'espère en ta parole.
115 Détournez-vous de moi, méchants,
    je veux garder les commandements de mon Dieu.
116 Sois mon soutien selon ta promesse et je vivrai,
    ne fais pas honte à mon attente.
117 Sois mon appui et je serai sauvé,
    mes yeux sur tes volontés sans relâche.
118 Tu renverses tous ceux qui sortent de tes volontés,
    mensonge est leur calcul.
119 Tu considères comme une rouille tous les impies de
    la terre,
    aussi j'aime ton témoignage.
120 De ton effroi tremble ma chair,
    sous tes jugements je crains.

Aïn.   121 Mon action fut jugement et justice,
    ne me livre pas à mes bourreaux.
122 Sois le garant de ton serviteur pour le bien,
    que les superbes ne me torturent.
123 Jusqu'au bout vont mes yeux pour ton salut,
    pour ta promesse de justice.
124 Agis avec ton serviteur selon ton amour,
    apprends-moi tes volontés.
125 Je suis ton serviteur, fais-moi comprendre,
    et je saurai ton témoignage.
126 Il est temps d'agir, Yahvé :
    on a violé ta loi.
127 Aussi j'aime tes commandements,
    plus que l'or et que l'or fin.

¹²⁸Aussi je me règle sur tous tes préceptes
et je hais tout chemin de mensonge.

Phé.   ¹²⁹Merveille que ton témoignage ;
aussi mon âme le garde.

¹³⁰Ta parole en se découvrant illumine,
et les simples comprennent.

¹³¹J'ouvre large ma bouche et j'aspire,
avide de tes commandements.

¹³²Regarde vers moi, pitié pour moi,
c'est justice pour les amants de ton nom.

¹³³Fixe mes pas dans ta promesse,
que ne triomphe de moi le mal.

¹³⁴Rachète-moi de la torture de l'homme,
j'observerai tes préceptes.

¹³⁵Pour ton serviteur illumine ta face,
apprends-moi tes volontés.

¹³⁶Mes yeux ruissellent de larmes,
car on n'observe pas ta loi.

Çadè.   ¹³⁷Ô juste que tu es, Yahvé !
Droiture que tes jugements.

¹³⁸Tu imposes comme justice ton témoignage,
comme entière vérité.

¹³⁹Mon zèle me consume,
car mes oppresseurs oublient ta parole.

¹⁴⁰Ta promesse est éprouvée entièrement,
ton serviteur la chérit.

¹⁴¹Chétif que je suis et méprisé,
je n'oublie pas tes préceptes.

¹⁴²Justice éternelle que ta justice,
vérité que ta loi.

¹⁴³Angoisse, oppression m'ont saisi,
tes commandements font mes délices.

¹⁴⁴Justice éternelle que ton témoignage,
fais-moi comprendre et je vivrai.

Qoph.   ¹⁴⁵J'appelle de tout cœur, réponds-moi, Yahvé,
je garderai tes volontés.

¹⁴⁶Je t'appelle, sauve-moi,
j'observerai ton témoignage.

¹⁴⁷Je devance l'aurore et j'implore,
j'espère en ta parole.

¹⁴⁸Mes yeux devancent les veilles
pour méditer sur ta promesse.

¹⁴⁹En ton amour écoute ma voix, Yahvé,
en tes jugements vivifie-moi.

¹⁵⁰Ils s'approchent de l'infamie, mes persécuteurs,
    ils s'éloignent de ta loi.
¹⁵¹Tu es proche, toi, Yahvé,
    vérité que tous tes commandements.
¹⁵²Dès longtemps, j'ai su de ton témoignage
    qu'à jamais tu l'as fondé.

Resh.   ¹⁵³Vois ma misère, délivre-moi,
    car je n'oublie pas ta loi.
¹⁵⁴Plaide ma cause, défends-moi,
    en ta promesse vivifie-moi.
¹⁵⁵Il est loin des impies, le salut,
    ils ne recherchent pas tes volontés.
¹⁵⁶Nombreuses tes tendresses, Yahvé,
    en tes jugements vivifie-moi.
¹⁵⁷Nombreux mes persécuteurs, mes oppresseurs,
    je n'ai pas fléchi sur ton témoignage.
¹⁵⁸J'ai vu les renégats, ils m'écœurent,
    ils n'observent pas ta promesse.
¹⁵⁹Vois si j'aime tes préceptes, Yahvé,
    en ton amour vivifie-moi.
¹⁶⁰Vérité, le principe de ta parole !
    pour l'éternité, tes justes jugements.

Shin.   ¹⁶¹Des princes me persécutent sans raison,
    mon cœur redoute ta parole.
¹⁶²Joie pour moi dans ta promesse,
    comme à trouver grand butin.
¹⁶³Le mensonge, je le hais, je l'exècre,
    ta loi, je l'aime.
¹⁶⁴Sept fois le jour, je te loue
    pour tes justes jugements.
¹⁶⁵Grande paix pour les amants de ta loi,
    pour eux rien n'est scandale.
¹⁶⁶J'attends ton salut, Yahvé,
    tes commandements, je les suis.
¹⁶⁷Mon âme observe ton témoignage,
    je l'aime entièrement.
¹⁶⁸J'observe tes préceptes, ton témoignage,
    toutes mes voies sont devant toi.

Tav.   ¹⁶⁹Que mon cri soit proche de ta face, Yahvé,
    par ta parole fais-moi comprendre.
¹⁷⁰Que ma prière arrive devant ta face,
    par ta promesse délivre-moi.
¹⁷¹Que mes lèvres publient ta louange,
    car tu m'apprends tes volontés.

172Que ma langue redise ta promesse,
     car tous tes commandements sont justice.
173Que ta main me soit en aide,
     car j'ai choisi tes préceptes.
174J'ai désir de ton salut, Yahvé,
     ta loi fait mes délices.
175Que vive mon âme à te louer,
     tes jugements me soient en aide !
176Je m'égare, brebis perdue :
     viens chercher ton serviteur.

     Non, je n'ai pas oublié tes commandements.

Psaume 120 (119)

Les ennemis de la paix.

1*Cantique des montées.*

     Vers Yahvé, quand l'angoisse me prend,
        je crie, il me répond.
2Yahvé, délivre-moi des lèvres fausses,
     de la langue perfide !

3Que va-t-il te donner, et quoi encore,
     langue perfide ?
4Les flèches du batailleur, qu'on aiguise
     à la braise des genêts.

5Malheur à moi de vivre en Méshek,
     d'habiter les tentes de Qédar !

6Mon âme a trop vécu parmi des gens
     qui haïssent la paix.
7Moi, si je parle de paix,
     eux sont pour la guerre.

Psaume 121 (120)

Le gardien d'Israël.

1*Cantique pour les montées.*

     Je lève les yeux vers les montagnes :
        mon secours, d'où viendra-t-il ?
2Le secours me vient de Yahvé
     qui a fait le ciel et la terre.

3Qu'il ne laisse chanceler ton pied !
     qu'il ne dorme, ton gardien !

⁴Vois, il ne dort ni ne sommeille,
le gardien d'Israël.

⁵Yahvé est ton gardien, ton ombrage,
Yahvé, à ta droite.
⁶De jour, le soleil ne te frappe,
ni la lune en la nuit.

⁷Yahvé te garde de tout mal,
il garde ton âme.
⁸Yahvé te garde au départ, au retour,
dès lors et à jamais.

Psaume **122** (121)

Salut à Jérusalem.

¹*Cantique des montées. De David.*

Quelle joie quand on m'a dit :
Allons à la maison de Yahvé !
²Enfin nos pieds s'arrêtent
dans tes portes, Jérusalem !

³Jérusalem, bâtie comme une ville
où tout ensemble fait corps,
⁴Là où montent les tribus,
les tribus de Yahvé,
est pour Israël une raison de rendre grâce
au nom de Yahvé.
⁵Car ils sont là, les sièges du jugement,
les sièges de la maison de David.

⁶Appelez la paix sur Jérusalem :
que soient paisibles ceux qui t'aiment !
⁷Advienne la paix dans tes murs :
que soient paisibles tes palais !

⁸Pour l'amour de mes frères, de mes amis,
laisse-moi dire : paix sur toi !
⁹Pour l'amour de la maison de Yahvé notre Dieu,
je prie pour ton bonheur !

Psaume **123** (122)

Prière des malchanceux.

¹*Cantique des montées.*

Vers toi j'ai les yeux levés,
qui te tiens au ciel ;

²les voici comme les yeux des serviteurs
vers la main de leur maître.

Comme les yeux de la servante
vers la main de sa maîtresse,
ainsi nos yeux vers Yahvé notre Dieu,
tant qu'il nous prenne en pitié.

³Pitié pour nous, Yahvé, pitié pour nous,
trop de mépris nous rassasie ;
⁴notre âme est par trop rassasiée
des sarcasmes des satisfaits !

(Le mépris est pour les orgueilleux !)

Psaume 124 (123)

Le sauveur d'Israël.

¹*Cantique des montées. De David.*

Sans Yahvé qui était pour nous
– à Israël de le dire –
²sans Yahvé qui était pour nous
quand on sauta sur nous,
³alors ils nous avalaient tout vifs
dans le feu de leur colère.

⁴Alors les eaux nous submergeaient,
le torrent passait sur nous,
⁵alors il passait sur notre âme
en eaux écumantes.

⁶Béni Yahvé qui n'a point fait de nous
la proie de leurs dents !
⁷Notre âme comme un oiseau s'est échappée
du filet de l'oiseleur.

Le filet s'est rompu
et nous avons échappé ;
⁸notre secours est dans le nom de Yahvé
qui a fait le ciel et la terre.

Psaume 125 (124)

Dieu protège les siens.

¹*Cantique des montées.*

Qui s'appuie sur Yahvé ressemble au mont Sion :
rien ne l'ébranle, il est stable pour toujours.

²Jérusalem ! les montagnes l'entourent,
ainsi Yahvé entoure son peuple
dès maintenant et pour toujours.

³Jamais un sceptre impie ne tombera
sur la part des justes,
de peur que ne tende au crime
la main des justes.

⁴Fais du bien, Yahvé, aux gens de bien,
qui ont au cœur la droiture.
⁵Mais les tortueux, les dévoyés, qu'il les repousse,
Yahvé, avec les malfaisants !

Paix sur Israël !

Psaume 126 (125)

Chant du retour.

¹*Cantique des montées.*

Quand Yahvé ramena les captifs de Sion,
nous étions comme en rêve ;
²alors notre bouche s'emplit de rire
et nos lèvres de chansons.

Alors on disait chez les païens : Merveilles
que fit pour eux Yahvé !
³Merveilles que fit pour nous Yahvé,
nous étions dans la joie.

⁴Ramène, Yahvé, nos captifs
comme torrents au Négeb !
⁵Ceux qui sèment dans les larmes
moissonnent en chantant.

⁶On s'en va, on s'en va en pleurant,
on porte la semence ;
on s'en vient, on s'en vient en chantant,
on rapporte ses gerbes.

Psaume 127 (126)

L'abandon à la Providence.

¹*Cantique des montées. De Salomon.*

Si Yahvé ne bâtit la maison,
en vain peinent les bâtisseurs ;
si Yahvé ne garde la ville,
en vain la garde veille.

²Vanité de vous lever matin,
de retarder votre coucher,
mangeant le pain des douleurs,
quand Lui comble son bien-aimé qui dort.

³C'est l'héritage de Yahvé que des fils,
récompense, que le fruit des entrailles ;
⁴comme flèches en la main du héros,
ainsi les fils de la jeunesse.

⁵Heureux l'homme, celui-là
qui en a rempli son carquois ;
point de honte pour eux, quand ils débattent
à la porte, avec leurs ennemis.

Psaume **128** (127)

Bénédiction sur le fidèle.

¹*Cantique des montées.*

Heureux tous ceux qui craignent Yahvé
et marchent dans ses voies !

²Du labeur de tes mains tu te nourriras,
heur et bonheur pour toi !
³Ton épouse : une vigne fructueuse
au cœur de ta maison.
Tes fils : des plants d'olivier
à l'entour de la table.

⁴Voilà de quels biens sera béni
l'homme qui craint Yahvé.
⁵Que Yahvé te bénisse de Sion !
Puisses-tu voir Jérusalem dans le bonheur
tous les jours de ta vie,
⁶et voir les fils de tes fils !

Paix sur Israël !

Psaume **129** (128)

Contre les ennemis de Sion.

¹*Cantique des montées.*

Tant ils m'ont traqué dès ma jeunesse,
– à Israël de le dire –
²tant ils m'ont traqué dès ma jeunesse,
ils n'ont pas eu le dessus.

³Sur mon dos ont labouré les laboureurs,
allongeant leurs sillons ;

⁴Yahvé le juste a brisé
   les liens des impies.

⁵Qu'ils soient tous confondus, repoussés,
   les ennemis de Sion ;
⁶qu'ils soient comme l'herbe des toits
   qui sèche avant qu'on l'arrache !

⁷Le moissonneur n'en remplit pas sa main,
   ni le javeleur, son giron ;
⁸et point ne diront les passants :
   Bénédiction de Yahvé sur vous !

Nous vous bénissons au nom de Yahvé.

Psaume **130** (129)

De profundis.

¹*Cantique des montées.*

   Des profondeurs je crie vers toi, Yahvé :
   ²Seigneur, écoute mon appel.
   Que ton oreille se fasse attentive
      à l'appel de ma prière !

³Si tu retiens les fautes, Yahvé,
   Seigneur, qui subsistera ?
⁴Mais le pardon est près de toi,
      pour que demeure ta crainte.

⁵J'espère, Yahvé, j'espère de toute mon âme,
      et j'attends sa parole ;
⁶mon âme attend le Seigneur
      plus que les veilleurs l'aurore ;
   plus que les veilleurs l'aurore,
⁷qu'Israël attende Yahvé !

   Car près de Yahvé est la grâce,
   près de lui, l'abondance du rachat ;
⁸c'est lui qui rachètera Israël
      de toutes ses fautes.

Psaume **131** (130)

L'esprit d'enfance.

¹*Cantique des montées. De David.*

   Yahvé, je n'ai pas le cœur fier,
      ni le regard hautain.

Je n'ai pas pris un chemin de grandeurs
ni de prodiges qui me dépassent.
²Non, je tiens mon âme en paix et silence ;
comme un petit enfant contre sa mère,
comme un petit enfant, telle est mon âme en moi.
³Mets ton espoir, Israël, en Yahvé,
dès maintenant et à jamais !

Psaume 132 (131)

Pour l'anniversaire de la translation de l'arche.

¹*Cantique des montées.*

Garde mémoire à David,
Yahvé, de tout son labeur,
²du serment qu'il fit à Yahvé,
de son vœu au Puissant de Jacob :

³« Point n'entrerai sous la tente, ma maison,
point ne monterai sur le lit de mon repos,
⁴point ne donnerai de sommeil à mes yeux
et point de répit à mes paupières,
⁵que je ne trouve un lieu pour Yahvé,
un séjour au Puissant de Jacob ! »

⁶Voici : on parle d'Elle en Éphrata,
nous l'avons découverte aux Champs-du-Bois !
⁷Entrons au lieu où Il séjourne,
prosternons-nous devant son marchepied.

⁸Lève-toi, Yahvé, vers ton repos,
toi et l'arche de ta force.
⁹Tes prêtres se vêtent de justice,
tes fidèles crient de joie.
¹⁰À cause de David ton serviteur,
n'écarte pas la face de ton messie.

¹¹Yahvé l'a juré à David,
vérité dont jamais il ne s'écarte :
« C'est le fruit sorti de tes entrailles
que je mettrai sur le trône fait pour toi.

¹²Si tes fils gardent mon alliance,
mon témoignage que je leur ai enseigné,
leurs fils eux-mêmes à tout jamais
siégeront sur le trône fait pour toi. »

¹³Car Yahvé a fait choix de Sion,
il a désiré ce siège pour lui :

¹⁴« C'est ici mon repos à tout jamais,
là je siégerai, car je l'ai désiré.

¹⁵Ses ressources, je les comblerai de bénédiction,
ses pauvres, je les rassasierai de pain,
¹⁶ses prêtres, je les vêtirai de salut
et ses fidèles crieront de joie.

¹⁷Là, je susciterai une lignée à David,
j'apprêterai une lampe pour mon messie :
¹⁸ses ennemis, je les vêtirai de honte,
mais sur lui fleurira son diadème. »

Psaume **133** (132)
La vie fraternelle.

¹*Cantique des montées. De David.*

Voyez ! Qu'il est bon, qu'il est doux
d'habiter en frères tous ensemble !

²C'est une huile excellente sur la tête,
qui descend sur la barbe,
qui descend sur la barbe d'Aaron,
sur le col de ses tuniques.

³C'est la rosée de l'Hermon, qui descend
sur les hauteurs de Sion ;
là, Yahvé a voulu la bénédiction,
la vie à jamais.

Psaume **134** (133)
Pour la fête de nuit.

¹*Cantique des montées.*

Allons ! bénissez Yahvé,
tous les serviteurs de Yahvé,
officiant dans la maison de Yahvé,
dans les parvis de la maison de notre Dieu.
Dans les nuits ²levez vos mains vers le sanctuaire,
et bénissez Yahvé.

³Que Yahvé te bénisse de Sion,
lui qui fit le ciel et la terre !

Psaume **135** (134)
Hymne de louange.

¹Alleluia !

Louez le nom de Yahvé,
louez, serviteurs de Yahvé,

²officiant dans la maison de Yahvé,
dans les parvis de la maison de notre Dieu.

³Louez Yahvé, car il est bon, Yahvé,
jouez pour son nom, car il est doux.
⁴C'est Jacob que Yahvé s'est choisi,
Israël dont il fit son apanage.

⁵Moi je sais qu'il est grand, Yahvé,
que notre Seigneur surpasse tous les dieux.
⁶Tout ce qui plaît à Yahvé,
il le fait, au ciel et sur terre,
dans les mers et tous les abîmes.

⁷Faisant monter les nuages du bout de la terre,
il produit avec les éclairs la pluie,
il tire le vent de ses trésors.

⁸Il frappa les premiers-nés d'Égypte
depuis l'homme jusqu'au bétail ;
⁹il envoya signes et prodiges
au milieu de toi, Égypte,
sur Pharaon et tous ses serviteurs.

¹⁰Il frappa des païens en grand nombre,
fit périr des rois valeureux,
¹¹Sihôn, roi des Amorites,
et Og, roi du Bashân,
et tous les royaumes de Canaan ;
¹²et il donna leur terre en héritage,
en héritage à Israël son peuple.

¹³Yahvé, ton nom à jamais !
Yahvé, ton souvenir d'âge en âge !
¹⁴Car Yahvé prononce pour son peuple,
il s'émeut pour ses serviteurs.

¹⁵Les idoles des païens, or et argent,
une œuvre de main d'homme !
¹⁶elles ont une bouche et ne parlent pas,
elles ont des yeux et ne voient pas.

¹⁷Elles ont des oreilles et n'entendent pas,
pas le moindre souffle en leur bouche.
¹⁸Que les auteurs leur ressemblent
tous ceux qui comptent sur elles !

¹⁹Maison d'Israël, bénissez Yahvé,
maison d'Aaron, bénissez Yahvé,
²⁰maison de Lévi, bénissez Yahvé,
ceux qui craignent Yahvé, bénissez Yahvé.

²¹Béni soit Yahvé depuis Sion,
lui qui habite Jérusalem !

Psaume 136 (135)

Grande litanie d'action de grâces.

Alleluia !
¹Rendez grâce à Yahvé, car il est bon,
car éternel est son amour !
²Rendez grâce au Dieu des dieux,
car éternel est son amour !
³Rendez grâce au Seigneur des seigneurs,
car éternel est son amour !

⁴Lui seul a fait des merveilles,
car éternel est son amour !
⁵Il fit les cieux avec sagesse,
car éternel est son amour !
⁶Il affermit la terre sur les eaux,
car éternel est son amour !

⁷Il a fait les grands luminaires,
car éternel est son amour !
⁸Le soleil pour gouverner sur le jour,
car éternel est son amour !
⁹La lune et les étoiles pour gouverner sur la nuit,
car éternel est son amour !

¹⁰Il frappa l'Égypte en ses premiers-nés,
car éternel est son amour !
¹¹Et de là fit sortir Israël,
car éternel est son amour !
¹²À main forte et à bras étendu,
car éternel est son amour !

¹³Il sépara en deux parts la mer des Joncs,
car éternel est son amour !
¹⁴Et fit passer Israël en son milieu,
car éternel est son amour !
¹⁵Y culbutant Pharaon et son armée,
car éternel est son amour !

¹⁶Il mena son peuple au désert,
car éternel est son amour !
¹⁷Il frappa des rois puissants,
car éternel est son amour !
¹⁸Fit périr des rois redoutables,
car éternel est son amour !

¹⁹Sihôn, roi des Amorites,
   car éternel est son amour !
²⁰Et Og, roi du Bashân,
   car éternel est son amour !

²¹Il donna leur terre en héritage,
   car éternel est son amour !
²²En héritage à Israël son serviteur,
   car éternel est son amour !
²³Il se souvint de nous dans notre abaissement,
   car éternel est son amour !
²⁴Il nous sauva de la main des oppresseurs,
   car éternel est son amour !

²⁵À toute chair il donne le pain,
   car éternel est son amour !
²⁶Rendez grâce au Dieu du ciel,
   car éternel est son amour !

Psaume 137 (136)

Chant de l'exilé.

¹Au bord des fleuves de Babylone
   nous étions assis et nous pleurions,
   nous souvenant de Sion ;
²aux peupliers d'alentour
   nous avions pendu nos harpes.

³Et c'est là qu'ils nous demandèrent,
   nos geôliers, des cantiques,
   nos ravisseurs, de la joie :
   « Chantez-nous, disaient-ils,
   un cantique de Sion. »

⁴Comment chanterions-nous
   un cantique de Yahvé
   sur une terre étrangère ?
⁵Si je t'oublie, Jérusalem,
   que ma droite se dessèche !

⁶Que ma langue s'attache à mon palais
   si je perds ton souvenir,
   si je ne mets Jérusalem
   au plus haut de ma joie !

⁷Souviens-toi, Yahvé,
   contre les fils d'Édom,
   du Jour de Jérusalem,

quand ils disaient : « À bas !
Rasez jusqu'aux assises ! »

⁸Fille de Babel, qui dois périr,
heureux qui te revaudra
les maux que tu nous valus,
⁹heureux qui saisira et brisera
tes petits contre le roc !

Psaume **138** (137)

Hymne d'action de grâces.

¹*De David.*

Je te rends grâce, Yahvé, de tout mon cœur,
tu as entendu les paroles de ma bouche.
Je te chante en présence des anges,
²je me prosterne vers ton temple sacré.

Je rends grâce à ton nom pour ton amour et ta vérité ;
ta promesse a même surpassé ton renom.
³Le jour où j'ai crié, tu m'exauças,
tu as accru la force en mon âme.

⁴Tous les rois de la terre te rendent grâce, Yahvé,
car ils entendent les promesses de ta bouche ;
⁵ils célèbrent les voies de Yahvé :
« Grande est la gloire de Yahvé !
⁶Si haut que soit Yahvé, il voit les humbles
et de loin connaît les superbes. »

⁷Si je marche en pleine détresse, tu me fais vivre,
à la fureur de mes ennemis ; tu étends la main
et ta droite me sauve.
⁸Yahvé aura tout fait pour moi ;
Yahvé, éternel est ton amour,
ne délaisse pas l'œuvre de tes mains.

Psaume **139** (138)

Hommage à Celui qui sait tout.

¹*Du maître de chant. De David. Psaume.*

Yahvé, tu me sondes et me connais ;
²que je me lève ou m'assoie, tu le sais,
tu perces de loin mes pensées ;
³que je marche ou me couche, tu le sens,
mes chemins te sont tous familiers.

⁴La parole n'est pas encore sur ma langue,
et voici, Yahvé, tu la sais tout entière ;
⁵derrière et devant tu m'enserres,
tu as mis sur moi ta main.
⁶Merveille de science qui me dépasse,
hauteur où je ne puis atteindre.

⁷Où irai-je loin de ton esprit,
où fuirai-je loin de ta face ?
⁸Si j'escalade les cieux, tu es là,
qu'au shéol je me couche, te voici.

⁹Je prends les ailes de l'aurore,
je me loge au plus loin de la mer,
¹⁰même là, ta main me conduit,
ta droite me saisit.

¹¹Je dirai : « Que me presse la ténèbre,
que la nuit soit pour moi une ceinture » ;
¹²même la ténèbre n'est point ténèbre devant toi
et la nuit comme le jour illumine.

¹³C'est toi qui m'as formé les reins,
qui m'as tissé au ventre de ma mère ;
¹⁴je te rends grâce pour tant de prodiges :
merveille que je suis, merveille que tes œuvres.

Mon âme, tu la connaissais bien,
¹⁵mes os n'étaient point cachés de toi,
quand je fus façonné dans le secret,
brodé au profond de la terre.

¹⁶Mon embryon, tes yeux le voyaient ;
sur ton livre, ils sont tous inscrits
les jours qui ont été fixés,
et chacun d'eux y figure.

¹⁷Mais pour moi, que tes pensées sont difficiles,
ô Dieu, que la somme en est imposante !
¹⁸Je les compte, il en est plus que sable ;
ai-je fini, je suis encore avec toi.

¹⁹Si tu voulais, ô Dieu, tuer l'impie !
Hommes de sang, allez-vous-en de moi !
²⁰Eux qui parlent de toi sournoisement,
qui tiennent pour rien tes pensées.

²¹Yahvé, n'ai-je pas en haine qui te hait,
en dégoût, ceux qui se dressent contre toi ?
²²Je les hais d'une haine parfaite,
ce sont pour moi des ennemis.

²³Sonde-moi, ô Dieu, connais mon cœur,
  scrute-moi, connais mon souci ;
²⁴vois que mon chemin ne soit fatal,
  conduis-moi sur le chemin d'éternité.

Psaume **140** (139)

Contre les méchants.

¹*Du maître de chant. Psaume. De David.*

²Délivre-moi, Yahvé, des mauvaises gens,
  contre l'homme de violence défends-moi,
³ceux dont le cœur médite le mal,
  qui tout le jour hébergent la guerre,
⁴qui aiguisent leur langue ainsi qu'un serpent,
  un venin de vipère sous la lèvre.   *Pause.*

⁵Garde-moi, Yahvé, des mains de l'impie,
  contre l'homme de violence défends-moi,
  ceux qui méditent de me faire trébucher,
⁶ᵇqui tendent un filet sous mes pieds,
⁶ᵃinsolents qui m'ont caché une trappe et des lacets,
  ⁶ᶜm'ont posé des pièges au passage.   *Pause.*

⁷J'ai dit à Yahvé : C'est toi mon Dieu,
  entends, Yahvé, le cri de ma prière.
⁸Yahvé mon Seigneur, force de mon salut,
  tu me couvres la tête au jour du combat.
⁹Ne consens pas, Yahvé, aux désirs des impies,
  ne fais pas réussir leurs complots.

Ils relèvent ¹⁰la tête, ceux qui m'entourent,   *Pause.*
  que la malice de leurs lèvres les recouvre ;
¹¹qu'il pleuve sur eux des charbons de feu,
  que, jetés à l'abîme, ils ne se dressent plus :
¹²que le calomniateur ne tienne plus sur la terre,
  que le mal pourchasse à mort le violent !

¹³Je sais que Yahvé fera droit aux malheureux,
  qu'il fera justice aux pauvres.
¹⁴Oui, les justes rendront grâce à ton nom,
  les saints vivront avec ta face.

Psaume **141** (140)

Contre l'entraînement du mal.

¹*Psaume. De David.*

Yahvé, je t'appelle, accours vers moi,
  écoute ma voix qui t'appelle ;

²que monte ma prière, en encens devant ta face,
les mains que j'élève, en offrande du soir !

³Établis, Yahvé, une garde à ma bouche,
veille sur la porte de mes lèvres.

⁴Retiens mon cœur de parler mal, de commettre l'impiété
en compagnie des malfaisants.

Non, je ne goûterai pas à leurs plaisirs !
⁵Que le juste me frappe en ami et me corrige,
que l'huile de l'impie jamais n'orne ma tête,
car ma prière témoigne contre leurs méfaits.

⁶Ils sont livrés à l'empire du Rocher, leur juge,
eux qui avaient pris plaisir à m'entendre dire :
⁷« Comme une meule éclatée par terre,
nos os sont dispersés à la bouche du shéol. »

⁸Vers toi, Yahvé, mes yeux,
en toi je m'abrite, ne répands pas mon âme ;
⁹garde-moi d'être pris au piège qu'on me tend,
au traquenard des malfaisants.

¹⁰Qu'ils tombent, les impies, chacun dans son filet,
tandis que moi, je passe.

Psaume **142** (141)

Prière d'un persécuté.

¹*Poème. De David. Quand il était dans la caverne. Prière.*

²À Yahvé mon cri ! J'implore.
À Yahvé mon cri ! Je supplie.
³Je déverse devant lui ma plainte,
ma détresse, je la mets devant lui,
⁴alors que le souffle me manque ;
mais toi, tu connais mon sentier.

Sur le chemin où je vais
ils m'ont caché un piège.
⁵Regarde à droite et vois,
pas un qui me reconnaisse.
Le refuge se dérobe à moi,
pas un qui ait soin de mon âme.

⁶Je m'écrie vers toi, Yahvé,
je dis : Toi, mon abri,
ma part dans la terre des vivants !
⁷Sois attentif à mon cri,
je suis à bout de forces.

Délivre-moi de mes persécuteurs,
  eux sont plus forts que moi !
⁸Fais sortir de prison mon âme,
  que je rende grâce à ton nom !
Autour de moi les justes feront cercle,
  à cause du bien que tu m'as fait.

Psaume **143** (142)

Humble supplication.

¹*Psaume. De David.*

Yahvé, écoute ma prière,
  prête l'oreille à mes supplications,
  en ta fidélité réponds-moi, en ta justice ;
²n'entre pas en jugement avec ton serviteur,
  nul vivant n'est justifié devant toi.

³L'ennemi pourchasse mon âme,
  contre terre il écrase ma vie ;
  il me fait habiter dans les ténèbres
  comme ceux qui sont morts à jamais ;
⁴le souffle en moi s'éteint,
  mon cœur au fond de moi s'épouvante.

⁵Je me souviens des jours d'autrefois,
  je me redis toutes tes œuvres,
  sur l'ouvrage de tes mains je médite ;
⁶je tends les mains vers toi,
  mon âme est une terre assoiffée de toi.   *Pause.*

⁷Viens vite, réponds-moi, Yahvé,
  je suis à bout de souffle ;
  ne cache pas loin de moi ta face,
  je serais de ceux qui descendent à la fosse.

⁸Fais que j'entende au matin ton amour,
  car je compte sur toi ;
  fais que je sache la route à suivre,
  car vers toi j'élève mon âme.

⁹Délivre-moi de mes ennemis, Yahvé,
  près de toi je suis à couvert,
¹⁰enseigne-moi à faire tes volontés,
  car c'est toi mon Dieu ;
  que ton souffle bon me conduise
  par une terre unie.

¹¹À cause de ton nom, Yahvé,
fais que je vive en ta justice ;
tire mon âme de l'angoisse,
¹²en ton amour anéantis mes ennemis ;
détruis tous les oppresseurs de mon âme,
car moi je suis ton serviteur.

Psaume **144** (143)

Hymne pour la guerre et la victoire.

¹*De David.*

Béni soit Yahvé mon rocher,
qui instruit mes mains au combat
et mes doigts pour la bataille,
²mon amour et ma forteresse,
ma citadelle et mon libérateur,
mon bouclier, en lui je m'abrite,
il range les peuples sous moi.

³Yahvé, qu'est donc l'homme, que tu le connaisses,
l'être humain, que tu penses à lui ?
⁴L'homme est semblable à un souffle,
ses jours sont comme l'ombre qui passe.

⁵Yahvé, incline tes cieux et descends,
touche les montagnes et qu'elles fument ;
⁶fais éclater l'éclair, et les disloque,
décoche tes flèches, et les ébranle.

⁷D'en haut tends la main,
sauve-moi, tire-moi des grandes eaux,
de la main des fils d'étrangers
⁸dont la bouche parle de riens,
et la droite est une droite de parjure.

⁹Ô Dieu, je te chante un chant nouveau,
sur la lyre à dix cordes je joue pour toi,
¹⁰toi qui donnes aux rois la victoire,
qui sauves David ton serviteur.

De l'épée de malheur ¹¹ sauve-moi,
tire-moi de la main des étrangers
dont la bouche parle de riens,
et la droite est une droite de parjure.

¹²Voici nos fils comme des plants
grandis dès le jeune âge,
nos filles, des figures d'angle,
image de palais.

¹³Nos greniers remplis, débordants,
  de fruits de toute espèce,
  nos brebis, des milliers, des myriades,
  parmi nos campagnes,

¹⁴nos bestiaux bien pesants,
  point de brèche ni de fuite,
  et point de gémissement sur nos places.

¹⁵Heureux le peuple où c'est ainsi,
  heureux le peuple dont Yahvé est le Dieu !

Psaume **145** (144)

Louange au Roi Yahvé.

¹*Louange. De David.*

Aleph.	Je t'exalte, ô Roi mon Dieu, je bénis ton nom toujours et à jamais ;
Bèt.	²je veux te bénir chaque jour, je louerai ton nom toujours et à jamais ;
Gimel.	³grand est Yahvé et louable hautement, à sa grandeur point de mesure.
Dalèt.	⁴Un âge à l'autre vantera tes œuvres, fera connaître tes prouesses.
Hé.	⁵Splendeur de gloire, ton renom ! Je me répète le récit de tes merveilles.
Vav.	⁶On dira ta puissance de terreurs, et moi je raconterai ta grandeur ;
Zaïn.	⁷on fera mémoire de ton immense bonté, on acclamera ta justice.
Hèt.	⁸Yahvé est tendresse et pitié, lent à la colère et plein d'amour ;
Tèt.	⁹il est bon, Yahvé, envers tous, et ses tendresses pour toutes ses œuvres.
Yod.	¹⁰Que toutes tes œuvres te rendent grâce, Yahvé, que tes amis te bénissent ;
Kaph.	¹¹qu'ils disent la gloire de ton règne, qu'ils parlent de ta prouesse,
Lamed.	¹²pour faire savoir aux fils d'Adam tes prouesses, la splendeur de gloire de ton règne !

Mem.	[13]Ton règne, un règne pour tous les siècles, ton empire, pour les âges des âges !
(Nun.)	Yahvé est vérité en toutes ses paroles, amour en toutes ses œuvres ;
Samek.	[14]Yahvé retient tous ceux qui tombent, redresse tous ceux qui sont courbés.
Aïn.	[15]Tous ont les yeux sur toi, ils espèrent ; tu leur donnes la nourriture en son temps ;
Phé.	[16]toi, tu ouvres la main et rassasies tout vivant à plaisir.
Çadé.	[17]Yahvé est justice en toutes ses voies, fidèle en toutes ses œuvres ;
Qoph.	[18]proche est Yahvé de ceux qui l'invoquent, de tous ceux qui l'invoquent en vérité.
Resh.	[19]Le désir de ceux qui le craignent, il le fait, il entend leur cri et les sauve ;
Shin.	[20]Yahvé garde tous ceux qui l'aiment, tous les impies, il les détruira.
Tav.	[21]Que ma bouche dise la louange de Yahvé, que toute chair bénisse son saint nom, toujours et à jamais !

Psaume **146** (145)

Hymne au Dieu secourable.

[1]Alleluia !

Loue Yahvé, mon âme !
[2]Je veux louer Yahvé tant que je vis,
je veux jouer pour mon Dieu tant que je dure.

[3]Ne mettez point votre foi dans les princes,
dans un fils de la glaise, il ne peut sauver !
[4]Il rend le souffle, il retourne à sa glaise,
en ce jour-là périssent ses pensées.

[5]Heureux qui a l'appui du Dieu de Jacob
et son espoir en Yahvé son Dieu,
[6]lui qui a fait le ciel et la terre,
la mer, et tout ce qu'ils renferment !

Il garde à jamais la vérité,
[7]il rend justice aux opprimés,

il donne aux affamés du pain,
Yahvé délie les enchaînés.

⁸Yahvé rend la vue aux aveugles,
Yahvé redresse les courbés,
⁹Yahvé protège l'étranger,
il soutient l'orphelin et la veuve.

⁸ᶜYahvé aime les justes,
⁹ᶜMais détourne la voie des impies,
¹⁰Yahvé règne pour les siècles,
ton Dieu, ô Sion, d'âge en âge.
Alleluia !

Psaume 147 (146-147)

Hymne au Tout-Puissant.

¹Louez Yahvé – il est bon de chanter,
notre Dieu – douce est la louange.

²Bâtisseur de Jérusalem, Yahvé !
il rassemble les déportés d'Israël,
³lui qui guérit les cœurs brisés
et qui bande leurs blessures ;
⁴qui compte le nombre des étoiles,
et il appelle chacune par son nom.

⁵Il est grand, notre Seigneur, tout-puissant,
à son intelligence point de mesure.
⁶Yahvé soutient les humbles,
jusqu'à terre il abaisse les impies.

⁷Entonnez pour Yahvé l'action de grâces,
jouez pour notre Dieu sur la harpe :

⁸lui qui drape les cieux de nuées,
qui prépare la pluie à la terre,
qui fait germer l'herbe sur les monts
et les plantes au service de l'homme,
⁹qui dispense au bétail sa pâture,
aux petits du corbeau qui crient.

¹⁰Ni la vigueur du cheval ne lui agrée,
ni le jarret de l'homme ne lui plaît ;
¹¹Yahvé se plaît en ceux qui le craignent,
en ceux qui espèrent son amour.

¹²Fête Yahvé, Jérusalem,
loue ton Dieu, ô Sion !

¹³Il renforça les barres de tes portes,
   il a chez toi béni tes enfants ;
¹⁴il assure ton sol dans la paix,
   de la graisse du froment te rassasie.

¹⁵Il envoie son verbe sur terre,
   rapide court sa parole ;
¹⁶il dispense la neige comme laine,
   répand le givre comme cendre.

¹⁷Il jette sa glace par morceaux :
   à sa froidure, qui peut tenir ?
¹⁸Il envoie sa parole et fait fondre,
   il souffle son vent, les eaux coulent.

¹⁹Il révèle à Jacob sa parole,
   ses lois et jugements à Israël ;
²⁰pas un peuple qu'il ait ainsi traité,
   pas un qui ait connu ses jugements.

   Alleluia !

Psaume **148**

Louange cosmique.

¹Alleluia !

Louez Yahvé depuis les cieux,
   louez-le dans les hauteurs,
²louez-le, tous ses anges,
   louez-le, toutes ses armées !

³Louez-le, soleil et lune,
   louez-le, tous les astres de lumière,
⁴louez-le, cieux des cieux,
   et les eaux de dessus les cieux !

⁵Qu'ils louent le nom de Yahvé :
   lui commanda, eux furent créés ;
⁶il les posa pour toujours et à jamais,
   sous une loi qui jamais ne passera.

⁷Louez Yahvé depuis la terre,
   monstres marins, tous les abîmes,
⁸feu et grêle, neige et brume,
   vent d'ouragan, l'ouvrier de sa parole,

⁹montagnes, toutes les collines,
   arbre à fruit, tous les cèdres,
¹⁰bête sauvage, tout le bétail,
   reptile, et l'oiseau qui vole,

¹¹rois de la terre, tous les peuples,
   princes, tous les juges de la terre,
¹²jeunes hommes, aussi les vierges,
   les vieillards avec les enfants !
¹³Qu'ils louent le nom de Yahvé :
   sublime est son nom, lui seul,
   sa majesté par-dessus terre et ciel !
¹⁴Il rehausse la vigueur de son peuple,
   fierté pour tous ses fidèles,
   pour les enfants d'Israël, le peuple de ses proches.

Alleluia !

Psaume 149
Chant triomphal.

¹Alleluia !

Chantez à Yahvé un chant nouveau :
   sa louange dans l'assemblée de ses fidèles !
²Joie pour Israël en son auteur,
   pour les fils de Sion, allégresse en leur roi,
³louange à son nom par la danse,
   pour lui, jeu de harpe et de tambour !

⁴Car Yahvé se complaît en son peuple,
   il donne aux humbles l'éclat du salut,
⁵Que les fidèles exultent dans la gloire,
   que de leur place ils crient de joie :
⁶les éloges de Dieu à pleine gorge,
   comme à pleines mains l'épée à deux tranchants ;

⁷pour exercer sur les peuples vengeance,
   sur les nations le châtiment,
⁸pour lier de chaînes leurs rois,
   d'entraves de fer leurs notables,
⁹pour leur appliquer la sentence écrite :
   gloire en soit à tous ses fidèles !
Alleluia !

Psaume 150
Doxologie finale.

¹Alleluia !

Louez Dieu en son sanctuaire,
   louez-le au firmament de sa puissance,

²louez-le en ses œuvres de vaillance,
  louez-le en toute sa grandeur !

³Louez-le par l'éclat du cor,
  louez-le par la harpe et la cithare,
⁴louez-le par la danse et le tambour,
  louez-le par les cordes et les flûtes,
⁵louez-le par les cymbales sonores,
  louez-le par les cymbales triomphantes !
⁶Que tout ce qui respire loue Yahvé !

  Alleluia !

Les Proverbes

Introduction

Le livre des Proverbes s'est formé autour de deux recueils de maximes : **10-22**, intitulé « Proverbes de Salomon », et **25-29**, introduit par « Voici encore des proverbes de Salomon, que transcrivirent les gens d'Ézéchias » (vers l'an 700). À ces deux parties sont ajoutés des appendices, des « Paroles des sages » et des proverbes numériques. Dans une longue introduction, **1-9**, un père fait à son fils des recommandations de sagesse et la Sagesse elle-même prend la parole. Le livre s'achève par un poème alphabétique qui loue la femme parfaite.

Les parties les plus anciennes sont les deux grands recueils. Ils représentent le *mâshâl* (cf. p. **826**) sous sa forme primitive. Ils sont attribués à Salomon qui fut toujours considéré comme le plus grand sage d'Israël. Formant le noyau du livre, ces deux collections lui ont donné son nom, « Proverbes de Salomon », **1** 1. Mais les sous-titres des petites sections indiquent que ce titre général ne doit pas être pris à la lettre : il recouvre aussi l'œuvre de sages anonymes, et les paroles d'Agur et de Lemuel. Même si ces noms de deux sages arabes sont fictifs et n'appartiennent pas à des personnages réels, ils témoignent de l'estime qu'on faisait de la sagesse étrangère. Certaines « paroles des sages », **22-23**, s'inspirent des maximes égyptiennes d'Amenemopé, écrites au début du premier millénaire avant notre ère.

Les discours de Pr **1-9** se modèlent sur les « Instructions », qui sont un genre classique de la sagesse égyptienne, mais aussi sur les « Conseils d'un père à son fils », que l'on peut lire dans un texte akkadien d'Ugarit. On peut dater d'avant l'Exil tout le centre du livre, chap. **10-29** ; la date des chap. **30-31** est incertaine. Quant au prologue, **1-9**, son contenu et ses attaches littéraires avec les écrits postérieurs à l'Exil permettent de fixer sa composition au Vᵉ siècle av. J.-C. Ce doit être le moment aussi où l'ouvrage prit sa forme définitive.

Parce que le livre représente plusieurs siècles de réflexion des sages, on y suit une évolution de la doctrine. Dans les deux anciens recueils domine un ton de sagesse humaine et profane, exposé d'une théologie pratique : Dieu récompense la vérité, la charité, la pureté de cœur, l'humilité, et punit les vices opposés. La source et le résumé de toutes ces vertus est la sagesse, qui est crainte de Yahvé, et c'est en Yahvé seul qu'il faut se confier. Le prologue donne, pour la première fois, un enseignement suivi sur la sagesse, sa valeur, son rôle de guide et de modérateur des actions. La Sagesse fait son propre éloge et définit son rapport avec Dieu, en qui elle est de toute éternité et qu'elle a assisté quand il a créé le monde, **8** 22-31. C'est le premier des textes sur la Sagesse personnifiée.

Les Proverbes

Titre général.

1 [1]Proverbes de Salomon, fils de David, roi d'Israël :

[2]pour connaître sagesse et discipline,
   pour pénétrer les discours profonds,
[3]pour acquérir une discipline avisée
   – justice, équité, droiture –
[4]pour procurer aux simples le savoir-faire,
   au jeune homme le savoir et la réflexion
[5]– que le sage écoute, il augmentera son acquis,
   et l'homme entendu acquerra l'art de diriger –,
[6]pour pénétrer proverbes et sentences obscures,
   les dits des sages et leurs énigmes.

[7]La crainte de Yahvé, principe de savoir :
   les fous dédaignent sagesse et discipline.

1. Prologue

RECOMMANDATIONS DE LA SAGESSE

Le sage : fuir la compagnie des mauvais garçons.

[8]Écoute, mon fils, la leçon de ton père,
   ne méprise pas l'enseignement de ta mère :
[9]c'est une couronne de grâce pour ta tête,
   des colliers pour ton cou.
[10]Mon fils, si des pécheurs veulent te séduire,
   n'y va pas !
[11]S'ils disent : « Viens avec nous,
   embusquons-nous pour répandre le sang,
   sans raison, prenons l'affût contre l'innocent ;
[12]comme le shéol, avalons-les tout vifs,
   tout entiers, tels ceux qui descendent dans la fosse !
[13]Nous trouverons mainte chose précieuse,
   nous emplirons de butin nos maisons ;
[14]avec nous tu tireras ta part au sort,
   nous ferons tous bourse commune ! »
[15]Mon fils, ne les suis pas dans leur voie,
   éloigne tes pas de leur sentier,

¹⁶*car leurs pieds courent au mal*
   ils ont hâte de répandre le sang ;
¹⁷*car c'est en vain qu'on étend le filet*
   sous les yeux de tout volatile.
¹⁸C'est pour répandre leur propre sang qu'ils s'embusquent,
   contre eux-mêmes, ils sont à l'affût !
¹⁹Tel est le sort de tout homme avide de rapine :
   elle ôte la vie à ceux qu'elle habite.

La Sagesse : harangue aux insouciants.

²⁰La Sagesse crie au-dehors,
   sur les places elle élève la voix ;
²¹en haut des lieux bruyants, elle appelle,
   aux baies des portes, dans la ville, elle prononce son discours :
²²« Jusques à quand, ô niais, aimerez-vous la niaiserie ?
   Et les railleurs se plairont-ils à la raillerie ?
   Et les sots haïront-ils le savoir ?
²³Convertissez-vous à mon exhortation,
   pour vous je vais épancher mon cœur
   et vous faire connaître mes paroles.
²⁴Puisque j'ai appelé et que vous avez refusé,
   puisque j'ai étendu la main sans que nul y prenne garde,
²⁵puisque vous avez négligé tous mes conseils
   et que vous n'avez pas voulu de mon exhortation,
²⁶à mon tour, je me rirai de votre détresse,
   je me moquerai quand viendra sur vous l'épouvante,
²⁷quand l'épouvante viendra sur vous comme un cataclysme,
   quand votre détresse arrivera comme un cyclone,
   quand l'épreuve et l'angoisse fondront sur vous.
²⁸Alors ils m'appelleront, mais je ne répondrai pas ;
   ils me chercheront et ne me trouveront pas.
²⁹Ils ont détesté le savoir,
   ils n'ont pas choisi la crainte de Yahvé,
³⁰ils n'ont pas voulu de mon conseil,
   ils ont méprisé toutes mes exhortations :
³¹ils mangeront donc du fruit de leurs errements,
   ils se rassasieront de leurs propres conseils !
³²Car l'égarement des niais les tue,
   l'insouciance des sots les mène à leur perte ;
³³mais qui m'écoute demeure en sécurité,
   il sera tranquille, sans l'épouvante du malheur. »

La sagesse contre les mauvaises compagnies.

2 ¹Mon fils, si tu accueilles mes paroles,
   si tu conserves à part toi mes préceptes,
²rendant tes oreilles attentives à la sagesse,
   inclinant ton cœur vers l'intelligence,

³oui, si tu fais appel à l'entendement,
  si tu réclames l'intelligence,
⁴si tu la recherches comme l'argent,
  si tu la creuses comme un chercheur de trésor,
⁵alors tu comprendras la crainte de Yahvé,
  tu trouveras la connaissance de Dieu.
⁶Car c'est Yahvé qui donne la sagesse,
  de sa bouche sortent le savoir et l'intelligence.
⁷Il réserve aux hommes droits son conseil,
  il est le bouclier de ceux qui pratiquent l'honnêteté ;
⁸il monte la garde aux chemins de l'équité,
  il veille sur la voie de ses fidèles.
⁹Alors tu comprendras justice, équité et droiture,
  toutes les pistes du bonheur.
¹⁰Quand la sagesse entrera dans ton cœur,
  que le savoir fera les délices de ton âme,
¹¹la prudence veillera sur toi,
  l'intelligence te gardera
¹²pour t'éloigner de la voie mauvaise,
  de l'homme aux propos pervers,
¹³de ceux qui délaissent les droits sentiers
  et vont courir par des voies ténébreuses ;
¹⁴ils trouvent leur joie à faire le mal,
  ils se complaisent dans la perversité ;
¹⁵leurs sentiers sont tortueux,
  leurs pistes sont obliques.
¹⁶Pour te garder aussi de la femme étrangère,
  de l'inconnue aux paroles enjôleuses ;
¹⁷elle a abandonné l'ami de sa jeunesse,
  elle a oublié l'alliance de son Dieu ;
¹⁸sa maison penche vers la mort,
  ses pistes conduisent vers les ombres.
¹⁹De ceux qui vont à elle, pas un ne revient,
  ils ne rejoignent plus les sentiers de la vie.
²⁰Ainsi chemineras-tu dans la voie des gens de bien,
  garderas-tu le sentier des justes.
²¹Car les hommes droits habiteront le pays,
  les gens honnêtes y demeureront ;
²²mais les méchants seront retranchés du pays,
  les traîtres en seront arrachés.

Comment acquérir la sagesse.

3 ¹Mon fils, n'oublie pas mon enseignement,
  et que ton cœur garde mes préceptes,
²car ils augmenteront la durée de tes jours,
  tes années de vie et ton bien-être.

³Que piété et fidélité ne te quittent !
  Fixe-les à ton cou,
  inscris-les sur la tablette de ton cœur.
⁴Tu trouveras ainsi faveur et réussite
  aux regards de Dieu et des hommes.
⁵Repose-toi sur Yahvé de tout ton cœur,
  ne t'appuie pas sur ton propre entendement ;
⁶en toutes tes démarches, reconnais-le
  et il aplanira tes sentiers.
⁷Ne te figure pas être sage,
  crains Yahvé et te détourne du mal :
⁸cela sera salutaire à ton corps
  et rafraîchissant pour tes os.
⁹Honore Yahvé de tes biens
  et des prémices de tout ton revenu ;
¹⁰alors tes greniers regorgeront de blé
  et tes cuves déborderont de vin nouveau.

¹¹Ne méprise pas, mon fils, le châtiment de Yahvé,
  et ne prends pas mal sa réprimande,
¹²car Yahvé reprend celui qu'il aime,
  comme un père le fils qu'il chérit.

Les joies du sage.

¹³Heureux l'homme qui a trouvé la sagesse,
  l'homme qui acquiert l'intelligence !
¹⁴Car mieux vaut la gagner que gagner de l'argent,
  son revenu vaut mieux que de l'or.
¹⁵Elle est précieuse plus que les perles,
  rien de ce que tu désires ne l'égale.
¹⁶Dans sa droite : longueur des jours !
  Dans sa gauche : richesse et honneur !
¹⁷Ses chemins sont chemins de délices,
  tous ses sentiers, de bonheur.
¹⁸C'est un arbre de vie pour qui la saisit,
  et qui la tient devient heureux.

¹⁹Yahvé, par la sagesse, a fondé la terre,
  il a établi les cieux par l'intelligence.
²⁰Par sa science furent creusés les abîmes,
  et les nues distillent la rosée.

²¹Mon fils, sans les quitter des yeux,
  observe le conseil et la prudence ;
²²ils seront vie pour ton âme
  et grâce pour ton cou.
²³Tu iras ton chemin en sécurité,
  ton pied n'achoppera pas.

²⁴Si tu te couches, tu seras sans frayeur,
    une fois couché, ton sommeil sera doux.
²⁵Ne redoute ni terreur soudaine
    ni attaque qui vienne des méchants,
²⁶car Yahvé sera ton assurance,
    il préservera tes pas du piège.

²⁷Ne refuse pas un bienfait à qui y a droit
    quand il est en ton pouvoir de le faire.
²⁸Ne dis pas à ton prochain : « Va-t'en ! repasse !
    demain je te donnerai ! » quand la chose est en ton pouvoir.
²⁹Ne machine pas le mal contre ton prochain,
    alors qu'il demeure en confiance avec toi.
³⁰Ne te querelle pas sans motif avec un homme,
    s'il ne t'a fait aucun mal.
³¹N'envie pas l'homme violent,
    ne choisis jamais ses chemins,
³²car le pervers est l'abomination de Yahvé,
    lui qui fait des hommes droits ses familiers.
³³Malédiction de Yahvé sur la maison du méchant !
    mais il bénit la demeure des justes.
³⁴Il raille les railleurs,
    mais aux pauvres il donne sa faveur.
³⁵La gloire est la part des sages,
    un comble d'ignominie, celle des insensés.

Élection de la sagesse.

4 ¹Écoutez, fils, la leçon d'un père,
    soyez attentifs à connaître l'intelligence.
²Car c'est une bonne doctrine que je vous livre :
    n'abandonnez pas mon enseignement.
³Je fus un fils pour mon père,
    tendre et unique aux yeux de ma mère.
⁴Or il m'enseignait en ces termes :
  « Que ton cœur retienne mes paroles,
    observe mes préceptes et tu vivras ;
⁵acquiers la sagesse, acquiers l'intelligence,
    ne l'oublie pas et ne t'écarte pas des paroles de ma bouche.
⁶Ne l'abandonne pas, elle te gardera,
    aime-la, elle veillera sur toi.
⁷Commencement de la sagesse : acquiers la sagesse ;
    au prix de tout ce que tu possèdes, acquiers l'intelligence !
⁸Étreins-la et elle t'élèvera,
    elle fera ta gloire si tu l'embrasses ;
⁹sur ta tête elle posera un diadème de grâce,
    elle t'offrira une couronne d'honneur. »

¹⁰Écoute, mon fils, accueille mes paroles,
　　et les années de ta vie se multiplieront.
¹¹Dans la voie de la sagesse je t'ai enseigné,
　　je t'ai fait cheminer sur la piste de la droiture.
¹²Dans ta marche tes pas seront sans contrainte,
　　si tu cours, tu ne trébucheras pas.
¹³Saisis la discipline, ne la lâche pas,
　　garde-la, c'est ta vie.
¹⁴Ne suis pas le sentier des méchants,
　　ne t'avance pas sur le chemin des mauvais.
¹⁵Évite-le, n'y passe pas,
　　détourne-toi, passe outre.
¹⁶Car ils ne s'endorment pas, qu'ils n'aient fait le mal,
　　le sommeil leur manque s'ils n'ont fait trébucher quelqu'un ;
¹⁷car ils mangent un pain de méchanceté
　　et boivent le vin des violents.

¹⁸La route des justes est comme la lumière de l'aube,
　　dont l'éclat grandit jusqu'au plein jour ;
¹⁹le chemin des méchants est comme l'obscurité :
　　ils ne savent sur quoi ils trébuchent.

²⁰Mon fils, sois attentif à mes paroles,
　　à mes discours prête l'oreille !
²¹Qu'ils n'échappent pas à tes regards,
　　au fond du cœur garde-les !
²²Car pour qui les trouve ils sont vie
　　et santé pour toute chair.
²³Plus que sur toute chose, veille sur ton cœur,
　　c'est de lui que jaillit la vie.
²⁴Écarte loin de toi la bouche perverse,
　　et les lèvres trompeuses, éloigne-les.
²⁵Que tes yeux regardent en face,
　　que tes regards se dirigent droit devant toi.
²⁶Aplanis la piste sous tes pas
　　et que tous tes chemins soient bien affermis.
²⁷Ne dévie ni à droite ni à gauche,
　　écarte ton pied du mal.

La méfiance devant l'étrangère et les vraies amours du sage.

5 ¹Mon fils, sois attentif à ma sagesse,
　　prête l'oreille à mon intelligence,
²pour suivre la prudence
　　et que tes lèvres gardent le savoir.
³Car les lèvres de l'étrangère distillent le miel
　　et plus onctueux que l'huile est son palais ;
⁴mais à la fin elle est amère comme l'absinthe,
　　aiguisée comme une épée à deux tranchants.

⁵Ses pieds descendent à la mort,
    ses démarches gagnent le shéol ;
⁶loin de prendre les sentiers de la vie,
    sa marche est incertaine et elle ne le sait pas.

⁷Et maintenant, fils, écoutez-moi,
    ne vous écartez pas des paroles de ma bouche :
⁸loin d'elle, passe ton chemin,
    n'approche pas de l'entrée de sa maison,
⁹de peur qu'elle ne livre ton honneur à autrui,
    tes années à un homme impitoyable,
¹⁰que ton bien n'engraisse des étrangers,
    que le fruit de ton labeur n'aille à des inconnus,
¹¹et que sur ta fin,
    ton corps et ta chair consumés,
tu ne rugisses ¹²et ne t'écries :
    « Hélas, j'ai haï la discipline,
    mon cœur a dédaigné la remontrance ;
¹³je n'ai pas écouté la voix de mes maîtres,
    je n'ai pas prêté l'oreille à ceux qui m'instruisaient !
¹⁴Peu s'en faut que je sois au comble du malheur,
    au milieu de l'assemblée et de la communauté ! »

¹⁵Bois l'eau de ta propre citerne,
    l'eau jaillissante de ton puits !
¹⁶Tes fontaines s'écouleraient au-dehors,
    tes ruisseaux sur les places publiques :
¹⁷qu'ils restent pour toi seul,
    et non pour des étrangers avec toi !
¹⁸Bénie soit ta source !

Trouve la joie dans la femme de ta jeunesse :
¹⁹biche aimable, gracieuse gazelle !
En tout temps que ses seins t'enivrent,
    sois toujours épris de son amour !
²⁰Pourquoi, mon fils, te laisser égarer par une étrangère
    et embrasser le sein d'une inconnue ?
²¹Car les yeux de Yahvé observent les chemins de l'homme
    et surveillent tous ses sentiers.
²²Le méchant est pris à ses propres méfaits,
    dans les liens de son péché il est capturé.
²³Il mourra faute de discipline,
    par l'excès de sa folie il s'égarera.

La caution imprudente.

6 ¹Mon fils, si tu t'es porté garant envers ton prochain,
    si tu as topé dans la main en faveur d'un étranger,

²si tu t'es lié par les paroles de ta bouche,
si tu es pris aux paroles de ta bouche,
³fais donc ceci, mon fils, pour te tirer d'affaire,
puisque tu es tombé aux mains de ton prochain :
Va, prosterne-toi, importune ton prochain,
⁴n'accorde ni sommeil à tes yeux
ni repos à tes paupières,
⁵dégage-toi, comme la gazelle du chasseur,
ou comme l'oiseau de la main de l'oiseleur.

Le paresseux et la fourmi.

⁶Va voir la fourmi, paresseux !
Observe ses mœurs et deviens sage :
⁷elle qui n'a ni magistrat,
ni surveillant ni chef,
⁸durant l'été elle assure sa provende
et amasse, au temps de la moisson, sa nourriture.
⁹Jusques à quand, paresseux, resteras-tu couché ?
Quand te lèveras-tu de ton sommeil ?
¹⁰Un peu dormir, un peu s'assoupir,
un peu s'allonger les bras croisés,
¹¹et, tel un rôdeur, viendra l'indigence,
et la disette comme un pillard.

L'insensé.

¹²Un vaurien, un homme inique,
il va, la bouche torse,
¹³clignant de l'œil, traînant les pieds,
faisant signe des doigts.
¹⁴La fourberie au cœur, méditant le mal en toute saison,
il suscite des querelles.
¹⁵Aussi, soudain viendra sa ruine,
à l'instant il sera brisé, sans remède.

Les sept abominations.

¹⁶Il y a six choses que hait Yahvé,
sept qui lui sont en abomination :
¹⁷des yeux hautains, une langue menteuse,
des mains qui répandent le sang innocent,
¹⁸un cœur qui médite des projets coupables,
des pieds empressés à courir au mal,
¹⁹un faux témoin qui profère des mensonges,
le semeur de querelles entre frères.

Reprise du discours paternel.

²⁰Garde, mon fils, le précepte de ton père,
ne rejette pas l'enseignement de ta mère.

²¹Fixe-les constamment dans ton cœur,
    noue-les à ton cou.
²²Dans tes démarches ils te guideront,
    dans ton repos ils te garderont,
    à ton réveil ils s'entretiendront avec toi.

²³Car le précepte est une lampe,
    l'enseignement une lumière ;
    les exhortations de la discipline sont le chemin de la vie,
²⁴pour te préserver de la femme mauvaise,
    de la langue doucereuse d'une étrangère.
²⁵Ne convoite pas dans ton cœur sa beauté,
    ne te laisse pas prendre à ses œillades,
²⁶car à la prostituée suffit un quignon de pain,
    mais la femme mariée en veut à une vie précieuse.
²⁷Peut-on porter du feu dans son sein
    sans enflammer ses vêtements ?
²⁸Peut-on marcher sur des charbons ardents
    sans se brûler les pieds ?
²⁹Ainsi celui qui court après la femme de son prochain :
    qui s'y essaie ne s'en tirera pas indemne.
³⁰On ne méprise pas le voleur
    qui vole pour s'emplir l'estomac quand il a faim ;
³¹pourtant, s'il est pris, il rendra au septuple,
    il donnera toutes les ressources de sa maison.
³²Mais l'adultère est privé de sens,
    qui veut sa propre perte agit ainsi !
³³Il récolte coups et mépris,
    jamais ne s'effacera son opprobre.
³⁴Car la jalousie excite la rage du mari,
    au jour de la vengeance il sera sans pitié,
³⁵il n'aura égard à aucune compensation,
    il ne consentira à rien, même si tu multiplies les présents.

7 ¹Mon fils, garde mes paroles,
    conserve chez toi mes préceptes.
²Garde mes préceptes et tu vivras,
    que mon enseignement soit comme la pupille de tes yeux.
³Fixe-les à tes doigts,
    inscris-les sur la tablette de ton cœur.
⁴Dis à la sagesse : « Tu es ma sœur ! »
    Donne le nom de parente à l'intelligence,
⁵pour te garder de la femme étrangère,
    de l'inconnue aux paroles doucereuses.

⁶Comme j'étais à la fenêtre de ma demeure,
    j'ai regardé par le treillis

⁷et j'ai vu, parmi de jeunes niais,
     j'ai remarqué parmi des enfants
     un garçon privé de sens.
⁸Passant par la venelle, près du coin où elle est,
     il gagne le chemin de sa maison,
⁹à la brune, au tomber du jour,
     au cœur de la nuit et de l'ombre.
¹⁰Et voici qu'une femme vient à sa rencontre,
     vêtue comme une prostituée, la fausseté au cœur.
¹¹Elle est hardie et insolente ;
     ses pieds ne peuvent tenir à la maison.
¹²Tantôt dans la rue, tantôt sur les places,
     à tous les coins elle se tient aux aguets.
¹³Elle le saisit et l'embrasse
     et d'un air effronté lui dit :
¹⁴« J'avais à offrir un sacrifice de communion,
     j'ai accompli mes vœux aujourd'hui,
¹⁵voilà pourquoi je suis sortie à ta rencontre
     pour te chercher, et je t'ai trouvé.
¹⁶J'ai recouvert mon divan de couvertures,
     de tissus brodés, d'étoffe d'Égypte,
¹⁷j'ai aspergé ma couche de myrrhe,
     d'aloès et de cinnamome.
¹⁸Viens ! Enivrons-nous d'amour jusqu'au matin !
     Jouissons dans la volupté !
¹⁹Car il n'y a point de mari à la maison :
     il est parti pour un lointain voyage,
²⁰il a emporté le sac aux écus,
     à la pleine lune il reviendra chez lui. »
²¹À force de persuasion elle le séduit,
     par le charme doucereux de ses lèvres elle l'entraîne.
²²Aussitôt il la suit,
     comme un bœuf qui va à l'abattoir,
     comme on entrave un cerf pris au filet,
²³jusqu'à ce qu'un trait lui perce le foie,
     tel l'oiseau qui se précipite dans le filet
     sans savoir qu'il y va de sa vie.
²⁴À présent, fils, écoutez-moi,
     prêtez attention aux paroles de ma bouche :
²⁵Que ton cœur ne dévie pas vers ses chemins,
     ne t'égare pas dans ses sentiers,
²⁶car nombreux sont ceux qu'elle a frappés à mort
     et les plus robustes furent tous ses victimes.
²⁷Sa demeure est le chemin du shéol,
     la pente vers le parvis des morts.

Deuxième prosopopée de la Sagesse. 1 20-33.

8 ¹La Sagesse n'appelle-t-elle pas ?
   L'Intelligence n'élève-t-elle pas la voix ?
²Au sommet des hauteurs qui dominent la route,
   au croisement des chemins, elle se poste ;
³près des portes, à l'entrée de la cité,
   sur les voies d'accès, elle s'écrie :
⁴« Humains ! C'est vous que j'appelle,
   ma voix s'adresse aux enfants des hommes.
⁵Simples ! apprenez le savoir-faire,
   sots, apprenez le bon sens.
⁶Écoutez, j'ai à vous dire des choses importantes,
   j'ouvre mes lèvres pour dire des paroles droites.
⁷C'est la vérité que mon palais proclame,
   car le mal est abominable à mes lèvres.
⁸Toutes les paroles de ma bouche sont justes,
   en elles rien de faux ni de tortueux.
⁹Toutes sont franches pour qui les comprend,
   droites pour qui a trouvé le savoir.
¹⁰Prenez ma discipline et non de l'argent,
   le savoir plutôt que l'or pur.
¹¹Car la sagesse vaut mieux que les perles,
   et rien de ce que l'on désire ne l'égale. »

Éloge de la Sagesse par elle-même. La Sagesse royale. Si 24.

¹²« Moi, la Sagesse, j'habite avec le savoir-faire,
   je possède la science de la réflexion.
¹³(La crainte de Yahvé est la haine du mal).
   Je hais l'orgueil et l'arrogance,
   la mauvaise conduite et la bouche torse.
¹⁴À moi appartiennent le conseil et la prudence,
   je suis l'entendement, à moi la puissance !
¹⁵Par moi règnent les rois
   et les nobles décrètent le droit ;
¹⁶par moi gouvernent les princes
   et les grands, les juges légitimes.
¹⁷J'aime ceux qui m'aiment,
   qui me cherche avec empressement me trouve.
¹⁸Chez moi sont la richesse et la gloire,
   les biens stables et la justice.
¹⁹Mon fruit est meilleur que l'or, que l'or fin,
   mes produits meilleurs que le pur argent.
²⁰Je marche dans le chemin de la justice,
   dans le sentier du droit,
²¹pour procurer des biens à ceux qui m'aiment,
   et remplir leurs trésors.

La Sagesse créatrice. Jn 1 1-3.

²²« Yahvé m'a créée, prémices de son œuvre,
    avant ses œuvres les plus anciennes.
²³Dès l'éternité je fus établie,
    dès le principe, avant l'origine de la terre.
²⁴Quand les abîmes n'étaient pas, je fus enfantée,
    quand n'étaient pas les sources aux eaux abondantes.
²⁵Avant que fussent implantées les montagnes,
    avant les collines, je fus enfantée ;
²⁶avant qu'il eût fait la terre et la campagne
    et les premiers éléments du monde.
²⁷Quand il affermit les cieux, j'étais là,
    quand il traça un cercle à la surface de l'abîme,
²⁸quand il condensa les nuées d'en haut,
    quand se gonflèrent les sources de l'abîme,
²⁹quand il assigna son terme à la mer,
    – et les eaux n'en franchiront pas le bord –
    quand il traça les fondements de la terre,
³⁰j'étais à ses côtés comme le maître d'œuvre,
    je faisais ses délices, jour après jour,
    m'ébattant tout le temps en sa présence,
³¹m'ébattant sur la surface de sa terre
    et trouvant mes délices parmi les enfants des hommes.

L'invite suprême.

³²« Et maintenant, mes fils, écoutez-moi :
    Heureux ceux qui gardent mes voies !
³³Écoutez la leçon et devenez sages,
    ne la méprisez pas.
³⁴Heureux l'homme qui m'écoute,
    qui veille jour après jour à mes portes
    pour en garder les montants !
³⁵Car qui me trouve trouve la vie,
    il obtient la faveur de Yahvé ;
³⁶mais qui pèche contre moi blesse son âme,
    quiconque me hait chérit la mort. »

La Sagesse hospitalière. Mt 22 1-14p.

9 ¹La Sagesse a bâti sa maison,
    elle a taillé ses sept colonnes,
²elle a abattu ses bêtes, préparé son vin,
    elle a aussi dressé sa table.
³Elle a dépêché ses servantes
    et proclamé sur les buttes, en haut de la cité :
⁴« Qui est simple ? Qu'il passe par ici ! »
    À l'homme insensé elle dit :

⁵« Venez, mangez de mon pain,
    buvez du vin que j'ai préparé !
⁶Quittez la niaiserie et vous vivrez,
    marchez droit dans la voie de l'intelligence. »

Contre les railleurs.

⁷Qui corrige un railleur s'attire le mépris,
    qui reprend un méchant, le déshonneur.
⁸Ne reprends pas le railleur, il te haïrait,
    reprends le sage, il t'aimera.
⁹Donne au sage : il deviendra plus sage encore ;
    instruis le juste, il accroîtra son acquis.
¹⁰Principe de la sagesse : la crainte de Yahvé !
    la science des saints, voilà l'intelligence.
¹¹Car par moi tes jours se multiplient
    et pour toi s'accroissent les années de vie.
¹²Si tu es sage, tu l'es pour toi-même,
    si tu es railleur, toi seul en porteras la peine.

Dame Folie singe la Sagesse.

¹³Dame Folie est impulsive,
    niaise et ne connaissant rien !
¹⁴Elle s'assied à la porte de sa maison,
    sur un trône, en haut de la cité,
¹⁵pour appeler les passants,
    ceux qui vont droit leur chemin.
¹⁶« Qui est simple ? Qu'il fasse un détour par ici ! »
    À l'homme insensé elle dit :
¹⁷« Les eaux dérobées sont douces,
    et savoureux le pain du mystère ! »
¹⁸Or il ignore qu'il y a là des Ombres
    et que ses invités sont aux vallées du shéol.

2. Le grand recueil salomonien

10 ¹Proverbes de Salomon.

Le fils sage réjouit son père,
    le fils sot chagrine sa mère.

²Trésors mal acquis ne profitent pas,
    mais la justice délivre de la mort.

³Yahvé ne laisse pas le juste affamé,
    mais il réprime la convoitise des méchants.

⁴Main nonchalante appauvrit,
　la main des diligents enrichit.

⁵Amasser en été est d'un homme avisé,
　dormir à la moisson est d'un homme indigne.

⁶Bénédictions sur la tête du juste,
　mais la bouche des impies recouvre la violence.

⁷La mémoire du juste est en bénédiction,
　le nom des méchants tombe en pourriture.

⁸L'homme au cœur sage accepte les ordres,
　l'homme aux lèvres folles court à sa perte.

⁹Qui va honnêtement va en sécurité,
　qui suit une voie tortueuse est démasqué.

¹⁰Qui cligne de l'œil donne du tourment,
　qui réprimande en face procure l'apaisement.

¹¹Source de vie : la bouche du juste,
　mais la bouche des impies recouvre la violence.

¹²La haine allume des querelles,
　l'amour couvre toutes les offenses.

¹³Sur les lèvres de l'homme intelligent se trouve la sagesse,
　sur le dos de l'insensé, le bâton.

¹⁴Les sages thésaurisent le savoir,
　mais la bouche du fou est un danger menaçant.

¹⁵La fortune du riche, voilà sa place forte ;
　le mal des faibles, c'est leur indigence.

¹⁶Le salaire du juste procure la vie,
　le revenu du méchant, le péché.

¹⁷Il marche vers la vie, celui qui garde la discipline ;
　qui délaisse la réprimande se fourvoie.

¹⁸Les lèvres du menteur couvrent la haine ;
　qui profère une calomnie est un sot.

¹⁹Abondance de paroles ne va pas sans offense ;
　qui retient ses lèvres est avisé.

²⁰La langue du juste est pur argent,
　le cœur des méchants est de peu de prix.

²¹Les lèvres du juste repaissent une multitude,
　mais les fous meurent faute de sens.

²²C'est la bénédiction de Yahvé qui enrichit,
　sans que l'effort y ajoute rien.

²³C'est un jeu pour le sot de s'adonner au crime,
et pour l'homme intelligent de cultiver la sagesse.

²⁴Ce que redoute le méchant lui échoit,
ce que souhaite le juste lui est donné.

²⁵Quand la tourmente a passé, plus de méchant !
mais à jamais, le juste est établi.

²⁶Vinaigre aux dents, fumée aux yeux,
tel est le paresseux pour qui l'envoie.

²⁷La crainte de Yahvé prolonge les jours,
les années du méchant seront abrégées.

²⁸L'espoir des justes est joie,
l'espérance des méchants périra.

²⁹La voie de Yahvé est un rempart pour l'homme honnête,
pour les malfaisants, une ruine.

³⁰Jamais le juste ne sera ébranlé,
mais les méchants n'habiteront pas le pays.

³¹La bouche du juste exprime la sagesse,
la langue perverse sera coupée.

³²Les lèvres du juste connaissent la bienveillance,
la bouche des méchants la perversité.

11 ¹La balance fausse est une abomination pour Yahvé,
mais le poids juste a sa faveur.

²Vienne l'insolence, viendra le mépris,
mais chez les humbles se trouve la sagesse.

³Leur honnêteté conduit les hommes droits,
leur perversité mène les traîtres à la ruine.

⁴Au jour de la colère, la richesse sera inutile,
mais la justice délivre de la mort.

⁵La justice de l'homme honnête rend droit son chemin,
le méchant succombe dans sa méchanceté.

⁶Leur justice sauve les hommes droits,
dans leur convoitise les traîtres sont pris.

⁷L'espérance du méchant périt à sa mort,
l'espoir mis dans les richesses est anéanti.

⁸Le juste échappe à l'angoisse,
le méchant y vient à sa place.

⁹Par sa bouche l'impie ruine son prochain,
par le savoir les justes se tirent d'affaire.

¹⁰Au bonheur des justes, la cité exulte,
à la perte des méchants, c'est un cri de joie.

¹¹Par la bénédiction des hommes droits s'élève une ville,
par la bouche des méchants, elle est démolie.

¹²Qui méprise son prochain est privé de sens ;
l'homme intelligent se tait.

¹³C'est un colporteur de médisance, celui qui révèle les secrets,
c'est un esprit sûr, celui qui cache l'affaire.

¹⁴Faute de direction un peuple succombe,
le succès tient au grand nombre de conseillers.

¹⁵Celui qui cautionne l'étranger se fait du tort,
qui répugne à toper est en sécurité.

¹⁶Une femme gracieuse acquiert de l'honneur,
les violents acquièrent la richesse.

¹⁷L'homme miséricordieux fait du bien à soi-même,
mais un homme intraitable afflige sa propre chair.

¹⁸Le méchant accomplit un travail décevant,
à qui sème la justice, la récompense est assurée.

¹⁹Oui ! la justice mène à la vie,
qui poursuit le mal va à la mort.

²⁰Abomination pour Yahvé : les cœurs tortueux ;
il aime ceux dont la conduite est honnête.

²¹En un tour de main, le méchant ne restera pas impuni,
mais la race des justes sera sauve.

²²Un anneau d'or au groin d'un pourceau :
une femme belle mais dépourvue de sens.

²³Le souhait des justes, ce n'est que le bien,
l'espoir des méchants, c'est la colère.

²⁴Tel est prodigue et sa richesse s'accroît,
tel amasse sans mesure et ne fait que s'appauvrir.

²⁵L'âme qui bénit prospérera,
et qui abreuve sera abreuvé.

²⁶Le peuple maudit l'accapareur de blé,
bénédiction sur la tête de celui qui le vend.

²⁷Qui vise le bien obtient la faveur,
qui poursuit le mal, celui-ci l'atteindra.

²⁸Qui se fie en la richesse tombera,
mais les justes pousseront comme le feuillage.

²⁹Qui laisse sa maison en désordre hérite le vent,
et le fou devient esclave du sage.

³⁰Le fruit du juste est un arbre de vie ;
le sage recueille la vie.

³¹Si le juste reçoit ici-bas son salaire,
combien plus le méchant et le pécheur.

12 ¹Qui aime la discipline aime le savoir,
qui hait la réprimande est stupide.

²L'homme de bien attire la faveur de Yahvé,
mais l'homme malintentionné, celui-ci le condamne.

³On ne s'affermit pas par la méchanceté,
mais rien n'ébranle la racine des justes.

⁴Une maîtresse femme est la couronne de son mari,
mais une femme indigne est comme une carie dans ses os.

⁵Les desseins du juste sont équité,
les machinations du méchant, tromperie.

⁶Les paroles des méchants sont des pièges de sang,
mais la bouche des hommes droits les délivre.

⁷Jetés bas, les méchants ne sont plus,
la maison des justes subsiste.

⁸On fait l'éloge d'un homme selon son bon sens,
le cœur tortueux est en butte aux affronts.

⁹Mieux vaut un homme du commun qui a un serviteur
qu'un homme qui se glorifie et manque de pain.

¹⁰Le juste connaît les besoins de ses bêtes,
mais les entrailles du méchant sont cruelles.

¹¹Qui cultive sa terre sera rassasié de pain,
qui poursuit des chimères est dépourvu de sens.

¹²L'impie convoite le butin des méchants,
mais la racine des justes rapporte.

¹³Dans le forfait des lèvres, il y a un piège funeste,
mais le juste se tire de la détresse.

¹⁴Par le fruit de sa bouche l'homme se rassasie de ce qui est bon,
on reçoit la récompense de ses œuvres.

¹⁵Le chemin du fou est droit à ses propres yeux,
mais le sage écoute le conseil.

¹⁶Le fou manifeste son dépit sur l'heure,
mais l'homme habile dissimule le mépris.

[17]Celui qui profère la vérité proclame la justice,
le faux témoin n'est que tromperie.

[18]Tel qui parle étourdiment blesse comme une épée,
la langue des sages guérit.

[19]La lèvre sincère est affermie pour jamais,
mais pour un instant la langue trompeuse.

[20]Au cœur de qui médite le mal : la fraude ;
aux conseillers pacifiques : la joie.

[21]Au juste n'échoit nul mécompte,
mais les méchants sont comblés de malheur.

[22]Abomination pour Yahvé : des lèvres menteuses ;
il aime ceux qui pratiquent la vérité.

[23]L'homme avisé cèle son savoir,
le cœur des sots publie sa folie.

[24]À la main diligente le commandement,
la main nonchalante aura la corvée.

[25]Une peine au cœur de l'homme le déprime,
mais une bonne parole le réjouit.

[26]Un juste montre la voie à son compagnon,
la voie des méchants les égare.

[27]L'indolence ne rôtit pas son gibier,
mais la diligence est une précieuse ressource de l'homme.

[28]Sur le sentier de la justice : la vie ;
le chemin de la perversion mène à la mort.

13 [1]Le fils sage écoute la discipline de son père,
le railleur n'entend pas le reproche.

[2]Par le fruit de sa bouche l'homme se nourrit de ce qui est bon,
mais la vie des traîtres n'est que violence.

[3]Qui veille sur sa bouche garde sa vie,
qui ouvre grand ses lèvres se perd.

[4]Le paresseux attend, mais rien pour sa faim ;
la faim des diligents est apaisée.

[5]Le juste hait la parole mensongère,
mais le méchant déshonore et diffame.

[6]La justice garde celui dont la voie est honnête,
le péché cause la ruine des méchants.

[7]Tel joue au riche qui n'a rien,
tel fait le pauvre qui a de grands biens.

⁸Rançon d'une vie d'homme : sa richesse ;
  mais le pauvre n'entend pas le reproche.

⁹La lumière des justes est joyeuse,
  la lampe des méchants s'éteint.

¹⁰Insolence n'engendre que chicane ;
  chez qui accepte les conseils se trouve la sagesse.

¹¹Fortune hâtive va diminuant,
  qui amasse peu à peu s'enrichit.

¹²Espoir différé rend le cœur malade ;
  c'est un arbre de vie que le désir satisfait.

¹³Qui méprise la parole se perdra,
  qui respecte le commandement sera récompensé.

¹⁴L'enseignement du sage est source de vie
  pour éviter les pièges de la mort.

¹⁵Un grand bon sens procure la faveur,
  le chemin des traîtres est interminable.

¹⁶Tout homme avisé agit à bon escient,
  le sot étale sa folie.

¹⁷Messager malfaisant tombe dans le malheur,
  messager fidèle apporte la guérison.

¹⁸Misère et mépris à qui abandonne la discipline,
  honneur à qui observe la réprimande.

¹⁹Désir satisfait, douceur pour l'âme.
  Abomination pour les sots : se détourner du mal.

²⁰Qui chemine avec les sages devient sage,
  qui hante les sots devient mauvais.

²¹Aux trousses du pécheur, le malheur ;
  le bonheur récompense les justes.

²²Aux enfants de ses enfants l'homme de bien laisse un héritage,
  au juste est réservée la fortune des pécheurs.

²³Riche en nourriture, la culture des pauvres ;
  il en est qui périssent faute d'équité.

²⁴Qui épargne la baguette hait son fils,
  qui l'aime prodigue le châtiment.

²⁵Le juste mange et se rassasie,
  le ventre des méchants crie famine.

14 ¹La Sagesse bâtit sa maison,
     de sa main, la Folie la renverse.

²Qui marche dans sa droiture craint Yahvé,
  qui dévie de ses chemins le méprise.

³Dans la bouche du fou il y a un surgeon d'orgueil,
  les lèvres des sages les en protègent.

⁴Point de bœufs, mangeoire vide ;
  taureau vigoureux, revenus abondants.

⁵Le témoin véridique ne ment pas,
  mais le faux témoin exhale le mensonge.

⁶Le railleur poursuit la sagesse, mais en vain,
  à l'homme intelligent le savoir est chose aisée.

⁷Écarte-toi du sot,
  tu ne lui reconnaîtrais pas des lèvres savantes.

⁸Pour l'homme avisé, la sagesse est de surveiller sa conduite,
  mais la folie des sots n'est que tromperie.

⁹Les fous se moquent de la dette pour une faute,
  mais parmi les hommes droits, c'est la compensation.

¹⁰Le cœur connaît son propre chagrin
  et nul étranger ne partage sa joie.

¹¹La maison des méchants sera détruite,
  la tente des hommes droits prospérera.

¹²Tel chemin paraît droit à quelqu'un,
  mais en fin de compte c'est le chemin de la mort.

¹³Dans le rire même, le cœur trouve la peine,
  et la joie s'achève en chagrin.

¹⁴Le cœur dévoyé se rassasie de ses démarches,
  et, plus que lui, l'homme de bien.

¹⁵Le niais croit tout ce qu'on dit,
  l'homme avisé surveille ses pas.

¹⁶Le sage craint le mal et se détourne,
  le sot est insolent et sûr de lui.

¹⁷L'homme prompt à la colère fait des sottises,
  l'homme malintentionné est odieux.

¹⁸La part des niais, c'est la folie,
  les gens avisés se font du savoir une couronne.

¹⁹Devant les bons, les méchants se prosternent,
  et aux portes des justes, les impies.

²⁰Même à son voisin, le pauvre est odieux,
  mais nombreux sont ceux qui aiment le riche.

²¹Il pèche, celui qui méprise son prochain ;
    heureux qui a pitié des pauvres.

²²N'est-ce pas s'égarer que machiner le mal ?
    Miséricorde et fidélité pour qui s'applique au bien.

²³Tout labeur donne du profit,
    le bavardage ne produit que disette.

²⁴Couronne des sages : leur richesse ;
    la folie des sots est folie.

²⁵Un témoin véridique sauve des vies,
    qui profère des mensonges n'est que tromperie.

²⁶Dans la crainte de Yahvé, puissante sécurité ;
    pour ses enfants il est un refuge.

²⁷La crainte de Yahvé est source de vie
    pour éviter les pièges de la mort.

²⁸Peuple nombreux, gloire du roi ;
    baisse de population, ruine du prince.

²⁹L'homme lent à la colère est plein d'intelligence,
    qui a l'humeur prompte exalte la folie.

³⁰Vie du corps : un cœur paisible ;
    mais la jalousie est carie des os.

³¹Opprimer le faible, c'est outrager son Créateur ;
    c'est l'honorer que d'être bon pour les malheureux.

³²Par sa propre malice le méchant est terrassé,
    le juste trouve un refuge dans son intégrité.

³³En un cœur intelligent demeure la sagesse ;
    mais la reconnaît-on au cœur des sots ?

³⁴La justice grandit une nation,
    le péché est la honte des peuples.

³⁵La faveur du roi va au serviteur intelligent
    et sa colère à celui qui fait honte.

15 ¹Une aimable réponse apaise la fureur,
    une parole blessante fait monter la colère.

²La langue des sages rend le savoir agréable,
    la bouche des sots éructe la folie.

³En tout lieu sont les yeux de Yahvé,
    ils observent méchants et bons.

⁴Langue apaisante est un arbre de vie,
    langue perverse brise le cœur.

⁵Le fou méprise le châtiment paternel,
　　qui observe la réprimande est avisé.

⁶Biens abondants dans la maison du juste,
　　mais les revenus du méchant sont source d'inquiétude.

⁷Les lèvres des sages répandent le savoir,
　　mais non le cœur des sots.

⁸Le sacrifice des méchants est une abomination pour Yahvé,
　　mais la prière des hommes droits fait ses délices.

⁹Abomination pour Yahvé : la mauvaise conduite ;
　　mais il chérit qui poursuit la justice.

¹⁰Sévère châtiment pour qui s'écarte du sentier ;
　　qui hait la réprimande mourra.

¹¹Shéol et Perdition sont devant Yahvé :
　　combien plus le cœur des enfants des hommes !

¹²Le railleur n'aime pas qu'on le reprenne,
　　avec les sages il ne va guère.

¹³Cœur joyeux fait bon visage,
　　cœur chagrin a l'esprit abattu.

¹⁴Cœur intelligent recherche le savoir,
　　la bouche des sots se repaît de folie.

¹⁵Pour le pauvre, tous les jours sont mauvais,
　　pour le cœur joyeux, c'est un banquet perpétuel.

¹⁶Mieux vaut peu avec la crainte de Yahvé
　　qu'un riche trésor avec l'inquiétude.

¹⁷Mieux vaut une portion de légumes avec l'affection
　　qu'un bœuf gras avec la haine.

¹⁸L'homme emporté engage la querelle,
　　l'homme lent à la colère apaise la dispute.

¹⁹Le chemin du paresseux est comme une haie d'épines,
　　le sentier des hommes droits est une grand-route.

²⁰Le fils sage réjouit son père,
　　l'homme sot méprise sa mère.

²¹La folie fait la joie de l'homme privé de sens,
　　l'homme intelligent va droit son chemin.

²²Faute de réflexion les projets échouent,
　　grâce à de nombreux conseillers, ils prennent corps.

²³Joie pour l'homme qu'une réplique de sa bouche,
　　que c'est bon, une réponse opportune !

²⁴À l'homme de bon sens, le sentier de la vie, qui mène en haut,
   afin d'éviter le shéol, en bas.

²⁵Yahvé renverse la maison des superbes,
   mais il relève la borne de la veuve.

²⁶Abomination pour Yahvé : les mauvais desseins ;
   mais les paroles bienveillantes sont pures.

²⁷Qui est avide de rapines trouble sa maison,
   qui hait les présents vivra.

²⁸Le cœur du juste médite pour répondre,
   la bouche des méchants éructe la méchanceté.

²⁹Yahvé s'éloigne des méchants,
   mais il entend la prière des justes.

³⁰Un regard bienveillant réjouit le cœur,
   une bonne nouvelle ranime les forces.

³¹L'oreille attentive à la réprimande salutaire
   a sa demeure parmi les sages.

³²Qui rejette le châtiment se méprise lui-même,
   qui écoute la réprimande acquiert du sens.

³³La crainte de Yahvé est discipline de sagesse,
   avant la gloire, il y a l'humilité.

16 ¹À l'homme les projets du cœur,
   de Yahvé vient la réponse.

²Toutes les voies de l'homme sont pures à ses yeux,
   mais Yahvé pèse les esprits.

³Recommande à Yahvé tes œuvres,
   et tes projets se réaliseront.

⁴Yahvé fit toute chose en vue d'une fin,
   et même le méchant pour le jour du malheur.

⁵Abomination pour Yahvé : tout cœur altier ;
   à coup sûr, il ne restera pas impuni.

⁶Par la piété et la fidélité on expie la faute,
   par la crainte de Yahvé on s'écarte du mal.

⁷Que Yahvé se plaise à la conduite d'un homme,
   il lui réconcilie même ses ennemis.

⁸Mieux vaut peu avec la justice
   que d'abondants revenus sans le bon droit.

⁹Le cœur de l'homme délibère sur sa voie,
   mais c'est Yahvé qui affermit ses pas.

¹⁰L'oracle par le sort est sur les lèvres du roi,
    dans un jugement, sa bouche est sans défaillance.

¹¹La balance et les plateaux justes sont à Yahvé,
    tous les poids du sac sont son œuvre.

¹²Abomination pour les rois : commettre le mal,
    car sur la justice le trône est établi.

¹³Les lèvres justes gagnent la faveur du roi,
    il aime qui parle avec droiture.

¹⁴La fureur du roi est messagère de mort,
    mais l'homme sage l'apaise.

¹⁵Dans la lumière du visage royal est la vie ;
    telle une pluie printanière est sa bienveillance.

¹⁶Combien il vaut mieux acquérir la sagesse que l'or !
    L'acquisition de l'intelligence est préférable à l'argent.

¹⁷Le chemin des gens droits, c'est d'éviter le mal ;
    il garde sa vie, celui qui veille sur ses démarches.

¹⁸L'arrogance précède la ruine
    et l'esprit altier la chute.

¹⁹Mieux vaut être humble avec les pauvres
    qu'avec les superbes partager le butin.

²⁰Qui est attentif à la parole trouve le bonheur,
    qui se fie en Yahvé est bienheureux.

²¹Un cœur sage est proclamé intelligent,
    la douceur des lèvres augmente le savoir.

²²Le bon sens est source de vie pour qui le possède,
    la folie des fous est leur châtiment.

²³Le cœur du sage rend sa bouche avisée
    et ses lèvres riches de savoir.

²⁴Les paroles aimables sont un rayon de miel :
    doux au palais, salutaire au corps.

²⁵Tel chemin paraît droit à quelqu'un,
    mais en fin de compte, c'est le chemin de la mort.

²⁶L'appétit du travailleur travaille pour lui,
    car sa bouche le presse.

²⁷L'homme de rien produit le malheur,
    c'est comme un feu brûlant sur ses lèvres.

²⁸L'homme fourbe sème la querelle,
    le diffamateur divise les intimes.

²⁹L'homme violent séduit son prochain
et le mène dans une voie qui n'est pas bonne.

³⁰Qui ferme les yeux pour méditer des fourberies,
qui pince les lèvres, a commis le mal.

³¹C'est une couronne d'honneur que des cheveux blancs,
sur les chemins de la justice on la trouve.

³²Mieux vaut un homme lent à la colère qu'un héros,
un homme maître de soi qu'un preneur de villes.

³³Dans le pli du vêtement on jette le sort,
de Yahvé dépend le jugement.

17 ¹Mieux vaut une bouchée de pain sec et la tranquillité
qu'une maison pleine de sacrifices de discorde.

²Un serviteur avisé l'emporte sur le fils indigne,
avec les frères il aura sa part d'héritage.

³La fournaise pour l'argent, le fourneau pour l'or,
pour éprouver les cœurs : Yahvé.

⁴Le méchant est attentif aux lèvres pernicieuses,
le menteur prête l'oreille à la langue perverse.

⁵Qui nargue le pauvre outrage son Créateur,
qui rit d'un malheureux ne restera pas impuni.

⁶Couronne des vieillards : les enfants de leurs enfants ;
fierté des enfants : leur père.

⁷Une langue distinguée ne sied pas à l'insensé,
moins encore, au notable, une langue menteuse.

⁸Un présent est un talisman pour qui en dispose :
de quelque côté qu'il se tourne, il réussit.

⁹Qui jette le voile sur une offense cultive l'amitié,
qui répète la chose divise les intimes.

¹⁰Un reproche fait plus d'impression sur l'homme intelligent
que cent coups sur le sot.

¹¹Le méchant ne cherche que rébellion,
mais un messager cruel sera envoyé contre lui.

¹²Plutôt rencontrer une ourse privée de ses petits
qu'un insensé en son délire.

¹³Qui rend le mal pour le bien,
le malheur ne s'éloignera pas de sa maison.

¹⁴C'est libérer les eaux qu'entamer une querelle ;
avant que se déchaîne le procès, désiste-toi.

15 Acquitter le coupable et condamner le juste :
deux choses également en horreur à Yahvé.

16 À quoi bon de l'argent dans la main d'un sot ?
À acheter la sagesse ? Il n'y a pas le cœur !

17 Un ami aime en tout temps,
un frère est engendré en vue de l'adversité.

18 Est court de sens qui tope dans la main
et pour son prochain se porte garant.

19 C'est aimer l'offense qu'aimer la chicane,
qui se montre orgueilleux cultive la ruine.

20 Qui a le cœur pervers ne trouve pas le bonheur,
qui a la langue tortueuse tombe dans le malheur.

21 Qui engendre un sot, c'est pour son chagrin ;
il n'a guère de joie, le père de l'insensé !

22 Cœur joyeux améliore la santé,
esprit déprimé dessèche les os.

23 Le méchant accepte un présent sous le manteau,
pour faire une entorse au droit.

24 La sagesse est à la portée de l'homme avisé
les yeux du sot divaguent à l'infini.

25 Chagrin pour son père qu'un fils insensé,
et amertume pour celle qui l'a enfanté.

26 Il n'est pas bon de mettre le juste à l'amende ;
frapper des notables est contraire au droit.

27 Qui retient ses paroles connaît le savoir,
un esprit froid est un homme d'intelligence.

28 Même le fou, s'il se tait, passe pour sage,
pour intelligent, celui qui clôt ses lèvres.

18 1 Qui vit à l'écart suit son bon plaisir,
contre tout conseil il se déchaîne.

2 Le sot ne prend pas plaisir à être intelligent,
mais à étaler son sentiment.

3 Quand vient la méchanceté, vient aussi l'affront,
avec le mépris, l'opprobre.

4 Des eaux profondes, voilà les paroles de l'homme :
un torrent débordant, une source de sagesse.

5 Il n'est pas bon de favoriser le méchant,
pour débouter le juste dans un jugement.

⁶Les lèvres du sot vont au procès
    et sa bouche appelle les coups.

⁷La bouche du sot est sa ruine
    et ses lèvres un piège pour sa vie.

⁸Les dires du calomniateur sont de friands morceaux
    qui descendent jusqu'au fond des entrailles.

⁹Quiconque est paresseux à l'ouvrage,
    celui-là est frère du destructeur.

¹⁰Une tour forte : le nom de Yahvé !
    le juste y accourt et il est hors d'atteinte.

¹¹La fortune du riche, voilà sa place forte :
    c'est une haute muraille, pense-t-il.

¹²Avant la ruine, le cœur humain s'élève,
    avant la gloire, il y a l'humilité.

¹³Qui riposte avant d'écouter,
    c'est pour lui folie et confusion.

¹⁴L'esprit de l'homme peut endurer la maladie,
    mais l'esprit abattu, qui le relèvera ?

¹⁵Cœur intelligent acquiert la science,
    l'oreille des sages recherche le savoir.

¹⁶Le don que fait un homme lui ouvre la voie
    et le met en présence des grands.

¹⁷On donne raison au premier qui plaide,
    que survienne un adversaire, il le démasque.

¹⁸Le sort met fin aux querelles
    et décide entre les puissants.

¹⁹Un frère offensé est pire qu'une ville fortifiée
    et les querelles sont comme les verrous d'un donjon.

²⁰Du fruit de sa bouche l'homme rassasie son estomac,
    du produit de ses lèvres il se rassasie.

²¹Mort et vie sont au pouvoir de la langue,
    ceux qui la chérissent mangeront de son fruit.

²²Trouver une femme, c'est trouver le bonheur,
    c'est obtenir une faveur de Yahvé.

²³Le pauvre parle en suppliant,
    le riche répond durement.

²⁴Il y a des amis qui mènent à la ruine,
    il y en a qui sont plus chers qu'un frère.

19 ¹Mieux vaut le pauvre qui se conduit honnêtement
que l'homme aux lèvres tortueuses et qui n'est qu'un sot.

²Où manque le savoir, le zèle n'est pas bon,
qui presse le pas se fourvoie.

³La folie de l'homme pervertit sa conduite
et c'est contre Yahvé que son cœur s'emporte.

⁴La richesse multiplie les amis,
mais de son ami le pauvre est privé.

⁵Le faux témoin ne restera pas impuni,
qui profère des mensonges n'échappera point.

⁶Beaucoup flattent en face l'homme généreux,
tout le monde est ami de celui qui donne.

⁷Tous les frères du pauvre le haïssent,
à plus forte raison, ses amis s'éloignent-ils de lui.

Il se met en quête de paroles, mais point !

⁸Qui acquiert du sens se chérit lui-même,
qui garde l'intelligence trouve le bonheur.

⁹Le faux témoin ne restera pas impuni,
qui profère des mensonges périra.

¹⁰Il ne sied pas au sot de vivre dans le luxe,
moins encore à l'esclave de dominer les princes.

¹¹Le bon sens rend l'homme lent à la colère,
sa fierté, c'est de passer sur une offense.

¹²Comme le rugissement du lion, la fureur du roi,
mais comme la rosée sur l'herbe, sa faveur.

¹³C'est une calamité pour son père qu'un fils insensé,
une gargouille qui ne cesse de couler que les querelles d'une
[femme.

¹⁴Une maison et du bien sont l'héritage paternel,
mais c'est Yahvé qui donne une femme de sens.

¹⁵La paresse fait choir dans la torpeur,
l'âme nonchalante aura faim.

¹⁶À garder le commandement on se garde soi-même,
mais qui méprise ses voies mourra.

¹⁷Qui fait la charité au pauvre prête à Yahvé
qui paiera le bienfait de retour.

¹⁸Tant qu'il y a de l'espoir, châtie ton fils,
mais ne t'emporte pas jusqu'à le faire mourir.

¹⁹L'homme violent s'expose à l'amende ;
si tu l'épargnes, tu augmentes son mal.

²⁰Entends le conseil, accepte la discipline,
pour être sage à la fin.

²¹Nombreux sont les projets au cœur de l'homme,
mais le dessein de Yahvé, lui, reste ferme.

²²Ce qu'on souhaite chez l'homme, c'est sa bonté,
on aime mieux un pauvre qu'un menteur.

²³La crainte de Yahvé mène à la vie,
on a vivre et couvert sans craindre le malheur.

²⁴Le paresseux plonge la main dans le plat,
mais ne peut même pas la ramener à sa bouche.

²⁵Frappe le railleur, et le niais deviendra avisé ;
reprends un homme intelligent, il comprendra le savoir.

²⁶Qui maltraite son père et chasse sa mère
est un fils indigne et infâme.

²⁷Cesse, mon fils, d'écouter la leçon
ce sera t'écarter des propos du savoir !

²⁸Un témoin indigne se moque du droit ;
la bouche des méchants avale l'iniquité.

²⁹Les châtiments sont faits pour les railleurs,
les coups pour l'échine des sots.

20 ¹Raillerie dans le vin ! Insolence dans la boisson !
Qui s'y égare n'est pas sage.

²Tel le rugissement du lion, la colère du roi !
Qui l'excite pèche contre lui-même.

³C'est un honneur pour l'homme d'éviter les procès,
mais quiconque est fou se déchaîne.

⁴À l'automne, le paresseux ne laboure pas,
à la moisson il cherche, et rien !

⁵C'est une eau profonde que le conseil au cœur de l'homme,
l'homme intelligent n'a qu'à puiser.

⁶Beaucoup de gens se proclament hommes de bien,
mais un homme fidèle, qui le trouvera ?

⁷Le juste qui se conduit honnêtement,
heureux ses enfants après lui !

⁸Un roi siégeant au tribunal
dissipe tout mal par son regard.

⁹Qui peut dire : « J'ai purifié mon cœur,
de mon péché je suis net » ?

¹⁰Poids et poids, mesure et mesure :
deux choses en horreur à Yahvé.

¹¹Même par ses actes un jeune homme se fait connaître,
si son action est pure et si elle est droite.

¹²L'oreille qui entend, l'œil qui voit,
l'un et l'autre, Yahvé les a faits.

¹³N'aime pas à somnoler, tu deviendrais pauvre ;
tiens les yeux ouverts, tu auras ton content de pain !

¹⁴« Mauvais ! mauvais ! » dit l'acheteur,
mais en partant il se félicite.

¹⁵Il y a l'or et toutes sortes de perles,
mais la chose la plus précieuse, ce sont les lèvres instruites.

¹⁶Prends-lui son vêtement, car il a cautionné un inconnu,
à cause d'étrangers, prends-lui un gage !

¹⁷Doux est à l'homme le pain de la fraude,
mais ensuite la bouche est remplie de gravier.

¹⁸Dans le conseil s'affermissent les projets :
par de sages calculs conduis la guerre.

¹⁹Il révèle les secrets, le colporteur de médisance ;
avec qui a toujours la bouche ouverte, ne te lie pas !

²⁰Qui maudit son père et sa mère
verra s'éteindre sa lampe au cœur des ténèbres.

²¹Le bien vite acquis au début
ne sera pas béni à la fin.

²²Ne dis point : « Je rendrai le mal ! »
fie-toi à Yahvé qui te sauvera.

²³Abomination pour Yahvé : poids et poids ;
une balance fausse, ce n'est pas bien.

²⁴Yahvé dirige les pas de l'homme :
comment l'homme comprendrait-il son chemin ?

²⁵C'est un piège pour l'homme de crier : « Ceci est sacré ! »
et, après les vœux, de réfléchir.

²⁶Un roi sage vanne les méchants
et fait passer sur eux la roue.

²⁷La lampe de Yahvé, c'est l'esprit de l'homme
qui pénètre jusqu'au tréfonds de son être.

²⁸Piété et fidélité montent la garde près du roi ;
  sur la piété est fondé le trône.

²⁹La fierté des jeunes gens, c'est leur vigueur,
  la parure des vieillards, c'est leur tête chenue.

³⁰Les blessures sanglantes sont un remède à la méchanceté,
  les coups vont jusqu'au fond de l'être.

21 ¹Comme l'eau courante, le cœur du roi est aux mains de Yahvé
  qui l'incline partout à son gré.

²Toutes les voies de l'homme sont droites à ses yeux,
  mais Yahvé pèse les cœurs.

³Pratiquer la justice et le droit
  vaut, pour Yahvé, mieux que le sacrifice.

⁴Regards altiers, cœur dilaté,
  lampe des méchants, ce n'est que péché.

⁵Les projets de l'homme diligent ne sont que profit ;
  pour qui se presse, rien que la disette !

⁶Amasser des trésors par une langue menteuse :
  vanité fugitive de qui cherche la mort.

⁷La violence des méchants les emporte,
  car ils refusent de pratiquer le droit.

⁸Tortueuse est la voie de l'homme criminel,
  mais de l'innocent l'action est droite.

⁹Mieux vaut habiter à l'angle d'un toit
  que faire maison commune avec une femme querelleuse.

¹⁰L'âme du méchant souhaite le mal,
  à ses yeux le prochain ne trouve pas grâce.

¹¹Quand on châtie le railleur, le niais s'assagit ;
  quand on instruit le sage, il accueille le savoir.

¹²Le Juste considère la maison du méchant :
  il précipite les méchants dans le malheur.

¹³Qui ferme l'oreille à l'appel du faible
  criera, lui aussi, sans qu'on lui réponde.

¹⁴Un don secret apaise la colère,
  un présent sous le manteau, la fureur violente.

¹⁵C'est une joie pour le juste de pratiquer le droit,
  mais c'est l'épouvante pour les malfaisants.

¹⁶Qui s'égare loin du chemin de la prudence
  dans l'assemblée des Ombres reposera.

¹⁷Restera indigent qui aime le plaisir,
point ne s'enrichira qui aime vin et bonne chère.

¹⁸Le méchant est la rançon du juste ;
à la place des hommes droits : le traître.

¹⁹Mieux vaut habiter en un pays désert
qu'avec une femme querelleuse et chagrine.

²⁰Il y a un trésor précieux et de l'huile dans la demeure du sage,
mais le sot les engloutit.

²¹Qui poursuit la justice et la miséricorde
trouvera vie, justice et honneur.

²²Le sage escalade la ville des guerriers,
il abat le rempart dans lequel elle se confiait.

²³À garder sa bouche et sa langue,
on se garde soi-même de l'angoisse.

²⁴Insolent, hautain, son nom est « railleur » !
il agit dans l'excès de son insolence.

²⁵Le désir du paresseux cause sa mort,
car ses mains refusent le travail.

²⁶Tout le jour l'impie est en proie à la convoitise,
le juste donne sans jamais refuser.

²⁷Le sacrifice des méchants est une abomination,
surtout s'ils l'offrent avec malice.

²⁸Le faux témoin périra,
et celui qui écoute le détruira complètement.

²⁹Le méchant se donne un air assuré,
l'homme droit affermit sa propre conduite.

³⁰Il n'y a ni sagesse, ni intelligence,
ni conseil devant Yahvé.

³¹On équipe le cheval pour le jour du combat,
mais c'est à Yahvé qu'appartient la victoire.

22 ¹Le renom l'emporte sur de grandes richesses,
la faveur, sur l'or et l'argent.

²Riche et pauvre se rencontrent,
Yahvé les a faits tous les deux.

³L'homme avisé voit le malheur et se cache,
les niais passent outre, à leurs dépens.

⁴Le fruit de l'humilité, c'est la crainte de Yahvé,
la richesse, l'honneur et la vie.

⁵Épines et pièges sur le chemin du pervers,
    qui tient à la vie s'en éloigne.

⁶Forme le jeune homme au début de sa carrière,
    devenu vieux, il ne s'en détournera pas.

⁷Le riche domine les pauvres,
    du créancier l'emprunteur est esclave.

⁸Qui sème l'injustice récolte le malheur
    et le bâton de sa colère le frappera.

⁹L'homme bienveillant sera béni,
    car il donne de son pain au pauvre.

¹⁰Chasse le railleur et la querelle cessera,
    procès et mépris s'apaiseront.

¹¹Celui qui aime les cœurs purs,
    qui a la grâce sur les lèvres, a le roi pour ami.

¹²Les yeux de Yahvé protègent le savoir,
    mais il confond les discours du traître.

¹³Le paresseux dit : « Il y a un lion dehors !
    dans la rue je vais être tué ! »

¹⁴Fosse profonde, la bouche des étrangères :
    celui que Yahvé réprouve y tombe.

¹⁵La folie est ancrée au cœur du jeune homme,
    le bâton qui châtie l'en délivre.

¹⁶Opprimer un pauvre, c'est l'enrichir,
    donner au riche, c'est l'appauvrir.

3. Recueil des sages

¹⁷Prête l'oreille, entends les paroles des sages,
    à mon savoir, applique ton cœur,

¹⁸car il y aura plaisir à les garder au-dedans de toi,
    à les avoir toutes assurées sur tes lèvres.

¹⁹Pour qu'en Yahvé soit ta confiance,
    je veux t'instruire aujourd'hui, toi aussi.

²⁰N'ai-je pas écrit pour toi trente chapitres
    de conseils et de science,

²¹pour te faire connaître la certitude des paroles vraies
    et que tu rapportes des paroles sûres à qui t'enverra ?

²²Ne dépouille pas le faible, car il est faible,
    et n'opprime pas à la porte le pauvre,

²³car Yahvé épouse leur querelle
    et ravit à leurs ravisseurs la vie.

²⁴Ne te lie pas avec un homme emporté,
    ne va pas avec un homme irascible,
²⁵de peur que tu n'apprennes ses manières
    et n'y trouves un piège pour ta vie.

²⁶Ne sois pas de ceux qui topent dans la main,
    qui se portent garants pour dettes ;
²⁷si tu n'as pas de quoi t'acquitter,
    on prendra ton lit de dessous toi.

²⁸Ne déplace pas la borne antique
    que posèrent tes pères.

²⁹Vois-tu un homme preste à sa besogne ?
    Au service des rois il se tiendra,
    il ne se tiendra pas au service des gens obscurs.

23 ¹Si tu t'assieds à la table d'un grand,
    prends bien garde à ce qui est devant toi ;
²mets un couteau sur ta gorge
    si tu es gourmand.
³Ne convoite pas ses mets,
    car c'est une nourriture décevante.

⁴Ne te fatigue pas à acquérir la richesse,
    cesse d'y appliquer ton intelligence.
⁵Lèves-tu les yeux vers elle, elle n'est plus là,
    car elle sait se faire des ailes
    comme l'aigle qui vole vers le ciel.

⁶Ne mange pas le pain de l'homme aux regards envieux,
    ne convoite pas ses mets.
⁷Car le calcul qu'il fait en lui-même, c'est lui :
    « Mange et bois ! » te dit-il, mais son cœur n'est pas avec toi.
⁸La bouchée à peine avalée, tu la vomiras
    et tu en seras pour tes paroles flatteuses.

⁹Aux oreilles du sot ne parle pas,
    il mépriserait la finesse de tes propos.

¹⁰Ne déplace pas la borne antique,
    dans le champ des orphelins n'entre pas,
¹¹car leur vengeur est puissant,
    c'est lui qui épousera, contre toi, leur querelle.

¹²Applique ton cœur à la discipline,
    tes oreilles aux paroles de science.

¹³Ne ménage pas à l'enfant le châtiment,
   si tu le frappes de la baguette, il n'en mourra pas !

¹⁴Si tu le frappes de la baguette,
   c'est son âme que tu délivreras du shéol.

¹⁵Mon fils, si ton cœur est sage,
   mon cœur, à moi, se réjouira,
¹⁶et mes reins exulteront
   quand tes lèvres exprimeront des choses justes.

¹⁷Que ton cœur n'envie pas les pécheurs,
   mais dans la crainte de Yahvé qu'il reste tout le jour,
¹⁸car il existe un avenir
   et ton espérance ne sera pas anéantie.

¹⁹Écoute, mon fils, deviens sage,
   et dirige ton cœur dans le chemin.

²⁰Ne sois pas de ceux qui s'enivrent de vin,
   ni de ceux qui se gavent de viande,
²¹car buveur et glouton s'appauvrissent,
   et la torpeur fait porter des haillons.

²²Écoute ton père qui t'a engendré,
   ne méprise pas ta mère devenue vieille.
²³Acquiers la vérité, ne la vends pas :
   sagesse, discipline et intelligence.
²⁴Il est au comble de l'allégresse, le père du juste ;
   celui qui a donné le jour au sage s'en réjouit.
²⁵Ton père et ta mère seront dans la joie,
   et dans l'allégresse, celle qui t'a enfanté.

²⁶Mon fils, prête-moi attention,
   que tes yeux se complaisent dans ma voie :
²⁷c'est une fosse profonde que la prostituée,
   un puits étroit que l'étrangère.
²⁸Elle aussi, comme un brigand, est en embuscade,
   parmi les hommes elle multiplie les traîtrises.

²⁹Pour qui les « Malheur » ? Pour qui les « Hélas » ?
   Pour qui les querelles ? Pour qui les plaintes ?
 Pour qui les coups à tort et à travers ?
   Pour qui les yeux troubles ?
³⁰Pour ceux qui s'attardent au vin,
   qui vont en quête de boissons mêlées.
³¹Ne regarde pas le vin, comme il est vermeil !
   comme il brille dans la coupe !
   comme il coule tout droit !
³²Il finit par mordre comme un serpent,
   par piquer comme une vipère.

³³Tes yeux verront d'étranges choses,
   ton cœur s'exprimera de travers.
³⁴Tu seras comme un homme couché en haute mer,
   ou couché à la pointe d'un mât.
³⁵« On m'a battu, je n'ai point de mal !
   On m'a rossé, je n'ai rien senti !
Quand m'éveillerai-je ?...
   J'en demanderai encore ! »

24 ¹Ne porte pas envie aux méchants,
   ne souhaite pas leur compagnie,
²car leur cœur ne songe qu'à la violence,
   leurs lèvres n'expriment que malheur.

³C'est par la sagesse qu'on bâtit une maison,
   par l'intelligence qu'on l'affermit ;
⁴par le savoir, on emplit ses greniers
   de tous les biens précieux et désirables.

⁵Un homme sage est plein de force,
   l'homme de science affermit sa vigueur ;
⁶car c'est par des calculs que tu feras la guerre,
   et le succès tient au grand nombre des conseillers.

⁷Pour le fou, la sagesse est une forteresse inaccessible :
   à la porte de la ville, il n'ouvre pas la bouche.

⁸Qui songe à mal faire,
   on l'appelle un maître en astuce.

⁹La folie ne rêve que péché,
   le railleur est honni des hommes.

¹⁰Si tu te laisses abattre au jour mauvais,
   ta vigueur est peu de chose.

¹¹Délivre ceux qu'on envoie à la mort,
   ceux qu'on traîne au supplice, puisses-tu les sauver !
¹²Diras-tu : « Voilà ! nous ne savions pas » ?
   Celui qui pèse les cœurs ne comprend-il pas ?
Alors qu'il sait, lui qui t'observe ;
   c'est lui qui rendra à l'homme selon son œuvre.

¹³Mange du miel, mon fils, car c'est bon,
   un rayon de miel est doux à ton palais.
¹⁴Ainsi sera, sache-le, la sagesse pour ton âme.
   Si tu la trouves, il y aura un avenir
   et ton espérance ne sera pas anéantie.

¹⁵Ne t'embusque pas, méchant, près de la demeure du juste,
   ne dévaste pas son habitation.

¹⁶Car le juste tombe sept fois et se relève,
mais les méchants trébuchent dans l'adversité.

¹⁷Si ton ennemi tombe, ne te réjouis pas,
que ton cœur n'exulte pas de ce qu'il trébuche,
¹⁸de peur que, voyant cela, Yahvé ne soit mécontent
et qu'il ne détourne de lui sa colère.

¹⁹Ne t'échauffe pas au sujet des méchants,
ne jalouse pas les impies.
²⁰Car pour le méchant, il n'est pas d'avenir :
la lampe des impies s'éteint.

²¹Crains Yahvé, mon fils, et le roi ;
ne te lie pas avec les novateurs :
²²car tout soudain surgira leur malheur,
et la ruine de l'un et de l'autre, qui la connaît ?

4. *Suite au recueil des Sages*

²³Ceci est encore des Sages :

Avoir égard aux personnes dans les jugements n'est pas bien.
²⁴Quiconque dit au méchant : « Tu es juste »,
les peuples le maudissent, les nations le honnissent ;
²⁵mais ceux qui punissent s'en trouvent bien,
sur eux viendra une heureuse bénédiction.

²⁶Il met un baiser sur les lèvres,
celui qui répond franchement.

²⁷Organise au-dehors ta besogne
et prépare-la aux champs ;
ensuite, tu bâtiras ta maison.

²⁸Ne témoigne pas à la légère contre ton prochain,
ne trompe pas par tes lèvres.

²⁹Ne dis pas : « Comme il m'a fait, je lui ferai !
à chacun je rendrai selon son œuvre ! »

³⁰Près du champ du paresseux j'ai passé,
près de la vigne de l'homme court de sens.
³¹Or voici : tout était monté en orties,
le chardon en couvrait la surface,
le mur de pierres était écroulé.
³²Ayant vu, je réfléchis,
ayant regardé, je tirai cette leçon :

³³« Un peu dormir, un peu s'assoupir,
    un peu croiser les bras en s'allongeant,
³⁴et, tel un rôdeur, viendra l'indigence
    et la disette, comme un mendiant ! »

5. *Deuxième recueil salomonien*

25 ¹Voici encore des proverbes de Salomon, que transcrivirent les gens d'Ézéchias, roi de Juda.

²C'est la gloire de Dieu de celer une chose,
    c'est la gloire des rois de la scruter.
³Les cieux, par leur hauteur, la terre, par sa profondeur,
    et le cœur des rois sont insondables.

⁴Ôte les scories de l'argent,
    il en sortira un vase pour le fondeur ;
⁵ôte le méchant de la présence du roi,
    et sur la justice s'affermira son trône.

⁶En face du roi, ne prends pas de grands airs,
    ne te mets à la place des grands ;
⁷car mieux vaut qu'on te dise : « Monte ici ! »
    que d'être abaissé en présence du prince.

Ce que tes yeux ont vu,
    ⁸ne le produis pas trop vite au procès,
car que feras-tu à la fin
    si ton prochain te confond ?

⁹Avec ton prochain vide ta querelle,
    mais sans révéler le secret d'autrui,
¹⁰de crainte que celui qui entend ne te bafoue
    et que ta diffamation soit sans retour.

¹¹Des pommes d'or avec des ciselures d'argent,
    telle est une parole dite à propos.
¹²Un anneau d'or, un joyau d'or fin,
    telle une sage réprimande à l'oreille attentive.

¹³La fraîcheur de la neige au jour de la moisson,
    tel est un messager fidèle :
    il réconforte l'âme de son maître.

¹⁴Nuages et vent, mais point de pluie !
    tel est l'homme qui promet royalement, mais ne tient pas.

¹⁵Par la patience un juge se laisse fléchir,
    la langue douce broie les os.

¹⁶As-tu trouvé du miel ? Manges-en à ta faim ;
garde-toi de t'en gorger, tu le vomirais.

¹⁷Dans la maison du prochain, fais-toi rare,
de crainte que, fatigué de toi, il ne te prenne en grippe.

¹⁸Une massue, une épée, une flèche aiguë :
tel est l'homme qui porte un faux témoignage contre son
prochain.

¹⁹Dent gâtée, pied boiteux :
le traître en qui l'on se confie au jour du malheur.

²⁰C'est ôter son manteau par un temps glacial,
c'est mettre du vinaigre sur du nitre,
que de chanter des chansons à un cœur affligé.

²¹Si ton ennemi a faim, donne-lui à manger,
s'il a soif, donne-lui à boire,
²²c'est amasser des charbons sur sa tête
et Yahvé te le revaudra.

²³L'aquilon engendre la pluie,
la langue dissimulatrice un visage irrité.

²⁴Mieux vaut habiter à l'angle d'un toit
que faire maison commune avec une femme querelleuse.

²⁵De l'eau fraîche pour une gorge altérée :
telle est une bonne nouvelle venant d'un pays lointain.

²⁶Fontaine piétinée, source souillée :
tel est un juste tremblant devant un méchant.

²⁷Il n'est pas bon de manger trop de miel,
ni de rechercher gloire sur gloire.

²⁸Ville ouverte, sans remparts :
tel est l'homme dont l'esprit est sans frein.

26 ¹Pas plus que la neige à l'été ou la pluie à moisson,
les honneurs ne conviennent au sot.

²Le passereau s'échappe, l'hirondelle s'envole,
ainsi la malédiction gratuite n'atteint pas son but.

³Le fouet pour le cheval, la bride pour l'âne,
pour l'échine des sots, le bâton.

⁴Ne réponds pas à l'insensé selon sa folie,
de peur de lui devenir semblable, toi aussi.

⁵Réponds à l'insensé selon sa folie,
de peur qu'il ne soit sage à ses propres yeux.

⁶Il se coupe les pieds, il s'abreuve de violence,
    celui qui envoie un message par l'entremise d'un sot.

⁷Mal assurées, les jambes du boiteux ;
    ainsi un proverbe dans la bouche des sots.

⁸C'est attacher la pierre à la fronde
    que de rendre honneur à un sot.

⁹Une ronce pousse dans la main d'un ivrogne
    comme un proverbe dans la bouche d'un sot.

¹⁰Un archer blessant tout le monde :
    tel est celui qui embauche le sot et l'ivrogne qui passent.

¹¹Comme le chien revient à son vomissement,
    le sot retourne à sa folie.

¹²Tu vois un homme sage à ses propres yeux ?
    Il y a plus à espérer d'un insensé.

¹³Le paresseux dit : « Un fauve sur le chemin !
    un lion par les rues ! »

¹⁴La porte tourne sur ses gonds,
    et sur son lit le paresseux.

¹⁵Le paresseux plonge la main dans le plat :
    la ramener à sa bouche le fatigue !

¹⁶Le paresseux est plus sage à ses propres yeux
    que sept personnes répondant avec tact.

¹⁷Il prend par les oreilles un chien qui passe,
    celui qui s'immisce dans une querelle étrangère.

¹⁸Un homme pris de folie qui lance des traits enflammés,
    des flèches et la mort :
¹⁹tel est l'homme qui ment à son compagnon,
    puis dit : « N'était-ce pas pour plaisanter ? »

²⁰Faute de bois, le feu s'éteint,
    faute de calomniateur, la querelle s'apaise.

²¹Du charbon sur les braises, du bois sur le feu,
    tel est l'homme querelleur pour attiser les disputes.

²²Les dires du calomniateur sont de friands morceaux
    qui descendent jusqu'au fond des entrailles.

²³De l'argent non purifié appliqué sur de l'argile :
    tels sont lèvres brûlantes et cœur mauvais.

²⁴Celui qui hait donne le change par ses propos,
    mais en son sein gît la tromperie ;
²⁵s'il prend un ton cauteleux, ne t'y fie pas,
    car en son cœur il y a sept abominations.

²⁶La haine peut s'envelopper de ruse,
  elle révélera sa méchanceté dans l'assemblée.

²⁷Qui creuse une fosse y tombe,
  qui roule une roche, elle revient sur lui.

²⁸La langue menteuse hait ses victimes,
  la bouche enjôleuse provoque la chute.

27 ¹Ne te félicite pas du lendemain,
  car tu ignores ce qu'aujourd'hui enfantera.

²Qu'autrui fasse ton éloge, mais non ta propre bouche,
  un étranger, mais non tes lèvres !

³Lourde est la pierre, pesant le sable,
  mais plus lourd qu'eux, le dépit du fou.

⁴Cruelle est la fureur, impétueuse la colère,
  mais contre la jalousie, qui tiendra ?

⁵Mieux vaut réprimande ouverte
  qu'amour dissimulé.

⁶Fidèles sont les coups d'un ami,
  mais un ennemi prodigue les baisers.

⁷Gorge rassasiée méprise le miel,
  gorge affamée trouve douce toute amertume.

⁸Comme l'oiseau qui erre loin de son nid,
  ainsi l'homme qui erre loin de son pays.

⁹L'huile et le parfum mettent le cœur en joie,
  et la douceur de l'amitié, plus que la complaisance en soi-
  même.

¹⁰N'abandonne pas ton ami ni l'ami de ton père ;
  à la maison de ton frère, ne va pas au jour de ton affliction.
  Mieux vaut un voisin proche qu'un frère éloigné.

¹¹Deviens sage, mon fils, et réjouis mon cœur,
  que je puisse répondre à qui m'outrage.

¹²L'homme avisé voit le malheur et se cache,
  les niais passent outre, à leurs dépens.

¹³Prends-lui son vêtement, car il a cautionné un inconnu,
  à cause d'une étrangère, prends-lui un gage.

¹⁴Si quelqu'un bénit son prochain à haute voix dès l'aube,
  cela lui est compté pour une malédiction.

¹⁵Gargouille qui ne cesse de couler un jour de pluie
  et femme querelleuse sont pareilles !

¹⁶Qui veut la saisir, saisit le vent
   et sa droite rencontre de l'huile.

¹⁷Le fer s'aiguise par le fer,
   l'homme s'affine en face de son prochain.

¹⁸Le gardien du figuier mange de son fruit,
   qui veille sur son maître sera honoré.

¹⁹Comme l'eau donne le reflet du visage,
   ainsi le cœur de l'homme pour l'homme.

²⁰Insatiables sont le Shéol et la Perdition,
   ainsi les yeux de l'homme sont-ils insatiables.

²¹Il y a la fournaise pour l'argent, le fourneau pour l'or :
   l'homme vaut ce que vaut sa réputation.

²²Quand tu pilerais le fou au mortier
  (parmi les grains, avec un pilon),
   sa folie ne se séparerait pas de lui.

²³Connais bien l'état de ton bétail,
   à ton troupeau donne tes soins ;
²⁴car la richesse n'est pas éternelle,
   et une couronne ne se transmet pas d'âge en âge.
²⁵Une fois l'herbe enlevée, le regain apparu,
   ramassé le foin des montagnes,
²⁶aie des agneaux pour te vêtir,
   des boucs pour acheter un champ,
²⁷le lait des chèvres en abondance pour te sustenter,
   pour nourrir ta maison et faire vivre tes servantes.

28 ¹Le méchant s'enfuit quand nul ne le poursuit,
   d'un lionceau les justes ont l'assurance.

²Quand un pays se révolte, nombreux sont les princes,
   avec l'homme intelligent et instruit, c'est la stabilité.

³Un homme méchant qui opprime des faibles,
   c'est une pluie dévastatrice et plus de pain.

⁴Ceux qui délaissent la loi font l'éloge du méchant,
   ceux qui observent la loi s'irritent contre eux.

⁵Les méchants ne comprennent pas le droit,
   ceux qui cherchent Yahvé comprennent tout.

⁶Mieux vaut le pauvre qui se conduit honnêtement
   que l'homme aux voies tortueuses, fût-il riche.

⁷Qui garde la loi est un fils intelligent,
   qui hante les débauchés est la honte de son père.

⁸Qui accroît son bien par usure et par intérêt,
　c'est pour qui en gratifiera les pauvres qu'il amasse.

⁹Qui se bouche les oreilles pour ne pas entendre la loi,
　sa prière même est une abomination.

¹⁰Qui fourvoie les gens droits dans le mauvais chemin,
　en sa propre fosse tombera.
Les hommes honnêtes posséderont le bonheur.

¹¹Le riche est sage à ses propres yeux,
　mais un pauvre intelligent le démasque.

¹²Quand les justes exultent, c'est une grande fierté,
　quand se lèvent les méchants, on se dérobe.

¹³Qui masque ses forfaits point ne réussira ;
　qui les avoue et y renonce obtiendra merci.

¹⁴Heureux l'homme toujours en alarme ;
　qui s'endurcit le cœur tombera dans le malheur.

¹⁵Un lion rugissant, un ours qui bondit,
　tel est le chef méchant sur un peuple faible.

¹⁶Un prince sans intelligence est riche en extorsions,
　qui hait la cupidité prolongera ses jours.

¹⁷Un homme coupable de meurtre fuira jusqu'à la tombe :
　qu'on ne l'arrête pas !

¹⁸Qui se conduit honnêtement sera sauf ;
　qui, tortueux, suit deux voies, tombera dans l'une d'elles.

¹⁹Qui cultive sa terre sera rassasié de pain,
　qui poursuit des chimères sera rassasié d'indigence.

²⁰L'homme loyal sera comblé de bénédictions,
　qui se hâte de faire fortune ne restera pas impuni.

²¹C'est mal de faire acception de personnes,
　mais pour une bouchée de pain, l'homme commet un forfait.

²²Il court après la fortune, l'homme au regard cupide,
　ignorant que c'est la disette qui lui adviendra.

²³Qui reprend autrui aura faveur à la fin,
　plus que le flatteur.

²⁴Qui dérobe à son père et à sa mère en disant : « Point d'offense ! »
　du brigand est l'associé.

²⁵L'homme envieux engage la querelle,
　qui se confie en Yahvé prospérera.

²⁶Qui se fie à son propre sens est un sot,
   qui chemine avec sagesse sera sauf.

²⁷Pour qui donne aux pauvres, pas de disette,
   mais pour qui ferme les yeux, abondante malédiction.

²⁸Quand se lèvent les méchants, chacun se cache ;
   qu'ils viennent à périr, les justes se multiplient.

29 ¹Celui qui, sous les reproches, raidit la nuque
   sera brisé soudain et sans remède.

²Quand les justes se multiplient, le peuple est en liesse ;
   quand les méchants dominent, le peuple gémit.

³Qui aime la sagesse réjouit son père,
   qui hante les prostituées dissipe son bien.

⁴Par l'équité, un roi fait prospérer le pays,
   mais l'exacteur le mène à la ruine.

⁵L'homme qui flatte son prochain
   tend un filet sous ses pas.

⁶Dans l'offense du méchant il y a un piège,
   mais le juste exulte et se réjouit.

⁷Le juste connaît la cause des faibles,
   le méchant n'a pas l'intelligence de la connaître.

⁸Les railleurs mettent la cité en effervescence,
   mais les sages apaisent la colère.

⁹Un sage est-il en procès avec un sot,
   qu'il se fâche ou plaisante, il n'aura pas de repos.

¹⁰Les hommes sanguinaires haïssent l'homme honnête,
   mais les hommes droits recherchent sa personne.

¹¹Le sot donne libre cours à tous ses emportements,
   mais le sage, en les réprimant, les calme.

¹²Quand un chef accueille des rapports mensongers,
   tous ses serviteurs sont mauvais.

¹³Le pauvre et l'oppresseur se rencontrent :
   tous deux reçoivent de Yahvé la lumière.

¹⁴Le roi qui juge les faibles avec équité
   voit son trône affermi pour toujours.

¹⁵Baguette et réprimande procurent la sagesse,
   le jeune homme laissé à lui-même est la honte de sa mère.

¹⁶Quand se multiplient les méchants, le forfait se multiplie,
   mais les justes seront témoins de leur chute.

¹⁷Corrige ton fils, il te laissera en repos
   et fera les délices de ton âme.

¹⁸Faute de vision, le peuple vit sans frein ;
   heureux qui observe la loi.

¹⁹On ne corrige pas un esclave avec des mots :
   même s'il comprend, il n'obéit pas.

²⁰Tu vois un homme prompt au discours ?
   Il y a plus à espérer d'un sot.

²¹Si dès l'enfance on gâte son esclave,
   il deviendra finalement ingrat.

²²L'homme coléreux engage la querelle,
   l'homme emporté multiplie les offenses.

²³L'orgueil de l'homme l'humiliera,
   qui est humble d'esprit obtiendra de l'honneur.

²⁴C'est partager avec le voleur et se haïr soi-même,
   que d'entendre l'adjuration sans dénoncer.

²⁵Trembler devant les hommes est un piège,
   qui se confie en Yahvé est en sûreté.

²⁶Beaucoup recherchent la faveur du chef,
   mais de Yahvé vient le droit de chacun.

²⁷Abomination pour les justes : l'homme inique ;
   abomination pour le méchant : celui dont la voie est droite.

6. Paroles d'Agur

30 ¹Paroles d'Agur, fils de Yaqé, de Massa. Oracle de cet homme
       pour Itéel, pour Itéel et pour Ukal.

²Oui, je suis le plus stupide des hommes,
   sans aucune intelligence humaine,
³je n'ai pas appris la sagesse
   et j'ignore la science des saints.
⁴Qui est monté au ciel et puis en est descendu ?
   Qui a recueilli le vent à pleines mains ?
Qui dans son manteau a serré les eaux ?
   Qui a affermi toutes les extrémités de la terre ?
Quel est son nom ?
   Quel est le nom de son fils, si tu le sais ?

⁵Toute parole de Dieu est éprouvée,
     il est un bouclier pour qui s'abrite en lui.
⁶À ses discours, n'ajoute rien,
     de crainte qu'il ne te reprenne
     et ne te tienne pour un menteur.

⁷J'implore de toi deux choses,
     ne les refuse pas avant que je meure :
⁸éloigne de moi fausseté et paroles mensongères,
     ne me donne ni pauvreté ni richesse,
     laisse-moi goûter ma part de pain,
⁹de crainte que, comblé, je ne me détourne
     et ne dise : « Qui est Yahvé ? »
Ou encore, qu'indigent, je ne vole
     et ne profane le nom de mon Dieu.

¹⁰Ne dénigre pas un esclave près de son maître,
     de crainte qu'il ne te maudisse et que tu n'en portes la peine.

¹¹Engeance qui maudit son père
     et ne bénit pas sa mère,
¹²engeance pure à ses propres yeux,
     mais dont la souillure n'est pas effacée,
¹³engeance aux regards altiers
     et aux paupières hautaines,
¹⁴engeance dont les dents sont des épées,
     les mâchoires, des couteaux,
pour dévorer les pauvres et les retrancher du pays,
     et les malheureux, d'entre les hommes.

7. *Proverbes numériques*

¹⁵La sangsue a deux filles : « Apporte ! Apporte ! »

Il y a trois choses insatiables
     et quatre qui jamais ne disent : « Assez ! » :
¹⁶le shéol, le sein stérile,
     la terre que l'eau ne peut rassasier,
     le feu qui jamais ne dit : « Assez ! »

¹⁷L'œil qui nargue un père
     et méprise l'obéissance due à une mère,
les corbeaux du torrent le crèveront,
     les aigles le dévoreront.

¹⁸Il est trois choses qui me dépassent
     et quatre que je ne connais pas :
¹⁹le chemin de l'aigle dans les cieux,
     le chemin du serpent sur le rocher,

le chemin du vaisseau en haute mer,
le chemin de l'homme chez la jeune femme.

²⁰Telle est la conduite de la femme adultère :
elle mange, puis s'essuie la bouche en disant :
« Je n'ai rien fait de mal ! »

²¹Sous trois choses tremble la terre
et il en est quatre qu'elle ne peut porter :
²²un esclave qui devient roi,
une brute gorgée de nourriture,
²³une fille odieuse qui vient à se marier,
une servante qui hérite de sa maîtresse.

²⁴Il est quatre êtres minuscules sur la terre,
mais sages entre les sages :
²⁵les fourmis, peuple chétif,
mais qui, en été, assure sa provende ;
²⁶les damans, peuple sans vigueur,
mais qui gîtent dans les rochers ;
²⁷chez les sauterelles, point de roi !
mais elles marchent toutes en bon ordre ;
²⁸le lézard que l'on capture à la main,
mais qui hante les palais du roi.

²⁹Trois choses ont une belle allure
et quatre une belle démarche :
³⁰le lion, le plus brave des animaux,
qui ne recule devant rien ;
³¹le coq bien râblé, ou le bouc,
et le roi, quand il harangue le peuple.

³²Si tu fus assez sot pour t'emporter
et si tu as réfléchi, mets la main sur ta bouche !
³³Car en pressant le lait, on obtient le beurre,
en pressant le nez, on obtient le sang,
en pressant la colère, on obtient la querelle.

8. *Paroles de Lemuel*

31 ¹Paroles de Lemuel, roi de Massa, que sa mère lui apprit.

²Quoi, mon fils ! quoi, fils de mes entrailles !
quoi, fils de mes vœux !
³Ne livre pas ta vigueur aux femmes,
ni tes voies à celles qui perdent les rois.
⁴Il ne convient pas aux rois, Lemuel,
il ne convient pas aux rois de boire du vin,
ni aux princes d'aimer la boisson,

⁵de crainte qu'en buvant ils n'oublient ce qui est décrété
et qu'ils ne faussent la cause de tous les pauvres.

⁶Procure des boissons fortes à qui va mourir,
du vin à qui est rempli d'amertume
⁷qu'il boive, qu'il oublie sa misère,
qu'il ne se souvienne plus de son malheur !

⁸Ouvre la bouche en faveur du muet,
pour la cause de tous les délaissés ;
⁹ouvre la bouche, juge avec justice,
défends la cause du pauvre et du malheureux.

9. La parfaite maîtresse de maison

Aleph.   ¹⁰Une maîtresse femme, qui la trouvera ?
             Elle a bien plus de prix que les perles !

Bèt.   ¹¹En elle se confie le cœur de son mari,
             il ne manque pas d'en tirer profit.

Gimel.   ¹²Elle fait son bonheur et non son malheur,
             tous les jours de sa vie.

Dalèt.   ¹³Elle cherche laine et lin
             et travaille d'une main allègre.

Hé.   ¹⁴Elle est pareille à des vaisseaux marchands :
             de loin, elle amène ses vivres.

Vav.   ¹⁵Il fait encore nuit qu'elle se lève,
             distribuant à sa maisonnée la pitance,
             et des ordres à ses servantes.

Zaïn.   ¹⁶A-t-elle en vue un champ, elle l'acquiert ;
             du produit de ses mains, elle plante une vigne.

Hèt.   ¹⁷Elle ceint vigoureusement ses reins
             et déploie la force de ses bras.

Tèt.   ¹⁸Elle sait que ses affaires vont bien,
             de la nuit, sa lampe ne s'éteint.

Yod.   ¹⁹Elle met la main à la quenouille,
             ses doigts prennent le fuseau.

Kaph.   ²⁰Elle étend les mains vers le pauvre,
             elle tend les bras aux malheureux.

Lamed.   ²¹Elle ne redoute pas la neige pour sa maison,
             car toute sa maisonnée porte double vêtement.

Mem.   ²²Elle se fait des couvertures,
             de lin et de pourpre est son vêtement.

Nun.   ²³Aux portes de la ville, son mari est connu,
             il siège parmi les anciens du pays.

Samek.	²⁴Elle tisse des étoffes et les vend,
	au marchand elle livre une ceinture.
Aïn.	²⁵Force et dignité forment son vêtement,
	elle rit au jour à venir.
Phé.	²⁶Avec sagesse elle ouvre la bouche,
	sur sa langue : une doctrine de piété.
Çadé.	²⁷De sa maisonnée, elle surveille le va-et-vient,
	elle ne mange pas le pain de l'oisiveté.
Qoph.	²⁸Ses fils se lèvent pour la proclamer bienheureuse,
	son mari, pour faire son éloge :
Resh.	²⁹« Nombre de femmes ont accompli des exploits,
	mais toi, tu les surpasses toutes ! »
Shin.	³⁰Tromperie que la grâce ! Vanité, la beauté !
	La femme qui craint Yahvé, voilà celle qu'il faut
	[féliciter !
Tav.	³¹Accordez-lui une part du produit de ses mains,
	et qu'aux portes ses œuvres fassent son éloge !

L'Ecclésiaste

Introduction

Ce petit livre s'intitule « Propos de Qohélet, fils de David, roi à Jérusalem ». Le mot « Qohélet » est un nom commun qui désigne vraisemblablement celui qui parle dans l'assemblée, d'où son nom de l'« Ecclésiaste ». L'attribution à Salomon n'est qu'une fiction littéraire de l'auteur qui met ses réflexions sous le patronage du plus illustre des sages d'Israël.

Le livre n'a pas de plan défini. Ce sont des variations sur le thème de la vanité des choses humaines. Tout est décevant : la science, la richesse, l'amour, la vie même qui n'est qu'une suite d'actes décousus et sans portée, qui s'achève par la vieillesse et par la mort, laquelle frappe également sages et fous, riches et pauvres, bêtes et hommes.

Qohélet se demande si le bien et le mal ont leur sanction ici-bas. Sa réponse est négative : l'expérience contredit les solutions reçues. Qohélet, constatant l'inanité du bonheur, se console en cueillant les joies modestes que peut donner l'existence. Le mystère de l'au-delà le tourmente, sans qu'il entrevoie une solution au problème du Shéol. Mais Qohélet est un croyant et, s'il est déconcerté par le tour que Dieu donne aux affaires humaines, il affirme que Dieu n'a pas de comptes à rendre et qu'on doit accepter de sa main les épreuves comme les joies.

Le livre a le caractère d'une œuvre de transition. Dans ce tournant de la pensée hébraïque où les assurances traditionnelles sont ébranlées, on a cherché à discerner des influences étrangères. Les rapprochements avec les courants philosophiques grecs, que Qohélet aurait pu connaître par l'intermédiaire de l'Égypte hellénisée, sont à écarter : la mentalité de l'auteur en est très éloignée. On a établi des parallèles avec des compositions égyptiennes comme le *Dialogue du Désespéré avec son âme*, les *Chants du Harpiste* et avec la littérature mésopotamienne de sagesse. Dans l'*Épopée de Gilgamesh* figure le proverbe « le fil triple ne rompt pas » ainsi que l'exhortation au *Carpe Diem*. Mais on ne peut démontrer l'influence directe d'aucune de ces œuvres. Les rencontres se font sur des thèmes, parfois très anciens, qui étaient devenus le bien commun de la sagesse orientale. C'est sur cet héritage du passé que l'auteur a exercé sa réflexion personnelle.

Qohélet est un Juif de Palestine, probablement de Jérusalem même. Il écrit un hébreu tardif, semé d'aramaïsmes, et il emploie deux mots perses. Cela suppose une date assez postérieure à l'Exil, mais antérieure au début du IIe siècle av. J.-C., où Ben Sira a utilisé le livret. Le IIIe siècle est la date de composition la plus vraisemblable. C'est le temps où la Palestine, soumise aux Ptolémées, est atteinte par le courant humaniste et ne connaît pas encore le sursaut de foi et d'espérance de l'époque des Maccabées.

L'Ecclésiaste

1 ¹Paroles de Qohélet, fils de David, roi à Jérusalem.

Première partie

Prologue.

²Vanité des vanités, dit Qohélet ; vanité des vanités, tout est vanité.

³Quel profit trouve l'homme à toute la peine qu'il prend sous le soleil ? ⁴Un âge va, un âge vient, mais la terre tient toujours. ⁵Le soleil se lève, le soleil se couche, il se hâte vers son lieu et c'est là qu'il se lève. ⁶Le vent part au midi, tourne au nord, il tourne, tourne et va, et sur son parcours retourne le vent. ⁷Tous les fleuves coulent vers la mer et la mer n'est pas remplie. Vers l'endroit où coulent les fleuves, c'est par là qu'ils continueront de couler.

⁸Toutes les paroles sont usées, personne ne peut plus parler ; l'œil n'est pas rassasié de ce qu'il voit et l'oreille n'est pas saturée de ce qu'elle entend.

⁹Ce qui fut, cela sera, ce qui s'est fait se refera, et il n'y a rien de nouveau sous le soleil !

¹⁰Qu'il y ait quelque chose dont on dise : « Tiens, voilà du nouveau ! », cela fut dans les siècles qui nous ont précédés. ¹¹Il n'y a pas de souvenir d'autrefois, et même pour ceux des temps futurs : il n'y aura d'eux aucun souvenir auprès de ceux qui les suivront.

Vie de Salomon.

¹²Moi, Qohélet, j'ai été roi d'Israël à Jérusalem. ¹³J'ai mis tout mon cœur à rechercher et à explorer par la sagesse tout ce qui se fait sous le ciel. C'est une mauvaise besogne que Dieu a donnée aux enfants des hommes pour qu'ils s'y emploient. ¹⁴J'ai regardé toutes les œuvres qui se font sous le soleil : eh bien, tout est vanité et poursuite de vent !

¹⁵Ce qui est courbé ne peut être redressé, ce qui manque ne peut être compté.

¹⁶Je me suis dit à moi-même : Voici que j'ai amassé et accumulé la sagesse plus que quiconque avant moi à Jérusalem, et, en moi-même, j'ai pénétré toute sorte de sagesse et de savoir. ¹⁷J'ai mis tout mon cœur à comprendre la sagesse et le savoir, la sottise et la folie, et j'ai compris que tout cela aussi est recherche de vent.

¹⁸Beaucoup de sagesse, beaucoup de chagrin ; plus de savoir, plus de douleur.

2 ¹Je me suis dit en moi-même : Viens donc que je te fasse éprouver la joie, fais connaissance du bonheur ! Eh bien, cela aussi est vanité. ²Du rire j'ai dit : « sottise », et de la joie : « à quoi sert-elle ? » ³J'ai décidé en moi-même de livrer mon corps à la boisson tout en menant mon cœur dans la sagesse, de m'attacher à la folie pour voir ce qu'il convient aux hommes de faire sous le ciel, tous les jours de leur vie. ⁴J'ai fait grand. Je me suis bâti des palais, je me suis planté des vignes, ⁵je me suis fait des jardins et des vergers et j'y ai planté tous les arbres fruitiers. ⁶Je me suis fait des citernes pour arroser de leur eau les jeunes arbres de mes plantations. ⁷J'ai acquis des esclaves et des servantes, j'ai eu des domestiques et des troupeaux, du gros et du petit bétail en abondance, plus que quiconque avant moi à Jérusalem. ⁸Je me suis amassé aussi de l'argent et de l'or, le trésor des rois et des provinces. Je me suis procuré chanteurs et chanteuses et tout le luxe des enfants des hommes, une dame, des dames. ⁹Je me suis élevé et j'ai surpassé quiconque était avant moi à Jérusalem, et ma sagesse m'est restée. ¹⁰Je n'ai rien refusé à mes yeux de ce qu'ils désiraient, je n'ai privé mon cœur d'aucune joie, car je me réjouissais de tout mon travail et cela fut mon sort dans tout mon travail. ¹¹Alors je réfléchis à toutes les œuvres de mes mains et à toute la peine que j'y ai prise, eh bien, tout est vanité et poursuite de vent, il n'y a pas de profit sous le soleil !

Bilan décevant.

¹²Puis je me mis à réfléchir sur la sagesse, la sottise et la folie :

Voyons, que fera le successeur du roi ? Ce qu'on a déjà fait. ¹³J'ai considéré qu'il y avait avantage de la sagesse sur la folie comme du jour sur l'obscurité : ¹⁴Le sage a des yeux dans la tête, mais l'insensé marche dans la ténèbre.

Mais je sais, moi aussi, qu'ils auront tous deux le même sort. ¹⁵Alors je me dis en moi-même : « Le sort de l'insensé sera aussi le mien, pourquoi donc avoir été aussi sage ? » Je me dis en moi-même que cela aussi est vanité.

¹⁶Il n'y a pas de souvenir durable du sage ni de l'insensé, et dès les jours suivants, tous deux sont oubliés : le sage meurt bel et bien avec l'insensé. ¹⁷Je déteste la vie, car ce qui se fait sous le soleil me déplaît : tout est vanité et poursuite de vent.

¹⁸Je déteste le travail pour lequel j'ai pris de la peine sous le soleil, et que je laisse à mon successeur : ¹⁹qui sait s'il sera sage ou fou ? Pourtant il sera maître de tout mon travail pour lequel j'ai pris de la peine et me suis comporté avec sagesse sous le soleil ; cela aussi est vanité. ²⁰Mon cœur en est venu à se décourager pour toute la peine que j'ai prise sous le soleil. ²¹Car voici un homme qui a travaillé avec sagesse, savoir et succès, et il donne sa part à celui qui n'a pas travaillé : cela aussi est vanité, et c'est un tort grave.

²²Car que reste-t-il à l'homme de toute sa peine et de tout l'effort pour lequel son cœur a peiné sous le soleil ? ²³Oui, tous ses jours sont douloureux et sa tâche est pénible ; même la nuit il ne peut se reposer, cela aussi est vanité !

²⁴Il n'y a de bonheur pour

l'homme que dans le manger et le boire et dans le bonheur qu'il trouve dans son travail, et je vois que cela aussi vient de la main de Dieu, ²⁵car qui mangera et qui jouira, si cela ne vient de lui ? ²⁶À qui lui plaît, il donne sagesse, savoir et joie, et au pécheur il donne comme tâche de recueillir et d'amasser pour celui qui plaît à Dieu. Cela aussi est vanité et poursuite de vent.

Temps et durée.

3 ¹Il y a un moment pour tout et un temps pour toute chose sous le ciel.

²Un temps pour enfanter,
   et un temps pour mourir ;
   un temps pour planter,
   et un temps pour arracher le plant.

³Un temps pour tuer,
   et un temps pour guérir ;
   un temps pour détruire,
   et un temps pour bâtir.

⁴Un temps pour pleurer,
   et un temps pour rire ;
   un temps pour gémir,
   et un temps pour danser.

⁵Un temps pour lancer des pierres,
   et un temps pour en ramasser ;
   un temps pour embrasser,
   et un temps pour s'abstenir d'embrassements.

⁶Un temps pour chercher,
   et un temps pour perdre ;
   un temps pour garder,
   et un temps pour jeter.

⁷Un temps pour déchirer,
   et un temps pour coudre ;
   un temps pour se taire,
   et un temps pour parler.

⁸Un temps pour aimer,
   et un temps pour haïr ;

   un temps pour la guerre,
   et un temps pour la paix.

⁹Quel profit celui qui travaille trouve-t-il à la peine qu'il prend ? ¹⁰Je regarde la tâche que Dieu donne aux enfants des hommes : ¹¹tout ce qu'il fait convient en son temps. Il a mis dans leur cœur l'ensemble du temps, mais sans que l'homme puisse saisir ce que Dieu fait, du commencement à la fin.

¹²Et je sais qu'il n'y a pas de bonheur pour lui, sinon dans le plaisir et le bien-être durant sa vie. ¹³Et si un homme mange, boit et trouve le bonheur dans son travail, cela est un don de Dieu. ¹⁴Je sais que tout ce que Dieu fait sera pour toujours.

   À cela il n'y a rien à ajouter,
   de cela il n'y a rien à retrancher,
   et Dieu fait en sorte qu'on le craigne.

¹⁵Ce qui est fut déjà ; ce qui sera est déjà, et Dieu recherche ce qui a disparu.

La mort pour tout vivant.

¹⁶Je regarde encore sous le soleil :
   à la place du droit, là se trouve le crime,
   à la place de la justice, là se trouve le crime.

¹⁷Et je m'étais dit en moi-même : « Le juste et le criminel, Dieu les jugera, car il y a un temps pour toutes choses et pour toute action ici. »

¹⁸Je me dis en moi-même, en ce qui concerne les enfants des hommes : c'est pour que Dieu les éprouve, et que l'on voie qu'en eux-mêmes, ils sont des bêtes.

¹⁹Car le sort de l'homme et le sort de la bête sont un sort identique : comme meurt l'un, ainsi meurt l'autre, et c'est un même souffle qu'ils ont tous les deux. La supériorité de l'homme sur la bête est nulle, car tout est vanité.

²⁰Tout s'en va vers un même lieu :

tout vient de la poussière,

tout s'en retourne à la poussière.

²¹Qui connaît le souffle des fils d'Adam, qui monte, lui, vers le haut, et le souffle de la bête qui descend, lui, vers le bas, vers la terre ?

²²Je vois qu'il n'y a de bonheur pour l'homme qu'à se réjouir de ses œuvres, car c'est là sa part.

Qui donc l'emmènera voir ce qui sera après lui ?

Le sort des opprimés est sans espoir.

4 ¹Je regarde encore toute l'oppression qui se commet sous le soleil :

Voici les larmes des opprimés, et ils n'ont pas de consolateur ;

et la force du côté des oppresseurs, et ils n'ont pas de consolateur.

²Alors je félicite les morts qui sont déjà morts plutôt que les vivants qui sont encore vivants.

³Et plus heureux que tous les deux est celui qui ne vit pas encore et ne voit pas l'iniquité qui se commet sous le soleil.

⁴Et je vois que tout travail et toute réussite n'est que jalousie de l'un pour l'autre : cela aussi est vanité et poursuite de vent !

⁵L'insensé se croise les bras et se dévore lui-même.

⁶Mieux vaut une poignée de repos

que deux mains pleines de travail

et de poursuite de vent.

⁷Je vois encore une autre vanité sous le soleil : ⁸soit quelqu'un de seul qui n'a pas de second, pas de fils ni de frère ; il n'y a pas de limite à toute sa besogne, et ses yeux ne sont pas rassasiés de richesses : « Alors, moi, je travaille (dit-il), et me prive de bonheur : c'est pour qui ? »

Cela aussi est vanité, et c'est une mauvaise besogne.

⁹Mieux vaut être deux que seul, car ainsi le travail donne bon profit. ¹⁰En cas de chute, l'un relève l'autre. Hélas ! Celui qui est seul, s'il tombe, il n'a personne pour le relever. ¹¹Et si l'on couche à deux, on se réchauffe, mais seul, comment avoir chaud ?

¹²Là où un homme seul est renversé, deux résistent, et le fil triple ne rompt pas facilement.

¹³Mieux vaut un enfant pauvre et sage

qu'un roi vieux et insensé

qui ne sait plus prendre conseil.

¹⁴Même s'il est sorti de prison pour régner,

et même s'il est né mendiant pour exercer sa royauté,

¹⁵je vois tous les vivants qui vont sous le soleil être avec l'enfant, le second, l'usurpateur, ¹⁶et c'est d'une foule sans fin qu'il se trouve à la tête.

Mais ceux qui viennent après ne s'en réjouiront pas, car cela aussi est vanité et recherche de vent.

La pratique religieuse et ses risques.

17Prends garde à tes pas quand tu vas à la Maison de Dieu : approcher pour écouter vaut mieux que le sacrifice offert par les insensés, mais ils ne savent pas qu'ils font le mal.

5 1Ne hâte pas tes lèvres, que ton cœur ne se presse pas de proférer une parole devant Dieu, car Dieu est au ciel et toi sur la terre ; aussi, que tes paroles soient peu nombreuses.

2Car du nombre des tracas vient le songe,
du nombre des paroles, le ton de l'insensé.

3Si tu fais un vœu à Dieu, ne tarde pas à l'accomplir, car Dieu n'aime pas les insensés. Ton vœu, accomplis-le. 4Et mieux vaut ne pas faire de vœu que d'en faire un sans l'accomplir. 5Ne laisse pas ta bouche faire de toi un pécheur. Et ne va pas dire au Messager que c'était par inadvertance : pourquoi donner à Dieu l'occasion de s'irriter de tes propos et de ruiner l'œuvre de tes mains ?

6Quand du nombre des songes viennent beaucoup d'absurdités et de paroles, alors crains Dieu.

Le profit et l'argent.

7Si tu vois dans une province le pauvre opprimé, la justice et le droit bafoués, n'en sois pas surpris ; car au-dessus d'une autorité veille une plus haute autorité, et de plus hautes au-dessus d'elles. 8Et le profit d'une terre, lui, est à tous ; un roi bénéficie de l'agriculture. 9Qui aime l'argent ne se rassasie pas d'argent, qui aime l'abondance n'a pas de revenu, cela aussi est vanité. 10Où abonde le bien, abondent ceux qui le mangent, quel avantage pour son propriétaire, sinon un spectacle pour les yeux ?

11Le sommeil du travailleur est doux, qu'il ait mangé peu ou beaucoup ; mais la satiété du riche ne le laisse pas dormir.

12Il est un tort criant que je vois sous le soleil : la richesse gardée par son possesseur à son propre détriment. 13Il perd cette richesse dans une mauvaise affaire, il met au monde un fils, il n'a plus rien en main. 14Comme il était sorti du sein de sa mère, tout nu, il s'en retournera, comme il était venu. De son travail il n'a rien retiré qui lui reste en main. 15Cela aussi est un tort criant qu'il s'en aille comme il était venu : quel profit retire-t-il d'avoir travaillé pour le vent ? 16Et puis il consume tous ses jours dans l'obscurité, les chagrins nombreux, la maladie et l'irritation.

17Voici ce que j'ai vu : ce qui convient le mieux à l'homme, c'est de manger et de boire, et de trouver le bonheur dans tout le travail qu'il accomplit sous le soleil, tout au long des jours de la vie que Dieu lui donne, car c'est là sa part. 18Et tout homme à qui Dieu donne richesses et ressources, qu'il laisse maître de s'en nourrir, d'en recevoir sa part et de jouir de son travail, cela est un don de Dieu. 19Car il ne se souvient guère des jours de sa vie tant que Dieu occupe son cœur à la joie.

6 ¹Il y a un autre mal que je vois sous le soleil et qui est grand pour l'homme : ²soit un homme à qui Dieu donne richesses, ressources et gloire, et à qui rien ne manque de tout ce qu'il peut désirer ; mais Dieu ne le laisse pas maître de s'en nourrir et c'est un étranger qui s'en nourrit : cela est vanité et cruelle souffrance.

³Soit un homme qui a eu cent enfants et a vécu de nombreuses années, et alors que ses années ont été nombreuses, il ne s'est pas rassasié de bonheur et il n'a même pas de tombeau : je dis que l'avorton est plus heureux que lui.

⁴Il est venu dans la vanité, il s'en va dans les ténèbres,

et dans les ténèbres son nom est enseveli.

⁵Il n'a même pas vu le soleil et ne l'a pas connu : il y a plus de repos pour lui que pour l'autre.

⁶Et même s'il avait vécu deux fois mille ans, il n'aurait pas vu le bonheur ; n'est-ce pas vers un même lieu que tous s'en vont ?

⁷Toute la peine que prend l'homme est pour sa bouche, et pourtant son appétit n'est jamais satisfait.

⁸Quel avantage a le sage sur l'insensé ?

Qu'en est-il du pauvre qui sait se conduire devant les vivants ?

⁹Mieux vaut ce que voient les yeux que le mouvement du désir, cela aussi est vanité et poursuite de vent !

¹⁰Ce qui fut a déjà été nommé et l'on sait ce qu'est un homme, il ne peut faire procès à celui qui est plus fort que lui.

¹¹Plus il y a de paroles, plus il y a de vanité, quel avantage pour l'homme ?

¹²Et qui sait ce qui convient à l'homme pendant sa vie, tout au long des jours de la vie de vanité qu'il passe comme une ombre ? Qui annoncera à l'homme ce qui doit venir après lui sous le soleil ?

Deuxième partie

Maximes de sagesse et leur critique.

7 ¹Mieux vaut le renom que l'huile fine,

et le jour de la mort que le jour de la naissance.

²Mieux vaut aller à la maison du deuil

qu'à la maison du banquet ;

puisque c'est la fin de tout homme,

le vivant doit y prêter attention.

³Mieux vaut le chagrin que le rire,

car avec un triste visage on peut avoir le cœur joyeux.

⁴Le cœur des sages est dans la maison du deuil,

le cœur des insensés, dans la maison de la joie.

⁵Mieux vaut écouter la semonce du sage

qu'écouter la chanson des insensés.

⁶Car tel le bruit des épines sous
le chaudron,

    tel est le rire de l'insensé.

    Et cela aussi est vanité,

⁷que l'oppression rende fou le
sage

    et qu'un présent perde le
cœur.

⁸Mieux vaut la fin d'une chose
que son début ;

    mieux vaut la patience que la
prétention ;

⁹que ton esprit ne se hâte pas
d'être chagrin,

    car le chagrin hante les insen-
sés.

¹⁰Ne dis pas :

    « Comment se fait-il que les
jours anciens aient été meilleurs
que ceux-ci ? »

    Ce n'est pas la sagesse qui te
fait poser cette question.

¹¹La sagesse est bonne comme
un héritage,

    elle profite à ceux qui voient
le soleil.

¹²Car l'abri de la sagesse vaut
l'abri de l'argent,

    et l'avantage du savoir, c'est
que la sagesse fait vivre ceux qui
la possèdent.

¹³Regarde l'œuvre de Dieu :

    qui pourra donc redresser ce
qu'il a courbé ?

¹⁴Au jour du bonheur, sois heureux,

    et au jour du malheur, regarde :

    Dieu a bel et bien fait l'un et
l'autre,

    afin que l'homme ne trouve
rien derrière soi.

¹⁵J'ai tout vu, en ma vie de vanité :

    le juste périr dans sa justice

    et l'impie survivre dans son
impiété.

¹⁶Ne sois pas juste à l'excès

    et ne te fais pas trop sage,

    pourquoi te détruirais-tu ?

¹⁷Ne te fais pas méchant à l'excès

    et ne sois pas insensé,

    pourquoi mourir avant ton
temps ?

¹⁸Il est bon de tenir à ceci sans
laisser ta main lâcher cela,

    puisque celui qui craint Dieu
fera aboutir l'un et l'autre.

¹⁹La sagesse rend le sage plus
fort que dix gouverneurs dans une
ville.

²⁰Seulement il n'est pas d'homme assez juste sur la terre pour
faire le bien sans jamais pécher.

²¹Ne prête pas la même attention à toutes les paroles qu'on
prononce, ainsi tu n'entendras pas
ton serviteur te dénigrer.

²²Car bien des fois ton cœur a
su que toi aussi avais dénigré les
autres.

²³Tout cela, j'en ai fait l'épreuve par la sagesse ; j'ai dit : « je
serai sage », mais c'est hors de ma
portée !

²⁴Hors de portée ce qui fut ;

    profond ! profond ! Qui le dé-
couvrira ?

²⁵J'en suis venu, en mon cœur,
à connaître, à explorer et à m'enquérir de la sagesse et de la réflexion, à reconnaître que la méchanceté est insensée et la sottise
une folie.

²⁶Et je trouve plus amère que la
mort, la femme,

    car elle est un piège,

son cœur un filet, et ses bras des liens.

Qui plaît à Dieu lui échappe, mais le pécheur s'y fait prendre. ²⁷Voici ce que j'ai trouvé, dit Qohélet,

en regardant une chose après l'autre pour en tirer une réflexion ²⁸que mon esprit cherche encore, mais sans la trouver :

un homme sur mille, je l'ai bien trouvé,

mais une femme parmi elles toutes, je ne l'ai pas trouvée. ²⁹Seulement vois ce que j'ai trouvé :

que Dieu a fait l'homme tout droit,

mais eux, ils cherchent bien des calculs.

8 ¹Qui est comme le sage et qui sait expliquer cette parole :
« La sagesse de l'homme illumine son visage

et son air austère est changé » ?

²Moi ! Observe l'ordre du roi, et à cause du serment divin, ³ne te presse pas de t'en écarter ;

ne t'obstine pas dans un mauvais cas,

car il fait ce qui lui plaît : ⁴la parole du roi est souveraine, et qui lui dira : « Que fais-tu ? » ⁵« Celui qui observe le commandement ne connaîtra aucun mal ;

le cœur du sage connaît le temps et le jugement. »

⁶Oui, il y a un temps et un jugement pour chaque chose,

mais il y a un grand malheur pour l'homme :

⁷il ne sait pas ce qui arrivera, qui pourrait lui annoncer comment ce sera ?

⁸Aucun homme n'est maître du souffle

pour retenir ce souffle ;

personne n'est maître du jour de la mort.

Il n'y a pas de relâche dans le combat

et la méchanceté ne sauve pas son homme.

⁹Tout cela je l'ai vu, en mettant tout mon cœur à tout ce qui se fait sous le soleil, au temps où l'homme est maître de l'homme, pour son malheur.

¹⁰Et ainsi j'ai vu des méchants mis au tombeau ; on allait et venait depuis le lieu saint, et on oubliait dans la ville comment ils avaient agi.

Cela aussi est vanité.

¹¹Parce que la sentence contre celui qui fait le mal n'est pas vite exécutée, le cœur des fils d'Adam est plein de l'envie de mal faire. ¹²Que le pécheur fasse cent fois le mal, il survit. Mais moi, je sais aussi qu'il arrive du bien à ceux qui craignent Dieu parce qu'ils éprouvent de la crainte devant lui, ¹³mais qu'il n'arrive pas de bien au méchant et que, comme l'ombre, il ne prolongera pas ses jours, parce qu'il est sans crainte devant Dieu.

¹⁴Il y a une vanité qui se fait sur la terre :

il y a des justes qui sont traités selon la conduite des méchants

et des méchants qui sont traités selon la conduite des justes.

Je dis que cela aussi est vanité.

¹⁵Et je fais l'éloge de la joie, car il n'y a de bonheur pour l'homme sous le soleil que dans le manger, le boire et le plaisir qu'il prend ; c'est cela qui accompagne son travail aux jours de la vie que Dieu lui donne sous le soleil.

¹⁶Après avoir mis tout mon cœur à connaître la sagesse et à observer la tâche qu'on exerce sur la terre – car ni jour ni nuit on ne voit de ses yeux le repos – ¹⁷j'ai observé toute l'œuvre de Dieu : l'homme ne peut découvrir toute l'œuvre qui se fait sous le soleil ; quoique l'homme se fatigue à chercher, il ne trouve pas. Et même si un sage dit qu'il sait, il ne peut trouver.

Le Shéol pour tous.

9 ¹Oui, j'ai pris tout cela à cœur et j'ai éprouvé tout cela, à savoir que les justes, les sages et leurs travaux sont dans la main de Dieu.

Soit l'amour, soit la haine, l'homme ne sait rien de tout ce qui l'attend.

²Tout est le même pour tous : un sort unique,

pour le juste et le méchant, pour le bon et le mauvais, pour le pur et l'impur, pour celui qui sacrifie et celui qui ne sacrifie pas,

pour le bon et le pécheur, pour celui qui prête serment et celui qui craint de prêter serment.

³C'est un mal, parmi tout ce qui se fait sous le soleil, qu'il y ait un même sort pour tous. Et le cœur des hommes est plein de méchanceté, la sottise est dans leur cœur durant leur vie et leur fin est chez les morts.

⁴Mais il y a de l'espoir pour celui qui est lié à tous les vivants,

et un chien vivant vaut mieux qu'un lion mort.

⁵Les vivants savent au moins qu'ils mourront, mais les morts ne savent rien du tout. Il n'y a plus pour eux de rétribution, puisque leur souvenir est oublié. ⁶Leur amour, leur haine, leur jalousie ont déjà péri, et ils n'auront plus jamais part à tout ce qui se fait sous le soleil.

⁷Va, mange avec joie ton pain et bois de bon cœur ton vin, car Dieu a déjà apprécié tes œuvres.

⁸En tout temps porte des habits blancs

et que le parfum ne manque pas sur ta tête.

⁹Prends la vie avec la femme que tu aimes,

tous les jours de la vie de vanité que Dieu te donne sous le soleil,

tous tes jours de vanité, car c'est ton lot dans la vie et dans la peine que tu prends sous le soleil.

¹⁰Tout ce que ta main trouve à faire, fais-le

tant que tu en as la force, car il n'y a ni œuvre, ni réflexion, ni savoir, ni sagesse dans le Shéol où tu t'en vas.

¹¹J'ai vu encore sous le soleil que la course ne revient pas aux plus rapides,

ni le combat aux héros, qu'il n'y a pas de pain pour les sages,

pas de richesse pour les intelligents,

pas de faveur pour les savants :

temps et contretemps leur arrivent à tous.

¹²Mais l'homme ne connaît pas son heure.

Comme les poissons pris au filet perfide,

comme les oiseaux pris au piège,

ainsi sont surpris les enfants des hommes au temps du malheur,

quand il fond sur eux à l'improviste.

Sagesse et folie.

¹³Voici encore quelle sorte de sagesse j'ai vue sous le soleil, et elle me paraît importante :

¹⁴Il y avait une ville, petite, avec peu d'habitants. Un grand roi vint contre elle ; il l'assiégea et bâtit contre elle de grands ouvrages. ¹⁵Mais il trouva devant lui un homme pauvre et sage qui sauva la ville par sa sagesse. Or personne n'a gardé le souvenir de cet homme pauvre. ¹⁶Alors je dis :

La sagesse vaut mieux que la force,

mais la sagesse du pauvre est méconnue

et ses paroles, personne ne les écoute.

¹⁷On écoute les paroles calmes des sages plus que les cris de celui qui commande aux insensés.

¹⁸Mieux vaut la sagesse que les armes,

mais un seul pécheur annule beaucoup de bien.

10 ¹Des mouches mortes font que le parfumeur rejette l'huile, un peu de sottise compte plus que sagesse et gloire.

²Le sage se dirige bien,

l'insensé va de travers.

³Qu'il avance sur la route, celui qui est insensé, l'esprit lui manque, et tous disent : « C'est un insensé ! »

⁴Si l'humeur de celui qui commande se monte contre toi, ne quitte pas ta place, car le calme évite de grands péchés.

⁵Il y a un mal que je vois sous le soleil, c'est comme une méprise de la part du souverain :

⁶la folie placée au plus haut et des riches qui restent dans l'abaissement. ⁷Je vois des esclaves aller à cheval et des princes à pied comme des esclaves.

⁸Qui creuse une fosse tombe dedans,

qui sape un mur, un serpent le mord ;

⁹qui extrait des pierres se blesse avec,

qui fend du bois prend un risque.

¹⁰Si le fer est émoussé et qu'on n'en aiguise pas le tranchant, il faut redoubler de forces ; mais il y a profit à faire aboutir la sagesse.

¹¹Si, faute d'être charmé, le serpent mord, il n'y a pas de profit pour le charmeur.

¹²Les paroles du sage plaisent,

les lèvres de l'insensé le perdront :

¹³le début de ses paroles est folie

et la fin de son propos perfide sottise.

¹⁴Le fou multiplie les paroles,

mais l'homme ne sait pas ce qui sera :

ce qui arrivera après lui, qui le lui annoncera ?

¹⁵Le travail de l'insensé le fatigue,

lui qui ne sait même pas aller à la ville.

¹⁶Malheur à toi, pays dont le roi est un gamin,

et dont les princes mangent dès le matin !

¹⁷Heureux le pays dont le roi est né noble,

dont les princes mangent au temps voulu

pour prendre des forces et non pour banqueter !

¹⁸Pour des mains paresseuses, la poutre cède,

pour des mains négligentes, il pleut dans la maison.

¹⁹Pour se divertir on fait un repas,

le vin réjouit les vivants

et l'argent a réponse à tout.

²⁰Ne maudis pas le roi, fût-ce en pensée,

ne maudis pas le riche, fût-ce dans ta chambre,

car un oiseau du ciel emporterait le bruit,

²¹celui qui a des ailes redirait ta parole.

Savoir prendre des risques.

11 ¹Lance ton pain sur l'eau, à la longue tu le retrouveras.

²Donne une part à sept ou à huit,

car tu ne sais pas quel malheur peut venir sur la terre.

³Si les nuages sont pleins de pluie,

ils la déversent sur la terre ;

et si un arbre tombe, au sud ou bien au nord,

l'arbre reste où il est tombé.

⁴Qui observe le vent ne sème pas,

qui regarde les nuages ne moissonne pas.

⁵De même que tu ne connais pas le chemin que suit le vent,

ou celui de l'embryon dans le sein de la femme,

de même tu ne connais pas l'œuvre de Dieu qui fait tout.

⁶Le matin, sème ton grain,

et le soir, ne laisse pas ta main inactive,

car de deux choses tu ne sais pas celle qui réussira,

ou si elles sont aussi bonnes l'une que l'autre.

L'âge.

⁷Douce est la lumière

et il plaît aux yeux de voir le soleil ;

⁸si l'homme vit de longues années,

qu'il profite de toutes,

mais qu'il se rappelle que les jours de ténèbres seront nombreux :

tout ce qui vient est vanité.

⁹Réjouis-toi, jeune homme, dans ta jeunesse,

sois heureux aux jours de ton adolescence,

suis les voies de ton cœur et la vision de tes yeux,

mais sache que sur tout cela Dieu te fera venir en jugement.

¹⁰Éloigne de ton cœur le chagrin,

écarte de ta chair la souffrance,

mais la jeunesse et l'âge des cheveux noirs sont vanité.

12 ¹Et souviens-toi de ton Créateur aux jours de ton adolescence, avant que viennent les jours mauvais

et qu'arrivent les années dont tu diras : « Je ne les aime pas » ;

²avant que s'obscurcissent le soleil et la lumière,

la lune et les étoiles,

et que reviennent les nuages après la pluie ;

³au jour où tremblent les gardiens de la maison,

où se courbent les hommes vigoureux,

où celles qui meulent, trop peu nombreuses, s'arrêtent,

où celles qui regardent par la fenêtre perdent leur éclat,

⁴Quand la porte est fermée sur la rue,

quand tombe la voix du moulin,

quand on se lève à la voix de l'oiseau,

quand se taisent toutes les chansons.

⁵Quand on redoute la montée et qu'on a des frayeurs en chemin.

Et l'amandier est en fleur,

et la sauterelle est pesante,

et le câprier s'épanouit.

Tandis que l'homme s'en va vers sa maison d'éternité

et les pleureurs tournent déjà dans la rue.

⁶Avant que lâche le fil d'argent,

que la coupe d'or se brise,

que la jarre se casse à la fontaine,

que la poulie se rompe au puits

⁷et que la poussière retourne à la terre comme elle en est venue,

et le souffle à Dieu qui l'a donné.

⁸Vanité des vanités, dit Qohélet, tout est vanité.

Épilogue.

⁹Sans compter que Qohélet fut un sage, il a encore enseigné au peuple le savoir ; il a pesé, examiné et corrigé beaucoup de proverbes ;

¹⁰Qohélet s'est efforcé de trouver des paroles plaisantes et d'écrire exactement des paroles de vérité.

¹¹Les paroles des sages sont comme des aiguillons et comme des piquets, plantés par les auteurs des recueils : c'est le don d'un pasteur unique.

¹²En plus de cela, mon fils, sois averti que faire des livres est un travail sans fin et que beaucoup d'étude fatigue le corps.

¹³Fin du discours. Tout est entendu. Crains Dieu et observe ses commandements, car c'est là tout l'homme : ¹⁴oui, Dieu fera venir toute œuvre en jugement, tout ce qu'elle recèle de bon ou mauvais.

Le Cantique des Cantiques

Introduction

Le Cantique des Cantiques, c'est-à-dire le Cantique par excellence, le plus beau Chant, célèbre l'amour mutuel d'un Bien-aimé et d'une Bien-aimée, qui se joignent et se perdent, se cherchent et se trouvent. Ce livre, qui emploie le langage d'un amour passionné, a étonné. Le nom de YHWH n'y apparaît qu'une fois sous une forme abrégée, YH, dans **8** 6. Il n'y a pas de livre de l'Ancien Testament dont on ait proposé des interprétations plus divergentes.

L'interprétation allégorique est devenue commune chez les Juifs à partir du IIe siècle de notre ère : l'amour de Dieu pour Israël et celui du peuple pour son Dieu sont représentés comme les rapports entre deux époux. C'est le thème de l'allégorie nuptiale que les prophètes ont longuement développé depuis Osée. Les auteurs chrétiens ont suivi la même ligne que l'exégèse juive, mais l'allégorie est devenue chez eux celle des noces du Christ et de l'Église ou de l'union mystique de l'âme avec Dieu. C'est l'usage qu'en ont fait les mystiques chrétiens comme saint Jean de la Croix.

Pour beaucoup d'exégètes, le Cantique serait un recueil de chants célébrant l'amour mutuel et fidèle qui scelle le mariage. Il proclame la légitimité et il exalte la valeur de l'amour humain. Ainsi le Cantique dégage l'amour de l'homme et de la femme du puritanisme comme de la licence. Comme les livres sapientiaux, le Cantique se préoccupe de la condition humaine et en considère l'un des aspects vitaux. On a rapproché ces chants d'amour de la poésie égyptienne qui, comme eux, évoque les fleurs, les parfums, les parures, les jardins, et où l'amant dit aussi « ma sœur » à sa bien-aimée.

Toutefois, une autre interprétation repose sur les nombreux rapprochements phonétiques et allitérations sur le nom de Salomon : on est alors amené à évoquer le mariage de Salomon et de la fille du Pharaon, épisode qui serait à la base du livret du Cantique. Le poète mettrait donc en scène le nouveau Salomon, roi d'Israël et type du Messie pacifique, tant attendu par Israël à l'époque du second Temple (époque probable de la composition du poème), et sa fiancée d'origine païenne, dans la Sion future des temps nouveaux. Ses chants d'amour prendraient de la sorte une connotation universaliste et messianique. Une telle hypothèse se trouverait confirmée par la présence de plusieurs refrains, de nombreuses répétitions, de mots-crochets, qui assurent à l'ensemble du livret, apparemment si morcelé, une certaine unité littéraire permettant de discerner une dizaine de poèmes, encadrés par un prologue (**1** 1-4) et un épilogue (**8** 5-7) suivi d'additions, **2** 6-7 et **8** 3-4, formant une grande inclusion.

Deuxième poème

LA BIEN-AIMÉE. 8J'entends mon bien-aimé.
Voici qu'il arrive,
sautant sur les montagnes,
bondissant sur les collines.
9Mon bien-aimé est semblable à une gazelle,
à un jeune faon.

Voilà qu'il se tient
derrière notre mur.
Il guette par la fenêtre,
il épie par le treillis.

10Mon bien-aimé élève la voix,
il me dit :
« Lève-toi, ma bien-aimée,
ma belle, viens-t'en.
11Car voilà l'hiver passé,
c'en est fini des pluies, elles ont disparu.
12Sur notre terre les fleurs se montrent.
La saison vient des gais refrains,
le roucoulement de la tourterelle se fait entendre
sur notre terre.
13Le figuier forme ses premiers fruits
et les vignes en fleur exhalent leur parfum.
Lève-toi, ma bien-aimée,
ma belle, viens-t'en.

14Ma colombe, cachée au creux des rochers,
en des retraites escarpées,
montre-moi ton visage,
fais-moi entendre ta voix ;
car ta voix est douce
et charmant ton visage. »

15Attrapez-nous les renards,
les petits renards
ravageurs de vignes,
car notre vigne est en fleur.

16Mon bien-aimé est à moi, et moi à lui.
Il paît son troupeau parmi les lis.

17Avant que souffle la brise du jour
et que s'enfuient les ombres,
reviens... ! Sois semblable,
mon bien-aimé, à une gazelle,

à un jeune faon,
sur les montagnes du partage.

Troisième poème

3 ¹Sur ma couche, la nuit, j'ai cherché
celui que mon cœur aime.
Je l'ai cherché, mais ne l'ai point trouvé !
²Je me lèverai donc, et parcourrai la ville.
Dans les rues et sur les places,
je chercherai celui que mon cœur aime.
Je l'ai cherché, mais ne l'ai point trouvé !

³Les gardes m'ont rencontrée,
ceux qui font la ronde dans la ville :
« Avez-vous vu celui que mon cœur aime ? »

⁴À peine les avais-je dépassés,
j'ai trouvé celui que mon cœur aime.
Je l'ai saisi et ne le lâcherai point
que je ne l'aie fait entrer
dans la maison de ma mère,
dans la chambre de celle qui m'a conçue.

LE BIEN-AIMÉ.   ⁵Je vous en conjure,
filles de Jérusalem,
par les gazelles, par les biches des champs,
n'éveillez pas, ne réveillez pas mon amour,
avant l'heure de son bon plaisir.

Quatrième poème

LE CHŒUR.   ⁶Qu'est-ce là qui monte du désert,
comme une colonne de fumée,
vapeur de myrrhe et d'encens
et de tous parfums exotiques ?

⁷Voici la litière de Salomon.
Soixante preux l'entourent,
élite des preux d'Israël :
⁸tous experts à manier l'épée,
vétérans des combats.
Chacun a l'épée au côté,
craignant les surprises de la nuit.

⁹Le roi Salomon
s'est fait un palanquin
en bois du Liban.
¹⁰Il a fait les colonnettes d'argent,
le baldaquin d'or,
le siège couleur pourpre,
l'intérieur ouvragé avec amour
par les filles de Jérusalem.

¹¹Venez contempler,
filles de Sion,
le roi Salomon,
avec le diadème dont sa mère l'a couronné
au jour de ses épousailles,
au jour de la joie de son cœur.

Cinquième poème

LE BIEN-AIMÉ. **4** ¹Que tu es belle, ma bien-aimée,
que tu es belle !
Tes yeux sont des colombes,
derrière ton voile ;
tes cheveux comme un troupeau de chèvres,
ondulant sur les pentes du mont Galaad.
²Tes dents, un troupeau de brebis tondues
qui remontent du bain.
Chacune a sa jumelle
et nulle n'en est privée.
³Tes lèvres, un fil d'écarlate,
et tes discours sont ravissants.
Tes joues, des moitiés de grenades,
derrière ton voile.
⁴Ton cou, la tour de David,
bâtie par assises.
Mille rondaches y sont suspendues,
tous les boucliers des preux.
⁵Tes deux seins, deux faons,
jumeaux d'une gazelle,
qui paissent parmi les lis.

⁶Avant que souffle la brise du jour
et que s'enfuient les ombres,
j'irai à la montagne de la myrrhe,
à la colline de l'encens.

⁷Tu es toute belle, ma bien-aimée,
et sans tache aucune !

⁸Viens du Liban, ô fiancée,
viens du Liban, fais ton entrée.
Abaisse tes regards, des cimes de l'Amana,
des cimes du Sanir et de l'Hermon,
repaire des lions,
montagnes des léopards.

⁹Tu me fais perdre le sens,
ma sœur, ô fiancée,
tu me fais perdre le sens
par un seul de tes regards,
par un anneau de ton collier !
¹⁰Que ton amour a de charmes,
ma sœur, ô fiancée.
Que ton amour est délicieux, plus que le vin !
Et l'arôme de tes parfums,
plus que tous les baumes !
¹¹Tes lèvres, ô fiancée,
distillent le miel vierge.
Le miel et le lait
sont sous ta langue ;
et le parfum de tes vêtements
est comme le parfum du Liban.

¹²Elle est un jardin bien clos,
ma sœur, ô fiancée ;
un jardin bien clos,
une source scellée.
¹³Tes jets font un verger de grenadiers,
avec les fruits les plus exquis,
grappes de henné avec des nards ;

¹⁴le nard et le safran,
le roseau odorant et le cinnamome,
avec tous les arbres à encens ;
la myrrhe et l'aloès,
avec les plus fins arômes.
¹⁵Source des jardins,
puits d'eaux vives,
ruissellement du Liban !

LA BIEN-AIMÉE. ¹⁶Lève-toi, Aquilon,
accours, Autan !
Soufflez sur mon jardin,
qu'il distille ses aromates !

Que mon bien-aimé entre dans son jardin,
et qu'il en goûte les fruits délicieux !

LE BIEN-AIMÉ. **5** ¹J'entre dans mon jardin,
ma sœur, ô fiancée,
je récolte ma myrrhe et mon baume,
je mange mon miel et mon rayon,
je bois mon vin et mon lait.

LE CHŒUR.   Mangez, amis, buvez,
enivrez-vous, mes bien-aimés !

Sixième poème

LA BIEN-AIMÉE. ²Je dors, mais mon cœur veille.
J'entends mon bien-aimé qui frappe.
« Ouvre-moi, ma sœur, mon amie,
ma colombe, ma parfaite !
Car ma tête est couverte de rosée,
mes boucles, des gouttes de la nuit. »

³– « J'ai ôté ma tunique,
comment la remettrais-je ?
J'ai lavé mes pieds,
comment les salirais-je ? »
⁴Mon bien-aimé a passé la main par la fente,
et pour lui mes entrailles ont frémi.
⁵Je me suis levée
pour ouvrir à mon bien-aimé,
et de mes mains a dégoutté la myrrhe,
de mes doigts la myrrhe vierge,
sur la poignée du verrou.

⁶J'ai ouvert à mon bien-aimé,
mais tournant le dos, il avait disparu !
Sa fuite m'a fait rendre l'âme.
Je l'ai cherché, mais ne l'ai point trouvé,
je l'ai appelé, mais il n'a pas répondu !
⁷Les gardes m'ont rencontrée,
ceux qui font la ronde dans la ville.
Ils m'ont frappée, ils m'ont blessée,
ils m'ont enlevé mon manteau,
ceux qui gardent les remparts.

⁸Je vous en conjure,
filles de Jérusalem,

> si vous trouvez mon bien-aimé,
> que lui déclarerez-vous ?
> Que je suis malade d'amour.

Septième poème

LE CHŒUR.
⁹Qu'a donc ton bien-aimé de plus que les autres,
ô la plus belle des femmes ?
Qu'a donc ton bien-aimé de plus que les autres,
pour que tu nous conjures de la sorte ?

LA BIEN-AIMÉE.
¹⁰Mon bien-aimé est frais et vermeil.
Il se reconnaît entre dix mille.
¹¹Sa tête est d'or, et d'un or pur ;
ses boucles sont des palmes,
noires comme le corbeau.
¹²Ses yeux sont des colombes,
au bord des cours d'eau
se baignant dans le lait,
posées au bord d'une vasque.
¹³Ses joues sont comme des parterres d'aromates,
des massifs parfumés.
Ses lèvres sont des lis ;
elles distillent la myrrhe vierge.
¹⁴Ses mains sont des globes d'or,
garnis de pierres de Tarsis.
Son ventre est une masse d'ivoire,
couverte de saphirs.
¹⁵Ses jambes sont des colonnes d'albâtre,
posées sur des bases d'or pur.
Son aspect est celui du Liban,
sans rival comme les cèdres.
¹⁶Ses discours sont la suavité même,
et tout en lui n'est que charme.
Tel est mon bien-aimé, tel est mon époux,
filles de Jérusalem.

LE CHŒUR.
6 ¹Où est parti ton bien-aimé,
ô la plus belle des femmes ?
Où s'est tourné ton bien-aimé,
que nous le cherchions avec toi ?

LA BIEN-AIMÉE.
²Mon bien-aimé est descendu à son jardin,
aux parterres embaumés,

pour paître son troupeau dans les jardins,
et pour cueillir des lis.
³Je suis à mon bien-aimé, et mon bien-aimé est à moi !
Il paît son troupeau parmi les lis.

Huitième poème

LE BIEN-AIMÉ. ⁴Tu es belle, mon amie, comme Tirça,
charmante comme Jérusalem,
redoutable comme des bataillons.
⁵Détourne de moi tes regards,
car ils m'assaillent !
Tes cheveux sont un troupeau de chèvres,
ondulant sur les pentes du Galaad.
⁶Tes dents sont un troupeau de brebis,
qui remontent du bain.
Chacune a sa jumelle
et nulle n'en est privée.
⁷Tes joues sont des moitiés de grenade
derrière ton voile.

⁸Il y a soixante reines
et quatre-vingts concubines
et des jeunes filles sans nombre.
⁹Unique est ma colombe,
ma parfaite.
Elle est l'unique de sa mère,
la préférée de celle qui l'enfanta.
Les jeunes femmes l'ont vue et glorifiée,
reines et concubines l'ont célébrée :
¹⁰« Qui est celle-ci qui surgit comme l'aurore,
belle comme la lune,
resplendissante comme le soleil,
redoutable comme des bataillons ? »

Neuvième poème

LA BIEN-AIMÉE. ¹¹Au jardin des noyers je suis descendue,
pour voir les jeunes pousses de la vallée,
pour voir si la vigne bourgeonne,
si les grenadiers fleurissent.
¹²Je ne connaissais pas mon cœur
il a fait de moi les chariots d'Ammi-nadîb !

LE CHŒUR.　**7** ¹Reviens, reviens, Sulamite ;
reviens, reviens, que nous te regardions !

LE BIEN-AIMÉ.　Ah ! Vous la regardez, la Sulamite,
comme une danse en deux chœurs !

²Que tes pieds sont beaux dans tes sandales,
fille de prince !
La courbe de tes flancs est comme un collier,
œuvre des mains d'un artiste.
³Ton giron, une coupe arrondie,
que les vins n'y manquent pas !
Ton ventre, un monceau de froment,
de lis environné.
⁴Tes deux seins ressemblent à deux faons,
jumeaux d'une gazelle.
⁵Ton cou, une tour d'ivoire.
Tes yeux, les piscines de Heshbôn,
près de la porte de Bat-Rabbim.
Ton nez, la tour du Liban,
sentinelle tournée vers Damas.
⁶Ton chef se dresse, semblable au Carmel,
et les nattes de ta tête sont comme la pourpre ;
un roi est pris dans ces ruissellements.

⁷Que tu es belle, que tu es charmante,
ô amour, ô délices !
⁸Dans ton élan tu ressembles au palmier,
tes seins en sont les grappes.
⁹J'ai dit : Je monterai au palmier,
j'en saisirai les régimes.
Tes seins, qu'ils soient des grappes de raisin,
le parfum de ton souffle, celui des pommes ;
¹⁰tes discours, un vin exquis !

LA BIEN-AIMÉE.　Il va droit à mon bien-aimé,
comme il coule sur les lèvres de ceux qui
[sommeillent.

¹¹Je suis à mon bien-aimé,
et vers moi se porte son désir.

Dixième poème

¹²Viens, mon bien-aimé,
allons aux champs !
Nous passerons la nuit dans les villages,
¹³dès le matin nous irons aux vignobles.
Nous verrons si la vigne bourgeonne,
si ses pampres fleurissent,
si les grenadiers sont en fleur.
Alors je te ferai
le don de mes amours.
¹⁴Les mandragores exhalent leur parfum,
à nos portes sont tous les meilleurs fruits.
Les nouveaux comme les anciens,
je les ai réservés pour toi, mon bien-aimé.

8 ¹Ah ! que ne m'es-tu un frère,
allaité aux seins de ma mère !
Te rencontrant dehors, je pourrais t'embrasser,
sans que les gens me méprisent.
²Je te conduirais, je t'introduirais
dans la maison de ma mère, tu m'enseignerais !
Je te ferais boire un vin parfumé,
ma liqueur de grenades.

³Son bras gauche est sous ma tête,
et sa droite m'étreint.

⁴Je vous en conjure,
filles de Jérusalem,
n'éveillez pas, ne réveillez pas mon amour,
avant l'heure de son bon plaisir.

Épilogue

LE CHŒUR.   ⁵Qui est celle-ci qui monte du désert,
appuyée sur son bien-aimé ?

LA BIEN-AIMÉE.   Sous le pommier je t'ai réveillé,
là même où ta mère te conçut,
là où conçut celle qui t'a enfanté.

⁶Mets-moi comme un sceau sur ton cœur,
comme un sceau sur ton bras.

Car l'amour est fort comme la Mort,
la jalousie inflexible comme le Shéol.
Ses traits sont des traits de feu,
une flamme de Yahvé.
[7]Les grandes eaux ne pourront éteindre l'amour,
ni les fleuves le submerger.
Qui offrirait toutes les richesses de sa maison
pour acheter l'amour,
ne recueillerait que mépris.

Appendices

Deux épigrammes.

[8]Notre sœur est petite : elle n'a pas encore les seins formés. Que ferons-nous à notre sœur, le jour où il sera question d'elle ?

– [9]Si elle était un rempart, nous élèverions au faîte un couronnement d'argent ; si elle était une porte, nous fixerions contre elle des ais de cèdre.

– [10]Je suis un mur, et mes seins en figurent les tours. Aussi ai-je à ses yeux trouvé la paix.

[11]Salomon avait une vigne à Baal-Hamôn. Il la confia à des gardiens, et chacun devait lui remettre le prix de son fruit mille sicles d'argent. [12]Ma vigne à moi, je l'ai sous mes yeux : à toi Salomon les mille sicles, et deux cents aux gardiens de son fruit.

Dernières additions.

[13]Toi qui habites les jardins, des compagnons prêtent l'oreille à ta voix :
daigne me la faire entendre !
[14]Fuis, mon bien-aimé,
Sois semblable à une gazelle,
à un jeune faon,
sur les montagnes embaumées !

Sagesse de Salomon

Introduction

Souvent appelé simplement « Livre de la Sagesse », ce livre a été écrit tout entier en grec. Il ne fait donc pas partie du canon hébreu.

Dans une première partie, l'auteur invite ses lecteurs à rechercher la Sagesse en fuyant le mal, car l'homme a été créé pour l'immortalité dont elle est le gage. Par-delà la mort, les justes connaîtront le bonheur alors que les impies seront anéantis. Ainsi la question de la rétribution, qui préoccupait tant de sages, reçoit ici une solution.

La deuxième partie traite de la Sagesse et du sage. La Sagesse est comprise comme la présence immanente du Dieu transcendant de la révélation biblique, présence bienfaisante au monde dont elle assure la cohérence, auquel elle donne sens, présence de grâce au cœur de ceux qui la désirent. Cette Sagesse de Dieu, assimilée à son Esprit, le sage doit la désirer, et déjà vibrer d'amour à son égard. Mais elle ne peut que se recevoir de Dieu, il faut donc la lui demander, d'où l'importance de la prière.

La troisième partie rappelle tout d'abord comment la Sagesse sauva les héros de la Genèse et de l'Exode. Suit une longue méditation priante où les plaies infligées aux Égyptiens sont comparées aux bienfaits que le Seigneur accorda à son peuple au désert, en particulier la manne, « aliment d'immortalité ». L'auteur est amené à méditer sur la miséricorde universelle du Seigneur. Ce que le Seigneur fit aux origines de son peuple, il ne cesse jamais de le refaire. Dès lors cette troisième partie éclaire la première : l'Exode fonde la foi de l'auteur en un Dieu qui sauvera les justes et leur assurera la vie.

L'auteur du livre de la Sagesse, par un artifice littéraire, a mis son écrit sous le patronage de Salomon. C'est un Juif, plein de foi au « Dieu des Pères », fier d'appartenir au « peuple saint », à la « race irréprochable » ; c'est aussi un Juif hellénisé, et l'on relève dans son livre de nombreux contacts avec la pensée grecque. Il s'adresse à ses compatriotes juifs, et tout particulièrement à la jeunesse qui demain aura à gouverner la communauté. L'évocation du jeune Salomon prend alors tout son sens. Il vivait probablement à Alexandrie, devenue à la fois capitale de l'hellénisme sous les Ptolémées et grande ville juive de la Diaspora. Il utilise l'Écriture selon la traduction de la Septante, faite dans ce milieu. En **14** 22 il ironise probablement sur la *Pax romana*. Le livre peut donc avoir été écrit durant les dernières décennies du i[er] siècle avant notre ère : c'est le plus récent des livres de l'Ancien Testament.

Sagesse de Salomon

1. La Sagesse et la destinée humaine

Chercher Dieu et fuir le péché.

1 ¹Aimez la justice, vous qui jugez la terre,
   ayez sur le Seigneur de droites pensées
   et cherchez-le en simplicité de cœur,
²parce qu'il se laisse trouver par ceux qui ne le tentent pas,
   il se révèle à ceux qui ne lui refusent pas leur foi.
³Car les pensées tortueuses éloignent de Dieu,
   et, mise à l'épreuve, la Puissance confond les insensés.
⁴Non, la Sagesse n'entre pas dans une âme malfaisante,
   elle n'habite pas dans un corps tributaire du péché.
⁵Car l'esprit saint, l'éducateur, fuit la fourberie,
   il se retire devant des pensées sans intelligence,
   il s'offusque quand survient l'injustice.

⁶La Sagesse est un esprit ami des hommes,
   mais elle ne laisse pas impuni le blasphémateur pour ses propos ;
   car Dieu est le témoin de ses reins,
   le surveillant véridique de son cœur,
   et ce que dit sa langue, il l'entend.
⁷L'esprit du Seigneur en effet remplit le monde,
   et lui, qui tient unies toutes choses, a connaissance de chaque mot.
⁸Nul ne saurait donc se dérober, qui profère des méchancetés,
   la Justice vengeresse ne le laissera pas échapper.
⁹Sur les desseins de l'impie il sera fait enquête,
   le bruit de ses paroles ira jusqu'au Seigneur,
   pour preuve de ses forfaits.
¹⁰Une oreille jalouse écoute tout,
   la rumeur même des murmures ne lui échappe pas.
¹¹Gardez-vous donc des vains murmures,
   épargnez à votre langue la médisance ;
   car un mot furtif ne demeure pas sans effet,
   une bouche calomnieuse donne la mort à l'âme.
¹²Ne recherchez pas la mort par les égarements de votre vie
   et n'attirez pas sur vous la ruine par les œuvres de vos mains.
¹³Car Dieu n'a pas fait la mort,
   il ne prend pas plaisir à la perte des vivants.
¹⁴Il a tout créé pour l'être ;
   les générations dans le monde sont salutaires,

en elles il n'est aucun poison destructeur,
et l'Hadès ne règne pas sur la terre ;
¹⁵car la justice est immortelle.

La vie selon les impies.

¹⁶Mais les impies appellent la mort du geste et de la voix ;
la tenant pour amie, pour elle ils se consument,
avec elle ils font un pacte,
dignes qu'ils sont de lui appartenir.

2 ¹Car ils disent entre eux, dans leurs faux calculs :

« Courte et triste est notre vie ;
il n'y a pas de remède lors de la fin de l'homme
et on ne connaît personne qui soit revenu de l'Hadès.
²Nous sommes nés du hasard,
après quoi nous serons comme si nous n'avions pas existé.
C'est une fumée que le souffle de nos narines,
et la pensée, une étincelle qui jaillit au battement de notre cœur ;
³qu'elle s'éteigne, le corps s'en ira en cendre
et l'esprit se dispersera comme l'air inconsistant.
⁴Avec le temps, notre nom tombera dans l'oubli,
nul ne se souviendra de nos œuvres ;
notre vie passera comme les traces d'un nuage,
elle se dissipera comme un brouillard
que chassent les rayons du soleil
et qu'abat sa chaleur.
⁵Oui, nos jours sont le passage d'une ombre,
notre fin est sans retour,
le sceau est apposé et nul ne revient.

⁶Venez donc et jouissons des biens présents,
usons des créatures avec l'ardeur de la jeunesse.
⁷Enivrons-nous de vins de prix et de parfums,
ne laissons point passer la fleur du printemps,
⁸couronnons-nous de boutons de roses, avant qu'ils ne se fanent,
⁹qu'aucune prairie ne soit exclue de notre orgie,
laissons partout des signes de notre liesse,
car telle est notre part, tel est notre lot !

¹⁰Opprimons le juste qui est pauvre,
n'épargnons pas la veuve,
soyons sans égards pour les cheveux blancs chargés d'années du
vieillard.
¹¹Que notre force soit la loi de la justice,
car ce qui est faible s'avère inutile.
¹²Tendons des pièges au juste, puisqu'il nous gêne
et qu'il s'oppose à notre conduite,

nous reproche nos fautes contre la Loi
et nous accuse de fautes contre notre éducation.
[13]Il se flatte d'avoir la connaissance de Dieu
et se nomme enfant du Seigneur.
[14]Il est devenu un blâme pour nos pensées,
sa vue même nous est à charge ;
[15]car son genre de vie ne ressemble pas aux autres,
et ses sentiers sont tout différents.
[16]Il nous tient pour chose frelatée
et s'écarte de nos chemins comme d'impuretés.
Il proclame heureux le sort final des justes
et il se vante d'avoir Dieu pour père.
[17]Voyons si ses dires sont vrais,
expérimentons ce qu'il en sera de sa fin.
[18]Car si le juste est fils de Dieu, Il l'assistera
et le délivrera des mains de ses adversaires.
[19]Éprouvons-le par l'outrage et la torture
afin de connaître sa sérénité
et de mettre à l'épreuve sa résignation.
[20]Condamnons-le à une mort honteuse,
puisque, d'après ses dires, il sera visité. »

Erreur des impies.

[21]Ainsi raisonnent-ils, mais ils s'égarent,
car leur malice les aveugle.
[22]Ils ignorent les secrets de Dieu,
ils n'espèrent pas de rémunération pour la sainteté,
ils ne croient pas à la récompense des âmes pures.
[23]Oui, Dieu a créé l'homme pour l'incorruptibilité,
il en a fait une image de sa propre nature ;
[24]c'est par l'envie du diable que la mort est entrée dans le monde :
ils en font l'expérience, ceux qui lui appartiennent !

Sort comparé des justes et des impies.

3 [1]Les âmes des justes sont dans la main de Dieu.
Et nul tourment ne les atteindra.
[2]Aux yeux des insensés ils ont paru bien morts,
leur départ a été tenu pour un malheur
[3]et leur voyage loin de nous pour un anéantissement,
mais eux sont en paix.
[4]S'ils ont, aux yeux des hommes, subi des châtiments,
leur espérance était pleine d'immortalité ;
[5]pour une légère correction ils recevront de grands bienfaits.
Dieu en effet les a mis à l'épreuve
et il les a trouvés dignes de lui ;
[6]comme l'or au creuset, il les a éprouvés,

comme un parfait holocauste, il les a agréés.
⁷Au temps de leur visite, ils resplendiront,
et comme des étincelles à travers le chaume ils courront.
⁸Ils jugeront les nations et domineront sur les peuples,
et le Seigneur régnera sur eux à jamais.
⁹Ceux qui mettent en lui leur confiance comprendront la vérité
et ceux qui sont fidèles demeureront auprès de lui dans l'amour,
car la grâce et la miséricorde sont pour ses saints
et sa visite est pour ses élus.

¹⁰Mais les impies auront un châtiment conforme à leurs pensées,
eux qui ont négligé le juste et se sont écartés du Seigneur.
¹¹Car malheur à qui méprise sagesse et discipline :
vaine est leur espérance,
sans utilité leurs fatigues,
sans profit leurs œuvres ;
¹²leurs femmes sont insensées,
pervers leurs enfants,
maudite leur postérité !

Mieux vaut la stérilité qu'une postérité impie.

¹³Heureuse la femme stérile qui est sans tache,
celle qui n'a pas connu d'union coupable ;
car elle aura du fruit à la visite des âmes.
¹⁴Heureux encore l'eunuque dont la main ne commet pas de forfait
et qui ne nourrit pas de pensées perverses contre le Seigneur :
il lui sera donné pour sa fidélité une grâce de choix,
un lot très délicieux dans le Temple du Seigneur.
¹⁵Car le fruit de labeurs honnêtes est plein de gloire,
impérissable est la racine de l'intelligence.

¹⁶Mais les enfants d'adultères n'atteindront pas leur maturité,
la postérité issue d'une union illégitime disparaîtra.
¹⁷Même si leur vie se prolonge, ils seront comptés pour rien
et, à la fin, leur vieillesse sera sans honneur,
¹⁸s'ils meurent tôt, ils n'auront pas d'espérance
ni de consolation au jour de la décision,
¹⁹car la fin d'une race injuste est cruelle !

4 ¹Mieux vaut ne pas avoir d'enfants et posséder la vertu,
car l'immortalité s'attache à sa mémoire,
elle est en effet connue de Dieu et des hommes.
²Présente, on l'imite,
absente, on la regrette ;
dans l'éternité, ceinte de la couronne, elle triomphe,
pour avoir vaincu dans une compétition aux luttes sans tache.

³Mais la nombreuse postérité des impies ne profitera pas ;
  issue de rejetons bâtards, elle ne poussera pas de racines profondes,
  elle n'établira pas de base solide.
⁴Même si pour un temps elle monte en branches,
  mal affermie, elle sera ébranlée par le vent,
  déracinée par la violence des vents ;
⁵ses rameaux seront brisés avant d'être formés,
  leur fruit sera sans profit, n'étant pas mûr pour être mangé,
  impropre à tout usage.
⁶Car les enfants nés de sommeils coupables
  témoignent, lors de leur examen, de la perversité des parents.

La mort prématurée du juste.

⁷Le juste, même s'il meurt avant l'âge, trouvera le repos.
⁸La vieillesse honorable n'est pas celle que donnent de longs jours,
  elle ne se mesure pas au nombre des années ;
⁹c'est cheveux blancs pour les hommes que l'intelligence,
  c'est un âge avancé qu'une vie sans tache.
¹⁰Devenu agréable à Dieu, il a été aimé,
  et, comme il vivait parmi des pécheurs, il a été transféré.
¹¹Il a été enlevé, de peur que la malice n'altère son jugement
  ou que la fourberie ne séduise son âme ;
¹²car la fascination de ce qui est vil obscurcit le bien
  et le tourbillon de la convoitise gâte un esprit sans malice.
¹³Devenu parfait en peu de temps, il a fourni une longue carrière.
¹⁴Son âme était agréable au Seigneur,
  aussi est-elle sortie en hâte du milieu de la perversité.

  Les foules voient cela sans comprendre,
  et il ne leur vient pas à la pensée
¹⁵que la grâce et la miséricorde sont pour ses élus
  et sa visite pour ses saints.
¹⁶Le juste qui meurt condamne les impies qui vivent,
  et la jeunesse vite consommée, la longue vieillesse de l'injuste.
¹⁷Ils voient la fin du sage,
  sans comprendre les desseins du Seigneur sur lui,
  ni pourquoi il l'a mis en sûreté ;
¹⁸ils voient et méprisent,
  mais le Seigneur se rira d'eux.
¹⁹Après cela ils deviendront un cadavre méprisé,
  un objet d'outrage parmi les morts à jamais.
  Car il les brisera, précipités, muets, la tête la première.
  Il les ébranlera de leurs fondements,
  jusqu'à la fin ils seront dévastés,
  en proie à la douleur,
  et leur mémoire périra.

Les impies comparaîtront en jugement.

²⁰Et quand s'établira le compte de leurs péchés, ils viendront pleins d'effroi ;
et leurs forfaits les accuseront en face.

5 ¹Alors le juste se tiendra debout, plein d'assurance,
en présence de ceux qui l'opprimèrent,
et qui, pour ses labeurs, n'avaient que mépris.
²À sa vue, ils seront troublés par une peur terrible,
stupéfaits de le voir sauvé contre toute attente.
³Ils se diront entre eux, saisis de regrets
et gémissant, le souffle oppressé :
⁴« Le voilà, celui que nous avons jadis tourné en dérision
et dont nous avons fait un objet d'outrage, nous, insensés !
Nous avons tenu sa vie pour folie,
et sa fin pour infâme.
⁵Comment donc a-t-il été compté parmi les fils de Dieu ?
Comment a-t-il son lot parmi les saints ?
⁶Oui, nous avons erré hors du chemin de la vérité ;
la lumière de la justice n'a pas brillé sur nous,
le soleil ne s'est pas levé pour nous.
⁷Nous nous sommes rassasiés dans les sentiers de l'iniquité et de la perdition,
nous avons traversé des déserts sans chemins,
et la voie du Seigneur, nous ne l'avons pas connue !
⁸À quoi nous a servi l'orgueil ?
Que nous ont valu richesse et jactance ?
⁹Tout cela a passé comme une ombre,
comme une nouvelle fugitive.
¹⁰Tel un navire qui parcourt l'onde agitée,
sans qu'on puisse découvrir la trace de son passage
ni le sillage de sa carène dans les flots ;
¹¹tel encore un oiseau qui vole à travers les airs,
sans que de son trajet on découvre un vestige ;
il frappe l'air léger, le fouette de ses plumes,
il le fend en un violent sifflement,
s'y fraie une route en remuant les ailes,
et puis, de son passage on ne trouve aucun signe ;
¹²telle encore une flèche lancée vers le but ;
l'air déchiré revient aussitôt sur lui-même,
si bien qu'on ignore le chemin qu'elle a pris.
¹³Ainsi de nous : à peine nés, nous avons disparu,
et nous n'avons à montrer aucune trace de vertu ;
dans notre malice nous nous sommes consumés ! »

¹⁴Oui, l'espoir de l'impie est comme la bale emportée par le vent,
comme l'écume légère chassée par la tempête ;

il se dissipe comme fumée au vent,
il passe comme le souvenir de l'hôte d'un jour.

Destinée glorieuse des justes et châtiment des impies.

15Mais les justes vivent à jamais,
leur récompense est auprès du Seigneur,
et le Très-Haut a souci d'eux.
16Aussi recevront-ils la couronne royale magnifique
et le diadème de beauté, de la main du Seigneur ;
car de sa droite il les protégera,
et de son bras, comme d'un bouclier, il les couvrira.

17Pour armure, il prendra son ardeur jalouse,
il armera la création pour repousser ses ennemis ;
18pour cuirasse il revêtira la justice,
il mettra pour casque un jugement irrévocable,
19il prendra pour bouclier la sainteté invincible ;
20de sa colère inexorable il fera une épée tranchante,
et l'univers ira au combat avec lui contre les insensés.
21Traits bien dirigés, les éclairs jailliront,
et des nuages, comme d'un arc bien bandé, voleront vers le but ;
22une baliste lancera des grêlons chargés de courroux,
les flots de la mer contre eux feront rage,
les fleuves les submergeront sans merci,
23un souffle puissant se lèvera contre eux
et les vannera comme un ouragan.
Ainsi l'iniquité dévastera la terre entière
et la malfaisance renversera des trônes de puissants.

Que les rois recherchent donc la Sagesse.

6 1Écoutez donc, rois, et comprenez !
Instruisez-vous, juges des confins de la terre !
2Prêtez l'oreille, vous qui dominez sur la multitude,
qui vous enorgueillissez de foules de nations !
3Car c'est le Seigneur qui vous a donné la domination
et le Très-Haut le pouvoir,
c'est lui qui examinera vos œuvres et scrutera vos desseins.
4Si donc, étant serviteurs de son royaume, vous n'avez pas jugé droitement,
ni observé la loi,
ni suivi la volonté de Dieu,
5il fondra sur vous d'une manière terrifiante et rapide.
Un jugement inexorable s'exerce en effet sur les gens haut placés ;
6au petit, par pitié, on pardonne,
mais les puissants seront examinés puissamment.
7Car le Maître de tous ne recule devant personne,

la grandeur ne lui en impose pas ;
  petits et grands, c'est lui qui les a faits
  et de tous il prend un soin pareil,
⁸mais une enquête sévère attend les forts.
⁹C'est donc à vous, souverains, que s'adressent mes paroles,
  pour que vous appreniez la sagesse et évitiez les fautes ;
¹⁰car ceux qui observent saintement les choses saintes seront reconnus saints,
  et ceux qui s'en laissent instruire trouveront de quoi se justifier.
¹¹Désirez donc mes paroles,
  aspirez à elles et vous serez instruits.

La Sagesse se laisse trouver.

¹²La Sagesse est brillante, elle ne se flétrit pas.
  Elle se laisse facilement contempler par ceux qui l'aiment,
  elle se laisse trouver par ceux qui la cherchent.
¹³Elle prévient ceux qui la désirent en se faisant connaître la première.
¹⁴Qui se lève tôt pour la chercher n'aura pas à peiner :
  il la trouvera assise à sa porte.
¹⁵La prendre à cœur est en effet la perfection de l'intelligence,
  et qui veille à cause d'elle sera vite exempt de soucis.
¹⁶Car ceux qui sont dignes d'elle, elle-même va partout les chercher
  et sur les sentiers elle leur apparaît avec bienveillance,
  à chaque pensée elle va au-devant d'eux.
¹⁷Car son commencement, c'est le désir très vrai de l'instruction,
  le souci de l'instruction, c'est l'amour,
¹⁸l'amour, c'est l'observation de ses lois,
  l'attention aux lois, c'est la garantie de l'incorruptibilité,
¹⁹et l'incorruptibilité fait qu'on est près de Dieu ;
²⁰ainsi le désir de la Sagesse élève à la royauté.
²¹Si donc trônes et sceptres vous plaisent, souverains des peuples,
  honorez la Sagesse, afin de régner à jamais.

Salomon va décrire la Sagesse.

²²Ce qu'est la Sagesse et comment elle est née, je vais l'exposer ;
  je ne vous cacherai pas les mystères,
  mais je suivrai ses traces depuis le début de son origine,
  je mettrai sa connaissance en pleine lumière,
  sans m'écarter de la vérité.
²³Oh ! je ne ferai pas route avec l'envie desséchante :
  elle n'a rien de commun avec la Sagesse.
²⁴Une multitude de sages, au contraire, est le salut du monde,
  un roi sensé fait la stabilité du peuple.
²⁵Laissez-vous donc instruire par mes paroles : vous y trouverez profit.

2. Salomon et la quête de la Sagesse

Salomon n'était qu'un homme.

7 ¹Je suis, moi aussi, un homme mortel, pareil à tous,
un descendant du premier être formé de la terre,
J'ai été ciselé en chair dans le ventre d'une mère,
²où, pendant dix mois, dans le sang j'ai pris consistance,
à partir d'une semence d'homme et du plaisir, compagnon du sommeil.
³À ma naissance, moi aussi j'ai aspiré l'air commun,
je suis tombé sur la terre qui nous reçoit tous pareillement,
et des pleurs, comme pour tous, furent mon premier cri.
⁴J'ai été élevé dans les langes et parmi les soucis.
⁵Aucun roi ne connut d'autre début d'existence :
⁶même façon pour tous d'entrer dans la vie et pareille façon d'en sortir.

Estime de Salomon pour la Sagesse.

⁷C'est pourquoi j'ai prié, et l'intelligence m'a été donnée,
j'ai invoqué, et l'esprit de Sagesse m'est venu.
⁸Je l'ai préférée aux sceptres et aux trônes
et j'ai tenu pour rien la richesse en comparaison d'elle.
⁹Je ne lui ai pas égalé la pierre la plus précieuse ;
car tout l'or, au regard d'elle, n'est qu'un peu de sable,
à côté d'elle, l'argent compte pour de la boue.
¹⁰Plus que santé et beauté je l'ai aimée
et j'ai préféré l'avoir plutôt que la lumière,
car son éclat ne connaît point de repos.
¹¹Mais avec elle me sont venus tous les biens
et, par ses mains, une incalculable richesse.
¹²De tous ces biens je me suis réjoui, parce que c'est la Sagesse qui les amène ;
j'ignorais pourtant qu'elle en fût la mère.
¹³Ce que j'ai appris sans fraude, je le communiquerai sans jalousie,
je ne cacherai pas sa richesse.
¹⁴Car elle est pour les hommes un trésor inépuisable,
ceux qui l'acquièrent s'attirent l'amitié de Dieu,
recommandés par les dons qui viennent de l'instruction.

Appel à l'inspiration divine.

¹⁵Que Dieu me donne de parler comme je l'entends
et de concevoir des pensées dignes des dons reçus,
parce qu'il est lui-même et le guide de la Sagesse
et le directeur des sages ;
¹⁶nous sommes en effet dans sa main, et nous et nos paroles,
et toute intelligence et tout savoir pratique.

¹⁷C'est lui qui m'a donné une connaissance infaillible des êtres,
    pour connaître la structure du monde et l'activité des éléments,
¹⁸le commencement, la fin et le milieu des temps,
    les alternances des solstices et les changements des saisons,
¹⁹les cycles de l'année et les positions des astres,
²⁰la nature des animaux et les instincts des bêtes sauvages,
    le pouvoir des esprits et les pensées des hommes,
    les variétés de plantes et les vertus des racines.
²¹Tout ce qui est caché et visible, je l'ai connu ;
²²car c'est l'ouvrière de toutes choses qui m'a instruit, la Sagesse !

Éloge de la Sagesse.

En elle est, en effet, un esprit intelligent, saint,
    unique, multiple, subtil,
    mobile, pénétrant, sans souillure,
    clair, impassible, ami du bien, prompt,
²³irrésistible, bienfaisant, ami des hommes,
    ferme, sûr, sans souci,
    qui peut tout, surveille tout,
    pénètre à travers tous les esprits,
    les intelligents, les purs, les plus subtils.
²⁴Car plus que tout mouvement la Sagesse est mobile ;
    elle traverse et pénètre tout à cause de sa pureté.
²⁵Elle est en effet un effluve de la puissance de Dieu,
    une émanation toute pure de la gloire du Tout-Puissant ;
    aussi rien de souillé ne s'introduit en elle.
²⁶Car elle est un reflet de la lumière éternelle,
    un miroir sans tache de l'activité de Dieu,
    une image de sa bonté.
²⁷D'autre part étant seule, elle peut tout,
    demeurant en elle-même, elle renouvelle l'univers
    et, d'âge en âge passant en des âmes saintes,
    elle en fait des amis de Dieu et des prophètes ;
²⁸car Dieu n'aime que celui qui habite avec la Sagesse.
²⁹Elle est, en effet, plus belle que le soleil,
    elle surpasse toutes les constellations,
    comparée à la lumière, elle l'emporte ;
³⁰car celle-ci fait place à la nuit,
    mais contre la Sagesse le mal ne prévaut pas.

8 ¹Elle s'étend avec force d'un bout du monde à l'autre
    et elle gouverne l'univers avec bonté.

La Sagesse épouse idéale pour Salomon.

²C'est elle que j'ai chérie et recherchée dès ma jeunesse ;
    j'ai cherché à la prendre pour épouse
    et je suis devenu amoureux de sa beauté.

³Elle fait éclater sa noble origine en vivant dans l'intimité de Dieu,
  car le maître de tout l'a aimée.
⁴Elle est, de fait, initiée à la science de Dieu
  c'est elle qui décide de ce qu'il fait.
⁵Si, dans la vie, la richesse est un bien désirable,
  quoi de plus riche que la Sagesse, qui opère tout ?
⁶Et si c'est l'intelligence qui opère,
  qui est plus qu'elle l'ouvrière de ce qui est ?
⁷Aime-t-on la justice ?
  Ses labeurs, ce sont les vertus,
  elle enseigne, en effet, tempérance et prudence,
  justice et force ;
  rien de plus utile pour les hommes dans la vie.
⁸Désire-t-on encore une riche expérience ?
  Elle connaît le passé et conjecture l'avenir,
  elle sait l'art de tourner les maximes et de résoudre les énigmes,
  les signes et les prodiges, elle les sait d'avance,
  ainsi que la succession des époques et des temps.

La Sagesse indispensable aux souverains.

⁹Je décidai donc de la prendre pour compagne de ma vie,
  sachant qu'elle me serait une conseillère pour le bien,
  et un encouragement dans les soucis et la tristesse :
¹⁰« J'aurai à cause d'elle gloire parmi les foules
  et, bien que jeune, honneur auprès des vieillards.
¹¹On me trouvera pénétrant dans le jugement
  et en présence des grands je serai admiré.
¹²Si je me tais, ils m'attendront,
  si je parle, ils seront attentifs,
  si je prolonge mon discours, ils mettront la main sur leur bouche.
¹³J'aurai à cause d'elle l'immortalité
  et je laisserai un souvenir éternel à ceux qui viendront après moi.
¹⁴Je gouvernerai des peuples, et des nations me seront soumises.
¹⁵En entendant parler de moi, des souverains terribles auront peur ;
  je me montrerai bon avec la multitude et vaillant à la guerre.
¹⁶Rentré dans ma maison, je me reposerai auprès d'elle ;
  car la fréquenter ne cause pas d'amertume,
  ni de peine, vivre en son intimité,
  mais du plaisir et de la joie. »

Salomon va demander la Sagesse.

¹⁷Ayant médité cela en moi-même,
  et considéré en mon cœur
  que l'immortalité se trouve dans la parenté avec la Sagesse,
¹⁸dans son affection une noble jouissance,
  dans les travaux de ses mains une richesse inépuisable,

dans sa fréquentation assidue l'intelligence,
et la renommée à s'entretenir avec elle,
j'allais de tous côtés, cherchant comment l'obtenir pour moi.
¹⁹J'étais un enfant d'un heureux naturel,
et j'avais reçu en partage une âme bonne,
²⁰qui plus est : étant bon, j'étais venu dans un corps sans souillure ;
²¹mais, comprenant que je ne pourrais devenir possesseur de la Sagesse que si Dieu me la donnait,
– et c'était déjà de l'intelligence que de savoir de qui vient la faveur –
je m'adressai au Seigneur et le priai,
et je dis de tout mon cœur :

Prière pour obtenir la Sagesse.

9 ¹« Dieu des Pères et Seigneur de miséricorde,
toi qui, par ta parole, as fait l'univers,
²toi qui, par ta Sagesse, as formé l'homme
pour dominer sur les créatures que tu as faites,
³pour régir le monde en sainteté et justice
et exercer le jugement en droiture d'âme,
⁴donne-moi celle qui partage ton trône, la Sagesse,
et ne me rejette pas du nombre de tes enfants.
⁵Car je suis ton serviteur et le fils de ta servante,
un homme faible et de vie éphémère,
peu apte à comprendre la justice et les lois.
⁶Quelqu'un, en effet, serait-il parfait parmi les fils des hommes,
s'il lui manque la sagesse qui vient de toi, on le comptera pour rien.

⁷C'est toi qui m'as choisi pour roi de ton peuple
et pour juge de tes fils et de tes filles.
⁸Tu m'as ordonné de bâtir un temple sur ta montagne sainte,
et un autel dans la ville où tu as fixé ta tente,
imitation de la Tente sainte que tu as préparée dès l'origine.
⁹Avec toi est la Sagesse, qui connaît tes œuvres
et qui était présente quand tu faisais le monde ;
elle sait ce qui est agréable à tes yeux
et ce qui est conforme à tes commandements.
¹⁰Mande-la des cieux saints,
de ton trône de gloire envoie-la,
pour qu'elle me seconde et peine avec moi,
et que je sache ce qui t'est vraiment agréable ;
¹¹car elle sait et comprend tout.
Elle me guidera prudemment dans mes actions
et me protégera par sa gloire.
¹²Alors mes œuvres seront agréées,
je jugerai ton peuple avec justice
et je serai digne du trône de mon père.

¹³Quel homme en effet peut connaître la volonté de Dieu,
  et qui peut concevoir ce que désire le Seigneur ?
¹⁴Car les pensées des mortels sont timides,
  et instables nos réflexions ;
¹⁵un corps corruptible, en effet, appesantit l'âme,
  et cette tente d'argile alourdit l'esprit aux multiples soucis.
¹⁶Aussi avons-nous peine à conjecturer ce qui est sur la terre,
  et ce qui est à notre portée nous ne le trouvons qu'avec effort,
  mais ce qui est dans les cieux, qui l'a découvert ?
¹⁷Et ta volonté, qui l'a connue, si tu n'avais donné la Sagesse
  et envoyé d'en haut ton esprit saint ?
¹⁸Ainsi ont été rendus droits les sentiers de ceux qui sont sur la terre,
  ainsi les hommes ont été instruits de ce qui t'est agréable
  et, par la Sagesse, ont été sauvés. »

3. La Sagesse à l'œuvre dans l'histoire

D'Adam à Moïse.

10 ¹C'est elle qui protégea le premier modelé, père du monde,
    qui avait été créé seul,
  c'est elle qui le tira de sa propre chute
²et lui donna la force de devenir maître de tout.
³Mais quand, dans sa colère, un injuste se fut écarté d'elle,
  il périt par ses fureurs fratricides.

⁴Lorsqu'à cause de lui la terre fut submergée, c'est la Sagesse encore
qui la sauva,
  en pilotant le juste à l'aide d'un bois sans valeur.
⁵Et lorsque, unanimes en leur perversité, les nations eurent été confondues,
  c'est elle qui reconnut le juste, le conserva sans reproche devant Dieu,
  et le garda fort contre sa tendresse pour son enfant.
⁶C'est elle qui, lors de la destruction des impies, délivra le juste
  qui fuyait le feu descendant sur la Pentapole.
⁷En témoignage de sa perversité,
une terre désolée continue de fumer ;
  les arbustes y donnent des fruits qui ne mûrissent pas en leur temps
  et, mémorial d'une âme incrédule, se dresse une colonne de sel.
⁸Car, pour s'être écartés du chemin de la Sagesse,
  non seulement ils ont subi le dommage de ne pas connaître le bien,
  mais ils ont encore laissé aux vivants le souvenir de leur folie,
  afin que leurs fautes mêmes, ils ne puissent les cacher.

⁹Mais la Sagesse a délivré ses fidèles de leurs peines.
¹⁰Ainsi le juste qui fuyait la colère de son frère,

elle le guida par de droits sentiers ;
elle lui montra le royaume de Dieu
et lui donna la connaissance des choses saintes,
elle le fit réussir dans ses durs travaux
et fit fructifier ses peines ;
[11] elle l'assista contre la cupidité de ceux qui l'opprimaient,
et elle le rendit riche ;
[12] elle le garda de ses ennemis
et le protégea de ceux qui lui dressaient des embûches ;
elle lui donna la palme en un rude combat,
pour qu'il sût que la piété est plus puissante que tout.

[13] C'est elle qui n'abandonna pas le juste vendu,
mais elle l'arracha au péché ;
[14] elle descendit avec lui dans la fosse,
elle ne le délaissa pas dans les fers,
jusqu'à ce qu'elle lui eût apporté le sceptre royal
et l'autorité sur ceux qui le tyrannisaient,
jusqu'à ce qu'elle eût convaincu de mensonge ceux qui l'avaient diffamé
et qu'elle lui eût donné une gloire éternelle.

L'Exode.

[15] C'est elle qui délivra un peuple saint et une race irréprochable
d'une nation d'oppresseurs.
[16] Elle entra dans l'âme d'un serviteur du Seigneur
et tint tête à des rois redoutables par des prodiges et des signes.
[17] Aux saints elle remit le salaire de leurs peines,
elle les guida par un chemin merveilleux,
elle devint pour eux un abri pendant le jour,
et une lumière d'astres pendant la nuit.
[18] Elle leur fit traverser la mer Rouge
et les conduisit à travers l'onde immense,
[19] tandis qu'elle submergea leurs ennemis,
puis les rejeta des profondeurs de l'abîme.
[20] Aussi les justes dépouillèrent-ils les impies ;
ils chantèrent, Seigneur, ton saint Nom
et, d'un cœur unanime, célébrèrent ta main qui avait lutté pour eux ;
[21] car la Sagesse ouvrit la bouche des muets
et elle rendit claire la langue des tout-petits.

11 [1] Elle fit prospérer leurs entreprises par la main d'un saint prophète.
[2] Ils traversèrent un désert inhabité
et plantèrent leurs tentes en des lieux inaccessibles.
[3] Ils tinrent tête à leurs ennemis et repoussèrent leurs adversaires.

Le miracle de l'eau. Première antithèse.

⁴Dans leur soif, ils t'invoquèrent :
de l'eau leur fut donnée d'un rocher escarpé
et, d'une pierre dure, un remède à leur soif.
⁵Ainsi ce par quoi avaient été châtiés leurs ennemis
devint un bienfait pour eux dans leurs difficultés.
⁶Tandis que les premiers n'avaient que le cours intarissable
d'un fleuve que troublait un sang mêlé de boue,
⁷en punition d'un décret infanticide,
tu donnas aux tiens, contre tout espoir, une eau abondante,
⁸montrant par la soif qu'alors ils ressentirent
comment tu avais châtié leurs adversaires.
⁹Par leurs épreuves, qui n'étaient pourtant qu'une correction de miséricorde,
ils comprirent comment un jugement de colère torturait les impies ;
¹⁰car eux, tu les avais éprouvés en père qui avertit,
mais ceux-là, tu les avais punis en roi inexorable qui condamne,
¹¹et de loin comme de près, ils se consumaient pareillement.
¹²Car une double tristesse les saisit,
et un gémissement, au souvenir du passé ;
¹³lorsqu'ils apprirent, en effet, que cela même qui les châtiait
était un bienfait pour les autres, ils reconnurent le Seigneur,
¹⁴car celui que jadis, en l'exposant, ils avaient rejeté,
ils l'admirèrent au terme des événements,
ayant souffert d'une soif bien différente de celle des justes.

Première digression. Modération divine envers l'Égypte.

¹⁵Pour leurs sottes et coupables pensées,
qui les égaraient en leur faisant rendre un culte à des reptiles sans
raison et à de misérables bestioles,
tu leur envoyas en punition une multitude d'animaux sans raison
¹⁶afin qu'ils sachent qu'on est châtié par où l'on pèche.
¹⁷Ta main toute-puissante, certes, n'était pas embarrassée,
– elle qui a créé le monde d'une matière informe –
pour envoyer contre eux une multitude d'ours ou de lions intrépides,
¹⁸ou bien des bêtes féroces inconnues, nouvellement créées, pleines
de fureur,
exhalant un souffle enflammé,
émettant une fumée infecte,
ou faisant jaillir de leurs yeux de terribles étincelles,
¹⁹des bêtes capables, non seulement de les anéantir par leur malfaisance,
mais encore de les faire périr par leur aspect terrifiant.
²⁰Sans cela même, d'un seul souffle ils pouvaient tomber,
poursuivis par la Justice,

balayés par le souffle de ta puissance.
Mais tu as tout réglé avec mesure, nombre et poids.

Raisons de cette modération.

²¹Car ta grande puissance est toujours à ton service,
   et qui peut résister à la force de ton bras ?
²²Le monde entier est devant toi comme ce rien qui fait pencher la
balance,
   comme la goutte de rosée matinale qui descend sur la terre.
²³Mais tu as pitié de tous, parce que tu peux tout,
   tu fermes les yeux sur les péchés des hommes, pour qu'ils se repentent.
²⁴Tu aimes en effet tout ce qui existe,
   et tu n'as de dégoût pour rien de ce que tu as fait ;
   car si tu avais haï quelque chose, tu ne l'aurais pas formé.
²⁵Et comment une chose aurait-elle subsisté, si tu ne l'avais voulue ?
   Ou comment ce que tu n'aurais pas appelé aurait-il été conservé ?
²⁶En réalité, tu épargnes tout, parce que tout est à toi, Maître ami de
la vie !

12 ¹Car ton esprit incorruptible est en toutes choses !
   ²Aussi est-ce peu à peu que tu reprends ceux qui tombent ;
   tu les avertis, leur rappelant en quoi ils pèchent,
   pour que, s'étant débarrassés du mal, ils croient en toi, Seigneur.

Modération de Dieu envers Canaan.

³Les anciens habitants de ta terre sainte,
⁴tu les avais pris en haine pour leurs détestables pratiques,
   actes de sorcellerie, rites impies.
⁵Ces impitoyables tueurs d'enfants,
   ces mangeurs d'entrailles en des banquets de chairs humaines et de
sang,
   ces initiés membres de confrérie,
⁶ces parents meurtriers d'êtres sans défense,
   tu avais voulu les faire périr par les mains de nos pères,
⁷pour que cette terre, qui de toutes t'est la plus chère,
   reçût une digne colonie d'enfants de Dieu.

⁸Eh bien ! même ceux-là, parce que c'étaient des hommes, tu les as
ménagés,
   et tu as envoyé des frelons comme avant-coureurs de ton armée,
   pour les exterminer petit à petit.
⁹Non qu'il te fût impossible de livrer des impies aux mains de justes
en une bataille rangée,
   ou de les anéantir d'un seul coup au moyen de bêtes cruelles ou
d'une parole inexorable ;
¹⁰mais en exerçant tes jugements peu à peu, tu laissais place au repentir.

Tu n'ignorais pourtant pas que leur nature était perverse,
leur malice innée,
et que leur mentalité ne changerait jamais ;
[11]car c'était une race maudite dès l'origine.

Raisons de cette modération.

Et ce n'est pas non plus par crainte de personne que tu accordais
l'impunité à leurs fautes.
[12]Car qui dira : Qu'as-tu fait ?
Ou qui s'opposera à ta sentence ?
Et qui te citera en justice pour avoir fait périr des nations que tu as
créées ?
Ou qui se portera contre toi le vengeur d'hommes injustes ?
[13]Car il n'y a pas, en dehors de toi, de Dieu qui ait soin de tous,
pour que tu doives lui montrer que tes jugements n'ont pas été injustes.
[14]Il n'y a pas non plus de roi ou de souverain qui puisse te regarder
en face au sujet de ceux que tu as châtiés.
[15]Mais, étant juste, tu régis l'univers avec justice,
et tu estimes que condamner celui qui ne doit pas être châtié, serait
incompatible avec ta puissance.
[16]Car ta force est le principe de ta justice,
et de dominer sur tout te fait ménager tout.
[17]Tu montres ta force, si l'on ne croit pas à la plénitude de ta puissance,
et tu confonds l'audace de ceux qui la connaissent ;
[18]mais toi, dominant ta force, tu juges avec modération, et tu nous
gouvernes avec de grands ménagements,
car tu n'as qu'à vouloir, et ta puissance est là.

Leçons données par Dieu à Israël.

[19]En agissant ainsi, tu as enseigné à ton peuple
que le juste doit être ami des hommes,
et tu as donné le bel espoir à tes fils
qu'après les péchés tu donnes le repentir.
[20]Car, si ceux qui étaient les ennemis de tes enfants et promis à la
mort,
tu les as punis avec tant d'attention et d'indulgence,
leur donnant temps et lieu pour se défaire de leur malice,
[21]avec quelle précaution n'as-tu pas jugé tes fils,
toi qui, par serments et alliances, as fait à leurs pères de si belles
promesses ?
[22]Ainsi, quand tu châties nos ennemis avec mesure, tu nous apprends
à songer à ta bonté quand nous jugeons,
et, quand nous sommes jugés, à compter sur ta miséricorde.

Retour aux Égyptiens. Leur châtiment progressif.

²³Voilà pourquoi aussi ceux qui avaient mené dans l'injustice une vie insensée,
  tu les as torturés par leurs propres abominations ;
²⁴car ils avaient erré au-delà sur les chemins de l'erreur,
  en prenant pour des dieux les plus vils et les plus méprisés des animaux,
  trompés comme de tout petits enfants sans intelligence.
²⁵Aussi, comme à des enfants sans raison,
  leur as-tu envoyé un jugement de dérision.
²⁶Mais eux qui ne s'étaient pas laissé avertir par une réprimande dérisoire
  ils allaient subir un jugement digne de Dieu.
²⁷Sur ces êtres qui les faisaient souffrir et contre lesquels ils s'indignaient,
  ces êtres qu'ils tenaient pour dieux et par lesquels ils étaient châtiés,
  ils virent clair, et celui que jadis ils refusaient de connaître, ils le reconnurent pour vrai Dieu.
  Et c'est pourquoi l'ultime condamnation s'abattit sur eux.

Seconde digression. Procès des cultes païens. Divinisation de la nature.

13 ¹Oui, vains par nature tous les hommes en qui se trouvait l'ignorance de Dieu,
  qui, en partant des biens visibles, n'ont pas été capables de connaître Celui-qui-est,
  et qui, en considérant les œuvres, n'ont pas reconnu l'Artisan.
²Mais c'est le feu, ou le vent, ou l'air rapide,
  ou la voûte étoilée, ou l'eau impétueuse,
  ou les luminaires du ciel, princes du monde, qu'ils ont considérés comme des dieux !

³Que si, charmés de leur beauté, ils les ont pris pour des dieux,
  qu'ils sachent combien leur Maître est supérieur,
  car c'est la source même de la beauté qui les a créés.
⁴Et si c'est leur puissance et leur activité qui les ont frappés,
  qu'ils en déduisent combien plus puissant est Celui qui les a formés,
⁵car la grandeur et la beauté des créatures
  font, par analogie, contempler leur Auteur.

⁶Ceux-ci toutefois ne méritent qu'un blâme léger ;
  peut-être en effet ne s'égarent-ils
  qu'en cherchant Dieu et en voulant le trouver :
⁷versés dans ses œuvres, ils les explorent
  et se laissent prendre aux apparences, tant ce qu'on voit est beauté !
⁸Et pourtant eux non plus ne sont point pardonnables :

[9]s'ils ont été capables d'acquérir assez de science
pour postuler l'unité du monde,
comment n'en ont-ils pas plus tôt découvert le Maître !

L'idolâtrie. Les fabricants d'idoles.

[10]Mais malheureux sont-ils, avec leurs espoirs mis en des choses mortes,
ceux qui ont appelé dieux des ouvrages de mains d'hommes,
or, argent, traités avec art,
figures d'animaux,
ou pierre inutile, ouvrage d'une main antique.
[11]Et voici encore un bûcheron : il scie un arbre facile à manier,
il en racle soigneusement toute l'écorce,
il le travaille avec adresse,
il en forme un objet propre aux usages de la vie.
[12]Quant aux déchets de son travail,
il les emploie à préparer sa nourriture et il se rassasie.
[13]Et le déchet qui en reste et qui n'est bon à rien,
un bois tordu et poussé tout en nœuds :
il le prend et le sculpte avec l'application des heures de loisir,
il le façonne, avec le savoir-faire des instants de détente ;
il lui donne une figure humaine,
[14]ou bien il le fait semblable à quelque vil animal,
le recouvre de vermillon, en rougit la surface à la sanguine,
recouvre d'un enduit toutes ses taches.
[15]Puis il lui fait une niche qui lui convienne,
le place dans un mur et l'assure avec du fer.
[16]Ainsi veille-t-il à ce qu'il ne tombe pas,
sachant bien qu'il est incapable de s'aider lui-même,
car ce n'est qu'une image, et il a besoin d'aide !
[17]Pourtant, s'il veut prier pour ses biens, son mariage, ses enfants,
il ne rougit pas d'adresser la parole à cet objet sans vie ;
pour la santé, il invoque ce qui est faible,
[18]pour la vie, il implore ce qui est mort,
pour un secours, il supplie ce qui a le moins d'expérience,
pour un voyage, ce qui ne peut même pas se servir de ses pieds,
[19]pour un gain, une entreprise, le succès du travail de ses mains,
il demande de la vigueur à ce qui n'a pas la moindre vigueur dans les mains !

Providence et Sagesse.

14 [1]Tel autre qui prend la mer pour traverser les flots farouches
invoque à grands cris un bois plus fragile que le bateau qui le porte.
[2]Car ce bateau, c'est la soif du gain qui l'a conçu,
c'est la sagesse artisane qui l'a construit ;

³mais c'est ta Providence, ô Père, qui le pilote,
  car tu as mis un chemin jusque dans la mer,
  et dans les flots un sentier assuré,
⁴montrant que tu peux sauver de tout,
  en sorte que, même sans expérience, on puisse embarquer.
⁵Tu ne veux pas que les œuvres de ta Sagesse soient stériles ;
  c'est pourquoi les hommes confient leur vie même à un bois minuscule,
  traversent les vagues sur un radeau et demeurent sains et saufs.
⁶Et de fait, aux origines, tandis que périssaient les géants orgueilleux,
  l'espoir du monde se réfugia sur un radeau
  et, piloté par ta main, laissa aux siècles futurs le germe d'une génération nouvelle.

⁷Car il est béni, le bois par lequel advient la justice,
⁸mais maudite l'idole fabriquée, elle et celui qui l'a faite,
  lui, pour y avoir travaillé, et elle parce que,
  corruptible, elle a été appelée dieu.
⁹Car Dieu déteste également l'impie et son impiété.
¹⁰Oui, l'œuvre sera châtiée avec l'ouvrier.

Origine des idoles.

¹¹Il y aura une visite même pour les idoles des nations,
  parce que, dans la création de Dieu, elles sont devenues une abomination,
  un scandale pour les âmes des hommes,
  un piège pour les pieds des insensés.
¹²L'idée de faire des idoles a été l'origine de la fornication,
  leur découverte a corrompu la vie.
¹³Car elles n'existaient pas à l'origine, et elles n'existeront pas toujours ;
¹⁴c'est par une illusion humaine qu'elles ont fait leur entrée dans le monde,
  aussi bien une prompte fin leur a-t-elle été réservée.

¹⁵Un père que consumait un deuil prématuré
  a fait faire une image de son enfant si tôt ravi,
  et celui qui hier encore n'était qu'un homme mort, il l'honore maintenant comme un dieu
  et il transmet aux siens des mystères et des rites.
¹⁶Puis avec le temps la coutume impie se fortifia, on l'observa comme loi,
  et sur l'ordre des souverains, les images sculptées reçurent un culte :
¹⁷des hommes qui ne pouvaient les honorer en personne, parce qu'ils habitaient à distance,
  représentèrent leur lointaine figure
  et firent une image visible du roi qu'ils honoraient ;
  ainsi, grâce à ce zèle, on flatterait l'absent comme s'il était présent.

¹⁸Ceux-là mêmes qui ne le connaissaient pas
  furent amenés par l'ambition de l'artiste à étendre son culte ;
¹⁹car, désireux sans doute de plaire au maître,
  il força son art à faire plus beau que nature,
²⁰et la foule, attirée par le charme de l'œuvre,
  considéra désormais comme un objet d'adoration celui que naguère
on honorait comme un homme.
²¹Et voilà qui devint un piège pour la vie :
  que des hommes, asservis au malheur ou au pouvoir,
  eussent conféré à des pierres et à des morceaux de bois le Nom
incommunicable.

Conséquences du culte des idoles.

²²En outre il ne leur a pas suffi d'errer au sujet de la connaissance de
Dieu ;
  mais alors que l'ignorance les fait vivre dans une grande guerre,
  ils donnent à de tels maux le nom de paix !
²³Avec leurs rites infanticides, leurs mystères occultes,
  ou leurs orgies furieuses aux coutumes extravagantes,
²⁴ils ne gardent plus aucune pureté ni dans la vie ni dans le mariage,
  l'un supprime l'autre insidieusement ou l'afflige par l'adultère.
²⁵Partout, pêle-mêle, sang et meurtre, vol et fourberie,
  corruption, déloyauté, trouble, parjure,
²⁶confusion des gens de bien, oubli des bienfaits,
  souillure des âmes, crimes contre nature,
  désordres dans le mariage, adultère et débauche.
²⁷Car le culte des idoles sans nom
  est le commencement, la cause et le terme de tout mal.
²⁸Ou bien en effet ils poussent leurs réjouissances jusqu'au délire, ou
bien ils prophétisent le mensonge,
  ou ils vivent dans l'injustice, ou ils sont tôt fait de se parjurer :
²⁹comme ils mettent leur confiance en des idoles sans vie,
  ils n'attendent aucun préjudice de leurs faux serments.
³⁰Mais de justes arrêts les frapperont pour ce double crime :
parce qu'ils ont mal pensé de Dieu en s'attachant à des idoles, parce
qu'ils ont juré frauduleusement contre la justice, au mépris de la sainteté.
³¹Car ce n'est pas la puissance de ceux par qui l'on jure,
  mais le châtiment réservé aux pécheurs
  qui poursuit toujours la transgression des injustes.

Israël n'est pas idolâtre.

15 ¹Mais toi, notre Dieu, tu es bon et vrai,
  lent à la colère et gouvernant l'univers avec miséricorde.
²Pécherions-nous, nous sommes à toi, nous qui reconnaissons ta souveraineté,

mais nous ne pécherons pas, sachant que nous sommes comptés pour tiens.

³Te connaître, en effet, est la justice intégrale,
et reconnaître ta souveraineté est la racine de l'immortalité.

⁴Non, les inventions humaines d'un art pervers ne nous ont pas égarés,
ni le travail stérile des peintres,
ces figures barbouillées de couleurs disparates,

⁵dont la vue éveille la passion chez les insensés
et leur fait désirer la forme inanimée d'une image morte.

⁶Amants du mal et dignes de tels espoirs,
et ceux qui les font, et ceux qui les désirent, et ceux qui les adorent !

Folie des artisans d'idoles.

⁷Voici donc un potier qui laborieusement pétrit une terre molle
et modèle chaque objet pour notre usage.
De la même argile il a modelé
les vases destinés à de nobles emplois
et ceux qui auront un sort contraire, tous pareillement ;
mais dans chacun des deux groupes, quel sera l'usage de chacun,
c'est celui qui travaille l'argile qui en est juge.

⁸Puis – peine bien mal employée ! – de la même argile il modèle une
divinité vaine,
lui qui, depuis peu né de la terre,
retournera sous peu à la terre dont il fut pris,
quand on lui redemandera l'âme qui lui a été prêtée.

⁹Cependant il ne se soucie pas de ce qu'il doit mourir
et qu'il a une vie brève,
mais il rivalise avec les orfèvres et les fondeurs d'argent,
il imite ceux qui coulent le bronze,
il met sa gloire à modeler du faux.

¹⁰Cendres, que son cœur !
plus vil que la terre, son espoir !
plus misérable que l'argile, sa vie !

¹¹Car il a méconnu Celui qui l'a modelé,
qui lui a insufflé une âme agissante
et inspiré un souffle vital ;

¹²Mais il a estimé que notre vie est un jeu d'enfant,
et notre existence une foire à profits :
« Il faut gagner, dit-il, par tous les moyens, même mauvais. »

¹³Oui, plus que tout autre, celui-là sait qu'il pèche,
lui qui, d'une matière terreuse, fabrique des vases fragiles et des
statues d'idoles.

Le comble : de l'idolâtrie à la zoolâtrie.

¹⁴Mais ils sont tous très insensés et plus infortunés que l'âme d'un
petit enfant, ces ennemis de ton peuple qui l'ont opprimé ;

¹⁵en effet, ils ont tenu aussi pour dieux toutes les idoles des nations,
    qui n'ont ni l'usage des yeux pour voir,
ni de narines pour aspirer l'air,
ni d'oreilles pour entendre,
ni de doigts aux mains pour palper,
et dont les pieds ne servent à rien pour marcher.
¹⁶Car c'est un homme qui les a faites,
    un être au souffle d'emprunt qui les a modelées ;
nul homme, en effet, n'est capable de modeler un dieu qui lui soit semblable ;
¹⁷mortel, c'est une chose morte qu'il produit de ses mains impies.
    Il vaut mieux, certes, que les objets qu'il adore :
lui du moins aura vécu, eux jamais !
¹⁸Et ils adorent même les bêtes les plus odieuses ;
    car en fait de stupidité, elles sont pires que les autres.
¹⁹Et pour autant qu'on puisse éprouver du désir à la vue d'animaux,
rien de beau ne s'y trouve,
    au contraire, ils ont échappé à l'éloge de Dieu et à sa bénédiction.

Seconde antithèse : grenouilles et cailles.

16 ¹Voilà pourquoi ils ont été châtiés justement par des êtres semblables,
et torturés par une multitude de bestioles.
²Au lieu de ce châtiment, tu as accordé un bienfait à ton peuple
    pour satisfaire son ardent appétit,
c'est une nourriture d'une saveur extraordinaire que tu leur ménageas, des cailles !
³si bien que, malgré leur désir de manger,
    ceux-là, devant l'aspect repoussant des bêtes envoyées contre eux,
perdirent jusqu'à leur appétit naturel,
tandis que ceux-ci, après avoir été pour peu de temps dans la disette,
eurent en partage une saveur extraordinaire.
⁴Car il fallait que sur ceux-là, les oppresseurs, s'abattît une irrémédiable disette ;
il suffisait à ceux-ci qu'on leur montrât comment leurs ennemis étaient torturés.

Troisième antithèse : sauterelles et serpent d'airain.

⁵Et même lorsque s'abattit sur eux la fureur terrible de bêtes féroces,
    et qu'ils périssaient sous les morsures de serpents tortueux,
ta colère ne dura pas jusqu'au bout ;
⁶mais c'est par manière d'avertissement et pour peu de temps qu'ils furent inquiétés,
    et ils avaient un signe de salut pour leur rappeler le commandement de ta Loi,

⁷car celui qui se tournait vers lui était sauvé, non par ce qu'il avait sous les yeux,

mais par toi, le Sauveur de tous.

⁸Et par là tu prouvas à nos ennemis

que c'est toi qui délivres de tout mal ;

⁹eux, en effet, les morsures de sauterelles et de mouches les tuèrent,

sans qu'on trouvât de remède pour leur sauver la vie,

car ils méritaient d'être châtiés par de telles bêtes,

¹⁰tandis que tes fils, même les dents de serpents venimeux n'en eurent pas raison ;

car ta miséricorde leur vint en aide et les guérit.

¹¹Ainsi tes oracles leur étaient rappelés par des coups d'aiguillon, bien vite guéris,

de peur que, tombés dans un profond oubli,

ils ne fussent exclus de ta bienfaisance.

¹²Et de fait, ce n'est ni herbe ni émollient qui leur rendit la santé,

mais ta parole, Seigneur, elle qui guérit tout !

¹³Oui, c'est toi qui as pouvoir sur la vie et sur la mort,

qui fais descendre aux portes de l'Hadès et en fais remonter.

¹⁴L'homme, dans sa malice, peut bien tuer,

mais il ne ramène pas le souffle une fois parti,

et ne libère pas l'âme que l'Hadès a reçue.

Quatrième antithèse : la grêle et la manne.

¹⁵Il est impossible d'échapper à ta main.

¹⁶Les impies qui refusaient de te connaître

furent fustigés par la force de ton bras ;

pluies insolites, grêle, averses inexorables les assaillirent,

et le feu les consuma.

¹⁷Car voici le plus étrange : dans l'eau, qui éteint tout,

le feu n'avait que plus d'ardeur ;

l'univers en effet combat pour les justes.

¹⁸Tantôt en effet la flamme s'apaisait,

de peur de brûler complètement les animaux envoyés contre les impies,

et pour leur faire comprendre, à cette vue, qu'ils étaient poursuivis par un jugement de Dieu ;

¹⁹tantôt, au sein même de l'eau, elle brûlait avec plus de force que le feu,

pour détruire les produits d'une terre inique.

²⁰Au contraire, c'est une nourriture d'anges que tu as donnée à ton peuple,

et c'est un pain tout préparé que du ciel tu leur as fourni sans fatigue,

un pain capable de procurer toutes les délices et de satisfaire tous les goûts ;

²¹Et la substance que tu donnais manifestait ta douceur envers tes enfants,
　　et, s'accommodant au goût de celui qui la prenait,
　　elle se changeait en ce que chacun voulait.
²²Neige et glace supportaient le feu sans fondre :
　　on saurait ainsi que c'était pour détruire les récoltes des ennemis
　　que le feu brûlait au milieu de la grêle et flamboyait sous la pluie,
²³tandis qu'au contraire, pour respecter la nourriture des justes,
　　il oubliait jusqu'à sa propre vertu.

²⁴Car la création qui est à ton service, à toi, son Créateur,
　　se tend à fond pour le châtiment des injustes
　　et se détend pour faire du bien à ceux qui se confient en toi.
²⁵C'est pourquoi, alors aussi, en se changeant en tout,
　　elle se mettait au service de ta libéralité, nourricière universelle,
　　selon le désir de ceux qui étaient dans le besoin ;
²⁶ainsi tes fils que tu as aimés, Seigneur, l'apprendraient :
　　ce ne sont pas les diverses espèces de fruits qui nourrissent l'homme,
　　mais c'est ta parole qui conserve ceux qui croient en toi.
²⁷Car ce qui n'était pas détruit par le feu
　　fondait à la simple chaleur d'un bref rayon de soleil,
²⁸afin que l'on sache qu'il faut devancer le soleil pour te rendre grâce,
　　et te rencontrer dès le lever du jour ;
²⁹l'espoir de l'ingrat fond, en effet, comme le givre hivernal,
　　comme une eau inutile, il s'écoule.

Cinquième antithèse : ténèbres et colonne de feu.

17 ¹Oui, tes jugements sont grands et difficiles à saisir !
　　C'est pourquoi des âmes sans instruction se sont égarées.
²Alors que des impies s'imaginaient tenir en leur pouvoir une nation sainte,
　　devenus prisonniers des ténèbres, dans les entraves d'une longue nuit,
　　ils gisaient enfermés sous leurs toits, s'étant exclus de la providence éternelle.
³Alors qu'ils pensaient demeurer cachés avec leurs péchés commis dans le secret,
　　sous le sombre voile de l'oubli,
　　ils furent dispersés, en proie à de terribles frayeurs,
　　épouvantés par des hallucinations.
⁴Car l'antre qui les détenait ne les préservait pas de la peur ;
　　des bruits en se répercutant résonnaient autour d'eux,
　　et des spectres lugubres, au visage morne, leur apparaissaient.
⁵Aucun feu n'avait assez de force pour les éclairer,
　　et l'éclat étincelant des étoiles
　　ne parvenait pas à illuminer cette nuit infernale.
⁶Ils n'entrevoyaient

qu'un bûcher qui s'allumait de lui-même, semant la peur.
Terrifiés par cette vision qu'ils distinguaient mal,
ils tenaient pour pire ce qu'ils venaient de voir.

[7]Les artifices de l'art magique demeuraient impuissants,
et le démenti infligé à la prétention de savoir était humiliant ;
[8]car ceux qui promettaient de bannir de l'âme malade les terreurs et les troubles
étaient eux-mêmes malades d'une appréhension ridicule.
[9]Même si rien d'effrayant n'avait à leur faire peur,
effarouchés aux passages de bestioles et par les sifflements de reptiles,
[10]ils tremblaient à en mourir,
et refusaient même de regarder cet air, que d'aucune manière on ne peut fuir.
[11]Car la perversité s'avère singulièrement lâche et se condamne elle-même ;
pressée par la conscience, toujours elle grossit les difficultés.

[12]La peur en effet n'est rien d'autre que la défaillance des secours de la réflexion ;
[13]moins on compte intérieurement sur eux,
plus on trouve grave d'ignorer la cause qui provoque le tourment.
[14]Pour eux, durant cette nuit sortie des antres de l'Hadès impuissant,
endormis d'un même sommeil,
[15]ils étaient tantôt poursuivis par des spectres monstrueux,
tantôt paralysés par la défaillance de leur âme ;
car une peur subite et inattendue les avait inondés.

[16]Ainsi encore, celui qui tombait là, quel qu'il fût,
se trouvait emprisonné, enfermé dans cette geôle sans verrous.
[17]Qu'on fût laboureur ou berger,
ou qu'on fût occupé à peiner dans le désert,
surpris, on subissait l'inéluctable nécessité ;
[18]car tous avaient été liés par une même chaîne de ténèbres.
Le vent qui siffle,
le chant mélodieux des oiseaux dans les rameaux touffus,
le bruit cadencé d'une eau coulant avec violence,
[19]le rude fracas des pierres dégringolant,
la course invisible d'animaux bondissants,
le rugissement des bêtes les plus sauvages,
l'écho se répercutant au creux des montagnes,
tout les terrorisait et les paralysait.
[20]Car le monde entier était éclairé par une lumière étincelante
et vaquait librement à ses travaux ;
[21]sur eux seuls s'étendait une pesante nuit,
image des ténèbres qui devaient les recevoir.
Mais ils étaient à eux-mêmes plus pesants que les ténèbres.

18 ¹Cependant pour tes saints il y avait une très grande lumière.
Les autres, qui entendaient leur voix sans voir leur figure,
les proclamaient heureux de n'avoir pas eux-mêmes souffert,
²ils leur rendaient grâce de ne pas sévir, après avoir été maltraités,
et leur demandaient pardon pour leur attitude hostile.
³Au lieu de ces ténèbres, tu donnas aux tiens une colonne flamboyante,
pour leur servir de guide en un voyage inconnu,
de soleil inoffensif en leur glorieuse migration.
⁴Mais ceux-là méritaient bien d'être privés de lumière et d'être prisonniers des ténèbres,
qui avaient gardé enfermés tes fils,
par qui devait être donnée au monde l'incorruptible lumière de la Loi.

Sixième antithèse : mort des premiers-nés et fléau mortel écarté.

⁵Comme ils avaient résolu de tuer les petits enfants des saints,
et qu'un seul enfant exposé avait été sauvé,
tu leur enlevas, pour les châtier, une multitude d'enfants
et tu les fis périr tous ensemble dans l'eau impétueuse.
⁶Cette nuit-là fut à l'avance connue de nos pères,
pour que, sachant d'une manière sûre à quels serments ils avaient cru, ils se réjouissent.
⁷Ton peuple l'attendit,
salut des justes et perte des ennemis ;
⁸car, par la vengeance même que tu tiras de nos adversaires,
tu nous glorifias en nous appelant à toi.
⁹Aussi les saints enfants des bons sacrifiaient-ils en secret,
et ils établirent d'un commun accord cette loi divine,
que les saints partageraient également biens et périls ;
et ils entonnaient déjà les cantiques des Pères.

¹⁰La clameur discordante de leurs ennemis faisait écho,
et les accents plaintifs de ceux qui se lamentaient sur leurs enfants
se répandaient au loin.
¹¹Un même châtiment frappait esclave et maître,
l'homme du peuple endurait les mêmes souffrances que le roi.
¹²Tous donc pareillement, frappés d'un même trépas,
eurent des morts innombrables.
Les vivants ne suffisaient plus aux funérailles,
car, en un instant, leur plus précieuse descendance avait été détruite.
¹³Ainsi, ceux que des sortilèges avaient rendus absolument incrédules
confessèrent, devant la perte de leurs premiers-nés, que ce peuple
était fils de Dieu.

¹⁴Alors qu'un silence paisible enveloppait toutes choses
et que la nuit parvenait au milieu de sa course,
¹⁵du haut des cieux, ta Parole toute-puissante s'élança du trône royal,
guerrier inexorable, au milieu d'une terre vouée à l'extermination.

Portant pour glaive aigu ton irrévocable décret,
16 elle s'arrêta et remplit de mort l'univers ;
   elle touchait au ciel et se tenait sur la terre.
17 Alors brusquement des apparitions en des songes terribles les épouvantèrent,
   des peurs inattendues les assaillirent.
18 Jetés à demi morts, l'un d'un côté, l'autre de l'autre,
   ils faisaient savoir pour quelle raison ils mouraient,
19 car les songes qui les avaient troublés les en avaient avertis d'avance,
   afin qu'ils ne périssent pas sans savoir pourquoi ils subissaient le mal.

Menace d'extermination au désert.

20 Cependant l'expérience de la mort atteignit aussi les justes
   et une multitude fut massacrée au désert.
   Mais la colère ne dura pas longtemps,
21 car un homme irréprochable se hâta de les défendre.
   Prenant les armes de son ministère,
   prière et encens expiatoire,
   il affronta le Courroux et mit un terme au fléau,
   montrant qu'il était ton serviteur.
22 Il vainquit l'Animosité, non par la vigueur du corps,
   non par la puissance des armes ;
   c'est par la parole qu'il eut raison de celui qui châtiait,
   en rappelant les serments faits aux Pères et les alliances.
23 Alors que déjà par monceaux les morts étaient tombés les uns sur les autres,
   il s'interposa, arrêta la Colère,
   et lui barra le chemin des vivants.
24 Car sur sa robe talaire était le monde entier,
   les noms glorieux des Pères étaient gravés sur les quatre rangées de pierres,
   et sur le diadème de sa tête il y avait ta Majesté.
25 Devant cela l'Exterminateur recula, il en eut peur ;
   la seule expérience de la Colère suffisait.

Septième antithèse : la mer Rouge.

19 ¹ Mais sur les impies s'abattit jusqu'au bout un impitoyable courroux,
   car Il savait à l'avance ce qu'ils allaient faire,
² et qu'après avoir permis aux siens de s'en aller et pressé leur départ,
   ils changeraient d'avis et les poursuivraient.
³ De fait, ils étaient encore occupés à leurs deuils
   et ils se lamentaient auprès des tombes de leurs morts,
   quand ils imaginèrent un autre dessein de folie
   et se mirent à poursuivre comme des fugitifs
   ceux qu'avec des supplications ils avaient expulsés.

⁴Un juste destin les poussait à cette extrémité
et il leur inspira l'oubli du passé :
ils ajouteraient ainsi le châtiment qui manquait à leurs tortures
⁵et, tandis que ton peuple ferait l'expérience d'un voyage merveilleux,
eux-mêmes trouveraient une mort insolite.
⁶Car la création entière, en sa propre nature, était encore de nouveau façonnée,
se soumettant à tes ordres,
pour que tes enfants fussent gardés indemnes.
⁷On vit la nuée couvrir le camp de son ombre,
la terre sèche émerger de ce qui était l'eau,
la mer Rouge devenir un libre passage,
les flots impétueux une plaine verdoyante,
⁸par où ceux que protégeait ta main passèrent comme un seul peuple,
en contemplant d'admirables prodiges.
⁹Comme des chevaux, ils étaient à la pâture,
comme des agneaux, ils bondissaient,
en te célébrant, Seigneur, toi leur libérateur.

Épilogue.

¹⁰Ils se souvenaient encore des événements de leur exil,
comment la terre, et non des animaux, avait produit des moustiques,
et comment le Fleuve, et non des êtres aquatiques, avait vomi une multitude de grenouilles.
¹¹Plus tard, ils virent encore un nouveau mode de naissance pour les oiseaux,
quand, poussés par la convoitise, ils réclamèrent des mets délicats :
¹²pour les satisfaire, des cailles montèrent pour eux de la mer.

L'Égypte plus coupable que Sodome.

¹³Mais les châtiments s'abattirent sur les pécheurs,
non sans avoir été signalés à l'avance par de violents coups de tonnerre,
et c'est en toute justice qu'ils souffraient pour leurs propres crimes ;
car ils avaient montré une haine de l'étranger par trop cruelle.
¹⁴D'aucuns, en effet, n'avaient pas accueilli les inconnus qui leur arrivaient,
mais eux réduisaient en servitude des hôtes bienfaisants.
¹⁵Bien plus, et certes il y aura pour ceux-là un châtiment,
puisqu'ils ont reçu les étrangers d'une manière hostile...
¹⁶mais ceux-ci, après avoir reçu avec des fêtes
ceux qui déjà partageaient les mêmes droits qu'eux,
les ont ensuite accablés de terribles travaux.
¹⁷Aussi furent-ils frappés de cécité,
comme ceux-là aux portes du juste,
lorsque, enveloppés de ténèbres béantes,
ils cherchaient chacun l'accès de sa porte.

Une harmonie nouvelle.

¹⁸Ainsi les éléments étaient différemment accordés entre eux,
comme, sur la harpe, les notes modifient la nature du rythme
tout en conservant le même son ;
ce qu'on peut se représenter exactement en regardant ce qui est
arrivé :
¹⁹des animaux terrestres devenaient aquatiques,
ceux qui nagent se déplaçaient sur la terre ;
²⁰le feu renforçait dans l'eau sa propre vertu,
et l'eau oubliait son pouvoir d'éteindre ;
²¹en revanche, les flammes ne consumaient pas les chairs
d'animaux fragiles qui y circulaient ;
et elles ne faisaient pas fondre l'aliment divin
semblable à de la glace et si facile à fondre !

Conclusion.

²²Oui, de toutes manières, Seigneur, tu as magnifié ton peuple et tu
l'as glorifié ;
tu n'as pas négligé, en tout temps et en tout lieu, de l'assister !

L'Ecclésiastique

Introduction

Au début du IIe siècle av. J.-C., Jésus Ben Sira, maître de sagesse à Jérusalem, met par écrit le meilleur de son enseignement. Son petit-fils, arrivé sans doute en Égypte en 132 av. J.-C., entreprit de traduire en grec le livre de son aïeul. Son œuvre a été révisée et de nombreuses additions ont été insérées probablement dès le Ier siècle av. J.-C. [Ces additions sont en italique dans la présente traduction.]

Le titre du livre en grec est « Sagesse de Jésus, fils de Sira ». Son titre latin traditionnel est l'*Ecclesiasticus*. Ben Sira (« le Siracide » en grec) est né probablement au milieu du IIIe siècle av. J.-C. Il vit à une époque où l'hellénisation, avec l'adoption des mœurs étrangères, était favorisée par une partie de la classe dirigeante : à ces nouveautés, Ben Sira oppose toutes les forces de la tradition. C'est un scribe, rempli de ferveur pour le Temple et nourri des livres saints, pour qui la révélation biblique est une sagesse qui n'a pas à rougir devant celle de la Grèce.

Lorsque son petit-fils traduit son ouvrage, la situation a changé. Le sacerdoce n'est plus héréditaire mais s'achète. Pire encore, Antiochus IV Épiphane (175-163) a profané le Temple, provoquant la révolte des Maccabées. Le traducteur tient compte de ce nouvel état de choses.

Ben Sira et son petit-fils croient en la rétribution, mais ne savent pas comment Dieu rendra à chacun selon ses actes. La doctrine de Ben Sira est une reprise sapientielle de la tradition biblique antérieure. La Sagesse s'est manifestée en Israël et la Loi, comprise comme la révélation biblique, en est la meilleure expression. La condition pour recevoir la Sagesse, c'est la crainte de Dieu, attitude de vénération et même d'amour. Pour Ben Sira, la maîtrise de soi est une caractéristique fondamentale de l'homme accompli. Il s'attarde sur le nécessaire contrôle de la parole, il rappelle les dangers de la luxure qui détruit le mariage, il apprécie l'harmonie conjugale, il vante l'amitié et en rappelle les conditions, il invite à aider son prochain, les pauvres en particulier. Pour lui, l'orgueil n'est pas digne, la richesse a ses risques et, de soi, ne fait pas le sage. Il recommande l'humilité, la confiance en Dieu, il appelle à la conversion, au pardon. L'acte cultuel va de pair avec la justice et, dans l'épreuve, seul le Seigneur sauve.

Ben Sira est le premier à relire l'Histoire sainte, d'Adam à Néhémie, auxquels il joint le grand prêtre Simon. Hormis David, Ézéchias et Josias, les rois sont condamnés. La place d'honneur revient au sacerdoce aaronique. Sur un point, pourtant, la tradition ancienne ne trouve chez lui aucun écho : il connaît la promesse faite à David, mais l'attente du Messie ne l'anime pas.

L'Ecclésiastique

Prologue du traducteur

[1]Puisque la Loi, les Prophètes [2]et les autres écrivains qui leur ont succédé nous ont transmis tant de grandes leçons [3]grâce auxquelles on ne saurait trop féliciter Israël de sa science et de sa sagesse ; [4]comme, en outre, c'est un devoir, non seulement d'acquérir la science par la lecture, [5]mais encore, une fois instruit, de se mettre au service de ceux du dehors, [6]par ses paroles et ses écrits : [7]mon aïeul Jésus, après s'être appliqué avec persévérance à la lecture [8]de la Loi, [9]des Prophètes et [10]des autres livres des ancêtres, [11]et y avoir acquis une grande maîtrise, [12]en est venu, lui aussi, à écrire quelque chose sur des sujets d'enseignement et de sagesse [13]afin que les hommes soucieux d'instruction, se soumettant aussi à ces disciplines, [14]apprissent d'autant mieux à vivre selon la Loi.

[15]Vous êtes donc invités [16]à en faire la lecture [17]avec une bienveillante attention [18]et à vous montrer indulgents [19]là où, en dépit de nos efforts d'interprétation, nous pourrions sembler [20]avoir échoué à rendre quelque expression ; [21]c'est qu'en effet il n'y a pas d'équivalence [22]entre des choses exprimées originairement en hébreu et leur traduction dans une autre langue ; [23]bien plus, [24]si l'on considère la Loi elle-même, les Prophètes [25]et les autres livres, [26]leur traduction diffère considérablement de ce qu'exprime le texte original.

C'est en l'an 38 du feu roi Évergète [27]que, étant venu en Égypte et y ayant séjourné, [28]j'y découvris une vie conforme à une haute sagesse [29]et je me fis un devoir impérieux d'appliquer, moi aussi, mon zèle et mes efforts à traduire le présent livre ; [30]j'y ai consacré beaucoup de veilles et de science [31]pendant cette période, [32]afin de mener à bien l'entreprise et de publier le livre [33]à l'usage de ceux-là aussi qui, à l'étranger, désirent s'instruire, [34]réformer leurs mœurs, et vivre conformément à la Loi.

1. Recueil de sentences

L'origine de la sagesse.

1 [1]Toute sagesse vient du Seigneur,
elle est près de lui à jamais.
[2]Le sable de la mer, les gouttes de la pluie,
les jours de l'éternité, qui peut les dénombrer ?

³La hauteur du ciel, l'étendue de la terre,
  la profondeur de l'abîme, qui peut les explorer ?
⁴Avant toutes choses fut créée la Sagesse,
  l'intelligence prudente vient des temps les plus lointains.
⁵*La source de la sagesse, c'est la parole de Dieu dans les cieux ;*
  ses cheminements, ce sont les lois éternelles.
⁶La racine de la sagesse, à qui fut-elle révélée ?
  Ses ressources, qui les connaît ?
⁷*La science de la sagesse, à qui est-elle apparue ?*
  et la richesse de ses voies, qui l'a comprise ?
⁸Il n'y a qu'un être sage, très redoutable
  quand il siège sur son trône : c'est le Seigneur.
⁹C'est lui qui l'a créée, vue et dénombrée,
  qui l'a répandue sur toutes ses œuvres,
¹⁰en toute chair selon sa largesse,
  et qui l'a distribuée à ceux qui l'aiment.
  L'amour du Seigneur est une sagesse digne d'honneur ;
  il l'accorde en partage à ceux qui le craignent.

La crainte de Dieu

¹¹La crainte du Seigneur est gloire et fierté,
  gaieté et couronne d'allégresse.
¹²La crainte du Seigneur réjouit le cœur,
  donne gaieté, joie et longue vie.
  La crainte du Seigneur est un don qui vient du Seigneur ;
  de fait, elle établit sur les chemins de l'amour.
¹³Pour qui craint le Seigneur, tout finira bien,
  au jour de sa mort il sera béni.
¹⁴Le principe de la sagesse, c'est de craindre le Seigneur ;
  et pour les fidèles, elle est créée avec eux dans le sein.
¹⁵Parmi les hommes, elle s'est fait un nid, fondation éternelle,
  et à leur race elle s'attachera fidèlement.
¹⁶La plénitude de la sagesse, c'est de craindre le Seigneur,
  elle les enivre de ses fruits ;
¹⁷elle remplit toute leur maison de choses désirables
  et de ses produits leurs greniers.
¹⁸Le couronnement de la sagesse, c'est la crainte du Seigneur,
  elle fait fleurir bien-être et santé.
  Tous deux sont dons de Dieu, en vue du bien-être
  et pour ceux qui l'aiment, la fierté s'élargit.
¹⁹ Il fait pleuvoir la science et l'intelligence,
  il a exalté la gloire de ceux qui la possèdent.
²⁰La racine de la sagesse, c'est de craindre le Seigneur,
  et sa frondaison, c'est une longue vie.
²¹*La crainte du Seigneur ôte les péchés ;*
  celui qui persévère détourne toute colère.

Patience et maîtrise de soi.

²²La passion du méchant ne saurait le justifier,
    car le poids de sa passion est sa ruine.
²³L'homme patient tient bon jusqu'à son heure,
    mais à la fin, sa joie éclate.
²⁴Jusqu'à son heure, il dissimule ses paroles,
    et tout le monde proclame son intelligence.

Sagesse et droiture.

²⁵Dans les trésors de la sagesse sont les maximes de la science,
    mais le pécheur a la piété en horreur.
²⁶Convoites-tu la sagesse ? Garde les commandements,
    le Seigneur te la prodiguera.
²⁷Car la crainte du Seigneur est sagesse et instruction,
    ce qu'il aime, c'est la fidélité et la douceur.
²⁸Ne sois pas indocile à la crainte du Seigneur,
    et ne la pratique pas avec un cœur double.
²⁹Ne sois pas hypocrite devant le monde,
    et veille sur tes lèvres.
³⁰Ne t'élève pas, de peur de tomber
    et de te couvrir de honte,
  car le Seigneur révélerait tes secrets
    et, au milieu de l'assemblée, il te renverserait,
  parce que tu n'as pas pratiqué la crainte du Seigneur
    et que ton cœur est plein de fraude.

La crainte de Dieu dans l'épreuve.

2 ¹Mon fils, si tu t'offres à servir le Seigneur,
    prépare-toi à l'épreuve.
²Fais-toi un cœur droit, arme-toi de courage,
    ne t'effraie pas au temps de l'adversité.
³Attache-toi à lui, ne t'éloigne pas,
    afin d'être exalté à ton dernier jour.
⁴Tout ce qui t'advient, accepte-le
    et, dans les vicissitudes qui t'humilient, montre-toi patient.
⁵Car l'or est éprouvé dans le feu,
    et les élus dans la fournaise de l'humiliation.
  Dans la maladie et l'indigence, garde-lui ta confiance.
⁶Mets en Dieu ta confiance et il te viendra en aide,
    suis droit ton chemin et espère en lui.
⁷Vous qui craignez le Seigneur, comptez sur sa miséricorde,
    ne vous écartez pas, de peur de tomber.
⁸Vous qui craignez le Seigneur, ayez confiance en lui,
    et votre récompense ne saurait faillir.
⁹Vous qui craignez le Seigneur, espérez ses bienfaits,
    la joie éternelle et la miséricorde.

Car sa récompense est un don éternel dans la joie.

¹⁰Considérez les générations passées et voyez :
　qui donc, confiant dans le Seigneur, a été confondu ?
　Ou qui, persévérant dans sa crainte, a été abandonné ?
　Ou qui l'a imploré sans avoir été écouté ?
¹¹Car le Seigneur est compatissant et miséricordieux,
　il remet les péchés et sauve au jour de la détresse.
¹²Malheur aux cœurs lâches et aux mains nonchalantes,
　et au pécheur dont la conduite est double.
¹³Malheur au cœur nonchalant faute de foi,
　car il ne sera pas protégé.
¹⁴Malheur à vous qui avez perdu l'endurance,
　que ferez-vous lorsque le Seigneur vous visitera ?
¹⁵Ceux qui craignent le Seigneur ne transgressent pas ses paroles,
　ceux qui l'aiment observent ses voies.
¹⁶Ceux qui craignent le Seigneur cherchent à lui plaire,
　ceux qui l'aiment se rassasient de la loi.
¹⁷Ceux qui craignent le Seigneur ont un cœur toujours prêt
　et savent s'humilier devant lui.
¹⁸Jetons-nous dans les bras du Seigneur, et non dans ceux des
　　　　　　　　　　　　　　　　　　　　　　　　　[hommes,
　car telle est sa majesté, telle aussi sa miséricorde.

Devoirs envers les parents. Ex 20 12. Ep 6 1-3.

3　¹Enfants, écoutez-moi, je suis votre père,
　faites ce que je vous dis, afin d'être sauvés.
²Car le Seigneur glorifie le père dans ses enfants,
　il fortifie le droit de la mère sur ses fils.
³Celui qui honore son père expie ses fautes,
⁴celui qui glorifie sa mère est comme quelqu'un qui amasse un
　　　　　　　　　　　　　　　　　　　　　　　　　[trésor.
⁵Celui qui honore son père trouvera de la joie dans ses enfants,
　au jour de sa prière il sera exaucé.
⁶Celui qui glorifie son père verra de longs jours,
　celui qui obéit au Seigneur donne satisfaction à sa mère.
⁷*Celui qui craint le Seigneur honore son père.*
　Il sert ses parents comme son Seigneur.
⁸En actes comme en paroles honore ton père
　afin que la bénédiction te vienne de lui.
⁹Car la bénédiction d'un père affermit la maison de ses enfants,
　mais la malédiction d'une mère en détruit les fondations.
¹⁰Ne te glorifie pas du déshonneur de ton père :
　il n'y a pour toi aucune gloire au déshonneur de ton père.
¹¹Car c'est la gloire d'un homme que l'honneur de son père
　et c'est une honte pour les enfants qu'une mère méprisée.
¹²Mon fils, viens en aide à ton père dans sa vieillesse,

ne lui fais pas de peine pendant sa vie.
¹³Même si son esprit faiblit, sois indulgent,
ne lui manque pas de respect, toi qui es en pleine force.
¹⁴Car une charité faite à un père ne sera pas oubliée,
et, pour tes péchés, elle te vaudra réparation.
¹⁵Au jour de ton épreuve Dieu se souviendra de toi,
comme glace au soleil, s'évanouiront tes péchés.
¹⁶Tel un blasphémateur, celui qui délaisse son père,
un maudit du Seigneur, celui qui exaspère sa mère.

L'humilité.

¹⁷Mon fils, conduis tes affaires avec douceur,
et tu seras plus aimé qu'un homme munificent.
¹⁸Plus tu es grand, plus il faut t'abaisser
pour trouver grâce devant le Seigneur,
¹⁹*Nombreux sont les gens hautains et fameux,*
mais c'est aux humbles qu'il révèle ses secrets.
²⁰car grande est la puissance du Seigneur,
mais il est honoré par les humbles.
²¹Ne cherche pas ce qui est trop difficile pour toi,
ne scrute pas ce qui est au-dessus de tes forces.
²²Sur ce qui t'a été assigné exerce ton esprit,
tu n'as pas à t'occuper de choses mystérieuses.
²³Ne te tracasse pas de ce qui te dépasse,
l'enseignement que tu as reçu est déjà trop vaste pour l'esprit
[humain.
²⁴Car beaucoup se sont fourvoyés dans leurs conceptions,
une opinion erronée a égaré leurs pensées.
²⁵*Faute de prunelle tu manques de lumière ;*
si tu es dénué de science, ne fais pas de déclaration.

L'orgueil.

²⁶Un cœur obstiné finira dans le malheur
et qui aime le danger y périra.
²⁷Un cœur obstiné se charge de peines,
le pécheur accumule péché sur péché.
²⁸Au mal de l'orgueilleux il n'est pas de guérison,
car la méchanceté est enracinée en lui.
²⁹L'homme prudent médite en son cœur les paraboles,
une oreille qui l'écoute, c'est le rêve du sage.

Charité envers les pauvres. Dt 15 7-11. Si 29 8-13 ; 7 32-36. Tb 12 9. Pr 10 12.

³⁰L'eau éteint les flammes,
l'aumône remet les péchés.
³¹Qui répond par des bienfaits prépare l'avenir,
au jour de sa chute il trouvera un soutien.

4 ¹Mon fils, ne refuse pas au pauvre sa subsistance
et ne fais pas languir les yeux du miséreux.
²Ne fais pas souffrir celui qui a faim,
n'exaspère pas l'indigent.
³Ne t'acharne pas sur un cœur exaspéré,
ne fais pas languir après ton aumône le nécessiteux.
⁴Ne repousse pas le suppliant durement éprouvé,
ne détourne pas du pauvre ton regard.
⁵Ne détourne pas tes yeux du nécessiteux,
ne donne à personne l'occasion de te maudire.
⁶Si quelqu'un te maudit dans sa détresse,
son Créateur exaucera son imprécation.
⁷Fais-toi aimer de la communauté,
devant un grand baisse la tête.
⁸Prête l'oreille au pauvre
et rends-lui son salut avec douceur.
⁹Délivre l'opprimé des mains de l'oppresseur
et ne sois pas lâche en rendant la justice.
¹⁰Sois pour les orphelins un père
et comme un mari pour leur mère.
Et tu seras comme un fils du Très-Haut
qui t'aimera plus que ne fait ta mère.

La Sagesse éducatrice.

¹¹La Sagesse élève ses enfants
et prend soin de ceux qui la cherchent.
¹²Celui qui l'aime aime la vie,
ceux qui la cherchent dès le matin seront remplis de joie.
¹³Celui qui la possède héritera la gloire ;
où il porte ses pas le Seigneur le bénit.
¹⁴Ceux qui la servent rendent un culte au Saint
et ceux qui l'aiment sont aimés du Seigneur.
¹⁵Celui qui l'écoute juge les nations,
celui qui s'y applique habite en sécurité.
¹⁶S'il se confie en elle, il l'aura en partage,
et sa postérité en conservera la jouissance.
¹⁷Car elle peut le conduire d'abord par un chemin sinueux,
faisant venir sur lui crainte et tremblement,
le tourmenter par sa discipline jusqu'à ce qu'elle puisse lui faire
[confiance,
l'éprouver par ses exigences,
¹⁸puis elle revient vers lui sur le droit chemin et le réjouit,
et lui découvre ses secrets.
¹⁹S'il s'égare, elle l'abandonne
et le laisse aller à sa perte.

Pudeur et respect humain.

²⁰Tiens compte des circonstances et garde-toi du mal,
    et n'aie pas à rougir de toi-même.
²¹Car il y a une honte qui conduit au péché
    et il y a une honte qui est gloire et grâce.
²²Ne sois pas trop sévère pour toi-même
    et ne rougis pas pour ta perte.
²³Ne tais pas une parole lorsqu'elle peut sauver
    et ne cache pas ta sagesse.
²⁴Car c'est au discours qu'on connaît la sagesse
    et dans la parole que paraît l'instruction.
²⁵Ne parle pas contre la vérité,
    mais rougis de ton ignorance.
²⁶N'aie pas honte de confesser tes péchés,
    ne t'oppose pas au courant du fleuve.
²⁷Ne t'aplatis pas devant un sot,
    ne sois pas partial en faveur du puissant.
²⁸Jusqu'à la mort lutte pour la vérité,
    le Seigneur Dieu combattra pour toi.
²⁹Ne sois pas hardi en paroles,
    paresseux et lâche dans tes actes.
³⁰Ne sois pas comme un lion à la maison
    et un poltron avec tes serviteurs.
³¹Que ta main ne soit pas tendue pour recevoir
    et fermée quand il s'agit de rendre.

Richesse et présomption.

5 ¹Ne te confie pas en tes richesses
    et ne dis pas : « Cela me suffit. »
²Ne laisse pas ton désir et ta force t'entraîner
    à suivre les passions de ton cœur.
³Ne dis pas : « Qui a pouvoir sur moi ? »
    car le Seigneur ne manquera pas de te punir.
⁴Ne dis pas : « J'ai péché ! que m'est-il arrivé ? »
    car le Seigneur sait attendre.
⁵Ne sois pas si assuré du pardon
    que tu entasses péché sur péché.
⁶Ne dis pas : « Sa miséricorde est grande,
    il me pardonnera la multitude de mes péchés ! »
car il y a chez lui pitié et colère
    et son courroux s'abat sur les pécheurs.
⁷Ne tarde pas à revenir au Seigneur
    et ne remets pas jour après jour,
car soudain éclate la colère du Seigneur
    et au jour du châtiment tu serais anéanti.

⁸Ne te fie pas aux richesses mal acquises,
  elles te seront inutiles au jour du malheur.

Fermeté et possession de soi.

⁹Ne vanne pas à tout vent,
  ne t'engage pas dans tout sentier
  (ainsi en est-il du pécheur à la parole double).
¹⁰Sache être ferme dans ton sentiment
  et n'avoir qu'une parole.
¹¹Sois prompt à écouter
  et lent à donner ta réponse.
¹²Si tu sais quelque chose, réponds à ton prochain,
  sinon mets la main sur ta bouche.
¹³Honneur et confusion sont dans la parole
  et la langue de l'homme fait son malheur.
¹⁴Ne te fais pas traiter de médisant
  et ne sois pas un rusé discoureur ;
  car si la honte est pour le voleur,
  une dure condamnation atteint le fourbe.
¹⁵Dans les grandes comme dans les petites choses évite les fautes
  et d'ami ne deviens pas ennemi.

6 ¹Car une mauvaise réputation produit confusion et infamie ;
  ainsi en est-il du pécheur à la parole double.
²Ne t'exalte pas dans ta passion,
  de peur que ta force ne soit déchirée comme un taureau,
³que tu ne dévores ton feuillage et que tu ne perdes tes fruits,
  que tu ne te retrouves comme du bois sec.
⁴Une passion perverse est la perte d'un homme,
  elle fait de lui la risée de ses ennemis.

L'amitié. Cf. 37 1-6.

⁵Une bouche agréable multiplie les amis,
  une langue affable attire maintes réponses aimables.
⁶Que soient nombreuses tes relations,
  mais pour les conseillers prends-en un entre mille.
⁷Si tu veux te faire un ami, commence par l'éprouver
  et ne te hâte pas de te confier à lui.
⁸Car tel lie amitié lorsque ça lui chante,
  qui ne restera pas fidèle au jour de ton épreuve.
⁹Tel est ami qui se change en ennemi
  et qui va dévoiler votre querelle pour ta confusion.
¹⁰Tel est ami et s'assied à ta table,
  qui ne restera pas fidèle au jour de l'épreuve.
¹¹Dans ta prospérité il sera un autre toi-même,
  parlant librement à tes serviteurs,

¹²mais dans ton abaissement il se tournera contre toi
   et évitera ton regard.
¹³Éloigne-toi de tes ennemis
   et garde-toi de tes amis.
¹⁴Un ami fidèle est un puissant soutien :
   qui l'a trouvé a trouvé un trésor.
¹⁵Un ami fidèle n'a pas de prix,
   on ne saurait en estimer la valeur.
¹⁶Un ami fidèle est un baume de vie,
   le trouveront ceux qui craignent le Seigneur.
¹⁷Qui craint le Seigneur règle bien ses amitiés,
   car tel on est, tel est l'ami qu'on a.

L'apprentissage de la sagesse.

¹⁸Mon fils ! dès ta jeunesse choisis l'instruction
   et jusqu'à tes cheveux blancs tu trouveras la sagesse.
¹⁹Comme le laboureur et le semeur, cultive-la
   et compte sur ses fruits excellents,
 car quelque temps tu peineras à la cultiver,
   mais bientôt tu mangeras de ses produits.
²⁰Elle est fort rude aux ignorants
   et l'homme court de sens ne s'y attache pas.
²¹Elle pèsera lourd sur lui comme une pierre de touche
   et il ne tardera pas à la rejeter.
²²Car la sagesse mérite bien son nom,
   ce n'est pas au grand nombre qu'elle se montre.
²³Écoute, mon fils, accueille ma pensée,
   ne rejette pas mon conseil :
²⁴Engage tes pieds dans ses entraves
   et ton cou dans son collier.
²⁵Présente ton épaule à son fardeau,
   ne sois pas impatient de ses liens.
²⁶De toute ton âme approche-toi d'elle,
   de toutes tes forces suis ses voies.
²⁷Mets-toi sur sa trace et cherche-la : elle se fera connaître à toi ;
   si tu la tiens ne la lâche pas.
²⁸Car à la fin tu trouveras en elle le repos,
   et pour toi elle se changera en joie.
²⁹Ses entraves te deviendront une puissante protection,
   ses colliers une parure précieuse.
³⁰Son joug sera un ornement d'or,
   ses liens des rubans de pourpre.
³¹Comme un vêtement d'apparat tu la revêtiras,
   tu la ceindras comme un diadème de joie.
³²Si tu le veux, mon fils, tu t'instruiras
   et ta docilité te vaudra l'habileté.

³³Si tu aimes à écouter, tu apprendras,
   et si tu prêtes l'oreille, tu seras sage.
³⁴Tiens-toi dans l'assemblée des vieillards
   et si tu vois un sage, attache-toi à lui.
³⁵Écoute volontiers toute parole qui vient de Dieu,
   que les proverbes subtils ne t'échappent pas.
³⁶Si tu vois un homme de sens, va vers lui dès le matin,
   et que tes pas usent le seuil de sa porte.
³⁷Médite sur les commandements du Seigneur,
   occupe-toi sans cesse de ses préceptes.
C'est lui qui fortifiera ton cœur
   et la sagesse que tu désires te sera accordée.

Conseils divers.

7 ¹Ne fais pas le mal, et le mal ne sera pas ton maître ;
   ²éloigne-toi de l'injustice et elle s'écartera de toi.
³Mon fils, ne sème pas dans les sillons d'injustice
   de crainte de récolter sept fois plus.

⁴Ne demande pas au Seigneur la première place,
   ni au roi un siège glorieux.
⁵Ne joue pas au juste devant le Seigneur,
   ni au sage devant le roi.
⁶Ne brigue pas la place de juge
   si tu n'es pas capable d'extirper l'injustice,
de peur de te laisser influencer par un grand,
   au risque de perdre ta droiture.
⁷Ne te rends pas coupable envers l'assemblée de la ville
   et ne déchois pas devant le peuple.
⁸Ne te laisse pas entraîner deux fois à pécher,
   car pour une seule fois tu n'échapperas pas.
⁹Ne dis pas : « Dieu considérera la multitude de mes offrandes,
   quand je les présenterai au Dieu Très-Haut il les recevra. »

¹⁰Ne sois pas hésitant dans la prière
   et ne néglige pas de faire l'aumône.

¹¹Ne te gausse pas d'un homme qui est dans la peine,
   car celui qui humilie peut relever.

¹²Ne forge pas le mensonge contre ton frère,
   pas davantage envers un ami.

¹³Garde-toi de proférer aucun mensonge,
   car il ne peut en sortir rien de bon.

¹⁴Ne pérore pas dans l'assemblée des vieillards
   et ne répète pas tes paroles dans la prière.

15 Ne répugne pas aux besognes pénibles,
   ni au travail des champs créé par le Très-Haut.

16 Ne te range pas au nombre des pécheurs,
   souviens-toi que la Colère ne saurait tarder.
17 Humilie-toi profondément,
   car le feu et les vers sont le châtiment de l'impie.

18 N'échange pas un ami contre de l'argent,
   ni un vrai frère pour l'or d'Ophir.
19 Ne te détourne pas d'une épouse sage et bonne,
   car sa grâce vaut plus que l'or.
20 Ne maltraite pas l'esclave qui travaille fidèlement,
   ni le salarié qui se dévoue.
21 Aime dans ton cœur l'esclave intelligent,
   ne lui refuse pas la liberté.

Les enfants.

22 As-tu des troupeaux ? Prends-en soin ;
   si tu en tires profit, garde-les.
23 As-tu des enfants ? Fais leur éducation
   et dès l'enfance fais-leur plier l'échine.
24 As-tu des filles ? Veille sur leur corps,
   et n'égaie pas devant elles ton visage.
25 Marie ta fille, tu auras accompli une grande chose,
   mais donne-la à un homme sensé.
26 As-tu une femme selon ton cœur ? Ne la répudie pas,
   mais si tu ne l'aimes pas ne te fie pas à elle.

Les parents.

27 De tout ton cœur honore ton père
   et n'oublie jamais ce qu'a souffert ta mère.
28 Souviens-toi qu'ils t'ont donné le jour :
   que leur offriras-tu en échange de ce qu'ils ont fait pour toi ?

Les prêtres.

29 De toute ton âme crains le Seigneur
   et révère ses prêtres.
30 De toutes tes forces aime celui qui t'a créé
   et ne délaisse pas ses ministres.
31 Crains le Seigneur et honore le prêtre
   et donne-lui sa part comme il t'est prescrit :
   prémices, sacrifice de réparation, offrande des épaules,
     sacrifice de sanctification et prémices des choses saintes.

Les pauvres et les éprouvés. 3 30–4 10 ; 29 8-13.

³²Au pauvre également fais des largesses,
  pour que ta bénédiction soit parfaite.
³³Que ta générosité touche tous les vivants,
  même aux morts ne refuse pas ta piété.
³⁴Ne te détourne pas de ceux qui pleurent,
  afflige-toi avec les affligés.
³⁵Ne crains pas de visiter des malades,
  par de tels actes tu te gagneras l'affection.
³⁶Dans tout ce que tu fais souviens-toi de ta fin
  et tu ne pécheras jamais.

Prudence et réflexion.

8 ¹Ne lutte pas avec un grand,
  de peur de tomber entre ses mains.
²Ne te querelle pas avec un riche,
  de peur qu'il n'ait plus de poids que toi ;
 car l'or a perdu bien des gens
  et a fait fléchir le cœur des rois.

³Ne dispute pas avec un beau parleur,
  ne mets pas de bois sur son feu.
⁴Ne plaisante pas avec un homme mal élevé,
  de peur de voir insulter tes ancêtres.

⁵Ne fais pas de reproches au pécheur repentant,
  souviens-toi que nous sommes tous coupables.
⁶Ne méprise pas un homme avancé en âge,
  car peut-être nous aussi deviendrons vieux.
⁷Ne te réjouis pas de la mort d'un homme,
  souviens-toi que tous nous devons mourir.

La tradition.

⁸Ne méprise pas le discours des sages
  et reviens souvent à leurs maximes ;
 car c'est d'eux que tu apprendras la doctrine
  et l'art de servir les grands.
⁹Ne fais pas fi du discours des vieillards,
  car eux-mêmes ont été à l'école de leurs pères ;
 c'est d'eux que tu apprendras la prudence
  et l'art de répondre à point nommé.

La prudence.

¹⁰Ne mets pas le feu aux charbons du pécheur,
  de crainte de te brûler à sa flamme.
¹¹Ne te laisse pas pousser à bout par l'homme insolent,
  ce serait un piège tendu devant tes lèvres.

¹²Ne prête pas à un homme plus fort que toi :
    si tu prêtes, tiens la chose pour perdue.

¹³Ne te porte pas caution au-delà de tes moyens :
    si tu t'es porté caution, sois prêt à payer.

¹⁴N'aie pas de procès avec un juge,
    car la sentence sera rendue en sa faveur.

¹⁵Ne te mets pas en route avec un aventurier,
    de peur qu'il ne t'accable de maux ;
    car il n'en fait qu'à sa tête
    et sa folie te perdra avec lui.
¹⁶Ne te dispute pas avec un homme coléreux,
    ne t'engage pas avec lui dans un lieu désert,
    car le sang ne compte pas à ses yeux
    et là où il n'y a pas de secours il se jettera sur toi.

¹⁷Ne prends pas un sot pour confident,
    car il ne saurait garder ton secret.
¹⁸Devant un étranger, ne fais rien qui doive rester secret,
    car tu ne sais pas ce qu'il peut inventer.
¹⁹N'ouvre pas ton cœur à n'importe qui
    et ne prétends pas obtenir ses bonnes grâces.

Les femmes.

9 ¹Ne sois pas jaloux de ton épouse bien-aimée
    et ne lui donne pas l'idée de te faire du mal.
²Ne te livre pas entre les mains d'une femme,
    de peur qu'elle ne prenne de l'ascendant sur toi.
³Ne va pas au-devant d'une courtisane :
    tu pourrais tomber dans ses pièges.
⁴Ne fréquente pas une chanteuse :
    tu te ferais prendre à ses artifices.
⁵N'arrête pas ton regard sur une jeune fille,
    de peur d'être piégé quand elle expiera.
⁶Ne te livre pas aux mains des prostituées :
    tu y perdrais ton patrimoine.
⁷Ne promène pas ton regard dans les rues de la ville
    et ne rôde pas dans les coins déserts.
⁸Détourne ton regard d'une jolie femme
    et ne l'arrête pas sur une beauté étrangère.
  Beaucoup ont été égarés par la beauté d'une femme
    et l'amour s'y enflamme comme un feu.
⁹Près d'une femme mariée garde-toi bien de t'asseoir
    et de pique-niquer au vin avec elle,

de peur que le désir ne te dévie vers elle
et que dans ta passion tu ne glisses à ta perte.

Rapports avec les hommes.

¹⁰N'abandonne pas un vieil ami,
le nouveau venu ne le vaudra pas.
Vin nouveau, ami nouveau,
laisse-le vieillir, tu le boiras avec délices.

¹¹N'envie pas le succès du pécheur,
tu ne sais comment cela finira.
¹²Ne te félicite pas de la réussite des impies,
souviens-toi qu'ici-bas ils ne resteront pas impunis.

¹³Tiens-toi éloigné de l'homme qui a le pouvoir de tuer
et tu n'auras aucune crainte de la mort.
Si tu l'approches, garde-toi d'un faux pas,
il pourrait t'ôter la vie.
Sache bien que tu es entouré de pièges
et que tu marches sur les remparts.

¹⁴Autant que tu le peux, fréquente ton prochain
et prends conseil des sages.
¹⁵Pour ta conversation, recherche les hommes intelligents,
et que tous tes entretiens portent sur la loi du Très-Haut.
¹⁶Que les justes soient tes commensaux
et que ta fierté soit dans la crainte du Seigneur.

¹⁷Un ouvrage fait de main d'ouvrier mérite louange,
mais le chef du peuple, lui, doit être habile dans le discours.
¹⁸Le beau parleur est redouté dans la ville
et le bavard est détesté.

Le gouvernement.

10 ¹Le sage gouvernant tient son peuple dans la discipline
et l'autorité d'un homme sensé est bien établie.
²Tel le gouvernant et tels ses subordonnés,
tel celui qui régit la ville et tels les habitants.
³Un roi sans instruction est la ruine de son peuple,
une ville doit sa prospérité à l'intelligence des chefs.
⁴Aux mains du Seigneur est le gouvernement du monde ;
il suscite au bon moment le chef qui convient.
⁵Le succès d'un homme est dans la main du Seigneur ;
c'est lui qui donne au scribe sa gloire.

Contre l'orgueil.

⁶Ne garde pas rancune au prochain, quels que soient ses torts,
   et ne réagis jamais par des actes d'arrogance.

⁷L'orgueil déplaît à Dieu comme à l'homme,
   et tous deux regardent l'injustice comme une faute.
⁸La souveraineté passe d'une nation à une autre
   par l'injustice, l'arrogance et l'argent.
   Rien de plus impie que celui qui aime l'argent :
   même son âme il la vend !
⁹Pourquoi tant d'orgueil pour qui est terre et cendre,
   un être qui, vivant, a déjà les tripes dégoûtantes ?
¹⁰Une longue maladie se moque du médecin,
   qui est roi aujourd'hui demain mourra.
¹¹Quand un homme meurt, il reçoit en partage
   les insectes, les fauves et les vers.

¹²Le principe de l'orgueil humain, c'est d'abandonner le Seigneur
   et de tenir son cœur éloigné du Créateur.
¹³Car le principe de l'orgueil c'est le péché,
   celui qui s'y adonne répand l'abomination.
  C'est pourquoi le Seigneur a rendu éclatante leur détresse
   et les a réduits à néant.
¹⁴Le Seigneur a renversé le trône des puissants
   et fait asseoir à leur place les doux.
¹⁵Le Seigneur a déraciné les orgueilleux
   et planté à leur place les humbles.
¹⁶Le Seigneur a bouleversé le territoire des nations
   et les a anéanties jusqu'aux fondements de la terre.
¹⁷Il les a quelquefois enlevées et détruites,
   et a effacé du monde leur souvenir.

¹⁸L'orgueil n'est pas fait pour l'homme
   ni la violente colère pour la race de la femme.

Les gens dignes d'honneur.

¹⁹Quelle race est digne d'honneur ? La race de l'homme.
   Quelle race est digne d'honneur ? Ceux qui craignent le
                                              [Seigneur.
Quelle race est digne de mépris ? La race de l'homme.
   Quelle race est digne de mépris ? Ceux qui violent les
                                              [préceptes.
²⁰Le chef est honoré parmi ses frères,
   ceux qui craignent le Seigneur sont honorés de lui.

²¹*Être accepté de Dieu trouve son principe dans la crainte du*
[Seigneur,
mais le principe du rejet, c'est l'endurcissement et l'orgueil.
²²Prosélyte, étranger ou pauvre,
leur fierté est dans la crainte du Seigneur.
²³Ce n'est pas bien de mépriser un pauvre intelligent,
il ne convient pas d'honorer un pécheur.
²⁴Grand, magistrat, puissant sont dignes d'honneur,
mais nul n'est plus grand que celui qui craint le Seigneur.
²⁵L'esclave sage a les hommes libres comme serviteurs
et l'homme instruit ne se plaint pas.

Humilité et vérité.

²⁶Ne fais pas le malin quand tu accomplis ta besogne,
ne fais pas le glorieux quand tu es dans la gêne.
²⁷Mieux vaut l'homme qui travaille et vit dans l'abondance
que celui qui va se glorifiant et manque de pain.
²⁸Mon fils, glorifie-toi modestement
et apprécie-toi à ta juste valeur.
²⁹Qui oserait justifier celui qui se fait tort à soi-même
et estimer celui qui se méprise ?
³⁰On honore le pauvre pour son savoir
et le riche pour ses richesses.
³¹Honoré dans la pauvreté, que serait-ce dans la richesse !
méprisé dans la richesse, que serait-ce dans la pauvreté !

Ne pas se fier aux apparences.

11 ¹Le pauvre, s'il est sage, tient la tête haute
et s'assied parmi les grands.

²Ne félicite pas un homme pour sa prestance
et ne prends personne en grippe d'après son apparence.

³L'abeille est petite parmi les êtres ailés,
mais ce qu'elle produit est d'une douceur exquise.

⁴Ne sois pas fier des vêtements que tu portes
et ne t'enorgueillis pas lorsqu'on t'honore :
car les œuvres du Seigneur sont admirables,
mais elles sont cachées aux hommes.

⁵Souvent des souverains étaient assis sur le pavé
et un inconnu a reçu le diadème.
⁶Souvent des puissants ont été durement humiliés
et des hommes illustres sont tombés au pouvoir d'autrui.

Réflexion et lenteur.

⁷Ne blâme pas avant d'avoir examiné,
  réfléchis d'abord, puis exprime tes reproches.
⁸Ne réponds pas avant d'avoir écouté,
  n'interviens pas au milieu du discours.

⁹Ne t'échauffe pas pour une affaire qui ne te regarde pas
  et ne te mêle pas des querelles des pécheurs.

¹⁰Mon fils n'entreprends pas beaucoup d'affaires ;
  si tu les multiplies, tu ne t'en tireras pas indemne ;
  même en courant, tu n'arriveras pas
  et tu ne pourras échapper par la fuite.
¹¹Il en est qui peinent, se fatiguent et se hâtent
  pour n'en être que mieux distancés.

Confiance en Dieu seul.

¹²Il y a des faibles qui réclament de l'aide,
  pauvres de moyens et riches de dénuement ;
  le Seigneur les regarde avec faveur,
  il les relève de leur misère.
¹³Il leur fait relever la tête
  et beaucoup s'en étonnent.
¹⁴Bien et mal, vie et mort,
  pauvreté et richesse, tout vient du Seigneur.
¹⁵*La sagesse, la science et la connaissance de la Loi viennent*
    [du Seigneur,
  l'amour et la pratique des bonnes œuvres viennent de lui.
¹⁶*La folie et les ténèbres sont créées pour les pécheurs ;*
  de ceux qui se plaisent au mal, le mal accompagne la
    [vieillesse.
¹⁷Le don du Seigneur reste fidèle aux hommes pieux
  et sa bienveillance les conduira à jamais.
¹⁸Il y a des gens qui s'enrichissent à force d'avarice,
  voici quelle sera leur récompense :
¹⁹Le jour où ils se disent : « J'ai trouvé le repos,
  maintenant je peux vivre sur mes biens »,
  ils ne savent pas combien de temps cela durera :
  il leur faudra laisser cela à d'autres et mourir.
²⁰Sois attaché à ta besogne, occupe-t'en bien
  et vieillis dans ton travail.
²¹Ne t'étonne pas des œuvres du pécheur,
  confie-toi dans le Seigneur et tiens-toi à ta besogne.
  Car c'est chose facile aux yeux du Seigneur,
  rapidement, en un instant, d'enrichir un pauvre.
²²La bénédiction du Seigneur est la récompense de l'homme pieux,
  en un instant Dieu fait fleurir sa bénédiction.

²³Ne dis pas : « De quoi ai-je besoin ?
    Désormais quel sera mon avoir ? »
²⁴Ne dis pas : « J'ai suffisamment,
    quelle malchance pourrait m'atteindre ? »
²⁵Au jour du bonheur on ne se souvient pas des maux
    et au jour du malheur on oublie le bonheur.
²⁶C'est qu'il est aisé au Seigneur, au jour de la mort,
    de rendre à chacun selon ses actes.
²⁷Une heure d'épreuve fait oublier le bien-être
    et c'est à sa dernière heure que les œuvres d'un homme sont
                                 [dévoilées.
²⁸Ne vante le bonheur de personne avant la fin,
    car c'est dans sa fin qu'on se fait connaître.

Se méfier du méchant.

²⁹N'introduis pas chez toi n'importe qui,
    car nombreuses sont les ruses de l'intrigant.
³⁰Comme une perdrix captive dans sa cage, ainsi le cœur de
                                  [l'orgueilleux,
    comme l'espion, il guette ta ruine.
³¹Changeant le bien en mal, il est à l'affût,
    aux meilleures qualités il trouve des tares.
³²Une étincelle allume un grand brasier,
    le pécheur est à l'affût pour faire couler le sang.
³³Prends garde au méchant car il complote le mal,
    crains qu'il ne t'inflige une flétrissure éternelle.
³⁴Introduis l'étranger, il mettra le trouble chez toi
    et il t'aliénera ta maisonnée.

Les bienfaits. Mt 5 43-48. Lc 14 12-14

12 ¹Si tu fais le bien, sache à qui tu le fais
    et tes bienfaits ne seront pas perdus.
²Fais le bien à un homme pieux, il te le rendra,
    sinon par lui-même, du moins par le Très-Haut.
³Pas de bienfaits à qui persévère dans le mal
    et se refuse à faire la charité.
⁴Donne à l'homme pieux
    et ne viens pas en aide au pécheur.
⁵Fais le bien à qui est humble
    et ne donne pas à l'impie.
    Refuse-lui son pain, ne le lui donne pas,
    il en deviendrait plus fort que toi.
    Car tu serais payé au double en méchanceté
    pour tous les bienfaits dont tu l'aurais gratifié.
⁶Car le Très-Haut lui-même a les pécheurs en horreur
    et aux impies il infligera une punition.

Il les garde jusqu'au jour de leur châtiment.
⁷Donne à l'homme bon,
    mais ne viens pas en aide au pécheur.

Vrais et faux amis. Cf. 6 5-17.

⁸Dans la prospérité on ne peut reconnaître le véritable ami,
    et dans l'adversité l'ennemi ne peut se cacher.
⁹Quand un homme est heureux, ses ennemis ont du chagrin ;
    quand il est malheureux, même son ami l'abandonne.
¹⁰Ne te fie jamais à ton ennemi ;
    de même que l'airain se rouille, ainsi fait sa méchanceté.
¹¹Même s'il se fait humble et s'avance en courbant l'échine,
    veille sur toi-même et méfie-toi de lui.
Agis envers lui comme si tu polissais un miroir,
    sache que sa rouille ne tiendra pas jusqu'à la fin.
¹²Ne le mets pas près de toi,
    il pourrait te renverser et prendre ta place.
Ne le fais pas asseoir à ta droite,
    il chercherait à te ravir ton siège,
et finalement tu comprendrais mes paroles,
    tu te repentirais en songeant à mon discours.
¹³Qui aurait pitié du charmeur que mord le serpent
    et de tous ceux qui affrontent les bêtes féroces ?
¹⁴Il en va de même de celui qui fait du pécheur son compagnon
    et qui prend part à ses péchés.
¹⁵Il reste quelque temps avec toi,
    mais, si tu chancelles, il ne se contient plus.
¹⁶L'ennemi n'a que douceur sur les lèvres,
    mais dans son cœur il médite de te jeter dans la fosse.
L'ennemi a des larmes dans les yeux,
    et s'il trouve l'occasion il ne se rassasiera pas de sang.
¹⁷Si le sort t'est contraire, tu le trouveras là avant toi,
    et sous prétexte de t'aider il te saisira le talon.
¹⁸Il hochera la tête et battra des mains,
    il ne fera que murmurer et changer de visage.

Fréquenter ses égaux.

13 ¹Qui touche à la poix s'englue,
    qui fréquente l'orgueilleux en vient à lui ressembler.
²Ne te charge pas d'un fardeau trop lourd,
    ne te lie pas à plus fort et plus riche que toi.
Pourquoi mettre le pot de terre avec le pot de fer ?
    S'il le heurte il se brisera.
³Le riche commet une injustice, il prend de grands airs ;
    le pauvre est lésé, il se fait suppliant.

⁴Si tu lui es utile il se sert de toi,
    si tu fais défaut, il s'écartera de toi.
⁵As-tu quelque bien ? Il vivra avec toi,
    il te dépouillera sans aucun remords.
⁶A-t-il besoin de toi ? Il t'enjôlera,
    te fera des sourires et te donnera de l'espoir,
  il t'adressera de bonnes paroles
    et dira : « De quoi as-tu besoin ? »
⁷Il t'humiliera au cours de ses festins,
    jusqu'à te dépouiller par deux et trois fois,
    et pour finir il se moquera de toi.
  Puis s'il t'aperçoit, il s'écartera de toi,
    en hochant la tête à ton sujet.

⁸Prends garde de ne pas te laisser séduire,
    pour ne pas être humilié dans ta sottise.
⁹Quand un grand t'appelle, dérobe-toi,
    il t'appellera de plus belle.
¹⁰Ne te précipite pas, de peur d'être repoussé ;
    ne te tiens pas trop loin, de peur d'être oublié.
¹¹Ne t'avise pas d'être familier avec lui,
    ne te fie pas à sa faconde.
  Par son verbiage il te met à l'épreuve,
    comme en se jouant il s'informe.

¹²Impitoyable est celui qui colporte les propos ;
    il ne t'épargne ni les coups ni les chaînes.
¹³Prends garde et fais bien attention,
    car tu chemines en compagnie de ta propre ruine.
¹⁴*Quand tu entends cela dans ton sommeil, éveille-toi ;*
    toute ta vie, aime le Seigneur et invoque-le pour ton salut.
¹⁵Tout être vivant aime son semblable
    et tout homme son prochain.
¹⁶Toute chair s'accouple selon son espèce
    et l'homme s'associe à son semblable.
¹⁷Comment pourraient s'entendre le loup et l'agneau ?
    Ainsi en est-il du pécheur et de l'homme pieux.
¹⁸Quelle paix peut-il y avoir entre l'hyène et le chien ?
    Et quelle paix entre le riche et le pauvre ?
¹⁹Les onagres au désert sont le gibier des lions,
    ainsi les pauvres sont la proie des riches.
²⁰Pour l'orgueilleux l'humilité est une abjection :
    ainsi le riche a le pauvre en horreur.
²¹Quand le riche fait un faux pas, ses amis le soutiennent ;
    quand le malheureux fait une chute, ses amis le rejettent.
²²Quand le riche trébuche, beaucoup le reçoivent dans leurs bras,
    s'il dit des sottises, on lui donne raison.

Quand le malheureux trébuche, on lui fait des reproches,
  s'il dit des choses sensées, il n'y a pas de place pour lui.
²³Quand le riche parle, tous se taisent
  et l'on porte aux nues son discours.
Quand le pauvre parle, on dit : « Qui est-ce ? »
  Et s'il achoppe on le jette par terre.

²⁴La richesse est bonne quand elle est sans péché,
  la pauvreté est mauvaise aux dires de l'impie.

²⁵Le cœur de l'homme modèle son visage,
  soit en bien soit en mal.
²⁶À cœur en fête, gai visage ;
  l'invention de proverbes suppose de pénibles réflexions.

Le vrai bonheur.

14 ¹Heureux l'homme qui n'a pas péché en paroles
  et qui n'est pas tourmenté par le regret de ses fautes.
²Heureux l'homme qui ne se fait pas à lui-même de reproches
  et qui ne sombre pas dans le désespoir.

Envie et avarice. Qo 5 9 ; 6 2.

³À l'homme mesquin ne sied pas la richesse,
  et pour l'homme cupide à quoi bon de grands biens ?
⁴Qui amasse en se privant amasse pour autrui,
  de ses biens d'autres se repaîtront.

⁵Celui qui est dur pour soi-même, pour qui serait-il bon ?
  Il ne jouit même pas de ses propres biens.
⁶Il n'y a pas homme plus cruel que celui qui se torture soi-même,
  c'est là le salaire de sa méchanceté.
⁷S'il fait du bien, c'est par mégarde,
  finalement il laisse voir sa méchanceté.
⁸C'est un méchant, l'homme aux regards cupides,
  qui détourne les yeux et méprise la vie d'autrui.

⁹L'homme jaloux n'est pas content de ce qu'il a,
  la cupidité dessèche l'âme.

¹⁰L'avare est chiche de pain
  et la disette est sur sa table.

¹¹Mon fils, si tu as de quoi, traite-toi bien,
  et présente au Seigneur les offrandes qu'il demande.
¹²N'oublie pas que la mort ne tardera pas
  et que le pacte du shéol ne t'a pas été révélé.
¹³Avant de mourir fais du bien à tes amis
  et selon tes moyens sois libéral.

¹⁴Ne te refuse pas le bonheur présent,
>   ne laisse rien échapper d'un légitime désir.
¹⁵Ne laisseras-tu pas à d'autres ta fortune ?
>   Et tes biens ne seront-ils pas partagés par le sort ?
¹⁶Offre et reçois, trompe tes soucis,
>   ce n'est pas au shéol qu'on peut chercher la joie.
¹⁷Toute chair s'use comme un vêtement,
>   la loi éternelle c'est qu'il faut mourir.
¹⁸Comme le feuillage verdoyant sur un arbre touffu,
>   tantôt tombe et tantôt repousse,
> ainsi les générations de chair et de sang :
>   les uns meurent et les autres naissent.
¹⁹Toute œuvre corruptible périt
>   et son auteur s'en va avec elle.

Bonheur du sage.

²⁰Heureux l'homme qui médite sur la sagesse
>   et qui raisonne avec intelligence,
²¹qui réfléchit dans son cœur sur les voies de la sagesse
>   et qui s'applique à ses secrets.
²²Il la poursuit comme le chasseur,
>   il est aux aguets sur sa piste ;
²³il se penche à ses fenêtres
>   et écoute à ses portes ;
²⁴il se poste tout près de sa demeure
>   et fixe un pieu dans ses murailles ;
²⁵il dresse sa tente à proximité
>   et s'établit dans une retraite de bonheur ;
²⁶il place ses enfants sous sa protection
>   et sous ses rameaux il trouve un abri ;
²⁷sous son ombre il est protégé de la chaleur
>   et il s'établit dans sa gloire.

15 ¹Ainsi fait celui qui craint le Seigneur ;
>   celui qui se saisit de la loi reçoit la sagesse.
²Elle vient au-devant de lui comme une mère,
>   comme une épouse vierge elle l'accueille ;
³elle le nourrit du pain de la prudence,
>   elle lui donne à boire l'eau de la sagesse ;
⁴il s'appuie sur elle et ne chancelle pas,
>   il s'attache à elle et n'est pas confondu.
⁵Elle l'élève au-dessus de ses compagnons,
>   au milieu de l'assemblée elle lui ouvre la bouche.
⁶Il trouve le bonheur et une couronne de joie,
>   il reçoit en partage une renommée éternelle.
⁷Jamais les insensés ne la posséderont,
>   et les pécheurs jamais ne la verront.

⁸Elle se tient à distance de l'orgueil
et les menteurs ne songent pas à elle.
⁹La louange ne sied pas à la bouche du pécheur,
puisqu'elle ne lui est pas accordée par le Seigneur.
¹⁰Car c'est en sagesse que s'exprime la louange,
et c'est le Seigneur qui la guide.

La liberté humaine.

¹¹Ne dis pas : « C'est le Seigneur qui m'a fait pécher »,
car il ne fait pas ce qu'il a en horreur.
¹²Ne dis pas : « C'est lui qui m'a égaré »,
car il n'a que faire d'un pécheur.
¹³Le Seigneur hait toute espèce d'abomination
et aucune n'est aimée de ceux qui le craignent.
¹⁴C'est lui qui au commencement a fait l'homme
et il l'a laissé à son conseil.
¹⁵Si tu le veux, tu garderas les commandements
pour rester fidèle à son bon plaisir.
¹⁶Devant toi il a mis le feu et l'eau,
selon ton désir étends la main.
¹⁷Devant les hommes sont la vie et la mort,
à leur gré l'une ou l'autre leur est donnée.
¹⁸Car grande est la sagesse du Seigneur,
il est tout-puissant et voit tout.
¹⁹Ses regards sont tournés vers ceux qui le craignent,
il connaît lui-même toutes les œuvres des hommes.
²⁰Il n'a commandé à personne d'être impie,
il n'a donné à personne licence de pécher.

Malédiction des impies.

16 ¹Ne désire pas une nombreuse descendance de propres à rien
et ne mets pas ta joie dans des fils impies.
²Quel que soit leur nombre, ne te réjouis pas
s'ils ne possèdent pas la crainte de Dieu.
³Ne compte pas pour eux sur une longue vie,
ne t'attends pas à ce qu'ils durent,
Car tu gémiras d'un deuil prématuré,
soudain tu connaîtras leur fin.
Oui, mieux vaut un seul que mille,
et mourir sans enfants qu'avoir des fils impies.
⁴Par un seul homme intelligent une ville se peuple,
mais la race des pervers sera détruite.
⁵J'ai vu de mes yeux beaucoup de choses semblables,
et de mes oreilles j'en ai entendu de plus fortes.
⁶Dans l'assemblée des pécheurs s'allume le feu,
dans la race rebelle s'est enflammée la Colère.

⁷Dieu n'a point pardonné aux géants d'autrefois
    qui s'étaient révoltés, fiers de leur puissance.
⁸Il n'a pas épargné la ville où habitait Lot :
    leur orgueil lui faisait horreur.
⁹Il n'a pas eu pitié de la race de perdition :
    ceux qui se prévalaient de leurs péchés.
Tout cela, il le fit pour des nations au cœur dur,
    et de la multitude de ses saints, il ne s'émut pas.
¹⁰Il traita de même six cent mille hommes de pied,
    qui s'étaient ligués dans la dureté de leur cœur.
Il flagelle et s'apitoie, blesse et guérit :
    le Seigneur veille en compatissant et en châtiant.
¹¹N'y eût-il qu'un seul homme au cou raide,
    il serait inouï qu'il restât impuni,
car pitié et colère appartiennent au Seigneur,
    puissant dans le pardon, répandant la colère.
¹²Autant que sa miséricorde, autant est grande sa réprobation,
    il jugera les hommes selon leurs œuvres.
¹³Il ne laissera pas impuni le pécheur avec ses larcins,
    il ne frustrera pas la patience de l'homme pieux.
¹⁴Il tiendra compte de tout acte de charité
    et chacun sera traité selon ses œuvres.
¹⁵*Le Seigneur a endurci le cœur de Pharaon pour qu'il ne le*
                                  [reconnût pas,
    afin de faire connaître ses actions sous le ciel.
¹⁶*À toute la création sa pitié se manifeste,*
    il a partagé sa lumière et son ombre entre les hommes.

La rétribution est certaine.

¹⁷Ne dis pas : « Je me cacherai pour échapper au Seigneur ;
    là-haut qui se souviendra de moi ?
Au milieu de la foule je ne serai pas reconnu,
    que suis-je dans la création immense ? »
¹⁸Voici : le ciel, le plus haut des cieux,
    l'abîme et la terre sont ébranlés lors de sa visite.
Tout l'univers fut produit et existe par sa volonté.
¹⁹En même temps les montagnes et les fondements de la terre
    tremblent sous son regard.
²⁰Mais à tout cela on ne réfléchit pas ;
    qui donc s'intéresse à ses voies ?
²¹La tempête aussi reste invisible,
    la plupart de ses œuvres sont dans le secret.
²²« Les œuvres de la justice, qui les annoncera ?
    Qui les attendra ? Car le décret est loin. »
Une enquête sur tout se fera au terme.

²³Il est court de sens celui qui tient de telles réflexions ;
    l'insensé, égaré, ne rêve que folies.

L'homme dans la création.

²⁴Écoute-moi, mon fils, et acquiers la connaissance,
    applique ton cœur à mes paroles.
²⁵Avec mesure je te révélerai la discipline,
    avec soin je proclamerai la connaissance..

²⁶Lorsqu'au commencement le Seigneur créa ses œuvres,
    sitôt faites, il leur attribua une place.
²⁷Il ordonna ses œuvres pour l'éternité,
    depuis leurs origines jusqu'à leurs générations lointaines.
    Elles ne souffrent la faim ni la fatigue
    et n'abandonnent jamais leur tâche.
²⁸Aucune n'a jamais heurté l'autre
    et jamais elles ne désobéissent à sa parole.
²⁹Ensuite le Seigneur jeta les yeux sur la terre
    et la remplit de ses biens.
³⁰De toute espèce d'animaux il en couvrit la face
    et ils retourneront à la terre.

17 ¹Le Seigneur a tiré l'homme de la terre
    pour l'y renvoyer ensuite.
²Il a assigné aux hommes un nombre précis de jours et un temps
                            [déterminé,
    il a remis en leur pouvoir ce qui est sur terre.
³Il les a revêtus de force, comme lui-même,
    à son image il les a créés.
⁴À toute chair il a inspiré la crainte de l'homme,
    pour qu'il domine bêtes sauvages et oiseaux.
⁵*Ils reçurent l'usage des cinq pouvoirs du Seigneur,*
    comme sixième, l'intelligence leur fut donnée en partage
    et comme septième la raison, interprète de ses pouvoirs .
⁶Il leur donna le jugement, une langue, des yeux,
    des oreilles et un cœur pour penser.
⁷Il les remplit de science et d'intelligence
    et leur fit connaître le bien et le mal.
⁸Il mit sa crainte dans leur cœur
    pour leur montrer la grandeur de ses œuvres.
    Et il leur donna de célébrer éternellement ses merveilles.
¹⁰Ils loueront son saint nom,
    ⁹racontant la grandeur de ses œuvres.
¹¹Il leur accorda encore la connaissance,
    il les gratifia de la loi de la vie,
    pour qu'ils comprennent qu'ils sont mortels, eux qui existent
                            [à présent.

¹²il a conclu avec eux une alliance éternelle
    et leur a fait connaître ses jugements ;
¹³leurs yeux contemplèrent la grandeur de sa majesté,
    leurs oreilles entendirent la magnificence de sa voix.
¹⁴Il leur dit : « Gardez-vous de tout mal »,
    il leur donna des commandements, chacun à l'égard de son
                                                        [prochain.

Le juge divin.

¹⁵Leur conduite est toujours devant lui,
    jamais cachée à ses regards.
¹⁶*Dès la jeunesse leurs voies les mènent au mal*
    et ils ne purent changer leurs cœurs
de pierre en un cœur de chair,
¹⁷*car dans la répartition des peuples et de toute la terre,*
à chaque peuple il a préposé un prince ;
    mais Israël est la portion du Seigneur,
¹⁸*son premier-né qu'il nourrit de discipline,*
    auquel il dispense la lumière de son amour, sans
                                                        [*l'abandonner.*
¹⁹Toutes leurs actions sont devant lui comme le soleil,
    ses regards sont assidus à observer leur conduite.
²⁰Leurs injustices ne lui sont point cachées,
    tous leurs péchés sont devant le Seigneur.
²¹*Mais le Seigneur est bon et connaît sa créature,*
    il ne le détruit ni ne les abandonne, mais les épargne.
²²L'aumône d'un homme est pour lui comme un sceau,
    il conserve un bienfait comme la pupille de l'œil,
    dispensant à ses fils et à ses filles le repentir.
²³Un jour il se lèvera et les récompensera,
    sur leur tête il fera venir leur récompense.
²⁴Mais à ceux qui se repentent il accorde un retour,
    il réconforte ceux qui ont perdu l'endurance.

Invitation à la pénitence.

²⁵Convertis-toi au Seigneur et renonce à tes péchés,
    implore-le bien en face, cesse de l'offenser.
²⁶Reviens vers le Très-Haut, détourne-toi de l'injustice
    car c'est lui qui te guidera des ténèbres à l'illumination du
                                                        [*salut*
et hais vigoureusement l'iniquité.
²⁷Car qui louera le Très-Haut dans le shéol,
    si les vivants ne lui rendent gloire ?
²⁸La louange est inconnue des morts comme de ceux qui ne sont
                                                        [pas,
celui qui a vie et santé glorifie le Seigneur.

²⁹Qu'elle est grande la miséricorde du Seigneur,
son indulgence pour ceux qui se tournent vers lui !
³⁰Car l'homme ne peut tout avoir,
puisque le fils d'homme n'est pas immortel.
³¹Quoi de plus lumineux que le soleil ? Pourtant il disparaît.
La chair et le sang ne peuvent nourrir que malice.
³²C'est lui qui surveille les puissances en haut des cieux,
et tous les hommes ne sont que terre et cendre.

Grandeur de Dieu.

18 ¹Celui qui vit éternellement a créé tout ensemble.
²Le Seigneur seul sera proclamé juste
et il n'y en a pas d'autres que lui.
³*Il gouverne le monde de la paume de sa main,*
et tout obéit à sa volonté,
car lui, le roi de l'univers, par son pouvoir,
il y sépare les choses sacrées des profanes.
⁴À personne il n'a donné le pouvoir d'annoncer ses œuvres,
et qui découvrira ses merveilles ?
⁵Qui pourra mesurer la puissance de sa majesté
et qui pourra détailler ses miséricordes ?
⁶On n'y peut rien retrancher et rien ajouter,
et l'on ne peut découvrir les merveilles du Seigneur.
⁷Quand un homme a fini, c'est alors qu'il commence,
et quand il s'arrête il est tout déconcerté.

Néant de l'homme.

⁸Qu'est-ce que l'homme ? À quoi sert-il ?
Quel est son bien et quel est son mal ?
⁹La durée de sa vie : cent ans tout au plus.
Nul ne peut prévoir l'heure pour chacun du dernier sommeil.
¹⁰Une goutte d'eau tirée de la mer, un grain de sable,
telles sont ces quelques années auprès de l'éternité.
¹¹C'est pourquoi le Seigneur use avec eux de patience
et répand sur eux sa miséricorde.
¹²Il voit, il sait combien leur fin est misérable,
c'est pourquoi il a multiplié son pardon.
¹³La pitié de l'homme est pour son prochain,
mais la pitié du Seigneur est pour toute chair :
il reprend, il corrige, il enseigne,
il ramène, tel le berger, son troupeau.
¹⁴Il a pitié de ceux qui reçoivent la discipline
et qui cherchent avec zèle ses jugements.

La façon de donner.

¹⁵Mon fils, n'assaisonne pas de blâme tes bienfaits,
ni tous tes cadeaux de paroles chagrines.

¹⁶La rosée ne calme-t-elle pas la chaleur ?
　　Ainsi la parole vaut mieux que le cadeau.
¹⁷Certes, une parole ne vaut-elle pas mieux qu'un riche présent ?
　　Mais l'homme charitable unit les deux.
¹⁸L'insensé ne donne rien et fait affront,
　　et le don de l'envieux brûle les yeux.

Réflexion et prévision.

¹⁹Avant de parler, instruis-toi,
　　avant d'être malade, soigne-toi.
²⁰Avant le jugement éprouve-toi,
　　au jour de la visite tu seras acquitté.
²¹Humilie-toi avant de tomber malade,
　　quand tu as péché montre ton repentir.
²²Que rien ne t'empêche d'accomplir un vœu en temps voulu,
　　n'attends pas la mort pour te mettre en règle.
²³Avant de faire un vœu, prépare-toi
　　et ne sois pas comme un homme qui tente le Seigneur.
²⁴Pense à la colère des derniers jours,
　　à l'heure de la vengeance, quand Dieu détourne sa face.
²⁵Quand tu es dans l'abondance songe à la disette,
　　à la pauvreté et à la misère quand tu es riche.
²⁶Entre matin et soir le temps change,
　　tout passe vite devant le Seigneur.
²⁷En toutes choses le sage est sur ses gardes,
　　aux jours de péché il évite l'offense.
²⁸Tout homme sensé reconnaît la sagesse ;
　　à qui l'a trouvée il fait son compliment.
²⁹Des gens parlèrent intelligemment et c'étaient des sages :
　　ils ont fait pleuvoir des maximes excellentes.
Mieux vaut l'assurance en l'unique Maître,
　　que de s'attacher d'un cœur mort à un mort.

Possession de soi-même.

³⁰Ne te laisse pas entraîner par tes passions
　　et refrène tes désirs.
³¹Si tu t'accordes la satisfaction de tes appétits,
　　tu fais la risée de tes ennemis.
³²Ne te complais pas dans une existence voluptueuse,
　　ne t'oblige pas à en faire les frais.
³³Ne t'appauvris pas en festoyant avec de l'argent emprunté,
　　quand tu n'as pas un sou dans ta bourse.
Car ce serait machiner contre ta propre vie.

19 ¹Un ouvrier buveur ne sera jamais riche,
　　qui méprise les riens peu à peu s'appauvrit.
²Le vin et les femmes pervertissent les hommes sensés,
　　qui fréquente les prostituées perd toute pudeur.

³Des larves et des vers il sera la proie
    et l'homme téméraire y perdra la vie.

Contre le bavardage.

⁴Celui qui a la confiance facile montre sa légèreté,
    celui qui pèche se fait tort à soi-même.
⁵Celui qui prend plaisir au mal sera condamné,
    et celui qui résiste aux plaisirs couronne sa propre vie.
⁶*Celui qui tient sa langue vivra sans disputes,*
    celui qui hait le bavardage échappe au mal.
⁷Ne rapporte jamais ce qu'on t'a dit
    et jamais on ne te nuira ;
⁸d'un ami comme d'un ennemi ne raconte rien,
    à moins qu'il n'y ait faute pour toi, ne le révèle pas ;
⁹on t'écouterait, on se méfierait de toi
    et à l'occasion on te haïrait.
¹⁰As-tu entendu quelque chose ? Sois un tombeau.
    Courage ! tu n'en éclateras pas !
¹¹Une parole entendue, et voilà le sot en travail
    comme la femme en mal d'enfant.
¹²Une flèche plantée dans la cuisse,
    telle est une parole dans le ventre du sot.

Vérifier ce qu'on entend dire.

¹³Va trouver ton ami : peut-être n'a-t-il rien fait,
    et s'il a fait quelque chose il ne recommencera pas.
¹⁴Va trouver ton voisin : peut-être n'a-t-il rien dit,
    et s'il a dit quelque chose il ne le redira pas.
¹⁵Va trouver ton ami, car on calomnie souvent,
    ne crois pas tout ce qu'on te dit.
¹⁶Souvent on glisse sans mauvaise intention ;
    qui n'a jamais péché en parole ?
¹⁷Va trouver ton voisin avant d'en venir aux menaces,
    obéis à la loi du Très-Haut.

Vraie et fausse sagesse.

¹⁸*La crainte du Seigneur est le principe de son accueil*
    et la sagesse gagne son affection.
¹⁹*La connaissance des commandements du Seigneur, c'est la*
                                    [discipline de vie ;
    ceux qui font ce qui lui plaît cueilleront les fruits de l'arbre
                                    [d'immortalité.
²⁰Toute sagesse est crainte du Seigneur
    et en toute sagesse il y a l'accomplissement de la Loi,
    et reconnaissance de sa toute-puissance.

²¹*Le domestique qui dit à son maître : « Je ne ferai pas ce qui te*
                                           [plaît »,
    même si après il le fait, irrite celui qui le nourrit .
²²Mais connaître le mal n'est pas la sagesse
    et le conseil des pécheurs n'est pas la prudence.
²³Il y a un savoir-faire qui est abominable ;
    est insensé celui à qui manque la sagesse.
²⁴Mieux vaut être pauvre d'intelligence avec la crainte
    que surabonder de prudence et violer la loi.
²⁵Il y a un habile savoir-faire au service de l'injustice
    et tel pour établir son droit use de fourberie,
    mais tel est sage qui fait droit en justice.
²⁶Tel marche courbé sous le chagrin
    mais au fond de lui ce n'est que ruse :
²⁷baissant la tête et faisant le sourd,
    s'il n'est pas démasqué il prend l'avantage sur toi.
²⁸Tel se sent trop faible pour pécher,
    qui fera le mal à la première occasion.
²⁹À son air on connaît un homme,
    à son visage on connaît l'homme de sens.
³⁰L'habit d'un homme, son rire,
    sa démarche révèlent ce qu'il est.

Silence et parole.

20 ¹Il y a des reproches intempestifs,
    il y a un silence qui dénote l'homme sensé.
²Mieux vaut faire des reproches que garder sa colère.
    ³Celui qui s'accuse d'une faute évite la peine.

⁴Tel l'eunuque qui voudrait déflorer une jeune fille,
    tel celui qui prétend rendre la justice par la violence.

⁵Tel se tait et passe pour sage,
    tel autre se fait détester pour son bavardage.

⁶Tel se tait parce qu'il ne sait que répondre,
    tel autre se tait sachant que c'est opportun.

⁷Le sage sait se taire jusqu'au bon moment,
    mais le bavard et l'insensé manquent l'occasion.

⁸Celui qui parle trop se fait détester
    et celui qui prétend s'imposer suscite la haine.

Qu'il est beau, quand on te reprend, de manifester du repentir :
    tu échapperas ainsi à une faute volontaire.

Paradoxes.

⁹Tel trouve son salut dans le malheur
    et parfois une aubaine provoque un dommage.

¹⁰Il y a des générosités qui ne te profitent pas
et il y a des générosités qui rapportent le double.

¹¹Parfois la gloire apporte l'humiliation
et certains dans l'abaissement lèvent la tête.

¹²Tel achète beaucoup de choses avec peu d'argent,
et cependant les paie sept fois trop cher.

¹³Par des paroles le sage se fait aimer,
mais les générosités des sots vont en pure perte.

¹⁴Le cadeau de l'insensé ne te sert à rien,
pas plus que celui du jaloux quand il y est contraint,
car ses yeux sont avides de recevoir le septuple ;

¹⁵il donne peu et reproche beaucoup,
il ouvre la bouche comme un crieur public ;
il prête aujourd'hui, demain il redemande :
c'est un homme détestable.

¹⁶L'insensé dit : « Je n'ai pas un ami,
de mes bienfaits nul ne me sait gré ;
ceux qui mangent mon pain ont mauvaise langue. »

¹⁷Tant de gens, si souvent, se gaussent de lui !
Car son avoir il ne l'a pas accueilli avec droiture,
et de même le fait de ne pas avoir ne change pas son attitude.

Paroles maladroites.

¹⁸Mieux vaut un faux pas sur le pavé qu'une incartade de langage ;
c'est ainsi que trébuchent soudainement les méchants.

¹⁹Un homme grossier est comme une gaudriole
ressassée par des imbéciles.

²⁰De la bouche du sot on n'accepte pas un proverbe,
car il ne le dit pas à propos.

²¹Tel est préservé du péché par son indigence,
à ses heures de loisir il n'a pas de remords.

²²Tel se perd par respect humain,
il se perd par égard pour un insensé.

²³Tel par timidité fait des promesses à son ami
et s'en fait un ennemi sans motif.

Le mensonge.

²⁴C'est une grave souillure pour un homme que le mensonge,
il est ressassé par les ignorants.

²⁵Mieux vaut un voleur qu'un maître menteur,
mais l'un et l'autre vont à leur perte.

²⁶L'habitude du mensonge déshonore,
   la honte du menteur est sans cesse sur lui.

Sur la sagesse.

²⁷Par ses discours le sage se fait estimer
   et l'homme avisé plaît aux grands.
²⁸Celui qui cultive la terre obtient une bonne récolte,
   celui qui plaît aux grands se fait pardonner l'injustice.

²⁹Présents et cadeaux aveuglent les yeux des sages,
   comme un bâillon sur la bouche ils étouffent les reproches.

³⁰Sagesse cachée et trésor invisible,
   à quoi servent-ils l'un et l'autre ?
³¹Mieux vaut un homme qui cache sa folie
   qu'un homme qui cache sa sagesse.
³²*Mieux vaut la persévérance inflexible dans la recherche du*
                                                [Seigneur
   que l'agitation anarchique de sa propre vie.

Différents péchés.

21 ¹Mon fils ! tu as péché ? Ne recommence plus
   et implore le pardon de tes fautes passées.
²Comme tu fuirais le serpent, fuis la faute :
   si tu l'approches elle te mordra ;
ses dents sont des dents de lion
   qui ôtent la vie aux hommes.
³Toute transgression est une épée à deux tranchants
   dont la blessure est incurable.

⁴La terreur et la violence dévastent la richesse,
   ainsi la maison de l'orgueilleux sera détruite.
⁵La prière du pauvre frappe les oreilles de Dieu,
   dont le jugement ne saurait tarder.

⁶Qui hait la réprimande emprunte le sentier du pécheur,
   celui qui craint le Seigneur se convertit en son cœur.

⁷Le beau parleur est connu partout
   mais l'homme réfléchi en connaît les faiblesses.

⁸Bâtir sa maison avec l'argent d'autrui,
   c'est amasser des pierres pour sa tombe.

⁹L'assemblée des pécheurs est un tas d'étoupe
   qui finira dans la flamme et le feu.

¹⁰Le chemin des pécheurs est bien pavé,
   mais il aboutit au gouffre du shéol.

Le sage et l'insensé.

11Celui qui garde la loi contrôle son penchant,
    la perfection de la crainte du Seigneur c'est la sagesse.

12Tel ne peut rien apprendre faute de dons naturels,
    mais il est des dons qui engendrent l'amertume.

13La science du sage abonde comme un déluge,
    et son conseil est comme une source vive.
14Le cœur du sot est comme un vase brisé
    qui ne retient aucune connaissance.
15Si un homme instruit entend une parole sage,
    il l'apprécie et y ajoute du sien ;
    qu'un débauché l'entende, elle lui déplaît,
    il la rejette derrière lui.

16Le discours du sot pèse comme un fardeau en voyage,
    mais sur les lèvres du sage on trouve la grâce.
17La parole de l'homme sensé est recherchée dans l'assemblée,
    ce qu'il dit, chacun le médite dans son cœur.

18Une maison en ruines, telle est la sagesse du sot,
    et la science de l'insensé, ce sont des discours incohérents.

19La discipline pour l'insensé, ce sont des entraves à ses pieds
    et des menottes à sa main droite.

20Le sot éclate de rire bruyamment,
    le rire de l'homme de sens est rare et discret.

21Pour l'homme sensé la discipline est un bijou d'or,
    un bracelet à son bras droit.

22Le sot se hâte de faire son entrée,
    l'homme expérimenté prend une attitude modeste ;
23de la porte l'insensé regarde à l'intérieur,
    l'homme bien élevé reste dehors.
24C'est le fait d'un mal élevé que d'écouter aux portes,
    un homme sensé en sent le déshonneur.

25Les lèvres du bavard jasent de ce qui ne les regarde pas,
    les paroles des sages sont soigneusement pesées.

26Le cœur des sots est dans leur bouche,
    mais la bouche des sages c'est leur cœur.

27Quand l'impie maudit le Satan,
    il se maudit soi-même.

28Le médisant se fait tort à soi-même
    et se fait détester de son entourage.

Le paresseux.

22 ¹Le paresseux est semblable à une pierre crottée,
   tout le monde le persifle pour son infamie.
²Le paresseux est semblable à une poignée d'ordures,
   quiconque le touche secoue la main.

Les enfants dégénérés.

³C'est la honte d'un père que d'avoir donné le jour à un fils mal
   [élevé,
   et si c'est une fille, elle cause un dommage.
⁴Une fille sensée trouvera un mari,
   mais la fille indigne est le chagrin de celui qui l'a engendrée.
⁵Une fille éhontée déshonore son père et son mari,
   l'un et l'autre la renient.

⁶Remontrances inopportunes : musique en un jour de deuil ;
   coups de fouet et correction, voilà en tout temps la sagesse.
⁷*Des enfants qui mènent une vie honnête en ne manquant de rien*
   font oublier l'origine obscure de leurs parents.
⁸*Des enfants méprisants, mals élevés, gonflés d'orgueil,*
   souillent la noblesse de leur famille.

Sagesse et folie.

⁹C'est recoller des tessons que d'enseigner un sot,
   c'est réveiller un homme abruti de sommeil.
¹⁰Raisonner un sot c'est raisonner un homme assoupi,
   à la fin il dira : « De quoi s'agit-il ? »

¹¹Pleure un mort : il a perdu la lumière,
   pleure un insensé : il a perdu l'esprit ;
pleure plus doucement le mort, car il a trouvé le repos,
   pour l'insensé la vie est plus triste que la mort.
¹²Pour un mort le deuil dure sept jours,
   pour l'insensé et l'impie, tous les jours de leur vie.

¹³N'adresse pas de longs discours à l'insensé,
   ne va pas au-devant du sot,
   car, insensible, il te couvrira de mépris,
garde-toi de lui pour n'avoir pas d'ennuis,
   pour ne pas te souiller à son contact.
Écarte-toi de lui, tu trouveras le repos,
   ses divagations ne t'ennuieront pas.

¹⁴Qu'y-a-t-il de plus lourd que le plomb ?
   Comment cela s'appelle-t-il ? L'insensé.
¹⁵Le sable, le sel, la masse de fer
   sont plus faciles à porter que l'insensé.

¹⁶Une charpente de bois assemblée dans une construction
    ne se laisse pas disjoindre par un tremblement de terre ;
un cœur résolu, après mûre réflexion,
    ne se laisse pas émouvoir à l'heure du danger.
¹⁷Un cœur appuyé sur une sage réflexion
    est comme un ornement ciselé sur un mur poli.

¹⁸De petits cailloux au sommet d'un mur
    ne résistent pas au vent :
le cœur du sot effrayé par ses imaginations
    ne peut résister à la peur.

L'amitié.

¹⁹En frappant l'œil on fait couler des larmes,
    en frappant le cœur on fait apparaître les sentiments.

²⁰Qui lance une pierre sur des oiseaux les fait envoler,
    qui fait un reproche à son ami tue l'amitié.

²¹Si tu as tiré l'épée contre ton ami,
    ne te désespère pas : il peut revenir ;
²²si tu as ouvert la bouche contre ton ami,
    ne crains pas : une réconciliation est possible,
sauf le cas d'outrage, mépris, trahison d'un secret, coup perfide,
    car alors tout ami s'en ira.

²³Gagne la confiance de ton prochain dans sa pauvreté
    afin que, dans sa prospérité, tu jouisses avec lui de ses biens ;
aux jours d'épreuve demeure-lui fidèle,
    afin de recevoir, s'il vient à hériter, ta part de l'héritage.

Car on ne doit jamais mépriser les contours
ni admirer un riche privé de sens.

²⁴Précédant les flammes on voit la vapeur du brasier et la fumée ;
    ainsi, précédant le sang, les injures.

²⁵Je n'aurai pas honte de protéger un ami
    et de lui je ne me cacherai pas ;
²⁶et s'il m'arrive du mal par lui,
    tous ceux qui l'apprendront se garderont de lui.

Vigilance.

²⁷Qui mettra une garde à ma bouche
    et sur mes lèvres le sceau du discernement,
afin que je ne trébuche pas par leur fait,
    que ma langue ne cause pas ma perte ?

23 ¹Seigneur, père et maître de ma vie,
ne me laisse pas trébucher par leur fait.

²Qui appliquera le fouet à mes pensées
et à mon cœur la discipline de la sagesse,
afin qu'on n'épargne pas mes erreurs
et que mes péchés n'échappent pas ?
³De peur que mes erreurs ne se multiplient
et que mes péchés ne surabondent,
que je ne tombe aux mains de mes adversaires
et que mon ennemi ne se moque de moi.
Elle leur est loin l'espérance de ta miséricorde.
⁴Seigneur, père et Dieu de ma vie,
ne m'abandonne pas à leur caprice
fais que mes regards ne soient pas effrontés,
⁵détourne de moi la convoitise,
⁶que l'appétit sexuel et la luxure ne s'emparent pas de moi,
ne me livre pas au désir impudent.

Les serments.

⁷Écoutez, mes enfants, une instruction sur la bouche,
celui qui la garde ne sera pas confondu.
⁸Le pécheur est pris par ses propres lèvres,
elles font choir le médisant et l'orgueilleux.
⁹N'accoutume pas ta bouche à faire des serments,
ne prends pas l'habitude de prononcer le nom du Saint.
¹⁰Car de même qu'un domestique toujours surveillé
n'échappera pas aux coups,
ainsi celui qui jure et invoque le Nom à tort et à travers
ne sera pas exempt de faute.
¹¹Un homme prodigue de serments est rempli d'impiété
et le fléau ne s'éloignera pas de sa maison.
S'il pèche, sa faute sera sur lui ;
s'il a agi à la légère, il a péché doublement ;
s'il a fait un faux serment, il ne sera pas justifié,
car sa maison sera pleine de calamités.

Les paroles impures.

¹²Il y a une manière de parler qui ressemble à la mort,
qu'elle ne soit pas en usage dans l'héritage de Jacob,
car les hommes pieux repoussent tout cela,
ils ne se vautrent pas dans le péché.
¹³N'habitue pas ta bouche à l'impureté grossière
où se trouve la parole du péché.
¹⁴Souviens-toi de ton père et de ta mère
quand tu sièges au milieu des grands,

de crainte que tu ne t'oublies en leur présence,
    que tu ne te conduises comme un sot,
et que tu n'en arrives à souhaiter de n'être pas né
    et à maudire le jour de ta naissance.
¹⁵Un homme accoutumé aux paroles répréhensibles
    ne se corrigera de sa vie.

L'homme dépravé.

¹⁶Deux sortes d'êtres multiplient les péchés
    et la troisième attire la colère :
la passion brûlante comme un brasier :
    elle ne s'éteindra pas qu'elle ne soit assouvie ;
l'homme qui convoite sa propre chair :
    il n'aura de cesse que le feu ne le consume ;
¹⁷à l'homme impudique toute nourriture est douce,
    il ne se calmera qu'à sa mort.
¹⁸L'homme infidèle à sa propre couche
    qui dit en son cœur : « Qui me voit ?
L'ombre m'environne, les murs me protègent,
    personne ne me voit, que craindrais-je ?
Le Très-Haut ne se souviendra pas de mes fautes. »
¹⁹Ce qu'il craint ce sont les yeux des hommes,
    il ne sait pas que les yeux du Seigneur
sont dix mille fois plus lumineux que le soleil,
qu'ils observent toutes les actions des hommes
    et pénètrent dans les recoins les plus secrets.
²⁰Avant qu'il créât, toutes choses lui étaient connues,
    elles le sont encore après leur achèvement.
²¹En pleine ville cet homme sera puni,
    quand il s'y attend le moins il sera pris.

La femme adultère. Pr 2 16 ; 5 2-20 ; 6 24-35 ; 7 5.

²²Il en est de même de la femme infidèle à son mari
    qui lui apporte un héritier conçu d'un étranger.
²³Tout d'abord elle a désobéi à la loi du Très-Haut,
    ensuite elle est coupable envers son mari ;
en troisième lieu elle s'est souillée par l'adultère
    et a conçu des enfants d'un étranger.
²⁴Elle sera traduite devant l'assemblée
    et on examinera ses enfants.
²⁵Ses enfants n'auront pas de racines,
    ses branches ne porteront pas de fruit.
²⁶Elle laissera un souvenir de malédiction
    et sa honte ne sera jamais effacée.
²⁷Et ceux qui viennent après elle sauront
    que rien ne vaut la crainte du Seigneur

et que rien n'est plus doux que de s'attacher aux
[commandements du Seigneur.
28*Suivre Dieu est un grand honneur ;
c'est prolonger tes jours que d'être accueilli par lui.*

Discours de la Sagesse. Pr 1 20-33 ; 8 1-36 ; 9 1-6. Jb 28. Ba 3 9–4 4.

24 ¹La Sagesse fait son propre éloge,
au milieu de son peuple elle montre sa fierté.
²Dans l'assemblée du Très-Haut elle ouvre la bouche,
et devant sa Puissance elle montre sa fierté.
³« Je suis issue de la bouche du Très-Haut
et comme une vapeur j'ai couvert la terre.
⁴J'ai habité dans les cieux
et mon trône était une colonne de nuée.
⁵Seule j'ai fait le tour du cercle des cieux,
j'ai parcouru la profondeur des abîmes.
⁶Dans les flots de la mer, sur toute la terre,
chez tous les peuples et toutes les nations, j'ai régné.
⁷Parmi eux tous j'ai cherché le repos,
j'ai cherché en quel patrimoine m'installer.
⁸Alors le créateur de l'univers m'a donné un ordre,
celui qui m'a créée m'a fait dresser ma tente,
Il m'a dit : "Installe-toi en Jacob,
en Israël reçois ton héritage."
⁹Avant les siècles, dès le commencement il m'a créée,
éternellement je subsisterai.
¹⁰Dans la Tente sainte, en sa présence, j'ai officié ;
c'est ainsi qu'en Sion je me suis établie,
¹¹et que dans la cité bien-aimée j'ai trouvé mon repos,
qu'en Jérusalem j'exerce mon pouvoir.
¹²Je me suis enracinée chez un peuple plein de gloire,
dans le domaine du Seigneur se trouve mon héritage.
¹³J'y ai grandi comme le cèdre du Liban,
comme le cyprès sur le mont Hermon.
¹⁴J'ai grandi comme le palmier d'Engaddi,
comme les plants de roses de Jéricho,
comme un olivier magnifique dans la plaine,
j'ai grandi comme un platane.
¹⁵Comme le cinnamome et l'acanthe j'ai donné du parfum,
comme une myrrhe de choix j'ai embaumé,
comme le galbanum, l'onyx, le labdanum,
comme la vapeur d'encens dans la Tente.
¹⁶J'ai étendu mes rameaux comme le térébinthe,
ce sont des rameaux de gloire et de grâce.
¹⁷Je suis comme une vigne aux pampres gracieux,
et mes fleurs sont des produits de gloire et de richesse.

¹⁸*Je suis la mère du bel amour et de la crainte,*
   de la connaissance et de la sainte espérance.
 À tous mes enfants je donne
   des biens éternels, à ceux qu'il a choisis.
¹⁹Venez à moi, vous qui me désirez ;
   et rassasiez-vous de mes produits.
²⁰Car mon souvenir est plus doux que le miel,
   mon héritage plus doux qu'un rayon de miel.
²¹Ceux qui me mangent auront encore faim,
   ceux qui me boivent auront encore soif.
²²Celui qui m'obéit n'aura pas à en rougir
   et ceux qui œuvrent par moi ne pécheront pas. »

La Sagesse et le sage.

²³Tout cela n'est autre que le livre de l'alliance du Dieu
                                        [Très-Haut,
   la Loi promulguée par Moïse,
   laissée en héritage aux assemblées de Jacob.
²⁴*Ne cessez d'être forts dans le Seigneur,*
   attachez-vous à lui pour qu'il vous affermisse.
 Le Seigneur tout-puissant est l'unique Dieu
   et il n'y a pas d'autre sauveur que lui.
²⁵C'est elle qui fait abonder la sagesse comme les eaux du
                                        [Phisôn,
   comme le Tigre à la saison des fruits ;
²⁶qui fait déborder l'intelligence comme l'Euphrate,
   comme le Jourdain au temps de la moisson ;
²⁷qui fait couler la discipline comme le Nil,
   comme le Gihôn aux jours des vendanges.
²⁸Le premier n'a pas fini de la connaître,
   et de même le dernier ne l'a pas dépistée.
²⁹Car ses pensées sont plus vastes que la mer,
   ses desseins plus grands que l'abîme.
³⁰Et moi, je suis comme un canal issu d'un fleuve,
   comme un cours d'eau conduisant au paradis.
³¹J'ai dit : « Je vais arroser mon jardin,
   je vais irriguer mes parterres. »
 Et voici que mon canal est devenu fleuve
   et le fleuve est devenu mer.
³²Je ferai luire encore la discipline comme l'aurore,
   je porterai au loin sa lumière.
³³Je répandrai encore l'instruction comme une prophétie
   et je la transmettrai aux générations futures.
³⁴Voyez : ce n'est pas pour moi seul que je travaille,
   mais pour tous ceux qui la cherchent.

Proverbes.

25 ¹Il est trois choses qui charment mon âme,
qui sont agréables à Dieu et aux hommes :
l'accord entre frères, l'amitié entre voisins,
un mari et une femme qui s'entendent bien.

²Il est trois sortes de gens que hait mon âme,
et dont l'existence me met hors de moi :
un pauvre gonflé d'orgueil, un riche menteur,
un vieillard adultère et dénué de sens.

Les vieillards.

³Si tu n'as rien amassé dans ta jeunesse,
comment dans ta vieillesse aurais-tu quelque chose ?
⁴Quelle belle chose que le jugement joint aux cheveux blancs
et, pour les anciens, de connaître le conseil !
⁵Quelle belle chose que la sagesse chez les vieillards
et chez les grands du monde une pensée réfléchie !
⁶La couronne des vieillards, c'est une riche expérience,
leur fierté, c'est la crainte du Seigneur.

Proverbe numérique.

⁷Il y a neuf choses qui me viennent à l'esprit et que j'estime
[heureuses
et une dixième que je vais vous dire :
un homme qui trouve sa joie dans ses enfants,
celui qui voit, de son vivant, la chute de ses ennemis ;
⁸heureux celui qui vit avec une femme de sens,
celui qui ne laboure pas avec un bœuf et un âne,
celui qui n'a jamais péché par la parole,
celui qui ne sert pas un maître indigne de lui ;
⁹heureux celui qui a trouvé la prudence
et qui peut s'adresser à un auditoire attentif ;
¹⁰comme il est grand celui qui a trouvé la sagesse,
mais personne ne surpasse celui qui craint le Seigneur.
¹¹Car la crainte du Seigneur l'emporte sur tout :
celui qui la possède, à quoi le comparer ?
¹²*C'est en craignant le Seigneur qu'on commence à l'aimer*
et par la confiance qu'on commence à s'attacher à lui.

Les femmes.

¹³Toute blessure, sauf une blessure du cœur !
toute méchanceté, sauf une méchanceté de femme !
¹⁴tout malheur, sauf un malheur qui vient de l'adversaire !
toute injustice, sauf une injustice qui vient de l'ennemi !

¹⁵Il n'y a pire venin que le venin du serpent,
  il n'y a pire haine que la haine d'une femme.
¹⁶J'aimerais mieux habiter avec un lion ou un dragon
  qu'habiter avec une femme méchante.

¹⁷La méchanceté d'une femme change son visage,
  elle fait grise mine, on dirait un ours.
¹⁸Son mari s'attable parmi ses voisins
  et, malgré lui, il gémit amèrement.

¹⁹Toute malice n'est rien près d'une malice de femme :
  que le sort des pécheurs lui advienne !

²⁰Une montée sablonneuse sous les pas d'un vieillard,
  telle est une femme bavarde pour un homme tranquille.
²¹Ne te laisse pas prendre à la beauté d'une femme,
  ne t'éprends jamais d'une femme.

²²C'est un objet de colère, de reproche et de honte
  qu'une femme qui entretient son mari.

²³Cœur abattu, visage triste, blessure secrète,
  voilà l'œuvre d'une femme méchante.
  Mains inertes et genoux sans force,
  telle est la femme qui fait le malheur de son mari.

²⁴C'est par la femme que le péché a commencé
  et c'est à cause d'elle que tous nous mourons.

²⁵Ne donne pas à l'eau un passage,
  ni à la femme méchante la liberté de parler.

²⁶Si elle n'obéit pas au doigt et à l'œil,
  sépare-toi d'elle.

26 ¹Heureux l'époux dont la femme est excellente,
  le nombre de ses jours sera doublé.
²Une femme parfaite est la joie de son mari,
  il passera dans la paix toutes les années de sa vie.
³Une femme excellente est une part de choix,
  attribuée à ceux qui craignent le Seigneur :
⁴riches ou pauvres, leur cœur est en liesse,
  ils montrent toujours un visage joyeux.

⁵Trois choses me font peur
  et une quatrième m'épouvante :
  une calomnie qui court la ville, une émeute populaire,
  une fausse accusation : tout cela est pire que la mort ;
⁶mais c'est crève-cœur et douleur qu'une femme jalouse d'une
                                                              [autre,
  et tout cela, c'est le fléau de la langue.

⁷Une femme méchante, c'est un joug à bœufs mal attaché ;
  prétendre la maîtriser, c'est saisir un scorpion.
⁸Une femme qui boit, c'est un sujet de grande colère,
  elle ne peut cacher son déshonneur.

⁹L'inconduite d'une femme se lit dans la vivacité de son regard
  et se reconnaît à ses œillades.
¹⁰Méfie-toi bien d'une fille hardie
  de peur que, se sentant les coudées franches, elle n'en profite.
¹¹Garde-toi bien des regards effrontés
  et ne t'étonne pas s'ils t'entraînent au mal.
¹²Comme un voyageur altéré elle ouvre la bouche,
  elle boit de toutes les eaux qu'elle rencontre,
  elle s'assied face à tout piquet,
  à toute flèche elle ouvre son carquois.

¹³La grâce d'une épouse fait la joie de son mari
  et sa science est pour lui une force.
¹⁴Une femme silencieuse est un don du Seigneur,
  celle qui est bien élevée est sans prix.
¹⁵Une femme pudique est une double grâce,
  celle qui est chaste est d'une valeur inestimable.

¹⁶Comme le soleil levant sur les montagnes du Seigneur,
  ainsi le charme d'une jolie femme dans une maison bien tenue.
¹⁷Une lumière brillant sur un lampadaire sacré,
  ainsi la beauté d'un visage sur un corps bien planté.
¹⁸Des colonnes d'or sur une base d'argent,
  ainsi de belles jambes sur des talons solides.

¹⁹*Mon fils, garde saine la fleur de ton âge*
  et ne livre pas ta force à des étrangers.
²⁰*Après avoir cherché le champ le plus fertile du pays,*
  sèmes-y ton propre grain, confiant dans la noblesse de ta race.
²¹*Ainsi les rejetons que tu laisseras après toi,*
  sûrs de leur noblesse, s'enorgueilliront.
²²*Une femme de louage ne vaut pas un crachat,*
  une épouse légitime est une citadelle qui tue ceux qui
                                      [l'entreprennent.
²³*Une femme impie est donnée en partage au pécheur,*
  une femme pieuse, à qui craint le Seigneur.
²⁴*Une femme éhontée ne se plaît que dans le déshonneur,*
  une femme pudique est délicate même avec son mari.
²⁵*Une femme hardie n'est pas plus respectée qu'un chien,*
  mais celle qui est modeste craint le Seigneur.
²⁶*Une femme qui honore son époux passe pour sage aux yeux de*
                                       [tous,
  mais celle qui le déshonore est réputée impie dans son orgueil.

Heureux le mari d'une femme excellente,
car le nombre de ses jours sera doublé.
[27] *Une femme criarde et bavarde*
est une trompette qui sonne la déroute ;
tout homme, dans ces conditions,
passe sa vie dans les fracas de la guerre.

Choses attristantes.

[28] Il y a deux choses qui me font de la peine
et la troisième m'excite la bile :
un guerrier défaillant par indigence,
des hommes de sens qui souffrent le mépris,
celui qui passe de la justice au péché ;
le Seigneur le destine à périr par l'épée.

Le négoce.

[29] Un marchand évite difficilement la faute
et le trafiquant ne saurait être sans péché.

27 [1] Beaucoup ont péché par amour du gain,
celui qui veut s'enrichir se montre impitoyable.
[2] Un piquet s'enfonce entre deux pierres jointes,
entre vente et achat une faute s'introduit.
[3] Qui ne s'attache pas fermement à la crainte du Seigneur,
sa maison sera bientôt détruite.

La parole.

[4] Dans le crible qu'on secoue il reste des saletés,
de même les défauts de l'homme dans ses discours.
[5] Le four éprouve les vases du potier,
l'épreuve de l'homme est dans sa conversation.
[6] Le verger où croît l'arbre est jugé à ses fruits,
ainsi à la parole d'un homme les pensées de son cœur.
[7] Ne loue personne avant qu'il n'ait parlé,
car c'est là qu'est la pierre de touche.

La justice.

[8] Si tu poursuis la justice, tu l'atteindras,
tu t'en revêtiras comme d'une robe d'apparat.
[9] Les oiseaux cherchent la compagnie de leurs semblables,
la vérité revient à ceux qui la pratiquent.
[10] Le lion guette sa proie,
ainsi le péché guette ceux qui commettent l'injustice.

[11] Le discours de l'homme pieux est toujours sagesse,
mais l'insensé est changeant comme la lune.
[12] Pour aller chez les insensés, attends l'occasion,
avec des gens réfléchis, prends ton temps.

¹³Le discours des sots est une horreur,
   leur rire éclate dans les délices du péché.

¹⁴Le langage de l'homme prodigue de serments fait dresser les
                                                    [cheveux,
   quand il se querelle on se bouche les oreilles.

¹⁵La querelle des orgueilleux fait couler le sang
   et leurs injures sont pénibles à entendre.

Les secrets.

¹⁶Qui révèle les secrets perd son crédit
   et ne trouve plus d'ami selon son cœur.
¹⁷Envers ton ami sois affectueux et confiant,
   mais si tu as révélé ses secrets ne cours plus après lui ;
¹⁸car, comme on supprime un homme en le tuant,
   tu as tué l'amitié de ton prochain.
¹⁹Comme on ouvre la main et l'oiseau s'envole,
   tu as perdu ton ami, tu ne le rattraperas pas.
²⁰Ne le poursuis pas : il est loin,
   il s'est enfui comme la gazelle échappée au filet.
²¹Car on panse une blessure, on pardonne une injure,
   mais pour qui a révélé un secret, plus d'espoir.

Hypocrisie.

²²Qui cligne de l'œil machine le mal,
   nul ne peut l'en détourner.
²³En ta présence il est tout miel,
   il s'extasie devant tes propos ;
   mais par derrière il change de langage
   et de tes paroles fait une pierre d'achoppement.
²⁴Je hais bien des choses, mais rien tant que cet homme,
   et le Seigneur le hait aussi.

²⁵Qui jette une pierre en l'air se la jette sur la tête,
   qui frappe en traître en subit le contrecoup.
²⁶Qui creuse une fosse y tombera,
   qui tend un piège s'y fera prendre.
²⁷Qui fait le mal, le mal retombera sur lui,
   sans même qu'il sache d'où il lui vient.

²⁸Sarcasme et injure sont le fait de l'orgueilleux,
   mais la vengeance le guette comme un lion.
²⁹Ils seront pris au piège ceux que réjouit la chute des hommes
                                                    [pieux,
   la douleur les consumera avant leur mort.

La rancune.

³⁰Rancune et colère, voilà encore des choses abominables
    qui sont le fait du pécheur.

28 ¹Celui qui se venge éprouvera la vengeance du Seigneur
    qui tient un compte rigoureux des péchés.
²Pardonne à ton prochain ses torts,
    alors, à ta prière, tes péchés te seront remis.
³Si un homme nourrit de la colère contre un autre,
    comment peut-il demander à Dieu la guérison ?
⁴Pour un homme, son semblable, il est sans compassion,
    et il prierait pour ses propres fautes !
⁵Lui qui n'est que chair garde rancune,
    qui lui pardonnera ses péchés ?
⁶Souviens-toi de la fin et cesse de haïr,
    de la corruption et de la mort, et sois fidèle aux
                                    [commandements.
⁷Souviens-toi des commandements et ne garde pas rancune au
                                    [prochain,
    de l'alliance du Très-Haut, et passe par-dessus l'offense.

Les querelles.

⁸Reste à l'écart des querelles et tu éviteras le péché ;
    l'homme passionné attise les querelles ;
⁹le pécheur sème le trouble parmi les amis,
    parmi les gens qui vivent en paix il jette la brouille.
¹⁰Le feu brûle suivant son combustible,
    la dispute augmente à mesure de l'entêtement ;
    la fureur d'un homme dépend de sa force,
    sa colère monte selon sa richesse.
¹¹Une querelle soudaine allume le feu,
    une dispute irréfléchie fait verser le sang.
¹²Souffle sur une flammèche, elle s'enflamme,
    crache dessus, elle s'éteint :
    telle est la puissance de ta bouche.

La langue.

¹³Fi du bavard et du fourbe :
    ils ont perdu beaucoup de gens qui vivaient en paix.
¹⁴La troisième langue a ébranlé bien des gens,
    les a dispersés d'une nation à l'autre ;
    elle a détruit de puissantes cités
    et renversé des maisons de grands.
¹⁵La troisième langue a fait répudier des femmes parfaites,
    les dépouillant du fruit de leurs travaux.
¹⁶Qui lui prête l'oreille ne trouve plus le repos,
    ne peut plus demeurer dans la paix.

¹⁷Un coup de fouet laisse une marque,
    mais un coup de langue brise les os.
¹⁸Bien des gens sont tombés par l'épée,
    mais beaucoup plus ont péri par la langue.
¹⁹Heureux qui est à l'abri de ses atteintes,
    qui n'est pas exposé à sa fureur,
qui n'a pas porté son joug,
    qui n'a pas été lié de ses chaînes.
²⁰Car son joug est un joug de fer
    et ses chaînes des chaînes d'airain.
²¹Une mort terrible, la mort qu'elle inflige,
    et le shéol lui est préférable.
²²Elle n'a pas d'emprise sur les hommes pieux,
    ils ne sont pas brûlés à sa flamme.
²³Ceux qui abandonnent le Seigneur sont ses victimes,
    en eux elle brûlera sans s'éteindre,
elle sera lancée contre eux comme un lion,
    elle les déchirera comme une panthère.
²⁴Vois, entoure d'épines ta propriété,
    serre ton argent et ton or.
²⁵Dans ton langage use de balances et de poids,
    à ta bouche mets porte et verrou.
²⁶Garde-toi de faire par elle des faux pas,
    tu tomberais au pouvoir de celui qui te guette.

Le prêt.

29 ¹Prêter à son prochain, c'est pratiquer la miséricorde,
    lui venir en aide, c'est observer les commandements.
²Sache prêter à ton prochain lorsqu'il est dans le besoin ;
    à ton tour, restitue au temps convenu.
³Tiens bien ta parole et sois loyal avec autrui,
    et dans tous tes besoins tu trouveras ce qu'il te faut.
⁴Beaucoup traitent un prêt comme une aubaine
    et mettent dans la gêne ceux qui les ont aidés.
⁵Avant de recevoir, on baise les mains du prêteur,
    on parle humblement de ses richesses.
Au jour de l'échéance, on tire en longueur,
    en guise de restitution, on explique qu'on est ennuyé,
on s'en prend aux circonstances.
⁶Peut-on s'acquitter ? Le prêteur recevra à peine la moitié de son
                                      [argent
    et il pourra s'estimer heureux.
Dans le cas contraire on l'aura frustré de son argent
    et il aura, sans l'avoir mérité, un ennemi de plus
qui s'acquitte en malédictions et en injures
    et qui rend des outrages en guise de révérence.

⁷Bien des gens, sans malice, se refusent à prêter,
    ils ne se soucient pas d'être dépouillés malgré eux.

L'aumône. 3 30–4 10 ; 7 32-36. Tb 12 8-9. Mt 6 19-21 ; 19 21.

⁸Pourtant, sois indulgent pour les malheureux,
    ne leur fais pas attendre tes aumônes.
⁹Pour obéir au précepte, viens en aide au pauvre ;
    il est dans le besoin : ne le renvoie pas les mains vides.
¹⁰Sacrifie ton argent pour un frère et un ami,
    qu'il ne rouille pas en pure perte, sous une pierre.
¹¹Use de tes richesses selon les préceptes du Très-Haut,
    cela te sera plus utile que l'or.
¹²Serre tes aumônes dans tes greniers,
    elles te délivreront de tout malheur.
¹³Mieux qu'un fort bouclier, mieux qu'une lourde lance,
    devant l'ennemi, elles combattront pour toi.

Les cautions. 8 13. Pr 6 1.

¹⁴L'homme de bien se porte caution pour son prochain ;
    c'est avoir perdu toute honte que de l'abandonner.
¹⁵N'oublie pas les services de ton garant :
    il a donné sa vie pour toi.
¹⁶Des bontés de son garant le pécheur n'a cure,
    ¹⁷l'ingrat oublie celui qui l'a sauvé.
¹⁸Une caution a ruiné bien des gens droits
    et les a ballottés comme les vagues de la mer.
Elle a exilé des hommes puissants
    qui ont erré parmi des nations étrangères.
¹⁹Le méchant qui se précipite pour cautionner
    en quête d'un profit se précipite vers la condamnation.
²⁰Viens en aide au prochain selon ton pouvoir
    et prends garde de ne pas tomber toi-même.

L'hospitalité.

²¹La première chose pour vivre, c'est l'eau, le pain et le vêtement,
    et une maison pour s'abriter.
²²Mieux vaut une vie de pauvre sous un abri de planches
    que des mets fastueux dans une maison étrangère.
²³Que tu aies peu ou beaucoup, montre-toi content,
    tu n'entendras pas le reproche de ton entourage.
²⁴Triste vie que d'aller de maison en maison,
    là où tu t'arrêtes, tu n'oses ouvrir la bouche ;
²⁵tu es un étranger, tu sers à boire à un ingrat,
    et par-dessus le marché tu en entends de dures :
²⁶« Viens ici, étranger, mets la table,
    si tu as quelque chose, donne-moi à manger. »

²⁷« Va-t'en, étranger, cède à un plus digne,
  mon frère vient me voir, j'ai besoin de la maison. »
²⁸C'est dur pour un homme sensé
  de s'entendre reprocher l'hospitalité,
  et d'être traité comme un débiteur.

L'éducation. Pr 13 24 ; 23 13, 14 ; 29 15.

30 ¹Qui aime son fils lui prodigue le fouet,
     plus tard ce fils sera sa consolation.
²Qui élève bien son fils en tirera satisfaction
  et parmi ses connaissances il s'en montrera fier.
³Celui qui instruit son fils rend jaloux son ennemi
  et se montre joyeux devant ses amis.

⁴Qu'un père vienne à mourir, c'est comme s'il n'était pas mort,
  car il laisse après lui un fils qui lui ressemble.
⁵Vivant, il a trouvé la joie dans sa présence,
  devant la mort il n'a pas eu de peine.
⁶Contre ses ennemis il laisse un vengeur
  et pour ses amis quelqu'un qui leur rende leurs bienfaits.
⁷Celui qui gâte son fils pansera ses blessures,
  à chacun de ses cris ses entrailles tressailliront.
⁸Un cheval mal dressé devient rétif,
  un enfant laissé à lui-même devient mal élevé.
⁹Cajole ton enfant, tu en seras stupéfait,
  joue avec lui, il te fera pleurer.
¹⁰Ne ris pas avec lui, si tu ne veux pas pleurer avec lui,
  tu finirais par grincer des dents.
¹¹Ne lui laisse pas de liberté pendant sa jeunesse
  et ne ferme pas les yeux sur ses sottises.
¹²*Fais-lui courber l'échine pendant sa jeunesse,*
  meurtris-lui les côtes tant qu'il est enfant,
  de crainte que, dans son entêtement, il ne te désobéisse
  et que tu en éprouves de la peine.
¹³Élève ton fils et forme-le bien,
  pour ne pas avoir à endurer son insolence.

La santé.

¹⁴Mieux vaut un pauvre sain et vigoureux
  qu'un riche éprouvé dans son corps.
¹⁵Santé et vigueur valent mieux que tout l'or du monde,
  un corps vigoureux mieux qu'une immense fortune.
¹⁶Il n'y a richesse préférable à la santé
  ni bien-être supérieur à la joie du cœur.
¹⁷Plutôt la mort qu'une vie chagrine,
  l'éternel repos qu'une maladie persistante.

¹⁸Des mets à profusion devant une bouche fermée,
　　telles sont les offrandes déposées sur une tombe.
¹⁹Que sert l'offrande à une idole
　　qui ne mange ni ne sent !
　Tel est celui que le Seigneur persécute :
　²⁰il regarde et soupire,
　　il est comme un eunuque qui étreint une vierge et soupire.

La joie.

²¹Ne te laisse pas aller à la tristesse
　　et ne t'abandonne pas aux idées noires.
²²La joie du cœur, voilà la vie de l'homme,
　　la gaieté, voilà qui prolonge ses jours.
²³Trompe tes soucis, console ton cœur,
　　chasse la tristesse :
　car la tristesse en a perdu beaucoup,
　　elle ne saurait apporter de profit.
²⁴Passion et colère abrègent les jours,
　　les soucis font vieillir avant l'heure.
²⁵À cœur généreux, bon appétit :
　　il se soucie de ce qu'il mange.

Les richesses.

31 ¹Les insomnies que cause la richesse sont épuisantes,
　　les soucis qu'elle apporte ôtent le sommeil.
²Les soucis de la veillée empêchent de dormir,
　　une grave maladie éloigne le sommeil.
³Le riche travaille à amasser des biens
　　et lorsqu'il s'arrête, c'est pour se rassasier de plaisirs ;
⁴le pauvre travaille n'ayant pas de quoi vivre
　　et dès qu'il s'arrête il tombe dans la misère.

⁵Celui qui aime l'or n'échappe guère au péché,
　　celui qui poursuit le gain en sera la dupe.
⁶Beaucoup ont été victimes de l'or,
　　leur ruine était inévitable.
⁷Car c'est un piège pour ceux qui lui sacrifient
　　et tous les insensés s'y laissent prendre.
⁸Bienheureux le riche qui se garde sans tache
　　et qui ne court pas après l'or.
⁹Qui est-il, que nous le félicitions ?
　　Car il fait des miracles dans son peuple.
¹⁰Qui a subi cette épreuve et s'est révélé parfait ?
　　Ce lui sera un sujet de gloire.
　Qui a pu pécher et n'a pas péché,
　　faire le mal et ne l'a pas fait ?

¹¹Ses biens seront consolidés
    et l'assemblée publiera ses bienfaits.

Les banquets. Pr 23 1-3, 6-8.

¹²As-tu pris place à une table somptueuse ?
    La bouche béante devant elle,
    ne dis pas : « Quelle abondance ! »
¹³Souviens-toi que c'est mal d'avoir un œil avide :
    y a-t-il pire créature que l'œil ?
    Aussi pleure-t-il à tout propos.
¹⁴Là où ton hôte regarde, n'étends pas la main,
    ne te jette pas sur le plat en même temps que lui.
¹⁵Juge ce que ressent le prochain d'après toi-même
    et en toute chose sois réfléchi.
¹⁶Mange en homme bien élevé ce qui t'est présenté,
    ne joue pas des mâchoires, ne te rends pas odieux.
¹⁷Arrête-toi le premier par bonne éducation,
    ne sois pas glouton, de crainte d'un affront.
¹⁸Si tu es à table en nombreuse compagnie,
    ne te sers pas avant les autres.
¹⁹Qu'il suffit de peu à un homme bien élevé !
    Aussi, une fois couché, il respire librement.
²⁰À régime sobre, bon sommeil,
    on se lève tôt, on a l'esprit libre.
    L'insomnie, les vomissements, les coliques,
    voilà pour l'homme intempérant.
²¹Si tu as été forcé de trop manger,
    lève-toi, va vomir et tu seras soulagé.
²²Écoute-moi, mon fils, sans me mépriser :
    plus tard tu comprendras mes paroles.
    Dans tout ce que tu fais sois modéré
    et jamais la maladie ne t'atteindra.

²³On vante hautement un hôte fastueux
    et l'éloge de sa munificence est durable.
²⁴Mais un hôte mesquin est décrié dans la ville
    et l'on cite les traits de son avarice.

Le vin. Pr 20 1 ; 23 20-21, 29-35 ; 31 4-7. Is 5 22 ; 28 1-4.

²⁵Avec le vin ne fais pas le brave,
    car le vin a perdu bien des gens.
²⁶La fournaise éprouve la trempe de l'acier,
    ainsi le vin éprouve les cœurs dans un tournoi de fanfarons.
²⁷Le vin c'est la vie pour l'homme,
    quand on en boit modérément.
    Quelle vie mène-t-on privé de vin ?
    Il a été créé pour la joie des hommes.

²⁸Gaieté du cœur et joie de l'âme, voilà le vin
  qu'on boit quand il faut et à sa suffisance.
²⁹Amertume de l'âme, voilà le vin
  qu'on boit avec excès, par passion et par défi.
³⁰L'ivresse excite la fureur de l'insensé pour sa perte,
  elle diminue sa force et provoque les coups.
³¹Au cours d'un banquet ne provoque pas ton voisin
  et ne te moque pas de lui s'il est gai,
ne lui adresse pas de reproche,
  ne l'agace pas de tes réclamations.

Les banquets.

32 ¹On t'a fait président ? Ne le prends pas de haut,
  sois avec les convives comme l'un d'eux,
  prends soin d'eux et ensuite assieds-toi.
²Ayant rempli tous tes devoirs, prends place
  pour te réjouir avec eux
  et recevoir la couronne, prix de ta réussite.
³Parle, vieillard, car cela te sied,
  mais avec discrétion : n'empêche pas la musique.
⁴Au cours d'une audition ne prodigue pas les discours,
  ne sermonne pas à contretemps.
⁵Un sceau d'escarboucle sur un bijou,
  tel est un concert musical au cours d'un banquet.
⁶Un sceau d'émeraude sur une monture d'or,
  telle est une mélodie avec un vin de choix.
⁷Parle, jeune homme, quand c'est nécessaire,
  deux fois au plus, si l'on t'interroge.
⁸Résume ton discours, dis beaucoup en peu de mots,
  sache te montrer ensemble entendu et silencieux.
⁹Ne traite pas avec les grands d'égal à égal,
  si un autre parle, sois sobre de paroles.
¹⁰L'éclair précède le tonnerre,
  la grâce s'avance devant l'homme modeste.
¹¹L'heure venue, va-t'en, ne traîne pas,
  cours à la maison, ne flâne pas.
¹²Là, divertis-toi, fais ce qui te plaît,
  mais ne pèche pas en parlant avec insolence.
¹³Et pour cela bénis le Créateur,
  celui qui te comble de ses bienfaits.

La crainte de Dieu.

¹⁴Celui qui craint le Seigneur entend ses leçons,
  ceux qui le cherchent trouvent sa faveur.
¹⁵Celui qui scrute la loi en est rassasié,
  mais pour l'hypocrite elle est un scandale.

¹⁶Ceux qui craignent le Seigneur trouvent la bonne décision,
  ils font briller leurs bonnes actions comme une lumière.

¹⁷Le pécheur n'accepte pas la réprimande,
  pour suivre sa volonté il trouve des excuses.
¹⁸L'homme sensé ne méprise pas les avis,
  l'étranger et l'orgueilleux ne connaissent pas la crainte.

¹⁹Ne fais rien sans réflexion,
  tu ne te repentiras pas de tes actes.
²⁰Ne suis pas un chemin raboteux,
  de crainte de buter sur les pierres.
²¹Ne te fie pas au chemin uni
  ²²et méfie-toi de tes enfants.
²³En toutes choses veille sur toi-même,
  cela aussi c'est observer les commandements.

²⁴Celui qui a confiance dans la loi observe ses préceptes,
  celui qui met sa confiance dans le Seigneur ne souffre aucun
                                                    [dommage.

33 ¹Celui qui craint le Seigneur, le mal ne le frappe pas,
  et même dans l'épreuve, il sera délivré.
²Celui qui hait la loi n'est pas sage,
  mais le faux observant est comme un vaisseau dans la tempête.
³L'homme sensé met sa confiance dans la loi,
  la loi est pour lui digne de foi comme un oracle.

⁴Prépare tes discours et tu te feras écouter,
  rassemble ton savoir avant de répondre.
⁵Les sentiments du sot sont comme une roue de chariot,
  son raisonnement comme un essieu qui tourne.
⁶Un cheval en rut est comme un ami moqueur,
  dès qu'on veut le monter il hennit.

Inégalité des conditions.

⁷Pourquoi un jour est-il plus grand que l'autre,
  puisque, toute l'année, la lumière vient du soleil ?
⁸C'est qu'ils ont été distingués dans la pensée du Seigneur,
  qui a diversifié les saisons et les fêtes.
⁹Il a exalté et consacré les uns
  et fait des autres des jours ordinaires.
¹⁰Tous les hommes viennent du limon,
  c'est de la terre qu'Adam a été formé.
¹¹Dans sa grande sagesse le Seigneur les a distingués,
  il a diversifié leurs conditions.
¹²Il en a béni et exalté quelques-uns,
  il en a consacré et les a mis près de lui.

Il en a maudit et humilié
et les a rejetés de leur place.
¹³Comme l'argile dans la main du potier,
qui la façonne selon son bon plaisir,
ainsi les hommes dans la main de leur Créateur
qui les rétribue selon sa justice.
¹⁴Vis-à-vis du mal il y a le bien,
vis-à-vis de la mort, la vie.
Ainsi, vis-à-vis de l'homme pieux, le pécheur.
¹⁵Contemple donc toutes les œuvres du Très-Haut,
toutes vont par paires, en vis-à-vis.

¹⁶Pour moi, dernier venu, j'ai veillé
comme un grappilleur après les vendangeurs.
¹⁷Par la bénédiction du Seigneur j'arrive le premier
et comme le vendangeur j'ai rempli le pressoir.
¹⁸Reconnaissez que je n'ai pas travaillé pour moi seul,
mais pour tous ceux qui cherchent l'instruction.

¹⁹Écoutez-moi donc, grands du peuple,
présidents de l'assemblée, prêtez l'oreille.

Indépendance.

²⁰À ton fils, à ta femme, à ton frère, à ton ami,
ne donne pas pouvoir sur toi pendant ta vie.
Ne donne pas à un autre tes biens,
tu pourrais le regretter et devrais les redemander.
²¹Tant que tu vis et qu'il te reste un souffle,
ne te livre pas au pouvoir de qui que ce soit.
²²Car il vaut mieux que tes enfants te supplient,
plutôt que de tourner vers eux des regards suppliants.
²³En tout ce que tu fais, reste le maître,
ne fais pas une tache à ta réputation.
²⁴Quand seront consommés les jours de ta vie,
à l'heure de la mort, distribue ton héritage.

Les esclaves.

²⁵À l'âne le fourrage, le bâton, les fardeaux,
au serviteur le pain, le châtiment, le travail.
²⁶Fais travailler ton esclave, tu trouveras le repos ;
laisse-lui les mains libres, il cherchera la liberté.
²⁷Le joug et la bride font plier la nuque,
au mauvais serviteur la torture et la question.
²⁸Mets-le au travail pour qu'il ne reste pas oisif,
²⁹car l'oisiveté enseigne tous les mauvais tours.
³⁰Mets-le à l'ouvrage comme il lui convient
et s'il n'obéit pas mets-le aux fers.

Mais ne sois trop exigeant envers personne,
   ne fais rien de contraire à la justice.

³¹Tu n'as qu'un esclave ? Qu'il soit comme toi-même,
   puisque tu l'as acquis dans le sang.
Tu n'as qu'un esclave ? Traite-le comme un frère,
   car tu en as besoin comme de toi-même.
³²Si tu le maltraites et qu'il prenne la fuite,
   ³³sur quel chemin iras-tu le chercher ?

Les songes.

34 ¹Les espérances vaines et trompeuses sont pour l'insensé
   et les songes donnent des ailes aux sots.
²C'est saisir une ombre et poursuivre le vent
   que de s'arrêter à des songes.
³Miroir et songes sont choses semblables :
   en face d'un visage paraît son image.
⁴De l'impur que peut-on tirer de pur ?
   Du mensonge que peut-on tirer de vrai ?
⁵Divination, augures, songes, autant de vanités,
   ce sont là rêveries de femme enceinte.
⁶À moins qu'ils ne soient envoyés en visiteurs du Très-Haut,
   n'y applique pas ton cœur.
⁷Les songes ont égaré beaucoup de gens,
   ceux qui comptaient dessus ont échoué.
⁸C'est sans mensonge que s'accomplit la Loi
   et la sagesse est parfaite dans la sincérité.

Les voyages.

⁹On a beaucoup appris quand on a beaucoup voyagé
   et un homme d'expérience parle avec intelligence.
¹⁰Celui qui n'a pas été à l'épreuve connaît peu de choses,
   ¹¹mais celui qui a voyagé déborde de savoir-faire.
¹²J'ai beaucoup vu au cours de mes voyages
   et j'en ai compris plus que je ne saurais dire.
¹³Bien des fois j'ai été en danger de mort,
   et j'ai été sauvé, voici de quelle manière :
¹⁴Ceux qui craignent le Seigneur, leur esprit vivra,
   ¹⁵car leur espérance s'appuie sur qui peut les sauver.
¹⁶Celui qui craint le Seigneur n'a peur de rien,
   il ne tremble pas, car Dieu est son espérance.
¹⁷Heureuse l'âme de qui craint le Seigneur :
   ¹⁸sur qui s'appuie-t-il et qui est son soutien ?
¹⁹Les regards du Seigneur sont fixés sur ceux qui l'aiment,
   puissante protection, soutien plein de force,
abri contre le vent du désert, ombrage contre l'ardeur du midi,
   protection contre les obstacles, assurance contre les chutes.

²⁰Il élève l'âme, il illumine les yeux,
  il donne santé, vie et bénédiction.

Sacrifices.

²¹Sacrifier un bien mal acquis, c'est se moquer,
  ²²les dons des méchants ne sont pas agréables.
²³Le Très-Haut n'agrée pas les offrandes des impies,
  ce n'est pas pour l'abondance des victimes qu'il pardonne les
                                                          [péchés.
²⁴C'est immoler le fils en présence de son père
  que d'offrir un sacrifice avec les biens des pauvres.
²⁵Une maigre nourriture, c'est la vie des pauvres,
  les en priver, c'est commettre un meurtre.
²⁶C'est tuer son prochain que de lui ôter la subsistance,
  ²⁷c'est répandre le sang que de priver le salarié de son dû.
²⁸L'un bâtit, l'autre démolit ;
  qu'en retirent-ils sinon de la peine ?
²⁹L'un bénit, l'autre maudit :
  de qui le Maître écoutera-t-il la voix ?
³⁰Qui se purifie du contact d'un mort et de nouveau le touche,
  que lui sert son ablution ?
³¹Ainsi l'homme qui jeûne pour ses péchés,
  puis s'en va et les commet encore ;
  qui exaucera sa prière ?
  Que lui sert de s'humilier ?

Loi et sacrifices.

35 ¹Observer la loi c'est multiplier les offrandes,
  ²s'attacher aux préceptes c'est offrir des sacrifices de
                                                    [communion.
³Se montrer charitable c'est faire une oblation de fleur de farine,
  ⁴faire l'aumône c'est offrir un sacrifice de louange.
⁵Ce qui plaît au Seigneur c'est qu'on se détourne du mal,
  c'est offrir un sacrifice expiatoire que de fuir l'injustice.
⁶Ne parais pas devant le Seigneur les mains vides,
  ⁷car tout cela est dû selon les préceptes.
⁸L'offrande du juste réjouit l'autel,
  son parfum s'élève devant le Très-Haut.
⁹Le sacrifice du juste est agréable,
  son mémorial ne sera pas oublié.
¹⁰Glorifie le Seigneur avec générosité
  et ne sois pas avare des prémices que tu offres.
¹¹Chaque fois que tu fais une offrande montre un visage joyeux
  et consacre la dîme avec joie.
¹²Donne au Très-Haut comme il t'a donné,
  avec générosité, selon tes moyens.

¹³Car le Seigneur paie de retour,
  il te rendra au septuple.

La justice divine.

¹⁴N'essaie pas de le corrompre par des présents, il les refuse,
  ¹⁵ne t'appuie pas sur un sacrifice injuste.
Car le Seigneur est un juge
  qui ne fait pas acception de personnes.
¹⁶Il ne considère pas les personnes pour faire tort au pauvre,
  il écoute l'appel de l'opprimé.
¹⁷Il ne néglige pas la supplication de l'orphelin,
  ni de la veuve qui épanche ses plaintes.
¹⁸Les larmes de la veuve ne coulent-elles pas sur ses joues
  ¹⁹et son cri n'accable-t-il pas celui qui les provoque ?
²⁰Celui qui sert Dieu de tout son cœur est agréé
  et son appel parvient jusqu'aux nuées.
²¹La prière de l'humble pénètre les nuées ;
  tant qu'elle n'est pas arrivée il ne se console pas.
Il n'a de cesse que le Très-Haut n'ait jeté les yeux sur lui,
  ²²qu'il n'ait fait droit aux justes et rétabli l'équité.
Et le Seigneur ne tardera pas,
  il n'aura pas de patience à leur égard,
tant qu'il n'aura brisé les reins de gens sans pitié
  ²³et tiré vengeance des nations,
exterminé la multitude des orgueilleux
  et brisé le sceptre des injustes,
²⁴tant qu'il n'aura rendu à chacun selon ses œuvres
  et jugé les actions humaines selon les cœurs,
²⁵tant qu'il n'aura rendu justice à son peuple
  et ne l'aura comblé de joie dans sa miséricorde.
²⁶La miséricorde est bonne au temps de la tribulation,
  comme les nuages de pluie au temps de la sécheresse.

Prière pour la délivrance et la restauration d'Israël.

36 ¹Aie pitié de nous, maître, Dieu de l'univers, et regarde,
  ²répands ta crainte sur toutes les nations.
³Lève la main contre les nations étrangères,
  et qu'elles voient ta puissance.
⁴Comme, à leurs yeux, tu t'es montré saint envers nous,
  de même, à nos yeux, montre-toi grand envers elles.
⁵Qu'elles te connaissent, tout comme nous avons connu
  qu'il n'y a pas d'autre Dieu que toi, Seigneur.
⁶Renouvelle les prodiges et fais d'autres miracles,
  ⁷glorifie ta main et ton bras droit.
⁸Réveille ta fureur, déverse ta colère,
  ⁹détruis l'adversaire, anéantis l'ennemi.

¹⁰Hâte le temps, souviens-toi du serment,
    que l'on célèbre tes hauts faits.
¹¹Qu'un feu vengeur dévore les survivants,
    que les oppresseurs de ton peuple soient voués à la ruine.
¹²Brise la tête des chefs étrangers
    qui disent : « Il n'y a que nous. »

¹³Rassemble toutes les tribus de Jacob,
    ¹⁶rends-leur leur héritage comme au commencement.
¹⁷Aie pitié, Seigneur, du peuple appelé de ton nom,
    d'Israël dont tu as fait un premier-né.
¹⁸Aie compassion de ta ville sainte,
    de Jérusalem le lieu de ton repos.
¹⁹Remplis Sion de ta louange
    et ton sanctuaire de ta gloire.

²⁰Rends témoignage à tes premières créatures,
    accomplis les prophéties faites en ton nom.
²¹Donne satisfaction à ceux qui espèrent en toi,
    que tes prophètes soient véridiques.
²²Exauce, Seigneur, la prière de tes serviteurs,
    selon la bénédiction d'Aaron sur ton peuple.
  Et que tous, sur la terre, reconnaissent
    que tu es le Seigneur, le Dieu éternel !

Du discernement.

²³L'estomac accueille toute sorte de nourriture,
    mais tel aliment est meilleur qu'un autre.
²⁴Le palais reconnaît à son goût le gibier,
    de même le cœur avisé discerne les paroles mensongères.
²⁵Un cœur pervers donne du chagrin,
    l'homme d'expérience le paie de retour.

Choix d'une femme.

²⁶Une femme accepte n'importe quel mari,
    mais il y a des filles meilleures que d'autres.
²⁷La beauté d'une femme réjouit le regard,
    c'est le plus grand de tous les désirs de l'homme.
²⁸Si la bonté et la douceur sont sur ses lèvres,
    son mari est le plus heureux des hommes.
²⁹Celui qui acquiert une femme a le principe de la fortune,
    une aide semblable à lui, une colonne d'appui.
³⁰Faute de clôture le domaine est livré au pillage,
    sans une femme l'homme gémit et va à la dérive.
³¹Comment se fier à un voleur de grand chemin
    qui court de ville en ville ?

De même à l'homme qui n'a pas de nid,
   qui s'arrête là où la nuit le surprend.

Faux amis.

37 ¹Tout ami dit : « Moi aussi je suis ton ami »,
   mais tel n'est ami que de nom.
²N'est-ce pas pour un homme un chagrin mortel
   qu'un camarade ou un ami qui devient ennemi ?
³Ô mauvais penchant, pourquoi as-tu été créé,
   pour couvrir la terre de malice ?
⁴Le camarade félicite un ami dans le bonheur
   et au moment de l'adversité se tourne contre lui.
⁵Le camarade compatit avec son ami par intérêt
   et au moment du combat prend les armes.
⁶N'oublie pas ton ami dans ton cœur,
   ne perds pas son souvenir au milieu des richesses.

Les conseillers.

⁷Tout conseiller donne des conseils,
   mais il en est qui cherchent leur intérêt.
⁸Méfie-toi du donneur de conseils,
   demande-toi d'abord de quoi il a besoin
 – car il donne ses conseils dans son propre intérêt –
   de crainte qu'il ne jette son dévolu sur toi,
⁹qu'il ne te dise : « Tu es sur la bonne voie »,
   et ne reste à distance pour voir ce qui t'arrivera.
¹⁰Ne consulte pas quelqu'un qui te regarde en dessous
   et à ceux qui t'envient, cache tes desseins.
¹¹Ne consulte pas non plus une femme sur sa rivale,
   ni un poltron sur la guerre,
 ni un négociant sur le commerce,
   ni un acheteur sur une vente,
 ni un envieux sur la reconnaissance,
   ni un homme sans pitié sur la bienfaisance,
 ni un paresseux sur un travail quelconque,
   ni un mercenaire saisonnier sur l'achèvement d'une tâche,
 ni un domestique nonchalant sur un grand travail ;
   ne t'appuie sur ces gens pour aucun conseil.
¹²Mais adresse-toi toujours à un homme pieux,
   que tu connais pour observer les commandements,
 dont l'âme est comme la tienne,
   et qui, si tu échoues, partagera ta souffrance.
¹³Ensuite, tiens-toi au conseil de ton cœur,
   car nul ne peut t'être plus fidèle.
¹⁴Car l'âme de l'homme l'avertit souvent mieux
   que sept veilleurs en faction sur une hauteur.

¹⁵Et par-dessus tout cela, supplie le Très-Haut,
   qu'il dirige tes pas dans la vérité.

Vraie et fausse sagesse.

¹⁶Le principe de toute œuvre c'est la parole,
   avant toute entreprise il faut la réflexion.
¹⁷La racine des pensées, c'est le cœur,
   ¹⁸il donne naissance à quatre rameaux :
le bien et le mal, la vie et la mort,
   et ce qui les domine toujours, c'est la langue.
¹⁹Tel homme est habile pour enseigner les autres
   qui, pour lui-même, n'est bon à rien ;
²⁰tel homme, beau parleur, est détesté,
   il finira par mourir de faim,
²¹car le Seigneur ne lui accorde pas sa faveur :
   il est dépourvu de toute sagesse.
²²Tel est sage à ses propres yeux
   et les fruits de son intelligence sont, à l'entendre, assurés.
²³Le vrai sage enseigne son peuple
   et les fruits de son intelligence sont assurés.
²⁴Le sage est comblé de bénédiction,
   tous ceux qui le voient le proclament heureux.
²⁵Le temps de la vie humaine est compté,
   mais les jours d'Israël sont infinis.
²⁶Le sage, au milieu du peuple, s'acquiert la confiance :
   son nom vivra éternellement.

La tempérance.

²⁷Mon fils, pendant ta vie éprouve ton tempérament,
   vois ce qui t'est contraire et ne te l'accorde pas.
²⁸Car tout ne convient pas à tous
   et tout le monde ne se trouve pas bien de tout.
²⁹Ne sois pas gourmand de toute friandise
   et ne te jette pas sur la nourriture,
³⁰car trop manger est malsain
   et l'intempérance provoque les coliques.
³¹Beaucoup sont morts pour avoir trop mangé,
   celui qui se surveille prolonge sa vie.

Médecine et maladie.

38 ¹Honore le médecin pour ses services,
   car lui aussi, c'est le Seigneur qui l'a créé.
²C'est en effet du Très-Haut que vient la guérison,
   comme un cadeau qu'on reçoit du roi.
³La science du médecin lui fait porter la tête haute,
   il fait l'admiration des grands.

⁴Le Seigneur a créé de la terre les remèdes,
   l'homme sensé ne les méprise pas.
⁵N'est-ce pas une baguette de bois qui rendit l'eau douce,
   manifestant ainsi sa vertu ?
⁶C'est lui aussi qui donne aux hommes la science
   pour se glorifier dans ses œuvres puissantes.
⁷Il en fait usage pour soigner et soulager ;
   ⁸le pharmacien en fait des mixtures.
Et ainsi ses œuvres n'ont pas de fin
   et par lui le bien-être se répand sur la terre.

⁹Mon fils, quand tu es malade ne te révolte pas,
   mais prie le Seigneur et il te guérira.
¹⁰Renonce à tes fautes, garde tes mains nettes,
   de tout péché purifie ton cœur.
¹¹Offre de l'encens et un mémorial de fleur de farine
   et fais de riches offrandes selon tes moyens.
¹²Puis aie recours au médecin, car le Seigneur l'a créé, lui aussi,
   ne l'écarte pas, car tu as besoin de lui.
¹³Il y a des cas où l'heureuse issue est entre leurs mains.
   ¹⁴À leur tour en effet ils prieront le Seigneur
qu'il leur accorde la faveur d'un soulagement
   et la guérison pour te sauver la vie.
¹⁵Celui qui pèche aux yeux de son Créateur,
   qu'il tombe au pouvoir du médecin.

Le deuil.

¹⁶Mon fils, répands tes larmes pour un mort,
   pousse des lamentations pour montrer ton chagrin,
puis enterre le cadavre selon le cérémonial
   et ne manque pas d'honorer sa tombe.
¹⁷Pleure amèrement, frappe-toi la poitrine,
   observe le deuil comme le mort le mérite
un ou deux jours durant, de peur de faire jaser,
   puis console-toi de ton chagrin.
¹⁸Car le chagrin mène à la mort,
   un cœur abattu perd toute vigueur.
¹⁹Avec le malheur persiste la peine,
   une vie de chagrin est insupportable.
²⁰N'abandonne pas ton cœur au chagrin,
   repousse-le. Songe à ta propre fin.
²¹Ne l'oublie pas : il n'y a pas de retour,
   tu ne servirais de rien au mort et tu te ferais du mal.
²²« Souviens-toi de ma sentence qui sera aussi la tienne :
   moi hier, toi aujourd'hui ! »
²³Dès qu'un mort repose, laisse reposer sa mémoire,
   console-toi de lui dès que son esprit est parti.

Métiers manuels.

[24]La sagesse du scribe s'acquiert aux heures de loisir
    et celui qui est libre d'affaires devient sage.
[25]Comment deviendrait-il sage, celui qui tient la charrue,
    dont toute la gloire est de brandir l'aiguillon,
  qui mène des bœufs et ne les quitte pas au travail,
    et qui ne parle que de bétail ?
[26]Son cœur est occupé des sillons qu'il trace
    et ses veilles se passent à engraisser des génisses.
[27]Pareillement tous les ouvriers et gens de métier
    qui travaillent jour et nuit,
  ceux qui font profession de graver des sceaux
    et qui s'efforcent d'en varier le dessin ;
  ils ont à cœur de bien reproduire le modèle
    et veillent pour achever leur ouvrage.
[28]Pareillement le forgeron assis près de l'enclume :
    il observe le travail du fer ;
  la vapeur du feu lui ronge la chair,
    dans la chaleur du four il se démène ;
  le bruit du marteau l'assourdit,
    il a les yeux rivés sur son modèle ;
  il met tout son cœur à bien faire son travail
    et il passe ses veilles à le parfaire.
[29]Pareillement le potier, assis à son travail,
    de ses pieds faisant aller son tour,
  sans cesse préoccupé de son ouvrage,
    tous ses gestes sont comptés ;
[30]de son bras il pétrit l'argile,
    de ses pieds il la contraint ;
  il met son cœur à bien appliquer le vernis
    et pendant ses veilles il nettoie le foyer.
[31]Tous ces gens ont mis leur confiance en leurs mains
    et chacun est habile dans son métier.
[32]Sans eux nulle cité ne pourrait se construire,
    on ne pourrait ni s'installer ni voyager.
Mais on ne cherche pas à les avoir au conseil du peuple
[33]et à l'assemblée ils n'ont pas un rang élevé.
Ils n'occupent pas le siège du juge
    et ne méditent pas sur la loi.
Ils ne brillent ni par leur culture ni par leur jugement,
    on ne les trouve pas occupés aux proverbes.
[34]Mais ils assurent une création éternelle,
    et leur prière a pour objet les affaires de leur métier.

Le scribe.

Il en va autrement de celui qui applique son âme
et sa méditation à la loi du Très-Haut.

39 ¹Il scrute la sagesse de tous les anciens,
il consacre ses loisirs aux prophéties.
²Il conserve les récits des hommes célèbres,
il pénètre dans les détours des paraboles.
³Il cherche le sens caché des proverbes,
il se complaît aux secrets des paraboles.
⁴Il prend son service parmi les grands,
on le remarque en présence des chefs.
Il voyage dans les pays étrangers,
il a fait l'expérience du bien et du mal parmi les hommes.
⁵Dès le matin, de tout son cœur,
il se tourne vers le Seigneur, son créateur ;
il supplie en présence du Très-Haut,
il ouvre la bouche pour la prière,
il supplie pour ses propres péchés.
⁶Si telle est la volonté du Seigneur grand,
il sera rempli de l'esprit d'intelligence.
Lui-même répandra ses paroles de sagesse,
dans sa prière il rendra grâce au Seigneur.
⁷Il acquerra la droiture du jugement et de la connaissance,
il méditera ses mystères cachés.
⁸Il fera paraître l'instruction qu'il a reçue
et mettra sa fierté dans la loi de l'alliance du Seigneur.
⁹Beaucoup vanteront son intelligence
et jamais on ne l'oubliera.
Son souvenir ne s'effacera pas,
son nom vivra de génération en génération.
¹⁰Des nations proclameront sa sagesse
et l'assemblée célébrera ses louanges.
¹¹S'il vit longtemps son nom sera plus glorieux que mille autres,
et s'il meurt cela lui suffit.

Invitation à louer Dieu.

¹²Je veux encore faire part de mes réflexions,
dont je suis rempli comme la lune en son plein.
¹³Écoutez-moi, mes pieux enfants, et grandissez
comme la rose plantée au bord d'un cours d'eau.
¹⁴Comme l'encens répandez une bonne odeur,
fleurissez comme le lis, donnez votre parfum,
chantez un cantique,
bénissez le Seigneur pour toutes ses œuvres.
¹⁵Magnifiez son nom,
publiez ses louanges,

par vos chants, sur vos cithares,
   et vous direz à sa louange :
¹⁶Qu'elles sont magnifiques, toutes les œuvres du Seigneur !
   tous ses ordres sont exécutés ponctuellement.
¹⁷Il ne faut pas dire : Qu'est-ce que cela ? Pourquoi cela ?
   Tout doit être étudié en son temps.
 À sa parole l'eau s'arrête et s'amasse,
   à sa voix se forment les réservoirs des eaux,
¹⁸sur son ordre tout ce qu'il désire s'accomplit,
   il n'est personne qui arrête son geste de salut.
¹⁹Toutes les œuvres des hommes sont devant lui,
   il n'est pas possible d'échapper à son regard ;
²⁰son regard s'étend de l'éternité à l'éternité,
   rien n'est extraordinaire à ses yeux.
²¹Il ne faut pas dire : Qu'est-ce que cela ? Pourquoi cela ?
   Car tout a été créé pour une fin.

²²De même que sa bénédiction a tout recouvert comme un fleuve
   et abreuvé la terre comme un déluge,
²³de même aux nations il donne sa colère en partage,
   ainsi a-t-il changé les eaux en sel.
²⁴Si ses voies sont unies pour les hommes pieux,
   elles sont pour les méchants pleines d'obstacles.
²⁵Les biens ont été créés pour les bons dès le commencement,
   et de même, pour les méchants, les maux.
²⁶Ce qui est de première nécessité pour la vie de l'homme,
   c'est l'eau, le feu, le fer et le sel,
 la farine de froment, le lait et le miel,
   le jus de la grappe, l'huile et le vêtement.
²⁷Tout cela est un bien pour les bons,
   mais pour les pécheurs cela devient un mal.

²⁸Il y a des vents créés pour le châtiment
   et dans leur fureur ils renforcent leurs fléaux,
 à l'heure de la consommation ils déchaînent leur violence
   et assouvissent la fureur de leur Créateur.
²⁹Le feu, la grêle, la famine et la mort,
   tout cela a été créé pour le châtiment.
³⁰Les dents des fauves, les scorpions et les vipères,
   l'épée vengeresse pour la perte des impies,
³¹tous se font une joie d'exécuter ses ordres,
   ils sont sur la terre prêts pour le cas de besoin,
   le moment venu ils n'enfreindront pas sa parole.
³²C'est pourquoi dès le début j'étais décidé,
   j'ai réfléchi et j'ai écrit :
³³« Les œuvres du Seigneur sont toutes bonnes,
   il donne sa faveur à qui en a besoin, à l'heure propice.

³⁴Il ne faut pas dire : « Ceci est pire que cela ! »
   car tout en son temps sera reconnu bon.
³⁵Et maintenant de tout cœur, à pleine bouche, chantez,
   et bénissez le nom du Seigneur ! »

Misère de l'homme.

40 ¹Un sort pénible a été fait à tous les hommes,
      un joug pesant accable les fils d'Adam,
   depuis le jour qu'ils sortent du sein maternel
      jusqu'au jour de leur retour à la mère universelle.
²L'objet de leurs réflexions, la crainte de leur cœur,
   c'est l'attente anxieuse du jour de leur mort.
³Depuis celui qui siège sur un trône, dans la gloire,
   jusqu'au miséreux assis sur la terre et la cendre,
⁴depuis celui qui porte la pourpre et la couronne
   jusqu'à celui qui est vêtu d'étoffe grossière,
   ce n'est que fureur, envie, trouble, inquiétude,
      crainte de la mort, rivalités et querelles.
⁵Et à l'heure où, couché, l'on repose,
   le sommeil de la nuit ne fait que varier les soucis :
⁶à peine a-t-on trouvé le repos
      qu'aussitôt, dormant, comme en plein jour,
   on est agité de cauchemars,
      comme un fuyard échappé du combat.
⁷Au moment de la délivrance on s'éveille,
   tout surpris que sa peur soit vaine.
⁸Pour toute chair, de l'homme à la bête,
   mais pour les pécheurs, au septuple,
⁹la mort, le sang, la querelle et l'épée,
   malheurs, famine, tribulation, calamité !
¹⁰Tout cela a été créé pour les pécheurs,
   et c'est à cause d'eux que vint le déluge.
¹¹Tout ce qui vient de la terre retourne à la terre,
   et ce qui vient de l'eau fait retour à la mer.

Maximes diverses.

¹²Les pots-de-vin et les injustices disparaîtront,
   mais la bonne foi tiendra éternellement.
¹³Les richesses mal acquises s'évanouiront comme un torrent,
   comme le coup de tonnerre qui éclate pendant l'averse.
¹⁴Quand il ouvre les mains il se réjouit,
   ainsi les pécheurs iront à la ruine.
¹⁵Les rejetons des impies sont pauvres de rameaux,
   les racines impures ne trouvent qu'âpre rocher.
¹⁶Le roseau qui abonde sur toutes les eaux et sur les bords du fleuve
   sera arraché le premier.

¹⁷La charité est comme un paradis de bénédiction
  et l'aumône demeure à jamais.

¹⁸L'homme indépendant et le travailleur ont la vie douce ;
  mieux loti encore celui qui trouve un trésor.
¹⁹Des enfants et une ville fondée perpétuent un nom ;
  mieux encore apprécie-t-on une femme irréprochable.
²⁰Le vin et les arts mettent la joie au cœur ;
  mieux encore l'amour de la sagesse.
²¹La flûte et la cithare agrémentent le chant ;
  mieux encore une voix mélodieuse.
²²Grâce et beauté, l'œil les désire,
  mieux encore la verdure des champs.
²³Ami et camarade se rencontrent au bon moment ;
  mieux encore la femme et l'homme.
²⁴Frères et protecteurs sont utiles aux mauvais jours ;
  mieux encore l'aumône tire d'affaire.
²⁵L'or et l'argent rendent la démarche ferme ;
  mieux encore estime-t-on le conseil.
²⁶La richesse et la force donnent un cœur assuré ;
  mieux encore la crainte du Seigneur.
 Avec la crainte du Seigneur rien ne manque ;
  avec elle on n'a pas à chercher d'appui.
²⁷La crainte du Seigneur est un paradis de bénédiction ;
  mieux que toute gloire elle protège.

Mendicité.

²⁸Mon fils, ne vis pas de mendicité,
  mieux vaut mourir que mendier.
²⁹L'homme qui louche vers la table d'autrui,
  sa vie ne saurait passer pour une vie.
 Il se souille la gorge de nourritures étrangères,
  un homme instruit et bien élevé s'en gardera.
³⁰À la bouche de l'impudent la mendicité est douce,
  mais à ses entrailles, c'est un feu brûlant.

La mort.

41 ¹Ô mort, quelle amertume que ta pensée
  pour l'homme qui vit heureux et au milieu de ses biens,
 pour l'homme serein à qui tout réussit
  et qui peut encore goûter la nourriture.

²Ô mort, ta sentence est la bienvenue
  pour l'homme misérable et privé de ses forces,
 pour le vieillard usé, agité de soucis,
  révolté et à bout de patience.

³Ne redoute pas l'arrêt de la mort,
  souviens-toi de ceux d'avant toi et de ceux d'après toi.
⁴C'est la loi que le Seigneur a portée sur toute chair ;
  pourquoi se révolter contre le bon plaisir du Très-Haut ?
Que tu vives dix ans, cent ans, mille ans,
  au shéol on ne te reprochera pas ta vie.

Destin des impies.

⁵De méchants garnements, tels sont les fils des pécheurs,
  ceux qui hantent les maisons des impies.
⁶L'héritage des fils des pécheurs va à la ruine,
  leur postérité est l'objet d'un continuel reproche.
⁷Un père impie est insulté par ses enfants,
  car c'est de lui qu'ils tiennent le déshonneur.
⁸Malheur à vous, impies,
  qui avez délaissé la loi du Dieu Très-Haut.
⁹*Si vous multipliez, c'est pour la perdition* :
 Si vous êtes engendrés, vous le serez pour la malédiction ;
  et si vous mourez, la malédiction sera votre part.
¹⁰Tout ce qui vient de la terre retourne à la terre,
  ainsi vont les impies de la malédiction à la ruine.
¹¹Le deuil des hommes s'adresse à leurs dépouilles,
  mais le nom maudit des pécheurs s'efface.

¹²Aie souci de ton nom, car il te restera
  bien mieux que mille fortunes en or.
¹³Une vie heureuse dure un certain nombre de jours,
  mais un nom honoré demeure à jamais.

La honte.

¹⁴Mes enfants, gardez en paix mes instructions.

Sagesse cachée et trésor invisible,
  à quoi servent-ils l'un et l'autre ?
¹⁵Mieux vaut un homme qui cache sa folie
  qu'un homme qui cache sa sagesse.
  ¹⁶Ainsi donc éprouvez la honte selon ce que je vais dire,
  car il n'est pas bon de se plier à toute espèce de honte
  et tout n'est pas exactement apprécié de tous.
¹⁷Ayez honte de la débauche devant un père et une mère
  et du mensonge devant un chef et un puissant ;
¹⁸du délit devant un juge et un magistrat
  et de l'impiété devant l'assemblée du peuple ;
  de la perfidie devant un compagnon ou un ami
    ¹⁹et du vol devant ton village ;
  de la vérité de Dieu et d'alliance,
    de plier les coudes à table,

de l'affront en recevant ou en donnant,
  ²⁰de rester sans réponse devant ceux qui te saluent,
d'arrêter ton regard sur une prostituée,
  ²¹de repousser ton compatriote,
de t'approprier la part d'un autre ou le cadeau qui lui est fait,
  de regarder une femme en puissance de mari,
  ²²d'avoir des privautés avec une servante,
  – ne t'approche pas de son lit ! –
d'avoir des paroles blessantes devant tes amis,
  – après avoir donné ne fais pas de reproches ! –

42 ¹de répéter ce que tu entends dire
  et de révéler les secrets.
Alors tu connaîtras la véritable honte
  et tu trouveras grâce devant tous les hommes.

Mais de ce qui suit n'aie pas honte
  et ne pèche pas en tenant compte des personnes :
²n'aie pas honte de la loi du Très-Haut ni de l'alliance,
  du jugement qui rend justice aux impies,
³de compter avec un compagnon de voyage,
  de distribuer ton héritage à tes amis,
⁴d'examiner les balances et les poids,
  d'obtenir de petits et de grands profits,
⁵de faire du bénéfice en matière commerciale,
  de corriger sévèrement tes enfants,
  de meurtrir les flancs de l'esclave vicieux.
⁶Avec une femme curieuse il est bon d'utiliser le sceau,
  là où il y a beaucoup de mains, mets les choses sous clef !
⁷Pour les dépôts, comptes et poids sont de rigueur,
  et que tout, doit et avoir, soit mis par écrit.
⁸N'aie pas honte de corriger l'insensé et le sot,
  et le vieillard décrépit qui discute avec des jeunes.
Ainsi tu te montreras vraiment instruit
  et tu seras approuvé de tout le monde.

Soucis d'un père pour sa fille.

⁹Sans le savoir une fille cause à son père bien du souci ;
  le tracas qu'elle lui donne l'empêche de dormir :
jeune, c'est la crainte qu'elle ne tarde à se marier,
  et, mariée, qu'elle ne soit prise en grippe.
¹⁰Vierge, si elle se laissait séduire
  et devenait enceinte dans la maison paternelle !
En puissance de mari, si elle faisait une faute,
  établie, si elle demeurait stérile !
¹¹Ta fille est indocile ? Surveille-la bien,
  qu'elle n'aille pas faire de toi la risée de tes ennemis,

la fable de la ville, l'objet des commérages,
et te déshonorer à l'assemblée publique.

Les femmes.

¹²Devant qui que ce soit ne t'arrête pas à la beauté
et ne t'assieds pas avec les femmes.
¹³Car du vêtement sort la teigne
et de la femme une malice de femme.
¹⁴Mieux vaut la malice d'un homme que la bonté d'une femme :
une femme cause la honte et les reproches.

2. La gloire de Dieu

I. DANS LA NATURE

¹⁵Maintenant je vais rappeler les œuvres du Seigneur,
ce que j'ai vu, je vais le raconter.
Par ses paroles le Seigneur a fait ses œuvres
et son décret s'accomplit selon son bon plaisir.
¹⁶Le soleil qui brille regarde toutes choses
et l'œuvre du Seigneur est pleine de sa gloire.
¹⁷Le Seigneur n'a pas donné pouvoir aux Saints
de raconter toutes ses merveilles,
ce que le Seigneur, maître de tout, a fermement établi
pour que l'univers subsiste dans sa gloire.
¹⁸Il a sondé les profondeurs de l'abîme et du cœur humain
et il a découvert leurs calculs.
Car le Très-Haut possède toute science,
il a regardé les signes des temps.
¹⁹Il annonce le passé et l'avenir
et dévoile les choses cachées.
²⁰Aucune pensée ne lui échappe,
aucune parole ne lui est cachée.
²¹Il a disposé dans l'ordre les merveilles de sa sagesse,
car il est depuis l'éternité jusqu'à l'éternité
sans que rien lui soit ajouté ni ôté,
et il n'a besoin du conseil de personne.
²²Que toutes ses œuvres sont aimables,
comme une étincelle qu'on pourrait contempler.
²³Tout cela vit et demeure éternellement
et en toutes circonstances tout obéit.
²⁴Toutes les choses vont par deux, en vis-à-vis,
et il n'a rien fait de déficient.
²⁵Une chose souligne l'excellence de l'autre,
qui pourrait se lasser de contempler sa gloire ?

Le soleil.

43 ¹Orgueil des hauteurs, firmament de clarté,
    tel apparaît le ciel dans son spectacle de gloire.
²Le soleil, en se montrant, proclame dès son lever :
    « Quelle merveille que l'œuvre du Très-Haut ! »
³À son midi il dessèche la terre,
    qui peut résister à son ardeur ?
⁴On attise la fournaise pour travailler à chaud,
    le soleil brûle trois fois plus les montagnes ;
exhalant des vapeurs brûlantes,
    dardant ses rayons, il éblouit les yeux.
⁵Il est grand, le Seigneur qui l'a créé
    et dont la parole dirige sa course rapide.

La lune.

⁶La lune aussi, toujours exacte
    à marquer les temps, signe éternel.
⁷C'est la lune qui marque les fêtes,
    cet astre qui décroît, après son plein.
⁸C'est d'elle que le mois tire son nom ;
    elle croît étonnamment en sa révolution,
enseigne des armées célestes,
    brillant au firmament du ciel.

Les étoiles.

⁹La gloire des astres fait la beauté du ciel ;
    ils ornent brillamment les hauteurs du Seigneur.
¹⁰Sur la parole du Saint ils se tiennent selon son ordre
    et ne relâchent pas leur faction.

L'arc-en-ciel. Gn 9 13. Ez 1 28. Si 50 7.

¹¹Vois l'arc-en-ciel et bénis son auteur,
    il est magnifique dans sa splendeur.
¹²Il forme dans le ciel un cercle de gloire,
    les mains du Très-Haut l'ont tendu.

Merveilles de la nature. Ps 147 16-18. Jb 38 22s.

¹³Par son ordre il fait tomber la neige,
    il lance les éclairs selon ses décrets.
¹⁴C'est ainsi que s'ouvrent ses réserves
    et que s'envolent les nuages comme des oiseaux.
¹⁵Sa puissance épaissit les nuages,
    qui se pulvérisent en grêlons ;
¹⁷ᵃà la voix de son tonnerre la terre entre en travail ;
¹⁶à sa vue les montagnes sont ébranlées ;
    à sa volonté souffle le vent du sud,

^17b comme l'ouragan du nord et les cyclones.
  Comme des oiseaux qui se posent il fait descendre la neige,
    elle s'abat comme des sauterelles.
^18 L'œil s'émerveille devant l'éclat de sa blancheur
    et l'esprit s'étonne de la voir tomber.
^19 Il déverse encore sur la terre, comme du sel,
    le givre que le gel change en pointes d'épines.
^20 Le vent froid du nord souffle,
    la glace se forme sur l'eau ;
  elle se pose sur toute eau dormante,
    la revêt comme une cuirasse.
^21 Il dévore les montagnes et brûle le désert,
    il consume la verdure comme un feu.
^22 La brume en est un prompt remède,
    la rosée, après la canicule, rend la joie.

^23 Selon un plan il a dompté l'abîme
    et il y a planté les îles.
^24 Ceux qui parcourent la mer en content les dangers ;
    leurs récits nous remplissent d'étonnement :
^25 ce ne sont qu'aventures étranges et merveilleuses,
    animaux de toutes sortes et monstres marins.
^26 Grâce à Dieu son messager arrive à bon port,
    et tout s'arrange selon sa parole.

^27 Nous pourrions nous étendre sans épuiser le sujet ;
    en un mot : « Il est le Tout. »
^28 Où trouver la force de le glorifier ?
    Car il est le Grand, au-dessus de toutes ses œuvres,
^29 Seigneur redoutable et souverainement grand,
    dont la puissance est admirable.
^30 Que vos louanges exaltent le Seigneur,
    autant que vous pourrez : car il surpasse encore.
  Pour l'exalter déployez vos forces,
    ne vous lassez pas, car vous n'en finirez pas.
^31 Qui l'a vu et pourrait en rendre compte ?
    Qui peut le glorifier comme il le mérite ?
^32 Il reste beaucoup de mystères plus grands que ceux-là,
    car nous n'avons vu qu'un petit nombre de ses œuvres.
^33 Car c'est le Seigneur qui a tout créé,
    et aux hommes pieux il a donné la sagesse.

II. DANS L'HISTOIRE

1 M **2** 51-64. He **11**.

Éloge des Pères.

44 ¹Faisons l'éloge des hommes illustres,
de nos ancêtres dans leur ordre de succession.
²Le Seigneur a créé à profusion la gloire,
et montré sa grandeur depuis les temps anciens.
³Des hommes exercèrent l'autorité royale
et furent renommés pour leurs exploits ;
d'autres furent avisés dans les conseils,
s'exprimèrent en oracles prophétiques ;
⁴d'autres régirent le peuple par leurs conseils,
leur intelligence de la sagesse populaire
et les sages discours de leur enseignement ;
⁵d'autres cultivèrent la musique
et écrivirent des récits poétiques ;
⁶d'autres furent riches et doués de puissance,
vivant en paix dans leur demeure.
⁷Tous ils furent honorés de leurs contemporains
et glorifiés, leurs jours durant.
⁸Certains d'entre eux laissèrent un nom
qu'on cite encore avec éloges.
⁹D'autres n'ont laissé aucun souvenir
et ont disparu comme s'ils n'avaient pas existé.
Ils sont comme n'ayant jamais été,
et de même leurs enfants après eux.

¹⁰Mais voici des hommes de bien
dont les bienfaits n'ont pas été oubliés.
¹¹Dans leur descendance ils trouvent
un riche héritage, leur postérité.
¹²Leur descendance reste fidèle aux commandements
et aussi, grâce à eux, leurs enfants.
¹³Leur descendance demeurera à jamais,
leur gloire ne ternira point.
¹⁴Leurs corps ont été ensevelis dans la paix
et leur nom est vivant pour des générations.
¹⁵Les peuples proclameront leur sagesse,
l'assemblée célébrera leurs louanges.

Hénok. Gn 5 24. He 11 5.

¹⁶Hénok plut au Seigneur et fut enlevé,
exemple pour la conversion des générations.

Noé.

¹⁷Noé fut trouvé parfaitement juste,
au temps de la colère il fut le surgeon :

grâce à lui un reste demeura à la terre
  lorsque se produisit le déluge.
¹⁸Des alliances éternelles furent établies avec lui,
  afin qu'aucune chair ne fût plus anéantie par le déluge.

Abraham.

¹⁹Abraham, illustre père d'une multitude de nations,
  nul ne lui fut égal en gloire.
²⁰Il observa la loi du Très-Haut
  et entra en alliance avec lui.
Dans sa chair il établit cette alliance
  et dans l'épreuve il fut trouvé fidèle.
²¹C'est pourquoi Dieu lui promit par serment
  de bénir toutes les nations en sa descendance,
  de le multiplier comme la poussière de la terre
  et d'exalter sa postérité comme les étoiles,
  de leur donner le pays en héritage,
  d'une mer à l'autre,
  depuis le Fleuve jusqu'aux extrémités de la terre.

Isaac et Jacob. Gn 17 19 ; 26 3-5.

²²À Isaac il renouvela la promesse
  à cause d'Abraham son père.
La bénédiction de tous les hommes et l'alliance,
²³il les fit reposer sur la tête de Jacob.
Il le confirma dans ses bénédictions
  et lui donna le pays en héritage ;
il le divisa en lots
  et le partagea entre les douze tribus.

Moïse.

Il fit sortir de lui un homme de bien,
  qui trouva faveur aux yeux de tout le monde,
45 ¹bien-aimé de Dieu et des hommes,
  Moïse, dont la mémoire est en bénédiction.
²Il lui accorda une gloire égale à celle des saints
  et le rendit puissant pour la terreur des ennemis.
³Par la parole de Moïse il fit cesser les prodiges,
  et il le glorifia en présence des rois ;
il lui donna des commandements pour son peuple
  et lui fit voir quelque chose de sa gloire.
⁴Dans la fidélité et la douceur il le sanctifia,
  il le choisit d'entre toute chair :
⁵il lui fit entendre sa voix
  et l'introduisit dans les ténèbres ;
il lui donna face à face les commandements,
  une loi de vie et d'intelligence,

pour enseigner à Jacob ses prescriptions
et ses décrets à Israël.

Aaron.

⁶Il éleva Aaron, un saint semblable à Moïse,
son frère, de la tribu de Lévi.
⁷Il l'installa par un décret éternel
et lui concéda le sacerdoce du peuple.
Il le fit heureux dans son apparat,
il le couvrit d'un vêtement glorieux.
⁸Il le revêtit d'une gloire parfaite
et le para de riches ornements,
caleçons, manteau et éphod.
⁹Il lui donna, pour entourer son vêtement, des grenades
et des clochettes d'or, nombreuses, tout autour,
qui tintaient à chacun de ses pas,
se faisant entendre dans le Temple
comme un mémorial pour les enfants de son peuple ;
¹⁰et un vêtement sacré d'or, de pourpre violette
et d'écarlate, ouvrage d'un damasseur ;
le pectoral du jugement, l'Urim et le Tummim,
¹¹de cramoisi retors, ouvrage d'artisan ;
des pierres précieuses gravées en forme de sceau,
dans une monture d'or, ouvrage de joaillier,
pour faire un mémorial, une inscription gravée,
selon le nombre des tribus d'Israël ;
¹²et un diadème d'or par-dessus le turban,
portant, gravée, l'inscription de consécration,
décoration superbe, travail magnifique,
délices pour les yeux que ces ornements.
¹³On n'avait jamais vu avant lui pareilles choses,
et jamais un étranger ne les a revêtues,
mais seulement ses enfants
et ses descendants pour toujours.
¹⁴Ses sacrifices se consumaient entièrement,
deux fois par jour à perpétuité.
¹⁵C'est Moïse qui le consacra
et l'oignit de l'huile sainte.
Et ce fut pour lui une alliance éternelle,
ainsi que pour sa race tant que dureront les cieux,
pour qu'il préside au culte, exerce le sacerdoce
et bénisse le peuple au nom du Seigneur.
¹⁶Il le choisit parmi tous les vivants
pour offrir le sacrifice du Seigneur,
l'encens et le parfum en mémorial,
pour faire l'expiation pour le peuple.

¹⁷Il lui a confié ses commandements,
    il lui a commis les prescriptions de la loi,
pour qu'il enseigne à Jacob ses témoignages
    et qu'il éclaire Israël sur sa loi.
¹⁸Des étrangers se liguèrent contre lui,
    ils le jalousèrent au désert,
les gens de Datân et ceux d'Abiram,
    et la bande de Coré, haineuse et violente.
¹⁹Le Seigneur les vit et s'irrita,
    ils furent exterminés dans l'ardeur de sa colère.
Pour eux il fit des prodiges,
    les consumant par son feu de flammes.
²⁰Et il ajouta à la gloire d'Aaron,
    il lui donna un patrimoine,
il lui attribua les offrandes des prémices,
    en premier lieu du pain à satiété.
²¹Aussi se nourrissent-ils des sacrifices du Seigneur
    qu'il lui a attribués ainsi qu'à sa postérité.
²²Mais dans le pays il n'a pas de patrimoine,
    il n'a pas de part parmi le peuple,
    « Car je suis moi-même ta part d'héritage. »

Pinhas. Nb 25 7-13.

²³Quant à Pinhas, fils d'Eléazar, il est le troisième en gloire,
    pour sa jalousie dans la crainte du Seigneur,
pour avoir tenu ferme devant le peuple révolté,
    avec un noble courage ;
    c'est ainsi qu'il obtint le pardon d'Israël.
²⁴Aussi une alliance de paix fut-elle scellée avec lui,
    qui le faisait chef du sanctuaire et du peuple,
en sorte qu'à lui et à sa descendance
    appartienne la dignité de grand prêtre pour des siècles.
²⁵Il y eut une alliance avec David,
    fils de Jessé, de la tribu de Juda,
succession royale, passant de fils en fils seulement.
    Mais celle d'Aaron passe à tous ses descendants.
²⁶Dieu vous mette au cœur la sagesse
    pour juger son peuple avec justice,
afin que les vertus des ancêtres ne dépérissent point
    et que leur gloire passe à leurs descendants.

Josué.

46 ¹Vaillant à la guerre, tel fut Josué fils de Nûn,
    successeur de Moïse dans l'office prophétique,
lui qui, méritant bien son nom,
    se montra grand pour sauver les élus,

pour châtier les ennemis révoltés
et installer Israël dans son territoire.
²Qu'il était glorieux lorsque, les bras levés,
il brandissait l'épée contre les villes !
³Quel homme avant lui avait eu sa fermeté ?
Il a mené lui-même les combats du Seigneur.
⁴N'est-ce pas sur son ordre que le soleil s'arrêta
et qu'un seul jour en devint deux ?
⁵Il invoqua le Très-Haut, le Puissant,
alors que les ennemis le pressaient de toutes parts,
et le Seigneur grand l'exauça
en lançant des grêlons d'une puissance inouïe.
⁶Il fondit sur la nation ennemie
et dans la descente il anéantit les assaillants :
pour faire connaître aux nations toutes ses armes
et qu'il menait la guerre devant le Seigneur.

Caleb.

Car il suivait totalement le Tout-Puissant :
⁷au temps de Moïse il manifesta sa piété,
ainsi que Caleb, fils de Yephunné,
en s'opposant à la multitude,
pour empêcher le peuple de pécher,
et faire taire les murmures mauvais.
⁸Eux deux furent seuls épargnés
sur six cent mille hommes de pied,
pour être introduits dans l'héritage,
dans la terre où coulent le lait et le miel.
⁹Et le Seigneur accorda à Caleb la force
qui lui resta jusqu'à sa vieillesse,
il lui fit gravir les hauteurs du pays
que sa descendance garda en héritage,
¹⁰afin que tout Israël voie
qu'il est bon de suivre le Seigneur.

Les Juges.

¹¹Les Juges, chacun selon son appel,
tous hommes dont le cœur ne fut pas infidèle
et qui ne se détournèrent pas du Seigneur,
que leur souvenir soit en bénédiction !
¹²Que leurs ossements refleurissent de leur tombe,
que leurs noms, portés de nouveau,
conviennent aux fils de ces hommes illustres.

Samuel. 1 S 10 1 ; 16 13 ; 7 9-13 ; 12 ; 28 6-25.

¹³Samuel fut le bien-aimé de son Seigneur ;
prophète du Seigneur, il établit la royauté

et donna l'onction aux chefs établis sur son peuple.
¹⁴Dans la loi du Seigneur, il jugea l'assemblée
et le Seigneur visita Jacob.
¹⁵Par sa fidélité il fut reconnu prophète,
par ses discours il se montra un voyant véridique.
¹⁶Il invoqua le Seigneur tout-puissant,
quand les ennemis le pressaient de toutes parts,
en offrant un agneau de lait.
¹⁷Et du ciel le Seigneur fit retentir son tonnerre,
à grand fracas il fit entendre sa voix ;
¹⁸il anéantit les chefs de l'ennemi
et tous les princes des Philistins.
¹⁹Avant l'heure de son éternel repos,
il rendit témoignage devant le Seigneur et son oint :
« De ses biens, pas même de ses sandales,
je n'ai dépouillé personne. »
Et personne ne l'accusa.
²⁰Après s'être endormi il prophétisa encore
et annonça au roi sa fin ;
du sein de la terre il éleva la voix
en prophétisant pour effacer l'iniquité du peuple.

Natân. 2 S 7 ; 12.

47 ¹Après lui se leva Natân
pour prophétiser au temps de David.

David.

²Comme on prélève la graisse du sacrifice de communion,
ainsi David fut choisi parmi les Israélites.
³Il se joua du lion comme du chevreau,
de l'ours comme de l'agneau.
⁴Jeune encore, n'a-t-il pas tué le géant
et lavé la honte du peuple,
en lançant avec la fronde la pierre
qui abattit l'arrogance de Goliath ?
⁵Car il invoqua le Seigneur Très-Haut,
qui accorda à sa droite la force
pour mettre à mort un puissant guerrier
et relever la vigueur de son peuple.
⁶Aussi lui a-t-on fait gloire de dix mille
et l'a-t-on loué dans les bénédictions du Seigneur,
en lui offrant une couronne de gloire.
⁷Car il détruisit les ennemis alentour,
il anéantit les Philistins ses adversaires,
jusqu'à ce jour il brisa leur vigueur.

⁸Dans toutes ses œuvres il rendit hommage
    au Saint Très-Haut dans des paroles de gloire ;
de tout son cœur il chanta,
    montrant son amour pour son Créateur.
⁹Il établit devant l'autel des chantres,
    pour émettre les chants les plus doux ;
    et chaque jour ils loueront par leurs chants.
¹⁰Il donna aux fêtes la splendeur,
    un éclat parfait aux solennités,
faisant louer le saint nom du Seigneur,
    faisant retentir le sanctuaire dès le matin.
¹¹Le Seigneur a effacé ses fautes,
    il a fait grandir sa vigueur pour toujours,
il lui a accordé une alliance royale,
    un trône glorieux en Israël.

Salomon.

¹²Un fils savant lui succéda
    qui, grâce à lui, vécut heureux.
¹³Salomon régna dans un temps de paix
    et Dieu lui accorda la tranquillité alentour,
afin qu'il élevât une maison pour son nom
    et préparât un sanctuaire éternel.
¹⁴Comme tu étais sage dans ta jeunesse,
    rempli d'intelligence ainsi qu'un fleuve !
¹⁵Ton esprit a couvert la terre,
    tu l'as remplie de sentences obscures.
¹⁶Ta renommée est parvenue jusqu'aux îles lointaines
    et tu fus aimé dans ta paix.
¹⁷Tes chants, tes proverbes, tes sentences
    et tes réponses ont fait l'admiration du monde.
¹⁸Au nom du Seigneur Dieu,
    de celui qu'on appelle le Dieu d'Israël,
tu as amassé l'or comme de l'étain
    et comme le plomb tu as multiplié l'argent.
¹⁹Tu as livré tes flancs aux femmes,
    et leur as donné pouvoir sur ton corps.
²⁰Tu as fait une tache à ta gloire,
    tu as profané ta race,
au point de faire venir la colère contre tes enfants
    et l'affliction pour ta folie :
²¹il se dressa un double pouvoir,
    il surgit d'Éphraïm un royaume révolté.
²²Mais le Seigneur ne renonce jamais à sa miséricorde
    et n'efface aucune de ses paroles,

il ne refuse pas à son élu une postérité
    et n'extirpe point la race de celui qui l'a aimé.
Aussi a-t-il donné à Jacob un reste
    et à David une racine issue de lui.

Roboam.

²³Et Salomon se reposa avec ses pères,
    laissant après lui quelqu'un de sa race,
le plus fou du peuple, dénué d'intelligence :
    Roboam, qui poussa le peuple à la révolte.

Jéroboam.

Quant à Jéroboam, fils de Nebat, c'est lui qui fit pécher Israël
    et enseigna à Éphraïm la voie du mal.
²⁴Dès lors leurs fautes se multiplièrent tant
    qu'elles les firent exiler loin de leur pays.
²⁵Car ils cherchaient toute sorte de mal,
    jusqu'à encourir le châtiment.

Élie. I R 17 – 19.

48 ¹Alors le prophète Élie se leva comme un feu,
    sa parole brûlait comme une torche.
²C'est lui qui fit venir sur eux la famine
    et qui, dans son zèle, les décima.
³Par la parole du Seigneur il ferma le ciel,
    il fit aussi trois fois descendre le feu.
⁴Comme tu étais glorieux, Élie, dans tes prodiges !
    qui peut dans son orgueil se faire ton égal ?
⁵Toi qui as arraché un homme à la mort
    et au shéol, par la parole du Très-Haut.
⁶Toi qui as mené des rois à la ruine,
    précipité des hommes glorieux de leur couche,
⁷qui entendis au Sinaï un reproche,
    à l'Horeb des décrets de vengeance,
⁸qui oignis des rois comme vengeurs,
    des prophètes pour te succéder,
⁹qui fus emporté dans un tourbillon de feu,
    par un char aux chevaux de feu,
¹⁰toi qui fus désigné dans des menaces futures
    pour apaiser la colère avant qu'elle n'éclate,
    pour ramener le cœur des pères vers les fils
    et rétablir les tribus de Jacob.
¹¹Bienheureux ceux qui te verront
    et dans l'amour s'endormiront,
    car nous aussi nous posséderons la vie.

Élisée. 2 R 2 9-12 ; 13 21.

¹²Tel fut Élie qui fut enveloppé dans un tourbillon.
    Élisée fut rempli de son esprit ;
pendant sa vie aucun chef ne put l'ébranler,
    personne ne put le subjuguer.
¹³Rien n'était trop grand pour lui
    et jusque dans la mort son corps prophétisa.
¹⁴Pendant sa vie il fit des prodiges
    et dans sa mort ses œuvres furent merveilleuses.

Infidélité et châtiment.

¹⁵Malgré tout, le peuple ne se convertit pas,
    ne renonça pas à ses péchés,
jusqu'à ce qu'il fût déporté loin de son pays
    et dispersé sur toute la terre ;
il ne resta que le peuple le moins nombreux
    et un chef de la maison de David.
¹⁶Quelques-uns d'entre eux firent le bien,
    d'autres multiplièrent les fautes.

Ézéchias.

¹⁷Ézéchias fortifia sa ville
    et fit venir l'eau dans ses murs,
avec le fer il fora le rocher
    et construisit des citernes.
¹⁸De son temps Sennachérib se mit en campagne
    et envoya Rabsakès,
il leva la main contre Sion,
    dans l'insolence de son orgueil.
¹⁹Alors leur cœur et leurs mains tremblèrent,
    ils souffrirent les douleurs de femmes en travail,
²⁰ils firent appel au Seigneur miséricordieux,
    tendant les mains vers lui.
Du ciel, le Saint se hâta de les écouter
    et les délivra par la main d'Isaïe,
²¹il frappa le camp des Assyriens
    et son Ange les extermina.

Isaïe.

²²Car Ézéchias fit ce qui plaît au Seigneur
    et se montra fort en suivant David son père,
comme le lui ordonna le prophète Isaïe,
    le grand, le fidèle dans ses visions.
²³De son temps le soleil recula ;
    il prolongea la vie du roi.

²⁴Dans la puissance de l'esprit il vit la fin des temps,
il consola les affligés de Sion,
²⁵il révéla l'avenir jusqu'à l'éternité
et les choses cachées avant qu'elles n'advinssent.

Josias. 2 R 22 – 23.

49 ¹Le souvenir de Josias est une mixture d'encens
préparée par les soins du parfumeur ;
il est comme le miel doux à toutes les bouches,
comme une musique au milieu d'un banquet.
²Lui-même prit la bonne voie, celle de convertir le peuple,
il extirpa l'impiété abominable ;
³il dirigea son cœur vers le Seigneur,
en des temps impies il fit prévaloir la piété.

Derniers rois et derniers prophètes.

⁴Hormis David, Ézéchias et Josias,
tous multiplièrent les transgressions,
ils abandonnèrent la loi du Très-Haut :
les rois de Juda disparurent.
⁵Car ils livrèrent leur vigueur à d'autres,
leur gloire à une nation étrangère.
⁶Les ennemis brûlèrent la ville sainte élue,
rendirent désertes ses rues,
⁷selon la parole de Jérémie. Car ils l'avaient maltraité,
lui, consacré prophète dès le sein de sa mère
pour déraciner, détruire *et ruiner,*
mais aussi *pour construire et pour planter.*
⁸C'est Ézéchiel qui vit une vision de gloire
que Dieu lui montra sur le char des Chérubins,
⁹car il fit mention des ennemis dans l'averse
pour favoriser ceux qui suivent la voie droite.
¹⁰Quant aux douze prophètes,
que leurs os refleurissent de leur tombe,
car ils ont consolé Jacob,
ils l'ont racheté dans la foi et l'espérance.

Zorobabel et Josué. Ag 2 23. Za 3 1 ; 4 6-12.

¹¹Comment faire l'éloge de Zorobabel ?
Il est comme un sceau dans la main droite ;
¹²et de même Josué fils de Iosédek,
eux qui, de leur temps, construisirent le Temple
et élevèrent au Seigneur un temple saint,
destiné à une gloire éternelle.

Néhémie.

¹³De Néhémie le souvenir est grand,
lui qui releva pour nous les murs en ruine,
établit portes et verrous
et releva nos habitations.

Récapitulation.

¹⁴Personne sur terre ne fut créé l'égal d'Hénok,
c'est lui qui fut enlevé de terre.
¹⁵On ne vit jamais non plus naître un homme comme Joseph,
chef de ses frères, soutien de son peuple ;
ses os furent visités.
¹⁶Sem et Seth furent glorieux parmi les hommes,
mais au-dessus de toute créature vivante est Adam.

Le prêtre Simon.

50 ¹C'est Simon fils d'Onias, le grand prêtre,
qui pendant sa vie répara le Temple
et durant ses jours fortifia le sanctuaire.
²C'est par lui que fut fondée la hauteur double,
le haut contrefort de l'enceinte du Temple.
³De son temps fut creusé le réservoir des eaux,
un bassin grand comme la mer.
⁴Soucieux d'éviter à son peuple la ruine,
il fortifia la ville pour le cas de siège.
⁵Qu'il était magnifique, entouré de son peuple,
quand il sortait de derrière le voile,
⁶comme l'étoile du matin au milieu des nuages,
comme la lune en son plein,
⁷comme le soleil rayonnant sur le Temple du Très-Haut,
comme l'arc-en-ciel brillant dans les nuages de gloire,
⁸comme la rose au printemps,
comme un lis près d'une source,
comme une pousse du Liban en été,
⁹comme le feu et l'encens dans l'encensoir,
comme un vase d'or massif,
orné de toutes sortes de pierres précieuses,
¹⁰comme un olivier chargé de fruits,
comme un cyprès s'élevant jusqu'aux nuages ;
¹¹quand il prenait sa robe d'apparat
et se revêtait de ses superbes ornements,
quand il gravissait l'autel sacré
et remplissait de gloire l'enceinte du sanctuaire ;
¹²quand il recevait des mains des prêtres les portions du sacrifice,
lui-même debout près du foyer de l'autel,

entouré d'une couronne de frères,
    comme de leur frondaison, les cèdres du Liban,
comme entouré de troncs de palmiers,
    ¹³quand tous les fils d'Aaron dans leur splendeur,
ayant dans les mains les offrandes du Seigneur,
    se tenaient devant toute l'assemblée d'Israël,
¹⁴tandis qu'il accomplissait le culte des autels,
    présentant avec noblesse l'offrande au Très-Haut
                              [tout-puissant.
¹⁵Il étendait la main sur la coupe,
    faisait couler un peu du jus de la grappe
et le répandait au pied de l'autel,
    parfum agréable au Très-Haut, roi du monde.
¹⁶Alors les fils d'Aaron poussaient des cris,
    sonnaient de leurs trompettes de métal repoussé
et faisaient entendre un son puissant,
    comme un mémorial devant le Très-Haut.
¹⁷Alors, soudain, avec ensemble,
    tout le peuple tombait la face contre terre :
ils adoraient leur Seigneur,
    le Tout-Puissant, le Dieu Très-Haut.
¹⁸Les chantres aussi faisaient entendre leurs louanges,
    et tout ce bruit formait une douce mélodie.
¹⁹Et le peuple suppliait le Seigneur Très-Haut,
    adressait des prières au Miséricordieux,
jusqu'à ce que fût terminé le service du Seigneur,
    achevée la cérémonie.
²⁰Alors il descendait et élevait les mains
    vers toute l'assemblée des enfants d'Israël,
pour donner à haute voix la bénédiction du Seigneur
    et avoir l'honneur de prononcer son nom.
²¹Alors, pour la deuxième fois, le peuple se prosternait
    pour recevoir la bénédiction du Très-Haut.

Exhortation.

²²Et maintenant bénissez le Dieu de l'univers
    qui partout fait de grandes choses,
qui a exalté nos jours dès le sein maternel,
    qui a agi envers nous selon sa miséricorde.
²³Qu'il nous donne un cœur joyeux,
    qu'il accorde la paix à notre époque,
en Israël, dans les siècles des siècles.
²⁴Que ses grâces restent fidèlement avec nous
    et qu'à notre époque il nous rachète.

Proverbe numérique.

25Il y a deux nations que mon âme déteste,
la troisième n'est pas une nation :
26les habitants de la montagne de Séïr, les Philistins,
et le peuple stupide qui demeure à Sichem.

Conclusion.

27Une instruction de sagesse et de science,
voilà ce qu'a gravé dans ce livre
Jésus, fils de Sira, d'Éléazar, de Jérusalem,
qui a répandu comme une pluie la sagesse de son cœur.
28Heureux qui y consacre son temps
et acquiert la sagesse en la plaçant sur son cœur.
29S'il le met en pratique, il sera fort en toute circonstance,
car la lumière du Seigneur est son sentier.
Et aux hommes pieux, il donne la sagesse.
Béni soit le Seigneur à jamais. Amen. Amen.

Hymne d'action de grâces.

51 1Je vais te rendre grâce, Seigneur, Roi,
et te louer, Dieu mon sauveur.
Je rends grâce à ton nom.
2Car tu as été pour moi un protecteur et un soutien
et tu as délivré mon corps de la ruine,
du piège de la langue calomnieuse
et des lèvres qui fabriquent le mensonge ;
en présence de ceux qui m'entourent,
tu as été mon soutien, 3et tu m'as délivré,
selon l'abondance de ta miséricorde et de ton nom,
des morsures de ceux qui sont prêts à me dévorer,
de la main de ceux qui en veulent à ma vie,
des innombrables épreuves que j'ai subies,
4de la suffocation du feu qui m'entourait,
du milieu d'un feu que je n'avais pas allumé,
5des profondeurs des entrailles du shéol,
de la langue impure, de la parole menteuse,
– 6et des flèches d'une langue injuste.
Mon âme a été tout près de la mort,
ma vie était descendue aux portes du shéol.
7On m'entourait de partout et nul ne me soutenait ;
je cherchais du regard un homme secourable, et rien.
8Alors je me souvins de ta miséricorde, Seigneur,
et de ta bienfaisance, de toute éternité,
sachant que tu délivres ceux qui espèrent en toi,
que tu les sauves des mains de leurs ennemis.

⁹Et je fis monter de la terre ma prière,
je suppliai d'être délivré de la mort.
¹⁰J'invoquai le Seigneur, père de mon Seigneur :
« Ne m'abandonne pas au jour de l'épreuve,
au temps des orgueilleux et de l'abandon.
¹¹Je louerai ton nom continuellement,
je le chanterai dans la reconnaissance. »
Et ma prière fut exaucée,
¹²tu me sauvas de la ruine,
tu me délivras de l'époque du mal.
C'est pourquoi je te rendrai grâce et je te louerai,
et je bénirai le nom du Seigneur.

Poème sur la recherche de la sagesse.

¹³Dans ma jeunesse, avant mes voyages,
je cherchai ouvertement la sagesse dans ma prière ;
¹⁴devant le sanctuaire, je la demandais,
et jusqu'à mon dernier jour je la poursuivrai.
¹⁵Dans sa fleur, comme un raisin qui mûrit,
mon cœur mettait sa joie en elle.
Mon pied s'est avancé dans le droit chemin
et dès ma jeunesse je l'ai recherchée.
¹⁶Si peu que j'aie tendu l'oreille, je l'ai reçue,
et j'ai trouvé beaucoup d'instruction.
¹⁷Grâce à elle j'ai progressé,
je glorifierai celui qui m'a donné la sagesse.
¹⁸Car j'ai décidé de la mettre en pratique,
j'ai cherché ardemment le bien, je ne serai pas confondu.
¹⁹Mon âme a combattu pour la posséder,
j'ai été attentif à observer la loi,
j'ai tendu les mains vers le ciel
et déploré mes fautes envers elle par ignorance.
²⁰J'ai dirigé mon âme vers elle
et dans la pureté je l'ai trouvée ;
j'y ai appliqué mon cœur dès le commencement,
aussi ne serai-je pas abandonné.
²¹Mes entrailles se sont émues pour la chercher,
aussi ai-je fait une bonne acquisition.
²²Le Seigneur m'a donné, en récompense, une langue
avec laquelle je le glorifierai.
²³Approchez-vous de moi, ignorants,
mettez-vous à l'école.
²⁴Pourquoi en être encore dépourvus,
quand votre gorge en est si assoiffée ?
²⁵J'ai ouvert la bouche pour parler :
achetez-la sans argent,

^{26}mettez votre cou sous le joug,
    que vos âmes reçoivent l'instruction,
    elle est tout près, à votre portée.
^{27}Voyez de vos yeux : comme j'ai eu peu de mal
    pour me procurer beaucoup de repos.
^{28}Achetez l'instruction au prix de beaucoup d'argent,
    grâce à elle vous acquerrez beaucoup d'or.
^{29}Que votre âme trouve sa joie dans la miséricorde du Seigneur,
    ne rougissez pas de le louer.
^{30}Faites votre œuvre avant le temps fixé,
    et au jour fixé il vous donnera votre récompense.

[*Souscription* :] Sagesse de Jésus, fils de Sira.

Les livres prophétiques

Introduction

Le prophétisme. – Les grandes religions de l'Antiquité ont eu des inspirés dont les messages, dans la forme et le contenu, ressemblent à ceux des plus anciens prophètes d'Israël mentionnés dans la Bible. Des confréries de prophètes sont présentes auprès de Samuel, et, à l'époque d'Élie et d'Élisée, il est question de groupes de « frères prophètes ». Ces prophètes portent le nom de *nabî*, mot qui se rattache à une racine qui signifie « appeler, annoncer ». Le prophète est un messager et un interprète de la parole divine. Ils ont été appelés d'une manière irrésistible par Dieu, choisis comme ses messagers pour signifier la volonté de Dieu et pour être eux-mêmes des « signes ».

Le message divin peut parvenir au prophète de bien des manières, dans une vision, par audition mais le plus souvent par une inspiration. Le message reçu est transmis par le prophète sous des modes variés, dans des morceaux lyriques ou des récits en prose, en paraboles ou en clair, dans le style bref des oracles mais aussi en utilisant des formes littéraires... C'est vers le peuple que le prophète est envoyé, vers tous les peuples même dans le cas de Jérémie. Le prophète peut annoncer un événement prochain comme un signe dont la réalisation justifiera ses paroles et sa mission ; mais le message qu'il délivre peut dépasser les circonstances où il est prononcé et la conscience même du prophète. Comment savoir si le message vient vraiment de Dieu ? Il y a, d'après la Bible, deux critères : l'accomplissement de la prophétie et surtout la conformité de l'enseignement avec la doctrine yahviste.

Le mouvement prophétique. – La Bible place Moïse en tête de la lignée des prophètes et le considère comme le plus grand de tous. En son successeur, Josué, « demeure l'esprit ». À l'époque des Juges, on connaît la prophétesse Débora et un prophète anonyme, puis se lève la grande figure de Samuel. L'esprit prophétique s'épanouit alors dans des groupes. En dehors de ces communautés, apparaissent des personnalités marquantes : Gad, Natân, Ahiyya, Jéhu, Élie et Élisée... Nous ne connaissons la plupart de ces prophètes que par des allusions. Cependant, quelques figures ressortent davantage. Natân qui annonce à David la permanence de sa dynastie et qui lui fait un reproche véhément de sa faute avec Bethsabée ; Élie, qui se dresse comme le champion du vrai Dieu contre les prophètes de Baal. Au contraire d'Élie, le prophète solitaire, Élisée est très mêlé à la vie de son temps.

Nos meilleures informations concernent naturellement les prophètes dont un livre canonique porte le nom. Ils interviennent dans les périodes de crise qui précèdent ou accompagnent les grands tournants de l'histoire nationale. Le premier d'entre ces prophètes, Amos, exerce son ministère au milieu du VIIIe siècle, environ cinquante ans après la mort d'Élisée. Le grand mouvement prophétique durera jusqu'à l'Exil : Isaïe, Jérémie, Osée, Michée, Nahum, Sophonie, Habaquq. La fin du ministère de Jérémie est contemporaine des débuts d'Ézéchiel. Avec ce prophète de l'Exil, la tonalité change : visions grandioses et préoccupation grandissante des derniers temps – traits qui annoncent la littérature apocalyptique. Les prophètes du Retour, Aggée et Zacharie, se concentrent sur la restauration du Temple. Après eux, Malachie souligne les tares de la communauté nouvelle. La veine apocalyptique, ouverte par Ézéchiel, jaillit à nouveau dans Joël et la seconde partie de Zacharie. Elle envahit le livre de Daniel, où les visions du passé et de l'avenir se conjuguent dans un tableau extra-temporel de la destruction du Mal et de l'avènement du Royaume de Dieu.

La doctrine des prophètes. – Dans le développement religieux d'Israël, les prophètes ont joué un rôle considérable. Leurs contributions se rejoignent et se combinent selon les trois lignes maîtresses qui distinguent la religion de l'Ancien Testament : le monothéisme, le moralisme, l'attente du Salut.

Le monothéisme. Israël n'est arrivé que lentement à l'affirmation de l'existence d'un Dieu unique. Pendant très longtemps, on a accepté l'idée que les autres peuples pouvaient avoir d'autres dieux, mais on ne s'en préoccupait pas : Israël ne reconnaissait que Yahvé, le Dieu propre à Israël, qui avait conclu une alliance avec le peuple au Sinaï et qui réclamait un culte exclusif. Le passage de cette conscience et de cette pratique monothéistes à une définition abstraite a été le fruit de la prédication des prophètes. Tout en soulignant fortement les liens qui unissent Yahvé à son peuple, les prophètes montrent qu'il dirige aussi les destinées des autres peuples.

Luttant contre l'influence des cultes païens et les tentations du syncrétisme, les prophètes affirment l'impuissance des autres dieux et la vanité des idoles. C'est pendant l'Exil, au moment où l'écroulement des espérances nationales pouvait susciter des doutes sur la puissance de Yahvé, que s'affirme le monothéisme absolu (Is **44** 6-8 ; **46** 1-7, 9). Ce Dieu est transcendant – ce que les prophètes expriment en disant qu'il est « saint » –, il est entouré de mystère, infiniment au-dessus des « fils d'homme » (Ézéchiel). Et cependant, il est proche par la bonté, la tendresse même qu'il témoigne à son peuple (Osée et Jérémie).

Le moralisme. À la Sainteté de Dieu s'oppose la souillure de l'homme, Is **6** 5. Les prophètes ont une conscience aiguë du péché. Ce moralisme n'est pas une innovation, il était inscrit dans le Décalogue, il motivait l'intervention de Natân auprès de David, 2 S **12**, celle d'Élie auprès d'Achab, 1 R **21**. Mais les prophètes canoniques y reviennent constamment : le péché sépare l'homme de Dieu, Is **59** 2. Le péché est une atteinte au Dieu de Justice (Amos), au Dieu d'Amour (Osée), au Dieu de Sainteté (Isaïe). Quant à Jérémie, on peut dire que le péché est au centre de sa vision ; il s'étend à toute la nation, qui paraît définitivement corrompue, inconvertissable. Ce débordement du mal appelle le châtiment de Dieu, une sanction collective, le grand jugement du « Jour de Yahvé ».

Pour échapper au châtiment, il faut « chercher Dieu », c'est-à-dire, précise Sophonie, accomplir ses ordonnances, suivre le droit, vivre dans l'humilité, pratiquer une religion intérieure, dont Jérémie fait une condition de l'Alliance nouvelle. Cet esprit doit animer toute la vie religieuse et les manifestations extérieures du culte.

L'attente du salut. Malgré toutes les apostasies du peuple, Dieu poursuit l'accomplissement de ses promesses. S'il châtie, il épargne toujours un « Reste », Is **4** 3, souche d'un peuple saint à qui l'avenir est promis.

Le prophète Natân, qui prophétise à David la permanence de sa dynastie, 2 S **7**, donne la première expression d'un messianisme royal. Les prophètes, surtout Isaïe mais aussi Michée et Jérémie, entrevoient la venue d'un sauveur. Le messie sera de la lignée davidique, il sortira comme elle de Bethléem-Éphrata. Il recevra les titres les plus magnifiques et l'Esprit de Yahvé reposera en lui. Pour Isaïe, il est l'Emmanuel, « Dieu avec nous », pour Jérémie, « Yahvé est notre justice ».

Cette espérance survécut à l'Exil, mais les perspectives changèrent. Ézéchiel attend bien la venue d'un nouveau David, mais il le dépeint comme un médiateur et un pasteur plutôt que comme un souverain puissant. Zacharie annonce la venue d'un roi, mais humble et pacifique. Pour le Second Isaïe, l'Oint de Yahvé n'est pas un roi davidique, c'est le roi de Perse, Cyrus, instrument de Dieu pour la libération de son peuple. Le même prophète met en scène une autre figure de salut, le Serviteur de Yahvé, qui est le docteur de son peuple et la lumière des nations, prêchant en toute douceur le droit de Dieu, **52** 13-**53** 12. Enfin, Daniel voit venir sur les nuées du ciel comme un Fils d'homme, qui reçoit de Dieu l'empire sur tous les peuples, un royaume qui ne passera pas, Dn **7**.

Les livres des prophètes. – Les prophètes sont d'abord des orateurs, des prédicateurs. On rencontre dans leurs livres des « dires prophétiques », qui sont des oracles au nom de Dieu, ou bien des pièces poétiques qui contiennent un enseignement ; des récits à la première personne, où le prophète relate son expérience, en particulier sa vocation ; des récits à la troisième personne, qui racontent des événements de la vie du prophète ou les circonstances de son ministère. Il est vraisemblable que les prophètes eux-mêmes ont pour partie mis par écrit, ou dicté, leurs prophéties ou le récit de leurs expériences. Leur héritage a pu aussi être conservé fidèlement par la seule tradition orale de leur entourage ou de leurs disciples. À partir de ces éléments, des recueils ont été formés, réunissant les oracles de même ton ou les pièces traitant d'un même sujet (ainsi les livrets contre les nations chez Isaïe, Jérémie, Ézéchiel) ou bien faisant alterner annonces de malheur et promesses de salut (Michée). Ces écrits ont été lus et médités, ils ont contribué à perpétuer les courants spirituels issus des prophètes. Dans les milieux fervents qui y nourrissaient leur foi et leur piété, les livres des prophètes restèrent chose vivante et, comme au rouleau de Baruch, Jr 36 32, « des paroles du même genre y furent ajoutées » sous l'inspiration de Dieu, pour les adapter aux besoins présents du peuple ou pour les enrichir.

Isaïe. – Le prophète Isaïe est né vers 765 av. J.-C. En 740, il reçut dans le Temple de Jérusalem sa vocation prophétique, la mission d'annoncer la ruine d'Israël et de Juda en punition des infidélités du peuple, **6** 1-13. Il exerça son ministère pendant quarante ans, qui furent dominés par la menace grandissante que l'Assyrie fit peser sur Israël et sur Juda. D'abord préoccupé par la corruption morale que la prospérité avait amenée en Juda, Isaïe intervint en politique auprès d'Achaz puis d'Ézéchias. On peut dater les oracles en fonction des événements politiques et des alliances militaires.

Cette participation active aux affaires de son pays fait d'Isaïe un héros national. Il est aussi un poète de génie. Mais sa grandeur est d'abord religieuse : son idée de Dieu a quelque chose de triomphal et d'effrayant aussi : Dieu est le Saint, le Fort, le Puissant, le Roi. L'homme est un être souillé par le péché, dont Dieu demande réparation. Car Dieu exige la justice dans les relations sociales et aussi la sincérité et la fidélité dans le culte qu'on lui rend. Isaïe est le prophète de la foi et, dans les crises graves que traverse sa nation, il demande qu'on se confie en Dieu seul. Il sait que l'épreuve sera sévère, mais il espère qu'un « reste » sera épargné, dont le Messie sera le roi. Ce Messie, descendant de David, fera régner sur terre la paix et la justice et répandra la connaissance de Dieu.

Un tel génie religieux a profondément marqué son époque et a fait école. On conserva ses paroles et on en rajouta. Le livre qui porte son nom est le résultat d'un long travail de composition : **1-12**, oracles contre Jérusalem et Juda ; **13-23**, oracles contre les nations ; **24-35**, promesses. Mais ce plan n'est pas rigide et le livre ne suit qu'imparfaitement l'ordre chronologique de la carrière d'Isaïe. Il a été formé à partir de plusieurs collections. Des pièces postérieures ont été ajoutées : « l'Apocalypse d'Isaïe », **24-27**, date du ve siècle av. J.-C. ; une « petite Apocalypse », **34-35**, dépend du Second Isaïe. Enfin, on a mis en appendice le récit de l'action d'Isaïe lors de la campagne de Sennachérib, **36-39**, emprunté à 2 R **18-19** avec l'insertion d'un psaume postexilique mis dans la bouche d'Ézéchias.

Le livre a reçu des additions encore plus considérables. Les chap. **40-55** ne peuvent pas être l'œuvre du prophète du VIIIe siècle : le cadre historique est postérieur d'environ deux siècles. Jérusalem est prise, le peuple est captif en Babylonie, le roi des Perses, Cyrus, est déjà en scène et il sera l'instrument de la délivrance. Ces chapitres contiennent la prédication d'un anonyme, un continuateur d'Isaïe et un grand prophète comme lui, que, faute de mieux, on appelle le Deutéro-Isaïe ou le Second Isaïe. Il a prêché en Babylonie entre les premières victoires de Cyrus, en 550 av. J.-C., qui laissaient présager la ruine de l'Empire babylonien, et l'édit libérateur de 538, qui permit les premiers retours. D'après ses premiers mots : « Consolez, consolez mon peuple », **40** 1, on a appelé ce recueil le « livre de la Consolation d'Israël ». Le jugement a été accompli par la ruine de Jérusalem, le temps de la restauration est proche. Ce sera un complet renouveau et cet aspect est souligné par l'importance donnée au thème de Dieu créateur joint à celui de Dieu sauveur. Un nouvel Exode, plus merveilleux que le premier, ramènera le peuple à une nouvelle Jérusalem, plus belle que la première. Cette distinction entre deux temps, celui des « choses passées » et celui des « choses à venir », marque le début de l'eschatologie. Le monothéisme est affirmé doctrinalement, la sagesse et la providence insondables de Dieu sont mises en relief, l'universalisme religieux s'exprime clairement pour la première fois.

Dans le livre sont enclavées quatre pièces lyriques, les « chants du Serviteur », qui présentent un parfait serviteur de Yahvé, rassembleur de son peuple et lumière des nations, qui prêche la vraie foi, qui expie par sa mort les péchés du peuple et est glorifié par Dieu.

La dernière partie du livre, chap. **56-66**, est considérée comme l'œuvre d'un autre prophète qu'on a appelé le Troisième Isaïe. C'est un recueil composite de pièces datant de l'époque du Second Isaïe jusqu'à l'époque grecque. Elle apparaît comme l'œuvre des continuateurs du Second Isaïe.

Jérémie. – Un peu plus d'un siècle après Isaïe, vers 650 av. J.-C., Jérémie naissait d'une famille sacerdotale installée aux environs de Jérusalem. Mieux que pour aucun autre prophète, sa vie et son caractère nous sont connus par les récits biographiques à la troisième personne qui parsèment son livre. Les « Confessions de Jérémie » proviennent du prophète lui-même, elles sont un témoignage émouvant des crises intérieures qu'il a traversées. Appelé par Dieu en 626, il a vécu la période tragique où se prépara et s'accomplit la ruine du royaume de Juda. La réforme religieuse et la restauration nationale de Josias avaient éveillé des espoirs qui furent anéantis par la mort du roi à Megiddo en 609 et par le bouleversement du monde oriental, la chute de Ninive en 612 et l'expansion de l'Empire chaldéen. Dès 605, Nabuchodonosor a imposé sa domination à la Palestine, puis Juda s'est révolté à l'instigation de l'Égypte, et, en 597, Nabuchodonosor conquiert Jérusalem et déporte une partie de ses habitants. Une nouvelle révolte ramène les armées chaldéennes. En 587, Jérusalem est prise, le Temple est incendié et une seconde déportation a lieu. Jérémie a traversé cette dramatique histoire, prêchant, menaçant, prédisant la ruine, avertissant en vain les rois incapables qui se succèdent sur le trône de David, accusé de défaitisme par les militaires, persécuté, incarcéré. Après la prise de Jérusalem, Jérémie choisit de rester en Palestine. Il mourut probablement en Égypte.

Jérémie avait une âme tendre, faite pour aimer, et il a été envoyé « pour arracher et renverser, pour exterminer et démolir », il a eu à prédire surtout le malheur. Il était désireux de paix et il a eu toujours à lutter. Il a été déchiré par la mission à laquelle il ne pouvait pas se soustraire. Ses dialogues intérieurs avec Dieu sont semés de cris de douleur : « Pourquoi ma souffrance est-elle continue ? » Ce qui nous rend Jérémie si proche, c'est la religion intérieure et cordiale qu'il a pratiquée, avant de la formuler dans l'annonce de la Nouvelle Alliance. Dieu scrute les reins et les cœurs, il rend à chacun selon ses actes ; l'amitié avec Dieu est rompue par le péché, qui sort du cœur mauvais. Ce côté affectif l'apparente à Osée dont il a subi l'influence ; cette intériorisation de la Loi, ce rôle du cœur dans les rapports avec Dieu, ce souci de la personne individuelle le rapprochent du Deutéronome. Jérémie a certainement vu avec faveur la réforme de Josias qui s'inspirait de ce livre, mais il a été cruellement déçu par son inefficacité pour changer la vie morale et religieuse du peuple.

La mission de Jérémie a échoué de son vivant, mais sa figure n'a cessé de grandir après sa mort. Par sa doctrine d'une Alliance nouvelle, fondée sur la religion du cœur, il a été le père du judaïsme, On relève son influence dans Ézéchiel, la seconde partie d'Isaïe et plusieurs Psaumes. L'époque maccabéenne le compte parmi les protecteurs du peuple. Cette influence durable suppose que les enseignements de Jérémie ont été souvent lus, médités et commentés.

Cette action de toute une lignée spirituelle se reflète dans la composition de son livre. En dehors des oracles poétiques et des récits biographiques, il contient des discours en prose dans un style proche de celui du Deutéronome qu'on a attribués à des rédacteurs « deutéronomistes » d'après l'Exil. Les oracles contre les nations ont peut-être formé d'abord une collection particulière et ils ne proviennent pas tous de Jérémie : au moins, les oracles contre Moab et Édom ont été fortement retravaillés et le long oracle contre Babylone, **50-51**, date de la fin de l'Exil. Des compléments ont été insérés dans le cours du livre et témoignent de l'usage qu'en faisaient et de l'estime qu'en avaient les captifs de Babylone et la communauté renaissante après l'Exil. Il y a aussi une abondance de doublets, qui supposent un travail rédactionnel. Enfin, les indications chronologiques, qui sont nombreuses, ne se suivent pas. Le désordre actuel du livre est le résultat d'un long travail de composition.

On isole deux parties dans le livre : l'une contient des menaces contre Juda et Jérusalem, **1-25**, l'autre des prophéties contre les nations, **25** 13-38 et **46-51**. Une troisième partie est constituée par **26-35**, où l'on a rassemblé dans un ordre arbitraire des morceaux qui ont un ton plus optimiste. Ces pièces sont presque toutes en prose et proviennent en grande partie d'une biographie de Jérémie, qu'on attribue à Baruch. Il faut mettre à part les chap. **30-31** qui sont un livret poétique de consolation. La quatrième partie, **36-44**, en prose, continue la biographie de Jérémie et donne le récit de ses souffrances pendant et après le siège de Jérusalem.

Les Lamentations. – Elles ont probablement été composées en Palestine après la ruine de Jérusalem en 587. Leur auteur décrit en termes poignants le deuil de la ville et de ses habitants mais, de ces plaintes douloureuses, jaillit un sentiment de confiance invincible en Dieu et de repentir profond qui fait la valeur permanente du livret. Les Juifs le récitent au grand jeûne commémoratif de la destruction du Temple et l'Église en fait usage, pendant la Semaine Sainte, pour rappeler le drame du Calvaire.

Baruch. – Le livre de Baruch est un des livres deutérocanoniques absents de la Bible hébraïque. Il contient : une prière de confession et d'espoir, un poème où la Sagesse est identifiée à la Loi, une pièce prophétique où Jérusalem personnifiée s'adresse aux exilés et où le prophète l'encourage par le rappel des espoirs messianiques. La date de composition la plus vraisemblable est le milieu du Iᵉʳ siècle av. J.-C. La « Lettre de Jérémie », au chap. **6**, est une dissertation apologétique contre le culte des idoles. Elle date de la période grecque.

L'intérêt de ce recueil composite est de nous introduire dans les communautés de la Dispersion et de nous montrer comment la vie religieuse y était maintenue par les rapports avec Jérusalem, la prière, le culte de la Loi, l'esprit de revanche et les rêves messianiques. Avec les Lamentations, il est aussi un témoin du grand souvenir laissé par Jérémie, puisqu'on rattacha les deux petits livres au prophète et à son disciple.

Ézéchiel. – À la différence du livre de Jérémie, celui d'Ézéchiel se présente comme un tout bien ordonné. Après une introduction, **1-3**, où le prophète reçoit de Dieu sa mission, le corps du livre se divise clairement en quatre parties : les chap. **4-24** contiennent presque uniquement des reproches et des menaces contre les Israélites avant le siège de Jérusalem ; les chap. **25-32** sont des oracles contre les nations, où le prophète étend la malédiction divine aux complices et aux provocateurs de la nation infidèle ; dans les chap. **33-39**, pendant et après le siège, le prophète console son peuple en lui promettant un avenir meilleur ; il prévoit enfin, chap. **40-48**, le statut politique et religieux de la communauté future, rétablie en Palestine.

Cependant, il y a de nombreux doublets, des récits sont interrompus, puis repris, les dates données dans les chap. **26-33** ne se suivent pas. Ces maladresses sont vraisemblablement le fait de disciples travaillant sur des écrits ou des souvenirs, les combinant et les complétant. Le livre d'Ézéchiel a donc eu, dans une certaine mesure, le sort des autres livres prophétiques. Mais l'égalité de la forme et de la doctrine nous assure que ces disciples ont gardé fidèlement la pensée et, généralement, la parole même de leur maître.

Ézéchiel a exercé son activité parmi les exilés de Babylonie entre 593 et 571. Ézéchiel est un prêtre. Le Temple est sa préoccupation majeure, qu'il s'agisse du Temple présent, souillé par des rites impurs et que quitte la Gloire de Yahvé, ou du Temple futur, dont il décrit minutieusement le plan et où il voit revenir Dieu. Il a le culte de la Loi et, dans son histoire des infidélités d'Israël, le reproche d'avoir « profané » les sabbats » revient comme un refrain. Il a horreur des impuretés légales et un grand souci de séparer le sacré du profane. Sa pensée et son vocabulaire s'apparentent à la Loi de Sainteté, Lv **17-26**. Les deux ensembles ont été transmis dans des milieux de pensée très voisins. L'œuvre d'Ézéchiel s'intègre au courant « sacerdotal » comme celle de Jérémie appartient au courant « deutéronomiste ».

Mais ce prêtre est aussi un prophète d'action. Plus qu'aucun autre, il a multiplié les gestes symboliques. Il mime le siège de Jérusalem, le départ des émigrants, le roi de Babylone à la croisée des chemins, l'union de Juda et d'Israël. Mais la complexité de ses actions symboliques contraste avec la simplicité des gestes de ses prédécesseurs.

Ézéchiel est surtout un visionnaire. Ses quatre visions, **1-3** ; **8-11** ; **37** ; **40-48**, ouvrent un monde fantastique : les quatre animaux du char de Yahvé, la sarabande cultuelle du Temple avec son grouillement de bêtes et d'idoles, la plaine d'ossements qui s'animent, un Temple futur dessiné comme sur un plan d'architecte, d'où jaillit un fleuve de rêve dans une géographie utopique. Ce pouvoir d'imaginer s'étend aux tableaux allégoriques que trace le prophète.

En contraste avec cette puissance visuelle, le style d'Ézéchiel est terne quand on le compare à la pureté vigoureuse d'Isaïe, à la chaleur émouvante de Jérémie. L'art d'Ézéchiel vaut par ses dimensions et son relief, qui créent comme une atmosphère d'horreur sacrée devant le mystère du divin.

On voit que, si par bien des traits Ézéchiel se relie à ses prédécesseurs, il ouvre néanmoins une voie nouvelle. Et cela est vrai aussi de sa doctrine. Ézéchiel rompt avec le passé de sa nation. Le souvenir des promesses faites aux Pères et de l'Alliance conclue au Sinaï apparaît sporadiquement mais, si Dieu a sauvé jusqu'ici son peuple, ce n'est pas pour accomplir les promesses, c'est pour défendre l'honneur de son nom ; s'il doit remplacer l'Alliance ancienne par une Alliance éternelle, ce n'est pas en récompense d'un « retour » du peuple vers lui, c'est par bienveillance pure. Ézéchiel annonce bien un futur David

mais celui-ci ne sera que le « berger » de son peuple, un « prince »
et non plus un roi, pour lequel il n'y a pas de place dans la vision
théocratique de l'avenir. Ézéchiel rompt avec la tradition de la soli-
darité dans le châtiment et affirme le principe de la rétribution individuelle. Prêtre si attaché à son Temple, il rompt aussi, comme avait
déjà fait Jérémie, avec l'idée que Dieu est lié à son sanctuaire. En lui
se marient l'esprit prophétique et l'esprit sacerdotal qui étaient restés
souvent opposés : les rites – qui subsistent – sont valorisés par les
sentiments qui les inspirent. Toute la doctrine d'Ézéchiel est centrée
sur le renouvellement intérieur : il faut se faire un cœur nouveau et
un esprit nouveau, ou plutôt Dieu lui-même donnera un « autre » cœur,
un cœur « nouveau », et mettra dans l'homme un esprit « nouveau ».
Cette spiritualisation de toutes les données religieuses est le grand
apport d'Ézéchiel. Par un autre de ses aspects, Ézéchiel est à l'origine
du courant apocalyptique. Ses visions grandioses préludent à celles
de Daniel et il n'est pas étonnant que dans l'Apocalypse de saint Jean
on retrouve si souvent son influence.

Daniel. – Daniel et ses compagnons sont les héros des chap. **1-6** :
ils sortent triomphants d'une épreuve et les païens glorifient Dieu qui
les a sauvés. Les scènes se passent à Babylone sous les règnes de
Nabuchodonosor, de Balthazar et de Darius le Mède. Les chap. **7-12**
sont des visions, dont Daniel est le bénéficiaire. Elles sont datées des
règnes de Balthazar, de Darius le Mède et de Cyrus, roi de Perse, et
sont situées en Babylonie.

Le début du livre est en hébreu mais, en **2** 4, on passe brusquement
à l'araméen, qui continue jusqu'à la fin de **7**. Les derniers chapitres
sont de nouveau en hébreu. La date de la composition de ce livre est
fixée par le témoignage clair que donne le chap. **11**. Les guerres entre
Séleucides et Lagides et une partie du règne d'Antiochus Épiphane y
sont racontées avec un grand luxe de détails. Le livre aurait donc été
composé pendant la persécution d'Antiochus Épiphane et avant la
mort de celui-ci, c'est-à-dire entre 167 et 164.

Ce récit ne ressemble à aucune prophétie de l'Ancien Testament et,
malgré son style prophétique, relate des événements déjà accomplis.
Mais, à partir de **11** 40, le ton change, le « Temps de la Fin » est annoncé
dans une manière qui rappelle les autres prophètes. Les récits de la
première partie sont situés à l'époque chaldéenne, mais certains indices
montrent que l'auteur est assez loin des événements. Balthazar est le
fils de Nabonide, et non pas de Nabuchodonosor et il n'a jamais eu le
titre de roi. Darius le Mède est inconnu des historiens et il n'y a pas de
place pour lui entre le dernier roi chaldéen et Cyrus le Perse, qui avait
déjà vaincu les Mèdes. Le milieu néo-babylonien est décrit avec des
mots d'origine perse ; même, les instruments de l'orchestre de Nabuchodonosor portent des noms transcrits du grec. Les dates données

dans le livre ne concordent pas entre elles ni avec l'histoire telle que nous la connaissons et elles semblent avoir été mises en tête des chapitres sans grand souci de la chronologie. L'auteur a utilisé des traditions, orales ou écrites, qui circulaient à son époque.

Le livre est destiné à soutenir la foi et l'espérance des Juifs persécutés par Antiochus Épiphane. Daniel et ses compagnons ont été soumis aux mêmes épreuves, abandon des prescriptions de la Loi, tentations d'idolâtrie : ils en sont sortis vainqueurs et les anciens persécuteurs ont dû reconnaître la puissance du vrai Dieu. Le persécuteur moderne est dépeint en traits plus noirs, mais, quand la colère de Dieu sera satisfaite, viendra le temps de la Fin, où le persécuteur sera brisé. Ce sera la fin des malheurs et du péché et l'avènement du Royaume des Saints, gouverné par un « Fils d'homme », dont l'empire ne passera pas.

Dans ce livre, les moments de l'histoire du monde deviennent des moments du dessein divin sur le plan éternel. Par cette vision à la fois temporelle et extra-temporelle, l'auteur révèle le sens prophétique de l'histoire. Ce secret de Dieu est dévoilé par l'intermédiaire d'êtres mystérieux, qui sont les messagers et les agents du Très-Haut ; la doctrine des anges s'affirme dans le livre de Daniel comme dans ceux d'Ézéchiel et surtout de Tobie. La révélation concerne le dessein caché de Dieu sur son peuple et sur les peuples, sur les nations comme sur les individus. Un texte annonce le réveil des morts pour une vie ou un opprobre éternels. Le Royaume qu'on attend s'étendra à tous les peuples, il sera sans fin, ce sera le Royaume des Saints, le Royaume de Dieu, le Royaume du Fils d'homme, à qui fut conférée toute puissance.

Le livre de Daniel ne contient pas la prédication d'un prophète envoyé par Dieu en mission auprès de ses contemporains. Il a été composé par un auteur qui se cache derrière un pseudonyme, comme déjà le livret de Jonas. Les histoires édifiantes de la première partie s'apparentent à une classe d'écrits de sagesse dont on a un exemple ancien dans l'histoire de Joseph de la Genèse, un exemple récent dans le livre de Tobie, écrit peu avant Daniel. Les visions de la seconde partie apportent la révélation d'un secret divin, expliqué par les anges, pour les temps futurs, dans un style volontairement énigmatique ; ce « livre scellé » inaugure pleinement le genre apocalyptique qui avait été préparé par Ézéchiel et qui s'épanouira dans la littérature juive. L'Apocalypse de saint Jean lui correspond dans le Nouveau Testament.

Les Douze Prophètes.

Le dernier livre du canon hébreu des prophètes est appelé simplement « les Douze ». Il groupe douze livrets attribués à différents prophètes. La collection était déjà constituée à l'époque de l'Ecclésiastique. (On présente ici les livres selon l'ordre historique le plus vraisemblable et non en suivant la succession historique que la tradition leur attribuait.)

Amos. – Amos était berger à Téqoa, sur la lisière du désert de Juda, quand il a été envoyé par Yahvé pour prophétiser à Israël. Après un court ministère qui eut pour cadre principal le sanctuaire schismatique de Béthel et s'exerça probablement aussi à Samarie, il fut expulsé d'Israël et revint à ses occupations premières.

Il prêche sous le règne de Jéroboam II, 783-743, époque où le royaume du Nord s'étend et s'enrichit, mais où le luxe des grands insulte à la misère des opprimés et où la splendeur du culte masque l'absence d'une religion vraie. Amos condamne au nom de Dieu la vie corrompue des cités, les injustices sociales, la fausse assurance qu'on met en des rites. Yahvé, souverain Seigneur du monde, qui punit toutes les nations, châtiera durement Israël, que son élection oblige à une plus grande justice morale. Le « Jour de Yahvé » (l'expression vient ici pour la première fois) sera ténèbres et non lumière, la vengeance sera terrible, exercée par un peuple que Dieu appelle, l'Assyrie, qui n'est pas nommée mais qui occupe l'horizon du prophète. Toutefois Amos ouvre une petite espérance, la perspective d'un salut pour la maison de Jacob, pour le « reste » de Joseph (premier emploi prophétique de ce terme). Cette profonde doctrine sur Dieu, maître universel et tout-puissant, défenseur de la justice, est exprimée avec une assurance absolue, sans que jamais le prophète ait l'air d'innover : sa nouveauté est dans la force avec laquelle il rappelle les exigences du pur yahvisme.

Le livre nous est parvenu dans un certain désordre ; on peut aussi hésiter sur l'attribution à Amos lui-même de quelques passages ; les courts oracles contre Tyr, Édom et Juda semblent dater de l'Exil. **9** 11-15 a vraisemblablement été ajouté : ce qui est dit de la hutte branlante de David, de la vengeance contre Édom, d'un retour et d'un rétablissement d'Israël, suppose l'époque de l'Exil et peut être attribué, avec quelques autres retouches, à une édition deutéronomiste du livre.

Osée. – Originaire du royaume du Nord, Osée est le contemporain d'Amos, puisqu'il a commencé à prêcher sous Jéroboam II ; son ministère s'est prolongé sous les successeurs de ce roi ; mais il ne paraît pas qu'il ait vu la ruine de Samarie en 721. C'est, en Israël, une sombre période : conquêtes assyriennes de 734-732, révoltes intérieures – quatre rois sont assassinés en quinze ans –, corruption religieuse et morale.

De la vie d'Osée pendant cette période troublée, nous ne connaissons que son drame personnel, **1-3**, mais celui-ci fut décisif pour son action prophétique. Osée avait épousé une femme qu'il aimait et qui l'a quitté, mais il a continué de l'aimer et l'a reprise après l'avoir éprouvée. L'expérience douloureuse du prophète devient un symbole de la conduite de Yahvé envers son peuple : Israël a été épousée par Yahvé, elle s'est conduite comme une femme infidèle, comme une

prostituée, et a provoqué la fureur et la jalousie de son époux divin.
Celui-ci l'aime toujours, il la châtiera mais pour la ramener à lui et
lui rendre les joies de leur premier amour.

Avec une audace qui étonne et une passion qui bouleverse, l'âme
tendre et violente d'Osée a exprimé pour la première fois les rapports
de Yahvé et d'Israël dans les termes d'un mariage. Tout son message a
pour thème fondamental l'amour de Dieu méconnu par son peuple. Sauf
une courte idylle au désert, Israël n'a répondu aux avances de Yahvé
que par la trahison. Osée s'en prend surtout aux classes dirigeantes de
la société. Les rois, choisis contre la volonté de Yahvé, ont, par leur
politique séculière, dégradé le peuple élu au rang des autres peuples.
Les prêtres, ignorants et rapaces, conduisent le peuple à sa perte. Comme Amos, Osée condamne les injustices et les violences, mais il s'appesantit plus que lui sur l'infidélité religieuse : Yahvé est à Béthel l'objet
d'un culte idolâtrique, on l'associe à Baal et à Astarté dans le culte
licencieux des hauts lieux. Yahvé est un Dieu qui veut avoir sans partage
le cœur de ses fidèles : « Ce que je veux, c'est l'amour, non les sacrifices,
la connaissance de Dieu, non les holocaustes. »

La collection des oracles d'Osée, rassemblée en Israël, a été re-
cueillie en Juda et y a été l'objet de révisions pour un travail d'édition.
Le verset final est la réflexion d'un sage de l'époque exilique ou
postexilique sur l'enseignement principal du livre et sur sa profondeur. La difficulté de son interprétation est accrue pour nous par l'état
déplorable du texte hébreu, qui est l'un des plus corrompus de tout
l'Ancien Testament.

Le livre d'Osée a eu des résonances profondes dans l'Ancien Testament et on retrouve son écho dans les exhortations des prophètes
suivants à une religion du cœur, inspirée par l'amour de Dieu. Jérémie
a été profondément influencé par lui. Il n'est pas étonnant que le
Nouveau Testament cite Osée ou s'en inspire assez souvent.

Michée. – Le prophète Michée était un Judéen, qui a exercé son
action sous les rois Achaz et Ézéchias, c'est-à-dire avant et après la
prise de Samarie en 721 et peut-être jusqu'à l'invasion de Sennachérib
en 701. Il fut donc en partie le contemporain d'Osée et, plus longuement, d'Isaïe. Par son origine campagnarde, il s'apparente à Amos,
dont il partage l'aversion pour les grandes cités, le langage concret
et parfois brutal, le goût des images rapides et des jeux de mots.

Le livre se divise en quatre parties qui font alterner la menace et
la promesse. La composition balancée est un arrangement des éditeurs
du livre. Il est difficile de déterminer l'étendue des remaniements qu'il
a subis dans le milieu spirituel où se gardait le souvenir du prophète.

Michée annonce avec assurance le malheur : il porte la parole de
Dieu et celle-ci est d'abord une condamnation. Yahvé fait le procès
de son peuple et le trouve coupable : fautes religieuses sans doute,
mais surtout fautes morales, et Michée fustige les riches accapareurs,

les créanciers impitoyables, les commerçants fraudeurs, les familles divisées, les prêtres et les prophètes cupides, les chefs tyranniques, les juges vénaux. C'est le contraire de ce que Yahvé réclame : « accomplir la justice, aimer la bonté, et s'appliquer à marcher avec Dieu », **6** 8, formule qui résume les revendications spirituelles des prophètes et rappelle Osée. Dans un bouleversement du monde, Yahvé viendra juger et punir son peuple, la ruine de Samarie est annoncée, celle des villes du Bas-Pays où vit Michée, celle même de Jérusalem. Cependant le prophète garde une espérance. Il reprend la doctrine du « reste », ébauchée par Amos, et il prophétise la naissance du Roi pacifique qui fera paître le troupeau de Yahvé.

L'influence de Michée fut durable : les contemporains de Jérémie connaissaient et citaient de lui un oracle contre Jérusalem, Jr **26** 18. Le Nouveau Testament a surtout retenu le texte sur l'origine du Messie en Éphrata-Bethléem.

Sophonie. – Sophonie a prophétisé pendant la minorité du roi Josias, avant la réforme religieuse, entre 640 et 630, juste avant que ne commence le ministère de Jérémie. Le message de Sophonie se résume en une annonce du Jour de Yahvé (voir Amos), une catastrophe qui atteindra les nations aussi bien que Juda. Celui-ci est condamné pour ses fautes religieuses et morales. Sophonie a du péché une notion profonde : c'est une atteinte personnelle au Dieu vivant. Le châtiment des nations est un avertissement, qui devrait ramener le peuple à l'obéissance et à l'humilité, et le salut n'est promis qu'à un « reste » humble et modeste.

Le petit livre de Sophonie a eu une influence restreinte mais la description du Jour de Yahvé, **1** 14-18, a inspiré celle de Joël et a fourni au Moyen Âge le début du *Dies irae*.

Nahum. – La prophétie est un peu antérieure à la prise de Ninive en 612. On y sent frémir toute la passion d'Israël contre l'ennemi héréditaire, le peuple d'Assur, on y entend chanter les espérances qu'éveille sa chute. Mais, à travers ce nationalisme violent, s'exprime un idéal de justice et de foi : la ruine de Ninive est un jugement de Dieu, qui punit l'ennemi du plan divin.

Le livret de Nahum a dû alimenter les espoirs humains d'Israël aux environs de 612, mais la joie fut de courte durée et la ruine de Jérusalem suivit de peu celle de Ninive.

Habaquq. – Le court livre d'Habaquq est très soigneusement composé. On discute sur les circonstances de la prophétie et l'identification de l'oppresseur. S'il s'agit des Assyriens, la prophétie se placerait avant la chute de Ninive en 612. S'il s'agit des Chaldéens, le livre se date entre la bataille de Karkémish en 605, qui a donné le Proche-Orient à Nabuchodonosor, et le premier siège de Jérusalem en 597.

Habaquq serait ainsi de peu postérieur à Nahum et, comme lui, contemporain de Jérémie.

Habaquq ose demander compte à Dieu de son gouvernement du monde. Oui, Juda a péché, mais pourquoi Dieu, qui est saint, qui a des yeux trop purs pour voir le mal, choisit-il les Chaldéens barbares pour exercer sa vengeance, pourquoi fait-il punir le méchant par un plus méchant que lui, pourquoi a-t-il l'air d'aider au triomphe de la force injuste ? C'est le problème du Mal posé sur le plan des nations. La réponse divine est que, par des voies paradoxales, le Dieu tout-puissant prépare la victoire finale du droit, et « le juste vivra par sa fidélité ».

Aggée. – Avec Aggée commence la dernière période prophétique, celle d'après l'Exil. Avant l'Exil, le mot d'ordre des prophètes avait été l'unition. Pendant l'Exil, il était devenu Consolation. Il est maintenant Restauration. Les brèves exhortations d'Aggée sont exactement datées de la fin d'août au milieu de décembre 520. Les premiers Juifs rentrés de Babylonie pour reconstruire le Temple s'étaient vite découragés. Mais les prophètes Aggée et Zacharie réveillèrent les énergies et poussèrent le gouverneur Zorobabel et le grand prêtre Josué à reprendre les travaux du Temple, ce qui se fit en septembre 520.

La reconstruction du Temple est présentée comme la condition de la venue de Yahvé et de l'établissement de son règne ; malgré son apparence modeste, ce nouveau Temple éclipsera la gloire de l'ancien, et la puissance est promise à Zorobabel, le choisi de Dieu. Ainsi se cristallise autour du sanctuaire et du descendant de David l'espérance messianique que Zacharie exprimera plus nettement.

Zacharie. – Le livre de Zacharie se compose de deux parties bien distinctes : **1-8** et **9-14**. Les chap. **1-8** datent de 520-518 : comme Aggée, Zacharie se préoccupe de la reconstruction du Temple, mais il fait une part plus large à la restauration nationale et à ses exigences de pureté et de moralité. Son attente eschatologique est plus pressante. Zacharie associe la vieille idée du messianisme royal aux préoccupations sacerdotales d'Ézéchiel, dont l'influence se marque sur bien des points. (Les annonces universalistes de **8** 20-23 sont postérieures.)

Les chap. **9-14** ont très vraisemblablement été composés dans les dernières décennies du IVe siècle av. J.-C., après la conquête d'Alexandre. Ils sont disparates. Cette partie du livre est importante surtout par sa doctrine messianique, d'ailleurs peu unifiée : relèvement de la maison de David, attente d'un Roi Messie humble et pacifique, annonce mystérieuse d'un « Transpercé », **12** 10. Le Nouveau Testament cite souvent ces chapitres de Zacharie ou au moins y fait allusion.

Malachie. – Le nom « Malachie » signifie « mon messager ». Le livre est postérieur au rétablissement du culte dans le Temple rebâti, 515, et antérieur à l'interdiction des mariages mixtes sous Néhémie,

445. Après l'élan impulsé par Aggée et Zacharie, la communauté s'était laissée aller. En s'inspirant du Deutéronome, et aussi d'Ézéchiel, le prophète affirme qu'on ne se moque pas de Dieu, qui exige de son peuple religion intérieure et pureté. Il annonce le Jour de Yahvé et attend la venue de l'« Ange de l'Alliance », préparée par un mystérieux envoyé. Cette ère messianique verra le rétablissement de l'ordre moral, et de l'ordre cultuel, culminant dans le sacrifice parfait offert à Dieu par toutes les nations.

Abdias. – C'est le plus court des « livres » prophétiques : 21 versets. C'est un cri passionné de vengeance, dont l'esprit nationaliste contraste avec l'universalisme de la seconde partie d'Isaïe, par exemple. Mais le morceau exalte aussi la justice terrible et la puissance de Yahvé, qui agit comme défenseur du droit. Les Édomites avaient profité de la ruine de Jérusalem pour envahir la Judée méridionale. Le souvenir de ces événements est encore très vivant et la prophétie semble avoir été composée en Judée avant le retour de l'Exil.

Joël. – Le livre de Joël date de l'époque postexilique et a dû être composé aux environs de 400 av. J.-C. Une invasion de sauterelles qui ravage Juda provoque une liturgie de deuil et de supplication ; Yahvé répond en promettant la fin du fléau et le retour de l'abondance, **1-2**. Les chap **3-4** décrivent dans un style apocalyptique le jugement des nations et la victoire définitive de Yahvé et d'Israël. Les sauterelles sont l'armée de Yahvé, lancée pour exécuter son jugement, un Jour de Yahvé, dont on peut être sauvé par la pénitence et la prière. Le fléau devient le type du grand jugement final, le Jour de Yahvé qui ouvrira les temps eschatologiques.

Jonas. – Ce petit livre diffère de tous les autres livres prophétiques. Il ne doit pas être interprété historiquement : c'est un récit didactique, plein d'ironie – les « bons tours » que Dieu joue à Jonas –, qui affirme que ce que Dieu veut, ce n'est pas de mettre ses menaces à exécution mais que le pécheur se convertisse. Brisant avec le particularisme dans lequel la communauté postexilique était tentée de s'enfermer, ce livre prêche un universalisme extraordinairement ouvert. Ici, tout le monde est sympathique, les marins païens du naufrage, le roi, les habitants et jusqu'aux animaux de Ninive, tout le monde sauf le seul Israélite qui soit en scène ! Dieu sera indulgent pour son prophète rebelle, mais surtout, sa miséricorde s'étend même à Ninive, l'ennemie la plus honnie d'Israël. Ce livret a été composé après l'Exil, dans le courant du Vᵉ siècle.

Isaïe

Voir l'introduction, p. 1236.

1. Première partie du livre d'Isaïe

I. ORACLES ANTÉRIEURS
À LA GUERRE SYRO-ÉPHRAÏMITE

Titre.

1 ¹Vision d'Isaïe, fils d'Amoç, qu'il reçut au sujet de Juda et de Jérusalem, au temps d'Ozias, de Yotam, d'Achaz et d'Ézéchias, rois de Juda.

Contre un peuple ingrat.

²Cieux écoutez, terre prête l'oreille, car Yahvé parle.
  J'ai élevé des enfants, je les ai fait grandir,
  mais ils se sont révoltés contre moi.
³Le bœuf connaît son possesseur,
  et l'âne la crèche de son maître,
  Israël ne connaît pas,
  mon peuple ne comprend pas.
⁴Malheur ! nation pécheresse ! peuple coupable !
  race de malfaiteurs, fils pervertis !
  Ils ont abandonné Yahvé, ils ont méprisé le Saint d'Israël,
  ils se sont détournés de lui.

⁵Où frapper encore, si vous persévérez dans la trahison ?
  Toute la tête est mal en point, tout le cœur est malade,
⁶de la plante des pieds à la tête, il ne reste rien de sain.

Ce n'est que blessures, contusions, plaies ouvertes,
  qui ne sont pas pansées ni bandées, ni soignées avec de l'huile.
⁷Votre pays est une désolation, vos villes sont la proie du feu,
  votre sol, sous vos yeux des étrangers le ravagent,
  c'est la désolation comme une dévastation d'étrangers.
⁸Elle est restée, la fille de Sion, comme une hutte dans une vigne,
  comme un abri dans un champ de concombres,
  comme une ville assiégée.
⁹Si Yahvé Sabaot ne nous avait laissé quelques rares survivants,
  nous serions comme Sodome, nous ressemblerions à Gomorrhe.

Contre l'hypocrisie.

¹⁰Écoutez la parole de Yahvé, chefs de Sodome,
  prêtez l'oreille à l'enseignement de notre Dieu, peuple de Gomorrhe !
¹¹Que m'importent vos innombrables sacrifices, dit Yahvé.
  Je suis rassasié des holocaustes de béliers et de la graisse des veaux ;
  au sang des taureaux, des

agneaux et des boucs, je ne prends pas plaisir.
¹²Quand vous venez vous présenter devant moi,
qui vous a demandé de fouler mes parvis ?
¹³N'apportez plus d'oblation vaine :
c'est pour moi une fumée insupportable !
Néoménie, sabbat, assemblée,
je ne supporte pas fausseté et solennité.
¹⁴Vos néoménies, vos réunions, mon âme les hait ;
elles me sont un fardeau que je suis las de porter.
¹⁵Quand vous étendez les mains, je détourne les yeux ;
vous avez beau multiplier les prières, moi je n'écoute pas.
Vos mains sont pleines de sang :
¹⁶lavez-vous, purifiez-vous !
Ôtez de ma vue vos actions perverses !
Cessez de faire le mal, ¹⁷apprenez à faire le bien !
Recherchez le droit, redressez le violent !
Faites droit à l'orphelin, plaidez pour la veuve !

¹⁸Allons ! Discutons ! dit Yahvé.
Quand vos péchés seraient comme l'écarlate,
comme neige ils blanchiront ;
quand ils seraient rouges comme la pourpre,
comme laine ils deviendront.
¹⁹Si vous voulez bien obéir, vous mangerez les produits du terroir.
²⁰Mais si vous refusez et vous rebellez,
c'est l'épée qui vous mangera !
Car la bouche de Yahvé a parlé.

Lamentation sur Jérusalem.

²¹Comment est-elle devenue une prostituée,
la cité fidèle ?
Sion, pleine de droiture, où la justice habitait,
et maintenant des assassins !
²²Ton argent est changé en scories, ta boisson est coupée d'eau.
²³Tes princes sont des rebelles, complices de brigands,
tous avides de présents, courant après les pots-de-vin.
Ils ne font pas droit à l'orphelin, la cause de la veuve ne leur parvient pas.
²⁴C'est pourquoi, oracle du Seigneur Yahvé Sabaot, le Puissant d'Israël :
Malheur ! j'aurai raison de mes adversaires,
je me vengerai de mes ennemis.
²⁵Je tournerai la main contre toi, j'épurerai comme à la potasse tes scories,
j'ôterai tous tes déchets.
²⁶Je rendrai tes juges tels que jadis, tes conseillers tels qu'autrefois.
Après quoi on t'appellera Ville-de-Justice, Cité-fidèle.
²⁷Sion sera rachetée par la droiture, et ceux qui reviendront, par la justice.
²⁸C'est la destruction des criminels et des pécheurs, tous ensemble !
Ceux qui abandonnent Yahvé périront.

Contre les arbres sacrés.

²⁹Oui, on aura honte des térébinthes qui font vos délices,
vous rougirez des jardins que vous avez choisis.

³⁰Car vous serez comme un térébinthe au feuillage flétri,
et comme un jardin qui n'a plus d'eau.
³¹Le colosse deviendra comme de l'étoupe, et son œuvre sera l'étincelle :
ils flamberont tous deux ensemble, et personne pour éteindre.

La paix perpétuelle.

2 ¹Vision d'Isaïe, fils d'Amoç, au sujet de Juda et de Jérusalem.

‖ Mi 4 1-3.

²Il arrivera dans la suite des temps
que la montagne de la maison de Yahvé
sera établie en tête des montagnes
et s'élèvera au-dessus des collines.
Alors toutes les nations afflueront vers elle,
³alors viendront des peuples nombreux qui diront :
« Venez, montons à la montagne de Yahvé,
à la maison du Dieu de Jacob,
qu'il nous enseigne ses voies
et que nous suivions ses sentiers. »
Car de Sion vient la Loi
et de Jérusalem la parole de Yahvé.
⁴Il jugera entre les nations, il sera l'arbitre de peuples nombreux.
Ils forgeront leurs épées pour en faire des socs
et leurs lances pour en faire des serpes.
On ne lèvera plus l'épée nation contre nation,
on n'apprendra plus à faire la guerre.

⁵Maison de Jacob, allons, marchons à la lumière de Yahvé.

L'éclat de la majesté de Yahvé.

⁶Oui, tu as rejeté ton peuple, la maison de Jacob,
car il regorge depuis longtemps de magiciens, comme les Philistins,
il surabonde d'enfants d'étrangers.
⁷Le pays s'est rempli d'argent et d'or, ses trésors sont sans limites ;
le pays s'est rempli de chevaux, ses chars sont sans nombre ;
⁸le pays s'est rempli de faux dieux,
eux se prosternent devant l'œuvre de leurs mains,
devant ce qu'ont fabriqué leurs doigts.
⁹le mortel s'est humilié, l'homme s'est abaissé :
ne les relève pas !
¹⁰Va dans le rocher, terre-toi dans la poussière
devant la Terreur de Yahvé, devant l'éclat de sa majesté,
quand il se lèvera pour faire trembler la terre.
¹¹L'orgueil humain baissera les yeux,
l'arrogance des hommes sera humiliée,
Yahvé sera exalté, lui seul, en ce jour-là.

¹²Oui, ce sera un jour de Yahvé Sabaot
sur tout ce qui est orgueilleux et hautain,
sur tout ce qui est élevé, pour qu'il soit abaissé ;
¹³sur tous les cèdres du Liban, hautains et élevés,

et sur tous les chênes de Bashân ;
¹⁴sur toutes les montagnes hautaines
et sur toutes les collines élevées ;
¹⁵sur toute tour altière
et sur tout rempart escarpé ;
¹⁶sur tous les vaisseaux de Tarsis
et sur tout ce qui paraît précieux.
¹⁷L'orgueil humain sera humilié,
l'arrogance de l'homme sera
abaissée,
et Yahvé sera exalté, lui seul, en
ce jour-là.

¹⁸Les faux dieux, en masse, disparaîtront.
¹⁹Pour eux, ils iront dans les cavernes des rochers
et dans les fissures du sol,
devant la Terreur de Yahvé, devant l'éclat de sa majesté,
quand il se lèvera pour faire
trembler la terre.
²⁰En ce jour-là, l'homme jettera
aux taupes et aux chauves-souris
ses faux dieux d'argent et ses faux
dieux d'or, ceux qu'on lui a fabriqués pour qu'il les adore,
²¹il s'en ira dans les crevasses des
rochers et dans les fentes des falaises,
devant la Terreur de Yahvé, devant l'éclat de sa majesté,
quand il se lèvera pour faire
trembler la terre.

²²Tenez-vous à l'écart de l'homme, qui n'a qu'un souffle dans les
narines !
À combien l'estimer ?

L'anarchie à Jérusalem.

3 ¹ Oui, voici que le Seigneur
Yahvé Sabaot
va ôter de Jérusalem et de Juda
ressource et provision

– toute réserve de pain et toute
réserve d'eau –,
²héros et homme de guerre, juge
et prophète, devin et vieillard,
³capitaine et dignitaire, conseiller, architecte et enchanteur.
⁴Je leur donnerai comme princes
des adolescents,
et des gamins feront la loi chez
eux.
⁵Les gens se molesteront l'un
l'autre, et entre voisins ;
le jeune garçon s'en prendra au
vieillard,
l'homme de peu au notable.
⁶Oui, un homme saisira son frère
dans la maison paternelle :
« Tu as un manteau, tu seras notre chef,
et cette chose branlante, qu'elle
le soit confiée ! »
⁷Et l'autre, en ce jour-là, s'écrie-
ra :
« Je ne suis pas un guérisseur ;
chez moi, il n'y a ni pain ni manteau,
ne me faites pas chef du peuple ! »
⁸Car Jérusalem a trébuché et Juda est tombé,
oui, leurs paroles et leurs actes
s'adressent à Yahvé,
pour insulter ses regards glorieux.
⁹Leur complaisance témoigne
contre eux,
ils étalent leur péché comme Sodome.
Ils n'ont pas dissimulé, malheur
à eux !
car ils ont préparé leur propre
ruine.
¹⁰Dites : le juste, qu'il est heureux !
car il se nourrira du fruit de ses
actes.

[11]Malheur au méchant, malfaisant !

car il sera traité selon ses œuvres.

[12]Ô mon peuple, ses oppresseurs le mettent au pillage,

et des exacteurs font la loi chez lui.

Ô mon peuple, tes guides t'égarent,

ils ont effacé les chemins que tu suis.

[13]Yahvé s'est levé pour accuser,

il est debout pour juger les peuples.

[14]Yahvé entre en jugement,

avec les anciens et les princes de son peuple :

« C'est vous qui avez dévasté la vigne,

la dépouille du malheureux est dans vos maisons.

[15]De quel droit écraser mon peuple

et broyer le visage des malheureux ? »

Oracle du Seigneur Yahvé Sabaot.

Les femmes de Jérusalem.

[16]Yahvé dit :

Parce qu'elles font les fières, les filles de Sion,

qu'elles vont le cou tendu et les yeux provocants,

qu'elles vont à pas menus, en faisant sonner les anneaux de leurs pieds,

[17]le Seigneur rendra galeux le crâne des filles de Sion,

Yahvé dénudera leur front.

[18]Ce jour-là le Seigneur ôtera l'ornement de chaînettes, les médaillons et les croissants, [19]les pendentifs, les bracelets, les breloques,

[20]les diadèmes et les chaînettes de chevilles, les parures, les boîtes à parfums et les amulettes, [21]les bagues et les anneaux de narines, [22]les vêtements de fête et les manteaux, les écharpes et les bourses, [23]les miroirs, les linges fins, les turbans et les mantilles.

[24]Alors, au lieu de baume, ce sera la pourriture,

au lieu de ceinture, une corde,

au lieu de coiffure, la tête rase,

au lieu d'une robe d'apparat, un pagne de grosse toile,

et la marque au fer rouge au lieu de beauté.

La misère à Jérusalem.

[25]Tes hommes tomberont sous l'épée,

et tes braves dans le combat.

[26]Ses portes gémiront et seront dans le deuil ;

désertée, elle s'assiéra par terre.

4 [1]Et sept femmes s'arracheront un homme, en ce jour-là, en disant : « Nous mangerons notre pain, nous mettrons notre propre manteau, laisse-nous seulement porter ton nom. Ôte notre déshonneur. »

Le germe de Yahvé.

[2]Ce jour-là, le germe de Yahvé deviendra parure et gloire,

le fruit de la terre deviendra fierté et ornement

pour les survivants d'Israël.

[3]Le reste laissé à Sion, ce qui survit à Jérusalem, sera appelé saint,

tout ce qui est inscrit pour la vie à Jérusalem.

[4]Lorsque le Seigneur aura lavé la saleté des filles de Sion

et purifié Jérusalem du sang répandu,

au souffle du jugement et au souffle de l'incendie,

⁵Yahvé créera partout sur la montagne de Sion et sur ceux qui s'y assemblent

une nuée le jour,

et une fumée avec l'éclat d'un feu flamboyant, la nuit.

Car sur toute gloire il y aura un dais ⁶et une hutte

pour faire ombre le jour contre la chaleur,

et servir de refuge et d'abri contre l'averse et la pluie.

Le chant de la vigne. Os 10 1. Jr 2 21 ; 5 10 ; 6 9 ; 12 10. Ez 15 1-8 ; 17 3-10 ; 19 10-14. Ps 80 9-19. Is 27 2-5. ↗ Mt 21 33-44. Jn 15 1-2.

5 ¹Que je chante à mon bien-aimé

le chant de mon ami pour sa vigne.

Mon bien-aimé avait une vigne, sur un coteau fertile.

²Il la bêcha, il l'épierra, il y planta du raisin vermeil.

Au milieu il bâtit une tour, il y creusa même un pressoir.

Il attendait de beaux raisins : elle donna des raisins sauvages.

³Et maintenant, habitants de Jérusalem et gens de Juda,

soyez juges entre moi et ma vigne.

⁴Que pouvais-je encore faire pour ma vigne que je n'aie fait ?

Pourquoi espérais-je avoir de beaux raisins,

et a-t-elle donné des raisins sauvages ?

⁵Et maintenant, que je vous apprenne ce que je vais faire à ma vigne !

en ôter la haie pour qu'on vienne la brouter,

en briser la clôture pour qu'on la piétine ;

⁶j'en ferai un maquis : elle ne sera ni taillée ni sarclée,

ronces et épines y croîtront,

j'interdirai aux nuages d'y faire tomber la pluie.

⁷Eh bien ! la vigne de Yahvé Sabaot, c'est la maison d'Israël,

et l'homme de Juda, c'est son plant de choix.

Il attendait le droit et voici l'iniquité, la justice et voici les cris.

Malédictions. Am 6 1-7. Mi 2 1-5. Jr 22 13-19. Ez 7 5-27. Ha 2 6-20. Lc 6 24-26. Mt 23.

⁸Malheur à ceux qui ajoutent maison à maison,

qui joignent champ à champ jusqu'à ne plus laisser de place

et rester seuls habitants au milieu du pays.

⁹À mes oreilles, Yahvé Sabaot l'a juré :

Oui, nombre de maisons seront réduites en ruine,

grandes et belles, elles seront inhabitées.

¹⁰Car dix arpents de vigne ne donneront qu'un tonnelet,

et un muid de semence ne produira qu'une mesure.

¹¹Malheur à ceux qui se lèvent tôt le matin pour courir à la boisson,

qui s'attardent le soir, ivres de vin.

¹²Ce ne sont que harpes et cithares, tambourins et flûtes,

et du vin pour leurs beuveries.

Mais pour l'œuvre de Yahvé, pas un regard,

l'action de ses mains, ils ne la voient pas.

¹³C'est pourquoi mon peuple est exilé, faute de connaissance ;

sa noblesse : des gens affamés !
ses foules séchant de soif !
¹⁴C'est pourquoi le shéol dilate sa
gorge et bée d'une gueule déme-
surée.

Ils y descendent, ses nobles, ses
foules
et ses criards, et ils y exultent.

¹⁵Le mortel a été humilié, l'hom-
me a été abaissé
et les yeux des orgueilleux sont
baissés.
¹⁶Yahvé Sabaot fut exalté dans
son jugement
et le Dieu saint a révélé sa sainteté dans la justice.
¹⁷Les agneaux paîtront comme
dans leurs pâtures,
les pacages dévastés des bêtes
grasses seront la nourriture des
chevreaux.
¹⁸Malheur à qui tire la faute avec
les liens de la tromperie,
et le péché comme avec un trait
de chariot ;
¹⁹à ceux qui disent : « Qu'il fasse
vite, qu'il hâte son œuvre,
pour que nous la voyions ;
que s'approche et se réalise le
projet du Saint d'Israël,
que nous le reconnaissions. »

²⁰Malheur à ceux qui appellent le
mal bien et le bien mal,
qui font des ténèbres la lumière
et de la lumière les ténèbres,
qui font de l'amer le doux et du
doux l'amer.
²¹Malheur à ceux qui sont sages à
leurs propres yeux
et s'estiment intelligents.
²²Malheur à ceux qui sont des hé-
ros pour boire du vin
et des champions pour mélanger
la boisson,

²³qui acquittent le coupable pour
un pot-de-vin,
et refusent aux justes la justice.

²⁴Oui, comme la flamme dévore
la paille,
comme le foin s'enflamme et
disparaît,
leur racine ressemblera à de la
pourriture,
leur bourgeon sera emporté
comme la poussière.
Car ils ont rejeté la loi de Yahvé
Sabaot,
ils ont méprisé la parole du Saint
d'Israël.

La colère de Yahvé.

²⁵C'est pourquoi la colère de Yah-
vé s'est enflammée contre son
peuple ;
il a levé la main contre lui pour
le frapper,
les montagnes ont tremblé,
et les cadavres sont comme des
ordures au milieu des rues.
Avec tout cela la colère de Yahvé ne s'est pas calmée,
sa main reste levée.

Appel aux envahisseurs.

²⁶Il dresse un signal pour le peu-
ple lointain,
il le siffle des extrémités de la
terre,
et voici qu'aussitôt il accourt, léger.
²⁷Chez lui nul n'est fatigué, nul ne
trébuche,
nul ne dort ni ne sommeille,
nul ne dénoue la ceinture de ses
reins,
nul n'a la courroie de ses sandales rompue.
²⁸Ses flèches sont aiguisées et
tous ses arcs tendus,

les sabots de ses chevaux, on dirait du rocher,
et ses roues, un tourbillon.

²⁹Son rugissement est celui d'une
lionne,

il rugit comme les lionceaux,

il gronde et saisit sa proie,

il l'emporte et nul ne le fait lâcher ;
³⁰il gronde contre lui, en ce jour-
là, comme gronde la mer.

Il regarde le pays : et voici les
ténèbres, l'angoisse,
et la lumière est obscurcie par
les nuages.

II. *LE LIVRE DE L'EMMANUEL*

Vocation d'Isaïe.

6 ¹L'année de la mort du roi
Ozias, je vis le Seigneur assis sur un trône grandiose et surélevé. Sa traîne emplissait le sanctuaire. ²Des séraphins se tenaient au-
dessus de lui, ayant chacun six ailes, deux pour se couvrir la face,
deux pour se couvrir les pieds,
deux pour voler. ³Ils se criaient l'un à l'autre ces
paroles :

« Saint, saint, saint est Yahvé
Sabaot,

sa gloire emplit toute la terre. »

⁴Les montants des portes vibrè-
rent au bruit de ces cris et le Temple était plein de fumée. ⁵Alors je
dis :

« Malheur à moi, je suis perdu !
car je suis un homme aux lèvres
impures,

j'habite au sein d'un peuple aux
lèvres impures,

et mes yeux ont vu le Roi, Yahvé Sabaot. »

⁶L'un des séraphins vola vers
moi, tenant dans sa main une braise qu'il avait prise avec des pin-
ces sur l'autel. ⁷Il m'en toucha la
bouche et dit :

« Voici, ceci a touché tes lèvres,
ta faute est effacée,

ton péché est pardonné. »

⁸Alors j'entendis la voix du Seigneur qui disait :

« Qui enverrai-je ? Qui ira pour
nous ? »

Et je dis : « Me voici, envoie-
moi. »

⁹Il me dit :

« Va, et tu diras à ce peuple :
Écoutez, écoutez, et ne comprenez pas ;

regardez, regardez, et ne discer-
nez pas.

¹⁰Appesantis le cœur de ce peuple,

rends-le dur d'oreille, englue-lui
les yeux,

de peur que ses yeux ne voient,
que ses oreilles n'entendent,
que son cœur ne comprenne,
qu'il ne se convertisse et ne soit
guéri. »

¹¹Et je dis : « Jusques à quand,
Seigneur ? »

Il me répondit : « Jusqu'à ce
que les villes soient détruites et
dépeuplées, les maisons inhabitées ; que le sol soit dévasté, désolé ; ¹²que Yahvé en chasse les
gens, et qu'une grande détresse
règne au milieu du pays.

¹³Et s'il en reste un dixième, de nouveau il sera dépouillé, comme le térébinthe et comme le chêne qui une fois émondés n'ont plus qu'un tronc ; leur tronc est une semence sainte. »

Première intervention d'Isaïe.

7 ¹Au temps d'Achaz, fils de Yotam, fils d'Ozias, roi de Juda, Raçôn, roi d'Aram, monta avec Péqah, fils de Remalyahu, roi d'Israël, vers Jérusalem pour porter l'attaque contre elle, mais il ne put l'attaquer. ²On annonça à la maison de David : « Aram a fait halte sur le territoire d'Éphraïm. » Alors son cœur et le cœur de son peuple se mirent à chanceler comme chancellent les arbres de la forêt sous le vent.

³Et Yahvé dit à Isaïe : Sors au-devant d'Achaz, toi et Shéar-Yashub ton fils, vers l'extrémité du canal de la piscine supérieure, vers le chemin du champ du Foulon. ⁴Tu lui diras : Prends garde et calme-toi. Ne crains pas et que ton cœur ne défaille pas devant ces deux bouts de tisons fumants, à cause de l'ardente colère de Raçôn, d'Aram et du fils de Remalyahu, ⁵parce qu'Aram, Éphraïm et le fils de Remalyahu ont tramé contre toi un mauvais coup en disant : ⁶« Montons contre Juda, détruisons-le, brisons-le pour le ramener vers nous, et nous y établirons comme roi le fils de Tabeel. »

⁷Ainsi parle le Seigneur Yahvé :
Cela ne tiendra pas, cela ne sera pas ;
⁸car la tête d'Aram c'est Damas, et la tête de Damas c'est Raçôn ;
encore soixante-cinq ans, et Éphraïm cessera d'être un peuple.

⁹La tête d'Éphraïm c'est Samarie, et la tête de Samarie c'est le fils de Remalyahu.
Si vous ne croyez pas, vous ne vous maintiendrez pas.

Seconde intervention.

¹⁰Yahvé parla encore à Achaz en disant :
¹¹Demande un signe à Yahvé ton Dieu,
au fond, dans le shéol, ou vers les hauteurs, au-dessus.
¹²Et Achaz dit : Je ne demanderai rien, je ne tenterai pas Yahvé.
¹³Il dit alors :
Écoutez donc, maison de David !
est-ce trop peu pour vous de lasser les hommes,
que vous lassiez aussi mon Dieu ?
¹⁴C'est pourquoi le Seigneur lui-même vous donnera un signe :
Voici, la jeune femme est enceinte,
elle va enfanter un fils
et elle lui donnera le nom d'Emmanuel.
¹⁵Il mangera du lait caillé et du miel
jusqu'à ce qu'il sache rejeter le mal et choisir le bien.
¹⁶Car avant que l'enfant sache rejeter le mal et choisir le bien,
elle sera abandonnée, la terre dont les deux rois te jettent dans l'épouvante.
¹⁷Yahvé fera venir sur toi, sur ton peuple et sur la maison de ton père
des jours tels qu'il n'en est pas venu
depuis la séparation d'Éphraïm et de Juda (le roi d'Assur).

Annonce d'une invasion.

¹⁸Il arrivera, en ce jour-là,
que Yahvé sifflera les mouches

qui sont à l'extrémité des fleuves
d'Égypte
et les abeilles qui sont au pays
d'Assur.

¹⁹Elles viendront et se poseront
toutes
dans les torrents des ravins et
dans les fentes des rochers,
sur tous les buissons et à tous les
points d'eau.

²⁰En ce jour-là,
le Seigneur rasera avec un rasoir
loué au-delà du fleuve,
(avec le roi d'Assur)
la tête et le poil des jambes,
et même la barbe, il l'enlèvera.

²¹Il arrivera, en ce jour-là,
que chacun élèvera une génisse
et deux têtes de petit bétail.

²²Et il arrivera qu'en raison de
l'abondante production du lait,
(il mangera du lait caillé)
tout survivant au milieu du pays
mangera du lait caillé et du miel.

²³Il arrivera, en ce jour-là,
que tout lieu où il y a mille pieds
de vigne valant mille pièces d'argent
deviendra ronces et épines.

²⁴Avec flèches et arc on y pénétrera,
car tout le pays sera ronces et
épines.

²⁵Sur toutes les montagnes qui
sont cultivées à la houe, tu n'iras
plus
par crainte des ronces et des épines,
et ce sera pacage de bœufs et terre piétinée par les moutons.

Naissance d'un fils d'Isaïe.

8 ¹Yahvé me dit : Prends une
grande tablette et écris dessus avec un stylet ordinaire :
Maher-Shalal Hash-Baz. ²Et

prends des témoins dignes de foi,
le prêtre Uriyya et Zekaryahu fils
de Yebèrèkyahu.

³Puis je m'approchai de la prophétesse, elle conçut et enfanta un
fils. Et Yahvé me dit : Donne-lui
le nom de Maher-Shalal Hash-
Baz, ⁴car avant que le garçon ne
sache dire « papa » et « maman »,
on enlèvera la richesse de Damas
et le butin de Samarie, en présence du roi d'Assur.

Siloé et l'Euphrate.

⁵Yahvé me parla encore en disant :

⁶Puisque ce peuple a méprisé
les eaux de Siloé qui coulent doucement, et a tremblé devant Raçôn et le fils de Remalyahu, ⁷eh
bien ! voici que le Seigneur fait
monter contre lui les eaux du
Fleuve, puissantes et abondantes
(le roi d'Assur et toute sa gloire) ;
il grossira dans toutes ses vallées
et franchira toutes ses rives ; ⁸il
passera en Juda, inondera et traversera ; il atteindra jusqu'au cou,
et le déploiement de ses ailes couvrira toute l'étendue de ton pays,
Emmanuel. ⁹Sachez, peuples, et
soyez épouvantés ; prêtez l'o-
reille, tous les pays lointains.

Ceignez-vous et soyez épouvantés. Ceignez-vous et soyez épouvantés.

¹⁰Faites un projet : il sera anéanti,
prononcez une parole : elle ne
tiendra pas,
car « Dieu est avec nous ».

La mission d'Isaïe.

¹¹Oui, ainsi m'a parlé Yahvé lorsque sa main m'a saisi
et qu'il m'a appris à ne pas

suivre le chemin de ce peuple, en disant :

¹²« Vous n'appellerez pas complot tout ce que ce peuple appelle complot,

vous ne partagerez pas ses craintes et vous n'en serez pas terrifiés.

¹³C'est Yahvé Sabaot que vous proclamerez saint,

c'est lui qui sera l'objet de votre crainte et de votre terreur.

¹⁴Il sera un sanctuaire, un rocher qui fait tomber,

une pierre d'achoppement pour les deux maisons d'Israël,

un filet et un piège pour les habitants de Jérusalem.

¹⁵Beaucoup y achopperont, tomberont et se briseront,

ils seront pris au piège et capturés.

¹⁶Enferme un témoignage, scelle une instruction

au cœur de mes disciples. »

¹⁷J'espère en Yahvé qui cache sa face à la maison de Jacob,

et je mets mon attente en lui.

¹⁸Voici que moi et les enfants que Yahvé m'a donnés

nous devenons signes et présages en Israël,

de la part de Yahvé Sabaot qui habite sur la montagne de Sion.

¹⁹Et si on vous dit : « Allez consulter les spectres et les devins

qui murmurent et qui marmonnent »,

n'est-il pas vrai qu'un peuple consulte ses dieux,

et les morts pour les vivants ?

²⁰Pour l'instruction et le témoignage,

sûrement on s'exprimera selon cette parole

d'après laquelle il n'y a pas d'aurore.

La marche dans la nuit.

²¹Et il passera dans le pays, opprimé et affamé ;

il arrivera que lorsqu'il sera affamé, il s'irritera,

il maudira son roi et son Dieu, et se tournera vers le ciel.

²²Puis il regardera vers la terre ; et voici : angoisse, obscurité, nuit de détresse, ténèbres dissolvantes.

²³Car n'est-ce pas la nuit pour le pays qui est dans la détresse ?

La délivrance.

Comme le passé a humilié le pays de Zabulon et le pays de Nephtali, l'avenir glorifiera le chemin de la mer, au-delà du Jourdain, le district des nations.

9 ¹Le peuple qui marchait dans les ténèbres a vu une grande lumière,

sur les habitants du sombre pays, une lumière a resplendi.

²Tu as multiplié la nation, tu as fait croître sa joie ;

ils se réjouissent devant toi comme on se réjouit à la moisson,

comme on exulte au partage du butin.

³Car le joug qui pesait sur elle, la barre posée sur ses épaules,

le bâton de son oppresseur,

tu les as brisés comme au jour de Madiân.

⁴Car toute chaussure qui résonne sur le sol, tout manteau roulé dans le sang,

seront mis à brûler, dévorés par le feu.

7 14. Gn 3 15 ; 49 10. Nb 24 17. Mi 5 1-3. Za 9 9. 2 S 7 12-16.

⁵Car un enfant nous est né, un fils nous a été donné,

il a reçu le pouvoir sur ses épaules et on lui a donné ce nom :
    Conseiller - merveilleux, Dieu-
fort,
    Père-éternel, Prince-de-paix,
[6]pour que s'étende le pouvoir
dans une paix sans fin
    sur le trône de David et sur son
royaume,
    pour l'établir et pour l'affermir
dans le droit et la justice.
    Dès maintenant et à jamais,
    l'amour jaloux de Yahvé Sabaot
fera cela.

Les épreuves du royaume du Nord.

[7]Le Seigneur a jeté une parole en
Jacob,
    elle est tombée en Israël.
[8]Tout le peuple l'a su, Éphraïm
et l'habitant de Samarie
    qui disent dans l'orgueil de leur
cœur altier :
[9]« Les briques sont tombées, nous
construirons en pierre de taille,
    les sycomores ont été abattus,
nous les remplacerons par des
cèdres. »
[10]Mais Yahvé a soutenu contre ce
peuple son adversaire Raçôn,
    il a excité ses ennemis,
[11]Aram à l'orient, les Philistins à
l'occident :
    ils ont dévoré Israël à belles dents.
    Avec tout cela sa colère ne s'est
pas détournée,
    sa main reste levée.

[12]Mais le peuple n'est pas revenu
à celui qui le frappait,
    il n'a pas cherché Yahvé Sabaot.
[13]Aussi Yahvé a retranché d'Israël tête et queue, palme et jonc,
en un jour.
[14](L'ancien et le dignitaire, c'est
la tête,

le prophète qui enseigne le mensonge, c'est la queue.)
[15]Les guides de ce peuple l'ont
égaré,
    et ceux qu'ils guident se sont
fourvoyés.
[16]C'est pourquoi en ses jeunes
gens le Seigneur ne trouvera plus
sa joie,
    de ses orphelins et de ses veuves
il n'aura plus pitié,
    car tous sont impies et malfai-
sants,
    toute bouche profère l'insanité.
    Avec tout cela sa colère ne s'est
pas détournée,
    sa main reste levée.
[17]Oui, la méchanceté a brûlé comme le feu,
    elle dévore ronces et épines,
    elle a incendié les halliers de la
forêt,
    ils se sont élevés en tourbillons
de fumée.
[18]Par l'emportement de Yahvé
Sabaot la terre a été brûlée
    et le peuple est comme la proie
du feu.
    Nul n'a pitié de son frère,
[19]on a coupé à droite et on a eu
faim, on a mangé à gauche et on
n'a pas été rassasié.
    Chacun dévore la chair de son
bras,
[20]Manassé dévore Éphraïm, et
Éphraïm Manassé,
    ensemble ils s'attaquent à Juda.
    Avec tout cela sa colère ne s'est
pas détournée,
    sa main reste levée.

10 [1]Malheur à ceux qui décrètent des décrets d'iniquité,
    qui écrivent des rescrits d'op-
pression
[2]pour priver les faibles de justice

et frustrer de leur droit les humbles de mon peuple,

pour faire des veuves leur butin et dépouiller les orphelins.

³Que ferez-vous au jour du châtiment,

quand le malheur viendra de loin ?

Vers qui fuirez-vous pour demander secours

et où laisserez-vous vos richesses,

⁴pour ne pas ramper parmi les prisonniers,

tomber parmi les tués ?

Avec tout cela sa colère ne s'est pas détournée,

sa main reste levée.

Contre le roi d'Assyrie.

⁵Malheur à Assur, férule de ma colère ;

c'est un bâton dans leurs mains que ma fureur.

⁶Contre une nation impie je l'envoyais,

contre le peuple objet de mon emportement je le mandais,

pour se livrer au pillage et rafler le butin,

pour les piétiner comme la boue des rues.

⁷Mais lui ne jugeait pas ainsi, et son cœur n'avait pas cette pensée,

car il rêvait d'exterminer, d'extirper des nations sans nombre.

⁸Car il disait :

« N'est-ce pas que tous mes chefs sont des rois ?

⁹N'est-ce pas que Kalno vaut bien Karkémish,

que Hamat vaut bien Arpad, et Samarie Damas ?

¹⁰Comme ma main a atteint les royaumes des faux dieux,

où il y a plus d'idoles qu'à Jérusalem et à Samarie,

¹¹comme j'ai agi envers Samarie et ses faux dieux,

ne puis-je pas agir aussi envers Jérusalem et ses statues ? »

¹²Mais lorsque le Seigneur achèvera toute son œuvre sur la montagne de Sion et à Jérusalem, il châtiera le fruit du cœur orgueilleux du roi d'Assur et la morgue de ses regards arrogants.

¹³Car il a dit :

« C'est par ma main puissante que j'ai fait cela,

par ma sagesse, car j'ai agi avec intelligence.

Je supprimais les frontières des peuples ;

j'ai saccagé leurs trésors ;

comme un puissant je soumettais les habitants.

¹⁴Ma main a cueilli, comme au nid, les richesses des peuples,

et comme on ramasse des œufs abandonnés, j'ai ramassé toute la terre ;

pas un n'a battu des ailes, ni ouvert le bec pour pépier. »

¹⁵Fanfaronne-t-elle, la hache, contre celui qui la brandit ?

Se glorifie-t-elle, la scie, aux dépens de celui qui la manie ?

Comme si le bâton faisait mouvoir ceux qui le lèvent,

comme si le gourdin levait ce qui n'est pas de bois !

¹⁶C'est pourquoi le Seigneur Yahvé Sabaot enverra contre ses hommes gras la maigreur,

et sous sa gloire un brasier s'embrasera, comme s'embrase le feu.

¹⁷La lumière d'Israël deviendra un feu et son Saint une flamme,

elle brûlera et consumera ses épines et ses ronces en un jour. ¹⁸La luxuriance de sa forêt et de son verger, il l'anéantira corps et âme,

et ce sera comme un malade qui s'éteint. ¹⁹Le reste des arbres de sa forêt sera un petit nombre, un enfant l'écrirait.

Le petit reste.

²⁰Ce jour-là, le reste d'Israël et les survivants de la maison de Jacob cesseront de s'appuyer sur qui les frappe ;

ils s'appuieront en vérité sur Yahvé, le Saint d'Israël. ²¹Un reste reviendra, le reste de Jacob, vers le Dieu fort. ²²Mais ton peuple serait-il comme le sable de la mer, ô Israël,

ce n'est qu'un reste qui en reviendra : destruction décidée, débordement de justice ! ²³Car c'est une destruction bien décidée

que le Seigneur Yahvé Sabaot exécute au milieu de tout le pays.

Confiance en Dieu.

14 24-27 ; 30 27-33 ; 31 4-9 ; 37 22-29.

²⁴C'est pourquoi, ainsi parle le Seigneur Yahvé Sabaot :

Ô mon peuple qui habites en Sion, n'aie pas peur d'Assur !

Il te frappe du bâton, il lève le gourdin contre toi (sur le chemin d'Égypte) ; ²⁵mais encore quelques instants et la fureur prendra fin,

et ma colère causera leur perte. ²⁶Yahvé Sabaot va brandir contre lui un fouet,

comme il frappa Madiân au Rocher d'Oreb ;

il va brandir son bâton contre la mer,

comme il l'a levé sur le chemin d'Égypte. ²⁷Ce jour-là,

son fardeau glissera de ton épaule et son joug de ta nuque,

et le joug sera détruit (...)

L'invasion.

²⁸Il est arrivé sur Ayyat, il a passé à Migrôn,

à Mikmas il a laissé ses bagages. ²⁹Ils ont passé par le défilé, Géba est pour nous une étape,

Rama a frémi, Gibéa de Saül a fui. ³⁰Fais retentir ta voix, Bat-Gallim, sois attentive, Laïsha !

Réponds-lui, Anatot ! ³¹Madména s'est enfuie ;

les habitants de Gébîm se sont mis à l'abri. ³²Aujourd'hui même, à Nob, lors d'une halte,

il agitera la main vers la montagne de la fille de Sion,

la colline de Jérusalem. ³³Voici que le Seigneur Yahvé Sabaot émonde la frondaison avec violence,

les plus hautes cimes sont coupées, les plus fières sont abaissées. ³⁴Ils seront coupés par le fer, les halliers de la forêt,

et sous les coups d'un Puissant, le Liban tombera.

Le descendant de David. 42 1-12.
Ps 72.

11 ¹Un rejeton sortira de la souche de Jessé,

un surgeon poussera de ses racines.

²Sur lui reposera l'Esprit de Yahvé,

esprit de sagesse et d'intelligence,

esprit de conseil et de force,

esprit de connaissance et de
crainte de Yahvé :
³son inspiration est dans la crainte de Yahvé.

Il jugera mais non sur l'apparence.

Il se prononcera mais non sur le
ouï-dire.
⁴Il jugera les faibles avec justice,

il rendra une sentence équitable
pour les humbles du pays.

Il frappera le pays de la férule
de sa bouche,

et du souffle de ses lèvres fera
mourir le méchant.
⁵La justice sera la ceinture de ses
reins,

et la fidélité la ceinture de ses
hanches.
⁶Le loup habitera avec l'agneau,

la panthère se couchera avec le
chevreau.

Le veau, le lionceau et la bête
grasse iront ensemble,

conduits par un petit garçon.
⁷La vache et l'ourse paîtront,

ensemble se coucheront leurs
petits.

Le lion comme le bœuf mangera
de la paille.
⁸Le nourrisson jouera sur le repaire de l'aspic,

sur le trou de la vipère le jeune
enfant mettra la main.
⁹On ne fera plus de mal ni de
violence sur toute ma montagne
sainte,

car le pays sera rempli de la connaissance de Yahvé,

comme les eaux couvrent le fond
de la mer.

Le retour des dispersés.

¹⁰Ce jour-là, la racine de Jessé,
qui se dresse comme un signal
pour les peuples,

sera recherchée par les nations,
et sa demeure sera glorieuse.
¹¹Ce jour-là, le Seigneur étendra
la main une seconde fois,

pour racheter le reste de son peuple,

ce qui restera à Assur et en
Égypte, à Patros, à Kush et en
Élam,

à Shinéar, à Hamat et dans les
îles de la mer.
¹²Il dressera un signal pour les nations

et rassemblera les bannis d'Israël.

Il regroupera les dispersés de Juda
des quatre coins de la terre.
¹³Alors cessera la jalousie
d'Éphraïm,

et les ennemis de Juda seront retranchés.

Éphraïm ne jalousera plus Juda
et Juda ne sera plus hostile à
Éphraïm.
¹⁴Ils fondront sur le dos des Philistins à l'Occident,

ensemble ils pilleront les fils de
l'Orient.

Édom et Moab seront soumis à
leur main

et les fils d'Ammon leur obéiront.
¹⁵Yahvé asséchera la baie de la
mer d'Égypte,

il agitera la main contre le Fleuve,

dans la violence de son souffle.

Il le frappera pour en faire sept
bras,

on y marchera en sandales.
¹⁶Et il y aura un chemin pour le

reste de son peuple, ce qui restera d'Assur,

comme il y en eut pour Israël, quand il monta du pays d'Égypte.

Psaume.

12 ¹Et tu diras, en ce jour-là :
Je te loue, Yahvé, car tu as été en colère contre moi.

Puisse ta colère se détourner, puisses-tu me consoler.

²Voici le Dieu de mon salut :
j'aurai confiance et je ne tremblerai plus,

car ma force et mon chant c'est Yahvé,

il a été mon salut.

³Dans l'allégresse vous puiserez de l'eau aux sources du salut.

⁴Et vous direz, en ce jour-là :
Louez Yahvé, invoquez son nom,

annoncez aux peuples ses hauts faits,

rappelez que son nom est sublime.

⁵Chantez Yahvé car il a fait de grandes choses,

qu'on le proclame sur toute la terre.

⁶Pousse des cris de joie, des clameurs, habitante de Sion,

car il est grand, au milieu de toi, le Saint d'Israël.

III. ORACLES SUR LES PEUPLES ÉTRANGERS

Contre Babylone. 21 1-10 ; 47 1-15.
Jr 50-51. Ap 17-18.

13 ¹Oracle sur Babylone, vu par Isaïe, fils d'Amoç.

²Sur un mont chauve, levez un signal,

forcez la voix pour eux,

agitez la main pour qu'ils viennent

aux portes des Nobles.

³Moi, j'ai donné des ordres à mes saints guerriers,

j'ai même appelé mes héros pour servir ma colère,

mes fiers triomphateurs.

⁴Bruit de foule sur les montagnes,

comme un peuple immense,

bruit d'un vacarme de royaumes,

de nations rassemblées :

c'est Yahvé Sabaot qui passe en revue

l'armée pour le combat.

⁵Ils viennent d'un pays lointain,
des extrémités du ciel,

Yahvé et les instruments de sa colère,

pour ravager tout le pays.

⁶Hurlez car il est proche, le jour de Yahvé,

il arrive comme une dévastation de Shaddaï.

⁷C'est pourquoi toutes les mains sont débiles,

tous les hommes perdent cœur ;

⁸ils sont bouleversés,

pris de convulsions et de douleurs ;

ils se tordent comme la femme qui accouche,

ils se regardent avec stupeur,

le visage en feu.

⁹Voici que vient le jour de Yahvé, implacable,

l'emportement et l'ardente colère,

pour réduire le pays en ruines,

et en exterminer les pécheurs.
¹⁰Car au ciel, les étoiles et Orion
ne diffuseront plus leur lumière.
Le soleil s'est obscurci dès son
lever,
la lune ne fait plus rayonner sa
lumière.
¹¹Je vais châtier l'univers de sa
méchanceté
et les méchants de leur faute ;
mettre fin à l'arrogance des superbes,
humilier l'orgueil des tyrans.
¹²Je rendrai les hommes plus rares
que l'or fin,
les mortels plus rares que l'or
d'Ophir.
¹³C'est pourquoi je ferai frémir les
cieux,
et la terre tremblera sur ses bases,
sous l'emportement de Yahvé
Sabaot,
le jour où s'allumera sa colère.
¹⁴Alors comme une gazelle pour-
chassée,
comme des moutons que personne ne rassemble,
chacun s'en retournera vers son
peuple,
chacun s'enfuira dans son pays.
¹⁵Tous ceux qu'on trouvera seront
transpercés,
tous ceux qu'on prendra tomberont par l'épée.
¹⁶Leurs jeunes enfants seront
écrasés sous leurs yeux,
leurs maisons saccagées, leurs
femmes violées.
¹⁷Voici que je suscite contre eux
les Mèdes
qui ne font point cas de l'argent,
et qui n'apprécient pas l'or.
¹⁸Les arcs anéantiront leurs jeunes
gens,
on n'aura pas pitié du fruit de
leur sein,

leur œil sera sans compassion
pour les enfants.
¹⁹Et Babylone, la perle des royaumes,
le superbe joyau des Chaldéens,
sera comme Sodome et Gomorrhe,
dévastées par Dieu.
²⁰Elle ne sera plus jamais habitée
ni peuplée, de génération en génération.
L'Arabe n'y campera plus,
et les bergers n'y parqueront
plus les troupeaux.
²¹Ce sera le repaire des bêtes du
désert,
les hiboux empliront leurs maisons,
les autruches y habiteront,
les boucs y danseront.
²²Les hyènes hurleront dans ses
tours,
les chacals dans ses palais
d'agrément,
car son temps est proche
et ses jours ne tarderont pas.

Fin de l'Exil.

14 ¹Oui, Yahvé aura pitié de Jacob, il choisira de nouveau Israël. Il les réinstallera sur leur sol.
L'étranger se joindra à eux pour
s'associer à la maison de Jacob.
²Des peuples les prendront et les
ramèneront chez eux. La maison
d'Israël les assujettira sur le sol de
Yahvé, pour en faire des esclaves
et des servantes. Ils asserviront
ceux qui les avaient asservis, ils
maîtriseront leurs oppresseurs.

La mort du roi de Babylone.

³Et il arrivera qu'au jour où
Yahvé te soulagera de ta souffrance, de tes tourments et de la dure
servitude à laquelle tu étais asser-

vi, ⁴tu entonneras cette satire sur le roi de Babylone, et tu diras :

Comment a fini le tyran, a fini son arrogance ?
⁵Yahvé a brisé le bâton des méchants,
  le sceptre des souverains,
⁶lui qui rouait de coups les peuples,
  avec emportement et sans relâche,
  qui maîtrisait avec colère les nations,
  les pourchassant sans répit.
⁷Toute la terre repose dans le calme,
  on pousse des cris de joie.
⁸Les cyprès même se réjouissent à ton sujet,
  et les cèdres du Liban :
  « Depuis que tu t'es couché,
  on ne monte plus pour nous abattre ! »

⁹En bas, le shéol a tressailli à ton sujet
  pour venir à ta rencontre,
  il a réveillé pour toi les ombres,
  tous les potentats de la terre,
  il a fait lever de leur trône
  tous les rois des nations.
¹⁰Tous prennent la parole pour te dire :
  « Toi aussi, tu es déchu comme nous,
  devenu semblable à nous.
¹¹Ton faste a été précipité au shéol,
  avec la musique de tes cithares.
  Sous toi s'est formé un matelas de vermine,
  les larves te recouvrent.
¹²Comment es-tu tombé du ciel,
  étoile du matin, fils de l'aurore ?
  As-tu été jeté à terre,
  vainqueur des nations ?

¹³Toi qui avais dit dans ton cœur :
  "J'escaladerai les cieux,
  au-dessus des étoiles de Dieu j'élèverai mon trône,
  je siégerai sur la montagne de l'Assemblée,
  aux confins du septentrion.
¹⁴Je monterai au sommet des nuages,
  je m'égalerai au Très-Haut."
¹⁵Mais tu as été précipité au shéol,
  dans les profondeurs de l'abîme. »

¹⁶Ceux qui t'aperçoivent te considèrent,
  ils fixent leur regard sur toi.
  « Est-ce bien l'homme qui faisait trembler la terre,
  qui ébranlait les royaumes ?
¹⁷Il a réduit le monde en désert,
  rasé les villes,
  il ne renvoyait pas chez eux les prisonniers.
¹⁸Tous les rois des nations, tous,
reposent avec honneur,
  chacun chez soi.
¹⁹Toi, on t'a jeté hors de ton sépulcre,
  comme un rameau dégoûtant,
  au milieu de gens massacrés,
transpercés par l'épée,
  jetés sur les pierres de la fosse,
  comme une charogne foulée aux pieds.
²⁰Tu ne leur seras pas uni dans la tombe,
  car tu as ruiné ton pays, fait périr ton peuple.
  Plus jamais on ne prononcera le nom
  de la race des méchants.
²¹Préparez le massacre de ses fils
  pour la faute de leur père.
  Qu'ils ne se lèvent plus pour conquérir la terre

et couvrir de villes la face du monde. »

22 Je me lèverai contre eux, oracle de Yahvé Sabaot, et je retrancherai de Babylone le nom et le reste, descendance et postérité, oracle de Yahvé. 23 J'en ferai un repaire de hérissons, un marécage. Je la balaierai avec le balai de la destruction. Oracle de Yahvé Sabaot.

Contre Assur.

24 Yahvé Sabaot l'a juré :
Oui ! Comme j'ai projeté, cela se fera,
comme j'ai décidé, cela se réalisera :
25 Je briserai Assur dans mon pays,
je le piétinerai sur mes montagnes.
Et son joug glissera de sur eux,
son fardeau glissera de son épaule.
26 Telle est la décision prise contre toute la terre,
telle est la main étendue sur toutes les nations.

27 Quand Yahvé Sabaot a décidé, qui l'arrêtera,
et sa main levée, qui la fera revenir ?

Contre les Philistins.

28 L'année de la mort du roi Achaz, cet oracle fut prononcé :
29 Ne te réjouis pas, Philistie tout entière,
de ce qu'est brisé le bâton qui te frappait.
Car de la souche du serpent sortira une vipère,
et son fruit sera un dragon volant.

30 Car les premiers-nés des pauvres auront leur pâture,
et les malheureux reposeront en sécurité,
tandis que je ferai mourir de faim ta souche,
et que je tuerai ce qui reste de toi.
31 Hurle, porte ! Crie, ville !
Chancelle, Philistie tout entière !
Car du nord vient une fumée,
et personne ne déserte ses bataillons.
32 Que répondra-t-on aux messagers de cette nation ?
Que Yahvé a fondé Sion,
et que là se réfugieront les pauvres de son peuple.

Sur Moab. ‖ Jr 48. Cf. Ez 25 8-11. Am 2 1-3.

15
1 Oracle sur Moab.
Parce qu'une nuit elle a été dévastée,
Ar-Moab s'est tue ;
parce qu'une nuit elle a été dévastée,
Qir-Moab s'est tue.
2 Elle est montée, la fille de Dibôn,
sur les hauts lieux pour pleurer.
Sur le Nébo et à Médba, Moab se lamente,
toutes les têtes sont rasées,
toute barbe coupée.
3 Dans ses rues on ceint le sac ;
sur ses toits et sur ses places,
tout se lamente
et fond en larmes.
4 Heshbôn et Éléalé ont crié,
jusqu'à Yahaç leur voix s'est fait entendre.
C'est pourquoi les guerriers de Moab frémissent,
son âme frémit sur son propre sort.

⁵Mon cœur crie en faveur de
Moab :
   car ses fuyards sont déjà à Çoar,
   vers Églat-Shelishiyya.
   La montée de Luhit, on la monte
en pleurant,
   sur le chemin de Horonayim, on
pousse des cris déchirants.
⁶Les eaux de Nimrim sont un lieu
désolé :
   l'herbe est desséchée, le gazon a
péri,
   plus de verdure.
⁷C'est pourquoi, ce qu'ils ont pu
sauver et leurs réserves,
   ils les portent au-delà du torrent
des Saules.
⁸Car ce cri a fait le tour du territoire de Moab,
   jusqu'à Églayim on entend son
hurlement,
   jusqu'à Beer-Élim on entend son
hurlement.
⁹Car les eaux de Dimôn sont pleines de sang,
   et j'ajouterai sur Dimôn un surcroît de malheur :
   un lion pour les survivants de
Moab,
   pour ceux qui restent sur son sol.

La requête des Moabites.

16 ¹Envoyez l'agneau du maître
du pays,
   de Séla, située vers le désert,
   à la montagne de la fille de Sion.
²Elles seront semblables à l'oiseau qui s'enfuit,
   à une nichée dispersée,
   les filles de Moab, aux gués de
l'Arnon.

³« Tenez un conseil ; prenez une
décision.
   En plein midi, étends ton ombre
comme celle de la nuit,

cache les dispersés, ne trahis pas
le fugitif ;
⁴qu'ils demeurent chez toi, les
dispersés de Moab,
   sois pour eux un asile contre le
dévastateur.
   Quand l'oppression aura cessé,
   que la dévastation aura pris fin,
   que seront partis ceux qui foulent le pays,
⁵le trône sera affermi dans la piété,
   et sur ce trône, dans la fidélité,
sous la tente de David,
   siégera un juge, soucieux du
droit et zélé pour la justice. »

⁶Nous avons entendu parler de
l'orgueil de Moab, le très orgueilleux,
   de son arrogance, de son orgueil
et de sa rage,
   de ses bavardages ineptes.

Lamentation de Moab. ‖ Jr 48 29-33.

⁷C'est pourquoi Moab se lamente
sur Moab,
   tout entier il se lamente.
   Au sujet des gâteaux de raisin de
Qir-Harésèt,
   vous gémissez, tout consternés.
⁸Car les vignobles de Heshbôn
dépérissent,
   la vigne de Sibma,
   dont les raisins vermeils terras-
saient les maîtres des nations.
   Elle atteignait jusqu'à Yazèr
   et s'infiltrait au désert,
   ses rejetons se multipliaient,
   ils franchissaient la mer.
⁹Aussi je pleure, comme pleure
Yazèr,
   la vigne de Sibma ;
   je t'arrose de mes larmes,
   Heshbôn et toi, Éléalé,
   parce que sur ta récolte et sur ta
moisson

le cri s'est éteint.

¹⁰La joie et l'allégresse ont disparu des vergers,

dans les vignes, plus de liesse ni de cri joyeux ;

le fouleur ne foule plus le vin dans les pressoirs,

le cri a cessé.

¹¹C'est pourquoi mes entrailles, pour Moab,

frémissent comme une cithare,

et mon cœur pour Qir-Hérès.

¹²On verra Moab se fatiguer sur le haut lieu

et entrer dans son sanctuaire pour supplier,

mais il ne pourra rien.

¹³Telle est la parole qu'a adressée Yahvé à Moab jadis. ¹⁴Et maintenant Yahvé a parlé en ces termes : dans trois ans, comme des années de mercenaire, la gloire de Moab sera humiliée, malgré sa grande multitude. Elle sera réduite à rien, un reste insignifiant.

Contre Damas et Israël.

17 ¹Oracle sur Damas.

Voici Damas qui cesse d'être une ville,

elle va devenir un tas de décombres ;

²abandonnées pour toujours,

ses villes appartiendront aux troupeaux,

ils s'y coucheront sans qu'on les effraie.

³Plus de place-forte en Éphraïm,

plus de royauté à Damas,

et le reste d'Aram sera traité comme la gloire des enfants d'Israël.

Oracle de Yahvé Sabaot.

⁴Il arrivera, ce jour-là, que la gloire de Jacob faiblira,

et que son embonpoint deviendra maigreur ;

⁵ce sera comme lorsque le moissonneur récolte le blé,

que son bras moissonne les épis ;

ce sera comme lorsqu'on glane les épis au val des Rephaïm ;

⁶il ne restera que des grappillons,

comme au gaulage de l'olivier :

deux, trois baies en haut de la cime,

quatre, cinq aux branches de l'arbre.

Oracle de Yahvé, Dieu d'Israël.

⁷Ce jour-là, l'homme regardera vers son créateur, et ses yeux se tourneront vers le Saint d'Israël. ⁸Il ne regardera plus vers les autels, œuvres de ses mains, et ce qu'ont fait ses doigts, il ne le verra plus, ni les pieux sacrés ni les brûle-parfums.

⁹Ce jour-là, ses villes de refuge seront abandonnées,

comme le furent les bois et les maquis

devant les enfants d'Israël,

et ce sera la désolation.

¹⁰Tu as oublié le Dieu de ton salut,

tu ne t'es pas souvenu du Rocher, ton refuge,

c'est pourquoi tu plantes des plantations d'agréments,

tu sèmes des semences étrangères ;

¹¹le jour où tu les plantes, tu les vois pousser,

et dès le matin, tes semences fleurissent ;

mais la récolte échappe au jour de la maladie,

du mal incurable.

¹²Malheur ! Rumeur de peuples immenses,
 rumeur comme la rumeur des mers !
 grondement de peuples, qui grondent comme grondent les eaux puissantes !
¹³(Des peuples qui grondent comme grondent les grandes eaux.)
 Il les menace, et elles s'enfuient au loin,
 chassées comme la bale des montagnes par le vent,
 comme un tourbillon par l'ouragan.
¹⁴Quand vient le soir c'est l'effroi,
 au matin tout a disparu.
 Tel est le partage de ceux qui nous pillent,
 le sort de nos dévastateurs.

Contre Kush.

18 ¹Malheur ! pays du grillon ailé,
 au-delà des fleuves de Kush,
²toi qui envoies par mer des messagers,
 dans des nacelles de jonc, sur les eaux.
 Allez, messagers rapides, vers une nation élancée et bronzée,
 vers un peuple redouté ici comme au loin,
 une nation puissante et dominatrice,
 au pays sillonné de fleuves.
³Vous tous, habitants du monde, vous qui peuplez la terre,
 quand on lèvera un signal sur les montagnes, vous verrez,
 quand on sonnera du cor, vous entendrez.
⁴Car ainsi m'a parlé Yahvé :
 Je veux rester ici impassible et regarder,

comme la chaleur brûlante en pleine lumière,
 comme un nuage de rosée au plus chaud de la moisson.
⁵Car avant la moisson, quand prend fin la floraison,
 quand la fleur devient grappe mûrissante,
 on taille les pampres à la serpe,
 on ôte les sarments, on élague.
⁶Tout est abandonné aux rapaces des montagnes
 et aux bêtes du pays ;
 les rapaces s'y vautreront pendant l'été,
 toutes les bêtes du pays pendant l'automne.

⁷Alors, on apportera une offrande à Yahvé Sabaot de la part d'un peuple élancé et bronzé, de la part d'un peuple redouté ici comme au loin, d'une nation puissante et dominatrice, d'un pays sillonné de fleuves ; on l'apportera au lieu où réside le nom de Yahvé, au mont Sion.

Contre l'Égypte. Jr 46. Ez 29-32.

19 ¹Oracle sur l'Égypte.
 Voici que Yahvé, monté sur un nuage léger,
 vient en Égypte.
 Les faux dieux d'Égypte chancellent devant lui
 et le cœur de l'Égypte défaille en elle.
²J'exciterai l'Égypte contre l'Égypte,
 ils se battront, chacun contre son frère,
 chacun contre son prochain,
 ville contre ville, royaume contre royaume.
³L'esprit de l'Égypte s'évanouira en elle,

et je confondrai son conseil.
On consultera les faux dieux et les enchanteurs,
les spectres et les devins.
⁴Je livrerai l'Égypte
aux mains d'un maître impitoyable,
un roi cruel les dominera.
Oracle du Seigneur Yahvé Sabaot.

⁵Les eaux disparaîtront de la mer,
le fleuve tarira et se desséchera ;
⁶les rivières deviendront infectes,
les fleuves d'Égypte baisseront et tariront,
le roseau et le jonc noirciront.
⁷Les herbes du Nil sur les bords du Nil,
toute la verdure du Nil,
sera desséchée, dispersée, anéantie.
⁸Les pêcheurs gémiront, ce sera le deuil
pour tous ceux qui lancent l'hameçon dans le Nil,
ceux qui jettent le filet sur les eaux seront désolés.
⁹Ils seront déçus, ceux qui travaillent le lin cardé
et ceux qui tissent des étoffes blanches ;
¹⁰ses tisserands seront consternés,
tous les salariés seront attristés.
¹¹Oui, insensés sont les princes de Çoân,
les plus sages conseillers du Pharaon forment un conseil stupide.
Comment osez-vous dire à Pharaon :
« Je suis fils des sages, fils des rois de jadis ? »
¹²Où sont-ils donc, tes sages ?
Qu'ils t'annoncent et que l'on sache

ce qu'a décidé Yahvé Sabaot contre l'Égypte !
¹³Ils déraisonnent, les princes de Çoân,
ils s'abusent, les princes de Noph,
et l'élite de ses nomes a fait divaguer l'Égypte.
¹⁴Yahvé a répandu au milieu d'eux
un esprit de vertige ;
ils ont fait divaguer l'Égypte dans toutes ses entreprises,
comme divague un ivrogne en vomissant.
¹⁵On ne fait plus rien pour l'Égypte de ce que faisaient tête et queue, palme et jonc.

Conversion de l'Égypte.

¹⁶Ce jour-là, l'Égypte sera comme les femmes, tremblante et terrorisée devant la menace de la main de Yahvé Sabaot, lorsqu'il la lèvera contre elle. ¹⁷Le territoire de Juda deviendra la honte de l'Égypte : chaque fois qu'on le lui rappellera, elle sera terrorisée à cause du dessein que Yahvé Sabaot a formé contre elle. ¹⁸Ce jour-là, il y aura cinq villes au pays d'Égypte qui parleront la langue de Canaan et prêteront serment à Yahvé Sabaot ; l'une d'elles sera dite « ville du soleil ». ¹⁹Ce jour-là, il y aura un autel dédié à Yahvé au milieu du pays d'Égypte, et près de la frontière une stèle dédiée à Yahvé. ²⁰Ce sera un signe et un témoin de Yahvé Sabaot au pays d'Égypte. Quand ils crieront vers Yahvé par crainte des oppresseurs, il leur enverra un sauveur et un défenseur qui les délivrera. ²¹Yahvé se fera connaître des Égyptiens, et les Égyptiens connaîtront Yahvé, en ce jour-là.

Ils offriront sacrifices et oblations, ils feront des vœux à Yahvé et les accompliront. ²²Et si Yahvé frappe les Égyptiens, il frappera et guérira, ils se convertiront à Yahvé qui accueillera leurs demandes et les guérira. ²³Ce jour-là, il y aura un chemin allant d'Égypte à Assur. Assur viendra en Égypte et l'Égypte en Assur. L'Égypte servira avec Assur. ²⁴Ce jour-là, Israël viendra en troisième avec l'Égypte et Assur, bénédiction au milieu de la terre, ²⁵bénédiction que prononcera Yahvé Sabaot : « Béni mon peuple l'Égypte, et Assur l'œuvre de mes mains, et Israël mon héritage. »

À propos de la prise d'Ashdod.

20 ¹L'année où le général en chef envoyé par Sargon, roi d'Assur, vint à Ashdod pour l'attaquer et s'en emparer, ²en ce temps-là, Yahvé parla par le ministère d'Isaïe fils d'Amoç ; il dit : « Va, dénoue le sac que tu as sur les reins, et ôte tes sandales de tes pieds. » Et il fit ainsi, allant nu et déchaussé. ³Et Yahvé dit : « De même que mon serviteur Isaïe a marché nu et déchaussé pendant trois ans, pour être un signe et un présage contre l'Égypte et contre Kush, ⁴de même le roi d'Assur emmènera les captifs d'Égypte et les déportés de Kush, les jeunes et les vieux, nus, déchaussés et fesses découvertes, à la honte de l'Égypte. ⁵Ils seront pris d'épouvante et de honte à cause de Kush leur espérance et de l'Égypte leur fierté. ⁶Et l'habitant de ce rivage dira en ce jour-là : "Voici ce qu'est devenue notre espérance, ceux vers qui nous avons fui pour chercher un secours, pour échapper au roi d'Assur. Et nous, comment nous sauverons-nous ?" »

La chute de Babylone. 13-14 ; 47 1-15. Jr 50-51. ↗ Ap 17-18.

21 ¹Oracle sur le désert de la mer.

Comme des ouragans qui passent dans le Négeb,

il vient du désert, d'un pays redoutable.

²Une vision sinistre m'a été révélée :

« Le traître trahit et le dévastateur dévaste.

Monte, Élam, assiège, Mède ! »

J'ai fait cesser tous les gémissements.

³C'est pourquoi mes reins sont remplis d'angoisse,

des convulsions m'ont saisi comme les convulsions de la femme qui enfante ;

je suis trop bouleversé pour entendre, trop troublé pour voir.

⁴Mon cœur s'égare, un frisson me terrifie ;

le crépuscule auquel j'aspirais devient ma terreur.

⁵On dresse la table, on met la nappe ; on mange, on boit.

Debout, chefs ! Graissez le bouclier !

⁶Car ainsi m'a parlé le Seigneur :

« Va, place un guetteur ! Qu'il annonce ce qu'il voit !

⁷Il verra de la cavalerie, des cavaliers deux par deux,

des hommes montés sur des ânes, des hommes montés sur des chameaux ;

qu'il observe avec attention, avec grande attention. »

⁸Et le guetteur a crié :

« Sur la tour de guet, Seigneur,
je me tiens tout le long du jour,
  à mon poste de garde, je suis debout toute la nuit.

⁹Et voici que vient la cavalerie,
des cavaliers deux par deux. »

Il a repris la parole et dit :
« Elle est tombée, Babylone, elle est tombée,
et toutes les images de ses dieux,
il les a brisées à terre. »

¹⁰Toi que j'ai foulé, grain de mon aire,
  ce que j'ai appris de Yahvé Sabaot, Dieu d'Israël,
  je te l'annonce.

Sur Édom.

¹¹Oracle sur Duma.
  Vers moi on crie depuis Séïr :
« Veilleur, où en est la nuit ?
Veilleur, où en est la nuit ? »
¹²Le veilleur répond :
  « Le matin vient, puis encore la nuit.
Si vous voulez interroger, interrogez !
Revenez ! Venez ! »

Contre les Arabes.

¹³Oracle dans la steppe.
  Dans les taillis, dans la steppe,
vous passez la nuit,
  caravanes de Dédanites.
¹⁴À la rencontre de l'assoiffé, apportez de l'eau !
Les habitants du pays de Téma
sont allés
  avec du pain au-devant du fugitif.
¹⁵Car ils ont fui devant des épées,
  devant l'épée nue et devant l'arc tendu,
  devant l'acharnement du combat.

¹⁶Car ainsi m'a parlé le Seigneur :
  Encore une année comme des

années de mercenaire, et c'en est
fait de toute la gloire de Qédar.
¹⁷Et du nombre des vaillants archers, des fils de Qédar, il ne restera presque rien, car Yahvé, Dieu
d'Israël, a parlé.

Contre la joie à Jérusalem.

22 ¹Oracle sur la vallée de la
Vision.
  Qu'as-tu donc à monter tout entière aux terrasses,
²pleine de tumulte, ville bruyante, cité joyeuse ?
Tes tués ne sont pas victimes de l'épée,
  ni morts à la guerre.
³Tous tes chefs ensemble ont pris la fuite,
  sans arc, ils ont été capturés,
tous ceux qu'on a trouvés ont été capturés ensemble,
  ils s'étaient enfuis au loin.
⁴C'est pourquoi j'ai dit :
  « Détournez-vous de moi, que je pleure amèrement ;
n'essayez pas de me consoler
  de la ruine de la fille de mon peuple. »

⁵Car c'est un jour de déroute, de panique et de confusion,
  œuvre du Seigneur Yahvé Sabaot, dans la vallée de la Vision.
On sape la muraille, on lance des appels vers la montagne.
⁶Elam a pris le carquois,
  avec chars montés et cavaliers,
  et Qir a sorti son bouclier.
⁷Dès lors, tes plus belles vallées
sont remplies de chars,
  et les cavaliers ont pris position aux portes :
⁸c'est ainsi qu'est tombée la protection de Juda.
  Tu as tourné les yeux, ce jour-là,

vers les armes de la Maison de la Forêt ;

⁹et les brèches de la cité de David, vous avez vu comme elles sont nombreuses !

Vous avez collecté les eaux de la piscine inférieure ;

¹⁰vous avez compté les maisons de Jérusalem,

vous avez démoli les maisons pour fortifier le rempart.

¹¹Vous avez fait un réservoir entre les deux murs,

pour les eaux de l'ancienne piscine.

Mais vous n'avez pas eu un regard pour l'auteur de ces choses,

celui qui en fit le dessein depuis longtemps, vous ne l'avez pas vu.

¹²Et le Seigneur Yahvé Sabaot vous a appelés, en ce jour-là,

à pleurer et à vous lamenter,

à vous tondre et à ceindre le sac.

¹³Mais voici la joie et l'allégresse,

on tue les bœufs et on égorge les moutons,

on mange de la viande et on boit du vin :

« Mangeons et buvons, car demain nous mourrons ! »

¹⁴Alors Yahvé Sabaot s'est révélé à mes oreilles :

« Jamais cette faute ne sera pardonnée, jusqu'à votre mort »,

dit le Seigneur Yahvé Sabaot.

Contre Shebna.

¹⁵Ainsi parle le Seigneur Yahvé Sabaot :

Va trouver cet intendant,

Shebna, le maître du palais :

¹⁶« Que possèdes-tu ici, de qui te réclames-tu

pour t'y tailler un sépulcre ? »

Il se taille un sépulcre surélevé,

il se creuse une chambre dans le roc.

¹⁷Voici que Yahvé va te rejeter, homme !

t'empoigner avec poigne.

¹⁸Il te roulera comme une boule,

une balle vers un vaste espace.

C'est là que tu mourras, avec tes chars splendides,

déshonneur de la maison de ton maître.

¹⁹Je vais te chasser de ton poste,

je vais t'arracher de ta place.

²⁰Et le même jour, j'appellerai mon serviteur

Élyaqim fils d'Hilqiyyahu.

²¹Je le revêtirai de ta tunique,

je le ceindrai de ton écharpe,

je lui remettrai tes pouvoirs,

il sera un père pour l'habitant de Jérusalem

et pour la maison de Juda.

²²Je mettrai la clé de la maison de David sur son épaule,

s'il ouvre, personne ne fermera,

s'il ferme, personne n'ouvrira.

²³Et je l'enfoncerai comme un clou en un lieu solide ;

il deviendra un trône de gloire

pour la maison de son père.

²⁴On y suspendra toute la gloire de la maison paternelle, les descendants et les rejetons, et tous les objets de petite taille, depuis les coupes jusqu'aux jarres. ²⁵Ce jour-là, oracle de Yahvé Sabaot, il cédera, le clou enfoncé dans un lieu solide, il s'arrachera et tombera ; alors se détachera la charge qui pesait sur lui. Car Yahvé a parlé.

Contre Tyr. Ez 26-28. Am 1 9-10. Za 9 2-4.

23 ¹Oracle sur Tyr.

Hurlez, vaisseaux de Tarsis, car tout a été détruit :

plus de maison et plus d'entrée.

Du pays de Kittim, la nouvelle
leur est parvenue.

²Soyez stupéfaits, habitants de la
côte,

marchands de Sidon, toi dont les
messagers passent les mers,

³aux eaux immenses.

Le grain du Canal, la moisson
du Nil, était sa richesse.

Elle était le marché des nations.

⁴Rougis de honte, Sidon (la citadelle des mers),

car la mer a parlé en ces termes :

« Je n'ai pas souffert et je n'ai
pas enfanté,

ni élevé de garçons, ni fait grandir de filles. »

⁵Quand la nouvelle parviendra en
Égypte,

on tremblera en apprenant le sort
de Tyr.

⁶Passez à Tarsis et hurlez, habitants de la côte.

⁷Est-ce là votre fière cité

dont l'origine remontait au lointain passé,

elle que ses pas conduisaient au
loin

pour s'y établir ?

⁸Qui a décidé cela contre Tyr qui
distribuait des couronnes,

dont les marchands étaient des
princes,

et les trafiquants des grands de
la terre ?

⁹C'est Yahvé Sabaot qui l'a décidé,

pour flétrir l'orgueil de toute
beauté,

pour abaisser tous les grands de
la terre.

¹⁰Cultive ton pays comme le Nil,
fille de Tarsis,

car il n'y a plus de chantier maritime.

¹¹Il a tendu la main contre la mer,

il a fait trembler les royaumes ;

Yahvé a décrété pour Canaan de
ruiner ses forteresses.

¹²Il a dit : Cesse de faire la fière,

toi, la maltraitée, vierge fille de
Sidon !

Lève-toi, passe à Kittim,

là non plus, pas de repos pour
toi.

¹³Voici le pays des Chaldéens, ce
peuple qui n'existait pas ;

Assur l'a constitué pour les bêtes du désert ;

ils y ont dressé leurs tours,

ils ont démoli ses bastions,

ils l'ont réduit en ruine.

¹⁴Hurlez, navires de Tarsis, car
votre forteresse est détruite.

¹⁵Et il arrivera, en ce jour-là, que
Tyr sera oubliée, soixante-dix ans,
le temps de vie d'un roi. Mais au
bout de soixante-dix ans, il en sera de Tyr comme dans la chanson
de la prostituée :

¹⁶« Prends une cithare, parcours la
ville,

prostituée délaissée !

Joue de ton mieux, répète ta
chanson,

qu'on se souvienne de toi ! »

¹⁷Et il arrivera, au bout de soixante-dix ans, que Yahvé visitera
Tyr. Elle recevra de nouveau son
salaire, et se prostituera avec tous
les royaumes du monde, sur la face de la terre. ¹⁸Mais son gain et
son salaire seront consacrés à
Yahvé. Ils ne seront ni amassés ni
thésaurisés ; mais c'est à ceux qui
habitent devant Yahvé qu'ira son
gain, pour qu'ils aient nourriture
à satiété et vêtement magnifique.

IV. APOCALYPSE

Le jugement de Yahvé.

24 ¹Voici que Yahvé dévaste la terre et la ravage,

il en bouleverse la face et en disperse les habitants.

²Il en sera du prêtre comme du peuple,

du maître comme de l'esclave,

de la maîtresse comme de la servante,

du vendeur comme de l'acheteur,

du prêteur comme de l'emprunteur,

du débiteur comme du créancier.

³Dévastée, dévastée sera la terre,

elle sera pillée, pillée,

car Yahvé a prononcé cette parole.

⁴La terre est en deuil, elle dépérit,

le monde s'étiole, il dépérit,

l'élite du peuple de la terre s'étiole.

⁵La terre est profanée sous les pieds de ses habitants,

car ils ont transgressé les lois,

violé le décret, rompu l'alliance éternelle.

⁶C'est pourquoi la malédiction a dévoré la terre,

et ses habitants en subissent la peine ;

c'est pourquoi les habitants de la terre ont été consumés,

il ne reste que peu d'hommes.

Chant sur la ville détruite.

⁷Le vin nouveau est en deuil, la vigne s'étiole,

ils gémissent, ceux qui avaient le cœur en fête.

⁸Le son allègre des tambourins s'est tu,

les fêtes bruyantes ont pris fin,

le son allègre du kinnor s'est tu.

⁹On ne boit plus de vin en chantant,

la boisson est amère à ceux qui la boivent.

¹⁰Elle est en ruines, la cité du néant,

toute maison est fermée, on ne peut entrer.

¹¹On crie dans les rues pour avoir du vin,

toute joie a disparu :

l'allégresse du pays a été bannie.

¹²Dans la ville, ce n'est que décombres,

la porte s'est effondrée en ruines.

¹³Car il en est au milieu de la terre, parmi les peuples,

comme au gaulage de l'olivier,

comme pour les grappillons quand est finie la vendange.

¹⁴Mais ceux-ci élèvent la voix, ils crient de joie,

en l'honneur de Yahvé ils clament depuis l'occident.

¹⁵« Oui, à l'orient, glorifiez Yahvé,

dans les îles de la mer, le nom de Yahvé, le Dieu d'Israël. »

¹⁶Des confins de la terre nous avons entendu des psaumes,

« Gloire au Juste ! ».

Les derniers combats.

Mais j'ai dit : « Quelle épreuve pour moi ! quelle épreuve pour moi !

malheur à moi ! »

Les traîtres ont trahi, les traîtres ont tramé la trahison !

¹⁷Frayeur, fosse, filet, pour toi, habitant de la terre.

¹⁸Et celui qui fuira devant le cri de frayeur
　tombera dans la fosse,
　et celui qui remontera de la fosse
　sera pris dans le filet.
　Oui, les vannes d'en haut se sont ouvertes,
　les fondements de la terre ont tremblé.
¹⁹Un brisement, la terre s'est brisée,
　un sursaut, la terre a sursauté,
　un vacillement, la terre a vacillé.
²⁰La terre va chanceler, chanceler comme l'ivrogne,
　elle sera ébranlée comme une hutte,
　son crime pèsera sur elle,
　elle tombera et ne se relèvera plus.
²¹Et il arrivera, en ce jour-là,
　que Yahvé visitera l'armée d'en haut, en haut,
　et les rois de la terre, sur la terre.
²²Ils seront rassemblés, troupe de prisonniers conduits à la fosse,
　ils seront enfermés dans la prison ;
　après de nombreux jours, ils seront visités.
²³La lune sera confuse, le soleil aura honte,
　car Yahvé Sabaot est roi sur la montagne de Sion et à Jérusalem,
　et la Gloire resplendit devant les anciens.

Hymne d'action de grâces.

25 ¹Yahvé, tu es mon Dieu,
je t'exalterai, je louerai ton nom,
　car tu as accompli des merveilles,
　les desseins de jadis, fidèlement, fermement.

²Car tu as fait de la ville un tas de pierres,
　la cité fortifiée est une ruine,
　la citadelle des étrangers n'est plus une ville,
　jamais elle ne sera reconstruite.
³C'est pourquoi un peuple fort te glorifie,
　la cité des nations redoutables te craint.
⁴Car tu as été un refuge pour le faible,
　un refuge pour le malheureux plongé dans la détresse,
　un abri contre la pluie, un ombrage contre la chaleur,
　car le souffle des violents est comme la pluie d'hiver.
⁵Comme la chaleur sur une terre aride,
　tu apaises le tumulte des étrangers :
　la chaleur tiédit à l'ombre d'un nuage,
　le chant des violents se tait.

Le festin divin.

⁶Yahvé Sabaot prépare pour tous les peuples, sur cette montagne,
　un festin de viandes grasses, un festin de bons vins,
　de viandes moelleuses, de vins décantés.
⁷Il fait disparaître sur cette montagne le voile qui voilait tous les peuples
　et le tissu tendu sur toutes les nations ;
⁸il fait disparaître la mort à jamais.
　Le Seigneur Yahvé essuie les pleurs sur tous les visages,
　il ôtera l'opprobre de son peuple sur toute la terre,
　car Yahvé a parlé.

⁹Et on dira, en ce jour-là :
Voyez, c'est notre Dieu,
en lui nous espérions pour qu'il
nous sauve ;
c'est Yahvé, nous espérions en
lui.
Exultons, réjouissons-nous du
salut qu'il nous a donné.
¹⁰Car la main de Yahvé reposera
sur cette montagne
et Moab sera foulé sur place,
comme on foule la paille dans la
fosse à fumier.
¹¹Il étend les mains, au milieu de
la montagne,
comme le nageur les étend pour
nager.
Mais il rabaissera son orgueil,
malgré les efforts de ses mains.
¹²Et la place forte inaccessible de
tes remparts,
il l'a abattue, abaissée, renversée à terre, dans la poussière.

Hymne d'action de grâces.

26 ¹En ce jour-là, on chantera
ce chant au pays de Juda :
Nous avons une ville forte ;
pour nous protéger, il a mis mur
et avant-mur.
²Ouvrez les portes ! Qu'elle entre, la nation juste
qui observe la fidélité.
³C'est un dessein arrêté : tu assureras la paix,
la paix qui t'est confiée.
⁴Confiez-vous en Yahvé à jamais !
Car Yahvé est un rocher, éternellement.
⁵C'est lui qui a précipité les habitants des hauteurs, la cité élevée ;
il l'abaisse, il l'abaisse jusqu'à
terre,
il lui fait mordre la poussière.
⁶Elle sera foulée aux pieds,

par les pieds du malheureux, par
les pas du faible.

Psaume.

⁷Le sentier du juste, c'est la droiture,
tu aplanis la droite trace du juste.
⁸Oui, dans le sentier de tes jugements, nous t'attendions, Yahvé,
à ton nom et à ta mémoire va le
désir de l'âme.
⁹Mon âme t'a désiré pendant la
nuit,
oui, au plus profond de moi,
mon esprit te cherche,
car lorsque tu rends tes jugements pour la terre,
les habitants du monde apprennent la justice.
¹⁰Si l'on fait grâce au méchant
sans qu'il apprenne la justice,
au pays de la droiture il fait le
mal,
sans voir la majesté de Yahvé.
¹¹Yahvé, ta main est levée et ils
ne voient pas !
Ils verront, pleins de confusion,
ton amour jaloux pour ce peuple,
oui, le feu préparé pour tes ennemis les dévorera.
¹²Yahvé, tu nous assures la paix,
et même toutes nos œuvres, tu
les accomplis pour nous.
¹³Yahvé notre Dieu, d'autres maîtres que toi ont dominé sur nous,
mais, attachés à toi seul, nous invoquons ton nom.
¹⁴Les morts ne revivront pas, les
ombres ne se relèveront pas,
car tu les as visités, exterminés,
tu as détruit jusqu'à leur souvenir.
¹⁵Tu as fait de nous une nation,
Yahvé,
tu as fait de nous une nation et
tu as été glorifié.

Tu as fait reculer les limites du pays.

16Yahvé, dans la détresse ils t'ont cherché,
  ils se répandirent en prière
  car ton châtiment était sur eux.
17Comme la femme enceinte à l'heure de l'enfantement
  souffre et crie dans ses douleurs,
  ainsi étions-nous devant ta face, Yahvé.
18Nous avons conçu, nous avons souffert,
  mais c'était pour enfanter du vent :
  nous n'avons pas donné le salut à la terre,
  il ne naît pas d'habitants au monde.
19Tes morts revivront, tes cadavres ressusciteront.
  Réveillez-vous et chantez, vous qui habitez la poussière,
  car ta rosée est une rosée lumineuse,
  et le pays va enfanter des ombres.

Le passage du Seigneur.

20Va, mon peuple, entre dans tes chambres,
  ferme tes portes sur toi ;
  cache-toi un tout petit instant,
  jusqu'à ce qu'ait passé la fureur.
21Car voici Yahvé qui sort de sa demeure
  pour châtier la faute des habitants de la terre ;
  et la terre dévoilera son sang,
  elle cessera de recouvrir ses cadavres.

27 1Ce jour-là, Yahvé châtiera avec son épée dure, grande et forte,
  Léviathan, le serpent fuyard,
  Léviathan, le serpent tortueux ;

il tuera le dragon qui habite la mer.

La vigne de Yahvé.

2Ce jour-là, la vigne délicieuse chantez-la !
3Moi, Yahvé, j'en suis le gardien,
  de temps en temps, je l'irrigue ;
  pour qu'on ne lui fasse pas de mal,
  nuit et jour je la garde.

4– Je ne suis plus en colère.
  Qui va me réduire en ronces et en épines ?

  – Dans la guerre, je la foulerai,
je la brûlerai en même temps.
5Ou bien que l'on fasse appel à ma protection,
  que l'on fasse la paix avec moi,
  la paix, qu'on la fasse avec moi.

Grâce et châtiment.

6À l'avenir Jacob s'enracinera,
  Israël bourgeonnera et fleurira,
  la face du monde se couvrira de récolte.
7L'a-t-il frappé comme avaient frappé ceux qui le frappaient ?
  A-t-il assassiné comme avaient assassiné ses assassins ?
8En la chassant, en l'excluant, tu as exercé un jugement,
  il l'a chassée de son souffle violent, tel le vent d'orient.
9Car ainsi sera pardonnée la faute de Jacob,
  tel sera le fruit qu'il recueillera en renonçant à son péché,
  quand toutes les pierres de l'autel seront mises en pièces
  comme des pierres à chaux,
  quand les Ashéras et les brûle-parfums ne seront plus debout.
10Car la ville fortifiée est devenue une solitude,

abandonnée, délaissée comme
un désert,
   où les veaux paissent, où ils se
couchent
   en détruisant les branchages.

[11]Quand sèchent les branches on
les brise,
   des femmes viennent et y mettent le feu.
   Or ce peuple n'est pas intelligent,
   aussi son créateur n'aura pas pitié de lui,
   celui qui l'a modelé ne lui fera
pas grâce.

Retour des Israélites.

[12]Et il arrivera qu'en ce jour-là,
Yahvé fera le battage,
   depuis le cours du Fleuve jusqu'au torrent d'Égypte,
   et vous, vous serez glanés un à
un, enfants d'Israël.
[13]Et il arrivera qu'en ce jour-là,
on sonnera du grand cor,
   alors viendront ceux qui se meurent au pays d'Assur,
   et ceux qui sont bannis au pays
d'Égypte,
   ils adoreront Yahvé sur la montagne sainte, à Jérusalem.

V. POÈMES SUR ISRAËL ET JUDA

Contre Samarie.

28 [1]Malheur à l'orgueilleuse
couronne des ivrognes
d'Éphraïm,
   à la fleur fanée de sa superbe
splendeur
   sise au sommet de la grasse vallée, à ceux que terrasse le vin.
[2]Voici un homme fort et puissant
au service du Seigneur,
   comme une tornade de grêle,
une tempête dévastatrice,
   comme d'énormes trombes
d'eau qui se déversent,
   de sa main il les jette à terre.
[3]Elles seront foulées aux pieds,
   l'orgueilleuse couronne des
ivrognes d'Éphraïm
[4]et la fleur fanée de sa superbe
splendeur
   sise au sommet de la grasse vallée.
   C'est comme une figue mûre
avant l'été :

qui l'aperçoit aussitôt la saisit et
l'avale.

[5]Ce jour-là, c'est Yahvé Sabaot
   qui deviendra une couronne de
splendeur et un superbe diadème
   pour le reste de son peuple,
[6]un esprit de justice pour qui doit
rendre la justice,
   et la force de ceux qui repoussent l'assaut aux portes.

Contre les faux prophètes.

[7]Eux aussi, ils ont été troublés
par le vin, ils ont divagué sous
l'effet de la boisson.
   Prêtre et prophète, ils ont été
troublés par la boisson,
   ils ont été pris de vin, ils ont divagué sous l'effet de la boisson,
   ils ont été troublés dans leurs visions, ils ont divagué dans leurs
sentences.
[8]Oui, toutes les tables sont couvertes de vomissements abjects,
   pas une place nette !

⁹À qui enseigne-t-il la leçon ? À qui explique-t-il la doctrine ?

À des enfants à peine sevrés, à peine éloignés de la mamelle,
¹⁰quand il dit : çav laçav, çav laçav ; qav laqav, qav laqav ;
ze'êr sham, ze'êr sham.
¹¹Oui, c'est par des lèvres bégayantes et dans une langue étrangère
qu'il parlera à ce peuple.
¹²Il leur avait dit : « Voici le repos ! Donnez le repos à l'accablé :
ceci est un endroit tranquille. »
Mais ils n'ont pas voulu écouter.
¹³Aussi Yahvé va leur parler ainsi :
çav laçav, çav laçav ; qav laqav, qav laqav ;
ze'êr sham, ze'êr sham
afin qu'en marchant ils tombent à la renverse,
qu'ils soient brisés, pris au piège, emprisonnés.

Contre les mauvais conseillers.

¹⁴C'est pourquoi, écoutez la parole de Yahvé, hommes insolents,
gouverneurs de ce peuple qui est à Jérusalem.
¹⁵Vous avez dit : « Nous avons conclu une alliance avec la mort,
avec le shéol nous avons fait un pacte.
Quant au fléau menaçant, il passera sans nous atteindre,
car nous avons fait du mensonge notre refuge,
et dans la fausseté nous nous sommes cachés. »
¹⁶C'est pourquoi, ainsi parle le Seigneur Yahvé :
Voici que je vais poser en Sion une pierre,
une pierre de granit, pierre angulaire, précieuse,
pierre de fondation bien assise :

celui qui s'y fie ne sera pas ébranlé.

¹⁷Et je prendrai le droit comme mesure et la justice comme niveau.

Mais la grêle balaiera le refuge de mensonge
et les eaux inonderont la cachette ;
¹⁸votre alliance avec la mort sera rompue,
votre pacte avec le shéol ne tiendra pas.
Quant au fléau destructeur, lorsqu'il passera,
vous serez piétinés par lui.

¹⁹Chaque fois qu'il passera, il vous saisira,
car chaque matin il passera, et le jour et la nuit,
et seule la terreur fera comprendre la révélation.

²⁰Car la couche sera trop courte pour s'y étendre,
et la couverture trop étroite pour s'en envelopper.

²¹Oui, comme au mont de Peraçim, Yahvé se lèvera,
comme au val de Gabaôn, il frémira,
pour opérer son œuvre, son œuvre étrange,
pour accomplir sa tâche, sa tâche mystérieuse.

²²Et maintenant, cessez de vous moquer,
de peur que ne se resserrent vos liens,
car je l'ai entendu : c'est irrévocablement décidé
par le Seigneur Yahvé Sabaot, contre tout le pays.

Parabole.

²³Prêtez l'oreille et entendez ma voix ;

soyez attentifs, entendez ma parole.

²⁴Le laboureur passe-t-il tout son temps à labourer pour semer,

à défoncer et herser son coin de terre ?

²⁵Après avoir aplani la surface, ne jette-t-il pas la nigelle, ne répand-il pas le cumin ?

Puis il met le blé, le millet, l'orge (...)

et l'épeautre en bordure.

²⁶Son Dieu lui a enseigné cette règle et l'a instruit.

²⁷On n'écrase pas la nigelle avec le traîneau,

on ne fait pas passer sur le cumin les roues du chariot.

C'est avec un bâton qu'on bat la nigelle,

et le cumin se bat au fléau.

²⁸Lorsqu'on foule le froment, on ne s'attarde pas à l'écraser ;

on met en marche la roue du chariot et son attelage,

on ne le broie pas.

²⁹Tout cela est un don de Yahvé Sabaot,

merveilleux conseil qui fait de grandes choses.

Sur Jérusalem.

29 ¹Malheur, Ariel, Ariel, cité où campa David !

ajoutez année sur année,

que les fêtes accomplissent leur cycle,

²j'opprimerai Ariel ; ce sera gémissements et sanglots,

et elle sera pour moi comme Ariel.

³Je camperai en cercle contre toi, j'entreprendrai contre toi un siège et je dresserai contre toi des retranchements.

⁴Tu seras abaissée, ta voix s'élèvera de la terre,

de la poussière elle s'élèvera comme un murmure ;

ta voix comme celle d'un esprit viendra de la terre,

comme venant de la poussière elle murmurera.

⁵La horde de tes ennemis sera comme des grains de poussière,

la horde des guerriers, comme la bale qui s'envole.

Et soudain, en un instant,

⁶tu seras visitée de Yahvé Sabaot

dans le fracas, le tremblement, le vacarme,

ouragan et tempête, flamme de feu dévorant.

⁷Ce sera comme un rêve, une vision nocturne :

la horde de toutes les nations en guerre contre Ariel,

tous ceux qui le combattent, l'assiègent et l'oppriment.

⁸Et ce sera comme le rêve de l'affamé :

le voici qui mange, puis il s'éveille, l'estomac creux ;

ou comme le rêve de l'assoiffé :

le voici qui boit, puis il s'éveille épuisé, la gorge sèche.

Ainsi en sera-t-il de la horde de toutes les nations

en guerre contre la montagne de Sion.

⁹Soyez stupides et stupéfaits,

devenez aveugles et sans vue ;

soyez ivres, mais non de vin,

titubants, mais non de boisson,

¹⁰car Yahvé a répandu sur vous un esprit de torpeur,

il a fermé vos yeux (les prophètes),

il a voilé vos têtes (les voyants).
[11]Et toutes les visions sont devenues pour vous

comme les mots d'un livre scellé
que l'on remet à quelqu'un qui
sait lire en disant : « Lis donc cela. »

Mais il répond : « Je ne puis, car
il est scellé. »
[12]Et on remet le livre à quelqu'un
qui ne sait pas lire

en disant : « Lis donc cela. »

Mais il répond : « Je ne sais pas
lire. »

Oracle. 1 10-20. Am **5** 21. ↗ Mt **15** 8-9.

[13]Le Seigneur a dit :

Parce que ce peuple est près de
moi en paroles
et me glorifie de ses lèvres,
mais que son cœur est loin de
moi
et que sa crainte n'est qu'un
commandement humain, une leçon apprise,
[14]eh bien ! voici que je vais continuer
à étonner ce peuple par des prodiges et des merveilles ;
la sagesse des sages se perdra
et l'intelligence des intelligents
s'envolera.

Le triomphe du droit.

[15]Malheur à ceux qui se terrent
pour dissimuler à Yahvé leurs
desseins,
qui trament dans les ténèbres
leurs actions
et disent : « Qui nous voit ? Qui
nous connaît ? »
[16]Quelle perversité !
Le potier ressemble-t-il à l'argile
pour qu'une œuvre ose dire à celui qui l'a faite : « Il ne m'a pas
faite »,

et un pot à son potier : « Il ne
sait pas travailler ? »

[17]N'est-il pas vrai que dans peu
de temps
le Liban redeviendra un verger,
et le verger fera penser à une forêt ?

[18]En ce jour-là, les sourds entendront les paroles du livre
et, délivrés de l'ombre et des ténèbres, les yeux des aveugles verront.

[19]Les malheureux trouveront toujours plus de joie en Yahvé,
les plus pauvres des hommes
exulteront à cause du Saint
d'Israël.

[20]Car le tyran ne sera plus, le moqueur aura disparu,
tous les veilleurs infâmes auront
été retranchés :

[21]ceux dont la parole porte condamnation,
ceux qui tendent un piège à celui
qui juge à la porte,
et sans raison font débouter le
juste.

[22]C'est pourquoi, ainsi parle
Yahvé, Dieu de la maison de Jacob,
lui qui a racheté Abraham :

Désormais Jacob ne sera plus
déçu,
désormais son visage ne blêmira
plus,

[23]car lorsqu'il verra ses enfants,
l'œuvre de mes mains, chez lui,
il sanctifiera mon nom, il sanctifiera le Saint de Jacob,
il redoutera le Dieu d'Israël.

[24]Les esprits égarés apprendront
l'intelligence,
et ceux qui murmurent recevront
l'instruction.

Contre l'ambassade envoyée en Égypte.

30 ¹Malheur aux fils rebelles ! oracle de Yahvé.

Ils font des projets qui ne viennent pas de moi,

ils trament des alliances que mon esprit n'inspire pas,

accumulant péché sur péché.

²Ils partent pour descendre en Égypte,

sans m'avoir consulté,

pour se mettre sous la protection du Pharaon

et s'abriter à l'ombre de l'Égypte.

³Mais la protection du Pharaon tournera à votre honte,

l'abri de l'ombre de l'Égypte à votre confusion.

⁴Car ses princes ont été à Çoân

et ses messagers ont atteint Hanès.

⁵Tout le monde est déçu par un peuple qui ne peut secourir,

qui n'apporte ni aide ni profit,

mais déception et confusion.

Autre oracle contre une ambassade.

⁶Oracle sur les bêtes du Négeb.

Au pays d'angoisse et de détresse,

de la lionne et du lion rugissant,

de la vipère et du dragon volant,

ils apportent sur l'échine des ânes leurs richesses,

sur la bosse des chameaux leurs trésors,

vers un peuple qui ne peut secourir :

⁷l'Égypte dont l'aide est vanité et néant ;

c'est pourquoi je lui ai donné ce nom : Rahab la déchue.

Testament.

⁸Maintenant va, écris-le sur une tablette,

grave-le sur un document,

que ce soit pour un jour à venir,

pour toujours et à jamais.

⁹Car c'est un peuple révolté, des fils menteurs,

des fils qui refusent d'écouter la Loi de Yahvé,

¹⁰qui ont dit aux voyants : « Vous ne verrez pas »,

et aux prophètes : « Vous ne percevrez pour nous rien de clair.

Dites-nous des choses flatteuses, ayez des visions trompeuses.

¹¹Éloignez-vous du chemin, écartez-vous du sentier,

ôtez de devant nous le Saint d'Israël. »

¹²C'est pourquoi, ainsi parle le Saint d'Israël :

Parce que vous avez rejeté cette parole

et que vous vous êtes fiés à la fraude et à la déloyauté

pour vous y appuyer,

¹³à cause de cela, cette faute sera pour vous

comme une brèche qui se produit,

une saillie en haut d'un rempart

qui soudain, d'un seul coup, vient à s'écrouler.

¹⁴Il va le briser comme on brise une jarre de potier,

mise en pièces sans pitié,

et l'on ne trouvera pas dans ses débris un tesson

pour racler le feu du foyer ou pour puiser l'eau d'un bassin.

¹⁵Car ainsi parle le Seigneur Yahvé, le Saint d'Israël :

Dans la conversion et le calme
était votre salut,
dans la sérénité et la confiance
était votre force,
mais vous n'avez pas voulu !
16Vous avez dit : « Non, car nous
fuirons à cheval ! »
Eh bien ! oui, vous fuirez.
Et encore : « Nous aurons des
montures rapides ! »
Eh bien ! vos poursuivants seront rapides.
17Mille trembleront devant la menace d'un seul,
devant la menace de cinq vous
vous enfuirez,
jusqu'à ce qu'il reste de vous
comme un mât en haut de la montagne,
comme un signal sur la colline.

Dieu pardonnera.

18C'est pourquoi Yahvé attend
l'heure de vous faire grâce,
c'est pourquoi il se lèvera pour
vous prendre en pitié,
car Yahvé est un Dieu de justice ;
bienheureux tous ceux qui espèrent en lui.
19Oui, peuple de Sion, qui habites
Jérusalem,
tu n'auras plus à pleurer,
car il va te faire grâce à cause
du cri que tu pousses,
dès qu'il l'entendra il te répondra.
20Le Seigneur vous donnera le
pain de l'angoisse et l'eau rationnée,
celui qui t'instruit ne se cachera
plus,
et tes yeux verront celui qui
t'instruit.
21Tes oreilles entendront une parole prononcée derrière toi :

« Telle est la voie, suivez-la,
que vous alliez à droite ou à gauche. »
22Tu jugeras impur le placage de
tes idoles d'argent
et le revêtement de tes statues
d'or ;
tu les rejetteras comme un objet
immonde :
« Hors d'ici ! » diras-tu.
23Et il donnera la pluie pour la semence que tu sèmeras en terre,
et le pain, produit du sol, sera
riche et nourrissant.
Ton bétail paîtra, ce jour-là, sur
de vastes pâtures.
24Les bœufs et les ânes, qui travaillent le sol,
mangeront comme fourrage de
l'oseille sauvage
que l'on étend à la pelle et à la
fourche.
25Sur toute haute montagne et sur
toute colline élevée,
il y aura des ruisseaux et des
cours d'eau au jour du grand carnage,
quand s'écrouleront les forteresses.
26Alors la lumière de la lune sera
comme la lumière du soleil,
et la lumière du soleil sera sept
fois plus forte,
comme la lumière de sept jours,
au jour où Yahvé pansera la
blessure de son peuple
et guérira la trace des coups reçus.

Contre Assur.

27Voici que le nom de Yahvé
vient de loin,
ardente est sa colère, pesante sa
menace.
Ses lèvres débordent de fureur,
sa langue est comme un feu dévorant.

²⁸Son souffle est comme un torrent débordant
  qui monte jusqu'au cou,
  pour secouer les nations d'une secousse fatale,
  mettre un mors d'égarement aux mâchoires des peuples.
²⁹Le chant sera sur vos lèvres comme en une nuit de fête,
  et la joie sera dans vos cœurs
  comme lorsqu'on marche au son de la flûte
  pour aller à la montagne de Yahvé, le rocher d'Israël.
³⁰Yahvé fera entendre la majesté de sa voix,
  il fera sentir le poids de son bras,
  dans l'ardeur de sa colère accompagnée d'un feu dévorant,
  de la foudre, d'averses et de grêlons.
³¹Car à la voix de Yahvé, Assur sera terrorisé,
  il le frappera de sa baguette ;
³²chaque fois qu'il passera, ce sera la férule du châtiment
  que Yahvé lui infligera,
  au son des tambourins et des kinnors,
  et dans les combats qu'il livrera, la main levée, contre lui.
³³Car depuis longtemps est préparé Tophèt,
  – il sera aussi pour le roi –
  profond et large son bûcher,
  feu et bois y abondent ;
  le souffle de Yahvé, comme un torrent de soufre,
  va y mettre le feu.

Contre l'alliance égyptienne.

31 ¹Malheur à ceux qui descendent en Égypte
pour y chercher du secours.
Ils comptent sur les chevaux,
ils mettent leur confiance dans les chars, car ils sont nombreux,
  et dans les cavaliers, car ils sont très forts.
  Ils ne se sont pas tournés vers le Saint d'Israël,
  ils n'ont pas consulté Yahvé.
²Pourtant il est sage, lui aussi, et peut faire venir le malheur,
  il n'a jamais manqué à sa parole.
  Il se lèvera contre l'engeance des méchants,
  contre la protection des malfaisants.
³L'Égyptien est un homme et non un dieu,
  ses chevaux sont chair et non esprit ;
  Yahvé étendra la main :
  le protecteur trébuchera, le protégé tombera,
  tous ensemble ils périront.

Contre l'Assyrie.

⁴Car ainsi m'a parlé Yahvé :
  Comme gronde le lion, le lionceau après sa proie,
  quand on fait appel contre lui à l'ensemble des bergers,
  sans qu'il se laisse terroriser par leurs cris
  ni troubler par leur fracas,
  ainsi descendra Yahvé Sabaot
  pour guerroyer sur le mont Sion, sur sa colline.
⁵Comme des oiseaux qui volent,
  ainsi Yahvé Sabaot protégera Jérusalem ;
  par sa protection il la sauvera,
  par son soutien il la délivrera.
⁶Revenez à celui qu'ont si profondément trahi
  les enfants d'Israël.
⁷Car en ce jour-là, chacun rejettera

ses faux dieux d'argent et ses faux dieux d'or,

qu'ont fabriqué pour vous vos mains pécheresses.

⁸Assur tombera par l'épée, non celle d'un homme,

il sera dévoré par l'épée, non celle d'un mortel.

Il s'enfuira devant l'épée,

et ses jeunes gens seront asservis.

⁹Dans sa terreur il abandonnera son rocher,

et ses chefs apeurés déserteront l'étendard.

Oracle de Yahvé dont le feu est à Sion

et la fournaise à Jérusalem.

Le roi juste.

32 ¹Voici qu'un roi régnera avec justice

et des princes gouverneront selon le droit.

²Chacun sera comme un abri contre le vent,

un refuge contre l'averse,

comme des ruisseaux sur une terre aride,

comme l'ombre d'une roche solide dans un pays désolé.

³Les yeux des voyants ne seront plus englués,

les oreilles des auditeurs seront attentives.

⁴Le cœur des inconstants s'appliquera à comprendre,

et la langue des bègues dira sans hésiter des paroles claires.

⁵On ne donnera plus à l'insensé le titre de noble,

ni au fourbe celui de grand.

L'insensé et le noble.

⁶Car l'insensé dit des insanités et son cœur s'adonne au mal,

en pratiquant l'impiété,

en tenant sur Yahvé des propos aberrants,

en laissant l'affamé sans nourriture ;

il refuse la boisson à celui qui a soif.

⁷Quant au fourbe, ses fourberies sont perverses,

il a ourdi des machinations

pour perdre le pauvre par des paroles mensongères,

alors que le malheureux a le droit pour lui.

⁸Le noble, lui, n'a eu que de nobles desseins,

il se lève pour agir avec noblesse.

Contre les femmes de Jérusalem.

⁹Femmes altières, levez-vous, écoutez ma voix,

filles pleines de superbe, prêtez l'oreille à ma parole.

¹⁰Dans un an et quelques jours, vous tremblerez, présomptueuses,

car c'en est fait de la vendange,

il n'y a plus de récolte.

¹¹Frémissez, vous qui êtes altières,

tremblez, vous qui êtes pleines de superbe ;

dépouillez-vous, dénudez-vous, ceignez-vous les reins.

¹²Frappez-vous les seins sur le sort des campagnes riantes,

des vignes chargées de fruits ;

¹³sur le terroir de mon peuple croîtra le buisson de ronces,

comme sur toute maison joyeuse de la cité délirante.

¹⁴Car la citadelle est abandonnée,

la ville tapageuse est désertée,

Ophel et Donjon seront dénudés à jamais,

délices des ânes sauvages, pacage de troupeaux,

L'effusion de l'Esprit.

¹⁵jusqu'à ce que se répande sur
nous l'Esprit d'en haut,
  et que le désert devienne un verger,
  un verger qui fait penser à une
forêt.
¹⁶Dans le désert s'établira le droit
  et la justice habitera le verger.
¹⁷Le fruit de la justice sera la paix,
  et l'effet de la justice repos et
sécurité à jamais.
¹⁸Mon peuple habitera dans un séjour de paix,
  des demeures superbes, des résidences altières.
¹⁹Et si la forêt est totalement détruite,
  si la ville est gravement humiliée,
²⁰heureux serez-vous de semer
partout où il y a de l'eau,
  de laisser en liberté le bœuf et
l'âne.

Le salut attendu.

33 ¹Malheur à toi qui détruis et
  n'es pas détruit,
  qui es traître alors qu'on ne te
trahit pas ;
  quand tu auras fini de détruire,
tu seras détruit,
  quand tu auras terminé tes trahisons, on te trahira.
²Yahvé, fais-nous grâce, en toi
nous espérons.
  Sois notre bras chaque matin, et
aussi notre salut au temps de la
détresse.
³Au bruit du tumulte les peuples
s'enfuient,
  lorsque tu te lèves les nations se
dispersent.
⁴On amasse chez vous le butin
comme amasse le criquet,

on se rue sur lui comme une ruée
de sauterelles.
⁵Yahvé est exalté car il trône là-
haut,
  il comble Sion de droit et de justice.
⁶Et ce sera la sécurité pour tes
jours :
  sagesse et connaissance sont les
richesses qui sauvent,
  la crainte de Yahvé, tel est son
trésor.

⁷Voici qu'Ariel pousse des cris
dans les rues,
  les messagers de paix pleurent
amèrement.
⁸Les routes sont désolées, plus de
passants sur les chemins,
  on a rompu l'alliance, méprisé
les témoins,
  on n'a tenu compte de personne.
⁹Endeuillée, la terre languit.
  Couvert de honte, le Liban se
dessèche,
  Saron est devenue comme la
steppe,
  Bashân et le Carmel frémissent.
¹⁰Maintenant je me lève, dit
Yahvé,
  maintenant je me dresse, maintenant je m'élève.
¹¹Vous concevez du foin, vous en-
fantez de la paille,
  mon souffle, comme un feu,
vous dévorera.
¹²Les peuples seront consumés
comme par la chaux,
  épines coupées, ils seront brûlés
au feu.

¹³Écoutez, vous qui êtes loin, ce
que j'ai fait,
  sachez, vous qui êtes proches,
quelle est ma puissance.
¹⁴Les pécheurs ont été terrifiés à
Sion,

un tremblement a saisi les impies.

Qui de nous tiendra devant un feu dévorant ?

Qui de nous tiendra devant des brasiers éternels ?

¹⁵Celui qui se conduit avec justice et parle loyalement,

qui refuse un gain extorqué et repousse de la main le pot-de-vin,

qui se bouche les oreilles pour ne pas entendre les propos sanguinaires,

et ferme les yeux pour ne pas voir le mal,

¹⁶celui-là habitera dans les hauteurs,

les roches escarpées seront son refuge,

on lui donnera du pain, l'eau ne lui manquera pas.

Le retour à Jérusalem.

¹⁷Tes yeux contempleront le roi dans sa beauté,

ils verront un pays qui s'étend au loin.

¹⁸Ton cœur méditera ses frayeurs :

« Où est celui qui comptait ? où est celui qui pesait ?

où est celui qui comptait les tours ? »

¹⁹Tu ne verras plus le peuple insolent,

le peuple au langage incompréhensible,

à la langue barbare et dénuée de sens.

²⁰Contemple Sion, cité de nos fêtes,

que tes yeux voient Jérusalem,

résidence sûre, tente qu'on ne déplacera pas,

dont on n'arrachera jamais les piquets,

dont les cordes ne seront jamais rompues.

²¹Mais c'est là que Yahvé nous montre sa puissance,

comme un lieu de fleuves et de canaux très larges

où ne vogueront pas les bateaux à rame,

que ne traverseront pas les grands vaisseaux.

(²²Car Yahvé nous juge et Yahvé nous régente,

Yahvé est notre roi, c'est lui notre sauveur.)

²³Tes cordages ont lâché, ils ne maintiennent plus le mât,

ils ne hissent plus le signal.

Alors on s'est partagé un énorme butin,

les boiteux se sont livrés au pillage.

²⁴Aucun habitant ne dira plus : « Je suis malade »,

le peuple qui y demeure verra sa faute remise.

Le jugement contre Édom. 63 1-6. Jr 49 7-22.

34 ¹Approchez, nations, pour écouter,

peuples, soyez attentifs,

que la terre écoute, et ce qui l'emplit,

le monde et tout son peuplement.

²Car c'est une colère de Yahvé contre toutes les nations,

une fureur contre toute leur armée.

Il les a vouées à l'anathème,

livrées au carnage.

³Leurs victimes sont jetées dehors,

la puanteur de leurs cadavres se répand,

les montagnes ruissellent de sang,

⁴toute l'armée des cieux se disloque.

Les cieux s'enroulent comme un livre,
   toute leur armée se flétrit,
comme se flétrissent les feuilles qui tombent de la vigne,
   comme se flétrissent celles qui tombent du figuier.

⁵Car mon épée s'est abreuvée dans les cieux :
   Voici qu'elle s'abat sur Édom,
   sur le peuple voué à l'anathème, pour le punir.
⁶L'épée de Yahvé est pleine de sang,
   gluante de graisse,
   du sang des agneaux et des boucs,
   de la graisse des rognons de béliers ;
   car il y a pour Yahvé un sacrifice à Boçra,
   un grand carnage au pays d'Édom.
⁷Les buffles tombent avec eux,
   les veaux avec les bœufs gras,
   leur terre est abreuvée de sang,
   leur poussière engluée de graisse.
⁸Car c'est un jour de vengeance pour Yahvé,
   l'année de la rétribution, dans le procès de Sion.

⁹Ses torrents se changent en poix,
   sa poussière en soufre,
   son pays devient de la poix brûlante.
¹⁰Nuit et jour il ne s'éteint pas,
   éternellement s'élève sa fumée,
   d'âge en âge il sera desséché,
   toujours et à jamais, personne n'y passera.
¹¹Ce sera le domaine du pélican et du hérisson,
   la chouette et le corbeau l'habiteront ;

Yahvé y tendra le cordeau du chaos
   et le niveau du vide.

¹²De nobles, il n'y en a plus
   pour proclamer la royauté,
   c'en est fini de tous ses princes.
¹³Dans ses bastions croîtront les ronces,
   dans ses forteresses, l'ortie et l'épine ;
   ce sera une tanière de chacals,
   un enclos pour les autruches.
¹⁴Les chats sauvages rencontreront les hyènes,
   le satyre appellera le satyre,
   là encore se tapira Lilith,
   elle trouvera le repos.
¹⁵Là nichera le serpent, il pondra,
   fera éclore ses œufs, groupera ses petits à l'ombre.
   Là encore se rassembleront les vautours,
   les uns vers les autres.
¹⁶Cherchez dans le livre de Yahvé et lisez :
   il n'en manque pas un,
   pas un n'est privé de son compagnon.
   C'est ainsi que sa bouche l'a ordonné,
   son esprit, lui, les rassemble.
¹⁷Et c'est lui qui pour eux a jeté le sort,
   sa main a fixé leur part au cordeau,
   pour toujours ils la posséderont,
   d'âge en âge ils y habiteront.

Le triomphe de Jérusalem.

35 ¹Que soient pleins d'allégresse désert et terre aride,
   que la steppe exulte et fleurisse ;
   comme l'asphodèle ²qu'elle se couvre de fleurs,
   qu'elle exulte de joie et pousse des cris,

la gloire du Liban lui a été donnée,
la splendeur du Carmel et de Saron.
C'est eux qui verront la gloire
de Yahvé,
la splendeur de notre Dieu.
³Fortifiez les mains affaiblies,
affermissez les genoux qui chancellent.
⁴Dites aux cœurs défaillants :
« Soyez forts, ne craignez pas ;
voici votre Dieu.
C'est la vengeance qui vient,
la rétribution divine.
C'est lui qui vient vous sauver. »
⁵Alors se dessilleront les yeux
des aveugles,
et les oreilles des sourds s'ouvriront.
⁶Alors le boiteux bondira comme
un cerf,
et la langue du muet criera sa
joie.
Parce qu'auront jailli les eaux
dans le désert
et les torrents dans la steppe.
⁷La terre brûlée deviendra un marécage,

et le pays de la soif, des eaux
jaillissantes ;
dans les repaires où gîtaient les
chacals
on verra des enclos de roseaux
et de papyrus.
⁸Il y aura là une chaussée et un
chemin,
on l'appellera la voie sacrée ;
l'impur n'y passera pas ;
c'est Lui qui pour eux ira par ce
chemin,
et les insensés ne s'y égareront
pas.
⁹Il n'y aura pas de lion
et la plus féroce des bêtes n'y
montera pas,
on ne l'y rencontrera pas,
mais les rachetés y marcheront.
¹⁰Ceux qu'a libérés Yahvé reviendront,
ils arriveront à Sion criant de
joie,
portant avec eux une joie éternelle.
La joie et l'allégresse les accompagneront,
la douleur et les plaintes cesseront.

COMPLÉMENTS

L'invasion de Sennachérib.
|| 2 R **18** 13-37. || Is **37** 10s.

36 ¹Il arriva qu'en la quatorzième année du roi Ézéchias,
Sennachérib, roi d'Assyrie, monta contre toutes les villes fortes de
Juda et s'en empara. ²De Lakish,
le roi d'Assyrie envoya vers le roi
Ézéchias, à Jérusalem, le grand
échanson avec un important corps
de troupes. Le grand échanson se

posta près du canal de la piscine
supérieure, sur le chemin du
champ du Foulon. ³Le maître du
palais Élyaqim, fils de Hilqiyyahu, le secrétaire Shebna et le héraut Yoah, fils d'Asaph, sortirent
à sa rencontre. ⁴Le grand échanson leur dit : « Dites à Ézéchias :
Ainsi parle le grand roi, le roi
d'Assyrie : Quelle est cette confiance sur laquelle tu te reposes ?
⁵Tu t'imagines que paroles en

l'air valent conseil et vaillance pour faire la guerre. En quoi donc mets-tu ta confiance pour t'être révolté contre moi ? [6]Voici que tu te fies au soutien de ce roseau brisé, l'Égypte, qui pénètre et perce la main de qui s'appuie sur lui. Tel est Pharaon, roi d'Égypte, pour tous ceux qui se fient à lui. [7]Vous me direz peut-être : "C'est en Yahvé notre Dieu que nous avons confiance", mais n'est-ce pas lui dont Ézéchias a supprimé les hauts lieux et les autels en disant aux gens de Juda et de Jérusalem : "C'est devant cet autel que vous vous prosternerez" ? [8]Eh bien ! fais un pari avec Monseigneur le roi d'Assyrie : je te donnerai deux mille chevaux si tu peux trouver des cavaliers pour les monter. [9]Comment ferais-tu reculer un seul des moindres serviteurs de mon maître ? Mais tu t'es fié à l'Égypte pour avoir chars et cavaliers ! [10]Et puis, est-ce sans la volonté de Yahvé que je suis monté contre ce pays pour le dévaster ? C'est Yahvé qui m'a dit : "Monte contre ce pays et dévaste-le !" »

[11]Élyaqim, Shebna et Yoah dirent au grand échanson : « Je t'en prie, parle à tes serviteurs en araméen, car nous l'entendons, ne nous parle pas en judéen à portée des oreilles du peuple qui est sur les remparts. » [12]Mais le grand échanson dit : « Est-ce à toi ou à ton maître que Monseigneur m'a envoyé dire ces choses ? N'est-ce pas plutôt aux gens assis sur le rempart et condamnés à manger leurs excréments et à boire leur urine avec vous ? »

[13]Alors le grand échanson se tint debout, il cria d'une voix forte, en langue judéenne, et dit : « Écoutez les paroles du grand roi, le roi d'Assyrie ! [14]Ainsi parle le roi : Qu'Ézéchias ne vous abuse pas ! Il ne pourra vous délivrer. [15]Qu'Ézéchias n'entretienne pas votre confiance en Yahvé en disant : "Sûrement Yahvé nous délivrera, cette ville ne tombera pas entre les mains du roi d'Assyrie." [16]N'écoutez pas Ézéchias, car ainsi parle le roi d'Assyrie : Faites la paix avec moi, rendez-vous à moi, et chacun de vous mangera le fruit de sa vigne et de son figuier, chacun boira l'eau de sa citerne, [17]jusqu'à ce que je vienne et que je vous emmène vers un pays comme le vôtre, un pays de froment et de moût, un pays de pain et de vignobles. [18]Qu'Ézéchias ne vous abuse pas en vous disant : "Yahvé nous délivrera." Les dieux des nations ont-ils vraiment délivré chacun son pays des mains du roi d'Assyrie ? [19]Où sont les dieux de Hamat et d'Arpad, où sont les dieux de Sepharvayim, où sont les dieux du pays de Samarie ? Ont-ils délivré Samarie de ma main ? [20]Parmi tous les dieux de ces pays, lesquels ont délivré leur pays de ma main, pour que Yahvé délivre Jérusalem ? »

[21]Ils gardèrent le silence et ne lui répondirent pas un mot, car tel était l'ordre du roi : « Vous ne lui répondrez pas. » [22]Le maître du palais Élyaqim, fils de Hilqiyyahu, le secrétaire Shebna et le héraut Yoah, fils d'Asaph, vinrent auprès d'Ézéchias, les vêtements déchirés, et ils lui rapportèrent les paroles du grand échanson.

Recours au prophète Isaïe.
|| 2 R **19** 1-7.

37 ¹À ce récit, le roi Ézéchias déchira ses vêtements, se couvrit d'un sac et se rendit au Temple de Yahvé. ²Il envoya le maître du palais Élyaqim, le secrétaire Shebna et les anciens des prêtres, couverts de sacs, auprès du prophète Isaïe, fils d'Amoç. ³Ils lui dirent : « Ainsi parle Ézéchias : Ce jour-ci est un jour d'angoisse, de châtiment et d'opprobre. Les enfants sont à terme et la force manque pour les enfanter. ⁴Puisse Yahvé ton Dieu entendre les paroles du grand échanson que le roi d'Assyrie, son maître, a envoyé insulter le Dieu vivant, et puisse Yahvé ton Dieu punir les paroles qu'il a entendues ! Adresse une prière en faveur du reste qui subsiste encore. »

⁵Lorsque les ministres du roi Ézéchias furent arrivés auprès d'Isaïe, ⁶celui-ci leur dit : « Vous direz à votre maître : Ainsi parle Yahvé. N'aie pas peur des paroles que tu as entendues, des blasphèmes que les valets du roi d'Assyrie ont lancés contre moi. ⁷Voici que je vais mettre en lui un esprit et, sur une nouvelle qu'il entendra, il retournera dans son pays et, dans son pays, je le ferai tomber sous l'épée. »

Départ du grand échanson.
|| 2 R **19** 8-9.

⁸Le grand échanson s'en retourna et retrouva le roi d'Assyrie en train de combattre contre Libna. Le grand échanson avait appris en effet que le roi avait décampé de Lakish, ⁹car il avait reçu cette nouvelle au sujet de Tirhaqa, roi de Kush : « Il est parti en guerre contre toi. »

Second récit de l'intervention de Sennachérib. || 2 R **19** 9-19.

De nouveau, Sennachérib envoya des messagers à Ézéchias pour lui dire : ¹⁰« Vous parlerez ainsi à Ézéchias roi de Juda : Que ton Dieu en qui tu te confies ne t'abuse pas en disant : "Jérusalem ne sera pas livrée aux mains du roi d'Assyrie." ¹¹Tu as appris ce que les rois d'Assyrie ont fait à tous les pays, les vouant à l'anathème, et toi, tu serais délivré ! ¹²Les ont-ils délivrées, les dieux des nations que mes pères ont dévastées, Gozân, Harân, Réçeph, et les Édénites qui étaient à Telassar ? ¹³Où sont le roi de Hamat, le roi d'Arpad, le roi de Laïr, de Sepharvayim, de Héna, de Ivva ? » ¹⁴Ézéchias prit la lettre de la main des messagers et la lut. Puis il monta au Temple de Yahvé et la déplia devant Yahvé. ¹⁵Et Ézéchias fit cette prière en présence de Yahvé : ¹⁶« Yahvé Sabaot, Dieu d'Israël, qui sièges sur les chérubins, c'est toi qui es seul Dieu de tous les royaumes de la terre, c'est toi qui as fait le ciel et la terre.

¹⁷Prête l'oreille, Yahvé, et entends,

ouvre les yeux, Yahvé, et vois.

Entends les paroles de Sennachérib

qui a envoyé dire des insultes au Dieu vivant.

¹⁸Il est vrai, Yahvé, les rois d'Assyrie ont exterminé toutes les nations (et leurs pays). ¹⁹Ils ont jeté au feu leurs dieux, car ce n'étaient pas des dieux mais l'ouvrage de mains d'hommes, du bois et de la

pierre, alors ils les ont anéantis.
²⁰Mais maintenant, Yahvé notre Dieu, sauve-nous de sa main, je t'en supplie, et que tous les royaumes de la terre sachent que toi seul es Dieu, Yahvé. »

Intervention d'Isaïe. ‖ 2 R 19 20-28.

²¹Alors Isaïe fils d'Amoç envoya dire à Ézéchias : « Ainsi parle Yahvé, Dieu d'Israël, à propos de la prière que tu m'as adressée au sujet de Sennachérib, roi d'Assyrie. ²²Voici l'oracle que Yahvé a prononcé contre lui :
Elle te méprise, elle te raille,
la vierge, fille de Sion ;
elle hoche la tête après toi,
la fille de Jérusalem.
²³Qui donc as-tu insulté, blasphémé ?
contre qui as-tu parlé haut
et levé ton regard altier ?
Vers le Saint d'Israël !
²⁴Par tes valets tu as insulté le Seigneur,
tu as dit : « Avec mes nombreux chars
j'ai gravi les sommets des monts,
les dernières cimes du Liban.
J'ai coupé sa haute futaie de cèdres
et ses plus beaux cyprès.
J'ai atteint son ultime sommet,
son parc forestier.
²⁵Moi, j'ai creusé et j'ai bu
des eaux étrangères ;
j'ai asséché sous la plante de mes pieds
tous les fleuves de l'Égypte. »
²⁶Entends-tu bien ? De longue date j'ai préparé cela,
aux jours anciens j'en fis le dessein,
maintenant je le réalise.

Ton destin fut de réduire en tas de ruines
des villes fortifiées.
²⁷Leurs habitants, les mains débiles,
épouvantés et confondus,
furent comme plantes des champs,
verdure de gazon,
herbe des toits et guérets,
sous le vent d'orient.
²⁸Quand tu te lèves et quand tu t'assieds,
quand tu sors ou quand tu entres, je le sais
(et quand tu t'emportes contre moi).
²⁹Parce que tu t'es emporté contre moi,
que ton insolence est montée à mes oreilles,
je passerai mon anneau à ta narine
et mon mors à tes lèvres,
je te ramènerai sur le chemin
par lequel tu es venu.

Le signe donné à Ézéchias. ‖ 2 R 19 29-31.

³⁰Ceci te servira de signe :
On mangera cette année du grain tombé
et l'an prochain du grain de jachère,
mais, le troisième an, semez et moissonnez,
plantez des vignes et mangez de leur fruit.
³¹Le reste survivant de la maison de Juda
produira de nouvelles racines en bas et des fruits en haut.
³²Car de Jérusalem sortira un reste
et des survivants du mont Sion.
L'amour jaloux de Yahvé Sabaot fera cela.

Oracle sur l'Assyrie. ‖ 2 R **19** 32-34.

³³Voici donc ce que dit Yahvé sur le roi d'Assyrie :

Il n'entrera pas dans cette ville,
il n'y lancera pas une flèche,
il ne tendra pas de bouclier contre elle,
il n'y entassera pas de remblai.
³⁴Par la route qui l'amena, il s'en retournera,
il n'entrera pas dans cette ville, oracle de Yahvé.
³⁵Je protégerai cette ville et la sauverai
à cause de moi et de mon serviteur David. »

Châtiment de Sennachérib. ‖ 2 R **19** 35-37.

³⁶L'Ange de Yahvé sortit et frappa dans le camp assyrien cent quatre-vingt-cinq mille hommes. Le matin, au réveil, ce n'étaient plus que des cadavres.

³⁷Sennachérib leva le camp et partit. Il s'en retourna et resta à Ninive. ³⁸Un jour qu'il était prosterné dans le temple de Nisrok, son dieu, ses fils Adrammélek et Saréçer le frappèrent de l'épée et se sauvèrent au pays d'Ararat. Asarhaddon, son fils, devint roi à sa place.

Maladie et guérison d'Ézéchias. ‖ 2 R **20** 1-11.

38 ¹En ces jours-là, Ézéchias fut atteint d'une maladie mortelle. Le prophète Isaïe, fils d'Amoç, vint lui dire : « Ainsi parle Yahvé. Mets ordre à ta maison, car tu vas mourir, tu ne vivras pas. » ²Ézéchias se tourna vers le mur et fit cette prière à Yahvé : ³« Ah ! Yahvé, souviens-toi, de grâce, que je me suis conduit fidèlement et en toute probité de cœur devant toi, et que j'ai fait ce qui était bien à tes yeux. » Et Ézéchias versa d'abondantes larmes.

⁴Alors la parole de Yahvé se fit entendre à Isaïe : ⁵« Va dire à Ézéchias : Ainsi parle Yahvé, Dieu de ton ancêtre David. J'ai entendu ta prière, j'ai vu tes larmes. J'ajouterai quinze années à ta vie. ⁶Je te délivrerai, toi et cette ville, de la main du roi d'Assyrie, et je protégerai cette ville.

⁷« Voici, de la part de Yahvé, le signe qu'il fera ce qu'il a dit. ⁸Voici que je vais faire reculer l'ombre des degrés que le soleil a descendus sur les degrés de la chambre haute d'Achaz – dix degrés en arrière. » Et le soleil recula de dix degrés, sur les degrés qu'il avait descendus.

Cantique d'Ézéchias.

⁹Cantique d'Ézéchias, roi de Juda, lors de la maladie dont il fut guéri :

¹⁰Je disais : Au midi de mes jours, je m'en vais,
aux portes du shéol je serai gardé pour le reste de mes ans.
¹¹Je disais : Je ne verrai pas Yahvé sur la terre des vivants,
je n'aurai plus un regard pour personne
parmi les habitants du monde.
¹²Ma demeure est arrachée, jetée loin de moi,
comme une tente de bergers ;
comme un tisserand j'ai enroulé ma vie,
il m'a séparé de la chaîne.
Du point du jour jusqu'à la nuit tu m'as achevé ;
¹³j'ai crié jusqu'au matin ;

comme un lion, c'est ainsi qu'il
broie tous mes os,
    du point du jour jusqu'à la nuit
tu m'as achevé.
[14]Comme l'hirondelle, je pépie,
je gémis comme la colombe,
    mes yeux faiblissent à regarder
en haut.
Seigneur je suis accablé, viens à
mon aide.
[15]Comment parlerai-je pour qu'il
me réponde ?
    car c'est lui qui agit.
Je m'avancerai toutes mes années durant
    dans l'amertume de mon âme.

[16]Le Seigneur est sur eux, ils vivent
et tout ce qui est en eux est vie
de son esprit.
    Tu me guériras, fais-moi vivre.
[17]Voici que mon amertume se
change en bien-être.
    C'est toi qui as préservé mon
âme
    de la fosse du néant,
    tu as jeté derrière toi tous mes
péchés.
[18]Ce n'est pas le shéol qui te loue,
ni la mort qui te célèbre.
    Ils n'espèrent plus en ta fidélité,
ceux qui descendent dans la
fosse.
[19]Le vivant, le vivant lui seul te
loue,
    comme moi aujourd'hui.
Le père à ses fils fait connaître
ta fidélité.
[20]Yahvé, viens à mon aide,
et nous ferons résonner nos harpes
    tous les jours de notre vie
    dans le Temple de Yahvé.

[21]Isaïe dit : « Qu'on apporte un
pain de figues, qu'on l'applique
sur l'ulcère, et il vivra. » [22]Ézé-
chias dit : « À quel signe connaîtrai-je que je monterai au Temple
de Yahvé ? »

Ambassade babylonienne. ‖ 2 R 20 12-19.

39 [1]En ce temps-là, Mérodak-
Baladan, fils de Baladan, roi
de Babylone, envoya des lettres et
un présent à Ézéchias, car il avait
appris sa maladie et son rétablissement. [2]Ézéchias s'en réjouit et il
montra aux messagers sa chambre
du trésor, l'argent, l'or, les aromates, l'huile précieuse ainsi que son
arsenal et tout ce qui se trouvait
dans ses magasins. Il n'y eut rien
qu'Ézéchias ne leur montrât dans
son palais et dans tout son domaine.

[3]Alors le prophète Isaïe vint
trouver le roi Ézéchias et lui demanda : « Qu'ont dit ces gens-là, et d'où
sont-ils venus chez toi ? » Ézéchias
répondit : « Ils sont venus d'un pays
lointain, de Babylone. » [4]Isaïe reprit : « Qu'ont-ils vu dans ton palais ? » Ézéchias répondit : « Ils ont
vu tout ce qu'il y a dans mon palais :
il n'y a dans mes magasins rien que
je ne leur aie montré. »

[5]Alors Isaïe dit à Ézéchias :
« Écoute la parole de Yahvé Sabaot ! [6]Des jours viennent où tout
ce qui est dans ton palais, tout ce
qu'ont amassé tes pères jusqu'à ce
jour, sera emporté à Babylone.
Rien ne sera laissé, dit Yahvé. [7]Par-
mi les fils issus de toi, ceux que tu
as engendrés, on en prendra pour
être eunuques dans le palais du roi
de Babylone. » [8]Ézéchias dit à
Isaïe : « C'est une parole favorable
de Yahvé que tu annonces. » Il
pensait en effet : « Il y aura paix et
sûreté ma vie durant. »

2. Le livre de la consolation d'Israël

Annonce de la délivrance.

40 ¹« Consolez, consolez mon peuple,
dit votre Dieu,
²parlez au cœur de Jérusalem et criez-lui
que son service est accompli,
que sa faute est expiée,
qu'elle a reçu de la main de Yahvé
double punition pour tous ses péchés. »
³Une voix crie : « Dans le désert, frayez
le chemin de Yahvé ;
dans la steppe, aplanissez
une route pour notre Dieu.
⁴Que toute vallée soit comblée,
toute montagne et toute colline abaissées,
que les lieux accidentés se changent en plaine
et les escarpements en large vallée ;
⁵alors la gloire de Yahvé se révélera
et toute chair, d'un coup, la verra,
car la bouche de Yahvé a parlé. »

⁶Une voix dit : « Crie », et je dis : « Que crierai-je ? »
– « Toute chair est de l'herbe
et toute sa grâce est comme la fleur des champs.
⁷L'herbe se dessèche, la fleur se fane,
quand le souffle de Yahvé passe sur elles ;
(oui, le peuple, c'est de l'herbe)
⁸l'herbe se dessèche, la fleur se fane,
mais la parole de notre Dieu subsiste à jamais. »

⁹Monte sur une haute montagne,
messagère de Sion ;
élève et force la voix,
messagère de Jérusalem ;
élève la voix, ne crains pas, dis aux villes de Juda :
« Voici votre Dieu ! »
¹⁰Voici le Seigneur Yahvé qui vient avec puissance,
son bras assure son autorité ;
voici qu'il porte avec lui sa récompense,
et son salaire devant lui.
¹¹Tel un berger il fait paître son troupeau,
de son bras il rassemble les agneaux,
il les porte sur son sein,
il conduit doucement les brebis mères.

La grandeur divine.

¹²Qui a mesuré dans le creux de sa main l'eau de la mer,
évalué à l'empan les dimensions du ciel,
jaugé au boisseau la poussière de la terre,
pesé les montagnes à la balance
et les collines sur des plateaux ?
¹³Qui a dirigé l'esprit de Yahvé,
et, homme de conseil, a su l'instruire ?
¹⁴Qui a-t-il consulté qui lui fasse comprendre,
qui l'instruise dans les sentiers du jugement,
qui lui enseigne la connaissance
et lui fasse connaître la voie de l'intelligence ?
¹⁵Voici ! les nations sont comme une goutte d'eau au bord d'un seau,

on en tient compte comme d'une
miette sur une balance.
Voici ! les îles pèsent comme un
grain de poussière.
¹⁶Le Liban ne suffirait pas à entretenir le feu,
et sa faune ne suffirait pas pour
l'holocauste.
¹⁷Toutes les nations sont comme
rien devant lui,
il les tient pour néant et vide.
¹⁸À qui comparer Dieu,
et quelle image pourriez-vous en
fournir ?

¹⁹Un artisan coule l'idole,
un orfèvre la recouvre d'or,
il fond des chaînes d'argent.
²⁰Celui qui fait une offrande de
pauvre
choisit un bois qui ne pourrit
pas,
se met en quête d'un habile artisan
pour ériger une idole qui ne vacille pas.

²¹Ne le saviez-vous pas ? Ne l'en-
tendiez-vous pas dire ?
Ne vous l'avait-on pas annoncé
dès l'origine ?
N'avez-vous pas compris la fondation de la terre ?
²²Il trône au-dessus du cercle de
la terre
dont les habitants sont comme
des sauterelles,
il tend les cieux comme une toile,
les déploie comme une tente où
l'on habite.
²³Il réduit à rien les princes,
il fait les juges de la terre semblables au néant.
²⁴À peine ont-ils été plantés, à peine semés,
à peine leur tige s'est-elle enracinée en terre,

qu'il souffle sur eux, et ils se
dessèchent,
la tempête les emporte comme
la bale.
²⁵À qui me comparerez-vous,
dont je sois l'égal ? dit le Saint.
²⁶Levez les yeux là-haut et voyez :
Qui a créé ces astres ?
Il déploie leur armée en bon ordre,
il les appelle tous par leur nom.
Sa vigueur est si grande et telle
est sa force
que pas un ne manque.

²⁷Pourquoi dis-tu, Jacob, et répè-
tes-tu, Israël :
« Ma voie est cachée à Yahvé,
et mon droit échappe à mon
Dieu ? »
²⁸Ne le sais-tu pas ? Ne l'as-tu pas
entendu dire ?
Yahvé est un Dieu éternel,
créateur des extrémités de la terre.
Il ne se fatigue ni ne se lasse,
insondable est son intelligence.
²⁹Il donne la force à celui qui est
fatigué,
à celui qui est sans vigueur il
prodigue le réconfort.
³⁰Les adolescents se fatiguent et
s'épuisent,
les jeunes ne font que chanceler,
³¹mais ceux qui espèrent en Yahvé renouvellent leur force,
ils déploient leurs ailes comme
des aigles,
ils courent sans s'épuiser,
ils marchent sans se fatiguer.

Cyrus instrument de Yahvé. 45 1-8

41 ¹Îles, faites silence pour
m'écouter,
que les peuples renouvellent
leurs forces,
qu'ils s'avancent et qu'ils parlent,

ensemble comparaissons au jugement.

²Qui a suscité de l'Orient
celui que la justice appelle à sa suite,
auquel Il livre les nations,
et assujettit les rois ?
Son épée les réduit en poussière
et son arc en fait une paille qui s'envole.

³Il les chasse et passe en sécurité
par un chemin que ses pieds ne font qu'effleurer.

⁴Qui a agi et accompli ?
Celui qui dès le commencement appelle les générations ;
moi, Yahvé, je suis le premier,
et avec les derniers je serai encore.

⁵Les îles ont vu et prennent peur,
les extrémités de la terre frémissent,
ils sont tout près, ils arrivent.

⁶Chacun aide son compagnon,
il dit à l'autre : « Courage ! »
⁷L'artisan donne courage à l'orfèvre,
et celui qui polit au marteau à celui qui bat l'enclume :
il dit de la soudure : « Elle est bonne »,
il la renforce avec des clous pour qu'elle ne vacille pas.

Israël choisi et protégé par Yahvé. 43 1-7.

⁸Et toi, Israël, mon serviteur,
Jacob, que j'ai choisi,
race d'Abraham, mon ami,
⁹toi que j'ai saisi aux extrémités de la terre,
que j'ai appelé des contrées lointaines,
je t'ai dit : « Tu es mon serviteur,
je t'ai choisi, je ne t'ai pas rejeté. »
¹⁰Ne crains pas car je suis avec toi,
ne te laisse pas émouvoir car je suis ton Dieu ;
je t'ai fortifié et je t'ai aidé, je t'ai soutenu de ma droite justicière.
¹¹Voici qu'ils seront honteux et humiliés,
tous ceux qui s'enflammaient contre toi.
Ils seront réduits à rien et périront,
ceux qui te cherchaient querelle.
¹²Tu les chercheras et tu ne les trouveras pas,
ceux qui te combattaient ;
ils seront réduits à rien, anéantis,
ceux qui te faisaient la guerre.
¹³Car moi, Yahvé, ton Dieu,
je te saisis la main droite,
je te dis : « Ne crains pas,
c'est moi qui te viens en aide. »
¹⁴Ne crains pas, vermisseau de Jacob,
et vous, pauvres gens d'Israël.
C'est moi qui te viens en aide, oracle de Yahvé,
celui qui te rachète, c'est le Saint d'Israël.
¹⁵Voici que j'ai fait de toi un traîneau à battre,
tout neuf, à doubles dents.
Tu écraseras les montagnes, tu les pulvériseras,
les collines, tu en feras de la paille.
¹⁶Tu les vanneras, le vent les emportera
et l'ouragan les dispersera ;
pour toi, tu te réjouiras en Yahvé,
tu te glorifieras dans le Saint d'Israël.

¹⁷Les miséreux et les pauvres cherchent de l'eau, et rien !

Leur langue est desséchée par la soif.

Moi, Yahvé, je les exaucerai,

Dieu d'Israël, je ne les abandonnerai pas.

¹⁸Sur les monts chauves je ferai jaillir des fleuves,

et des sources au milieu des vallées.

Je ferai du désert un marécage

et de la terre aride des eaux jaillissantes.

¹⁹Je mettrai dans le désert le cèdre,

l'acacia, le myrte et l'olivier,

je placerai dans la steppe pêle-mêle

le cyprès, le platane et le buis,

²⁰afin que l'on voie et que l'on sache,

que l'on fasse attention et que l'on comprenne

que la main de Yahvé a fait cela,

que le Saint d'Israël l'a créé.

Néant des idoles.

²¹Présentez votre querelle, dit Yahvé,

produisez vos arguments, dit le roi de Jacob.

²²Qu'ils produisent et qu'ils nous montrent

les choses qui doivent arriver.

Les choses passées, que furent-elles ?

montrez-le, que nous y réfléchissions

et que nous en connaissions la suite.

Ou bien faites-nous entendre les choses à venir,

²³annoncez ce qui doit se passer ensuite,

et nous saurons que vous êtes des dieux.

Au moins, faites bien ou faites mal,

que nous éprouvions de l'émoi et de la crainte.

²⁴Voici, vous êtes moins que rien,

et votre œuvre, c'est moins que néant,

vous choisir est abominable.

²⁵Je l'ai suscité du Nord et il est venu,

depuis le Levant il est appelé par son nom.

Il piétine les gouverneurs comme de la boue,

comme le potier pétrit l'argile.

²⁶Qui l'a annoncé dès le principe, pour que nous sachions,

et dans le passé, pour que nous disions : C'est juste ?

Mais nul n'a annoncé, nul n'a fait entendre,

nul n'a entendu vos paroles.

²⁷Prémices de Sion, voici, les voici,

à Jérusalem j'envoie un messager,

²⁸et je regarde : personne !

Parmi eux, pas un qui donne un avis,

que je puisse interroger et qui réponde !

²⁹Voici, tous ensemble ils ne sont rien,

néant que leurs œuvres,

du vent et du vide leurs statues !

Premier chant du Serviteur.

↗ Mt **12** 18-21.

42 ¹Voici mon serviteur que je soutiens,

mon élu en qui mon âme se complaît.

J'ai mis sur lui mon esprit,

il présentera aux nations le droit.

²Il ne crie pas, il n'élève pas le ton,

il ne fait pas entendre sa voix dans la rue ;

³il ne brise pas le roseau froissé,
il n'éteint pas la mèche qui faiblit,
fidèlement, il présente le droit ;
⁴il ne faiblira ni ne cédera
jusqu'à ce qu'il établisse le droit sur la terre,
et les îles attendent son enseignement.
⁵Ainsi parle Dieu, Yahvé,
qui a créé les cieux et les a déployés,
qui a affermi la terre et ce qu'elle produit,
qui a donné le souffle au peuple qui l'habite,
et l'esprit à ceux qui la parcourent.
⁶« Moi, Yahvé, je t'ai appelé dans la justice,
je t'ai saisi par la main, et je t'ai modelé,
j'ai fait de toi l'alliance du peuple,
la lumière des nations,
⁷pour ouvrir les yeux des aveugles,
pour extraire du cachot le prisonnier,
et de la prison ceux qui habitent les ténèbres. »
⁸Je suis Yahvé, tel est mon nom !
Ma gloire, je ne la donnerai pas à un autre,
ni mon honneur aux idoles.
⁹Les premières choses, voici qu'elles sont arrivées,
et je vous en annonce de nouvelles,
avant qu'elles ne paraissent,
je vais vous les faire connaître.

Chant de victoire.

¹⁰Chantez à Yahvé un chant nouveau,
que chantent sa louange, des extrémités de la terre,
ceux qui vont sur la mer, et tout ce qui la peuple,
les îles et ceux qui les habitent.
¹¹Que se fassent entendre le désert et ses villes,
les campements où habite Qédar,
qu'ils crient de joie les habitants de la Roche,
au sommet des montagnes, qu'ils poussent des clameurs.
¹²Qu'on rende gloire à Yahvé,
qu'on proclame sa louange dans les îles.
¹³Yahvé, comme un héros, s'avance,
comme un guerrier, il éveille son ardeur,
il pousse le cri de guerre, il vocifère,
contre ses ennemis il agit en héros.
¹⁴« Longtemps j'ai gardé le silence,
je me taisais, je me contenais.
Comme la femme qui enfante, je gémissais,
je soupirais tout en haletant.
¹⁵Je vais ravager montagnes et collines,
en flétrir toute la verdure ;
je vais changer les torrents en terre ferme
et dessécher les marécages.
¹⁶Je conduirai les aveugles par un chemin qu'ils ne connaissent pas,
par des sentiers qu'ils ne connaissent pas je les ferai cheminer,
devant eux je changerai l'obscurité en lumière
et les fondrières en surface unie.
Cela, je le ferai, je n'y manquerai pas.
¹⁷Ils reculeront, ils rougiront de honte,
ceux qui se fient aux idoles,

qui disent à des statues : Vous
êtes nos dieux. »

L'aveuglement d'Israël.

[18]Sourds, entendez ! Aveugles, regardez et voyez !
[19]Qui est aveugle si ce n'est mon
serviteur ?
Qui est sourd comme le messager que j'envoie ?
(Qui est aveugle comme celui
dont j'avais fait mon ami
et sourd comme le serviteur de
Yahvé ?)
[20]Tu as vu bien des choses, sans
y faire attention.
Ouvrant les oreilles, tu n'entendais pas.
[21]Yahvé a voulu, à cause de sa
justice,
rendre la Loi grande et magnifique,
[22]et voici un peuple pillé et dépouillé,
on les a tous enfermés dans des
basses-fosses,
emprisonnés dans des cachots.
On les a mis au pillage, et personne pour les secourir,
on les a dépouillés, et personne
pour demander réparation.
[23]Qui, parmi vous, prête l'oreille
à cela ?
Qui fait attention et désormais
écoute ?
[24]Qui donc a livré Jacob au spoliateur
et Israël aux pillards ?
N'est-ce pas Yahvé contre qui
nous avions péché,
dont on n'avait pas voulu suivre
les voies,
ni écouter la Loi ?
[25]Il a répandu sur lui l'ardeur de
sa colère
et la fureur guerrière ;

tout autour elle porta l'incendie,
et lui n'a pas compris,
elle l'a brûlé, et il n'y a pas pris
garde.

Dieu protecteur et libérateur d'Israël.

43 [1]Et maintenant, ainsi parle
Yahvé,
celui qui t'a créé, Jacob, qui t'a
modelé, Israël.
Ne crains pas, car je t'ai racheté,
je t'ai appelé par ton nom : tu es
à moi.
[2]Si tu traverses les eaux je serai
avec toi,
et les rivières, elles ne te submergeront pas.
Si tu passes par le feu, tu ne
souffriras pas,
et la flamme ne te brûlera pas.
[3]Car je suis Yahvé, ton Dieu,
le Saint d'Israël, ton sauveur.
Pour ta rançon, j'ai donné
l'Égypte,
Kush et Séba à ta place.
[4]Car tu comptes beaucoup à mes
yeux,
tu as du prix et je t'aime.
Aussi je livre des hommes à ta
place
et des peuples en rançon de ta
vie.
[5]Ne crains pas, car je suis avec toi,
du levant je vais faire revenir ta
race,
et du couchant je te rassemblerai.
[6]Je dirai au Nord : Donne !
et au Midi : Ne retiens pas !
Ramène mes fils de loin
et mes filles du bout de la terre,
[7]quiconque se réclame de mon
nom,
ceux que j'ai créés pour ma
gloire,
que j'ai formés et que j'ai faits.

Yahvé est seul Dieu.

⁸Fais sortir un peuple aveugle qui a des yeux,
et des sourds qui ont des oreilles.
⁹Que toutes les nations se rassemblent,
que tous les peuples s'unissent !
Qui parmi eux a proclamé cela
et nous a fait connaître les choses anciennes ?
Qu'ils produisent leurs témoins
et qu'ils se justifient,
qu'on les entende et qu'on dise :
C'est la vérité !
¹⁰C'est vous qui êtes mes témoins,
oracle de Yahvé,
vous êtes le serviteur que je me suis choisi,
afin que vous le sachiez, que vous croyiez en moi
et que vous compreniez que c'est moi :
avant moi aucun dieu n'a été formé
et après moi il n'y en aura pas.
¹¹Moi, c'est moi Yahvé,
et en dehors de moi il n'y a pas de sauveur.
¹²C'est moi qui ai révélé, sauvé et fait entendre,
ce n'est pas un étranger qui est parmi vous,
vous, vous êtes mes témoins,
oracle de Yahvé,
et moi, je suis Dieu, ¹³de toute éternité je le suis ;
nul ne peut délivrer de ma main,
si j'agis, qui pourrait me faire renoncer ?

Contre Babylone.

¹⁴Ainsi parle Yahvé, votre rédempteur, le Saint d'Israël.
À cause de vous, j'ai envoyé quelqu'un à Babylone,
j'ai fait tomber tous les verrous,
et les Chaldéens changeront leurs cris en lamentations.
¹⁵Je suis Yahvé, votre Saint,
le créateur d'Israël, votre roi.

Les prodiges du nouvel Exode.

¹⁶Ainsi parle Yahvé, celui qui traça dans la mer un chemin,
un sentier dans les eaux déchaînées,
¹⁷qui fit sortir char et cheval, armée et troupe d'élite ensemble ;
ils se sont couchés pour ne plus se relever,
ils se sont éteints, comme une mèche ils se sont consumés.
¹⁸Ne vous souvenez plus des événements anciens,
ne pensez plus aux choses passées,
¹⁹voici que je vais faire une chose nouvelle,
déjà elle pointe, ne la reconnaissez-vous pas ?
Oui, je vais mettre dans le désert un chemin,
et dans la steppe, des fleuves.
²⁰Les bêtes sauvages m'honoreront,
les chacals et les autruches,
car j'ai mis dans le désert de l'eau
et des fleuves dans la steppe,
pour abreuver mon peuple, mon élu.
²¹Le peuple que je me suis formé
publiera mes louanges.

L'ingratitude d'Israël.

²²Tu ne m'as pas invoqué, Jacob,
oui, tu t'es lassé de moi, Israël.
²³Tu ne m'as pas apporté d'agneaux en holocauste,
et tu ne m'as pas honoré par tes sacrifices.

Je ne t'ai pas asservi à des oblations,
je ne t'ai pas lassé en exigeant
de l'encens.
24Pour moi, tu n'as pas acquis de
roseau à prix d'argent,
et tu ne m'as pas rassasié de la
graisse de tes sacrifices.
Mais par tes péchés, tu as fait de
moi un esclave,
tu m'as lassé par tes fautes.
25C'est moi, moi, qui efface tes
crimes par égard pour moi,
et je ne me souviendrai plus de
tes fautes.
26Fais-moi me souvenir, et nous
jugerons ensemble,
fais toi-même le compte afin
d'être justifié.
27Ton premier père a péché,
tes interprètes se sont révoltés
contre moi.
28Alors j'ai destitué les chefs du
sanctuaire,
j'ai livré Jacob à l'anathème
et Israël aux outrages.

Bénédiction sur Israël.

44 1Et maintenant, écoute, Jacob mon serviteur,
Israël que j'ai choisi.
2Ainsi parle Yahvé, qui t'a fait,
qui t'a modelé dès le sein maternel, qui te soutient.
Sois sans crainte, Jacob mon serviteur,
Yeshurûn que j'ai choisi.
3Car je vais répandre de l'eau sur
le sol assoiffé
et des ruisseaux sur la terre desséchée ;
je répandrai mon esprit sur ta race
et ma bénédiction sur tes descendants.
4Ils germeront comme parmi les
herbages,

comme les saules au bord de
l'eau.
5Celui-ci dira : Je suis à Yahvé,
et cet autre se réclamera du nom
de Jacob.
Celui-là écrira sur sa main : « à
Yahvé »,
et on lui donnera le nom d'Israël.

Il n'y a qu'un seul Dieu. 42 8.

6Ainsi parle Yahvé, roi d'Israël,
Yahvé Sabaot, son rédempteur :
Je suis le premier et je suis le
dernier,
à part moi, il n'y a pas de dieu.
7Qui est comme moi ? qu'il crie,
qu'il le proclame et me l'expose ;
depuis que j'ai constitué un peuple éternel,
ce qui va se passer, qu'il le dise,
et ce qui doit arriver, qu'il le leur
annonce.
8Ne vous effrayez pas, soyez sans
crainte,
dès longtemps ne vous l'ai-je
pas annoncé et révélé ?
Vous êtes mes témoins.
Y aurait-il un dieu à part moi ?
Il n'y a pas de Rocher, je n'en
connais pas !

Néant des idoles. Jr 10 1-16 ; 2 26-28.

9Néant, tous ceux qui modèlent
des idoles, leurs meilleures œuvres
ne servent à rien ! Elles sont leurs
témoins, qui ne voient ni ne savent
rien, en sorte qu'ils seront couverts
de honte. 10Qui a façonné un dieu
et fondu une idole qui ne peuvent
servir à rien ? 11Voici que tous ses
fidèles seront couverts de honte,
ainsi que ses artisans qui ne sont
que des hommes. Qu'ils se rassemblent tous, qu'ils comparaissent ;

qu'ils soient remplis à la fois d'épouvante et de honte !

¹²Le forgeron fabrique une hache sur des braises, il la façonne au marteau, il la travaille à la force de son bras. Et puis il a faim et perd sa force, n'ayant pas bu d'eau il est épuisé. ¹³Le sculpteur sur bois tend le cordeau, trace l'image à la craie, l'exécute au ciseau et la dessine au compas, il l'exécute à l'image de l'homme, selon la beauté humaine, pour qu'elle habite une maison. ¹⁴Il a coupé des cèdres, il a choisi un chêne et un térébinthe qu'il a laissés croître pour lui parmi les arbres de la forêt. Il a planté un pin que la pluie a fait grandir. ¹⁵Les hommes le destinent au feu : il en a pris pour se chauffer, il l'a allumé et a cuit du pain. Mais aussi il a fait un dieu pour l'adorer, il a fabriqué une idole pour se prosterner devant elle. ¹⁶Il en avait brûlé la moitié au feu, sur cette moitié il fait rôtir de la viande, la mange et se rassasie ; en même temps il se chauffe et dit : « Ah ! je me suis bien chauffé et j'ai vu la flamme. » ¹⁷Avec le reste il fait un dieu, son idole, et il se prosterne devant lui, l'adore et le prie et dit : « Sauve-moi, car tu es mon dieu. »

¹⁸Ils ne savent pas, ils ne comprennent pas, car leurs yeux sont incapables de voir, et leur cœur de réfléchir. ¹⁹Pas un ne rentre en lui-même, pas un n'a la connaissance et l'intelligence de se dire : « J'en ai brûlé la moitié au feu et j'ai cuit du pain sur ses braises, je rôtis de la viande et je la mange ; avec le reste je ferais une chose abominable, me prosterner devant un bout de bois ! » ²⁰Il est attaché à de la cendre, son cœur abusé l'a égaré, il ne sauvera pas sa vie, il ne dira pas : « Ce que j'ai dans la main, n'est-ce pas un leurre ? »

Fidélité à Yahvé.

²¹Souviens-toi de cela, Jacob,
et toi Israël, car tu es mon serviteur.
Je t'ai modelé, tu es pour moi un serviteur,
Israël, je ne t'oublierai pas.
²²J'ai dissipé tes crimes comme un nuage
et tes péchés comme une nuée ;
reviens à moi, car je t'ai racheté.
²³Criez de joie, cieux, car Yahvé a agi,
hurlez, profondeurs de la terre,
poussez, montagnes, des cris de joie,
forêt, et tous les arbres qu'elle contient !
car Yahvé a racheté Jacob,
il s'est glorifié en Israël.

Dieu créateur du monde et maître de l'histoire.

²⁴Ainsi parle Yahvé, ton rédempteur,
celui qui t'a modelé dès le sein maternel,
c'est moi, Yahvé, qui ai fait toutes choses,
qui seul ai déployé les cieux,
affermi la terre, sans personne avec moi ;
²⁵qui réduis à néant les signes des augures
et fais délirer les devins,
qui fais reculer les sages
et tourne leur science en folie ;
²⁶qui confirme la parole de mon serviteur
et fais réussir les desseins de mes envoyés ;

qui dis à Jérusalem : « Tu seras
habitée »,
et aux villes de Juda : « Vous
serez rebâties » ;
(et ses ruines, je les relèverai) ;
²⁷qui dis à l'abîme : « Dessèche-
toi,
je vais tarir tes fleuves » ;
²⁸qui dis à Cyrus : « Mon berger. »
Il accomplira toute ma volonté,
en disant à Jérusalem : « Tu seras reconstruite »,
et au Temple : « Tu seras rétabli. »

Cyrus instrument de Dieu. 41 1-5.

45 ¹Ainsi parle Yahvé à son
oint,
à Cyrus dont j'ai saisi la
main droite,
pour faire plier devant lui les nations
et désarmer les rois,
pour ouvrir devant lui les vantaux,
pour que les portes ne soient
plus fermées.
²C'est moi qui vais marcher devant toi, j'aplanirai les hauteurs,
je briserai les vantaux de bronze,
je ferai céder les verrous de fer
³et je te donnerai des trésors secrets,
des richesses cachées,
afin que tu saches que je suis
Yahvé,
celui qui t'appelle par ton nom,
le Dieu d'Israël.
⁴C'est à cause de mon serviteur
Jacob et d'Israël mon élu
que je t'ai appelé par ton nom,
je te donne un titre, sans que tu
me connaisses.
⁵Je suis Yahvé, il n'y en a pas
d'autre,

moi excepté, il n'y a pas de
Dieu.
Je te ceins, sans que tu me connaisses,
⁶afin que l'on sache du levant au
couchant
qu'il n'y a personne sauf moi :
je suis Yahvé, il n'y en a pas
d'autre.
⁷Je façonne la lumière et je crée
les ténèbres,
je fais le bonheur et je crée le
malheur,
c'est moi, Yahvé, qui fais tout
cela.

Prière.

⁸Cieux, épanchez-vous là-haut,
et que les nuages déversent la
justice,
que la terre s'ouvre et produise
le salut,
qu'elle fasse germer en même
temps la justice.
C'est moi, Yahvé, qui ai créé cela.

Pouvoir souverain de Yahvé.

⁹Malheur à qui discute avec celui
qui l'a modelé,
vase parmi les vases de terre !
L'argile dit-elle à son potier :
« Que fais-tu ?
ton œuvre n'a pas de mains ! »
¹⁰Malheur à qui dit à un père :
« Pourquoi engendres-tu ? »
et à une femme : « Pourquoi
mets-tu au monde ? »
¹¹Ainsi parle Yahvé,
le Saint d'Israël, son créateur :
On me demande ce qui va se
passer pour mes enfants,
au sujet de l'œuvre de mes
mains, on me donne des ordres.
¹²C'est moi qui ai fait la terre
et créé l'homme qui l'habite,

c'est moi qui de mes mains ai déployé les cieux,
et qui ai donné des ordres à toute leur armée.
[13]C'est moi qui l'ai suscité dans la justice,
et qui vais aplanir toutes ses voies.
C'est lui qui reconstruira ma ville,
qui rapatriera mes déportés, sans rançon ni indemnité,
dit Yahvé Sabaot.

Conversion des nations païennes.

[14]Ainsi parle Yahvé :
Les productions de l'Égypte, le commerce de Kush
et les Sébaïtes, ces gens de haute taille,
passeront chez toi et t'appartiendront.
Ils marcheront derrière toi, ils iront chargés de chaînes,
ils se prosterneront devant toi, ils te prieront :
« Il n'y a de Dieu que chez toi !
il n'y en a pas d'autres, pas d'autre dieu. »

[15]En vérité tu es un dieu qui se cache,
Dieu d'Israël, sauveur.

[16]Ils sont honteux et humiliés, tous ensemble,
ils marchent dans l'humiliation, les fabricants d'idoles.

[17]Israël sera sauvé par Yahvé, sauvé pour toujours,
vous ne serez ni honteux ni humiliés,
pour toujours et à jamais.

[18]Car ainsi parle Yahvé, le créateur des cieux :

C'est lui qui est Dieu, qui a modelé la terre et l'a faite,
c'est lui qui l'a fondée ;
il ne l'a pas créée vide,
il l'a modelée pour être habitée.
Je suis Yahvé, il n'y en a pas d'autre.

[19]Je n'ai pas parlé en secret, en quelque coin d'un obscur pays,
je n'ai pas dit à la race de Jacob :
Cherchez-moi dans le chaos !
je suis Yahvé qui proclame la justice,
qui annonce des choses vraies.

Dieu, maître de tout l'univers.

[20]Rassemblez-vous et venez ! Approchez tous ensemble,
survivants des nations !
Ils sont inconscients ceux qui transportent
leurs idoles de bois,
qui prient un dieu qui ne sauve pas.

[21]Annoncez, produisez vos preuves, que même ils se concertent !
Qui avait proclamé cela dans le passé,
qui l'avait annoncé jadis,
n'est-ce pas moi, Yahvé ?
Il n'y a pas d'autre dieu que moi.
Un dieu juste et sauveur, il n'y en a pas excepté moi.

[22]Tournez-vous vers moi et vous serez sauvés,
tous les confins de la terre,
car je suis Dieu, il n'y en a pas d'autre.

[23]Je le jure par moi-même,
ce qui sort de ma bouche est la vérité,
c'est une parole irrévocable :
Oui, devant moi tout genou fléchira,
par moi jurera toute langue

[24]en disant : En Yahvé seul

sont la justice et la force.
Jusqu'à lui viendront, couverts
de honte,
tous ceux qui s'enflammaient
contre lui.
25C'est en Yahvé qu'elle obtiendra le triomphe et la gloire,
toute la race d'Israël.

Chute de Babylone.

46 1Bel s'est courbé, Nebo s'effondre.
Leurs idoles sont confiées aux
animaux et aux bêtes de somme,
ces charges que vous souleviez,
c'est un fardeau pour la bête fourbue.
2Elles se sont effondrées, courbées toutes ensemble,
on ne peut sauver ce fardeau,
elles sont allées elles-mêmes en
captivité.
3Écoutez-moi, maison de Jacob,
tout ce qui reste de la maison
d'Israël,
vous que j'ai portés dès votre
naissance,
soulevés depuis le berceau.
4Jusqu'à la vieillesse je reste le
même,
jusqu'aux cheveux blancs je
vous porterai :
moi, je l'ai déjà fait, moi je vous
soulèverai,
moi, je vous porterai et je vous
sauverai.
5À qui voulez-vous m'assimiler
et m'identifier,
à qui me comparer, à qui suis-je
semblable ?
6Certains déversent l'or de leur
bourse,
et pèsent l'argent à la balance,
ils embauchent un orfèvre pour
faire un dieu,
ils s'inclinent et ils adorent.

7Ils le mettent sur l'épaule et
l'emportent,
ils le déposent à sa place pour
qu'il s'y tienne,
pour qu'il n'en bouge pas.
On a beau l'invoquer, il ne répond pas,
de la détresse il ne sauve pas.
8Souvenez-vous-en et soyez des
hommes,
révoltés, rentrez en vous-mêmes.
9Souvenez-vous des choses passées depuis longtemps,
car je suis Dieu, il n'y en a pas
d'autre,
Dieu, et personne n'est semblable à moi.
10J'annonce dès l'origine ce qui
doit arriver,
d'avance, ce qui n'est pas encore accompli,
je dis : Mon projet se réalisera,
j'accomplirai ce qui me plaît ;
11j'appelle depuis l'Orient un rapace,
d'un pays lointain l'homme que
j'ai prédestiné.
Ce que j'ai dit, je l'exécute,
mon dessein, je l'accomplis.
12Écoutez-moi, hommes au cœur
dur,
vous qui êtes loin de la justice,
13j'ai fait venir ma justice, elle
n'est pas loin,
mon salut ne tardera pas.
Je mettrai en Sion le salut,
je donnerai à Israël ma gloire.

Lamentation sur Babylone. Cf. 13.

47 1Descends, assieds-toi dans
la poussière,
Vierge, fille de Babylone,
assieds-toi à terre, sans trône,
fille des Chaldéens,
car jamais plus on ne t'appellera

douce et exquise.
²Prends la meule et broie la farine ;
dénoue ton voile,
relève ta robe, découvre tes jambes,
traverse les rivières.
³Que paraisse ta nudité
et que ta honte soit visible ;
j'exécute ma vengeance
et personne ne s'y opposera.

⁴Notre rédempteur, Yahvé Sabaot est son nom,
le Saint d'Israël, a dit :
⁵Assieds-toi en silence, enfonce-toi dans l'ombre,
fille des Chaldéens,
car jamais plus on ne t'appellera souveraine des royaumes.
⁶J'étais irrité contre mon peuple,
j'avais rejeté mon héritage,
je l'avais livré entre tes mains.
Tu les as traités sans pitié,
sur le vieillard tu as fait durement peser ton joug.
⁷Tu as dit : « À jamais je serai souveraine éternelle »,
tu n'as pas réfléchi à cela dans ton cœur,
tu n'as pas songé à l'avenir.

⁸Maintenant écoute ceci, voluptueuse !
toi qui es assise en sécurité et qui dis dans ton cœur :
« Moi, sans égale,
je ne resterai pas veuve,
je ne connaîtrai pas la privation d'enfants ! »
⁹Eh bien, ces deux malheurs fondront sur toi,
soudainement, en un jour,
privation d'enfants et veuvage,
tout à coup ils fondront sur toi,
en dépit de tous tes sortilèges,

de la puissance de tes incantations.
¹⁰Tu as eu confiance dans ta méchanceté,
tu as dit : « Personne ne me voit. »
C'est ta sagesse et ta science qui t'ont pervertie,
et tu as dit dans ton cœur :
« Moi, sans égale. »
¹¹Un malheur fondra sur toi,
tu ne sauras comment le conjurer ;
un désastre fondra sur toi,
tu ne pourras t'en préserver ;
soudain fondra sur toi
une calamité que tu ne connaîtras pas.
¹²Reste donc avec tes incantations
et tous tes sortilèges
dans lesquels tu t'es fatiguée depuis ta jeunesse.
Peut-être pourras-tu en tirer profit,
peut-être sauras-tu faire trembler.
¹³Tu t'es épuisée à force de consultations,
qu'ils se présentent donc et te sauvent
ceux qui détaillent le ciel,
qui observent les étoiles,
qui annoncent chaque mois ce qui va fondre sur toi.
¹⁴Voici qu'ils sont comme fétus de paille,
le feu les brûlera,
ils ne sauveront pas leur vie de l'étreinte de la flamme ;
et ce ne sera pas une braise pour se chauffer,
un foyer pour s'y asseoir !
¹⁵Ainsi auront été pour toi tes devins,
pour lesquels tu t'es fatiguée depuis ta jeunesse :

ils ont erré, chacun devant soi,
et pas un ne t'a sauvée.

Yahvé avait tout prédit.

48 ¹Écoutez ceci, maison de Jacob,

vous que l'on appelle du nom
d'Israël,
vous qui êtes issus des eaux de
Juda,
qui jurez par le nom de Yahvé
et qui invoquez le Dieu d'Israël,
sans loyauté ni justice.
²Car ils tirent leur nom de la ville
sainte,
ils s'appuient sur le Dieu d'Israël,
Yahvé Sabaot est son nom.

³Les choses anciennes, depuis
longtemps je les avais annoncées,
elles étaient sorties de ma bouche, je les avais proclamées ;
et soudain j'ai agi, elles sont arrivées.
⁴Car je savais que tu es obstiné,
de fer est le muscle de ton cou,
et ton front est d'airain.
⁵Aussi te l'ai-je annoncé depuis
longtemps,
avant que cela n'arrive je l'avais
proclamé,
de peur que tu ne dises : « Mon
image a tout fait,
mon idole et ma statue ont tout
ordonné. »
⁶Tu as entendu et vu tout cela,
et vous, ne l'annoncerez-vous
pas ?
Je t'ai fait entendre dès maintenant des choses nouvelles,
secrètes et inconnues de toi.
⁷C'est maintenant qu'elles sont
créées, et non depuis longtemps,
et jusqu'à ce jour tu n'en avais
pas entendu parler,

de peur que tu ne dises : « Oui,
je les connaissais. »
⁸Eh bien non, tu n'entendais rien,
tu ne savais rien,
depuis longtemps ton oreille
n'était pas attentive,
car je savais combien tu es perfide,
et que dès le berceau on t'appelle révolté.
⁹À cause de mon nom, je vais différer ma colère,
pour mon honneur, je vais patienter avec toi,
pour ne pas t'exterminer.
¹⁰Voici que je t'ai acheté mais non
pour de l'argent,
je t'ai choisi au creuset du malheur.
¹¹C'est à cause de moi, de moi
seul que je vais agir,
comment mon nom serait-il profané ?
Je ne donnerai pas ma gloire à
un autre.

Yahvé a choisi Cyrus.

¹²Écoute-moi, Jacob, Israël que
j'ai appelé,
c'est moi, moi qui suis le premier
et c'est moi aussi le dernier.
¹³Ma main a fondé la terre,
ma droite a tendu les cieux,
moi, je les appelle
et tous ensemble ils se présentent.
¹⁴Assemblez-vous, vous tous, et
écoutez,
qui parmi eux a annoncé cela ?
Yahvé l'aime ; il accomplira son
bon plaisir
sur Babylone et la race des Chaldéens :
¹⁵c'est moi, c'est moi qui ai parlé
et qui l'ai appelé,

je l'ai fait venir et son entreprise réussira.

Le destin d'Israël.

16Approchez-vous de moi et écoutez ceci :

dès le début je n'ai pas parlé en cachette,

lorsque c'est arrivé, j'étais là,

et maintenant le Seigneur Yahvé m'a envoyé avec son esprit.

17Ainsi parle Yahvé ton rédempteur, le Saint d'Israël :

Je suis Yahvé ton Dieu, je t'instruis pour ton bien,

je te conduis par le chemin où tu marches.

18Si seulement tu avais été attentif à mes commandements !

Ton bonheur serait comme un fleuve

et ta justice comme les flots de la mer.

19Ta race serait comme le sable,

et comme le grain, ceux qui sont issus de toi !

Ton nom ne serait pas retranché ni effacé devant moi.

La fin de l'Exil.

20Sortez de Babylone, fuyez de chez les Chaldéens,

avec des cris de joie, annoncez, proclamez ceci,

répandez-le jusqu'aux extrémités de la terre,

dites : Yahvé a racheté son serviteur Jacob.

21Ils n'ont pas eu soif quand il les menait dans les déserts,

il a fait couler pour eux l'eau du rocher,

il a fendu le rocher et l'eau a jailli.

22Point de bonheur, dit Yahvé, pour les méchants.

Deuxième chant du Serviteur.

42 1.

49 ¹Iles, écoutez-moi,

soyez attentifs, peuples lointains !

Yahvé m'a appelé dès le sein maternel,

dès les entrailles de ma mère il a prononcé mon nom.

²Il a fait de ma bouche une épée tranchante,

il m'a abrité à l'ombre de sa main ;

il a fait de moi une flèche acérée,

il m'a caché dans son carquois.

³Il m'a dit : « Tu es mon serviteur, Israël,

toi en qui je me glorifierai. »

⁴Et moi, j'ai dit : « C'est en vain que j'ai peiné,

pour rien, pour du vent j'ai usé mes forces. »

Et pourtant mon droit était avec Yahvé

et mon salaire avec mon Dieu.

⁵Et maintenant Yahvé a parlé,

lui qui m'a modelé dès le sein de ma mère pour être son serviteur,

pour ramener vers lui Jacob,

et qu'Israël lui soit réuni ;

– je serai glorifié aux yeux de Yahvé,

et mon Dieu a été ma force ; –

⁶il a dit : « C'est trop peu que tu sois pour moi un serviteur

pour relever les tribus de Jacob et ramener les survivants d'Israël.

Je fais de toi la lumière des nations

pour que mon salut atteigne aux extrémités de la terre. »

⁷Ainsi parle Yahvé, le rédempteur, le Saint d'Israël,

à celui dont l'âme est méprisée,
honnie de la nation,
à l'esclave des tyrans :
des rois verront et se lèveront,
des princes verront et se prosterneront,
à cause de Yahvé qui est fidèle,
du Saint d'Israël qui t'a élu.

La joie du retour.

[8]Ainsi parle Yahvé :
Au temps de la faveur je t'ai
exaucé,
au jour du salut je t'ai secouru,
Je t'ai façonné et j'ai fait de toi
l'alliance d'un peuple
pour relever le pays,
pour restituer les héritages dévastés,
[9]pour dire aux captifs : « Sortez »,
à ceux qui sont dans les ténèbres : « Montrez-vous. »
Ils paîtront le long des chemins,
sur tous les monts chauves ils
auront un pâturage.
[10]Ils n'auront plus faim ni soif,
ils ne souffriront pas du vent
brûlant ni du soleil,
car celui qui les prend en pitié
les conduira,
il les mènera vers les eaux jaillissantes.
[11]De toutes mes montagnes je ferai un chemin
et mes routes seront relevées.
[12]Les voici, ils viennent de loin,
ceux-ci du Nord et de l'Occident,
et ceux-là du pays de Sînîm.

[13]Cieux, criez de joie, terre, exulte,
que les montagnes poussent des
cris,
car Yahvé a consolé son peuple,
il prend en pitié ses affligés.

[14]Sion avait dit : « Yahvé m'a
abandonnée ;
le Seigneur m'a oubliée. »
[15]Une femme oublie-t-elle son petit enfant,
est-elle sans pitié pour le fils de
ses entrailles ?
Même si les femmes oubliaient,
moi, je ne t'oublierai pas.
[16]Vois, je t'ai gravée sur les paumes de mes mains,
tes remparts sont devant moi
sans cesse.
[17]Tes bâtisseurs se hâtent,
ceux qui te détruisent et te ravagent vont s'en aller.

[18]Lève les yeux aux alentours et
regarde :
tous sont rassemblés, ils viennent à toi.
Par ma vie, oracle de Yahvé,
ils sont tous comme une parure
dont tu te couvriras,
comme fait une fiancée, tu te les
attacheras.
[19]Car tes ruines, tes décombres,
ton pays désolé
sont désormais trop étroits pour
tes habitants,
et ceux qui te dévoraient s'éloigneront.
[20]Ils diront de nouveau à tes
oreilles,
les fils dont tu étais privée :
« L'endroit est trop étroit pour
moi,
fais-moi une place pour que je
m'installe. »
[21]Et tu diras dans ton cœur :
« Qui m'a enfanté ceux-ci ?
J'étais privée d'enfants et stérile,
exilée et rejetée,
et ceux-ci, qui les a élevés ?

Pendant que moi j'étais laissée seule,

ceux-ci, où étaient-ils ? »

²²Ainsi parle le Seigneur Yahvé :

Voici que je lève la main vers les nations,

que je dresse un signal pour les peuples :

ils t'amèneront tes fils dans leurs bras,

et tes filles seront portées sur l'épaule.

²³Des rois seront tes pères adoptifs,

et leurs princesses, tes nourrices.

Face contre terre, ils se prosterneront devant toi,

ils lécheront la poussière de tes pieds.

Et tu sauras que je suis Yahvé,

ceux qui espèrent en moi ne seront pas déçus.

²⁴Au guerrier arrache-t-on sa prise ?

Le prisonnier d'un tyran sera-t-il libéré ?

²⁵Mais ainsi parle Yahvé :

Eh bien, le prisonnier du guerrier lui sera arraché,

et la prise du tyran sera libérée.

Je vais moi-même chercher querelle à qui te cherche querelle,

tes enfants, c'est moi qui les sauverai.

²⁶À tes oppresseurs je ferai manger leur propre chair,

comme de vin nouveau ils s'enivreront de leur sang.

Et toute chair saura que moi, Yahvé, je suis ton sauveur,

que ton rédempteur, c'est le Puissant de Jacob.

La punition d'Israël.

50 ¹Ainsi parle Yahvé :
Où est la lettre de divorce de votre mère

par laquelle je l'ai répudiée ?

Ou encore : Auquel de mes créanciers vous ai-je vendus ?

Oui, c'est pour vos fautes que vous avez été vendus,

c'est pour vos crimes que j'ai répudié votre mère.

²Pourquoi suis-je venu sans qu'il y ait personne ?

Pourquoi ai-je appelé sans que nul ne réponde ?

Serait-ce que ma main est trop courte pour racheter,

que je n'ai pas la force de délivrer ?

Voici : par ma menace je dessèche la mer,

je change les fleuves en désert.

Les poissons s'y corrompent faute d'eau,

ils meurent de soif.

³Je revêts les cieux de noirceur,

je leur mets un sac comme vêtement.

Troisième chant du Serviteur.

42 1.

⁴Le Seigneur Yahvé m'a donné une langue de disciple

pour que je sache apporter à l'épuisé une parole de réconfort.

Il éveille chaque matin, il éveille mon oreille

pour que j'écoute comme un disciple.

⁵Le Seigneur Yahvé m'a ouvert l'oreille,

et moi je n'ai pas résisté,

je ne me suis pas dérobé.

⁶J'ai tendu le dos à ceux qui me frappaient,

et les joues à ceux qui m'arrachaient la barbe ;

je n'ai pas soustrait ma face aux outrages et aux crachats.

⁷Le Seigneur Yahvé va me venir en aide,

c'est pourquoi je ne me suis pas laissé abattre,

c'est pourquoi j'ai rendu mon visage dur comme la pierre,

et je sais que je ne serai pas confondu.

⁸Il est proche, celui qui me justifie.

Qui va plaider contre moi ? Comparaissons ensemble !

Qui est mon adversaire ? Qu'il s'approche de moi !

⁹Voici que le Seigneur Yahvé va me venir en aide,

quel est celui qui me condamnerait ?

Les voici tous qui s'effritent comme un vêtement,

rongés par la teigne.

¹⁰Quiconque parmi vous craint Yahvé et écoute la voix de son serviteur,

quiconque a marché dans les ténèbres sans voir aucune lueur,

qu'il se confie dans le nom de Yahvé,

qu'il s'appuie sur son Dieu.

¹¹Mais vous tous qui allumez un feu,

qui vous armez de flèches incendiaires,

allez aux flammes de votre feu,

aux flèches que vous enflammez.

C'est ma main qui vous a fait cela :

Vous vous coucherez dans les tourments.

Élection et bénédiction d'Israël.

51 ¹Écoutez-moi, vous qui êtes en quête de justice,

vous qui cherchez Yahvé.

Regardez le rocher d'où l'on vous a taillés

et la fosse d'où l'on vous a tirés.

²Regardez Abraham votre père

et Sara qui vous a enfantés.

Il était seul quand je l'ai appelé,

mais je l'ai béni et multiplié,

³Oui, Yahvé a pitié de Sion,

il a pitié de toutes ses ruines ;

il va faire de son désert un Éden

et de sa steppe un jardin de Yahvé ;

on y trouvera la joie et l'allégresse,

l'action de grâces et le son de la musique.

Le règne de la justice de Dieu.

⁴Écoute-moi bien, mon peuple,

ô ma nation, tends l'oreille vers moi.

Car une loi va sortir de moi,

et je ferai de mon droit la lumière des peuples.

⁵Soudain ma justice approche, mon salut paraît,

mon bras va punir les peuples.

Les îles mettront en moi leur espoir

et compteront sur mon bras.

⁶Levez les yeux vers le ciel,

regardez en bas vers la terre ;

oui, les cieux se dissiperont comme la fumée,

la terre s'usera comme un vêtement

et ses habitants mourront comme de la vermine.

Mais mon salut sera éternel

et ma justice demeurera intacte.

[7]Écoutez-moi, vous qui connaissez la justice,
peuple qui mets ma loi dans ton cœur.

Ne craignez pas les injures des hommes,
ne vous laissez pas effrayer par leurs outrages.

[8]Car la teigne les rongera comme un vêtement,
et les mites les dévoreront comme de la laine.

Mais ma justice subsistera éternellement
et mon salut de génération en génération.

Éveil de Yahvé.

[9]Éveille-toi, éveille-toi !
revêts-toi de force, bras de Yahvé.

Éveille-toi comme aux jours d'autrefois,
des générations de jadis.

N'est-ce pas toi qui as fendu Rahab,
transpercé le Dragon ?

[10]N'est-ce pas toi qui as desséché la mer,
les eaux du Grand Abîme ?

qui as fait du fond de la mer un chemin,
pour que passent les rachetés ?

[11]Ceux que Yahvé a libérés reviendront,
ils arriveront à Sion criant de joie,
portant avec eux une joie éternelle ;
la joie et l'allégresse les accompagneront,
la douleur et les plaintes cesseront.

Yahvé consolateur.

[12]C'est moi, je suis celui qui vous console ;

qui es-tu pour craindre l'homme mortel,
le fils d'homme voué au sort de l'herbe ?

[13]Tu oublies Yahvé, ton créateur,
qui a tendu les cieux et fondé la terre,

et tu ne cesses de trembler tout le jour
devant la fureur de l'oppresseur,
lorsqu'il se met à détruire.

Où donc est la fureur de l'oppresseur ?

[14]Le désespéré va bientôt être libéré,
il ne mourra pas dans la basse-fosse,
il ne manquera plus de pain.

[15]Je suis Yahvé ton Dieu, qui brasse la mer pour faire mugir ses flots,
dont le nom est Yahvé Sabaot.

[16]J'ai mis mes paroles en ta bouche,
à l'ombre de ma main je t'ai caché,

pour tendre les cieux et pour fonder la terre,
pour dire à Sion : « Tu es mon peuple. »

Réveil de Jérusalem.

[17]Réveille-toi, réveille-toi,
debout ! Jérusalem.

Toi qui as bu de la main de Yahvé
la coupe de sa colère.

C'est un calice, une coupe de vertige
que tu as bue, que tu as vidée.

[18]Personne ne la guide,
aucun des fils qu'elle a enfantés ;
personne ne lui prend la main,
aucun des fils qu'elle a élevés.

[19]Ce double malheur qui t'est arrivé,
qui t'en plaindra ?

Le pillage et la ruine, la famine
et l'épée,
qui t'en consolera ?

²⁰Tes fils gisent sans force au coin
de toutes les rues,
comme l'antilope prise au filet,
ivres de la fureur de Yahvé,
de la menace de ton Dieu.

²¹C'est pourquoi, écoute ceci,
malheureuse,
ivre, mais non de vin :

²²Ainsi parle ton Seigneur Yahvé,
ton Dieu, défenseur de ton peuple :
Voici que je te retire de la main
la coupe de vertige,
le calice, la coupe de ma fureur.
Tu n'y boiras plus jamais.

²³Je la mettrai dans la main de tes
tortionnaires,
de ceux qui te disaient : À terre !
que nous passions !
et tu faisais de ton dos un passage,
un chemin pour qu'ils y passent.

Libération de Jérusalem.

52 ¹Éveille-toi, éveille-toi,
revêts ta force, Sion !
revêts tes habits les plus magnifiques,
Jérusalem, ville sainte,
car ils ne viendront plus jamais
chez toi,
l'incirconcis et l'impur.

²Secoue ta poussière, lève-toi, Jérusalem captive !
les chaînes sont tombées de ton
cou, fille de Sion captive !

³Car ainsi parle Yahvé :
Vous avez été vendus pour rien,
vous serez rachetés sans argent.

⁴Car ainsi parle le Seigneur
Yahvé :
C'est en Égypte qu'autrefois

mon peuple est descendu pour y
séjourner,
c'est Assur qui à la fin l'a opprimé.

⁵Mais maintenant, qu'ai-je à faire ici ?
– oracle de Yahvé –
car mon peuple a été enlevé pour
rien,
ses maîtres poussent des cris de
triomphe
– oracle de Yahvé –
sans cesse, tout le jour, mon nom
est bafoué.

⁶C'est pourquoi mon peuple connaîtra mon nom,
c'est pourquoi il saura, en ce
jour-là,
que c'est moi qui dis : « Me voici. »

Annonce du salut.

⁷Qu'ils sont beaux, sur les montagnes, les pieds du messager qui
annonce la paix,
du messager de bonnes nouvelles qui annonce le salut,
qui dit à Sion : « Ton Dieu règne. »

⁸C'est la voix de tes guetteurs :
ils élèvent la voix,
ensemble ils poussent des cris de
joie,
car ils ont vu de leurs propres
yeux Yahvé qui revient à Sion.

⁹Ensemble poussez des cris, des
cris de joie, ruines de Jérusalem !
car Yahvé a consolé son peuple,
il a racheté Jérusalem.

¹⁰Yahvé a découvert son bras de
sainteté
aux yeux de toutes les nations,
et tous les confins de la terre
ont vu le salut de notre Dieu.

¹¹Allez-vous-en, allez-vous-en,
sortez d'ici,

ne touchez à rien d'impur,

sortez du milieu d'elle, purifiez-vous,

vous qui portez les objets de Yahvé.

¹²Car vous ne sortirez pas à la hâte,

vous ne vous en irez pas en fuyards,

c'est Yahvé, en effet, qui marche à votre tête,

et votre arrière-garde, c'est le Dieu d'Israël.

Quatrième chant du Serviteur.
42 1. Ps **22**. Sg **2** 12-24.

¹³Voici que mon serviteur prospérera,

il grandira, s'élèvera, sera placé très haut.

¹⁴De même que des multitudes avaient été saisies d'épouvante à sa vue,

– car il n'avait plus figure humaine,

et son apparence n'était plus celle d'un homme –

¹⁵de même des multitudes de nations seront dans la stupéfaction,

devant lui des rois resteront bouche close,

pour avoir vu ce qui ne leur avait pas été raconté,

pour avoir appris ce qu'ils n'avaient pas entendu dire.

53 ¹Qui a cru ce que nous entendions dire,

et le bras de Yahvé, à qui s'est-il révélé ?

²Comme un surgeon il a grandi devant lui,

comme une racine en terre aride ;

sans beauté ni éclat pour attirer nos regards,

et sans apparence qui nous eût séduits ;

³objet de mépris, abandonné des hommes,

homme de douleur, familier de la souffrance,

comme quelqu'un devant qui on se voile la face,

méprisé, nous n'en faisions aucun cas.

⁴Or ce sont nos souffrances qu'il portait

et nos douleurs dont il était chargé.

Et nous, nous le considérions comme puni,

frappé par Dieu et humilié.

⁵Mais lui, il a été transpercé à cause de nos crimes,

écrasé à cause de nos fautes.

Le châtiment qui nous rend la paix est sur lui,

et dans ses blessures nous trouvons la guérison.

⁶Tous, comme des moutons, nous étions errants,

chacun suivant son propre chemin,

et Yahvé a fait retomber sur lui nos fautes à tous.

⁷Maltraité, il s'humiliait, il n'ouvrait pas la bouche,

comme l'agneau qui se laisse mener à l'abattoir,

comme devant les tondeurs une brebis muette,

il n'ouvrait pas la bouche.

⁸Par contrainte et jugement il a été saisi.

Parmi ses contemporains, qui s'est inquiété

qu'il ait été retranché de la terre des vivants,

qu'il ait été frappé pour le crime de son peuple ?

⁹On lui a donné un sépulcre avec les impies

et sa tombe est avec le riche,

bien qu'il n'ait pas commis de violence
et qu'il n'y ait pas eu de tromperie dans sa bouche.
¹⁰Yahvé a voulu l'écraser par la souffrance ;
s'il offre sa vie en sacrifice expiatoire,
il verra une postérité, il prolongera ses jours,
et par lui la volonté de Yahvé s'accomplira.
¹¹À la suite de l'épreuve endurée par son âme,
il verra la lumière et sera comblé.
Par sa connaissance, le juste, mon serviteur, justifiera les multitudes
en s'accablant lui-même de leurs fautes.
¹²C'est pourquoi il aura sa part parmi les multitudes,
et avec les puissants il partagera le butin,
parce qu'il s'est livré lui-même à la mort
et qu'il a été compté parmi les criminels,
alors qu'il portait le péché des multitudes
et qu'il intercédait pour les criminels.

La revanche de Jérusalem.

54 ¹Crie de joie, stérile, toi qui n'as pas enfanté ;
pousse des cris de joie, des clameurs, toi qui n'as pas mis au monde,
car plus nombreux sont les fils de la délaissée
que les fils de l'épouse, dit Yahvé.
²Élargis l'espace de ta tente, déploie sans lésiner les toiles qui t'abritent,
allonge tes cordages, renforce tes piquets,
³car à droite et à gauche tu vas éclater,
ta race va déposséder des nations
et repeupler les villes abandonnées.
⁴N'aie pas peur, tu n'éprouveras plus de honte,
ne sois pas confondue, tu n'auras plus à rougir ;
car tu vas oublier la honte de ta jeunesse,
tu ne te souviendras plus de l'infamie de ton veuvage.
⁵Ton créateur est ton époux,
Yahvé Sabaot est son nom,
le Saint d'Israël est ton rédempteur,
on l'appelle le Dieu de toute la terre.
⁶Oui, comme une femme délaissée et accablée,
Yahvé t'a appelée,
comme la femme de sa jeunesse qui aurait été répudiée,
dit ton Dieu.
⁷Un court instant je t'avais délaissée,
ému d'une immense pitié, je vais t'unir à moi.
⁸Débordant de fureur, un instant, je t'avais caché ma face.
Dans un amour éternel, j'ai eu pitié de toi,
dit Yahvé, ton rédempteur.
⁹Ce sera pour moi comme au temps de Noé,
quand j'ai juré que les eaux de Noé
ne se répandraient plus sur la terre.
Je jure de même de ne plus m'irriter contre toi,
de ne plus te menacer.

¹⁰Car les montagnes peuvent s'écarter
et les collines chanceler,
mon amour ne s'écartera pas de toi,
mon alliance de paix ne chancellera pas,
dit Yahvé qui te console.

La Jérusalem nouvelle.

¹¹Malheureuse, battue par les vents, inconsolée,
voici que je vais poser tes pierres sur des escarboucles,
et tes fondations sur des saphirs ;
¹²je ferai tes créneaux de rubis,
tes portes d'escarboucle
et toute ton enceinte de pierres précieuses.
¹³Tous tes enfants seront disciples de Yahvé,
et grand sera le bonheur de tes enfants.
¹⁴Tu seras fondée dans la justice,
libre de l'oppression : tu n'auras rien à craindre,
libre de la frayeur : elle n'aura plus prise sur toi.
¹⁵Voici : s'il se produit une attaque, ce ne sera pas de mon fait ;
quiconque t'aura attaquée tombera à cause de toi.
¹⁶Voici : c'est moi qui ai créé le forgeron
qui souffle sur les braises
et tire un outil à son usage ;
c'est moi aussi qui ai créé le destructeur
pour anéantir.
¹⁷Aucune arme forgée contre toi ne saurait être efficace.
Toute langue qui t'accuserait en justice, tu la confondras.
Tel est le lot des serviteurs de Yahvé,

la victoire que je leur assure.
Oracle de Yahvé.

Invitation finale.

55 ¹Ah ! vous tous qui avez soif, venez vers l'eau,
même si vous n'avez pas d'argent, venez,
achetez et mangez ; venez, achetez sans argent,
sans payer, du vin et du lait.
²Pourquoi dépenser de l'argent pour autre chose que du pain,
et ce que vous avez gagné, pour ce qui ne rassasie pas ?
Écoutez, écoutez-moi et mangez ce qui est bon ;
vous vous délecterez de mets succulents.
³Prêtez l'oreille et venez vers moi,
écoutez et vous vivrez.
Je conclurai avec vous une alliance éternelle,
réalisant les faveurs promises à David.
⁴Voici que j'ai fait de lui un témoin pour des peuples,
un chef et un législateur de peuples.
⁵Voici que tu appelleras une nation que tu ne connais pas,
une nation qui ne te connaît pas viendra vers toi,
à cause de Yahvé, ton Dieu, et pour le Saint d'Israël,
car il t'a glorifié.
⁶Cherchez Yahvé pendant qu'il se laisse trouver,
invoquez-le pendant qu'il est proche.
⁷Que le méchant abandonne sa voie
et l'homme criminel ses pensées,

qu'il revienne à Yahvé qui aura pitié de lui,

à notre Dieu car il est riche en pardon.

[8]Car vos pensées ne sont pas mes pensées,

et mes voies ne sont pas vos voies,

oracle de Yahvé.

[9]Autant les cieux sont élevés au-dessus de la terre,

autant sont élevées mes voies au-dessus de vos voies,

et mes pensées au-dessus de vos pensées.

[10]De même que la pluie et la neige descendent des cieux

et n'y retournent pas sans avoir arrosé la terre,

sans l'avoir fécondée et l'avoir fait germer

pour fournir la semence au semeur et le pain à manger,

[11]ainsi en est-il de la parole qui sort de ma bouche,

elle ne revient pas vers moi sans effet,

sans avoir accompli ce que j'ai voulu

et réalisé l'objet de sa mission.

Conclusion.

[12]Oui, vous partirez dans la joie et vous serez ramenés dans la paix.

Les montagnes et les collines pousseront devant vous des cris de joie,

et tous les arbres de la campagne battront des mains.

[13]Au lieu de l'épine croîtra le cyprès,

au lieu de l'ortie croîtra le myrte,

ce sera pour Yahvé un renom,

un signe éternel qui ne périra pas.

3. *Troisième partie du livre d'Isaïe*

Promesse aux étrangers.

56 [1]Ainsi parle Yahvé :
Observez le droit, pratiquez la justice,

car mon salut est près d'arriver

et ma justice de se révéler.

[2]Heureux l'homme qui agit ainsi,

le fils d'homme qui s'y tient fermement,

qui observe le sabbat sans le profaner

et s'abstient de toute action mauvaise.

[3]Que le fils de l'étranger, qui s'est attaché à Yahvé, ne dise pas :

« Sûrement Yahvé va m'exclure de son peuple. »

Que l'eunuque ne dise pas :

« Voici, je suis un arbre sec. »

[4]Car ainsi parle Yahvé aux eunuques qui observent mes sabbats

et choisissent de faire ce qui m'est agréable,

fermement attachés à mon alliance :

[5]Je leur donnerai dans ma maison et dans mes remparts

un monument et un nom meilleurs que des fils et des filles ;

je leur donnerai un nom éternel qui jamais ne sera effacé.

[6]Quant aux fils d'étrangers, attachés à Yahvé pour le servir,

pour aimer le nom de Yahvé, devenir ses serviteurs,

tous ceux qui observent le sabbat sans le profaner,
  fermement attachés à mon alliance,
  [7]je les mènerai à ma sainte montagne,
  je les comblerai de joie dans ma
maison de prière.
  Leurs holocaustes et leurs sacrifices seront agréés sur mon autel,
  car ma maison sera appelée maison de prière pour tous les peuples.

  [8]Oracle du Seigneur Yahvé qui
rassemble les déportés d'Israël :
  J'en rassemblerai encore d'autres avec ceux qui sont déjà rassemblés.
  [9]Bêtes des champs, venez toutes
vous repaître,
  ainsi que vous, toutes les bêtes
de la forêt.

Indignité des chefs.

  [10]Ses guetteurs sont tous des
aveugles, ils ne savent rien ;
  ce sont tous des chiens muets,
incapables d'aboyer.
  Ils rêvent, restent couchés, aiment dormir.
  [11]Les chiens sont voraces, insatiables,
  ce sont eux, les bergers incapables de comprendre.
  Ils suivent tous leur propre chemin,
  chacun, jusqu'au dernier, cherchant son intérêt :
  [12]« Venez, je vais chercher du vin,
enivrons-nous de boisson,
  demain sera comme aujourd-
'hui, un grand, un très grand
jour ! »
57 [1]Le juste périt et personne ne
s'en inquiète,

les hommes pieux sont moissonnés et nul n'y prend garde ;
  oui, à cause de la perversité
  le juste a été moissonné ;
  [2]il entrera dans la paix,
  et ceux qui suivent le droit chemin
  trouveront le repos sur leur couche.

Contre l'idolâtrie.

  [3]Quant à vous, approchez ici, fils
de la magicienne,
  race adultère qui t'es prostituée.
  [4]De qui vous moquez-vous ?
  À qui faites-vous des grimaces
et tirez-vous la langue ?
  N'êtes-vous pas une engeance
de révolte,
  une race de mensonge ?
  [5]Vous qui vous excitez près des
térébinthes,
  sous tout arbre verdoyant,
  qui immolez des enfants dans les
torrents,
  sous les fissures des rochers.
  [6]Les pierres polies du torrent,
voilà ton partage,
  ce sont elles, elles qui sont ton
lot.
  C'est pour elles que tu as répandu des libations,
  que tu as présenté ton offrande.
  Puis-je y trouver l'apaisement ?
  [7]Sur une grande et haute montagne
  tu as installé ta couche.
  C'est là aussi que tu es montée
pour offrir le sacrifice.
  [8]Derrière la porte et le montant
  tu as fixé ton mémorial.
  Oui, loin de moi tu t'es découverte,
  tu es montée sur ta couche, tu en
as profité largement.
  Tu as pactisé à ton profit

avec ceux dont tu aimes la couche,

tout en contemplant le monument.

⁹Tu t'es approchée de Mèlèk avec des présents d'huile,

tu as prodigué les parfums ;

tu as envoyé au loin tes messagers,

tu les as fait descendre jusqu'au shéol.

¹⁰À faire tant de chemin tu t'es fatiguée,

mais tu n'as pas dit : « C'est décourageant ! »

Tu as retrouvé la vigueur de ta main,

c'est pourquoi tu n'as pas faibli.

¹¹Qui as-tu craint et redouté,

pour mentir et ne plus te souvenir de moi,

pour ne plus te soucier de moi ?

N'étais-je pas silencieux et depuis longtemps ?

Aussi tu ne me craignais pas.

¹²Mais je vais annoncer ta justice et tes œuvres,

dont tu ne tirais aucun profit.

¹³Tu vas crier, qu'ils te délivrent,

ceux qui se serrent autour de toi !

Eux tous, le vent va les enlever, un souffle les emporter,

mais quiconque se confie en moi héritera du pays,

il possédera ma montagne sainte.

Le salut pour les faibles.

¹⁴Et l'on dira : Nivelez, nivelez, frayez un chemin,

ôtez l'obstacle du chemin de mon peuple,

¹⁵car ainsi parle celui qui est haut et élevé,

dont la demeure est éternelle et dont le nom est saint.

« Je suis haut et saint dans ma demeure,

mais je suis avec l'homme humilié et désemparé,

pour ranimer les esprits désemparés,

pour ranimer les cœurs humiliés.

¹⁶Car je ne veux pas accuser sans cesse

ni toujours me montrer irrité,

car devant moi faiblirait l'esprit et ces âmes que j'ai créées.

¹⁷Contre sa criminelle cupidité j'ai été irrité,

en me cachant je l'ai frappé, dans mon irritation ;

et il s'en est allé, rebelle, selon sa fantaisie.

¹⁸J'ai vu sa conduite, mais je le guérirai,

je le conduirai, je lui prodiguerai le réconfort,

à lui et à ceux qui sont dans le deuil,

¹⁹faisant naître la louange sur leurs lèvres :

« Paix ! paix à qui est loin et à qui est proche, dit Yahvé,

et je le guérirai. »

²⁰Mais les méchants sont comme la mer agitée

qui ne peut se calmer,

dont les eaux soulèvent la boue et la fange.

²¹« Point de paix, dit Yahvé, pour les méchants. »

Le jeûne agréable à Dieu.

58 ¹Crie à pleine gorge, ne te retiens pas,

comme le cor, élève la voix,

annonce à mon peuple ses crimes,

à la maison de Jacob ses péchés.

²C'est moi qu'ils recherchent jour après jour,

ils désirent connaître mes voies,
comme une nation qui a pratiqué
la justice,
qui n'a pas négligé le droit de
son Dieu.
Ils s'informent près de moi des
lois justes,
ils désirent être proches de Dieu.

³« Pourquoi avons-nous jeûné
sans que tu le voies,
nous sommes-nous mortifiés
sans que tu le saches ? »
C'est qu'au jour où vous jeûnez,
vous traitez des affaires,
et vous opprimez tous vos ouvriers.
⁴C'est que vous jeûnez pour vous
livrer aux querelles et aux disputes,
pour frapper du poing méchamment.
Vous ne jeûnerez pas comme
aujourd'hui,
si vous voulez faire entendre votre voix là-haut !
⁵Est-ce là le jeûne qui me plaît,
le jour où l'homme se mortifie ?
Courber la tête comme un jonc,
se faire une couche de sac et de
cendre,
est-ce là ce que tu appelles un
jeûne,
un jour agréable à Yahvé ?
⁶N'est-ce pas plutôt ceci, le jeûne
que je préfère :
défaire les chaînes injustes,
délier les liens du joug ;
renvoyer libres les opprimés,
et briser tous les jougs ?
⁷N'est-ce pas partager ton pain
avec l'affamé,
héberger chez toi les pauvres
sans abri,
si tu vois un homme nu, le vêtir,

ne pas te dérober devant celui
qui est ta propre chair ?
⁸Alors ta lumière éclatera comme
l'aurore,
ta blessure se guérira rapidement,
ta justice marchera devant toi
et la gloire de Yahvé te suivra.
⁹Alors tu crieras et Yahvé répondra,
tu appelleras, il dira : Me voici !
Si tu bannis de chez toi le joug,
le geste menaçant et les paroles
méchantes,
¹⁰si tu te prives pour l'affamé
et si tu rassasies l'opprimé,
ta lumière se lèvera dans les ténèbres,
et l'obscurité sera pour toi comme le milieu du jour.
¹¹Yahvé sans cesse te conduira,
il te rassasiera dans les lieux arides,
il donnera la vigueur à tes os,
et tu seras comme un jardin arrosé,
comme une source jaillissante
dont les eaux ne tarissent pas.
¹²On reconstruira, chez toi, les
ruines antiques,
tu relèveras les fondations des
générations passées,
on t'appellera Réparateur de
brèches,
Restaurateur des chemins, pour
qu'on puisse habiter.

Le sabbat.

¹³Et si tu t'abstiens de violer le
sabbat,
de vaquer à tes affaires en mon
jour saint,
si tu appelles le sabbat « délices »
et « vénérable » le jour saint de
Yahvé,

si tu l'honores en t'abstenant de
voyager,
de traiter tes affaires et de tenir
des discours,
[14]alors tu trouveras tes délices en
Yahvé,
je te conduirai en triomphe sur
les hauteurs du pays ;
je te nourrirai de l'héritage de
ton père Jacob,
car la bouche de Yahvé a parlé.

Psaume de pénitence.

59 [1]Non, la main de Yahvé
n'est pas trop courte pour
sauver,
ni son oreille trop dure pour entendre.
[2]Mais ce sont vos fautes qui ont
creusé un abîme
entre vous et votre Dieu.
Vos péchés ont fait qu'il vous
cache sa face
et refuse de vous entendre.
[3]Car vos mains sont souillées par
le sang
et vos doigts par le crime,
vos lèvres ont proféré le mensonge,
votre langue médite le mal.
[4]Nul n'accuse à juste titre,
nul ne plaide de bonne foi.
On se confie au néant, on profère la fausseté,
on conçoit la peine, on enfante
le mal.
[5]Ils ont fait éclore des œufs de
vipère,
ils tissent des toiles d'araignée.
Qui mange de leurs œufs en
meurt ;
écrasés, il en sort un serpent.
[6]Leurs toiles ne feront pas un vêtement,
ils ne pourront se vêtir de leurs
œuvres ;

leurs œuvres sont des œuvres
mauvaises,
les actes de violence sont dans
leurs mains.
[7]Leurs pieds courent au mal ;
ils ont hâte de verser le sang innocent.
Leurs pensées sont des pensées
mauvaises,
ravage et destruction sont sur
leur chemin.
[8]Ils n'ont pas connu la voie de la
paix,
le droit ne suit pas leurs traces,
ils se font des sentiers tortueux,
quiconque les suit ignore la paix.

[9]Aussi le droit reste loin de nous,
la justice ne nous atteint pas.
Nous attendions la lumière et
voici les ténèbres,
la clarté, et nous marchons dans
l'obscurité.
[10]Nous tâtonnons comme des
aveugles cherchant un mur,
comme privés d'yeux nous tâtonnons.
Nous trébuchons en plein midi
comme au crépuscule,
parmi les bien-portants nous
sommes comme des morts.
[11]Nous grognons tous comme des
ours,
comme des colombes nous ne
faisons que gémir ;
nous attendons le jugement, et
rien !
le salut, et il demeure loin de
nous.
[12]Car nombreux sont nos crimes
contre toi,
nos péchés témoignent contre
nous.
Oui, nos crimes nous sont présents
et nous reconnaissons nos fautes :

[13]nous révolter, renier Yahvé,
cesser de suivre notre Dieu ;
proférer violence et révolte,
concevoir et méditer le mensonge.
[14]On repousse le jugement,
on tient éloignée la justice,
car la vérité a trébuché sur la place publique,
et la droiture ne trouve point d'accès.
[15]La vérité a disparu ;
ceux qui s'abstiennent du mal sont dépouillés.

Yahvé l'a vu, il a jugé mauvais qu'il n'y ait plus de jugement.
[16]Il a vu qu'il n'y avait personne,
il s'est étonné que nul n'intervînt,
alors son bras devint son secours,
et sa justice, son appui.
[17]Il a revêtu comme cuirasse la justice,
sur sa tête le casque du salut,
il a revêtu comme tunique des habits de vengeance,
il s'est drapé de la jalousie comme d'un manteau.
[18]Selon les œuvres il rétribue,
fureur pour les adversaires, châtiment pour les ennemis,
aux îles il paiera leur salaire.
[19]Et l'on craindra, depuis l'Occident, le nom de Yahvé,
et depuis le Levant sa gloire,
car il viendra comme un torrent resserré,
chassé par le souffle de Yahvé.
[20]Alors un rédempteur viendra à Sion,
pour ceux qui se détournent de leur crime, en Jacob.
Oracle de Yahvé.

Oracle.

[21]Et moi, voici mon alliance avec eux, dit Yahvé : mon esprit qui est sur toi et mes paroles que j'ai mises dans ta bouche ne s'éloigneront pas de ta bouche, ni de la bouche de ta descendance, ni de la bouche de la descendance de ta descendance, dit Yahvé, dès maintenant et à jamais.

Splendeur de Jérusalem. Is 45 14.
Ap 21 9-27.

60 [1]Debout ! Resplendis ! car voici ta lumière,
et sur toi se lève la gloire de Yahvé.
[2]Tandis que les ténèbres s'étendent sur la terre
et l'obscurité sur les peuples,
sur toi se lève Yahvé,
et sa gloire sur toi paraît.
[3]Les nations marcheront à ta lumière
et les rois à ta clarté naissante.
[4]Lève les yeux aux alentours et regarde :
tous sont rassemblés, ils viennent à toi.
Tes fils viennent de loin,
et tes filles sont portées sur la hanche.
[5]Alors, tu verras et seras radieuse,
ton cœur tressaillira et se dilatera,
car les richesses de la mer afflueront vers toi,
et les trésors des nations viendront chez toi.
[6]Des multitudes de chameaux te couvriront,
des jeunes bêtes de Madiân et d'Épha ;
tous viendront de Saba,
apportant l'or et l'encens

et proclamant les louanges de Yahvé.

⁷Tous les troupeaux de Qédar se rassembleront chez toi,

les béliers de Nebayot seront à ton service,

ils monteront à mon autel en sacrifice agréable,

et je glorifierai ma maison de splendeur.

⁸Qu'est-ce que cela qui vole comme un nuage,

comme des colombes vers leurs colombiers ?

⁹C'est en moi que les îles espèrent :

les bateaux de Tarsis ont pris la tête

pour ramener de loin tes fils,

avec leur argent et leur or,

à cause du nom de Yahvé ton Dieu,

du Saint d'Israël qui t'a glorifiée.

¹⁰Les fils de l'étranger rebâtiront tes remparts,

et leurs rois te serviront.

Car dans ma colère je t'avais frappée,

mais dans ma bienveillance j'ai eu pitié de toi.

¹¹Tes portes seront toujours ouvertes,

ni le jour ni la nuit on ne les fermera,

pour qu'on apporte chez toi les richesses des nations

et qu'on introduise leurs rois.

¹²Car la nation et le royaume qui ne te servent pas périront,

et les nations seront exterminées.

¹³La gloire du Liban viendra chez toi,

le cyprès, le platane et le buis tous ensemble,

pour glorifier le lieu de mon sanctuaire,

pour que j'honore le lieu où je me tiens.

¹⁴Ils s'approcheront de toi, humblement, les fils de tes oppresseurs,

ils se prosterneront à tes pieds, tous ceux qui te méprisaient,

et ils t'appelleront : « Ville de Yahvé »,

« Sion du Saint d'Israël ».

¹⁵Au lieu que tu sois délaissée et haïe,

sans personne qui passe,

je ferai de toi un objet d'éternelle fierté,

une source de joie, d'âge en âge.

¹⁶Tu suceras le lait des nations,

tu suceras les richesses des rois.

Et tu sauras que c'est moi, Yahvé, qui te sauve,

que ton rédempteur, c'est le Puissant de Jacob.

¹⁷Au lieu de bronze, je ferai venir de l'or,

au lieu de fer, je ferai venir de l'argent,

au lieu de bois, du bronze,

au lieu de pierre, du fer ;

comme magistrature j'instituerai la Paix

et comme gouvernants, la Justice.

¹⁸On n'entendra plus parler de violence dans ton pays,

de ravages ni de ruines dans tes frontières.

Tu appelleras tes remparts « Salut »

et tes portes « Louange ».

¹⁹Tu n'auras plus le soleil comme lumière, le jour,

la clarté de la lune ne t'illuminera plus :
Yahvé sera pour toi une lumière éternelle,
et ton Dieu sera ta splendeur.
²⁰Ton soleil ne se couchera plus,
et ta lune ne disparaîtra plus,
car Yahvé sera pour toi une lumière éternelle,
et les jours de ton deuil seront accomplis.
²¹Ton peuple, rien que des justes,
possédera le pays à jamais,
rejeton de mes plantations, œuvre de mes mains, pour me glorifier.
²²Le plus petit deviendra un millier,
le plus chétif une nation puissante.
Moi, Yahvé, en temps voulu j'agirai vite.

Vocation d'un prophète.

61 ¹L'esprit du Seigneur Yahvé est sur moi,
car Yahvé m'a donné l'onction ;
il m'a envoyé porter la nouvelle aux pauvres,
panser les cœurs meurtris,
annoncer aux captifs la libération
et aux prisonniers la délivrance,
²proclamer une année de grâce de la part de Yahvé
et un jour de vengeance pour notre Dieu,
pour consoler tous les affligés,
³(pour mettre aux affligés de Sion)
pour leur donner un diadème au lieu de cendre,
de l'huile de joie au lieu d'un vêtement de deuil,
un manteau de fête au lieu d'un esprit abattu ;

et on les appellera térébinthes de justice,
plantation de Yahvé pour se glorifier.
⁴Ils rebâtiront les ruines antiques,
ils relèveront les restes désolés d'autrefois ;
ils restaureront les villes en ruines,
les restes désolés des générations passées.
⁵Des étrangers se présenteront pour paître vos troupeaux,
des immigrants seront vos laboureurs et vos vignerons.
⁶Mais vous, vous serez appelés prêtres de Yahvé,
on vous nommera ministres de notre Dieu.
Vous vous nourrirez des richesses des nations,
vous leur succéderez dans leur gloire.
⁷Au lieu de votre honte, vous aurez double part,
au lieu de l'humiliation, les cris de joie seront leur part ;
aussi recevront-ils double héritage dans leur pays
et auront-ils une joie éternelle.
⁸Car moi, Yahvé, qui aime le droit,
qui hais le vol et l'injustice,
je leur donnerai fidèlement leur récompense
et je conclurai avec eux une alliance éternelle.
⁹Leur race sera célèbre parmi les nations,
et leur descendance au milieu des peuples ;
tous ceux qui les verront les reconnaîtront
comme une race que Yahvé a bénie.

Action de grâces.

¹⁰Je suis plein d'allégresse en Yahvé,
  mon âme exulte en mon Dieu,
  car il m'a revêtu de vêtements de salut,
  il m'a drapé dans un manteau de justice,
  comme l'époux qui se coiffe d'un diadème,
  comme la fiancée qui se pare de ses bijoux.
¹¹Car de même que la terre fait éclore ses germes
  et qu'un jardin fait germer sa semence,
  ainsi le Seigneur Yahvé fait germer la justice et la louange
  devant toutes les nations.

Splendeur de Jérusalem.

62 ¹À cause de Sion je ne me tairai pas,
  à cause de Jérusalem je ne me tiendrai pas en repos,
  jusqu'à ce que sa justice jaillisse comme une clarté,
  et son salut comme une torche allumée.
²Alors les nations verront ta justice,
  et tous les rois ta gloire.
  Alors on t'appellera d'un nom nouveau
  que la bouche de Yahvé désignera.
³Tu seras une couronne de splendeur dans la main de Yahvé,
  un turban royal dans la main de ton Dieu.
⁴On ne te dira plus : « Délaissée »
  et de ta terre on ne dira plus : « Désolation ».
  Mais on t'appellera : « Mon plaisir est en elle »

et ta terre : « Épousée ».
  Car Yahvé trouvera en toi son plaisir,
  et ta terre sera épousée.
⁵Comme un jeune homme épouse une vierge,
  ton bâtisseur t'épousera.
  Et c'est la joie de l'époux au sujet de l'épouse
  que ton Dieu éprouvera à ton sujet.

⁶Sur tes remparts, Jérusalem, j'ai posté des veilleurs,
  de jour et de nuit, jamais ils ne se tairont.
  Vous qui vous rappelez au souvenir de Yahvé, pas de repos pour vous.
⁷Ne lui accordez pas de repos qu'il n'ait établi Jérusalem
  et fait d'elle une louange au milieu du pays.
⁸Yahvé l'a juré par sa droite et par son bras puissant :
  « Je ne donnerai plus ton blé en nourriture à tes ennemis,
  les étrangers ne boiront plus ton vin, le fruit de ton labeur,
⁹mais les moissonneurs mangeront le blé et loueront Yahvé,
  les vendangeurs boiront le vin, dans mes parvis sacrés. »

Conclusion.

¹⁰Passez, passez par les portes, frayez le chemin de mon peuple,
  nivelez, nivelez la route, ôtez-en les pierres.
  Élevez un signal pour les peuples.
¹¹Voici que Yahvé se fait entendre jusqu'à l'extrémité de la terre :
  Dites à la fille de Sion : Voici que vient ton salut,
  voici avec lui sa récompense, et devant lui son salaire.

¹²On les appellera : « Le peuple saint »,

« Les rachetés de Yahvé. »

Quant à toi on t'appellera : « Recherchée »,

« Ville non délaissée. »

Le jugement des peuples.

63 ¹Quel est donc celui-ci qui vient d'Édom,

de Boçra en habits éclatants,

magnifiquement drapé dans son manteau,

s'avançant dans la plénitude de sa force ?

« C'est moi qui parle avec justice, qui suis puissant pour sauver. »

²— Pourquoi ce rouge à ton manteau,

pourquoi es-tu vêtu comme celui qui foule au pressoir ?

³— À la cuve j'ai foulé solitaire,

et des gens de mon peuple pas un n'était avec moi.

Alors je les ai foulés dans ma colère,

je les ai piétinés dans ma fureur,

leur sang a giclé sur mes habits,

et j'ai taché tous mes vêtements.

⁴Car j'ai au cœur un jour de vengeance,

c'est l'année de ma rétribution qui vient.

⁵Je regarde : personne pour m'aider !

Je montre mon angoisse : personne pour me soutenir !

Alors mon bras est venu à mon secours,

c'est ma fureur qui m'a soutenu.

⁶J'ai écrasé les peuples dans ma colère,

je les ai brisés dans ma fureur,

et j'ai fait ruisseler à terre leur sang. »

Méditation sur l'histoire d'Israël.

⁷Je vais célébrer les grâces de Yahvé,

les louanges de Yahvé,

pour tout ce que Yahvé a accompli pour nous,

pour sa grande bonté envers la maison d'Israël,

pour tout ce qu'il a accompli dans sa miséricorde,

pour l'abondance de ses grâces.

⁸Car il dit : « Certes, c'est mon peuple,

des fils qui ne vont pas me tromper » ;

et il fut pour eux un sauveur.

⁹Dans toutes leurs angoisses,

ce n'est pas un messager ou un ange,

c'est sa face qui les a sauvés.

Dans son amour et sa pitié, c'est lui qui les a rachetés,

il s'est chargé d'eux et les a portés,

tous les jours du passé.

¹⁰Mais eux, ils se sont révoltés

et ils ont irrité son Esprit saint.

C'est alors qu'il les a pris en aversion

et qu'il les a lui-même combattus.

¹¹Mais il s'est souvenu des jours d'autrefois,

de Moïse, son serviteur.

Où est-il, celui qui les sauva de la mer,

le pasteur de son troupeau ?

Où est celui qui mettait au milieu d'eux son Esprit saint ?

¹²Celui qui accompagna la droite de Moïse

de son bras glorieux,

qui fendit les eaux devant eux

pour se faire un renom éternel ;

¹³qui les fit passer par les abîmes,
comme un cheval passe dans le
désert ;
  ils ne trébuchèrent pas plus
¹⁴qu'une bête qui descend dans la
vallée ;
  l'Esprit de Yahvé les menait au
repos.
  Ainsi as-tu conduit ton peuple
  pour te faire un nom glorieux.

¹⁵Regarde du ciel et vois,
depuis ta demeure sainte et glorieuse.
  Où sont ta jalousie et ta puissance ?
  Le frémissement de tes entrailles
  et ta piété pour moi se sont-ils
contenus ?
¹⁶Pourtant tu es notre père.
  Si Abraham ne nous a pas reconnus,
  si Israël ne se souvient plus de
nous,
  toi, Yahvé, tu es notre père,
  notre rédempteur, tel est ton
nom depuis toujours.
¹⁷Pourquoi, Yahvé, nous laisser
errer loin de tes voies
  et endurcir nos cœurs en refusant ta crainte ?
  Reviens, à cause de tes serviteurs
  et des tribus de ton héritage.
¹⁸Pour bien peu de temps ton peuple saint a joui de son héritage ;
  nos ennemis ont piétiné ton
sanctuaire.
¹⁹Nous sommes, depuis longtemps, des gens sur qui tu ne règnes plus
  et qui ne portent plus ton nom.

  Ah ! si tu déchirais les cieux et
descendais

  – devant ta face les montagnes
seraient ébranlées ;
64 ¹comme le feu enflamme des
brindilles,
  comme le feu fait bouillir l'eau –
  pour faire connaître ton nom à
tes adversaires,
  devant ta face les nations trem-
bleraient
²quand tu ferais des prodiges
inattendus.
  (Tu es descendu : devant ta face
les montagnes ont été ébranlées.)

³Jamais on n'avait ouï dire,
  on n'avait pas entendu, et l'œil
n'avait pas vu
  un Dieu, toi excepté, agir ainsi
  en faveur de qui a confiance en
lui.
⁴Tu as rencontré celui qui, plein
d'allégresse,
  pratique la justice ;
  en suivant tes voies, ils se souviendront de toi.
  Voici que toi, tu t'es irrité, et
nous avons péché.
  Nous sommes à jamais dans tes
voies et nous serons sauvés.
⁵Tous, nous étions comme des
êtres impurs,
  et nos bonnes actions comme du
linge souillé.
  Tous, nous nous flétrissons comme des feuilles mortes,
  et nos fautes nous emportent
comme le vent.
⁶Plus personne pour invoquer ton
nom,
  pour se réveiller en s'attachant à
toi,
  car tu nous as caché ta face
  et tu nous as livrés au pouvoir
de nos fautes.
⁷Et pourtant, Yahvé, tu es notre
père,

nous sommes l'argile, tu es notre potier,
nous sommes tous l'œuvre de tes
mains.

⁸Yahvé, ne t'irrite pas à l'excès,
ne garde pas à jamais le souvenir
de la faute.
Vois donc, nous sommes tous
ton peuple.

⁹Tes villes saintes sont devenues
un désert,
Sion est devenue un désert,
Jérusalem, un lieu désolé.

¹⁰Notre temple saint et magnifique,
où nos ancêtres te louaient,
est devenu la proie du feu.
Tout ce que nous aimions est devenu ruine.

¹¹Peux-tu rester insensible à tout
cela, Yahvé ?
Te taire serait nous humilier à
l'excès.

Le jugement futur.

65 ¹Je me suis laissé approcher
par qui ne me questionnait
pas,
je me suis laissé trouver par qui
ne me cherchait pas.
J'ai dit : « Me voici ! me voici ! »
à une nation qui n'invoquait pas
mon nom.

²J'ai tendu les mains, chaque
jour,
vers un peuple rebelle,
des gens qui suivent une voie
mauvaise,
au gré de leur fantaisie.

³Un peuple qui me provoque sans
cesse en face,
qui sacrifie dans les jardins,
qui brûle de l'encens sur des briques,

⁴qui habite dans les tombeaux,

passe la nuit dans les recoins,
mange de la viande de porc
et met dans ses plats des morceaux impurs.

⁵Ils disent : « Retire-toi,
ne me touche pas, je te sanctifierai. »
Ces mots sont comme une fumée qui m'étouffe,
un feu toujours brûlant.

⁶Voici, c'est écrit devant moi :
je ne me tairai pas que je n'aie
réglé leur compte,
réglé à pleine mesure,

⁷puni vos fautes et les fautes de
vos pères, toutes ensemble, dit
Yahvé,
eux qui ont brûlé des parfums
sur les montagnes
et m'ont outragé sur les collines ;
je mesurerai à pleine mesure
leurs œuvres anciennes.

⁸Ainsi parle Yahvé :
Quand on trouve du jus dans une
grappe,
on dit : « Ne la détruisez pas,
car elle contient une bénédiction »
ainsi ferai-je en faveur de mes
serviteurs,
je ne détruirai pas tout.

⁹Je ferai sortir de Jacob une race,
je ferai de Juda l'héritier de mes
montagnes,
mes élus les posséderont,
mes serviteurs y habiteront.

¹⁰Le pays de Saron deviendra un
pâturage de brebis,
la vallée d'Akor un pacage de
bœufs,
pour mon peuple qui m'aura
cherché.

¹¹Quant à vous tous qui abandonnez Yahvé,
qui oubliez ma montagne sainte,

qui dressez à Gad une table,
qui versez à pleine coupe des
mixtures pour Meni,
¹²je vous destinerai à l'épée,
tous, vous courberez l'échine
pour être massacrés,
car j'ai appelé et vous n'avez pas
répondu,
j'ai parlé et vous n'avez pas
écouté ;
vous avez fait ce qui est mal à
mes yeux,
vous avez choisi ce qui me déplaît.
¹³C'est pourquoi, ainsi parle le
Seigneur Yahvé :
Voici : mes serviteurs mangeront,
mais vous, vous aurez faim ;
voici : mes serviteurs boiront,
mais vous, vous aurez soif ;
voici : mes serviteurs seront
dans la joie,
et vous, dans la honte ;
¹⁴voici : mes serviteurs crieront,
dans la joie de leur cœur,
et vous, vous pousserez des cris,
dans la douleur de votre cœur,
vous hurlerez dans l'accablement de votre esprit.
¹⁵Et vous laisserez votre nom
comme imprécation pour mes
élus :
« Que le Seigneur Yahvé te fasse mourir ! »
mais à ses serviteurs il donnera
un autre nom.
¹⁶Ceux qui se béniront sur terre se
béniront par le Dieu de vérité,
et ceux qui jureront sur terre jureront par le Dieu de vérité ;
on oubliera les angoisses anciennes,
elles auront disparu de mes
yeux.
¹⁷Car voici que je vais créer des

cieux nouveaux et une terre nouvelle,
on ne se souviendra plus du
passé,
il ne reviendra plus à l'esprit.
¹⁸Mais soyez pleins d'allégresse
et exultez éternellement
de ce que moi, je vais créer :
car voici que je vais faire de Jérusalem une exultation
et de mon peuple une allégresse.
¹⁹J'exulterai en Jérusalem,
en mon peuple je serai plein
d'allégresse,
et l'on n'y entendra plus retentir
les pleurs et les cris.
²⁰Là, plus de nouveau-né qui ne
vive que quelques jours,
ni de vieillard qui n'accomplisse
son temps ;
car le plus jeune mourra à l'âge
de cent ans,
c'est à cent ans que le pécheur
sera maudit.
²¹Ils bâtiront des maisons et les
habiteront,
ils planteront des vignes et en
mangeront les fruits.
²²Ils ne bâtiront plus pour qu'un
autre habite,
ils ne planteront plus pour qu'un
autre mange.
Car les jours de mon peuple éga-
leront les jours des arbres,
et mes élus useront ce que leurs
mains auront fabriqué.
²³Ils ne peineront pas en vain, ils
n'enfanteront plus pour la terreur,
mais ils seront une race de bénis
de Yahvé,
et leur descendance avec eux.
²⁴Ainsi, avant qu'ils n'appellent,
moi je répondrai,
ils parleront encore que j'aurai
déjà entendu.

²⁵Le loup et l'agnelet paîtront ensemble,

le lion comme le bœuf mangera de la paille,

et le serpent se nourrira de poussière.

On ne fera plus de mal ni de violence sur toute ma montagne sainte,

dit Yahvé.

Oracle sur le Temple.

66 ¹Ainsi parle Yahvé :
Le ciel est mon trône,

et la terre l'escabeau de mes pieds.

Quelle maison pourriez-vous me bâtir,

et quel pourrait être le lieu de mon repos,

²quand tout cela, c'est ma main qui l'a fait,

quand tout cela est à moi, oracle de Yahvé !

Mais celui sur qui je porte les yeux, c'est le pauvre et l'humilié,

celui qui tremble à ma parole.

³On sacrifie le bœuf, on abat un homme ;

on immole l'agneau, on assomme un chien ;

on présente une offrande, c'est du sang de porc ;

on fait un mémorial d'encens, une bénédiction abominable ;

tous ces gens ont choisi leurs voies,

et leur âme se complaît dans leurs horreurs.

⁴Moi aussi, j'ai plaisir à me moquer d'eux,

j'amènerai sur eux ce qu'ils redoutent,

parce que j'ai appelé et nul n'a répondu,

j'ai parlé et nul n'a entendu ;

ils ont fait ce qui est mal à mes yeux,

ils ont pris plaisir à ce qui me déplaît.

Jugement sur Jérusalem.

⁵Écoutez la parole de Yahvé,

vous qui tremblez à sa parole.

Ils ont dit, vos frères qui vous haïssent

et vous rejettent à cause de mon nom :

« Que Yahvé manifeste sa gloire,

et que nous soyons témoins de votre joie »,

mais c'est eux qui seront confondus !

⁶Une voix, une rumeur qui vient de la ville,

une voix qui vient du sanctuaire,

la voix de Yahvé

qui paie leur salaire à ses ennemis.

⁷Avant d'être en travail elle a enfanté,

avant que viennent les douleurs elle a accouché d'un garçon.

⁸Qui a jamais entendu rien de tel ?

Qui a jamais vu chose pareille ?

Peut-on mettre au monde un pays en un jour ?

Enfante-t-on une nation en une fois ?

À peine était-elle en travail que Sion a enfanté ses fils.

⁹Ouvrirais-je le sein pour ne pas faire naître ? dit Yahvé.

Si c'est moi qui fais naître, fermerai-je le sein ? dit ton Dieu.

¹⁰Réjouissez-vous avec Jérusalem,

exultez en elle, vous tous qui l'aimez,

soyez avec elle dans l'allégresse,

vous tous qui avez pris le deuil
sur elle,
[11]afin que vous soyez allaités et
rassasiés
par son sein consolateur,
afin que vous suciez avec délices
sa mamelle plantureuse.
[12]Car ainsi parle Yahvé :
Voici que je fais couler vers elle
la paix comme un fleuve,
et comme un torrent débordant,
la gloire des nations.
Vous serez allaités, on vous portera sur la hanche,
on vous caressera en vous tenant
sur les genoux.
[13]Comme celui que sa mère console,
moi aussi, je vous consolerai,
à Jérusalem vous serez consolés.

[14]À cette vue votre cœur sera dans
la joie,
et vos membres reprendront vigueur comme l'herbe ;
la main de Yahvé se fera connaître à ses serviteurs
et sa colère à ses ennemis.

[15]Car voici que Yahvé arrive dans
le feu,
et ses chars sont comme l'ouragan,
pour assouvir avec ardeur sa colère
et sa menace par des flammes de
feu.
[16]Car par le feu, Yahvé se fait juge,
par son épée, sur toute chair ;
nombreuses seront les victimes
de Yahvé.
[17]Ceux qui se sanctifient et se pu-
rifient pour entrer dans les jardins,
derrière quelqu'un qui se tient au
centre,
qui mangent de la chair de porc,
des choses abominables et du rat,

d'un même coup finiront, oracle
de Yahvé,
leurs actions et leurs pensées.

Discours eschatologique.

[18]Mais moi je viendrai rassembler toutes les nations et toutes
les langues, et elles viendront
voir ma gloire. [19]Je mettrai chez
elles un signe et j'enverrai de
leurs survivants vers les nations :
vers Tarsis, Put, Lud, Méshek,
Tubal et Yavân, vers les îles
éloignées qui n'ont pas entendu
parler de moi, et qui n'ont pas
vu ma gloire. Ils feront connaître
ma gloire aux nations, [20]et de
toutes les nations ils ramèneront
tous vos frères en offrande à
Yahvé, sur des chevaux, en char,
en litière, sur des mulets et des
chameaux, à ma montagne sainte, Jérusalem, dit Yahvé, comme
les Israélites apportent les offrandes à la Maison de Yahvé dans
des vases purs. [21]Et de certains
d'entre eux je me ferai des prêtres, des lévites, dit Yahvé.

[22]Car, de même que les cieux
nouveaux et la terre nouvelle que
je fais subsistent devant moi, oracle de Yahvé, ainsi subsistera votre race et votre nom.
[23]De nouvelle lune en nouvelle
lune,
et de sabbat en sabbat,
toute chair viendra se prosterner
devant ma face, dit Yahvé.
[24]Et on sortira pour voir
les cadavres des hommes révoltés contre moi,
car leur ver ne mourra pas
et leur feu ne s'éteindra pas,
ils seront en horreur à toute
chair.

Jérémie

Voir l'introduction, p. 1237.

Titre.

1 ¹Paroles de Jérémie, fils de Hilqiyyahu, l'un des prêtres résidant à Anatot, en territoire de Benjamin. ²À lui fut adressée la parole de Yahvé, aux jours de Josias, fils d'Amon, roi de Juda, la treizième année de son règne ; ³puis aux jours de Joiaqim, fils de Josias, roi de Juda, jusqu'à la fin de la onzième année de Sédécias, fils de Josias, roi de Juda, jusqu'à la déportation de Jérusalem, au cinquième mois.

1. *Oracles contre Juda et Jérusalem*

I. AU TEMPS DE JOSIAS

Vocation de Jérémie.

⁴La parole de Yahvé me fut adressée en ces termes :

⁵Avant même de te modeler au ventre maternel, je t'ai connu ;
avant même que tu sois sorti du sein, je t'ai consacré ;
comme prophète des nations, je t'ai établi.

⁶Et je dis : « Ah ! Seigneur Yahvé, vraiment, je ne sais pas parler, car je suis un enfant ! »

⁷Mais Yahvé répondit :
Ne dis pas : « Je suis un enfant ! »
car vers tous ceux à qui je t'enverrai, tu iras,
et tout ce que je t'ordonnerai, tu le diras.
⁸N'aie aucune crainte en leur présence

car je suis avec toi pour te délivrer,
oracle de Yahvé.
⁹Alors Yahvé étendit la main et me toucha la bouche ;
et Yahvé me dit :
Voici que j'ai placé mes paroles en ta bouche.
¹⁰Vois ! Aujourd'hui même je t'établis
sur les nations et sur les royaumes,
pour arracher et renverser,
pour exterminer et démolir,
pour bâtir et planter.

¹¹La parole de Yahvé me fut adressée en ces termes : « Que vois-tu, Jérémie ? » Je répondis : « Je vois une branche de "veilleur". » ¹²Alors Yahvé me dit : « Tu as bien vu, car je veille sur ma parole pour l'accomplir. »
¹³Une seconde fois, la parole

de Yahvé me fut adressée en ces termes : « Que vois-tu ? » Je répondis : « Je vois une marmite qui bouillonne : sa gueule regarde depuis le Nord. » ¹⁴Alors Yahvé me dit :

C'est du Nord que va déborder le malheur
sur tous les habitants du pays ;
¹⁵car voici que j'appelle
toutes les familles des royaumes du Nord,
oracle de Yahvé.
Ils viendront et chacun placera son trône
à l'entrée des portes de Jérusalem,
contre ses remparts, tout autour,
et contre toutes les villes de Juda.
¹⁶Je prononcerai contre eux mes jugements
à cause de toute leur méchanceté,
car ils m'ont abandonné,
ils ont encensé d'autres dieux,
ils se sont prosternés devant l'œuvre de leurs mains.

¹⁷Quant à toi, tu te ceindras les reins,
tu te lèveras, tu leur diras
tout ce que je t'ordonnerai, moi.
Ne tremble point devant eux,
sinon je te ferai trembler devant eux.
¹⁸Voici que moi, aujourd'hui même, je t'ai établi
comme ville fortifiée,
colonne de fer et rempart de bronze
devant tout le pays :
les rois de Juda, ses princes,
ses prêtres et le peuple du pays.
¹⁹Ils lutteront contre toi,
mais ne pourront rien contre toi,
car je suis avec toi
– oracle de Yahvé –
pour te délivrer.

Les plus anciennes prédications : l'apostasie d'Israël.

2 ¹La parole de Yahvé me fut adressée en ces termes :
²Va crier ceci aux oreilles de Jérusalem.

Ainsi parle Yahvé :
Je me rappelle l'affection de ta jeunesse,
l'amour de tes fiançailles,
alors que tu marchais derrière moi au désert,
dans une terre qui n'est pas ensemencée.
³Israël était une part sainte pour Yahvé,
les prémices de sa récolte ;
tous ceux qui en mangeaient étaient coupables,
le malheur fondait sur eux,
oracle de Yahvé.
⁴Écoutez la parole de Yahvé, maison de Jacob
et toutes les familles de la maison d'Israël.
⁵Ainsi parle Yahvé :
En quoi vos pères m'ont-ils trouvé injuste
pour s'être éloignés de moi,
pour marcher derrière la Vanité
et devenir eux-mêmes vanité ?
⁶Ils n'ont pas dit : « Où est Yahvé
qui nous fit monter du pays d'Égypte
et nous fit marcher dans le désert,
dans une terre aride et ravinée,
dans une terre desséchée et obscure,
terre que personne ne parcourt,
où nul homme ne se fixe ? »
⁷Pourtant je vous ai conduits au pays du verger
pour vous rassasier de ses fruits
et de ses biens ;

vous êtes entrés et vous avez
souillé mon pays,
mon héritage, vous l'avez changé en abomination.
⁸Les prêtres n'ont pas dit : « Où
est Yahvé ? »
Les dépositaires de la Loi ne
m'ont pas connu ;
les pasteurs se sont révoltés contre moi ;
les prophètes ont prophétisé par
Baal,
ils ont suivi des Impuissants.
⁹Aussi vais-je encore plaider
contre vous
– oracle de Yahvé –
et plaider contre les fils de vos
fils :
¹⁰Passez donc aux îles des Kittim
et voyez,
envoyez enquêter à Qédar et
examinez bien,
voyez si chose semblable s'est
produite !
¹¹Une nation change-t-elle de
dieux ?
Or ce ne sont pas même des
dieux !
Et mon peuple a échangé sa
Gloire
contre l'Impuissance !
¹²Cieux, soyez-en étonnés,
horrifiés, saisis d'une grande
épouvante,
oracle de Yahvé.
¹³Car mon peuple a commis deux
crimes :
Ils m'ont abandonné, moi la
source d'eau vive,
pour se creuser des citernes,
citernes lézardées qui ne tiennent pas l'eau.
¹⁴Israël est-il un esclave ?
Est-il un domestique
pour qu'on en fasse un butin ?
¹⁵Contre lui des lions ont rugi,

poussé leur hurlement.
Ils ont réduit sa terre en solitude,
ses villes incendiées n'ont plus
d'habitants.
¹⁶Même ceux de Noph et de Tahpanhès
t'ont rasé le crâne !
¹⁷N'as-tu pas provoqué cela
pour avoir abandonné Yahvé ton
Dieu,
alors qu'il te guidait sur ta route ?
¹⁸Et maintenant, à quoi bon partir
en Égypte
pour boire l'eau du Nil ?
À quoi bon partir en Assyrie
pour boire l'eau du Fleuve ?
¹⁹Que ta méchanceté te châtie
et que tes infidélités te punissent !
Comprends et vois
comme il est mauvais et amer
d'abandonner Yahvé ton Dieu
et de ne plus trembler devant
moi,
oracle du Seigneur Yahvé Sabaot.

²⁰Oui, depuis longtemps tu as brisé ton joug,
rompu tes liens,
tu as dit : « Je ne servirai pas. »
Et pourtant, sur toute colline élevée
et sous tout arbre vert,
tu t'es couchée comme une prostituée.
²¹Moi, cependant, je t'avais plantée comme un cep de choix,
tout entier d'excellente semence.
Comment t'es-tu changée pour
moi en sauvageons
d'une vigne étrangère ?
²²Quand tu te lessiverais à la potasse,
en y mettant beaucoup de savon,
ton iniquité resterait marquée
devant moi,

oracle du Seigneur Yahvé.

²³Comment oses-tu dire : « Je ne
suis pas souillée,
après les Baals je n'ai pas couru ? »

Regarde tes traces dans la Vallée,
reconnais ce que tu as fait.

Chamelle écervelée, courant en
tout sens,
²⁴ânesse sauvage, habituée au désert,
dans l'ardeur de son désir, elle
aspire le vent ;
son rut, qui le freinera ?
Quiconque veut la chercher n'a
aucune peine :
il la trouve en son mois.

²⁵Prends garde ! Ton pied va se
déchausser
et ta gorge se dessécher.
Mais tu dis : « Non ! Inutile !
car j'aime les Étrangers
et je veux courir après eux. »

²⁶Tel un voleur honteux d'être
pris,
ainsi seront honteux les gens de
la maison d'Israël :
eux, leurs rois, leurs princes,
leurs prêtres et leurs prophètes,
²⁷qui disent au bois : « Tu es mon
père ! »
et à la pierre : « Toi, tu m'as enfanté ! »
Car ils tournent vers moi leur
dos
et non leur face ;
mais au temps de leur malheur
ils crient :
« Lève-toi ! Sauve-nous ! »
²⁸Où sont-ils, les dieux que tu t'es
fabriqués ?
Qu'ils se lèvent s'ils peuvent te
sauver
au temps de ton malheur !
Car aussi nombreux que tes villes

sont tes dieux, ô Juda !
²⁹Pourquoi me faites-vous un procès ?
Vous m'avez tous été infidèles,
oracle de Yahvé.

³⁰En vain j'ai frappé vos fils :
ils n'ont pas accueilli la leçon ;
votre épée a dévoré vos prophètes,
comme un lion destructeur.
³¹Et vous, de cette génération,
voyez la parole de Yahvé :
Ai-je été un désert pour Israël,
ou une terre ténébreuse ?
Pourquoi mon peuple dit-il :
« Nous vagabondons,
nous n'irons plus à toi ? »
³²Une vierge oublie-t-elle ses parures,
une fiancée sa ceinture ?
Mais mon peuple m'a oublié
depuis des jours sans nombre.

³³Ah ! comme tu t'es tracé un bon
chemin
pour quêter l'amour !
Aussi, même avec le crime
tu as familiarisé tes voies.
³⁴Jusque sur les pans de ta robe
on trouve
le sang des pauvres,
des innocents que tu n'as pas
surpris à forcer des portes !
Et malgré tout cela,
³⁵tu dis : « Je suis innocente,
que sa colère se détourne de
moi ! »
Me voici pour te juger
puisque tu dis : « Je n'ai pas péché. »

³⁶Que tu mets de légèreté à changer de voie !
Pourtant tu auras honte de
l'Égypte
comme tu as eu honte de l'Assyrie.

[37] De là aussi tu devras sortir
　　les mains sur la tête,
　　car Yahvé a rejeté ceux auxquels
tu te fies,
　　tu n'auras pas de chance avec
eux !

La conversion.

3 [1] Si un homme répudie sa
　　femme,
　　et que celle-ci le quitte
　　et appartient à un autre,
　　a-t-il encore le droit de revenir à
elle ?
　　N'est-elle pas totalement profanée,
　　cette terre-là ?
　　Et toi qui t'es prostituée à de
nombreux amants,
　　tu prétends revenir à moi !
　　Oracle de Yahvé.

[2] Lève les yeux vers les monts
chauves et regarde.
　　Où ne t'es-tu pas livrée ?
　　Tu étais là, pour eux, le long des
chemins,
　　comme l'Arabe au désert.
　　Tu as profané le pays
　　par tes prostitutions et tes forfaits ;
[3] aussi les pluies furent-elle rete-
nues
　　et l'ondée tardive ne vint plus.

Mais tu conservais un front de
prostituée,
　　refusant de rougir.
[4] Dès maintenant, ne me cries-tu
pas : « Mon père !
　　L'ami de ma jeunesse, c'est toi !
[5] Gardera-t-il toujours sa rancune,
　　va-t-il éterniser son courroux ? »
　　Tu parles ainsi en commettant
tes crimes,
　　obstinée que tu es.

Le royaume du Nord invité à la conversion.

[6] Yahvé me dit au temps du roi
Josias : As-tu vu ce qu'a fait Israël la rebelle ? Elle se rendait sur
toute montagne élevée, sous tout
arbre vert, et s'y prostituait. [7] Je
me disais : « Après avoir fait tout
cela, elle reviendra à moi » ; mais
elle ne revint pas. Juda, sa sœur
perfide, a vu cela. [8] Elle a vu aussi
que j'ai répudié la rebelle Israël
pour tous ses adultères et lui ai
donné son acte de divorce. Or la
perfide Juda, sa sœur, n'a pas eu
de crainte ; elle est allée, elle aussi, se prostituer. [9] Et avec sa prostitution éhontée, elle a profané le
pays ; elle a commis l'adultère
avec la pierre et le bois. [10] En plus
de tout cela, Juda, sa sœur perfide,
n'est pas revenue à moi de tout
son cœur, mais avec imposture,
oracle de Yahvé.

[11] Et Yahvé me dit : Israël la rebelle est juste, comparée à Juda la
perfide. [12] Va donc crier ces paroles du côté du Nord ; tu diras :

Reviens, rebelle Israël,
　　oracle de Yahvé.
　　Je n'aurai plus pour vous un visage sévère,
　　car je suis miséricordieux – oracle de Yahvé –,
　　je ne garde pas toujours ma rancune.
[13] Reconnais seulement ta faute :
　　tu t'es révoltée contre Yahvé ton
Dieu,
　　tu as couru en tous sens vers les
Étrangers,
　　sous tout arbre vert,
　　et vous n'avez pas écouté ma
voix,
　　oracle de Yahvé.

Le peuple messianique à Sion.

[14]Revenez, fils rebelles – oracle de Yahvé –, car c'est moi votre Maître. Je vous prendrai, un d'une ville, deux d'une famille, pour vous amener à Sion. [15]Je vous donnerai des pasteurs selon mon cœur, qui vous paîtront avec intelligence et prudence. [16]Et quand vous vous serez multipliés et que vous aurez fructifié dans le pays, en ces jours-là – oracle de Yahvé – on ne dira plus : « Arche de l'alliance de Yahvé » ; on n'y pensera plus, on ne s'en souviendra plus, on ne s'en préoccupera plus, on n'en construira plus d'autre. [17]En ce temps-là, on appellera Jérusalem « Trône de Yahvé » ; toutes les nations convergeront vers elle, vers le nom de Yahvé, à Jérusalem, et elles ne suivront plus l'obstination de leur cœur mauvais. [18]En ces jours-là, la maison de Juda ira vers la maison d'Israël ; ensemble elles viendront du pays du Nord, vers le pays que j'ai donné en héritage à vos pères.

Suite du poème sur la conversion.

[19]Et moi qui m'étais dit :
Comment te placerai-je au rang des fils ?
Je te donnerai une terre de délices,
l'héritage le plus précieux d'entre les nations.
Je me disais : Vous m'appellerez « Mon Père »
et vous ne vous séparerez pas de moi.
[20]Mais comme une femme qui trahit son compagnon,
ainsi m'avez-vous trahi, maison d'Israël,
oracle de Yahvé.

[21]Sur les monts chauves, un cri s'est fait entendre :
pleurs et supplications des enfants d'Israël ;
car ils ont gauchi leur voie,
oublié Yahvé leur Dieu.
[22]– Revenez, fils rebelles,
je veux guérir vos rébellions !

– Nous voici, nous venons à toi,
car tu es Yahvé notre Dieu.
[23]En vérité, les collines ne sont que duperie,
ainsi que le tumulte des montagnes.
En vérité, c'est en Yahvé notre Dieu
qu'est le salut d'Israël.
[24]La Honte a dévoré le travail de nos pères
depuis notre jeunesse,
leur petit et leur gros bétail, leurs fils et leurs filles.
[25]Couchons-nous dans notre honte,
que nous couvre notre confusion !
Car contre Yahvé notre Dieu,
nous avons péché,
nous et nos pères, depuis notre jeunesse jusqu'à ce jour même,
et nous n'avons pas écouté la voix de Yahvé notre Dieu.

4 [1] – Si tu reviens, Israël,
oracle de Yahvé,
si tu reviens à moi,
si tu ôtes de devant moi tes Horreurs,
si tu ne vagabondes plus,
[2]si tu jures par Yahvé vivant,
en vérité, droiture et justice,
alors les nations se béniront en lui,
en lui elles se glorifieront.

[3]Car ainsi parle Yahvé
aux gens de Juda et à Jérusalem :

Défrichez pour vous ce qui est
en friche,
ne semez rien parmi les épines.
⁴Circoncisez-vous pour Yahvé,
ôtez le prépuce de votre cœur,
gens de Juda et habitants de Jérusalem,
sinon ma colère jaillira comme
un feu,
elle brûlera sans personne pour
éteindre,
à cause de la méchanceté de vos
actions.

L'invasion venant du Nord.
1 13-15.

⁵Publiez-le dans Juda,
annoncez-le dans Jérusalem, dites-le !
Sonnez du cor dans le pays,
criez à pleine voix et dites :
Rassemblement !
Gagnons les villes fortifiées !
⁶Dressez un signal à Sion !
Fuyez ! Pas d'arrêt !
Car c'est un malheur que j'amène du Nord,
un immense désastre.
⁷Le lion est monté de son fourré,
le destructeur des nations s'est
mis en marche,
il est sorti de sa demeure
pour transformer ton pays en solitude ;
tes villes seront détruites et dépeuplées.
⁸Aussi, revêtez-vous de sacs,
lamentez-vous, poussez des hurlements,
car elle ne s'est pas écartée de
nous,
l'ardente colère de Yahvé.
⁹En ce jour-là – oracle de Yahvé –
le cœur manquera au roi,
il manquera aux chefs ;

les prêtres seront frappés de stupeur
et les prophètes d'effroi.
¹⁰Et je dis : « Ah ! Seigneur Yahvé,
tu as vraiment trompé ce peuple
et Jérusalem
quand tu disais : "Vous aurez la
paix",
alors que l'épée nous a frappés
à mort ! »
¹¹En ce temps-là on dira
à ce peuple et à Jérusalem :
le vent brûlant des hauteurs, au
désert,
arrive sur la fille de mon peuple.
– Ce n'est ni pour vanner ni pour
épurer !
¹²Un vent impétueux me vient de
là-bas.
Maintenant c'est moi qui vais
prononcer
sur eux le jugement !

¹³Voici qu'il s'avance comme les
nuées,
ses chars sont comme l'ouragan,
ses chevaux vont plus vite que
des aigles.
Malheur à nous ! Nous sommes
perdus !
¹⁴Purifie ton cœur du mal, Jérusalem,
afin d'être sauvée.
Jusques à quand abriteras-tu en
ton sein
tes coupables pensées ?
¹⁵Car une voix crie la nouvelle depuis Dan,
depuis la montagne d'Éphraïm
elle annonce la calamité.
¹⁶Faites savoir ceci aux nations,
proclamez-le contre Jérusalem :
les ennemis arrivent d'un lointain pays

et poussent leur cri contre les villes de Juda ;

¹⁷comme les gardiens d'un champ, ils l'entourent,

car elle s'est révoltée contre moi,

oracle de Yahvé.

¹⁸Ta conduite et tes actions t'ont valu cela :

Voilà ton malheur, comme il est amer !

comme il te frappe au cœur !

¹⁹Mes entrailles ! Mes entrailles ! Que je souffre !

Parois de mon cœur !

Mon cœur s'agite en moi !

Je ne puis me taire

car j'ai entendu l'appel du cor, le cri de guerre.

²⁰On annonce désastre sur désastre :

tout le pays est dévasté,

d'un coup mes tentes sont détruites,

mes abris, en un clin d'œil.

²¹Jusques à quand verrai-je le signal,

entendrai-je l'appel du cor ?

²²– C'est que mon peuple est stupide,

ils ne me connaissent pas,

ce sont des enfants sans réflexion,

ils n'ont pas d'intelligence ;

ils sont sages pour faire le mal,

mais ne savent pas faire le bien.

²³J'ai regardé la terre : un chaos ;

les cieux : leur lumière a disparu.

²⁴J'ai regardé les montagnes : elles tremblent,

toutes les collines sont secouées.

²⁵J'ai regardé : plus d'hommes ;

tous les oiseaux du ciel ont fui.

²⁶J'ai regardé : le verger est un désert,

toutes ses villes sont détruites devant Yahvé,

devant l'ardeur de sa colère.

²⁷Oui, ainsi parle Yahvé :

Tout le pays sera désolé,

mais je ne l'exterminerai pas totalement.

²⁸À cause de cela, la terre sera en deuil

et le ciel, là-haut, s'assombrira !

Car j'ai parlé, j'ai décidé,

je ne m'en repentirai ni n'en reviendrai.

²⁹Devant la clameur du cavalier et de l'archer,

toute la ville est en fuite :

on s'enfonce dans les taillis,

on escalade les rochers ;

toute ville est abandonnée,

plus personne n'y habite.

³⁰Et toi, la dévastée, que vas-tu faire ?

Même si tu t'habilles de pourpre,

te pares de joyaux d'or

et t'agrandis les yeux à force de fard,

c'est en vain que tu te fais belle !

Ceux qui étaient épris de toi te dédaignent,

ils en veulent à ta vie.

³¹Oui, j'entends les cris comme d'une femme en travail,

c'est comme l'angoisse de celle qui accouche ;

ce sont les cris de la fille de Sion qui s'essouffle et qui tend les mains :

« Malheur à moi, je succombe sous les coups des meurtriers ! »

Les raisons de l'invasion.

5 ¹Parcourez les rues de Jérusalem,
regardez donc, renseignez-vous,
cherchez sur ses places
si vous découvrez un homme,
un qui pratique le droit,
qui recherche la vérité :
alors je pardonnerai à cette ville,
²Mais s'ils disent : « Par Yahvé
vivant »,
c'est pour un mensonge qu'ils
jurent.
³N'est-ce pas la vérité que tes
yeux veulent voir, Yahvé ?
Tu les as frappés : ils n'ont rien
senti.
Tu les as exterminés : ils ont refusé la leçon.
Ils ont rendu leur visage plus dur
que le roc,
ils ont refusé de se convertir.
⁴Je me disais : « Ce ne sont que
de pauvres gens,
ils agissent follement
parce qu'ils ne connaissent pas
la voie de Yahvé
ni le droit de leur Dieu.
⁵J'irai donc vers les grands
et je leur parlerai,
car ils connaissent, eux, la voie
de Yahvé
et le droit de leur Dieu ! »
Or eux aussi ont brisé le joug,
rompu les liens !
⁶Voilà pourquoi le lion de la forêt les attaque,
le loup des steppes les dévaste,
la panthère est aux aguets devant
leurs villes :
quiconque en sort est mis en pièces.
C'est que leurs crimes sont nombreux,
multiples leurs rébellions.

⁷Pourquoi te pardonnerais-je ?
Tes fils m'ont abandonné,
jurant par des dieux qui n'en
sont pas.
Je les rassasiais et ils devenaient
adultères ;
ils se précipitaient à la maison
de la prostituée.
⁸Ce sont des chevaux repus et va-
gabonds,
chacun hennit après la femme du
voisin.
⁹Et je ne châtierais pas ces actions
– oracle de Yahvé –,
d'une nation comme celle-là
je ne tirerais pas vengeance ?
¹⁰Escaladez ses terrasses ! Détruisez !
Mais ne l'exterminez pas complètement !
Arrachez ses sarments,
car ils n'appartiennent pas à
Yahvé !
¹¹Oui, elles m'ont vraiment trahi,
la maison d'Israël et la maison
de Juda,
oracle de Yahvé.
¹²Ils ont renié Yahvé,
ils ont dit : « Il n'est pas !
Aucun malheur ne nous atteindra,
nous ne verrons ni épée ni famine !
¹³Quant aux prophètes, ils ne sont
que du vent
et la parole n'est pas en eux ;
que leur arrive tout cela ! »
¹⁴C'est pourquoi, ainsi parle
Yahvé,
le Dieu Sabaot :
Puisque vous avez parlé ainsi,
moi je ferai de mes paroles
un feu dans ta bouche,
et de ce peuple du bois
que ce feu dévorera.

¹⁵Moi, j'amènerai sur vous
de très loin une nation,
maison d'Israël – oracle de Yahvé.
C'est une nation durable,
c'est une nation très ancienne,
une nation dont tu ne sais pas la langue
et ne comprends pas ce qu'elle dit.
¹⁶Son carquois est un sépulcre béant ;
c'est une nation de héros.
¹⁷Elle dévorera ta moisson et ton pain,
elle dévorera tes fils et tes filles,
elle dévorera ton petit et ton gros bétail,
elle dévorera ta vigne et ton figuier ;
par l'épée, elle viendra à bout de ces villes fortes
en lesquelles tu mets ta confiance.

La pédagogie du châtiment.

¹⁸Pourtant, même en ces jours-là – oracle de Yahvé – je ne vous exterminerai pas complètement. ¹⁹Et quand vous demanderez : « Pourquoi Yahvé, notre Dieu, nous a-t-il fait tout cela ? » tu leur répondras : « De même que vous m'avez abandonné pour servir en votre pays des dieux étrangers, de même vous servirez des étrangers en un pays qui n'est pas le vôtre. »

Le peuple méconnaît l'œuvre de Dieu. 8 18-23 ; 14.

²⁰Faites cette annonce dans la maison de Jacob,
proclamez-la dans Juda en ces termes :
²¹Écoutez donc ceci,
peuple stupide et sans cervelle !
Avec leurs yeux ils ne voient rien,
avec leurs oreilles ils n'entendent rien.
²²Moi, ne me craindrez-vous pas ?
– oracle de Yahvé –
ne tremblerez-vous pas devant moi
qui ai posé le sable pour limite à la mer,
barrière éternelle qu'elle ne franchira point :
ses flots s'agitent, mais sont impuissants,
ils mugissent, mais ne la franchissent pas.
²³Mais ce peuple possède
un cœur dévoyé et rebelle ;
ils se sont dévoyés et ils s'en sont allés !
²⁴Ils n'ont pas dit en leur cœur :
« Craignons donc Yahvé notre Dieu,
qui donne la pluie, celle de l'automne
et celle du printemps, selon son temps,
et qui nous réserve
des semaines fixes pour la moisson. »
²⁵Vos fautes ont dérangé cet ordre,
vos péchés ont écarté de vous ces biens.

Reprise du thème.

²⁶Oui, il se trouve en mon peuple des malfaisants,
ils guettent comme un oiseleur à l'affût ;
ils posent des pièges
et ils attrapent des hommes.
²⁷Telle une cage pleine d'oiseaux,
ainsi leurs maisons sont-elles pleines de rapines ;
de la sorte ils sont devenus importants et riches,

²⁸ils sont gras, ils sont reluisants,
ils ont même passé la mesure du
mal :
les ne respectent pas le droit,
le droit des orphelins, pourtant
ils réussissent !
Ils n'ont pas rendu justice aux
indigents,
²⁹et je ne châtierais pas ces actions
– oracle de Yahvé –,
ou d'une nation comme celle-là
je ne tirerais pas vengeance ?
³⁰Des choses horribles, abominables,
se passent dans ce pays :
³¹les prophètes prophétisent le
mensonge,
les prêtres font du profit.
Et mon peuple aime cela !
Mais que ferez-vous quand viendra la fin ?

Encore l'invasion.

6 ¹Fuyez, gens de Benjamin,
du milieu de Jérusalem !
À Téqoa sonnez du cor !
Sur Bet-ha-Kérem dressez un signal !
Car du Nord survient un malheur,
un grand désastre.
²La belle, la délicate,
je la détruis, la fille de Sion !
³Vers elle arrivent des pasteurs
avec leurs troupeaux !
Tout autour d'elle ils ont dressé
des tentes,
chacun broute sa part.
⁴Préparez contre elle le saint
combat !
Debout ! Montons à l'assaut en
plein midi !
Malheur à nous ! déjà le jour décline,
les ombres du soir s'allongent.

⁵Debout ! Montons de nuit à l'assaut,
que nous détruisions ses palais !
⁶Car ainsi parle Yahvé Sabaot :
Abattez des arbres,
devant Jérusalem, construisez
une levée :
c'est la ville qui va recevoir ma
visite,
elle en qui il n'y a qu'oppression.
⁷Comme un puits qui fait sourdre
son eau,
ainsi fait-elle sourdre sa méchanceté.
Violence et dévastation, voilà ce
qu'on y entend ;
devant moi, constamment, maladies et blessures.
⁸Corrige-toi, Jérusalem,
sinon mon âme se détournera de
toi,
sinon je te réduirai en solitude,
en pays inhabité.
⁹Ainsi parle Yahvé Sabaot :
On va grappiller, grappiller
comme sur une vigne, ce qui reste
d'Israël ;
repasse la main, comme le vendangeur
sur les pampres !
¹⁰– À qui dois-je parler, devant
qui témoigner
pour qu'ils écoutent ?
Voici : leur oreille est incirconcise,
ils ne peuvent pas être attentifs.
Voici : la parole de Yahvé leur
est un objet de raillerie,
ils n'y ont plus goût.
¹¹Je suis rempli de la colère de
Yahvé,
je suis las de la contenir !
– Déverse-la donc sur l'enfant
dans la rue,

et aussi sur les réunions des jeunes gens.

Ils seront pris, le mari comme la femme

et le vieillard, l'homme plein de jours.

¹²Leurs maisons passeront à d'autres,

leurs champs et leurs femmes ensemble.

Oui, j'étendrai la main

sur les habitants de ce pays

– oracle de Yahvé !

¹³Car du plus petit au plus grand,

tous sont avides de rapine ;

prophète comme prêtre,

tous ils pratiquent le mensonge.

¹⁴Ils pansent à la légère la blessure de mon peuple

en disant : « Paix ! Paix ! »

alors qu'il n'y a point de paix.

¹⁵Les voilà dans la honte pour leurs actes abominables,

mais déjà ils ne sentent plus la honte,

ils ne savent même plus rougir.

Aussi tomberont-ils parmi ceux qui tombent,

ils trébucheront quand je les visiterai,

dit Yahvé.

¹⁶Ainsi parle Yahvé :

Arrêtez-vous sur les routes et voyez,

renseignez-vous sur les chemins de jadis :

quelle était la voie du bien ? Suivez-la

et vous trouverez le repos pour vos âmes.

Mais ils ont dit : « Nous ne la suivrons pas ! »

¹⁷Je vous ai installé des guetteurs :

« Attention au signal du cor ! »

Mais ils ont dit : « Nous n'y prêterons pas attention ! »

¹⁸Alors, nations, écoutez,

assemblée, connais ce qui va leur arriver !

¹⁹Terre, écoute !

Voici que j'amène un malheur sur ce peuple-là :

c'est le fruit de leurs pensées,

car ils n'ont pas fait attention à mes paroles

et ils ont méprisé ma loi.

²⁰Que m'importe l'encens importé de Sheba,

le roseau odorant qui vient d'un lointain pays ?

Vos holocaustes ne me plaisent pas,

vos sacrifices ne m'agréent pas.

²¹C'est pourquoi, ainsi parle Yahvé :

Voici, je vais dresser devant ce peuple

des obstacles où ils trébucheront.

Père et fils, tous ensemble,

voisin et ami, ils périront.

²²Ainsi parle Yahvé :

Voici qu'un peuple arrive du Nord,

une grande nation se lève des confins de la terre ;

²³ils tiennent fermement l'arc et le javelot,

ils sont barbares et impitoyables ;

leur bruit est comme le mugissement de la mer ;

ils montent des chevaux,

ils sont prêts à combattre comme un seul homme

contre toi, fille de Sion.

²⁴Nous avons appris la nouvelle,

nos mains ont défailli,

l'angoisse nous a pris,

une douleur comme pour celle qui enfante.

²⁵Ne sortez pas dans la campagne, ne vous risquez pas sur les routes, car l'ennemi porte l'épée : terreur de tous côtés !

²⁶Fille de mon peuple, revêts le sac, roule-toi dans la cendre, fais un deuil comme pour un fils unique, une lamentation amère, car soudain il arrive sur nous, le dévastateur.

²⁷Je t'ai établi comme celui qui éprouve mon peuple,

pour que tu connaisses et éprouves leur conduite.

²⁸Tous, ils sont totalement rebelles, semeurs de calomnies, durs comme bronze et fer, ce sont tous des destructeurs.

²⁹Le soufflet est haletant, pour que le plomb soit dévoré par le feu. Vainement le fondeur s'emploie à fondre, les scories ne se détachent point.

³⁰« Argent de rebut », voilà comme on les nomme ! Oui, Yahvé les a mis au rebut !

II. ORACLES PRONONCÉS SURTOUT AU TEMPS DE JOIAQIM

Le culte véritable.
a) L'attaque contre le Temple.
26 1-19.

7 ¹Parole qui fut adressée à Jérémie de la part de Yahvé en ces termes :

²Tiens-toi à la porte du Temple de Yahvé, proclames-y cette parole et dis : Écoutez la parole de Yahvé, vous tous les Judéens qui entrez par ces portes pour vous prosterner devant Yahvé. ³Ainsi parle Yahvé Sabaot, le Dieu d'Israël : Améliorez vos voies et vos œuvres et je vous ferai demeurer en ce lieu. ⁴Ne vous fiez pas aux paroles mensongères : « C'est le sanctuaire de Yahvé, le sanctuaire de Yahvé, le sanctuaire de Yahvé ! » ⁵Mais si vous améliorez réellement vos voies et vos œuvres, si vous avez un vrai souci du droit, chacun avec son prochain, ⁶si vous n'opprimez pas l'étranger,

l'orphelin et la veuve, si vous ne répandez pas le sang innocent en ce lieu et si vous n'allez pas, pour votre malheur, à la suite d'autres dieux, ⁷alors je vous ferai demeurer en ce lieu, dans le pays que j'ai donné à vos pères depuis toujours et pour toujours. ⁸Mais voici que vous vous fiez à des paroles mensongères, à ce qui est vain. ⁹Quoi ! Voler, tuer, commettre l'adultère, se parjurer, encenser Baal, suivre des dieux étrangers que vous ne connaissez pas, ¹⁰puis venir se présenter devant moi en ce Temple qui porte mon nom, et dire : « Nous voilà en sûreté ! » pour continuer toutes ces abominations ! ¹¹À vos yeux, est-ce un repaire de brigands, ce Temple qui porte mon nom ? Moi, en tout cas, je vois clair, oracle de Yahvé !

¹²Allez donc au lieu qui fut le mien, à Silo : autrefois j'y fis ha-

biter mon Nom ; regardez ce que j'en ai fait, à cause de la perversité de mon peuple Israël. ¹³Et maintenant, puisque vous avez commis tous ces actes – oracle de Yahvé –, puisque vous n'avez pas écouté quand je vous parlais instamment et sans me lasser, et que vous n'avez pas répondu à mes appels, ¹⁴je vais traiter ce Temple qui porte mon nom, et dans lequel vous placez votre confiance, ce lieu que j'ai donné à vous et à vos pères, comme j'ai traité Silo. ¹⁵Je vous rejetterai de devant moi comme j'ai rejeté tous vos frères, toute la race d'Éphraïm.

b) Les dieux étrangers.

¹⁶Et toi, n'intercède pas pour ce peuple-là, n'élève en leur faveur ni plainte ni prière, n'insiste pas auprès de moi, car je ne veux pas t'écouter. ¹⁷Tu ne vois donc pas ce qu'ils font dans les villes de Juda et dans les rues de Jérusalem ? ¹⁸Les fils ramassent le bois, les pères allument le feu, les femmes pétrissent la pâte pour faire des gâteaux à la Reine du Ciel ; et puis on verse des libations à des dieux étrangers pour me blesser. ¹⁹Est-ce bien moi qu'ils blessent – oracle de Yahvé –, n'est-ce pas plutôt eux-mêmes pour leur propre honte ? ²⁰C'est pourquoi, ainsi parle le Seigneur Yahvé : Voici, ma colère, ma fureur va se déverser sur ce lieu, sur les hommes et le bétail, sur les arbres de la campagne et les fruits du sol ; elle va brûler sans s'éteindre.

c) Le culte sans la fidélité. 11 1-14.

²¹Ainsi parle Yahvé Sabaot, le Dieu d'Israël : Ajoutez vos holo-

caustes à vos sacrifices et mangez-en la chair ! ²²Car je n'ai rien dit ni prescrit à vos pères, quand je les fis sortir du pays d'Égypte, concernant l'holocauste et le sacrifice. ²³Mais voici ce que je leur ai ordonné : Écoutez ma voix, alors je serai votre Dieu et vous serez mon peuple. Suivez en tout la voie que je vous prescris pour votre bonheur. ²⁴Mais ils n'ont pas écouté ni prêté l'oreille ; ils ont marché selon leurs desseins, dans l'obstination de leur cœur mauvais, tournés vers l'arrière et non vers l'avant. ²⁵Depuis le jour où vos pères sont sortis du pays d'Égypte jusqu'à aujourd'hui, je vous ai envoyé tous mes serviteurs, les prophètes ; chaque jour je les ai envoyés, sans me lasser. ²⁶Mais ils ne m'ont pas écouté, ils n'ont pas prêté l'oreille, ils ont raidi leur nuque, ils ont été pires que leurs pères. ²⁷Tu leur diras toutes ces paroles : ils ne t'écouteront pas. Tu les appelleras : ils ne te répondront pas. ²⁸Tu leur diras : Voilà la nation qui n'écoute pas la voix de Yahvé son Dieu et ne se laisse pas instruire. La fidélité n'est plus : elle a disparu de leur bouche.

d) À nouveau le culte illégitime ; menace d'exil. 19 1-13.

²⁹Coupe tes longs cheveux, jette-les.

Entonne sur les monts chauves une complainte.

Car Yahvé a dédaigné et repoussé la génération qui le met en fureur !

³⁰Oui, les fils de Juda ont fait ce qui me déplaît – oracle de Yahvé. Ils ont installé leurs Horreurs dans le Temple qui porte mon nom, pour

le souiller ; [31]ils ont construit les hauts lieux de Tophèt dans la vallée de Ben-Hinnom, pour brûler leurs fils et leurs filles, ce que je n'avais point ordonné, à quoi je n'avais jamais songé. [32]Aussi voici venir des jours – oracle de Yahvé – où l'on ne dira plus Tophèt ni vallée de Ben-Hinnom, mais vallée du Carnage. On enterrera alors à Tophèt, faute de place ; [33]les cadavres de ce peuple serviront de pâture aux oiseaux du ciel et aux bêtes de la terre, que nul ne chassera. [34]Je ferai cesser dans les villes de Juda et dans les rues de Jérusalem les cris de joie et les cris d'allégresse, les appels du fiancé et de la fiancée, car le pays ne sera plus qu'une ruine.

8 [1]En ce temps-là – oracle de Yahvé – on tirera de leurs tombes les ossements des rois de Juda, les ossements de ses princes, les ossements des prêtres, les ossements des prophètes et les ossements des habitants de Jérusalem. [2]On les étalera devant le soleil, la lune et toute l'armée du ciel, qu'ils ont aimés et servis, suivis et consultés, devant lesquels ils se sont prosternés. Ils ne seront ni recueillis ni enterrés ; ils resteront sur le sol en guise de fumier. [3]Et la mort vaudra mieux que la vie pour tous ceux qui resteront de cette race perverse, en tous lieux où je les aurai chassés, oracle de Yahvé Sabaot.

Menaces, lamentations, instructions. Égarement d'Israël.

[4]Tu leur diras : Ainsi parle Yahvé.
Fait-on une chute sans se relever ?
Se détourne-t-on sans retour ?
[5]Pourquoi ce peuple-là est-il rebelle,

pourquoi Jérusalem est-elle continuellement rebelle ?
Ils tiennent fermement à la tromperie,
ils refusent de se convertir.
[6]J'ai écouté attentivement :
ils ne parlent pas dans ce sens-là.
Nul ne déplore sa méchanceté
en disant : « Qu'ai-je fait ? »
Tous retournent à leur course,
tel un cheval qui fonce au combat.
[7]Même la cigogne dans le ciel
connaît sa saison,
la tourterelle, l'hirondelle et le martinet
observent le temps de leur migration.
Mais mon peuple ne connaît pas
le droit de Yahvé !

La Loi aux mains des prêtres.

[8]Comment pouvez-vous dire :
« Nous sommes sages
et la Loi de Yahvé est avec nous ! »
Vraiment c'est en mensonge que l'a changée
le calame mensonger des scribes !
[9]Les sages seront honteux,
consternés et pris au piège.
Voilà qu'ils ont méprisé la parole de Yahvé !
Qu'est donc la sagesse pour eux ?

Reprise d'un fragment menaçant. = 6 12-15.

[10]Aussi donnerai-je leurs femmes à d'autres,
leurs champs à de nouveaux maîtres.
Car du plus petit au plus grand,
tous sont avides de rapines ;
prophète comme prêtre,

tous ils pratiquent le mensonge.
¹¹Ils pansent à la légère
  la blessure de la fille de mon peuple,
  en disant : « Paix ! Paix ! »
  alors qu'il n'y a point de paix.
¹²Les voilà dans la honte par leurs actes abominables,
  mais déjà ils ne sentent plus la honte,
  ils ne savent plus rougir.
  Aussi tomberont-ils parmi ceux qui tombent,
  ils trébucheront quand je les visiterai,
  dit Yahvé.

Menaces à la Vigne-Juda.

¹³Je vais les supprimer – oracle de Yahvé –,
  plus de raisins à la vigne,
  plus de figues au figuier,
  même le feuillage se flétrit :
  je leur ai fourni des gens qui les piétinent !
¹⁴– « Pourquoi restons-nous tranquilles ?
  Rassemblement !
  Gagnons nos villes fortifiées
  pour y être réduits au silence,
  puisque Yahvé notre Dieu nous réduit au silence
  et nous abreuve d'eau empoisonnée,
  parce que nous avons péché contre lui.
¹⁵Nous espérions la paix : rien de bon !
  le temps de la guérison : voici l'épouvante !
¹⁶Depuis Dan on perçoit
  le hennissement de ses chevaux ;
  au cri retentissant de ses étalons
  toute la terre est ébranlée :
  ils viennent dévorer le pays et ses biens,
  la ville et ses habitants. »
¹⁷– Oui, voici que j'envoie contre vous
  des serpents venimeux,
  contre lesquels il n'existe pas de charme,
  et ils vous mordront,
  oracle de Yahvé.

Lamentation du prophète pour une famine. 5 20-25 ; 14.

¹⁸Sans remède, la peine m'envahit,
  le cœur me manque.
¹⁹Voici l'appel au secours de la fille de mon peuple,
  depuis une terre aux vastes étendues.
  « Yahvé n'est donc plus en Sion ?
  Son Roi n'y est-il plus ?
  (Pourquoi m'ont-ils irrité par leurs idoles,
  par ces vanités venues de l'étranger ?)
²⁰La moisson est passée, l'été est fini,
  et nous ne sommes pas sauvés ! »
²¹De la blessure de la fille de mon peuple je suis blessé,
  je reste accablé, l'épouvante me tient.
²²N'y a-t-il plus de baume en Galaad ?
  N'y a-t-il là aucun médecin ?
  Oui, pourquoi ne fait-elle aucun progrès,
  la guérison de la fille de mon peuple ?
²³Qui changera ma tête en fontaine
  et mes yeux en source de larmes,
  que je pleure jour et nuit
  les tués de la fille de mon peuple !

Corruption morale de Juda.

9 ¹Qui me fournira au désert
un gîte de voyageurs,
que je puisse quitter mon peuple
et loin d'eux m'en aller ?
Car tous ils sont des adultères,
un ramassis de traîtres.
²Ils bandent leur langue comme
un arc ;
c'est le mensonge et non la vérité
qui prévaut en ce pays.
Oui, ils vont de crime en crime,
mais moi, ils ne me connaissent
pas,
oracle de Yahvé !
³Que chacun soit en garde contre
son ami,
méfiez-vous de tout frère ;
car tout frère ne pense qu'à sup-
planter,
tout ami répand la calomnie.
⁴Chacun dupe son ami,
ils ne disent pas la vérité,
ils ont habitué leur langue à
mentir,
ils se fatiguent à mal agir.
⁵Tu habites au milieu de la mauvaise foi !
C'est par mauvaise foi qu'ils refusent de me connaître,
oracle de Yahvé !
⁶C'est pourquoi, ainsi parle Yahvé Sabaot :
Voici, je vais les épurer et les
éprouver,
rien d'autre à faire pour la fille
de mon peuple !
⁷Leur langue est une flèche
meurtrière,
leurs paroles sont de mauvaise
foi ;
de bouche, on souhaite à son
prochain la paix,
mais de cœur on lui prépare un
piège.
⁸Et pour ces actions je ne les châtierais pas ?
– oracle de Yahvé.
D'une pareille nation
je ne tirerais pas vengeance ?

Tristesse à Sion.

⁹Sur les montagnes, j'élève
plaintes et lamentations,
sur les pacages du désert, une
complainte.
Car ils sont incendiés, nul n'y
passe,
on n'y entend plus les cris des
troupeaux.
Depuis les oiseaux du ciel jusqu'au bétail,
tout a fui, tout a disparu.
¹⁰– Je vais faire de Jérusalem un
tas de pierres,
un repaire de chacals ;
des villes de Juda une solitude
où nul n'habite.

¹¹Quel est le sage qui comprendra
ces événements ?
À qui la bouche de Yahvé a-t-
elle parlé pour qu'il l'annonce ?
Pourquoi le pays est-il perdu,
incendié comme le désert où nul
ne passe ?

¹²Yahvé dit : C'est qu'ils ont
abandonné ma Loi, que je leur
avais donnée ; ils n'ont pas écouté
ma voix, ils ne l'ont pas suivie ;
¹³mais ils ont suivi l'obstination
de leur cœur, ils ont suivi les
Baals que leur pères leur avaient
fait connaître. ¹⁴C'est pourquoi,
ainsi parle Yahvé Sabaot, le Dieu
d'Israël : Voici, je vais lui donner,
à ce peuple, de l'absinthe à manger et de l'eau empoisonnée à boire. ¹⁵Je les disperserai parmi les

nations inconnues d'eux comme
de leurs pères ; et j'enverrai l'épée
à leur poursuite, jusqu'à ce que je
les aie exterminés.

[16] Ainsi parle Yahvé Sabaot :

Pensez à appeler les pleureuses,
qu'elles viennent !

Envoyez chercher les plus habiles, qu'elles arrivent !

[17] Vite, qu'elles entonnent sur
nous une lamentation !

Que nos yeux versent des larmes,

que nos paupières laissent ruisseler de l'eau !

[18] Oui, une lamentation se fait entendre de Sion :

« Ah ! Nous sommes ruinés,
couverts de honte !

car il nous faut quitter le pays,
on a démoli nos demeures. »

[19] Femmes, écoutez donc la parole
de Yahvé,

que votre oreille reçoive sa parole ;

apprenez à vos filles cette lamentation,

enseignez-vous l'une à l'autre
cette complainte :

[20] « La mort a grimpé par nos fenêtres,

elle est entrée dans nos palais,

elle a fauché l'enfant dans la rue,

les jeunes gens sur les places.

[21] Parle ! Tel est l'oracle de Yahvé :

Les cadavres des hommes gisent

comme du fumier en plein
champ,

comme une gerbe derrière le
moissonneur,

et personne pour la ramasser ! »

La vraie sagesse.

[22] Ainsi parle Yahvé :

Que le sage ne se glorifie pas de
sa sagesse,

que le vaillant ne se glorifie pas
de sa vaillance,

que le riche ne se glorifie pas de
sa richesse !

[23] Mais qui veut se glorifier, qu'il
trouve sa gloire en ceci :

avoir de l'intelligence et me connaître,

car je suis Yahvé qui exerce la
bonté,

le droit et la justice sur la terre.

Oui, c'est en cela que je me
complais,

oracle de Yahvé !

La circoncision dans la chair, fausse garantie. 4 4.

[24] Voici venir des jours – oracle
de Yahvé – où je visiterai tout circoncis qui ne l'est que dans sa
chair : [25] l'Égypte, Juda, Édom, les
fils d'Ammon, Moab et tous les
hommes aux tempes rasées qui habitent dans le désert. Car toutes ces
nations-là, et aussi toute la maison
d'Israël, ont le cœur incirconcis !

Idoles et vrai Dieu. Is 40 20. Ps 115 4-8.

10 [1] Écoutez la parole que Yahvé vous adresse, maison
d'Israël !

[2] Ainsi parle Yahvé :

N'apprenez pas la voie des nations,

ne soyez pas terrifiés par les signes du ciel,

même si les nations en éprouvent la terreur.

[3] Oui, les coutumes des peuples
ne sont que vanité ;

ce n'est que du bois coupé dans
une forêt,
  travaillé par le sculpteur, ciseau
en main,
[4]puis enjolivé d'argent et d'or.
  Avec des clous, à coups de marteau, on le fixe,
  pour qu'il ne bouge pas.
[5]Comme un épouvantail dans un
champ de concombres, ils ne parlent pas ;
  il faut les porter, car ils ne marchent pas !
  N'en ayez pas peur : ils ne peuvent faire de mal,
  et de bien, pas davantage.

[6]Nul n'est comme toi, Yahvé,
  tu es grand,
ton Nom est grand dans sa puissance.
[7]Qui ne te craindrait, roi des nations ?
  C'est bien cela qui te convient !
  Car parmi tous les sages des nations
  et dans tous leurs royaumes,
  nul n'est comme toi.

[8]Tous tant qu'ils sont, ils sont bêtes, stupides :
  l'instruction que donnent les Vanités, c'est du bois !
[9]C'est de l'argent en feuilles, importé de Tarsis,
  c'est de l'or d'Ophir,
  une œuvre de sculpteur ou d'orfèvre ;
  on les revêt de pourpre violette
et écarlate,
  ce sont tous œuvre d'artisan.
[10]Mais Yahvé est le Dieu véritable,
  il est le Dieu vivant et le Roi
éternel.
  Quand il s'irrite, la terre tremble,

les nations ne peuvent soutenir
sa colère.
[11](Voici ce que vous direz
d'eux : « Les dieux qui n'ont pas
fait le ciel et la terre seront exterminés de la terre et de dessous le
ciel. »)
[12]Il a fait la terre par sa puissance,
  établi le monde par sa sagesse
  et par son intelligence étendu les
cieux.
[13]Quand il donne de la voix,
  c'est un mugissement d'eaux
dans le ciel ;
  il fait monter les nuages du bout
de la terre,
  il produit les éclairs pour l'averse
  et tire le vent de ses réservoirs.
[14]Alors tout homme se tient stupide, sans comprendre,
  chaque orfèvre rougit de ses idoles ;
  ce qu'il a coulé n'est que mensonge,
  en elles, pas de souffle !
[15]Elles sont vanité, œuvre ridicule ;
  au temps de leur châtiment, elles
disparaîtront.
[16]La Part de Jacob n'est pas comme elles,
  car il a façonné l'univers
  et Israël est la tribu de son héritage.
  Son nom est Yahvé Sabaot.

Panique dans le pays !

[17]Ramasse à terre ton bagage,
  toi l'assiégée !
[18]Car ainsi parle Yahvé :
  Voici, je vais lancer au loin
  les habitants du pays,
  cette fois-ci,
  et les mettre dans l'angoisse
  pour qu'ils me trouvent.
[19]– « Malheur à moi ! Quelle blessure !

ma plaie est inguérissable.
Et moi qui disais :
Ce n'est que cela ma souffrance ? Je la supporterai !
²⁰Or ma tente est détruite,
toutes mes cordes sont coupées.
Mes fils m'ont quitté : ils ne sont plus ;
plus personne pour remonter ma tente,
pour tendre mes toiles. »
²¹– C'est que les pasteurs furent stupides :
ils n'ont pas cherché Yahvé.
Aussi n'ont-ils point réussi
et tout le troupeau a été dispersé.
²²Un bruit se fait entendre ! Le voici !
Un grand vacarme vient du pays du Nord
pour réduire les villes de Juda
en solitude, en repaire de chacals.

²³Je le sais, Yahvé,
la voie des humains n'est pas en leur pouvoir,
et il n'est pas donné à l'homme qui marche
de diriger ses pas !
²⁴Corrige-moi, Yahvé, mais dans une juste mesure,
sans t'irriter, pour ne pas trop me réduire.

²⁵Déverse ta fureur sur les nations
qui ne te connaissent pas,
et sur les familles
qui n'invoquent pas ton nom.
Car elles ont dévoré Jacob,
elles l'ont dévoré et achevé,
elles ont dévasté son domaine.

Jérémie et les paroles de l'Alliance. 7 21-28.

11 ¹Parole qui fut adressée à Jérémie de la part de Yahvé :
²Écoutez les paroles de cette alliance ; vous les direz aux hommes de Juda et aux habitants de Jérusalem. ³Tu leur diras : Ainsi parle Yahvé, le Dieu d'Israël. Maudit soit l'homme qui n'écoute pas les paroles de cette alliance ⁴que j'ai prescrite à vos pères, le jour où je les fis sortir du pays d'Égypte, de cette fournaise pour le fer. Je leur dis : Écoutez ma voix et conformez-vous à tout ce que je vous ordonne ; alors vous serez mon peuple et moi je serai votre Dieu, ⁵pour accomplir le serment que j'ai fait à vos pères, de leur donner une terre qui ruisselle de lait et de miel, comme c'est le cas aujourd'hui même. Et je répondis : Amen, Yahvé ! ⁶Et Yahvé me dit : Dans les villes de Juda et les rues de Jérusalem, proclame toutes ces paroles en disant : Écoutez les paroles de cette alliance et observez-les. ⁷Car j'ai instamment averti vos pères, quand je les fis monter du pays d'Égypte, et jusqu'aujourd'hui même, sans me lasser je les ai avertis en disant : Écoutez ma voix ! ⁸Or on n'a pas écouté ni prêté l'oreille ; chacun a suivi l'obstination de son cœur mauvais. Alors j'ai accompli contre eux toutes les paroles de cette alliance, que je leur avais ordonné d'observer et qu'ils n'ont pas observées.

⁹Yahvé me dit : On s'est vraiment donné le mot chez les gens de Juda et chez les habitants de Jérusalem ! ¹⁰Ils sont retournés aux fautes de leurs pères qui refusèrent d'écouter mes paroles : les voilà, eux aussi, à la suite d'autres dieux pour les servir. La maison d'Israël et la maison de Juda ont rompu mon alliance que j'avais conclue avec leurs pères. ¹¹C'est pourquoi,

ainsi parle Yahvé : Voici, je vais leur amener un malheur auquel ils ne pourront échapper ; ils crieront vers moi et je ne les écouterai pas. [12]Alors les villes de Juda et les habitants de Jérusalem iront crier vers les dieux qu'ils encensent, mais ces dieux ne pourront absolument pas les sauver au temps de leur malheur !

[13]Car aussi nombreux que tes villes,

sont tes dieux, ô Juda !

Et autant Jérusalem a de rues,

autant vous avez érigé d'autels pour la Honte,

des autels qui fument pour Baal !

[14]Quant à toi, n'intercède pas pour ce peuple-là, n'élève en leur faveur ni plainte ni prière. Car je ne veux pas écouter, quand ils crieront vers moi à cause de leur malheur !

Reproche aux habitués du Temple. 7 1-15, 21-28.

[15]Que vient faire en ma Maison ma bien-aimée ?

Elle a accompli ses mauvais desseins.

Est-ce que les vœux et la viande sacrée

te débarrasseront de ton mal,

pour que tu puisses exulter ?

[16]« Olivier verdoyant orné de fruits superbes »,

ainsi Yahvé t'avait nommée.

Avec un bruit fracassant

il y a mis le feu,

ses rameaux sont atteints.

[17]Et Yahvé Sabaot qui t'avait plantée a décrété contre toi le malheur à cause du mal que se sont fait la maison d'Israël et la mai-son de Juda en m'irritant, en encensant Baal.

Jérémie persécuté à Anatot. 15 10. 2 R 23.

[18]Yahvé me l'a fait savoir et je l'ai su ; tu m'as alors montré leurs agissements.

[19]Et moi, comme un agneau confiant qu'on mène à l'abattoir, j'ignorais qu'ils tramaient contre moi des machinations : « Détruisons l'arbre dans sa vigueur, arrachons-le de la terre des vivants, qu'on ne se souvienne plus de son nom ! »

[20]Yahvé Sabaot, qui juges avec justice,

qui scrutes les reins et les cœurs,

je verrai ta vengeance contre eux,

car c'est à toi que j'ai exposé ma cause.

[21]C'est pourquoi, ainsi parle Yahvé Sabaot contre les gens d'Anatot qui en veulent à ma vie et qui me disent : « Tu ne prophétiseras pas au nom de Yahvé, sinon tu mourras de notre main ! » — [22]c'est pourquoi, ainsi parle Yahvé : Voici que je vais les visiter. Leurs jeunes gens mourront par l'épée, leurs fils et leurs filles par la famine. [23]Il n'en restera aucun quand j'amènerai le malheur sur les gens d'Anatot, l'année de leur châtiment.

Le bonheur des méchants. Jb 21. Ps 49 ; 73.

12 [1]Tu es trop juste, Yahvé, pour que j'entre en contestation avec toi.

Cependant je parlerai avec toi de questions de droit :

Pourquoi la voie des méchants
est-elle prospère ?

Pourquoi tous les traîtres sont-
ils en paix ?

²Tu les plantes, ils s'enracinent,
ils vont bien, ils portent du fruit.
Tu es près de leur bouche,
mais loin de leurs reins.

³Mais toi, Yahvé, tu me connais,
tu me vois,
tu éprouves mon cœur qui est
avec toi.

Enlève-les comme des brebis
pour l'abattoir,
consacre-les pour le jour du
massacre.

⁴(Jusques à quand le pays sera-
t-il en deuil et l'herbe de toute la
campagne desséchée ? C'est par
la perversité de ses habitants que
périssent bêtes et oiseaux.)

Car ils disent :
il ne voit pas notre destinée.

⁵– Si la course avec des piétons
t'épuise,
comment lutteras-tu avec des
chevaux ?
Dans un pays en paix tu te sens
en sécurité,
mais que feras-tu dans les halliers du Jourdain ?

⁶Car même tes frères et la maison de ton père, même eux te tra-
hiront ! Même eux crieront après
toi à pleine voix. N'aie pas confiance en eux quand ils te diront
de bonnes paroles !

**Plaintes de Yahvé sur son héri-
tage envahi.**

⁷J'ai abandonné ma maison,
quitté mon héritage ;
ce que je chérissais, je l'ai livré
aux mains de ses ennemis.

⁸Mon héritage s'est comporté envers moi
comme un lion de la brousse,
il a poussé contre moi ses rugissements,
aussi l'ai-je pris en aversion.

⁹Mon héritage serait-il un rapace
bigarré,
que les rapaces l'encerclent de
toutes parts ?
Allez ! Rassemblez toutes les
bêtes sauvages,
faites-les venir à la curée !

¹⁰Des pasteurs en grand nombre
ont saccagé ma vigne,
piétiné mon domaine,
réduit mon domaine préféré
en solitude désertique.

¹¹Ils en ont fait une région désolée,
en deuil, désolée devant moi.
Tout le pays est désolé
et personne ne prend cela à
cœur !

¹²Sur tous les monts chauves du
désert
sont arrivés des dévastateurs
(car Yahvé tient une épée dévorante) :
d'un bout du pays jusqu'à l'autre
il n'y a de paix pour aucune
chair.

¹³Ils ont semé du blé, ils moissonnent des épines :
ils se sont épuisés sans profit.
Ils ont honte de leurs récoltes,
à cause de l'ardente colère de
Yahvé.

**Jugement et salut des peuples
voisins.**

¹⁴Ainsi parle Yahvé : C'est au
sujet de tous mes mauvais voisins,
qui ont touché à l'héritage que
j'avais donné à mon peuple Israël ;
voici, je vais les arracher de leur

sol. (Mais la maison de Juda, je l'arracherai du milieu d'eux.) [15]Mais, après les avoir arrachés, à nouveau j'en aurai pitié et je les ramènerai chacun en son héritage, chacun en son pays. [16]Et s'ils apprennent avec soin les voies de mon peuple, de façon à jurer par mon nom : « Par Yahvé vivant », comme ils ont appris à mon peuple à jurer par Baal, alors ils seront établis au milieu de mon peuple. [17]Mais s'ils ne veulent pas écouter, j'arracherai une telle nation et je l'exterminerai, oracle de Yahvé.

La ceinture bonne à rien.

13 [1]Ainsi me parla Yahvé : « Va t'acheter une ceinture de lin et mets-la sur tes reins. Mais ne la trempe pas dans l'eau. » [2]J'achetai une ceinture, selon l'ordre de Yahvé, et je la mis sur mes reins. [3]Une deuxième fois, la parole de Yahvé me fut adressée : [4]« Prends la ceinture que tu as achetée et que tu portes sur les reins. Lève-toi, va à l'Euphrate et cache-la dans la fente d'un rocher. » [5]J'allai donc la cacher vers l'Euphrate comme Yahvé me l'avait ordonné. [6]Bien des jours s'étaient écoulés, quand Yahvé me dit : « Lève-toi, va à l'Euphrate et reprends-y la ceinture que je t'avais ordonné d'y cacher. » [7]J'allai à l'Euphrate, je cherchai et je retirai la ceinture du lieu où je l'avais cachée. Et voici qu'elle était détruite, inutilisable. [8]Alors la parole de Yahvé me fut adressée en ces termes : [9]« Ainsi parle Yahvé. C'est ainsi que je détruirai l'orgueil de Juda, l'immense orgueil de Jérusalem. [10]Ce peuple mauvais, ces gens qui refusent

d'écouter mes paroles, qui suivent l'obstination de leur cœur et courent après d'autres dieux pour les servir et se prosterner devant eux – ce peuple deviendra comme cette ceinture, inutilisable. [11]Car, de même qu'une ceinture s'attache aux reins d'un homme, ainsi m'étais-je attaché toute la maison d'Israël, toute la maison de Juda – oracle de Yahvé –, pour qu'elles soient mon peuple, mon renom, mon honneur et ma splendeur. Mais elles n'ont pas écouté. »

Les cruches de vin entrecho-quées.

[12]Tu leur diras aussi cette parole : Ainsi parle Yahvé, le Dieu d'Israël. « Toute cruche peut se remplir de vin ! » Et s'ils te répondent : « Ne savons-nous pas que toute cruche peut se remplir de vin ? » [13]Tu leur diras : « Ainsi parle Yahvé. Voici que je vais remplir d'ivresse tous les habitants de ce pays, les rois qui occupent le trône de David, les prêtres et les prophètes, et tous les habitants de Jérusalem. [14]Puis je les casserai l'un contre l'autre, pères et fils pêle-mêle – oracle de Yahvé. Sans pitié, sans merci, sans m'attendrir, je les détruirai. »

Perspectives d'exil.

[15]Écoutez, tendez l'oreille, plus d'orgueil :
    c'est Yahvé qui parle ! [16]Rendez gloire à Yahvé votre Dieu,
    avant que ne viennent les ténèbres,
    avant que vos pieds ne se heurtent
    aux montagnes de la nuit.

Vous comptez sur la lumière,
mais il la réduira en obscurité,
il la changera en ombre épaisse.
[17]Si vous n'écoutez pas cet avertissement,
je pleurerai en secret pour votre orgueil ;
mes yeux laisseront couler des larmes, ils verseront des larmes,
car le troupeau de Yahvé part en captivité.

Menaces à Joiakîn.

[18]Dis au roi et à la reine mère :
Asseyez-vous bien bas,
car elle est tombée de votre tête,
votre couronne de splendeur.
[19]Les villes du Négeb sont bloquées :
personne n'y donne accès !
Tout Juda est déporté,
déporté tout entier.

Admonestation à Jérusalem inconvertissable.

[20]Lève les yeux et regarde
ceux qui arrivent du Nord.
Où est-il le troupeau qui te fut confié,
les brebis qui faisaient ta splendeur ?
[21]Que diras-tu quand ils viendront te châtier,
toi qui les avais formés ?
Contre toi, en tête, viendront les familiers ;
alors les douleurs ne vont-elles pas te saisir
comme une femme en travail ?
[22]Et si tu dis en ton cœur :
Pourquoi de tels malheurs m'arrivent-ils ?
C'est pour l'immensité de ta faute qu'on t'a relevé les robes,
qu'on t'a violentée.

[23]Un Éthiopien peut-il changer de peau ?
une panthère de pelage ?
Et vous, pouvez-vous bien agir,
vous les habitués du mal ?
[24]Je vous disperserai donc comme paille légère
au souffle du désert.
[25]Tel est ton lot, la part qui t'est allouée.
Cela vient de moi – oracle de Yahvé –,
puisque c'est moi que tu as oublié
en te confiant au Mensonge.
[26]Moi-même je remonte tes robes jusqu'à ton visage,
pour qu'on voie ton ignominie.
[27]Oh ! Tes adultères et tes cris de plaisir,
ta honteuse prostitution !
Sur les collines et dans la campagne
j'ai vu tes Horreurs.
Malheur à toi, Jérusalem, qui restes impure !
Combien de temps encore ?

La grande sécheresse. 5 20-25 ; 8 18-23.

14 [1]Parole de Yahvé qui fut adressée à Jérémie à l'occasion de la sécheresse.
[2]Juda est dans le deuil
et ses villes languissent :
elles s'abîment vers la terre,
le cri de Jérusalem s'élève.
[3]Les riches envoient les petites gens chercher de l'eau :
ils arrivent aux citernes,
ils ne trouvent point d'eau,
ils reviennent avec leurs cruches vides.
Ils sont honteux et humiliés et se voilent la tête.
[4]Parce que le sol est tout crevassé,

car la pluie manque au pays,
les laboureurs, honteux, se voilent la tête.
⁵Même la biche, dans la campagne,
a mis bas et abandonné son petit,
tant l'herbe fait défaut ;
⁶les onagres, dressés sur les hauteurs,
hument l'air comme des chacals :
leurs yeux s'obscurcissent
faute de verdure.

⁷Si nos fautes parlent contre nous,
agis, Yahvé, pour l'honneur de ton Nom !
Oui, nombreuses furent nos rébellions,
nous avons péché contre toi.
⁸Espoir d'Israël, Yahvé,
son Sauveur en temps de détresse,
pourquoi es-tu comme un étranger en ce pays,
comme un voyageur qui fait un détour pour la nuit ?
⁹Pourquoi ressembles-tu à un homme hébété,
à un guerrier incapable de sauver ?
Pourtant tu es au milieu de nous, Yahvé,
et nous sommes appelés par ton nom.
Ne nous délaisse pas !

¹⁰Ainsi parle Yahvé au sujet de ce peuple : Ils aiment courir en tous sens, ils n'épargnent point leurs jambes ! Mais Yahvé ne les agrée pas ; maintenant il va se souvenir de leur faute et châtier leur péché.

¹¹Et Yahvé me dit : « N'intercède pas en faveur de ce peuple, pour son bonheur. ¹²Même s'ils jeûnent, je n'écouterai pas leur supplication ; même s'ils présentent holocaustes et oblations, je ne les agréerai pas, mais par l'épée, la famine et la peste je veux les exterminer. »

¹³Et je répondis : « Ah ! Seigneur Yahvé ! Voici que les prophètes leur disent : Vous ne verrez pas l'épée, la famine ne vous atteindra pas ; mais je vous octroierai une paix véritable en ce lieu. »

¹⁴Alors Yahvé me dit : « C'est le mensonge que ces prophètes prophétisent en mon nom ; je ne les ai pas envoyés, je ne leur ai rien ordonné, je ne leur ai point parlé. Visions de mensonge, divinations creuses, rêveries de leur cœur, voilà ce qu'ils vous prophétisent. ¹⁵C'est pourquoi, ainsi parle Yahvé :

Ces prophètes qui prophétisent en mon nom, alors que je ne les ai pas envoyés, et qui racontent qu'il n'y aura en ce pays ni épée ni famine, eh bien ! c'est par épée et famine qu'ils disparaîtront, ces prophètes-là ! ¹⁶Quant aux gens à qui ils prophétisent, ils seront jetés dans les rues de Jérusalem, victimes de la famine et de l'épée ; il n'y aura personne pour les enterrer, ni eux, ni leurs femmes, ni leurs fils, ni leurs filles. Je verserai sur eux leur méchanceté ! »

¹⁷Tu leur diras cette parole :
Que mes yeux versent des larmes,
jour et nuit sans tarir,
car d'une grande blessure est blessée la vierge fille de mon peuple,
d'une plaie très grave.
¹⁸Si je sors dans la campagne,
voici des victimes de l'épée ;
si je rentre dans la ville,
voici des torturés par la faim ;

tant le prophète que le prêtre
sillonnent le pays : ils ne comprennent plus !

19– As-tu pour de bon rejeté Juda ?

Ou es-tu dégoûté de Sion ?

Pourquoi nous avoir frappés
sans aucune guérison ?

Nous attendions la paix : rien de
bon !

Le temps de la guérison : voici
l'épouvante !

20Nous connaissons, Yahvé, notre
impiété,

la faute de nos pères :

oui, nous avons péché contre toi.

21Pour l'honneur de ton Nom, cesse de rejeter.

Ne déshonore point le trône de
ta gloire.

Souviens-toi, ne romps pas ton
alliance avec nous.

22Parmi les Vanités des païens, en
est-il qui fassent pleuvoir ?

Est-ce le ciel qui donne l'ondée ?

N'est-ce pas toi, Yahvé, notre
Dieu ?

En toi nous espérons,

car c'est toi qui fais tout cela.

15 1Yahvé me dit : Même si
Moïse et Samuel se tenaient
devant moi, je n'aurais pas pitié
de ce peuple-là ! Chasse-les loin
de moi : qu'ils s'en aillent ! 2Et
s'ils te disent : Où aller ? Tu leur
répondras : Ainsi parle Yahvé :

Qui est pour la peste, à la peste !

qui est pour l'épée, à l'épée !

qui est pour la famine, à la famine !

qui est pour la captivité, à la captivité !

3Je vais préposer sur eux quatre
sortes de choses – oracle de Yahvé – : l'épée pour tuer ; les chiens
pour traîner ; les oiseaux du ciel et
les bêtes de la terre pour dévorer et
détruire. 4Je ferai d'eux un objet
d'épouvante pour tous les royaumes de la terre, à cause de Manassé, fils d'Ézéchias et roi de Juda,
pour ce qu'il a fait à Jérusalem.

Les malheurs de la guerre.

5Qui donc a compassion de toi,
Jérusalem ?

Qui donc te plaint ?

Qui donc fait un détour pour demander comment tu vas ?

6Toi-même m'as repoussé – oracle de Yahvé –,

tu m'as tourné le dos.

Alors, j'ai étendu la main contre
toi et t'ai détruite :

Je suis fatigué de consoler !

7Avec un van je les ai vannés,

aux portes du pays.

J'ai dépeuplé, j'ai anéanti mon
peuple ;

de leurs voies, ils ne se détournent pas.

8Leurs veuves sont devenues plus
nombreuses

que le sable de la mer.

Sur la mère du jeune guerrier,

j'amène le dévastateur en plein
midi,

je fais tomber sur elle, soudain,
terreur et épouvante.

9Elle languit, la mère de sept fils,
elle défaille.

Son soleil s'est couché avant la
fin du jour :

la voilà honteuse et consternée ;

et ce qui reste d'eux, je le livrerai à l'épée,

face à leurs ennemis, oracle de
Yahvé.

La vocation renouvelée. 1 4-10, 17-19.

¹⁰Malheur à moi, ma mère, car tu m'as enfanté
homme de querelle et de discorde pour tout le pays !
Jamais je ne prête ni n'emprunte,
pourtant tout le monde me maudit.
¹¹En vérité, Yahvé, ne t'ai-je pas servi de mon mieux ?
Ne t'ai-je pas supplié
au temps du malheur et de la détresse ?
¹²Le fer brisera-t-il le fer du Nord et le bronze ?
¹³Ta richesse et tes trésors, je vais les livrer au pillage, sans contrepartie,
à cause de tous les péchés, sur tout ton territoire.
¹⁴Je te rendrai esclave de tes ennemis
dans un pays que tu ne connais pas,
car ma fureur a allumé un feu qui va brûler sur vous.

¹⁵Toi, tu le sais, Yahvé !
Souviens-toi de moi, visite-moi
et venge-moi de mes persécuteurs.
Dans la lenteur de ta colère ne m'entraîne pas.
Reconnais que je subis l'opprobre pour ta cause.
¹⁶Quand tes paroles se présentaient, je les dévorais :
ta parole était mon ravissement
et l'allégresse de mon cœur.
Car c'est ton Nom que je portais,
Yahvé, Dieu Sabaot.
¹⁷Jamais je ne m'asseyais dans une réunion de railleurs

pour m'y divertir.
Sous l'emprise de ta main, je me suis tenu seul,
car tu m'avais empli de colère.
¹⁸Pourquoi ma souffrance est-elle continue,
ma blessure incurable, rebelle aux soins ?
Vraiment tu es pour moi comme un ruisseau trompeur
aux eaux décevantes !

¹⁹Alors Yahvé répondit :
Si tu reviens, et que je te fais revenir,
tu te tiendras devant moi.
Si de ce qui est vil tu tires ce qui est noble,
tu seras comme ma bouche.
Eux reviendront vers toi,
mais toi, tu n'as pas à revenir vers eux !
²⁰Je ferai de toi, pour ce peuple-là,
un rempart de bronze fortifié.
Ils lutteront contre toi
mais ne pourront rien contre toi,
car je suis avec toi
pour te sauver et te délivrer,
oracle de Yahvé.
²¹Je veux te délivrer de la main des méchants
et te racheter de la poigne des violents.

La vie du prophète comme signe.

16 ¹La parole de Yahvé me fut adressée en ces termes : ²Ne prends pas femme ; tu n'auras en ce lieu ni fils ni fille ! ³Car ainsi parle Yahvé à propos des fils et des filles qui vont naître en ce lieu, des mères qui les enfanteront et des pères qui les engendreront en ce pays : ⁴Ils mourront de maladies mortelles, sans être pleurés ni enterrés ; ils serviront de fumier sur le sol ; ils finiront par l'épée et la famine, et leurs cadavres seront la pâture des oiseaux du ciel et des bêtes sauvages.

⁵Oui, ainsi parle Yahvé : N'entre pas dans une maison où l'on fait le deuil, ne va pas pleurer ni plaindre les gens, car j'ai retiré ma paix de ce peuple – oracle de Yahvé –, ainsi que la pitié et la miséricorde. ⁶Grands et petits mourront en ce pays sans être enterrés ni pleurés ; pour eux, on ne se fera ni incisions ni tonsure. ⁷On ne rompra pas le pain pour qui est dans le deuil, pour le consoler au sujet d'un mort ; on ne lui offrira pas la coupe de consolation pour son père ou sa mère.

⁸N'entre pas non plus dans une maison où l'on festoie, pour t'asseoir avec eux à manger et à boire. ⁹Car ainsi parle Yahvé Sabaot, le Dieu d'Israël : Voici, je vais faire taire ici, sous vos yeux et de vos jours, les cris de joie et d'allégresse, les chants du fiancé et de la fiancée.

¹⁰Quand tu auras annoncé à ce peuple toutes ces paroles et qu'on te demandera : « Pourquoi Yahvé a-t-il proclamé contre nous tout cet immense malheur ? Quelle est notre faute ? Quel péché avons-nous commis contre Yahvé notre Dieu ? » ¹¹Alors tu leur répondras : « C'est que vos pères m'ont abandonné – oracle de Yahvé –, ils ont suivi d'autres dieux, les servant et se prosternant devant eux. Et moi, ils m'ont abandonné, ils n'ont pas gardé ma Loi ! ¹²Et vous, vous avez agi plus mal que vos pères. Voici, chacun de vous se conduit selon l'obstination de son cœur mauvais, sans m'écou-

ter. ¹³Je vous jetterai donc hors de ce pays, dans un pays inconnu de vous et de vos pères ; là vous servirez d'autres dieux, jour et nuit, car je ne vous ferai plus grâce. »

Le retour des dispersés d'Israël.
= **23** 7-8.

¹⁴Aussi, voici venir des jours – oracle de Yahvé – où l'on ne dira plus : « Yahvé est vivant, qui a fait monter les Israélites du pays d'Égypte ! », ¹⁵mais : « Yahvé est vivant, qui a fait monter les Israélites du pays du Nord et de tous les pays où il les avait dispersés ! » Je les ramènerai sur la terre que j'avais donnée à leurs pères !

Annonce de l'invasion.

¹⁶Voici : Je vais envoyer quantité de pêcheurs – oracle de Yahvé – qui les pêcheront ; puis j'enverrai quantité de chasseurs qui les chasseront de toute montagne, de toute colline et des creux des rochers. ¹⁷Car mes yeux surveillent toutes leurs voies : elles ne m'échappent pas et leur faute ne se dérobe pas à mes regards. ¹⁸Je paierai au double leur faute et leur péché, parce qu'ils ont profané mon pays par le cadavre de leurs Horreurs et rempli mon héritage de leurs Abominations.

La conversion des nations.

¹⁹Yahvé, ma force et ma forteresse,
    mon refuge au jour de détresse !
    À toi viendront les nations
    des extrémités de la terre. Elles
    diront :
    Nos pères n'ont eu en héritage
    que Mensonge,
    Vanité qui ne sert à rien.

²⁰Un homme pourrait-il se fabriquer des dieux ?

Mais ce ne sont pas des dieux ! ²¹Voici donc, je vais leur faire connaître,

cette fois-ci, je leur ferai connaître

ma main et ma puissance,

et ils sauront que mon Nom est Yahvé.

Fautes cultuelles de Juda.

17 ¹Le péché de Juda est écrit avec un stylet de fer,

avec une pointe de diamant il est gravé

sur la tablette de leur cœur

et aux cornes de leurs autels ;

²car leurs fils se souviennent

de leurs autels et de leurs pieux sacrés,

près des arbres verts, sur les collines élevées.

³Ô ma montagne dans la plaine,

ta richesse et tous tes trésors,

je vais les livrer au pillage

à cause du péché de tes hauts lieux

sur tout ton territoire.

⁴Tu devras te dessaisir de ton héritage

que je t'avais donné ;

je te rendrai esclave de tes ennemis

dans un pays que tu ne connais pas.

Car le feu de ma colère que vous avez allumé

brûlera pour toujours.

Sentences de sagesse.

⁵Ainsi parle Yahvé :

Maudit l'homme qui se confie en l'homme,

qui fait de la chair son appui

et dont le cœur s'écarte de Yahvé !

⁶Il est comme un chardon dans la steppe :

il ne ressent rien quand arrive le bonheur,

il se fixe aux lieux brûlés du désert,

terre salée où nul n'habite.

⁷Béni l'homme qui se confie en Yahvé

et dont Yahvé est la foi.

⁸Il ressemble à un arbre planté au bord des eaux,

qui tend ses racines vers le courant :

il ne redoute rien quand arrive la chaleur,

son feuillage reste vert ;

dans une année de sécheresse

il est sans inquiétude

et ne cesse pas de porter du fruit.

⁹Le cœur est rusé plus que tout,

et pervers, qui peut le pénétrer ?

¹⁰Moi, Yahvé, je scrute le cœur,

je sonde les reins,

pour rendre à chacun d'après sa conduite,

selon le fruit de ses œuvres.

¹¹Une perdrix couve ce qu'elle n'a pas pondu.

Ainsi celui qui se fait des richesses injustes :

au milieu de ses jours elles l'abandonnent

et en fin de compte il n'est qu'un insensé.

Confiance dans le Temple et en Yahvé.

¹²Un trône glorieux, sublime dès l'origine,

tel est notre lieu saint.

¹³Espoir d'Israël, Yahvé,

tous ceux qui t'abandonnent seront honteux,

ceux qui se détournent de toi seront inscrits dans la terre,

car ils ont abandonné la source d'eaux vives, Yahvé.

Prière de vengeance. 15 10.

14 Guéris-moi, Yahvé, et je serai guéri,

sauve-moi et je serai sauvé,

car tu es ma louange !

15 Les voici qui me disent :

Où est-elle, la parole de Yahvé ? Qu'elle s'accomplisse donc !

16 Pourtant je ne t'ai pas poussé au pire,

je n'ai pas désiré le jour fatal,

toi, tu le sais ;

ce qui sort de mes lèvres est à découvert devant toi.

17 Ne sois pas pour moi une cause d'effroi,

toi, mon refuge au jour du malheur.

18 Qu'ils soient honteux, mes persécuteurs, et que je ne sois pas honteux, moi !

Qu'ils soient effrayés, eux, et que je ne sois pas effrayé, moi !

Fais venir sur eux le jour du malheur,

brise-les, brise-les deux fois !

L'observation du sabbat. Ex 20 8.

19 Ainsi m'a parlé Yahvé : Va te poster à la porte des Enfants du peuple, par où entrent et sortent les rois de Juda, et à toutes les portes de Jérusalem. 20 Tu diras : Écoutez la parole de Yahvé, vous, rois de Juda, et vous tous, Judéens et habitants de Jérusalem qui passez par ces portes. 21 Ainsi parle Yahvé : Soyez bien sur vos gardes et ne transportez pas de fardeau le jour du sabbat ; n'en faites pas entrer par les portes de Jérusalem. 22 Ne faites sortir aucun fardeau de vos maisons le jour du sabbat et ne faites aucun travail. Sanctifiez le jour du sabbat comme je l'ai ordonné à vos pères. 23 Eux n'ont pas écouté, ils n'ont pas prêté l'oreille ; ils ont raidi leur nuque pour ne pas entendre et ne pas accueillir l'instruction. 24 Si vous m'écoutez bien – oracle de Yahvé –, ne faites entrer, le jour du sabbat, aucun fardeau par les portes de cette ville ; si vous sanctifiez le jour du sabbat en n'y faisant aucun travail, 25 alors, par les portes de cette ville, des rois et des princes, siégeant sur le trône de David, feront leur entrée en équipage de chars et de chevaux, eux et leurs princes, les gens de Juda et les habitants de Jérusalem. Et cette ville restera habitée pour toujours. 26 On viendra des villes de Juda et des environs de Jérusalem, du pays de Benjamin et du Bas-Pays, de la Montagne et du Négeb, offrir holocaustes, sacrifices, oblations et encens, offrir des actions de grâces dans le Temple de Yahvé. 27 Mais si vous ne m'écoutez pas pour sanctifier le jour du sabbat, pour ne porter aucun fardeau et ne pas entrer par les portes de Jérusalem le jour du sabbat, alors je mettrai le feu à ses portes : il dévorera les palais de Jérusalem et ne s'éteindra plus.

Jérémie chez le potier.

18 1 Parole qui fut adressée à Jérémie par Yahvé en ces termes : 2 « Debout ! Descends chez le potier et là, je te ferai entendre mes paroles. » 3 Je descendis chez le potier et voici qu'il travaillait au tour. ⁴Mais le vase qu'il fabriquait fut manqué, comme cela arrive à l'argile dans la main du potier. Il recommença et fit un autre vase, ainsi qu'il paraissait bon au potier. ⁵Alors la parole de Yahvé me fut adressée en ces termes : ⁶Ne suis-je pas capable d'agir envers vous comme ce potier, maison d'Israël ? – oracle de Yahvé. Oui, comme l'argile dans la main du potier, ainsi êtes-vous dans ma main, maison d'Israël ! ⁷Tantôt je parle, à propos d'une nation ou d'un royaume, d'arracher, de renverser et d'exterminer ; ⁸mais si cette nation, contre laquelle j'ai parlé, se convertit de sa méchanceté, alors je me repens du mal que j'avais résolu de lui infliger. ⁹Tantôt je parle, à propos d'une nation ou d'un royaume, de bâtir et de planter, ¹⁰mais si cette nation fait ce qui est mal à mes yeux en refusant d'écouter ma voix, alors je me repens du bien que j'entendais lui faire. ¹¹Maintenant, parle donc ainsi aux hommes de Juda et aux habitants de Jérusalem : « Ainsi parle Yahvé. Voyez, je prépare contre vous un malheur, contre vous je médite un plan. Détournez-vous donc chacun de votre voie mauvaise, améliorez vos voies et vos œuvres. » ¹²Mais ils vont dire : « Inutile ! Nous suivrons nos propres plans ; chacun agira selon l'obstination de son cœur mauvais. »

Israël oublie Yahvé.

¹³C'est pourquoi, ainsi parle Yahvé :

Enquêtez donc chez les nations,
qui entendit rien de pareil ?

Elle a commis trop d'horreurs,
la Vierge d'Israël.
¹⁴La neige du Liban abandonne-t-elle
le rocher de la campagne ?
Tarissent-elles, les eaux des pays étrangers,
les eaux fraîches et courantes ?
¹⁵Or mon peuple m'a oublié !
Au Néant ils offrent l'encens ;
on les fait trébucher dans leurs voies,
dans les sentiers de jadis,
pour prendre des chemins,
une route non tracée ;
¹⁶pour faire de leur pays un objet de stupeur,
une dérision perpétuelle.
Quiconque y passe est stupéfait
et hoche la tête.
¹⁷Tel le vent d'Orient, je les disperserai
face à l'ennemi.
C'est mon dos et non ma face
que je leur montrerai
au jour de leur ruine.

À l'occasion d'un attentat contre Jérémie. 15 10.

¹⁸Ils ont dit : « Venez ! Machinons un attentat contre Jérémie, car la Loi ne périra pas faute de prêtre, ni le conseil faute de sage, ni la parole faute de prophète. Venez ! Dénigrons-le et ne prêtons attention à aucune de ses paroles. »

¹⁹Prête-moi attention, Yahvé,
et entends ce que disent mes adversaires.
²⁰Rend-on le mal pour le bien ?
Or ils creusent une fosse à mon intention.
Rappelle-toi comme je me suis tenu devant toi
pour te dire du bien d'eux,

pour détourner loin d'eux ta fureur.

²¹Abandonne donc leurs fils à la famine,

   livre-les à la merci de l'épée !

   Que leurs femmes deviennent stériles et veuves !

   Que leurs maris meurent de la peste !

   Que leurs jeunes soient frappés de l'épée, au combat !

²²Qu'on entende des cris sortir de leurs maisons,

   quand, soudain, tu amèneras contre eux des bandes armées.

   Car ils ont creusé une fosse pour me prendre,

   et sous mes pas camouflé des pièges.

²³Mais toi, Yahvé, tu connais

   tout leur dessein meurtrier contre moi.

   Ne pardonne pas leur faute,

   n'efface pas leur péché de devant toi.

   Qu'ils s'effondrent devant toi,

   au temps de ta colère, agis contre eux !

La cruche brisée et l'altercation avec Pashehur.

19 ¹Ainsi parle Yahvé : Va t'acheter une cruche de potier. Prends avec toi des anciens du peuple et des anciens des prêtres. ²Sors en direction de la vallée de Ben-Hinnom qui est à l'entrée de la porte des Tessons. Là, tu proclameras les paroles que je te dirai. ³Tu diras : Écoutez la parole de Yahvé, rois de Juda et habitants de Jérusalem. Ainsi parle Yahvé Sabaot, le Dieu d'Israël : Voici que j'amène un malheur sur ce lieu. Les oreilles en tinteront à quiconque l'apprendra ! ⁴Car ils m'ont abandonné, ils ont rendu ce lieu méconnaissable, ils y ont offert l'encens à des dieux étrangers que n'avaient connus ni eux, ni leurs pères, ni les rois de Juda. Ils ont rempli ce lieu du sang des innocents. ⁵Car ils ont construit des hauts lieux de Baal, pour consumer au feu leurs fils, en holocauste à Baal ; cela je ne l'avais jamais ordonné, je n'en avais jamais parlé, je n'y avais jamais songé ! ⁶Aussi voici venir des jours – oracle de Yahvé – où l'on n'appellera plus ce lieu Tophèt ni vallée de Ben-Hinnom, mais bien vallée du Carnage. ⁷Je viderai de bon sens Juda et Jérusalem, à cause de ce lieu ; je les ferai tomber sous l'épée devant leurs ennemis, par la main de ceux qui en veulent à leur vie ; je donnerai leurs cadavres en pâture aux oiseaux du ciel et aux bêtes de la terre. ⁸Je ferai de cette ville un objet de stupeur et de dérision, tout passant en restera stupéfait et sifflera devant tant de blessures. ⁹Je leur ferai manger la chair de leurs fils et celle de leurs filles : ils s'entre-dévoreront dans l'angoisse et la détresse où les réduiront leurs ennemis et ceux qui en veulent à leur vie.

¹⁰Tu briseras cette cruche sous les yeux des gens qui t'auront accompagné ¹¹et tu leur diras : Ainsi parle Yahvé Sabaot : Je vais briser ce peuple et cette ville comme on brise le vase du potier, qui ne peut plus être réparé.

On enterrera à Tophèt, faute de place pour enterrer. ¹²Ainsi ferai-je pour ce lieu – oracle de Yahvé – et pour ses habitants, en rendant cette ville semblable à Tophèt. ¹³Les maisons de Jérusalem et celles des rois de Juda seront impures, tel ce lieu de Tophèt : toutes ces maisons sur le toit desquelles ils ont offert de l'encens à toute l'armée du ciel et versé des libations aux dieux étrangers !

¹⁴Jérémie revint de Tophèt où Yahvé l'avait envoyé prophétiser, il se posta dans le parvis du Temple de Yahvé et dit à tout le peuple : ¹⁵« Ainsi parle Yahvé Sabaot, le Dieu d'Israël : Voici, je vais amener sur cette ville, et toutes ses voisines, tous les malheurs dont je l'ai menacée, car ils ont raidi leur nuque pour ne pas écouter mes paroles. »

20 ¹Or le prêtre Pashehur, fils d'Immer, qui était le chef de la police dans le Temple de Yahvé, entendit Jérémie qui proférait cet oracle. ²Pashehur frappa le prophète Jérémie, puis le mit au carcan, à la porte haute de Benjamin, celle qui donne dans le Temple de Yahvé. ³Le lendemain, Pashehur fit tirer Jérémie du carcan. Alors Jérémie lui dit : « Ce n'est plus Pashehur que Yahvé t'appelle, mais "Terreur-de-tous-côtés". ⁴Car ainsi parle Yahvé : Voici que je vais te livrer à la terreur, toi et tous tes amis ; ils tomberont sous l'épée de leurs ennemis : tes yeux verront cela ! De même Juda tout entier, je le livrerai aux mains du roi de Babylone qui déportera les gens à Babylone et les frappera de l'épée. ⁵Je livrerai encore toutes les richesses de cette ville, toutes ses réserves, tout ce qu'elle a de précieux, tous les trésors des rois de Juda, je les livrerai aux mains de leurs ennemis qui les pilleront, les enlèveront et les emporteront

à Babylone. ⁶Et toi, Pashehur, ainsi que tous les hôtes de ta maison, vous partirez en captivité ; à Babylone tu iras, là tu mourras, là tu seras enterré, toi et tous tes amis à qui tu as prophétisé le mensonge. »

Extraits divers des « Confessions ». 15 10.

⁷Tu m'as séduit, Yahvé, et je me suis laissé séduire ;
    tu m'as maîtrisé, tu as été le plus fort.
Je suis prétexte continuel à la moquerie,
    la fable de tout le monde.
⁸Chaque fois que j'ai à parler, je dois crier
    et proclamer : « Violence et dévastation ! »
La parole de Yahvé a été pour moi source d'opprobre et de moquerie tout le jour.
⁹Je me disais : "Je ne penserai plus à lui,
    je ne parlerai plus en son Nom" ;
mais c'était en mon cœur comme un feu dévorant,
    enfermé dans mes os.
Je m'épuisais à le contenir,
    mais je n'ai pas pu.
¹⁰J'entendais les calomnies de beaucoup :
    « Terreur de tous côtés !
    Dénoncez ! Dénonçons-le ! »
Tous ceux qui étaient en paix avec moi
    guettaient ma chute :
    « Peut-être se laissera-t-il séduire ?
Nous serons plus forts que lui
    et tirerons vengeance de lui ! »
¹¹Mais Yahvé est avec moi comme un héros puissant ;

mes adversaires vont trébucher,
vaincus :
   les voilà tout confus de leur
échec ;
   honte éternelle, inoubliable.
¹²Yahvé Sabaot, qui scrutes le juste
   et vois les reins et le cœur,
   je verrai la vengeance que tu tireras d'eux,
   car c'est à toi que j'ai exposé ma
cause.
¹³Chantez Yahvé,
   louez Yahvé,
   car il a délivré l'âme du malheureux
   de la main des malfaisants.
¹⁴Maudit soit le jour où je suis né !
   Le jour où ma mère m'enfanta,
qu'il ne soit pas béni !
¹⁵Maudit soit l'homme qui annonça à mon père cette nouvelle :

« Un fils, un garçon t'est né ! »
   et le combla de joie.
¹⁶Que cet homme soit pareil aux
villes
   que Yahvé a renversées sans pitié ;
   qu'il entende le cri d'alarme au
matin
   et le cri de guerre en plein midi,
¹⁷car il ne m'a pas fait mourir dès
le sein,
   pour que ma mère soit un tombeau
   et que ses entrailles me portent
à jamais.
¹⁸Pourquoi donc suis-je sorti du
sein ?
   Pour voir tourment et peine
   et finir mes jours dans la honte.

III. ORACLES PRONONCÉS SURTOUT APRÈS JOIAQIM

**La réponse aux envoyés de Sédé-
cias.**

21 ¹Parole qui fut adressée à Jérémie de la part de Yahvé,
quand le roi Sédécias lui envoya
Pashehur, fils de Malkiyya, et le
prêtre Çephanya, fils de Maaséya,
pour lui dire : ²« Consulte donc
Yahvé pour nous, car Nabuchodonosor, roi de Babylone, nous fait
la guerre ; peut-être Yahvé opére-
ra-t-il en notre faveur tous ses miracles, si bien que l'ennemi devra
s'éloigner de nous. » ³Jérémie
leur dit : « Vous porterez à Sédécias cette réponse : ⁴Ainsi parle
Yahvé, le Dieu d'Israël. Voici, je
vais faire revenir les armes de
guerre que vous tenez et avec lesquelles vous combattez le roi de
Babylone et les Chaldéens, vos
assaillants : de l'extérieur des
murs, je vais les rassembler en
plein milieu de cette ville. ⁵Et je
combattrai moi-même contre
vous, à main étendue et à bras
puissant, avec colère, fureur et
grande indignation ; ⁶je frapperai
les habitants de cette ville, hommes et bêtes ; d'une affreuse peste
ils mourront. ⁷Après quoi – oracle
de Yahvé – je livrerai Sédécias,
roi de Juda, ses serviteurs, le peuple et ceux qui, de cette ville, seront rescapés de la peste, de l'épée
et de la famine, aux mains de Nabuchodonosor, roi de Babylone,
aux mains de leurs ennemis et aux

mains de ceux qui en veulent à leur vie ; il les passera au fil de l'épée, sans pitié pour eux, ni ménagement, ni compassion. »

⁸Et à ce peuple tu diras : « Ainsi parle Yahvé. Voici, je place devant vous le chemin de la vie et le chemin de la mort. ⁹Qui restera dans cette ville mourra par l'épée, la famine et la peste ; mais qui en sortira et se rendra aux Chaldéens, vos assaillants, vivra, il aura sa vie comme butin. ¹⁰Car je vais me tourner contre cette ville pour son malheur, non pour son bonheur – oracle de Yahvé. Elle sera livrée au roi de Babylone et il l'incendiera. »

Adresse générale à la Maison royale.

¹¹À la Maison royale de Juda. Écoutez la parole de Yahvé, ¹²maison de David ! Ainsi parle Yahvé :

Rendez chaque matin droite justice
et tirez l'exploité des mains de l'oppresseur.
Sinon ma fureur va jaillir comme un feu
et brûler, sans personne pour l'éteindre,
à cause de la méchanceté de vos actions.
¹³C'est à toi que j'en ai, toi qui habites la vallée,
Roc-dans-la-plaine
– oracle de Yahvé –,
ô vous qui dites : « Qui oserait fondre sur nous
et pénétrer en nos repaires ? »
¹⁴Je vous châtierai comme le méritent vos actions – oracle de Yahvé.
Je mettrai le feu à sa forêt
et il dévorera tous ses alentours !

22 ¹Ainsi parle Yahvé : Descends au palais du roi de Juda ; là, tu prononceras cette parole : ²Écoute la parole de Yahvé, ô roi de Juda qui sièges sur le trône de David, toi, ainsi que tes serviteurs et tes gens qui entrent par ces portes. ³Ainsi parle Yahvé : Pratiquez le droit et la justice ; tirez l'exploité des mains de l'oppresseur ; l'étranger, l'orphelin et la veuve, ne les maltraitez pas, ne les outragez pas ; le sang innocent, ne le versez pas en ce lieu. ⁴Car si vous vous appliquez à observer cette parole, alors, par les portes de ce palais, des rois siégeant sur le trône de David feront leur entrée, montés sur des chars et des chevaux, eux, leurs serviteurs et leurs gens. ⁵Mais si vous n'écoutez pas ces paroles, je le jure par moi-même – oracle de Yahvé –, ce palais deviendra une ruine.

⁶Oui, ainsi parle Yahvé au sujet du palais du roi de Juda :

Tu es pour moi Galaad
et la cime du Liban.
Pourtant je vais te réduire en désert,
en villes inhabitées.
⁷Je voue contre toi des destructeurs,
chacun avec ses armes ;
ils abattront les plus beaux de tes cèdres
et les jetteront au feu.

⁸Et quand des nations nombreuses passeront près de cette ville, les gens se diront entre eux : « Pourquoi Yahvé a-t-il traité de la sorte cette grande cité ? » ⁹On répondra : « C'est qu'ils ont abandonné l'alliance de Yahvé leur

Dieu, pour se prosterner devant d'autres dieux et les servir. »

Oracles contre différents rois. Contre Joachaz.

¹⁰Ne pleurez pas celui qui est mort,
ne le plaignez pas.
Pleurez plutôt celui qui est parti,
car il ne reviendra plus,
il ne verra plus son pays natal.

¹¹Car ainsi a parlé Yahvé au sujet de Shallum, fils de Josias, roi de Juda, qui régna à la place de son père Josias et dut quitter ce lieu : il n'y reviendra plus, ¹²mais dans le lieu où on l'emmena prisonnier, il mourra ; et ce pays-ci, jamais il ne le reverra.

Contre Joiaqim.

¹³Malheur à qui bâtit sa maison sans la justice
et ses chambres hautes sans le droit,
qui fait travailler son prochain pour rien
et ne lui verse pas de salaire,
¹⁴qui se dit : « Je vais me bâtir un palais spacieux
avec de vastes chambres hautes »,
qui y perce des ouvertures,
le recouvre de cèdre et le peint en rouge.
¹⁵Règnes-tu parce que tu as la passion du cèdre ?
Ton père ne mangeait-il et ne buvait-il pas ?
Mais il pratiquait le droit et la justice !
Alors, pour lui tout allait bien.
¹⁶Il jugeait la cause du pauvre et du malheureux.
Alors, tout allait bien.

Me connaître, n'est-ce pas cela ?
– oracle de Yahvé.
¹⁷Mais rien ne captive tes yeux et ton cœur
sinon ton intérêt propre,
le sang innocent à répandre,
oppression et violence à perpétrer.
¹⁸C'est pourquoi, ainsi parle Yahvé
au sujet de Joiaqim, fils de Josias, roi de Juda.
Pour lui, point de lamentation :
« Hélas ! mon frère ! Hélas ! ô sœur ! »
Pour lui, point de lamentation :
« Hélas ! Seigneur ! Hélas ! sa Majesté ! »
¹⁹Il sera enterré comme on enterre un âne !
Il sera traîné et jeté
loin des portes de Jérusalem !

Contre Joiakîn.

²⁰Monte sur le Liban pour crier,
sur le Bashân donne de la voix,
crie du haut des Abarim,
car tous tes amants sont écrasés !
²¹Je t'ai parlé au temps de ta sécurité ;
tu as dit : « Je n'écouterai pas ! »
Ce fut ton comportement depuis ta jeunesse
de ne pas écouter ma voix.
²²Tous tes pasteurs, le vent les enverra paître
et tes amants partiront en exil.
Oui, tu seras alors honteuse et rougissante
de toute ta perversité.
²³Toi qui as établi ta demeure sur le Liban,
ton nid parmi les cèdres,
comme tu vas gémir quand des douleurs te viendront,

des affres, comme à celle qui accouche !

²⁴Par ma vie – oracle de Yahvé –, même si Konias, fils de Joiaqim, roi de Juda, était un anneau à ma main droite, je t'arracherais de là ! ²⁵Je vais te livrer aux mains de ceux qui en veulent à ta vie, aux mains de ceux qui te font trembler, aux mains de Nabuchodonosor, roi de Babylone, et aux mains des Chaldéens. ²⁶Je te jetterai, toi et ta mère qui t'as enfanté, dans un autre pays : vous n'y êtes pas nés, mais vous y mourrez. ²⁷Et ce pays où ils désirent ardemment revenir, ils n'y reviendront pas !

²⁸Est-ce un ustensile vil et cassé
cet homme, ce Konias,
est-ce un objet dont personne ne veut ?
Pourquoi sont-ils chassés, lui et sa race,
jetés dans un pays qu'ils ne connaissaient point ?
²⁹Terre ! terre ! terre !
écoute la parole de Yahvé.
³⁰Ainsi parle Yahvé :
Inscrivez cet homme : « Sans enfants,
quelqu'un qui n'a pas réussi en son temps. »
Car nul de sa race ne réussira
à siéger sur le trône de David
et à dominer en Juda.

Oracles messianiques. Le roi de l'avenir. Ez 34 1.

23 ¹Malheur aux pasteurs qui perdent et dispersent les brebis de mon pâturage – oracle de Yahvé ! ²C'est pourquoi ainsi parle Yahvé, le Dieu d'Israël, contre les pasteurs qui ont à paître mon peuple : vous avez dispersé mes

brebis, vous les avez chassées et ne vous en êtes pas occupés. Eh bien ! moi, je vais m'occuper de vous pour vos méfaits, oracle de Yahvé ! ³Je rassemblerai moi-même le reste de mes brebis de tous les pays où je les aurai dispersées, et je les ramènerai dans leur prairie : elles seront fécondes et se multiplieront. ⁴Je susciterai pour elles des pasteurs qui les feront paître ; elles n'auront plus crainte ni terreur ; aucune ne se perdra, oracle de Yahvé !

⁵Voici venir des jours – oracle de Yahvé –
où je susciterai à David un germe juste ;
un roi régnera et sera intelligent,
exerçant dans le pays droit et justice.
⁶En ses jours, Juda sera sauvé
et Israël habitera en sécurité.
Voici le nom dont on l'appellera :
« Yahvé-notre-Justice. »

⁷Aussi, voici venir des jours – oracle de Yahvé – où l'on ne dira plus : « Yahvé est vivant, qui a fait monter les Israélites du pays d'Égypte », ⁸mais : « Yahvé est vivant, qui a fait monter et rentrer la race de la maison d'Israël du pays du Nord et de tous les pays où il les avait dispersés, pour qu'ils demeurent sur leur propre sol. »

Livret contre les faux prophètes. 14 13-16. Dt 13 2-6.

⁹Sur les prophètes.

Mon cœur en moi est brisé,
je tremble de tous mes membres.
Je suis comme un homme ivre,
comme quelqu'un que le vin a dompté,

à cause de Yahvé et de ses paroles saintes.

¹⁰Car le pays est rempli d'adultères ;
oui, à cause d'une malédiction, le pays est en deuil
et les pacages du désert sont desséchés ;
les hommes courent au mal,
ils dépensent leur force pour l'injustice.
¹¹Oui, même le prophète et le prêtre sont des impies,
jusqu'en ma Maison j'ai trouvé leur iniquité,
oracle de Yahvé.
¹²Aussi leur voie va se changer pour eux en fondrière ;
engagés là, dans les ténèbres,
ils y culbuteront.
Car je vais amener sur eux un malheur,
l'année de leur châtiment,
oracle de Yahvé.

¹³Chez les prophètes de Samarie, j'ai vu l'insanité ;
ils prophétisaient au nom de Baal
et égaraient mon peuple Israël.
¹⁴Mais chez les prophètes de Jérusalem,
j'ai vu l'horreur :
l'adultère, l'obstination dans le mensonge,
le soutien donné aux méchants
pour que nul ne revienne de sa méchanceté.
Ils sont tous pour moi comme Sodome
et ses habitants comme Gomorrhe !
¹⁵C'est pourquoi, ainsi parle Yahvé Sabaot contre les prophètes :
Voici, je vais leur faire manger de l'absinthe

et leur faire boire de l'eau empoisonnée,
car, venant des prophètes de Jérusalem,
l'impiété s'est répandue dans tout le pays.
¹⁶Ainsi parle Yahvé Sabaot :
N'écoutez pas les paroles de ces prophètes qui vous prophétisent ;
ils vous dupent,
ils débitent les visions de leur cœur,
rien qui vienne de la bouche de Yahvé ;
¹⁷ils osent dire à ceux qui me méprisent :
« Yahvé a parlé ; vous aurez la paix ! »
et à tous ceux qui suivent l'obstination de leur cœur :
« Aucun mal ne vous arrivera ! »
¹⁸Mais qui donc a assisté au conseil de Yahvé pour voir et entendre sa parole ?
Qui a fait attention à sa parole et l'a entendue ?
¹⁹Voici un ouragan de Yahvé, sa fureur qui éclate,
un ouragan se déchaîne,
sur la tête des impies, il fait irruption ;
²⁰la colère de Yahvé ne se détournera pas
qu'il n'ait accompli et réalisé les desseins de son cœur :
à la fin des jours, vous comprendrez cela clairement !
²¹Je n'ai pas envoyé ces prophètes,
et ils courent !
Je ne leur ai rien dit,
et ils prophétisent !
²²S'ils avaient assisté à mon conseil,
ils auraient fait entendre mes paroles à mon peuple,

ils les auraient fait revenir de leur voie mauvaise
et de la perversité de leurs actions !

²³Ne serais-je un Dieu que de près
– oracle de Yahvé –,
de loin ne serais-je plus un Dieu ?
²⁴Un homme peut-il se terrer dans des lieux cachés
sans que je le voie ? – oracle de Yahvé.
Est-ce que le ciel et la terre
je ne les remplis pas ? – oracle de Yahvé.

²⁵J'ai entendu comment parlent les prophètes, qui prophétisent en mon nom le mensonge en disant : « J'ai eu un songe ! J'ai eu un songe ! » ²⁶Jusqu'à quand y aura-t-il au sein des prophètes des gens qui prophétisent le mensonge et annoncent l'imposture de leur cœur ? ²⁷Avec les songes qu'ils se racontent l'un à l'autre, ils s'ingénient à faire oublier mon Nom à mon peuple ; ainsi leurs pères ont-ils oublié mon Nom au profit de Baal ! ²⁸Le prophète qui a eu un songe, qu'il raconte un songe ! Et celui qui tient de moi une parole, qu'il délivre fidèlement ma parole !

Qu'ont de commun la paille et le froment ?
– oracle de Yahvé.
²⁹Ma parole n'est-elle pas comme un feu ?
– oracle de Yahvé –
N'est-elle pas comme un marteau qui fracasse le roc ?

³⁰Aussi vais-je m'en prendre aux prophètes – oracle de Yahvé – qui se dérobent mutuellement mes paroles. ³¹Je vais m'en prendre aux prophètes – oracle de Yahvé – qui agitent la langue pour émettre des oracles. ³²Je vais m'en prendre à ceux qui prophétisent des songes mensongers – oracle de Yahvé –, qui les racontent et égarent mon peuple par leurs mensonges et leur vantardise. Moi, je ne les ai pas envoyés, je ne leur ai pas donné d'ordres, et ils ne sont d'aucune utilité à ce peuple, oracle de Yahvé.

³³Et quand ce peuple, ou un prophète, ou un prêtre, te demandera : « Quel est le fardeau de Yahvé ? » tu leur répondras : « C'est vous le fardeau, vous dont je vais me délester, oracle de Yahvé ! »

³⁴Et le prophète, le prêtre ou celui du peuple qui dira : « Fardeau de Yahvé », je le visiterai cet homme-là, ainsi que sa maison. ³⁵Ainsi parlerez-vous entre vous, entre frères : « Qu'a répondu Yahvé ? » Ou : « Qu'a dit Yahvé ? » ³⁶mais vous ne mentionnerez plus le « Fardeau de Yahvé », car le fardeau est pour chacun sa propre parole. Et vous pervertissez les paroles du Dieu vivant, Yahvé Sabaot, notre Dieu ! ³⁷Tu parleras ainsi au prophète : « Que t'a répondu Yahvé ? » ou « Qu'a dit Yahvé ? » ³⁸Mais si vous dites « Fardeau de Yahvé », alors, ainsi parle Yahvé : Puisque vous employez cette expression « Fardeau de Yahvé », alors que je vais faire avertir de ne plus dire « Fardeau de Yahvé », ³⁹à cause de cela je vous soulèverai et je vous jetterai loin de ma face, vous et la Ville que j'avais donnée à vous et à vos pères. ⁴⁰Et je mettrai sur vous un opprobre éternel, une confusion éternelle et inoubliable !

Les deux corbeilles de figues.

29 1-20. ↗ Mt 21 18-19p.

24 ¹Voilà que Yahvé me fit voir deux corbeilles de figues disposées devant le sanctuaire de Yahvé. C'était après que Nabuchodonosor, roi de Babylone, eut emmené captifs, loin de Jérusalem, Jékonias, fils de Joiaqim, roi de Juda, ainsi que les princes de Juda, les forgerons et les serruriers, et qu'il les eut amenés à Babylone. ²Une corbeille contenait d'excellentes figues, comme sont les figues précoces ; l'autre contenait des figues gâtées, si gâtées qu'elles en étaient immangeables. ³Et Yahvé me dit : « Que vois-tu, Jérémie ? » Et je répondis : « Des figues. Les bonnes sont excellentes. Les mauvaises sont gâtées, si gâtées qu'on ne peut les manger. » ⁴Alors la parole de Yahvé me fut adressée en ces termes : ⁵Ainsi parle Yahvé, Dieu d'Israël. Comme à ces bonnes figues, ainsi je veux m'intéresser pour leur bien aux exilés de Juda, que j'ai envoyés de ce lieu au pays des Chaldéens. ⁶Je veux fixer les yeux sur eux pour leur bien, les faire revenir en ce pays, les reconstruire au lieu de les démolir, les planter au lieu de les arracher. ⁷Je leur donnerai un cœur pour connaître que je suis Yahvé. Ils seront mon peuple et moi je serai leur Dieu, car ils reviendront à moi de tout leur cœur. ⁸Mais comme on traite les mauvaises figues, si gâtées qu'elles en sont immangeables – oui, ainsi parle Yahvé –, ainsi traiterai-je Sédécias, roi de Juda, ses princes et le reste de Jérusalem : ceux qui sont restés dans ce pays, comme ceux qui habitent au pays d'Égypte. ⁹J'en ferai un objet d'horreur, une calamité pour tous les royaumes de la terre ; un opprobre, une fable, une risée, une malédiction en tous lieux où je les chasserai. ¹⁰Et j'enverrai contre eux l'épée, la famine et la peste jusqu'à ce qu'ils aient disparu du sol que j'avais donné à eux et à leurs pères.

IV. BABYLONE, FLÉAU DE YAHVÉ

25 ¹Parole concernant tout le peuple de Juda, qui fut adressée à Jérémie la quatrième année de Joiaqim, fils de Josias, roi de Juda (c'est-à-dire la première année de Nabuchodonosor, roi de Babylone). ²Le prophète Jérémie la prononça devant tout le peuple de Juda et tous les habitants de Jérusalem.

³Depuis la treizième année de Josias, fils d'Amon, roi de Juda, jusqu'à aujourd'hui, voici vingt-trois ans que la parole de Yahvé m'est adressée et que, sans me lasser, je vous parle (mais vous n'avez pas écouté. ⁴De plus, Yahvé, sans se lasser, vous a envoyé tous ses serviteurs les prophètes, mais vous n'avez pas écouté ni prêté l'oreille pour entendre). ⁵Cette parole était : Revenez donc chacun de votre voie mauvaise et de la perversité de vos actions ; alors vous habiterez sur le sol que Yahvé vous a donné, à vous et à vos pères, depuis toujours jus-

qu'à toujours. ⁶(Et n'allez pas suivre d'autres dieux pour les servir et vous prosterner devant eux ; ne m'irritez pas par les œuvres de vos mains, et alors je ne vous ferai aucun mal.) ⁷Mais vous ne m'avez pas écouté (oracle de Yahvé ! en sorte que vous m'avez irrité par les œuvres de vos mains pour votre malheur).

⁸C'est pourquoi, ainsi parle Yahvé Sabaot : Puisque vous n'avez pas écouté mes paroles, ⁹voici que j'envoie chercher toutes les familles du Nord (oracle de Yahvé ! autour de Nabuchodonosor roi de Babylone, mon serviteur) et je les amènerai contre ce pays et ses habitants (et contre toutes ces nations d'alentour) ; je les frapperai d'anathème et en ferai un objet de stupeur, une risée, des ruines pour toujours. ¹⁰Je ferai disparaître chez eux les cris de joie et d'allégresse, les appels du fiancé et de la fiancée, le bruit des deux meules et la lumière de la lampe. ¹¹Tout ce pays sera réduit en ruine et en désolation, et ces nations seront asservies au roi de Babylone pendant soixante-dix ans. ¹²(Mais quand seront accomplis les soixante-dix ans, je visiterai le roi de Babylone et cette nation – oracle de Yahvé –, à cause de leur crime, ainsi que le pays des Chaldéens, pour en faire une désolation éternelle.) ¹³Je ferai s'accomplir contre ce pays toutes les paroles que j'ai prononcées contre lui, tout ce qui est écrit dans ce livre.

2. Introduction
aux oracles contre les nations

La vision de la coupe.

Ce qu'a prophétisé Jérémie contre toutes les nations. ¹⁴ (Car elles aussi seront asservies à des nations puissantes et à de grands rois, et je leur rendrai selon leurs actes et selon l'œuvre de leurs mains.)

¹⁵Car Yahvé, Dieu d'Israël, me parla ainsi : Prends de ma main cette coupe de vin de colère et fais-la boire à toutes les nations vers lesquelles je vais t'envoyer ; ¹⁶elles boiront, chancelleront et deviendront folles, à cause de l'épée que je vais envoyer au milieu d'elles.

¹⁷Je pris la coupe de la main de Yahvé et la fis boire à toutes les nations vers lesquelles Yahvé m'avait envoyé : ¹⁸(Jérusalem et les villes de Juda, ses rois et ses princes, pour en faire une ruine, un objet de stupeur, une risée et une malédiction, comme aujourd'hui même.) ¹⁹Pharaon, roi d'Égypte, avec ses serviteurs, ses princes et tout son peuple, ²⁰ainsi que tout le ramassis des étrangers (tous les rois du pays de Uç) ; tous les rois du pays des Philistins, Ashqelôn, Gaza, Éqrôn et ce qui reste encore d'Ashdod ; ²¹Édom, Moab et les fils d'Ammon ; ²²(tous) les rois de

Tyr, (tous) les rois de Sidon, les rois de l'île qui est au-delà de la mer ; ²³Dedân, Téma, Buz, tous les hommes aux tempes rasées, ²⁴tous les rois de l'Arabie (et tous les rois du ramassis des étrangers) qui habitent le désert. ²⁵(Tous les rois de Zimri), tous les rois d'Élam et tous les rois de Médie ; ²⁶tous les rois du Nord, proches ou lointains, l'un après l'autre, et tous les royaumes qui sont sur la terre. (Quant au roi de Shéshak, il boira après eux.)

²⁷Tu leur diras : Ainsi parle Yahvé Sabaot, le Dieu d'Israël : Buvez ! Enivrez-vous ! Vomissez ! Tombez sans pouvoir vous relever, devant l'épée que je vais envoyer au milieu de vous. ²⁸Si jamais ils refusent d'accepter de ta main la coupe à boire, tu leur diras : Ainsi parle Yahvé Sabaot. Vous boirez ! ²⁹Car voici : c'est par la ville qui porte mon nom que j'inaugure le malheur, et vous seriez épargnés ? Non ! vous ne serez pas épargnés, car j'appelle moi-même l'épée contre tous les habitants de la terre, oracle de Yahvé Sabaot.

³⁰Et toi, tu leur annonceras toutes ces paroles, tu leur diras :

Yahvé rugit d'en haut,
de sa demeure sainte il élève la voix,
il rugit avec vigueur contre son pacage,
il pousse le cri des fouleurs à la cuve
contre tous les habitants de la terre.
³¹Le tumulte en parvient jusqu'au bout de la terre.

Car Yahvé ouvre le procès des nations,
il institue le jugement de toute chair ;
les impies, il les livre à l'épée,
oracle de Yahvé.

³²Ainsi parle Yahvé Sabaot.

Voici : le malheur s'étend
de nation en nation,
un grand ouragan s'élève
des extrémités de la terre.

³³Il y aura des victimes de Yahvé en ce jour-là, d'un bout de la terre à l'autre ; on ne les pleurera pas, on ne les ramassera pas, on ne les enterrera pas. Ils resteront sur le sol en guise de fumier.

³⁴Hurlez, pasteurs, criez,
roulez-vous à terre, chefs du troupeau,
car vos jours sont à point pour le massacre
et pour votre dispersion,
vous tomberez comme un vase de choix.
³⁵Plus de refuge pour les pasteurs,
ni d'évasion pour les chefs du troupeau.
³⁶Clameur des pasteurs,
hurlement des chefs du troupeau !
Car Yahvé a dévasté leur pacage,
³⁷les paisibles pâturages sont réduits au silence
à cause de l'ardente colère de Yahvé !
³⁸Le lion a quitté son repaire
et leur pays est devenu un objet de stupeur,
à cause de l'ardeur dévastatrice,
à cause de l'ardeur de sa colère.

3. Les prophéties de bonheur

I. INTRODUCTION
JÉRÉMIE EST LE VRAI PROPHÈTE

Arrestation et jugement de Jérémie.

26 ¹Au début du règne de Joiaqim, fils de Josias, roi de Juda, cette parole fut adressée à Jérémie de la part de Yahvé : ²Ainsi parle Yahvé. Tiens-toi dans la cour du Temple de Yahvé. Contre tous ceux des villes de Juda qui viennent se prosterner dans le Temple de Yahvé tu diras toutes les paroles que je t'ai ordonné de leur dire ; ne retranche pas un mot. ³Peut-être écouteront-ils et se détourneront-ils chacun de sa voie perverse : alors je me repentirai du malheur que je suis en train de méditer contre eux pour la perversité de leurs actes. ⁴Tu leur diras : Ainsi parle Yahvé. Si vous ne m'écoutez pas pour suivre ma Loi que j'ai placée devant vous, ⁵pour être attentifs aux paroles de mes serviteurs les prophètes, que je vous envoie sans me lasser mais que vous n'avez pas écoutés, ⁶je traiterai ce Temple comme Silo et je ferai de cette ville une malédiction pour toutes les nations de la terre.

⁷Prêtres, prophètes et peuple entier entendirent Jérémie prononcer ces paroles dans le Temple de Yahvé. ⁸Et quand Jérémie eut fini de prononcer tout ce que Yahvé lui avait ordonné de dire à tout le peuple, prêtres, prophètes et peuple entier se saisirent de lui en disant : « Tu vas mourir ! ⁹Pourquoi as-tu fait au nom de Yahvé cette prophétie : "Ce Temple deviendra comme Silo et cette ville sera une ruine, inhabitée" ? » Et tout le peuple s'attroupa autour de Jérémie au Temple de Yahvé. ¹⁰Apprenant ces événements, les princes de Juda montèrent du palais royal au Temple de Yahvé et siégèrent à l'entrée de la porte Neuve du Temple de Yahvé.

¹¹Alors prêtres et prophètes dirent aux princes et à tout le peuple : « C'est la mort que mérite cet homme, car il a prophétisé contre cette ville, ainsi que vous l'avez entendu de vos oreilles ! » ¹²Mais Jérémie répondit à tous les princes et à tout le peuple : C'est Yahvé qui m'a envoyé prophétiser contre le Temple et contre cette ville, en prononçant toutes les paroles que vous avez entendues. ¹³Maintenant donc, améliorez vos voies et vos œuvres, soyez attentifs à l'appel de Yahvé votre Dieu ; alors il se repentira du malheur qu'il a prononcé contre vous. ¹⁴Pour moi, me voici entre vos mains. Faites de moi ce qui vous semble bon et juste. ¹⁵Mais sachez bien que si vous me faites mourir, c'est du sang innocent que vous mettrez sur vous, sur cette ville et sur ses habitants. Car Yahvé m'a bel et bien envoyé vers vous, pour prononcer à vos oreilles toutes ces paroles. »

¹⁶Alors les princes et le peuple entier dirent aux prêtres et aux prophètes : « Cet homme ne mérite pas

la mort puisqu'il nous a parlé au nom de Yahvé notre Dieu. » [17]Et quelques-uns des anciens du pays se levèrent pour dire à tout le peuple assemblé : [18]« Michée de Moréshèt, qui prophétisait aux jours d'Ézéchias, roi de Juda, a bien dit à tout le peuple de Juda : "Ainsi parle Yahvé Sabaot :

Sion sera une terre de labour,
Jérusalem un amoncellement de pierres
et la montagne du Temple une hauteur boisée !"

[19]Est-ce que pour cela Ézéchias, roi de Juda, et tout Juda l'ont fait mourir ? N'ont-ils pas plutôt ressenti la crainte de Yahvé et ne l'ont-ils pas imploré, de telle sorte que Yahvé se repentit du malheur qu'il avait prononcé contre eux ? Et nous, nous nous chargerions d'un si grand crime ! »

[20]Il y eut encore un homme qui prophétisait au nom de Yahvé ; c'était Uriyyahu, fils de Shemayahu, originaire de Qiryat-Yéarim. Il prophétisa contre cette ville et ce pays dans les mêmes termes que Jérémie. [21]Alors le roi Joiaqim, avec tous ses officiers et ses princes, ayant entendu ses paroles, chercha à le faire mourir. À cette nouvelle Uriyyahu eut peur, il prit la fuite et parvint en Égypte. [22]Mais le roi Joiaqim envoya en Égypte Elnatân fils de Akbor, accompagné de quelques gens. [23]Ils firent sortir Uriyyahu d'Égypte et le conduisirent au roi Joiaqim qui le fit frapper de l'épée et fit jeter son cadavre parmi les sépultures des gens du peuple. [24]Jérémie, lui, fut protégé par Ahiqam, fils de Shaphân, si bien qu'il ne tomba pas aux mains du peuple pour être mis à mort.

II. LE LIVRET POUR LES EXILÉS

L'action symbolique du joug et le message aux rois de l'Ouest.
18 1.

27 [1](Au début du règne de Sédécias, fils de Josias, roi de Juda, cette parole fut adressée à Jérémie de la part de Yahvé.) [2]Yahvé me parla ainsi : Fais-toi des cordes et un joug et mets-les sur ta nuque. [3]Puis envoie-les au roi d'Édom, au roi de Moab, au roi des Ammonites, au roi de Tyr et au roi de Sidon, par l'entremise de leurs envoyés qui sont venus à Jérusalem auprès de Sédécias, roi de Juda. [4]Charge-les pour leurs maîtres de cette commission :

« Ainsi parle Yahvé Sabaot, le Dieu d'Israël. Parlez donc ainsi à vos maîtres : [5]C'est moi qui ai fait, par ma grande puissance et mon bras étendu, la terre, l'homme et les bêtes qui sont sur la terre ; et je les donne à qui bon me semble. [6]Or présentement, j'ai remis tous ces pays aux mains de Nabuchodonosor, roi de Babylone, mon serviteur ; j'ai mis à son service même les bêtes des champs. [7](Toutes les nations le serviront ainsi que son fils et son petit-fils jusqu'à ce que vienne aussi le temps marqué pour son pays ; alors de puissantes nations et de grands rois l'asserviront.) [8]La nation ou le royaume qui ne servira pas Nabuchodonosor, roi de Babylone, et n'offrira pas sa nuque au joug du roi de Babylone, c'est par l'épée, la famine et la peste que je visiterai cette nation – oracle de Yahvé – jusqu'à ce que je l'aie achevée par sa main. [9]Et vous, n'écoutez pas vos prophètes, devins, songe-creux, enchanteurs et magiciens qui vous disent : "Vous ne serez pas asservis au roi de Babylone !" [10]C'est le mensonge qu'ils vous prophétisent ; le résultat, c'est qu'ils vous feront bannir de votre sol, que je vous chasserai et que vous périrez. [11]Mais la nation qui offrira sa nuque au joug du roi de Babylone et se mettra à son service, je lui accorderai du repos sur son sol – oracle de Yahvé –, elle le cultivera et y restera. »

[12]Et à Sédécias, roi de Juda, je parlai exactement de la même manière ; je lui dis : « Offrez vos nuques au joug du roi de Babylone ; servez-le ainsi que son peuple, et vous vivrez. [13](Pourquoi tenez-vous à mourir, toi et ton peuple, par l'épée, la famine et la peste, comme Yahvé en a menacé la nation qui ne servira pas le roi de Babylone ?) [14]Et n'écoutez pas les paroles que vous disent les prophètes : "Vous ne serez pas asservis au roi de Babylone." C'est le mensonge qu'ils vous prophétisent. [15]Car je ne les ai point envoyés – oracle de Yahvé –, c'est le mensonge qu'ils vous prophétisent en mon nom. Le résultat c'est que je vous chasserai et que vous périrez, vous et les prophètes qui vous prophétisent. »

[16]Et aux prêtres et à tout ce peuple, je parlai en ces termes : « Ainsi parle Yahvé. N'écoutez pas les paroles de vos prophètes qui vous prophétisent ainsi : "Voici, les ustensiles du Temple de Yahvé vont être ramenés bientôt et rapidement de Babylone" ; c'est le mensonge qu'ils vous prophétisent. [17](Ne les écoutez pas. Servez le roi de Babylone et vous vivrez. Pourquoi cette ville deviendrait-elle une ruine ?) [18]S'ils sont prophètes, s'ils ont avec eux la parole de Yahvé, qu'ils intercèdent auprès de Yahvé Sabaot pour que ne s'en aille pas à Babylone ce qui reste d'ustensiles dans le Temple de Yahvé, dans le palais royal de Juda et à Jérusalem ! [19]Car ainsi parle Yahvé au sujet (des colonnes, de la Mer, des bases et) des autres ustensiles restés dans cette ville, [20]ceux que n'a pas enlevés Nabuchodonosor, roi de Babylone, quand il emmena en captivité de Jérusalem à Babylone Jékonias, fils de Joiaqim, roi de Juda (avec tous les notables de Juda et de Jérusalem). [21]Oui, ainsi parle Yahvé Sabaot, le Dieu d'Israël, au sujet des ustensiles qui restent dans le Temple de Yahvé, dans le palais royal de Juda et à Jérusalem : [22]ils seront emportés à Babylone (où ils resteront jusqu'au jour où je les visiterai), oracle de Yahvé. (Alors je les ferai remonter et revenir en ce lieu !) »

L'altercation avec le prophète Hananya. 14 13-16 ; 23 9-40.

28 [1]Cette même année, au début du règne de Sédécias, roi de Juda, la quatrième année, au cinquième mois, le prophète

Hananya, fils de Azzur, originaire de Gabaôn, me parla dans le Temple de Yahvé, en présence des prêtres et de tout le peuple : ²« Ainsi parle Yahvé Sabaot, le Dieu d'Israël. J'ai brisé le joug du roi de Babylone ! ³Encore juste deux ans, et je ferai revenir en ce lieu tous les ustensiles du Temple de Yahvé que Nabuchodonosor, roi de Babylone, a enlevés d'ici pour les emporter à Babylone. ⁴De même Jékonias, fils de Joiaqim, roi de Juda, avec tous les déportés de Juda qui sont allés à Babylone, je les ferai revenir ici – oracle de Yahvé – car je vais briser le joug du roi de Babylone ! »

⁵Alors le prophète Jérémie répondit au prophète Hananya, devant les prêtres et tout le peuple présents dans le Temple de Yahvé. ⁶Le prophète Jérémie dit : « Amen ! Qu'ainsi fasse Yahvé ! Qu'il accomplisse les paroles que tu viens de prophétiser et fasse revenir de Babylone tous les ustensiles du Temple de Yahvé ainsi que tous les déportés. ⁷Cependant, écoute bien la parole que je vais prononcer à tes oreilles et à celles de tout le peuple : ⁸Les prophètes qui nous ont précédés, toi et moi, depuis bien longtemps, ont prophétisé, pour beaucoup de pays et pour des royaumes considérables, la guerre, le malheur et la peste ; ⁹le prophète qui prophétise la paix, c'est quand s'accomplit sa parole qu'on le reconnaît pour un authentique envoyé de Yahvé ! »

¹⁰Alors le prophète Hananya enleva le joug de la nuque du prophète Jérémie et le brisa. ¹¹Et Hananya dit, devant tout le peuple : « Ainsi parle Yahvé. C'est de cette façon que dans juste deux ans je briserai le joug de Nabuchodonosor, roi de Babylone, l'enlevant de la nuque de toutes les nations. » Et le prophète Jérémie s'en alla.

¹²Or après que le prophète Hananya eut brisé le joug qu'il avait enlevé de la nuque du prophète Jérémie, la parole de Yahvé fut adressée à Jérémie : ¹³« Va dire à Hananya : Ainsi parle Yahvé. Tu brises les jougs de bois ? Eh bien ! Tu va les remplacer par des jougs de fer ! ¹⁴Car ainsi parle Yahvé Sabaot, le Dieu d'Israël : C'est un joug de fer que je mets sur la nuque de toutes ces nations, pour les asservir à Nabuchodonosor, roi de Babylone. (Elles lui seront asservies et je lui ai livré même les bêtes des champs.) »

¹⁵Et le prophète Jérémie dit au prophète Hananya : « Écoute bien, Hananya : Yahvé ne t'a point envoyé et tu as fait que ce peuple se confie au mensonge. ¹⁶C'est pourquoi, ainsi parle Yahvé. Voici que je te renvoie de la face de la terre : cette année tu mourras (car tu as prêché la révolte contre Yahvé). »

¹⁷Et le prophète Hananya mourut cette année même, au septième mois.

La lettre aux exilés.

29 ¹Voici le texte de la lettre que le prophète Jérémie expédia de Jérusalem à ceux qui restaient des anciens en déportation, aux prêtres, aux prophètes et à tout le peuple, que Nabuchodonosor avait déportés de Jérusalem à Babylone. ²C'était après que le roi Jékonias eut quitté Jérusalem avec la reine-mère, les eunuques, les princes de Juda et de Jérusalem, les forgerons et les serruriers. [3]Elle fut portée par Éléasa, fils de Shaphân, et Gemarya, fils de Hilqiyya, que Sédécias, roi de Juda, avait envoyés à Babylone, auprès de Nabuchodonosor, roi de Babylone. La lettre disait :

[4]« Ainsi parle Yahvé Sabaot, le Dieu d'Israël, à tous les exilés, déportés de Jérusalem à Babylone : [5]Bâtissez des maisons et installez-vous ; plantez des jardins et mangez leurs fruits ; [6]prenez femme et engendrez des fils et des filles ; choisissez des femmes pour vos fils ; donnez vos filles en mariage et qu'elles enfantent des fils et des filles ; multipliez-vous là-bas, ne diminuez pas ! [7]Recherchez la paix pour la ville où je vous ai déportés ; priez Yahvé en sa faveur, car de sa paix dépend la vôtre. [8]Car ainsi parle Yahvé Sabaot, le Dieu d'Israël : ne vous laissez pas égarer par les prophètes qui sont parmi vous, ni par vos devins, n'écoutez pas les songes que vous faites, [9]car c'est pour le mensonge qu'ils vous prophétisent en mon Nom. Je ne les ai point envoyés – oracle de Yahvé. [10]Car ainsi parle Yahvé : Quand seront accomplis les soixante-dix ans à Babylone, je vous visiterai et je réaliserai pour vous ma promesse de bonheur en vous ramenant ici. [11]Car je sais, moi, les desseins que je forme pour vous – oracle de Yahvé –, desseins de paix et non de malheur, pour vous donner un avenir et une espérance. [12]Vous m'invoquerez et vous viendrez, vous me prierez et je vous écouterai. [13]Vous me chercherez et vous me trouverez, car vous me rechercherez de tout votre cœur ; [14]je me lais-serai trouver par vous (– oracle de Yahvé. Je ramènerai vos captifs et vous rassemblerai de toutes les nations et de tous les lieux où je vous ai chassés, oracle de Yahvé. Je vous ramènerai en ce lieu d'où je vous ai exilés).

[15]« Puisque vous dites : "Yahvé nous a suscité des prophètes à Babylone" – [16]Ainsi parle Yahvé au sujet du roi qui trône sur le siège de David et de tout le peuple habitant cette ville, vos frères qui ne vous accompagnèrent pas en déportation. [17]Ainsi parle Yahvé Sabaot : Voici que je vais leur envoyer l'épée, la famine et la peste ; je les rendrai pareils à des figues pourries, si gâtées qu'on ne peut les manger. [18]Je les poursuivrai par l'épée, la famine et la peste. J'en ferai un objet d'épouvante pour tous les royaumes de la terre, une exécration, un objet de stupeur, de dérision et de raillerie pour toutes les nations où je les aurai chassés. [19]C'est qu'ils n'ont point écouté mes paroles – oracle de Yahvé –, bien que je leur aie envoyé sans me lasser mes serviteurs les prophètes, mais ils ne les ont pas écoutés – oracle de Yahvé. [20]Quant à vous, les déportés, que j'ai envoyés de Jérusalem à Babylone, écoutez tous la parole de Yahvé !

[21]« Ainsi parle Yahvé Sabaot, le Dieu d'Israël, au sujet d'Ahab, fils de Qolaya, et de Çidqiyyahu, fils de Maaséya, qui vous prophétisent en mon nom des mensonges : Voici, je vais les livrer entre les mains de Nabuchodonosor, roi de Babylone, qui les frappera sous vos yeux. [22]Et l'on pourra tirer de leur sort cette malédiction qui aura

cours chez tous les déportés judéens présents à Babylone : "Que Yahvé te traite comme Çidqiyyahu et Ahab, rôtis au feu par le roi de Babylone !" ²³C'est qu'ils ont accompli une infamie en Israël, ils ont commis l'adultère avec les femmes de leur prochain, ils ont prononcé en mon nom des paroles de mensonge sans que j'en aie donné l'ordre. Mais moi, je sais et je témoigne, oracle de Yahvé. »

Prophétie contre Shemayahu.

²⁴Et à Shemayahu de Nahlam, tu parleras ainsi : ²⁵Ainsi parle Yahvé Sabaot, le Dieu d'Israël. Puisque toi, tu as envoyé de ton propre chef à tout le peuple de Jérusalem et au prêtre Çephanya, fils de Maaséya (et à tous les prêtres) une lettre disant : ²⁶« Yahvé t'a établi prêtre à la place du prêtre Yehoyada, pour exercer la surveillance dans le Temple de Yahvé, sur tout exalté qui joue au prophète ; tu dois le mettre au carcan et aux fers.

²⁷Pourquoi alors n'avoir pas corrigé Jérémie d'Anatot qui fait le prophète parmi vous ? ²⁸C'est ainsi qu'il a pu nous adresser à Babylone cette recommandation : "Ce sera long ! Bâtissez des maisons et installez-vous ; plantez des jardins et mangez leurs fruits". »...

²⁹(Or le prêtre Çephanya avait lu la lettre au prophète Jérémie.) ³⁰La parole de Yahvé fut donc adressée à Jérémie en ces termes : ³¹Envoie ce message à tous les déportés : « Ainsi parle Yahvé au sujet de Shemayahu de Nahlam. Puisque Shemayahu vous a prophétisé, alors que je ne l'avais pas envoyé, et qu'il vous a fait vous confier au mensonge, ³²eh bien ! ainsi parle Yahvé : Je vais châtier Shemayahu de Nahlam, ainsi que sa descendance. Aucun des siens n'habitera au milieu de ce peuple pour jouir du bonheur que je veux accorder à mon peuple (– oracle de Yahvé –, car il a prêché la révolte contre Yahvé). »

III. LE LIVRE DE LA CONSOLATION

Restauration promise à Israël.

30 ¹Parole qui fut adressée à Jérémie de la part de Yahvé en ces termes : ²Ainsi parle Yahvé, le Dieu d'Israël. Écris pour toi dans un livre toutes les paroles que je t'ai adressées. ³Car voici venir des jours – oracle de Yahvé – où je ramènerai les captifs de mon peuple Israël (et Juda), dit Yahvé, je les ferai revenir au pays que j'ai donné à leurs pères et ils en prendront possession.

⁴Voici les paroles qu'a pronon-cées Yahvé à l'adresse d'Israël (et de Juda) :

⁵Ainsi parle Yahvé :
  Nous avons perçu un cri d'ef-froi,
  c'est la terreur, non la paix.
⁶Interrogez donc et regardez.
  Est-ce qu'un mâle enfante ?
  Pourquoi vois-je tout homme
  les mains sur les reins comme celle qui enfante ?
  Pourquoi tous les visages sont-ils devenus livides ?
⁷Malheur ! C'est le grand jour !

Il n'a pas son pareil !
Temps de détresse pour Jacob,
mais dont il sera sauvé.
⁸(Ce jour-là – oracle de Yahvé
Sabaot – je briserai le joug qui pèse
sur ta nuque et je romprai tes chaînes. Alors les étrangers ne t'asserviront plus, ⁹mais Israël et Juda serviront Yahvé leur Dieu et David
leur roi que je vais leur susciter.)

¹⁰Toi donc, ne crains pas, mon
serviteur Jacob
– oracle de Yahvé –,
ne sois pas terrifié, Israël.
Car voici que je vais te sauver
des terres lointaines
et tes descendants du pays de
leur captivité.
Jacob reviendra et sera paisible,
tranquille, sans personne qui
l'inquiète.
¹¹Car je suis avec toi pour te sauver
– oracle de Yahvé –,
je vais en finir avec toutes les
nations
où je t'ai dispersé ;
avec toi je ne veux pas en finir,
mais te châtier selon le droit,
ne te laissant pas impuni.

¹²Oui, ainsi parle Yahvé.
Incurable est ta blessure,
inguérissable ta plaie.
¹³Personne pour plaider ta cause ;
pour un ulcère, il y a des remèdes,
pour toi, pas de guérison.
¹⁴Tous tes amants t'ont oubliée,
ils ne te recherchent plus !
Oui, je t'ai frappée comme frappe un ennemi,
d'un rude châtiment
(pour ta faute si grande, tes péchés si nombreux).
¹⁵Pourquoi crier à cause de ta
blessure ?
Incurable est ton mal !

C'est pour ta faute si grande,
pour tes péchés si nombreux,
que je t'ai ainsi traitée !
¹⁶Mais tous ceux qui te dévoraient
seront dévorés,
tous tes adversaires, absolument
tous, iront en captivité,
ceux qui te dépouillaient seront
dépouillés,
et tous ceux qui te pillaient seront livrés au pillage.
¹⁷Car je vais te porter remède,
guérir tes plaies
– oracle de Yahvé –,
toi qu'on appelait : « la Répudiée »,
« Sion dont nul ne prend soin. »
¹⁸Ainsi parle Yahvé :
Voici que je vais rétablir les tentes de Jacob,
je prendrai en pitié ses habitations ;
la ville sera rebâtie sur son tell,
la maison forte restaurée à sa
vraie place.
¹⁹Il en sortira l'action de grâces et
les cris de joie.
Je les multiplierai : ils ne dimi-
nueront plus.
Je les glorifierai : ils ne seront
plus abaissés.
²⁰Ses fils seront comme jadis,
son assemblée devant moi sera
stable,
je châtierai tous ses oppresseurs.
²¹Son chef sera issu de lui,
son souverain sortira de ses
rangs.
Je lui donnerai audience et il
s'approchera de moi ;
qui donc en effet aurait l'audace
de s'approcher de moi ? – oracle
de Yahvé.

²²Vous serez mon peuple et moi,
je serai votre Dieu.

²³Voici l'ouragan de Yahvé, sa fureur qui éclate,
  c'est un ouragan qui gronde,
  sur la tête des impies il fait irruption.
²⁴L'ardente colère de Yahvé ne se détournera pas
  qu'il n'ait accompli et réalisé les desseins de son cœur.
  À la fin des jours, vous comprendrez cela.

31 ¹En ce temps-là – oracle de Yahvé –, je serai le Dieu de toutes les familles d'Israël, et elles seront mon peuple.

²Ainsi parle Yahvé :
  Il a trouvé grâce au désert,
  le peuple échappé à l'épée.
  Israël marche vers son repos.

³De loin Yahvé m'est apparu :
  D'un amour éternel je t'ai aimée,
  aussi t'ai-je maintenu ma faveur.
⁴De nouveau je te bâtirai et tu seras rebâtie,
  vierge d'Israël.
  De nouveau tu te feras belle,
  avec tes tambourins,
  tu sortiras au milieu des danses joyeuses.
⁵De nouveau tu seras plantée de vignes
  sur les montagnes de Samarie
  (ils planteront, les planteurs, et ils cueilleront).
⁶Oui, ce sera le jour où les veilleurs crieront
  sur la montagne d'Éphraïm :
  « Debout ! Montons à Sion,
  vers Yahvé notre Dieu ! »

⁷Car ainsi parle Yahvé :
  Criez de joie pour Jacob,
  acclamez la première des nations !
  Faites-vous entendre ! Louez !
  Proclamez :
  « Yahvé sauve son peuple,
  le reste d'Israël ! »

⁸Voici que moi je les ramène
  du pays du Nord,
  je les rassemble des extrémités du monde.
  Parmi eux l'aveugle et le boiteux,
  la femme enceinte et la femme qui enfante,
  tous ensemble : c'est une grande assemblée qui revient ici !
⁹En larmes ils reviennent,
  dans les supplications je les ramène.
  Je vais les conduire aux cours d'eau,
  par un chemin tout droit où ils ne trébucheront pas.
  Car je suis un père pour Israël
  et Éphraïm est mon premier-né.

¹⁰Nations, écoutez la parole de Yahvé !
  Annoncez-la dans les îles lointaines ; dites :
  « Celui qui dispersa Israël le rassemble,
  il le garde comme un pasteur son troupeau. »
¹¹Car Yahvé a racheté Jacob,
  il l'a délivré de la main d'un plus fort.
¹²Ils viendront, criant de joie, sur la hauteur de Sion,
  ils afflueront vers les biens de Yahvé :
  le blé, le vin nouveau et l'huile,
  les brebis et les bœufs ;
  ils seront comme un jardin bien arrosé,
  ils ne languiront plus.
¹³Alors la vierge prendra joie à la danse,

et, ensemble, les jeunes et les vieux ;

je changerai leur deuil en allégresse,

je les consolerai, je les réjouirai après leurs peines.

¹⁴Je fournirai aux prêtres abondance de graisse

et mon peuple sera rassasié de mes biens,

oracle de Yahvé.

¹⁵Ainsi parle Yahvé :

À Rama, une voix se fait entendre,

une plainte amère ;

c'est Rachel qui pleure ses fils.

Elle ne veut pas être consolée pour ses fils,

car ils ne sont plus.

¹⁶Ainsi parle Yahvé.

Cesse ta plainte,

sèche tes yeux !

Car il est une compensation pour ta peine :

– oracle de Yahvé –

ils vont revenir du pays ennemi.

¹⁷Il y a donc espoir pour ton avenir :

– oracle de Yahvé –

ils vont revenir, tes fils, sur leur territoire.

¹⁸J'ai bien entendu le gémissement d'Éphraïm :

« Tu m'as corrigé, j'ai subi la correction,

comme un jeune taureau non dressé.

Fais-moi revenir, que je revienne,

car tu es Yahvé, mon Dieu !

¹⁹Car après m'être détourné je me suis repenti,

j'ai compris et je me suis frappé la poitrine.

J'étais plein de honte et je rougissais ;

oui, je portais sur moi l'opprobre de ma jeunesse ! »

²⁰– Éphraïm est-il donc pour moi un fils si cher,

un enfant tellement préféré,

que chaque fois que j'en parle je veuille encore me souvenir de lui ?

C'est pour cela que mes entrailles s'émeuvent pour lui,

que pour lui déborde ma tendresse,

oracle de Yahvé.

²¹Dresse-toi des jalons,

mets en place des bornes ;

remarque bien la route,

la voie où tu as marché.

Reviens, vierge d'Israël,

reviens vers ces villes qui sont tiennes !

²²Jusques à quand tourneras-tu de-ci, de-là,

fille rebelle ?

Car Yahvé crée du nouveau sur la terre :

la Femme recherche son Mari.

Rétablissement promis à Juda.

²³Ainsi parle Yahvé Sabaot, le Dieu d'Israël. On dira encore cette parole au pays de Juda et dans ses villes quand je ramènerai leurs captifs :

Que Yahvé te bénisse,

toi, demeure de justice,

toi, sainte montagne !

²⁴Dans ce pays s'installeront Juda et toutes ses villes ensemble, les laboureurs et ceux qui conduisent le troupeau. ²⁵Car je donnerai l'abondance à celui qui était épuisé et je rassasierai tout être qui languit.

²⁶Sur ce, je me suis éveillé et je

vis que mon sommeil avait été agréable.

Israël et Juda.

²⁷Voici venir des jours – oracle de Yahvé – où j'ensemencerai la maison d'Israël et la maison de Juda d'une semence d'hommes et d'une semence de bétail. ²⁸Et de même que j'ai veillé sur eux pour arracher, pour renverser, pour démolir, pour exterminer et pour affliger, de même je veillerai sur eux pour bâtir et pour planter, oracle de Yahvé.

La rétribution personnelle.
‖ Ez **18** 2.

²⁹En ces jours-là on ne dira plus :

Les pères ont mangé des raisins verts,
    et les dents des fils sont agacées.

³⁰Mais chacun mourra pour sa propre faute. Tout homme qui aura mangé des raisins verts, ses propres dents seront agacées.

La nouvelle Alliance.

³¹Voici venir des jours – oracle de Yahvé – où je conclurai avec la maison d'Israël (et la maison de Juda) une alliance nouvelle. ³²Non pas comme l'alliance que j'ai conclue avec leurs pères, le jour où je les pris par la main pour les faire sortir du pays d'Égypte – mon alliance qu'eux-mêmes ont rompue, bien que je fusse leur Maître, oracle de Yahvé ! ³³Mais voici l'alliance que je conclurai avec la maison d'Israël après ces jours-là, oracle de Yahvé. Je mettrai ma Loi au fond de leur être et je l'écrirai sur leur cœur. Alors je serai leur Dieu et eux seront mon peuple. ³⁴Ils n'auront plus à instruire chacun son prochain, chacun son frère, en disant : « Ayez la connaissance de Yahvé ! » Car tous me connaîtront, des plus petits jusqu'aux plus grands – oracle de Yahvé –, parce que je vais pardonner leur crime et ne plus me souvenir de leur péché.

Permanence d'Israël.

³⁵Ainsi parle Yahvé,
    lui qui établit le soleil pour éclairer le jour,
    commande à la lune et aux étoiles pour éclairer la nuit,
    qui brasse la mer et fait mugir ses flots,
    lui dont le nom est Yahvé Sabaot !
³⁶Si jamais cet ordre venait à faillir
    devant moi – oracle de Yahvé –,
    alors la race d'Israël cesserait aussi
    d'être une nation devant moi pour toujours !
³⁷Ainsi parle Yahvé :
    Qu'on parvienne à mesurer le ciel là-haut
    et à sonder en bas les fondations de la terre,
    alors moi aussi je rejetterai toute la race d'Israël
    pour tout ce qu'ils ont fait, oracle de Yahvé.

Reconstruction et grandeur de Jérusalem.

³⁸Voici venir des jours – oracle de Yahvé – où la Ville sera reconstruite pour Yahvé, depuis la tour de Hananéel jusqu'à la porte de l'Angle. ³⁹Puis le cordeau à mesurer sera encore tendu tout droit sur la hauteur de Gareb, pour

tourner vers Goa. ⁴⁰Et toute la vallée, avec ses cadavres et sa cendre, et tous les terrains attenant au ravin du Cédron jusqu'à l'angle de la porte des Chevaux, vers l'est, seront consacrés à Yahvé. Il n'y aura plus jamais de destruction ni de démolition.

IV. ADDITIONS AU LIVRE DE LA CONSOLATION

L'achat d'un champ, gage d'avenir heureux. 18 1.

32 ¹Parole qui fut adressée à Jérémie de la part de Yahvé, dans la dixième année de Sédécias, roi de Juda, c'est-à-dire la dix-huitième année de Nabuchodonosor. ²L'armée du roi de Babylone assiégeait alors Jérusalem, et le prophète Jérémie se trouvait enfermé dans la cour de garde, au palais du roi de Juda, ³où Sédécias, roi de Juda, l'avait fait enfermer en lui disant : « Pourquoi prophétises-tu en ces termes : Ainsi parle Yahvé. Voici, je vais livrer cette ville aux mains du roi de Babylone pour qu'il la prenne ; ⁴Sédécias, roi de Juda, n'échappera pas au pouvoir des Chaldéens, mais sûrement il sera livré aux mains du roi de Babylone et pourra l'entretenir face à face et le regarder les yeux dans les yeux ; ⁵à Babylone il emmènera Sédécias qui y restera (jusqu'à ce que je le visite, oracle de Yahvé. Si vous combattez les Chaldéens, vous ne réussirez pas !). »

⁶Or Jérémie dit : La parole de Yahvé m'a été adressée en ces termes : ⁷Voici, Hanaméel, fils de ton oncle Shallum, va venir te trouver pour te dire : « Achète mon champ d'Anatot, car tu as droit de rachat pour l'acquérir. » ⁸Mon cousin Hanaméel vint me trouver selon la pa-

role de Yahvé, dans la cour de garde, et il me dit : « Achète donc mon champ d'Anatot, au pays de Benjamin, car tu as droit d'héritage et droit de rachat, achète-le. » Je reconnus alors que c'était un ordre de Yahvé. ⁹J'achetai donc ce champ à mon cousin Hanaméel d'Anatot et lui pesai l'argent : dix-sept sicles d'argent. ¹⁰Je rédigeai l'acte et le scellai, je pris des témoins et je pesai l'argent avec une balance. ¹¹Puis je pris l'acte d'acquisition, son exemplaire scellé (avec les stipulations et les clauses) et son exemplaire ouvert, ¹²et je remis l'acte d'acquisition à Baruch, fils de Nériyya, fils de Mahséya, en présence de mon cousin Hanaméel et des témoins signataires de l'acte d'acquisition, et en présence de tous les Judéens qui se trouvaient dans la cour de garde. ¹³Devant eux, je donnai cet ordre à Baruch : ¹⁴« Ainsi parle Yahvé Sabaot, le Dieu d'Israël. Prends ces documents, cet acte d'acquisition, l'exemplaire scellé comme la copie ouverte, et mets-les dans un vase de terre de façon qu'ils se conservent longtemps. ¹⁵Car ainsi parle Yahvé Sabaot, le Dieu d'Israël : On achètera encore des maisons, des champs et des vignes en ce pays. »

¹⁶Après avoir confié l'acte d'acquisition à Baruch, fils de Nériyya,

j'adressai cette prière à Yahvé : ¹⁷« Ah ! Seigneur Yahvé, voici que tu as fait le ciel et la terre par ta grande puissance et ton bras étendu. À toi rien n'est impossible ! ¹⁸Tu fais grâce à des milliers, mais punis la faute des pères, à pleine mesure, sur leurs fils après eux. Ô Dieu grand et fort dont le nom est Yahvé Sabaot, ¹⁹grand dans tes desseins, puissant dans tes hauts faits, toi dont les yeux sont ouverts sur toutes les voies des humains pour rendre à chacun selon sa conduite et d'après le fruit de ses actes ! ²⁰Toi qui produisis signes et prodiges au pays d'Égypte, et jusqu'aujourd'hui en Israël et parmi les hommes. Tu t'es fait un nom, comme on le voit aujourd'hui. ²¹Tu fis sortir ton peuple Israël du pays d'Égypte par signes et prodiges, à main forte et à bras étendu, et par une grande terreur. ²²Puis tu leur donnas ce pays que tu avais promis par serment à leurs pères, pays qui ruisselle de lait et de miel. ²³Ils vinrent donc et en prirent possession, mais ils n'écoutèrent pas ta voix et ne marchèrent pas selon ta Loi : ils ne pratiquèrent rien de ce que tu leur avais ordonné, alors tu fis venir sur eux tout ce malheur. ²⁴Voici que les terrassements pour l'assaut atteignent la ville ; par l'épée, la famine et la peste, elle est livrée aux mains des Chaldéens qui l'attaquent. Ce que tu as dit arrive, et tu le vois. ²⁵Et c'est toi, Seigneur Yahvé, qui me dis : "Achète ce champ à prix d'argent et prends des témoins", alors que la ville est livrée aux mains des Chaldéens ! »

²⁶Or la parole de Yahvé fut adressée à Jérémie en ces termes : ²⁷Voici, je suis Yahvé, le Dieu de toute chair ; y a-t-il pour moi quelque chose d'impossible ?

²⁸C'est pourquoi, ainsi parle Yahvé : Je vais livrer cette ville aux mains des Chaldéens et aux mains de Nabuchodonosor, roi de Babylone, qui la prendra ; ²⁹les Chaldéens qui attaquent cette ville entreront et y mettront le feu ; ils brûleront les maisons sur le toit desquelles on a allumé l'encens pour Baal et répandu des libations en l'honneur de dieux étrangers pour m'irriter. ³⁰Car les enfants d'Israël et ceux de Juda n'ont fait, depuis leur jeunesse, que ce qui est mal à mes yeux (les enfants d'Israël, en effet, n'ont fait que m'irriter par l'œuvre de leurs mains – oracle de Yahvé). ³¹Oui, cette ville a été pour moi un sujet de colère et de fureur, depuis le jour où on l'a bâtie jusqu'aujourd'hui ; j'en viendrai à l'ôter de devant ma face, ³²à cause de tout le mal que les enfants d'Israël et les enfants de Juda ont commis pour m'irriter, eux, leurs rois, leurs princes, leurs prêtres, leurs prophètes, les hommes de Juda et les habitants de Jérusalem. ³³Ils ont tourné vers moi le dos, non la face, et quand je les instruisais avec constance et sans me lasser, aucun ne m'écoutait pour accueillir la leçon. ³⁴Ils ont installé leurs Horreurs dans le Temple qui porte mon nom pour le souiller. ³⁵Ils ont construit les hauts lieux de Baal dans la vallée de Ben-Hinnom pour faire passer par le feu leurs fils et leurs filles en l'honneur de Molek – ce que je n'avais point ordonné, ce à quoi je n'avais jamais songé : commettre une telle abomination pour faire pécher Juda !

³⁶C'est pourquoi, maintenant, ainsi parle Yahvé, le Dieu d'Israël, à propos de cette ville dont tu viens de dire : « Par l'épée, la famine et la peste, elle est livrée au roi de Babylone. » ³⁷Moi, je vais les rassembler de tous les pays où je les ai chassés dans ma colère, ma fureur et ma grande indignation ; en ce lieu je les ramènerai et les ferai demeurer en sécurité. ³⁸Alors ils seront mon peuple et moi, je serai leur Dieu. ³⁹Je leur donnerai un seul cœur et une seule manière d'agir, de façon qu'ils me craignent toujours, pour leur bien et celui de leurs enfants après eux. ⁴⁰Je conclurai avec eux une alliance éternelle : je ne cesserai pas de les suivre pour leur faire du bien et je mettrai ma crainte en leur cœur pour qu'ils ne s'écartent plus de moi. ⁴¹Je trouverai ma joie à leur faire du bien et je les planterai solidement en ce pays, de tout mon cœur et de toute mon âme. ⁴²Car ainsi parle Yahvé. De même que j'ai amené sur ce peuple tout cet immense malheur, de même je leur amènerai tout le bien que je leur promets. ⁴³On achètera des champs en ce pays dont tu dis : « C'est une solitude, sans hommes ni bêtes, il est livré aux mains des Chaldéens. » ⁴⁴On achètera des champs à prix d'argent, on rédigera un acte, on le scellera et on prendra des témoins au pays de Benjamin, aux alentours de Jérusalem, dans les villes de Juda, dans celles de la Montagne, du Bas-Pays et du Négeb. Car je ramènerai leurs captifs, oracle de Yahvé.

Autre promesse de restauration.

33 ¹Pendant que Jérémie était encore enfermé dans la cour de garde, la parole de Yahvé lui fut adressée une seconde fois en ces termes : ²Ainsi parle Yahvé qui a fait la terre, lui donnant forme et stabilité – son nom est Yahvé ! – ³Invoque-moi et je te répondrai ; je t'annoncerai des choses grandes et cachées dont tu ne sais rien. ⁴Car ainsi parle Yahvé, le Dieu d'Israël, au sujet des maisons de cette ville et des maisons des rois de Juda, qui vont être détruites grâce aux terrassements et à l'épée ; ⁵au sujet de ceux qui combattent contre les Chaldéens pour remplir la ville de cadavres, eux que j'ai frappés dans ma colère et dans ma fureur, eux dont la méchanceté m'a fait me détourner de cette ville. ⁶Voici que moi, je leur porte remède et guérison ; je vais les guérir et leur révéler une ordonnance de paix et de fidélité. ⁷Je ramènerai les captifs de Juda et les captifs d'Israël, et je les rétablirai comme avant. ⁸Je les purifierai de toute faute par laquelle ils m'ont offensé, je pardonnerai toutes les fautes par lesquelles ils m'ont offensé et se sont révoltés contre moi. ⁹Jérusalem deviendra pour moi un nom plein d'allégresse, un honneur, une splendeur devant toutes les nations du monde : quand elles apprendront tout le bien que je vais faire, elles seront prises de crainte et de tremblement, à cause de tout le bonheur et de toute la paix que je vais lui accorder.

¹⁰Ainsi parle Yahvé. En ce lieu dont vous dites : « C'est une ruine, sans hommes ni bêtes », dans les villes de Juda et les rues dé-

solées de Jérusalem où il n'y a ni hommes ni bêtes, on entendra de nouveau ¹¹les cris de joie et d'allégresse, les appels du fiancé et de la fiancée, le chant de ceux qui diront, en apportant au Temple de Yahvé les sacrifices d'actions de grâces : « Rendez grâce à Yahvé Sabaot, car Yahvé est bon, car éternel est son amour ! » Car je ramènerai les captifs du pays comme avant, dit Yahvé.

¹²Ainsi parle Yahvé Sabaot. Il y aura encore dans ce lieu en ruines, privé d'hommes et de bêtes, et dans toutes ses villes, des pâturages où les bergers feront reposer leurs brebis. ¹³Dans les villes de la Montagne, du Bas-Pays et du Négeb, au pays de Benjamin, aux alentours de Jérusalem et dans les villes de Juda, les brebis passeront sous la main de celui qui les compte, dit Yahvé.

Les institutions de l'avenir.

¹⁴Voici venir des jours – oracle de Yahvé – où j'accomplirai la promesse de bonheur que j'ai prononcée sur la maison d'Israël et sur la maison de Juda.

¹⁵En ces jours-là, en ce temps-là,
    je ferai germer pour David un germe de justice
    qui exercera droit et justice dans le pays.
¹⁶En ces jours-là, Juda sera sauvé
    et Jérusalem habitera en sécurité.
Voici le nom dont on appellera la Ville :
« Yahvé-notre-Justice. »

¹⁷Car ainsi parle Yahvé : Jamais David ne manquera d'un descen-

dant qui prenne place sur le trône de la maison d'Israël. ¹⁸Et jamais les prêtres lévites ne manqueront de descendants qui se tiennent devant moi pour offrir l'holocauste, faire fumer l'oblation et offrir tous les jours le sacrifice.

¹⁹Puis la parole de Yahvé fut adressée à Jérémie en ces termes : ²⁰Ainsi parle Yahvé. Si vous pouvez rompre mon alliance avec le jour et mon alliance avec la nuit, de sorte que le jour et la nuit n'arrivent plus au temps fixé, ²¹mon alliance sera aussi rompue avec David mon serviteur, de sorte qu'il n'aura plus de fils régnant sur son trône, ainsi qu'avec les lévites, les prêtres qui assurent mon service. ²²Comme l'armée des cieux qui ne peut être dénombrée, comme le sable de la mer qui ne peut être compté, ainsi multiplierai-je la postérité de David mon serviteur, et les lévites qui assurent mon service.

²³La parole de Yahvé fut adressée à Jérémie en ces termes : ²⁴N'as-tu pas remarqué ce que disent ces gens : « Les deux familles qu'avait élues Yahvé, il les a rejetées ! » Aussi méprisent-ils mon peuple qui ne leur apparaît plus comme une nation. ²⁵Ainsi parle Yahvé : Si je n'ai pas créé le jour et la nuit et établi les lois du ciel et de la terre, ²⁶alors je rejetterai la descendance de Jacob et de David mon serviteur et cesserai de prendre parmi ses descendants ceux qui gouverneront la postérité d'Abraham, d'Isaac et de Jacob ! Car je vais ramener leurs captifs et les prendre en pitié.

V. DIVERS

Le sort final de Sédécias. 21 1-7 ; 32 1-5.

34 ¹Parole qui fut adressée à Jérémie de la part de Yahvé, à l'époque où Nabuchodonosor, roi de Babylone, et toute son armée, tous les royaumes de la terre soumis à sa domination et tous les peuples étaient en lutte contre Jérusalem et contre toutes ses villes. ²Ainsi parle Yahvé, le Dieu d'Israël : Va ! Tu parleras à Sédécias, roi de Juda, et tu lui diras : Ainsi parle Yahvé. Voici que moi, je vais livrer cette ville aux mains du roi de Babylone et il l'incendiera. ³Et toi, tu n'échapperas pas à sa main, mais tu seras bel et bien capturé et remis entre ses mains. Tu pourras regarder le roi de Babylone les yeux dans les yeux et lui pourra te parler face à face. Puis tu iras à Babylone. ⁴Toutefois, écoute la parole de Yahvé, Sédécias, roi de Juda ! Ainsi parle Yahvé à ton sujet : tu ne mourras pas par l'épée, ⁵c'est en paix que tu mourras. Et comme il y eut des parfums pour tes ancêtres, les rois de jadis qui furent avant toi, de même on en brûlera en ton honneur, et pour toi on récitera la lamentation : « Hélas ! Seigneur ! » C'est moi qui le déclare, oracle de Yahvé.

⁶Le prophète Jérémie rapporta toutes ces paroles à Sédécias, roi de Juda, à Jérusalem ; ⁷l'armée du roi de Babylone menait alors le combat contre Jérusalem et contre toutes les villes de Juda qui tenaient encore, à savoir Lakish et Azéqa, car parmi les villes de Juda, celles-ci restaient des places fortes.

L'affaire de la libération des esclaves.

⁸Parole qui fut adressée à Jérémie de la part de Yahvé, après que le roi Sédécias eut conclu avec tout le peuple de Jérusalem une alliance pour proclamer un affranchissement : ⁹chacun devait renvoyer libres ses esclaves hébreux, hommes et femmes, personne ne devait plus tenir en servitude un Judéen, son frère. ¹⁰Tous les princes et tout le peuple qui avaient participé à cette alliance avaient accepté de renvoyer libres chacun ses esclaves, hommes et femmes, et de ne plus les tenir en servitude ; ils avaient accepté et les avaient renvoyés. ¹¹Mais après cela, changeant d'avis, ils avaient repris les esclaves, hommes et femmes, qu'ils avaient libérés, et les avaient de nouveau réduits en servitude. ¹²Alors la parole de Yahvé fut adressée à Jérémie de la part de Yahvé en ces termes : ¹³Ainsi parle Yahvé, le Dieu d'Israël. J'ai conclu avec vos pères, quand je les fis sortir du pays d'Égypte, de la maison de servitude, une alliance en disant : ¹⁴« Au bout de sept années, chacun de vous libérera son frère hébreu qui se sera vendu à toi ; six ans il sera ton esclave, puis tu le renverras libre de chez toi. » Mais vos pères ne m'ont pas écouté et n'ont pas prêté l'oreille. ¹⁵Or aujourd'hui vous vous étiez convertis, vous aviez fait ce qui est juste à mes yeux en proclamant l'affranchissement de votre prochain ; vous aviez conclu une al-

liance devant moi, dans le Temple qui porte mon nom. ¹⁶Puis vous avez changé d'avis et, profanant mon nom, vous avez repris chacun son esclave, homme ou femme, que vous aviez renvoyés libres de leur personne, et les avez forcés à redevenir vos esclaves.

¹⁷C'est pourquoi, ainsi parle Yahvé. Vous ne m'avez pas obéi en rendant la liberté chacun à son frère, chacun à son prochain. Eh bien, moi, je vais rendre la liberté contre vous – oracle de Yahvé – à l'épée, à la peste et à la famine, et faire de vous un objet d'épouvante pour tous les royaumes de la terre. ¹⁸Et ces hommes qui ont trahi mon alliance, qui n'ont pas observé les termes de l'alliance conclue par eux en ma présence, je vais les rendre pareils au veau qu'ils ont coupé en deux pour passer entre ses morceaux. ¹⁹Les princes de Juda et ceux de Jérusalem, les eunuques, les prêtres et tout le peuple du pays, qui sont passés entre les morceaux du veau, ²⁰je les livrerai aux mains de leurs ennemis et aux mains de ceux qui en veulent à leur vie : leurs cadavres serviront de nourriture aux oiseaux du ciel et aux bêtes de la terre. ²¹Je livrerai aussi Sédécias, roi de Juda, et ses princes aux mains de leurs ennemis, aux mains de ceux qui en veulent à leur vie et aux mains de l'armée du roi de Babylone qui vient de se replier loin de vous. ²²Voici, je vais donner un ordre – oracle de Yahvé – et les ramener vers cette ville pour qu'ils l'attaquent, la prennent et l'incendient. Et je ferai des villes de Juda une solitude où personne n'habite.

L'exemple des Rékabites.

35 ¹Parole qui fut adressée à Jérémie de la part de Yahvé, au temps de Joiaqim, fils de Josias, roi de Juda : ²« Va trouver le groupe des Rékabites, parle avec eux et amène-les au Temple de Yahvé, dans l'une des salles, pour leur offrir du vin à boire. » ³Je pris donc Yaazanya, fils de Yirmeyahu, fils de Habaççinya, ainsi que ses frères et tous ses fils, tout le groupe des Rékabites ; ⁴je les amenai au Temple de Yahvé, dans la salle de Ben-Yohanân, fils de Yigdalyahu, homme de Dieu, celle qui est contiguë à la salle des princes, au-dessus de celle de Maaséyahu, fils de Shallum, gardien du seuil ; ⁵devant les membres du groupe rékabite, je mis des amphores pleines de vin ainsi que des coupes et je leur dis : « Buvez du vin ! »

⁶Mais ils répondirent : « Nous ne buvons pas de vin, car notre ancêtre Yonadab, fils de Rékab, nous a donné cet ordre : "Vous ne boirez jamais de vin, ni vous, ni vos fils ; ⁷de même vous ne devez pas bâtir de maison, ni faire de semailles, ni planter de vigne, ni posséder rien de tout cela ; mais c'est sous des tentes que vous habiterez toute votre vie, afin de vivre de longs jours sur le sol où vous séjournez." ⁸Nous avons obéi à tout ce que nous a ordonné notre ancêtre Yonadab, fils de Rékab, ne buvant jamais de vin, nous, nos femmes, nos fils et nos filles, ⁹ne bâtissant pas de maisons d'habitation, ne possédant ni vigne, ni champ, ni semailles, ¹⁰habitant sous la tente. Nous

avons obéi et fait tout ce que nous a ordonné notre ancêtre Yonadab. [11]Mais quand Nabuchodonosor, roi de Babylone, est monté contre ce pays, nous nous sommes dit : "Venez ! Entrons à Jérusalem pour échapper à l'armée des Chaldéens et à celle d'Aram !" Et nous avons demeuré dans Jérusalem. »

[12]Alors la parole de Yahvé fut adressée à Jérémie en ces termes : [13]Ainsi parle Yahvé Sabaot, le Dieu d'Israël. Va dire aux hommes de Juda et aux habitants de Jérusalem : Ne saisirez-vous pas la leçon, qui est d'obéir à mes paroles ? – oracle de Yahvé. [14]On a observé les paroles de Yonadab, fils de Rékab ; il a défendu à ses fils de boire du vin et jusqu'aujourd'hui ils n'en ont pas bu, obéissant à l'ordre de leur ancêtre. Et moi qui vous ai parlé sans me lasser et avec insistance, vous ne m'avez pas écouté. [15]Je vous ai envoyé sans me lasser et à bien des reprises tous mes serviteurs les prophètes pour vous dire : Revenez chacun de votre voie mauvaise, améliorez vos actions, ne suivez pas d'autres dieux pour les servir, et vous demeurerez sur le sol que j'ai donné à vous et à vos pères. Mais vous n'avez pas prêté l'oreille, vous ne m'avez pas écouté. [16]Ainsi les descendants de Yonadab, fils de Rékab, ont observé l'ordre donné par leur ancêtre, tandis que ce peuple ne m'a pas écouté ! [17]C'est pourquoi ainsi parle Yahvé, le Dieu Sabaot, le Dieu d'Israël. Voici, je vais amener sur Juda et sur tous les habitants de Jérusalem tout le malheur dont je les ai menacés : c'est que je leur ai parlé sans qu'ils m'écoutent et les ai appelés sans qu'ils répondent.

[18]Alors Jérémie dit au groupe rékabite : « Ainsi parle Yahvé Sabaot, le Dieu d'Israël. Puisque vous avez obéi à l'ordre de votre ancêtre Yonadab, que vous avez observé tous ses ordres et pratiqué tout ce qu'il vous a ordonné, [19]eh bien ! ainsi parle Yahvé Sabaot, le Dieu d'Israël : Yonadab, fils de Rékab, ne manquera jamais de quelqu'un qui se tienne en ma présence, pour toujours. »

4. Les souffrances de Jérémie

Le rouleau de 605-604.

36 [1]La quatrième année de Joiaqim, fils de Josias, roi de Juda, la parole que voici fut adressée à Jérémie de la part de Yahvé : [2]Prends un rouleau et écris dessus toutes les paroles que je t'ai adressées touchant Israël, Juda et toutes les nations, depuis le jour où je commençai à te parler – au temps de Josias – jusqu'aujourd'hui. [3]Peut-être qu'en entendant tout le mal que j'ai dessein de leur faire, ceux de la maison de Juda reviendront chacun de sa voie mauvaise ; alors je pourrai pardonner leur iniquité et leur péché. [4]Jérémie appela Baruch, fils de Nériyya, qui sous sa dictée écrivit sur un rouleau toutes les paroles que Yahvé avait adressées au prophète.

[5]Alors Jérémie donna cet ordre à Baruch : « Je suis empêché, je ne

peux plus entrer au Temple de Yahvé. ⁶Mais tu iras, toi, lire au peuple, dans le rouleau que tu as écrit sous ma dictée, toutes les paroles de Yahvé, en son Temple, le jour du jeûne. De même tu les liras à tous les Judéens venus de leurs villes. ⁷Peut-être leur supplication touchera-t-elle Yahvé et se convertiront-ils chacun de sa voie mauvaise ; car grandes sont la colère et la fureur dont Yahvé a menacé ce peuple. » ⁸Baruch, fils de Nériyya, observa ponctuellement l'ordre que lui avait donné le prophète Jérémie, de lire dans le livre les paroles de Yahvé, en son Temple. ⁹La cinquième année de Joiaqim, fils de Josias, roi de Juda, au neuvième mois, on convoqua pour un jeûne devant Yahvé tout le peuple de Jérusalem et tout le peuple qui pourrait y venir de toutes les villes de Juda. ¹⁰Alors Baruch lut dans le livre les paroles de Jérémie ; on était au Temple de Yahvé, dans la salle de Gemaryahu, le fils du scribe Shaphân, dans la cour d'en haut, à l'entrée de la porte Neuve du Temple de Yahvé : tout le peuple pouvait entendre.

¹¹Or Mikayehu, fils de Gemaryahu, fils de Shaphân, ayant écouté les paroles de Yahvé tirées du livre, ¹²descendit au palais royal, à la salle du scribe. Là, tous les princes tenaient séance : Élishama, le scribe ; Delayahu, fils de Shemayahu ; Elnatân, fils de Akbor ; Gemaryahu, fils de Shaphân ; Çidqiyyahu, fils de Hananyahu, et tous les autres princes. ¹³Mikayehu leur rapporta toutes les paroles qu'il avait entendues quand Baruch en faisait lecture aux oreilles du peuple. ¹⁴Alors, à

l'unanimité, les princes envoyèrent à Baruch Yehudi, fils de Netanyahu, et Shélémyahu, fils de Kushi, pour lui dire : « Ce rouleau dont tu as fait lecture au peuple, prends-le et viens ! » Baruch, fils de Nériyya, prit donc le rouleau et arriva près d'eux. ¹⁵Ils lui dirent : « Assieds-toi et donne-nous-en lecture. » Et Baruch leur en donna lecture. ¹⁶Après avoir entendu toutes les paroles, ils se tournèrent effrayés l'un vers l'autre et dirent à Baruch : « Il nous faut absolument informer le roi de tout cela. » ¹⁷Et ils interrogèrent Baruch : « Apprends-nous comment tu as écrit toutes ces paroles. » ¹⁸Baruch leur répondit : « Jérémie me les dictait toutes, et moi je les écrivais avec de l'encre sur ce livre. » ¹⁹Les princes dirent alors à Baruch : « Va-t'en, cache-toi, ainsi que Jérémie : que nul ne sache où vous êtes. » ²⁰Puis ils se rendirent chez le roi, à la cour du palais, laissant le rouleau en dépôt dans la salle du scribe Élishama. Et ils informèrent le roi de toute cette affaire.

²¹Le roi envoya Yehudi chercher le rouleau ; celui-ci l'apporta de la salle du scribe Élishama et en fit lecture devant le roi et devant tous les princes, debout autour du roi. ²²Le roi était assis dans ses appartements d'hiver – on était au neuvième mois – et le feu d'un brasero brûlait devant lui. ²³Chaque fois que Yehudi avait lu trois ou quatre colonnes, le roi les lacérait avec le canif du scribe et les jetait au feu sur le brasero, jusqu'à ce que le rouleau entier fût consumé dans le feu du brasero. ²⁴Mais ni le roi ni aucun

de ses serviteurs, à entendre toutes ces paroles, ne furent effrayés ni ne déchirèrent leurs vêtements ; ²⁵et pourtant Elnatân, Delayahu et Gemaryahu avaient insisté auprès du roi pour qu'il ne brûlât pas le rouleau ; mais il ne les écouta pas. ²⁶Et il ordonna à Yerahméel, fils du roi, à Serayahu, fils de Azriel, et à Shélémyahu, fils de Abdéel, de saisir Baruch, le scribe, et Jérémie, le prophète. Mais Yahvé les avait cachés.

²⁷Alors la parole de Yahvé fut adressée à Jérémie, après que le roi eut brûlé le rouleau avec les paroles qu'avait écrites Baruch sous la dictée de Jérémie : ²⁸« Prends un autre rouleau ; écris dessus toutes les paroles qui figuraient déjà dans le premier rouleau brûlé par Joiaqim, roi de Juda. ²⁹Et contre Joiaqim, roi de Juda, tu diras : Ainsi parle Yahvé. Toi, tu as brûlé ce rouleau en disant : "Pourquoi y avoir écrit : Il est certain que le roi de Babylone viendra, saccagera ce pays et en fera disparaître hommes et bêtes ?" ³⁰C'est pourquoi, ainsi parle Yahvé contre Joiaqim, roi de Juda. Il n'aura plus personne pour siéger sur le trône de David, et son cadavre sera exposé à la chaleur du jour et au froid de la nuit. ³¹Lui, sa descendance et ses serviteurs, je les châtierai de leurs fautes ; j'amènerai sur eux, sur les habitants de Jérusalem et sur les gens de Juda tout le malheur dont je les ai menacés sans qu'ils m'écoutent. »

³²Jérémie prit un autre rouleau et le remit au scribe Baruch, fils de Nériyya, qui y écrivit, sous la dictée de Jérémie, toutes les paroles du livre qu'avait brûlé Joiaqim, roi de Juda. De plus, beaucoup de paroles du même genre y furent ajoutées.

Jugement d'ensemble sur Sédécias.

37 ¹Le roi Sédécias, fils de Josias, devint roi à la place de Konias, fils de Joiaqim : Nabuchodonosor, roi de Babylone, l'avait établi roi au pays de Juda. ²Mais ni lui, ni ses serviteurs, ni le peuple du pays n'écoutèrent les paroles que Yahvé prononça par le ministère du prophète Jérémie.

Sédécias consulte Jérémie pendant l'interruption du siège en 588.

³Le roi Sédécias envoya Yukal, fils de Shélémya, et le prêtre Çephanyahu, fils de Maaséya, vers le prophète Jérémie avec ce message : « Adresse donc une prière pour nous à Yahvé notre Dieu ! » ⁴Or Jérémie allait et venait parmi le peuple : on ne l'avait pas encore mis en prison. ⁵Cependant l'armée de Pharaon était sortie d'Égypte ; à cette nouvelle, les Chaldéens qui assiégeaient Jérusalem avaient dû lever le siège. ⁶Alors la parole de Yahvé fut adressée au prophète Jérémie en ces termes : ⁷Ainsi parle Yahvé, le Dieu d'Israël. Au roi de Juda qui vous a envoyés vers moi pour me consulter, vous donnerez cette réponse : L'armée de Pharaon est sortie à votre secours ? Elle va s'en retourner en son pays d'Égypte ! ⁸Les Chaldéens reviendront attaquer cette ville, la conquérir et y mettre le feu. ⁹Ainsi parle Yahvé. Ne vous abusez pas vous-mêmes en disant :

« Les Chaldéens s'en iront pour de bon de chez nous », car ils ne s'en iront pas ! [10] Quand vous auriez taillé en pièces toute l'armée des Chaldéens en guerre contre vous et qu'il n'en restât que des blessés, ils se dresseraient chacun sous sa tente pour mettre le feu à cette ville.

Arrestation de Jérémie. Amélioration de son sort.

[11] À l'époque où l'armée des Chaldéens dut lever le siège de Jérusalem à cause de l'armée de Pharaon, [12] Jérémie sortit de Jérusalem pour aller au pays de Benjamin y toucher sa part au milieu de la population. [13] Comme il était à la porte de Benjamin, un nommé Yiréiyyaï, fils de Shélémya, fils de Hananya, chef du poste de garde, se trouvait là ; il arrêta le prophète Jérémie en disant : « Tu passes aux Chaldéens ! » [14] Jérémie répondit : « C'est faux ! Je ne passe pas aux Chaldéens ! » Mais sans écouter Jérémie, Yiréiyyaï l'arrêta et le conduisit aux princes. [15] Ceux-ci, furieux contre Jérémie, le frappèrent et le mirent au cachot, au domicile du scribe Yehonatân, qu'on avait transformé en prison. [16] Ainsi Jérémie fut mis dans un souterrain voûté et il y resta longtemps.

[17] Le roi Sédécias l'envoya chercher. Et secrètement, dans son palais, le roi lui demanda : « Y a-t-il une parole de Yahvé ? » Jérémie répondit : « Oui ! » Et il ajouta : « Entre les mains du roi de Babylone, tu seras livré ! » [18] Puis Jérémie dit au roi Sédécias : « En quoi ai-je péché contre toi, contre tes serviteurs ou contre ce peuple, que vous m'ayez mis en prison ? [19] Où donc sont vos prophètes qui vous annonçaient : "Il ne viendra pas contre vous, le roi de Babylone, ni contre ce pays" ? [20] Maintenant, Monseigneur le roi, daigne écouter, que ma supplication puisse te toucher : Ne me fais pas reconduire chez le scribe Yehonatân de peur que je n'y trouve la mort. » [21] Alors le roi Sédécias donna un ordre : on enferma Jérémie dans la cour de garde et on lui remit chaque jour une galette de pain, venant de la rue des boulangers, jusqu'à ce qu'il n'y eût plus de pain dans la ville. Ainsi Jérémie resta dans la cour de garde.

Jérémie dans la citerne. Intervention d'Ébed-Mélek.

38 [1] Mais Shephatya, fils de Mattân, Gedalyahu, fils de Pashehur, Yukal, fils de Shélémyahu, et Pashehur, fils de Malkiyya, entendirent les paroles que Jérémie adressait à tout le peuple : [2] « Ainsi parle Yahvé. Qui restera dans cette ville mourra par l'épée, la famine et la peste ; mais qui sortira et se rendra aux Chaldéens vivra, il aura sa vie comme butin : il vivra ! [3] Ainsi parle Yahvé : Pour sûr, cette ville sera livrée aux mains de l'armée du roi de Babylone qui s'en emparera ! »

[4] Alors les princes dirent au roi : « Que cet individu soit mis à mort ! En vérité, il décourage les combattants, qui sont restés dans cette ville, et tout le peuple, en leur tenant semblables propos. Oui, cet individu ne cherche nullement la paix pour ce peuple, mais son malheur. » [5] Le roi Sédécias répondit : « Voici, il est entre vos mains, car le roi n'a aucun pouvoir en face de

vous ! » [6]Ils se saisirent donc de Jérémie et le jetèrent dans la citerne de Malkiyyahu, fils du roi, dans la cour de garde ; ils le descendirent à l'aide de cordes. Dans cette citerne il n'y avait point d'eau, mais de la vase, et Jérémie s'enfonça dans la vase.

[7]Or le Kushite Ébed-Mélek, un eunuque attaché au palais royal, apprit qu'on avait mis Jérémie dans la citerne. Comme le roi s'était arrêté à la porte de Benjamin, [8]Ébed-Mélek sortit du palais royal et s'adressa au roi : [9]« Monseigneur le roi, ils ont mal agi, ces gens-là, en traitant de la sorte le prophète Jérémie ; ils l'ont jeté dans la citerne : il va mourir de faim sur place car il n'y a plus de pain dans la ville. » [10]Alors le roi donna cet ordre au Kushite Ébed-Mélek : « Prends ici trente hommes avec toi, et remonte de la citerne le prophète Jérémie avant qu'il ne meure. » [11]Ébed-Mélek prit ces hommes avec lui, entra au palais royal, au vestiaire du Trésor ; il s'y procura des bouts de tissus déchirés et des bouts de tissus usés qu'il fit passer à Jérémie, dans la citerne, au moyen de cordes. [12]Ébed-Mélek le Kushite dit à Jérémie : « Mets donc ces bouts de tissus déchirés et usés sous tes aisselles par-dessous les cordes. » Ce que fit Jérémie. [13]Alors ils soulevèrent Jérémie au moyen des cordes et le remontèrent de la citerne. Et Jérémie resta dans la cour de garde.

Dernier entretien de Jérémie avec Sédécias.

[14]Le roi Sédécias envoya chercher le prophète Jérémie à la troisième entrée du Temple de Yahvé.

Le roi dit à Jérémie : « Je veux te réclamer une parole ; ne me la cache pas ! » [15]Jérémie répondit à Sédécias : « Si je te la proclame, tu me feras mourir, n'est-ce pas ? Et si je te conseille, tu ne m'écouteras pas ! » [16]Alors le roi Sédécias fit en secret un serment à Jérémie : « Par Yahvé vivant, qui nous a donné cette vie, je ne te ferai pas mourir et ne te livrerai pas aux mains de ces gens qui en veulent à ta vie. » [17]Alors Jérémie dit à Sédécias : « Ainsi parle Yahvé, le Dieu Sabaot, le Dieu d'Israël. Si tu sors pour te rendre aux officiers du roi de Babylone, tu sauveras ta vie et cette ville ne sera pas incendiée ; vous survivrez, toi et ta famille. [18]Mais si tu ne sors pas pour te rendre aux officiers du roi de Babylone, cette ville sera livrée aux mains des Chaldéens qui l'incendieront ; quant à toi, tu n'échapperas pas à leurs mains. » [19]Alors le roi Sédécias dit à Jérémie : « J'ai peur des Judéens qui sont passés aux Chaldéens ; ceux-ci pourraient me livrer entre leurs mains et ils me maltraiteraient. » [20]Jérémie répondit : « On ne te livrera pas. Écoute donc la voix de Yahvé, selon laquelle je t'ai parlé, alors tu t'en trouveras bien et tu auras la vie sauve. [21]Mais si tu refuses de sortir, vois ce que Yahvé m'a montré. [22]Voici : toutes les femmes qui demeurent encore au palais du roi de Juda seront menées aux officiers du roi de Babylone ; et elles diront :

Ils t'ont séduit, ils t'ont dupé,
  tes bons amis !

Tes pieds pataugent dans le bourbier,
  eux sont partis !

²³Oui, toutes tes femmes et tes enfants, on les mènera aux Chaldéens. Et toi, tu n'échapperas pas à leurs mains, mais tu seras prisonnier, dans la poigne du roi de Babylone. Quant à cette ville, elle sera incendiée. »

²⁴Sédécias dit à Jérémie : « Que nul n'ait connaissance de ces paroles, sinon tu mourras. ²⁵Si les princes apprennent mon entretien avec toi et viennent te dire : "Faisnous connaître ce que tu as dit au roi et ce que t'a dit le roi, ne nous cache rien, sinon nous te ferons mourir", ²⁶tu leur répondras : "Je présentais cette requête devant le roi : qu'il ne me renvoie pas chez Yehonatân pour y mourir." »

²⁷Tous les princes vinrent en effet trouver Jérémie et l'interroger. Il les renseigna exactement comme le roi avait ordonné. Ils le laissèrent donc tranquille, car l'entretien n'avait pas été entendu. ²⁸Et Jérémie resta dans la cour de garde, jusqu'à ce que Jérusalem fût prise. Et il y était quand Jérusalem fut prise.

Sort de Jérémie à la chute de Jérusalem. ‖ 2 R 25 1-21.

39 ¹La neuvième année de Sédécias, roi de Juda, le dixième mois, Nabuchodonosor, roi de Babylone, vint attaquer Jérusalem avec toute son armée et ils en firent le siège. ²La onzième année de Sédécias, au quatrième mois, le neuf du mois, une brèche fut pratiquée dans la ville.

³Tous les officiers du roi de Babylone, ayant fait leur entrée, établirent leurs quartiers à la porte du Milieu : Nergalsaréser, Samgar-Nébo, Sar-Sekim, haut dignitaire, Nergalsaréser, grand mage, et tous les autres officiers du roi de Babylone.

⁴Dès qu'ils les virent, Sédécias, roi de Juda, et tous ses guerriers s'enfuirent et sortirent de la ville, de nuit, vers le jardin du roi, par la porte entre les deux murs ; ils prirent le chemin de la Araba. ⁵Mais les troupes chaldéennes les poursuivirent et atteignirent Sédécias dans les plaines de Jéricho. L'ayant fait prisonnier, on l'emmena à Ribla, au pays de Hamat, auprès de Nabuchodonosor, roi de Babylone, qui le fit passer en jugement. ⁶Le roi de Babylone fit égorger à Ribla les fils de Sédécias sous ses yeux. De même, le roi de Babylone fit égorger tous les notables de Juda. ⁷Puis il creva les yeux de Sédécias et le mit aux fers pour l'emmener à Babylone. ⁸Les Chaldéens incendièrent le palais royal et les maisons des particuliers ; ils abattirent les remparts de Jérusalem. ⁹Nebuzaradân, commandant de la garde, déporta à Babylone le reste de la population laissée dans la ville, les transfuges qui s'étaient rendus à lui et le reste des artisans. ¹⁰Au contraire, Nebuzaradân, commandant de la garde, laissa au pays de Juda ceux du peuple qui étaient pauvres et ne possédaient rien ; en même temps, il leur distribua des vignes et des champs.

¹¹Au sujet de Jérémie, Nabuchodonosor, roi de Babylone, avait donné cet ordre à Nebuzaradân, commandant de la garde : ¹²« Prends-le, aie l'œil sur lui, ne lui fais aucun mal, mais traite-le comme il te le demandera. » ¹³Il avait confié cette mission à (Nebuzaradân, commandant de la

garde,) Nebushazbân, haut dignitaire, Nergalsaréser, grand mage,
et tous les officiers du roi de Babylone.

14.– Ils envoyèrent des gens
pour tirer Jérémie de la cour de
garde et le confièrent à Godolias,
fils d'Ahiqam, fils de Shaphân,
pour le conduire à la maison, et il
demeura au milieu du peuple.

Oracle de salut pour Ébed-Mélek.

15Tandis que Jérémie était enfermé dans la cour de garde, la
parole de Yahvé lui avait été
adressée en ces termes : 16Va-t'en
dire au Kushite Ébed-Mélek :
Ainsi parle Yahvé Sabaot, le Dieu
d'Israël. Voici, je vais accomplir
contre cette ville mes paroles
chargées de malheur et non de
bonheur. Ce jour-là, elles se réaliseront sous tes yeux. 17Mais je
te délivrerai ce jour-là – oracle de
Yahvé – et tu ne seras pas livré
aux mains des gens qui te font
trembler. 18Oui, assurément je te
ferai échapper : tu ne tomberas
pas sous l'épée, tu auras ta vie
comme butin, car en moi tu as mis
ta confiance, oracle de Yahvé.

Encore le sort de Jérémie.

40 1Parole qui fut adressée à Jérémie de la part de Yahvé,
après que Nebuzaradân, commandant de la garde, l'eut renvoyé de
Rama, l'ayant pris alors qu'il se
trouvait enchaîné au milieu de
tous les captifs de Jérusalem et de
Juda qu'on déportait à Babylone.
2Le commandant de la garde
prit donc Jérémie et lui dit :
« Yahvé, ton Dieu, avait prédit ce
malheur pour ce pays 3et il l'a

amené. Yahvé a agi selon ses menaces. C'est que vous avez péché
contre Yahvé sans écouter sa
voix : alors ce malheur vous est
arrivé. 4Maintenant, vois, je te délivre aujourd'hui même des chaînes que tu as aux mains. S'il te
plaît de m'accompagner à Babylone, viens, j'aurai les yeux sur
toi. S'il te déplaît de m'y accompagner, abstiens-toi. Vois, tout le
pays est devant toi ; tu peux aller
où cela te semble bon et juste d'aller. » 5Et comme Jérémie ne s'en
retournait pas encore, il ajouta :
« Tu peux te tourner vers Godolias, fils d'Ahiqam, fils de Shaphân, que le roi de Babylone a
nommé gouverneur des villes de
Juda, et rester avec lui au milieu
du peuple, ou bien aller partout où
cela te semble bon. » Puis le commandant de la garde, lui ayant remis des vivres et un présent, le
congédia. 6Et Jérémie se rendit à
Miçpa, auprès de Godolias, fils
d'Ahiqam, et demeura avec lui,
parmi ceux du peuple qui étaient
restés dans le pays.

Godolias gouverneur ; son as-sassinat. 2 R 25 22-26.

7Tous les officiers de l'armée
qui, avec leurs hommes, étaient
dans la campagne, apprirent que
le roi de Babylone avait institué
Godolias, fils d'Ahiqam, comme
gouverneur du pays et lui avait
confié hommes, femmes et enfants, et ceux du petit peuple qui
n'avaient pas été déportés à Babylone. 8Ils vinrent auprès de Godolias à Miçpa : Yishmaël, fils de
Netanyahu, Yohanân et Yonatân,
fils de Qaréah, Seraya, fils de
Tanhumèt, les fils d'Éphaï le Ne-

tophatite, Yezanyahu, fils du Maakatite, eux et leurs hommes. [9]Godolias, fils d'Ahiqam, fils de Shaphân, leur fit un serment, à eux et à leurs hommes : « Ne craignez pas de servir les Chaldéens, restez au pays, servez le roi de Babylone et vous vous en trouverez bien. [10]Pour moi, voici, je m'établis à Miçpa comme responsable en face des Chaldéens qui viennent chez nous. Mais vous, faites la récolte du vin, des fruits et de l'huile, remplissez vos jarres et demeurez en vos villes, que vous occupez. »

[11]Pareillement, tous les Judéens qui se trouvaient en Moab, chez les Ammonites, en Édom et en tout autre pays, avaient appris que le roi de Babylone avait laissé un reste à Juda et avait préposé sur lui Godolias, fils d'Ahiqam, fils de Shaphân. [12]Tous ces Judéens revinrent donc de tous les lieux où ils s'étaient dispersés ; rentrés au pays de Juda, près de Godolias, à Miçpa, ils firent une récolte très abondante de vin et de fruits.

[13]Yohanân, fils de Qaréah, et tous les officiers de l'armée qui étaient dans la campagne vinrent trouver Godolias à Miçpa [14]et lui dirent : « Sais-tu que Baalis, roi des Ammonites, a donné mission à Yishmaël, fils de Netanya, d'attenter à ta vie ? » Mais Godolias, fils d'Ahiqam, ne les crut pas. [15]Yohanân, fils de Qaréah, dit même en secret à Godolias, à Miçpa : « J'irai tuer Yishmaël, fils de Netanya, sans que personne le sache. Pourquoi attenterait-il à ta vie, et pourquoi tous les Judéens rassemblés autour de toi seraient-ils dispersés ? Pourquoi le reste de Juda périrait-il ? » [16]Mais Godolias, fils d'Ahiqam, répondit à Yohanân, fils de Qaréah : « Ne fais pas cela, car ce que tu dis sur Yishmaël est faux ! »

41 [1]Or au septième mois, Yishmaël, fils de Netanya, fils d'Élishama, qui était de souche royale, vint avec des grands du roi et dix hommes trouver Godolias, fils d'Ahiqam, à Miçpa. Et tandis qu'ils prenaient ensemble leur repas, là, à Miçpa, [2]Yishmaël, fils de Netanya, se leva avec ses dix hommes et ils frappèrent de l'épée Godolias, fils d'Ahiqam, fils de Shaphân. Ainsi firent-ils mourir celui que le roi de Babylone avait préposé au pays. [3]De même, tous les Judéens qui étaient avec lui, Godolias, à Miçpa, et les Chaldéens qui se trouvaient là – c'étaient des hommes de guerre – Yishmaël les tua.

[4]Le deuxième jour après le meurtre de Godolias, alors que personne encore n'était au courant, [5]arrivèrent des hommes de Sichem, Silo et Samarie, au nombre de quatre-vingts, avec la barbe rasée, les vêtements déchirés, et le corps marqué d'incisions ; ils portaient des oblations et de l'encens qu'ils voulaient présenter au Temple de Yahvé. [6]Yishmaël, fils de Netanya, sortit de Miçpa à leur rencontre, et il avançait en pleurant. Les ayant rejoints, il leur dit : « Venez chez Godolias, fils d'Ahiqam. » [7]Mais quand ils eurent pénétré en pleine ville, Yishmaël, fils de Netanya, les égorgea, aidé de ses hommes, et les fit jeter au fond d'une citerne. [8]Toutefois, parmi ces gens, il s'en trouva dix qui dirent à Yishmaël :

« Laisse-nous en vie, car nous avons dans les champs des provisions cachées, froment, orge, huile et miel. » Alors, les épargnant, il ne les fit pas mourir avec leurs frères. [9]La citerne où Yishmaël avait jeté tous les cadavres des gens qu'il avait tués était une grande citerne, celle que le roi Asa avait aménagée contre Basha, roi d'Israël. C'est elle que Yishmaël, fils de Netanya, emplit d'hommes assassinés. [10]Puis Yishmaël fit prisonniers tout le reste du peuple qui était à Miçpa, les filles du roi et tout le peuple resté à Miçpa que Nebuzaradân, commandant de la garde, avait confiés à Godolias, fils d'Ahiqam ; Yishmaël, fils de Netanya, les emmena prisonniers et se mit en marche pour passer chez les Ammonites.

[11]Quand Yohanân, fils de Qaréah, et tous les officiers qui se trouvaient avec lui apprirent tous les crimes de Yishmaël, fils de Netanya, [12]ils rassemblèrent tous leurs hommes et partirent attaquer Yishmaël, fils de Netanya. Ils l'atteignirent au grand étang de Gabaôn. [13]À la vue de Yohanân, fils de Qaréah, et de tous les officiers qui l'accompagnaient, tout le peuple autour de Yishmaël éclata de joie. [14]Tous ces gens que Yishmaël avait emmenés de Miçpa firent volte-face, ils se retournèrent et s'en allèrent auprès de Yohanân, fils de Qaréah. [15]Quant à Yishmaël, fils de Netanya, il échappa à Yohanân, avec huit hommes, et s'en fut chez les Ammonites. [16]Alors Yohanân, fils de Qaréah, et tous les officiers qui l'accompagnaient rassemblèrent tout le reste du peuple que Yishmaël, fils de Netanya, avait emmené de Miçpa comme prisonniers, après qu'il eut tué Godolias, fils d'Ahiqam – hommes – gens de guerre –, femmes et enfants, ainsi que les eunuques, ramenés par eux de Gabaôn. [17]Ils se mirent en marche et firent étape au Khan de Kimham, près de Bethléem, pour gagner ensuite l'Égypte, [18]loin des Chaldéens qu'on redoutait, car Yishmaël, fils de Netanya, avait tué Godolias, fils d'Ahiqam, que le roi de Babylone avait préposé au pays.

La fuite en Égypte.

42 [1]Alors tous les officiers, notamment Yohanân, fils de Qaréah, et Azarya, fils de Hoshaya, ainsi que tout le peuple, petits et grands, vinrent [2]dire au prophète Jérémie : « Que notre supplication puisse te toucher ! Intercède auprès de Yahvé ton Dieu en notre faveur et en faveur de tout ce reste – car nous sommes restés bien peu du nombre que nous étions, comme tu le vois de tes propres yeux – [3]pour que Yahvé ton Dieu nous indique quelle voie nous devons suivre et ce que nous devons faire. » [4]Le prophète Jérémie leur répondit : « J'entends. Je vais intercéder auprès de Yahvé votre Dieu selon votre demande ; et toute parole que Yahvé vous répondra, je vous la ferai savoir, sans vous en rien cacher. » [5]De leur côté, ils dirent à Jérémie : « Que Yahvé soit témoin contre nous, véridique et fidèle, si nous n'agissons pas exactement selon la parole que Yahvé ton Dieu t'aura envoyée pour nous. [6]Que ce soit agréable ou désagréable, nous obéirons à la voix de Yahvé notre Dieu, auprès de qui nous te députons : ainsi serons-nous heureux pour avoir obéi à la voix de Yahvé notre Dieu. » [7]Au bout de dix jours, la parole de Yahvé fut adressée à Jérémie. [8]Alors il convoqua Yohanân, fils de Qaréah, et tous les officiers qui étaient auprès de lui, ainsi que tout le peuple, petits et grands. [9]Il leur dit : « Ainsi parle Yahvé, le Dieu d'Israël, auprès de qui vous m'avez députés pour lui présenter votre supplication. [10]Si vraiment vous restez dans ce pays, je vous bâtirai et ne vous démolirai plus, je vous planterai et ne vous arracherai plus. Car je me repentirai du mal que je vous ai fait. [11]Ne craignez pas le roi de Babylone, devant qui vous êtes tout craintifs. Ne le craignez pas – oracle de Yahvé –, car je suis avec vous pour vous sauver et vous délivrer de sa main. [12]Je vous ferai prendre en pitié, pour qu'il vous prenne en pitié et vous laisse revenir sur votre sol. [13]Mais si vous dites : "Nous ne resterons pas dans ce pays", désobéissant ainsi à la voix de Yahvé votre Dieu, [14]si vous dites : "Non ! C'est au pays d'Égypte que nous irons ; là nous ne verrons plus la guerre, nous n'entendrons plus l'appel du cor et ne manquerons plus de pain ; c'est là que nous voulons demeurer", [15]eh bien ! en ce cas, reste de Juda, écoutez la parole de Yahvé : Ainsi parle Yahvé Sabaot, le Dieu d'Israël. Si vous êtes résolus à aller en Égypte et que vous y entriez pour y séjourner, [16]l'épée que vous redoutez, elle vous atteindra là, en terre d'Égypte ; et la

famine qui vous inquiète, elle s'attachera à vos pas, là en Égypte : c'est là que vous mourrez ! [17]Et tous les hommes résolus à aller en Égypte pour y séjourner y mourront par l'épée, la famine et la peste : pas un seul survivant ni rescapé n'échappera au malheur que je vais leur amener. [18]Oui, ainsi parle Yahvé Sabaot, le Dieu d'Israël. Comme se sont déversées ma colère et ma fureur sur les habitants de Jérusalem, ainsi ma fureur se déversera sur vous, si vous vous rendez en Égypte. Vous serez objet d'exécration, de stupéfaction, de malédiction et de raillerie, et vous ne reverrez plus ces lieux. [19] Reste de Juda, Yahvé vous a déclaré : "N'allez pas en Égypte !" Sachez bien qu'aujourd'hui, je vous ai avertis solennellement. [20]Vous vous êtes égarés vous-mêmes quand vous m'avez députés auprès de Yahvé votre Dieu en disant : "Intercède pour nous auprès de Yahvé notre Dieu, et tout ce qu'aura ordonné Yahvé notre Dieu, annonce-le nous pour que nous l'exécutions." [21]Et aujourd'hui, je vous l'annonce mais vous n'obéissez à la voix de Yahvé votre Dieu en rien de ce qu'il m'envoie vous dire. [22]Sachez donc bien que vous mourrez par l'épée, la famine et la peste au lieu où vous avez désiré vous rendre pour y séjourner. »

43 [1]Lorsque Jérémie eut achevé de dire à tout le peuple toutes les paroles de Yahvé leur Dieu, dont Yahvé leur Dieu l'avait chargé pour eux – toutes les paroles rapportées –, [2]Azarya, fils de Hoshaya, Yohanân, fils de Qaréah, et tous ces hommes insolents répondirent à Jérémie : « C'est un mensonge que tu débites. Yahvé notre Dieu ne t'a pas chargé de dire : "N'allez pas en Égypte pour y séjourner." ³Mais c'est Baruch, fils de Nériyya, qui t'excite contre nous, pour nous livrer aux mains des Chaldéens qui nous mettront à mort ou nous déporteront à Babylone. »

⁴Aussi, ni Yohanân, fils de Qaréah, ni aucun des officiers, ni personne du peuple n'obéit à la voix de Yahvé en demeurant au pays de Juda. ⁵Yohanân, fils de Qaréah, et tous les chefs de l'armée emmenèrent tout le reste de Juda, ceux qui étaient revenus de chez tous les peuples où ils étaient dispersés, pour habiter au pays de Juda, ⁶hommes, femmes et enfants, ainsi que les filles du roi et toutes les personnes que Nebuzaradân, commandant de la garde, avait laissées avec Godolias, fils d'Ahiqam, fils de Shaphân, notamment le prophète Jérémie et Baruch, fils de Nériyya. ⁷Ils se rendirent donc en Égypte, puisqu'ils n'obéirent pas à la voix de Yahvé, et parvinrent à Tahpanhès.

Jérémie prédit l'invasion de l'Égypte par Nabuchodonosor.

⁸Or la parole de Yahvé fut adressée à Jérémie, à Tahpanhès, en ces termes : ⁹Prends de grandes pierres et, en présence des Judéens, enfouis-les dans le ciment sur la terrasse qui se trouve à l'entrée du palais de Pharaon, à Tahpanhès. ¹⁰Puis dis à ces gens : Ainsi parle Yahvé Sabaot, le Dieu d'Israël. Voici, je vais envoyer chercher Nabuchodonosor, roi de Babylone, mon serviteur ; il ins-

tallera son trône sur ces pierres que j'ai enfouies, et il déploiera sur elles son dais. ¹¹Il viendra et frappera le pays d'Égypte :

Qui est pour la peste, à la peste !
Qui est pour la captivité, en captivité !
Qui est pour l'épée, à l'épée !

¹²Il mettra le feu aux temples des dieux de l'Égypte, il brûlera ces dieux ou les déportera, il s'enveloppera du pays d'Égypte comme le berger s'enveloppe de son manteau, puis il en sortira en paix. ¹³Il brisera les obélisques du temple du Soleil, qui se trouve en Égypte, et incendiera les temples des dieux de l'Égypte.

Dernier ministère de Jérémie : Les Judéens en Égypte et la Reine du Ciel.

44 ¹Parole qui fut adressée à Jérémie pour tous les Judéens installés au pays d'Égypte, en résidence à Migdol, Tahpanhès, et au pays de Patros.

²Ainsi parle Yahvé Sabaot, le Dieu d'Israël. Vous avez vu tout le malheur que j'ai amené sur Jérusalem et sur toutes les villes de Juda : les voilà en ruines aujourd'hui, et sans habitants. ³C'est à cause des méfaits qu'ils ont commis pour m'irriter, en allant encenser et servir des dieux étrangers que n'avaient connus ni eux, ni vous, ni vos pères. ⁴Je vous ai envoyé sans me lasser tous mes serviteurs les prophètes, je les ai envoyés dire : « Ne faites pas cette abomination que je déteste ! » ⁵Mais ils n'ont point écouté ni prêté l'oreille pour se convertir de leur méchanceté et ne plus encenser d'autres

dieux. ⁶Alors ma fureur et ma colère se sont déversées, elles ont embrasé les villes de Juda et les rues de Jérusalem, qui furent réduites en ruines et en solitudes, comme c'est le cas aujourd'hui. ⁷Et maintenant, ainsi parle Yahvé, le Dieu Sabaot, le Dieu d'Israël : Pourquoi vous causer à vous-mêmes un si grand mal ? Vous allez faire exterminer du milieu de Juda hommes et femmes, enfants et nourrissons, sans qu'il vous subsiste un reste, ⁸parce que vous m'aurez irrité par l'œuvre de vos mains, encensant d'autres dieux sur cette terre d'Égypte où vous êtes venus séjourner, travaillant ainsi à votre extermination et devenant pour toutes les nations de la terre un objet de malédiction et de raillerie. ⁹Avez-vous oublié les méfaits de vos pères, ceux des rois de Juda et de vos princes, les vôtres et ceux de vos femmes, commis au pays de Juda et dans les rues de Jérusalem ? ¹⁰Ils n'ont ressenti jusqu'à ce jour aucune contrition, aucune crainte, et n'ont point marché selon ma Loi et mes prescriptions, que j'avais placées devant vous et devant vos pères. ¹¹C'est pourquoi, ainsi parle Yahvé Sabaot, le Dieu d'Israël. Voici, je vais me tourner contre vous pour votre malheur, pour exterminer tout Juda. ¹²J'enlèverai le reste de Juda qui s'est tourné vers le pays d'Égypte pour y entrer et y séjourner : ils périront tous en terre d'Égypte, ils tomberont sous l'épée, ils périront de famine, petits et grands ; par l'épée et la famine ils mourront, et ils seront objet d'exécration, de stupéfaction, de malédiction et de raillerie. ¹³Je visiterai ceux qui sont installés au pays d'Égypte, comme j'ai visité Jérusalem : par l'épée, la famine et la peste. ¹⁴Dans ce reste de Juda venu séjourner au pays d'Égypte, pas un seul rescapé ni survivant n'échappera pour retourner au pays de Juda, où ils désirent ardemment revenir et demeurer. Car ils n'y reviendront pas, sauf quelques rescapés.

¹⁵Alors tous les hommes qui savaient que leurs femmes encensaient des dieux étrangers et toutes les femmes présentes – une grande assemblée – (et tout le peuple établi au pays d'Égypte et à Patros) firent cette réponse à Jérémie : ¹⁶« En ce qui concerne la parole que tu nous as adressée au nom de Yahvé, nous ne voulons pas t'écouter ; ¹⁷mais nous continuerons à faire tout ce que nous avons promis : offrir de l'encens à la Reine du Ciel et lui verser des libations, comme nous le faisions, nous et nos pères, nos rois et nos princes, dans les villes de Juda et les rues de Jérusalem : alors nous avions du pain à satiété, nous étions heureux et nous ne voyions point de malheur. ¹⁸Mais depuis que nous avons cessé d'offrir de l'encens à la Reine du Ciel et de lui verser des libations, nous avons manqué de tout et avons péri par l'épée et la famine. ¹⁹D'ailleurs, quand nous offrons de l'encens à la Reine du Ciel et lui versons des libations, est-ce à l'insu de nos maris que nous lui faisons des gâteaux qui la représentent et lui versons des libations ? »

²⁰Mais Jérémie déclara à tout le peuple, aux hommes et aux femmes, à tous ceux qui lui avaient fait cette réponse : ²¹« Cet encens

que vous avez offert dans les villes de Juda et dans les rues de Jérusalem, vous et vos pères, vos rois et vos princes, ainsi que le peuple du pays, n'est-ce pas cela dont Yahvé s'est souvenu et qui lui est remonté au cœur ? [22]Yahvé n'a pu se contenir davantage devant la méchanceté de vos actes, devant les choses abominables que vous avez faites : ainsi votre pays est devenu une ruine, une épouvante et une malédiction, sans habitants, comme c'est le cas aujourd'hui. [23]C'est que vous avez offert de l'encens et péché contre Yahvé, n'écoutant pas la voix de Yahvé et ne marchant pas selon sa Loi, ses prescriptions et ses ordonnances ; voilà pourquoi ce malheur vous a atteints, comme c'est le cas aujourd'hui. »

[24]Puis Jérémie s'adressa à tout le peuple, notamment à toutes les femmes : « Écoutez la parole de Yahvé, vous tous, Judéens qui êtes au pays d'Égypte : [25]Ainsi parle Yahvé Sabaot, le Dieu d'Israël. Vous et vos femmes, de votre bouche vous avez promis et de vos mains vous avez réalisé ! Vous avez dit : "Nous accomplirons exactement les vœux que nous avons faits : offrir de l'encens à la Reine du Ciel et lui verser des libations." Eh bien ! Acquittez-vous de vos vœux, accomplissez exactement vos vœux ! [26]Toutefois, écoutez la parole de Yahvé, vous tous, les Judéens installés au pays d'Égypte : voici, je le jure par mon grand Nom, dit Yahvé. Dans tout le pays d'Égypte, mon Nom ne sera plus prononcé par la bouche d'aucun homme de Juda ; aucun ne dira : "Par la vie du Seigneur Yahvé !" [27]Voici, je vais veiller sur eux pour leur malheur, et non pour leur bonheur : tous les hommes de Juda qui se trouvent au pays d'Égypte périront par l'épée et la famine, jusqu'à extinction totale. [28]Cependant des rescapés de l'épée – en petit nombre – reviendront du pays d'Égypte au pays de Juda. Alors tout le reste de Juda venu au pays d'Égypte pour y séjourner reconnaîtra quelle parole se réalise : la mienne ou la leur !

[29]« Et voici pour vous – oracle de Yahvé – le signe que je vous visiterai en ce lieu : alors vous reconnaîtrez que mes paroles de menace contre vous se réaliseront. [30]Ainsi parle Yahvé. Voici, je vais livrer le Pharaon Hophra, roi d'Égypte, aux mains de ses ennemis et de ceux qui en veulent à sa vie, de la même façon que j'ai livré Sédécias, roi de Juda, aux mains de Nabuchodonosor, roi de Babylone, son ennemi qui en voulait à sa vie. »

La parole de consolation pour Baruch. 39 15-18.

45 [1]Parole qu'adressa le prophète Jérémie à Baruch, fils de Nériyya, quand celui-ci écrivit ces paroles dans un livre sous la dictée de Jérémie, la quatrième année de Joiaqim, fils de Josias, roi de Juda. [2]Ainsi parle Yahvé, le Dieu d'Israël, à ton sujet, Baruch. [3]Tu as dit : « Malheur à moi, car Yahvé accumule pour moi peines sur douleurs ! Je suis épuisé à force de gémir et ne trouve aucun répit ! » [4]Tu lui parleras en ces termes : Ainsi parle Yahvé. Ce que j'avais bâti, je le démolis, ce que j'avais planté, je l'arrache, et cela pour toute la terre ! ⁵Et toi, tu réclames pour toi de grandes choses ! Ne réclame pas, car voici que moi, j'amène le malheur sur toute chair, oracle de Yahvé. Mais toi, je t'accorde ta vie pour butin, partout où tu iras.

5. Oracles contre les nations

46 ¹Parole de Yahvé qui fut adressée au prophète Jérémie concernant les nations.

Oracles contre l'Égypte. La défaite de Karkémish. Is 19.

²Sur l'Égypte.

Contre l'armée du Pharaon Néko, roi d'Égypte, qui se trouvait près du fleuve Euphrate, vers Karkémish, quand Nabuchodonosor, roi de Babylone, la battit ; c'était la quatrième année de Joiaqim, fils de Josias, roi de Juda.

³Préparez petit et grand boucliers,
en avant pour la bataille !
⁴Harnachez les chevaux,
en selle, cavaliers !
Alignez-vous, casque en tête,
affûtez les lances,
endossez vos cuirasses !
⁵Pourquoi donc les ai-je vus
pris de panique,
lâchant pied ?
Leurs braves, battus,
s'enfuient éperdument
sans se retourner.
C'est la terreur de tous côtés,
oracle de Yahvé.
⁶Que le plus rapide ne s'échappe pas,
que le plus valeureux ne s'enfuie pas !
Vers le Nord, aux rives de l'Euphrate,
ils ont trébuché, ils sont tombés.

⁷Qui donc montait, pareil au Nil,
et comme des torrents bouillonnaient ses eaux ?
⁸C'est l'Égypte qui montait, pareille au Nil,
et comme des torrents bouillonnaient ses eaux.
Elle disait : « Je monterai submerger la terre,
détruire les villes et leurs habitants !
⁹Chevaux, chargez !
Chars, foncez !
Que s'avancent les guerriers,
gens de Kush et de Put, porteurs de boucliers,
Ludiens qui bandez l'arc ! »
¹⁰Or ce jour-là est pour le Seigneur Yahvé Sabaot
un jour de vengeance, pour se venger de ses adversaires :
l'épée dévore, elle se rassasie,
elle s'enivre de leur sang.
Car c'est un sacrifice pour le Seigneur Yahvé Sabaot,
au pays du Nord, sur le fleuve Euphrate.
¹¹Monte en Galaad et prends du baume,
vierge, fille de l'Égypte !
En vain tu multiplies les remèdes :
point de guérison pour toi !
¹²Les nations ont appris ton déshonneur ;

de ta clameur la terre est remplie,

car le guerrier a trébuché contre le guerrier,

ils sont tombés tous les deux.

L'invasion de l'Égypte. 42 15-22 ; 43 8-13.

¹³Parole que Yahvé adressa au prophète Jérémie quand Nabuchodonosor, roi de Babylone, vint pour frapper le pays d'Égypte.

¹⁴Publiez-le en Égypte,

faites-le entendre à Migdol,

faites-le entendre à Noph et à Tahpanhès !

Dites : Dresse-toi, tiens-toi prête, car l'épée dévore autour de toi.

¹⁵Pourquoi Apis a-t-il fui ?

Pourquoi ton Puissant n'a-t-il pas tenu ?

Oui, Yahvé l'a culbuté,

¹⁶il en fait trébucher beaucoup !

Chacun tombe sur son compagnon ;

ils disent : « Debout ! Retournons à notre peuple

et à notre terre natale,

loin de l'épée dévastatrice. »

¹⁷On a donné ce nom à Pharaon, le roi d'Égypte :

« Du-bruit!-mais-il-manque-l'occasion ! »

¹⁸Aussi vrai que je vis

– oracle du Roi dont le nom est Yahvé Sabaot –,

il va venir, pareil au Tabor parmi les monts,

au Carmel surplombant la mer.

¹⁹Prépare ton paquet d'exilée,

habitante, fille de l'Égypte ;

Noph se changera en désolation,

dévastée et vidée d'habitants.

²⁰L'Égypte était une génisse magnifique :

un taon venu du Nord s'est posé sur elle.

²¹Ses mercenaires aussi, chez elle, ressemblaient à des veaux à l'engrais :

eux aussi tournent les talons,

ils s'enfuient tous ensemble, ils ne peuvent tenir.

Car il arrive sur eux, le Jour de leur ruine,

le temps de leur châtiment.

²²Sa voix est comme le bruit du serpent qui siffle,

car ils viennent en masse

se jeter sur elle avec des haches,

tels des bûcherons ;

²³ils abattent sa forêt – oracle de Yahvé –,

alors qu'elle était impénétrable,

car ils sont plus nombreux que les sauterelles,

ils sont innombrables.

²⁴Elle est couverte de honte, la fille de l'Égypte,

livrée aux mains d'un peuple du Nord.

²⁵Yahvé Sabaot, le Dieu d'Israël, a dit : Voici que je vais visiter Amon de No, le Pharaon, l'Égypte, ses dieux et ses rois, Pharaon et ceux qui se fient à lui. ²⁶Je les livrerai aux mains de ceux qui en veulent à leur vie, aux mains de Nabuchodonosor, roi de Babylone, et aux mains de ses serviteurs. Mais plus tard l'Égypte sera de nouveau habitée, comme aux jours d'autrefois, oracle de Yahvé.

= 30 10-11.

²⁷Mais toi, ne crains pas, mon serviteur Jacob,

ne sois pas terrifié, Israël !

Car me voici pour te sauver des terres lointaines,

et tes descendants du pays de
leur captivité.

Jacob reviendra et sera paisible,
il sera tranquille, sans personne
qui l'inquiète.

²⁸Toi, sois sans crainte, mon serviteur Jacob

– oracle de Yahvé –, car je suis
avec toi :

Je ferai l'extermination de toutes les nations

où je t'ai dispersé ;

avec toi je ne ferai pas d'extermination,

mais je te châtierai selon le droit,
ne te laissant pas impuni.

Oracle contre les Philistins. Jos 13
2. Am 1 6-8. So 2 4-7. Ez 25 15-17.

47 ¹Parole de Yahvé qui fut
adressée au prophète Jérémie sur les Philistins, avant que
Pharaon ne frappe Gaza : ²Ainsi
parle Yahvé.

Voici les eaux qui montent du
Nord,

elles deviennent un fleuve débordant

qui submerge le pays avec ce
qu'il contient,

les villes avec leurs habitants.

Les hommes crient, ils gémissent

tous les habitants du pays,

³au martèlement des sabots de
ses chevaux,

au vacarme de ses chars, au fracas de ses roues.

Les pères ne regardent plus leurs
enfants,

leurs mains défaillent,

⁴à cause du Jour qui est arrivé

où tous les Philistins seront
anéantis,

où Tyr et Sidon verront abattre

jusqu'à leurs derniers alliés.

Oui, Yahvé anéantit les Philistins,

le reste de l'île de Kaphtor.

⁵La tonsure a été infligée à Gaza,

Ashqelôn est réduite au silence.

Toi qui restes de leur vallée,

jusques à quand te feras-tu des
incisions ?

⁶Hélas, épée de Yahvé,

jusques à quand seras-tu sans repos ?

Rentre en ton fourreau,

arrête, calme-toi !

⁷– Comment se reposerait-elle

quand Yahvé lui a donné des ordres ?

Ashqelôn et le rivage de la mer,

voilà les buts fixés.

Oracles contre Moab. ‖ Is 15-16.
Am 2 1-3. Ez 25 8-11.

48 ¹Sur Moab. Ainsi parle Yahvé Sabaot, le Dieu d'Israël.

Malheur au Nébo, car il est saccagé,

Qiryatayim a eu honte, elle est
prise,

honte et terreur sur la citadelle :

²elle n'est plus, la fierté de
Moab !

À Heshbôn on a machiné son
malheur :

« Allons ! Supprimons-la d'entre les nations ! »

Toi aussi, Madmèn, tu seras réduite au silence,

l'épée te serre de près.

³Des clameurs viennent de Horonayim :

« Dévastation ! Immense désastre ! »

⁴Moab est terrassée,

ses petits font entendre un cri.

⁵Oui, la montée de Luhit,

on la monte en pleurant.
Oui, à la descente de Horonayim,
on entend une clameur de désastre :
⁶« Fuyez, sauvez votre vie,
imitez l'onagre dans le désert ! »
⁷Oui, puisque tu t'es fiée à tes
œuvres et à tes trésors,
tu seras prise, toi aussi.
Kemosh partira en captivité,
avec ses prêtres et ses princes
tous ensemble.
⁸Un dévastateur va venir contre
toute ville,
aucune ne réchappera :
la Vallée sera ravagée, le Plateau saccagé,
comme Yahvé l'a dit.
⁹Donnez des ailes à Moab,
pour qu'elle puisse s'envoler !
Ses villes se changeront en désolation,
nul n'y habitant plus.
¹⁰(Maudit celui qui fait avec négligence le travail de Yahvé !
Maudit qui prive de sang son
épée !)

¹¹Tranquille était Moab depuis sa
jeunesse,
il reposait sur sa lie,
n'ayant jamais été transvasé,
n'étant jamais parti en exil ;
aussi sa saveur lui était restée
et son parfum ne s'était pas altéré.
¹²C'est pourquoi, voici venir
des jours – oracle de Yahvé – où
je lui enverrai des transvaseurs
qui le transvaseront ; ils videront
ses cruches et briseront ses amphores. ¹³Alors Moab aura honte
de Kemosh, comme la maison
d'Israël a eu honte de Béthel en
qui elle se confia.

¹⁴Comment pouvez-vous dire :
« Nous sommes des héros,
de vrais combattants ? »
¹⁵Moab est ravagé ; on a escaladé
ses villes,
l'élite de sa jeunesse descend à
la boucherie,
oracle du Roi qui a pour nom
Yahvé Sabaot.
¹⁶La ruine de Moab est proche,
son malheur se précipite.
¹⁷Plaignez-le, vous tous ses voisins,
vous tous qui connaissiez son
nom.
Dites : « Quoi ! Il est brisé, ce
bâton puissant,
ce sceptre magnifique ! »

¹⁸Descends de ta gloire, assiedstoi sur un sol assoiffé,
habitante, fille de Dibôn,
car le dévastateur de Moab est
monté contre toi,
il a détruit tes forteresses.
¹⁹Poste-toi sur la route et guette,
habitante d'Aroër,
interroge fuyard et rescapé.
Demande : « Qu'est-il arrivé ? »
²⁰– « Moab est honteux de sa destruction ;
gémissez et criez !
Publiez sur l'Arnon que Moab
est dévasté ! »

²¹Le jugement est venu contre
le Plateau, contre Holôn, Yahça,
Méphaat, ²²Dibôn, Nébo, Bet-Diblataïm, ²³Qiryataïm, Bet-Gamul, Bet-Meôn, ²⁴Qeriyyot,
Boçra et contre toutes les villes du
pays de Moab, les lointaines comme les proches.

²⁵« La force de Moab est abattue,
son bras est brisé, oracle de Yahvé. »

²⁶Enivrez-le, car il s'est dressé contre Yahvé : que Moab se roule dans sa vomissure et devienne, lui aussi, une risée. ²⁷Israël n'était-il pas pour toi une risée ? A-t-il été surpris parmi les voleurs, que tu hoches la tête chaque fois que tu parles de lui ?

²⁸« Abandonnez les villes, installez-vous dans les rochers,
  habitants de Moab !
  Imitez le pigeon qui fait son nid
  aux parois d'une gorge béante ! »
²⁹Nous avons appris l'orgueil de Moab,
  son arrogance excessive :
  quelle superbe ! quel orgueil !
quelle arrogance !
  quel cœur altier !
³⁰– Je connais bien sa présomption – oracle de Yahvé –,
  son bavardage sans consistance,
  ses actes sans consistance !
³¹– Aussi je me lamente sur Moab,
  sur Moab tout entier, j'élève mon cri ;
  on gémit sur les gens de Qir-Hérès.
³²Plus que sur Yazèr, je pleure sur toi,
  vignoble de Sibma.
  Tes sarments s'étendaient au-delà de la mer,
  ils atteignaient jusqu'à Yazèr.
  Sur ta vendange et ta récolte
  est tombé le dévastateur.
³³L'allégresse et la gaîté ont disparu
  des vergers et de la terre de Moab.
  J'ai tari le vin des cuves,
  le fouleur ne foule plus,
  le cri de joie ne résonne plus.

³⁴Les cris de Heshbôn et de Éléalé vont jusqu'à Yahaç. On élève la voix de Çoar jusqu'à Horonayim et à Églat-Shelishiyya, car même les eaux de Nimrim deviennent un lieu désolé.

³⁵Et je ferai disparaître en Moab – oracle de Yahvé – celui qui fait une offrande sur le haut lieu et celui qui encense ses dieux. ³⁶Aussi mon cœur hulule sur Moab à la manière des flûtes ; mon cœur hulule sur les gens de Qir-Hérès à la manière des flûtes ; parce qu'il est perdu, le trésor amassé ! ³⁷Oui, toute tête est rasée, toute barbe coupée, à toutes les mains il y a des incisions, sur tous les reins un sac ! ³⁸Sur toutes les terrasses de Moab et sur toutes ses places, ce n'est qu'une lamentation, parce que j'ai brisé Moab comme un vase de rebut, oracle de Yahvé. ³⁹Comme il a été détruit ! Gémissez ! Comme Moab, honteusement, a tourné le dos ! Moab est devenu un objet de risée et d'épouvante pour tous ses voisins.

⁴⁰Car ainsi parle Yahvé :
  (Voici comme un aigle qui plane
  et va déployer ses ailes sur Moab.)
⁴¹Les villes sont prises,
  les forteresses enlevées.
  (Et le cœur des guerriers de Moab, en ce jour-là,
  sera pareil au cœur d'une femme en travail.)
⁴²Moab, exterminé, cesse d'être un peuple,
  pour s'être dressé contre Yahvé.
⁴³Frayeur, fosse, filet,
  pour toi, habitant de Moab !
  Oracle de Yahvé.
⁴⁴Qui fuira loin de la frayeur

tombera dans la fosse,
et qui remontera de la fosse
sera pris dans le filet.
Oui, je vais amener tout cela sur
Moab,
l'année de leur châtiment,
oracle de Yahvé.

⁴⁵À l'abri de Heshbôn ont fait halte
les fuyards à bout de force.
Mais un feu est sorti de Heshbôn,
une flamme du palais de Sihôn,
qui a dévoré les tempes de Moab
et le crâne d'une engeance de tumulte.

⁴⁶Malheur à toi, Moab !
Il est perdu, le peuple de Kemosh !
Car tes fils sont emmenés en exil
et tes filles en captivité.

⁴⁷Mais je ramènerai les captifs de
Moab,
à la fin des jours, oracle de Yahvé.

Jusqu'ici le jugement de Moab.

Oracle contre Ammon. Am 1 13-15.
Ez 25 1-7. So 2 8-11.

49 ¹Aux fils d'Ammon.

Ainsi parle Yahvé :
Israël n'a-t-il pas de fils,
n'a-t-il pas d'héritier ?
Pourquoi Milkom a-t-il hérité de
Gad
et son peuple en occupe-t-il les
villes ?
²Eh bien ! Voici venir des jours
– oracle de Yahvé –
où je ferai résonner pour Rabba
des Ammonites
le cri de guerre.
Elle deviendra une ruine désolée,
ses filles seront incendiées.

Alors Israël héritera de ses héritiers,
dit Yahvé.
³Gémis, Heshbôn, parce qu'Ar a
été dévastée.
Hurlez, filles de Rabba !
revêtez-vous de sacs, élevez la
lamentation,
errez dans les enclos !
Car Milkom va partir en exil
avec ses prêtres et ses princes
tous ensemble.
⁴Comme tu te glorifiais de ta Vallée,
fille rebelle,
tu te fiais à tes réserves :
« Qui osera venir contre moi ? »
⁵Voici, je vais amener contre toi
l'épouvante
– oracle du Seigneur Yahvé Sabaot –
de tous les alentours ;
vous serez chassés, chacun devant soi,
et personne pour rassembler les
fuyards.
⁶(Mais ensuite je ramènerai les
captifs des fils d'Ammon, oracle
de Yahvé.)

Oracle contre Édom. Ps 137 7. Am
1 11-12. Ez 25 12-14. ‖ Ab 1-9.

⁷À Édom.

Ainsi parle Yahvé Sabaot.
N'y a-t-il plus de sagesse dans
Témân,
le conseil a-t-il disparu chez les
gens intelligents ;
leur sagesse s'est-elle éva-
nouie ?
⁸Fuyez ! Détournez-vous ! Cachez-vous bien,
habitants de Dédân,
car j'amène sur Ésaü sa ruine,
le temps de son châtiment.

⁹Si des vendangeurs viennent chez toi,
  ils ne laisseront rien à grappiller ;
  si ce sont des voleurs nocturnes,
  ils saccageront tout leur content.
¹⁰Car c'est moi qui dénude Ésaü,
  je mets à découvert ses cachettes :
  il ne peut plus se dissimuler.
  Sa race est anéantie,
  de même ses frères et ses voisins ; il n'existe plus !
¹¹Laisse tes orphelins, je les ferai vivre,
  et que tes veuves se confient en moi !

¹²Car ainsi parle Yahvé : Vois, ceux qui n'auraient pas dû boire la coupe la boiront sûrement, et toi, tu resterais impuni ? Tu ne resteras pas impuni, mais tu la boiras pour de bon ! ¹³Car j'en ai fait le serment par moi-même – oracle de Yahvé –, Boçra deviendra un objet de stupeur et de raillerie, une ruine et une malédiction ; toutes ses villes seront réduites en ruines perpétuelles.

¹⁴J'ai reçu de Yahvé un message, un héraut était dépêché parmi les nations :
« Rassemblez-vous ! Marchez contre ce peuple !
  Debout pour le combat ! »
¹⁵Car, vois, je te rends petit parmi les nations,
  méprisé parmi les hommes.
¹⁶Cela t'a égaré de répandre l'effroi,
  de t'exalter en ton cœur,
  toi qui habites au creux de la Roche
  et t'accroches au sommet de la hauteur !
  Quand tu hausserais ton nid comme l'aigle,

je t'en précipiterais, oracle de Yahvé.

¹⁷Édom deviendra un objet de stupeur ; tous ceux qui passeront près d'elle, stupéfaits, siffleront devant toutes ses blessures. ¹⁸Comme au bouleversement de Sodome, de Gomorrhe et des cités voisines, dit Yahvé, personne n'y habitera plus, aucun humain n'y séjournera plus.

¹⁹Voici que, tel un lion, il monte des halliers du Jourdain
  vers le pâturage toujours vert.
  En un clin d'œil, je les en ferai déguerpir,
  pour y établir celui que je choisirai.
  Qui en effet est mon égal ?
  Qui pourrait m'assigner en justice ?
  Quel est donc le pasteur
  qui tiendrait devant moi ?
²⁰Aussi apprenez le dessein
  que Yahvé a formé contre Édom,
  et le plan qu'il a résolu
  contre les habitants de Témân :
  Certainement on les traînera comme les plus petits du troupeau !
  Certainement on va saccager leur prairie devant eux !
²¹Au bruit de leur chute, la terre tremble,
  l'écho en retentit jusqu'à la mer des Roseaux.
²²Voici comme un aigle qui monte et plane
  et va déployer ses ailes sur Boçra.
  Le cœur des guerriers d'Édom, en ce jour-là,
  sera pareil au cœur d'une femme en travail.

Oracle contre des villes syriennes. Is **17** 1-3. Am **1** 3-5.

²³À Damas.

Hamat et Arpad sont honteuses,
car elles ont reçu une mauvaise nouvelle.
Elles sont soulevées par l'inquiétude
comme la mer qui ne peut se calmer.
²⁴Damas est découragée et s'apprête à la fuite,
un tremblement l'a saisie
(angoisse et douleurs l'ont prise comme une femme en couches).
²⁵Comment ne serait-elle pas abandonnée, la fière cité,
la ville joyeuse ?
²⁶Aussi ses jeunes hommes tomberont sur ses places et tous ses hommes de guerre périront, en ce jour-là – oracle de Yahvé Sabaot.
²⁷J'allumerai le feu dans les remparts de Damas
et il dévorera les palais de Ben-Hadad.

Oracle contre les tribus arabes. Cf. **25** 23-24. Is **21** 13-17.

²⁸À Qédar et aux royaumes de Haçor, que vainquit Nabuchodonosor, roi de Babylone. Ainsi parle Yahvé.

Levez-vous, montez contre Qédar,
anéantissez les fils de l'Orient !
²⁹Leurs tentes et leurs moutons, qu'on les prenne,
leurs étoffes et tous leurs ustensiles ;
qu'on s'empare de leurs chameaux
et qu'on crie sur eux : « Terreur de tous côtés ! »

³⁰Fuyez, partez vite, cachez-vous bien,
habitants de Haçor – oracle de Yahvé –,
car Nabuchodonosor, roi de Babylone, a médité contre vous un projet,
formé contre vous un plan :
³¹« Debout ! Montez contre une nation tranquille
qui demeure en sécurité – oracle de Yahvé –,
qui n'a ni portes ni verrous,
qui habite à l'écart.
³²Leurs chameaux seront une proie,
leurs moutons innombrables un butin ! »
Je vais les disperser à tout vent,
ces Tempes-rasées,
et de tous côtés je ferai venir leur ruine,
oracle de Yahvé.
³³Haçor deviendra un repaire de chacals,
une solitude pour toujours.
Personne n'y habitera plus,
aucun humain n'y séjournera plus.

Oracle contre Élam.

³⁴Parole de Yahvé qui fut adressée au prophète Jérémie au sujet d'Élam, au commencement du règne de Sédécias, roi de Juda.
³⁵Ainsi parle Yahvé Sabaot.

Voici, je vais briser l'arc d'Élam,
nerf de sa puissance.
³⁶J'amènerai sur Élam quatre vents,
des quatre extrémités du ciel,
et je disperserai les Élamites à tous ces vents ;

il n'y aura pas de nation où n'arrivent des gens chassés d'Élam.
[37]Je ferai trembler les Élamites devant leurs ennemis,
  devant ceux qui en veulent à leur vie.
J'amènerai sur eux le malheur,
  ma colère ardente – oracle de Yahvé.
J'enverrai l'épée à leur poursuite,
  jusqu'à ce que je les aie exterminés.
[38]J'établirai mon trône en Élam,
  j'en extirperai roi et princes,
  oracle de Yahvé.

[39]Mais à la fin des jours, je ramènerai les captifs d'Élam, oracle de Yahvé.

Oracle contre Babylone. Is 13-14 ; 47. ↗ Ap 18.

50 [1]Parole qu'a prononcée Yahvé contre Babylone, contre le pays des Chaldéens, par le ministère du prophète Jérémie.

Chute de Babylone, libération d'Israël.

[2]Annoncez-le parmi les nations, publiez-le,
  hissez un signal et publiez-le,
  ne cachez rien, proclamez :
  Babylone est prise, Bel honteux,
Mérodak écroulé.
  (Ses idoles sont honteuses,
  ses Saletés écroulées.)
[3]Car du Nord monte contre elle une nation
  qui fera de son pays une désolation ;
  nul n'y habitera plus,
  hommes et bêtes ont fui et disparu.

[4]En ces jours et en ce temps
  – oracle de Yahvé –,
  les enfants d'Israël reviendront
  (eux et les enfants de Juda ensemble),
  ils feront route en pleurant
  et chercheront Yahvé leur Dieu.
[5]Ils réclameront Sion,
  vers elle, ils tourneront leur face :
  « Venez ! Attachons-nous à Yahvé
  par une alliance éternelle que l'on n'oublie pas ! »

[6]Les gens de mon peuple étaient des brebis perdues.
  Leurs bergers les égaraient, les montagnes les dévoyaient ;
  de montagne en colline, ils allaient,
  oubliant leur bercail.
[7]Tous ceux qui les trouvaient les dévoraient,
  leurs ennemis disaient : « Nous ne sommes pas en faute
  puisqu'ils ont péché contre Yahvé, la demeure de justice,
  et contre l'espoir de leurs pères
  – Yahvé ! »

[8]Fuyez du milieu de Babylone
  et du pays des Chaldéens, sortez !
  Soyez comme des boucs en tête d'un troupeau.
[9]Car voici : je vais susciter et faire monter contre Babylone
  une coalition de grandes nations ;
  arrivant du pays du Nord, elles se rangeront contre elle :
  c'est par là qu'on doit la prendre ;
  les flèches sont celles d'un guerrier habile
  qui ne revient jamais les mains vides.
[10]La Chaldée sera mise au pillage,

tous ses pilleurs seront rassasiés,
oracle de Yahvé.

¹¹Ah ! Réjouissez-vous ! Triomphez,
vous, les ravageurs de mon héritage !
Bondissez comme une génisse
dans l'herbe !
Hennissez comme des étalons !
¹²Votre mère est couverte de honte,
celle qui vous enfanta rougit de
confusion.
Maintenant elle est la dernière
des nations :
désert, aridité et steppe.
¹³La colère de Yahvé fera qu'on
n'y habite plus,
elle deviendra une solitude totale.
Quiconque passera près de Babylone en restera stupéfait
et sifflera devant toutes ses blessures.

¹⁴Rangez-vous contre Babylone,
encerclez-la,
vous tous qui bandez l'arc !
Tirez sur elle, ne ménagez pas
les flèches,
car elle a péché contre Yahvé !
¹⁵Poussez contre elle le cri de
guerre, de tous côtés !
Elle tend la main, ses bastions
croulent,
ses remparts sont renversés.
C'est la vengeance de Yahvé !
Vengez-vous d'elle !
Faites-lui ce qu'elle a fait !
¹⁶Retranchez de Babylone celui
qui sème
et celui qui tient la faucille
au temps de la moisson.
Loin de l'épée dévastatrice,
que chacun retourne à son peuple,
que chacun fuie vers son pays !

¹⁷Israël était une brebis égarée
que pourchassaient des lions.

Le premier qui le dévora fut le
roi d'Assur et celui qui, le dernier,
lui brisa les os, ce fut Nabuchodonosor, roi de Babylone. ¹⁸C'est
pourquoi ainsi parle Yahvé Sabaot, le Dieu d'Israël : Me voici
pour visiter le roi de Babylone et
son pays, comme j'ai visité le roi
d'Assur.

¹⁹Et je vais ramener Israël à son
pacage
pour qu'il paisse au Carmel et
en Bashân ;
sur la montagne d'Éphraïm et en
Galaad,
il sera rassasié.
²⁰En ces jours et en ce temps
– oracle de Yahvé –
on cherchera l'iniquité d'Israël :
elle ne sera plus ;
les péchés de Juda : on ne les
trouvera plus ;
car je pardonnerai au reste que
je laisse.

Chute de Babylone annoncée à Jérusalem.

²¹« Monte au pays de Meratayim,
monte contre lui et contre les habitants de Peqod :
massacre-les, extermine-les jusqu'au dernier
– oracle de Yahvé.
Exécute tous mes ordres ! »
²²Fracas de bataille dans le pays !
Désastre immense !

²³Comment a-t-il été brisé et mis
en pièces,
le marteau du monde entier ?
Comment est-elle devenue un
objet d'épouvante,
Babylone parmi les nations ?

²⁴Je t'ai tendu un piège et tu as
été prise, Babylone,
  sans t'en apercevoir.
  Tu as été trouvée et maîtrisée,
  car tu t'en prenais à Yahvé !

²⁵Yahvé a ouvert son arsenal
  et sorti les armes de sa colère.
  C'est qu'il y avait du travail
pour le Seigneur Yahvé Sabaot
  au pays des Chaldéens !
²⁶– « Venez-y de partout,
  ouvrez ses greniers,
  entassez-la comme gerbes, ex-
terminez-la,
  que rien n'en reste !
²⁷Massacrez tous ses taureaux,
  qu'ils descendent à l'abattoir !
  Malheur à eux, il est arrivé, leur
Jour,
  le temps de leur châtiment. »
²⁸Écoutez ! Fuyards et rescapés
  du pays de Babylone
  viennent annoncer dans Sion
  la vengeance de Yahvé notre
Dieu,
  la vengeance de son Temple !

Le péché d'insolence.

²⁹Convoquez les archers contre
Babylone,
  tous ceux qui bandent l'arc !
  Campez contre elle tout autour,
  qu'on ne lui laisse pas d'issue.
  Payez-la selon ses œuvres,
  tout ce qu'elle a fait, faites-le lui.
  Car elle fut insolente contre
Yahvé,
  contre le Saint d'Israël.
³⁰Aussi ses jeunes gens tomberont
sur ses places et tous ses hommes
de guerre périront, en ce jour-là,
oracle de Yahvé !

³¹C'est contre toi que j'en ai, « Insolence »

– oracle du Seigneur Yahvé Sabaot –,
  ton Jour est arrivé,
  le temps où je te châtie.
³²« Insolence » va être culbutée,
elle tombera,
  nul ne la relèvera ;
  je mettrai le feu à ses villes,
  il dévorera tous ses alentours.

Yahvé rédempteur d'Israël.

³³Ainsi parle Yahvé Sabaot :
  Les enfants d'Israël sont opprimés
  (et les enfants de Juda avec eux),
  tous ceux qui les ont faits captifs
les tiennent,
  ils refusent de les lâcher.
³⁴Mais leur Rédempteur est puissant,
  Yahvé Sabaot est son nom.
  Il va prendre en main leur cause,
afin de donner du repos au pays,
mais de faire trembler les habitants de Babylone.

³⁵Épée contre les Chaldéens
– oracle de Yahvé –,
  contre les habitants de Babylone,
  contre ses princes et ses sages !
³⁶Épée contre ses devins : qu'ils
déraisonnent !
  Épée contre ses héros : qu'ils
soient pris de panique !
³⁷Épée contre ses chevaux et ses
chars,
  et contre le ramassis qu'elle recèle : qu'ils soient comme des
femmes !
  Épée contre ses trésors : qu'on
les pille !
³⁸Sécheresse contre ses eaux :
qu'elles tarissent !
  Car c'est un pays d'idoles, ils se
passionnent pour leurs Épouvan-
tails !

[39]Aussi des lynx y gîteront avec des chacals,

des autruches y auront leur demeure.

Elle ne sera plus habitée, à jamais,

d'âge en âge elle ne sera plus peuplée.

[40]Comme lorsque Dieu renversa Sodome,

Gomorrhe et les villes voisines
– oracle de Yahvé –,

personne n'y habitera plus,

aucun humain n'y séjournera plus.

Le peuple du Nord et le lion du Jourdain.

[41]Voici qu'un peuple arrive du Nord,

une grande nation et des rois nombreux

se lèvent des confins de la terre.

[42]Ils tiennent fermement l'arc et le javelot,

ils sont barbares et impitoyables ;

leur bruit est comme le mugissement de la mer ;

ils montent des chevaux,

ils sont prêts à combattre comme un seul homme

contre toi, fille de Babylone.

[43]Le roi de Babylone a appris la nouvelle,

ses mains ont défailli,

l'angoisse l'a pris,

une douleur comme pour celle qui enfante.

[44]Voici que, tel un lion, il monte des halliers du Jourdain

vers le pâturage toujours vert.

En un clin d'œil, je les ferai déguerpir de là,

pour y établir celui que je choisirai.

Qui en effet est mon égal ?

Qui pourrait m'assigner en justice ?

Quel est donc le pasteur qui tiendrait devant moi ?

[45]Aussi apprenez le dessein

que Yahvé a formé contre Babylone

et le plan qu'il a résolu

contre le pays des Chaldéens :

certainement on les traînera comme les plus petits du troupeau !

Certainement on va saccager leur prairie devant eux !

[46]Au bruit de la prise de Babylone, la terre tremble,

un cri se fait entendre parmi les nations.

Yahvé contre Babylone.

51 [1]Ainsi parle Yahvé :

Je vais faire se lever contre Babylone et contre les habitants de Leb Qamaï

un vent destructeur.

[2]J'enverrai à Babylone des vanneurs pour la vanner

et nettoyer son territoire,

car on va l'assiéger de tous côtés

au jour du malheur.

[3]– Qu'aucun archer ne bande son arc !

Qu'on cesse de se pavaner dans sa cuirasse !

– Pas de quartier pour ses jeunes !

Exterminez son armée entière !

[4]Des victimes tomberont au pays des Chaldéens,

des transpercés dans les rues de Babylone.

[5]Car Israël et Juda ne sont pas veuves

de leur Dieu, Yahvé Sabaot,

bien que leur pays soit plein de péché

contre le Saint d'Israël.

⁶Fuyez du milieu de Babylone
(et sauvez chacun votre vie) ;
ne périssez pas pour son crime
car c'est le temps de la vengeance pour Yahvé :
il va lui payer son dû !
⁷Babylone était une coupe d'or
aux mains de Yahvé,
elle enivrait la terre entière,
les nations s'abreuvaient de son
vin,
c'est pourquoi elles devenaient
folles.
⁸Soudain Babylone est tombée,
s'est brisée :
hululez sur elle !
Prenez du baume pour son mal :
peut-être va-t-elle guérir ?
⁹– « Nous voulions guérir Babylone, elle n'a pas guéri ;
Laissez-la ! Allons-nous en,
chacun dans son pays. »
– Oui, le jugement qui la frappe
atteint jusqu'au ciel,
il s'élève jusqu'aux nues.
¹⁰Yahvé a fait éclater notre justice.
Venez ! Racontons dans Sion
l'œuvre de Yahvé notre Dieu.
¹¹Affûtez les flèches,
emplissez les carquois !
Yahvé a excité l'esprit des rois
des Mèdes, car il a formé contre
Babylone le projet de la détruire :
c'est la vengeance de Yahvé, la
vengeance de son Temple.
¹²Contre les remparts de Babylone, levez l'étendard !
Renforcez la garde !
Postez des sentinelles !
Dressez des embuscades !
Car Yahvé a encore un projet, et
il fait ce qu'il a dit contre les habitants de Babylone.

¹³Toi qui sièges au bord des grandes eaux,
toi, riche en trésors,
ta fin est arrivée,
la mesure de tes rapines.
¹⁴Yahvé Sabaot l'a juré par lui-même :
Je te remplirai d'hommes comme de sauterelles,
et contre toi, ils pousseront un
cri de triomphe.

¹⁵Il a fait la terre par sa puissance,
établi le monde par sa sagesse
et par son intelligence étendu les
cieux.
¹⁶Quand il donne de la voix,
c'est un mugissement d'eaux
dans le ciel,
il fait monter les nuages du bout
de la terre ;
il produit les éclairs pour l'averse
et tire le vent de ses réservoirs.
¹⁷Alors tout homme se tient stupide, sans comprendre,
chaque orfèvre rougit de ses idoles.
Ce qu'il a coulé n'est que mensonge,
en elles, pas de souffle !
¹⁸Elles sont vanité, œuvre ridicule,
au temps de leur châtiment, elles
disparaîtront.
¹⁹La « Part de Jacob » n'est pas
comme elles,
car il a façonné l'univers
et la tribu de son héritage.
Son nom est Yahvé Sabaot.

Le marteau de Yahvé.

²⁰Tu fus un marteau à mon usage,
une arme de guerre.
Avec toi j'ai martelé des nations,
avec toi j'ai détruit des royaumes,
²¹avec toi j'ai martelé cheval et
cavalier,

avec toi j'ai martelé char et charrier,

[22] avec toi j'ai martelé homme et femme,

avec toi j'ai martelé vieillard et enfant,

avec toi j'ai martelé adolescent et vierge,

[23] avec toi j'ai martelé berger et troupeau,

avec toi j'ai martelé laboureur et attelage,

avec toi j'ai martelé gouverneurs et magistrats,

[24] mais je ferai payer à Babylone et à tous les habitants de la Chaldée tout le mal qu'ils ont fait à Sion, sous vos yeux, oracle de Yahvé.

[25] C'est à toi que j'en ai,

montagne de la destruction

– oracle de Yahvé –,

la destructrice de l'univers !

Je vais étendre contre toi ma main,

te faire rouler du haut des rochers,

te changer en montagne embrasée.

[26] On ne tirera plus de toi ni pierre d'angle

ni pierre de fondation,

car tu deviendras une désolation pour toujours,

oracle de Yahvé.

Vers la fin !

[27] Levez l'étendard sur la terre,

sonnez du cor parmi les nations !

Vouez les nations contre elle,

convoquez contre elle des royaumes

– Ararat, Minni et Ashkenaz –,

instituez contre elle l'officier d'enrôlement.

Faites donner la cavalerie, horde de sauterelles hérissées.

[28] Vouez des nations contre elle :

les rois de Médie, ses gouverneurs, tous ses magistrats et tout le pays en sa possession.

[29] La terre trembla et frémit.

C'est que s'exécutait contre Babylone le plan de Yahvé :

changer le territoire de Babylone

en solitude sans habitants.

[30] Les vaillants de Babylone ont cessé le combat,

ils se sont blottis dans les citadelles ;

leur vaillance est à bout,

ils sont devenus des femmes.

On a mis le feu à ses habitations,

ses verrous sont en pièces.

[31] Le courrier court à la rencontre du courrier,

le messager à la rencontre du messager,

pour annoncer au roi de Babylone

que sa ville est enlevée de tous côtés,

[32] les passages occupés,

les redoutes incendiées

et les hommes de guerre pris de panique.

[33] Car ainsi parle Yahvé Sabaot, le Dieu d'Israël :

La fille de Babylone est pareille à une aire

au temps où on la foule :

encore un peu, et ce sera pour elle

le temps de la moisson.

La vengeance de Yahvé.

[34] Il m'a dévorée, consommée, Nabuchodonosor, le roi de Babylone,

il m'a laissée comme un plat vide,
il m'a engloutie tel le Dragon,
il a empli son ventre de mes
bons morceaux, il m'a chassée.
35 « Sur Babylone la violence et
les blessures que j'ai subies ! »
     dit l'habitant de Sion.
     « Sur les habitants de Chaldée
mon sang ! »
     dit Jérusalem.
36 C'est pourquoi ainsi parle Yahvé :
     Voici, je prends en main ta cause
     et j'assure ta vengeance.
     Je vais assécher son fleuve
     et tarir ses sources.
37 Babylone deviendra un tas de
pierres,
     un repaire de chacals,
     un objet d'épouvante et de déri-
sion,
     sans plus d'habitants.
38 Tels des lions, ils rugissent ensemble,
     ils grondent pareils à des lion-
ceaux.
39 Ils ont chaud ? Je leur apprête
un breuvage,
     je les ferai boire afin qu'ils
soient en joie,
     qu'ils s'endorment d'un som-
meil éternel
     et ne puissent plus s'éveiller
     – oracle de Yahvé.
40 Je les ferai descendre comme
des agneaux à l'abattoir,
     comme des béliers et des boucs.

Élégie sur Babylone.

41 Comment Shéshak a-t-elle été
prise,
     comment a-t-elle été conquise,
la fierté du monde entier ?
     Comment est-elle devenue une
épouvante,
     Babylone parmi les nations ?

42 Contre Babylone la mer est
montée,
     ses flots tumultueux l'ont sub-
mergée.
43 Ses villes sont changées en désolation,
     en terre aride et en steppe,
     terre où personne n'habite
     et où ne passe plus un homme.

La visite de Yahvé aux idoles.

44 Je visiterai Bel dans Babylone
et lui retirerai de la bouche ce
qu'il a englouti.
     Vers lui n'afflueront plus les na-
tions, désormais.
     Et même le rempart de Babylo-
ne tombera.
45 Sors de son enceinte, mon peuple !
     Que chacun de vous sauve sa vie
     devant l'ardente colère de Yah-
vé !
     46 Mais que votre cœur ne dé-
faille point ! Ne vous effrayez pas
de la nouvelle colportée dans le
pays : une année, tel bruit se répand, et puis l'année d'après, tel
autre ; la violence triomphe sur la
terre et un tyran succède au tyran.

47 En effet, voici venir des jours
     où je visiterai les idoles de Ba-
bylone.
     Son territoire entier sera dans la
honte
     et tous ses tués gisant dans son
sein.
48 Alors pousseront des cris contre
Babylone
     le ciel et la terre et tout ce qu'ils
renferment,
     car du Nord arrivent contre elle
     les dévastateurs, oracle de Yah-
vé !

⁴⁹Babylone à son tour doit tomber,
ô vous, tués d'Israël,
de même que par Babylone tombèrent
des tués de la terre entière.
⁵⁰Vous qui avez échappé à l'épée,
partez ! Ne vous arrêtez pas !
Au loin, souvenez-vous de Yahvé
et que Jérusalem soit présente à votre cœur !
⁵¹— « Nous étions dans la honte, entendant l'insulte,
nous étions couverts de confusion,
car des étrangers étaient venus
dans les sanctuaires du Temple de Yahvé. »
⁵²— Eh bien ! Voici venir des jours
– oracle de Yahvé –
où je visiterai ses idoles,
et dans tout son territoire gémiront ceux qu'on a tue.
⁵³Babylone escaladerait-elle le ciel,
renforcerait-elle sa citadelle inaccessible,
sur mon ordre lui viendront des dévastateurs
– oracle de Yahvé.
⁵⁴Bruit d'une clameur qui sort de Babylone,
d'un grand désastre, du pays des Chaldéens !
⁵⁵Car Yahvé dévaste Babylone,
il fait cesser son grand bruit,
celui des flots qui grondaient comme les grandes eaux
quand le tumulte de leur voix retentissait.
⁵⁶Car un dévastateur est venu contre elle,
contre Babylone,
ses héros sont faits captifs, leurs arcs sont brisés.

Oui, Yahvé est le Dieu des représailles :
il paie sûrement !
⁵⁷Je ferai boire ses princes et ses sages,
ses gouverneurs, ses magistrats et ses héros ;
ils s'endormiront d'un sommeil éternel
et ne s'éveilleront plus,
oracle du Roi dont le nom est Yahvé Sabaot !

Babylone rasée.

⁵⁸Ainsi parle Yahvé Sabaot :
Les remparts de Babylone la grande
seront vraiment démantelés
et ses hautes portes brûlées.
Ainsi les peuples ont-ils peiné pour le néant,
les nations se sont épuisées pour du feu.

L'oracle jeté dans l'Euphrate.

⁵⁹Voici l'ordre que donna le prophète Jérémie à Seraya, fils de Nériyya, fils de Mahséya, quand celui-ci partit pour Babylone avec Sédécias, roi de Juda, en la quatrième année de son règne. Seraya était grand chambellan. ⁶⁰ Jérémie avait mis par écrit dans un seul livre tout le malheur qui devait survenir à Babylone, toutes ces paroles qui avaient été écrites contre Babylone. ⁶¹ Jérémie dit donc à Seraya : « Quand tu arriveras à Babylone, tu auras soin de lire toutes ces paroles-là. ⁶² Et tu diras : "Yahvé, toi-même as déclaré à propos de ce lieu qu'il serait détruit, de sorte qu'il n'y trouve plus d'habitant, homme ou

bête, mais qu'il soit une désolation perpétuelle." ⁶³Une fois achevée la lecture de ce livre, tu y attacheras une pierre et le lanceras au milieu de l'Euphrate ⁶⁴en disant : Ainsi doit s'abîmer Babylone pour ne plus se relever du malheur que je fais venir sur elle. »

Jusqu'ici les paroles de Jérémie.

6. *Appendices*

La catastrophe de Jérusalem et la faveur rendue à Joiakîn.
|| 2 R **24** 18–**25** 30. = Jr **39** 1-10.

52 ¹Sédécias avait vingt et un ans à son avènement et il régna onze ans à Jérusalem. Sa mère s'appelait Hamital, fille de Yirmeyahu, et était de Libna. ²Il fit ce qui est mal aux yeux de Yahvé, tout comme avait fait Joiaqim. ³Cela arriva à Jérusalem et en Juda à cause de la colère de Yahvé, tant qu'enfin il les rejeta de devant sa face.

Sédécias se révolta contre le roi de Babylone. ⁴En la neuvième année de son règne, au dixième mois, le dix du mois, Nabuchodonosor, roi de Babylone, vint attaquer Jérusalem avec toute son armée, il campa devant la ville et la cerna d'un retranchement. ⁵La ville fut investie jusqu'à la onzième année du roi Sédécias. ⁶Au quatrième mois, le neuf du mois, alors que la famine sévissait dans la ville et que la population n'avait plus rien à manger, ⁷une brèche fut faite au rempart de la ville. Alors le roi et tous les hommes de guerre s'enfuirent de nuit et s'échappèrent de la ville par la porte entre les deux murs, qui est près du jardin du roi – les Chaldéens cernaient la ville –

et ils prirent le chemin de la Araba. ⁸Mais les troupes chaldéennes poursuivirent le roi et atteignirent Sédécias dans les plaines de Jéricho, où tous ses soldats, l'abandonnant, se débandèrent. ⁹On fit prisonnier le roi qu'on emmena à Ribla, au pays de Hamat, auprès du roi de Babylone qui le fit passer en jugement. ¹⁰Il égorgea les fils de Sédécias sous ses yeux ; de même tous les princes de Juda, il les égorgea à Ribla. ¹¹Puis il creva les yeux de Sédécias et le lia avec des chaînes de bronze. Alors, le roi de Babylone l'emmena à Babylone où il l'emprisonna jusqu'au jour de sa mort.

¹²Au cinquième mois, le dix du mois – c'était en la dix-neuvième année du règne de Nabuchodonosor, roi de Babylone –, Nebuzaradân, commandant de la garde, un de l'entourage immédiat du roi de Babylone, fit son entrée à Jérusalem. ¹³Il incendia le Temple de Yahvé, le palais royal et toutes les maisons de Jérusalem. ¹⁴Les troupes chaldéennes qui étaient avec le commandant de la garde abattirent tous les remparts qui entouraient Jérusalem. ¹⁵Nebuzaradân, commandant de la garde, déporta (une partie des pauvres du peuple et) le reste de la

population laissée dans la ville, les transfuges qui étaient passés au roi de Babylone et ce qui restait des artisans. ¹⁶Mais Nebuzaradân, commandant de la garde, laissa une partie des pauvres du pays, comme vignerons et laboureurs.

¹⁷Les Chaldéens brisèrent les colonnes de bronze du Temple de Yahvé, les bases roulantes et la Mer de bronze qui étaient dans le Temple de Yahvé ; ils en emportèrent tout le bronze à Babylone. ¹⁸Ils prirent aussi les vases à cendres, les pelles, les couteaux, les coupes d'aspersion, les navettes et tous les ustensiles de bronze qui servaient au culte. ¹⁹Le commandant de la garde prit encore les coupes, les encensoirs, les coupes d'aspersion, les vases à cendres, les chandeliers, les bols et les patères, tout ce qui était en or et tout ce qui était en argent. ²⁰Quant aux deux colonnes, à la Mer unique, aux douze bœufs de bronze qui étaient sous la Mer et aux bases roulantes, que le roi Salomon avait fabriqués pour le Temple de Yahvé, on ne pouvait évaluer ce que pesait le bronze de tous ces objets. ²¹Quant aux colonnes, l'une avait dix-huit coudées de haut ; un fil de douze coudées en mesurait le tour ; épaisse de quatre doigts, elle était creuse à l'intérieur ; ²²un chapiteau de bronze la surmontait, haut de cinq coudées, ayant tout autour un treillis et des grenades, le tout en bronze. De même pour la deuxième colonne et les grenades. ²³Il y avait quatre-vingt-seize grenades sur les côtés. En tout, cela faisait cent grenades autour du treillis.

²⁴Le commandant de la garde fit prisonniers Seraya, le prêtre en chef, Çephanya, le prêtre en second, et les trois gardiens du seuil. ²⁵De la ville, il fit prisonniers un eunuque, préposé aux hommes de guerre, sept des familiers du roi qui furent trouvés dans la ville, le secrétaire du chef de l'armée, chargé de la conscription, ainsi que soixante hommes de condition qui furent trouvés dans la ville. ²⁶Nebuzaradân, commandant de la garde, les prit et les mena auprès du roi de Babylone, à Ribla, ²⁷et le roi de Babylone les fit mettre à mort à Ribla, au pays de Hamat. Ainsi Juda fut-il déporté loin de sa terre.

²⁸Voici le nombre des gens déportés par Nabuchodonosor. La septième année : 3 023 Judéens ; ²⁹la dix-huitième année de Nabuchodonosor, furent emmenées de Jérusalem 832 personnes ; ³⁰la vingt-troisième année de Nabuchodonosor, Nebuzaradân, commandant de la garde, déporta 745 Judéens. En tout : 4 600 personnes.

³¹Mais la trente-septième année de la déportation de Joiakîn, roi de Juda, au douzième mois, le vingt-cinq du mois, Évil-Mérodak, roi de Babylone, en l'année de son avènement, fit grâce à Joiakîn, roi de Juda, et le tira de prison. ³²Il lui parla avec bonté et lui accorda un siège supérieur à ceux des autres rois qui étaient avec lui à Babylone. ³³Joiakîn quitta ses vêtements de captif et mangea toujours à la table du roi, sa vie durant. ³⁴Son entretien fut assuré constamment par le roi de Babylone, jour après jour, jusqu'au jour de sa mort, sa vie durant.

Les Lamentations

Voir l'introduction, p. 1239.

Première lamentation

Aleph. **1** ¹Quoi ! elle est assise à l'écart,
    la Ville populeuse !
Elle est devenue comme une veuve,
    la grande parmi les nations.
Princesse parmi les provinces,
    elle est réduite à la corvée.

Bèt. ²Elle passe des nuits à pleurer
    et les larmes couvrent ses joues.
Pas un qui la console
    parmi tous ses amants.
Tous ses amis l'ont trahie,
    devenus ses ennemis !

Gimel. ³Juda est exilée, soumise à l'oppression,
    à une dure servitude.
Elle demeure chez les nations
    sans trouver de répit.
Tous ses poursuivants l'atteignent
    en des lieux sans issue.

Dalèt. ⁴Les chemins de Sion sont en deuil,
    nul ne vient plus à ses fêtes.
Toutes ses portes sont désertes,
    ses prêtres gémissent,
ses vierges se désolent.
    Elle est dans l'amertume !

Hé. ⁵Ses oppresseurs ont le dessus,
    ses ennemis sont heureux,
car Yahvé l'a affligée
    pour ses nombreux crimes ;
ses petits enfants sont partis captifs
    devant l'oppresseur.

Vav. ⁶De la fille de Sion s'est retirée
    toute sa splendeur.

Ses princes étaient comme des cerfs
   qui ne trouvent point de pâture ;
ils cheminaient sans force
   devant qui les chassait.

Zaïn.   [7]Jérusalem se souvient
        de ses jours de misère et de détresse,
   (de tous ses trésors qui existaient
        depuis les jours anciens)
quand son peuple succombait aux coups de l'adversaire
        sans que nul la secourût.
Ses adversaires la voyaient,
        ils riaient de sa ruine.

Hèt.   [8]Jérusalem a péché gravement,
        aussi est-elle devenue chose impure.
Tous ceux qui l'honoraient la méprisent :
        ils ont vu sa nudité.
Elle, elle gémit
        et se détourne.

Tèt.   [9]Sa souillure colle aux pans de sa robe.
        Elle ne songeait pas à cette fin ;
elle est tombée si bas !
        Personne pour la consoler.
« Vois, Yahvé, ma misère :
        l'ennemi triomphe. »

Yod.   [10]L'adversaire a étendu la main
        sur tous ses trésors :
elle a vu les païens
        pénétrer dans son sanctuaire,
auxquels tu avais interdit
        l'entrée de son assemblée.

Kaph.   [11]Son peuple tout entier gémit,
        en quête de pain ;
on donne ses bijoux pour de la nourriture,
        pour retrouver la vie.
« Vois, Yahvé, et regarde
        combien je suis méprisée.

Lamed.   [12]Vous tous qui passez par le chemin,
        regardez et voyez
s'il est une douleur pareille
        à la douleur qui me tourmente,

dont Yahvé m'a affligée
au jour de sa brûlante colère.

Mem.   ¹³D'en haut il a envoyé un feu
qu'il a fait descendre dans mes os.
Il a tendu un filet sous mes pas,
il m'a renversée,
il m'a rendue désolée,
malade tout le jour.

Nun.   ¹⁴Il a guetté mes crimes :
de sa main il m'enlace,
son joug est sur mon cou,
il fait fléchir ma force.
Le Seigneur m'a mise à leur merci,
je ne puis plus tenir !

Samek.   ¹⁵Tous mes braves, le Seigneur les a rejetés
du milieu de moi.
Il a convoqué contre moi une assemblée
pour anéantir mon élite.
Le Seigneur a foulé au pressoir
la vierge, fille de Juda.

Aïn.   ¹⁶C'est pour cela que je pleure ;
mes yeux fondent en larmes,
car il est loin de moi, le consolateur
qui me rendrait la vie.
Mes fils sont bouleversés,
car l'ennemi est trop fort. »

Phé.   ¹⁷Sion tend les mains,
pas un qui la console.
Yahvé a mandé contre Jacob
ses oppresseurs de toutes parts ;
Jérusalem est devenue
chose impure parmi eux.

Çadé.   ¹⁸« Yahvé, lui, est juste,
car à ses ordres je fus rebelle.
Écoutez donc, tous les peuples,
et voyez ma douleur.
Mes vierges et mes jeunes gens
sont partis en captivité.

Qoph.   ¹⁹J'ai fait appel à mes amants :
ils m'ont trahie.

Mes prêtres et mes anciens
expiraient dans la ville,
cherchant une nourriture
qui leur rendît la vie.

Resh.

²⁰Vois, Yahvé, quelle est mon angoisse !
Mes entrailles frémissent ;
mon cœur en moi se retourne :
Ah ! je n'ai fait qu'être rebelle !
Au-dehors l'épée me prive d'enfants,
au-dedans, c'est comme la mort.

Shin.

²¹Entends-moi qui gémis :
pas un qui me console !
Tous mes ennemis ont appris mon mal,
ils se réjouissent de ce que tu as fait.
Fais venir le Jour que tu avais proclamé,
pour qu'ils soient comme moi !

Tav.

²²Que toute leur méchanceté te soit présente
et traite-les
comme tu m'as traitée
pour tous mes crimes !
Car nombreux sont mes gémissements,
et mon cœur est malade. »

Deuxième lamentation

Aleph.

2 ¹Quoi ! Le Seigneur en sa colère a enténébré
la fille de Sion !
il a précipité du ciel sur la terre
la gloire d'Israël !
sans plus se souvenir de son marchepied,
au jour de sa colère !

Bèt.

²Sans pitié le Seigneur a détruit
toutes les demeures de Jacob ;
il a renversé, en sa fureur,
les forteresses de la fille de Juda ;
il a jeté à terre, il a maudit
le royaume et ses princes.

Gimel.

³Il a brisé dans l'ardeur de sa colère
toute la vigueur d'Israël,

retiré en arrière sa droite
    devant l'ennemi ;
il a allumé en Jacob un feu flamboyant
    qui dévore tout alentour.

Dalèt.   ⁴Il a bandé son arc, comme un ennemi,
    il a assuré sa droite,
il a égorgé, tel un adversaire
    tous ceux qui charmaient les yeux ;
sur la tente de la fille de Sion
    il a déversé sa fureur comme un feu.

Hé.   ⁵Le Seigneur a été comme un ennemi ;
    il a détruit Israël,
il a détruit tous ses palais,
    abattu ses forteresses
et multiplié pour la fille de Juda
    gémissements et gémissements.

Vav.   ⁶Il a forcé comme un jardin son enclos,
    abattu son lieu de réunion.
Yahvé a fait oublier dans Sion
    fêtes et sabbats ;
il a rejeté, dans l'ardeur de sa colère,
    roi et prêtre.

Zaïn.   ⁷Le Seigneur a pris en dégoût son autel,
    en horreur son sanctuaire ;
aux mains de l'ennemi il a livré
    les remparts de ses palais ;
clameurs dans le Temple de Yahvé
    comme en un jour de fête !

Hèt.   ⁸Yahvé a médité d'abattre
    le rempart de la fille de Sion.
Il a étendu le cordeau, ne retirant pas sa main
    que tout ne soit englouti.
Il a endeuillé mur et avant-mur :
    ensemble ils se désolent.

Tèt.   ⁹Ses portes sont enfouies sous terre,
    il en a détruit et brisé les barres ;
son roi et ses princes sont chez les païens ;
    plus de Loi !
Ses prophètes même n'obtiennent plus
    de vision de Yahvé.

Yod.

¹⁰Ils sont assis à terre, en silence,
    les anciens de la fille de Sion ;
ils ont mis de la poussière sur leur tête,
    ils ont revêtu des sacs.
Elles penchent la tête vers la terre,
    les vierges de Jérusalem.

Kaph.

¹¹Mes yeux sont consumés de larmes,
    mes entrailles frémissent,
mon foie s'épand à terre
    pour le brisement de la fille de mon peuple,
tandis que défaillent enfants et nourrissons
    sur les places de la Cité.

Lamed.

¹²Ils disent à leurs mères :
    « Où y a-t-il du pain ? »
Tandis qu'ils défaillent comme des blessés
    sur les places de la Ville,
et qu'ils versent leur âme
    sur le sein de leur mère.

Mem.

¹³À quoi te comparer ? À quoi te dire semblable,
    fille de Jérusalem ?
Qui pourra te sauver et te consoler,
    vierge, fille de Sion ?
Car il est grand comme la mer, ton brisement ;
    qui donc va te guérir ?

Nun.

¹⁴Tes prophètes ont eu pour toi des visions
    d'illusion et de clinquant.
Ils n'ont pas révélé ta faute
    pour changer ton sort.
Ils t'ont servi des oracles,
    d'illusion et de séduction.

Samek.

¹⁵Ils battent des mains à cause de toi
    tous les passants sur le chemin ;
ils sifflotent et hochent la tête
    sur la fille de Jérusalem.
« Est-ce là la ville qu'on appelait toute belle,
    la joie de toute la terre ? »

Phé.

¹⁶Contre toi, ils ouvrent la bouche,
    tous tes ennemis ;
ils sifflotent, grincent des dents,
    disant : « Nous l'avons engloutie !

> Voilà donc le Jour que nous espérions.
> Nous le touchons, nous le voyons ! »

Aïn.   ¹⁷Yahvé a accompli ce qu'il avait résolu,
> exécuté sa parole
> décrétée depuis les jours anciens ;
> il a détruit sans pitié.
> Il a réjoui l'ennemi à tes dépens,
> exalté la vigueur de tes adversaires.

Çadé.   ¹⁸Crie donc vers le Seigneur,
> rempart de la fille de Sion ;
> laisse couler tes larmes comme un torrent
> jour et nuit ;
> ne t'accorde pas de relâche,
> que tes yeux n'aient pas de repos !

Qoph.   ¹⁹Debout ! Pousse un cri dans la nuit
> au commencement des veilles ;
> répands ton cœur comme de l'eau
> devant la face de Yahvé,
> élève vers lui tes mains
> pour la vie de tes petits enfants
> (qui défaillent de faim
> à l'entrée de toutes les rues) !

Resh.   ²⁰« Vois, Yahvé, et regarde :
> Qui as-tu jamais traité de la sorte ?
> Fallait-il que des femmes mangent leurs petits,
> les enfants qu'elles berçaient ?
> Fallait-il qu'au sanctuaire du Seigneur fussent égorgés
> prêtre et prophète ?

Shin.   ²¹Sur le sol gisent dans les rues
> enfants et vieillards,
> mes vierges et mes jeunes gens
> sont tombés sous l'épée ;
> tu as égorgé au jour de ta colère,
> tu as immolé sans pitié.

Tav.   ²²Tu as convoqué comme pour un jour de fête
> les terreurs de tous côtés ;
> au jour de la colère de Yahvé, il n'y eut
> rescapé ni survivant.
> Ceux que j'avais bercés et élevés,
> mon ennemi les a exterminés. »

Troisième lamentation

Aleph.

3 ¹Je suis l'homme qui a connu la misère,
    sous la verge de sa fureur.
²C'est moi qu'il a conduit et fait marcher
    dans la ténèbre et sans lumière.
³Contre moi seul, il tourne et retourne
    sa main tout le jour.

Bèt.

⁴Il a consumé ma chair et ma peau,
    rompu mes os.
⁵Il a élevé contre moi des constructions,
    cerné ma tête de tourment.
⁶Il m'a fait habiter dans les ténèbres,
    comme ceux qui sont morts à jamais.

Gimel.

⁷Il m'a emmuré, et je ne puis sortir ;
    il a rendu lourdes mes chaînes.
⁸Quand même je crie et j'appelle,
    il arrête ma prière.
⁹Il a barré mes chemins avec des pierres de taille,
    obstrué mes sentiers.

Dalèt.

¹⁰Il est pour moi un ours aux aguets,
    un lion à l'affût.
¹¹Faisant dévier mes chemins, il m'a déchiré,
    il a fait de moi une horreur.
¹²Il a bandé son arc et m'a visé
    comme une cible pour ses flèches.

Hé.

¹³Il a planté en mes reins,
    les flèches de son carquois.
¹⁴Je suis devenu la risée de tout mon peuple,
    leur chanson tout le jour.
¹⁵Il m'a saturé d'amertume,
    il m'a enivré d'absinthe.

Vav.

¹⁶Il a brisé mes dents avec du gravier,
    il m'a nourri de cendre.
¹⁷Mon âme est exclue de la paix,
    j'ai oublié le bonheur !
¹⁸J'ai dit : Mon existence est finie,
    mon espérance qui venait de Yahvé.

Zaïn.

¹⁹Souviens-toi de ma misère et de mon angoisse :
    c'est absinthe et fiel !
²⁰Elle s'en souvient, elle s'en souvient, mon âme,
    et elle s'effondre en moi.

²¹Voici ce qu'à mon cœur je rappellerai
pour reprendre espoir :

Hèt.   ²²Les faveurs de Yahvé ne sont pas finies,
ni ses compassions épuisées ;
²³elles se renouvellent chaque matin,
grande est sa fidélité !
²⁴« Ma part, c'est Yahvé ! dit mon âme,
c'est pourquoi j'espère en lui. »

Tèt.   ²⁵Yahvé est bon pour qui se fie à lui,
pour l'âme qui le cherche.
²⁶Il est bon d'attendre en silence
le salut de Yahvé.
²⁷Il est bon pour l'homme de porter
le joug dès sa jeunesse,

Yod.   ²⁸que solitaire et silencieux il s'asseye
quand le Seigneur l'impose sur lui,
²⁹qu'il mette sa bouche dans la poussière :
peut-être y a-t-il de l'espoir !
³⁰qu'il tende la joue à qui le frappe,
qu'il se rassasie d'opprobres !

Kaph.   ³¹Car le Seigneur ne rejette pas
les humains pour toujours :
³²s'il a affligé, il prend pitié
selon sa grande bonté.
³³Car ce n'est pas de bon cœur qu'il humilie
et afflige les fils d'homme !

Lamed.   ³⁴Quand on écrase et piétine
tous les prisonniers d'un pays,
³⁵quand on fausse le droit d'un homme
devant la face du Très-Haut,
³⁶quand on fait tort à un homme dans un procès,
le Seigneur ne le voit-il pas ?

Mem.   ³⁷Qui donc n'a qu'à parler pour que les choses soient ?
N'est-ce pas le Seigneur qui décide ?
³⁸N'est-ce pas de la bouche du Très-Haut
que sortent les maux et les biens ?
³⁹Pourquoi l'homme murmurerait-il ?
Qu'il soit plutôt brave contre ses péchés !

Nun.   ⁴⁰Examinons notre voie, scrutons-la
et revenons à Yahvé.

⁴¹Élevons notre cœur et nos mains
vers le Dieu qui est au ciel.
⁴²Nous, nous avons péché ; nous, nous sommes rebelles :
Toi, tu n'as pas pardonné !

Samek.   ⁴³Tu t'es enveloppé de colère et nous as pourchassés,
massacrant sans pitié.
⁴⁴Tu t'es enveloppé d'un nuage
pour que la prière ne passe pas.
⁴⁵Tu as fait de nous des balayures,
un rebut parmi les peuples.

Phé.   ⁴⁶Ils ont ouvert la bouche contre nous,
tous nos ennemis.
⁴⁷Frayeur et fosse furent notre lot,
fracas et désastre.
⁴⁸Mes yeux se fondent en ruisseaux
pour le désastre de la fille de mon peuple.

Aïn.   ⁴⁹Mes yeux pleurent et ne s'arrêtent pas,
il n'y a pas de répit,
⁵⁰jusqu'à ce que Yahvé regarde
et voie du haut du ciel.
⁵¹Mes yeux me font mal,
pour toutes les filles de ma Cité.

Çadé.   ⁵²Ils m'ont chassé, pourchassé comme un oiseau,
ceux qui m'exècrent sans raison.
⁵³Dans une fosse, ils ont précipité ma vie,
ils m'ont jeté des pierres.
⁵⁴Les eaux ont submergé ma tête ;
je disais : « Je suis perdu ! »

Qoph.   ⁵⁵J'ai invoqué ton Nom, Yahvé,
de la fosse profonde.
⁵⁶Tu entendis mon cri, ne sois pas sourd
à ma prière, à mon appel.
⁵⁷Tu te fis proche, au jour où je t'ai appelé.
Tu as dit : « Ne crains pas ! »

Resh.   ⁵⁸Tu as défendu, Seigneur, la cause de mon âme,
tu as racheté ma vie.
⁵⁹Tu as vu, Yahvé, le tort qui m'était fait :
rends-moi justice.
⁶⁰Tu as vu toute leur rage,
tous leurs complots contre moi.

Shin.　　　⁶¹Tu as entendu leurs outrages, Yahvé,
　　　　　　　　tous leurs complots contre moi.
　　　　　⁶²les propos que chuchotaient mes adversaires
　　　　　　　　contre moi, tout le jour.
　　　　　⁶³Qu'ils s'asseyent ou se lèvent, regarde :
　　　　　　　　je leur sers de chanson.

Tav.　　　⁶⁴Rétribue-les, Yahvé,
　　　　　　　　selon l'œuvre de leurs mains.
　　　　　⁶⁵Mets en leur cœur l'endurcissement,
　　　　　　　　ta malédiction sur eux.
　　　　　⁶⁶Poursuis-les avec colère, extirpe-les
　　　　　　　　de dessous tes cieux !

Quatrième lamentation

Aleph.　　**4** ¹Quoi ! il s'est terni, l'or, il s'est altéré,
　　　　　　　　l'or si fin !
　　　　　　　Les pierres sacrées ont été semées
　　　　　　　　au coin de toutes les rues.

Bèt.　　　²Les fils de Sion, précieux
　　　　　　　　autant que l'or fin,
　　　　　　　quoi ! ils sont comptés pour des vases d'argile,
　　　　　　　　œuvre des mains d'un potier !

Gimel.　　³Même les chacals tendent leurs mamelles
　　　　　　　　et allaitent leurs petits ;
　　　　　　　la fille de mon peuple est devenue cruelle
　　　　　　　　comme les autruches au désert.

Dalèt.　　⁴De soif, la langue du nourrisson
　　　　　　　　s'attache à son palais ;
　　　　　　　les petits enfants réclament du pain :
　　　　　　　　personne ne leur en partage.

Hé.　　　⁵Ceux qui mangeaient des mets délicieux
　　　　　　　　expirent dans les rues ;
　　　　　　　ceux qui étaient élevés dans la pourpre
　　　　　　　　étreignent le fumier.

Vav.　　　⁶La faute de la fille de mon peuple a surpassé
　　　　　　　　les péchés de Sodome,
　　　　　　　qui fut renversée en un instant
　　　　　　　　sans qu'on s'y fatiguât les mains.

Zaïn.   ⁷Ses jeunes gens étaient plus éclatants que neige,
                plus blancs que lait ;
           plus vermeil que le corail était leur corps,
                leur teint était de saphir.

Hèt.   ⁸Leur visage est plus sombre que la suie,
                on ne les reconnaît plus dans les rues.
           Leur peau est collée à leurs os,
                sèche comme du bois.

Tèt.   ⁹Heureuses furent les victimes de l'épée
                plus que celles de la faim,
           qui succombent, épuisées,
                privées des fruits des champs.

Yod.   ¹⁰De tendres femmes ont, de leurs mains,
                fait cuire leurs petits :
           ils leur ont servi d'aliment
                dans le désastre de la fille de mon peuple.

Kaph.   ¹¹Yahvé a assouvi sa fureur,
                déversé l'ardeur de sa colère,
           il a allumé en Sion un feu
                qui a dévoré ses fondations.

Lamed.   ¹²Ils ne croyaient pas, les rois de la terre
                et tous les habitants du monde,
           que l'oppresseur et l'ennemi franchiraient
                les portes de Jérusalem.

Mem.   ¹³C'est à cause des péchés de ses prophètes,
                des fautes de ses prêtres,
           qui en pleine ville avaient versé
                le sang des justes !

Nun.   ¹⁴Ils erraient en aveugles dans les rues,
                souillés de sang ;
           alors on ne pouvait toucher
                leurs vêtements.

Samek.   ¹⁵« Arrière ! Impur ! » leur criait-on,
                « Arrière ! Arrière ! Pas de contact ! »
           S'ils partaient et fuyaient chez les nations,
                ils ne pouvaient y séjourner.

Phé.   16La Face de Yahvé les dispersa,
       il ne les regarda plus.
     On ne marqua plus de respect aux prêtres,
       d'égard aux anciens.

Aïn.   17Toujours nos yeux se consumaient,
       épiant un secours : illusion !
     De nos tours nous guettions
       une nation qui ne peut sauver.

Çadé.   18On observait nos pas,
       pour nous interdire nos places.
     Notre fin était proche, nos jours accomplis,
       oui, notre fin était arrivée !

Qoph.   19Nos pourchasseurs étaient rapides
       plus que les aigles du ciel ;
     dans les montagnes ils nous traquaient,
       nous dressaient des embûches au désert.

Resh.   20Le souffle de nos narines, l'oint de Yahvé
       fut pris dans leurs fosses,
     lui dont nous disions : « À son ombre
       nous vivrons chez les nations. »

Shin.   21Réjouis-toi, exulte, fille d'Édom,
       qui habites au pays de Uç !
     À toi aussi passera la coupe :
       tu te soûleras et montreras ta nudité !

Tav.   22Ta faute est expiée, fille de Sion.
       Il ne te déportera plus !
     Il va châtier ta faute, fille d'Édom.
       Il va dévoiler tes péchés !

Cinquième lamentation

5 1Souviens-toi, Yahvé, de ce qui nous est arrivé,
     regarde et vois notre opprobre !

2Notre héritage a passé à des étrangers,
     nos maisons à des inconnus.

3Nous sommes orphelins, sans père ;
     nos mères sont comme des veuves.

4À prix d'argent nous buvons notre eau,
     notre bois, il nous faut le payer.

⁵Le joug est sur notre cou, nous sommes persécutés ;
  nous sommes à bout, et pour nous pas de répit.

⁶Nous tendons la main à l'Égypte,
  à Assur pour nous rassasier de pain.

⁷Nos pères ont péché : ils ne sont plus ;
  et nous, nous portons leurs fautes.

⁸Des esclaves dominent sur nous,
  nul ne nous délivre de leur main.

⁹Au péril de nos vies nous rapportons notre pain
  en affrontant l'épée du désert.

¹⁰Notre peau comme un four est brûlante,
  à cause des ardeurs de la faim.

¹¹Ils ont violé des femmes dans Sion,
  des vierges dans les villes de Juda.

¹²Des princes ont été pendus de leur main :
  la face des vieillards n'a pas été respectée.

¹³Des adolescents ont porté la meule,
  des garçons ont trébuché sous le bois.

¹⁴Les anciens ont déserté la porte ;
  les jeunes gens ont cessé leur musique.

¹⁵La joie a disparu de notre cœur,
  notre danse s'est changée en deuil.

¹⁶La couronne de notre tête est tombée.
  Malheur à nous, car nous avons péché !

¹⁷Voilà pourquoi notre cœur est malade,
  voilà pourquoi s'obscurcissent nos yeux :

¹⁸c'est que la montagne Sion est désolée,
  des chacals y rôdent !

¹⁹Mais toi, Yahvé, tu demeures à jamais ;
  ton trône subsiste d'âge en âge !

²⁰Pourquoi nous oublierais-tu pour toujours,
  nous abandonnerais-tu jusqu'à la fin des jours ?

²¹Fais-nous revenir à toi, Yahvé, et nous reviendrons.
  Renouvelle nos jours comme autrefois,

²²si tu ne nous as tout à fait rejetés,
  irrité contre nous sans mesure.

Le livre de Baruch

Voir l'introduction, p. 1239.

Introduction

Baruch et l'assemblée des Juifs à Babylone.

1 ¹Voici les paroles du livre qu'écrivit à Babylone Baruch, fils de Nérias, fils de Maasias, fils de Sédécias, fils d'Asadias, fils d'Helcias, ²la cinquième année, le septième jour du mois, à l'époque où les Chaldéens s'étaient emparés de Jérusalem et l'avaient incendiée.

³Or Baruch lut les paroles de ce livre devant Jékonias, fils de Joiaqim, roi de Juda, et devant tout le peuple venu pour cette lecture, ⁴devant les dignitaires et les fils de roi, devant les anciens, bref devant le peuple entier, petits et grands, devant tous ceux qui habitaient à Babylone, aux bords de la rivière Soud. ⁵On pleurait, on jeûnait, on priait en présence du Seigneur ; ⁶on collecta aussi de l'argent, selon les possibilités de chacun, ⁷et on l'envoya à Jérusalem au prêtre Joaqim, fils d'Helcias, fils de Salom, ainsi qu'aux autres prêtres et à tout le peuple qui se trouvait avec lui à Jérusalem. ⁸C'était déjà Baruch qui avait récupéré, le dixième jour de Sivân, les ustensiles de la maison du Seigneur, enlevés au Temple, pour les rapporter au pays de Juda, ustensiles d'argent qu'avait fait fabriquer Sédécias, fils de Josias, roi de Juda, ⁹après que Nabuchodonosor, roi de Babylone, eut déporté de Jérusalem et mené à Babylone Jékonias, avec les princes, les serruriers, les notables et le commun peuple.

¹⁰On écrivit : Voici, nous vous envoyons de l'argent ; avec cet argent, achetez holocaustes, oblations pour le péché et encens ; préparez des offrandes et portez-les sur l'autel du Seigneur notre Dieu. ¹¹Priez pour la vie de Nabuchodonosor, roi de Babylone, et pour la vie de Balthazar son fils, que leurs jours soient sur terre comme les jours du ciel ; ¹²que le Seigneur nous donne force et illumine nos yeux, pour que nous vivions à l'ombre de Nabuchodonosor, roi de Babyslone, et à l'ombre de Balthazar son fils, les servions longtemps et trouvions grâce en leur présence. ¹³Priez aussi pour nous le Seigneur notre Dieu, car nous l'avons offensé et jusqu'aujourd'hui la fureur et la colère du Seigneur ne se sont pas détournées de nous. ¹⁴Lisez enfin ce livre que nous vous adressons pour que vous en fassiez la lecture publique, dans la maison du Seigneur, au jour de la Fête et aux jours qui conviennent. ¹⁵Vous direz :

1. Prière des exilés

La confession des péchés.

Au Seigneur notre Dieu la justice, mais pour nous, la honte au visage, comme il en est aujourd'hui, pour l'homme de Juda et les habitants de Jérusalem, 16pour nos rois et nos princes, pour nos prêtres et nos prophètes, pour nos pères, 17parce que nous avons péché devant le Seigneur, 18nous n'avons désobéi et n'avons point écouté la voix du Seigneur notre Dieu, pour marcher selon les ordres que le Seigneur avait mis devant nous. 19Dès le jour où le Seigneur tira nos pères du pays d'Égypte jusqu'aujourd'hui, nous avons été indociles au Seigneur notre Dieu et nous nous sommes rebellés en n'écoutant pas sa voix. 20Alors se sont attachés à nous les malheurs et la malédiction que le Seigneur dicta son serviteur Moïse, le jour où il tira nos pères d'Égypte pour nous donner une terre qui ruisselle de lait et de miel, comme aujourd'hui encore. 21Nous n'avons pas écouté la voix du Seigneur notre Dieu, selon toutes les paroles des prophètes qu'il nous envoya ; 22nous sommes allés, chacun suivant l'inclination de son cœur mauvais, servir d'autres dieux, faire ce qui déplaît au Seigneur notre Dieu.

2 1Aussi le Seigneur a-t-il accompli la parole qu'il avait prononcée contre nous, contre nos juges qui gouvernèrent Israël, contre nos rois et nos chefs, contre les gens d'Israël et de Juda ; 2sous l'immensité du ciel ne se produisit jamais rien de semblable à ce qu'il fit à Jérusalem, selon ce qui était écrit dans la Loi de Moïse : 3nous en arrivâmes à manger chacun la chair de son fils, chacun la chair de sa fille. 4De plus, il les a mis au pouvoir de tous les royaumes qui nous entourent, pour être un opprobre et une exécration parmi tous les peuples d'alentour où le Seigneur les dispersa. 5Ils furent assujettis au lieu d'être maîtres, parce que nous avions offensé le Seigneur notre Dieu, en n'écoutant point sa voix.

6Au Seigneur notre Dieu la justice, mais pour nous et pour nos pères la honte au visage, comme il en est aujourd'hui. 7Tous ces malheurs que le Seigneur avait énoncés contre nous sont venus sur nous. 8Nous n'avons pas supplié la face du Seigneur, chacun de nous se détournant des pensées de son cœur mauvais ; 9alors le Seigneur a veillé sur ces malheurs et les a amenés sur nous ; car le Seigneur est juste en toutes les œuvres qu'il nous a commandées, 10et nous n'avons pas écouté sa voix en marchant selon les ordres que le Seigneur avait mis devant nous.

La supplication.

11Et maintenant, Seigneur, Dieu d'Israël, toi qui tiras ton peuple du pays d'Égypte à main forte, par signes et miracles, par grande puissance et bras étendu, te faisant de la sorte un nom comme il en est aujourd'hui, 12nous avons péché, nous avons été impies, nous avons été injustes, Seigneur notre Dieu, pour tous tes préceptes. 13Que ta colère se détourne de nous, puisque nous ne sommes plus qu'un petit reste parmi les nations où tu nous dispersas. ¹⁴Écoute, Seigneur, notre prière et notre supplication : délivre-nous à cause de toi-même, et fais-nous trouver grâce devant ceux qui nous ont déportés, ¹⁵afin que la terre entière sache que tu es le Seigneur, notre Dieu, puisque Israël et sa race portent ton Nom. ¹⁶Seigneur, regarde de ta demeure sainte, et pense à nous, tends l'oreille et écoute, ¹⁷ouvre les yeux, Seigneur, et vois ; ce ne sont pas les morts dans le shéol, ceux dont le souffle fut enlevé des entrailles, qui rendent gloire et justice au Seigneur ; ¹⁸mais l'âme comblée d'affliction, celui qui chemine courbé et sans force, les yeux défaillants et l'âme affamée, voilà ce qui te rend gloire et justice, Seigneur !

¹⁹Nous ne nous appuyons pas sur les mérites de nos pères et de nos rois pour déposer notre supplication devant ta face, Seigneur notre Dieu. ²⁰Car tu as envoyé sur nous ta colère et ta fureur, comme tu l'avais proclamé par le ministère de tes serviteurs les prophètes, en ces termes : ²¹« Ainsi parle le Seigneur : *Inclinez votre nuque et servez le roi de Babylone* ; alors, vous resterez au pays que j'ai donné à vos pères. ²²Mais si vous n'écoutez pas l'invitation du Seigneur à servir le roi de Babylone, ²³*je ferai cesser, aux villes de Juda et à Jérusalem, le chant de joie et le chant d'allégresse, le chant du fiancé et le chant de la fiancée, et tout le pays deviendra une désolation, sans habitants.* » ²⁴Mais nous n'avons pas écouté ton invitation à servir le roi de Babylone, alors tu as accompli

les paroles que tu avais prononcées par le ministère de tes serviteurs les prophètes : que les os de nos rois et les os de nos pères seraient arrachés de leur lieu. ²⁵Voici qu'en effet ils furent *jetés dehors à la chaleur du jour et au froid de la nuit.* Et l'on mourut au milieu de terribles misères, par la famine, l'épée et la peste. ²⁶Et tu fis de cette maison, qui porte ton Nom, ce qu'elle est aujourd'hui, à cause de la méchanceté de la maison d'Israël et de la maison de Juda.

²⁷Pourtant, tu as agi envers nous, Seigneur notre Dieu, selon toute ton indulgence et ton immense tendresse, ²⁸comme tu l'avais déclaré par le ministère de ton serviteur Moïse, le jour où tu lui commandas d'écrire ta Loi en présence des Israélites, en ces termes : ²⁹« Si vous n'écoutez pas ma voix, cette immense et innombrable multitude elle-même sera réduite à un petit nombre parmi les nations où je les disperserai, ³⁰car je sais qu'ils ne m'écouteront point ; c'est un peuple à la nuque raide. Mais dans le pays de leur exil, ils rentreront en eux-mêmes ³¹et connaîtront que je suis le Seigneur leur Dieu. Je leur donnerai un cœur et des oreilles qui entendent. ³²Ils me loueront au pays de leur exil, ils se souviendront de mon Nom ; ³³ils n'auront plus la nuque raide et se détourneront de leurs mauvaises actions, se rappelant le destin de leurs pères qui ont péché devant le Seigneur. ³⁴Alors je les ramènerai au pays que j'ai promis par serment à leurs pères Abraham, Isaac et Jacob, et ils y seront maîtres. Je les multiplierai et ils ne seront

plus diminués. ³⁵Pour eux, j'établirai une alliance éternelle ; je serai leur Dieu et ils seront mon peuple. Et je ne repousserai plus mon peuple Israël du pays que je leur ai donné. »

3 ¹Seigneur tout-puissant, Dieu d'Israël, c'est une âme angoissée, un esprit ébranlé, qui te crie : ²Écoute, Seigneur, aie pitié, car nous avons péché devant toi. ³Toi, tu trônes éternellement ; nous autres, nous périssons pour toujours. ⁴Seigneur tout-puissant, Dieu d'Israël, écoute donc la supplication des morts d'Israël, des fils de ceux qui ont péché contre toi, qui n'ont pas écouté la voix du Seigneur leur Dieu de sorte que les

malheurs se sont attachés à nous. ⁵Ne te souviens pas des fautes de nos pères, mais en cette heure souviens-toi de ta main et de ton Nom. ⁶Oui, tu es le Seigneur notre Dieu, et nous voulons te louer, Seigneur. ⁷Car tu as mis en nos cœurs ta crainte pour que nous invoquions ton Nom. Nous voulons te louer en notre exil, puisque nous avons écarté de notre cœur toute la méchanceté de nos pères qui ont péché devant toi. ⁸Nous voici, aujourd'hui encore, en cet exil où tu nous as dispersés pour être un opprobre, une malédiction, une condamnation, après toutes les fautes de nos pères, qui s'étaient éloignés du Seigneur notre Dieu.

2. *La sagesse, prérogative d'Israël*

⁹Écoute, Israël, les préceptes de vie,

tends l'oreille pour connaître la science.
¹⁰Pourquoi, Israël, pourquoi es-tu au pays de tes ennemis,

vieillissant en terre étrangère,
¹¹te souillant avec les morts,

compté parmi ceux qui vont au shéol ?
¹²C'est que tu abandonnas la Source de la Sagesse !
¹³Si tu avais marché dans la voie de Dieu,

tu habiterais dans la paix pour toujours.
¹⁴Apprends où est la science, où est la force,

où est l'intelligence, pour connaître aussi

où est la longueur de jours et la vie,

où est la lumière des yeux et la paix.
¹⁵Mais qui a découvert son lieu,

qui a pénétré en ses trésors ?
¹⁶Où sont-ils les chefs des nations

et les dominateurs des bêtes de la terre,
¹⁷ceux qui se jouent des oiseaux du ciel,

ceux qui accumulent l'argent et l'or

sur quoi les hommes s'appuient,

et dont les possessions n'ont pas de fin,
¹⁸ceux qui travaillent l'argent avec grand soin

– mais leurs œuvres ne laissent pas de traces ?
¹⁹Ils ont disparu, descendus au shéol !

D'autres à leur place se sont levés,

²⁰de plus jeunes ont vu la lumière
et ont habité sur la terre :
mais la voie de la connaissance,
ils ne l'ont pas connue,
²¹ils n'ont pas compris ses sentiers.
Leurs fils non plus ne l'ont point saisie,
ils sont restés loin de sa voie.
²²On n'a rien su d'elle en Canaan,
on ne l'a pas aperçue à Témân ;
²³les fils d'Agar en quête d'intelligence ici-bas,
les marchands de Madiân et de Téma,
les diseurs de paraboles et les chercheurs d'intelligence
n'ont pas connu la voie de la sagesse,
ne se sont pas rappelés ses sentiers.
²⁴Qu'elle est grande, Israël, la demeure de Dieu,
qu'il est étendu le lieu de son domaine,
²⁵grand et sans borne,
haut et immense !
²⁶Là naquirent les géants, fameux dès l'origine,
hauts de stature, experts à la guerre ;
²⁷de ceux-là Dieu ne fit pas choix,
il ne leur montra pas la voie de la connaissance ;
²⁸ils périrent, car ils n'avaient pas la science,
ils périrent par leur folie.
²⁹Qui monta au ciel pour la saisir
et la faire descendre des nuées ?
³⁰Qui passa la mer pour la découvrir
et la rapporter au prix d'un or très pur ?
³¹Nul ne connaît sa voie,

nul ne comprend son sentier.
³²Mais Celui qui sait tout la connaît,
il l'a scrutée par son intelligence,
lui qui pour l'éternité a disposé la terre
et l'a emplie de bétail,
³³lui qui envoie la lumière, et elle part,
qui la rappelle, et elle obéit en tremblant ;
³⁴les étoiles brillent à leur poste, joyeuses ;
³⁵les appelle-t-il, elles répondent : Nous voici !
elles brillent avec joie pour leur Créateur.
³⁶C'est lui qui est notre Dieu :
aucun autre ne lui est comparable.
³⁷Il a creusé la voie entière de la connaissance
et l'a montrée à Jacob, son serviteur,
à Israël, son bien-aimé ;
³⁸puis elle est apparue sur terre
et elle a vécu parmi les hommes.

4 ¹Elle est le Livre des préceptes de Dieu,
la Loi qui subsiste éternellement :
quiconque la garde vivra,
quiconque l'abandonne mourra.
²Reviens, Jacob, saisis-la,
marche vers la splendeur, à sa lumière :
³ne cède pas à autrui ta gloire,
à un peuple étranger tes privilèges.
⁴Heureux sommes-nous, Israël :
ce qui plaît à Dieu nous fut révélé !

3. *Plaintes et espoirs de Jérusalem*

⁵Courage, mon peuple,
    mémorial d'Israël !
⁶Vous avez été vendus aux nations,
    mais non pour l'anéantissement.
    Ayant excité la colère de Dieu,
    vous avez été livrés à vos ennemis.
⁷Car vous aviez irrité votre Créateur
    en sacrifiant à des démons et non à Dieu.
⁸Vous aviez oublié le Dieu éternel, votre nourricier !
    Vous avez aussi attristé Jérusalem, votre nourricière ;
⁹elle a vu fondre sur vous
    la colère venue de Dieu
    et elle a dit :

Écoutez, voisines de Sion :
    Dieu m'a envoyé grande tristesse.
¹⁰J'ai vu la captivité de mes fils et filles,
    que l'Éternel leur amena !
¹¹Je les avais nourris avec joie ;
    avec pleurs et tristesse je les vis partir.
¹²Que nul ne se réjouisse sur moi,
    veuve et délaissée d'un grand nombre ;
    je subis la solitude pour les péchés de mes enfants,
    car ils se sont détournés de la Loi de Dieu,
¹³ils n'ont point connu ses préceptes,
    ni marché par les voies de ses préceptes,
    ni suivi les sentiers de discipline selon sa justice.

¹⁴Qu'elles arrivent, les voisines de Sion !
    Rappelez-vous la captivité de mes fils et filles,
    que l'Éternel leur amena !

¹⁵Car il amena sur eux une nation lointaine,
    une nation effrontée, à la langue barbare,
    sans respect pour le vieillard,
    sans pitié pour le petit enfant ;
¹⁶on emmena les fils chéris de la veuve,
    on la laissa toute seule, privée de ses filles.
¹⁷Moi, comment pourrais-je vous aider ?
¹⁸Celui qui vous amena ces malheurs,
    c'est lui qui vous arrachera aux mains de vos ennemis.
¹⁹Allez, mes enfants, allez votre chemin !
    Moi, je reste délaissée, solitaire ;
²⁰j'ai quitté la robe de paix
    et revêtu le sac de ma supplication ;
    je veux crier vers l'Éternel tant que je vivrai.
²¹Courage, mes enfants, criez vers Dieu :
    il vous arrachera à la violence et à la main de vos ennemis ;
²²car j'attends de l'Éternel votre salut,
    une joie m'est venue du Saint,
    pour la miséricorde qui bientôt vous arrivera
    de l'Éternel, votre Sauveur.
²³Car avec tristesse et pleurs je vous ai vus partir,
    mais Dieu vous rendra à moi

pour toujours dans la joie et la jubilation.

²⁴Comme les voisines de Sion voient maintenant votre captivité,

ainsi verront-elles bientôt votre salut de par Dieu,

qui vous surviendra avec grande gloire et éclat de l'Éternel.

²⁵Mes enfants, supportez la colère qui de Dieu vous est venue.

Ton ennemi t'a persécuté,

mais bientôt tu verras sa ruine

et sur sa nuque tu poseras ton pied.

²⁶Mes enfants choyés ont marché par de rudes chemins,

enlevés, tel un troupeau razzié par l'ennemi.

²⁷Courage, mes enfants, criez vers Dieu :

Celui qui vous amena cela se souviendra de vous.

²⁸Comme votre pensée fut d'égarement loin de Dieu,

revenus à lui, recherchez-le dix fois plus fort.

²⁹Car Celui qui vous amena ces malheurs

vous ramènera, en vous sauvant, la joie éternelle.

³⁰Courage, Jérusalem :

il te consolera, Celui qui t'a donné un nom.

³¹Malheur à ceux qui t'ont maltraitée

et se sont réjouis de ta chute !

³²Malheur aux cités dont furent esclaves tes enfants,

malheur à celle qui reçut tes fils !

³³Car de même qu'elle se réjouit de ta chute

et fut heureuse de ta ruine,

ainsi sera-t-elle affligée pour sa propre dévastation.

³⁴Je lui ôterai son allégresse de ville bien peuplée,

son insolence se changera en tristesse,

³⁵un feu lui surviendra de l'Éternel pour de longs jours,

elle sera la demeure de démons pour longtemps.

³⁶Jérusalem, regarde vers l'Orient,

vois la joie qui te vient de Dieu.

³⁷Voici : ils reviennent, les fils que tu vis partir,

ils reviennent, rassemblés du levant au couchant,

sur l'ordre du Saint, jubilant de la gloire de Dieu.

5 ¹Jérusalem, quitte ta robe de tristesse et de misère,

revêts pour toujours la beauté de la gloire de Dieu,

²prends la tunique de la justice de Dieu,

mets sur ta tête le diadème de gloire de l'Éternel ;

³car Dieu veut montrer ta splendeur partout sous le ciel ;

⁴et ton nom sera de par Dieu pour toujours :

« Paix de la justice et gloire de la piété. »

⁵Jérusalem, lève-toi, tiens-toi sur la hauteur,

et regarde vers l'Orient :

vois tes enfants du couchant au levant rassemblés

sur l'ordre du Saint, jubilant, car Dieu s'est souvenu.

⁶Car ils t'avaient quittée à pied, sous escorte d'ennemis,

mais Dieu te les ramène

portés glorieusement, comme un trône royal.

⁷Car Dieu a décidé que soient abaissées

toute haute montagne et les collines éternelles,

et comblées les vallées pour aplanir la terre,

pour qu'Israël chemine en sécurité dans la gloire de Dieu.

⁸Et les forêts, et tous arbres de senteur feront de l'ombre

pour Israël, sur l'ordre de Dieu ; ⁹car Dieu guidera Israël dans la joie, à la lumière de sa gloire,

avec la miséricorde et la justice qui viennent de lui.

4. Lettre de Jérémie

Copie de la lettre qu'envoya Jérémie à ceux qui allaient être emmenés captifs à Babylone par le roi des Babyloniens, pour leur faire savoir ce qui lui avait été ordonné par Dieu.

6 ¹Pour les péchés que vous avez commis devant Dieu, vous allez être emmenés captifs à Babylone par Nabuchodonosor, roi des Babyloniens. ²Une fois arrivés à Babylone, vous y resterez bien des années et pour longtemps, jusqu'à sept générations ; après quoi, je vous en ferai sortir en paix. ³Or, vous allez voir à Babylone des dieux d'argent, d'or et de bois, qu'on porte sur les épaules et qui inspirent crainte aux païens. ⁴Soyez sur vos gardes ! Ne vous assimilez pas aux étrangers et que la crainte ne vous saisisse pas devant ces dieux, ⁵quand vous verrez, devant et derrière eux, la foule qui les adore. Dites plutôt en votre cœur : « C'est toi qu'il faut adorer, Maître. » ⁶Car mon ange est avec vous : c'est lui qui prendra soin de vos vies.

⁷Car leur langue fut poncée par un artisan, ils ont été dorés et argentés : ils ne sont que déception et ne peuvent parler. ⁸Comme pour une vierge aimant la parure, on prend de l'or et l'on fabrique des couronnes pour les têtes de leurs dieux. ⁹Parfois même les prêtres dérobent à leurs dieux or et argent pour leurs propres dépenses ; ils en donnent même aux prostituées de la terrasse. ¹⁰Ils parent de vêtements, comme des humains, ces dieux d'argent, d'or et de bois ; mais eux ne se défendent ni de la rouille ni des vers ; ¹¹quand on les a revêtus d'un habit de pourpre, on époussète leur figure, à cause de la poussière du temple qui s'épaissit sur eux. ¹²Tel tient un sceptre comme un gouverneur de province, mais ne saurait tuer qui l'offense ; ¹³tel tient en sa droite épée et hache, mais ne saurait se défendre de la guerre et des voleurs. ¹⁴Par là, il est clair que ce ne sont pas des dieux : ne les craignez pas !

¹⁵Comme un vase dont un homme se sert devient sans usage une fois brisé, ainsi en est-il de leurs dieux qu'on installe dans les temples. ¹⁶Leurs yeux sont pleins de la poussière soulevée par les pieds de ceux qui entrent. ¹⁷De même que les portes sont closes de tous côtés sur un homme qui a offensé le roi et qui va être conduit à la mort, ainsi les prêtres renforcent les temples

de ces dieux avec portes, verrous et barres, par crainte d'un pillage de voleurs. [18]Ils allument des lampes, et en plus grand nombre que pour eux-mêmes : ces dieux sont incapables d'en voir une seule. [19]Il en est d'eux comme d'une des poutres du temple dont on raconte que l'intérieur est rongé ; le vers qui sortent de terre les dévorent, ainsi que leurs habits, et ils ne le sentent pas. [20]Leur figure est noircie par la fumée qui monte du temple. [21]Sur leur corps et sur leur tête volettent chauves-souris, hirondelles et autres volatiles ; il y a là aussi des chats. [22]À cela vous reconnaîtrez que ce ne sont pas des dieux : ne les craignez pas !

[23]L'or dont on les revêt doit les faire beaux ; mais si quelqu'un n'en nettoie pas la ternissure, ce n'est pas eux qui le rendront brillant, car même quand on les fondait, ils ne sentaient rien. [24]À n'importe quel prix on acheta ces dieux, et il n'y a point en eux souffle de vie. [25]N'ayant pas de pieds, ils sont portés sur des épaules, exhibant aux hommes leur honte. Leurs serviteurs aussi sont confondus, car c'est par leur assistance que les dieux se relèvent s'ils tombent par terre. [26]Les met-on debout, ils ne peuvent d'eux-mêmes se mouvoir ; penchent-ils, ils ne peuvent se redresser ; mais c'est comme devant des morts qu'on leur présente des offrandes. [27]Ce qui leur est sacrifié, leurs prêtres le revendent et en tirent profit ; pareillement, leurs femmes en salent une partie, sans rien distribuer au pauvre et à l'impotent. Ce qui est sacrifié à ces dieux, la femme en état d'impu-

reté et la femme en couches osent le toucher. [28]Sachant donc par tout cela que ce ne sont pas des dieux, ne les craignez pas !

[29]Comment en effet les appeler des dieux ? Ce sont des femmes qui présentent des offrandes devant ces dieux d'argent, d'or et de bois. [30]En leurs temples, les prêtres se tiennent assis, tunique déchirée, tête et barbe rasées, chef découvert ; [31]ils rugissent et vociifèrent devant leurs dieux, comme on fait aux festins funèbres. [32]Les prêtres prennent les vêtements des dieux pour en habiller leurs femmes et leurs enfants. [33]Quelqu'un leur fait-il du mal, ou du bien, ils sont incapables de le rendre ; incapables aussi de faire ou de défaire un roi ; [34]incapables encore de donner richesse ou argent. Quelqu'un fait-il un vœu qu'il ne tient pas, ils ne peuvent en demander compte. [35]Ils ne peuvent sauver un homme de la mort, ni arracher le faible au puissant, [36]ni restaurer la vue d'un aveugle, ni délivrer un homme en détresse, [37]ni avoir compassion d'une veuve, ni être bienfaisants à un orphelin. [38]Ils sont semblables aux pierres extraites des montagnes, ces morceaux de bois recouverts d'or et d'argent. Leurs serviteurs seront confondus ! [39]Comment alors peut-on penser ou dire que ce sont des dieux !

[40]Les Chaldéens eux-mêmes les déshonorent quand, voyant un muet qui ne peut parler, ils le présentent à Bel et réclament que cet homme parle, comme si le dieu pouvait entendre ; [41]et ils sont incapables de réfléchir à cela et d'abandonner ces dieux, tant le

bon sens leur manque ! [42]Les femmes, ceintes de cordes, s'assoient sur les chemins pour brûler du son comme un encens ; [43]quand l'une, racolée par quelque passant, a couché avec lui, elle reproche à sa voisine de n'avoir pas été jugée digne comme elle-même et de n'avoir pas eu sa corde brisée. [44]Tout ce qui se fait pour eux est mensonge ; comment alors peut-on penser ou dire que ce sont des dieux ?

[45]Fabriqués par des menuisiers et des orfèvres, ils ne sont rien d'autre que ce que ces ouvriers veulent qu'ils soient. [46]Ces fabricants-là n'ont pas longtemps à vivre ; comment leurs fabrications seraient-elles des dieux ? [47]Car ils n'auront laissé que mensonge et déshonneur à leurs descendants. [48]Que leur surviennent une guerre ou des malheurs, les prêtres se consultent pour savoir où se cacher avec ces dieux ; [49]comment ne pas saisir qu'ils ne sont pas des dieux, ceux qui ne se sauvent pas eux-mêmes de la guerre ou des malheurs ? [50]Ces morceaux de bois dorés et argentés, on reconnaîtra plus tard qu'ils ne sont que mensonge : il sera évident pour tous, peuples et rois, qu'ils ne sont pas des dieux, mais ouvrages de mains humaines, et qu'il n'y a chez eux aucune opération divine. [51]Pour qui donc n'est-il pas clair que ce ne sont pas des dieux ?

[52]Car ils ne peuvent établir un roi dans un pays, ni donner la pluie aux hommes, [53]ni juger leurs propres affaires, ni délivrer un opprimé ; ils sont impuissants comme les corneilles entre ciel et terre. [54]Que le feu tombe sur le temple de ces dieux de bois dorés et argentés, leurs prêtres vont fuir et échapper, mais eux, comme des poutres, resteront là à brûler. [55]Ils ne peuvent résister à un roi ni à des ennemis. [56]Comment alors admettre ou penser que ce sont des dieux ?

[57]Ils ne peuvent échapper aux voleurs et aux brigands, ces dieux de bois dorés et argentés, des plus puissants vont leur arracher or et argent et partir avec les habits qui les couvrent ; eux sont incapables de se porter secours. [58]Aussi vaut-il mieux être un roi déployant son courage, ou dans une maison un vase utile, dont se serve son propriétaire, que d'être ces faux dieux ; ou encore dans une maison une porte qui protège ce qui s'y trouve, que d'être ces faux dieux ; ou un pilier de bois dans un palais, que d'être ces faux dieux. [59]Le soleil, la lune et les étoiles, qui brillent et sont commis à un office, sont obéissants ; [60]pareillement, l'éclair qui éclate est beau à voir ; de même en tout pays le vent souffle, [61]les nuages exécutent l'ordre que Dieu leur donne de parcourir toute la terre, et le feu, envoyé d'en haut pour consumer monts et forêts, fait ce qui est commandé. [62]Or, ni en beauté ni en puissance, ceux-là ne leur sont comparables. [63]Aussi ne peut-on penser ni dire que ce sont des dieux, puisqu'ils sont impuissants à rendre la justice et à faire du bien aux hommes. [64]Sachant donc que ce ne sont pas des dieux, ne les craignez pas !

[65]Car ils ne peuvent ni maudire ni bénir les rois, [66]ni montrer parmi les peuples des signes dans le ciel ; ils ne brillent pas comme le

soleil et n'éclairent pas comme la lune. [67]Les bêtes valent mieux qu'eux, elles peuvent fuir dans un abri et se secourir elles-mêmes. [68]D'aucune manière il ne nous est manifeste que ce sont des dieux, aussi ne les craignez pas !

[69]Comme un épouvantail dans un champ de concombres, qui ne protège rien, ainsi en est-il de leurs dieux de bois dorés et argentés. [70]Ou encore, leurs dieux de bois dorés et argentés ressemblent à un buisson d'épines dans un jardin, sur lequel se posent toutes sortes d'oiseaux, ou à un mort jeté dans le noir. [71]Par la pourpre et le lin qui pourrissent sur eux, vous reconnaîtrez qu'ils ne sont pas des dieux. Finalement, ils seront dévorés et deviendront un déshonneur dans le pays. [72]Mieux vaut l'homme juste, qui n'a pas d'idoles ; c'est lui qui échappe à l'opprobre !

Ézéchiel

Voir l'introduction, p. 1239.

Introduction

1 ¹La trentième année, au quatrième mois, le cinq du mois, alors que je me trouvais parmi les déportés au bord du fleuve Kebar, le ciel s'ouvrit et je fus témoin de visions divines. ²Le cinq du mois – c'était la cinquième année d'exil du roi Joiakîn – ³la parole de Yahvé fut adressée au prêtre Ézéchiel, fils de Buzi, au pays des Chaldéens, au bord du fleuve Kebar. C'est là que la main de Yahvé fut sur lui.

Vision du « char de Yahvé ».
Ez 10. ↗ Ap 4.

⁴Je regardai : c'était un vent de tempête soufflant du nord, un gros nuage, un feu jaillissant, avec une lueur autour, et au centre comme l'éclat du vermeil au milieu du feu. ⁵Au centre, je discernai quelque chose qui ressemblait à quatre êtres vivants dont voici l'aspect : ils avaient une forme humaine. ⁶Ils avaient chacun quatre faces et chacun quatre ailes. ⁷Leurs jambes étaient droites et leurs sabots étaient comme des sabots de bœuf, étincelants comme l'éclat de l'airain poli. ⁸Sous leurs ailes, il y avait des mains humaines tournées vers les quatre directions, de même que leurs faces et leurs ailes à eux quatre. ⁹Leurs ailes étaient jointes l'une à l'autre ; ils ne se tournaient pas en marchant : ils allaient chacun devant

soi. ¹⁰Quant à la forme de leurs faces, ils avaient une face d'homme, et tous les quatre avaient une face de lion à droite, et tous les quatre avaient une face de taureau à gauche, et tous les quatre avaient une face d'aigle. ¹¹Leurs ailes étaient déployées vers le haut ; chacun avait deux ailes se joignant et deux ailes lui couvrant le corps ; ¹²et ils allaient chacun devant soi ; ils allaient là où l'esprit les poussait, ils ne se tournaient pas en marchant.

¹³Ils ressemblaient à des êtres vivants. Leur aspect était celui de charbons ardents ayant l'aspect de torches, allant et venant entre les êtres vivants ; le feu jetait une lueur, et du feu sortaient des éclairs.¹⁴Les êtres vivants couraient en tout sens comme le font les éclairs.

¹⁵Je regardai les êtres vivants ; et voici qu'il y avait une roue à terre, à côté des êtres vivants aux quatre faces. ¹⁶L'aspect de ces roues et leur structure avait l'éclat de la chrysolithe. Toutes les quatre avaient même forme ; quant à leur aspect et leur structure : c'était comme si une roue se trouvait au milieu de l'autre. ¹⁷Elles avançaient dans les quatre directions et ne se tournaient pas en marchant. ¹⁸Leur circonférence était de grande taille et effrayante,

et leur circonférence, à toutes les quatre, était pleine de reflets tout autour. ¹⁹Lorsque les êtres vivants avançaient, les roues avançaient à côté d'eux, et lorsque les êtres vivants s'élevaient de terre, les roues s'élevaient. ²⁰Là où l'esprit les poussait, les roues allaient, et elles s'élevaient également, car l'esprit du vivant était dans les roues. ²¹Quand ils avançaient, elles avançaient, quand ils s'arrêtaient, elles s'arrêtaient, et quand ils s'élevaient de terre, les roues s'élevaient également, car l'esprit du vivant était dans les roues. ²²Il y avait sur les têtes du vivant quelque chose qui ressemblait à un firmament éclatant comme le cristal, tendu sur leurs têtes, au-dessus, ²³et sous le firmament, leurs ailes étaient dressées l'une vers l'autre ; chacun en avait deux lui couvrant le corps.

²⁴Et j'entendis le bruit de leurs ailes, comme le bruit des grandes eaux, comme la voix de Shaddaï ; lorsqu'ils marchaient, c'était un bruit de tempête, comme un bruit de camp ; lorsqu'ils s'arrêtaient, ils repliaient leurs ailes. ²⁵Et il se produisit un bruit.

²⁶Au-dessus du firmament qui était sur leurs têtes, il y avait quelque chose qui avait l'aspect d'une pierre de saphir en forme de trône, et sur cette forme de trône, dessus, tout en haut, une forme ayant apparence humaine.

²⁷Et je vis comme l'éclat du vermeil, quelque chose comme du feu près de lui, tout autour, depuis ce qui paraissait être ses reins et au-dessus ; et depuis ce qui paraissait être ses reins et au-dessous, je vis quelque chose comme du feu et une lueur tout autour ; ²⁸l'aspect de cette lueur, tout autour, était comme l'aspect de l'arc qui apparaît dans les nuages, les jours de pluie. C'était quelque chose qui ressemblait à la gloire de Yahvé. Je regardai, et je tombai la face contre terre ; et j'entendis la voix de quelqu'un qui me parlait.

Vision du livre.

2 ¹Il me dit : « Fils d'homme, tiens-toi debout, je vais te parler. » ²L'esprit entra en moi comme il m'avait été dit, il me fit tenir debout et j'entendis celui qui me parlait. ³Il me dit : « Fils d'homme, je t'envoie vers les Israélites, vers les rebelles qui se sont rebellés contre moi. Eux et leurs pères se sont révoltés contre moi jusqu'à ce jour. ⁴Les fils ont la tête dure et le cœur obstiné, je t'envoie vers eux pour leur dire : "Ainsi parle le Seigneur Yahvé." ⁵Qu'ils écoutent ou qu'ils n'écoutent pas, c'est une engeance de rebelles, ils sauront qu'il y a un prophète parmi eux. ⁶Pour toi, fils d'homme, n'aie pas peur d'eux, n'aie pas peur de leurs paroles s'ils te contredisent et te méprisent et si tu es assis sur des scorpions. N'aie pas peur de leurs paroles, ne crains pas leurs regards, car c'est une engeance de rebelles. ⁷Tu leur porteras mes paroles, qu'ils écoutent ou qu'ils n'écoutent pas, car c'est une engeance de rebelles.

⁸Et toi, fils d'homme, écoute ce que je vais te dire, ne sois pas rebelle comme cette engeance de rebelles. Ouvre la bouche et mange ce que je vais te donner. » ⁹Je regardai, et voici qu'une main était

tendue vers moi, tenant un volume roulé. [10]Il le déploya devant moi : il était écrit au recto et au verso ; il y était écrit : « Lamentations, gémissements et plaintes. »

3 [1]Il me dit : « Fils d'homme, ce qui t'est présenté, mange-le ; mange ce volume et va parler à la maison d'Israël. » [2]J'ouvris la bouche et il me fit manger ce volume, [3]puis il me dit : « Fils d'homme, nourris-toi et rassasie-toi de ce volume que je te donne. » Je le mangeai et, dans ma bouche, il fut doux comme du miel.

[4]Alors il me dit : « Fils d'homme, va-t'en vers la maison d'Israël et tu leur porteras mes paroles. [5]Ce n'est pas vers un peuple au parler obscur et à la langue difficile que tu es envoyé, c'est vers la maison d'Israël. [6]Ce n'est pas vers des peuples nombreux, au parler obscur et à la langue difficile, dont tu n'entendrais pas les paroles – si je t'envoyais vers eux, ils t'écouteraient – [7]mais la maison d'Israël ne veut pas t'écouter car elle ne veut pas m'écouter. Toute la maison d'Israël n'est que fronts endurcis et cœurs obstinés. [8]Voici que je rends ton visage aussi dur que leur visage, et ton front aussi dur que leur front ; [9]je rends ton front dur comme le diamant, qui est plus dur que le roc. N'aie pas peur d'eux, sois sans crainte devant eux, car c'est une engeance de rebelles. »

[10]Puis il me dit : « Fils d'homme, toutes les paroles que je te dirai, reçois-les dans ton cœur, écoute de toutes tes oreilles, [11]et va-t'en vers les exilés, vers les enfants de ton peuple, pour leur parler. Tu leur diras : "Ainsi parle le Seigneur Yahvé", qu'ils écoutent ou qu'ils n'écoutent pas. »

[12]L'esprit m'enleva et j'entendis derrière moi le bruit d'un grand tremblement : « Bénie soit la gloire de Yahvé au lieu de son séjour ! » [13]C'était le bruit que faisaient les ailes des êtres vivants, battant l'une contre l'autre, et le bruit des roues à côté d'eux, et le bruit d'un grand tremblement. [14]Et l'esprit m'enleva et me prit ; j'allai amer, l'esprit enfiévré, et la main de Yahvé pesait fortement sur moi. [15]J'arrivai à Tell Abib, chez les exilés installés près du fleuve Kebar ; c'est là qu'ils habitaient, et j'y restai sept jours, frappé de stupeur, au milieu d'eux.

Le prophète comme guetteur.

33 1-9. Cf. 14 12.

[16]Or, au bout de sept jours, la parole de Yahvé me fut adressée en ces termes : [17]« Fils d'homme, je t'ai fait guetteur pour la maison d'Israël. Lorsque tu entendras une parole de ma bouche, tu les avertiras de ma part. [18]Si je dis au méchant : "Tu vas mourir", et que tu ne l'avertis pas, si tu ne parles pas pour avertir le méchant d'abandonner sa conduite mauvaise afin qu'il vive, le méchant, lui, mourra de sa faute, mais c'est à toi que je demanderai compte de son sang. [19]Si au contraire tu as averti le méchant et qu'il ne s'est pas converti de sa méchanceté et de sa mauvaise conduite, il mourra, lui, de sa faute, mais toi, tu auras sauvé ta vie.

[20]Lorsque le juste se détournera de sa justice pour commettre le mal et que je mettrai un piège devant lui, c'est lui qui mourra ; parce que tu ne l'auras pas averti, il

mourra de son péché et on ne se souviendra plus de la justice qu'il a pratiquée, mais je te demanderai compte de son sang. ²¹Si au con-traire tu as averti le juste de ne pas pécher et qu'il n'a pas péché, il vivra parce qu'il aura été averti, et toi, tu auras sauvé ta vie. »

1. Avant le siège de Jérusalem

Ézéchiel privé de la parole.

²²C'est là que la main de Yahvé fut sur moi ; il me dit : « Lève-toi, sors dans la vallée, et là, je vais te parler. » ²³Je me levai et je sortis dans la vallée, et voilà que la gloire de Yahvé y était arrêtée, semblable à la gloire que j'avais vue au bord du fleuve Kebar, et je tombai la face contre terre. ²⁴Alors l'esprit entra en moi, il me fit tenir debout et me parla. Il me dit : « Va t'enfermer dans ta maison. ²⁵Toi, fils d'homme, voici qu'on va te mettre des liens, on t'en ligotera et tu ne sortiras plus au milieu d'eux. ²⁶Je ferai coller ta langue à ton palais, tu seras muet, et tu ne seras plus pour eux celui qui réprimande, car c'est une engeance de rebelles. ²⁷Et lorsque je te parlerai, je t'ouvrirai la bouche et tu leur diras : Ainsi parle le Seigneur Yahvé ; quiconque veut écouter, qu'il écoute, et quiconque ne le veut pas, qu'il n'écoute pas, car c'est une engeance de rebelles. »

Annonce du siège de Jérusalem.

4 ¹Quant à toi, fils d'homme, prends une brique et mets-la devant toi : tu y graveras une ville, Jérusalem. ²Puis tu entreprendras contre elle un siège : tu construiras contre elle des retranchements, tu élèveras contre elle un remblai, tu établiras contre elle des camps et tu installeras contre elle des béliers, tout autour. ³Alors, prends une poêle de fer que tu installeras comme une muraille de fer entre toi et la ville. Puis tu fixeras sur elle ton regard et elle sera assiégée : tu vas en faire le siège. C'est un signe pour la maison d'Israël.

⁴Couche-toi sur le côté gauche et prends sur toi la faute de la maison d'Israël. Autant de jours que tu seras ainsi couché, tu porteras leur faute. ⁵C'est moi qui t'ai fixé les années de leur faute à une durée de trois cent quatre-vingt-dix jours pendant lesquels tu porteras la faute de la maison d'Israël. ⁶Et quand tu les auras terminés, tu te coucheras de nouveau, sur le côté droit, et tu porteras la faute de la maison de Juda, quarante jours. Je t'en ai fixé la durée à un jour pour une année. ⁷Puis tu fixeras ton regard sur le siège de Jérusalem, tu lèveras ton bras nu et tu prophé-tiseras contre elle. ⁸Voici que j'ai mis sur toi des liens et tu ne te tourneras pas d'un côté sur l'autre jusqu'à ce que soient accomplis les jours de ta réclusion.

⁹Prends donc du froment, de l'orge, des fèves, des lentilles, du millet et de l'épeautre : mets-les dans un même vase et fais-t'en du pain. Tu en mangeras autant de jours que tu seras couché sur le cô-

té – trois cent quatre-vingt-dix jours. [10]Et cette nourriture que tu mangeras, tu en pèseras vingt sicles par jour que tu mangeras d'un jour à l'autre. [11]Tu boiras aussi de l'eau avec mesure, tu en boiras un sixième de setier d'un jour à l'autre. [12]Tu mangeras cette nourriture sous la forme d'une galette d'orge qui aura été cuite sur des excréments humains, à leurs yeux. [13]Et Yahvé dit : « C'est ainsi que les Israélites mangeront leur nourriture impure, au milieu des nations où je les chasserai. » [14]Alors je dis : « Ah! Seigneur Yahvé, mon âme n'est pas impure. Depuis mon enfance jusqu'à présent, jamais je n'ai mangé de bête crevée ou déchirée, et aucune viande avariée ne m'est entrée dans la bouche. » [15]Il me dit : « Eh bien ! je t'accorde de la bouse de bœuf au lieu d'excréments humains ; tu feras ton pain dessus. » [16]Puis il me dit : « Fils d'homme, voici que je vais détruire la réserve de pain à Jérusalem : on mangera dans l'angoisse du pain pesé, on boira avec effroi de l'eau mesurée, [17]parce que le pain et l'eau manqueront ; ils seront frappés de stupeur et dépériront à cause de leur faute. »

5 [1]Fils d'homme, prends une lame tranchante, prends-la comme rasoir de barbier et fais-la passer sur ta tête et ta barbe. Puis tu prendras une balance et tu partageras les poils que tu auras coupés. [2]À un tiers tu mettras le feu au milieu de la ville pendant que s'accompliront les jours du siège. Tu prendras l'autre tiers que tu frapperas de l'épée tout autour de la ville. Tu en répandras au vent le dernier tiers et je tirerai l'épée

derrière eux. [3]Puis tu en prendras une petite quantité que tu recueilleras dans le pan de ton manteau [4]et de ceux-ci, tu en prendras encore, que tu jetteras au milieu du feu et que tu brûleras. C'est de là que sortira le feu vers toute la maison d'Israël.

[5]Ainsi parle le Seigneur Yahvé : C'est Jérusalem que j'ai placée au milieu des nations, environnée de pays étrangers. [6]Elle s'est rebellée avec perversité contre mes coutumes plus que les nations, et contre mes lois plus que les pays qui l'entourent. Car ils rejettent mes coutumes, et mes lois, ils ne les pratiquent pas.

[7]C'est pourquoi, ainsi parle le Seigneur Yahvé : Parce que votre tumulte est pire que celui des nations qui vous entourent, parce que vous ne pratiquez pas mes lois et que vous n'observez pas mes coutumes – conformément aux coutumes des nations qui vous entourent, vous ne les observez pas, [8]eh bien ! ainsi parle le Seigneur Yahvé : Moi aussi je me déclare contre toi, et aux yeux des nations, j'exécuterai mes jugements au milieu de toi. [9]J'agirai chez toi comme jamais je n'ai agi et comme je n'agirai plus jamais, à cause de toutes tes abominations. [10]C'est pourquoi des pères dévoreront leurs enfants, au milieu de toi, et des enfants dévoreront leurs pères. Je ferai justice de toi et je disperserai à tous les vents tout ce qui reste de toi. [11]C'est pourquoi, par ma vie, oracle du Seigneur Yahvé, aussi vrai que tu as souillé mon sanctuaire par toutes tes horreurs et toutes tes abominations, moi aussi je rejetterai sans un regard de pitié,

moi non plus je n'épargnerai pas. [12]Un tiers de tes habitants mourra de la peste et périra par la famine au milieu de toi, un tiers tombera par l'épée autour de toi, et j'en disperserai un tiers à tous les vents, en tirant l'épée derrière eux. [13]Ma colère sera satisfaite, j'assouvirai sur eux ma fureur et je me vengerai ; alors ils sauront que moi, Yahvé, j'ai parlé dans ma jalousie, quand je satisferai ma colère sur eux. [14]Je ferai de toi une ruine, un objet de raillerie parmi les nations qui t'entourent, aux yeux de tous les passants. [15]Tu seras un objet de raillerie et d'outrages, un exemple, un objet de stupeur pour les nations qui t'entourent, lorsque de toi je ferai justice avec colère et fureur, avec des châtiments furieux. Moi, Yahvé, j'ai dit. [16]En envoyant contre eux les flèches redoutables de la famine, qui seront votre perte – car je les enverrai pour vous perdre et j'ajouterai contre vous la famine – je détruirai votre réserve de pain. [17]J'enverrai contre vous la famine et les bêtes féroces qui te priveront de tes enfants ; la peste et le sang passeront chez toi, et je ferai venir l'épée contre toi. Moi, Yahvé, j'ai dit.

Contre les montagnes d'Israël.

6 [1]La parole de Yahvé me fut adressée en ces termes : [2]Fils d'homme, tourne-toi vers les montagnes d'Israël et prophétise contre elles. [3]Tu diras : Montagnes d'Israël, écoutez la parole du Seigneur Yahvé. Ainsi parle le Seigneur Yahvé aux montagnes, aux collines, aux ravins, aux vallées. Voici que je vais faire venir contre vous l'épée, et je vais dé-

truire vos hauts lieux. [4]Vos autels seront dévastés, vos brasiers à encens seront brisés, je ferai tomber vos habitants, percés de coups, devant vos ordures, [5]je mettrai les cadavres des Israélites devant leurs ordures, et je disperserai leurs ossements tout autour de vos autels. [6]Partout où vous habitez, les villes seront détruites et les hauts lieux dévastés, afin que vos autels soient détruits et qu'ils soient dévastés, que vos ordures soient brisées et qu'elles disparaissent, que vos brasiers à encens soient mis en pièces et vos œuvres anéanties. [7]On tombera percé de coups au milieu de vous, et vous saurez que je suis Yahvé.

[8]Mais j'en épargnerai qui seront pour vous des survivants de l'épée parmi les nations, quand vous serez dispersés parmi les nations ; [9]alors vos survivants se souviendront de moi, parmi les nations où ils seront captifs, eux dont j'aurai brisé le cœur prostitué qui m'a abandonné, et les yeux qui se prostituent après leurs ordures. Ils éprouveront du dégoût pour eux-mêmes à cause de tout le mal qu'ils ont fait par leurs abominations. [10]Et ils sauront que je suis Yahvé : j'ai dit, et non pas en vain, que je leur infligerai ces maux.

Les péchés d'Israël.

[11]Ainsi parle le Seigneur Yahvé : Bats des mains, frappe du pied et dis : « Hélas ! » sur toutes les abominations de la maison d'Israël qui va tomber par l'épée, par la famine et par la peste. [12]Au loin, on mourra par la peste, au près, on tombera par l'épée ; ce qui aura été préservé et épargné mourra de faim, car

j'assouvirai ma fureur contre eux. [13]Vous saurez que je suis Yahvé quand, percés de coups, ils seront parmi leurs ordures, tout autour de leurs autels, sur toute colline élevée, au sommet de toutes les montagnes, sous tout arbre verdoyant, sous tout chêne touffu, là où ils offrent un parfum d'apaisement à toutes leurs idoles. [14]J'étendrai la main contre eux et je ferai du pays une solitude désolée depuis le désert jusqu'à Ribla, partout où ils habitent, et ils sauront que je suis Yahvé.

La fin prochaine. Am 5 18.

7 [1]La parole de Yahvé me fut adressée en ces termes. [2]Fils d'homme, dis : Ainsi parle le Seigneur Yahvé à la terre d'Israël : Fini ! La fin vient sur les quatre coins du pays. [3]C'est maintenant la fin pour toi ; je vais lâcher ma colère contre toi pour te juger selon ta conduite et te demander compte de toutes tes abominations. [4]Je n'aurai pas pour toi un regard de pitié, je ne t'épargnerai pas, mais je ferai retomber sur toi ta conduite, tes abominations resteront au milieu de toi, et vous saurez que je suis Yahvé.

[5]Ainsi parle le Seigneur Yahvé : Voici que vient un malheur, un seul malheur. [6]La fin approche, la fin approche, elle s'éveille en ta direction, la voici qui vient. [7]L'aurore est venue pour toi qui habites le pays. Le temps vient, le jour est proche, c'est le trouble et non plus la joie pour les montagnes. [8]Maintenant, je vais bientôt déverser ma fureur sur toi et assouvir ma colère contre toi ; je vais te juger selon ta conduite et te demander compte de toutes tes abominations. [9]Je n'aurai pas un regard de pitié et je n'épargnerai pas, mais je te traiterai selon ta conduite, tes abominations resteront au milieu de toi et vous saurez que je suis Yahvé, qui frappe.

[10]Voici le jour, voici que vient ton tour, il est venu, il est sorti, le sceptre a fleuri, l'orgueil s'est épanoui. [11]La violence s'est dressée pour être un sceptre d'impiété, mais ne venant plus d'eux, ni de leur richesse ni de leur tumulte. Plus d'oppression par eux. [12]Le temps vient, le jour est proche. Que l'acheteur ne se réjouisse pas, que le vendeur ne se désole pas, car la fureur est contre toute leur richesse. [13]Le vendeur ne reviendra pas à ce qu'il a vendu même s'ils sont encore en vie, car la vision contre toute richesse ne sera pas révoquée, et ceux dont la vie est dans le péché ne se raffermiront pas. [14]On sonne de la trompette, tout est prêt et personne ne marche au combat, car ma fureur est contre toute leur richesse.

Les péchés d'Israël.

[15]C'est l'épée au-dehors, la peste et la famine au-dedans. Quiconque sera dans la campagne mourra par l'épée, et quiconque sera dans la ville, la famine et la peste le dévoreront. [16]Ils auront des survivants qui iront vers les montagnes comme les colombes plaintives, tous gémissant, chacun pour sa faute. [17]Toutes les mains failliront, tous les genoux s'en iront en eau. [18]Ils se revêtiront de sacs, un frisson les enveloppera. Tous les visages seront honteux, toutes les têtes rasées. [19]Ils jette-

ront leur argent dans les rues, et leur or leur sera une souillure ; leur argent ni leur or ne pourront les sauver au jour de la fureur de Yahvé. Ils ne se rassasieront plus, ils ne rempliront plus leur ventre, car c'était là l'occasion de leurs fautes. ²⁰Dans la beauté de leurs bijoux, ils mettaient leur orgueil : ils en ont fait leurs images abominables, leurs horreurs, c'est pourquoi j'en ferai pour eux une souillure. ²¹Je vais les livrer aux mains des étrangers en pillage, à la pègre du pays en butin. Ils le profaneront. ²²Je détournerai d'eux ma face, on profanera mon trésor, des barbares y pénétreront et le profaneront.

²³Fabrique une chaîne, car le pays est rempli d'exécutions sanglantes, la ville est pleine de violences. ²⁴Je ferai venir les nations les plus cruelles qui s'empareront de leurs maisons. Je ferai cesser l'orgueil des puissants et leurs sanctuaires seront profanés. ²⁵La terreur vient ; ils chercheront la paix et il n'y en aura pas. ²⁶Il arrivera désastre sur désastre, il y aura nouvelle sur nouvelle ; on réclamera une vision au prophète, la loi fera défaut au prêtre, le conseil aux anciens. ²⁷Le roi sera dans le deuil, le prince sera plongé dans la désolation, les mains des gens du pays trembleront. J'agirai selon leur conduite, je les jugerai selon leurs jugements, et ils sauront que je suis Yahvé.

Vision des péchés de Jérusalem.

8 ¹La sixième année, au sixième mois, le cinq du mois, j'étais assis chez moi et les anciens de Juda étaient assis devant moi ; c'est là que la main du Seigneur Yahvé s'abattit sur moi.

²Je regardai : il y avait un être qui avait l'apparence d'un homme. Depuis ce qui paraissait être ses reins et au-dessous, c'était du feu, et depuis ses reins et au-dessus, c'était quelque chose comme une lueur, comme l'éclat du vermeil. ³Il étendit une forme de main et me prit par une mèche de cheveux ; l'esprit m'enleva entre ciel et terre et m'emmena à Jérusalem, en des visions divines, à l'entrée du porche intérieur qui regarde le nord, là où se trouve le siège de l'idole de la jalousie, qui provoque la jalousie. ⁴Or voici que la gloire du Dieu d'Israël était là ; elle avait l'aspect de ce que j'avais vu dans la vallée. ⁵Il me dit : « Fils d'homme, lève les yeux vers le nord. » Je levai les yeux vers le nord, et voici qu'au nord du porche de l'autel il y avait cette idole de la jalousie, à l'entrée. ⁶Il me dit : « Fils d'homme, vois-tu ce qu'ils font ? toutes les abominations affreuses que la maison d'Israël pratique ici pour m'éloigner de mon sanctuaire ? Et tu verras encore d'autres abominations affreuses. »

⁷Il me conduisit à l'entrée du parvis. Je regardai : il y avait un trou dans le mur. ⁸Il me dit : « Fils d'homme, fais un trou dans le mur. » Je fis un trou dans le mur et il y eut une ouverture. ⁹Il me dit : « Entre et regarde les misérables abominations qu'ils pratiquent ici. » ¹⁰J'entrai et je regardai : c'étaient toutes sortes d'images de reptiles et de bêtes répugnantes, et toutes les ordures de la maison d'Israël gravées sur le mur, tout au-

tour. ¹¹Soixante-dix hommes, des anciens de la maison d'Israël, étaient debout devant les idoles – et Yaazanyahu fils de Shaphân était debout parmi eux – ayant chacun son encensoir à la main ; et le parfum du nuage d'encens montait. ¹²Il me dit : « As-tu vu, fils d'homme, ce que font dans l'obscurité les anciens de la maison d'Israël, chacun dans sa chambre ornée de peintures ? Ils disent : "Yahvé ne nous voit pas, Yahvé a quitté le pays". » ¹³Et il me dit : « Tu verras encore d'autres abominations affreuses qu'ils pratiquent. »

¹⁴Il m'emmena à l'entrée du porche du Temple de Yahvé qui regarde vers le nord, et voici que les femmes y étaient assises, pleurant Tammuz. ¹⁵Il me dit : « As-tu vu, fils d'homme ? Tu verras encore d'autres abominations plus affreuses que celles-ci. »

¹⁶Il m'emmena vers le parvis intérieur du Temple de Yahvé. Et voici qu'à l'entrée du sanctuaire de Yahvé, entre le vestibule et l'autel, il y avait environ vingt-cinq hommes, tournant le dos au sanctuaire de Yahvé, regardant vers l'orient. Ils se prosternaient vers l'orient, devant le soleil. ¹⁷Et il me dit : « As-tu vu, fils d'homme ? N'est-ce pas assez pour la maison de Juda de pratiquer les abominations auxquelles ils se livrent ici ? Or ils emplissent le pays de violence, ils provoquent encore ma colère : les voici qui approchent le rameau de leur nez. ¹⁸Moi aussi, j'agirai avec fureur ; je n'aurai pas un regard de pitié et je n'épargnerai pas. Ils auront beau crier d'une voix forte à mes oreilles, je ne les écouterai pas. »

Le châtiment.

9 ¹C'est alors que d'une voix forte il cria à mes oreilles : « Ils approchent les fléaux de la ville, chacun son instrument de destruction à la main. » ²Et voici que six hommes s'avancèrent, venant du porche supérieur qui regarde le nord, chacun son instrument pour frapper à la main. Au milieu d'eux, il y avait un homme vêtu de lin, qui portait à la ceinture une écritoire de scribe. Ils entrèrent et s'arrêtèrent devant l'autel de bronze. ³La gloire du Dieu d'Israël s'éleva de sur le chérubin sur lequel elle était, vers le seuil du Temple, et il appela l'homme vêtu de lin qui avait une écritoire de scribe à la ceinture ; ⁴et Yahvé lui dit : « Parcours la ville, parcours Jérusalem et marque d'un signe au front les hommes qui gémissent et qui pleurent sur toutes les abominations qui se pratiquent au milieu d'elle. » ⁵Je l'entendis dire aux autres : « Parcourez la ville à sa suite et frappez. N'ayez pas un regard de pitié, n'épargnez pas ; ⁶vieillards, jeunes gens, vierges, enfants, femmes, tuez et exterminez tout le monde. Mais quiconque portera le signe au front, ne le touchez pas. Commencez à partir de mon sanctuaire. » Ils commencèrent donc par les vieillards qui étaient dans le Temple. ⁷Et il leur dit : « Souillez le Temple, emplissez les parvis de victimes, sortez. » Ils sortirent et frappèrent à travers la ville.

⁸Or pendant qu'ils frappaient, je fus laissé seul et je tombai face contre terre. Je criai : « Ah ! Seigneur Yahvé, vas-tu exterminer

tout ce qui reste d'Israël en déversant ta fureur contre Jérusalem ? » [9]Il me dit : « La faute de la maison d'Israël et de Juda est immense, le pays est plein de sang, la ville pleine de perversité. Car ils disent : "Yahvé a quitté le pays, Yahvé ne voit pas." [10]Eh bien ! moi non plus je n'aurai pas un regard de pitié, je n'épargnerai pas. Je leur demande compte de leur conduite. » [11]C'est alors que l'homme vêtu de lin, portant une écritoire à la ceinture, vint rendre compte en ces termes : « J'ai exécuté ce que tu m'as ordonné. »

[1 4-28.]

10 [1]Je regardai : voici que sur le firmament qui était sur la tête des chérubins, au-dessus d'eux, apparut comme une pierre de saphir dont l'aspect était semblable à un trône. [2]Et il dit à l'homme vêtu de lin : « Va au milieu du char, sous le chérubin, prends à pleines mains des charbons du milieu des chérubins et répands-les sur la ville. » Et il y alla sous mes yeux.

[3]Les chérubins se tenaient à droite du Temple lorsque l'homme entra, et la nuée emplissait le parvis intérieur. [4]La gloire de Yahvé s'éleva de dessus le chérubin vers le seuil du Temple, le Temple fut rempli de la nuée et le parvis fut rempli de la lueur de la gloire de Yahvé. [5]Et le bruit des ailes des chérubins s'entendit jusqu'au parvis extérieur, comme la voix du Dieu tout-puissant lorsqu'il parle.

[6]Lorsqu'il donna cet ordre à l'homme vêtu de blanc : « Prends du feu au milieu du char, du milieu des chérubins », l'homme vint et se tint près de la roue. [7]Le chérubin étendit la main d'entre les chérubins, vers le feu qui était au milieu des chérubins ; il le prit et le mit dans la main de l'homme vêtu de lin. Celui-ci le saisit et sortit. [8]Alors apparut une forme de main humaine sous les ailes des chérubins. [9]Je regardai : il y avait quatre roues à côté des chérubins, chaque roue à côté de chaque chérubin, et l'aspect des roues était comme l'éclat de la chrysolithe. [10]Elles semblaient avoir le même aspect toutes les quatre, comme si une roue était au milieu de l'autre. [11]Elles avançaient vers les quatre directions et ne se tournaient pas en marchant, car elles avançaient du côté où était dirigée la tête et ne se tournaient pas en marchant. [12]Et tout leur corps, leur dos, leurs mains et leurs ailes ainsi que les roues, étaient pleins de reflets tout autour (leurs roues à tous les quatre). [13]À ces roues on donna – je l'entendis – le nom de « galgal. » [14]Chacun avait quatre faces : la première était la face du chérubin, la seconde une face humaine, la troisième une face de lion et la quatrième une face d'aigle. [15]Les chérubins s'élevèrent : c'était l'être vivant que j'avais vu sur le fleuve Kebar. [16]Lorsque les chérubins avançaient, les roues avançaient à côté d'eux ; lorsque les chérubins levaient les ailes pour s'élever de terre, les roues ne se tournaient pas non plus à côté d'eux. [17]Lorsqu'ils s'arrêtaient, elles s'arrêtaient, et lorsqu'ils s'élevaient, elles s'élevaient avec eux, car l'esprit de l'être vivant était en elles.

La gloire de Yahvé quitte le Temple.

¹⁸La gloire de Yahvé sortit de sur le seuil du Temple et s'arrêta sur les chérubins. ¹⁹Les chérubins levèrent leurs ailes et s'élevèrent de terre à mes yeux, en sortant, les roues avec eux. Ils s'arrêtèrent à l'entrée du porche oriental du Temple de Yahvé, et la gloire du Dieu d'Israël était sur eux, au-dessus. ²⁰C'était l'être vivant que j'avais vu sous le Dieu d'Israël au fleuve Kebar, et je sus que c'étaient des chérubins. ²¹Chacun avait quatre faces et chacun quatre ailes, avec des formes de mains humaines sous leurs ailes. ²²Leurs faces étaient semblables aux faces que j'avais vues près du fleuve Kebar. Chacun allait droit devant soi.

Suite des péchés de Jérusalem.

11 ¹L'esprit m'enleva et m'emmena au porche oriental du Temple de Yahvé, celui qui regarde l'orient. Et voici qu'à l'entrée du porche, il y avait vingt-cinq hommes, parmi lesquels je vis Yaazanya fils de Azzur et Pelatyahu fils de Benayahu, chefs du peuple. ²Il me dit : Fils d'homme, ce sont les hommes qui méditent le mal, qui répandent de mauvais conseils dans cette ville. ³Ils disent : « On n'est pas près de bâtir des maisons ! Voici la marmite et nous sommes la viande. » ⁴C'est pourquoi, prophétise contre eux, prophétise, fils d'homme ! ⁵L'esprit de Yahvé fondit sur moi et il me dit : Parle ! Ainsi parle Yahvé : C'est ainsi que vous avez parlé, maison d'Israël et je connais votre insolence. ⁶Vous avez multiplié vos victimes dans cette ville ; vous avez jonché ses rues de victimes. ⁷C'est pourquoi, ainsi parle le Seigneur Yahvé. Vos victimes, que vous avez mises au milieu d'elle, c'est la viande, et elle, c'est la marmite, mais vous, je vous en ferai sortir. ⁸Vous craignez l'épée, j'amènerai l'épée contre vous, oracle du Seigneur Yahvé. ⁹Je vous en ferai sortir, je vous livrerai aux mains des étrangers, et de vous, je ferai justice. ¹⁰Vous tomberez par l'épée sur le territoire d'Israël, je vous jugerai et vous saurez que je suis Yahvé. ¹¹Cette ville ne sera pas pour vous une marmite, vous ne serez pas la viande au milieu d'elle : c'est sur le territoire d'Israël que je vous jugerai, ¹²et vous saurez que je suis Yahvé dont vous n'avez pas suivi les lois ni observé les coutumes – mais vous avez agi selon la coutume des peuples qui vous entourent.

¹³Or, comme je prophétisais, Pelatyahu fils de Benayah mourut. Je tombai la face contre terre et m'écriai d'une voix forte : « Ah ! Seigneur Yahvé, vas-tu anéantir ce qui reste d'Israël ? »

La nouvelle alliance promise aux exilés. Jr 1 3 ; 24. Am 5 21.

¹⁴Alors la parole de Yahvé me fut adressée en ces termes : ¹⁵Fils d'homme, c'est à chacun de tes frères, à tes parents et à la maison d'Israël tout entière que se sont les habitants de Jérusalem disent : « Restez loin de Yahvé, c'est à nous que le pays fut donné en patrimoine. » ¹⁶C'est pourquoi, dis : Ainsi parle le Seigneur Yahvé. Oui, je les ai éloignés parmi les nations, je les ai dispersés dans les pays étrangers et j'ai été pour eux un sanctuaire, quelque

temps, dans le pays où ils sont venus. ¹⁷C'est pourquoi, dis : Ainsi parle le Seigneur Yahvé. Je vous rassemblerai du milieu des peuples, je vous réunirai de tous les pays où vous avez été dispersés et je vous donnerai la terre d'Israël. ¹⁸Ils y viendront et en extirperont toutes les horreurs et les abominations. ¹⁹Je leur donnerai un seul cœur et je mettrai en eux un esprit nouveau : j'extirperai de leur chair le cœur de pierre et je leur donnerai un cœur de chair, ²⁰afin qu'ils marchent selon mes lois, qu'ils observent mes coutumes et qu'ils les mettent en pratique. Alors ils seront mon peuple et moi je serai leur Dieu. ²¹Quant à ceux dont le cœur est attaché à leurs horreurs et à leurs abominations, je leur demanderai compte de leur conduite, oracle du Seigneur Yahvé.

La gloire de Yahvé quitte Jérusalem.

²²Alors les chérubins levèrent leurs ailes, et les roues allaient avec eux, tandis que la gloire du Dieu d'Israël était sur eux, au-dessus. ²³La gloire de Yahvé s'éleva du milieu de la ville et s'arrêta sur la montagne qui se trouve à l'orient de la ville. ²⁴L'esprit m'enleva et m'emmena chez les Chaldéens, vers les exilés, en vision, dans l'esprit de Dieu, et la vision dont j'avais été le témoin s'éloigna de moi. ²⁵Je racontai aux exilés tout ce que Yahvé m'avait fait voir.

Le mime de l'émigrant.

12 ¹La parole de Yahvé me fut adressée en ces termes : ²Fils d'homme, tu habites au milieu d'une engeance de rebelles qui ont des yeux pour voir et ne voient point, des oreilles pour entendre et n'entendent point, car c'est une engeance de rebelles. ³Et toi, fils d'homme, fais-toi un bagage d'exilé et pars en exil sous leurs yeux. Tu partiras du lieu où tu te trouves vers un autre lieu, à leurs yeux. Peut-être reconnaîtront-ils qu'ils sont une engeance de rebelles. ⁴Tu arrangeras tes affaires comme un bagage d'exilé, de jour, à leurs yeux. Et toi, tu sortiras le soir, à leurs yeux, comme sortent les exilés. ⁵À leurs yeux, fais un trou dans le mur, par où tu sortiras. ⁶À leurs yeux, tu chargeras ton ballot sur l'épaule et tu sortiras dans l'obscurité ; tu te couvriras le visage pour ne pas voir le pays, car j'ai fait de toi un présage pour la maison d'Israël.

⁷J'agis donc selon l'ordre que j'avais reçu : j'arrangeai mes affaires comme un bagage d'exilé, de jour, et le soir je fis un trou dans le mur avec la main ; puis je sortis dans l'obscurité et je chargeai mon ballot sur l'épaule, à leurs yeux.

⁸Alors la parole de Yahvé me fut adressée, le matin, en ces termes : ⁹Fils d'homme, la maison d'Israël, cette engeance de rebelles, ne t'a-t-elle pas dit : « Que fais-tu là ? » ¹⁰Dis-leur : Ainsi parle le Seigneur Yahvé. Cet oracle est prononcé à Jérusalem et dans toute la maison d'Israël où ils résident. ¹¹Dis : Je suis votre présage ; comme j'ai fait, il leur sera fait ; ils iront en déportation, en exil. ¹²Le prince qui est parmi eux chargera son bagage sur ses épaules, dans l'obscurité, et sortira par le mur qu'on percera pour

faire une sortie ; il se couvrira le visage pour ne pas voir de ses yeux le pays. ¹³J'étendrai mon filet sur lui et il sera pris dans mon rets ; je le mènerai à Babylone, au pays des Chaldéens, mais il ne le verra pas et il y mourra. ¹⁴Tout ce qui forme son entourage, sa garde et toutes ses troupes, je les disperserai à tous les vents et je tirerai l'épée derrière eux. ¹⁵Et ils sauront que je suis Yahvé lorsque je les disséminerai parmi les nations et que je les disperserai dans les pays étrangers. ¹⁶Mais je laisserai quelques-uns d'entre eux qui échapperont à l'épée, à la famine et à la peste pour raconter toutes leurs abominations parmi les nations où ils se rendront, afin qu'elles sachent que je suis Yahvé.

¹⁷La parole de Yahvé me fut adressée en ces termes : ¹⁸Fils d'homme, tu mangeras ton pain en tremblant et tu boiras ton eau dans l'inquiétude et l'angoisse ; ¹⁹et tu diras au peuple du pays : Ainsi parle le Seigneur Yahvé aux habitants de Jérusalem dispersés sur le sol d'Israël : ils mangeront leur pain dans l'angoisse, ils boiront leur eau avec effroi, afin que le pays et ceux qui s'y trouvent soient débarrassés de la violence de tous ses habitants. ²⁰Les villes peuplées seront détruites, le pays deviendra une désolation et vous saurez que je suis Yahvé.

Proverbes populaires.

²¹La parole de Yahvé me fut adressée en ces termes : ²²Fils d'homme, que voulez-vous dire par ce proverbe prononcé sur la terre d'Israël :
Les jours s'ajoutent aux jours

et toute vision s'évanouit ? ²³Eh bien ! dis-leur : Ainsi parle le Seigneur Yahvé. Je ferai taire ce proverbe, on ne le répétera plus en Israël. Mais dis-leur :
Les jours approchent où toute vision s'accomplit, ²⁴car il n'y aura plus ni vision vaine ni présage trompeur au milieu de la maison d'Israël, ²⁵car c'est moi, Yahvé, qui parlerai. Ce que je dis est dit et s'accomplira sans délai ; car c'est de votre temps, engeance de rebelles, que je prononcerai une parole et que je la réaliserai, oracle du Seigneur Yahvé.

²⁶La parole de Yahvé me fut adressée en ces termes : ²⁷Fils d'homme, voici que la maison d'Israël dit : « La vision de celui-là voit est pour une époque lointaine ; il prophétise pour un avenir éloigné. » ²⁸Eh bien ! Dis-leur : Ainsi parle le Seigneur Yahvé. Il n'y a plus de délai pour toutes mes paroles. Ce que je dis est dit et se réalisera, oracle du Seigneur Yahvé.

Contre les faux prophètes. Jr 14 13-16 ; **23** 9-40 ; **27** 9-10, 16-18 ; **28.**

13 ¹La parole de Yahvé me fut adressée en ces termes : ²Fils d'homme, prophétise contre les prophètes d'Israël ; prophétise et dis à ceux qui prophétisent de leur propre chef : Écoutez la parole de Yahvé. ³Ainsi parle le Seigneur Yahvé : Malheur aux prophètes insensés qui suivent leur propre esprit sans rien voir ! ⁴Comme des chacals dans les ruines, tels furent tes prophètes, Israël.

⁵Vous n'êtes pas montés aux brèches, vous n'avez pas construit une enceinte pour la maison d'Is-

raël, pour tenir ferme dans le combat, au jour de Yahvé. [6]Ils ont des visions vaines, un présage mensonger, ceux qui disent : « Oracle de Yahvé » sans que Yahvé les ait envoyés ; et ils attendent la confirmation de leur parole. [7]N'est-il pas vrai que vous n'avez que visions vaines et n'annoncez que présages mensongers quand vous dites : « Oracle de Yahvé », alors que moi, je n'ai pas parlé ?

[8]Eh bien ! ainsi parle le Seigneur Yahvé : À cause de vos paroles vaines et de vos visions mensongères, oui, je me déclare contre vous, oracle du Seigneur Yahvé. [9]J'étendrai la main sur les prophètes aux visions vaines et à la prédiction mensongère : ils ne seront pas admis au conseil de mon peuple, ils ne seront pas inscrits au livre de la maison d'Israël, ils ne pénétreront pas sur le sol d'Israël, et vous saurez que je suis le Seigneur Yahvé. [10]C'est qu'en effet, ils égarent mon peuple en disant : « Paix ! » alors qu'il n'y a pas de paix. Tandis qu'il bâtit une muraille, les voici qui la couvrent de crépi. [11]Dis à ceux qui la couvrent de crépi : Qu'il y ait une pluie torrentielle, qu'il tombe des grêlons, qu'un vent de tempête soit déchaîné, [12]et voilà le mur abattu ! Ne vous dira-t-on pas : « Où est le crépi dont vous l'avez recouvert ? » [13]Eh bien ! ainsi parle le Seigneur Yahvé : Je vais déchaîner un vent de tempête dans ma fureur, il y aura une pluie torrentielle dans ma colère, des grêlons dans ma rage de destruction. [14]J'abattrai le mur que vous aurez couvert de crépi, je le jetterai à terre, et ses fonda-

tions seront mises à nu. Il tombera et vous périrez sous lui, et vous saurez que je suis Yahvé.

[15]Quand j'aurai assouvi ma fureur contre le mur et contre ceux qui le couvrent de crépi, je vous dirai : Le mur n'est plus, ni ceux qui le crépissaient, [16]les prophètes d'Israël qui prophétisent sur Jérusalem et qui ont pour elle une vision de paix alors qu'il n'y a pas de paix, oracle du Seigneur Yahvé.

Les fausses prophétesses.

[17]Et toi, fils d'homme, tourne-toi vers les filles de ton peuple qui prophétisent de leur propre chef, et prophétise contre elles. [18]Tu diras : Ainsi parle le Seigneur Yahvé. Malheur à celles qui cousent des rubans sur tous les poignets, qui fabriquent des voiles pour la tête de gens de toutes tailles, afin de prendre au piège les âmes ! Vous prenez au piège les âmes des gens de mon peuple et vous épargneriez vos propres âmes ? [19]Vous me déshonorez devant mon peuple pour quelques poignées d'orge et quelques morceaux de pain, en faisant mourir des gens qui ne doivent pas mourir, en épargnant ceux qui ne doivent pas vivre, et en mentant à mon peuple qui écoute le mensonge.

[20]Eh bien ! ainsi parle le Seigneur Yahvé : Voici que je vais m'en prendre à vos rubans, avec lesquels vous prenez au piège les âmes comme des oiseaux. Je les déchirerai sur vos bras et je libérerai les âmes que vous essayez de prendre au piège comme des oiseaux. [21]Je déchirerai vos voiles et je délivrerai mon peuple de votre main, pour qu'il ne soit plus

un gibier dans votre main. Et vous saurez que je suis Yahvé.

²²Pour avoir intimidé le cœur du juste par des mensonges, alors que je ne l'avais pas affligé, et avoir fortifié les mains du méchant pour qu'il ne renonce pas à sa mauvaise conduite afin de retrouver la vie, ²³eh bien ! vous n'aurez plus de vaines visions et ne prononcerez plus de prédictions. Je délivrerai mon peuple de votre main, et vous saurez que je suis Yahvé.

Contre l'idolâtrie. 20 1-4.

14 ¹Quelques anciens d'Israël vinrent chez moi et s'assirent devant moi. ²La parole de Yahvé me fut adressée en ces termes : ³Fils d'homme, ces gens-là ont mis leurs ordures dans leur cœur, ils ont placé devant eux l'occasion de leur crimes, faut-il me laisser consulter par eux ? ⁴Eh bien ! parle-leur et dis-leur : Ainsi parle le Seigneur Yahvé. Tout homme de la maison d'Israël qui met ses ordures dans son cœur, ou qui place devant lui l'occasion de ses crimes, et qui vient trouver le prophète, c'est moi, Yahvé, qui lui répondrai moi-même à cause de la multitude de ses ordures, ⁵afin de ressaisir le cœur de la maison d'Israël, eux qui se sont éloignés de moi à cause de toutes leurs ordures.

⁶Eh bien ! dis à la maison d'Israël : Ainsi parle le Seigneur Yahvé. Revenez, détournez-vous de vos ordures, détournez votre face de toutes vos abominations, ⁷car à tout homme de la maison d'Israël, à tout étranger établi en Israël, s'il s'éloigne de moi pour mettre ses ordures dans son cœur,

s'il place devant lui l'occasion de ses crimes et s'il vient trouver le prophète pour me consulter par lui, c'est moi, Yahvé, qui répondrai moi-même. ⁸Je tournerai ma face contre cet homme, j'en ferai un exemple et une fable, je le retrancherai de mon peuple et vous saurez que je suis Yahvé. ⁹Et si le prophète se laisse séduire et prononce une parole, c'est que moi, Yahvé, j'aurai séduit ce prophète ; j'étendrai la main contre lui et je le supprimerai du milieu de mon peuple Israël. ¹⁰Ils porteront le poids de leur faute. Telle la faute de celui qui consulte, telle sera la faute du prophète. ¹¹Ainsi la maison d'Israël ne s'égarera plus loin de moi et ne se souillera plus de tous ses crimes. Ils seront mon peuple et je serai leur Dieu, oracle du Seigneur Yahvé.

Responsabilité personnelle. 18 ; 33 10-20.

¹²La parole de Yahvé me fut adressée en ces termes : ¹³Fils d'homme, si un pays péchait contre moi en m'étant infidèle et que j'étende la main contre lui, détruisant sa réserve de pain et lui envoyant la famine pour en retrancher bêtes et gens, ¹⁴et qu'il y ait dans ce pays ces trois hommes, Noé, Danel et Job, ces hommes sauveraient leur vie grâce à leur justice, oracle du Seigneur Yahvé. ¹⁵Si je lâchais les bêtes féroces dans ce pays pour le priver de ses enfants et en faire une solitude que nul ne peut franchir à cause des bêtes, ¹⁶et qu'il y ait ces trois hommes dans ce pays : par ma vie, oracle du Seigneur Yahvé, ils ne pourraient sauver ni fils ni fil-

les, eux seuls seraient sauvés et le pays deviendrait une solitude. [17]Si je faisais venir l'épée contre ce pays, si je disais : « Que l'épée passe dans ce pays et j'en frapperai bêtes et gens », [18]et que ces trois hommes soient dans ce pays : par ma vie, oracle du Seigneur Yahvé, ils ne pourraient sauver ni fils ni filles, eux seuls seraient sauvés. [19]Si j'envoyais la peste dans ce pays et que je déverse dans le sang ma colère contre eux, en retranchant bêtes et gens, [20]et que Noé, Danel et Job soient dans ce pays : par ma vie, oracle du Seigneur Yahvé, ils ne sauveraient ni fils ni fille, mais ils sauveraient leur vie grâce à leur justice.

[21]Ainsi parle le Seigneur Yahvé : Bien que j'envoie mes quatre fléaux terribles, épée, famine, bêtes féroces et peste, vers Jérusalem pour en retrancher bêtes et gens, [22]voici qu'il s'y trouve un reste de survivants que l'on a fait sortir, fils et filles ; les voici qui sortent vers vous pour que vous voyiez leur conduite et leurs œuvres, et que vous vous consoliez du mal que j'aurai fait venir contre Jérusalem, de tout ce que j'aurai fait venir contre elle. [23]Ils vous consoleront quand vous verrez leur conduite et leurs œuvres, et vous saurez que ce n'est pas en vain que j'ai fait tout ce que j'ai fait en elle, oracle du Seigneur Yahvé.

Parabole de la vigne. Is 5 1.

15 [1]La parole de Yahvé me fut adressée en ces termes :

[2]Fils d'homme, pourquoi le bois de la vigne vaudrait-il mieux que le bois de toute branche sur les arbres de la forêt ?

[3]En tire-t-on du bois pour en faire quelque chose ?

En tire-t-on une cheville pour y pendre un objet ?

[4]Voilà qu'on le jette au feu pour le consumer. Le feu consume les deux bouts ;

le milieu est brûlé, est-il bon à quelque chose ?

[5]Déjà, lorsqu'il était intact, on ne pouvait rien en faire ;

alors, quand le feu l'a consumé et brûlé, peut-on encore en faire quelque chose ?

[6]C'est pourquoi, ainsi parle le Seigneur Yahvé.

Tout comme le bois de la vigne parmi les arbres de la forêt,

que j'ai jeté au feu pour le consumer,

ainsi ai-je traité les habitants de Jérusalem.

[7]J'ai tourné ma face contre eux.

Ils ont échappé au feu, mais le feu les dévorera,

et vous saurez que je suis Yahvé, lorsque je me tournerai contre eux.

[8]Je ferai du pays une solitude, parce qu'ils ont été infidèles,

oracle du Seigneur Yahvé.

Histoire symbolique de Jérusalem. 23. Os 1-3. Is 1 21. Jr 2 2 ; 3 6s. ↗ Mt 28 2-14 ; 25 1-13. Jn 3 29. Ep 5 25-33. Ap 17.

16 [1]La parole de Yahvé me fut adressée en ces termes : [2]Fils d'homme, fais connaître à Jérusalem ses abominations. [3]Tu diras : Ainsi parle le Seigneur Yahvé à Jérusalem. Par ton origine et par ta naissance, tu es du pays du Canaan. Ton père était amorite et ta mère hittite. [4]À ta naissance, au jour où tu vins au monde, on ne te coupa pas le cordon, on ne te lava pas dans l'eau pour te nettoyer, on ne te frotta pas de sel, on ne t'enveloppa pas de langes. ⁵Nul n'a tourné vers toi un regard de pitié, pour te rendre un de ces devoirs par compassion pour toi. Tu fus jetée en pleine campagne, par dégoût de toi, au jour de ta naissance.

⁶Je passai près de toi et je te vis, te débattant dans ton sang. Je te dis, quand tu étais dans ton sang : « Vis ! » ⁷et je te fis croître comme l'herbe des champs. Tu te développas, tu grandis et tu parvins à l'âge nubile. Tes seins s'affermirent, ta chevelure devint abondante ; mais tu étais toute nue. ⁸Alors je passai près de toi et je te vis. C'était ton temps, le temps des amours. J'étendis sur toi le pan de mon manteau et je couvris ta nudité ; je m'engageai par serment, je fis un pacte avec toi – oracle du Seigneur Yahvé – et tu fus à moi. ⁹Je te baignai dans l'eau, je lavai le sang qui te couvrait, je t'oignis d'huile ; ¹⁰je te donnai des vêtements brodés, des chaussures de cuir fin, un bandeau de lin et un manteau de soie. ¹¹Je te parai de bijoux, je mis des bracelets à tes poignets et un collier à ton cou. ¹²Je mis un anneau à ton nez, des boucles à tes oreilles, et sur ta tête un splendide diadème. ¹³Tu étais parée d'or et d'argent, vêtue de lin, de soie et de broderies. La fleur de farine, le miel et l'huile étaient ta nourriture. Tu devins de plus en plus belle et tu parvins à la royauté. ¹⁴Tu fus renommée parmi les nations pour ta beauté, car elle était parfaite grâce à la splendeur dont je t'avais revêtue, oracle du Seigneur Yahvé.

¹⁵Mais tu t'es infatuée de ta beauté, tu as profité de ta renommée pour te prostituer, tu as prodigué tes débauches à tout venant. ¹⁶Tu as pris de tes vêtements pour t'en faire des hauts lieux aux riches couleurs, et tu t'y es prostituée. ¹⁷Tu as pris tes parures d'or et d'argent que je t'avais données, et tu t'es fait des images d'hommes pour servir à tes prostitutions. ¹⁸Tu as pris tes vêtements brodés et tu les en as couvertes, et c'est mon huile et mon encens que tu as offerts devant elles. ¹⁹C'est le pain que je t'avais donné, la fleur de farine, l'huile et le miel dont je te nourrissais que tu as offerts devant elles en parfum d'apaisement.

Et il est arrivé – oracle du Seigneur Yahvé – ²⁰que tu as pris tes fils et tes filles que tu m'avais enfantés, et que tu les leur as sacrifiés pour qu'elles s'en nourrissent. Était-ce donc trop peu que ta prostitution ? ²¹Tu as égorgé mes fils et tu les as livrés pour les faire passer par le feu en leur honneur. ²²Et dans toutes tes abominations et tes prostitutions, tu ne t'es pas souvenue des jours de ta jeunesse, quand tu étais toute nue, te débattant dans ton sang.

²³Et pour comble de méchanceté, – malheur, malheur à toi ! oracle du Seigneur Yahvé – ²⁴tu t'es bâti un tertre, tu t'es fait une hauteur sur toutes les places. ²⁵À l'entrée de chaque chemin, tu t'es bâti une hauteur pour y souiller ta beauté et livrer ton corps à tout venant ; tu as multiplié tes prostitutions. ²⁶Tu t'es prostituée chez les Égyptiens, tes voisins au corps

puissant, tu as multiplié tes prostitutions pour m'irriter. [27]Et voici que j'ai levé la main contre toi ; j'ai rationné ta nourriture, je t'ai livrée à la merci de tes ennemies, les filles des Philistins, rougissant de l'infamie de ta conduite. [28]Faute d'être rassasiée, tu t'es prostituée chez les Assyriens. Tu t'es prostituée sans pourtant te rassasier. [29]Tu as multiplié tes prostitutions au pays des marchands, chez les Chaldéens, et cette fois non plus, tu ne t'es pas rassasiée.

[30]Comme ton cœur était faible – oracle du Seigneur Yahvé – en commettant toutes ces actions dignes d'une véritable prostituée ! [31]Lorsque tu te bâtissais un tertre à l'entrée de chaque chemin, que tu te faisais une hauteur sur toutes les places, en méprisant le salaire, tu n'étais pas comme la prostituée. [32]La femme adultère, au lieu de son mari, accueille les étrangers. [33]À toutes les prostituées, on donne un cadeau. Mais c'est toi qui donnais des cadeaux à tous tes amants et qui leur as offert des présents, pour que, de tous côtés, ils viennent à toi dans tes prostitutions. [34]Pour toi, ce fut le contraire des autres femmes dans tes prostitutions : nul ne courait après toi, c'est toi qui payais et l'on ne te payait pas ; tu faisais le contraire.

[35]Eh bien, prostituée, écoute la parole de Yahvé ! [36]Ainsi parle le Seigneur Yahvé. Pour avoir dilapidé ton argent, découvert ta nudité au cours de tes prostitutions avec tes amants et avec tes ordures abominables, pour le sang de tes fils que tu leur a donnés, [37]pour cela, je vais rassembler tous les amants à qui tu as plu, tous ceux

que tu as aimés et tous ceux que tu as haïs, je vais les rassembler d'alentour contre toi, et je vais découvrir ta nudité devant eux, pour qu'ils voient toute ta nudité. [38]Je vais t'infliger le châtiment des femmes adultères et sanguinaires : je te mettrai en sang avec fureur et jalousie, [39]je te livrerai entre leurs mains ; ils nivelleront ton tertre et démoliront tes hauteurs, ils t'arracheront tes vêtements et te prendront tes parures, ils te laisseront toute nue. [40]Puis ils exciteront la foule contre toi, ils te lapideront et te perceront à coups d'épée, [41]ils mettront le feu à tes maisons et feront justice de toi, sous les yeux d'une multitude de femmes ; je mettrai fin à tes prostitutions et tu ne donneras plus de salaire. [42]J'assouvirai ma fureur contre toi, puis ma jalousie se retirera de toi, je m'apaiserai et ne me mettrai plus en colère. [43]Puisque tu ne t'es pas souvenue des jours de ta jeunesse et qu'en tout cela tu m'as provoqué, voici qu'à mon tour je vais faire retomber ta conduite sur ta tête, oracle du Seigneur Yahvé. N'as-tu pas commis l'infamie avec toutes tes pratiques abominables ?

[44]Voici que tous les faiseurs de proverbes en diront un à ton sujet :

« Telle mère, telle fille. »

[45]Tu es bien la fille de ta mère qui détestait son mari et ses enfants ; tu es bien la sœur de tes sœurs qui ont détesté leur mari et leurs enfants. Votre mère était hittite et votre père amorite. [46]Ta sœur aînée, c'est Samarie, qui habite à ta gauche avec ses filles. Ta sœur cadette, qui habite à ta droite, c'est Sodome, avec ses

filles. ⁴⁷Tu n'as pas manqué d'imiter leur conduite ni de commettre leurs abominations. Tu t'es montrée plus corrompue qu'elles dans toute ta conduite. ⁴⁸Par ma vie, oracle du Seigneur Yahvé, Sodome, ta sœur, et ses filles n'ont pas agi comme vous avez agi, toi et tes filles. ⁴⁹Voici quelle fut la faute de Sodome ta sœur : orgueil, voracité, insouciance tranquille, telles furent ses fautes et celles de ses filles ; elles n'ont pas secouru le pauvre et le malheureux, ⁵⁰elles se sont enorgueillies et ont commis l'abomination devant moi, aussi les ai-je fait disparaître, comme tu l'as vu. ⁵¹Quant à Samarie, elle n'a pas commis la moitié de tes péchés.

Tu as multiplié bien plus qu'elle tes abominations. En commettant autant d'abominations, tu as justifié tes sœurs. ⁵²Mais toi, porte le déshonneur dont tu as innocenté tes sœurs : à cause des péchés par lesquels tu t'es rendue bien plus odieuse qu'elles, elles sont plus justes que toi. Toi donc, sois dans la honte et porte ton déshonneur, tout en justifiant tes sœurs.

⁵³Je les rétablirai. Je rétablirai Sodome et ses filles, je rétablirai Samarie et ses filles, puis je te rétablirai au milieu d'elles, ⁵⁴afin que tu portes ton déshonneur et que tu rougisses de tout ce que tu as fait, pour leur consolation. ⁵⁵Tes sœurs, Sodome et ses filles, seront rétablies en leur état ancien ; Samarie et ses filles seront rétablies en leur état ancien. Toi et tes filles, vous serez rétablies en votre état ancien. ⁵⁶De Sodome, ta sœur, n'as-tu pas fait des gorges chaudes, au jour de ton orgueil, ⁵⁷avant

que ne fût découverte ta nudité ? Comme elle, tu es maintenant l'objet de la raillerie des filles d'Édom et de toutes celles d'alentour, des filles des Philistins, qui t'accablent de leur mépris, tout autour de toi. ⁵⁸Ton infamie et tes abominations, c'est toi qui t'en es chargée, oracle de Yahvé.

⁵⁹Car ainsi parle le Seigneur Yahvé. J'agirai envers toi comme tu as agi, toi qui as méprisé le serment jusqu'à violer une alliance. ⁶⁰Mais moi, je me souviendrai de mon alliance avec toi au temps de ta jeunesse et j'établirai en ta faveur une alliance éternelle. ⁶¹Et toi, tu te souviendras de ta conduite et tu en rougiras, quand tu accueilleras tes sœurs, les aînées avec les cadettes, et que je te les donnerai pour filles, sans que j'y sois tenu par mon alliance avec toi. ⁶²Car c'est moi qui rétablirai mon alliance avec toi, et tu sauras que je suis Yahvé, ⁶³afin que tu te souviennes et que tu sois saisie de honte et que, dans ta confusion, tu sois réduite au silence, quand je te pardonnerai tout ce que tu as fait, oracle du Seigneur Yahvé.

Allégorie de l'aigle.

17 ¹La parole de Yahvé me fut adressée en ces termes : ²Fils d'homme, propose une énigme et présente une parabole à la maison d'Israël. ³Tu diras : Ainsi parle le Seigneur Yahvé.

Le grand aigle, aux grandes ailes,
à l'envergure immense,
couvert de plumes multicolores,
vint au Liban
et prit la cime du cèdre ;

⁴il cueillit le plus haut de ses rameaux,

l'emporta au pays des marchands

et le déposa dans une ville de trafiquants.

⁵Puis il prit une des semences du pays

et la mit dans un champ préparé ;

au bord d'un cours d'eau abondant,

il la mit comme un saule.

⁶Elle poussa et devint une vigne féconde,

de taille modeste,

qui tourna ses branches vers l'aigle,

alors que ses racines étaient sous elle.

Elle devint une vigne,

donna des tiges et poussa des sarments.

⁷Il y eut un autre grand aigle,

aux grandes ailes, aux plumes abondantes.

Et voici que cette vigne tendit ses racines vers lui

et dirigea vers lui ses branches,

pour qu'il l'arrosât,

depuis le parterre où elle était plantée.

⁸Dans un champ fertile,

au bord d'un cours d'eau abondant,

elle était plantée,

pour pousser des branchages et porter du fruit,

pour devenir une vigne magnifique.

⁹Dis : Ainsi parle le Seigneur Yahvé.

Réussira-t-elle ?

L'aigle ne va-t-il pas arracher ses racines,

ôter ses fruits,

en sorte que sèchent toutes les feuilles nouvelles qu'elle poussera

sans qu'il soit besoin d'un bras puissant et d'un peuple nombreux

pour l'enlever de ses racines ?

¹⁰La voici plantée, réussira-t-elle ?

Au souffle du vent d'est, ne va-t-elle pas sécher ?

Sur les parterres où elle a poussé, elle séchera !

¹¹La parole de Yahvé me fut adressée en ces termes :

¹²Parle à l'engeance de rebelles. Ne savez-vous pas ce que cela signifie ? Dis : Voici que le roi de Babylone est venu à Jérusalem ; il en a enlevé le roi et les princes et les a emmenés chez lui, à Babylone. ¹³Il a pris un rejeton royal et a conclu alliance avec lui, il lui a fait prêter serment, après avoir enlevé les grands du pays, ¹⁴pour que le royaume demeure modeste et sans ambition, et pour qu'il garde son alliance et la maintienne. ¹⁵Mais ce prince s'est révolté contre lui, en envoyant des messagers en Égypte pour se faire donner des chevaux et des gens en grand nombre. Réussira-t-il ? S'en tirera-t-il, celui qui a fait cela ? Il a rompu l'alliance et il s'en tirerait ? ¹⁶Par ma vie, oracle du Seigneur Yahvé, je le jure : c'est dans le pays du roi qui l'a fait régner, lui dont il a méprisé le serment et rompu l'alliance, c'est en plein milieu de Babylone qu'il mourra. ¹⁷Avec sa grande armée et ses troupes nombreuses, le Pharaon ne le sauvera pas par la guerre, lorsqu'on élèvera un remblai et qu'on construira des retranchements, pour détruire tant de vies humaines. ¹⁸Il a méprisé le serment en rompant l'alliance, alors

qu'il s'était engagé et avait fait tout cela : il ne s'en tirera pas.

¹⁹C'est pourquoi, ainsi parle le Seigneur Yahvé. Par ma vie, je le jure : mon serment qu'il a méprisé, mon alliance qu'il a rompue, je les ferai retomber sur sa tête. ²⁰J'étendrai mon filet sur lui, il sera pris dans mon rets, je le mènerai à Babylone et je l'y punirai de l'infidélité qu'il a commise envers moi. ²¹Quant à toute son élite, parmi toutes ses troupes, elle tombera par l'épée, et les survivants seront éparpillés à tous les vents. Et vous saurez que moi, Yahvé, j'ai parlé. ²²Ainsi parle le Seigneur Yahvé :

Moi, je prendrai à la cime du grand cèdre,

au plus haut de ses rameaux je cueillerai une jeune pousse

et je la planterai moi-même sur une montagne élevée et altière.

²³Sur la haute montagne d'Israël je la planterai.

Elle poussera des branchages,

elle produira du fruit et deviendra un cèdre magnifique.

Toutes sortes d'oiseaux habiteront sous lui,

toutes sortes de volatiles reposeront à l'ombre de ses branches.

²⁴Et tous les arbres de la campagne sauront que c'est moi, Yahvé,

qui abaisse l'arbre élevé et qui élève l'arbre abaissé,

qui fais sécher l'arbre vert et fleurir l'arbre sec.

Moi, Yahvé, j'ai dit et je fais.

La responsabilité personnelle. 14 12 ; 33 10-20.

18 ¹La parole de Yahvé me fut adressée en ces termes : ²Qu'avez-vous à répéter ce proverbe au pays d'Israël :

Les pères ont mangé des raisins verts,

et les dents des fils ont été agacées ?

³Par ma vie, oracle du Seigneur Yahvé, vous n'aurez plus à répéter ce proverbe en Israël. ⁴Voici : toutes les vies sont à moi, aussi bien la vie du père que celle du fils, elles sont à moi. Celui qui a péché, c'est lui qui mourra.

⁵Quiconque est juste, pratique le droit et la justice, ⁶ne mange pas sur les montagnes et ne lève pas les yeux vers les ordures de la maison d'Israël, ne souille pas la femme de son prochain, ne s'approche pas d'une femme en son impureté, ⁷n'opprime personne, rend le gage d'une dette, ne commet pas de rapines, donne son pain à qui a faim et couvre d'un vêtement celui qui est nu, ⁸ne prête pas avec usure, ne prend pas d'intérêts, détourne sa main du mal, rend un jugement véridique entre les hommes, ⁹se conduit selon mes lois et observe mes coutumes en agissant selon la vérité, un tel homme est juste, il vivra, oracle du Seigneur Yahvé.

¹⁰Mais s'il engendre un fils violent et sanguinaire qui commet une de ces fautes, ¹¹alors que lui n'en a commis aucune, un fils qui va jusqu'à manger sur les montagnes et souiller la femme de son prochain, ¹²qui opprime le pauvre et le malheureux, commet des rapines, ne rend pas le gage, lève les yeux vers les ordures, commet l'abomination, ¹³prête avec usure et prend des intérêts, celui-ci ne vivra pas après avoir commis tous ces crimes abominables, il mourra et son sang sera sur lui.

¹⁴Mais si celui-ci engendre un fils qui voit tous les péchés qu'a commis son père, qui les voit sans les imiter, ¹⁵qui ne mange pas sur les montagnes, ne lève pas les yeux vers les ordures de la maison d'Israël, ne souille pas la femme de son prochain, ¹⁶n'opprime personne, ne prend pas de gages, ne commet pas de rapines, donne son pain à qui a faim, couvre d'un vêtement celui qui est nu, ¹⁷détourne sa main de l'injustice, ne pratique pas l'usure et ne prend pas d'intérêts, pratique mes coutumes et se conduit selon mes lois, celui-ci ne mourra pas à cause des fautes de son père, il vivra. ¹⁸Mais son père, puisqu'il a été violent, a commis des rapines et n'a pas bien agi au milieu de son peuple, voici qu'il mourra à cause de sa faute. ¹⁹Et vous dites : « Pourquoi le fils ne porte-t-il pas la faute de son père ? » Mais le fils a pratiqué le droit et la justice, a observé mes lois et les a pratiquées, il doit vivre. ²⁰Celui qui a péché, c'est lui qui mourra ! Un fils ne portera pas la faute de son père ni un père la faute de son fils : au juste sera imputée sa justice et au méchant sa méchanceté.

²¹Quant au méchant, s'il renonce à tous les péchés qu'il a commis, observe toutes mes lois et pratique le droit et la justice, il vivra, il ne mourra pas. ²²On ne se souviendra plus de tous les crimes qu'il a commis, il vivra à cause de la justice qu'il a pratiquée. ²³Prendrais-je donc plaisir à la mort du méchant – oracle du Seigneur Yahvé – et non pas plutôt à le voir renoncer à sa conduite et vivre ?

²⁴Mais si le juste renonce à sa justice et commet le mal, imitant toutes les abominations que commet le méchant, vivra-t-il ? On ne se souviendra plus de toute la justice qu'il a pratiquée, mais à cause de l'infidélité dont il s'est rendu coupable et du péché qu'il a commis, il mourra. ²⁵Et vous dites : « La manière d'agir du Seigneur n'est pas juste. » Écoutez donc, maison d'Israël : est-ce ma manière d'agir qui n'est pas juste ? N'est-ce pas votre manière d'agir qui n'est pas juste ? ²⁶Si le juste se détourne de sa justice pour commettre le mal et meurt, c'est à cause du mal qu'il a commis qu'il meurt. ²⁷Et si le pécheur se détourne du péché qu'il a commis, pour pratiquer le droit et la justice, il assure sa vie. ²⁸Il a choisi de se détourner de tous les crimes qu'il avait commis, il vivra, il ne mourra pas. ²⁹Et pourtant la maison d'Israël dit : « La manière d'agir du Seigneur n'est pas juste. » Est-ce ma manière d'agir qui n'est pas juste, maison d'Israël ? N'est-ce pas votre manière d'agir qui n'est pas juste ? ³⁰C'est pourquoi je vous jugerai chacun selon sa manière d'agir, maison d'Israël, oracle du Seigneur Yahvé. Convertissez-vous et détournez-vous de tous vos crimes, qu'il n'y ait plus pour vous d'occasion de mal. ³¹Débarrassez-vous de tous les crimes que vous avez commis et faites-vous un cœur nouveau et un esprit nouveau. Pourquoi mourir, maison d'Israël ? ³²Je ne prends pas plaisir à la mort de qui que ce soit, oracle du Seigneur Yahvé. Convertissez-vous et vivez !

Complainte sur les princes d'Israël.

19 ¹Et toi, prononce une complainte sur les princes d'Israël. ²Tu diras :

Qu'était ta mère ? Une lionne parmi des lions ;
couchée parmi les lionceaux,
elle nourrissait ses petits.
³Elle éleva un de ses petits,
il devint un jeune lion,
il apprit à déchirer sa proie,
il dévora des hommes.
⁴Les nations en entendirent parler,
il fut pris dans leur fosse ;
on l'emmena avec des crocs
au pays d'Égypte.
⁵Elle vit que son attente était déçue,
déçue son espérance.
Elle prit un autre de ses petits,
en fit un jeune lion.
⁶Il rôda parmi les lions,
il devint un jeune lion ;
il apprit à déchirer sa proie,
il dévora des hommes.
⁷Il démolit leurs palais,
il détruisit leurs villes ;
le pays et ses habitants furent consternés
au bruit de son rugissement.
⁸On dressa contre lui les nations,
les provinces environnantes ;
elles étendirent sur lui leur filet,
il fut pris dans leur fosse.
⁹Avec des crocs ils le mirent en cage,
ils le menèrent au roi de Babylone,
ils le menèrent dans des lieux escarpés,
pour qu'on n'entendît plus sa voix
sur les montagnes d'Israël.

¹⁰Ta mère était semblable à une vigne,
plantée au bord de l'eau.
Elle était féconde et feuillue,
grâce à l'abondance de l'eau.
¹¹Elle eut des ceps puissants
qui devinrent des sceptres royaux ;
sa taille s'éleva
jusqu'au milieu des nuages ;
on l'admira pour sa hauteur
et la quantité de ses branches.
¹²Mais elle a été arrachée avec fureur
et jetée à terre ;
le vent d'est a desséché son fruit,
elle a été brisée,
son cep puissant a séché,
le feu l'a dévoré.
¹³La voici plantée au désert,
au pays sec et aride,
¹⁴et le feu est sorti de son cep,
il a dévoré ses tiges et son fruit.
Elle n'aura plus son sceptre puissant,
son sceptre royal.

C'est une complainte ; elle servit de complainte.

Histoire des infidélités d'Israël.

20 ¹La septième année, au cinquième mois, le dix du mois, quelques-uns des anciens d'Israël vinrent consulter Yahvé et s'assirent devant moi. ²La parole de Yahvé me fut adressée en ces termes : ³Fils d'homme, parle aux anciens d'Israël. Tu leur diras : Ainsi parle le Seigneur Yahvé. Est-ce pour me consulter que vous venez ? Par ma vie ! Je ne me laisserai pas consulter par vous, oracle du Seigneur Yahvé. ⁴Vas-tu les juger ? Vas-tu juger, fils d'homme ? Fais-leur connaître les abominations de leurs pères. ⁵Tu leur diras : Ainsi parle le Seigneur Yahvé. Le jour où j'ai choisi Israël, où j'ai levé la main vers la race de la maison de Jacob, je me suis fait connaître à eux au pays d'Égypte, et j'ai levé la main vers eux en disant : « Je suis Yahvé votre Dieu. » ⁶Ce jour-là, j'ai levé la main vers eux en jurant de les faire sortir du pays d'Égypte vers un pays que j'avais exploré pour eux et qui ruisselle de lait et de miel : c'est le plus beau de tous les pays. ⁷Et je leur ai dit : Rejetez chacun les horreurs qui attirent vos yeux, ne vous souillez pas avec les ordures de l'Égypte, je suis Yahvé votre Dieu. ⁸Mais ils se rebellèrent contre moi et ne voulurent pas m'écouter. Aucun ne rejeta les horreurs qui attiraient ses yeux ; ils n'abandonnèrent pas les ordures de l'Égypte. J'eus la pensée de déverser ma fureur sur eux et d'assouvir sur eux ma colère, au milieu du pays d'Égypte. ⁹Mais j'eus égard à mon nom, et je fis en sorte qu'il ne fût pas profané devant les nations au milieu desquelles ils étaient, et aux yeux desquelles je me suis fait connaître à eux pour les faire sortir du pays d'Égypte. ¹⁰Aussi je les fis sortir du pays d'Égypte et je les menai au désert. ¹¹Je leur donnai mes lois et je leur fis connaître mes coutumes, que l'homme doit pratiquer pour en vivre. ¹²Et j'allai jusqu'à leur donner mes sabbats comme signe entre moi et eux, afin qu'ils sachent que c'est moi, Yahvé, qui les sanctifie. ¹³Mais la maison d'Israël se rebella contre moi au désert ; ils ne se conduisirent pas selon mes lois,

ils rejetèrent mes coutumes, que l'homme doit pratiquer pour en vivre, et ils ne firent que profaner mes sabbats. Alors j'eus la pensée de déverser ma fureur sur eux au désert, pour les exterminer. ¹⁴Mais j'eus égard à mon nom et je fis en sorte qu'il ne fût pas profané devant les nations, aux yeux desquelles je les avais fait sortir. ¹⁵Encore une fois je levai la main vers eux, au désert, pour jurer que je ne les mènerais pas au pays que je leur avais donné, qui ruisselle de lait et de miel : c'est le plus beau de tous les pays. ¹⁶Car ils avaient rejeté mes coutumes, ne s'étaient pas conduits selon mes lois et avaient profané mes sabbats, car leur cœur suivait les ordures. ¹⁷Mais j'eus pour eux un regard de pitié, pour ne pas les exterminer, et je ne les anéantis pas.

¹⁸Et je dis à leurs enfants au désert : Ne vous conduisez pas selon les lois de vos pères, n'observez pas leurs coutumes, ne vous souillez pas avec leurs ordures. ¹⁹Je suis Yahvé, votre Dieu. Conduisez-vous selon mes lois, observez mes coutumes et pratiquez-les. ²⁰Sanctifiez mes sabbats ; qu'ils soient un signe entre moi et vous pour qu'on sache que je suis Yahvé votre Dieu. ²¹Mais les fils se rebellèrent contre moi, ne se conduisirent pas selon mes lois, n'observèrent pas et ne pratiquèrent pas mes coutumes, que l'homme doit pratiquer pour en vivre, et ils profanèrent mes sabbats. Alors j'eus la pensée de déverser ma fureur sur eux et d'assouvir contre eux ma colère, au désert. ²²Mais je retirai ma main et j'eus égard à mon nom, et je fis en sorte qu'il

ne fût pas profané devant les nations aux yeux desquelles je les avais fait sortir. ²³Mais encore une fois, je levai la main vers eux, au désert, pour jurer de les disséminer parmi les nations et de les disperser dans les pays étrangers. ²⁴Car ils n'avaient pas pratiqué mes coutumes, ils avaient rejeté mes lois, profané mes sabbats, et leurs regards s'étaient attachés aux ordures de leurs pères. ²⁵Et j'allai jusqu'à leur donner des lois qui n'étaient pas bonnes et des coutumes dont ils ne pouvaient pas vivre, ²⁶et je les souillai par leurs offrandes, en leur faisant sacrifier tout premier-né, pour les frapper d'horreur, afin qu'ils sachent que je suis Yahvé.

²⁷C'est pourquoi, parle à la maison d'Israël, fils d'homme. Tu leur diras : Ainsi parle le Seigneur Yahvé. En cela encore vos pères m'ont outragé en m'étant infidèles. ²⁸Et pourtant je les ai menés au pays que j'avais juré solennellement de leur donner. Ils y ont vu toutes sortes de collines élevées, toutes sortes d'arbres touffus, et ils y ont offert leurs sacrifices et présenté leurs offrandes provocantes ; ils y ont déposé leurs parfums d'apaisement et versé leurs libations. ²⁹Et je leur ai dit : Qu'est-ce que le haut lieu où vous allez ? Et ils l'ont appelé du nom de Bama jusqu'à ce jour. ³⁰Eh bien ! dis à la maison d'Israël : Ainsi parle le Seigneur Yahvé. Est-il vrai que vous vous souillez en vous conduisant comme vos pères, en vous prostituant en suivant leurs horreurs, ³¹en présentant vos offrandes et en faisant passer vos enfants par le feu ?

que vous vous souillez avec toutes vos ordures jusqu'à ce jour ? Et moi, je me laisserais consulter par vous, maison d'Israël ? Par ma vie ! oracle du Seigneur Yahvé, je ne me laisserai pas consulter par vous. ³²Quant au rêve qui hante votre esprit, il ne se réalisera jamais ; quand vous dites : « Nous serons comme les nations, comme les tribus des pays étrangers, en servant le bois et la pierre. » ³³Par ma vie ! oracle du Seigneur Yahvé, je le jure : c'est moi qui régnerai sur vous, à main forte et à bras étendu, en déversant ma fureur. ³⁴Je vous ferai sortir du milieu des peuples et je vous rassemblerai des pays étrangers où vous avez été dispersés, à main forte et à bras étendu, en déversant ma fureur ; ³⁵je vous mènerai au désert des peuples et je vous y jugerai face à face. ³⁶Comme j'ai jugé vos pères au désert du pays d'Égypte, ainsi je vous jugerai, oracle du Seigneur Yahvé. ³⁷Je vous ferai passer sous la houlette et je vous amènerai à respecter l'alliance ; ³⁸je séparerai de vous les rebelles, ceux qui se sont révoltés contre moi, je les ferai sortir du pays où ils séjournent, mais ils n'entreront pas au pays d'Israël, et vous saurez que je suis Yahvé. ³⁹Et vous, maison d'Israël, ainsi parle le Seigneur Yahvé : Que chacun aille servir ses ordures, mais ensuite, on verra si vous ne m'écoutez pas ! Et vous ne profanerez plus mon saint nom par vos offrandes et vos ordures. ⁴⁰Car c'est sur ma montagne sainte, sur la haute montagne d'Israël – oracle du Seigneur Yahvé – que me servira toute la maison d'Israël, tout entière dans le pays. C'est là que j'accueillerai et que je rechercherai vos offrandes, le meilleur de vos dons et toutes vos choses saintes. ⁴¹Comme un parfum d'apaisement, je vous accueillerai, quand je vous ferai sortir du milieu des peuples ; je vous rassemblerai des pays où vous êtes dispersés, je serai sanctifié par vous aux yeux des nations, ⁴²et vous saurez que je suis Yahvé, lorsque je vous ramènerai sur le sol d'Israël, au pays que j'ai juré solennellement de donner à vos pères. ⁴³C'est là que vous vous souviendrez de votre conduite et toutes les actions par lesquelles vous vous êtes souillés, et vous éprouverez du dégoût pour vous-mêmes, à cause de tous les méfaits que vous avez commis. ⁴⁴Et vous saurez que je suis Yahvé, quand j'agirai envers vous par égard pour mon nom, et non pas d'après votre mauvaise conduite et vos actions corrompues, maison d'Israël, oracle du Seigneur Yahvé.

L'épée de Yahvé.

21 ¹La parole de Yahvé me fut adressée en ces termes : ²Fils d'homme, tourne-toi à droite, profère ta parole vers le sud, prophétise contre la forêt de la région du Négeb, ³Tu diras à la forêt du Négeb : Écoute la parole de Yahvé. Ainsi parle le Seigneur Yahvé. Voici que je vais allumer en toi un feu pour y consumer tout arbre vert et tout arbre sec ; c'est une flambée qui ne s'éteindra pas et tous les visages en seront brûlés, depuis le Négeb jusqu'au Nord. ⁴Toute chair verra que c'est moi, Yahvé, qui l'ai allumée, et elle ne s'éteindra pas – ⁵Et je dis : Ah ! Seigneur Yahvé, ils disent de moi : « Ne voilà-t-il pas qu'il débite des paraboles » – ⁶Alors la parole de Yahvé me fut adressée en ces termes : ⁷Fils d'homme, tourne-toi vers Jérusalem, profère ta parole vers leur sanctuaire et prophétise contre le pays d'Israël. ⁸Tu diras au pays d'Israël : Ainsi parle Yahvé. Me voici contre toi ; je vais tirer mon épée du fourreau et retrancher de chez toi le juste et l'impie. ⁹C'est pour retrancher le juste et l'impie que mon épée va sortir du fourreau, contre toute chair, du Négeb jusqu'au Nord. ¹⁰Et toute chair saura que c'est moi, Yahvé, qui ai tiré mon épée du fourreau, et elle n'y rentrera plus.

¹¹Quant à toi, fils d'homme, pousse des gémissements, le cœur brisé ; rempli d'amertume, tu pousseras des gémissements, sous leurs yeux. ¹²Et s'ils te disent : « Pourquoi ces gémissements ? » Tu diras : « À cause de la nouvelle qui va venir, tous les cœurs vont défaillir, les mains vont faiblir, les esprits seront abattus, les genoux s'en iront en eau. Voici qu'elle vient ; c'est fait, oracle du Seigneur Yahvé. »

¹³La parole de Yahvé me fut adressée en ces termes : ¹⁴Fils d'homme, prophétise.

Tu diras : Ainsi parle le Seigneur ! Dis :

L'épée, l'épée tranchante et bien fourbie !

¹⁵Pour accomplir le massacre, elle est tranchante,

pour jeter des éclairs, elle est fourbie.

« Je ferai chanceler le sceptre de
mon fils, rebut de tout bois. »
¹⁶Il l'a donnée à fourbir
  à saisir à pleine main ;
  elle est tranchante, oui, elle est
fourbie,
  pour qu'on la mette dans la main
du tueur !
¹⁷Crie, hurle, fils d'homme,
  car elle est destinée à mon peuple,
  à tous les princes d'Israël
  voués à l'épée avec mon peuple.
  Aussi, frappe-toi la poitrine,
¹⁸car c'est une épreuve et combien !
  quand il n'y a même plus de
sceptre de rebut.
  Oracle du Seigneur Yahvé.
¹⁹Et toi, fils d'homme, prophétise
et bats des mains.
  Que l'épée frappe deux fois,
trois fois,
  c'est l'épée des morts,
  la grande épée des morts qui les
encercle.
²⁰Afin que le cœur défaille,
  que les occasions de chute soient
nombreuses,
  à toutes les portes, j'ai placé le
repas de l'épée
  faite pour jeter des éclairs, fourbie pour le massacre.
²¹Sois affûtée à droite, place toi à
gauche, là où ton tranchant est requis !
²²Moi aussi, je vais battre des
mains,
  je vais assouvir ma fureur.
  Moi, Yahvé, j'ai parlé !

**Le roi de Babylone à la croisée
des chemins.**

²³La parole de Yahvé me fut
adressée en ces termes : ²⁴Et toi,
fils d'homme, trace deux chemins
pour que vienne l'épée du roi de
Babylone, partant tous les deux du
même pays. Puis place un signe,
place-le au départ du chemin de la
ville. ²⁵Trace le chemin pour que
l'épée vienne vers Rabba des Ammonites et vers Juda, à la forteresse
de Jérusalem. ²⁶Car le roi de Babylone s'est arrêté au carrefour, au
départ des deux chemins, pour interroger le sort. Il a secoué les flèches, interrogé les téraphim, observé le foie. ²⁷Dans sa main droite, le
sort est tombé sur Jérusalem : pour
y placer des béliers, donner l'ordre
de la tuerie, pousser le cri de guerre, placer des béliers contre les portes, élever un remblai et construire
des retranchements. ²⁸Ce n'est à
leurs yeux que vain présage. On
leur avait prêté serment, mais lui,
il rappelle leur faute qui provoquera leur capture. ²⁹C'est pourquoi,
ainsi parle le Seigneur Yahvé : Parce que vous rappelez vos fautes en
découvrant vos forfaits et en faisant apparaître vos péchés dans
toutes vos actions, pour le souvenir
qu'on a de vous, vous serez capturés. ³⁰Quant à toi, vil criminel,
prince d'Israël dont le jour approche avec le dernier des crimes,
³¹ainsi parle le Seigneur Yahvé :
On ôtera la tiare, on enlèvera la
couronne, tout sera transformé, ce
qui est bas sera élevé, ce qui est
élevé sera abaissé. ³²Ruine, ruine,
ruine, voilà ce que j'en ferai, comme il n'y en eut pas avant que vienne celui à qui appartient le jugement et à qui je le remettrai.

Châtiment d'Ammon.

³³Et toi, fils d'homme, prophétise. Tu diras : Ainsi parle le Seigneur Yahvé. Aux Ammonites et
à leur raillerie, tu diras : L'épée,

l'épée est tirée pour le massacre, fourbie pour dévorer, pour jeter des éclairs – ³⁴pendant que tu as des visions vaines, que tu consultes des présages menteurs – pour égorger les vils criminels dont le jour approche avec le dernier de leurs crimes. ³⁵Remets-la au fourreau. C'est au lieu où tu as été créé, au pays de ton origine que je te jugerai ; ³⁶je déverserai sur toi ma fureur, je soufflerai contre toi le feu de mon emportement, et je te livrerai entre les mains d'hommes barbares, artisans de destruction. ³⁷Tu seras la pâture du feu, ton sang coulera au milieu du pays, tu ne laisseras aucun souvenir, car moi, Yahvé, j'ai parlé.

Les crimes de Jérusalem. 16 ;
20 ; 23.

22 ¹La parole de Yahvé me fut adressée en ces termes : ²Et toi, fils d'homme, jugeras-tu ? Jugeras-tu la ville sanguinaire ? Fais-lui connaître toutes ses abominations. ³Tu diras : Ainsi parle le Seigneur Yahvé. Ville qui répands le sang au milieu de toi pour faire venir ton heure, qui as fabriqué des ordures sur ton sol pour te souiller, ⁴par le sang que tu as répandu tu t'es rendue coupable, par les ordures que tu as fabriquées tu t'es souillée, tu as fait avancer ton heure, tu es arrivée au terme de tes années. C'est pourquoi j'ai fait de toi un objet de raillerie pour les nations et de moquerie pour tous les pays. ⁵Proches ou lointains, ils se moqueront de toi, ville au nom souillé, pleine de désordres. ⁶Voici, chez toi tous les princes d'Israël ont été occupés, chacun pour son compte, à répandre le sang. ⁷Chez toi on a méprisé son père et sa mère, on a maltraité l'étranger qui était chez toi ; chez toi on a opprimé l'orphelin et la veuve. ⁸Tu as été sans respect pour mes sanctuaires, tu as profané mes sabbats. ⁹Il y avait chez toi des dénonciateurs pour faire verser le sang. Chez toi on a mangé sur les montagnes et on a commis l'infamie au milieu de toi. ¹⁰Chez toi on a découvert la nudité de son père, chez toi on a fait violence à la femme en état d'impureté. ¹¹L'un a commis l'abomination avec la femme du prochain, l'autre s'est souillé de manière infâme avec sa belle-fille, un autre a fait violence à sa sœur, à la fille de son père, chez toi. ¹²On a reçu des présents, chez toi, pour répandre le sang ; tu as pris usure et intérêts, tu as dépouillé ton prochain par la violence, et moi, tu m'as oublié, oracle du Seigneur Yahvé.

¹³Mais voici que je vais battre des mains à cause des brigandages que tu as commis et du sang qui coule au milieu de toi. ¹⁴Ton cœur pourra-t-il résister et tes mains rester fermes, le jour où je m'en prendrai à toi ? Moi, Yahvé, j'ai dit et je fais. ¹⁵Je te disséminerai parmi les nations, je te disperserai dans les pays étrangers, j'effacerai l'impureté de chez toi ; ¹⁶tu seras profanée par ta faute, aux yeux des nations, et tu sauras que je suis Yahvé.

¹⁷La parole de Yahvé me fut adressée en ces termes : ¹⁸Fils d'homme, la maison d'Israël est devenue pour moi un métal impur ; ils sont tous du cuivre, de l'étain, du fer et du plomb dans une fournaise : c'est un métal impur.

¹⁹C'est pourquoi, ainsi parle le Seigneur Yahvé : Puisque vous êtes tous du métal impur, eh bien ! je vais vous rassembler au milieu de Jérusalem. ²⁰Comme on rassemble argent, cuivre, fer, plomb et étain dans une fournaise pour attiser le feu dessus et les faire fondre, ainsi je vous rassemblerai dans ma colère et ma fureur et je vous ferai fondre ; ²¹je vous amasserai et j'attiserai contre vous le feu de mon emportement, et je vous ferai fondre au milieu de la ville. ²²Comme on fond l'argent au milieu de la fournaise, ainsi serez-vous fondus au milieu d'elle, et vous saurez que c'est moi, Yahvé, qui ai déversé ma fureur sur vous.

²³La parole de Yahvé me fut adressée en ces termes : ²⁴Fils d'homme, dis-lui : Tu es une terre qui n'a reçu ni pluie ni averse au jour de la colère, ²⁵dont les princes sont comme un lion rugissant qui déchire sa proie. Ils ont dévoré les gens, pris les richesses et les bijoux, multiplié les veuves au milieu d'elle. ²⁶Ses prêtres ont violé ma loi et profané mes sanctuaires ; entre le saint et le profane, ils n'ont pas fait de différence et ils n'ont pas enseigné à distinguer l'impur et le pur. Ils ont détourné les yeux de mes sabbats et j'ai été déshonoré parmi eux. ²⁷Ses chefs, au milieu d'elle, sont comme des loups qui déchirent leur proie et versent le sang, faisant périr les gens pour voler leurs biens. ²⁸Ses prophètes ont masqué cela sous leurs visions vaines et leurs présages menteurs, disant : « Ainsi parle le Seigneur Yahvé », alors que Yahvé n'avait pas parlé. ²⁹Le peuple du pays a multiplié violence et brigandage, il a opprimé le pauvre et le malheureux, et fait violence à l'étranger sans aucun droit. ³⁰J'ai cherché parmi eux quelqu'un qui construise une enceinte et qui se tienne debout sur la brèche, devant moi, pour défendre le pays et m'empêcher de le détruire, et je n'ai trouvé personne. ³¹Alors j'ai déversé sur eux ma fureur ; dans le feu de mon emportement, je les ai exterminés. J'ai fait retomber leur conduite sur leur tête, oracle du Seigneur Yahvé.

Histoire symbolique de Jérusalem et de Samarie. 16. Jr 3 6-13.

23 ¹La parole de Yahvé me fut adressée en ces termes : ²Fils d'homme, il était une fois deux femmes, filles d'une même mère. ³Elles se prostituèrent en Égypte ; dès leur jeunesse, elles se prostituèrent. C'est là qu'on a porté la main sur leur poitrine, là qu'on a caressé leur sein virginal. ⁴Voici leurs noms : Ohola l'aînée, Oholiba sa sœur. Elles furent à moi et elles enfantèrent des fils et des filles. Leurs noms : Ohola, c'est Samarie, Oholiba, c'est Jérusalem. ⁵Or Ohola se prostitua alors qu'elle m'appartenait. Elle s'éprit de ses amants, les Assyriens, ses voisins, ⁶vêtus de pourpre, gouverneurs et magistrats, tous jeunes et séduisants, habiles cavaliers. ⁷Elle leur accorda ses faveurs – c'était toute l'élite des Assyriens – et chez tous ceux dont elle s'éprit, elle se souilla au contact de toutes leurs ordures. ⁸Elle n'a pas renié ses prostitutions commencées en Égypte, quand ils avaient couché avec elle dès sa jeunesse, caressé son sein virginal en lui prodiguant leurs débauches. ⁹Aussi l'ai-je livrée aux

mains de ses amants, aux mains des Assyriens dont elle s'était éprise : [10]ce sont eux qui ont dévoilé sa nudité, qui ont pris ses fils et ses filles, et elle-même ils l'ont fait périr par l'épée. Elle fut célèbre parmi les femmes, car on en avait fait justice.

[11]Sa sœur Oholiba en fut témoin, mais elle éprouva une passion plus scandaleuse encore, et ses prostitutions furent pires que les prostitutions de sa sœur. [12]Elle s'éprit des Assyriens, gouverneurs et magistrats, ses voisins, vêtus magnifiquement, habiles cavaliers, tous jeunes et séduisants. [13]Et je vis qu'elle s'était souillée, que toutes les deux avaient eu la même conduite. [14]Elle ajouta à ses prostitutions : ayant vu des hommes gravés sur le mur, images de Chaldéens colorées au vermillon, [15]portant des ceinturons autour des reins et de larges turbans sur la tête, ayant tous la prestance d'un écuyer, représentant les Babyloniens originaires de Chaldée, [16]elle s'éprit d'eux au premier regard et leur envoya des messagers en Chaldée. [17]Et les Babyloniens vinrent à elle pour partager le lit nuptial et la souiller de leurs prostitutions. Et quand elle eut été souillée par eux, elle se détourna d'eux. [18]Mais elle s'afficha dans ses prostitutions, elle dévoila sa nudité ; alors je me suis détourné d'elle comme je m'étais détourné de sa sœur. [19]Elle a multiplié ses prostitutions en souvenir de sa jeunesse, lorsqu'elle se prostituait au pays d'Égypte, [20]qu'elle s'y éprenait de ses débauchés dont la vigueur est comme celle des ânes et le rut comme celui des étalons. [21]Tu recherchais l'inconduite de

ta jeunesse, du temps où, en Égypte, on caressait ton sein en portant la main sur ta poitrine juvénile. [22]Eh bien ! Oholiba, ainsi parle le Seigneur Yahvé. Voici que je vais dresser contre toi tes amants dont tu t'es détournée ; je vais les ramener contre toi de tous côtés, [23]les Babyloniens et tous les Chaldéens, ceux de Peqod, de Shoa et de Qoa, et tous les Assyriens avec eux, jeunes et séduisants, tous gouverneurs et magistrats, tous écuyers renommés et habiles cavaliers. [24]Du nord viendront contre toi chars et chariots, avec un rassemblement de peuples. De tous côtés, ils t'opposeront le bouclier, l'écu et le casque. Je les chargerai de ton jugement, et ils te jugeront selon leur droit. [25]Je dirigerai ma jalousie contre toi, ils te traiteront avec fureur, ils t'arracheront le nez et les oreilles, et ce qui restera des tiens tombera par l'épée ; ils prendront eux-mêmes tes fils et tes filles et ce qui restera de toi sera dévoré par le feu. [26]Ils te dépouilleront de tes vêtements et s'empareront de tes ornements. [27]Je mettrai fin à ton inconduite et à tes prostitutions commencées en Égypte ; tu ne lèveras plus les yeux vers eux et tu ne te souviendras plus de l'Égypte. [28]Car ainsi parle le Seigneur Yahvé. Voici que je te livre aux mains de ceux que tu détestes, aux mains de ceux dont tu t'es détournée. [29]Ils te traiteront haineusement, ils s'empareront de tout le fruit de ton travail et te laisseront toute nue. Ainsi sera dévoilée la honte de tes prostitutions, de tes impudicités et de ton inconduite. [30]Ils te feront cela parce que tu t'es prostituée avec les nations en te souillant avec leurs ordures. ³¹Tu as imité la conduite de ta sœur, je mettrai sa coupe dans ta main. ³²Ainsi parle le Seigneur Yahvé :

Tu boiras la coupe de ta sœur,
coupe profonde et large,
qui fera rire et se moquer
tant sa contenance est grande.
³³Tu seras remplie d'ivresse et de douleur.
Coupe de désolation et de dévastation,
la coupe de ta sœur Samarie !
³⁴Tu la boiras, tu la videras,
puis tu en mordras les morceaux
et tu te déchireras le sein.
Car moi j'ai parlé, oracle du Seigneur Yahvé.

³⁵C'est pourquoi, ainsi parle le Seigneur Yahvé. Parce que tu m'as oublié et que tu m'as rejeté derrière toi, porte, toi aussi, le poids de ton infamie et de tes prostitutions. ³⁶Et Yahvé me dit : Fils d'homme, veux-tu juger Ohola et Oholiba et leur reprocher leurs abominations ? ³⁷Elles ont été adultères, leurs mains sont ensanglantées, elles ont commis l'adultère avec leurs ordures. Quant aux enfants qu'elles m'avaient enfantés, elles les ont fait passer par le feu pour les consumer. ³⁸Elles m'ont encore fait ceci : elles ont souillé mon sanctuaire en ce jour, et profané mes sabbats. ³⁹Et tout en immolant leurs enfants à leurs ordures, elles sont allées, le même jour, à mon sanctuaire pour le profaner. Voilà ce qu'elles ont fait dans ma propre maison.

⁴⁰Bien plus, elles ont fait appeler des hommes venant de loin, invités par un messager, et ils sont venus : Pour eux tu t'es baignée, tu t'es fardé les yeux, tu as mis tes bijoux, ⁴¹tu t'es assise sur un lit d'apparat, devant lequel une table était dressée où on avait mis mon encens et mon huile. ⁴²On y entendait la voix d'une foule insouciante, à cause de la multitude d'hommes, de buveurs amenés du désert ; ils ont mis des bracelets aux mains des femmes et une couronne splendide sur leur tête. ⁴³Et je me disais : cette femme usée par les adultères, maintenant on use de ses prostitutions à elle aussi, ⁴⁴et on vient chez elle comme chez une prostituée. C'est ainsi qu'on est venu chez Ohola et Oholiba, ces femmes dépravées. ⁴⁵Mais il y a des hommes justes qui les jugeront comme on juge les adultères et comme on juge celles qui répandent le sang, car elles sont adultères et leurs mains sont ensanglantées.

⁴⁶Ainsi parle le Seigneur Yahvé. Que l'on convoque contre elles une assemblée et qu'on les livre à la terreur et au pillage ; ⁴⁷l'assemblée les lapidera et les frappera de l'épée, on tuera leurs fils et leurs filles et on mettra le feu à leurs maisons. ⁴⁸Je purgerai le pays de l'infamie ; toutes les femmes seront ainsi averties et n'imiteront plus votre infamie. ⁴⁹On fera retomber sur vous votre infamie, vous porterez le poids des péchés commis avec vos ordures et vous saurez que je suis le Seigneur Yahvé.

Annonce du siège de Jérusalem.

24 ¹La neuvième année, au dixième mois, le dix du mois, la parole de Yahvé me fut adressée en ces termes : ²Fils

d'homme, mets par écrit la date
d'aujourd'hui, d'aujourd'hui même, car le roi de Babylone s'est
jeté sur Jérusalem aujourd'hui
même. ³Prononce donc une parabole pour l'engeance de rebelles.
Tu leur diras : Ainsi parle le Seigneur Yahvé.

Mets au feu la marmite,
mets-la, verses-y de l'eau.
⁴Rassembles-y des morceaux,
tout ce qu'il y a de bons morceaux, gigot, épaule ;
remplis-la des meilleurs os,
⁵prends le meilleur du troupeau.
Puis entasse du bois dessous,
fais bouillir à gros bouillons,
que soient cuits même les os
qu'elle contient.

⁶Car ainsi parle le Seigneur Yahvé :

Malheur à la ville sanguinaire,
marmite toute rouillée,
dont la rouille ne peut être ôtée !
On la videra morceau par morceau,
ce n'est pas sur elle qu'est tombé le sort.
⁷Car son sang est au milieu d'elle,
elle l'a mis sur le roc nu,
elle ne l'a pas répandu sur le sol
pour le recouvrir de poussière.
⁸Pour faire monter la fureur, pour
tirer vengeance,
j'ai mis son sang sur le roc nu,
sans le recouvrir.

⁹Eh bien ! ainsi parle le Seigneur
Yahvé :

Malheur à la ville sanguinaire !
Moi aussi, je vais faire un grand
bûcher.
¹⁰Amoncelle du bois, allume le
feu,

cuis la viande, prépare les épices,
que les os brûlent.
¹¹Mets la marmite vide sur les
charbons,
afin qu'elle chauffe,
que le bronze rougisse
et que fonde la souillure qui s'y
trouve,
que soit consumée sa rouille.

¹² Mais la masse de rouille ne s'en
va pas au feu. ¹³Ta souillure est
une infamie, car j'ai voulu te purifier, mais tu ne t'es pas laissée
purifier de ta souillure. Tu ne seras donc plus purifiée jusqu'à ce
que j'aie assouvi ma colère contre
toi. ¹⁴Moi, Yahvé, j'ai parlé et cela se réalise, j'agirai sans me reprendre, je n'aurai ni pitié ni compassion. C'est selon ta conduite et
selon tes œuvres qu'on te jugera,
oracle du Seigneur Yahvé.

Épreuves du prophète.

¹⁵La parole de Yahvé me fut
adressée en ces termes : ¹⁶Fils
d'homme, voici que je vais t'enlever subitement la joie de tes
yeux. Mais tu ne te lamenteras
pas, tu ne pleureras pas, tu ne laisseras pas couler de larmes. ¹⁷Gé-
mis en silence, ne prends pas le
deuil des morts, noue ton turban
sur ta tête, mets tes sandales à tes
pieds, ne te couvre pas la moustache, ne mange pas de pain ordi-
naire.¹⁸Je parlai au peuple le matin, et ma femme mourut le soir,
et je fis le lendemain matin comme j'en avais reçu l'ordre. ¹⁹Alors
le peuple me dit : « Ne nous expliqueras-tu pas quel sens a pour
nous ce que tu fais ? » ²⁰Je leur
dis : « La parole de Yahvé m'a été
adressée en ces termes : ²¹Dis à la

maison d'Israël : Ainsi parle le Seigneur Yahvé. Voici que je vais profaner mon sanctuaire, l'orgueil de votre force, la joie de vos yeux, la passion de vos âmes. Vos fils et vos filles, que vous avez abandonnés, tomberont par l'épée. ²²Et vous ferez comme j'ai fait : vous ne vous couvrirez pas la moustache, vous ne mangerez pas de pain ordinaire, ²³vous garderez vos turbans sur la tête et vos sandales aux pieds, vous ne vous lamenterez pas et vous ne pleurerez pas. Vous dépérirez à cause de vos crimes et vous gémirez les uns avec les autres. ²⁴Ézéchiel sera pour vous un présage ; vous ferez exactement ce qu'il a fait. Et, quand cela arrivera, vous saurez que je suis le Seigneur Yahvé.

²⁵Et toi, fils d'homme, n'est-il pas vrai que le jour où je leur aurai pris ce qui fait leur force, leur parure de liesse, la joie de leurs yeux, la passion de leur âme, leurs fils et leurs filles, ²⁶ce jour-là, arrivera vers toi le survivant qui apportera la nouvelle. ²⁷Ce jour-là, ta bouche s'ouvrira pour parler au survivant : tu parleras et tu ne seras plus muet ; tu seras pour eux un présage et ils sauront que je suis Yahvé.

2. *Oracles contre les nations*

Contre les Ammonites. Ez 21 33-37. Am **1** 13-15. Jr **49** 1-6.

25 ¹La parole de Yahvé me fut adressée en ces termes : ²Fils d'homme, tourne-toi vers les Ammonites et prophétise contre eux. ³Tu diras aux Ammonites : Écoutez la parole du Seigneur Yahvé. Ainsi parle le Seigneur Yahvé.

Parce que tu as dit : « Ha ! Ha ! » sur mon sanctuaire lorsqu'il a été profané, sur la terre d'Israël lorsqu'elle a été dévastée et sur la maison de Juda lorsqu'elle est partie pour l'exil, ⁴eh bien ! voici que je te livre en possession aux fils de l'Orient ; ils établiront chez toi leurs campements, ils feront chez toi leur demeure. Ce sont eux qui mangeront tes fruits, ce sont eux qui boiront ton lait. ⁵Je ferai de Rabba un parc à chameaux et des villes d'Ammon un bercail de brebis. Et vous saurez que je suis Yahvé.

⁶Ainsi parle le Seigneur Yahvé. Parce que tu as battu des mains et frappé du pied, et que tu t'es réjoui, l'âme pleine de dédain, au sujet du pays d'Israël, ⁷eh bien ! voici que j'étends la main contre toi ; je vais te livrer au pillage des nations, te retrancher d'entre les peuples et t'exterminer d'entre les pays. Je t'anéantirai, et tu sauras que je suis Yahvé.

Contre Moab. Am **2** 1-3. Jr **48**. So **2** 8-11.

⁸Ainsi parle le Seigneur Yahvé. Parce que Moab et Séïr ont dit : « Voici que la maison de Juda est semblable à toutes les nations », ⁹eh bien ! je vais ouvrir les hauteurs de Moab, ses villes ne seront plus des villes, sur toute son éten-

due – les joyaux du pays : Bet-ha-Yeshimot, Baal-Meôn et jusqu'à Qiryatayim. ¹⁰C'est aux fils de l'Orient que je les donne en possession, en plus des Ammonites, afin qu'on ne s'en souvienne plus parmi les nations. ¹¹De Moab, je ferai justice, et on saura que je suis Yahvé.

Contre Édom. Ez 35. Jr 49 7-22. Is 34. Ps 137 7.

¹²Ainsi parle le Seigneur Yahvé. Parce qu'Édom a exercé sa vengeance contre la maison de Juda, parce qu'il s'est rendu gravement coupable en se vengeant d'elle, ¹³eh bien ! ainsi parle le Seigneur Yahvé : Je vais étendre la main contre Édom et je vais en retrancher bêtes et gens. J'en ferai une désolation, de Témân à Dedân on périra par l'épée. ¹⁴Je mettrai ma vengeance contre Édom dans la main de mon peuple Israël. Il traitera Édom selon ma colère et ma fureur et l'on connaîtra ma vengeance, oracle du Seigneur Yahvé.

Contre les Philistins. Jos 13 1. So 2 4-7.

¹⁵Ainsi parle le Seigneur Yahvé. Parce que les Philistins ont exercé leur vengeance et se sont vengés, l'âme pleine de dédain, en cherchant à détruire avec une haine éternelle, ¹⁶eh bien ! ainsi parle le Seigneur Yahvé. Voici que j'étends la main contre les Philistins, je vais retrancher les Kerétiens, détruire ce qui reste des habitants de la côte. ¹⁷J'exercerai contre eux de terribles vengeances, des châtiments furieux, et ils sauront que je suis Yahvé quand je leur imposerai ma vengeance.

Contre Tyr. Is 23.

26 ¹La onzième année, le premier du mois, la parole de Yahvé me fut adressée en ces termes :
²Fils d'homme, parce que Tyr a dit contre Jérusalem :
« Ha ! Ha ! la voilà brisée, la porte des peuples ;
elle s'est tournée vers moi, sa richesse est détruite »,
³eh bien ! ainsi parle le Seigneur Yahvé :
Voici que je me déclare contre toi, Tyr.
Je vais faire monter contre toi des nations nombreuses,
comme la mer fait monter ses flots.
⁴Elles détruiront les remparts de Tyr,
elles abattront ses tours,
j'en balaierai la poussière
et j'en ferai un rocher nu.

⁵Elle sera, au milieu de la mer, un séchoir pour les filets,
car moi, j'ai parlé, oracle du Seigneur Yahvé.
Elle sera la proie des nations,
⁶quant à ses filles qui sont dans la campagne,
elles seront tuées par l'épée,
et l'on saura que je suis Yahvé.
⁷Car ainsi parle le Seigneur Yahvé :
Voici que j'amène à Tyr, venant du Nord,
Nabuchodonosor, roi de Babylone, roi des rois,
avec chevaux, chars et cavaliers,
une troupe et un peuple nombreux.
⁸Tes filles qui sont dans la campagne,
il les tuera par l'épée.

Il placera contre toi des retranchements,
il élèvera contre toi un remblai,
il dressera contre toi un bouclier,
[9]il dirigera les coups de son bélier contre tes remparts,
il démolira tes tours avec ses machines.
[10]Si nombreux sont ses chevaux que leur poussière te couvrira.

Au bruit de sa cavalerie, de ses chariots, de ses chars,
les remparts trembleront, quand il franchira tes portes
comme on pénètre dans une ville par une brèche.
[11]Des sabots de ses chevaux, il foulera toutes tes rues,
il tuera ton peuple par l'épée,
il jettera à terre tes stèles colossales.
[12]On prendra tes richesses comme butin, on pillera tes marchandises,
on abattra tes remparts, on démolira tes maisons luxueuses,
on jettera à l'eau tes pierres, ton bois et ta poussière.
[13]Je ferai cesser la rumeur de tes chants,
on n'entendra plus le son de tes cithares.
[14]Je ferai de toi un rocher nu,
tu deviendras un séchoir à filets
et tu ne seras plus rebâtie,
car moi, Yahvé, j'ai parlé, oracle du Seigneur Yahvé.

Complainte sur Tyr.

[15]Ainsi parle le Seigneur Yahvé à Tyr : Au bruit de ta chute, quand gémiront les blessés, quand sévira le carnage dans tes murs, les îles ne trembleront-elles pas ? [16]Tous les princes de la mer descendront de leur trône, ils ôteront leurs manteaux, quitteront leurs vêtements brodés. Ils se revêtiront d'effroi, ils s'assiéront par terre, ils tressailliront à tout instant et seront frappés de stupeur à cause de toi.

[17]Ils prononceront une complainte et te diront :

Comment as-tu péri, disparu des mers,
ville célèbre
qui fut puissante sur la mer,
elle et ses habitants
qui répandaient la terreur
sur tout le continent ?
[18]Maintenant les îles tressaillent
au jour de ta chute,
les îles de la mer sont épouvantées de ta fin.

[19]Car ainsi parle le Seigneur Yahvé :

Quand je ferai de toi une ville détruite comme les villes dépeuplées, quand je ferai monter contre toi l'abîme et que les eaux abondantes te recouvriront, [20]je te précipiterai avec ceux qui descendent dans la fosse, vers le peuple d'autrefois, je te ferai habiter dans le pays souterrain, semblable aux ruines d'autrefois, avec ceux qui descendent dans la fosse, afin que tu ne reviennes pas pour être rétablie au pays des vivants. [21]Je ferai de toi un objet d'effroi et tu ne seras plus. On te cherchera et on ne te trouvera plus jamais, oracle du Seigneur Yahvé.

Deuxième complainte sur la chute de Tyr.

27 [1]La parole de Yahvé me fut adressée en ces termes : [2]Et toi, fils d'homme, prononce sur Tyr une complainte. [3]Tu diras à Tyr, la ville installée au débouché de la mer, le courtier des peuples vers des îles nombreuses : Ainsi parle le Seigneur Yahvé.

Tyr, c'est toi qui disais : « Je suis un navire
d'une parfaite beauté. »
[4] En pleine mer s'étendaient tes frontières,
tes constructeurs ont parfait ta beauté.
[5] En genévrier de Senir ils ont construit tous tes bordages.
Ils ont pris un cèdre du Liban pour t'ériger un mât.
[6] De chênes du Bashân
ils t'ont fait des rames.
Ils t'ont fait un pont d'ivoire incrusté dans du cyprès
des îles de Kittim.
[7] Le lin brodé d'Égypte fut ta voilure
pour te servir de pavillon.
La pourpre et l'écarlate des îles d'Élisha
te recouvraient.
[8] Les habitants de Sidon et d'Arvad
étaient tes rameurs.
Et tes sages, ô Tyr, étaient à bord comme matelots.
[9] Les anciens de Gebal et ses artisans étaient là
pour réparer tes avaries.

Tous les navires de la mer et leurs marins étaient chez toi pour faire du commerce. [10] Ceux de Perse, de Lud et de Put servaient dans ton armée comme gens de guerre ; ils suspendaient chez toi le bouclier et le casque, ils faisaient ta splendeur. [11] Les fils d'Arvad et leur armée garnissaient tes remparts, tout autour, et les Gemmadiens tes bastions. Ils suspendaient leurs écus à tes remparts, tout autour, et contribuaient à parfaire ta beauté. [12] Tarsis était ton client, grâce à l'abondance de toute sorte de biens. Contre de l'argent, du fer, de l'étain et du plomb, ils échangeaient tes marchandises. [13] Yavân, Tubal et Méshek faisaient du commerce avec toi. Contre des hommes et des objets de bronze, ils échangeaient tes denrées. [14] De Bet-Togarma, on te livrait comme marchandises des chevaux, des coursiers et des mulets. [15] Les fils de Dédân faisaient du commerce avec toi ; des îles nombreuses étaient tes clientes et t'apportaient en paiement les défenses d'ivoire et l'ébène. [16] Édom était ton client, grâce à l'abondance de tes produits ; il te donnait des escarboucles, de la pourpre, des broderies, du byssus, du corail et des rubis contre tes marchandises. [17] Juda et le pays d'Israël eux-mêmes faisaient du commerce avec toi ; ils t'apportaient en échange du grain de Minnit, du pannag, du miel, de l'huile et du baume. [18] Damas était ton client, grâce à l'abondance de tes produits, à l'abondance de toute sorte de biens ; il te fournissait du vin de Helbôn et de la laine de Çahar. [19] Dan et Yavân, depuis Uzal, te livraient en échange de tes marchandises du fer forgé, de la casse et du roseau. [20] Dédân faisait commerce avec toi de couvertures de cheval. [21] L'Arabie et tous les princes de Qédar eux-mêmes étaient tes clients ; ils payaient en agneaux, béliers et boucs. [22] Les marchands de Sheba et de Rama faisaient du commerce avec toi ; ils te livraient les plus fins aromates, toutes sortes de pierres précieuses et de l'or comme marchandises. [23] Harân, Kanné et Éden, les marchands de Sheba, d'Assur et de Kilmad faisaient du commerce avec toi. 24Ils faisaient commerce de riches vêtements, de manteaux de pourpre et de broderies, d'étoffes bigarrées et de solides cordes tressées, sur tes marchés.

25Les bateaux de Tarsis naviguaient pour ton commerce.
  Tu étais comblée et alourdie
  au cœur des mers.
26En haute mer tu fus conduite
  par tes rameurs.
  Le vent d'Orient t'a brisée
  au cœur des mers.
27Tes richesses, tes marchandises et ton fret,
  tes marins et tes matelots,
  les radoubeurs, les courtiers de ton commerce
  et tous les hommes de guerre
  que tu portes, et tous les passagers
  qui sont à ton bord,
  vont couler au cœur des mers,
  au jour de ton naufrage.
28En entendant le cri de tes matelots,
  les rivages trembleront.
29Alors descendront de leurs bateaux
  tous les rameurs.
  Les marins, tous les gens de mer
  resteront à terre.
30Ils feront entendre leur voix à ton sujet,
  ils crieront amèrement.
  Ils se jetteront de la poussière sur la tête,
  ils se rouleront dans la cendre.
31Ils se raseront le crâne à cause de toi,
  ils se ceindront de sacs.
  Ils exhaleront sur toi, dans leur amertume,
  une plainte amère.
32Ils prononceront sur toi, dans leur lamentation, une complainte,
  ils se lamenteront sur toi :
  « Qui était comparable à Tyr
  au milieu de la mer ?
33Lorsque tu débarquais tes marchandises
  pour rassasier tant de peuples,
  par l'abondance de tes richesses et de tes denrées
  tu as enrichi les rois de la terre.
34Maintenant te voilà brisée par les flots
  au plus profond des eaux.
  Ta cargaison et tous tes passagers
  ont coulé avec toi.
35Tous les habitants des îles
  ont été frappés de stupeur à cause de toi.
  Leurs rois ont frémi d'horreur,
  leur visage bouleversé.
36Les trafiquants des peuples
  ont sifflé sur toi,
  car tu es devenue un objet d'effroi,
  c'en est fait de toi à jamais ! »

Contre le roi de Tyr.

28 1La parole de Yahvé me fut adressée en ces termes : 2Fils d'homme, dis au prince de Tyr : Ainsi parle le Seigneur Yahvé.

  Parce que ton cœur s'est enorgueilli,
  tu as dit : « Je suis un dieu,
  j'habite une demeure divine,
  au cœur de la mer. »
  Alors que tu es un homme et non un dieu,
  tu te fais un cœur semblable au cœur de Dieu.
3Voilà que tu es plus sage que Danel ;

aucun secret ne te déconcerte. ⁴Par ta sagesse et ton intelligence,
tu t'es fait une fortune,
tu as mis or et argent
dans tes trésors.
⁵Si grande est ton habileté dans le commerce !
tu as multiplié ta fortune,
et ton cœur s'est enorgueilli de ta fortune.
⁶C'est pourquoi, ainsi parle le Seigneur Yahvé.

Parce que tu t'es fait un cœur semblable au cœur de Dieu,
⁷eh bien ! voici que je fais venir contre toi des étrangers,
les plus barbares des nations.
Ils tireront l'épée contre ta belle sagesse,
ils profaneront ta splendeur.
⁸Ils te feront choir dans la fosse
et tu mourras de mort violente
au cœur des mers.
⁹Diras-tu encore : « Je suis un dieu »,
en face de tes meurtriers ?
Car tu es un homme et non un dieu,
entre les mains de ceux qui te transpercent.
¹⁰Tu mourras de la mort des incirconcis,
par la main des étrangers,
car moi j'ai parlé, oracle de Yahvé.

La chute du roi de Tyr.

¹¹La parole de Yahvé me fut adressée en ces termes : ¹²Fils d'homme, prononce une complainte contre le roi de Tyr. Tu lui diras : Ainsi parle le Seigneur Yahvé.

Tu étais un modèle de perfection,
plein de sagesse,
merveilleux de beauté,
¹³tu étais en Éden, au jardin de Dieu.

Toutes sortes de pierres précieuses formaient ton manteau :
sardoine, topaze, diamant, chrysolithe, onyx,
jaspe, saphir, escarboucle, émeraude,
d'or étaient travaillés tes disques et tes pendeloques ;
tout cela fut préparé au jour de ta création.
¹⁴Toi, j'avais fait de toi le chérubin étincelant, le protecteur
tu étais sur la sainte montagne de Dieu,
tu marchais au milieu des charbons ardents.
¹⁵Ta conduite fut exemplaire depuis le jour de ta création
jusqu'à ce que fût trouvée en toi l'injustice.
¹⁶Par l'activité de ton commerce,
tu t'es rempli de violence et de péchés.
Je t'ai précipité de la montagne de Dieu
et je t'ai fait périr, chérubin protecteur, du milieu des charbons.
¹⁷Ton cœur s'est enorgueilli à cause de ta beauté.
Tu as corrompu ta sagesse à cause de ton éclat.
Je t'ai jeté à terre,
je t'ai offert en spectacle aux rois.
¹⁸Par la multitude de tes fautes,
par la malhonnêteté de ton commerce,
tu as profané tes sanctuaires.
J'ai fait sortir de toi un feu pour te dévorer ;
je t'ai réduit en cendres sur la terre,

aux yeux de tous ceux qui te regardaient.
¹⁹Quiconque te connaît parmi les
peuples

est frappé de stupeur à ton sujet.
Tu es devenu un objet d'effroi,
c'en est fait de toi à jamais.

Contre Sidon.

²⁰La parole de Yahvé me fut
adressée en ces termes : ²¹Fils
d'homme, tourne-toi vers Sidon et
prophétise contre elle. ²²Tu diras :
Ainsi parle le Seigneur Yahvé.

Je me déclare contre toi, Sidon,
je vais être glorifié au milieu de
toi.
On saura que je suis Yahvé
lorsque d'elle, je ferai justice
et que je manifesterai en elle ma
sainteté.
²³Je lui enverrai la peste, il y aura
du sang dans ses rues,
des morts tomberont au milieu
d'elle
sous les coups de l'épée levée
contre elle de tous côtés,
et l'on saura que je suis Yahvé.

Israël délivré des nations.

²⁴Il n'y aura plus, pour la maison d'Israël, ni épine qui blesse ni
ronce qui déchire parmi tous ceux
d'alentour qui la méprisent, et
l'on saura que je suis Yahvé.
²⁵Ainsi parle le Seigneur Yahvé : Lorsque je rassemblerai la
maison d'Israël du milieu des
peuples où elle est dispersée, je
manifesterai en elle ma sainteté
aux yeux des nations. Elle habitera sur le sol que j'ai donné à mon
serviteur Jacob. ²⁶Ils y habiteront
en sécurité, ils bâtiront des maisons et planteront des vignes ; ils

habiteront en sécurité. Lorsque je
ferai justice de tous ceux d'alentour qui les méprisent, on saura
que je suis Yahvé leur Dieu.

Contre l'Égypte. Is 19. Jr 46.

29 ¹La dixième année, au dixième mois, le douze du mois, la
parole de Yahvé me fut adressée
en ces termes : ²Fils d'homme,
tourne-toi vers Pharaon, roi
d'Égypte, et prophétise contre lui
et contre l'Égypte tout entière.
³Parle et dis-lui : Ainsi parle le Seigneur Yahvé.

Je me déclare contre toi, Pharaon, roi d'Égypte,
grand crocodile étendu au milieu
de ses Nils,
qui as dit : « Mon Nil est à moi,
c'est moi qui l'ai fait. »
⁴Je vais mettre des crocs à tes
mâchoires,
coller à tes écailles les poissons
de tes Nils
et te tirer du milieu de tes Nils,
avec tous les poissons de tes Nils
collés à tes écailles.
⁵Je te jetterai dans le désert, avec
tous les poissons de tes Nils.
Tu retomberas en plein champ,
tu ne seras ni ramassé ni enterré.
Aux bêtes de la terre et aux oiseaux du ciel,
je te donnerai en pâture,
⁶et tous les habitants de l'Égypte
sauront que je suis Yahvé.
Car ils ont été un appui de roseau pour la maison d'Israël.
⁷Quand ils te saisissaient, tu te
rompais dans leur main,
et tu leur déchirais toute la main.
Quand ils s'appuyaient sur toi,
tu te brisais,
tu faisais chanceler tous les reins.

⁸C'est pourquoi, ainsi parle le Seigneur Yahvé. Voici que j'envoie contre toi l'épée, pour retrancher de toi hommes et bêtes. ⁹Le pays d'Égypte deviendra désolation et ruine, et l'on saura que je suis Yahvé. Car il a dit : « Le Nil est à moi, c'est moi qui l'ai fait. » ¹⁰Eh bien ! je me déclare contre toi et contre tes Nils. Je ferai du pays d'Égypte une ruine et une désolation, de Migdol à Syène et jusqu'à la frontière de Kush. ¹¹Le pied de l'homme n'y passera pas, le pied des animaux n'y passera pas, il restera inhabité quarante ans. ¹²Je ferai du pays d'Égypte une désolation au milieu de pays dévastés ; ses villes seront une désolation au milieu de villes détruites, pendant quarante ans. Et je disséminerai les Égyptiens parmi les nations, je les disperserai parmi les pays. ¹³Car ainsi parle le Seigneur Yahvé. Au bout de quarante ans, je rassemblerai les Égyptiens des nations où ils avaient été dispersés. ¹⁴Je ramènerai les captifs égyptiens et je les réinstallerai au pays de Patros, dans leur pays d'origine. Ils y formeront un modeste royaume. ¹⁵L'Égypte sera le plus modeste des royaumes et elle ne s'élèvera plus sur les nations ; je la diminuerai pour qu'elle ne s'impose plus aux nations. ¹⁶Elle ne sera plus pour la maison d'Israël un sujet de confiance, car elle rappellera la faute qui consistait à se tourner vers elle. Et l'on saura que je suis le Seigneur Yahvé.

¹⁷La vingt-septième année, au premier mois, le premier du mois, la parole de Yahvé me fut adressée en ces termes :

¹⁸Fils d'homme, Nabuchodonosor, roi de Babylone, a engagé son armée dans une entreprise grandiose contre Tyr. Toutes les têtes sont pelées et toutes les épaules écorchées, mais, ni pour lui ni pour son armée, il n'a retiré aucun profit de l'entreprise qu'il avait engagée contre Tyr. ¹⁹C'est pourquoi, ainsi parle le Seigneur Yahvé : Voici que je livre à Nabuchodonosor, roi de Babylone, le pays d'Égypte. Il en emportera les richesses, il s'emparera de ses dépouilles, il la mettra au pillage, tel sera le salaire de son armée. ²⁰Comme salaire pour la peine qu'il a prise, je lui livre le pays d'Égypte (car ils ont travaillé pour moi), oracle du Seigneur Yahvé.

²¹Ce jour-là, je susciterai une lignée à la maison d'Israël, et je te permettrai d'ouvrir la bouche au milieu d'eux. Alors ils sauront que je suis Yahvé.

Le jour de Yahvé contre l'Égypte.

30 ¹La parole de Yahvé me fut adressée en ces termes : ²Fils d'homme, prophétise et dis : Ainsi parle le Seigneur Yahvé. Poussez des cris : « Ah ! Quel jour ! » ³Car le jour est proche, il est proche le jour de Yahvé ; ce sera un jour chargé de nuages, ce sera le temps des nations.

⁴L'épée viendra en Égypte, l'angoisse au pays de Kush, quand les morts tomberont en Égypte, quand on emportera ses richesses et que ses fondements seront renversés. ⁵Kush, Put et Lud, toute l'Arabie, Kub et les fils du pays de l'Alliance tomberont avec eux par l'épée.

⁶Ainsi parle Yahvé.

Ils tomberont, les appuis de l'Égypte ; il croulera l'orgueil de sa force : de Migdol à Syène, on y tombera par l'épée, oracle du Seigneur Yahvé.

⁷Ils seront dévastés au milieu de pays dévastés, ses villes seront au milieu de villes détruites. ⁸Et ils sauront que je suis Yahvé, quand je mettrai le feu à l'Égypte et que se briseront tous ses soutiens.

⁹Ce jour-là, les messagers que j'enverrai partiront sur des bateaux pour troubler Kush dans sa sécurité. L'angoisse se répandra chez ses habitants, au jour de l'Égypte – oui ! la voici qui vient !

¹⁰Ainsi parle le Seigneur Yahvé : J'anéantirai la multitude de l'Égypte, par la main de Nabuchodonosor, roi de Babylone. ¹¹Lui et son peuple avec lui, la plus barbare des nations, seront amenés pour ravager le pays. Ils tireront l'épée contre l'Égypte et rempliront le pays de cadavres. ¹²Je mettrai les Nils à sec, je vendrai le pays à des méchants. Je dévasterai le pays et ce qu'il renferme par la main d'étrangers. Moi, Yahvé, j'ai parlé.

¹³Ainsi parle le Seigneur Yahvé : J'anéantirai les ordures, j'ôterai de Noph les faux dieux. Il n'y aura plus de prince au pays d'Égypte. Je répandrai la crainte au pays d'Égypte. ¹⁴Je dévasterai Patros, je mettrai le feu à Çoân, je ferai justice de No. ¹⁵Je déverserai ma fureur sur Sîn, la forteresse de l'Égypte ; j'exterminerai la multitude de No. ¹⁶Je mettrai le feu à l'Égypte, Sîn sera pris de convulsions, à No, on ouvrira une brèche et les eaux se répandront. ¹⁷Les jeunes gens de On et de Pi-Bésèt tomberont par l'épée et les villes elles-mêmes iront en captivité. ¹⁸À Tahpanhès, le jour deviendra ténèbres quand j'y briserai les sceptres de l'Égypte et que l'orgueil de sa force prendra fin. Quant à elle, un nuage la couvrira et ses filles iront en captivité. ¹⁹C'est ainsi que je ferai justice de l'Égypte, et l'on saura que je suis Yahvé.

²⁰La onzième année, au premier mois, le sept du mois, la parole de Yahvé me fut adressée en ces termes : ²¹Fils d'homme, j'ai brisé le bras de Pharaon, roi d'Égypte, et voici que nul n'a pansé sa blessure en y appliquant des remèdes, en y mettant un bandage et en le pansant pour qu'il retrouve la force de manier l'épée. ²²C'est pourquoi, ainsi parle le Seigneur Yahvé. Voici que je me déclare contre Pharaon, roi d'Égypte ; je lui briserai les bras, celui qui est valide et celui qui est brisé, et je ferai tomber l'épée de sa main. ²³Je disséminerai l'Égypte parmi les nations, je la disperserai dans les pays. ²⁴Je fortifierai les bras du roi de Babylone et je mettrai mon épée dans sa main. Je briserai les bras de Pharaon et celui-ci poussera devant son ennemi des gémissements de mourant. ²⁵Je fortifierai les bras du roi de Babylone, mais les bras de Pharaon tomberont. Et l'on saura que je suis Yahvé, quand je mettrai mon épée dans les mains du roi de Babylone et qu'il la brandira contre le pays d'Égypte. ²⁶Je disséminerai les Égyptiens parmi les nations, je les disperserai dans les pays, et l'on saura que je suis Yahvé.

Le cèdre.

31 ¹La onzième année, au troisième mois, le premier du mois, la parole de Yahvé me fut adressée en ces termes : ²Fils d'homme, dis à Pharaon, roi d'Égypte, et à la multitude de ses sujets :

À quoi te comparer dans ta grandeur ?

³Voici : à un cyprès, à un cèdre sur le Liban
au branchage magnifique, au feuillage touffu, à la taille élevée.
Parmi les nuages émerge sa cime.
⁴Les eaux l'ont fait croître, l'abîme l'a fait grandir,
faisant couler ses fleuves autour de sa plantation,
envoyant ses ruisseaux à tous les arbres de la campagne.
⁵C'est pourquoi sa taille était plus élevée que tous les arbres de la campagne,
ses surgeons s'étaient multipliés,
ses rameaux s'étendaient,
à cause des eaux abondantes qui le faisaient croître.
⁶Dans ses branches nichaient tous les oiseaux du ciel,
sous ses rameaux mettaient bas toutes les bêtes sauvages,
à son ombre s'asseyaient un grand nombre de gens.
⁷Il était beau dans sa grandeur, dans le déploiement de ses branches,
car ses racines se tendaient vers des eaux abondantes.
⁸Les cèdres ne l'égalaient pas au jardin de Dieu,
les cyprès n'étaient pas comparables à ses branches,
les platanes n'étaient pas semblables à ses rameaux,
aucun arbre, au jardin de Dieu, ne l'égalait en beauté.
⁹Je l'avais embelli d'une riche ramure,
il était envié de tous les arbres d'Éden, ceux du jardin de Dieu.

¹⁰Eh bien ! ainsi parle le Seigneur Yahvé :

Parce qu'il s'est dressé de toute sa taille, qu'il a porté sa cime jusqu'au milieu des nuages, que son cœur s'est enorgueilli de sa hauteur, ¹¹je l'ai livré aux mains du prince des nations, pour qu'il le traite selon sa méchanceté ; je l'ai rejeté. ¹²Des étrangers, les plus barbares des nations, l'ont coupé et abandonné. Sur les montagnes et dans toutes les vallées gisent ses branches ; ses rameaux se sont brisés dans tous les ravins du pays ; tous les gens du pays se sont enfuis de son ombre et l'ont abandonné. ¹³Sur ses débris se sont posés tous les oiseaux du ciel, vers ses rameaux sont venues toutes les bêtes sauvages.

¹⁴Ainsi, que jamais ne se dresse de toute sa taille aucun arbre situé près des eaux, qu'aucun ne porte sa cime jusqu'au milieu des nuages, qu'aucun arbre arrosé ne se dresse vers eux de toute sa hauteur ! Car tous sont voués à la mort, aux pays souterrains, au milieu du commun des hommes, avec ceux qui descendent dans la fosse.

¹⁵Ainsi parle le Seigneur Yahvé : Le jour où il est descendu au shéol, j'ai fait observer un deuil, j'ai fermé sur lui l'abîme, j'ai arrêté ses fleuves et les eaux abondantes ont tari. J'ai assombri le

Liban à cause de lui et tous les arbres de la campagne ont séché à cause de lui. ¹⁶Au bruit de sa chute, j'ai fait trembler les nations, quand je l'ai précipité au shéol avec ceux qui descendent dans la fosse. Dans les pays souterrains, ont été consolés tous les arbres d'Éden, le choix des plus beaux arbres du Liban, tous arrosés par les eaux. ¹⁷Et sa descendance qui habitait sous son ombre, parmi les nations, elle aussi est descendue au shéol, vers les victimes de l'épée.

¹⁸À qui donc comparer ta gloire et ta grandeur parmi les arbres d'Éden ? Pourtant tu fus précipité avec les arbres d'Éden vers le pays souterrain, au milieu des incirconcis, et te voilà couché avec les victimes de l'épée. Tel est Pharaon et toute sa multitude, oracle du Seigneur Yahvé.

Le crocodile.

32 ¹La douzième année, au douzième mois, le premier du mois, la parole de Yahvé me fut adressée en ces termes : ²Fils d'homme, prononce une complainte sur Pharaon, roi d'Égypte. Tu lui diras :

Lionceau des nations, te voilà anéanti !
Tu étais comme un crocodile dans les mers,
tu bondissais dans tes fleuves,
tu troublais l'eau avec tes pattes,
tu en agitais les flots.

³Ainsi parle le Seigneur Yahvé :

J'étendrai sur toi mon filet au milieu d'un grand concours de peuples,

et ils te tireront dans mon filet.
⁴Je t'abandonnerai sur la terre, je te jetterai à la surface des champs,
je ferai reposer sur toi tous les oiseaux du ciel,
je rassasierai de toi toutes les bêtes de la terre.
⁵Je placerai ta chair sur les montagnes,
je remplirai les vallées de tes déchets ;
⁶j'arroserai le pays de ce qui coulera de toi,
de ton sang, sur les montagnes, et tu rempliras les ravins.
⁷Quand tu t'éteindras, je couvrirai les cieux
et j'obscurcirai les étoiles ;
je couvrirai le soleil des nuages
et la lune ne donnera plus sa clarté.
⁸J'obscurcirai tous les astres du ciel à cause de toi,
je répandrai les ténèbres sur ton pays,
oracle du Seigneur Yahvé.

⁹J'affligerai le cœur de beaucoup de peuples quand je provoquerai ta ruine parmi les nations, dans des pays que tu ne connais pas. ¹⁰Je frapperai de stupeur à ton sujet des peuples nombreux, et leurs rois frémiront d'horreur à cause de toi, quand je brandirai mon épée devant eux. Ils trembleront à tout instant, chacun pour sa vie, au jour de ta chute. ¹¹Car ainsi parle le Seigneur Yahvé : L'épée du roi de Babylone te poursuivra. ¹²Par l'épée des guerriers, je ferai tomber la multitude de tes sujets. Ce sont les plus barbares des nations ; elles anéantiront l'orgueil de l'Égypte, et toute sa multitude sera détruite. ¹³Je ferai périr tout

son bétail, au bord des eaux abondantes. Le pied de l'homme ne les troublera plus, le sabot du bétail ne les troublera plus. ¹⁴Alors je calmerai leurs eaux, je ferai couler leurs fleuves comme de l'huile, oracle du Seigneur Yahvé.

¹⁵Quand je ferai du pays d'Égypte une désolation, et que le pays sera dépouillé de ce qu'il contient, quand je frapperai tous ceux qui l'habitent, ils sauront que je suis Yahvé.

¹⁶Telle est la complainte que crieront les filles des nations. Elles la crieront sur l'Égypte et sur toute sa multitude. Elles crieront cette complainte, oracle du Seigneur Yahvé.

Descente du Pharaon au shéol.
31 16-18. Is **14** 9-11, 15.

¹⁷La douzième année, au premier mois, le quinze du mois, la parole de Yahvé me fut adressée en ces termes : ¹⁸Fils d'homme, lamente-toi sur la multitude de l'Égypte et fais-la descendre avec les filles des nations, majestueuses, vers le pays souterrain, avec ceux qui descendent dans la fosse. ¹⁹ Qui surpasses-tu en beauté ? Descends, couche-toi avec les incirconcis, ²⁰au milieu des victimes de l'épée. L'épée est tombée : entraînez-la, avec toute sa multitude. ²¹Du milieu du shéol, les plus puissants héros, ses alliés, lui diront : « Ils sont descendus, ils se sont couchés, les incirconcis, victimes de l'épée ! »

²²Voilà Assur et toutes ses troupes, avec leurs tombeaux tout autour de lui ; ils sont tous tombés victimes de l'épée, ²³on a mis leurs tombeaux dans les profondeurs de la fosse et ses troupes entourent son tombeau ; ils sont tous tombés victimes de l'épée, eux qui répandaient la terreur au pays des vivants.

²⁴Voilà Élam et toute sa multitude autour de son tombeau, tous tombés victimes de l'épée ; ils sont descendus, incirconcis, au pays souterrain, eux qui répandaient la terreur au pays des vivants. Ils ont porté leur déshonneur avec ceux qui descendent dans la fosse. ²⁵On lui a fait une couche au milieu des victimes, parmi toute sa multitude, avec leurs tombeaux autour de lui ; ils sont tous des incirconcis, victimes de l'épée pour avoir répandu la terreur au pays des vivants. Ils ont porté leur déshonneur avec ceux qui descendent dans la fosse ; on les a placés au milieu de ces victimes.

²⁶Voilà Méshek, Tubal et toute sa multitude, avec ses tombeaux autour de lui ; ils sont tous incirconcis, victimes de l'épée pour avoir répandu la terreur au pays des vivants. ²⁷Ils ne sont pas couchés avec les héros tombés autrefois, ceux qui descendirent au shéol les armes à la main, à qui on a mis leur épée sous la tête et leur bouclier sous leurs ossements, car la terreur des héros régnait au pays des vivants. ²⁸Mais toi, c'est au milieu des incirconcis que tu seras brisé et que tu te coucheras, parmi les victimes de l'épée.

²⁹Voilà Édom, ses rois et tous ses princes, qui ont été placés, malgré leur vaillance, parmi les victimes de l'épée. Ils sont couchés avec les incirconcis, avec ceux qui descendent dans la fosse.

³⁰Voilà tous les princes du

Nord, tous les Sidoniens, qui sont descendus avec les victimes, à cause de la terreur qu'inspirait leur force. Honteux, ils se sont couchés, incirconcis, parmi les victimes de l'épée, et ils ont porté leur déshonneur avec ceux qui descendent dans la fosse.

³¹Pharaon les verra et il se con-solera à la vue de toute cette multitude victime de l'épée, – Pharaon et toute son armée – oracle du Seigneur Yahvé. ³²Parce qu'il avait répandu la terreur au pays des vivants, on l'étendra parmi les incirconcis, parmi les victimes de l'épée – Pharaon et toute son armée – oracle du Seigneur Yahvé.

3. Pendant et après le siège de Jérusalem

Le prophète comme guetteur.
3 17-21.

33 ¹La parole de Yahvé me fut adressée en ces termes : ²Fils d'homme, parle aux fils de ton peuple. Tu leur diras : Quand je fais venir l'épée contre un pays, les gens de ce pays prennent parmi eux un homme et le placent comme guetteur ; ³s'il voit l'épée venir contre le pays, il sonne du cor pour avertir le peuple. ⁴Si quelqu'un entend le son du cor mais n'en tient pas compte, et que l'épée survient et le fait périr, le sang de cet homme retombera sur sa propre tête. ⁵Il a entendu le son du cor sans en tenir compte : son sang retombera sur lui. Mais celui qui en a tenu compte, sa vie est sauve.

⁶Mais si le guetteur a vu venir l'épée et n'a pas sonné du cor, si bien que le peuple n'a pas été averti, et que l'épée survienne et fasse chez eux une victime, celle-ci périra victime de sa faute, mais je demanderai compte de son sang au guetteur.

⁷Toi aussi, fils d'homme, je t'ai fait guetteur pour la maison d'Israël. Lorsque tu entendras une pa-role de ma bouche, tu les avertiras de ma part. ⁸Si je dis au méchant : « Méchant, tu vas mourir », et que tu ne parles pas pour avertir le méchant d'abandonner sa conduite, lui, le méchant, mourra de sa faute, mais c'est à toi que je demanderai compte de son sang. ⁹Si au contraire tu as averti le méchant d'abandonner sa conduite pour se convertir et qu'il ne s'est pas converti, il mourra, lui, à cause de son péché, mais toi, tu auras sauvé ta vie.

Conversion et perversion. 14 12-20.
18 21-30.

¹⁰Et toi, fils d'homme, dis à la maison d'Israël : Vous répétez ces paroles : « Nos crimes et nos péchés pèsent sur nous ; c'est à cause d'eux que nous dépérissons. Comment pourrions-nous vivre ? » ¹¹Dis-leur : « Par ma vie, oracle du Seigneur Yahvé, je ne prends pas plaisir à la mort du méchant, mais à la conversion du méchant qui change de conduite pour avoir la vie. Convertissez-vous, revenez de votre voie mauvaise. Pourquoi mourir, maison d'Israël ? »

¹²Et toi, fils d'homme, dis aux enfants de ton peuple : La justice

du juste ne le sauvera pas au jour de son crime, et la méchanceté du méchant ne le fera pas succomber au jour où il reviendra de sa méchanceté. Le juste ne peut pas vivre en vertu de sa justice au jour de son péché. ¹³Si je dis au juste : « Tu vivras », mais que lui, se confiant dans sa justice, commette le mal, on ne se souviendra plus de toute sa justice, mais c'est de tout le mal qu'il a commis qu'il mourra. ¹⁴Mais si je dis au méchant : « Tu mourras », et qu'il revienne de ses péchés et pratique le droit et la justice, ¹⁵s'il rend le gage, restitue ce qu'il a volé, observe les lois qui donnent la vie sans plus faire le mal : il vivra, il ne mourra pas. ¹⁶On ne se souviendra plus de tous les péchés qu'il a commis : il a observé le droit et la justice, il vivra.

¹⁷Les fils de ton peuple disent : « La manière d'agir du Seigneur n'est pas juste. » C'est votre manière d'agir qui n'est pas juste. ¹⁸Lorsque le juste se détourne de sa justice pour commettre le mal, il meurt pour cela. ¹⁹Et lorsque le méchant se détourne de sa méchanceté et pratique le droit et la justice, c'est à cause de cela qu'il vit. ²⁰Et vous dites : « La manière d'agir du Seigneur n'est pas juste ! » Je vous jugerai chacun selon votre conduite, maison d'Israël !

La prise de la ville.

²¹La douzième année, le cinq du dixième mois de notre captivité, le rescapé arriva vers moi de Jérusalem et m'annonça : « La ville est prise. » ²²Or la main de Yahvé avait été sur moi, la veille au soir, avant que n'arrivât le rescapé, et il m'ouvrit la bouche quand celui-ci arriva vers moi, le matin ; ma bouche s'ouvrit et je ne fus plus muet.

La dévastation du pays.

²³Alors la parole de Yahvé me fut adressée en ces termes : ²⁴Fils d'homme, ceux qui habitent ces ruines, sur le sol d'Israël, parlent ainsi : « Abraham était seul lorsqu'il a été mis en possession de ce pays. Nous qui sommes nombreux, c'est à nous que le pays est donné en patrimoine. »

²⁵Eh bien ! dis-leur : Ainsi parle le Seigneur Yahvé. Vous mangez sur le sang, vous levez les yeux vers vos ordures, vous répandez le sang, et vous posséderiez le pays ?

²⁶Vous vous appuyez sur vos épées, vous commettez l'abomination, chacun souille la femme de son prochain, et vous posséderiez le pays ? ²⁷Tu leur diras ceci : Ainsi parle le Seigneur Yahvé : Par ma vie, je le jure, ceux qui sont dans les ruines tomberont par l'épée, celui qui est en rase campagne, je le livrerai aux bêtes pour en être dévoré, et ceux qui sont dans les lieux escarpés et dans les cavernes mourront de la peste. ²⁸Je ferai du pays une solitude désolée, et l'orgueil de sa force prendra fin. Les montagnes d'Israël seront dévastées et nul n'y passera plus. ²⁹Et l'on saura que je suis Yahvé, lorsque je ferai du pays une solitude désolée à cause de toutes les abominations qu'ils ont commises.

Résultats de la prédication.

³⁰Et toi, fils d'homme, les fils de ton peuple s'entretiennent de toi le long des murs et aux portes

des maisons. Ils se disent l'un à l'autre, chacun à son voisin : « Venez donc écouter quelle parole arrive de la part de Yahvé. » [31]Et ils viennent vers toi en foule, mon peuple s'assied devant toi, écoute tes paroles, mais ne les met pas en pratique. Ce qu'ils mettent en pratique, c'est le mensonge qui est dans leur bouche, et leur cœur s'attache au gain malhonnête. [32]Voici, tu es pour eux comme un chant d'amour, agréablement chanté, bien accompagné de musique. Ils écoutent tes paroles, mais nul ne les met en pratique. [33]Lorsque cela arrivera – et voici que cela arrive – ils sauront qu'il y avait un prophète parmi eux.

Les pasteurs d'Israël. Jr 23 1-6 ; 31 10. Za 11 4-17. ↗ Mt 18 12-14. Lc 15 4-7. Jn 10 1-18.

34 [1]La parole de Yahvé me fut adressée en ces termes : [2]Fils d'homme, prophétise contre les pasteurs d'Israël, prophétise. Tu leur diras : Pasteurs, ainsi parle le Seigneur Yahvé. Malheur aux pasteurs d'Israël qui se paissent eux-mêmes. Les pasteurs ne doivent-ils pas paître le troupeau ? [3]Vous vous êtes nourris de lait, vous vous êtes vêtus de laine, vous avez sacrifié les brebis les plus grasses, mais vous n'avez pas fait paître le troupeau. [4]Vous n'avez pas fortifié les brebis chétives, soigné celle qui était malade, pansé celle qui était blessée. Vous n'avez pas ramené celle qui s'égarait, cherché celle qui était perdue. Mais vous les avez régies avec violence et dureté. [5]Elles se sont dispersées, faute de pasteur, pour devenir la proie de toute bête

sauvage ; elles se sont dispersées. [6]Mon troupeau erre sur toutes les montagnes et sur toutes les collines élevées, mon troupeau est dispersé sur toute la surface du pays, nul ne s'en occupe et nul ne se met à sa recherche.

[7]Eh bien ! pasteurs, écoutez la parole de Yahvé. [8]Par ma vie, oracle du Seigneur Yahvé, je le jure : parce que mon troupeau est mis au pillage et devient la proie de toutes les bêtes sauvages, faute de pasteur, parce que mes pasteurs ne s'occupent pas de mon troupeau, parce que mes pasteurs se paissent eux-mêmes sans paître mon troupeau, [9]eh bien ! pasteurs, écoutez la parole de Yahvé. [10]Ainsi parle le Seigneur Yahvé. Voici, je me déclare contre les pasteurs. Je leur reprendrai mon troupeau et désormais, je les empêcherai de paître mon troupeau. Ainsi les pasteurs ne se paîtront plus eux-mêmes. J'arracherai mes brebis de leur bouche et elles ne seront plus pour eux une proie.

[11]Car ainsi parle le Seigneur Yahvé : Voici que j'aurai soin moi-même de mon troupeau et je m'en occuperai. [12]Comme un pasteur s'occupe de son troupeau, quand il est au milieu de ses brebis éparpillées, je m'occuperai de mes brebis. Je les retirerai de tous les lieux où elles furent dispersées, au jour de nuées et de ténèbres. [13]Je leur ferai quitter les peuples où elles sont, je les rassemblerai des pays étrangers et je les ramènerai sur leur sol. Je les ferai paître sur les montagnes d'Israël, dans les ravins et dans tous les lieux habités du pays. [14]Dans un bon pâturage je les fe-

rai paître, et sur les plus hautes montagnes d'Israël sera leur pacage. C'est là qu'elles se reposeront dans un bon pacage ; elles brouteront de gras pâturages sur les montagnes d'Israël. ¹⁵C'est moi qui ferai paître mes brebis et c'est moi qui les ferai reposer, oracle du Seigneur Yahvé. ¹⁶Je chercherai celle qui est perdue, je ramènerai celle qui est égarée, je panserai celle qui est blessée, je fortifierai celle qui est malade. Celle qui est grasse et bien portante, je veillerai sur elle. Je les ferai paître avec justice.

¹⁷Quant à vous, mes brebis, ainsi parle le Seigneur Yahvé. Voici que je vais juger entre brebis et brebis, entre béliers et boucs. ¹⁸Non contents de paître dans de bons pâturages, vous foulez aux pieds le reste de votre pâturage ; non contents de boire une eau limpide, vous troublez le reste avec vos pieds. ¹⁹Et mes brebis doivent brouter ce que vos pieds ont foulé et boire ce que vos pieds ont troublé. ²⁰Eh bien ! ainsi leur parle le Seigneur Yahvé : Me voici, je vais juger entre la brebis grasse et la brebis maigre. ²¹Parce que vous avez frappé des reins et de l'épaule et donné des coups de cornes à toutes les brebis souffreteuses jusqu'à les disperser au-dehors, ²²je vais venir sauver mes brebis pour qu'elles ne soient plus au pillage, je vais juger entre brebis et brebis.

²³Je susciterai pour le mettre à leur tête un pasteur qui les fera paître, mon serviteur David : c'est lui qui les fera paître et sera pour eux un pasteur. ²⁴Moi, Yahvé, je serai pour eux un Dieu, et mon serviteur David sera prince au mi-

lieu d'eux. Moi, Yahvé, j'ai parlé. ²⁵Je conclurai avec eux une alliance de paix, je ferai disparaître du pays les bêtes féroces. Ils habiteront en sécurité dans le désert, ils dormiront dans les bois. ²⁶D'eux et des alentours de ma colline, je ferai une bénédiction. Je ferai tomber la pluie en son temps et ce sera une pluie de bénédiction. ²⁷L'arbre des champs donnera son fruit et la terre donnera ses produits ; ils seront en sécurité sur leur sol. Et l'on saura que je suis Yahvé quand je briserai les barres de leur joug et que je les délivrerai de la main de ceux qui les asservissent. ²⁸Ils ne seront plus un butin pour les nations, et les bêtes du pays ne les dévoreront plus. Ils habiteront en sécurité, sans qu'on les trouble. ²⁹Je ferai pousser pour eux une plantation célèbre ; il n'y aura plus de victimes de la famine dans le pays, et ils n'auront plus à subir l'insulte des nations. ³⁰Alors on saura que c'est moi leur Dieu, qui suis avec eux, et qu'eux, la maison d'Israël, ils sont mon peuple, oracle du Seigneur Yahvé. ³¹Et vous, mes brebis, vous êtes le troupeau humain que je fais paître, et moi, je suis votre Dieu, oracle du Seigneur Yahvé.

Contre les montagnes d'Édom.
25 12-14.

35 ¹La parole de Yahvé me fut adressée en ces termes : ²Fils d'homme, tourne-toi vers la montagne de Séïr et prophétise contre elle. ³Tu lui diras : Ainsi parle le Seigneur Yahvé. Voici que je me déclare contre toi, montagne de Séïr, et j'étends la main contre toi ; je te transformerai en solitude désolée ; ⁴je réduirai tes villes en ruines. Tu deviendras une solitude et tu sauras que je suis Yahvé. ⁵Parce que tu nourrissais une haine éternelle et que tu as livré à l'épée les Israélites, au jour de leur détresse, au jour du crime final, ⁶eh bien ! par ma vie, oracle du Seigneur Yahvé, je vais t'ensanglanter et le sang te poursuivra. Je le jure, tu t'es rendue coupable en versant le sang, le sang te poursuivra. ⁷Je ferai de la montagne de Séïr une solitude désolée, et j'en retrancherai quiconque parcourt le pays. ⁸J'emplirai ses montagnes de victimes ; sur tes collines, dans tes vallées et dans tous tes ravins, ils tomberont victimes de l'épée. ⁹Je ferai de toi des solitudes éternelles, tes villes ne seront plus habitées, et vous saurez que je suis Yahvé.

¹⁰Parce que tu as dit : « Les deux nations et les deux pays seront à moi, nous allons en prendre possession », alors que Yahvé y était, ¹¹eh bien ! par ma vie, oracle du Seigneur Yahvé, j'agirai selon la colère et la jalousie avec lesquelles tu as agi dans ta haine contre eux. Je me ferai connaître, à cause d'eux, lorsque je te châtierai, ¹²et tu sauras que moi, Yahvé, j'ai entendu toutes les insolences que tu as prononcées contre les montagnes d'Israël en disant : « Elles sont dévastées, elles nous ont été données pour les dévorer. » ¹³Grande fut votre insolence à mon égard, nombreux vos discours contre moi, et j'ai tout entendu. ¹⁴Ainsi parle le Seigneur Yahvé : À la joie de tout le pays je ferai de toi une désolation. ¹⁵Comme tu as éprouvé de la joie parce que l'hé-

ritage de la maison d'Israël avait été dévasté, je te traiterai de la même manière. Tu seras changée en désolation, montagne de Séïr, ainsi qu'Édom tout entier, et on saura que je suis Yahvé.

Oracle sur les montagnes d'Israël.

36 ¹Et toi, fils d'homme, adresse une prophétie aux montagnes d'Israël. Tu diras : Montagnes d'Israël, écoutez la parole de Yahvé. ²Ainsi parle le Seigneur Yahvé. Parce que l'ennemi a prononcé contre vous ces paroles : « Ha ! Ha ! Ces hauteurs éternelles sont devenus notre patrimoine », ³eh bien ! prophétise. Tu diras : Ainsi parle le Seigneur Yahvé. Parce qu'on vous a dévastées et prises de toute part, si bien que vous êtes devenues la propriété du reste des nations, prétexte au bavardage et au commérage des gens, ⁴eh bien ! montagnes d'Israël, écoutez la parole du Seigneur Yahvé. Ainsi parle le Seigneur Yahvé aux montagnes, aux collines, aux ravins et aux vallées, aux ruines dévastées et aux villes abandonnées qui sont mises au pillage et deviennent la risée du reste des nations d'alentour. ⁵Eh bien ! ainsi parle le Seigneur Yahvé. Je le jure dans l'ardeur de ma jalousie, je m'adresse au reste des nations, à Édom tout entier, qui, la joie au cœur et le mépris dans l'âme, se sont attribué mon pays en propriété pour piller son pâturage.

⁶À cause de cela, prophétise au sujet de la terre d'Israël. Tu diras aux montagnes et aux collines, aux ravins et aux vallées : Ainsi parle le Seigneur Yahvé. Voici

que je parle dans ma jalousie et ma fureur : puisque vous subissez l'insulte des nations, ⁷eh bien ! ainsi parle le Seigneur Yahvé : je lève la main, je le jure, les nations qui vous entourent subiront elles-mêmes leur insulte.

⁸Et vous, montagnes d'Israël, vous allez donner vos branches et porter vos fruits pour mon peuple Israël, car il est près de revenir. ⁹Me voici, je viens vers vous, je me tourne vers vous, vous allez être cultivées et ensemencées. ¹⁰Je vais multiplier sur vous les hommes, la maison d'Israël tout entière. Les villes seront habitées et les ruines rebâties. ¹¹Je multiplierai sur vous hommes et bêtes, ils seront nombreux et féconds. Je ferai que vous serez habitées comme auparavant, je vous ferai plus de bien qu'autrefois et vous saurez que je suis Yahvé. ¹²Je ferai fouler votre sol par des hommes, mon peuple Israël ; tu seras sa propriété et son héritage et tu ne les priveras plus de leurs enfants.

¹³Ainsi parle le Seigneur Yahvé. Parce qu'on a dit de toi : « Tu es une mangeuse d'hommes, tu as privé ta nation de ses enfants », ¹⁴eh bien ! tu ne dévoreras plus d'hommes, tu ne priveras plus ta nation de ses enfants, oracle du Seigneur Yahvé. ¹⁵Je ne te ferai plus entendre l'insulte des nations, tu n'auras plus à subir la raillerie des peuples, tu ne priveras plus ta nation de ses enfants. Oracle du Seigneur Yahvé.

¹⁶La parole de Yahvé me fut adressée en ces termes : ¹⁷Fils d'homme, les gens de la maison d'Israël habitaient sur leur territoire, et ils l'ont souillé par leur con-

duite et par leurs œuvres ; comme la souillure d'une femme impure, telle fut leur conduite devant moi. ¹⁸Alors j'ai déversé ma fureur sur eux, à cause du sang qu'ils ont versé dans le pays et des ordures dont ils l'ont souillé. ¹⁹Je les ai disséminés parmi les nations et ils ont été dispersés dans les pays étrangers. Je les ai jugés selon leur conduite et selon leurs œuvres. ²⁰ Et parmi les nations où ils sont venus, ils ont profané mon saint nom, faisant dire à leur sujet : « C'est le peuple de Yahvé, ils sont sortis de son pays. » ²¹Mais j'ai eu égard à mon saint nom que la maison d'Israël a profané parmi les nations où elle est venue. ²²Eh bien ! dis à la maison d'Israël : Ainsi parle le Seigneur Yahvé. Ce n'est pas à cause de vous que j'agis de la sorte, maison d'Israël, mais c'est pour mon saint nom, que vous avez profané parmi les nations où vous êtes venus. ²³Je sanctifierai mon grand nom qui a été profané parmi les nations au milieu desquelles vous l'avez profané. Et les nations sauront que je suis Yahvé – oracle du Seigneur Yahvé – quand je ferai éclater ma sainteté, à votre sujet, sous leurs yeux. ²⁴Alors je vous prendrai parmi les nations, je vous rassemblerai de tous les pays étrangers et je vous ramènerai vers votre sol. ²⁵Je répandrai sur vous une eau pure et vous serez purifiés ; de toutes vos souillures et de toutes vos ordures je vous purifierai. ²⁶Et je vous donnerai un cœur nouveau, je mettrai en vous un esprit nouveau, j'ôterai de votre chair le cœur de pierre et je vous donnerai un cœur de chair. ²⁷Je mettrai mon esprit en vous et je ferai que vous marchiez selon mes lois et que vous observiez et pratiquiez vos coutumes. ²⁸ Vous habiterez le pays que j'ai donné à vos pères. Vous serez mon peuple et moi je serai votre Dieu. ²⁹ Je vous sauverai de toutes vos souillures. J'appellerai le blé et le multiplierai, et je ne vous imposerai plus de famine. ³⁰ Je multiplierai les fruits des arbres et les produits des champs, afin que vous ne subissiez plus l'opprobre de la famine parmi les nations. ³¹ Alors vous vous souviendrez de votre mauvaise conduite et de vos actions qui n'étaient pas bonnes. Vous vous prendrez vous-mêmes en dégoût à cause de vos fautes et de vos abominations. ³² Ce n'est pas à cause de vous que j'agis – oracle du Seigneur Yahvé – sachez-le bien. Ayez honte et rougissez de votre conduite, maison d'Israël.

³³ Ainsi parle le Seigneur Yahvé : Au jour où je vous purifierai de toutes vos fautes, je ferai que les villes soient habitées et les ruines rebâties ; ³⁴ la terre dévastée sera cultivée, après avoir été dévastée, aux yeux de tous les passants. ³⁵ Et l'on dira : « Cette terre, naguère dévastée, est comme un jardin d'Éden, et les villes en ruines, dévastées et démolies, on en a fait des forteresses habitées. » ³⁶ Et les nations qui survivront autour de vous sauront que c'est moi, Yahvé, qui ai rebâti ce qui était démoli et qui ai replanté ce qui était dévasté. Moi, Yahvé, j'ai dit et je fais.

³⁷ Ainsi parle le Seigneur Yahvé : Pour leur accorder ceci encore, je me laisserai chercher par la maison d'Israël ; je les multiplierai comme un troupeau humain, ³⁸ comme un troupeau de bêtes consacrées, comme le troupeau réuni à Jérusalem lors de ses assemblées. C'est ainsi que vos villes en ruines se rempliront d'un troupeau humain, et l'on saura que je suis Yahvé.

Les ossements desséchés.

37 ¹ La main de Yahvé fut sur moi, il m'emmena par l'esprit de Yahvé, et il me déposa au milieu de la vallée, une vallée pleine d'ossements. ² Il me la fit parcourir, parmi eux, en tous sens. Or les ossements étaient très nombreux sur le sol de la vallée, et ils étaient complètement desséchés. ³ Il me dit : « Fils d'homme, ces ossements vivront-ils ? » Je dis : « Seigneur Yahvé, c'est toi qui le sais. » ⁴ Il me dit : « Prophétise sur ces ossements. Tu leur diras : Ossements desséchés, écoutez la parole de Yahvé. ⁵ Ainsi parle le Seigneur Yahvé à ces ossements. Voici que je vais faire entrer en vous l'esprit et vous vivrez. ⁶ Je mettrai sur vous des nerfs, je ferai pousser sur vous de la chair, je tendrai sur vous de la peau, je vous donnerai un esprit et vous vivrez, et vous saurez que je suis Yahvé. » ⁷ Je prophétisai, comme j'en avais reçu l'ordre. Or il se fit un bruit au moment où je prophétisais ; il y eut un frémissement et les os se rapprochèrent les uns des autres. ⁸ Je regardai : ils étaient recouverts de nerfs, la chair avait poussé et la peau s'était tendue pardessus, mais il n'y avait pas d'esprit en eux. ⁹ Il me dit : « Prophétise à l'esprit, prophétise, fils d'homme. Tu diras à l'esprit : Ainsi parle le Seigneur Yahvé.

Viens des quatre vents, esprit, souffle sur ces morts, et qu'ils vivent. » [10]Je prophétisai comme il m'en avait donné l'ordre, et l'esprit vint en eux, ils reprirent vie et se mirent debout sur leurs pieds : grande, immense armée.

[11]Alors il me dit : Fils d'homme, ces ossements, c'est toute la maison d'Israël. Les voilà qui disent : « Nos os sont desséchés, notre espérance est détruite, c'en est fait de nous. » [12]C'est pourquoi, prophétise. Tu leur diras : Ainsi parle le Seigneur Yahvé. Voici que j'ouvre vos tombeaux ; je vais vous faire remonter de vos tombeaux, mon peuple, et je vous ramènerai sur le sol d'Israël. [13]Vous saurez que je suis Yahvé, lorsque j'ouvrirai vos tombeaux et que je vous ferai remonter de vos tombeaux, mon peuple. [14]Je mettrai mon esprit en vous et vous vivrez, et je vous installerai sur votre sol, et vous saurez que moi, Yahvé, j'ai parlé et je fais, oracle de Yahvé.

Juda et Israël en un seul royaume.

[15]La parole de Yahvé me fut adressée en ces termes : [16]Et toi, fils d'homme, prends un morceau de bois et écris dessus : « Juda et les Israélites qui sont avec lui. » Prends un morceau de bois et écris dessus : « Joseph (bois d'Éphraïm) et toute la maison d'Israël qui est avec lui. » [17]Rapproche-les l'un de l'autre pour faire un seul morceau de bois ; qu'ils ne fassent qu'un dans ta main. [18]Et lorsque les fils de ton peuple te diront : « Ne nous expliqueras-tu pas ce que tu veux dire ? » [19]dis-leur : Ainsi parle le Seigneur Yahvé : Voici que je vais prendre le bois de Joseph (qui est dans la main d'Éphraïm) et les tribus d'Israël qui sont avec lui, je vais les mettre contre le bois de Juda, j'en ferai un seul morceau de bois et ils ne seront qu'un dans ma main.

[20]Quand les morceaux de bois sur lesquels tu auras écrit seront dans ta main, à leurs yeux, [21]dis-leur : Ainsi parle le Seigneur Yahvé. Voici que je vais prendre les Israélites parmi les nations où ils sont allés. Je vais les rassembler de tous côtés et les ramener sur leur sol. [22]J'en ferai une seule nation dans le pays, dans les montagnes d'Israël, et un seul roi sera leur roi à eux tous ; ils ne formeront plus deux nations, ils ne seront plus divisés en deux royaumes. [23]Ils ne se souilleront plus avec leurs ordures, leurs horreurs et tous leurs crimes. Je les sauverai des infidélités qu'ils ont commises et je les purifierai, ils seront mon peuple et je serai leur Dieu. [24]Mon serviteur David régnera sur eux ; il n'y aura qu'un seul pasteur pour eux tous ; ils obéiront à mes coutumes, ils observeront mes lois et les mettront en pratique. [25]Ils habiteront le pays que j'ai donné à mon serviteur Jacob, celui qu'ont habité vos pères. Ils l'habiteront, eux, leurs enfants et les enfants de leurs enfants, à jamais. David mon serviteur sera leur prince à jamais. [26]Je conclurai avec eux une alliance de paix, ce sera avec eux une alliance éternelle. Je les établirai, je les multiplierai et j'établirai mon sanctuaire au milieu d'eux à jamais. [27]Je ferai ma demeure au-dessus d'eux, je serai leur Dieu et ils seront mon peuple. [28]Et les nations sauront que je suis

Yahvé qui sanctifie Israël, lorsque mon sanctuaire sera au milieu d'eux à jamais.

Contre Gog, roi de Magog.
↗ Ap 20 7-10.

38 ¹La parole de Yahvé me fut adressée en ces termes : ²Fils d'homme, tourne-toi vers Gog, au pays de Magog, prince, chef de Méshek et de Tubal, et prophétise contre lui. ³Tu diras : Ainsi parle le Seigneur Yahvé. Je me déclare contre toi, Gog, prince, chef de Méshek et de Tubal. ⁴Je te ferai faire demi-tour, je mettrai des crocs à tes mâchoires et je te ferai sortir avec toute ton armée, chevaux et cavaliers, tous parfaitement équipés, troupe nombreuse, tous portant écus et boucliers et sachant manier l'épée. ⁵La Perse, Kush et Put sont avec eux, tous avec le bouclier et le casque. ⁶Gomer et toutes ses troupes, Bet-Togarma, à l'extrême nord, et toutes ses troupes, des peuples innombrables sont avec toi. ⁷Sois prêt, prépare-toi bien, toi et toutes tes troupes ainsi que ceux qui se sont groupés autour de toi, et mets-toi à mon service.

⁸Après bien des jours, tu recevras des ordres. Après bien des années, tu viendras vers le pays dont les habitants ont échappé à l'épée et ont été rassemblés, parmi une multitude de peuples, sur les montagnes d'Israël qui furent longtemps ruine. Depuis qu'ils ont été séparés des autres peuples, ils habitent tous en sécurité. ⁹Tu monteras, tu avanceras comme une tempête, tu seras comme une nuée qui couvrira le pays, toi, toutes tes troupes et des peuples nombreux avec toi.

¹⁰Ainsi parle le Seigneur Yahvé : Ce jour-là, des pensées naîtront dans ton cœur et tu formeras de mauvais desseins. ¹¹Tu diras : « Je vais monter contre un pays sans défense, marcher contre des hommes tranquilles, qui habitent en sécurité. Ils habitent tous des villes sans remparts, ils n'ont ni verrous ni portes. » ¹²Tu iras piller et faire du butin, porter la main contre des ruines habitées et contre un peuple rassemblé d'entre les nations, adonné à l'élevage et au commerce, qui habite sur le nombril de la terre. ¹³Sheba, Dédân, les trafiquants de Tarsis et tous ses jeunes lions te diront : « Est-ce pour piller que tu es venu ? Est-ce pour faire du butin que tu as réuni tes troupes ? Est-ce pour enlever l'or et l'argent, pour saisir troupeaux et marchandises, pour emporter un immense butin ? »

¹⁴C'est pourquoi, prophétise, fils d'homme. Tu diras à Gog : Ainsi parle le Seigneur Yahvé. N'est-il pas vrai que ce jour-là, quand mon peuple Israël habitera en sécurité, tu te mettras en route ? ¹⁵Tu quitteras ta résidence à l'extrême nord, toi et des peuples nombreux avec toi, tous montés sur des chevaux, troupe énorme, armée innombrable. ¹⁶Tu monteras contre Israël mon peuple, tu seras comme une nuée qui recouvre la terre. Ce sera à la fin des jours que je t'amènerai contre mon pays, pour que les nations me connaissent, quand je manifesterai ma sainteté à leurs yeux, par ton intermédiaire, Gog.

¹⁷Ainsi parle le Seigneur Yahvé : C'est toi dont j'ai parlé au temps jadis, par mes serviteurs les

prophètes d'Israël qui ont prophétisé en ce temps-là, annonçant ta
venue contre eux. ¹⁸En ce jour-là,
au jour où Gog s'avancera contre
le territoire d'Israël – oracle du
Seigneur Yahvé – mon courroux
montera. Dans ma colère, ¹⁹dans
ma jalousie, dans l'ardeur de ma
fureur, je le dis : ce jour-là, je le
jure, il y aura un grand tumulte
sur le territoire d'Israël. ²⁰Alors
trembleront devant moi les poissons de la mer et les oiseaux du
ciel, les bêtes sauvages, tous les
reptiles qui rampent sur le sol et
tous les hommes qui sont sur la
surface du sol. Les montagnes
s'écrouleront, les parois des rochers trembleront, toutes les murailles tomberont par terre. ²¹J'appellerai contre lui toute sorte
d'épée, oracle du Seigneur Yahvé, et ils tourneront l'épée l'un
contre l'autre. ²²Je le châtierai par
la peste et le sang, je ferai tomber
la pluie torrentielle, des grêlons,
du feu et du soufre, sur lui, sur ses
troupes et sur les peuples nombreux qui sont avec lui. ²³Je manifesterai ma grandeur et ma sainteté, je me ferai connaître aux
yeux des nations nombreuses, et
ils sauront que je suis Yahvé.

39 ¹Et toi, fils d'homme, prophétise contre Gog. Tu diras : Ainsi parle le Seigneur Yahvé. Je me déclare contre toi, Gog,
prince, chef de Méshek et de Tubal. ²Je te ferai faire demi-tour, je
te conduirai, je te ferai monter de
l'extrême nord et je t'amènerai
contre les montagnes d'Israël. ³Je
briserai ton arc dans ta main gauche et je ferai tomber tes flèches
de ta main droite. ⁴Tu tomberas
sur les montagnes d'Israël, toi,

toutes tes troupes et les peuples
qui sont avec toi. Je te donne en
pâture aux oiseaux de proie de
toute espèce et aux bêtes sauvages : ⁵Tu tomberas en plein
champ, car moi, j'ai parlé, oracle
du Seigneur Yahvé. ⁶J'enverrai le
feu dans Magog et sur ceux qui
habitent des îles, en sécurité, et ils
sauront que je suis Yahvé. ⁷Je ferai connaître mon saint nom au
milieu de mon peuple Israël, je ne
laisserai plus profaner mon saint
nom, et les nations sauront que je
suis Yahvé, saint en Israël.

⁸Voici que cela vient, c'est fait
– oracle du Seigneur Yahvé –
c'est le jour que j'ai annoncé.

⁹Alors les habitants des villes
d'Israël s'en iront brûler et livrer
au feu les armes, écus et boucliers,
arcs et flèches, javelots et lances.
Ils en feront du feu pendant sept
ans. ¹⁰On n'ira plus chercher de
bois dans la campagne, on n'en
coupera plus dans les forêts, car
c'est avec les armes qu'on fera du
feu. Ils pilleront ceux qui les pillaient, ils prendront du butin à
ceux qui leur en prenaient, oracle
du Seigneur Yahvé.

¹¹Ce jour-là, je donnerai à Gog
pour sa sépulture en Israël un
lieu célèbre, la vallée des Obe-
rim, à l'est de la mer, la vallée
qui arrête les passants ; on y enterrera Gog et toute sa multitude,
et on l'appellera : Vallée de Hamôn-Gog. ¹²La maison d'Israël
les enterrera afin de purifier le
pays pendant sept mois. ¹³Tous
les gens du pays travailleront à
les enterrer, et cela leur vaudra
la renommée au jour où je manifesterai ma gloire, oracle du
Seigneur Yahvé. ¹⁴On mettra à

part des hommes dont la fonction permanente sera de parcourir le pays et d'enterrer ceux qui sont restés sur le sol, pour le purifier. Ils entreprendront leur recherche au bout de sept mois. [15]Quand ces gens-là parcourront le pays, si l'un d'eux voit des ossements humains, il dressera à côté une borne, jusqu'à ce que les fossoyeurs les enterrent dans la vallée de Hamôn-Gog [16](et Hamona est aussi le nom d'une ville), et qu'ils aient purifié le pays.

[17]Et toi, fils d'homme, ainsi parle le Seigneur Yahvé. Dis aux oiseaux de toute espèce et à toutes les bêtes sauvages : Rassemblez-vous, venez, réunissez-vous de partout alentour pour le sacrifice que je vous offre, un grand sacrifice sur les montagnes d'Israël, et vous mangerez de la chair et vous boirez du sang. [18]Vous mangerez la chair des héros, vous boirez le sang des princes de la terre. Ce sont tous des béliers, des agneaux, des boucs, des taureaux gras du Bashân. [19]Vous mangerez de la graisse jusqu'à satiété et vous boirez du sang jusqu'à l'ivresse, en ce sacrifice que je vous offre. [20]Vous vous rassasierez à ma table, de chevaux et de coursiers, de héros et de tout homme de guerre, oracle du Seigneur Yahvé.

Conclusion.

[21]Je manifesterai ma gloire aux nations, et toutes les nations verront mon jugement quand je l'exécuterai, et ma main quand je l'abattrai sur elles. [22]Et la maison d'Israël saura que je suis Yahvé son Dieu, à partir de ce jour et désormais. [23]Les nations aussi le sauront : c'est pour sa faute envers moi que la maison d'Israël a été exilée, c'est parce qu'elle m'a été infidèle que je lui ai caché ma face, que je l'ai livrée aux mains de ses ennemis et que tous sont tombés par l'épée. [24]Je les ai traités comme le méritaient leurs souillures et leurs transgressions, et je leur ai caché ma face. [25]C'est pourquoi, ainsi parle le Seigneur Yahvé : Maintenant, je vais ramener les captifs de Jacob, je vais prendre en pitié toute la maison d'Israël, et je me montrerai jaloux de mon saint nom.

[26]Ils oublieront leur déshonneur et toutes les infidélités qu'ils ont commises envers moi, quand ils habitaient dans leur pays en sécurité, sans que personne les inquiète. [27]Quand je les ramènerai d'entre les peuples et que je les rassemblerai des pays de leurs ennemis, quand je manifesterai ma sainteté en eux aux yeux des nations nombreuses, [28]ils sauront que je suis Yahvé leur Dieu – quand je les aurai emmenés captifs parmi les nations et que je les réunirai sur leur sol, sans laisser aucun d'eux là-bas. [29]Et je ne leur cacherai plus ma face, car je répandrai mon Esprit sur la maison d'Israël, oracle du Seigneur Yahvé.

4. La « Torah » d'Ézéchiel

Le Temple futur.

40 [1]La vingt-cinquième année de notre captivité, au commencement de l'année, le dix du mois, quatorze ans après que la ville eut été prise, en ce jour même, la main de Yahvé fut sur moi. Il m'emmena là-bas : [2]par des visions divines, il m'emmena au pays d'Israël et me déposa sur une très haute montagne, sur laquelle semblait construite une ville, au midi. [3]Il m'y amena, et voici qu'il y avait un homme dont l'aspect était comme celui de l'airain. Il avait dans la main un cordeau de lin et une canne à mesurer, et il se tenait dans le porche. [4]L'homme me dit : « Fils d'homme, regarde bien, écoute de toutes tes oreilles et fais bien attention à tout ce que je vais te montrer, car c'est pour que je te le montre que tu as été amené ici. Fais connaître à la maison d'Israël tout ce que tu vas voir. »

Le mur extérieur.

[5]Or voici que le Temple était entouré de tous côtés par un mur extérieur. L'homme tenait dans la main une canne à mesurer, de six coudées d'une coudée plus un palme. Il mesura l'épaisseur de la construction : une canne, et sa hauteur : une canne.

Le porche oriental.

[6]Il vint vers le porche qui fait face à l'orient, il en gravit les marches et mesura le seuil du porche : une canne de profondeur. [7]La loge : une canne de longueur sur une canne de largeur, le pilastre entre les loges : cinq coudées, et le seuil du porche, du côté du vestibule du porche, vers l'intérieur : une canne. [8]Il mesura le vestibule du porche, vers l'intérieur : une canne. [9]Il mesura le vestibule du porche : huit coudées ; son pilastre deux coudées ; le vestibule du porche était situé vers l'intérieur. [10]Les loges du porche oriental étaient au nombre de trois de chaque côté, toutes trois de mêmes dimensions ; les pilastres étaient de mêmes dimensions de chaque côté. [11]Il mesura la largeur de l'entrée du porche : dix coudées, et la longueur du porche : treize coudées. [12]Il y avait un parapet devant les loges, chaque parapet avait une coudée de part et d'autre et la loge avait six coudées de chaque côté. [13]Il mesura le porche depuis le fond d'une loge jusqu'au fond de l'autre, largeur : vingt-cinq coudées, les ouvertures étant en face l'une de l'autre. [14]Il mesura le vestibule : vingt coudées ; le parvis entourait le porche de tous côtés. [15]De la façade du porche, à l'entrée, jusqu'au fond du vestibule intérieur du porche : cinquante coudées. [16]Il y avait des fenêtres à treillis sur les loges et sur leurs pilastres, vers l'intérieur du porche, tout autour ; et de même pour le vestibule, il y avait des fenêtres tout autour, et sur les pilastres, des palmiers.

Le parvis extérieur.

[17]Il m'emmena vers le parvis extérieur, et voici qu'on avait aménagé des chambres et un dallage

entourant le parvis ; trente chambres sur ce dallage. ¹⁸Le dallage se trouvait de chaque côté des porches, correspondant à la profondeur des porches : c'était le dallage inférieur. ¹⁹Il mesura la largeur du parvis, depuis la façade du porche inférieur jusqu'à la façade du parvis intérieur, en dehors : cent coudées (à l'orient et au nord).

Le porche septentrional.

²⁰Quant au porche qui regarde vers le nord, sur le parvis extérieur, il en mesura la longueur et la largeur. ²¹Ses loges étaient au nombre de trois de chaque côté, ses pilastres et son vestibule étaient de mêmes dimensions que ceux du premier porche : cinquante coudées de long et vingt-cinq de large. ²²Ses fenêtres, son vestibule et ses palmiers avaient les mêmes dimensions que ceux du porche qui ouvre sur l'orient. On y montait par sept marches et son vestibule était situé vers l'intérieur. ²³Il y avait un porche au parvis intérieur, face au porche septentrional, comme pour le porche oriental. Il mesura la distance d'un porche à l'autre : cent coudées.

Le porche méridional.

²⁴Il me conduisit du côté du midi : il y avait un porche vers le midi ; il en mesura les loges, les pilastres et le vestibule : ils avaient les mêmes dimensions. ²⁵Le porche avait, ainsi que son vestibule, des fenêtres tout autour, semblables aux autres fenêtres ; il avait cinquante coudées de long et vingt-cinq de large, ²⁶et son escalier avait sept marches ; son vestibule était situé vers l'intérieur,

et il avait des palmiers, un de chaque côté, sur ses pilastres. ²⁷Il y avait un porche au parvis intérieur, vers le midi ; il mesura la distance d'un porche à l'autre, vers le midi : cent coudées.

Le parvis intérieur. Porche méridional.

²⁸Puis il m'emmena au parvis intérieur, par le porche méridional ; il mesura le porche méridional, qui avait les mêmes dimensions ; ²⁹ses loges, ses pilastres et son vestibule avaient les mêmes dimensions. Le porche avait, ainsi que son vestibule, des fenêtres tout autour ; il avait cinquante coudées de long et vingt-cinq de large ³⁰et ses vestibules, tout autour, vingt-cinq coudées de long et cinq de large. ³¹Son vestibule donnait sur le parvis extérieur. Il avait des palmiers à ses pilastres et son escalier avait huit marches.

Le porche oriental.

³²Il m'emmena, au parvis intérieur, vers l'orient et mesura le porche ; il avait les mêmes dimensions ; ³³ses loges, ses pilastres et son vestibule avaient les mêmes dimensions. Le porche avait, ainsi que son vestibule, des fenêtres tout autour ; il avait cinquante coudées de long et vingt-cinq de large. ³⁴Son vestibule donnait sur le parvis extérieur. Il y avait des palmiers à ses pilastres, de chaque côté, et son escalier avait huit marches.

Le porche septentrional.

³⁵Puis il m'emmena vers le porche septentrional et le mesura ; il avait les mêmes dimensions ; ³⁶ses loges, ses pilastres, son ves-

tibule avaient les mêmes dimensions. Le porche avait des fenêtres tout autour ; il avait cinquante coudées de long et vingt-cinq de large. ³⁷Son vestibule donnait sur le parvis extérieur. Il y avait des palmiers à ses pilastres, de chaque côté, et son escalier avait huit marches.

Annexes des porches.

³⁸Il y avait une chambre dont l'entrée était dans le vestibule du porche. C'est là qu'on lavait l'holocauste. ³⁹Et dans le vestibule du porche, il y avait, de chaque côté, deux tables pour y égorger les holocaustes, les sacrifices pour le péché et les sacrifices de réparation. ⁴⁰Du côté extérieur, pour qui montait à l'entrée du porche, vers le nord, il y avait deux tables et de l'autre côté, vers le vestibule, deux tables. ⁴¹Il y avait quatre tables d'un côté et quatre tables de l'autre côté du porche, soit huit tables sur lesquelles on immolait. ⁴²En outre, il y avait quatre tables en pierre de taille, pour les holocaustes, longues d'une coudée et demie, larges d'une coudée et demie et hautes d'une coudée, sur lesquelles on déposait les instruments avec lesquels on immolait l'holocauste et le sacrifice. ⁴³Des rigoles, d'un palme de large, étaient aménagées à l'intérieur, tout autour. C'est sur ces tables qu'on mettait la viande des offrandes.

⁴⁴Puis il m'emmena au parvis intérieur ; il y avait deux chambres dans le parvis intérieur, l'une sur le côté du porche septentrional faisant face au midi, l'autre sur le côté du porche méridional faisant face au nord. ⁴⁵Il me dit : « Cette chambre faisant face au midi est destinée aux prêtres qui assurent le service du Temple. ⁴⁶Et la chambre qui fait face au nord est destinée aux prêtres qui assurent le service de l'autel. Ce sont les fils de Sadoq, ceux, parmi les fils de Lévi, qui s'approchent de Yahvé pour le servir. »

Le parvis intérieur.

⁴⁷Il mesura le parvis, il avait cent coudées de long et cent coudées de large, il était donc carré, et l'autel était devant le Temple.

Le Temple. Le Ulam.

⁴⁸Il m'emmena au Ulam du Temple et mesura les pilastres du Ulam : cinq coudées de chaque côté, et la largeur du porche était de trois coudées de chaque côté. ⁴⁹La longueur du Ulam était de vingt coudées, et sa largeur de douze coudées. Il y avait dix marches pour y monter, et il y avait des colonnes près des pilastres, une de chaque côté.

Le Hékal.

41 ¹Il m'emmena vers le Hékal et en mesura les pilastres : six coudées de large d'un côté et six coudées de large de l'autre. ²La largeur de l'entrée était de dix coudées, et les épaulements de l'entrée étaient de cinq coudées d'un côté et de cinq coudées de l'autre. Il en mesura la longueur : quarante coudées, et la largeur, vingt coudées.

Le Debir.

³Il pénétra à l'intérieur et mesura le pilastre de l'entrée : deux coudées ; puis l'entrée : six cou-

dées, et les épaulements de l'entrée : sept coudées. ⁴Il mesura sa
longueur : vingt coudées, et sa largeur : vingt coudées du côté du
Hékal ; et il me dit : « C'est ici le
Saint des Saints. »

Les cellules latérales.

⁵Puis il mesura le mur du Temple : six coudées. La largeur du
bâtiment latéral était de quatre
coudées, tout autour du Temple.
⁶Les cellules étaient superposées,
en trois étages de trente cellules
chacun. Les cellules s'enfonçaient
dans le mur, celui du bâtiment des
cellules, tout autour, formant des
retraits ; mais il n'y avait pas de
retraits dans le mur du Temple.
⁷La largeur des cellules augmentait d'un étage à l'autre, selon
l'augmentation prise sur le mur,
d'un étage à l'autre, tout autour
du Temple.

⁸Et je vis que le Temple avait,
tout autour, un talus, d'une canne
entière à la base des cellules latérales : un soubassement de six coudées. ⁹L'épaisseur du mur extérieur des cellules latérales était de
cinq coudées. Il y avait un passage
entre les cellules du Temple ¹⁰et les
chambres, d'une largeur de vingt
coudées, tout autour du Temple.
¹¹Comme entrée des cellules latérales sur le passage, il y avait une
entrée vers le nord et une entrée
vers le midi. La largeur du passage
était de cinq coudées tout autour.

L'édifice occidental.

¹²L'édifice qui bordait la cour du
côté de l'occident était d'une largeur de soixante-dix coudées, le
mur de l'édifice avait une épaisseur
de cinq coudées, tout autour, et sa
longueur était de quatre-vingt-dix
coudées. ¹³Il mesura le Temple,
longueur : cent coudées. La cour
plus l'édifice et ses murs, longueur : cent coudées. ¹⁴Largeur de
la façade du Temple plus la cour
vers l'orient : cent coudées. ¹⁵Il mesura la longueur de l'édifice, le long
de la cour, par derrière, et sa galerie
de chaque côté : cent coudées.

Ornementation intérieure.

L'intérieur du Hékal et les vestibules du parvis, ¹⁶les seuils, les
fenêtres à treillis, les galeries sur
trois côtés, face au seuil, étaient revêtus de bois tout autour, du sol
jusqu'aux fenêtres, et les fenêtres
étaient garnies d'un treillis. ¹⁷Depuis l'entrée jusqu'à l'intérieur du
Temple, ainsi qu'au dehors, et sur
le mur tout autour, à l'intérieur et
à l'extérieur, on avait aménagé un
espace ¹⁸pour y faire des chérubins
et des palmiers, un palmier entre
deux chérubins ; chaque chérubin
avait deux faces : ¹⁹une face
d'homme vers le palmier d'un côté, et une face de lion vers le palmier de l'autre côté, sur tout le
Temple, tout autour. ²⁰Les chérubins et les palmiers étaient sculptés
sur le mur depuis le sol jusqu'au-
dessus de l'entrée. ²¹Les montants
de porte du Hékal étaient carrés.

L'autel de bois.

Devant le sanctuaire, il y avait
quelque chose comme ²²un autel
de bois de trois coudées de haut,
dont la longueur était de deux
coudées et la largeur de deux
coudées. Il avait des angles, une
base et des côtés de bois. Il me
dit : « Ceci est la table qui est
devant Yahvé. »

Les portes.

[23]Le Hékal avait une double porte, et le sanctuaire [24]une double porte. C'étaient des portes à deux vantaux mobiles : deux vantaux à une porte et deux vantaux à l'autre. [25]On avait sculpté dessus (sur les portes du Hékal), des chérubins et des palmiers comme ceux qui étaient sculptés sur les murs. Il y avait un auvent de bois sur le devant du Ulam, à l'extérieur, [26]et des fenêtres à treillis, avec des palmiers de part et d'autre, sur les côtés du Ulam, les cellules annexes du Temple et les auvents.

Dépendances du Temple.

42 [1]Il me fit sortir vers le parvis extérieur, vers le nord, et m'emmena à la chambre située en face de la cour, c'est-à-dire en face de l'édifice, vers le nord. [2]Sur la façade, elle avait une longueur de cent coudées vers le nord, et une largeur de cinquante coudées. [3]Devant les vingt coudées du parvis intérieur et en face du dallage du parvis extérieur, il y avait une galerie devant la galerie triple [4]et, devant les chambres, une allée, large de dix coudées vers l'intérieur, et longue de cent coudées ; leurs portes donnaient au nord. [5]Les chambres supérieures étaient étroites, car les galeries étaient prises dessus, plus étroites que celles du bas et du milieu de l'édifice ; [6]en effet, elles étaient divisées en trois étages, et n'avaient pas de colonnes comme le parvis. Aussi étaient-elles plus étroites que celles du bas et du milieu de l'édifice (à partir du sol). [7]L'enceinte extérieure, parallèle aux chambres, vers le parvis extérieur, en face des chambres, était longue de cinquante coudées. [8]Car la longueur des chambres du parvis extérieur était de cinquante coudées, et celles qui étaient devant la salle du Temple avaient cent coudées. [9]En dessous des chambres, il y avait une entrée venant de l'orient, donnant accès depuis le parvis extérieur.

[10]Sur la largeur de l'enceinte du parvis, vers le midi, devant la cour et devant l'édifice, il y avait des chambres. [11]Une allée passait devant elles, comme pour les chambres situées au nord ; elles avaient même longueur et même largeur, mêmes issues, même ordonnance et mêmes entrées. [12]En dessous des chambres du midi, il y avait une entrée, au départ de chaque allée, en face du mur correspondant, vers l'orient, à leur entrée. [13]Il me dit : « Les chambres du nord et les chambres du midi qui sont devant la cour, ce sont les chambres du sanctuaire, là où les prêtres qui s'approchent de Yahvé mangeront les choses très saintes. C'est là qu'on déposera les choses très saintes, l'oblation, l'offrande pour le péché et l'offrande de réparation, car c'est un lieu saint. [14]Et quand les prêtres viendront, ils ne sortiront pas du lieu saint vers le parvis extérieur, mais ils déposeront là leurs vêtements liturgiques, car ces vêtements sont saints, et ils revêtiront d'autres vêtements pour s'approcher des endroits destinés au peuple. »

Dimensions du parvis.

[15]Ayant achevé de mesurer le Temple à l'intérieur, il me fit sortir vers le porche qui regarde

l'orient, et mesura le parvis tout autour. [16]Il mesura le côté oriental avec sa canne à mesurer : cinq cents coudées, avec la canne à mesurer, tout autour. [17]Puis il mesura le côté septentrional : cinq cents coudées, avec la canne à mesurer, tout autour. [18]Ensuite il mesura le côté méridional : cinq cents coudées, avec la canne à mesurer, [19]tout autour. Et du côté occidental, il mesura cinq cents coudées avec la canne à mesurer. [20]Sur les quatre côtés, il mesura le mur d'enceinte, tout autour : longueur, cinq cents, et largeur, cinq cents, pour séparer le sacré du profane.

Retour de Yahvé.

43 [1]Il me conduisit vers le porche, le porche qui fait face à l'orient, [2]et voici que la gloire du Dieu d'Israël arrivait du côté de l'orient. Un bruit l'accompagnait, semblable à la voix des eaux abondantes, et la terre resplendissait de sa gloire. [3]Cette vision était semblable à la vision que j'avais eue lorsque j'étais venu pour la destruction de la ville, et aussi à la vision que j'avais eue sur le fleuve Kebar. Alors je tombai la face contre terre.

[4]La gloire de Yahvé arriva au Temple par le porche qui fait face à l'orient. [5]L'esprit m'enleva et me fit entrer dans le parvis intérieur, et voici que la gloire de Yahvé emplissait le Temple. [6]J'entendis quelqu'un me parler depuis le Temple, tandis que l'homme se tenait près de moi. [7]On me dit : Fils d'homme, c'est ici le lieu de mon trône, le lieu où je pose la plante de mes pieds. J'y

habiterai au milieu des Israélites, à jamais ; et la maison d'Israël, eux et leurs rois, ne souilleront plus mon saint nom par leurs prostitutions et par les cadavres de leurs rois avec leurs tombes, [8]en mettant leur seuil près de mon seuil et leurs montants près de mes montants, en établissant un mur commun entre eux et moi. Ils souillaient mon saint nom par les abominations auxquelles ils se livraient, c'est pourquoi je les ai dévorés dans ma colère. [9]Désormais ils éloigneront de moi leurs prostitutions et les cadavres de leurs rois, et j'habiterai au milieu d'eux, à jamais.

[10]Et toi, fils d'homme, décris ce Temple à la maison d'Israël, afin qu'ils rougissent de leurs abominations. (Qu'ils en mesurent le plan.) [11]Et s'ils rougissent de toute leur conduite, enseigne-leur la forme du Temple et son plan, ses issues et ses entrées, sa forme et toutes ses dispositions, toute sa forme et toutes ses lois. Mets tout cela par écrit devant leurs yeux, afin qu'ils observent sa forme et toutes ses dispositions et qu'ils les réalisent. [12]Voici la charte du Temple : au sommet de la montagne, tout le territoire qui l'entoure est un espace très saint. (Telle est la charte du Temple.)

L'autel.

[13]Voici les dimensions de l'autel en coudées d'une coudée plus un palme : la base, une coudée sur une coudée de large ; l'espace près de la rigole, tout autour, un empan ; c'est le bord de l'autel. [14]Depuis la base reposant par terre jusqu'au socle inférieur, deux coudées sur une

coudée de large ; depuis le petit socle jusqu'au grand socle, quatre coudées sur une coudée de large. [15]Le foyer avait quatre coudées, et au-dessus du foyer, il y avait quatre cornes. [16]Le foyer mesurait douze coudées de long sur douze de large, il était carré sur les quatre côtés. [17]Le socle : quatorze coudées de long sur quatorze coudées de large, il était carré. Le rebord tout autour : une demi-coudée, et la base : une coudée tout autour. Les marches étaient tournées vers l'est.

Consécration de l'autel.

[18]Il me dit : Fils d'homme, ainsi parle le Seigneur Yahvé. Voici les dispositions concernant l'autel, lorsqu'on l'aura dressé pour y sacrifier l'holocauste et pour y répandre le sang. [19]Tu donneras aux prêtres lévites – ceux de la race de Sadoq qui s'approchent de moi pour me servir, oracle du Seigneur Yahvé – un jeune taureau, en sacrifice pour le péché. [20]Tu prendras de son sang, tu en mettras sur les quatre cornes, sur les quatre angles du socle et sur le rebord tout autour. C'est ainsi que tu en ôteras le péché et feras sur lui l'expiation. [21]Puis tu prendras le taureau du sacrifice pour le péché : on le brûlera dans l'endroit retiré du Temple, hors du sanctuaire. [22]Le deuxième jour, tu offriras un bouc sans défaut en sacrifice pour le péché et on ôtera le péché de l'autel comme on avait fait avec le taureau. [23]Après avoir achevé d'ôter le péché, tu offriras un jeune taureau sans défaut et un bélier du troupeau, sans défaut. [24]Tu les présenteras devant Yahvé, et les prêtres jetteront sur eux du sel et les offriront en holocauste à Yah-

vé. [25]Pendant sept jours, tu offriras en sacrifice un bouc, en sacrifice pour le péché, chaque jour, et on offrira un taureau et un bélier du troupeau, sans défaut, [26]pendant sept jours. C'est ainsi qu'on fera l'expiation pour l'autel, qu'on le purifiera et qu'on l'inaugurera. [27]Passé cette période, le huitième jour et les jours suivants, les prêtres offriront sur l'autel vos holocaustes et vos sacrifices de communion. Et je vous serai favorable, oracle du Seigneur Yahvé.

Usage du porche oriental.

44 [1]Il me ramena vers le porche extérieur du sanctuaire, face à l'orient. Il était fermé. [2]Yahvé me dit : Ce porche sera fermé. On ne l'ouvrira pas, on n'y passera pas, car Yahvé, le Dieu d'Israël, y est passé. Aussi sera-t-il fermé. [3]Mais le prince, lui, s'y assiéra pour y prendre son repas en présence de Yahvé. C'est par le vestibule du porche qu'il entrera et c'est par là qu'il sortira.

Règles d'admission au Temple.

[4]Il m'emmena par le porche septentrional, devant le Temple. Je regardai, et voici que la gloire de Yahvé emplissait le Temple de Yahvé, alors je tombai la face contre terre. [5]Yahvé me dit : Fils d'homme, fais attention, regarde bien et écoute de toutes tes oreilles ce que je vais t'expliquer : ce sont toutes les dispositions du Temple de Yahvé et toutes ses lois. Tu feras bien attention à l'admission dans le Temple et à ceux qui sont exclus du sanctuaire. [6]Et tu diras aux rebelles de la maison d'Israël : Ainsi parle le Seigneur Yahvé. C'en est

trop de toutes vos abominations, maison d'Israël, [7]lorsque vous avez introduit des étrangers incirconcis de cœur et incirconcis de corps pour s'installer dans mon sanctuaire et pour profaner mon Temple, lorsque vous avez offert ma nourriture, la graisse et le sang, et que vous avez rompu mon alliance. Par toutes vos abominations ! [8]Au lieu d'assurer le service de mes choses saintes, vous avez chargé quelqu'un d'assurer le service dans mon sanctuaire à votre place. [9]Ainsi parle le Seigneur Yahvé : Aucun étranger incirconcis de cœur et incirconcis de corps n'entrera dans mon sanctuaire, aucun des étrangers qui sont au milieu des Israélites.

Les lévites.

[10]Quant aux lévites, qui se sont éloignés de moi au temps où Israël s'égarait loin de moi en suivant ses idoles, ils porteront le poids de leur faute. [11]Ils seront dans mon sanctuaire des serviteurs chargés de la garde des portes du Temple et faisant le service du Temple. Ce sont eux qui égorgeront l'holocauste et le sacrifice pour le peuple, eux qui se tiendront devant le peuple pour le service. [12]Parce qu'ils se sont mis à son service devant ses idoles et qu'ils ont été pour la maison d'Israël une occasion de faute, à cause de cela, je lève la main contre eux – oracle du Seigneur Yahvé – ils porteront le poids de leur faute. [13]Ils ne s'approcheront plus de moi pour exercer devant moi le sacerdoce, ni toucher à mes choses saintes ni aux choses très saintes : ils porteront le déshonneur de leurs abominations. [14]Je les chargerai d'assurer le service du Temple, je leur confierai tout son service et tout ce qui s'y fait.

Les prêtres.

[15]Quant aux prêtres lévites, fils de Sadoq, qui ont assuré le service de mon sanctuaire quand les Israélites s'égaraient loin de moi, ce sont eux qui s'approcheront de moi pour me servir, ils se tiendront devant moi pour m'offrir la graisse et le sang, oracle du Seigneur Yahvé. [16]Ce sont eux qui entreront dans mon sanctuaire et qui s'approcheront de ma table pour me servir ; ils assureront mon service. [17]Lorsqu'ils franchiront les portes du parvis intérieur, ils revêtiront des habits de lin ; ils ne porteront pas de laine quand ils serviront aux porches du parvis intérieur et au Temple. [18]Ils auront des calottes de lin sur la tête et des caleçons de lin aux reins, ils ne se ceindront de rien qui fasse transpirer. [19]Lorsqu'ils sortiront dans le parvis extérieur, du côté du peuple, ils ôteront les vêtements avec lesquels ils auront officié et les déposeront dans les chambres du Saint, et ils revêtiront d'autres vêtements pour ne pas sanctifier le peuple avec leurs vêtements. [20]Ils ne se raseront pas la tête, ni ne laisseront croître librement leur chevelure, mais ils se tailleront soigneusement les cheveux. [21]Aucun prêtre ne boira de vin le jour où il entrera dans le parvis intérieur. [22]Ils ne prendront pas pour femme une veuve, ni une femme répudiée, mais une vierge de la race d'Israël ; toutefois ils pourront prendre une veuve si c'est la veuve d'un prêtre. [23]Ils en-

seigneront à mon peuple la distinction entre le sacré et le profane et lui feront connaître la distinction entre le pur et l'impur. 24Dans les procès, ils seront juges ; ils jugeront d'après mon droit. Ils observeront dans toutes mes fêtes mes lois et mes dispositions, et ils sanctifieront mes sabbats. 25Ils n'approcheront pas d'un mort, de peur de se rendre impurs, mais ils pourront se rendre impurs pour un père, une mère, une fille, un fils, un frère ou une sœur non mariée. 26Après que l'un d'eux se sera purifié, on comptera sept jours, 27puis, le jour où il entrera dans le Saint, dans le parvis intérieur pour servir dans le Saint, il offrira son sacrifice pour le péché, oracle du Seigneur Yahvé. 28Ils auront un héritage, c'est moi qui serai leur héritage. Vous ne leur donnerez pas de patrimoine en Israël, c'est moi qui serai leur patrimoine. 29Ce sont eux qui se nourriront de l'oblation, du sacrifice pour le péché et du sacrifice de réparation. Tout ce qui est anathème en Israël sera pour eux. 30Le meilleur de toutes vos prémices et de toutes les redevances, de tout ce que vous offrirez, reviendra aux prêtres ; et le meilleur de votre pâte, vous le donnerez aux prêtres pour faire reposer la bénédiction sur votre maison. 31Les prêtres ne mangeront la chair d'aucune bête crevée ou déchirée, oiseau ou autre animal.

Partage du pays. Part de Yahvé.

45 1Lorsque vous tirerez au sort pour faire échoir le pays en héritage, vous prélèverez pour Yahvé une part sacrée du pays, de vingt-cinq mille coudées de long sur vingt mille de large. Ce territoire sera sacré dans toute son étendue. 2Sur sa superficie, il y aura pour le sanctuaire un carré de cinq cents coudées sur cinq cents, avec une marge de cinquante coudées tout autour. 3Sur sa superficie, tu mesureras également une longueur de vingt-cinq mille coudées sur une largeur de dix mille, là où sera le sanctuaire, le Saint des Saints. 4Ce sera la portion sacrée du pays appartenant aux prêtres qui font le service du sanctuaire et qui s'approchent de Yahvé pour le servir. C'est là qu'ils pourront avoir leurs maisons et qu'ils auront un territoire consacré au sanctuaire. 5Une portion de vingt-cinq mille coudées de long sur dix mille de large sera réservée aux lévites, serviteurs du Temple, en propriété, avec des villes pour y habiter. 6Vous donnerez en propriété à la ville un territoire de cinq mille coudées de large sur vingt-cinq mille de long, près de la part du sanctuaire, elle sera pour toute la maison d'Israël.

Part du prince.

7Au prince reviendra un territoire de chaque côté de la part sacrée et de la propriété de la ville, le long de la part sacrée et le long de la propriété de la ville, du côté de l'occident vers l'occident, et du côté de l'orient vers l'orient, un territoire d'une longueur égale à l'une des parts, depuis la frontière occidentale jusqu'à la frontière orientale 8du pays. Ce sera sa propriété en Israël. Ainsi mes princes n'opprimeront plus mon peuple ;

ils laisseront le pays à la maison d'Israël, à ses tribus.

⁹Ainsi parle le Seigneur Yahvé : C'en est trop, princes d'Israël ! Cessez vos violences et vos rapines, pratiquez le droit et la justice, n'accablez plus mon peuple d'exactions, oracle du Seigneur Yahvé. ¹⁰Ayez des balances justes, un boisseau juste, une mesure juste. ¹¹Que le boisseau et la mesure soient égaux, que la mesure contienne un dixième de muid, et le boisseau un dixième de muid. C'est à partir du muid que les mesures seront fixées. ¹²Le sicle sera de vingt géras. Vingt sicles, vingt-cinq sicles et quinze sicles feront une mine.

Offrandes pour le culte.

¹³Voici l'offrande que vous prélèverez : un sixième de boisseau par muid de froment et un sixième de boisseau par muid d'orge. ¹⁴La redevance d'huile : une mesure d'huile par dix mesures, c'est-à-dire par feuillette de dix mesures ou d'un muid, car dix mesures font un muid. ¹⁵On prélèvera une brebis sur un troupeau de deux cents des prairies d'Israël, pour l'oblation, l'holocauste et le sacrifice de communion. Ce sera votre expiation, oracle du Seigneur Yahvé. ¹⁶Que tout le peuple du pays soit astreint à cette redevance pour le prince d'Israël. ¹⁷Le prince se chargera des holocaustes, de l'oblation et de la libation pendant les fêtes, les néoménies, les sabbats et toutes les assemblées de la maison d'Israël. C'est lui qui pourvoira au sacrifice pour le péché, à l'oblation, à l'holocauste

et aux sacrifices de communion pour l'expiation de la maison d'Israël.

Fête de la Pâque. Ex 12 1.

¹⁸Ainsi parle le Seigneur Yahvé : Au premier mois, le premier du mois, tu prendras un jeune taureau sans défaut, pour ôter le péché du sanctuaire. ¹⁹Le prêtre prendra du sang de la victime pour le péché et le mettra sur les montants de la porte du Temple, sur les quatre angles du socle de l'autel et sur les montants des porches du parvis intérieur. ²⁰Ainsi feras-tu le sept du mois, en faveur de quiconque a péché par inadvertance ou irréflexion. C'est ainsi que vous ferez l'expiation pour le Temple. ²¹Au premier mois, le quatorzième jour du mois, ce sera pour vous la fête de la Pâque. Pendant sept jours on mangera des pains sans levain. ²²Ce jour-là, le prince offrira pour lui-même et pour tout le peuple du pays un taureau en sacrifice pour le péché. ²³Pendant les sept jours de la fête, il offrira en holocauste à Yahvé sept taureaux et sept béliers sans défaut, chacun des sept jours, et, en sacrifice pour le péché, un bouc chaque jour ; ²⁴et, en oblation, il offrira une mesure par taureau et une mesure par bélier, ainsi que de l'huile, un setier par mesure.

Fête des Tentes. Ex 23 14.

²⁵Au septième mois, le quinze du mois, à l'occasion de la fête, il fera de même pendant sept jours, offrant le sacrifice pour le péché, l'holocauste, l'oblation et l'huile.

Règlements divers.

46 ¹Ainsi parle le Seigneur Yahvé. Le porche du parvis intérieur, qui fait face à l'orient, sera fermé les six jours ouvrables, mais le jour du sabbat, on l'ouvrira, ainsi que le jour de la néoménie, ²et le prince entrera par le vestibule du porche extérieur et se tiendra debout contre les montants du porche. Alors les prêtres offriront son holocauste et son sacrifice de communion. Il se prosternera sur le seuil du porche et il sortira, et on ne refermera pas le porche jusqu'au soir. ³Le peuple du pays se prosternera à l'entrée de ce porche, les sabbats et les jours de néoménie, en face de Yahvé. ⁴L'holocauste que le prince offrira à Yahvé au jour du sabbat sera de six agneaux sans défaut et d'un bélier sans défaut, ⁵avec une oblation d'une mesure par bélier et, pour les agneaux, une offrande laissée à sa discrétion, ainsi que de l'huile, un setier par mesure. ⁶Au jour de la néoménie, ce sera un jeune taureau sans défaut, six agneaux et un bélier sans défaut. ⁷Il fera une oblation d'une mesure pour le taureau et d'une mesure pour le bélier, et, pour les agneaux, ce qu'il voudra, ainsi que de l'huile, un setier par mesure.

⁸Lorsque le prince entrera, c'est par le vestibule du porche qu'il entrera, et c'est par là qu'il sortira.

⁹Lorsque le peuple du pays viendra devant Yahvé aux assemblées, ceux qui sont entrés par le porche septentrional, pour se prosterner, sortiront par le porche méridional, et ceux qui sont en-

trés par le porche méridional sortiront par le porche septentrional. Nul ne s'en retournera par le porche par lequel il est entré : il sortira en face. ¹⁰Le prince se tiendra au milieu d'eux ; il entrera comme eux et sortira comme eux.

¹¹Aux jours de fête et d'assemblée, l'oblation sera d'une mesure par taureau, d'une mesure par bélier, pour les agneaux, à sa discrétion, et de l'huile, un setier par mesure. ¹²Lorsque le prince offrira un holocauste volontaire ou un sacrifice de communion volontaire à Yahvé, on lui ouvrira le porche qui fait face à l'orient, et il offrira son holocauste et son sacrifice de communion comme il le fait au jour du sabbat, puis il sortira et on fermera le porche dès qu'il sera sorti. ¹³Il offrira chaque jour en holocauste à Yahvé un agneau d'un an, sans défaut : il l'offrira chaque matin. ¹⁴Il offrira aussi, chaque matin, en oblation, un sixième de mesure et de l'huile, un tiers de setier, pour pétrir la farine. C'est l'oblation à Yahvé, décret perpétuel, fixé pour toujours. ¹⁵On offrira l'agneau, l'oblation et l'huile, chaque matin, à perpétuité.

¹⁶Ainsi parle le Seigneur Yahvé. Si le prince fait à l'un de ses fils un don sur son héritage, ce don appartiendra à ses fils, ce sera leur propriété héréditaire. ¹⁷Mais s'il fait un don sur son héritage à l'un de ses serviteurs, il appartiendra à celui-ci jusqu'à l'année de son affranchissement, puis il reviendra au prince. C'est à ses fils seulement que restera son héritage. ¹⁸Le prince ne prendra rien sur l'héritage du peuple, le dépouil-

lant de ce qui lui appartient ; c'est avec ce qui lui appartient à lui qu'il constituera l'héritage de ses fils, afin que nul de mon peuple ne soit privé de ce qui lui appartient. ¹⁹Il m'emmena, par l'entrée qui est à côté du porche, aux chambres du Saint réservées aux prêtres, face au nord. Et voici qu'il y avait là un espace, au fond, vers l'occident. ²⁰Il me dit : « Voici l'endroit où les prêtres feront cuire les victimes des sacrifices pour le péché et des sacrifices de réparation, où ils feront cuire l'oblation, sans qu'ils aient à les porter vers le parvis extérieur, au risque de sanctifier le peuple. » ²¹Puis il m'emmena au parvis extérieur et me fit passer près des quatre angles du parvis ; il y avait une cour à chaque angle du parvis, ²²soit, aux quatre angles du parvis, quatre petites cours longues de quarante coudées, larges de trente, ayant toutes les quatre les mêmes dimensions. ²³Un mur les entourait toutes les quatre, et des foyers étaient construits en bas du mur, tout autour. ²⁴Il me dit : « Ce sont les fours où les serviteurs du Temple feront cuire les sacrifices du peuple. »

La source du Temple.

47 ¹Il me ramena à l'entrée du Temple, et voici que de l'eau sortait de dessous le seuil du Temple, vers l'orient, car le Temple était tourné vers l'orient. L'eau descendait de dessous le côté droit du Temple, au sud de l'autel. ²Il me fit sortir par le porche septentrional et me fit faire le tour extérieur, jusqu'au porche extérieur qui regarde l'orient, et voici que l'eau coulait du côté droit. ³L'homme s'éloigna vers l'orient, avec le cordeau qu'il avait en main, et mesura mille coudées ; alors il me fit traverser le cours d'eau : j'avais de l'eau jusqu'aux chevilles. ⁴Il en mesura encore mille et me fit traverser le cours d'eau : j'avais de l'eau jusqu'aux genoux. Il en mesura encore mille et me fit traverser le cours d'eau : j'avais de l'eau jusqu'aux reins. ⁵Il en mesura encore mille, et c'était un torrent que je ne pus traverser, car l'eau avait grossi devenir une eau profonde, un fleuve infranchissable. ⁶Alors il me dit : « As-tu vu, fils d'homme ? » Il me conduisit puis me ramena au bord du torrent. ⁷Et lorsque je revins, voici qu'au bord du torrent il y avait une quantité d'arbres de chaque côté. ⁸Il me dit : « Cette eau s'en va vers le district oriental, elle descend dans la Araba et se dirige vers la mer ; elle se déverse dans la mer en sorte que ses eaux deviennent saines. ⁹Partout où passera le torrent, tout être vivant qui y fourmille vivra. Le poisson sera très abondant, car là où cette eau pénètre, elle assainit, et la vie se développe partout où va le torrent. ¹⁰Sur le rivage, il y aura des pêcheurs. Depuis En-Gaddi jusqu'à En-Églayim des filets seront tendus. Les poissons seront de même espèce que les poissons de la Grande Mer, et très nombreux. ¹¹Mais ses marais et ses lagunes ne seront pas assainis, ils seront abandonnés au sel. ¹²Au bord du torrent, sur chacune de ses rives, croîtront toutes sortes d'arbres fruitiers dont le feuillage ne se flétrira pas et dont les fruits ne cesseront pas : ils produiront chaque mois des fruits nouveaux, car cette eau vient du sanctuaire. Les fruits seront une nourriture et les feuilles un remède. »

Limites du pays.

¹³Ainsi parle le Seigneur Yahvé. Voici le territoire que vous partagerez entre les douze tribus d'Israël, en donnant à Joseph deux parts. ¹⁴Vous aurez tous équitablement votre part, car j'ai juré à vos pères de la leur donner et ce pays doit vous échoir en héritage. ¹⁵Voici la frontière du pays. Du côté du nord, depuis la Grande Mer : la route de Hètlôn jusqu'à l'Entrée de Hamat, Çedad, ¹⁶Bérota, Sibrayim qui est entre le territoire de Damas et celui de Hamat, Haçer-ha-Tikôn vers le territoire du Haurân ; ¹⁷la frontière s'étendra depuis la mer jusqu'à Haçar-Énân, ayant au nord le territoire de Damas et le territoire de Hamat. C'est la limite septentrionale. ¹⁸Du côté de l'est, entre le Haurân et Damas, entre Galaad et le pays d'Israël, le Jourdain servira de frontière jusqu'à la mer orientale vers Tamar. C'est la limite orientale. ¹⁹Du côté du midi, vers le sud, depuis Tamar jusqu'aux eaux de Meriba de Qadesh, vers le Torrent jusqu'à la Grande Mer. C'est la limite méridionale. ²⁰Et du côté de l'ouest : la Grande Mer servira de frontière jusqu'en face de l'Entrée de Hamat. C'est la limite occidentale. ²¹Vous partagerez ce pays entre vous, entre les tribus d'Israël. ²²Vous vous le partagerez en héritage, pour vous et pour les étran-

gers qui séjournent au milieu de vous et qui ont engendré des enfants parmi vous, car vous les traiterez comme le citoyen israélite. Avec vous ils tireront au sort l'héritage, au milieu des tribus d'Israël. ²³Dans la tribu où il habite, c'est là que vous donnerez à l'étranger son héritage, oracle du Seigneur Yahvé.

Partage du pays.

48 ¹Voici les noms des tribus. À l'extrême nord, dans la direction de Hètlôn, vers l'Entrée de Hamat et Haçar-Énân, le territoire de Damas étant au nord, le long de Hamat, depuis la limite orientale jusqu'à la limite occidentale : Dan, un lot. ²Sur la frontière de Dan, depuis la limite orientale jusqu'à la limite occidentale : Asher, un lot. ³Sur la frontière d'Asher, depuis la limite orientale jusqu'à la limite occidentale : Nephtali, un lot. ⁴Sur la frontière de Nephtali, depuis la limite orientale jusqu'à la limite occidentale : Manassé, un lot. ⁵Sur la frontière de Manassé, depuis la limite orientale jusqu'à la limite occidentale : Éphraïm, un lot. ⁶Sur la frontière d'Éphraïm, depuis la limite orientale jusqu'à la limite occidentale : Ruben, un lot. ⁷Sur la frontière de Ruben, depuis la limite orientale jusqu'à la limite occidentale : Juda, un lot. ⁸Sur la frontière de Juda, depuis la limite orientale jusqu'à la limite occidentale, il y aura la part que vous réserverez, large de vingt-cinq mille coudées et aussi longue que chacune des autres parts, depuis la limite orientale jusqu'à la limite occidentale. Le sanctuaire sera au milieu.

⁹La part que vous y prélèverez

pour Yahvé sera longue de vingt-cinq mille coudées et large de dix mille. [10]C'est à ceux-ci, aux prêtres, qu'appartiendra la part sacrée : au nord, vingt-cinq mille coudées et à l'ouest une largeur de dix mille coudées, à l'est une largeur de dix mille coudées et au sud une longueur de vingt-cinq mille coudées ; le sanctuaire de Yahvé sera au milieu. [11]Cela sera pour les prêtres consacrés, pour ceux des fils de Sadoq qui ont assuré mon service, qui ne se sont pas égarés dans l'égarement des Israélites, comme se sont égarés les lévites. [12]Ainsi leur appartiendra une part prise sur la part très sainte du pays, près du territoire des lévites. [13]Quant aux lévites, leur territoire, tout comme le territoire des prêtres, aura vingt-cinq mille coudées de long et dix mille de large – longueur totale vingt-cinq mille et largeur dix mille. [14]Ils n'en pourront rien vendre ni échanger et le fonds de la terre ne pourra être aliéné, car il est consacré à Yahvé. [15]Quant aux cinq mille coudées qui restent, en largeur, sur vingt-cinq mille, on en fera un territoire banal pour la ville, pour les habitations et les pâturages. Au milieu, il y aura la ville. [16]Voici ses dimensions : du côté du nord, quatre mille cinq cents coudées ; du côté du sud, quatre mille cinq cents coudées ; du côté de l'est, quatre mille cinq cents coudées ; du côté de l'ouest, quatre mille cinq cents coudées. [17]Le pâturage de la ville aura vers le nord deux cent cinquante coudées, vers le sud deux cent cinquante, vers l'est deux cent cinquante et vers l'ouest deux cent cinquante. [18]Il restera, le long de la part consa-crée, une longueur de dix mille coudées vers l'orient et de dix mille vers l'occident, le long de la part consacrée : cela formera un revenu pour nourrir les travailleurs de la ville. [19]Et les travailleurs de la ville, pris dans toutes les tribus d'Is-raël, la cultiveront. [20]Au total, la part aura vingt-cinq mille coudées sur vingt-cinq mille. Vous prélève-rez un carré sur la part sacrée pour constituer la ville. [21]Et ce qui res-tera sera pour le prince, de part et d'autre de la part sacrée et de la propriété de la ville, le long des vingt-cinq mille coudées à l'est, jusqu'à la frontière orientale, et à l'ouest, le long des vingt-cinq mil-le coudées, jusqu'à la frontière oc-cidentale – pour le prince, parallè-lement aux autres parts. Et au milieu, il y aura la part sacrée et le sanctuaire du Temple. [22]Ainsi, de-puis la propriété des lévites et la propriété de la ville, qui sont au mi-lieu de ce qui revient au prince, en-tre le territoire de Juda et le terri-toire de Benjamin, ce sera au prince.

[23]Et voici le reste des tribus. Depuis la limite orientale jusqu'à la limite occidentale : Benjamin, un lot. [24]Sur la frontière de Ben-jamin, depuis la limite orientale jusqu'à la limite occidentale : Si-méon, un lot. [25]Sur la frontière de Siméon, depuis la limite orientale jusqu'à la limite occidentale : Is-sachar, un lot. [26]Sur la frontière d'Issachar, depuis la limite orien-tale jusqu'à la limite occidentale : Zabulon, un lot. [27]Sur la frontière de Zabulon, depuis la limite orien-tale jusqu'à la limite occidentale : Gad, un lot. [28]Et sur la frontière de Gad, du côté méridional, au

midi, la frontière ira de Tamar aux eaux de Meriba de Qadesh, le torrent, jusqu'à la Grande Mer. [29]Tel est le pays que vous ferez échoir en héritage aux tribus d'Israël, telles seront leurs parts, oracle du Seigneur Yahvé.

Les portes de Jérusalem.

[30]Et voici les sorties de la ville : du côté du nord, on mesurera quatre mille cinq cents coudées. [31]Les portes de la ville recevront les noms des tribus d'Israël. Trois portes au nord : la porte de Ruben, une ; la porte de Juda, une ; la porte de Lévi, une. [32]Du côté de l'orient, il y aura quatre mille cinq cents coudées et trois portes : la porte de Joseph, une ; la porte de Benjamin, une ; la porte de Dan, une. [33]Du côté du midi, on mesurera quatre mille cinq cents coudées et il y aura trois portes : la porte de Siméon, une ; la porte d'Issachar, une ; la porte de Zabulon, une. [34]Du côté de l'occident, il y aura quatre mille cinq cents coudées et trois portes : la porte de Gad, une ; la porte d'Asher, une ; la porte de Nephtali, une. [35]Périmètre total : dix-huit mille coudées.

Et le nom de la ville sera désormais : « Yahvé-est-là. »

Daniel

Voir l'introduction, p. 1241.

*Les enfants hébreux
à la cour de Nabuchodonosor*

1 ¹En l'an III du règne de Joiaqim, roi de Juda, Nabuchodonosor, roi de Babylone, s'en vint à Jérusalem et l'investit. ²Le Seigneur livra entre ses mains Joiaqim, roi de Juda, ainsi qu'une partie des objets du Temple de Dieu. Il les emmena au pays de Shinéar et déposa les objets dans le trésor de ses dieux.

³Le roi dit à Ashpenaz, chef de ses eunuques, de prendre d'entre les gens d'Israël quelques enfants de race royale ou de grande famille : ⁴ils devaient être sans tare, de belle apparence, instruits en toute sagesse, savants en science et subtils en savoir, aptes à se tenir à la cour du roi ; Ashpenaz leur enseignerait les lettres et la langue des Chaldéens. ⁵Le roi leur assignait une portion journalière des mets du roi et du vin de sa table. Ils seraient éduqués pendant trois ans ; après quoi, ils auraient à se tenir devant le roi. ⁶Parmi eux se trouvaient Daniel, Ananias, Misaël et Azarias, qui étaient des Judéens. ⁷Le chef des eunuques leur imposa des noms : Daniel s'appellerait Baltassar, Ananias Shadrak, Misaël Meshak, et Azarias Abed Nego. ⁸Daniel, ayant à cœur de ne pas se souiller en prenant part aux mets du roi et au vin de sa table, supplia le chef des eunuques de lui épargner cette souillure. ⁹Dieu accorda à Daniel de trouver auprès du chef des eunuques grâce et miséricorde. ¹⁰Mais le chef des eunuques dit à Daniel : « Je redoute Monseigneur le roi ; il vous a assigné chère et boisson et, s'il vous voit le visage émacié plus que les enfants de votre âge, c'est moi qui, à cause de vous, serai coupable aux yeux du roi. » ¹¹Daniel dit alors au garde que le chef des eunuques avait assigné à Daniel, Ananias, Misaël et Azarias : ¹²« Je t'en prie, mets tes serviteurs à l'épreuve pendant dix jours : qu'on nous donne des légumes à manger et de l'eau à boire. ¹³Tu verras notre mine et la mine des enfants qui mangent des mets du roi, et tu feras de tes serviteurs selon ce que tu auras vu. » ¹⁴Il consentit à ce qu'ils lui demandaient et les mit à l'épreuve pendant dix jours. ¹⁵Au bout de dix jours, ils avaient bonne mine et ils avaient grossi plus que tous les enfants qui mangeaient des mets du roi. ¹⁶Dès lors, le garde supprima leurs mets et la portion de vin qu'ils avaient à boire et leur donna des légumes. ¹⁷À ces quatre enfants Dieu donna savoir

et instruction en matière de lettres et en sagesse. Daniel, lui, possédait le discernement des visions et des songes. [18]Au terme fixé par le roi pour qu'on les lui amenât, le chef des eunuques les conduisit devant Nabuchodonosor. [19]Le roi s'entretint avec eux, et dans le nombre il ne s'en trouva pas tels que Daniel, Ananias, Misaël et Azarias. Ils se tinrent donc devant le roi [20]et, sur quelque point de sagesse ou de prudence qu'il les interrogeât, le roi les trouvait dix fois supérieurs à tous les magiciens et devins de son royaume tout entier. [21]Daniel demeura là jusqu'en l'an un du roi Cyrus.

Le songe de Nabuchodonosor : la statue composite

Le roi interroge ses devins. 7.

2 [1]En l'an II du règne de Nabuchodonosor, Nabuchodonosor eut des songes, son esprit en fut troublé, le sommeil le quitta. [2]Le roi ordonna d'appeler magiciens et devins, enchanteurs et chaldéens pour dire au roi quels avaient été ses songes. Ils vinrent donc et se tinrent devant le roi. [3]Le roi leur dit : « J'ai fait un songe et mon esprit s'est troublé du désir de comprendre ce rêve. » [4]Les chaldéens répondirent au roi : (Araméen)

« Ô roi, vis à jamais ! Raconte le songe à tes serviteurs et nous t'en découvrirons l'interprétation. » [5]Le roi répondit et dit aux chaldéens : « Que mon propos vous soit connu : si vous ne me faites pas connaître le songe et son interprétation, on vous mettra en pièces et vos maisons seront changées en bourbier. [6]Mais si vous me découvrez mon songe et son interprétation, vous recevrez de moi présents et cadeaux et grands honneurs. Ainsi donc découvrez-moi mon songe et son interpréta-

tion. » [7]Ils reprirent : « Que le roi dise le songe à ses serviteurs et nous lui en découvrirons l'interprétation. » [8]Mais le roi répondit : « Je vois bien que vous voulez gagner du temps, sachant que mon propos est proclamé. [9]Si vous ne me faites pas connaître mon songe, une même sentence vous sera appliquée ; vous vous êtes entendus pour forger des discours mensongers et pervers devant moi pendant que le temps passe. Aussi, rapportez-moi mon songe et je saurai que vous pouvez m'en découvrir le sens. » [10]Les chaldéens répondirent au roi : « Il n'est personne sur terre pour découvrir la chose du roi. Et aussi bien, il n'est roi, gouverneur ou chef pour poser pareille question à magicien, devin ou chaldéen. [11]La question que pose le roi est difficile et nul ne peut la découvrir devant le roi, sinon les dieux dont la demeure n'est point parmi les êtres de chair. » [12]Alors le roi s'emporta furieusement et ordonna de faire périr tous les sages de Babylone. [13]Quand le décret de tuer les sages fut promulgué, on chercha Daniel et ses compagnons pour les tuer.

Intervention de Daniel.

[14]Mais Daniel s'adressa en paroles prudentes et avisées à Aryok, chef des bourreaux du roi, en route pour tuer les sages de Babylone. [15]Il dit à Aryok, officier du roi : « Pourquoi le roi a-t-il rendu si pressant décret ? » Aryok raconta la chose à Daniel, [16]et Daniel s'en alla demander au roi de lui accorder un délai pour lui permettre de découvrir au roi son interprétation. [17]Daniel rentra dans sa maison et fit part de la chose à Ananias, Misaël et Azarias, ses compagnons, [18]les engageant à implorer la miséricorde du Dieu du Ciel au sujet de ce mystère, pour qu'il soit épargné à Daniel et à ses compagnons de périr avec les autres sages de Babylone. [19]Alors le mystère fut révélé à Daniel dans une vision nocturne. Et Daniel fit bénédiction au Dieu du Ciel. [20]Daniel prit la parole et dit :

« Que soit le Nom de Dieu
    béni de siècle en siècle,
car à lui la sagesse et la force.
[21]C'est lui qui fait alterner périodes et temps,
    qui fait tomber les rois, qui établit les rois,
    qui donne aux sages la sagesse
    et la science à ceux qui savent discerner.
[22]Lui qui révèle profondeurs et secrets,
    connaît ce qui est dans les ténèbres,
    et la lumière réside auprès de lui.
[23]À toi, Dieu de mes pères, je rends grâces et je te loue

de m'avoir accordé sagesse et force :
voici que tu m'as fait connaître ce que nous t'avons demandé ;
les choses du roi, tu nous les as fait connaître. »

[24]Daniel s'en fut donc chez Aryok que le roi avait chargé de faire périr les sages de Babylone. Il entra et lui dit : « Ne fais pas périr les sages de Babylone. Fais-moi pénétrer devant le roi et je révélerai au roi l'interprétation. » [25]Aryok s'empressa de faire paraître Daniel devant le roi et lui dit : « J'ai trouvé parmi les gens de la déportation de Juda un homme qui fera connaître au roi son interprétation. » [26]Le roi dit à Daniel (surnommé Baltassar) : « Es-tu capable de me faire connaître le songe que j'ai eu et son interprétation ? » [27]Daniel répondit devant le roi : « Le mystère que poursuit le roi, sages, devins, magiciens et exorcistes n'ont pu le découvrir au roi ; [28]mais il y a un Dieu dans le ciel, qui révèle les mystères et qui a fait connaître au roi Nabuchodonosor ce qui doit arriver à la fin des jours. Ton songe et les visions de ta tête sur ta couche, les voici :

[29]« Ô roi, sur ta couche, tes pensées s'élevèrent concernant ce qui doit arriver plus tard, et le révélateur des mystères t'a fait connaître ce qui doit arriver. [30]À moi, sans que j'aie plus de sagesse que quiconque, ce mystère a été révélé, à seule fin de faire savoir au roi son sens, et pour que tu connaisses les pensées de ton cœur.

[31]« Tu as eu, ô roi, une vision. Voici : une statue, une grande

statue, extrêmement brillante, se dressait devant toi, terrible à voir. [32]Cette statue, sa tête était d'or fin, sa poitrine et ses bras étaient d'argent, son ventre et ses cuisses de bronze, [33]ses jambes de fer, ses pieds partie fer et partie argile. [34]Tu regardais : soudain une pierre se détacha, sans que main l'eût touchée, et vint frapper la statue, ses pieds de fer et d'argile, et les brisa. [35]Alors se brisèrent, tout à la fois, fer et argile, bronze, argent et or, devenus semblables à la bale sur l'aire en été ; le vent les emporta sans laisser de traces. Et la pierre qui avait frappé la statue devint une grande montagne qui remplit toute la terre. [36]Tel fut le songe ; et son interprétation, nous la dirons devant le roi. [37]C'est toi, ô roi, roi des rois, à qui le Dieu du Ciel a donné royaume, pouvoir, puissance et honneur – [38]les enfants des hommes, les bêtes des champs, les oiseaux du ciel, en quelque lieu qu'ils demeurent, il les a remis entre tes mains et t'a fait souverain sur eux tous –, la tête d'or, c'est toi. [39]Et après toi se dressera un autre royaume, inférieur à toi, et un troisième royaume ensuite, de bronze, qui dominera la terre entière. [40]Et il y aura un quatrième royaume, dur comme le fer, comme le fer qui réduit tout en poudre et écrase tout ; comme le fer qui brise, il réduira en poudre et brisera tous ceux-là. [41]Ces pieds que tu as vus, partie terre cuite et partie fer, c'est un royaume qui sera divisé ; il aura part à la force du fer, selon que tu as vu le fer mêlé à l'argile de la terre cuite. [42]Les

pieds, partie fer et partie argile de potier : le royaume sera partie fort et partie fragile. [43]Selon que tu as vu le fer mêlé à l'argile de la terre cuite, ils se mêleront en semence d'homme, mais ils ne tiendront pas ensemble, de même que le fer ne se mêle pas à l'argile. [44]Au temps de ces rois, le Dieu du Ciel dressera un royaume qui jamais ne sera détruit, et ce royaume ne passera pas à un autre peuple. Il écrasera et anéantira tous ces royaumes, et lui-même subsistera à jamais : [45]de même, tu as vu une pierre se détacher de la montagne, sans que main l'eût touchée, et réduire en poussière fer, bronze, terre cuite, argent et or. Le Grand Dieu a fait connaître au roi ce qui doit arriver. Tel est véritablement le songe, et sûre en est l'interprétation. »

Profession de foi du roi.

[46]Alors le roi Nabuchodonosor tomba face contre terre et se prosterna devant Daniel. Il ordonna qu'on lui offrît oblation et sacrifice d'agréable odeur. [47]Et le roi dit à Daniel : « En vérité votre dieu est le Dieu des dieux et le maître des rois, le révélateur des mystères, puisque tu as pu révéler ce mystère. » [48]Alors le roi conféra à Daniel un rang élevé et lui donna nombre de magnifiques présents. Il le fit gouverneur de toute la province de Babylone et supérieur de tous les sages de Babylone. [49]Daniel demanda au roi d'assigner aux affaires de la province de Babylone Shadrak, Meshak et Abed Nego, Daniel lui-même demeurant à la cour du roi.

L'adoration de la statue d'or

Nabuchodonosor élève une statue d'or.

3 ¹Le roi Nabuchodonosor fit une statue d'or, haute de soixante coudées et large de six, qu'il dressa dans la plaine de Dura, dans la province de Babylone. ²Le roi Nabuchodonosor manda aux satrapes, magistrats, gouverneurs, conseillers, trésoriers, juges et juristes, et à toutes les autorités de la province, de s'assembler et de se rendre à la dédicace de la statue élevée par le roi Nabuchodonosor. ³Lors s'assemblèrent satrapes, magistrats, gouverneurs, conseillers, trésoriers, juges et juristes et toutes les autorités de la province pour la dédicace de la statue qu'avait élevée le roi Nabuchodonosor, et ils se tinrent devant la statue qu'avait élevée le roi Nabuchodonosor. ⁴Le héraut proclama avec force : « À vous, peuples, nations et langues, voici ce qui a été commandé : ⁵à l'instant où vous entendrez sonner trompe, pipeau, cithare, sambuque, psaltérion, cornemuse et toute espèce de musique, vous vous prosternerez et ferez adoration à la statue d'or qu'a élevée le roi Nabuchodonosor. ⁶Quant à celui qui ne se prosternera ni ne fera adoration, il sera incontinent jeté dans la fournaise de feu ardent. » ⁷Sur quoi, dès que tous les peuples eurent entendu sonner trompe, pipeau, cithare, sambuque, psaltérion, cornemuse et toute espèce de musique, se prosternèrent tous les peuples, nations et langues, faisant adoration à la statue d'or qu'avait élevée le roi Nabuchodonosor.

Dénonciation et condamnation des Juifs.

⁸Cependant certains chaldéens s'en vinrent dénoncer les Juifs. ⁹Ils dirent au roi Nabuchodonosor : « Ô roi, vis à jamais ! ¹⁰Ô roi, tu as promulgué un décret prescrivant à tout homme qui entendrait sonner trompe, pipeau, cithare, sambuque, psaltérion, cornemuse et toute espèce de musique, de se prosterner et de faire adoration à la statue d'or, ¹¹et arrêtant que ceux qui ne se prosterneraient ni ne feraient adoration seraient jetés dans la fournaise de feu ardent. ¹²Or voici des Juifs que tu as assignés aux affaires de la province de Babylone : Shadrak, Meshak et Abed Nego ; ces gens n'ont pas tenu compte de tes ordres, ô roi ; ils ne servent pas ton dieu et ils n'ont pas fait adoration à la statue d'or que tu as élevée. » ¹³Alors, frémissant de colère, Nabuchodonosor manda Shadrak, Meshak et Abed Nego. Aussitôt on amena ces gens devant le roi. ¹⁴Et Nabuchodonosor leur dit : « Est-il vrai, Shadrak, Meshak et Abed Nego, que vous ne serviez point mes dieux et ne fassiez pas adoration à la statue d'or que j'ai élevée ? ¹⁵Êtes-vous disposés, quand vous entendrez sonner trompe, pipeau, cithare, sambuque, psaltérion, cornemuse et toute espèce de musique, à vous prosterner et à faire adoration à la

statue que j'ai faite ? Si vous ne lui faites pas adoration, vous serez incontinent jetés dans la fournaise de feu ardent ; et quel est le dieu qui vous délivrerait de ma main ? » ¹⁶Shadrak, Meshak et Abed Nego répondirent au roi Nabuchodonosor : « Point n'est besoin pour nous de te donner réponse à ce sujet : ¹⁷si notre Dieu, celui que nous servons, est capable de nous délivrer de la fournaise de feu ardent, et de ta main, ô roi, il nous délivrera ; ¹⁸et s'il ne le fait pas, sache ô roi, que nous ne servirons pas ton dieu, ni n'adorerons la statue d'or que tu as élevée. » ¹⁹Alors le roi Nabuchodonosor fut rempli de colère et l'expression de son visage changea à l'égard de Shadrak, Meshak et Abed Nego. Il donna ordre de chauffer la fournaise sept fois plus que d'ordinaire ²⁰et à des hommes forts de son armée de lier Shadrak, Meshak et Abed Nego et de les jeter dans la fournaise de feu ardent. ²¹Ceux-ci furent donc liés, avec leur manteau, leurs chausses, leur chapeau, tous leurs vêtements, et jetés dans la fournaise de feu ardent. ²²L'ordre du roi était péremptoire ; la fournaise étant excessivement brûlante, les hommes qui y portèrent Shadrak, Meshak et Abed Nego furent brûlés à mort par la flamme du feu. ²³Quant aux trois hommes Shadrak, Meshak et Abed Nego, ils tombèrent tout liés dans la fournaise de feu ardent.

Cantique d'Azarias dans la fournaise. 9 3-15. Esd 9 6-15.

²⁴*Et ils marchaient au milieu de la flamme, louant Dieu et bénis-*

sant le Seigneur. ²⁵*Azarias, debout, priait ainsi, ouvrant la bouche, au milieu du feu, il dit :*
²⁶« *Béni sois-tu, Seigneur, Dieu de nos pères, et vénéré,*
  et que ton nom soit glorifié éternellement.
²⁷*Car tu es juste en toutes les choses que tu as faites pour nous*
  toutes tes œuvres sont vérité,
  toutes tes voies droites,
  tous tes jugements vérité.
²⁸*Tu as porté une sentence de vérité*
  en toutes les choses que tu as fait venir sur nous
  et sur la ville sainte de nos pères, Jérusalem.
  Car c'est dans la vérité et dans le droit que tu nous as traités
  à cause de nos péchés.
²⁹*Oui, nous avons péché et commis l'iniquité en te désertant,*
  oui, nous avons grandement péché ;
  tes commandements, nous ne les avons pas écoutés,
³⁰*nous ne les avons pas observés,*
  nous n'avons pas accompli ce qui nous était commandé pour notre bien.
³¹*Oui, tout ce que tu as fait venir sur nous,*
  tout ce que tu nous as fait,
  en jugement de vérité, tu l'as fait.
³²*Tu nous as livrés aux mains de nos ennemis,*
  gens sans loi, et les pires des impies,
  à un roi injuste, au plus mauvais qui soit sur toute la terre,
³³*et aujourd'hui nous ne pouvons ouvrir la bouche,*
  la honte et l'opprobre sont la

part de ceux qui te servent et qui t'adorent.
34*Oh ! ne nous abandonne pas pour toujours, à cause de ton nom,*

ne répudie pas ton alliance,
35*ne nous retire pas ta grâce,*

pour l'amour d'Abraham ton ami
et d'Isaac ton serviteur
et d'Israël ton saint,
36*à qui tu as promis une postérité nombreuse comme les étoiles du ciel*

et comme le sable sur le rivage de la mer.
37*Seigneur, nous voici plus petits que toutes les nations,*

nous voici humiliés par toute la terre, aujourd'hui,
à cause de nos péchés.
38*Il n'est plus, en ce temps, chef, prophète ni prince,*

holocauste, sacrifice, oblation ni encens,
lieu où te faire des offrandes
39*et trouver grâce auprès de toi.*

Mais qu'une âme brisée et un esprit humilié soient agréés de toi,
40*comme des holocaustes de béliers et de taureaux,*

comme des milliers d'agneaux gras ;
que tel soit notre sacrifice aujourd'hui devant toi,
et qu'il te plaise que pleinement nous te suivions,
car il n'est point de confusion pour ceux qui espèrent en toi.
41*Et maintenant nous mettons tout notre cœur à te suivre,*

à te craindre et à rechercher ta face.
42*Ne nous laisse pas dans la honte,*

mais agis avec nous selon ta mansuétude

et selon la grandeur de ta grâce.
43*Délivre-nous selon tes œuvres merveilleuses,*

fais qu'à ton nom, Seigneur, gloire soit rendue.
44*Qu'ils soient confondus, tous ceux qui font du mal à tes serviteurs :*

qu'ils soient couverts de honte,
privés de toute leur puissance,
et que leur force soit brisée.
45*Qu'ils sachent que tu es seul Dieu et Seigneur,*

en gloire sur toute la terre. »

46Les serviteurs du roi qui les avaient jetés dans la fournaise ne cessaient d'alimenter le feu de naphte, de poix, d'étoupe et de sarments, 47si bien que la flamme s'élevait de quarante-neuf coudées au-dessus de la fournaise. 48En s'étendant, elle brûla les Chaldéens qui se trouvaient autour de la fournaise. 49Mais l'ange du Seigneur descendit dans la fournaise auprès d'Azarias et de ses compagnons ; il repoussa audehors la flamme du feu 50et il leur souffla, au milieu de la fournaise, comme une fraîcheur de brise et de rosée, si bien que le feu ne les toucha aucunement et ne leur causa douleur ni angoisse.

Cantique des trois jeunes gens.

51Alors tous trois, d'une seule voix, se mirent à chanter, glorifiant et bénissant Dieu dans la fournaise, et disant :

52*« Béni sois-tu, Seigneur, Dieu de nos pères,*

loué sois-tu, exalté éternellement.
Béni soit ton nom de gloire et de sainteté,

loué soit-il, exalté éternellement.
⁵³*Béni sois-tu dans le temple de ta sainte gloire,*
   chanté, glorifié par-dessus tout éternellement.
⁵⁴*Béni sois-tu sur le trône de ton royaume,*
   chanté par-dessus tout, exalté éternellement.
⁵⁵*Béni sois-tu, toi qui sondes les abîmes, qui sièges sur les chérubins,*
   loué, chanté par-dessus tout éternellement.
⁵⁶*Béni sois-tu dans le firmament du ciel,*
   chanté, glorifié éternellement.

⁵⁷*Vous toutes, œuvres du Seigneur, bénissez le Seigneur :*
   chantez-le, exaltez-le éternellement !
⁵⁸*Anges du Seigneur, bénissez le Seigneur :*
   chantez-le, exaltez-le éternellement !
⁵⁹*Ô cieux, bénissez le Seigneur :*
   chantez-le, exaltez-le éternellement !
⁶⁰*Ô vous, toutes les eaux au-dessus du ciel, bénissez le Seigneur :*
   chantez-le, exaltez-le éternellement !
⁶¹*Ô vous, toutes les puissances, bénissez le Seigneur :*
   chantez-le, exaltez-le éternellement !
⁶²*Ô vous, soleil et lune, bénissez le Seigneur :*
   chantez-le, exaltez-le éternellement !
⁶³*Ô vous, astres du ciel, bénissez le Seigneur :*
   chantez-le, exaltez-le éternellement !

⁶⁴*Ô vous toutes, pluies et rosées, bénissez le Seigneur :*
   chantez-le, exaltez-le éternellement !
⁶⁵*Ô vous tous, vents, bénissez le Seigneur :*
   chantez-le, exaltez-le éternellement !
⁶⁶*Ô vous, feu et ardeur, bénissez le Seigneur :*
   chantez-le, exaltez-le éternellement !
⁶⁷*Ô vous, froidure et ardeur, bénissez le Seigneur :*
   chantez-le, exaltez-le éternellement !
⁶⁸*Ô vous, rosées et giboulées, bénissez le Seigneur :*
   chantez-le, exaltez-le éternellement !
⁶⁹*Ô vous, gel et froidure, bénissez le Seigneur :*
   chantez-le, exaltez-le éternellement !
⁷⁰*Ô vous, glaces et neiges, bénissez le Seigneur :*
   chantez-le, exaltez-le éternellement !
⁷¹*Ô vous, nuits et jours, bénissez le Seigneur :*
   chantez-le, exaltez-le éternellement !
⁷²*Ô vous, lumière et ténèbre, bénissez le Seigneur :*
   chantez-le, exaltez-le éternellement !
⁷³*Ô vous, éclairs et nuées, bénissez le Seigneur :*
   chantez-le, exaltez-le éternellement !
⁷⁴*Que la terre bénisse le Seigneur :*
   qu'elle le chante et l'exalte éternellement !
⁷⁵*Ô vous, montagnes et collines, bénissez le Seigneur :*

*chantez-le, exaltez-le éternelle-
ment !*

⁷⁶*Ô vous, toutes choses germant
sur la terre, bénissez le Seigneur :*

*chantez-le, exaltez-le éternelle-
ment !*

⁷⁷*Ô vous, sources, bénissez le Seigneur :*

*chantez-le, exaltez-le éternelle-
ment !*

⁷⁸*Ô vous, mers et rivières, bénissez le Seigneur :*

*chantez-le, exaltez-le éternelle-
ment !*

⁷⁹*Ô vous, baleines et tout ce qui
se meut dans les eaux, bénissez le
Seigneur :*

*chantez-le, exaltez-le éternelle-
ment !*

⁸⁰*Ô vous tous, oiseaux du ciel, bénissez le Seigneur :*

*chantez-le, exaltez-le éternelle-
ment !*

⁸¹*Ô vous tous, bêtes et bestiaux,
bénissez le Seigneur :*

*chantez-le, exaltez-le éternelle-
ment !*

⁸²*Ô vous, enfants des hommes, bénissez le Seigneur :*

*chantez-le, exaltez-le éternelle-
ment !*

⁸³*Ô Israël, bénis le Seigneur :*

*chantez-le, exaltez-le éternelle-
ment !*

⁸⁴*Ô vous, prêtres, bénissez le Seigneur :*

*chantez-le, exaltez-le éternelle-
ment !*

⁸⁵*Ô vous, ses serviteurs, bénissez
le Seigneur :*

*chantez-le, exaltez-le éternelle-
ment !*

⁸⁶*Ô vous, esprits et âmes des justes, bénissez le Seigneur :*

*chantez-le, exaltez-le éternelle-
ment !*

⁸⁷*Ô vous, saints et humbles de
cœur, bénissez le Seigneur :*

*chantez-le, exaltez-le éternelle-
ment !*

⁸⁸*Ananias, Azarias, Misaël, bénissez le Seigneur :*

*chantez-le, exaltez-le éternelle-
ment !*

Car il nous a délivrés des enfers,

*il nous a sauvés de la main de
la mort,*

*il nous a arrachés à la fournaise
de flamme ardente,*

*il nous a tirés du milieu de la
flamme.*

⁸⁹*Rendez grâces au Seigneur, car
il est bon,*

car son amour est éternel.

⁹⁰*Vous tous qui le craignez, bénissez le Seigneur Dieu des dieux,*

chantez-le, rendez-lui grâces,

car son amour est éternel. »

Reconnaissance du miracle.

²⁴Alors le roi Nabuchodonosor
s'émut et se leva en toute hâte.
Il interrogea ses intimes :
« N'avons-nous pas jeté ces trois
hommes tout liés dans le feu ? »
Ils répondirent : « Assurément, ô
roi. » ²⁵Il dit : « Mais je vois quatre hommes en liberté qui se promènent dans le feu sans qu'il leur
arrive de mal, et le quatrième a
l'aspect d'un fils des dieux. »
²⁶Nabuchodonosor s'approcha de
l'ouverture de la fournaise de feu
ardent et dit : « Shadrak, Meshak
et Abed Nego, serviteurs du Dieu
Très-Haut, sortez et venez ici. »
Alors du milieu du feu sortirent
Shadrak, Meshak et Abed Nego.
²⁷S'assemblèrent satrapes, magistrats, gouverneurs et intimes du
roi pour voir ces hommes : le feu
n'avait pas eu de pouvoir sur leur

corps, les cheveux de leur tête n'avaient pas été consumés, leur manteau n'avait pas été altéré, nulle odeur de feu ne s'attachait à eux. ²⁸Nabuchodonosor dit : « Béni soit le Dieu de Shadrak, Meshak et Abed Nego, qui a envoyé son ange et délivré ses serviteurs, eux qui, se confiant en lui, ont désobéi à l'ordre du roi et ont livré leur corps plutôt que de servir ou d'adorer tout autre dieu que leur Dieu. ²⁹Voici le décret que je porte : Peuples, nations et langues, que tous ceux d'entre vous qui parleraient légèrement du Dieu de Shadrak, Meshak et Abed Nego soient mis en pièces, et que leurs maisons soient changées en bourbiers, car il n'est pas d'autre dieu qui puisse délivrer de la sorte. » ³⁰Alors le roi fit prospérer Shadrak, Meshak et Abed Nego dans la province de Babylone.

Le songe prémonitoire et la folie de Nabuchodonosor

³¹Nabuchodonosor, roi, à tous les peuples, nations, et langues qui habitent sur toute la terre : Abondance de paix sur vous ! ³²Il m'a semblé bon de faire connaître les signes et merveilles qu'a faits pour moi le Dieu Très-Haut.
³³Si grands, ses signes !

Si puissantes, ses merveilles !

Son royaume est un royaume éternel !

Son empire de génération en génération !

Nabuchodonosor raconte son rêve.

4 ¹Moi, Nabuchodonosor, je me tenais sans souci dans ma maison, et florissant dans mon palais. ²J'ai eu un songe : il m'a épouvanté ; des angoisses, sur ma couche, et les visions de ma tête m'ont tourmenté. ³Je décrétai : qu'on m'amène tous les sages de Babylone pour qu'ils me fassent connaître l'interprétation du rêve. ⁴Magiciens, devins, chaldéens et exorcistes sont venus : je leur dis mon rêve, ils ne m'en donnèrent pas l'interprétation. ⁵Puis se présenta devant moi Daniel, surnommé Baltassar, selon le nom de mon dieu, et en qui réside l'esprit des dieux saints. Je lui dis mon songe :

⁶« Baltassar, chef des magiciens, je sais qu'en toi réside l'esprit des dieux saints et qu'aucun secret ne t'embarrasse : voici le songe que j'ai eu ; donne-m'en l'interprétation.

⁷« Sur ma couche, j'ai contemplé les visions de ma tête :

« Voici : un arbre
au centre de la terre,
très grand de taille.
⁸L'arbre grandit, devint puissant,
sa hauteur atteignait le ciel,
sa vue, les confins de toute la terre.
⁹Son feuillage était beau, abondant son fruit ;
en lui chacun trouvait sa nourriture,

il donnait l'ombre aux bêtes des champs,

dans ses branches nichaient les oiseaux du ciel

et toute chair se nourrissait de lui.

¹⁰Je contemplai les visions de ma tête, sur ma couche.

Voici : un Vigilant, un saint descend du ciel.

¹¹À pleine voix, il crie :

"Abattez l'arbre, brisez ses branches,

arrachez son feuillage, jetez son fruit,

que les bêtes fuient son abri

et les oiseaux ses branches.

¹²Mais que restent en terre souche et racines

dans des liens de fer et de bronze,

dans l'herbe des champs.

Qu'il soit baigné de la rosée du ciel

et que l'herbe de la terre soit sa part avec les bêtes des champs.

¹³Son cœur se détournera des hommes,

un cœur de bête lui sera donné

et sept temps passeront sur lui !

¹⁴C'est la sentence que prononcent les Vigilants,

la question tranchée par les saints,

afin que sache tout vivant

que le Très-Haut a domaine sur le royaume des hommes :

il le donne à qui lui plaît

et élève le plus bas d'entre les hommes !"

¹⁵Tel est le songe que j'ai eu, moi Nabuchodonosor, roi. Toi, Baltassar, donne-m'en l'interprétation, car aucun des sages de mon royaume n'a pu m'en faire connaître l'interprétation ; mais toi tu le peux, puisque en toi réside l'esprit des dieux saints. »

Daniel interprète le rêve.

¹⁶Alors Daniel, surnommé Baltassar, fut un instant confondu et troublé dans ses pensées. Le roi dit : « Baltassar, ne sois pas troublé par ce songe et son interprétation. » Baltassar répondit : « Monseigneur, ce songe soit pour ceux qui te haïssent, et son interprétation pour tes adversaires ! ¹⁷Cet arbre que tu as vu, grand et fort et élevé, atteignant au ciel et visible par toute la terre, ¹⁸au beau feuillage, au fruit abondant, portant nourriture pour tous, sous lequel demeurent les bêtes des champs – et dans ses branches nichent les oiseaux du ciel –, ¹⁹c'est toi, ô roi, qui es devenu grand et puissant, et ta grandeur a augmenté et a atteint jusqu'au ciel, et ton empire jusqu'aux confins de la terre.

²⁰« Quant à ce qu'a vu le roi : un Vigilant, un saint, descendu du ciel, qui disait : "Abattez l'arbre, détruisez-le, mais la souche et ses racines, laissez-les en terre, dans des liens de fer et de bronze, dans l'herbe des champs, et qu'il soit baigné de la rosée du ciel et que sa part soit avec les bêtes des champs jusqu'à ce que sept temps soient passés sur lui" – ²¹voici quelle en est l'interprétation, ô roi, et la décision du Très-Haut qui est venue sur mon Seigneur le roi :

²²« Tu seras chassé d'entre les hommes

et avec les bêtes des champs sera ta demeure,

tu te nourriras d'herbe, comme
les bœufs,
    tu seras baigné de la rosée du
ciel,
      sept temps passeront sur toi,
      jusqu'à ce que tu aies appris
    que le Très-Haut a domaine sur
le royaume des hommes
    et qu'il le donne à qui lui plaît.

²³« Et cette parole : "Laissez la
souche et les racines de l'arbre",
c'est que ton royaume sera préservé pour toi jusqu'à ce que tu aies
appris que les Cieux ont tout domaine. ²⁴C'est pourquoi, ô roi,
agrée mon conseil : romps tes péchés par les œuvres de justice, et
tes iniquités en faisant miséricorde aux pauvres, afin d'avoir longue sécurité. »

Le rêve se réalise.

²⁵Tout cela advint au roi Nabuchodonosor. ²⁶Douze mois plus
tard, se promenant sur la terrasse
du palais royal de Babylone, ²⁷le
roi disait : « N'est-ce pas là cette
grande Babylone que j'ai bâtie,
pour en faire ma résidence royale,
par la force de ma puissance et
pour la majesté de ma gloire ? »
²⁸Ces paroles étaient encore dans
sa bouche, quand une voix tomba
du ciel :

« C'est à toi qu'il est parlé, ô roi
Nabuchodonosor !
    La royauté s'est retirée de toi,
²⁹d'entre les hommes tu seras
chassé,
    avec les bêtes des champs sera
ta demeure,
    d'herbe, comme les bœufs, tu te
nourriras,
    et sept temps passeront sur toi,
    jusqu'à ce que tu aies appris

que le Très-Haut a domaine sur
le royaume des hommes
    et qu'il le donne à qui lui plaît. »

³⁰Et aussitôt, la parole s'accomplit en Nabuchodonosor : il fut
chassé d'entre les hommes ; comme les bœufs, il mangea de l'herbe, son corps fut baigné de la rosée du ciel, et ses cheveux
poussèrent comme des plumes
d'aigle et ses ongles comme des
griffes d'oiseau.
³¹« Au temps fixé, moi, Nabuchodonosor, je levai les yeux vers
le ciel : l'intelligence me revint ;
alors je bénis le Très-Haut,
    louant et glorifiant Celui qui vit
à jamais :
    son empire est un empire éter-
nel,
    son royaume, pour toutes les gé-
nérations.
³²Tous les habitants de la terre,
c'est comme s'ils ne comptaient
pas,
    selon son bon plaisir, il agit avec
l'armée du ciel
    et avec les habitants de la terre.
    Nul ne peut arrêter sa main
    ou lui dire : "Qu'as-tu fait là ?"

³³À cet instant, l'intelligence
me revint, et pour l'honneur de
ma royauté me revinrent gloire et
splendeur ; mes conseillers et mes
grands me réclamèrent, je fus rétabli dans ma royauté, et ma grandeur fut accrue. ³⁴À présent, moi,
Nabuchodonosor,
    je loue, exalte et glorifie le Roi
du Ciel,
    dont toutes les œuvres sont vé-
rité,
    toutes les voies justice,
    et qui sait abaisser ceux qui mar-
chent dans l'orgueil. »

Le festin de Balthazar

5 ¹Le roi Balthazar donna un grand festin pour ses seigneurs, qui étaient au nombre de mille, et devant ces mille il but du vin. ²Ayant goûté le vin, Balthazar ordonna d'apporter les vases d'or et d'argent que son père Nabuchodonosor avait pris au sanctuaire de Jérusalem, pour y faire boire le roi, ses seigneurs, ses concubines et ses chanteuses. ³On apporta donc les vases d'or et d'argent pris au sanctuaire du Temple de Dieu à Jérusalem, et y burent le roi et ses seigneurs, ses concubines et ses chanteuses. ⁴Ils burent du vin et firent louange aux dieux d'or et d'argent, de bronze et de fer, de bois et de pierre. ⁵Soudain apparurent des doigts de main humaine qui se mirent à écrire, derrière le lampadaire, sur le plâtre du mur du palais royal, et le roi vit la paume de la main qui écrivait. ⁶Alors le roi changea de couleur, ses pensées se troublèrent, les jointures de ses hanches se relâchèrent et ses genoux se mirent à s'entrechoquer. ⁷Il manda en criant devins, chaldéens et exorcistes. Et le roi dit aux sages de Babylone : « Quiconque lira cette écriture et m'en découvrira l'interprétation, on le vêtira de pourpre, on lui mettra une chaîne d'or autour du cou et il gouvernera en troisième dans le royaume. » ⁸Alors, accoururent tous les sages du roi ; mais ils ne purent ni lire l'écriture ni en faire connaître l'interprétation au roi. ⁹Le roi Balthazar en fut très troublé, il changea de couleur et ses seigneurs demeurèrent perplexes. ¹⁰S'en vint dans la salle du festin la reine, alertée par les paroles du roi et des seigneurs. Et la reine dit : « Ô roi, vis à jamais ! Que tes pensées ne se troublent pas et que ton éclat ne se ternisse point. ¹¹Il est un homme dans ton royaume en qui réside l'esprit des dieux saints. Du temps de ton père, il se trouva en lui lumière, intelligence et sagesse pareille à la sagesse des dieux. Le roi Nabuchodonosor, ton père, le nomma chef des magiciens, devins, chaldéens et exorcistes. ¹²Et puisqu'il s'est trouvé en ce Daniel, que le roi avait surnommé Baltassar, un esprit extraordinaire, connaissance, intelligence, art d'interpréter les songes, de résoudre les énigmes et de défaire les nœuds, fais donc mander Daniel et il te fera connaître l'interprétation. »

¹³On fit venir Daniel devant le roi, et le roi dit à Daniel : « Est-ce toi qui es Daniel, des gens de la déportation de Juda, amenés de Juda par le roi mon père ? ¹⁴J'ai entendu dire que l'esprit des dieux réside en toi et qu'il se trouve en toi lumière, intelligence et sagesse extraordinaire. ¹⁵On m'a amené les sages et les devins pour lire cette écriture et m'en faire connaître l'interprétation, mais ils sont incapables de m'en découvrir l'interprétation. ¹⁶J'ai entendu dire que tu es capable de donner des interprétations et de défaire des nœuds. Si donc tu es capable de lire cette écriture et de m'en faire connaître l'interprétation, tu seras revêtu de

pourpre et tu porteras une chaîne d'or autour du cou et tu seras en troisième dans le royaume. »

¹⁷Daniel prit la parole et dit devant le roi : « Que tes dons te soient retournés, et donne à d'autres tes cadeaux ! Pour moi, je lirai au roi cette écriture et je lui en ferai connaître l'interprétation. ¹⁸Ô roi, le Dieu Très-Haut a donné royaume, grandeur, majesté et gloire à Nabuchodonosor ton père. ¹⁹La grandeur qu'il lui avait donnée faisait trembler de crainte devant lui peuples, nations et langues : il tuait qui il voulait, laissait vivre qui il voulait, élevait qui il voulait, abaissait qui il voulait. ²⁰Mais son cœur s'étant élevé et son esprit durci jusqu'à l'arrogance, il fut rejeté du trône de sa royauté et la gloire lui fut ôtée. ²¹Il fut retranché d'entre les hommes, et par le cœur il devint semblable aux bêtes ; sa demeure fut avec les onagres ; comme les bœufs il se nourrit d'herbe ; son corps fut baigné de la rosée du ciel, jusqu'à ce qu'il eût appris que le Dieu Très-Haut a domaine sur le royaume des hommes et met à sa tête qui lui plaît. ²²Mais toi, Balthazar, son fils, tu n'as pas humilié ton cœur, bien que tu aies

su tout cela : ²³tu t'es exalté contre le Seigneur du Ciel, tu t'es fait apporter les vases de son Temple, et toi, tes seigneurs, tes concubines et tes chanteuses, vous y avez bu du vin, et avez fait louange aux dieux d'or et d'argent, de bronze et de fer, de bois et de pierre, qui ne voient, n'entendent, ni ne comprennent, et tu n'as pas glorifié le Dieu qui tient ton souffle entre ses mains et de qui relèvent toutes tes voies. ²⁴Il a donc envoyé cette main qui, toute seule, a tracé cette écriture. ²⁵L'écriture tracée, c'est : *Mené, Mené, Teqel* et *Parsîn.* ²⁶Voici l'interprétation de ces mots : *Mené :* Dieu a *mesuré* ton royaume et l'a livré ; ²⁷*Teqel :* tu as été *pesé* dans la balance et ton poids se trouve en défaut ; ²⁸*Parsîn :* ton royaume a été *divisé* et donné aux Mèdes et aux *Perses.* »

²⁹Alors Balthazar ordonna de revêtir Daniel de pourpre, de lui mettre au cou une chaîne d'or et de proclamer qu'il gouvernerait en troisième dans le royaume.

³⁰Cette nuit-là, le roi chaldéen Balthazar fut assassiné

6 ¹et Darius le Mède reçut le royaume, étant âgé déjà de soixante-deux ans.

Daniel dans la fosse aux lions

Jalousie des satrapes.

²Il plut à Darius d'établir sur son royaume cent vingt satrapes pour tout le royaume, ³sous la présidence de trois chefs – Daniel en était un – auxquels les satrapes auraient

à rendre compte. Ceci afin d'empêcher qu'un tort fût fait au roi. ⁴Ce même Daniel l'emportait si bien sur les chefs et les satrapes parce qu'il avait en lui un esprit extraordinaire, que le roi se proposait de le placer à la tête du royaume tout entier. [5]Alors les chefs et les satrapes se mirent en quête d'une affaire d'État qui pût faire du tort à Daniel ; mais ils ne purent trouver d'affaire ou de manquement tant il était fidèle, et on ne trouvait à lui reprocher ni négligence ni manquement. [6]Ces hommes se dirent donc : « Faute d'affaire au préjudice de ce Daniel, trouvons-en une contre lui à propos de la religion de son Dieu. » [7]Chefs et satrapes s'en vinrent donc en nombre auprès du roi et lui parlèrent ainsi : « Ô roi Darius, vis à jamais ! [8]Chefs du royaume, magistrats, satrapes, ministres et gouverneurs, nous sommes tous d'avis que le roi devrait rendre un édit pour donner vigueur à l'interdit suivant : tout homme qui, au cours des trente jours à venir, adressera une prière à quiconque, dieu ou homme, autre que toi, ô roi, sera jeté à la fosse aux lions. [9]Ô roi, donne à présent force de loi à cet interdit en signant cet acte, en sorte qu'on n'y change rien, selon la loi des Mèdes et des Perses, laquelle ne passe point. » [10]En raison de quoi, le roi Darius signa l'acte d'interdit.

Prière de Daniel.

[11]Apprenant que l'acte avait été signé, Daniel monta dans sa maison. Les fenêtres de sa chambre haute étaient orientées vers Jérusalem, et trois fois par jour il se mettait à genoux, priant et confessant Dieu ; c'est ainsi qu'il avait toujours fait. [12]Ces hommes s'en vinrent en nombre et trouvèrent Daniel qui suppliait et implorait Dieu. [13]Alors ils s'introduisirent auprès du roi et lui rappelèrent l'interdit royal : « N'as-tu pas signé l'interdit selon lequel tout homme qui, dans les trente jours, adresserait une prière à quiconque, dieu ou homme, autre que toi, ô roi, serait jeté dans la fosse aux lions ? » Le roi répondit : « La chose est tranchée définitivement, selon la loi des Mèdes et des Perses, laquelle ne passe point. » [14]Sur quoi, ils dirent au roi : « Daniel, cet homme d'entre les gens de la déportation de Juda, n'a cure de toi, ô roi, ni de l'interdit que tu as signé : trois fois par jour il s'acquitte de sa prière. » [15]En entendant ces mots, le roi éprouva une grande douleur et résolut de sauver Daniel. Jusqu'au coucher du soleil, il s'ingénia à lui trouver une échappatoire. [16]Mais ces hommes s'empressèrent auprès du roi en disant : « Sache, ô roi, que selon la loi des Mèdes et des Perses aucun interdit ou édit porté par le roi ne peut être révoqué. »

Daniel jeté aux lions.

[17]Alors, le roi donna ordre de faire venir Daniel et de le jeter dans la fosse aux lions. Le roi dit à Daniel : « Ton Dieu, que tu as servi avec persévérance, c'est lui qui te sauvera. » [18]On apporta une pierre qu'on posa sur l'entrée de la fosse, et le roi y apposa son sceau et celui de ses seigneurs, en sorte que rien ne pût être modifié de ce qui concernait Daniel. [19]Le roi rentra dans son palais, passa la nuit à jeûner et ne se laissa pas amener de concubines. Le sommeil le fuit [20]et dès l'aube, au petit jour, le roi se leva et se rendit en hâte à la fosse aux lions. [21]S'approchant de la fosse, il

cria à Daniel d'une voix angoissée : « Daniel, serviteur du Dieu vivant, ce Dieu que tu sers avec persévérance a-t-il pu te faire échapper aux lions ? » [22] Daniel répondit au roi : « Ô roi, vis à jamais ! [23] Mon Dieu a envoyé son ange, il a fermé la gueule des lions et ils ne m'ont pas fait de mal, parce que j'ai été trouvé innocent devant lui. Et devant toi aussi, ô roi, je suis sans faute. » [24] Le roi éprouva une grande joie et ordonna de faire sortir Daniel de la fosse. On fit sortir Daniel de la fosse et on le trouva indemne, parce qu'il avait eu foi en son Dieu. [25] Le roi manda ces hommes qui avaient calomnié Daniel et les fit jeter dans la fosse aux lions, eux, leurs enfants et leurs femmes : et avant même qu'ils eussent atteint le fond de la fosse, les lions s'étaient emparés d'eux et leur avaient broyé les os.

Profession de foi du roi.

[26] Et le roi Darius écrivit à tous peuples, nations et langues qui habitent sur toute la terre : « Abondance de paix sur vous ! [27] Voici le décret que je porte : dans tout le domaine de mon royaume, que les gens tremblent et frémissent devant le Dieu de Daniel :

il est le Dieu vivant, il perdure à jamais,

– son royaume ne sera point détruit

et son empire n'aura point de fin –

[28] il sauve et délivre, opère signes et merveilles

aux cieux et sur la terre ;

il a sauvé Daniel du pouvoir des lions. »

[29] Ce même Daniel fleurit sous le règne de Darius et sous le règne de Cyrus le Perse.

Songe de Daniel : les quatre bêtes

La vision des bêtes. 2. Ap 13.

7 [1] En l'an I de Balthazar, roi de Babylone, Daniel vit un songe et des visions de sa tête, sur sa couche. Il rédigea le rêve par écrit. Début du récit : [2] Daniel dit : J'ai contemplé des visions dans la nuit. Voici : les quatre vents du ciel soulevaient la grande mer ; [3] quatre bêtes énormes sortirent de la mer, toutes différentes entre elles. [4] La première était pareille à un lion avec des ailes d'aigle. Tandis que je la regardais, ses ailes lui furent arrachées, elle fut soulevée de terre et dressée sur ses pattes comme un homme, et un cœur d'homme lui fut donné. [5] Voici : une deuxième bête, tout autre, semblable à un ours, dressée d'un côté, trois côtes dans la gueule, entre les dents. Il lui fut dit : « Lève-toi, dévore quantité de chair. » [6] Ensuite, je regardai et voici : une autre bête pareille à un léopard, portant sur les flancs quatre ailes d'oiseau ; elle avait quatre têtes, et la domination lui fut donnée. [7] Ensuite je contemplai une vision dans les visions de la nuit. Voici : une quatrième bête, terrible, effrayante et forte extrêmement ; elle avait des dents de fer énormes : elle mangeait, broyait, et foulait aux pieds ce qui restait. Elle était différente des premières bêtes et portait dix cornes.

⁸Tandis que je considérais ses cornes, voici : parmi elles poussa une autre corne, petite ; trois des premières cornes furent arrachées de devant elle, et voici qu'à cette corne, il y avait des yeux comme des yeux d'homme, et une bouche qui disait de grandes choses !

Vision de l'Ancien et du Fils d'homme.

⁹Tandis que je contemplais :
Des trônes furent placés
et un Ancien s'assit.
Son vêtement, blanc comme la neige ;
les cheveux de sa tête, purs comme la laine.
Son trône était flammes de feu,
aux roues de feu ardent.
¹⁰Un fleuve de feu coulait,
issu de devant lui.
Mille milliers le servaient,
myriade de myriades, debout devant lui.
Le tribunal était assis,
les livres étaient ouverts.

¹¹Je regardais ; alors, à cause du bruit des grandes choses que disait la corne, tandis que je regardais, la bête fut tuée, son corps détruit et livré à la flamme de feu. ¹²Aux autres bêtes la domination fut ôtée, mais elles reçurent un délai de vie, pour un temps et une époque.

¹³Je contemplais, dans les visions de la nuit :
Voici, venant sur les nuées du ciel,
comme un Fils d'homme.
Il s'avança jusqu'à l'Ancien

et fut conduit en sa présence.
¹⁴À lui fut conféré empire,
honneur et royaume,
et tous peuples, nations et langues le servirent.
Son empire est un empire éternel
qui ne passera point,
et son royaume ne sera point détruit.

Interprétation de la vision.

¹⁵Moi, Daniel, mon esprit en fut écrasé et les visions de ma tête me troublèrent. ¹⁶Je m'approchai de l'un de ceux qui se tenaient là et lui demandai de me dire la vérité concernant tout cela. Il me répondit et me fit connaître l'interprétation de ces choses : ¹⁷« Ces bêtes énormes au nombre de quatre sont quatre rois qui se lèveront de la terre. ¹⁸Ceux qui recevront le royaume sont les saints du Très-Haut, et ils posséderont le royaume pour l'éternité, et d'éternité en éternité. » ¹⁹Puis je demandai à connaître la vérité concernant la quatrième bête, qui était différente de toutes les autres, terrible extrêmement, aux dents de fer et aux griffes de bronze, qui mangeait et broyait, et foulait aux pieds ce qui restait ; ²⁰et concernant les dix cornes qui étaient sur sa tête – et l'autre corne poussa et les trois premières tombèrent, et cette corne avait des yeux et une bouche qui disait de grandes choses, et elle avait plus grand air que les autres cornes. ²¹Je contemplais cette corne qui faisait la guerre aux saints et l'emportait sur eux, ²²jusqu'à la venue de l'Ancien qui rendit jugement en faveur des saints du Très-Haut, et le temps vint et

les saints possédèrent le royaume.
[23]Il dit :

« La quatrième bête
sera un quatrième royaume sur
la terre,
différent de tous les royaumes.
Elle mangera toute la terre,
la foulera aux pieds et l'écrasera.
[24]Et les dix cornes : de ce royaume,
dix rois se lèveront et un autre
se lèvera après eux ;
il sera différent des premiers
et abattra les trois rois ;
[25]il proférera des paroles contre le
Très-Haut
et mettra à l'épreuve les saints
du Très-Haut.
Il méditera de changer les temps
et le droit,

et les saints seront livrés entre
ses mains
pour un temps et des temps et un
demi-temps.
[26]Mais le tribunal siégera et la domination lui sera ôtée,
détruite et réduite à néant jusqu'à la fin.
[27]Et le royaume et l'empire
et les grandeurs des royaumes
sous tous les cieux
seront donnés au peuple des
saints du Très-Haut.
Son empire est un empire éternel
et tous les empires le serviront
et lui obéiront. »

[28]Ici finit le récit.
Moi, Daniel, je fus grandement
troublé dans mes pensées, ma mine changea et je gardai ces choses
dans mon cœur.

Vision de Daniel : le bélier et le bouc

La vision.

8 [1]En l'an III du règne du roi
Balthazar, une vision m'apparut, à moi Daniel, après celle
qui m'était apparue en premier.
[2]Je contemplais la vision, et tandis que je contemplais, je me trouvais à Suse, la place forte qui est
dans la province d'Élam ; et, contemplant la vision, je me trouvais
à la porte de l'Ulaï. [3]Je levai les
yeux pour voir. Voici : un bélier
se tenait devant la porte. Il avait
deux cornes ; les deux cornes
étaient hautes, mais l'une plus que
l'autre, et la plus haute qui se
dressa fut la seconde. [4]Je vis le
bélier donner de la corne vers

l'ouest, vers le nord et vers le sud.
Nulle bête ne pouvait lui résister,
rien ne pouvait lui échapper. Il
faisait ce qui lui plaisait et devint
puissant.

[5]Voici ce que je discernai : un
bouc vint de l'occident, ayant parcouru la terre entière mais sans
toucher le sol, et le bouc avait une
corne « magnifique » entre les
yeux. [6]Il s'approcha du bélier aux
deux cornes que j'avais vu se tenir devant la porte, et courut vers
lui dans l'ardeur de sa force. [7]Je
le vis atteindre et affronter le bélier : il était en rage contre lui et
frappa le bélier, lui brisant les
deux cornes, sans que le bélier eût

la force de lui résister ; il le jeta à terre et le foula aux pieds ; personne n'était là pour délivrer le bélier. [8]Le bouc devint très puissant, mais, en pleine force, la grande corne se brisa et à sa place se dressèrent quatre « magnifiques » à l'encontre des quatre vents du ciel.

[9]De l'une d'elles, de la petite, sortit une corne, mais qui grandit beaucoup dans la direction du sud et de l'orient et du Pays de Splendeur. [10]Elle grandit jusqu'aux armées du ciel, précipita à terre des armées et des étoiles et les foula aux pieds. [11]Elle s'exalta même contre le Prince de l'armée, abolit le sacrifice perpétuel et renversa le fondement de son sanctuaire [12]et l'armée ; sur le sacrifice elle posa l'iniquité et renversa à terre la vérité ; elle agit et réussit.

[13]J'entendis un saint qui parlait, et un autre saint dit à celui qui parlait : « Jusques à quand la vision : le sacrifice perpétuel, désolation de l'iniquité, sanctuaire et légion foulés aux pieds ? » [14]Il lui dit : « Encore deux mille trois cents soirs et matins, alors le sanctuaire sera revendiqué. »

L'ange Gabriel explique la vision.

[15]Moi, Daniel, contemplant cette vision, j'en cherchai l'intelligence. Voici, se tenant devant moi, quelqu'un qui avait l'aspect d'un homme. [16]J'entendis une voix d'homme, sur l'Ulaï, criant : « Gabriel, donne-lui l'intelligence de cette vision ! » [17]Il s'avança vers le lieu où je me tenais, et, comme il approchait, je fus saisi de terreur et tombai face contre terre. Il me dit : « Fils d'homme, comprends : c'est le temps de la Fin que révèle la vision. » [18]Il parlait encore que je m'évanouis, la face contre terre. Il me toucha et me releva. [19]Il dit : « Voici, je vais te faire connaître ce qui viendra à la fin de la Colère, pour la Fin assignée. [20]Le bélier que tu as vu, ses deux cornes, ce sont les rois des Mèdes et des Perses. [21]Le bouc velu est le roi de Yavân, la grande corne qui est entre ses yeux, c'est le premier roi. [22]La corne brisée et les quatre cornes qui ont poussé à sa place, sont quatre royaumes issus de sa nation mais qui n'auront pas sa force.

[23]« Et au terme de leur règne, au temps de la plénitude de leurs péchés,

se lèvera un roi au visage fier, sachant pénétrer les énigmes.

[24]Sa puissance croîtra en force,

– mais non par sa propre puissance –

il détruira des choses étonnantes, il prospérera dans ses entreprises, il détruira des puissants et le peuple des saints.

[25]Et, par son intelligence,

la trahison réussira entre ses mains.

Il s'exaltera dans son cœur

et détruira un grand nombre par surprise.

Il s'opposera au Prince des Princes,

mais – sans acte de main – il sera brisé.

[26]Elle est vraie, la vision des soirs et des matins qui a été dite,

mais, toi, garde silence sur la vision, car il doit s'écouler bien des jours. »

²⁷Alors, moi Daniel, je défaillis et je fus malade plusieurs jours. Puis je me levai, pour accomplir mon office auprès du roi, gardant silence sur la vision, et demeurant sans la comprendre.

La prophétie des soixante-dix semaines

Prière de Daniel. 3 25-45. Ba 1-2. Ne 1 5-11 ; 9.

9 ¹En l'an I de Darius, de la race des Mèdes, fils d'Artaxerxès, qui régna sur le royaume de Chaldée, ²en l'an I de son règne, moi, Daniel, je scrutai les Écritures, computant le nombre des années – tel qu'il fut révélé par Yahvé au prophète Jérémie – qui doivent s'accomplir pour les ruines de Jérusalem, à savoir soixante-dix ans. ³Je tournai ma face vers le Seigneur Dieu pour implorer un délai de prière et de supplications dans le jeûne, le sac et la poussière. ⁴Je suppliai Yahvé mon Dieu, faisant confession :

« Ah ! mon Seigneur, Dieu grand et redoutable, qui gardes l'Alliance et la grâce pour ceux qui t'aiment et observent tes commandements. ⁵Nous avons péché, nous avons commis l'iniquité, nous avons fait le mal, nous avons trahi et nous nous sommes détournés de tes commandements et décisions. ⁶Nous n'avons pas écouté tes serviteurs, les prophètes qui parlaient en ton nom à nos rois, à nos princes, à nos pères, à tout le peuple du pays. ⁷À toi, Seigneur, la justice, à nous la honte au visage, comme en ce jour, à nous, gens de Juda, habitants de Jérusalem, tout Israël, proches et lointains, dans tous les pays où tu nous as chassés

à cause des infidélités commises à ton égard. ⁸Yahvé, à nous la honte au visage, à nos rois, à nos princes, à nos pères, parce que nous avons péché contre toi. ⁹Au Seigneur notre Dieu, les miséricordes et les pardons, car nous l'avons trahi, ¹⁰et nous n'avons pas écouté la voix de Yahvé notre Dieu pour marcher selon les lois qu'il nous avait données par ses serviteurs les prophètes. ¹¹Tout Israël a transgressé ta loi, a déserté sans écouter ta voix, et se sont répandues sur nous la malédiction et l'imprécation inscrites dans la loi de Moïse, le serviteur de Dieu – car nous avons péché contre lui. ¹²Et il a mis a exécution les paroles qu'il avait dites contre nous et contre les princes qui nous gouvernaient : il ferait venir à nous calamité si grande qu'il n'en sera pas sous le ciel de plus grande qu'à Jérusalem. ¹³Ainsi qu'il est écrit dans la loi de Moïse, toute cette calamité est venue sur nous, mais nous n'avons pas rasséréné la face de Yahvé, notre Dieu, en revenant de nos iniquités, en apprenant à connaître ta vérité. ¹⁴Yahvé a veillé à la calamité, il l'a fait venir sur nous. Car juste est Yahvé notre Dieu, dans toutes les œuvres qu'il a faites, mais nous, nous n'avons pas écouté sa voix. ¹⁵Et maintenant, Seigneur notre Dieu, qui par ta main puissante as fait sortir ton peuple du pays d'Égypte, – et ton renom en perdure jusqu'à ce jour –, nous avons péché, nous avons commis le mal. [16]Seigneur, par toutes tes justices, détourne ta colère et ta fureur de Jérusalem, ta ville, ta montagne sainte, car à cause de nos péchés et des fautes de nos pères, Jérusalem et ton peuple sont en opprobre à tous ceux qui nous environnent. [17]Et maintenant, écoute, ô notre Dieu, la prière de ton serviteur et ses supplications. Que ta face illumine ton sanctuaire désolé, par toi-même, Seigneur ! [18]Prête l'oreille, mon Dieu, et écoute ! Ouvre les yeux et vois nos désolations et la ville sur laquelle on invoque ton nom ! Ce n'est pas en raison de nos œuvres justes que nous répandons devant toi nos supplications, mais en raison de tes grandes miséricordes. [19]Seigneur, écoute ! Seigneur, pardonne ! Seigneur, veille et agis ! Ne tarde point ! – par toi-même, mon Dieu ! car ton nom est invoqué sur ta ville et ton peuple. »

L'ange Gabriel explique la prophétie.

[20]Je parlais encore, proférant ma prière, confessant mes péchés et les péchés de mon peuple Israël, et répandant ma supplication devant Yahvé mon Dieu, pour la sainte montagne de mon Dieu ; [21]je parlais encore en prière, quand Gabriel, l'être que j'avais vu en vision au début, fondit sur moi en plein vol, à l'heure de l'oblation du soir. [22]Il vint, me parla et me dit : « Daniel, me voici : je suis sorti pour venir t'instruire dans l'intelligence. [23]Dès le début de ta supplication une parole a été émise et je suis venu te l'annoncer. Tu es l'homme des prédilections. Pénètre la parole, comprends la vision :

[24]« Sont assignées septante semaines

pour ton peuple et ta ville sainte

pour mettre un terme à la transgression,

pour apposer les scellés aux péchés,

pour expier l'iniquité,

pour introduire éternelle justice,

pour sceller vision et prophétie,

pour oindre le Saint des Saints. [25]Prends-en connaissance et intelligence :

Depuis l'instant que sortit cette parole

"Qu'on revienne et qu'on rebâtisse Jérusalem"

jusqu'à un Prince Messie, sept semaines

et soixante-deux semaines,

restaurés, rebâtis places et remparts,

mais dans l'angoisse des temps. [26]Et après les soixante-deux semaines,

un messie supprimé, et il n'y a pas pour lui...

la ville et le sanctuaire détruits par un prince qui viendra.

Sa fin sera dans le cataclysme

et, jusqu'à la fin, la guerre et les désastres décrétés. [27]Et il consolidera une alliance avec un grand nombre

le temps d'une semaine ;

et le temps d'une demi-semaine

il fera cesser le sacrifice et l'oblation,

et sur l'aile du Temple sera l'abomination de la désolation

jusqu'à la fin, jusqu'au terme assigné pour le désolateur. »

La grande vision

LE TEMPS DE LA COLÈRE

Vision de l'homme vêtu de lin.

10 ¹En l'an III de Cyrus, roi de Perse, une parole fut révélée à Daniel, surnommé Baltassar : parole sûre ; haute lutte. Il pénétra la parole, l'intelligence lui en fut donnée en vision.

²En ces temps-là, moi, Daniel, je faisais une pénitence de trois semaines : ³je ne mangeais point de nourriture désirable ; viande ni vin n'approchaient de ma bouche, et je ne m'oignais point, jusqu'au terme de ces trois semaines. ⁴Le vingt-quatrième jour du premier mois, étant au bord du grand fleuve, le Tigre, ⁵je levai les yeux pour regarder. Voici :

Un homme vêtu de lin, les reins ceints d'or pur,
⁶son corps avait l'apparence de la chrysolithe,
son visage, l'aspect de l'éclair,
ses yeux comme des lampes de feu,
ses bras et ses jambes comme l'éclat du bronze poli,
le son de ses paroles comme la rumeur d'une multitude.

⁷Seul, moi Daniel, je contemplais cette apparition ; les hommes qui étaient avec moi ne voyaient pas la vision, mais un grand tremblement s'abattit sur eux et ils s'enfuirent pour se cacher. ⁸Je demeurai seul, contemplant cette grande vision ; j'étais sans force, mon visage changea, défiguré, ma force m'abandonna.

Apparition de l'ange.

⁹J'entendis le son de ses paroles, et au son de ses paroles je défaillis et tombai face contre terre. ¹⁰Voici : une main me toucha, faisant frémir mes genoux et les paumes de mes mains. ¹¹Il me dit : « Daniel, homme des prédilections, comprends les paroles que je vais te dire ; lève-toi ; me voici, envoyé à toi. » Il dit ces mots et je me relevai en tremblant. ¹²Il me dit : « Ne crains point, Daniel, car du premier jour où, pour comprendre, tu as résolu de te mortifier devant ton Dieu, tes paroles ont été entendues, et c'est à cause de tes paroles que je suis venu. ¹³Le Prince du royaume de Perse m'a résisté pendant vingt et un jours, mais Michel, l'un des Premiers Princes, est venu à mon aide. Je l'ai laissé affrontant les rois de Perse, ¹⁴et je suis venu te faire comprendre ce qui adviendra à ton peuple, à la fin des jours. Car voici pour ces jours une nouvelle vision. »

¹⁵Lorsqu'il m'eut dit ces choses, je me prosternai à terre sans rien dire ; ¹⁶et voici : une semblance de fils d'homme me toucha les lèvres. J'ouvris la bouche pour parler, et je dis à celui qui se tenait devant moi : « Mon Seigneur, à cette apparition, l'angoisse revient sur moi et je n'ai plus de forces. ¹⁷Et comment le serviteur de mon Seigneur que voici, pourra-t-il parler avec mon Sei-

gneur, alors que déjà il n'est plus de force en moi et que le souffle m'abandonne ? » [18]De nouveau l'apparence humaine me toucha et me réconforta. [19]Il dit : « Ne crains point, homme des prédilections ; paix à toi, prends force et courage ! » Et tandis qu'il me parlait, je me sentais fortifié et je dis : « Que mon Seigneur parle, car tu m'as réconforté. »

L'Annonce prophétique.

[20a]Alors il dit : « Sais-tu pourquoi je suis venu à toi ? [21a]Mais je vais t'annoncer ce qui est inscrit dans le Livre de Vérité. [20b]Je dois retourner combattre le Prince de Perse : quand j'en aurai fini, voici que viendra le Prince de Yavân. [21b]Nul ne me prête mainforte pour ces choses, sinon Michel, votre Prince,

11 [1]et moi, en l'an I de Darius le Mède je me suis tenu ferme pour lui prêter main-forte et le soutenir. [2]À présent, je vais t'annoncer la vérité.

Premières guerres entre Séleucides et Lagides.

« Voici : trois rois encore se lèveront pour la Perse ; le quatrième aura plus de richesses qu'eux tous, et lorsque sa richesse l'aura rendu puissant, il se lèvera contre tous les royaumes de Yavân. [3]Un roi vaillant se lèvera et gouvernera un vaste empire et fera ce qu'il lui plaît. [4]Tandis qu'il s'élèvera, son royaume sera brisé et partagé aux quatre vents du ciel, mais non pas au profit de sa descendance ; il ne sera pas gouverné comme il l'avait gouverné, car

son royaume sera extirpé et livré à d'autres qu'elle.

[5]Le roi du Midi deviendra fort ; un de ses princes l'emportera sur lui et son empire sera plus grand que le sien. [6]Quelques années plus tard ils contracteront une alliance et la fille du roi du Midi s'en viendra auprès du roi du Nord pour exécuter les accords. Mais la force de son bras ne tiendra pas, ni sa descendance ne subsistera : elle sera livrée, elle et ceux qui l'ont amenée, et son enfant, et celui qui a eu pouvoir sur elle. En son temps, [7]un rejeton de ses racines se lèvera à sa place, qui s'en viendra vers les remparts et pénétrera dans la forteresse du roi du Nord, et il les traitera en vainqueur. [8]Leurs dieux mêmes, leurs statues et vases précieux d'argent et d'or seront le butin qu'il emportera en Égypte. Pendant quelques années il se tiendra à distance du roi du Nord. [9]Il se rendra vers le royaume du roi du Midi puis s'en retournera dans son pays. [10]Ses fils se lèveront et réuniront une multitude de forces puissantes, et il s'avancera, déferlera, passera et se lèvera de nouveau jusqu'à sa forteresse. [11]Et le roi du Midi se mettra en fureur et partira en guerre contre le roi du Nord qui ralliera une grande multitude ; mais la multitude sera livrée entre ses mains. [12]La multitude sera anéantie ; son cœur s'exaltera, il abattra des myriades, mais il n'aura point de force. [13]Le roi du Nord reviendra, ayant levé des multitudes plus nombreuses que les premières, et après des années il s'avancera avec une grande armée et un abondant équipement. [14]En ces

temps un grand nombre se dresseront contre le roi du Midi et les violents parmi ceux de ton peuple se lèveront pour accomplir la vision, mais ils trébucheront. ¹⁵Viendra le roi du Nord qui construira des retranchements pour assiéger une ville fortifiée. Les bras du Midi ne résisteront pas ; l'élite du peuple n'aura pas la force de résister. ¹⁶Celui qui s'avance contre lui le traitera selon son bon plaisir, personne ne lui résistera : il se tiendra dans le Pays de Splendeur, la destruction entre les mains. ¹⁷Il aura en tête de conquérir son royaume tout entier ; puis il fera un pacte avec lui en lui donnant une fille des femmes afin de le détruire, mais cela ne tiendra pas et ne sera pas à lui. ¹⁸Il se tournera vers les îles et en prendra un grand nombre ; mais un magistrat fera cesser son outrage sans qu'il puisse lui revaloir son outrage. ¹⁹Il tournera sa face vers les bastions de son pays, mais il trébuchera, tombera, on ne le trouvera plus. ²⁰À sa place en viendra un qui fera passer un exacteur portant atteinte à la splendeur royale : en quelques jours il sera brisé, mais non au vu de tous ou à la guerre.

Antiochus Épiphane.

²¹« À sa place se lèvera un misérable : on ne lui donnera pas les honneurs de la royauté. Il s'en viendra à son aise et s'emparera du royaume par des intrigues. ²²Les forces seront en débâcle devant lui et seront brisées – même le Prince d'une alliance. ²³Par ses complicités il agira en traître et ira en se fortifiant, bien qu'avec peu de monde. ²⁴À son aise, il envahira les grasses provinces, agissant comme n'avaient agi ni ses pères ni les pères de ses pères, dispersant parmi eux butin, profits et richesses, tendant ses stratagèmes contre les forteresses, pour un temps.

²⁵Il excitera sa force et son cœur contre le roi du Midi, avec une grande armée. Le roi du Midi se lèvera pour la guerre avec une armée très grande et très puissante, mais il ne tiendra pas, car des stratagèmes seront tendus contre lui. ²⁶Et ceux qui mangeaient de ses mets le mettront en pièces ; son armée sera débordée, et nombreux tomberont les morts.

²⁷Les deux rois, leur cœur tourné vers le mal, assis à la même table, diront des mensonges ; mais ils n'aboutiront point, car le temps fixé est encore à venir. ²⁸Il rentrera dans son pays avec de grandes richesses, le cœur contre l'Alliance sainte ; il agira, puis il rentrera dans son pays. ²⁹Le moment venu, il retournera vers le Midi, mais il n'en sera pas de la fin comme du commencement. ³⁰Les vaisseaux des Kittim viendront contre lui et il sera découragé. Il reviendra et sévira furieusement contre l'Alliance sainte, et de nouveau, il aura en considération ceux qui abandonnent l'Alliance sainte. ³¹Des forces viendront de sa part profaner le sanctuaire-citadelle, ils aboliront le sacrifice perpétuel, et y mettront l'abomination de la désolation. ³²Ceux qui transgressent l'Alliance, il les pervertira par ses paroles douces, mais les gens qui connaissent leur Dieu s'affermiront et agiront. ³³Les doctes d'entre le peuple enseigneront la multitude ; ils trébu-

cheront par l'épée et la flamme, et la captivité et la spoliation – durant des jours. [34]Qu'ils trébuchent, peu de gens leur viendront en aide ; nombreux seront ceux qui s'associeront à eux par des intrigues. [35]Parmi les doctes, certains trébucheront, en sorte que dans le nombre il y en ait qui soient purifiés, lavés et blanchis – jusqu'au temps de la Fin, car le temps fixé est encore à venir.

[36]Le roi agira selon son bon plaisir, s'enorgueillissant et s'exaltant par-dessus tous les dieux, contre le Dieu des dieux il dira des choses étonnantes et il prospérera jusqu'à ce que soit comble la colère – car ce qui est déterminé s'accomplira. [37]Sans égards pour les dieux de ses pères, sans égards pour le favori des femmes ou pour tout autre dieu, c'est lui-même qu'il exaltera au-dessus de tout. [38]À leur place il vénérera le dieu des forteresses, il vénérera un dieu que ses pères n'ont point connu, par l'or et l'argent, pierres précieuses et choses de prix. [39]Il prendra comme défenseurs des forteresses le peuple d'un dieu étranger ; à ceux qu'il reconnaîtra, il fera grands honneurs en leur donnant autorité sur la multitude, et en partageant la terre pour un rendement.

LE TEMPS DE LA FIN

Fin du persécuteur.

[40]« Au temps de la Fin, le roi du Midi s'affrontera avec lui ; le roi du Nord déferlera sur lui avec ses chars, ses cavaliers et ses nombreux navires. Il viendra dans les pays, qu'il envahira et traversera. [41]Il viendra dans le Pays de Splendeur, et il en tombera un grand nombre, mais ceux-ci échapperont de ses mains : Édom et Moab et les restes des fils d'Ammon.

[42]Il étendra sa main sur les pays : le pays d'Égypte n'y échappera point. [43]Il aura en son pouvoir les trésors d'or et d'argent et toutes les choses précieuses d'Égypte. Libyens et Kushites seront à ses pieds. [44]Mais des rumeurs viendront le troubler de l'Orient et du Nord ; il s'en ira en grande fureur détruire et exterminer une multitude. [45]Il dressera les tentes de ses quartiers entre les et les monts de la Sainte Splendeur. Il s'en ira jusqu'à son terme : pour lui aucun secours.

12 [1]« En ce temps se lèvera Michel, le grand Prince qui se tient auprès des enfants de ton peuple. Ce sera un temps d'angoisse tel qu'il n'y en aura pas eu jusqu'alors depuis que nation existe. En ce temps-là, ton peuple échappera : tous ceux qui se trouveront inscrits dans le Livre.

La Résurrection et la Rétribution.

[2]« Un grand nombre de ceux qui dorment au pays de la poussière s'éveilleront, les uns pour la vie éternelle, les autres pour l'opprobre, pour l'horreur éternelle. [3]Les doctes resplendiront comme

la splendeur du firmament, et ceux qui ont enseigné la justice à un grand nombre, comme les étoiles, pour toute l'éternité.

⁴Toi, Daniel, serre ces paroles et scelle le livre jusqu'au temps de la Fin. Beaucoup erreront de-ci de-là, et l'iniquité grandira. »

La prophétie scellée.

⁵Je regardai, moi Daniel, et voici : deux autres se tenaient debout, de part et d'autre du fleuve. ⁶L'un dit à l'homme vêtu de lin, qui était en amont du fleuve : « Jusques à quand, le temps des choses inouïes ? » ⁷J'entendis l'homme vêtu de lin, qui se tenait en amont du fleuve : il leva la main droite et la main gauche vers le ciel et attesta par l'Éternel Vivant : « Pour un temps, des temps et un demi-temps, et tou-

tes ces choses s'achèveront quand sera achevé l'écrasement de la force du Peuple saint. » ⁸J'écoutai sans comprendre. Puis je dis : « Mon Seigneur, quel sera cet achèvement ? » ⁹Il dit : « Va, Daniel ; ces paroles sont closes et scellées jusqu'au temps de la Fin. ¹⁰Beaucoup seront lavés, blanchis et purifiés ; les méchants feront le mal, les méchants ne comprendront point ; les doctes comprendront. ¹¹À compter du moment où sera aboli le sacrifice perpétuel et posée l'abomination de la désolation : mille deux cent quatre-vingt-dix jours. ¹²Heureux celui qui tiendra et qui atteindra mille trois cent trente-cinq jours. ¹³Pour toi, va à la fin, prends ton repos ; et tu te lèveras pour ta part à la fin des jours. »

Suzanne et le jugement de Daniel

13 ¹À Babylone vivait un homme du nom de Ioakim. ²Il avait épousé une femme du nom de Suzanne, fille d'Helcias ; elle était d'une grande beauté et craignait Dieu, ³car ses parents étaient des justes et avaient élevé leur fille dans la loi de Moïse. ⁴Ioakim était fort riche, un jardin était proche de sa maison, et les Juifs se rendaient chez lui en grand nombre, car on l'estimait plus que tout autre. ⁵Cette année-là, on avait choisi dans le peuple deux vieillards qu'on avait désignés comme juges. C'est eux que vise la parole du Seigneur : « L'iniquité est venue en Babylone des vieillards et

des juges qui se donnaient pour guides du peuple. » ⁶Ces gens fréquentaient la maison de Ioakim et tous ceux qui avaient quelque procès s'adressaient à eux. ⁷Lorsque tout le monde s'était retiré, vers midi, Suzanne venait se promener dans le jardin de son époux. ⁸Les deux vieillards qui la voyaient tous les jours entrer pour sa promenade se mirent à la désirer. ⁹Ils en perdirent le sens, négligeant de regarder vers le Ciel et oubliant ses justes jugements. ¹⁰Tous deux blessés de cette passion, ils se cachaient l'un à l'autre leur tourment. ¹¹Honteux d'avouer le désir qui les pressait de coucher avec elle, [12]ils n'en rusaient pas moins chaque jour pour la voir. [13]Un jour, s'étant quittés sur ces mots : « Rentrons chez nous, c'est l'heure du déjeuner », et chacun s'en étant allé de son côté, [14]chacun aussi revint sur ses pas et ils se retrouvèrent face à face. Forcés alors de s'expliquer, ils s'avouèrent leur passion et convinrent de chercher le moment où ils pourraient surprendre Suzanne seule. [15]Ils attendaient donc l'occasion favorable. Un jour, Suzanne vint, comme les jours précédents, accompagnée seulement de deux petites servantes, et, comme il faisait chaud, elle voulut se baigner au jardin. [16]Il n'y avait personne : seuls les deux vieillards, cachés, étaient aux aguets. [17]Elle dit aux servantes : « Apportez-moi de l'huile et du baume, et fermez la porte du jardin, afin que je puisse me baigner. » [18]Elles obéirent, fermèrent la porte du jardin, et rentrèrent dans la maison par une porte latérale pour y chercher ce que Suzanne avait demandé, sans rien savoir des vieillards qui se tenaient cachés.

[19]À peine les servantes étaient-elles parties, qu'ils furent debout et lui dirent, en se jetant sur elle : [20]« La porte du jardin est close, personne ne nous voit. Nous te désirons, cède et couche avec nous ! [21]Si tu refuses, nous nous porterons témoins en disant qu'un jeune homme était avec toi et que tu avais éloigné tes servantes pour cette raison. » [22]Suzanne gémit : « Me voici traquée de toutes parts : si je cède, c'est pour moi la mort, si je résiste, je ne vous échapperai pas. [23]Mais mieux vaut pour moi tomber innocente entre vos mains que de pécher à la face du Seigneur. » [24]Suzanne appela alors à grands cris. Les deux vieillards se mirent aussi à crier contre elle, [25]et l'un d'eux courut ouvrir la porte du jardin. [26]Quand les gens de la maison entendirent ces cris dans le jardin, ils s'y précipitèrent par la porte latérale pour voir ce qui arrivait, [27]et quand les vieillards eurent conté leur histoire, les serviteurs se sentirent tout confus, car jamais rien de semblable n'avait été dit de Suzanne.

[28]Le lendemain, on se rassembla chez Ioakim, son mari. Les vieillards y vinrent, iniques et ne songeant qu'à procurer sa mort. [29]Ils s'adressèrent à l'assemblée : « Qu'on fasse comparaître Suzanne, fille d'Helcias, femme de Ioakim. » On la manda : [30]elle parut donc, accompagnée de ses parents, de ses enfants et de tous ses proches. [31]Or Suzanne était très délicate et fort belle à voir. [32]Comme elle était voilée, ces misérables lui firent ôter son voile pour se rassasier de sa beauté. [33]Tous les siens pleuraient, ainsi que tous ceux qui la voyaient. [34]Les deux vieillards se levèrent au milieu de l'assemblée et lui posèrent les mains sur la tête. [35]Elle pleurait, le visage tourné vers le ciel, son cœur sûr de Dieu. [36]Les vieillards parlèrent : « Tandis que nous nous promenions seuls dans le jardin, cette femme y est entrée avec deux servantes. Elle a fermé la porte puis elle a renvoyé les servantes. [37]Un jeune homme qui était caché s'est approché d'elle et ils ont couché ensemble. [38]Nous

étions au bout du jardin et, voyant cette iniquité, nous nous sommes précipités vers eux. ³⁹Nous les avons bien vus ensemble, mais nous n'avons pu nous emparer du jeune homme : il était plus fort que nous, il a ouvert la porte et a pris la fuite. ⁴⁰Quant à elle, nous l'avons saisie et nous lui avons demandé qui c'était. ⁴¹Elle n'a pas voulu nous le dire. Voilà notre témoignage. »

L'assemblée les crut : c'étaient des anciens du peuple, des juges. Suzanne fut donc condamnée à mort. ⁴²Elle cria très haut : « Dieu éternel, toi qui connais les secrets, toi qui connais toute chose avant qu'elle n'arrive, ⁴³tu sais qu'ils ont porté sur moi un faux témoignage. Et voici que je meurs, innocente de tout ce que leur malice a forgé contre moi. »

⁴⁴Le Seigneur l'entendit ⁴⁵et, comme on l'emmenait à la mort, il suscita l'esprit saint d'un jeune enfant, Daniel, ⁴⁶qui se mit à crier : « Je suis pur du sang de cette femme ! » ⁴⁷Tout le monde se retourna vers lui et on lui demanda : « Que signifient les paroles que tu as dites ? » ⁴⁸Debout au milieu de l'assemblée, il répondit : « Vous êtes donc assez fous, enfants d'Israël, pour condamner sans enquête et sans évidence une fille d'Israël ? ⁴⁹Retournez au lieu du jugement, car ces gens ont porté contre elle un faux témoignage. »

⁵⁰Tout le monde se hâta d'y retourner et les anciens dirent à Daniel : « Viens siéger au milieu de nous et dis-nous ta pensée, puisque Dieu t'a donné la dignité de l'âge. » ⁵¹Daniel leur dit alors : « Séparez-les bien l'un de l'autre

et je les interrogerai. » ⁵²On les sépara, puis Daniel fit venir l'un d'eux et lui dit : « Tu as vieilli dans l'iniquité et voici, pour t'accabler, les fautes de ta vie passée, ⁵³porteur d'injustes jugements, qui condamnais les innocents et acquittais les coupables, alors que le Seigneur dit : "Tu ne feras pas mourir l'innocent et le juste !" ⁵⁴Allons, si tu l'as si bien vue, dis-nous sous quel arbre tu les as vus ensemble. » Il répondit : « Sous un acacia. » – ⁵⁵« En vérité, dit Daniel, ton mensonge te retombe sur la tête : déjà l'ange de Dieu a reçu de lui ta sentence et vient te fracasser par le milieu. » ⁵⁶Il le renvoya, fit venir l'autre et lui dit : « Race de Canaan, et non pas de Juda, la beauté t'a égaré, le désir a perverti ton cœur ! ⁵⁷Ainsi agissiez-vous avec les filles d'Israël, et la peur les faisait consentir à votre commerce. Mais voici qu'une fille de Juda n'a pu supporter votre iniquité ! ⁵⁸Allons, dis-moi sous quel arbre tu les as surpris ensemble. » Il répondit : « Sous un tremble. » – ⁵⁹« En vérité, dit Daniel, toi aussi, ton mensonge te retombe sur la tête : voici l'ange de Dieu qui attend, l'épée à la main, de te trancher par le milieu, pour en finir avec vous. »

⁶⁰Alors l'assemblée entière poussa de grands cris, bénissant Dieu qui sauve ceux qui espèrent en lui. ⁶¹Puis elle se retourna contre les deux vieillards que Daniel, de leur propre bouche, avait convaincus de faux témoignage. ⁶²Selon la loi de Moïse, on leur fit subir la peine qu'ils avaient voulu faire subir à leur prochain. On les mit à mort, et ce jour-là fut pré-

servé un sang innocent. ⁶³Helcias et sa femme rendirent grâce à Dieu, pour leur fille Suzanne, ainsi que Ioakim son mari et tous ses proches, de ce que rien d'indigne ne s'était trouvé en elle.

⁶⁴Et de ce jour, Daniel fut grand aux yeux du peuple.

Bel et le serpent

Daniel et les prêtres de Bel.

14 ¹Le roi Astyage rejoignit ses pères, et Cyrus de Perse lui succéda. ²Daniel vivait auprès du roi, qui l'honorait plus que tout autre de ses amis. ³Or il y avait à Babylone une idole nommée Bel à qui l'on faisait offrande tous les jours de douze artabes de fleur de farine, de quarante brebis et de six mesures de vin. ⁴Le roi vénérait l'idole et allait tous les jours l'adorer. Daniel, lui, adorait son Dieu. ⁵Aussi le roi lui dit-il : « Pourquoi n'adores-tu pas Bel ? » Il répondit : « Je n'adore point d'idoles faites de main d'homme, mais seulement le Dieu vivant qui a fait le ciel et la terre et qui a puissance sur toute chair. » ⁶Alors le roi : « Tu crois donc que Bel n'est pas un dieu vivant ? Tu ne vois donc pas tout ce qu'il mange et boit tous les jours ? » ⁷Daniel se mit à rire : « Ne t'y trompe pas dit-il, ô roi ; au-dedans c'est de l'argile, au-dehors du cuivre, et ça n'a jamais rien mangé ni bu. » ⁸Le roi se mit en colère ; il fit venir ses prêtres et leur dit : « Si vous ne me dites pas qui consomme cette nourriture, vous mourrez ; mais si vous prouvez que c'est bien Bel, Daniel mourra pour l'avoir blasphémé. » ⁹Daniel dit au roi : « Qu'il soit fait selon ta parole ! » Ces prêtres étaient au nombre de soixante-dix, sans compter les femmes et les enfants. ¹⁰Le roi se rendit donc avec Daniel au temple de Bel, ¹¹et les prêtres de Bel lui dirent : « Nous, nous allons sortir d'ici ; et toi, ô roi, tu vas faire servir le repas et offrir le vin mêlé ; fais ensuite fermer la porte et scelle-la de ton sceau ; quand tu viendras demain matin, si tu ne constates pas que tout a été mangé par Bel, la mort sera notre peine ; autrement, ce sera celle de ce calomniateur de Daniel. » ¹²Ils pensaient, dans leur impudence, à un passage secret qu'ils avaient fait faire sous la table et par où ils venaient tous les jours emporter les offrandes. ¹³Quand ils furent sortis et que le roi eut fait servir Bel, ¹⁴Daniel fit apporter de la cendre par ses serviteurs qui en couvrirent tout le sol du temple, sans autre témoin que le roi. Puis ils sortirent, fermèrent la porte, la scellèrent du sceau royal s'en allèrent. ¹⁵Les prêtres vinrent la nuit, comme d'habitude, avec leurs femmes et leurs enfants : ils mangèrent et burent tout. ¹⁶Le roi se leva très tôt ; Daniel aussi. ¹⁷Le roi lui demanda : « Daniel, les sceaux sont-ils intacts ? » – « Ils sont intacts, ô roi », répondit-il. ¹⁸À peine eut-il ouvert la porte que le roi regarda la table et s'écria : « Tu es grand, ô Bel, et en toi nulle tromperie ! » ¹⁹Daniel se mit à rire et empêcha le roi d'entrer plus avant : « Regarde donc le sol, lui dit-il, examine de qui sont ces traces de pas. » — 20« Je vois des pas d'hommes, de femmes et d'enfants », dit le roi ; 21et, furieux, il fit arrêter les prêtres avec leurs femmes et leurs enfants. Ils lui montrèrent alors la porte secrète par où ils venaient faire disparaître ce qui était sur la table. 22Le roi les fit mettre à mort et livra Bel à Daniel, qui renversa l'idole et son temple.

Daniel tue le serpent.

23Il y avait à Babylone un grand serpent qui était aussi vénéré. 24Le roi dit à Daniel : « Vas-tu dire que c'est de l'airain ? Regarde ! il vit, il mange, il boit : tu ne diras pas que ce n'est pas là un dieu vivant ; adore-le donc. » 25Daniel répondit : « C'est le Seigneur mon Dieu que j'adore ; c'est lui le Dieu vivant. Ô roi, si tu le permets, je tuerai ce serpent sans épée ni bâton. » 26Le roi le lui permit. 27Daniel prit alors de la poix, de la graisse et du crin, fit cuire le tout, en fit des boulettes, et les jeta dans la gueule du serpent qui les avala et en creva. Et Daniel dit : « Voyez ce que vous vénérez ! » 28Quand les Babyloniens l'apprirent, au comble de la rage, ils se révoltèrent contre le roi. Ils disaient : « Le roi s'est fait Juif : Bel, il l'a laissé renverser, le serpent, il l'a laissé tuer, et les prêtres, il les a fait mourir. » 29Ils allèrent donc dire au roi : « Livre-nous Daniel, sinon nous te ferons mourir, toi et ta maison. » 30Devant cette violence, le roi se vit contraint de leur livrer Daniel.

Daniel dans la fosse aux lions.

31Ils le jetèrent dans la fosse aux lions, et il y resta six jours. 32Dans la fosse, il y avait sept lions à qui on donnait tous les jours deux cadavres et deux moutons ; alors on ne leur donna rien, afin que Daniel fût bien dévoré.

33Or le prophète Habaquq était en Judée : il venait de faire une bouillie et de mettre du pain en petits morceaux dans une corbeille, et il allait aux champs porter leur repas aux moissonneurs. 34L'ange du Seigneur lui dit : « Porte le repas que tu as là à Babylone, à Daniel, dans la fosse aux lions. » — 35« Seigneur, répondit Habaquq, je n'ai jamais vu Babylone, et je ne connais pas cette fosse. » 36L'ange du Seigneur lui saisit la tête et l'emporta par les cheveux jusqu'à Babylone où il le posa sur le bord de la fosse, dans l'impétuosité de son souffle. 37Habaquq cria : « Daniel, Daniel, prends le repas que Dieu t'a envoyé. » 38Et Daniel dit : « Tu t'es souvenu de moi, ô mon Dieu, et tu n'as pas abandonné ceux qui t'aiment. » 39Il se leva et mangea, tandis que l'ange de Dieu remettait aussitôt Habaquq en son pays.

40Le septième jour, le roi vint pleurer Daniel ; il vint à la fosse et y regarda, et voici que Daniel y était assis tranquillement. 41Alors il s'écria : « Tu es grand, Seigneur, Dieu de Daniel, et il n'est d'autre Dieu que toi ! » 42Puis il fit sortir Daniel de la fosse et y fit jeter ceux qui avaient voulu le perdre, lesquels furent aussitôt dévorés devant lui.

Osée

Voir l'introduction, p. 1243.

Titre.

1 ¹Parole de Yahvé qui fut adressée à Osée, fils de Beéri, au temps d'Ozias, de Yotam, d'Achaz et d'Ézéchias, rois de Juda, et au temps de Jéroboam, fils de Joas, roi d'Israël.

1. Le mariage d'Osée et sa valeur symbolique

Mariage et enfants d'Osée.

²Commencement de ce que Yahvé a dit par Osée. Yahvé dit à Osée : « Va, prends une femme se livrant à la prostitution et des enfants de prostitution, car le pays ne fait que se prostituer en se détournant de Yahvé. »

³Il alla donc prendre Gomer, fille de Diblayim, qui conçut et lui enfanta un fils. ⁴Yahvé lui dit : « Appelle-le du nom de Yizréel, car encore un peu de temps, et je châtierai la maison de Jéhu pour le sang versé à Yizréel, et je mettrai fin à la royauté de la maison d'Israël. ⁵Il adviendra, en ce jour-là, que je briserai l'arc d'Israël dans la vallée de Yizréel. »

⁶Elle conçut encore et enfanta une fille. Yahvé lui dit : « Appelle-la du nom de Lo-Ruhamah, car désormais je n'aurai plus pitié de la maison d'Israël pour lui pardonner encore. ⁷Mais de la maison de Juda j'aurai pitié et je les sauverai par Yahvé leur Dieu. Je ne les sauverai ni par l'arc, ni par l'épée, ni par la guerre, ni par les chevaux, ni par les cavaliers. »

⁸Elle sevra Lo-Ruhamah, conçut encore et enfanta un fils. ⁹Yahvé dit : « Appelle-le du nom de Lo-Ammi, car vous n'êtes pas mon peuple, et moi je n'existe pas pour vous. »

Perspectives d'avenir.

2 ¹Le nombre des enfants d'Israël sera comme le sable de la mer, qu'on ne peut ni mesurer ni compter ;

au lieu même où on leur disait : « Vous n'êtes pas mon peuple »,

on leur dira : « Fils du Dieu vivant ».

²Les enfants de Juda et les enfants d'Israël se réuniront,

ils se donneront un chef unique et ils déborderont hors du pays ;

car il sera grand le jour de Yizréel.

³Dites à vos frères : « Mon Peuple »,

et à vos sœurs : « Celle dont on a pitié ».

Yahvé et son épouse infidèle.

⁴Intentez procès à votre mère, intentez-lui procès !
Car elle n'est pas ma femme,
et moi je ne suis pas son mari.
Qu'elle écarte de sa face ses prostitutions,
et d'entre ses seins ses adultères.
⁵Sinon je la déshabillerai toute nue
et la mettrai comme au jour de sa naissance ;
je la rendrai pareille au désert,
je la réduirai en terre aride,
je la ferai mourir de soif,
⁶et de ses enfants je n'aurai pas pitié,
car ce sont des enfants de prostitution.
⁷Oui, leur mère s'est prostituée,
celle qui les conçut s'est déshonorée ;
car elle a dit : Je veux courir après mes amants,
qui me donnent mon pain et mon eau,
ma laine et mon lin, mon huile et ma boisson.
⁸C'est pourquoi je vais obstruer son chemin avec des ronces,
je l'entourerai d'une barrière pour qu'elle ne trouve plus ses sentiers ;
⁹elle poursuivra ses amants et ne les atteindra pas,
elle les cherchera et ne les trouvera pas.
Alors elle dira : Je veux retourner vers mon premier mari,
car j'étais plus heureuse alors que maintenant.
¹⁰Elle n'a pas reconnu que c'est moi
qui lui donnais le froment, le vin nouveau et l'huile fraîche,
qui lui prodiguais cet argent et cet or
qu'ils ont employés pour Baal !
¹¹C'est pourquoi je reprendrai mon froment en son temps
et mon vin nouveau en sa saison ;
je retirerai ma laine et mon lin
qui devaient couvrir sa nudité.
¹²Puis je dévoilerai son infamie aux yeux de ses amants
et personne ne la délivrera de ma main.
¹³Je ferai cesser toutes ses réjouissances,
ses fêtes, ses néoménies, ses sabbats
et toutes ses solennités.
¹⁴Je dévasterai sa vigne et son figuier,
dont elle disait :
Ils sont le salaire que m'ont donné mes amants ;
j'en ferai un hallier
et la bête sauvage les dévorera.
¹⁵Je la châtierai pour les jours des Baals
auxquels elle brûlait de l'encens,
quand elle se parait de son anneau et de son collier
et qu'elle courait après ses amants ;
et moi, elle m'oubliait !
Oracle de Yahvé.

¹⁶C'est pourquoi je vais la séduire,
je la conduirai au désert
et je parlerai à son cœur.
¹⁷Là, je lui rendrai ses vignobles,
et je ferai du val d'Akor une porte d'espérance.
Là, elle répondra comme aux jours de sa jeunesse,
comme au jour où elle montait du pays d'Égypte.

¹⁸Il adviendra en ce jour-là – oracle de Yahvé –

que tu m'appelleras « Mon mari »,

et tu ne m'appelleras plus « Mon Baal ».

¹⁹J'écarterai de sa bouche les noms des Baals,

et ils ne seront plus mentionnés par leur nom.

²⁰Je conclurai pour eux une alliance, en ce jour-là,

avec les bêtes des champs, avec les oiseaux du ciel et les reptiles du sol ;

l'arc, l'épée, la guerre, je les briserai et les bannirai du pays,

et eux, je les ferai reposer en sécurité.

²¹Je te fiancerai à moi pour toujours ;

je te fiancerai dans la justice et dans le droit,

dans la tendresse et la miséricorde ;

²²je te fiancerai à moi dans la fidélité,

et tu connaîtras Yahvé.

²³Il adviendra, en ce jour-là,

que je répondrai – oracle de Yahvé –

je répondrai aux cieux et eux répondront à la terre ;

²⁴la terre répondra au froment, au vin nouveau et à l'huile fraîche,

et eux répondront à Yizréel.

²⁵Je la sèmerai dans le pays,

j'aurai pitié de Lo-Ruhamah,

je dirai à Lo-Ammi : « Tu es mon peuple »

et lui dira : « Mon Dieu ! »

Osée reprend l'épouse infidèle et l'éprouve. Explication du symbole.

3 ¹Yahvé me dit : « Va de nouveau, aime une femme aimée par un autre et qui commet l'adultère, comme Yahvé aime les enfants d'Israël, alors qu'ils se tournent vers d'autres dieux et qu'ils aiment les gâteaux de raisin. » ²Je l'achetai donc pour quinze sicles d'argent et un muid et demi d'orge, ³et je lui dis : « Pendant de longs jours tu me resteras là, sans te prostituer et sans appartenir à un homme, et j'agirai de même à ton égard. »

⁴Car, pendant de longs jours les enfants d'Israël resteront sans roi et sans chef, sans sacrifice et sans stèle, sans éphod et sans téraphim. ⁵Ensuite les enfants d'Israël reviendront ; ils chercheront Yahvé leur Dieu, et David leur roi ; ils accourront en tremblant vers Yahvé et vers ses biens, dans la suite des jours.

2. Crimes et châtiment d'Israël

Corruption générale.

4 ¹Écoutez la parole de Yahvé, enfants d'Israël, car Yahvé est en procès avec les habitants du pays :

il n'y a ni fidélité ni amour,

ni connaissance de Dieu dans le pays,

²mais parjure et mensonge, assassinat et vol,

adultère et violence,
et le sang versé succède au sang
versé.

³Voilà pourquoi le pays est en
deuil et tous ses habitants dépérissent,
jusqu'aux bêtes des champs et
aux oiseaux du ciel,
et même les poissons de la mer
disparaîtront.

Contre les prêtres.

⁴Pourtant que nul n'intente procès, que nul ne réprimande !
C'est avec toi, prêtre, que je suis
en procès.
⁵Tu trébucheras en plein jour,
le prophète aussi trébuchera, la
nuit, avec toi,
et je ferai périr ta mère.
⁶Mon peuple périt, faute de connaissance.
Puisque toi, tu as rejeté la connaissance,
je te rejetterai de mon sacerdoce ;
puisque tu as oublié l'enseignement de ton Dieu,
à mon tour, j'oublierai tes fils.
⁷Tous tant qu'ils sont, ils ont péché contre moi,
je changerai leur gloire en ignominie.
⁸Du péché de mon peuple, ils se
nourrissent,
de sa faute, ils sont avides.
⁹Mais il en sera du prêtre comme
du peuple ;
je lui ferai expier sa conduite,
je lui revaudrai ses œuvres.
¹⁰Ils mangeront, mais sans se rassasier,
ils se prostitueront, mais sans
s'accroître,
car ils ont abandonné Yahvé
pour se livrer ¹¹à la prostitution.

Le culte d'Israël n'est qu'idolâ-
trie et débauche.

Le vin et le moût font perdre le
sens.
¹²Mon peuple consulte son morceau de bois,
c'est son bâton qui le renseigne ;
car un esprit de prostitution les
égare,
et ils se prostituent, s'éloignant
de leur Dieu.
¹³Sur le sommet des montagnes,
ils sacrifient,
sur les collines, ils brûlent de
l'encens,
sous le chêne, le peuplier et le
térébinthe,
car leur ombrage est bon.
Voilà pourquoi, si vos filles se
prostituent,
si vos brus commettent l'adultère,
¹⁴je ne châtierai pas vos filles pour
leurs prostitutions,
ni vos brus pour leurs adultères ;
car eux-mêmes vont à l'écart
avec les prostituées,
ils sacrifient avec les hiérodules,
et le peuple, sans discernement,
va à sa perte !

Avertissement à Juda et à Israël.

¹⁵Si toi, tu te prostitues, Israël,
Que Juda ne se rende pas coupable !
N'allez pas à Gilgal,
ne montez pas à Bet-Aven,
et ne jurez pas « par la vie de
Yahvé ».
¹⁶Car telle une vache rétive,
Israël a été rétif ;
et maintenant Yahvé le ferait
paître
comme un agneau dans un vaste
pacage ?

¹⁷Éphraïm est l'allié des idoles,
laisse-le !
¹⁸Leur beuverie terminée,
  ils ne font que se prostituer ;
  leurs chefs préfèrent l'ignominie.
¹⁹Le vent les emportera de ses ailes,
  et ils auront honte de leurs sacrifices.

**Prêtres, grands et rois condui-
sent le peuple à sa perte.**

5 ¹Écoutez ceci, prêtres,
    sois attentive, maison d'Is-
raël,
  maison du roi, prête l'oreille !
  Car c'est vous que concerne le
droit,
  mais vous avez été un piège à
Miçpa,
  et un filet tendu sur le Tabor.
²Ils ont approfondi la fosse de
Shittim,
  eh bien, moi, je vais les punir
tous.
³Moi, je connais Éphraïm,
  Israël ne m'est point caché.
  Oui, tu t'es prostitué, Éphraïm,
  Israël s'est souillé.
⁴Leurs œuvres ne leur permettent
pas de revenir vers leur Dieu,
  car un esprit de prostitution est
en leur sein
  et ils ne connaissent pas Yahvé.
⁵L'orgueil d'Israël témoigne con-
tre lui ;
  Israël et Éphraïm trébuchent à
cause de leur faute,
  Juda aussi trébuche avec eux.
⁶Avec leurs brebis et leurs bœufs,
ils iront chercher Yahvé,
  mais ils ne le trouveront pas :
  il s'est retiré d'eux !
⁷Ils ont trahi Yahvé,
  ils ont engendré des bâtards ;
  maintenant la néoménie va les
dévorer, eux et leurs champs.

La guerre fratricide.

⁸Sonnez du cor à Gibéa,
  de la trompette à Rama,
  donnez l'alarme à Bet-Aven,
  on te talonne Benjamin.
⁹Éphraïm deviendra une désola-
tion, au jour du châtiment,
  sur les tribus d'Israël, j'annonce
une chose certaine.
¹⁰Les chefs de Juda sont comme
des déplaceurs de bornes ;
  sur eux je répandrai ma fureur
comme de l'eau.
¹¹Éphraïm est opprimé, écrasé par
le jugement,
  car il s'est plu à courir après le
néant.
¹²Eh bien, moi, je serai comme la
teigne pour Éphraïm,
  comme la carie pour la maison
de Juda.

**Vanité des alliances avec
l'étranger.**

¹³Éphraïm a vu sa maladie
  et Juda son ulcère ;
  Éphraïm alors est allé vers Assur,
  il a envoyé des messagers au
grand roi ;
  mais lui ne pourra vous guérir
  ni porter remède à votre ulcère.
¹⁴Car moi, je suis comme un lion
pour Éphraïm,
  comme un lionceau pour la maison de Juda ;
  moi, moi, je déchirerai et je
m'en irai,
  j'emporterai ma proie, et personne pour délivrer.
¹⁵Oui, je vais regagner ma demeu-
re,
  jusqu'à ce qu'ils s'avouent coupables et cherchent ma face ;

dans leur détresse, ils me rechercheront.

Retour éphémère à Yahvé.

6 ¹« Venez, retournons vers
Yahvé.

Il a déchiré, il nous guérira ;
il a frappé, il pansera nos plaies ;
²après deux jours il nous fera revivre,

le troisième jour il nous relèvera
et nous vivrons en sa présence.
³Connaissons, appliquons-nous à
connaître Yahvé ;

sa venue est certaine comme
l'aurore ;

il viendra pour nous comme
l'ondée,

comme la pluie de printemps qui
arrose la terre. »
⁴– Que te ferai-je, Éphraïm ?

Que te ferai-je, Juda ?

Car votre amour est comme la
nuée du matin,

comme la rosée qui tôt se dissipe.
⁵C'est pourquoi je les ai taillés en
pièces par les prophètes,

je les ai tués par les paroles de
ma bouche ;

et mon jugement surgira comme
la lumière.
⁶Car c'est l'amour qui me plaît
et non les sacrifices,

la connaissance de Dieu plutôt
que les holocaustes.

Les crimes passés et présents d'Israël.

⁷Mais eux, à Adam, ont transgressé l'alliance,

là, ils m'ont trahi.
⁸Galaad est une cité de malfaiteurs

qui porte des traces de sang.
⁹Comme des brigands en embuscade,

une bande de prêtres assassine
sur la route de Sichem ;
oui, ils commettent l'infamie !
¹⁰À Béthel j'ai vu une chose hor-
rible ;

c'est là que se prostitue
Éphraïm,

que se souille Israël.
¹¹À toi aussi, Juda, est destinée
une moisson,

quand je rétablirai mon peuple.

7 ¹Alors que je veux guérir Israël,

se dévoilent la faute d'Éphraïm
et les méchancetés de Samarie ;
car ils pratiquent le mensonge,
le voleur entre dans la maison,
une bande sévit au-dehors.
²Et ils ne disent pas en leur cœur
que je me souviens de toute leur
méchanceté !

Maintenant leurs œuvres les en-
serrent,

elles sont devant ma face.
³Par leur méchanceté ils égaient
le roi,

et par leurs mensonges, les
chefs.
⁴Tous sont adultères,

ils sont comme un four brûlant
que le boulanger cesse d'attiser
depuis qu'il a pétri la pâte jusqu'à ce qu'elle soit levée.
⁵Au jour de notre roi,

les chefs se rendent malades par
la chaleur du vin,

et lui tend la main aux moqueurs
⁶quand ils s'approchent.

Dans leur complot, leur cœur est
semblable à un four ;

toute la nuit leur colère sommeille,

au matin elle brûle comme un
feu flamboyant ;
⁷tous sont échauffés comme un
four,

ils dévorent leurs juges.
Tous leurs rois sont tombés.
Pas un d'entre eux qui crie vers moi !

Israël ruiné par l'appel à l'étranger.

⁸Éphraïm se mêle aux peuples,
Éphraïm est une galette qu'on n'a pas retournée.
⁹Des étrangers dévorent sa vigueur,
et lui ne le sait pas !
Même des cheveux blancs parsèment sa tête,
et lui ne le sait pas !
¹⁰L'orgueil d'Israël témoigne contre lui ;
et ils ne reviennent pas vers Yahvé leur Dieu,
avec tout cela, ils ne le cherchent pas !)
¹¹Éphraïm est une colombe naïve, sans cervelle ;
ils appellent l'Égypte, ils vont en Assur,
¹²où qu'ils aillent, je déploierai sur eux mon filet,
comme l'oiseau du ciel je les ferai tomber
je les punirai dès que j'entendrai leur rassemblement.

Ingratitude et châtiment d'Israël.

¹³Malheur à eux, parce qu'ils ont fui loin de moi !
Ruine sur eux, parce qu'ils m'ont été infidèles !
Et moi, je devrais les libérer,
quand eux profèrent contre moi des mensonges ?
¹⁴Ils ne crient pas vers moi du fond du cœur
quand ils se lamentent sur leurs couches ;

pour du blé et du vin nouveau, ils se lacèrent,
mais ils se rebellent contre moi.
¹⁵Et moi, j'avais dirigé, fortifié leur bras,
mais contre moi ils méditent le mal.
¹⁶Ils se tournent mais pas en haut,
ils sont comme un arc trompeur.
Leurs chefs tomberont sous l'épée
à cause de la fureur de leur langue,
et l'on se moquera bien d'eux au pays d'Égypte...

Alarme.

8 ¹Embouche la trompette !
C'est comme un aigle sur la maison de Yahvé !
Car ils ont transgressé mon alliance
et ont été infidèles à ma Loi.
²Ils ont beau me crier : « Mon Dieu, nous te connaissons, nous Israël. »
³Israël a rejeté le bien,
l'ennemi le poursuivra.

Anarchie politique et idolâtrie.

⁴Ils ont fait des rois, mais sans mon aveu,
ils ont fait des chefs, mais à mon insu.
De leur argent et de leur or ils se sont fait des idoles,
afin qu'elles soient supprimées.
⁵Rejette ton veau, Samarie !
– ma colère s'est enflammée contre eux.
Jusques à quand ne pourront-ils recouvrer l'innocence ? –
⁶Car il vient d'Israël,
c'est un artisan qui l'a fabriqué, lui,

il n'est pas Dieu, lui.

Oui, le veau de Samarie tombera en miettes.

⁷Puisqu'ils sèment le vent, ils moissonneront la tempête :

tige qui n'a pas d'épi,

qui ne donne pas de farine ;

et si elle en donne, des étrangers l'engloutiront.

Israël perdu par l'appel à l'étranger.

⁸Israël est englouti.

Maintenant ils sont parmi les nations

comme un objet dont personne ne veut ;

⁹car ils sont montés vers Assur,

onagre qui vit à l'écart ;

Éphraïm s'est acheté des amants.

¹⁰Qu'il s'en achète parmi les nations,

maintenant je vais les rassembler

et ils souffriront bientôt sous le fardeau du roi des princes.

Contre le culte purement extérieur.

¹¹Quand Éphraïm a multiplié les autels,

ils ne lui ont servi qu'à pécher.

¹²Que pour lui j'écrive les mille préceptes de ma loi,

on les tient pour une chose étrangère.

¹³Ils m'offrent en sacrifice des offrandes rôties

ils en mangent la viande,

mais Yahvé ne les agrée pas.

Maintenant, il va se souvenir de leur faute

et châtier leurs péchés :

ils retourneront, eux, en Égypte.

¹⁴Israël a oublié son auteur

et il a bâti des palais ;

Juda a multiplié les villes fortes.

Mais j'enverrai le feu dans ses villes,

et il en dévorera les citadelles.

Tristesses de l'exil.

9 ¹Ne te réjouis pas, Israël ;

ne jubile pas comme les peuples ;

car tu as abandonné ton Dieu pour la prostitution,

dont tu as aimé le salaire sur toutes les aires à blé.

²L'aire et la cuve ne les nourriront pas,

le vin nouveau les décevra.

³Ils n'habiteront pas au pays de Yahvé,

Éphraïm retournera en Égypte,

et en Assur, ils mangeront des mets impurs.

⁴Ils ne feront pas à Yahvé de libations de vin

et leurs sacrifices ne lui seront pas agréables :

ce sera pour eux comme un pain de deuil,

tous ceux qui en mangeront deviendront impurs ;

car leur pain sera pour eux-mêmes,

mais il n'entrera pas dans la Maison de Yahvé.

⁵Que ferez-vous au jour de solennité,

au jour de la fête de Yahvé ?

⁶Car voilà qu'ils sont partis devant la dévastation ;

l'Égypte les rassemblera, Memphis les ensevelira,

leurs objets précieux, l'ortie en héritera,

et l'épine envahira leurs tentes.

L'annonce du châtiment vaut la persécution au prophète.

⁷Ils sont venus, les jours du châtiment,
   ils sont venus, les jours de la rétribution,
   qu'Israël le sache !
   – « Le prophète est fou, l'inspiré délire ! »
   – À cause de la grandeur de ta faute,
   grande sera l'hostilité.
⁸Le guetteur d'Éphraïm est avec mon Dieu – c'est le prophète,
   à qui on tend un piège sur tous les chemins
   et dans la maison de son Dieu, c'est l'hostilité.
⁹Ils se sont profondément corrompus,
   comme aux jours de Gibéa :
   il se souviendra de leur faute,
   il châtiera leurs péchés.

Châtiment du crime de Baal-Péor.

¹⁰Comme des raisins dans le désert, je trouvai Israël,
   comme un fruit sur un figuier en la prime saison, je vis vos pères ;
   mais arrivés à Baal-Péor, ils se vouèrent à la Honte
   et devinrent des horreurs, comme l'objet de leur amour.
¹¹Éphraïm, comme l'oiseau s'envolera sa gloire :
   plus d'enfantement, plus de grossesse, plus de conception.
¹²Même s'ils élèvent leurs fils, je les en priverai avant qu'ils soient hommes ;
   oui, malheur à eux quand je m'éloignerai d'eux !
¹³Éphraïm, je le voyais comme Tyr, plantée dans une prairie,
   mais Éphraïm devra mener ses fils à l'égorgeur.
¹⁴Donne-leur, Yahvé... Que donneras-tu ?
   Donne-leur des entrailles stériles et des seins desséchés.

Châtiment du crime de Gilgal.

¹⁵Toute leur méchanceté a paru à Gilgal,
   c'est là que je les ai pris en haine.
   À cause de la méchanceté de leurs actions,
   je les chasserai de ma maison,
   je ne les aimerai plus,
   tous leurs chefs sont des rebelles.
¹⁶Éphraïm est frappé,
   leur racine est desséchée,
   ils ne donneront pas de fruit.
   Même s'il leur naît des enfants,
   je ferai mourir les délices de leur sein.
¹⁷Mon Dieu les rejettera parce qu'ils ne l'ont pas écouté,
   et ils seront errants parmi les nations.

Destruction des emblèmes idolâtriques d'Israël.

10 ¹Israël était une vigne luxuriante,
   qui donnait bien son fruit.
   Plus son fruit se multipliait,
   plus il a multiplié les autels ;
   plus son pays devenait riche,
   plus riches il a fait les stèles.
²Leur cœur est double,
   maintenant ils vont expier ;
   Lui-même renversera leurs autels,
   il dévastera leurs stèles.
³Alors ils diront :
   « Nous n'avons pas de roi,
   car nous n'avons pas craint Yahvé,

mais le roi, que pourrait-il faire pour nous ? »

⁴On tient des discours, on jure en vain, on conclut des alliances ;

et le droit prospère comme la plante vénéneuse

sur le sillon des champs !

⁵Pour le veau de Bet-Aven

les habitants de Samarie tremblent ;

oui, sur lui son peuple mène le deuil,

ainsi que sa prêtraille :

Qu'ils exultent sur sa gloire

maintenant qu'elle est déportée loin de nous !

⁶Lui-même, on le transportera en Assur

comme tribut pour le grand roi.

Éphraïm recueillera la honte,

et Israël rougira de son dessein.

⁷C'en est fait de Samarie !

Son roi est comme un fétu à la surface de l'eau.

⁸Ils seront détruits, les hauts lieux d'Aven,

ce péché d'Israël ;

épines et chardons grimperont sur leurs autels.

Ils diront alors aux montagnes : « Couvrez-nous ! »

et aux collines : « Tombez sur nous ! »

⁹Depuis les jours de Gibéa, tu as péché, Israël !

ils s'en sont tenus là,

et la guerre n'atteindrait pas les criminels à Gibéa ?

¹⁰J'exige de les punir !

Des peuples s'assembleront contre eux

parce qu'ils sont attachés à leurs deux fautes.

Israël a déçu l'attente de Yahvé.

¹¹Éphraïm est une génisse bien dressée,

aimant à fouler l'aire ;

et moi j'ai fait passer le joug sur son cou superbe !

j'attellerai Éphraïm,

Juda labourera,

Jacob traînera la herse.

¹²Faites-vous des semailles selon la justice,

moissonnez à proportion de l'amour ;

défrichez-vous des terres en friche :

il est temps de rechercher Yahvé,

jusqu'à ce qu'il vienne faire pleuvoir sur vous la justice.

¹³Vous avez labouré la méchanceté,

vous avez moissonné l'injustice,

vous avez mangé le fruit du mensonge.

Parce que tu t'es confié dans tes chars, dans la multitude de tes guerriers,

¹⁴un grondement s'élèvera parmi ton peuple

et toutes tes forteresses seront dévastées,

comme Shalmân dévasta Bet-Arbel,

au jour du combat,

quand la mère était écrasée sur ses enfants.

¹⁵Voilà ce que vous a fait Béthel,

pour votre méchanceté sans nom ;

à l'aurore, oui, c'en sera fait du roi d'Israël !

Yahvé va venger son amour méconnu.

11 ¹Quand Israël était jeune, je l'aimai,

et d'Égypte j'appelai mon fils.

²Mais plus on les appelait, plus ils s'écartaient ;
   aux Baals ils sacrifiaient,
   aux idoles ils brûlaient de l'encens.
³Et moi j'avais appris à marcher à Éphraïm,
   je le prenais par les bras,
   et ils n'ont pas compris que je prenais soin d'eux !
⁴Je les menais avec des attaches humaines,
   avec des liens d'amour ;
   j'étais pour eux comme ceux qui soulèvent un nourrisson
   tout contre leur joue,
   je m'inclinais vers lui et le faisais manger.
⁵Il ne reviendra pas au pays d'Égypte,
   mais Assur sera son roi.
   Puisqu'il a refusé de revenir à moi,
⁶l'épée sévira dans ses villes,
   elle anéantira ses verrous,
   elle dévorera à cause de leurs desseins.

Mais Yahvé pardonne.

⁷Mon peuple est cramponné à son infidélité.
   On les appelle en haut,
   pas un qui se relève !
⁸Comment t'abandonnerais-je, Éphraïm, te livrerais-je, Israël ?
   Comment te traiterais-je comme Adma,
   te rendrais-je semblable à Çeboyim ?
   Mon cœur en moi est bouleversé,
   toutes mes entrailles frémissent.
⁹Je ne donnerai pas cours à l'ardeur de ma colère,
   je ne détruirai pas à nouveau Éphraïm

car je suis Dieu et non pas homme,
   au milieu de toi je suis le Saint,
   et je ne viendrai pas avec fureur.

Le retour de l'exil.

¹⁰Derrière Yahvé ils marcheront,
   comme un lion il rugira ;
   et quand il rugira,
   les fils viendront, tremblants, de l'Occident ;
¹¹comme un passereau ils viendront en tremblant de l'Égypte,
   comme une colombe, du pays d'Assur,
   et je les ferai habiter dans leurs maisons,
   oracle de Yahvé.

Perversion religieuse et politique d'Israël.

12 ¹Éphraïm m'entoure de mensonge
et la maison d'Israël de tromperie.
   (Mais Juda marche encore auprès de Dieu,
   il reste fidèle au Saint.)
²Éphraïm se repaît de vent,
   tout le jour il poursuit le vent d'est ;
   il multiplie mensonge et fausseté :
   on conclut alliance avec Assur,
   on porte de l'huile à l'Égypte.

Contre Jacob et Éphraïm.

³Yahvé est en procès avec Juda,
   il va sévir contre Jacob selon sa conduite,
   et lui rendre selon ses actions.
⁴Dès le sein maternel il supplanta son frère,
   dans sa vigueur il fut fort contre Dieu.

⁵Il fut fort contre l'Ange et l'emporta,

il pleura et l'implora.

À Béthel il le rencontra.

C'est là qu'il parla avec nous.

⁶Oui, Yahvé, le Dieu Sabaot, Yahvé est son titre.

⁷Pour toi, grâce à ton Dieu, tu reviendras.

Garde l'amour et le droit

et espère en ton Dieu toujours.

⁸Canaan a en main des balances trompeuses,

il aime à exploiter.

⁹Éphraïm a dit : « Oui, je me suis enrichi,

je me suis acquis une fortune » ;

de tous mes gains, on ne me retrouvera pas une faute qui soit un péché.

Perspectives de réconciliation.

¹⁰Je suis Yahvé ton Dieu, depuis le pays d'Égypte.

Je te ferai encore habiter sous les tentes

comme aux jours du Rendezvous.

¹¹Je parlerai aux prophètes,

moi, je multiplierai les visions

et par le ministère des prophètes je parlerai en paraboles.

Nouvelles menaces.

¹²Si Galaad n'est qu'iniquité,

eux ne sont que fausseté ;

à Gilgal ils sacrifient des taureaux,

c'est pourquoi leurs autels seront comme des monceaux de pierres

sur les sillons des champs.

¹³Jacob s'enfuit aux campagnes d'Aram,

Israël servit pour une femme,

pour une femme, il garda les troupeaux.

¹⁴Mais par un prophète, Yahvé fit monter Israël d'Égypte,

et par un prophète il fut gardé.

¹⁵Éphraïm l'a offensé amèrement :

Yahvé rejettera sur lui le sang versé,

son Seigneur lui revaudra ses outrages.

Châtiment de l'idolâtrie.

13 ¹Quand Éphraïm parlait, c'était la terreur,

il était grand en Israël,

mais il se rendit coupable avec Baal et mourut.

²Et maintenant ils continuent à pécher,

ils se font des images de métal fondu,

avec leur argent, des idoles de leur invention ;

œuvre d'artisan que tout cela !

À propos d'eux, on dit : « Des hommes sacrifient,

ils embrassent des veaux. »

³C'est pourquoi ils seront comme la nuée du matin,

comme la rosée qui tôt se dissipe,

comme la bale emportée loin de l'aire,

comme la fumée qui s'échappe de la fenêtre.

Châtiment de l'ingratitude.

⁴Pourtant moi je suis Yahvé, ton Dieu, depuis le pays d'Égypte,

de Dieu, excepté moi, tu n'en connais pas,

et de sauveur, il n'en est pas en dehors de moi.

⁵Moi, je t'ai connu au désert,

au pays de l'aridité.

⁶Étant au pâturage, ils se sont rassasiés ;
　rassasiés, leur cœur s'est élevé ;
　voilà pourquoi ils m'ont oublié.
⁷J'ai donc été pour eux comme
un lion,
　comme un léopard, près du chemin, je me tenais aux aguets ;
⁸j'ai fondu sur eux comme une
ourse privée de ses petits,
　j'ai déchiré l'enveloppe de leur
cœur ;
　là, je les ai dévorés comme une
lionne,
　la bête sauvage les a déchirés.

Fin de la royauté.

⁹C'est ta destruction,
　alors qu'en moi était ton secours.
¹⁰Où donc est-il ton roi, pour qu'il
te sauve ?
　Et dans toutes tes villes, tes juges ?
　Ceux-là dont tu disais :
　« Donne-moi un roi et des
chefs. »
¹¹Un roi, je te le donne dans ma colère,
　et je le reprends dans ma fureur.

La ruine inévitable.

¹²La faute d'Éphraïm est mise en
réserve,

son péché tenu en lieu sûr.
¹³Les douleurs de l'enfantement
surviennent pour lui,
　mais c'est un enfant stupide ;
　il est à terme et ne quitte pas le
sein maternel !
¹⁴Et je les libérerais du pouvoir du
Shéol ?
　De la mort je les rachèterais ?
　Où est ta peste, ô Mort ?
　Où est ta contagion, ô Shéol ?
　La compassion se dérobe à mes
yeux.
¹⁵Éphraïm a beau fructifier parmi
ses frères,
　le vent d'est viendra,
　le souffle de Yahvé montera du
désert,
　et sa source sera tarie, sa fontaine desséchée.
　C'est lui qui pillera le trésor
de tous les objets précieux.

14 ¹Samarie expiera,
　　car elle s'est rebellée contre
　　son Dieu.

Ils tomberont sous l'épée,
　leurs petits enfants seront écrasés,
　leurs femmes enceintes éven-
trées.

3. Conversion et rentrée en grâce d'Israël

Retour sincère d'Israël à Yahvé.

²Reviens, Israël, à Yahvé ton
Dieu,
　car c'est ta faute qui t'a fait trébucher.
³Munissez-vous de paroles
　et revenez à Yahvé.

Dites-lui : « Enlève toute faute
et prends ce qui est bon.
　Au lieu de taureaux nous te
vouerons nos lèvres.
⁴Assur ne nous sauvera pas,
　nous ne monterons plus sur des
chevaux,

et nous ne dirons plus "Notre
Dieu !" à l'œuvre de nos mains,
  car c'est auprès de toi que l'orphelin trouve compassion. »

⁵– Je les guérirai de leur infidélité,
  je les aimerai de bon cœur ;
  puisque ma colère s'est détournée de lui,
  ⁶je serai comme la rosée pour Israël,
  il fleurira comme le lis,
  il enfoncera ses racines comme
le Liban ;
  ⁷ses rejetons s'étendront,
  il aura la splendeur de l'olivier
  et le parfum du Liban.
  ⁸Ils reviendront ceux qui habitaient à son ombre ;

ils feront revivre le froment,
  ils feront fleurir la vigne
  qui aura la renommée du vin du
Liban.
  ⁹Éphraïm, qu'ai-je encore à faire
avec les idoles ?
  Moi, je l'exauce et le regarde.
  Je suis comme un cyprès verdoyant,
  c'est de moi que vient ton fruit.

Avertissement final.

¹⁰Qui est sage pour comprendre
ces choses,
  intelligent pour les connaître ?
  Droites sont les voies de Yahvé,
  les justes y marcheront,
  mais les infidèles y trébucheront.

Joël

Voir l'introduction, p. 1247.

Titre.

1 ¹Parole de Yahvé, qui fut adressée à Joël, fils de Petuel.

1. *Le fléau des sauterelles*

I. LITURGIE DE DEUIL ET DE SUPPLICATION

Complainte sur la désolation du pays.

²Écoutez ceci, les anciens,
   prêtez l'oreille, tous les habitants du pays !
   Est-il de votre temps survenu rien de tel,
   ou du temps de vos pères ?
³Racontez-le à vos fils,
   et vos fils à leurs fils,
   et leurs fils à la génération qui suivra !

⁴Ce qu'a laissé le *gazam,* la sauterelle l'a dévoré !
   Ce qu'a laissé la sauterelle, le *yeleq* l'a dévoré !
   Ce qu'a laissé le *yeleq,* le *hasîl* l'a dévoré !

⁵Réveillez-vous, ivrognes, et pleurez !
   Tous les buveurs de vin, lamentez-vous
   sur le vin nouveau : il vous est retiré de la bouche !
⁶Car un peuple est monté contre mon pays,
   puissant et innombrable ;
   ses dents sont dents de lion,
   il a des crocs de lionne.
⁷Il a fait de ma vigne un désert,
   réduit en miettes mon figuier ;
   il les a tout pelés, abattus,
   leurs rameaux sont devenus blancs !

⁸Gémis, comme sur le fiancé de sa jeunesse
   la vierge revêtue du sac !
⁹Oblation et libation ont disparu
   de la maison de Yahvé.
   Ils sont en deuil, les prêtres,
   serviteurs de Yahvé.
¹⁰La campagne est ravagée,
   la terre est en deuil.
   Car les blés sont ravagés,
   le vin fait défaut,
   l'huile fraîche tarit.

¹¹Soyez consternés, laboureurs,
   lamentez-vous, vignerons,
   sur le froment et sur l'orge,
   car elle est perdue, la moisson des champs.
¹²La vigne est étiolée
   et le figuier flétri ;
   grenadiers, palmiers et pommiers,

tous les arbres des champs ont
séché.
Oui, la gaieté fait défaut
parmi les humains.

Appel à la pénitence et à la prière.

¹³Prêtres, revêtez-vous du sac !
Poussez des cris de deuil !
Lamentez-vous, serviteurs de
l'autel !
Venez, passez la nuit vêtus du
sac,
serviteurs de mon Dieu !
Car la maison de votre Dieu est
privée
d'oblation et de libation.
¹⁴Prescrivez un jeûne,
publiez une solennité,
réunissez les anciens,
tous les habitants du pays
à la maison de Yahvé votre
Dieu.
Criez vers Yahvé :
¹⁵Ah ! Quel jour !
Car il est proche, le jour de Yahvé,
il arrive comme une dévastation
venant de Shaddaï.

¹⁶Les aliments n'ont-ils pas disparu
sous nos yeux,
la joie et l'allégresse
de la maison de notre Dieu ?
¹⁷Les grains éparpillés
ont séché sous leurs mottes ;
les silos sont dévastés,
les greniers en ruine,
car le blé fait défaut.
¹⁸Comme le bétail gémit !
Les troupeaux de bœufs errent
affolés,
car ils n'ont plus de pâtures.
Même les troupeaux de brebis
subissent le châtiment.

¹⁹Yahvé, je crie vers toi !
car le feu a dévoré les pacages
des landes,
la flamme a consumé tous les arbres des champs.
²⁰Même les bêtes des champs languissent après toi,
car les cours d'eau sont à sec,
le feu a dévoré les pacages des
landes.

Alarme au Jour de Yahvé.

2 ¹Sonnez du cor à Sion,
donnez l'alarme sur ma
montagne sainte !
Que tous les habitants du pays
tremblent,
car il vient, le jour de Yahvé,
car il est proche !

²Jour d'obscurité et de sombres
nuages,
jour de nuées et de ténèbres !
Comme l'aurore, se déploie sur
les montagnes
un peuple nombreux et fort,
tel que jamais il n'y en eut,
tel qu'il n'en sera plus après lui,
de génération en génération.

L'invasion de sauterelles.

³Devant lui, le feu dévore,
derrière lui, la flamme consume.
Le pays est comme un jardin
d'Éden devant lui,
derrière lui, c'est une lande désolée !
Aussi rien ne lui échappe.
⁴Son aspect est celui des chevaux ;
comme des coursiers, tels ils
s'élancent.
⁵On dirait un fracas de chars
bondissant sur les sommets des
monts,

le crépitement de la flamme ardente
  qui dévore le chaume,
  un peuple fort rangé en bataille.

⁶À sa vue, les peuples sont dans
les transes,
  tous les visages perdent leur
couleur.
⁷Ils s'élancent comme des braves,
  tels des guerriers, ils escaladent
les murailles.
  Chacun va droit sa route,
  sans s'écarter de sa voie.
⁸Nul ne bouscule son voisin,
  chacun va son chemin ;
  à travers les traits ils foncent
  sans rompre leurs rangs.
⁹Ils se ruent sur la ville,
  s'élancent sur les murailles,
  escaladent les maisons,
  pénètrent par les fenêtres
  comme des voleurs.

Vision du Jour de Yahvé.

¹⁰Devant lui la terre frémit,
  les cieux tremblent !
  Le soleil et la lune s'assombris-
sent,
  les étoiles perdent leur éclat !
¹¹Yahvé fait entendre sa voix à la
tête de ses troupes !
  Car ses bataillons sont sans
nombre,
  car il est puissant, l'exécuteur de
ses ordres,
  car il est grand, le jour de Yahvé,
  très redoutable – et qui peut l'affronter ?

Appel à la pénitence.

¹²« Mais encore à présent – oracle
de Yahvé –
  revenez à moi de tout votre
cœur,
  dans le jeûne, les pleurs et les
cris de deuil. »
¹³Déchirez votre cœur, et non vos
vêtements,
  revenez à Yahvé, votre Dieu,
  car il est tendresse et pitié,
  lent à la colère, riche en grâce,
  et il a regret du mal.
¹⁴Qui sait ? S'il revenait ? S'il re-
grettait ?
  S'il laissait après lui une bénédiction,
  oblation et libation
  pour Yahvé, votre Dieu ?

¹⁵Sonnez du cor à Sion !
  Prescrivez un jeûne,
  publiez une solennité,
¹⁶réunissez le peuple,
  convoquez la communauté,
  rassemblez les vieillards,
  réunissez les petits enfants,
  ceux qu'on allaite au sein !
  Que le jeune époux quitte sa
chambre
  et l'épousée son alcôve !
¹⁷Qu'entre l'autel et le portique
pleurent les prêtres, serviteurs de
Yahvé !
  Qu'ils disent :
  « Pitié, Yahvé, pour ton peuple !
  Ne livre pas ton héritage à l'opprobre,
  au persiflage des nations !
  Pourquoi dirait-on parmi les
peuples :
  Où est leur Dieu ? »

II. RÉPONSE DE YAHVÉ

¹⁸Or Yahvé s'émut de jalousie
pour son pays,
il épargna son peuple.

Fin du fléau et libération.

¹⁹Yahvé répondit et dit à son peuple :
« Voici que je vous envoie
le blé, le vin, l'huile fraîche.
Vous en aurez à satiété.
Et jamais plus je ne ferai de vous
l'opprobre des nations.
²⁰Celui qui vient du Nord, je
l'éloignerai de chez vous,
je le repousserai vers une terre
aride et désolée,
son avant-garde vers la mer
orientale,
son arrière-garde vers la mer occidentale.
Il en montera une puanteur,
il en montera une infection ! »
(Car il a fait grand !)

Vision d'abondance.

²¹Terre, ne crains plus,
jubile et sois dans l'allégresse,
car Yahvé a fait grand !
²²Ne craignez plus, bêtes des
champs !
les pacages des landes ont reverdi,
les arbres portent leurs fruits,
la vigne et le figuier donnent
leurs richesses.

²³Fils de Sion, jubilez,
réjouissez-vous en Yahvé votre
Dieu !
Car il vous a donné
la pluie d'automne selon la justice,
il a fait tomber pour vous l'ondée,
celle d'automne et celle de printemps, comme jadis.
²⁴Les aires se rempliront de froment,
les cuves regorgeront de vin et
d'huile fraîche.

²⁵« Je vous revaudrai les années
qu'ont dévorées la sauterelle et
le *yeleq*,
le *hasîl* et le *gazam*,
ma grande armée
que j'avais envoyée contre
vous. »
²⁶Vous mangerez tout votre soûl,
à satiété,
et vous louerez le nom de Yahvé
votre Dieu,
qui aura accompli pour vous des
merveilles.
(Mon peuple ne connaîtra plus
la honte, jamais !)
²⁷« Et vous saurez que je suis au
milieu d'Israël, moi,
que je suis Yahvé, votre Dieu, et
sans égal !
Mon peuple ne connaîtra plus la
honte, jamais ! »

2. L'ère nouvelle et le Jour de Yahvé

I. L'EFFUSION DE L'ESPRIT

3 ¹« Après cela
je répandrai mon Esprit sur
toute chair.

Vos fils et vos filles prophétiseront,
vos anciens auront des songes,

vos jeunes gens, des visions.
²Même sur les esclaves, hommes et femmes,
en ces jours-là, je répandrai mon Esprit.
³Je produirai des signes dans le ciel et sur la terre,
sang, feu, colonnes de fumée ! »
⁴Le soleil se changera en ténèbres,
la lune en sang,
avant que ne vienne le jour de Yahvé,
grand et redoutable !
⁵Tous ceux qui invoqueront le nom de Yahvé seront sauvés,
car sur le mont Sion et à Jérusalem
il y aura des rescapés – comme l'a dit Yahvé –
parmi les survivants que Yahvé appelle.

II. LE JUGEMENT DES PEUPLES

Thèmes généraux.

4 ¹« Car en ces jours-là, en ce temps-là,
quand je rétablirai Juda et Jérusalem,
²je rassemblerai toutes les nations,
je les ferai descendre à la Vallée de Josaphat ;
là j'entrerai en jugement avec elles
au sujet d'Israël, mon peuple et mon héritage.
Car ils l'ont dispersé parmi les nations
et ils ont partagé mon pays.
³Ils ont tiré mon peuple au sort ;
ils ont troqué les garçons contre des prostituées,
pour du vin ils ont vendu les filles, et ils ont bu ! »

Griefs contre les Phéniciens et les Philistins. Am 1 6-10. Ez 27 13.

⁴« Et vous aussi, Tyr et Sidon, que me voulez-vous ?
Et vous tous, districts de Philistie ?
Vous vengeriez-vous sur moi ?
Mais si vous exerciez sur moi votre vengeance,
bien vite je ferais retomber la vengeance sur vos têtes !
⁵Vous qui avez pris mon argent et mon or,
qui avez emporté dans vos temples mes trésors précieux,
⁶vous qui avez vendu aux fils de Yavân
les fils de Juda et de Jérusalem,
pour les éloigner de leur territoire !
⁷Eh bien ! Je vais les appeler du lieu où vous les avez vendus,
et je ferai retomber vos actes sur vos têtes !
⁸Je vendrai vos fils et vos filles,
je les livrerai aux fils de Juda ;
ils les vendront aux Sabéens,
à une nation éloignée,
car Yahvé a parlé ! »

Convocation des peuples. Za 14 2. Ez 38-39.

⁹Publiez ceci parmi les nations :
Préparez la guerre !
Appelez les braves !
Qu'ils s'avancent, qu'ils montent,
tous les hommes de guerre !

¹⁰De vos socs, forgez des épées,
de vos serpes, des javelots,
que l'infirme dise : « Je suis un
brave ! »
¹¹Venez vite à l'aide,
toutes les nations d'alentour,
et qu'on se rassemble là ;
(Yahvé, fais descendre tes braves.)

¹²« Que les nations s'ébranlent et
qu'elles montent
à la Vallée de Josaphat !
Car là je siégerai pour juger
toutes les nations à la ronde.
¹³Lancez la faucille :
la moisson est mûre ;
venez, foulez :
le pressoir est comble ;
les cuves débordent,
tant leur méchanceté est grande ! »
¹⁴Foules sur foules
dans la Vallée de la Décision !

Car il est proche le jour de Yahvé
dans la Vallée de la Décision !

Le Jour de Yahvé.

¹⁵Le soleil et la lune s'assombris-
sent,
les étoiles perdent leur éclat.
¹⁶Yahvé rugit de Sion,
de Jérusalem il fait entendre sa
voix ;
les cieux et la terre tremblent !

Mais Yahvé sera pour son peuple un refuge,
une forteresse pour les enfants
d'Israël !

¹⁷« Vous saurez alors que je suis
Yahvé, votre Dieu,
qui habite à Sion, ma montagne
sainte !
Jérusalem sera un lieu saint,
les étrangers n'y passeront
plus ! »

III. ÈRE PARADISIAQUE DE LA RESTAURATION D'ISRAËL

¹⁸Ce jour-là,
les montagnes dégoutteront de
vin nouveau,
les collines ruisselleront de lait,
et dans tous les torrents de Juda
les eaux ruisselleront.
Une source jaillira de la maison
de Yahvé
et arrosera le ravin des Acacias.
¹⁹L'Égypte deviendra une désolation,
Édom une lande désolée,

à cause des violences exercées
contre les fils de Juda
dont ils ont versé le sang innocent dans leur pays.
²⁰Mais Juda sera habité à jamais
et Jérusalem d'âge en âge.
²¹« J'aurais laissé leur sang impuni ?
Non, je ne l'ai pas laissé impuni. »
Et Yahvé aura sa demeure à
Sion.

Amos

Voir l'introduction, p. 1243.

Titre.

1 ¹Paroles d'Amos, qui fut l'un des éleveurs de Téqoa. Ce qu'il vit sur Israël au temps d'Ozias, roi de Juda, et au temps de Jéroboam, fils de Joas, roi d'Israël, deux ans avant le tremblement de terre.

Exorde.

²Il dit :
De Sion, Yahvé rugit,
et de Jérusalem, il donne de la voix ;
les pacages des bergers sont en deuil
et le sommet du Carmel se dessèche.

1. *Jugement des nations voisines d'Israël et d'Israël lui-même*

Damas. Is 17 1-3. Jr 49 23-27.

³Ainsi parle Yahvé :
Pour trois crimes de Damas et pour quatre,
je l'ai décidé sans retour !
Parce qu'ils ont foulé Galaad avec des traîneaux de fer,
⁴j'enverrai le feu dans la maison d'Hazaël
et il dévorera les palais de Ben-Hadad ;
⁵je briserai le verrou de Damas,
de Biqeat-Aven je supprimerai l'habitant,
de Bet-Éden, celui qui tient le sceptre,
et le peuple d'Aram sera déporté à Qir,
dit Yahvé.

Gaza et la Philistie. Jos 13 1. Jr 47. So 2 4-7.

⁶Ainsi parle Yahvé :
Pour trois crimes de Gaza et pour quatre,
je l'ai décidé sans retour !
Parce qu'ils ont déporté des populations entières
pour les livrer à Édom,
⁷j'enverrai le feu dans le rempart de Gaza
et il dévorera ses palais ;
⁸d'Ashdod je supprimerai l'habitant,
et d'Ashqelôn, celui qui tient le sceptre ;
je tournerai ma main contre Eqrôn
et ce qui reste des Philistins périra,
dit le Seigneur Yahvé.

Tyr et la Phénicie. Is 23. Ez 26-28.

⁹Ainsi parle Yahvé :
Pour trois crimes de Tyr et pour quatre,
je l'ai décidé sans retour !
Parce qu'ils ont livré à Édom des populations entières de captifs,
sans se souvenir d'une alliance entre frères,

¹⁰j'enverrai le feu dans le rempart de Tyr
et il dévorera ses palais.

Édom. Is 34. Jr 49 7-22. Ez 25 12-14 ; 35.

¹¹Ainsi parle Yahvé :
Pour trois crimes d'Édom et pour quatre,
je l'ai décidé sans retour !
Parce qu'il a poursuivi son frère avec l'épée,
étouffant toute pitié,
parce qu'il garde à jamais sa colère
et conserve sans fin sa fureur,
¹²j'enverrai le feu dans Témân
et il dévorera les palais de Boçra.

Ammon. Jr 49 1-6. Ez 25 1-7. So 2 8-11.

¹³Ainsi parle Yahvé :
Pour trois crimes des fils d'Ammon et pour quatre,
je l'ai décidé sans retour !
Parce qu'ils ont éventré les femmes enceintes du Galaad
afin d'élargir leur territoire,
¹⁴je mettrai le feu au rempart de Rabba
et il dévorera ses palais,
dans la clameur, en un jour de bataille,
dans la tempête, en un jour d'ouragan ;
¹⁵et leur roi s'en ira en déportation,
lui, et ses princes avec lui,
dit Yahvé.

Moab. Is 15-16. Jr 48. Ez 25 8-11. So 2 8-11.

2 ¹Ainsi parle Yahvé :
Pour trois crimes de Moab et pour quatre,
je l'ai décidé sans retour !
Parce qu'il a brûlé les os du roi d'Édom jusqu'à les calciner,
²j'enverrai le feu dans Moab,

il dévorera les palais de Qeriyyot,
et Moab mourra dans le tumulte,
dans la clameur, au son du cor ;
³je supprimerai le juge de chez lui,
et tous ses princes, je les tuerai avec lui,
dit Yahvé.

Juda.

⁴Ainsi parle Yahvé :
Pour trois crimes de Juda et pour quatre,
je l'ai décidé sans retour !
Parce qu'ils ont rejeté la loi de Yahvé
et n'ont pas observé ses décrets,
parce que leurs Mensonges les ont égarés,
ceux que leurs pères avaient suivis,
⁵j'enverrai le feu dans Juda,
et il dévorera les palais de Jérusalem.

Israël.

⁶Ainsi parle Yahvé :
Pour trois crimes d'Israël et pour quatre,
je l'ai décidé sans retour !
Parce qu'ils vendent le juste à prix d'argent
et le pauvre pour une paire de sandales,
⁷parce qu'ils écrasent la tête des faibles sur la poussière de la terre
et qu'ils font dévier la route des humbles ;
parce que fils et père vont à la même fille
afin de profaner mon saint nom ;
⁸parce qu'ils s'étendent sur des vêtements pris en gage,
à côté de tous les autels,
et qu'ils boivent dans la maison de leur dieu

le vin de ceux qui sont frappés d'amende.

⁹Et moi, j'avais anéanti devant eux l'Amorite,

lui dont la taille égalait celle des cèdres,

lui qui était fort comme les chênes !

J'avais anéanti son fruit, en haut, et ses racines, en bas !

¹⁰Et moi, je vous avais fait monter du pays d'Égypte,

et pendant quarante ans, menés dans le désert,

pour que vous possédiez le pays de l'Amorite !

¹¹J'avais suscité parmi vos fils des prophètes,

et parmi vos jeunes gens des nazirs !

N'en est-il pas ainsi, enfants d'Israël ?

Oracle de Yahvé.

¹²Mais vous avez fait boire du vin aux nazirs,

aux prophètes, vous avez donné cet ordre :

« Ne prophétisez pas ! »

¹³Eh bien ! moi, je vais vous tasser sur place

comme est tassé un chariot tout rempli de gerbes ;

¹⁴la fuite manquera à l'homme agile,

l'homme fort ne déploiera pas sa vigueur

et le brave ne sauvera pas sa vie ;

¹⁵celui qui manie l'arc ne tiendra pas,

l'homme aux pieds agiles n'échappera pas,

celui qui monte à cheval ne sauvera pas sa vie,

¹⁶et le plus courageux d'entre les braves

s'enfuira nu, en ce jour-là,

oracle de Yahvé.

2. Avertissements et menaces à Israël

Élection et châtiment.

3 ¹Écoutez cette parole que Yahvé prononce contre vous, enfants d'Israël, contre toute la famille que j'ai fait monter du pays d'Égypte :

²Je n'ai connu que vous de toutes les familles de la terre,

c'est pourquoi je vous châtierai pour toutes vos fautes.

La vocation prophétique est irrésistible.

³Deux hommes vont-ils ensemble sans s'être concertés ?

⁴Le lion rugit-il dans la forêt sans avoir une proie ?

Le lionceau donne-t-il de la voix, de sa tanière, sans qu'il ait rien pris ?

⁵Le passereau tombe-t-il dans un filet à terre,

sans qu'il y ait un appât ?

Le filet se soulève-t-il du sol sans rien attraper ?

⁶Sonne-t-on du cor dans une ville sans que le peuple soit effrayé ?

Arrive-t-il un malheur dans une ville

sans que Yahvé en soit l'auteur ?

⁷Mais le Seigneur Yahvé ne fait rien

qu'il n'en ait révélé le secret à ses serviteurs les prophètes.

⁸Le lion a rugi : qui ne craindrait ?
  Le Seigneur Yahvé a parlé : qui
ne prophétiserait ?

Samarie, corrompue, périra.

⁹Proclamez-le sur les palais
d'Ashdod
  et sur les palais du pays d'Égypte ;
  dites : rassemblez-vous sur les
monts de Samarie,
  et voyez, que de désordres au
milieu d'elle
  et que d'oppression en son sein !
¹⁰Ils ne savent pas agir avec droiture,
  – oracle de Yahvé –
  eux qui entassent violence et rapine en leurs palais.
¹¹C'est pourquoi, ainsi parle le
Seigneur Yahvé :
  L'ennemi investira le pays,
  il abattra ta puissance
  et tes palais seront pillés.

¹²Ainsi parle Yahvé :
  Comme le berger sauve de la
gueule du lion
  deux pattes ou un bout d'oreille,
  ainsi seront sauvés les enfants
d'Israël
  qui sont assis dans Samarie,
  au coin d'un lit et sur un divan
de Damas.

Contre Béthel et les demeures luxueuses.

¹³Écoutez et témoignez contre la
maison de Jacob :
  – oracle du Seigneur Yahvé,
Dieu Sabaot –
¹⁴le jour où je châtierai Israël pour
ses crimes,
  je sévirai contre les autels de Béthel ;

les cornes de l'autel seront abat-
tues
  et tomberont à terre.
¹⁵Je frapperai la maison d'hiver
avec la maison d'été,
  les maisons d'ivoire seront détruites,
  bien des maisons disparaîtront,
  oracle de Yahvé.

Contre les femmes de Samarie.
Is 3 16-24 ; 32 9-14.

4 ¹Écoutez cette parole, vaches du Bashân
  qui êtes sur la montagne de Samarie,
  qui exploitez les faibles, qui
maltraitez les pauvres,
  qui dites à vos maris : « Apporte
et buvons ! »
²Le Seigneur l'a juré par sa sainteté :
  voici que des jours viennent sur
vous
  où l'on vous enlèvera avec des
crocs,
  et jusqu'aux dernières, avec des
harpons de pêche ;
³vous sortirez par des brèches,
chacune droit devant soi,
  et vous serez repoussées vers
l'Hermon,
  oracle de Yahvé.

Illusions, impénitence, châti-ment d'Israël.

⁴Allez à Béthel et péchez !
  À Gilgal, péchez de plus belle !
  Apportez le matin vos sacrifices,
  tous les trois jours vos dîmes ;
⁵faites brûler du levain en sacrifice de louange,
  criez vos offrandes volontaires,
annoncez-les,

puisque c'est cela que vous aimez, enfants d'Israël !
  Oracle du Seigneur Yahvé.

⁶Aussi, moi je vous ai fait les
dents nettes en toutes vos villes,
  je vous ai privés de pain dans
tous vos villages ;
  et vous n'êtes pas revenus à moi !
  Oracle de Yahvé.

⁷Aussi, moi je vous ai refusé la
pluie,
  juste trois mois avant la moisson ;
  j'ai fait pleuvoir sur une ville
  et sur une autre ville je ne faisais
pas pleuvoir ;
  un champ recevait de la pluie,
  et un champ, faute de pluie, se
desséchait ;
  ⁸deux, trois villes allaient en titubant vers une autre pour boire
de l'eau
  sans pouvoir se désaltérer ;
  et vous n'êtes pas revenus à
moi !
  Oracle de Yahvé.

⁹Je vous ai frappés par la rouille
et la nielle.
  Tant de fois vos jardins et vos
vignes,
  vos figuiers et vos oliviers, la
sauterelle les a dévorés ;
  et vous n'êtes pas revenus à
moi !
  Oracle de Yahvé.

¹⁰J'ai envoyé parmi vous une peste, comme celle d'Égypte ;
  j'ai tué vos jeunes gens par
l'épée,
  tandis que vos chevaux étaient
capturés ;
  j'ai fait monter à vos narines la
puanteur de vos camps ;

et vous n'êtes pas revenus à
moi !
  Oracle de Yahvé.

¹¹Je vous ai bouleversés comme
Dieu bouleversa Sodome et Gomorrhe,
  et vous avez été comme un tison
sauvé de l'incendie ;
  et vous n'êtes pas revenus à
moi !
  Oracle de Yahvé.

¹²C'est pourquoi, voici comment
je vais te traiter, Israël !
  Parce que je vais te traiter ainsi,
  prépare-toi à rencontrer ton
Dieu, Israël !

Doxologie.

¹³Car c'est lui qui forme les montagnes et qui crée le vent,
  qui révèle à l'homme ses pensées,
  qui change l'aurore en ténèbres,
  et qui marche sur les hauteurs de
la terre :
  Yahvé, Dieu Sabaot, est son
nom.

Lamentation sur Israël.

5 ¹Écoutez cette parole que je
profère contre vous,
une lamentation, maison d'Israël :
  ²Elle est tombée, elle ne se relèvera plus,
  la vierge d'Israël !
  Elle est étendue sur son sol,
personne pour la relever !
  ³Car ainsi parle le Seigneur Yahvé :
  la ville qui mettait en campagne
mille hommes
  n'en aura plus que cent,
  et celle qui en mettait cent
  n'en aura plus que dix, pour la
maison d'Israël.

Sans conversion, point de salut.

[4]Car ainsi parle Yahvé à la maison d'Israël :
Cherchez-moi et vous vivrez !
[5]Mais ne cherchez pas Béthel,
n'allez pas à Gilgal,
ne passez pas à Bersabée ;
car Gilgal ira en déportation
et Béthel deviendra néant.
[6]Cherchez Yahvé et vous vivrez,
de peur qu'il ne fonde comme le feu sur la maison de Joseph,
qu'il ne dévore, et personne à Béthel pour éteindre !
[7]Ils changent le droit en absinthe
et jettent à terre la justice.

Doxologie. 4 13.

[8]C'est lui qui fait les Pléiades et Orion,
qui change en matin les ténèbres épaisses
et obscurcit le jour comme la nuit ;
lui qui appelle les eaux de la mer
et les répand sur la face de la terre ;
Yahvé est son nom.
[9]Il déchaîne la dévastation sur celui qui est fort,
et la dévastation arrive sur la citadelle.

Menaces.

[10]Ils haïssent quiconque réprimande à la Porte,
ils abhorrent celui qui parle avec intégrité.
[11]Eh bien ! puisque vous piétinez le faible
et que vous prélevez sur lui un tribut de froment,
ces maisons en pierres de taille que vous avez bâties,
vous n'y habiterez pas ;
ces vignes délicieuses que vous avez plantées,
vous n'en boirez pas le vin.
[12]Car je sais combien nombreux sont vos crimes, énormes vos péchés,
oppresseurs du juste, extorqueurs de rançons,
vous qui, à la Porte, déboutez les pauvres.
[13]Voilà pourquoi l'homme avisé se tait en ce temps-ci,
car c'est un temps de malheur.

Exhortations.

[14]Recherchez le bien et non le mal,
afin que vous viviez,
et qu'ainsi Yahvé, Dieu Sabaot, soit avec vous,
comme vous le dites.
[15]Haïssez le mal, aimez le bien,
et faites régner le droit à la Porte,
peut-être Yahvé, Dieu Sabaot, prendra-t-il en pitié
le reste de Joseph !

Imminence du châtiment.

[16]C'est pourquoi, ainsi parle Yahvé,
le Dieu Sabaot, le Seigneur :
Sur toutes les places il y aura des lamentations,
et dans toutes les rues, on dira
« Hélas ! Hélas ! »
On convoquera le laboureur au deuil
et aux lamentations ceux qui savent gémir ;
[17]dans toutes les vignes il y aura des lamentations,
car je vais passer au milieu de toi, dit Yahvé.

Le Jour de Yahvé.

[18]Malheur à ceux qui soupirent après le jour de Yahvé !
Que sera-t-il pour vous, le jour de Yahvé ?
Il sera ténèbres, et non lumière.

¹⁹Tel l'homme qui fuit devant un lion
et tombe sur un ours !
Il entre à la maison, appuie sa main au mur,
et un serpent le mord !
²⁰N'est-il pas ténèbres, le jour de Yahvé, et non lumière ?
Il est obscur et sans clarté !

Contre le culte extérieur.

²¹Je hais, je méprise vos fêtes
et je ne puis sentir vos réunions solennelles.
²²Quand vous m'offrez des holocaustes...
vos oblations, je ne les agrée pas,
le sacrifice de vos bêtes grasses, je ne le regarde pas.
²³Écarte de moi le bruit de tes cantiques,
que je n'entende pas la musique de tes harpes !
²⁴Mais que le droit coule comme de l'eau,
et la justice, comme un torrent qui ne tarit pas.
²⁵Des sacrifices et des oblations, m'en avez-vous présentés au désert,
pendant quarante ans, maison d'Israël ?
²⁶Vous emporterez Sikkut, votre roi,
et l'étoile de votre dieu, Kiyyûn, ces images que vous vous êtes fabriquées ;
²⁷et je vous déporterai par-delà Damas,
dit Yahvé – Dieu Sabaot est son nom.

Contre la fausse sécurité des grands.

6 ¹Malheur à ceux qui sont tranquilles en Sion,
à ceux qui sont confiants sur la montagne de Samarie,
ces notables des prémices des nations,
à qui va la maison d'Israël.
²Passez à Kalné et voyez,
de là, allez à Hamat la grande,
puis descendez à Gat des Philistins :
valent-elles mieux que ces royaumes-ci ?
Leur territoire est-il plus grand que le vôtre ?
³Vous pensez reculer le jour du malheur
et vous hâtez le règne de la violence !
⁴Couchés sur des lits d'ivoire,
vautrés sur leurs divans,
ils mangent les agneaux du troupeau
et les veaux pris à l'étable.
⁵Ils improvisent au son de la harpe,
comme David, ils inventent des instruments de musique ;
⁶ils boivent le vin dans de larges coupes,
ils se frottent des meilleures huiles,
mais ils ne s'affligent pas de la ruine de Joseph !
⁷C'est pourquoi ils seront maintenant déportés, en tête des déportés,
c'en est fait de l'orgie des vautrés !

Le châtiment sera terrible.

⁸Le Seigneur Yahvé l'a juré par lui-même :
– oracle de Yahvé, Dieu Sabaot –
J'abhorre l'orgueil de Jacob,
je hais ses palais,
et je livrerai la ville et tout ce qui la remplit.
⁹S'il reste dix hommes dans une seule maison, ils mourront.

¹⁰Et quand un parent et un embaumeur

emporteront les ossements de la maison,

on demandera à celui qui se trouve dans la maison :

« Y en a-t-il encore avec toi ? »,
il répondra : « Non ! » et il dira :
« Chut !

il n'y a plus à invoquer le nom de Yahvé. »

¹¹Car voici que Yahvé commande,

sous ses coups la grande maison se crevasse

et la petite se lézarde.

¹²Les chevaux courent-ils sur le roc,

laboure-t-on la mer avec des bœufs,

que vous changiez le droit en poison

et le fruit de la justice en absinthe ?

¹³Vous vous réjouissez à propos de Lo-Debar,

vous dites : « N'est-ce point par notre force que nous avons pris Qarnayim ? »

¹⁴Or voici que je suscite contre vous, maison d'Israël

– oracle de Yahvé, Dieu Sabaot –

une nation qui vous opprimera

depuis l'entrée de Hamat jusqu'au torrent de la Araba.

3. Les visions

Première vision : les sauterelles.

7 ¹Voici ce que me fit voir le Seigneur Yahvé :

il produisait des sauterelles,

au temps où le regain commence à pousser,

c'est le regain après la coupe du roi.

²Et comme elles achevaient de dévorer l'herbe du pays,

je dis : « Seigneur Yahvé, pardonne, je t'en prie !

Comment Jacob tiendra-t-il ? Il est si petit ! »

³Yahvé en eut du repentir :

« Cela ne sera pas », dit Yahvé.

Deuxième vision : la sécheresse.

⁴Voici ce que me fit voir le Seigneur Yahvé :

Le Seigneur Yahvé intentait un procès par le feu :

celui-ci dévora le grand Abîme,

puis il dévora la campagne.

⁵Je dis : « Seigneur Yahvé, cesse, je t'en prie !

Comment Jacob tiendra-t-il ? Il est si petit ! »

⁶Yahvé en eut du repentir :

« Cela non plus ne sera pas », dit le Seigneur Yahvé.

Troisième vision : l'étain.

⁷Voici ce qu'il me fit voir :

Le Seigneur était debout sur un mur d'étain

il avait dans sa main de l'étain.

⁸Yahvé me dit : « Que vois-tu, Amos ? »

Je dis : « De l'étain. »

Le Seigneur dit : « Voici que je mets l'étain au milieu de mon peuple, Israël ;

désormais je ne lui pardonnerai plus.

⁹Les hauts lieux d'Isaac seront dévastés,

les sanctuaires d'Israël détruits,

et je me lèverai contre la maison de Jéroboam avec l'épée. »

Conflit avec Amasias. Amos expulsé de Béthel.

¹⁰Alors Amasias, le prêtre de Béthel, envoya dire à Jéroboam, roi d'Israël : « Amos conspire contre toi, au sein de la maison d'Israël ; le pays ne peut tolérer ses discours. ¹¹Car ainsi parle Amos : "Jéroboam périra par l'épée et Israël sera déporté loin de sa terre." » ¹²Et Amasias dit à Amos : « Voyant, va-t'en ; fuis au pays de Juda ; mange ton pain là-bas, et là-bas prophétise. ¹³Mais à Béthel, cesse désormais de prophétiser, car c'est un sanctuaire royal, un temple du royaume. » ¹⁴Amos répondit et dit à Amasias : « Je ne suis pas prophète, je ne suis pas frère prophète ; je suis bouvier et pinceur de sycomores. ¹⁵Mais Yahvé m'a pris de derrière le troupeau et Yahvé m'a dit : "Va, prophétise à mon peuple Israël." ¹⁶Et maintenant, écoute la parole de Yahvé : Tu dis :

"Tu ne prophétiseras pas contre Israël,

tu ne vaticineras pas contre la maison d'Isaac."

¹⁷C'est pourquoi, ainsi parle Yahvé :

"Ta femme se prostituera dans la ville,

tes fils et tes filles tomberont sous l'épée,

ta terre sera partagée au cordeau,

et toi, tu mourras sur une terre impure,

et Israël sera déporté loin de sa terre." »

Quatrième vision : la corbeille de fruits mûrs.

8 ¹Voici ce que me fit voir le Seigneur Yahvé :

C'était une corbeille de fruits mûrs.

²Il dit : « Que vois-tu, Amos ? » Je dis : « Une corbeille de fruits mûrs. »

Yahvé me dit :

« Mon peuple Israël est mûr pour sa fin,

désormais je ne lui pardonnerai plus.

³Les chants du palais seront des hurlements en ce jour-là

– oracle du Seigneur Yahvé –

Nombreux seront les cadavres jetés en tous lieux. Silence ! »

Contre les fraudeurs et les exploiteurs. 2 6-8 ; 4 1.

⁴Écoutez ceci, vous qui écrasez le pauvre

et voudriez faire disparaître les humbles du pays,

⁵vous qui dites : « Quand donc sera passée la néoménie

pour que nous vendions du grain,

et le sabbat, que nous écoulions le froment ?

Nous diminuerons la mesure,

nous augmenterons le sicle,

nous fausserons les balances pour tromper.

⁶Nous achèterons les faibles à prix d'argent

et le pauvre pour une paire de sandales ;

et nous vendrons les déchets du froment. »

⁷Yahvé l'a juré par l'orgueil de Jacob :

Jamais je n'oublierai aucune de leurs actions.

⁸À cause de cela la terre ne tremble-t-elle pas ?

Tous ceux qui l'habitent ne sont-ils pas en deuil ?

Elle monte, comme le Nil, tout entière,

elle gonfle et puis retombe, comme le Nil d'Égypte.

Annonce du châtiment : obscurité et deuil.

⁹Il adviendra en ce jour-là – oracle du Seigneur Yahvé –

que je ferai coucher le soleil en plein midi

et que j'obscurcirai la terre en un jour de lumière.

¹⁰Je changerai vos fêtes en deuil

et tous vos chants en lamentations ;

je mettrai le sac sur tous les reins

et la tonsure sur toutes les têtes.

J'en ferai comme un deuil de fils unique,

sa fin sera comme un jour d'amertume.

Faim et soif de la parole de Dieu.

¹¹Voici venir des jours – oracle de Yahvé –

où j'enverrai la faim dans le pays,

non pas une faim de pain, non pas une soif d'eau,

mais d'entendre la parole de Yahvé.

¹²On ira titubant d'une mer à l'autre mer,

du nord au levant, on errera

pour chercher la parole de Yahvé

et on ne la trouvera pas !

Nouvelle annonce du châtiment.

¹³En ce jour-là s'étioleront de soif

les belles jeunes filles et les jeunes gens.

¹⁴Ceux qui jurent par le péché de Samarie,

ceux qui disent : « Vive ton dieu, Dan ! »

et : « Vive le chemin de Bersabée ! »

ceux-là tomberont pour ne plus se relever.

Cinquième vision : chute du sanctuaire.

9 ¹Je vis le Seigneur debout près de l'autel,

et il dit : « Frappe le chapiteau et que les seuils tremblent,

retranche tous ceux qui sont en tête,

et ce qui restera d'eux, je les tuerai par l'épée.

Il ne s'enfuira point parmi eux de fuyard,

il ne se sauvera point parmi eux de rescapé.

²S'ils forcent l'entrée du Shéol,

de là ma main les prendra ;

et s'ils montent aux cieux,

de là je les ferai descendre ;

³s'ils se cachent au sommet du Carmel,

là j'irai les chercher et les prendre ;

s'ils se dérobent à mes yeux au fond de la mer,

là je commanderai au Serpent de les mordre ;

⁴s'ils s'en vont captifs devant leurs ennemis,

là je commanderai à l'épée de les tuer,

je fixerai les yeux sur eux,

pour leur malheur et non pour leur bonheur. »

Doxologie. 4 13 ; 5 8.

⁵Et le Seigneur Yahvé Sabaot...

Il touche la terre et elle se dissout,

et tous ses habitants sont en deuil ;

elle monte comme le Nil, tout entière,

et puis retombe comme le Nil d'Égypte.

⁶Il bâtit dans le ciel ses chambres hautes,

il a fondé sa voûte sur la terre ;

il appelle les eaux de la mer

et les répand sur la face de la terre ;

Yahvé est son nom.

Tous les pécheurs périront.

⁷N'êtes-vous pas pour moi comme des Kushites,

enfants d'Israël ?– oracle de Yahvé –

N'ai-je pas fait monter Israël du pays d'Égypte,

et les Philistins de Kaphtor et les Araméens de Qir ?

⁸Voici, les yeux du Seigneur Yahvé sont sur le royaume pécheur.

Je vais l'exterminer de la surface du sol,

toutefois je n'exterminerai pas complètement

la maison de Jacob – oracle de Yahvé.

⁹Car voici que je vais commander

et je secouerai la maison d'Israël parmi toutes les nations,

comme on secoue avec le crible,

et pas un grain ne tombe à terre.

¹⁰Tous les pécheurs de mon peuple périront par l'épée,

eux qui disent :

« Le malheur n'avancera pas,

il ne nous atteindra pas. »

4. *Perspectives de restauration et de fécondité paradisiaque*

¹¹En ces jours-là, je relèverai la hutte branlante de David,

je réparerai ses brèches, je relèverai ses ruines,

je la rebâtirai comme aux jours d'autrefois,

¹²afin qu'ils possèdent le reste d'Édom

et toutes les nations qui furent appelées de mon nom,

oracle de Yahvé qui a fait cela.

¹³Voici venir des jours – oracle de Yahvé –

où se suivront de près laboureur et moissonneur,

celui qui foule les raisins et celui qui répand la semence.

Les montagnes suinteront de jus de raisin,

toutes les collines deviendront liquides.

¹⁴Je rétablirai mon peuple Israël ;

ils rebâtiront les villes dévastées et les habiteront,

ils planteront des vignes et en boiront le vin,

ils cultiveront des jardins et en mangeront les fruits.

¹⁵Je les planterai sur leur terre

et ils ne seront plus arrachés de dessus la terre que je leur ai donnée,

dit Yahvé ton Dieu.

Abdias

Voir l'introduction, p. 1247.

Titre.

¹Vision d'Abdias.
  Ainsi parle le Seigneur Yahvé au sujet d'Édom.

Prologue.

¹ᶜNous avons entendu un message de la part de Yahvé,
  un héraut a été envoyé parmi les nations :
« Debout! Marchons contre lui !
Au combat ! »

La sentence contre Édom.
Jr 49 7-22.

²Vois, je te rends petit parmi les peuples,
  tu es au plus bas du mépris !

³L'arrogance de ton cœur t'a égaré,
  toi qui habites les creux du rocher,
  toi qui fais des hauteurs ta demeure,
  toi qui dis en ton cœur :
« Qui me fera descendre à terre ? »

⁴Quand tu t'élèverais comme l'aigle,
  quand ton nid serait placé parmi les étoiles,
  je t'en précipiterais ! oracle de Yahvé.

L'anéantissement d'Édom.

⁵Si des voleurs venaient chez toi
  ou des pillards de nuit,
resterais-tu tranquille ?
  Ne déroberaient-ils pas à leur gré ?
  Si des vendangeurs venaient chez toi,
  ne laisseraient-ils rien à grappiller ?

⁶Comme Esaü est fouillé,
  et ses trésors cachés, explorés !
⁷Ils te chassent jusqu'à la frontière,
  tous tes alliés ;
  ils se jouent de toi, tes bons amis !
  Ceux qui mangeaient ton pain tendent sous tes pas des chausse-trapes :
« Il n'a plus sa raison. »

⁸Est-ce qu'en ce jour-là – oracle de Yahvé –
  je ne supprimerai pas d'Édom les sages
  et l'intelligence de la montagne d'Ésaü !

⁹Témân, tes guerriers seront figés de terreur,
  afin que soit retranché tout homme
  de la montagne d'Ésaü.

La faute d'Édom.

Pour le carnage, ¹⁰pour la violence
  exercée contre Jacob ton frère,
la honte te couvrira
  et tu disparaîtras à jamais !

[11]Quand tu te tenais à l'écart,
le jour où des étrangers emmenaient ses richesses,
où des barbares franchissaient ses portes,
et jetaient le sort sur Jérusalem,
toi tu étais comme l'un d'eux !
[12]Ne te délecte pas à la vue du jour de ton frère,
au jour de son malheur !
Ne fais pas des enfants de Juda le sujet de ta joie
au jour de leur ruine !
Ne tiens pas des propos insolents
au jour de l'angoisse !
[13]Ne franchis pas la porte de mon peuple
au jour de sa détresse !
Ne te délecte pas, toi aussi, de la vue de ses maux
au jour de sa détresse !
Ne porte pas la main sur ses richesses
au jour de sa détresse !
[14]Ne te poste pas sur la brèche
pour exterminer ses fuyards !
Ne livre point ses survivants
au jour de l'angoisse !

[15]Car il est proche, le jour de Yahvé,
contre tous les peuples !
Comme tu as fait, il te sera fait :
tes actes te retomberont sur la tête !

Au jour de Yahvé, revanche d'Israël sur Édom.

[16]Oui, comme vous avez bu sur ma montagne sainte,

tous les peuples boiront sans trêve ;
ils boiront et se gorgeront,
et ils seront comme s'ils n'avaient jamais été !

[17]Mais sur le mont Sion il y aura des rescapés
– ce sera un lieu saint –
et la maison de Jacob
spolie ceux qui l'ont spoliée.

[18]La maison de Jacob sera du feu,
la maison de Joseph, une flamme,
la maison d'Ésaü, du chaume !
Elles l'embraseront et la dévoreront,
et nul ne survivra de la maison d'Ésaü :
Yahvé a parlé !

L'Israël nouveau.

[19]Et ils posséderont le Négeb, la montagne d'Ésaü,
et le Bas-Pays, les Philistins ;
et ils posséderont les champs d'Éphraïm, les champs de Samarie,
et Benjamin possédera Galaad.

[20]Et les exilés (c'était le commencement) des enfants d'Israël
posséderont les Cananéens jusqu'à Sarepta,
et les exilés de Jérusalem qui sont à Sépharad
posséderont les villes du Négeb.

[21]Les sauvés graviront la montagne de Sion
pour juger la montagne d'Ésaü,
et à Yahvé sera l'empire !

Jonas

Voir l'introduction, p. 1247.

Jonas rebelle à sa mission.

1 ¹La parole de Yahvé fut adressée à Jonas, fils d'Amitaï : ²« Lève-toi, lui dit-il, va à Ninive, la grande ville, et annonce-leur que leur méchanceté est montée jusqu'à moi. » ³Jonas se mit en route pour fuir à Tarsis, loin de Yahvé. Il descendit à Joppé et trouva un vaisseau à destination de Tarsis, il paya son passage et s'embarqua pour se rendre avec eux à Tarsis, loin de Yahvé. ⁴Mais Yahvé lança sur la mer un vent violent, et il y eut grande tempête sur la mer, au point que le vaisseau menaçait de se briser. ⁵Les matelots prirent peur ; ils crièrent chacun vers son dieu, et pour s'alléger, jetèrent à la mer la cargaison. Jonas cependant était descendu au fond du bateau ; il s'était couché et dormait profondément. ⁶Le chef de l'équipage s'approcha de lui et lui dit : « Qu'as-tu à dormir ? Lève-toi, crie vers ton Dieu ! Peut-être Dieu songera-t-il à nous et nous ne périrons pas. » ⁷Puis ils se dirent les uns aux autres : « Tirons donc au sort, pour savoir de qui nous vient ce mal. » Ils jetèrent les sorts et le sort tomba sur Jonas. ⁸Ils lui dirent alors : « Dis-nous donc quelle est ton affaire, d'où tu viens, quel est ton pays et à quel peuple tu appartiens. » ⁹Il leur répondit : « Je suis Hébreu, et c'est Yahvé que j'adore, le Dieu du ciel qui a fait la mer et la terre. » ¹⁰Les hommes furent saisis d'une grande crainte et ils lui dirent : « Qu'as-tu fait là ! » Ils savaient en effet qu'il fuyait loin de Yahvé, car il le leur avait raconté. ¹¹Ils lui dirent : « Que te ferons-nous pour que la mer s'apaise pour nous ? » Car la mer se soulevait de plus en plus. ¹²Il leur répondit : « Prenez-moi et jetez-moi à la mer, et la mer s'apaisera pour vous. Car, je le sais, c'est à cause de moi que cette violente tempête vous assaille. » ¹³Les hommes ramèrent pour gagner le rivage, mais en vain, car la mer se soulevait de plus en plus contre eux. ¹⁴Alors ils implorèrent Yahvé et dirent : « Ah ! Yahvé, puissions-nous ne pas périr à cause de la vie de cet homme, et puisses-tu ne pas nous charger d'un sang innocent, car c'est toi, Yahvé, qui as agi selon ton bon plaisir. » ¹⁵Et, s'emparant de Jonas, ils le jetèrent à la mer, et la mer apaisa sa fureur. ¹⁶Les hommes furent saisis d'une grande crainte de Yahvé ; ils offrirent un sacrifice à Yahvé et firent des vœux.

Jonas sauvé.

2 ¹Yahvé fit qu'il y eut un grand poisson pour engloutir Jonas. Jonas demeura dans les entrailles du poisson trois jours et trois nuits. ²Des entrailles du poisson, il pria Yahvé, son Dieu. Il dit :

³De la détresse où j'étais, j'ai crié vers Yahvé,

et il m'a répondu ;

du sein du shéol, j'ai appelé,
tu as entendu ma voix.
[4]Tu m'avais jeté dans les profondeurs, au cœur de la mer,
et le flot m'environnait.
Toutes tes vagues et tes lames
ont passé sur moi.
[5]Et moi je disais : Je suis rejeté
de devant tes yeux.
Pourtant je continue de regarder
vers ton saint Temple !
[6]Les eaux m'avaient environné
jusqu'à la gorge,
l'abîme me cernait.
L'algue était enroulée autour de
ma tête.
[7]À la racine des montagnes
j'étais descendu,
en un pays dont les verrous
étaient tirés sur moi pour toujours.
Mais de la fosse tu as fait remonter ma vie,
Yahvé, mon Dieu.
[8]Tandis qu'en moi mon âme défaillait,
je me suis souvenu de Yahvé,
et ma prière est allée jusqu'à toi
en ton saint Temple.
[9]Ceux qui servent des vanités
trompeuses,
c'est leur grâce qu'ils abandonnent.
[10]Moi, aux accents de la louange,
je t'offrirai des sacrifices.
Le vœu que j'ai fait, je l'accomplirai.
De Yahvé vient le salut.
[11]Yahvé commanda au poisson,
qui vomit Jonas sur le rivage.

Conversion de Ninive et pardon divin.

3 [1]La parole de Yahvé fut adressée pour la seconde fois à Jonas : [2]« Lève-toi, lui dit-il, va à Ninive, la grande ville, et annonce-leur ce que je te dirai. » [3]Jonas se leva et alla à Ninive selon la parole de Yahvé. Or Ninive était une ville divinement grande : il fallait trois jours pour la traverser. [4]Jonas pénétra dans la ville ; il y fit une journée de marche. Il prêcha en ces termes : « Encore quarante jours, et Ninive sera détruite. » [5]Les gens de Ninive crurent en Dieu ; ils publièrent un jeûne et se revêtirent de sacs, depuis le plus grand jusqu'au plus petit. [6]La nouvelle parvint au roi de Ninive ; il se leva de son trône, quitta son manteau, se couvrit d'un sac et s'assit sur la cendre. [7]Puis l'on cria dans Ninive, et l'on fit, par décret du roi et des grands, cette proclamation : « Hommes et bêtes, gros et petit bétail ne goûteront rien, ne mangeront pas et ne boiront pas d'eau. [8]On se couvrira de sacs, on criera vers Dieu avec force, et chacun se détournera de sa mauvaise conduite et de l'iniquité que commettent ses mains. [9]Qui sait si Dieu ne se ravisera pas et ne se repentira pas, s'il ne reviendra pas de l'ardeur de sa colère, en sorte que nous ne périssions point ? » [10]Dieu vit ce qu'ils faisaient pour se détourner de leur conduite mauvaise. Aussi Dieu se repentit du mal dont il les avait menacés, il ne le réalisa pas.

Dépit du prophète et réponse divine.

4 [1]Jonas en eut un grand dépit, et il se fâcha. [2]Il fit une prière à Yahvé : « Ah ! Yahvé, dit-il, n'est-ce point là ce que je disais lorsque j'étais encore dans mon pays ? C'est pourquoi je m'étais

il atteint jusqu'à Juda,
il frappe jusqu'à la porte de mon peuple,
jusqu'à Jérusalem !

¹⁰*À Gat, ne le publiez pas,*
à Soko, ne pleurez pas !
À Bet-Léaphra, roulez-vous dans la poussière !

¹¹Passe, va-t'en, toi qui demeures à Shaphir
honteuse et nue.
Elle ne sort plus, celle qui demeure à Çaanân.
Deuil à Bet-ha-Éçel,
son soutien vous est retiré.

¹²Peut-elle espérer le bonheur,
celle qui demeure à Marôt ?
Oui, le malheur est descendu de chez Yahvé
à la porte de Jérusalem.

¹³Attelle le char au coursier,
toi qui demeures à Lakish.
Ce fut le début du péché pour la fille de Sion,
car c'est en toi que l'on trouve les forfaits d'Israël.

¹⁴C'est pourquoi tu devras verser une dot
pour Moréshèt-Gat.
Les maisons d'Akzib seront une déception
pour les rois d'Israël.

¹⁵De nouveau, je ferai venir sur toi le conquérant,
toi qui demeures à Maresha !
Jusqu'à Adullam
s'en ira la gloire d'Israël.

¹⁶Coupe tes cheveux, rase-les,
pour les fils qui faisaient ta joie !
Rends-toi chauve comme le vautour,
car ils sont exilés loin de toi !

Contre les accapareurs.

2 ¹Malheur à ceux qui projettent le méfait
et qui trament le mal sur leur couche !
Dès que luit le matin, ils l'exécutent,
car c'est au pouvoir de leurs mains.
²S'ils convoitent des champs, ils s'en emparent ;
des maisons, ils les prennent ;
ils saisissent le maître avec sa maison,
l'homme avec son héritage.
³C'est pourquoi ainsi parle Yahvé :
Voici que je projette
contre cette engeance un malheur
tel que vous n'en pourrez retirer votre cou ;
et vous ne pourrez marcher la tête haute,
car ce sera un temps de malheur.
⁴Ce jour-là, on fera sur vous une satire !
on chantera une complainte
– c'est arrivé – et l'on dira :
« Nous sommes dépouillés de tout ;
on aliène la part de mon peuple,
comment peut-on me la retirer ?
Nos champs sont partagés au profit de l'infidèle. »

⁵Aussi il n'y aura pour toi personne
qui jette le cordeau sur un lot
dans l'assemblée de Yahvé.

Le prophète de malheur.

⁶Ne vaticinez pas, vaticinent-ils,
qu'on ne vaticine pas ainsi !
L'opprobre ne s'éloignera pas.
⁷Peut-on dire cela, maison d'Israël ?

Yahvé a-t-il perdu patience ?
Est-ce là sa manière d'agir ?
Ses paroles ne sont-elles pas
bienveillantes
avec celui qui marche droit ?
⁸Hier, mon peuple se dressait
contre un ennemi ;
de dessus la tunique, vous enlevez le manteau
à ceux qui passent en sécurité,
revenus de la guerre.
⁹Les femmes de mon peuple,
vous les chassez
chacune, de la maison qu'elle aimait.
À leurs nourrissons, vous enlevez pour toujours
l'honneur qui vient de moi.
¹⁰Debout, allez,
ce n'est plus le temps du repos.
Par ton impureté, tu provoques
la ruine,
et la ruine sera cuisante.
¹¹S'il y a un homme courant après
le vent
et débitant des mensonges :
« Pour vin et boisson forte,
je prophétise en ta faveur »,
je prophétiserai pour ce peuple-
là.

Promesses de restauration.

¹²Oui, je veux te rassembler Jacob
tout entier,
je veux réunir le reste d'Israël !
Je les mettrai ensemble, comme
les brebis de Bosra,
comme un troupeau au milieu de
son pâturage.
Elles feront du bruit à cause des
hommes.
¹³Il est monté celui qui ouvre la
brèche,
devant eux, il a ouvert la brèche ;
ils ont passé la porte, ils sont sortis par elle ;

leur roi est passé devant eux,
et Yahvé à leur tête.

Contre les chefs qui oppriment le peuple.

3 ¹Puis je dis :
Écoutez donc, chefs de Jacob
et dirigeants de la maison d'Israël !
N'est-ce pas à vous de connaître
le droit,
²vous qui haïssez le bien et aimez
le mal,
qui arrachez la peau de dessus
eux,
et la chair de dessus leur os.

³Ils mangent la chair de mon peuple,
ils arrachent la peau de dessus
eux,
et leurs os, ils les brisent.
Ils les découpent comme viande
dans la marmite,
comme chair en plein chaudron.

⁴Alors, ils crieront vers Yahvé,
mais il ne leur répondra pas ;
il leur cachera sa face en ce
temps-là
à cause des crimes qu'ils ont
commis.

Contre les prophètes merce-naires.

⁵Ainsi parle Yahvé contre les
prophètes
qui égarent mon peuple :
S'ils ont quelque chose entre les
dents,
ils proclament : « Paix ! »
Mais à qui ne leur met rien dans
la bouche
ils déclarent la guerre.
⁶C'est pourquoi la nuit pour vous
sera sans vision,

les ténèbres pour vous sans divination.

Le soleil va se coucher pour les prophètes

et le jour s'obscurcir pour eux.

⁷Alors les voyants seront couverts de honte

et les devins de confusion ;

tous, ils se couvriront les moustaches,

car il n'y aura pas de réponse de Dieu.

⁸Moi, au contraire, je suis plein de force

– à savoir du souffle de Yahvé –

de justice et de courage,

pour proclamer à Jacob son crime,

à Israël son péché.

Aux responsables : annonce de la ruine de Sion.

⁹Écoutez donc ceci, chefs de la maison de Jacob

dirigeants de la maison d'Israël,

vous qui exécrez la justice.

Ils rendent tortueux ce qui est droit,

¹⁰bâtissant Sion dans le sang,

et Jérusalem dans le crime.

¹¹Ses chefs jugent pour des présents,

ses prêtres décident pour un salaire,

ses prophètes vaticinent à prix d'argent.

Et c'est sur Yahvé qu'ils s'appuient ! Ils disent :

« Yahvé n'est-il pas au milieu de nous ?

Le malheur ne tombera pas sur nous. »

¹²C'est pourquoi, par votre faute,

Sion deviendra une terre de labour,

Jérusalem un monceau de décombres,

et la montagne du Temple une hauteur boisée.

2. Promesses à Sion

Le règne futur de Yahvé à Sion.
|| Is **2** 2-4.

4 ¹Or il adviendra dans la suite des temps

que la montagne du Temple de Yahvé

sera établie en tête des montagnes

et s'élèvera au-dessus des collines.

Alors des peuples afflueront vers elle,

²alors viendront des nations nombreuses qui diront :

« Venez, montons à la montagne de Yahvé,

au Temple du Dieu de Jacob,

qu'il nous enseigne ses voies

et que nous suivions ses sentiers.

Car de Sion vient la Loi

et de Jérusalem la parole de Yahvé. »

³Il jugera entre des peuples nombreux

et sera l'arbitre de nations puissantes.

Ils forgeront leurs épées pour en faire des socs

et leurs lances pour en faire des serpes.

On ne lèvera plus l'épée nation contre nation,

on n'apprendra plus à faire la guerre.

⁴Mais chacun restera assis sous sa vigne et sous son figuier,

sans personne pour l'inquiéter.

La bouche de Yahvé Sabaot a parlé.

⁵Car tous les peuples marchent chacun au nom de son dieu ;

mais nous, nous marcherons au nom de Yahvé notre Dieu,

pour toujours et à jamais.

Le rassemblement à Sion du troupeau dispersé.

⁶En ce jour-là – oracle de Yahvé – je veux rassembler les éclopées,

rallier les égarées

et celles que j'ai maltraitées.

⁷Des éclopées je ferai un reste,

des éloignées une nation puissante.

Alors Yahvé régnera sur eux

à la montagne de Sion,

dès maintenant et à jamais.

⁸Et toi, Tour du Troupeau,

Ophel de la fille de Sion,

à toi va revenir la souveraineté d'antan,

la royauté de la fille de Jérusalem.

Siège, exil et libération de Sion.

⁹Maintenant pourquoi pousses-tu des clameurs ?

N'y a-t-il pas un roi chez toi ?

Ton conseiller est-il perdu ?

que la douleur t'ait saisie comme la femme qui enfante ?

¹⁰Tords-toi de douleur et hurle,

fille de Sion, comme la femme qui enfante,

car tu vas maintenant sortir de la cité

et demeurer en rase campagne.

Tu iras jusqu'à Babel,

c'est là que tu seras délivrée ;

c'est là que Yahvé te rachètera de la main de tes ennemis.

Les nations broyées sur l'aire.

¹¹Maintenant, des nations nombreuses

se sont assemblées contre toi.

Elles disent : « Qu'on la profane

et que nos yeux se repaissent de Sion ! »

¹²C'est qu'elles ne connaissent pas les plans de Yahvé

et qu'elles n'ont pas compris son dessein :

il les a rassemblées comme les gerbes sur l'aire.

¹³Debout ! foule le grain, fille de Sion !

car je rendrai tes cornes de fer, de bronze tes sabots,

et tu broieras des peuples nombreux.

Tu voueras à Yahvé leurs rapines,

et leurs richesses au Seigneur de toute la terre.

Détresse et gloire de la dynastie de David.

¹⁴Maintenant, rassemble-toi en troupe, fille de troupe !

On a dressé le siège contre nous ;

à coups de verge ils frappent à la joue

le juge d'Israël.

5 ¹Et toi, Bethléem-Éphrata,

petite parmi les clans de Juda,

c'est de toi que sort pour moi

celui qui doit gouverner Israël.
Ses origines remontent au temps jadis,
aux jours antiques.
²C'est pourquoi il les abandonnera
jusqu'au temps où aura enfanté celle qui doit enfanter.
Alors le reste de ses frères reviendra
aux enfants d'Israël.
³Il se dressera, il fera paître son troupeau
par la puissance de Yahvé,
par la majesté du nom de son Dieu.
Ils s'établiront, car alors il sera grand
jusqu'aux extrémités de la terre.

Le futur vainqueur d'Assur.

⁴Celui-ci sera paix.
Assur, s'il envahit notre pays,
s'il foule notre sol,
nous dresserons contre lui sept pasteurs,
huit chefs d'hommes ;
⁵ils feront paître le pays d'Assur avec l'épée,
le pays de Nemrod avec le poignard.
Il nous délivrera d'Assur s'il envahit notre pays,
s'il foule notre territoire.

Rôle futur du Reste parmi les nations.

⁶Alors, le reste de Jacob sera,
au milieu des peuples nombreux,
comme une rosée venant de Yahvé,
comme des gouttes de pluie sur l'herbe,
qui n'espère point en l'homme
ni n'attend rien des humains.

⁷Alors, le reste de Jacob sera,
au milieu des peuples nombreux,
comme un lion parmi les bêtes de la forêt,
comme un lionceau parmi les troupeaux de moutons :
chaque fois qu'il passe, il piétine,
il déchire, et personne ne lui arrache sa proie.

Yahvé supprimera toutes les tentations.

⁸Que ta main se lève sur tes adversaires
et tous tes ennemis seront retranchés !
⁹Voici ce qui arrivera ce jour-là, oracle de Yahvé !
Je retrancherai de ton sein tes chevaux,
je ferai disparaître tes chars ;
¹⁰je retrancherai les cités de ton pays,
je détruirai toutes tes villes fortes ;
¹¹je retrancherai de ta main les sortilèges,
et tu n'auras plus de devins ;
¹²je retrancherai de ton sein
tes statues et tes stèles
et tu ne pourras plus te prosterner désormais
devant l'ouvrage de tes mains,
¹³j'arracherai de ton sein tes pieux sacrés,
et j'anéantirai tes cités.
¹⁴Avec colère, avec fureur, je tirerai vengeance
des nations qui n'ont pas obéi.

3. *Nouveau procès d'Israël*

REPROCHES ET MENACES

Yahvé fait le procès de son peuple.

6 ¹Écoutez donc ce que dit Yahvé :

« Debout ! Entre en procès avec les montagnes

et que les collines entendent ta voix ! »

²Écoutez, montagnes, le procès de Yahvé,

et vous, inébranlables fondements de la terre,

car Yahvé est en procès avec son peuple,

il plaide contre Israël :

³« Mon peuple, que t'ai-je fait ?

En quoi t'ai-je fatigué ? Réponds-moi.

⁴Car je t'ai fait monter du pays d'Égypte,

je t'ai racheté de la maison de servitude ;

j'ai envoyé devant toi Moïse, Aaron et Miryam.

⁵Mon peuple, souviens-toi donc : quel était le projet de Balaq, roi de Moab ?

Que lui répondit Balaam, fils de Béor ?

depuis Shittim jusqu'à Gilgal,

pour que tu connaisses les justes œuvres de Yahvé. »

⁶– « Avec quoi me présenterai-je devant Yahvé,

me prosternerai-je devant le Dieu de là-haut ?

Me présenterai-je avec des holocaustes,

avec des veaux d'un an ?

⁷Prendra-t-il plaisir à des milliers de béliers,

à des libations d'huile par torrents ?

Faudra-t-il que j'offre mon aîné pour prix de mon crime,

le fruit de mes entrailles pour mon propre péché ? »

⁸« On t'a fait savoir, ô homme, ce qui est bien,

ce que Yahvé réclame de toi :

rien d'autre que d'accomplir la justice,

d'aimer la bonté

et de t'appliquer à marcher avec ton Dieu. »

Contre les fraudeurs dans la cité.

⁹C'est la voix de Yahvé ! Il crie à la ville :

– ton nom verra le succès.

Écoutez, tribu et assemblée ¹⁰de la ville.

Puis-je supporter une mesure fausse,

– des trésors iniques –

un boisseau diminué, abominable ?

¹¹Puis-je tenir quitte pour des balances fausses,

une bourse de poids truqués ?

¹²Elle dont les riches sont pleins de violence

et dont les habitants profèrent le mensonge.

Leur langue est tromperie dans leur bouche.

¹³Alors moi, je t'ai rendu malade en te frappant,

en dévastant à cause de tes péchés.

¹⁴Toi, tu mangeras, mais tu ne pourras pas te rassasier,
 – et l'on t'abaissera –
chez toi, tu mettras de côté, mais sans rien pouvoir garder ;
 – ce que tu garderas, je le livrerai à l'épée.
¹⁵Tu sèmeras, mais tu ne pourras faire la moisson ;
tu presseras l'olive, mais tu ne pourras t'oindre d'huile,
le moût, mais tu ne pourras boire de vin.

L'exemple de Samarie.

¹⁶Tu observes les lois d'Omri,
toutes les pratiques de la maison d'Achab.
Vous vous conduisez selon leurs principes,
pour que je fasse de toi un objet de stupeur,
de tes habitants une dérision,
et que vous portiez l'opprobre des peuples.

L'injustice universelle.

7 ¹Malheur à moi !
 Je suis comme aux moissons d'été,
comme aux grappillages de la vendange :
plus une grappe à manger,

plus une figue précoce que j'aime tant !
²Le fidèle a disparu du pays,
pas un juste parmi les gens !
Tous sont aux aguets pour verser le sang.
ils traquent chacun son frère au filet.
³Leurs mains sont pour le mal,
pour faire le bien, le prince exige,
ainsi que le juge, une gratification ;
le grand exprime sa propre cupidité.
⁴Le meilleur d'entre eux est comme une ronce,
le plus juste d'entre eux, une haie d'épines.
Au jour de tes guetteurs, ton châtiment est arrivé,
maintenant, c'est leur confusion.
⁵Ne vous fiez pas au prochain,
n'ayez point confiance en l'ami ;
devant celle qui partage ta couche,
garde-toi d'ouvrir la bouche.
⁶Car le fils insulte le père,
la fille se dresse contre sa mère,
la belle-fille contre sa belle-mère,
chacun a pour ennemis les gens de sa maison.
⁷Mais moi, je regarde vers Yahvé,
j'espère dans le Dieu qui me sauvera ;
mon Dieu m'entendra.

4. Espérances

Sion sous les insultes de l'ennemie.

⁸Ne te réjouis pas à mon sujet, ô mon ennemie :
si je suis tombée, je me relèverai ;

si je demeure dans les ténèbres,
Yahvé est ma lumière.
⁹Je dois porter la colère de Yahvé,
puisque j'ai péché contre lui,
jusqu'à ce qu'il juge ma cause
et me fasse justice ;

il me fera sortir à la lumière,
et je contemplerai ses justes œuvres.
¹⁰Quand mon ennemie le verra,
elle sera couverte de honte,
elle qui me disait : « Où est-il,
Yahvé ton Dieu ? »
Mes yeux le contempleront,
tandis qu'elle sera piétinée
comme la boue des rues.

Oracle de restauration.

¹¹Le jour de rebâtir tes remparts !
Ce jour-là s'étendront tes frontières ;
¹²ce jour-là, on viendra jusqu'à toi
depuis l'Assyrie jusqu'à l'Égypte,
depuis l'Égypte jusqu'au Fleuve,
de la mer à la mer, de la montagne
à la montagne.
¹³La terre deviendra une solitude
à cause de ses habitants, pour prix
de leur conduite.

Prière pour la confusion des na-
tions.

¹⁴Fais paître ton peuple sous ta
houlette,
le troupeau de ton héritage,
qui demeure isolé dans les
broussailles,
au milieu des vergers.
Puisse-t-il paître en Bashân et en
Galaad
comme aux jours antiques !
¹⁵Comme aux jours où tu sortis du
pays d'Égypte,

je lui ferai voir des merveilles !
¹⁶Les nations verront et seront
confondues
malgré toute leur puissance ;
elles se mettront la main sur la
bouche,
elles en auront les oreilles as-
sourdies.
¹⁷Elles lécheront la poussière
comme le serpent,
comme les bêtes qui rampent sur
la terre.
Elles sortiront tremblantes de
leurs repaires
vers Yahvé, notre Dieu.
Elles seront terrifiées et craint-
ves devant toi.

Appel au pardon divin.

¹⁸Quel est le dieu comme toi, qui
enlève la faute,
qui pardonne le crime ?
En faveur du reste de son héritage,
il n'exaspère pas toujours sa colère,
mais il prend plaisir à faire grâce.
¹⁹Une fois de plus, il aura pitié de
nous,
il foulera aux pieds nos fautes,
Tu jetteras au fond de la mer
tous nos péchés.
²⁰Tu accorderas à Jacob ta fidélité,
à Abraham ta grâce,
que tu as jurées à nos pères
dès les jours d'antan.

Nahum

Voir l'introduction, p. 1245.

1 ¹Oracle sur Ninive.
Livre de la vision de Nahum, d'Elqosh.

Prélude

Psaume. La Colère de Yahvé.

Aleph. ²C'est un Dieu jaloux et vengeur que Yahvé !
Il se venge, Yahvé, il est riche en colère !
Il se venge, Yahvé, de ses adversaires,
il garde rancune à ses ennemis.
³Yahvé est lent à la colère, mais grand par sa puissance.
L'impunité, jamais il ne l'accorde, Yahvé.
Bèt. Dans l'ouragan, dans la tempête il fait sa route,
les nuées sont la poussière que soulèvent ses pas.
Gimel. ⁴Il menace la mer, il la met à sec,
il fait tarir tous les fleuves.
(Dalèt.) Ils sont flétris, Bashân et le Carmel,
flétrie la verdure du Liban !
Hé. ⁵Les montagnes tremblent à cause de lui,
les collines chancellent,
Vav. la terre est dévastée devant lui,
le monde et tous ceux qui l'habitent.
Zaïn. ⁶Son courroux ! qui pourrait le soutenir ?
Qui tiendrait devant son ardente colère ?
Hèt. Sa fureur se déverse comme le feu
et les rochers se brisent devant lui.
Tèt. ⁷Yahvé est bon ; il est une citadelle
au jour de la détresse.
Yod. Il connaît ceux qui se confient en lui,
⁸même quand survient l'inondation.
Kaph. Il réduira à néant ceux qui se dressent contre lui,
il poursuivra ses ennemis jusque dans les ténèbres.

Sentences prophétiques, à Juda et à Ninive.

(à Juda)
⁹Que méditez-vous sur Yahvé ?
C'est lui qui réduit à néant ;
l'oppression ne se lèvera pas deux fois.
¹⁰Comme un fourré d'épines
et comme des liserons entrelacés,
ils ont été dévorés comme la paille sèche.
N'est-ce pas ¹¹de toi qu'est sorti celui qui médite contre Yahvé,

l'homme aux desseins de Bélial.
¹²Ainsi parle Yahvé.

Si intacts, si nombreux soient-
ils,
   ils seront fauchés et ils passeront.

Si je t'ai humiliée,
   je ne t'humilierai plus désormais.
¹³Et maintenant, je vais briser son
joug qui pèse sur toi,
   rompre tes chaînes.
   (au roi de Ninive : oracle)
¹⁴Pour toi, voici l'ordre de Yahvé :

Il n'y aura plus de race qui porte
ton nom ;
   du temple de tes dieux j'enlèverai
   images sculptées et coulées ;
   je prépare ta tombe car tu es si
faible.

(à Juda)
2 ¹Voici sur les montagnes les
       pas du messager ;
   il annonce : « La Paix ! »
Célèbre tes fêtes, Juda,
   accomplis tes vœux,
   car Bélial désormais ne passera
plus chez toi,
   il est entièrement anéanti.

La ruine de Ninive

L'assaut.

²Un destructeur s'avance contre
toi.

Monte la garde au rempart,
   surveille la route, ceins-toi les
reins,
   rassemble toutes tes forces.
³Car Yahvé revient avec la fierté
de Jacob
   comme aussi la fierté d'Israël.
Car des pillards les avaient pillés
et avaient détruit leurs sarments.
⁴Le bouclier de ses preux rou-
geoie,
   ses braves sont vêtus d'écarlate ;
les chars flamboient de tous leurs
aciers
   au jour de leur mise en ligne ;
   les cavaliers s'agitent ;
⁵dans les rues les chars font rage,
   ils foncent à travers les places ;
   à les voir on dirait des flammes ;
   comme la foudre, ils courent çà
et là.

⁶Il fait appel à ses capitaines ;
   ils trébuchent dans leur marche ;
   ils se hâtent vers le rempart.
   Et l'abri est en place.
⁷Les portes qui donnent sur le
Fleuve s'ouvrent
   et le palais s'agite en tous sens.
⁸Et la Beauté est emmenée en exil,
enlevée,
   ses servantes poussent des gémissements
   comme la plainte des colombes ;
   elles se frappent le cœur.
⁹Ninive est comme un bassin
d'eau
   dont les eaux s'échappent.
   « Arrêtez, arrêtez ! »
   Mais nul ne se retourne.
¹⁰« Pillez l'argent ! Pillez l'or ! »
   Il n'y a pas de fin au trésor,
   une masse de tous objets précieux !
¹¹Pillage, saccage, ravage !
   Le cœur se fond, les genoux fléchissent,

le frisson est dans tous les reins,
tous les visages perdent leur couleur.

Sentence sur le lion d'Assur.

¹²Où était la tanière du lion ?
c'était une mangeoire pour les
lionceaux ;
le lion, s'en allait, la lionne était
là,
le jeune lion, personne ne l'in-
quiétait.
¹³Le lion déchirait pour ses petits,
il étranglait pour ses lionnes ;
il remplissait ses antres de rapine,
ses tanières de proie.
¹⁴Me voici contre, oracle de Yahvé Sabaot.
Je vais réduire en fumée ta multitude ;
l'épée dévorera tes lionceaux.
Je vais faire disparaître de la terre tes rapines
et l'on n'entendra plus la voix
de tes messagers.

Sentence sur Ninive la prosti-
tuée.

3 ¹Malheur à la ville sanguinaire,
toute en mensonges,
pleine de butin,
où ne cesse pas la rapine !
²Claquement des fouets,
fracas des roues,
chevaux au galop,
chars qui bondissent,
³cavaliers à la charge,
flammes des épées,
éclairs des lances,
foule des blessés,
masse des morts,
sans fin des cadavres,
on bute sur leurs cadavres !

⁴C'est à cause des prostitutions
sans nombre de la prostituée,
la beauté gracieuse, l'habile en-
chanteresse
qui asservissait les nations par
ses débauches,
les peuples par ses enchante-
ments.
⁵Me voici contre toi, oracle de
Yahvé Sabaot.
Je vais relever jusqu'à ton visage les pans de ta robe,
montrer aux nations ta nudité,
aux royaumes ton ignominie.
⁶Je vais jeter sur toi des ordures,
te déshonorer, t'exposer au pilori.
⁷Alors, quiconque te verra
se détournera de toi. Il dira :
« Ninive ! quelle désolation ! »
Qui la prendrait en pitié ?
Où pourrais-je te chercher des
consolateurs ?

L'exemple de Thèbes.

⁸Valais-tu mieux que No-Amon
assise sur les Fleuves ?
(les eaux l'entouraient)
Pour avant-mur, elle avait la
mer,
pour rempart, les eaux.
⁹Sa puissance, c'était Kush
et l'Égypte, sans fin.
Put et les Libyens étaient ses
auxiliaires.
¹⁰Elle aussi est allée en exil,
en captivité ;
ses petits enfants aussi ont été
écrasés
à tous les carrefours ;
ses nobles, on les a tirés au sort,
tous ses grands ont été liés avec
des chaînes.
¹¹Toi aussi, tu seras enivrée,
tu seras celle qui se cache ;
toi aussi, tu devras chercher
un refuge contre l'ennemi.

Inutilité des préparatifs de Ninive.

¹²Tes places fortes sont toutes des figuiers
    aux figues précoces :
    on les secoue, elles tombent
    dans la bouche de qui les mange.
¹³Regarde ton peuple :
    ce sont des femmes qu'il y a chez toi ;
    les portes de ton pays
    s'ouvrent toutes grandes à l'ennemi ;
    le feu a dévoré tes verrous.
¹⁴Puise de l'eau pour le siège,
    consolide tes places fortes,
    marche dans la boue, foule l'argile,
    prends le moule à briques.
¹⁵Là, le feu te dévorera
    et l'épée t'exterminera.

L'envol des sauterelles.

    Amoncelle-toi comme les criquets,
    amoncelle-toi comme les sauterelles ;
¹⁶multiplie tes courtiers
plus que les étoiles du ciel
    – les criquets déploient leurs élytres, ils s'envolent –,
¹⁷tes garnisons comme les sauterelles,
    tes scribes comme un essaim d'insectes.
    Ils campent sur les murs
    au jour du froid.
    Le soleil paraît :
    ils sont partis, nul ne sait où.
    Où sont-ils ?

Lamentation funèbre.

¹⁸Ils dorment, tes bergers, roi d'Assur,
    ils reposent, tes capitaines.
    Ton peuple est dispersé sur les montagnes,
    nul ne pourra plus les rassembler.
¹⁹À ta blessure, pas de remède !
    Ta plaie est incurable.
    Tous ceux qui entendent ce qu'on dit de toi
    battent des mains sur toi ;
    sur qui donc n'est pas passée,
    sans trêve, ta méchanceté ?

Habaquq

Voir l'introduction, p. 1245.

Titre.

1 ¹L'oracle que reçut en vision Habaquq le prophète.

1. Dialogue entre le prophète et son Dieu

Première plainte du prophète : la déroute de la justice.

²Jusques à quand, Yahvé, appellerai-je au secours
  sans que tu écoutes,
  crierai-je vers toi : « À la violence ! »
  sans que tu sauves ?
³Pourquoi me fais-tu voir l'iniquité et regardes-tu l'oppression ?
  Je ne vois que rapine et violence,
  c'est la dispute, et la discorde sévit !
⁴Aussi la loi se meurt,
  plus jamais le droit ne paraît !
  Oui, l'impie traque le juste,
  aussi ne paraît plus qu'un droit fléchi !

Premier oracle. Les Chaldéens fléau de Dieu.

⁵Regardez parmi les peuples, voyez,
  soyez stupides et stupéfaits !
  Car j'accomplis de vos jours une œuvre
  que vous ne croiriez pas si on la racontait.
⁶Oui ! voici que je suscite les Chaldéens,

ce peuple farouche et fougueux,
  celui qui parcourt de vastes étendues de pays
  pour s'emparer des demeures d'autrui.
⁷Il est terrible et redoutable,
  sa force fait son droit, sa grandeur !
⁸Ses chevaux sont plus rapides que panthères,
  plus mordants que loups du soir ;
  ses cavaliers bondissent,
  ses cavaliers arrivent de loin,
  ils volent comme l'aigle qui fond pour dévorer.
⁹Tous arrivent pour le pillage,
  la face ardente comme un vent d'est ;
  ils ramassent les captifs comme du sable !
¹⁰Ce peuple se moque des rois,
  il tourne les princes en dérision.
  Il se rit de toutes forteresses :
  il entasse de la terre et les prend !
¹¹Puis le vent a tourné et s'en est allé...
  Criminel qui fait de sa force son Dieu !

Seconde plainte du prophète : les exactions de l'oppresseur.

¹²Dès les temps lointains n'es-tu pas Yahvé,

mon Dieu, mon Saint, qui ne meurs pas ?

Tu l'avais établi, Yahvé, pour exercer le droit,

tel un rocher, pour châtier, tu l'avais affermi !

¹³Tes yeux sont trop purs pour voir le mal,

tu ne peux regarder l'oppression.

Pourquoi regardes-tu les gens perfides,

gardes-tu le silence quand l'impie engloutit un plus juste que lui ?

¹⁴Tu traites les humains comme les poissons de la mer,

comme la gent qui frétille, sans maître !

¹⁵Il les prend tous à l'hameçon,

les tire avec son filet,

il les ramasse avec son épervier,

et le voilà dans la joie, dans l'allégresse !

¹⁶Aussi sacrifie-t-il à son filet,

fait-il fumer des offrandes devant son épervier,

car ils lui procurent de grasses portions

et des mets plantureux.

¹⁷Videra-t-il donc sans trêve son filet,

massacrant les peuples sans pitié ?

Second oracle. Le juste vivra par sa fidélité.

2 ¹Je vais me tenir à mon poste de garde,

je vais rester debout sur mon rempart ;

je guetterai pour voir ce qu'il me dira,

ce qu'il va répondre à ma doléance.

²Alors Yahvé me répondit et dit :

« Écris la vision,

grave-la sur les tablettes

pour qu'on la lise facilement.

³Car c'est une vision qui n'est que pour son temps :

elle aspire à son terme, sans décevoir ;

si elle tarde, attends-la :

elle viendra sûrement, sans faillir !

⁴« Le voici gonflé d'orgueil, celui dont l'âme n'est pas droite,

mais le juste vivra par sa fidélité. »

2. *Les malédictions contre l'oppresseur*

Prélude.

⁵Assurément la richesse trahit !

Il perd le sens et ne subsiste pas,

celui qui dilate sa gorge comme le shéol,

celui qui comme la mort est insatiable,

qui rassemble pour lui toutes les nations

et réunit pour lui tous les peuples !

⁶Tous alors n'entonneront-ils pas une satire contre lui ?

Ne tourneront-ils pas d'épigrammes à son adresse ?

Ils diront :

Les cinq imprécations.

I

Malheur à qui amasse le bien d'autrui

(jusques à quand ?)

et qui se charge d'un fardeau de gages !

[7] Ne surgiront-ils pas soudain, tes créanciers,

ne se réveilleront-ils pas, tes exacteurs ?

Tu vas être leur proie !

[8] Parce que tu as pillé de nombreuses nations,

tout ce qui reste de peuples te pillera,

car tu as versé le sang humain, violenté le pays,

la cité et tous ceux qui l'habitent !

II

[9] Malheur à qui commet pour sa maison des rapines injustes,

afin d'établir bien haut son repaire,

afin d'esquiver l'étreinte du malheur !

[10] C'est la honte de ta maison que tu as résolue :

en abattant de nombreux peuples tu as travaillé contre toi-même.

[11] Car des murailles mêmes la pierre crie,

de la charpente la poutre lui répond.

III

[12] Malheur à qui bâtit une ville dans le sang

et fonde une cité sur l'injustice !

[13] Ceci ne vient-il pas de Yahvé Sabaot ;

les peuples peinent pour le feu,

les nations s'épuisent pour le néant ;

[14] car la terre sera remplie de la connaissance de la gloire de Yahvé,

comme les eaux couvrent le fond de la mer.

IV

[15] Malheur à qui fait boire son voisin !

Tu mêles ton poison jusqu'à l'ivresse

pour qu'on puisse regarder sa nudité.

[16] Tu t'es saturé d'ignominie, non de gloire !

Bois à ton tour et montre ton prépuce !

Elle passe pour toi, la coupe de la droite de Yahvé,

et l'infamie va recouvrir ta gloire !

[17] Car la violence faite au Liban te submergera,

ainsi que le massacre d'animaux frappés d'épouvante,

car tu as versé le sang humain, violenté le pays,

la cité et tous ceux qui l'habitent !

[18] À quoi sert une sculpture pour que la sculpte son artisan ?

une image de métal, un oracle menteur,

pour qu'en eux se confie celui qui les façonne

en vue de fabriquer des idoles muettes ?

V

[19] Malheur à qui dit au morceau de bois : « Réveille-toi ! »

à la pierre silencieuse : « Sors de ton sommeil !

Elle va enseigner ! »

Placage d'or et d'argent, certes,
mais sans un souffle de vie qui
l'anime !

²⁰Mais Yahvé réside dans son
temple saint :
　silence devant lui, terre entière !

3. Appel à l'intervention de Yahvé

Titre.

3 ¹Prière. De Habaquq le prophète, sur le ton des lamentations.

Prélude. Supplication.

²Yahvé, j'ai appris ton renom,
　Yahvé, j'ai redouté ton œuvre !
　En notre temps, fais-la revivre !
　En notre temps, fais-la connaî-
tre !
　Dans la colère, souviens-toi
d'avoir pitié !

Théophanie.
L'arrivée de Yahvé.

³Éloah vient de Témân
　et le Saint du mont Parân.
　　　　　　　　Pause.
　Sa majesté voile les cieux,
　la terre est pleine de sa gloire.
⁴Son éclat est pareil au jour,
　des rayons jaillissent de ses
mains,
　c'est là que se cache sa force.
⁵Devant lui s'avance la peste,
　la fièvre marche sur ses pas.
⁶Il se dresse et fait trembler la
terre,
　il regarde et fait frémir les nations.
　Alors les monts éternels se disloquent,
　les collines antiques s'effondrent,
　ses routes de toujours.

⁷J'ai vu les tentes de Kushân sous
le fléau,
　les pavillons du pays de Madiân
sont pris de tremblements.

Le combat de Yahvé.

⁸Est-ce contre les fleuves, Yahvé, que flambe ta colère,
　ou contre la mer ta fureur,
　pour que tu montes sur tes chevaux,
　sur tes chars de salut ?
⁹Tu mets à nu ton arc,
　de traits tu rassasies l'Amorite.
　　　　　　　　Pause
　De torrents tu crevasses le sol ;
¹⁰Les montagnes te voient, elles
sont dans les transes ;
　une trombe d'eau passe,
　l'abîme fait entendre sa voix,
　Là-haut, ¹¹le soleil a retiré ses
mains,
　la lune est restée dans sa demeure ;
　ils fuient devant l'éclat de tes flèches,
　sous la lueur des éclairs de ta
lance.
¹²Avec rage tu arpentes la terre,
　avec colère tu écrases les nations.
¹³Tu t'es mis en campagne pour
sauver ton peuple,
　pour sauver ton oint,
　tu as abattu la maison de l'impie,
　mis à nu le fondement jusqu'au
rocher.
　　　　　　　　Pause.

¹⁴Tu as percé de ses propres traits
la tête de ses guerriers
  qui se ruaient pour nous disperser, se flattant de dévorer en secret le pauvre.
¹⁵Tu as foulé la mer avec tes chevaux,
  le bouillonnement des grandes eaux !

Conclusion : Crainte humaine et foi en Dieu.

¹⁶J'ai entendu ! Mon sein frémit.
  À ce bruit mes lèvres tremblent,
  la carie pénètre mes os,
  sous moi chancellent mes pas.
  J'attends en paix ce jour d'angoisse
  qui se lèvera contre le peuple qui nous assaille.
¹⁷(Car le figuier ne bourgeonnera plus ;

plus rien à récolter dans les vignes.
  Le produit de l'olivier décevra,
  les champs ne donneront plus à manger,
  les brebis disparaîtront du bercail ;
  plus de bœufs dans les étables.)

¹⁸Mais moi je me réjouirai en Yahvé,
  j'exulterai en Dieu mon Sauveur !

¹⁹Yahvé mon Seigneur est ma force,
  il rend mes pieds pareils à ceux des biches,
  sur les cimes il porte mes pas.

  Du maître de chant. Sur instruments à cordes.

Sophonie

Voir l'introduction, p. 1245.

1 ¹Parole de Yahvé qui fut adressée à Sophonie, fils de Kushi, fils de Gedalya, fils d'Amarya, fils de Hizqiyya, au temps de Josias, fils d'Amon, roi de Juda.

1. Le Jour de Yahvé en Juda

Prélude cosmique.

²Oui, je vais tout supprimer
de la face de la terre,
oracle de Yahvé.
³Je supprimerai hommes et bêtes,
je supprimerai oiseaux du ciel et poissons de la mer,
ce qui fait trébucher les méchants,
je retrancherai les hommes de la face de la terre,
oracle de Yahvé.

Contre le culte des dieux étrangers.

⁴Je vais lever la main contre Juda
et contre tous les habitants de Jérusalem,
et je retrancherai de ce lieu le reste de Baal
et le nom de ses desservants,
⁵ceux qui se prosternent sur les toits
devant l'armée des cieux,
ceux qui se prosternent devant Yahvé
et qui jurent par Milkom,
⁶ceux qui se détournent de Yahvé,
qui ne consultent pas Yahvé
et ne le cherchent pas.
⁷Silence devant le Seigneur Yahvé,
car le jour de Yahvé est proche !
Oui, Yahvé a préparé un sacrifice,
il a consacré ses invités.

Contre les hauts dignitaires de la cour.

⁸Il arrivera, au jour du sacrifice de Yahvé,
que je visiterai les ministres,
les princes royaux
et tous ceux qui revêtent
des vêtements étrangers.
⁹Je visiterai en ce jour
tous ceux qui sautent par-dessus le seuil
eux qui remplissent le palais de leur seigneur
de violence et de fraude.

Contre les commerçants de Jérusalem.

¹⁰Ce jour-là – oracle de Yahvé –
une clameur s'élèvera de la porte des Poissons,
de la ville neuve, des hurlements,

des hauteurs, un grand fracas !
[11]Hurlez, habitants du Mortier,
  car tout le peuple de Canaan est
anéanti,
  tous les peseurs d'argent sont retranchés.

Contre les incrédules.

[12]En ce temps-là,
  je fouillerai Jérusalem aux flambeaux,
  je visiterai les hommes
  qui croupissent sur leur lie,
  ceux qui disent dans leur cœur :
  « Yahvé ne peut faire
  ni bien ni mal. »
[13]Alors, leur richesse sera livrée
au pillage,
  leurs maisons à la dévastation ;
  ils ont bâti des maisons et ne les
habiteront pas ;
  ils ont planté des vignes et n'en
boiront pas le vin.

Le Jour de Yahvé.

[14]Il est proche, le jour de Yahvé,
formidable !
  Il est proche, il vient en toute hâte !
  Ô clameur amère du jour de
Yahvé :
  c'est ici un preux qui pousse le
cri de guerre !
[15]Jour de fureur, ce jour-là !
  jour de détresse et de tribulation,
  jour de désolation et de dévastation,
  jour d'obscurité et de sombres
nuages,
  jour de nuées et de ténèbres,

[16]jour de sonneries de cor et de
cris de guerre
  contre les villes fortes
  et les hautes tours d'angle.
[17]Je livrerai les hommes à la détresse
  et ils iront comme des aveugles
  (parce qu'ils ont péché contre
Yahvé) ;
  leur sang sera répandu comme
de la poussière,
  et leurs chairs, comme des ordures.
[18]Ni leur argent, ni leur or
  ne pourront les sauver.

  Au jour de la colère de Yahvé,
  au feu de sa jalousie,
  toute la terre sera dévorée.
  Car il va détruire, oui, exterminer
  tous les habitants de la terre.

Conclusion : appel à la conver-sion.

2 [1]Entassez-vous, tassez-vous,
  ô nation sans honte,
[2]avant que vous ne soyez chassés
  comme la bale qui disparaît en
un jour,
  avant que ne vienne sur vous
  l'ardente colère de Yahvé
  (avant que ne vienne sur vous
  le jour de la colère de Yahvé).
[3]Cherchez Yahvé,
  vous tous les humbles de la terre,
  qui accomplissez ses ordonnances.
  Cherchez la justice,
  cherchez l'humilité :
  peut-être serez-vous à l'abri
  au jour de la colère de Yahvé.

2. *Contre les nations*

**Ennemis à l'occident : les Phi-
listins.** Jos 13 1. Am 1 6-8. Is 14 28-32.
Jr 47. Ez 25 15-17.

⁴Oui, Gaza va être abandonnée,
  Ashqelôn sera une solitude.
Ashdod, en plein midi on la
chassera ;
  Éqrôn sera déracinée.
⁵Malheur aux habitants de la ligue de la mer,
  à la nation des Kérétiens !
Voici la parole de Yahvé contre
vous :
  « Canaan, terre des Philistins,
  je vais te faire périr faute d'habitants ! »
⁶La ligue de la mer sera réduite
en pâtures,
  en pacages pour les bergers
  et en enclos pour les moutons.
⁷Et la ligue appartiendra
  au reste de la maison de Juda ;
  ils y mèneront paître ;
  le soir, ils se reposeront au milieu des maisons d'Ashqelôn ;
  car Yahvé leur Dieu les visitera
  et il accomplira leur restauration.

**Ennemis à l'orient : Moab et
Amon.** Am 1 13–2 3. Is 15-16. Jr 48 1–49 6.
Ez 25 1-11.

⁸J'ai entendu l'insulte de Moab
  et les sarcasmes des fils d'Ammon,
lorsqu'ils insultaient mon peuple
  et se glorifiaient de leur territoire.
⁹C'est pourquoi, par ma vie !
  – oracle de Yahvé Sabaot,
  Dieu d'Israël :

« Moab deviendra comme Sodome
  et les fils d'Ammon comme Gomorrhe :
un domaine de chardons, un
monceau de sel,
  une solitude à jamais.
Le reste de mon peuple les pillera,
  ce qui subsistera de ma nation
en recevra l'héritage. »
¹⁰Ce sera le prix de leur orgueil,
  puisqu'ils ont proféré des insultes et des paroles hautaines
  contre le peuple de Yahvé Sabaot.
¹¹Terrible sera Yahvé pour eux.
  Quand il aura supprimé tous les
dieux de la terre,
  elles se prosterneront devant lui,
  chacune sur son propre sol,
  toutes les îles des nations.

Ennemi au sud : Kush. 2 R 19 9.
Is 18-20. Jr 46. Ez 29-32.

¹²Vous aussi, Kushites :
  « Ils seront transpercés de mon
épée. »

Ennemi au nord : Assur.

¹³Il lèvera la main contre le Nord
  et réduira Assur en ruines ;
  il fera de Ninive une solitude,
  terre aride comme le désert.
¹⁴Au milieu d'elle se reposeront
les troupeaux ;
  toutes sortes de bêtes :
  même le choucas, même le hérisson
  gîteront la nuit parmi ses sculptures ;
  le hibou poussera son cri à la fenêtre

et le corbeau sur le seuil,
car le palais de cèdre a été rasé.
¹⁵C'est la cité joyeuse
qui trônait avec assurance,
celle qui disait en son cœur :
« Moi, sans égale ! »

Comment est-elle devenue un
objet de stupeur,
un repaire pour les bêtes ?
Quiconque passe auprès d'elle
siffle et agite la main.

3. Contre Jérusalem

Contre les dirigeants de la nation.

3 ¹Malheur à la rebelle, la souillée,
à la ville tyrannique !
²Elle n'a pas écouté l'appel,
elle n'a pas accepté la leçon ;
à Yahvé elle ne s'est pas confiée,
de son Dieu elle ne s'est pas approchée.
³Ses princes au milieu d'elle
sont des lions rugissants ;
ses juges, des loups du soir
qui ne gardent rien pour le matin ;
⁴ses prophètes sont des vantards,
des imposteurs ;
ses prêtres profanent les choses saintes,
ils violent la Loi.

⁵Au milieu d'elle, Yahvé est juste ;
il ne commet rien d'inique ;
matin après matin, il promulgue
son droit,
à l'aube il ne fait pas défaut.
(Mais l'inique ne connaît pas la honte.)

La leçon des nations.

⁶J'ai retranché les nations,
leurs tours d'angle ont été détruites ;
j'ai rendu leurs rues désertes :
plus de passants !
Leurs cités ont été saccagées :
plus d'hommes, plus d'habitants !
⁷Je disais : « Au moins tu me craindras,
tu accepteras la leçon ;
à ses yeux ne peuvent s'effacer
tant de venues dont je l'ai visitée. »
Mais non ! ils se sont hâtés de pervertir
toutes leurs actions !

⁸C'est pourquoi, attendez-moi
– oracle de Yahvé –
au jour où je me lèverai en accusateur ;
car j'ai décrété de réunir les nations,
de rassembler les royaumes,
pour déverser sur eux ma fureur,
toute l'ardeur de ma colère.
(Car du feu de ma jalousie
toute la terre sera dévorée.)

4. Les promesses

Conversion des peuples.

⁹Oui, je ferai alors aux peuples
des lèvres pures,
pour qu'ils puissent tous invoquer le nom de Yahvé
et le servir sous un même joug.
¹⁰De l'autre rive des fleuves de
Kush, mes suppliants
m'apporteront mon offrande.

L'humble reste d'Israël.

¹¹Ce jour-là
tu n'auras plus honte de tous les
méfaits
que tu as commis contre moi,
car j'écarterai de ton sein
tes orgueilleux triomphants ;
et tu cesseras de te pavaner
sur ma montagne sainte.
¹²Je ne laisserai subsister en ton
sein
qu'un peuple humble et modeste,
et c'est dans le nom de Yahvé que
cherchera refuge
¹³le reste d'Israël.
Ils ne commettront plus d'iniquité,
ils ne diront plus de mensonge ;
on ne trouvera plus dans leur
bouche
de langue trompeuse.
Mais ils pourront paître et se reposer
sans que personne les inquiète.

Psaumes d'allégresse à Sion.

¹⁴Pousse des cris de joie, fille de
Sion !
une clameur d'allégresse, Israël !
Réjouis-toi, triomphe de tout ton
cœur,
fille de Jérusalem !

¹⁵Yahvé a levé la sentence qui pesait sur toi ;
il a détourné ton ennemi.
Yahvé est roi d'Israël au milieu
de toi.
Tu n'as plus de malheur à craindre.
¹⁶Ce jour-là, on dira à Jérusalem
Sois sans crainte, Sion !
que tes mains ne défaillent pas !
¹⁷Yahvé ton Dieu est au milieu de
toi,
héros sauveur !
Il exultera pour toi de joie,
il tressaillera dans son amour ;
il dansera pour toi avec des cris
de joie.

Le Retour des dispersés.

¹⁸Les affligés loin de la fête, je les
rassemble,
ils étaient loin de toi,
pour que tu ne portes plus la
honte.
¹⁹Me voici à l'œuvre
avec tous tes oppresseurs.
En ce temps-là, je sauverai les
éclopées,
je rallierai les égarées,
et je leur attirerai louange et renommée
par toute la terre où on leur faisait honte.
²⁰En ce temps-là, je vous guiderai,
au temps où je vous rassemblerai ;
alors je vous donnerai louange
et renommée
parmi tous les peuples de la
terre,
quand j'accomplirai votre restauration sous vos yeux,
dit Yahvé.

Aggée

Voir l'introduction, p. 1246.

La reconstruction du Temple.

1 ¹La deuxième année du roi Darius, le sixième mois, le premier jour du mois, la parole de Yahvé fut adressée par le ministère du prophète Aggée à Zorobabel, fils de Shéaltiel, gouverneur de Juda, et à Josué, fils de Yehoçadaq, le grand prêtre, en ces termes : ²Ainsi parle Yahvé Sabaot. Ce peuple dit : « Il n'est pas encore arrivé, le moment de rebâtir le Temple de Yahvé ! » ³(Et la parole de Yahvé fut adressée par le ministère du prophète en ces termes :) ⁴Est-ce donc pour vous le moment de rester dans vos maisons lambrissées, quand cette Maison-là est dévastée ? ⁵Maintenant donc, ainsi parle Yahvé Sabaot. Réfléchissez en votre cœur au chemin que vous avez pris ! ⁶Vous avez semé beaucoup mais peu engrangé ; vous avez mangé, mais pas à votre faim ; vous avez bu, mais pas votre soûl ; vous vous êtes vêtus, mais non réchauffés. Le salarié a gagné son salaire pour le mettre dans une bourse percée ! ⁷Ainsi parle Yahvé Sabaot. Réfléchissez en votre cœur au chemin que vous avez pris ! ⁸Montez à la montagne, rapportez du bois et réédifiez la Maison ; j'y mettrai ma complaisance et j'y manifesterai ma gloire – dit Yahvé. ⁹Vous attendiez l'abondance et ce fut maigre. Quand vous avez engrangé, j'ai soufflé dessus. Pourquoi donc ? Oracle de Yahvé Sabaot. À cause de ma Maison qui est détruite, tandis que vous vous empressez chacun pour votre maison. ¹⁰C'est pourquoi sur vous les cieux ont retenu la rosée et la terre a retenu ses produits. ¹¹J'ai appelé la sécheresse sur la terre, sur les montagnes, sur le blé, sur le vin nouveau, sur l'huile fraîche et sur tout ce que produit le sol, sur les hommes et sur le bétail, et sur tout le labeur de vos mains.

¹²Or Zorobabel, fils de Shéaltiel, Josué, fils de Yehoçadaq, le grand prêtre, et tout le reste du peuple écoutèrent la voix de Yahvé leur Dieu et les paroles du prophète Aggée, selon la mission dont Yahvé leur Dieu l'avait chargé. Et le peuple éprouva de la crainte devant Yahvé. ¹³Aggée, le messager de Yahvé, parla en ces termes au peuple, selon le message de Yahvé : « Je suis avec vous, oracle de Yahvé. » ¹⁴Et Yahvé excita l'esprit de Zorobabel, fils de Shéaltiel, gouverneur de Juda, l'esprit de Josué, fils de Yehoçadaq, le grand prêtre, et l'esprit de tout le reste du peuple : ils vinrent et se mirent à l'ouvrage dans le Temple de Yahvé Sabaot leur Dieu. ¹⁵C'était le vingt-quatrième jour du sixième mois.

La gloire du Temple.

La deuxième année du roi Darius,

2 ¹au septième mois, le vingt et unième jour du mois, la parole de Yahvé fut adressée par le ministère du prophète Aggée en ces termes : ²Parle donc ainsi à Zorobabel, fils de Shéaltiel, gouverneur de Juda, à Josué, fils de Yehoçadaq, le grand prêtre, et au reste du peuple. ³Quel est parmi vous le survivant qui a vu ce Temple dans sa gloire passée ? Et comment le voyez-vous maintenant ? À vos yeux, n'est-il pas pareil à un rien ? ⁴Mais à présent, courage, Zorobabel ! oracle de Yahvé. Courage, Josué, fils de Yehoçadaq, grand prêtre ! Courage, tout le peuple du pays ! oracle de Yahvé. Au travail ! Car je suis avec vous – oracle de Yahvé Sabaot. ⁵Selon l'engagement que j'ai conclu avec vous à la sortie d'Égypte, et puisque mon Esprit demeure au milieu de vous, ne craignez pas ! ⁶Car ainsi parle Yahvé Sabaot. Encore un très court délai et j'ébranlerai le ciel et la terre, la mer et le sol ferme. ⁷J'ébranlerai toutes les nations, alors afflueront les trésors de toutes les nations et j'emplirai de gloire ce Temple, dit Yahvé Sabaot. ⁸À moi l'argent ! à moi l'or ! oracle de Yahvé Sabaot. ⁹La gloire à venir de ce Temple dépassera l'ancienne, dit Yahvé Sabaot, et dans ce lieu je donnerai la paix, oracle de Yahvé Sabaot.

Consultation auprès des prêtres.

¹⁰Le vingt-quatrième jour du neuvième mois, la deuxième an-née de Darius, la parole de Yahvé fut adressée au prophète Aggée en ces termes : ¹¹Ainsi parle Yahvé Sabaot. Demande donc aux prêtres une décision, en ces termes : ¹²« Si quelqu'un porte de la viande sacrifiée dans le pan de son vêtement et touche avec son vêtement du pain, un mets, du vin, de l'huile et toute sorte d'aliment, cela deviendra-t-il saint ? » Les prêtres répondirent et dirent : « Non ! » ¹³Et Aggée dit : « Si quelqu'un, rendu impur par un cadavre, touche à tout cela, cela deviendra-t-il impur ? » Les prêtres répondirent et dirent : « Cela deviendra impur ! » ¹⁴Alors Aggée prit la parole en ces termes : « Ainsi en est-il de ce peuple ! Ainsi de cette nation devant ma face ! oracle de Yahvé. Ainsi en est-il de tout le travail de leurs mains, et ce qu'ils offrent ici est impur. »

Promesse de prospérité agricole.

¹⁵Et maintenant réfléchissez bien en votre cœur, à partir d'aujourd'hui et pour l'avenir. Avant qu'on plaçât pierre sur pierre dans le sanctuaire de Yahvé, ¹⁶que deveniez-vous ? On venait à un tas de vingt mesures, mais il n'y en avait que dix ; on venait au pressoir puiser d'une cuve cinquante mesures, mais il n'y en avait que vingt. ¹⁷Je vous ai frappés par la rouille, la nielle et la grêle tout le travail de vos mains, et vous n'êtes pas revenus à moi, oracle de Yahvé ! ¹⁸Réfléchissez donc en votre cœur, à partir d'aujourd'hui et pour l'avenir, (depuis le vingt-quatrième jour du neuvième mois, depuis le jour où l'on posa la fondation du sanc-

tuaire de Yahvé, considérez attentivement). ¹⁹Reste-t-il encore du grain dans le grenier ? Même la vigne, le figuier, le grenadier et l'olivier n'ont rien porté. À partir d'aujourd'hui, je bénirai !

Promesse à Zorobabel.

²⁰La parole de Yahvé fut adressée une deuxième fois à Aggée, le vingt-quatrième jour du mois, en ces termes : ²¹Parle ainsi à Zorobabel, le gouverneur de Juda. Je vais ébranler cieux et terre. ²²Je vais renverser les trônes des royaumes et détruire la puissance des royaumes des nations. Je renverserai la charrerie et ses équipages ; les chevaux et leurs cavaliers seront abattus, chacun sous l'épée de son frère. ²³En ce jour-là – oracle de Yahvé Sabaot – je te prendrai, Zorobabel, fils de Shéaltiel, mon serviteur – oracle de Yahvé – et je ferai de toi comme un anneau à cachet. Car c'est toi que j'ai choisi, oracle de Yahvé Sabaot.

Zacharie

Voir l'introduction, p. 1246.

Première partie

Exhortation à la conversion.

1 ¹La deuxième année de Darius, au huitième mois, la parole de Yahvé fut adressée au prophète Zacharie, (fils de Bérékya), fils de Iddo, en ces termes : ²Yahvé s'est grandement irrité contre vos pères. ³Tu leur diras : Ainsi parle Yahvé Sabaot. Revenez à moi – oracle de Yahvé Sabaot – et je reviendrai vers vous, dit Yahvé Sabaot. ⁴Ne soyez pas comme vos pères à qui les prophètes du passé lancèrent cet appel : Ainsi parle Yahvé Sabaot. Revenez donc de vos voies mauvaises et de vos actions mauvaises. Mais eux n'écoutèrent pas et ne me prêtèrent pas attention – oracle de Yahvé. ⁵Vos pères, où sont-ils ? Et les prophètes, sont-ils toujours en vie ? ⁶Mais mes ordres et mes décrets, ceux que j'avais donnés à mes serviteurs les prophètes, n'ont-ils pas atteint vos pères ? Alors ils se sont convertis et ont dit : « Yahvé Sabaot nous a traités comme il avait résolu de le faire, selon nos voies et nos actions. »

Première vision : les cavaliers.
6 1-7. Ap 6 1-9.

⁷Le vingt-quatrième jour du onzième mois (le mois de Shebat), la deuxième année de Darius, la parole de Yahvé fut adressée au prophète Zacharie, (fils de Bérékya), fils de Iddo, en ces termes. ⁸J'eus une vision pendant la nuit. Voici : Un homme montant un cheval roux se tenait parmi les myrtes qui ont leurs racines dans la profondeur ; derrière lui, des chevaux roux, alezans, et blancs. ⁹Je dis : « Qui sont ceux-là, mon Seigneur ? » Et l'ange qui me parlait me dit : « Je te ferai voir qui ils sont. » ¹⁰L'homme qui se tenait parmi les myrtes répondit : « Ce sont ceux que Yahvé a envoyés parcourir la terre. » ¹¹Or ils s'adressèrent à l'ange de Yahvé qui se tenait parmi les myrtes, et ils dirent : « Nous venons de parcourir la terre, et voici que toute la terre est en repos et tranquillité. » ¹²Alors l'ange de Yahvé prit la parole et dit : « Yahvé Sabaot, jusques à quand tarderas-tu à prendre en pitié Jérusalem et les villes de Juda auxquelles tu as fait sentir ta colère depuis soixante-dix ans ? » ¹³À l'ange qui me parlait, Yahvé répondit par des paroles de bonté, des paroles de consolation. ¹⁴Alors l'ange qui me parlait me dit : « Fais cette proclamation : Ainsi parle Yahvé Sabaot. J'éprouve un amour très jaloux pour Jérusalem et pour Sion, ¹⁵mais une très grande irritation contre les nations tranquilles ; car moi, je n'étais que peu irrité, mais elles, elles ont concouru au mal. ¹⁶C'est pourquoi,

ainsi parle Yahvé : Je me tourne de nouveau vers Jérusalem avec compassion ; mon Temple y sera rebâti – oracle de Yahvé Sabaot – et le cordeau sera tendu sur Jérusalem. [17]Fais encore cette proclamation : Ainsi parle Yahvé Sabaot. Mes villes abonderont encore de biens. Yahvé consolera encore Sion, il fera encore choix de Jérusalem. »

Deuxième vision : cornes et forgerons.

2 [1]Puis je levai les yeux et j'eus une vision. Voici : il y avait quatre cornes. [2]Je dis à l'ange qui me parlait : « Que sont ces cornes ? » Il me dit : « Ce sont les cornes qui ont dispersé Juda (Israël) et Jérusalem. » [3]Puis Yahvé me fit voir quatre forgerons. [4]Et je dis : « Que viennent faire ceux-ci ? » Il me dit : « (Celles-là sont les cornes qui ont dispersé Juda, au point que personne n'osait redresser la tête ; mais) ceux-ci sont venus les effrayer, pour abattre les cornes des nations qui élevaient la corne contre le pays de Juda afin de le disperser. »

Troisième vision : le mesureur.

[5]Puis je levai les yeux et j'eus une vision. Voici : il y avait un homme, et dans sa main, un cordeau pour mesurer. [6]Je lui dis : « Où vas-tu ? » Il me dit : « Mesurer Jérusalem, pour voir quelle est sa largeur et quelle est sa longueur. » [7]Et voici : l'ange qui me parlait s'avança et un autre ange s'avança au devant de lui. [8]Il lui dit : « Cours, parle à ce jeune homme et dis-lui : Jérusalem doit rester ouverte, à cause de la quantité d'hommes et de bétail qui s'y

trouve. [9]Quant à moi, je serai pour elle – oracle de Yahvé – une muraille de feu tout autour, et je serai sa Gloire. »

Deux appels aux exilés.

[10]Holà ! Holà ! Fuyez du pays du Nord
   – oracle de Yahvé –
car aux quatre vents des cieux je vous ai dispersés, oracle de Yahvé !
[11]Holà ! Sion, sauve-toi,
   toi qui habites chez la fille de Babylone.
[12]Car ainsi parle Yahvé Sabaot,
   après que la Gloire m'eut envoyé,
   à propos des nations qui vous dépouillèrent :
« Qui vous touche, touche à la prunelle de mon œil.
[13]Voici que je lève la main sur elles,
   pour qu'elles soient le butin de leurs esclaves. »
   Alors vous saurez que Yahvé Sabaot m'a envoyé !
[14]Chante, réjouis-toi, fille de Sion,
   car voici que je viens
   pour demeurer au milieu de toi,
   oracle de Yahvé !
[15]Des nations nombreuses s'attacheront
   à Yahvé, en ce jour-là :
   elles seront pour lui un peuple.
Elles habiteront au milieu de toi
   et tu sauras que Yahvé Sabaot m'a envoyé vers toi.
[16]Mais Yahvé possédera Juda
   comme sa part sur la Terre Sainte
   et choisira encore Jérusalem.
[17]Silence ! toute chair, devant Yahvé,
   car il se réveille en sa sainte Demeure.

Quatrième vision : la vêture de Josué.

3 ¹Il me fit voir Josué, le grand prêtre, qui se tenait devant l'ange de Yahvé, tandis que le Satan était debout à sa droite pour l'accuser. ²L'ange de Yahvé dit au Satan : « Que Yahvé te réprime, Satan ; que Yahvé te réprime, lui qui a fait choix de Jérusalem. Celui-ci n'est-il pas un tison tiré du feu ? » ³Or Josué, debout devant l'ange, était vêtu d'habits sales. ⁴Prenant la parole, celui-ci parla en ces termes à ceux qui se tenaient devant lui : « Enlevez-lui ses habits sales. » Puis il lui dit : « Vois, j'ai enlevé de toi ton péché et on te vêtira d'habits somptueux. » ⁵Et il reprit : « Qu'on mette sur sa tête une tiare propre ! » Ils lui mirent sur sa tête une tiare propre et le revêtirent d'habits.

L'ange de Yahvé se tenait debout. ⁶Alors l'ange de Yahvé fit à Josué cette déclaration : ⁷« Ainsi parle Yahvé Sabaot. Si tu marches dans mes voies et gardes mes observances, tu gouverneras ma maison, tu garderas mes parvis et je te donnerai accès parmi ceux qui se tiennent ici.

La venue du « Germe ».

⁸Écoute donc, Josué, grand prêtre, toi et tes compagnons qui siègent devant toi, car ils sont des hommes de présage : « Voici que je vais introduire mon serviteur "Germe" ». ⁹Car voici la pierre que je remets à Josué. Sur cette pierre, il y a sept yeux. Voici que je vais graver moi-même son inscription, oracle de Yahvé Sabaot, et j'écarterai le péché de ce pays en un seul jour. ¹⁰Ce jour-là – oracle de Yahvé Sabaot – vous vous inviterez l'un l'autre sous la vigne et sous le figuier.

Cinquième vision : le lampadaire et les oliviers.

4 ¹L'ange qui me parlait revint et me réveilla comme un homme qui est tiré de son sommeil. ²Et il me dit : « Que vois-tu ? » Je répondis : « Je regarde, et voici : il y a un lampadaire tout en or, avec un réservoir à son sommet ; et sept lampes tout en haut, sept becs pour les lampes qui sont à son sommet. ³Près du lui sont deux oliviers, l'un à la droite du réservoir, l'autre à sa gauche. » ⁴Prenant la parole, je dis à l'ange qui me parlait : « Que signifient ces choses, mon Seigneur ? » ⁵L'ange qui me parlait me répondit : « Ne sais-tu pas ce que signifient ces choses ? » Je dis : « Non, mon Seigneur. » ⁶ᵃAlors il me répondit en ces termes :

¹⁰ᵇ« Ces sept-là sont les yeux de Yahvé, ils vont par toute la terre. » ¹¹Je pris alors la parole et lui dis : « Que signifient ces deux oliviers, à droite du chandelier et à sa gauche ? » ¹²(Je repris la parole et lui dis : « Que signifient les deux branches d'olivier qui, par les deux tuyaux d'or, déversent l'or ? ») ¹³Il me répondit : « Ne sais-tu pas ce que signifient ces choses ? » Je dis : « Non, mon Seigneur. » ¹⁴Il dit : « Ce sont les deux Oints qui se tiennent devant le Seigneur de toute la terre. »

Trois paroles touchant Zorobabel.

⁶ᵇVoici la parole de Yahvé touchant Zorobabel : Ce n'est pas par la puissance, ni par la force, mais par mon Esprit – dit Yahvé Sabaot.

⁷Qu'es-tu, grande montagne ? Devant Zorobabel, deviens une plaine ! Il arrachera la pierre de faîte, tandis qu'on criera : « Bravo, bravo pour elle ! »

⁸La parole de Yahvé me fut adressée en ces termes : ⁹Les mains de Zorobabel ont fondé ce Temple : ses mains l'achèveront. (Et vous saurez que Yahvé Sabaot m'a envoyé vers vous.) ¹⁰ᵃCar qui donc méprisait ce jour d'événements minimes ? On se réjouira en voyant la pierre d'étain dans la main de Zorobabel.

Sixième vision : le livre qui vole.

5 ¹Je levai à nouveau les yeux et j'eus une vision. Voici : il y avait un livre qui volait. ²L'ange me dit : « Qu'est-ce que tu vois ? » Je répondis : « Je vois un livre qui vole ; sa longueur est de vingt coudées, sa largeur de dix. » ³Alors il me dit : « Ceci est la Malédiction qui se répand sur la face de tout le pays. Car, d'après elle, tout voleur sera chassé d'ici, et d'après elle, tout homme qui jure sera chassé d'ici. ⁴Je la déchaîne – oracle de Yahvé Sabaot – pour qu'elle entre chez le voleur et chez celui qui jure faussement par mon nom, qu'elle s'établisse au milieu de sa maison et la consume, avec ses poutres et ses pierres. »

Septième vision : la femme dans le boisseau.

⁵L'ange qui me parlait s'avança et me dit : « Lève les yeux et regarde ce qu'est cette chose qui s'avance. » ⁶Et je dis : « Qu'est-elle ? » Il dit : « C'est un boisseau qui s'avance. » Il ajouta : « C'est leur iniquité, dans tout le pays. » ⁷Et voici qu'un disque de plomb se souleva : et il y avait une Femme installée à l'intérieur du boisseau. ⁸Il dit : « C'est la Malice. » Et il la repoussa à l'intérieur du boisseau et jeta sur l'orifice la masse de plomb. ⁹Levant les yeux, j'eus une vision : Voici que deux femmes parurent. Le vent soufflait dans leurs ailes ; elles avaient des ailes comme celles d'une cigogne ; elles enlevèrent le boisseau entre terre et ciel. ¹⁰Je dis alors à l'ange qui me parlait : « Où celles-ci emportent-elles le boisseau ? » ¹¹Il me répondit : « Elles vont lui bâtir un temple dans la terre de Shinéar, et elles le placeront sur un socle. »

Huitième vision : les chars.

6 ¹Je levai à nouveau les yeux et j'eus une vision. Voici : quatre chars sortaient d'entre les deux montagnes ; et les montagnes étaient des montagnes d'airain. ²Au premier char, il y avait des chevaux roux ; au deuxième char, des chevaux noirs ; ³au troisième char, des chevaux blancs et au quatrième char, des chevaux pie vigoureux. ⁴Prenant la parole, je dis à l'ange qui me parlait : « Que signifient ceux-ci, mon Seigneur ? » ⁵L'ange me répondit : « Ces quatre vents du ciel s'avancent après s'être tenus devant le Seigneur de toute la terre. ⁶Là où sont les chevaux noirs, ils s'avancent vers le pays du nord ; les blancs s'avancent derrière eux, et les pie s'avancent vers le pays du midi. » ⁷Vigoureux, ils avançaient, impatients de parcourir la terre. Il leur dit : « Allez parcourir la terre. » Et ils parcoururent la terre. ⁸Il m'appela et me dit : « Vois, ceux qui s'avancent vers le pays du nord vont faire descendre mon esprit dans le pays du nord. »

La couronne ex-voto.

⁹La parole de Yahvé me fut adressée en ces termes : ¹⁰Fais une collecte auprès des exilés, de Heldaï, de Tobiyya et de Yedaya, puis (tu iras, toi-même, en ce jour-là) tu iras chez Yoshiyya, fils de Çephanya, qui sont arrivés de Babylone. ¹¹Tu prendras l'argent et l'or, tu feras une couronne et tu la mettras sur la tête de Josué, fils de Yehoçadaq, le grand prêtre. ¹²Puis tu lui parleras en ces termes : Ainsi parle Yahvé Sabaot. Voici un homme dont le nom est Germe ; là où il est, quelque chose va germer (et il reconstruira le temple de Yahvé). ¹³C'est lui qui reconstruira le temple de Yahvé, c'est lui qui portera les insignes royaux. Il siégera sur son trône en dominateur, et il y aura un prêtre à sa droite. Une paix parfaite régnera entre eux deux. ¹⁴Quant à la couronne, elle sera en l'honneur de Heldaï, Tobiyya, Yedaya et en souvenir de la bonté du fils de Çephanya, en mémorial dans le temple de Yahvé. ¹⁵Alors ceux qui sont au loin viendront reconstruire le temple de Yahvé, et vous saurez que Yahvé Sabaot m'a envoyé vers vous. Cela se produira si vous écoutez parfaitement la voix de Yahvé votre Dieu.

Question sur le jeûne.

7 ¹La quatrième année du roi Darius, (la parole de Yahvé fut adressée à Zacharie), le quatrième jour du neuvième mois, le mois de Kisleu, ²Béthel-Sar-Eçèr, grand officier du roi, et ses gens envoyèrent une délégation pour apaiser la face de Yahvé, ³et dire aux prêtres attachés au Temple, et aux prophètes : « Dois-je pleurer au cinquième mois en faisant des abstinences comme j'ai fait déjà tant d'années ? »

Retour sur le passé national.

⁴Alors la parole de Yahvé Sabaot me fut adressée en ces termes : ⁵Dis à tout le peuple du pays et aux prêtres : « Quand vous avez jeûné et gémi aux cinquième et septième mois, depuis déjà soixante-dix ans, est-ce pour l'amour de moi que vous avez multiplié vos jeûnes ? ⁶Et quand vous mangiez et buviez, n'étaient-ce pas vous les mangeurs et les buveurs ? ⁷Ne connaissez-vous pas les paroles que Yahvé proclamait par le ministère des prophètes du passé, quand Jérusalem était habitée et tranquille, avec ses villes alentour, et que le Négeb et le Bas-Pays étaient peuplés ? ⁸(La parole de Yahvé fut adressée à Zacharie en ces termes : ⁹Ainsi parle Yahvé Sabaot.) Il disait : Rendez une justice vraie et pratiquez bonté et compassion chacun envers son frère. ¹⁰N'opprimez point la veuve et l'orphelin, l'étranger et le pauvre, et ne méditez pas en

en mer il défera sa puissance,
elle-même sera dévorée par le
feu.

⁵Ashqelôn verra et prendra peur,
Gaza aussi, qui se tordra de douleur,
Éqrôn verra son espérance confondue.

Le roi disparaîtra de Gaza,
dans Ashqelôn, plus d'habitants,
⁶et un bâtard habitera Ashdod.

Je détruirai l'orgueil du Philistin,
⁷j'ôterai son sang de sa bouche,
ses abominations d'entre ses
dents.

Lui aussi sera un reste pour notre Dieu,
il sera comme un familier dans
Juda,
Éqrôn sera comme un Jébuséen.

⁸Je camperai près de ma maison
en avant-poste
contre ceux qui vont et qui viennent,
plus d'oppresseur pour passer
sur eux,
car maintenant mes yeux sont
ouverts.

Le Messie.

⁹Exulte avec force, fille de Sion !
Crie de joie, fille de Jérusalem !
Voici que ton roi vient à toi :
il est juste et victorieux,
humble, monté sur un âne,
sur un ânon, le petit d'une ânesse.
¹⁰Il retranchera d'Éphraïm la
charrerie
et de Jérusalem les chevaux ;
l'arc de guerre sera retranché.
Il annoncera la paix aux nations.
Son empire ira de la mer à la
mer
et du Fleuve aux extrémités de
la terre.

Le rétablissement d'Israël.

¹¹Toi aussi, pour le sang de ton
alliance,
j'ai renvoyé tes captifs de la
fosse
où il n'y a pas d'eau.
¹²Revenez vers la place forte,
captifs pleins d'espoir.
Aujourd'hui même, je le déclare,
c'est le double que je vais te rendre.
¹³Car j'ai tendu pour moi Juda,
j'ai garni l'arc avec Éphraïm ;
je vais exciter tes fils, Sion,
contre tes fils, Yavân,
et je ferai de toi comme l'épée
d'un vaillant.
¹⁴Alors Yahvé apparaîtra au-dessus d'eux
et sa flèche jaillira comme
l'éclair.
(Le Seigneur) Yahvé sonnera de
la trompe,
il s'avancera dans les ouragans
du sud.
¹⁵Yahvé Sabaot sera leur protection,
ils dévoreront, ils piétineront les
pierres de fronde,
ils boiront le sang comme si
c'était du vin,
ils en seront gorgés comme un
vase à aspersions,
comme les angles de l'autel.
¹⁶Et il les sauvera, Yahvé leur
Dieu, en ce jour-là,
comme les brebis de son peuple,
comme les pierres d'un diadème,
scintillant sur sa terre.
¹⁷Qu'il sera beau ! Qu'il sera
splendide !
Le blé fera s'épanouir les jeunes
gens
et le vin doux, les vierges.

Fidélité à Yahvé.

10 ¹Demandez à Yahvé la pluie à la saison des ondées tardives.

C'est Yahvé qui fait les nuées d'orages.

Il leur donnera la pluie d'averse, à chacun, l'herbe dans son champ.

²Parce que les téraphim prédisent la fausseté,

que les devins voient du mensonge,

que les songes ont débité l'illusion,

donné de vaines consolations,

voilà pourquoi ils sont partis comme des brebis

en piteux état, faute de pasteur.

Libération et retour d'Israël.

³Contre les pasteurs a brûlé ma colère,

contre les boucs je vais sévir.

Quand Yahvé Sabaot visitera son troupeau,

la maison de Juda,

il en fera comme son cheval d'honneur dans le combat.

⁴De lui sortira l'angle, de lui le piquet ;

de lui l'arc de combat,

de lui tout gouverneur.

Ensemble ⁵ils seront comme des vaillants

qui piétinent la boue des rues dans le combat.

Ils combattront, car Yahvé est avec eux,

et ceux qui montent des chevaux seront confondus.

⁶Je rendrai vaillante la maison de Juda

et victorieuse la maison de Joseph.

Je les ramènerai car ils me font pitié

et ils seront comme si je ne les avais pas rejetés,

car je suis Yahvé leur Dieu et je les exaucerai.

⁷Éphraïm sera comme un vaillant

et leur cœur se réjouira comme sous l'effet du vin ;

leurs fils regarderont et se réjouiront,

leur cœur exultera en Yahvé.

⁸Je vais siffler pour les rassembler

car je les ai rachetés :

ils seront nombreux comme ils l'étaient.

⁹Je les sèmerai parmi les peuples,

mais au loin ils se souviendront de moi,

ils resteront en vie avec leurs fils et ils reviendront.

¹⁰Je les ramènerai de la terre d'Égypte

et d'Assur je les rassemblerai ;

dans la terre de Galaad et du Liban je les ferai entrer

et cela ne leur suffira pas.

¹¹Ils traverseront la mer d'Égypte

(et il frappera les flots dans la mer),

toutes les profondeurs du Nil seront asséchées,

l'orgueil d'Assur sera abattu

et enlevé le sceptre de l'Égypte.

¹²Je les rendrai vaillants en Yahvé,

c'est en son nom qu'ils marcheront,

oracle de Yahvé.

11 ¹Ouvre tes portes, Liban, et que le feu dévore tes cèdres !

²Gémis, genévrier, car le cèdre est tombé,

car les majestueux sont ravagés.

Gémissez, chênes de Bashân,
car elle est abattue la forêt inaccessible.
³On entend le gémissement des pasteurs
car leur majesté est ravagée.
On entend les rugissements des lionceaux
car l'orgueil du Jourdain est ravagé.

Les deux pasteurs.

⁴Ainsi parle Yahvé mon Dieu : « Fais paître les brebis d'abattoir, ⁵celles que leurs acheteurs abattent sans être châtiés, dont leurs vendeurs disent : "Béni soit Yahvé, me voilà riche, et que les pasteurs n'épargnent point. ⁶Car je n'épargnerai plus les habitants du pays – oracle de Yahvé ! – Mais voici que moi, je vais livrer les hommes chacun aux mains de son prochain, aux mains de son roi. Ils écraseront le pays et je ne les délivrerai pas de leurs mains. » ⁷Alors je fis paître les brebis d'abattoir qui appartiennent aux marchands de brebis. Je pris pour moi deux bâtons, j'appelai l'un "Faveur et l'autre "Liens et je fis paître les brebis. ⁸Je fis disparaître les trois pasteurs en un seul mois. Mais je perdis patience avec eux, et quant à eux, ils furent avares envers moi. ⁹Alors je dis : « Je ne vous ferai plus paître. Que celle qui doit mourir meure ; que celle qui doit disparaître disparaisse, et que celles qui restent s'entre-dévorent. ¹⁰Puis je pris mon bâton "Faveur et le mis en morceaux pour rompre mon alliance, celle que j'avais conclue avec tous les peuples. ¹¹Elle fut donc rompue en ce jour-là, et les marchands de brebis qui m'observaient surent que c'était là une parole de Yahvé. ¹²Je leur dis alors : « Si cela vous semble bon, donnez-moi mon salaire, sinon n'en faites rien. » Ils pesèrent mon salaire : trente sicles d'argent. ¹³Yahvé me dit : « Jette-le au fondeur, ce prix splendide auquel ils m'ont apprécié ! » Je pris donc les trente sicles d'argent et les jetai à la Maison de Yahvé, pour le fondeur. ¹⁴Puis je mis en morceaux mon deuxième bâton "Liens", pour rompre la fraternité entre Juda et Israël.

¹⁵Yahvé me dit alors : « Prends encore l'équipement d'un pasteur insensé, ¹⁶car voici que moi je vais susciter un pasteur dans le pays ; celle qui a disparu, il n'en aura cure, celle qui vagabonde, il ne la recherchera pas, celle qui est blessée, il ne la soignera pas, celle qui est bien portante, il ne l'entretiendra pas ; mais il dévorera la chair des bêtes grasses et arrachera même leurs sabots.
¹⁷Malheur au pasteur inexistant
qui délaisse son troupeau !
Que l'épée s'attaque à son bras
et à son œil droit !
Que son bras soit tout desséché,
que son œil droit soit aveuglé ! »

Délivrance et renouvellement de Jérusalem.

12 ¹Proclamation.
Parole de Yahvé sur Israël.
Oracle de Yahvé qui a tendu les cieux et fondé la terre, qui a formé l'esprit de l'homme au-dedans de lui.
²Voici que moi, je fais de Jérusalem une coupe de vertige pour tous les peuples d'alentour. (Il en

sera de même pour Juda, lors du siège contre Jérusalem.) ³Il arrivera en ce jour-là que je ferai de Jérusalem une pierre à soulever pour tous les peuples, et tous ceux qui la soulèveront se blesseront grièvement. Et contre elle se rassembleront toutes les nations de la terre. ⁴En ce jour-là – oracle de Yahvé – je frapperai tous les chevaux de confusion, et leurs cavaliers de folie – mais sur la maison de Juda, j'ouvrirai les yeux – tous les chevaux des peuples, je les frapperai de cécité. ⁵Alors les chefs de Juda diront en leur cœur : « La force pour les habitants de Jérusalem est en Yahvé Sabaot, leur Dieu. » ⁶En ce jour-là, je ferai des chefs de Juda comme un brasier allumé dans un tas de bois, comme une torche allumée dans une gerbe. Ils dévoreront à droite et à gauche tous les peuples alentour. Et Jérusalem sera encore habitée en son lieu (à Jérusalem). ⁷Yahvé sauvera tout d'abord les tentes de Juda pour que la fierté de la maison de David et celle de l'habitant de Jérusalem ne s'exaltent aux dépens de Juda. ⁸En ce jour-là, Yahvé protégera l'habitant de Jérusalem ; celui d'entre eux qui chancelle sera comme David en ce jour-là, et la maison de David sera comme Dieu, comme l'Ange de Yahvé devant eux.

⁹Il arrivera en ce jour-là que je chercherai à détruire toutes les nations qui viendront contre Jérusalem. ¹⁰Mais je répandrai sur la maison de David et sur l'habitant de Jérusalem un esprit de grâce et de supplication, et ils regarderont vers moi au sujet de celui qu'ils ont transpercé, ils se lamenteront sur lui comme on se lamente sur un fils unique ; ils le pleureront comme on pleure un premier-né. ¹¹En ce jour-là grandira la lamentation dans Jérusalem, comme la lamentation de Hadad Rimmôn, dans la plaine de Megiddôn. ¹²Et il se lamentera, le pays, clan par clan.

Le clan de la maison de David à part,
    avec leurs femmes à part.
Le clan de la maison de Natân à part,
    avec leurs femmes à part.
¹³Le clan de la maison de Lévi à part,
    avec leurs femmes à part.
Le clan de la maison de Shiméï à part,
    avec leurs femmes à part.
¹⁴Et tous les clans, ceux qui restent, clan par clan à part,
    avec leurs femmes à part.

13 ¹En ce jour-là, il y aura une fontaine ouverte pour la maison de David et pour les habitants de Jérusalem, pour laver péché et souillure. ²Il arrivera en ce jour-là – oracle du Seigneur – que je retrancherai du pays les noms des idoles : on n'en fera plus mémoire. De même les prophètes et l'esprit d'impureté, je les chasserai du pays. ³Si quelqu'un veut encore prophétiser, son père et sa mère qui l'ont engendré lui diront : « Tu ne vivras pas, car ce sont des mensonges que tu prononces au nom de Yahvé », et pendant qu'il prophétisera, son père et sa mère qui l'ont engendré le transperceront. ⁴Il arrivera, en ce jour-là, que les prophètes rougiront de leur vision quand ils prophétiseront. Ils ne revêtiront plus le manteau de poil avec le dessein de mentir. ⁵Mais ils diront : « Je ne suis pas prophète, moi, je suis un homme qui travaille la terre, car la terre est mon bien depuis ma jeunesse. » ⁶Et si on lui dit : « Que sont ces blessures sur ta poitrine ? » Il dira : « Celles que j'ai reçues chez mes amis. »

Prosopopée de l'épée : le nouveau peuple.

⁷Épée, éveille-toi contre mon pasteur
  et contre l'homme qui m'est proche,
    oracle de Yahvé Sabaot.
  Frappe le pasteur, que soient dispersées les brebis,
    et je tournerai la main contre les petits.
⁸Alors il arrivera, dans tout le pays,
  – oracle de Yahvé –
  que deux tiers en seront retranchés (périront)
    et que l'autre tiers y sera laissé.
⁹Je ferai entrer ce tiers dans le feu ;
  je les épurerai comme on épure l'argent,
  je les éprouverai comme on éprouve l'or.
  Lui, il invoquera mon nom,
    et moi je lui répondrai ;
  je dirai : « Il est mon peuple ! »
    et lui dira : « Yahvé est mon Dieu ! »

Le combat eschatologique ; splendeur de Jérusalem.

14 ¹Voici qu'il vient le jour de Yahvé, quand on partagera tes dépouilles au milieu de toi.

²J'assemblerai toutes les nations vers Jérusalem pour le combat ; la ville sera prise, les maisons pillées, les femmes violées ; la moitié de la ville partira en exil, mais le reste du peuple ne sera pas retranché de la ville. ³Alors Yahvé sortira pour combattre les nations, comme lorsqu'il combat au jour de la guerre. ⁴En ce jour-là, ses pieds se poseront sur le mont des Oliviers qui fait face à Jérusalem vers l'orient. Et le mont des Oliviers se fendra par le milieu, d'est en ouest, en une immense vallée, une moitié du mont reculera vers le nord, et l'autre vers le sud. ⁵Vous fuirez la vallée de mes montagnes, car la vallée des montagnes atteindra Yaçol ; vous fuirez comme vous avez fui par suite du séisme, au temps d'Ozias, roi de Juda. Et Yahvé mon Dieu viendra : tous les saints avec lui.

⁶Il arrivera, en ce jour-là, qu'il n'y aura plus ni lumière, ni froidure, ni gel. ⁷Et il y aura un jour unique – Yahvé le connaît – plus de jour ni de nuit, mais au temps du soir, il y aura de la lumière. ⁸Il arrivera, en ce jour-là, que des eaux vives sortiront de Jérusalem, moitié vers la mer orientale, moitié vers la mer occidentale : il y en aura été comme hiver. ⁹Alors Yahvé sera roi sur toute la terre ; en ce jour-là, Yahvé sera unique, et son Nom unique. ¹⁰Tout le pays retournera en plaine, depuis Géba jusqu'à Rimmôn au sud de Jérusalem. Celle-ci sera exhaussée et habitée en son lieu, depuis la porte de Benjamin jusqu'à l'emplacement de l'ancienne porte, jusqu'à la porte des Angles, et de la tour de Hananéel jusqu'aux pres-

soirs du roi. ¹¹On y habitera, il n'y aura plus d'anathème et Jérusalem sera habitée en sécurité.

¹²Et voici la plaie dont Yahvé frappera tous les peuples qui auront combattu contre Jérusalem : il fera pourrir leur chair alors qu'ils se tiendront debout, leurs yeux pourriront dans leurs orbites et leur langue pourrira dans leur bouche. ¹³Il arrivera, en ce jour-là, qu'il y aura de par Yahvé une grande panique parmi eux. Chacun saisira la main de son compagnon et ils lèveront la main l'un contre l'autre. ¹⁴Juda lui aussi combattra à Jérusalem. Les richesses de toutes les nations alentour seront rassemblées, or, argent, vêtements, en énorme quantité.

¹⁵Pareille sera la plaie des chevaux, des mulets, des chameaux, des ânes et de toutes les bêtes qui se trouvent dans les camps : une plaie semblable à celle-là.

¹⁶Il arrivera que tous les survivants de toutes les nations qui auront marché contre Jérusalem monteront année après année se prosterner devant le roi Yahvé Sabaot et célébrer la fête des Tentes. ¹⁷Celle des familles de la terre qui ne montera pas se prosterner à Jérusalem, devant le roi Yahvé Sabaot, il n'y aura pas de pluie pour elle. ¹⁸Si la famille d'Égypte ne monte pas et ne vient pas, il y aura sur elle la plaie dont Yahvé frappe les nations qui ne monteront pas célébrer la fête des Tentes. ¹⁹Telle sera la punition de l'Égypte et la punition de toutes les nations qui ne monteront pas célébrer la fête des Tentes.

²⁰En ce jour-là, il y aura sur les grelots des chevaux : « consacré à Yahvé », et les marmites de la maison de Yahvé seront comme des coupes à aspersion devant l'autel. ²¹Toute marmite, à Jérusalem et en Juda, sera consacrée à Yahvé Sabaot, tous ceux qui offrent un sacrifice viendront en prendre et cuisineront dedans, et il n'y aura plus de marchand dans la maison de Yahvé Sabaot, en ce jour-là.

Malachie

Voir l'introduction, p. 1246.

1 ¹Oracle.
Parole de Yahvé à Israël, par le ministère de Malachie.

L'amour de Yahvé pour Israël.

²Je vous ai aimés ! dit Yahvé. – Cependant vous dites : En quoi nous as-tu aimés ? – Ésaü n'était-il pas le frère de Jacob ? oracle de Yahvé ; or j'ai aimé Jacob ³mais j'ai haï Ésaü. J'ai livré ses montagnes à la désolation et son héritage aux chacals du désert. ⁴Si Édom dit : « Nous avons été détruits, mais nous relèverons nos ruines », ainsi parle Yahvé Sabaot : Qu'ils bâtissent, moi je démolirai ! On les surnommera « Territoire d'impiété » et « Le peuple contre qui Yahvé est courroucé à jamais ». ⁵Vos yeux le verront et vous direz : Yahvé est grand par-delà le territoire d'Israël !

Réquisitoire contre les prêtres.

⁶Un fils honore son père, un serviteur, son maître. Mais si je suis père, où donc est l'honneur qui m'est dû ? Si je suis maître, où donc est ma crainte ? dit Yahvé Sabaot, à vous les prêtres, qui méprisez mon Nom. – Mais vous dites : En quoi avons-nous méprisé ton Nom ? – ⁷C'est que vous offrez sur mon autel des aliments souillés. – Mais vous dites : En quoi t'avons-nous souillé ? – En disant : La table de Yahvé est méprisable. ⁸Quand vous amenez des bêtes aveugles pour le sacrifice, n'est-ce pas mal ? Et quand vous en amenez des boiteuses ou des malades, n'est-ce pas mal ? Présente-les donc à ton gouverneur : sera-t-il content de toi ? Te recevra-t-il bien ? dit Yahvé Sabaot. ⁹Et maintenant implorez donc Dieu pour qu'il nous prenne en pitié (c'est de vos mains que cela vient) : vous recevra-t-il ? dit Yahvé Sabaot. ¹⁰Oh ! qui d'entre vous fermera les portes pour que vous n'embrasiez pas inutilement mon autel ? Je ne prends nul plaisir en vous, dit Yahvé Sabaot, et n'agrée point les offrandes de vos mains. ¹¹Mais, du levant au couchant, mon Nom est grand chez les nations, et en tout lieu un sacrifice d'encens est présenté à mon Nom ainsi qu'une offrande pure. Car grand est mon Nom chez les nations ! dit Yahvé Sabaot. ¹²Tandis que vous, vous le profanez, en disant : La table du Seigneur est souillée, et ses aliments méprisables. ¹³Vous dites : Voyez, que de souci ! et vous me dédaignez, dit Yahvé Sabaot. Vous amenez l'animal dérobé, le boiteux et le malade, et vous l'amenez en offrande. Puis-je l'agréer de votre main ? dit Yahvé. ¹⁴Maudit soit le tricheur qui possède dans son troupeau un mâle qu'il voue, et qui sacrifie au Seigneur une bête tarée. Car je suis un Grand Roi, dit Yahvé Sa-

baot, et mon Nom est redoutable chez les nations.

2 ¹Et maintenant, à vous ce commandement, prêtres ! ²Si vous n'écoutez pas, si vous ne prenez pas à cœur de donner gloire à mon Nom, dit Yahvé Sabaot, j'enverrai sur vous la malédiction et je maudirai votre bénédiction. En effet, je la maudirai, car il n'est personne parmi vous qui prenne cela à cœur. ³Voici que je vais vous briser le bras et vous jeter des ordures à la figure – les ordures de vos solennités – et on vous enlèvera avec elles. ⁴Et vous saurez que c'est moi qui vous ai adressé ce commandement pour que subsiste mon alliance avec Lévi, dit Yahvé Sabaot. ⁵Mon alliance était avec lui, c'était vie et paix et je les lui accordais, crainte, et il me craignait, et devant mon Nom il avait révérence. ⁶L'enseignement de vérité était dans sa bouche et l'iniquité ne se trouvait pas sur ses lèvres ; dans l'intégrité et la droiture il marchait avec moi ; il en faisait revenir beaucoup de l'iniquité. ⁷Car c'est aux lèvres du prêtre de garder le savoir et c'est de sa bouche qu'on recherche l'enseignement : il est messager de Yahvé Sabaot. ⁸Mais vous vous êtes écartés de la voie ; vous en avez fait trébucher un grand nombre par l'enseignement ; vous avez détruit l'alliance de Lévi ! dit Yahvé Sabaot. ⁹Et moi je vous ai rendus méprisables et vils pour tout le peuple, dans la mesure où vous n'avez pas gardé mes voies mais avez fait acception de personnes en votre enseignement.

Mariages mixtes et divorces.

¹⁰N'avons-nous pas tous un Père unique ? N'est-ce pas un seul Dieu qui nous a créés ? Pourquoi donc sommes-nous perfides l'un envers l'autre, en profanant l'alliance de nos pères ? ¹¹Juda a agi en traître : une abomination a été perpétrée en Israël et à Jérusalem. Car Juda a profané le sanctuaire cher à Yahvé. Il a épousé la fille d'un dieu étranger. ¹²Que Yahvé retranche, pour l'homme qui agit ainsi, le protecteur et le répondant des tentes de Jacob et celui qui présente l'offrande à Yahvé Sabaot ! ¹³Voici une seconde chose que vous faites : vous couvrez de larmes l'autel de Yahvé, avec lamentations et gémissements, parce qu'il se refuse à se pencher sur l'offrande et à l'agréer de vos mains. ¹⁴Et vous dites : Pourquoi ? – C'est que Yahvé est témoin entre toi et la femme de ta jeunesse que tu as trahie, bien qu'elle fût ta compagne et la femme de ton alliance. ¹⁵N'a-t-il pas fait un seul être, qui a chair et souffle de vie ? Et cet être unique, que cherche-t-il ? Une postérité donnée par Dieu ! Respectez donc votre vie ! Et la femme de sa jeunesse, qu'on ne la trahisse pas ! ¹⁶Car répudier par haine (dit Yahvé le Dieu d'Israël), c'est étendre la violence sur son vêtement, dit Yahvé Sabaot. Respectez donc votre vie et ne commettez pas cette trahison !

Le Jour de Yahvé.

¹⁷Vous fatiguez Yahvé avec vos discours ! – Vous dites : En quoi le fatiguons-nous ? – C'est quand vous dites : Quiconque fait

le mal est bon aux yeux de Yahvé, en ces gens-là il met sa complaisance ; ou encore : Où donc est le Dieu de la justice ?

3 ¹Voici que je vais envoyer mon messager, pour qu'il fraye un chemin devant moi. Et soudain il entrera dans son sanctuaire, le Seigneur que vous cherchez ; et l'Ange de l'alliance que vous désirez, le voici qui vient ! dit Yahvé Sabaot. ²Qui soutiendra le jour de son arrivée ? Qui restera droit quand il apparaîtra ? Car il est comme le feu du fondeur et comme la lessive des blanchisseurs. ³Il viendra pour fondre et purifier l'argent. Il purifiera les fils de Lévi et les affinera comme or et argent, et ils deviendront pour Yahvé ceux qui présentent l'offrande selon la justice. ⁴Alors l'offrande de Juda et de Jérusalem sera agréée de Yahvé, comme aux jours anciens, comme aux premières années. ⁵Je m'approcherai de vous pour le jugement et je serai un témoin prompt contre les devins, les adultères et les parjures, contre ceux qui oppriment le salarié, la veuve et l'orphelin, et qui violent le droit de l'étranger, sans me craindre, dit Yahvé Sabaot.

Les dîmes pour le Temple.

⁶Oui, moi, Yahvé, je n'ai pas changé, et vous, vous ne cessez pas d'être les fils de Jacob. ⁷Depuis les jours de vos pères, vous vous écartez de mes décrets et ne les gardez pas. Revenez à moi et je reviendrai à vous ! dit Yahvé Sabaot. – Vous dites : Comment reviendrons-nous ? – ⁸Un homme peut-il tromper Dieu ? Or vous me trompez ! – Vous dites : En quoi t'avons-nous trompé ? – Quant à la dîme et aux redevances. ⁹La malédiction vous atteint : c'est que vous me trompez, vous la nation dans son entier. ¹⁰Apportez intégralement la dîme au trésor, pour qu'il y ait de la nourriture chez moi. Et mettez-moi ainsi à l'épreuve, dit Yahvé Sabaot, pour voir si je n'ouvrirai pas en votre faveur les écluses du ciel et ne répandrai pas en votre faveur la bénédiction en surabondance. ¹¹En votre faveur, je tancerai le criquet pour qu'il ne vous détruise pas les fruits du sol, et que pour vous la vigne ne soit pas stérile dans la campagne, dit Yahvé Sabaot. ¹²Toutes les nations vous déclareront heureux, car vous serez une terre de délices, dit Yahvé Sabaot.

Triomphe des justes au Jour de Yahvé.

¹³Vos paroles sont dures à mon égard, dit Yahvé. Pourtant vous dites : Que nous sommes-nous dit contre toi ? – ¹⁴Vous dites : c'est vanité de servir Dieu, et que gagnons-nous à avoir gardé ses observances et marché dans le deuil devant Yahvé Sabaot ? ¹⁵Maintenant nous en sommes à déclarer heureux les arrogants : ils prospèrent, ceux qui font le mal ; ils mettent Dieu à l'épreuve et ils s'en tirent ! ¹⁶Alors ceux qui craignent Yahvé se parlèrent l'un à l'autre. Yahvé prêta attention et entendit : un livre aide-mémoire fut écrit devant lui en faveur de ceux qui craignent Yahvé et qui pensent à son Nom. ¹⁷Au jour que je prépare, ils seront mon bien propre, dit Yahvé Sabaot. J'aurai compas-

sion d'eux comme un homme a compassion de son fils qui le sert. [18]Alors vous verrez la différence entre un juste et un méchant, entre qui sert Dieu et qui ne le sert pas. [19]Car voici : le Jour vient, brûlant comme un four. Ils seront de la paille, tous les arrogants et malfaisants ; le Jour qui arrive les embrasera – dit Yahvé Sabaot – au point qu'il ne leur laissera ni racine ni rameau. [20]Mais pour vous qui craignez mon Nom, le soleil de justice brillera, avec la guérison dans ses rayons ; vous sortirez en bondissant comme des veaux à l'engrais. [21]Vous piétinerez les méchants, car ils seront de la cendre sous la plante de vos pieds, au Jour que je prépare, dit Yahvé Sabaot.

Appendices.

[22]Rappelez-vous la Loi de Moïse, mon serviteur à qui j'ai prescrit, à l'Horeb, pour tout Israël, des lois et des coutumes.

[23]Voici que je vais vous envoyer Élie le prophète, avant que n'arrive le Jour de Yahvé, grand et redoutable. [24]Il ramènera le cœur des pères vers leurs fils et le cœur des fils vers leurs pères, de peur que je ne vienne frapper le pays d'anathème.

LE NOUVEAU TESTAMENT

Les Évangiles synoptiques

Introduction

Des quatre livres canoniques qui racontent la « Bonne Nouvelle » (sens du mot « évangile ») apportée par Jésus Christ, les trois premiers présentent entre eux de telles ressemblances qu'ils peuvent être mis en colonnes parallèles et embrassés « d'un même coup d'œil », d'où leur nom de « Synoptiques ». Mais ils offrent aussi entre eux de nombreuses divergences. Comment expliquer à la fois ces ressemblances et ces divergences ? Comment se sont-ils constitués ?

Au principe, il y eut la prédication orale des apôtres, centrée autour du « kérygme » annonçant la mort rédemptrice et la résurrection de Jésus. Elle s'adressait aux Juifs auxquels il fallait prouver que Jésus était bien le Messie annoncé par les prophètes de jadis ; elle se terminait par un appel à la conversion. De cette prédication, les discours de Pierre dans les Actes des Apôtres fournissent des résumés typiques. À ceux qui se convertissaient, il fallait donner, avant qu'ils reçoivent le baptême, un enseignement plus complet concernant la vie et l'enseignement de Jésus. Un résumé de cette catéchèse prébaptismale est donné en Ac **10** 37-43, dont le schéma annonce déjà la structure de l'évangile de Marc. Très tôt, pour aider les prédicateurs et les catéchètes chrétiens, on rassembla par thèmes communs les principales « paroles » de Jésus. Dans l'Église primitive, il y avait aussi des narrateurs spécialisés, qui racontaient les souvenirs évangéliques sous une forme qui tendait à se fixer par la répétition. Les témoins oculaires racontèrent les événements selon des formes littéraires différentes. Un cas typique nous est fourni par le récit de l'institution de l'Eucharistie. Avant de l'écrire aux fidèles de Corinthe, Paul l'a certainement raconté oralement selon une tradition particulière connue aussi de Lc. Mais le même récit nous a été transmis, avec des variantes importantes, dans une autre tradition connue de Mt et de Mc. C'est donc dans la tradition orale qu'il faut chercher la cause première des ressemblances et des divergences entre les Synoptiques. Mais cette tradition orale ne saurait à elle seule rendre compte des ressemblances si nombreuses et si frappantes, dans le détail des textes comme dans l'ordre des péricopes, qui dépassent les possibilités de la mémoire : une documentation écrite est à l'origine de nos évangiles.

Le plus ancien témoignage que nous ayons sur la composition des évangiles canoniques est celui de Papias, évêque de Hiérapolis, en Phrygie, qui composa vers 130 une « Interprétation (exégèse) des Oracles du Seigneur ». Cet ouvrage est perdu depuis longtemps, mais l'historien Eusèbe de Césarée en a rapporté deux passages : Marc aurait été l'interprète de Pierre et l'évangile de Matthieu aurait d'abord été rédigé en hébreu (ou en araméen), puis son œuvre aurait été traduite en grec. Un second témoignage est donné par Clément d'Alexandrie (cité par Eusèbe de Césarée) : l'évangile selon saint Marc aurait été écrit à Rome où Marc se trouvait avec Pierre. La tradition ancienne n'est pas unanime lorsqu'il s'agit d'établir l'ordre dans lequel ont été écrits les évangiles. La tradition postérieure, depuis Irénée, retient l'ordre Mt, Mc et Lc ; mais ne serait-ce pas parce que Mt était devenu l'évangile fondamental ?

À quelle date les évangiles furent-ils rédigés ? Nous connaissons actuellement plus de 2 000 manuscrits grecs écrits sur parchemin qui nous donnent le texte des évangiles synoptiques, s'échelonnant entre le IVe et le XIVe siècle. Tous ces manuscrits offrent entre eux des variantes, mais qui sont des variantes de détail. Les textes que nous utilisons de nos jours, soit pour étudier les Synoptiques, soit pour les traduire en langues modernes, sont fondés sur les deux plus anciens de ces manuscrits : le Sinaïticus, en provenance du monastère Sainte-Catherine du Sinaï, aujourd'hui conservé au British Museum, et surtout le Vaticanus, conservé à la Bibliothèque Vaticane. Tous deux sont datés du milieu du IVe siècle. Mais l'authenticité du texte qu'ils nous offrent peut être testée de différentes façons. Un codex (codex Bodmer) contenant encore environ les quatre cinquièmes de Luc (et d'importants fragments de Jean) est daté du début du IIIe siècle. Son texte est très proche de celui du Vaticanus. Par ailleurs, de nombreux fragments assez importants des quatre évangiles, appartenant à un codex daté du milieu du IIIe siècle, sont conservés dans la collection Chester Beatty, de Dublin. Moins proche du Vaticanus que le précédent, son texte n'en diffère encore que par des variantes de détail. D'autres fragments sont encore datés, soit du IIIe siècle, soit même pour le plus ancien des confins des IIe et IIIe siècles. À ce témoignage des manuscrits grecs, il faut ajouter celui des versions anciennes. Dès la fin du IIe siècle, les évangiles furent traduits en latin et en syriaque. La version copte remonte au IIIe siècle. De très nombreuses citations évangéliques sont faites par les Pères anciens : Irénée de Lyon, Clément d'Alexandrie et Origène pour les Grecs, Tertullien et Cyprien pour les Africains, Aphraate et Éphrem pour les Syriens. Tout ceci forme un ensemble de témoignages concordants, répartis dans l'ensemble du monde chrétien, et qui nous permet de constater que, compte tenu de variantes inévitables qui n'affectent pas la substance des évangiles, ceux-ci étaient déjà constitués dès le milieu du IIe siècle, et même probablement à une date plus ancienne, sous la forme que nous leur connaissons maintenant.

L'exégèse moderne a développé une théorie sur la formation des évangiles synoptiques : la théorie des Deux Sources. L'une des deux sources des évangiles, dans la forme où nous les connaissons, serait Mc (triple tradition) et l'autre une source commune à Mt et à Lc, que l'on appelle « Q » (initiale du mot allemand *Quelle*, source), recueil surtout de « paroles » de Jésus, où ils ont puisé indépendamment l'un de l'autre (double tradition). Quant aux sections propres, soit à Mt, soit à Lc, elles proviendraient de sources secondaires. La théorie des Deux Sources, dans sa simplicité, ne peut expliquer la totalité des faits synoptiques et il faut probablement faire l'hypothèse de documents intermédiaires, de rédactions plus anciennes que l'on pourrait appeler pré-Mt, pré-Lc, voire même pré-Mc, tous ces documents intermédiaires pouvant d'ailleurs dépendre d'une source commune qui ne serait autre que le Mt écrit en araméen, puis traduit en grec de différentes façons... D'où la possibilité d'envisager des interréactions entre les diverses traditions évangéliques plus complexes, mais aussi plus souples, qui pourraient mieux expliquer tous les faits synoptiques.

Il est très difficile de préciser la date de mise par écrit des Synoptiques, et cette datation dépendra forcément de l'idée que l'on se fait du problème synoptique. Dans l'hypothèse de la théorie des Deux Sources, on place la composition de Mc un peu avant ou un peu après la mort de Pierre, donc entre 64 et 70, en tout cas avant la ruine de Jérusalem. Les ouvrages de Mt grec et de Lc lui seraient postérieurs. Mt grec et Lc supposent que la ruine de Jérusalem est un fait accompli. On devrait alors les dater entre 75 et 90. Pour une datation tardive du Mt grec, on peut invoquer certains détails qui dénotent une polémique contre le judaïsme rabbinique issu de l'assemblée de Jamnia, laquelle se tint vers les années 80. Et si l'on admet que les Synoptiques ont été composés par étapes successives, la datation de leur ultime rédaction laisse la possibilité de dates plus anciennes pour les rédactions intermédiaires, a fortiori pour le Mt araméen qui serait à l'origine de la tradition synoptique.

De toute façon, l'origine apostolique, directe ou indirecte, et la genèse littéraire des trois Synoptiques justifient leur valeur historique tout en permettant d'apprécier comment il faut l'entendre. Dérivés de la prédication orale qui remonte aux débuts de la communauté primitive, ils ont à leur base la garantie de témoins oculaires. Assurément, ni les apôtres ni les autres prédicateurs et narrateurs évangéliques n'ont cherché à faire de l'« histoire » au sens technique et moderne de ce mot. Leur propos était plus théologique et missionnaire : ils ont parlé pour convertir et édifier, inculquer et éclairer la foi, la défendre contre les adversaires. Mais ils l'ont fait à l'aide de témoignages véridiques garantis par l'Esprit, exigés tant par la probité de leur conscience que par le souci de ne pas donner prise aux réfutations hostiles. Les rédacteurs évangéliques qui ont ensuite consigné et rassemblé leurs témoignages l'ont fait avec le même respect des sources, comme le prouvent la simplicité et l'archaïsme de leurs compositions où se mêlent peu les élaborations théologiques postérieures. En comparaison avec quelques évangiles apocryphes qui fourmilleront de créations légendaires et invraisemblables, ils sont plutôt sobres. Si les trois Synoptiques ne sont pas des biographies modernes, ils nous offrent cependant beaucoup d'informations historiques sur Jésus et sur ceux qui l'ont suivi. On peut les comparer à des Vies hellénistiques populaires, par exemple celles de Plutarque, sympathisant avec leur sujet, mais sans présenter un développement psychologique pouvant satisfaire les goûts modernes. Mais il y a des modèles plus proches dans l'AT, comme les histoires de Moïse, de Jérémie, d'Élie. Les évangiles se distinguent des modèles païens par leur sérieux éthique et leur finalité religieuse, des modèles vétérotestamentaires par leur conviction de la supériorité messianique de Jésus. Cela ne signifie pas cependant que chacun des faits ou des dits qu'ils rapportent puisse être pris pour une reproduction rigoureusement exacte de ce qui s'est passé dans la réalité. Les lois inévitables de tout témoignage humain et de sa transmission dissuadent d'attendre une telle exactitude matérielle, et les faits contribuent à cette mise en garde puisque nous voyons un même événement ou une même parole du Christ transmis de façon différente par les différents évangiles. Ceci, qui vaut pour le contenu des divers épisodes, vaut à plus forte raison pour l'ordre selon lequel ils se trouvent organisés entre eux. Cet ordre varie selon les évangiles, et c'est ce que l'on devait attendre de leur genèse complexe. Il faut reconnaître que bien des faits ou des « paroles » évangéliques ont perdu leur attache première dans le temps ou le lieu, et l'on ne doit pas prendre à la lettre des connexions rédactionnelles telles que « alors », « ensuite », « ce jour-là », etc.

Si l'Esprit Saint n'a pas donné à ses interprètes d'atteindre une uniformité dans le détail, c'est qu'il n'accordait pas à la précision matérielle d'importance pour la foi. Bien plus, c'est qu'il voulait cette diversité dans le témoignage. D'un point de vue purement historique, un fait qui nous est attesté par des traditions diverses, et même discordantes, revêt, dans sa substance, une richesse et une solidité que ne saurait lui donner une attestation parfaitement cohérente mais ne rendant qu'un son. On peut relever une trentaine de cas où des « dits » de Jésus se trouvent attestés à la fois selon la triple et selon la double tradition, ce qui leur donne un solide fondement historique. Le même principe vaut pour les actions de Jésus. Quand la diversité des témoignages ne vient pas seulement des conditions de leur transmission mais résulte de modifications intentionnelles, ceci est encore un gain. Il n'est pas douteux que, dans bien des cas, les rédacteurs évangéliques ont voulu présenter les choses de façons différentes. Analyser les tendances propres à chaque évangéliste est ce que l'on appelle la « critique de la rédaction ». Et, avant eux, la tradition orale dont ils sont les héritiers n'a pas transmis les souvenirs évangéliques sans les interpréter et les adapter aux besoins de la foi vivante dont ils étaient porteurs. Il est utile pour nous de connaître, non seulement la vie de Jésus, mais encore les préoccupations des premières communautés chrétiennes, et celle des évangélistes eux-mêmes. Ce sont ces trois étapes de la tradition que nous donnent les évangiles, pourvu qu'on les lise selon ces trois couches successives.

L'Esprit Saint qui inspirait les auteurs évangéliques présidait déjà à tout ce travail d'élaboration préalable et le guidait dans l'épanouissement de la foi, garantissant ses résultats de cette véritable inerrance qui ne porte pas tant sur la matérialité des faits que sur le message de salut dont ils sont chargés.

L'Évangile selon saint Matthieu

Les grandes lignes de la vie de Jésus que nous rencontrons chez saint Marc se retrouvent dans l'évangile de saint Matthieu, mais l'accent est mis de façon différente. Le plan d'abord est autre. Récits et discours alternent : **1-4**, récit : enfance et début du ministère ; **5-7**, discours : sermon sur la montagne (béatitudes, entrée dans le Royaume) ; **8-9**, récit : dix miracles montrant l'autorité de Jésus, invitation aux disciples ; **10** : discours missionnaire ; **11-12**, récit : Jésus rejeté par « cette génération » ; **13**, discours : sept paraboles sur le Royaume ; **14-17**, récit : Jésus reconnu par les disciples ; **18**, discours : la vie communautaire dans l'Église ; **19-22**, récit : autorité de Jésus, dernière invitation ; **23-25**, discours apocalyptique : malheurs, venue du Royaume ; **26-28**, récit : mort et résurrection.

On remarquera la correspondance des récits (nativité et vie nouvelle, autorité et invitation, refus et reconnaissance), et le rapport entre le premier et le cinquième discours, et entre le deuxième et le quatrième ; le troisième discours forme le centre de la composition. Comme par ailleurs Matthieu reproduit beaucoup plus complètement que Marc l'enseignement de Jésus (qu'il a en grande partie en commun avec Luc) et insiste sur le thème du « Royaume des Cieux », on peut caractériser son évangile comme une instruction narrative sur la venue du Royaume des Cieux qui doit rétablir parmi les hommes l'autorité souveraine de Dieu.

Matthieu s'attache particulièrement à montrer dans la personne et l'œuvre de Jésus l'accomplissement des Écritures. À chaque tournant de son œuvre, il se réfère à l'Ancien Testament pour prouver comment la Loi et les Prophètes sont « accomplis », c'est-à-dire non seulement réalisés, mais encore menés à une perfection qui les couronne et les dépasse.

Il le fait pour la personne de Jésus, confirmant de textes scripturaires son origine davidique, sa naissance d'une vierge, son établissement à Capharnaüm, son entrée messianique à Jérusalem... ; il le fait pour son œuvre, de guérisons miraculeuses, d'enseignement qui « accomplit » la Loi en lui donnant une interprétation nouvelle et plus intérieure. Et il ne souligne pas moins fortement comment l'humilité de cette personne et l'échec apparent de cette œuvre se trouvent aussi accomplir les Écritures. Tout cela était le dessein de Dieu annoncé par l'Écriture. Et de même pour l'incrédulité des foules et surtout des disciples des pharisiens, ceci encore était annoncé par les Écritures. Sans doute les autres synoptiques utilisent-ils aussi cet argument scripturaire, mais Matthieu le renforce notablement, au point d'en faire un trait marquant de son évangile.

Pour Matthieu Jésus est le Fils de Dieu et Emmanuel, Dieu avec nous dès le début. À la fin de l'évangile, Jésus en tant que Fils de l'homme (titre qui vient du livre de Daniel) est doté de toute autorité divine sur le Royaume de Dieu, aux cieux comme sur la terre. Le titre « Fils de Dieu » revient aux moments décisifs du récit : le baptême, la confession de Pierre, la transfiguration, le procès de Jésus et sa crucifixion. Lié à ce titre, on trouve celui de « Fils de David », en vertu duquel Jésus est le nouveau Salomon, guérisseur et sage. En effet, Jésus parle comme la Sagesse incarnée. Le titre Fils de l'homme, qui parcourt l'évangile, culminant à la dernière scène majestueuse, vient du livre de Daniel (**7** 13-14), où il se trouve en rapport étroit avec le thème du Royaume.

L'annonce de la venue du Royaume entraîne une conduite humaine qui, dans Matthieu, s'exprime surtout par la poursuite de la justice et l'obéissance à la Loi. La validité de la Loi mosaïque est affirmée, mais son développement par les pharisiens est rejeté en faveur de son interprétation par Jésus, qui insiste surtout sur les préceptes éthiques, sur le Décalogue et sur les grands commandements de l'amour de Dieu et du prochain.

Parmi les évangélistes, Matthieu se distingue aussi par son intérêt explicite pour l'Église. Il cherche à donner à la communauté des croyants des principes de conduite et des chefs autorisés. Ces principes sont évoqués dans les grands discours, surtout au chap. **18** : sollicitude pour la brebis égarée et pour les petits, pardon et humilité. Matthieu n'a pas le triple ministère des évêques, des presbytres et des diacres, mais il mentionne les sages ou les chefs instruits, et en particulier les apôtres, avec Pierre à leur tête, qui participent à l'autorité de Jésus lui-même. Matthieu ne se fait aucune illusion au sujet de l'Église. N'importe qui peut échouer (même Pierre) ; les prophètes peuvent dire le faux ; dans l'Église, saints et pécheurs sont mélangés jusqu'au dernier tri. Néanmoins, elle est envoyée en mission au monde entier. Tout l'évangile est encadré par le formulaire selon lequel Dieu est uni avec son peuple par Jésus Christ. Les rejetés de l'ancien Israël unis aux païens convertis deviennent de nouveau le peuple de Dieu.

On comprend que cet évangile si complet et si bien organisé, rédigé dans une langue moins savoureuse mais plus correcte que celle de Marc, ait été reçu et utilisé par l'Église naissante avec une faveur marquée.

L'Évangile selon saint Marc

Le plan de Mc est indiqué dès la première phrase : « Commencement de l'évangile de Jésus, Christ, fils de Dieu. » La première partie de cet évangile (**1** 2-**9** 13) nous apprend qui est Jésus de Nazareth : le Christ, le roi du nouveau peuple de Dieu (profession de foi de Pierre, **8** 29). Mais comment peut-il être ce Roi, puisqu'il fut mis à mort ? C'est qu'il était « fils de Dieu ». La seconde partie (**9** 14-**16** 8) nous oriente peu à peu vers la mort de Jésus et culmine dans la profession de foi du centurion : « Cet homme était vraiment fils de Dieu » (**15** 39), confirmée par la découverte du tombeau vide, et par l'annonce de la résurrection de Jésus.

La première partie de l'évangile est fort bien construite et forme un chiasme (A' répond à A, la scène de la transfiguration répond à celle du baptême, etc.) :

A) Témoignage du Baptiste : **1** 2-8
    Baptême du Christ : **1** 9-11
       [Enseignement et exorcismes : **1** 21-39]
B) Controverse avec les pharisiens : **2** 1-**3** 6
C) Appel des Douze : **3** 13-19
D) Incrédulité de la famille de Jésus : **3** 20-35
E) Enseignement et exorcismes : **4** 1-**5** 43
D') Incrédulité des proches de Jésus : **6** 1-6
C') Mission des Douze : **6** 7-13, 30
    [Multiplication des pains : **6** 34-44]
B') Hostilité des pharisiens : **7** 5-13 ; **8** 11-13
    Les païens appelés au salut : **7** 14-**8** 9
A') Profession de foi de Pierre : **8** 27-30
    Transfiguration : **9** 2-10.

Jésus, institué Roi, reçoit la mission du Serviteur de Dieu, à savoir « enseigner le droit aux nations ». Il reçoit l'Esprit, il est le « Christ » par excellence. En conséquence, Jésus devra entrer en lutte contre Satan qui exerçait déjà son pouvoir maléfique sur le monde. En tant que Serviteur de Dieu, Jésus va enseigner les foules, proclamer la bonne Nouvelle, annoncer que le Royaume de Dieu est proche ; pour établir sa royauté, il va exorciser les esprits impurs, suppôts de Satan. Ce double thème court tout au long de l'évangile.

La deuxième partie de l'évangile n'est pas aussi bien structurée que la première. Elle procède plutôt par touches successives pour développer deux thèmes connexes : le paradoxe de Jésus devant passer par la mort avant de régner ; les conditions requises pour entrer dans le Royaume.

La section qui va de **10** 32 à **11** 10 décrit le voyage de Jésus vers Jérusalem. Elle est de plus en plus centrée sur la royauté du Christ. La troisième annonce de la passion rappelle le paradoxe fondamental :

Jésus doit mourir avant de régner. C'est comme un roi de mascarade que Jésus est livré à la mort par Pilate et, dérision suprême, il meurt sur la croix tandis qu'une inscription le proclame « Roi des Juifs ». Dieu n'est-il pas bafoué, qui l'avait sacré roi lors du baptême dans le Jourdain ? Non, le centurion romain le proclame juste après qu'il a expiré : « Vraiment, cet homme était le fils de Dieu. » Comme Luc l'a bien compris (23 47), c'est une allusion à Sg 2 18 : « Si le juste est fils de Dieu, Il l'assistera et le délivrera de la main de ses adversaires. » Au jour de Pâques, l'ange confirmera cette profession de foi du centurion : Jésus est ressuscité (Mc 16 6). Puisqu'il est le Fils de l'homme, il a reçu l'investiture royale auprès de Dieu (Dn 7 13-14) et il reviendra pour rassembler les élus (Mc 13 26) dans le Royaume de Dieu.

C'est dans ce contexte général qu'il faut interpréter le « secret messianique » cher à Mc, que Jésus impose, soit aux esprits impurs, soit aux disciples après la Transfiguration, soit aux gens qu'il guérit. Les Juifs attendaient un Christ qui les délivrerait de l'occupation romaine, Jésus veut donc éviter d'être l'occasion d'un soulèvement populaire contre les Romains, qui serait contraire à la mission qu'il a reçue de Dieu.

On a noté depuis longtemps des doublets dans Mc : enseignement de Jésus à Capharnaüm et « dans sa patrie » racontés en termes analogues, deux récits de multiplication des pains suivis par la remarque que les disciples n'en comprirent pas le sens, deux annonces de la passion suivies par la consigne de se faire le serviteur de tous, deux récits de la tempête apaisée, deux remarques sur l'attitude de Jésus envers les enfants. Ce qui laisse supposer que le Mc actuel aurait soit fusionné deux documents différents, soit complété un document primitif au moyen de traditions parallèles. Le Mc dont parle Papias pourrait être alors un des deux documents de base, considérablement remanié dans le Mc actuel.

L'Évangile selon saint Luc

Le mérite particulier du troisième évangile lui vient de la personnalité très attachante de son auteur, qui y transparaît sans cesse. Saint Luc est un écrivain de grand talent et une âme délicate. Il a mené son œuvre d'une façon originale, avec un souci d'information et d'ordre. Ce n'est pas à dire qu'il ait pu donner aux matériaux reçus de la tradition un arrangement plus « historique » que Matthieu et Marc ; son respect des sources et sa façon de les juxtaposer ne le lui permettait pas. Son plan reprend les grandes lignes de celui de Marc avec quelques transpositions ou omissions. Des épisodes sont déplacés, tantôt par souci de clarté et de logique, tantôt par influence d'autres traditions, parmi lesquelles il faut noter celle qui se reflète également dans le quatrième évangile. D'autres épisodes sont omis, soit comme moins intéressants pour les lecteurs païens, soit pour éviter des doublets. La différence la plus notable par rapport au deuxième évangile est la longue section médiane **9** 51-**18** 14, qui est présentée sous la forme d'une montée vers Jérusalem à l'aide de notations répétées, et où l'on verra moins le souvenir réel de différents voyages que l'insistance voulue sur une idée théologique chère à Luc : la Ville sainte est le lieu où doit s'accomplir le salut, c'est là que l'Évangile a commencé et c'est là qu'il doit finir, de là aussi que doit partir l'évangélisation du monde. Dans un sens plus large, c'est la montée de Jésus (et du chrétien) vers Dieu.

Luc a le goût des parallélismes et des inclusions et le schéma promesse-accomplissement ponctue son récit. Il excelle à présenter les choses d'une façon qui lui est propre, évitant ou atténuant ce qui peut froisser sa sensibilité ou celle de ses lecteurs ou bien leur être peu compréhensible, ménageant les personnes des apôtres ou les excusant, interprétant les termes obscurs ou précisant la géographie. Par ces nombreuses et fines touches, et surtout par le riche apport dû à son enquête personnelle, Luc nous livre les réactions et les tendances de son âme ; par cet instrument de choix, l'Esprit Saint nous présente le message évangélique d'une façon originale, riche de doctrine. Il s'agit moins d'ailleurs de grandes thèses théologiques (les idées maîtresses sont les mêmes que chez Marc et Matthieu) que d'une psychologie religieuse où l'on trouve, mêlées à une influence très discrète de son maître Paul, les inclinations propres au tempérament de Luc. Il aime à souligner la miséricorde de son Maître pour les pécheurs et à raconter des scènes de pardon. Il insiste volontiers sur la tendresse de Jésus pour les humbles et les pauvres, tandis que les orgueilleux et les riches jouisseurs sont sévèrement traités. Cependant même la juste condamnation ne se fera qu'après les délais patients de la miséricorde. Il faut seulement qu'on se repente, qu'on se renonce, et ici la générosité exigeante de Luc tient à répéter l'exigence d'un détachement décidé et absolu, notamment par l'abandon des richesses. On notera encore les passages propres au troisième évangile sur la nécessité de la prière et sur l'exemple qu'en a donné Jésus. Enfin, comme chez saint Paul et dans les Actes, l'Esprit Saint occupe une place de premier plan que Luc seul souligne. Ceci, avec l'atmosphère de reconnaissance pour les bienfaits divins et d'allégresse spirituelle, qui enveloppe tout le troisième évangile, achève de donner à l'œuvre de Luc cette ferveur qui touche et réchauffe le cœur.

Le style de saint Marc est rugueux, pénétré d'aramaïsmes et souvent incorrect, mais primesautier et d'une vivacité populaire qui est pleine de charme. Celui de saint Matthieu est encore aramaïsant mais mieux poli, moins pittoresque mais plus correct. Celui de saint Luc est complexe : d'une excellente qualité quand il ne relève que de lui-même, il accepte d'être moins bon par respect pour les sources, dont il garde certaines imperfections tout en les améliorant ; enfin, il imite volontairement et à merveille le style biblique des Septante. Notre traduction s'est efforcée de respecter ces nuances dans la mesure du possible, comme aussi elle s'est appliquée à refléter dans le français le détail des ressemblances et des différences où se trahissent, dans les originaux grecs, les relations littéraires qu'ont entre eux les trois évangiles synoptiques.

L'Évangile
selon saint Matthieu

Voir l'introduction, p. 1633.

1. *L'inauguration du Royaume des Cieux*

I. L'ENFANCE DE JÉSUS

Ascendance de Jésus. ‖ Lc 3 23-38.

1 ¹Livre de la genèse de Jésus Christ, fils de David, fils d'Abraham :

²Abraham engendra Isaac,
Isaac engendra Jacob,
Jacob engendra Juda et ses frères,
³Juda engendra Pharès et Zara, de Thamar,
Pharès engendra Esrom,
Esrom engendra Aram,
⁴Aram engendra Aminadab,
Aminadab engendra Naasson,
Naasson engendra Salmon,
⁵Salmon engendra Booz, de Rahab,
Booz engendra Jobed, de Ruth,
Jobed engendra Jessé,
⁶Jessé engendra le roi David.

David engendra Salomon, de la femme d'Urie,
⁷Salomon engendra Roboam,
Roboam engendra Abia,
Abia engendra Asa,
⁸Asa engendra Josaphat,
Josaphat engendra Joram,
Joram engendra Ozias,
⁹Ozias engendra Joatham,
Joatham engendra Achaz,
Achaz engendra Ézéchias,
¹⁰Ézéchias engendra Manassé,
Manassé engendra Amon,
Amon engendra Josias,
¹¹Josias engendra Jéchonias et ses frères ;
ce fut alors la déportation à Babylone.

¹²Après la déportation à Babylone,
Jéchonias engendra Salathiel,
Salathiel engendra Zorobabel,
¹³Zorobabel engendra Abioud,
Abioud engendra Éliakim,
Éliakim engendra Azor,
¹⁴Azor engendra Sadok,
Sadok engendra Akhim,
Akhim engendra Élioud,
¹⁵Élioud engendra Éléazar,
Éléazar engendra Matthan,
Matthan engendra Jacob,
¹⁶Jacob engendra Joseph, l'époux de Marie,
de laquelle naquit Jésus, que l'on appelle Christ.

¹⁷Le total des générations est donc : d'Abraham à David, quatorze générations ; de David à la déportation de Babylone, quatorze générations ; de la déportation

de Babylone au Christ, quatorze générations.

Joseph assume la paternité légale de Jésus.

[18]Or telle fut la genèse de Jésus Christ. Marie, sa mère, était fiancée à Joseph : or, avant qu'ils eussent mené vie commune, elle se trouva enceinte par le fait de l'Esprit Saint. [19]Joseph, son mari, qui était un homme juste et ne voulait pas la dénoncer publiquement, résolut de la répudier sans bruit. [20]Alors qu'il avait formé ce dessein, voici que l'Ange du Seigneur lui apparut en songe et lui dit : « Joseph, fils de David, ne crains pas de prendre chez toi Marie, ta femme : car ce qui a été engendré en elle vient de l'Esprit Saint ; [21]elle enfantera un fils, et tu l'appelleras du nom de Jésus car c'est lui qui sauvera son peuple de ses péchés. » [22]Or tout ceci advint pour que s'accomplît cet oracle prophétique du Seigneur :

[23]*Voici que la vierge concevra et enfantera un fils,*

et on l'appellera du nom d'Emmanuel,

ce qui se traduit : « Dieu avec nous. » [24]Une fois réveillé, Joseph fit comme l'Ange du Seigneur lui avait prescrit : il prit chez lui sa femme ; [25]et il ne la connut pas jusqu'au jour où elle enfanta un fils, et il l'appela du nom de Jésus.

La visite des mages.

2 [1]Jésus étant né à Bethléem de Judée, au temps du roi Hérode, voici que des mages venus d'Orient arrivèrent à Jérusalem [2]en disant : « Où est le roi des Juifs qui vient de naître ? Nous avons vu, en effet, son astre à son lever et sommes venus lui rendre hommage. » [3]L'ayant appris, le roi Hérode s'émut, et tout Jérusalem avec lui. [4]Il assembla tous les grands prêtres avec les scribes du peuple, et il s'enquérait auprès d'eux du lieu où devait naître le Christ. [5]« À Bethléem de Judée, lui dirent-ils ; ainsi, en effet, est-il écrit par le prophète :

[6]*Et toi, Bethléem, terre de Juda,*
 tu n'es nullement le moindre des clans de Juda ;
 car de toi sortira un chef
 qui sera pasteur de mon peuple Israël. »

[7]Alors Hérode manda secrètement les mages, se fit préciser par eux le temps de l'apparition de l'astre, [8]et les envoya à Bethléem en disant : « Allez vous renseigner exactement sur l'enfant ; et quand vous l'aurez trouvé, avisez-moi, afin que j'aille, moi aussi, lui rendre hommage. » [9]Sur ces paroles du roi, ils se mirent en route ; et voici que l'astre, qu'ils avaient vu à son lever, les précédait jusqu'à ce qu'il vînt s'arrêter au-dessus de l'endroit où était l'enfant. [10]À la vue de l'astre ils se réjouirent d'une très grande joie. [11]Entrant alors dans le logis, ils virent l'enfant avec Marie sa mère, et, se prosternant, ils lui rendirent hommage ; puis, ouvrant leurs cassettes, ils lui offrirent en présents de l'or, de l'encens et de la myrrhe. [12]Après quoi, avertis en songe de ne point retourner chez Hérode, ils prirent une autre route pour rentrer dans leur pays.

Fuite en Égypte et massacre des Innocents.

¹³Après leur départ, voici que l'Ange du Seigneur apparaît en songe à Joseph et lui dit : « Lève-toi, prends avec toi l'enfant et sa mère, et fuis en Égypte ; et restes-y jusqu'à ce que je te dise. Car Hérode va rechercher l'enfant pour le faire périr. » ¹⁴Il se leva, prit avec lui l'enfant et sa mère, de nuit, et se retira en Égypte ; ¹⁵et il resta là jusqu'à la mort d'Hérode ; pour que s'accomplît cet oracle prophétique du Seigneur : *D'Égypte j'ai appelé mon fils.*

¹⁶Alors Hérode, voyant qu'il avait été joué par les mages, fut pris d'une violente fureur et envoya mettre à mort, dans Bethléem et tout son territoire, tous les enfants de moins de deux ans, d'après le temps qu'il s'était fait préciser par les mages. ¹⁷Alors s'accomplit l'oracle du prophète Jérémie :

¹⁸*Une voix dans Rama s'est fait entendre,*

pleur et longue plainte :
c'est Rachel pleurant ses enfants ;
et ne veut pas qu'on la console,
car ils ne sont plus.

Retour d'Égypte et établissement à Nazareth.

¹⁹Quand Hérode eut cessé de vivre, voici que l'Ange du Seigneur apparaît en songe à Joseph, en Égypte, ²⁰et lui dit : « Lève-toi, prends avec toi l'enfant et sa mère, et mets-toi en route pour la terre d'Israël ; car ils sont morts, ceux qui en voulaient à la vie de l'enfant. » ²¹Il se leva, prit avec lui l'enfant et sa mère, et rentra dans la terre d'Israël. ²²Mais, apprenant qu'Archélaüs régnait sur la Judée à la place d'Hérode son père, il craignit de s'y rendre ; averti en songe, il se retira dans la région de Galilée ²³et vint s'établir dans une ville appelée Nazareth ; pour que s'accomplît l'oracle des prophètes :

Il sera appelé Nazôréen.

II. LE DÉBUT DU MINISTÈRE

Prédication de Jean-Baptiste.
|| Mc **1** 1-8. || Lc **3** 1-18.

3 ¹En ces jours-là arrive Jean le Baptiste, prêchant dans le désert de Judée ²et disant : « Repentez-vous car le Royaume des Cieux est tout proche. » ³C'est bien lui dont a parlé Isaïe le prophète :

Voix de celui qui crie dans le désert :
Préparez le chemin du Seigneur,
rendez droits ses sentiers.

⁴Ce Jean avait son vêtement fait de poils de chameau et un pagne de peau autour de ses reins ; sa nourriture était de sauterelles et de miel sauvage. ⁵Alors s'en allaient vers lui Jérusalem, et toute la Judée, et toute la région du Jourdain, ⁶et ils se faisaient baptiser par lui dans les eaux du Jourdain, en confessant leurs péchés. ⁷Comme il voyait beaucoup de Pharisiens et de Sadducéens venir au baptême, il leur dit : « Engeance de vipères,

qui vous a suggéré d'échapper à la Colère prochaine ? [8]Produisez donc un fruit digne du repentir [9]et ne vous avisez pas de dire en vous-mêmes : "Nous avons pour père Abraham." Car je vous le dis, Dieu peut, des pierres que voici, faire surgir des enfants à Abraham. [10]Déjà la cognée se trouve à la racine des arbres ; tout arbre donc qui ne produit pas de bon fruit va être coupé et jeté au feu. [11]Pour moi, je vous baptise dans de l'eau en vue du repentir ; mais celui qui vient derrière moi est plus fort que moi, dont je ne suis pas digne d'enlever les sandales ; lui vous baptisera dans l'Esprit Saint et le feu. [12]Il tient en sa main la pelle à vanner et va nettoyer son aire ; il recueillera son blé dans le grenier ; quant aux bales, il les consumera au feu qui ne s'éteint pas. »

Baptême de Jésus. ‖ Mc 1 9-11. ‖ Lc 3 21-22.

[13]Alors Jésus arrive de la Galilée au Jourdain, vers Jean, pour être baptisé par lui. [14]Celui-ci l'en détournait, en disant : « C'est moi qui ai besoin d'être baptisé par toi, et toi, tu viens à moi ! » [15]Mais Jésus lui répondit : « Laisse faire pour l'instant : car c'est ainsi qu'il nous convient d'accomplir toute justice. » Alors il le laisse faire.

[16]Ayant été baptisé, Jésus aussitôt remonta de l'eau ; et voici que les cieux s'ouvrirent : il vit l'Esprit de Dieu descendre comme une colombe et venir sur lui. [17]Et voici qu'une voix venue des cieux disait : « Celui-ci est mon Fils bien-aimé, qui a toute ma faveur. »

Tentation au désert. ‖ Mc 1 12-13. ‖ Lc 4 1-13.

4 [1]Alors Jésus fut emmené au désert par l'Esprit, pour être tenté par le diable. [2]Il jeûna durant quarante jours et quarante nuits, après quoi il eut faim. [3]Et, s'approchant, le tentateur lui dit : « Si tu es Fils de Dieu, dis que ces pierres deviennent des pains. » [4]Mais il répondit : « Il est écrit :

Ce n'est pas de pain seul que vivra l'homme,

mais de toute parole qui sort de la bouche de Dieu. »

[5]Alors le diable le prend avec lui dans la Ville sainte, et il le plaça sur le pinacle du Temple [6]et lui dit : « Si tu es Fils de Dieu, jette-toi en bas ; car il est écrit :

Il donnera pour toi des ordres à ses anges,

et sur leurs mains ils te porteront,

de peur que tu ne heurtes du pied quelque pierre. »

[7]Jésus lui dit : « Il est encore écrit :

Tu ne tenteras pas le Seigneur, ton Dieu. »

[8]De nouveau le diable le prend avec lui sur une très haute montagne, lui montre tous les royaumes du monde avec leur gloire [9]et lui dit : « Tout cela, je te le donnerai, si, te prosternant, tu me rends hommage. » [10]Alors Jésus lui dit : « Retire-toi, Satan ! Car il est écrit :

C'est le Seigneur ton Dieu que tu adoreras,

et à Lui seul tu rendras un culte. »

¹¹Alors le diable le quitte. Et voici que des anges s'approchèrent, et ils le servaient.

Retour en Galilée. ‖ Mc 1 14-15. ‖ Lc 4 14.

¹²Ayant appris que Jean avait été livré, il se retira en Galilée ¹³et, laissant Nazara, vint s'établir à Capharnaüm, au bord de la mer, sur les confins de Zabulon et de Nephtali, ¹⁴pour que s'accomplît l'oracle d'Isaïe le prophète :

¹⁵*Terre de Zabulon et terre de Nephtali,*
   Route de la mer, Pays de Trans-jordane,
   Galilée des nations !
¹⁶*Le peuple qui demeurait dans les ténèbres*
   a vu une grande lumière ;
   sur ceux qui demeuraient dans la région sombre de la mort,
   une lumière s'est levée.

¹⁷Dès lors Jésus se mit à prêcher et à dire : « Repentez-vous, car le Royaume des Cieux est tout proche. »

Appel des quatre premiers disciples. ‖ Mc 1 16-20. ‖ Lc 5 1-11.

¹⁸Comme il cheminait sur le bord de la mer de Galilée, il vit deux frères, Simon, appelé Pierre, et André son frère, qui jetaient l'épervier dans la mer ; car c'étaient des pêcheurs. ¹⁹Et il leur dit : « Venez à ma suite, et je vous ferai pêcheurs d'hommes. » ²⁰Eux, aussitôt, laissant les filets, le suivirent.

²¹Et avançant plus loin, il vit deux autres frères, Jacques, fils de Zébédée, et Jean son frère, dans leur barque, avec Zébédée leur père, en train d'arranger leurs filets ; et il les appela. ²²Eux, aussitôt, laissant la barque et leur père, le suivirent.

Jésus enseigne et guérit. ‖ Mc 1 39 ; 3 7-8. ‖ Lc 4 14-15, 44 ; 6 17-18. = Mt 9 35.

²³Il parcourait toute la Galilée, enseignant dans leurs synagogues, proclamant la Bonne Nouvelle du Royaume et guérissant toute maladie et toute langueur parmi le peuple. ²⁴Sa renommée gagna toute la Syrie, et on lui présenta tous les malades atteints de divers maux et tourments, des démoniaques, des lunatiques, des paralytiques, et il les guérit. ²⁵Des foules nombreuses se mirent à le suivre, de la Galilée, de la Décapole, de Jérusalem, de la Judée et de la Transjordane.

III. LE SERMON SUR LA MONTAGNE

Les Béatitudes. ‖ Lc 6 20-23.

5 ¹Voyant les foules, il gravit la montagne, et quand il fut assis, ses disciples s'approchèrent de lui. ²Et prenant la parole, il les enseignait en disant :

³« Heureux les pauvres en esprit, car le Royaume des Cieux est à eux.
⁴Heureux les affligés, car ils seront consolés.
⁵Heureux *les doux,* car *ils posséderont la terre.*

⁶Heureux les affamés et assoiffés de la justice,
  car ils seront rassasiés.
⁷Heureux les miséricordieux,
  car ils obtiendront miséricorde.
⁸Heureux les cœurs purs,
  car ils verront Dieu.
⁹Heureux les artisans de paix,
  car ils seront appelés fils de Dieu.
¹⁰Heureux les persécutés pour la justice,
  car le Royaume des Cieux est à eux.

¹¹Heureux êtes-vous quand on vous insultera, qu'on vous persécutera, et qu'on dira faussement contre vous toute sorte d'infamie à cause de moi. ¹²Soyez dans la joie et l'allégresse, car votre récompense sera grande dans les cieux : c'est bien ainsi qu'on a persécuté les prophètes, vos devanciers.

Sel de la terre et lumière du monde. ‖ Mc 9 50. ‖ Lc 14 34-35.

¹³« Vous êtes le sel de la terre. Mais si le sel vient à s'affadir, avec quoi le salera-t-on ? Il n'est plus bon à rien qu'à être jeté dehors et foulé aux pieds par les gens.

‖ Lc 8 16 ; 11 33. ‖ Mc 4 21.

¹⁴« Vous êtes la lumière du monde. Une ville ne se peut cacher, qui est sise au sommet d'un mont. ¹⁵Et l'on n'allume pas une lampe pour la mettre sous le boisseau, mais bien sur le lampadaire, où elle brille pour tous ceux qui sont dans la maison. ¹⁶Ainsi votre lumière doit-elle briller devant les hommes afin qu'ils voient vos bonnes œuvres et glorifient votre Père qui est dans les cieux.

L'accomplissement de la Loi.

¹⁷« N'allez pas croire que je sois venu abolir la Loi ou les Prophètes : je ne suis pas venu abolir, mais accomplir. ¹⁸Car je vous le dis, en vérité : avant que ne passent le ciel et la terre, pas un i, pas un point sur l'i, ne passera de la Loi, que tout ne soit réalisé. ¹⁹Celui donc qui violera l'un de ces moindres préceptes, et enseignera aux autres à faire de même, sera tenu pour le moindre dans le Royaume des Cieux ; au contraire, celui qui les exécutera et les enseignera, celui-là sera tenu pour grand dans le Royaume des Cieux.

La justice nouvelle supérieure à l'ancienne.

²⁰« Car je vous le dis : si votre justice ne surpasse pas celle des scribes et des Pharisiens, vous n'entrerez pas dans le Royaume des Cieux.

²¹« Vous avez entendu qu'il a été dit aux ancêtres : *Tu ne tueras point* ; et si quelqu'un tue, il en répondra au tribunal. ²²Eh bien ! moi je vous dis : Quiconque se fâche contre son frère en répondra au tribunal ; mais s'il dit à son frère : "Crétin !", il en répondra au Sanhédrin ; et s'il lui dit : "Renégat !", il en répondra dans la géhenne de feu. ²³Quand donc tu présentes ton offrande à l'autel, si là tu te souviens que ton frère a quelque chose contre toi, ²⁴laisse là ton offrande, devant l'autel, et va d'abord te réconcilier avec ton frère ; puis reviens, et alors présente ton offrande.

|| Lc **12** 58-59.

²⁵Hâte-toi de t'accorder avec ton adversaire, tant que tu es encore avec lui sur le chemin, de peur que l'adversaire ne te livre au juge, et le juge au garde, et qu'on ne te jette en prison. ²⁶En vérité, je te le dis : tu ne sortiras pas de là, que tu n'aies rendu jusqu'au dernier sou.

²⁷« Vous avez entendu qu'il a été dit : *Tu ne commettras pas l'adultère.* ²⁸Eh bien ! moi je vous dis : Quiconque regarde une femme pour la désirer a déjà commis, dans son cœur, l'adultère avec elle.

= **18** 8-9.

²⁹Que si ton œil droit est pour toi une occasion de péché, arrache-le et jette-le loin de toi : car mieux vaut pour toi que périsse un seul de tes membres et que tout ton corps ne soit pas jeté dans la géhenne. ³⁰Et si ta main droite est pour toi une occasion de péché, coupe-la et jette-la loin de toi : car mieux vaut pour toi que périsse un seul de tes membres et que tout ton corps ne s'en aille pas dans la géhenne.

= **19** 9. || Mc **10** 11-12. || Lc **16** 18. Cf. **1** Co **7** 10-11.

³¹« Il a été dit d'autre part : *Quiconque répudiera sa femme, qu'il lui remette un acte de divorce.* ³²Eh bien ! moi je vous dis : Tout homme qui répudie sa femme, hormis le cas de "prostitution", l'expose à l'adultère ; et quiconque épouse une répudiée, commet un adultère.

³³« Vous avez encore entendu qu'il a été dit aux ancêtres : *Tu ne parjureras pas, mais tu t'acquitteras envers le Seigneur de tes serments.* ³⁴Eh bien ! moi je vous dis de ne pas jurer du tout : ni par *le Ciel,* car c'est le trône de Dieu ; ³⁵ni par *la Terre,* car c'est *l'escabeau de ses pieds* ; ni par *Jérusalem,* car c'est *la Ville du grand Roi.* ³⁶Ne jure pas non plus par ta tête, car tu ne peux en rendre un seul cheveu blanc ou noir. ³⁷Que votre langage soit : "Oui ? Oui", "Non ? Non" : ce qu'on dit de plus vient du Mauvais.

|| Lc **6** 29.

³⁸« Vous avez entendu qu'il a été dit : *Œil pour œil et dent pour dent.* ³⁹Eh bien ! moi je vous dis de ne pas tenir tête au méchant : au contraire, quelqu'un te donne-t-il un soufflet sur la joue droite, tends-lui encore l'autre ; ⁴⁰veut-il te faire un procès et prendre ta tunique, laisse-lui même ton manteau ; ⁴¹te requiert-il pour une course d'un mille, fais-en deux avec lui. ⁴²À qui te demande, donne ; à qui veut t'emprunter, ne tourne pas le dos.

⁴³« Vous avez entendu qu'il a été dit : *Tu aimeras ton prochain* et tu haïras ton ennemi. ⁴⁴Eh bien ! moi je vous dis : Aimez vos ennemis, et priez pour vos persécuteurs, ⁴⁵afin de devenir fils de votre Père qui est aux cieux, car il fait lever son soleil sur les méchants et sur les bons, et tomber la pluie sur les justes et sur les injustes. ⁴⁶Car si vous aimez ceux qui vous aiment, quelle récompense aurez-vous ? Les publicains eux-mêmes n'en font-ils pas autant ? ⁴⁷Et si vous réservez vos saluts à vos frères, que faites-vous d'extraordinaire ? Les

païens eux-mêmes n'en font-ils pas autant ? ⁴⁸Vous donc, vous serez parfaits comme votre Père céleste est parfait.

Faire l'aumône en secret.

6 ¹« Gardez-vous de pratiquer votre justice devant les hommes, pour vous faire remarquer d'eux ; sinon, vous n'aurez pas de récompense auprès de votre Père qui est dans les cieux. ²Quand donc tu fais l'aumône, ne va pas le claironner devant toi ; ainsi font les hypocrites, dans les synagogues et les rues, afin d'être glorifiés par les hommes ; en vérité je vous le dis, ils tiennent déjà leur récompense. ³Pour toi, quand tu fais l'aumône, que ta main gauche ignore ce que fait ta main droite, ⁴afin que ton aumône soit secrète ; et ton Père, qui voit dans le secret, te le rendra.

Prier en secret.

⁵« Et quand vous priez, ne soyez pas comme les hypocrites : ils aiment, pour faire leurs prières, à se camper dans les synagogues et les carrefours, afin qu'on les voie. En vérité je vous le dis, ils tiennent déjà leur récompense. ⁶Pour toi, quand tu pries, *retire-toi dans ta chambre, ferme sur toi la porte, et prie* ton Père qui est là, dans le secret ; et ton Père, qui voit dans le secret, te le rendra.

La vraie prière. Le Pater.

⁷« Dans vos prières, ne rabâchez pas comme les païens : ils s'imaginent qu'en parlant beaucoup ils se feront mieux écouter. ⁸N'allez pas faire comme eux ; car votre Père sait bien ce qu'il vous faut, avant que vous le lui demandiez.

‖ Lc 11 2-4.

⁹« Vous donc, priez ainsi :

Notre Père qui es dans les cieux,
que ton Nom soit sanctifié,
¹⁰que ton Règne vienne,
que ta Volonté soit faite
sur la terre comme au ciel.
¹¹Donne-nous aujourd'hui notre
pain quotidien.
¹²Remets-nous nos dettes
comme nous-mêmes avons remis à nos débiteurs.
¹³Et ne nous laisse pas entrer en
tentation ;
mais délivre-nous du Mauvais.

¹⁴« Oui, si vous remettez aux hommes leurs manquements, votre Père céleste vous remettra aussi ; ¹⁵mais si vous ne remettez pas aux hommes, votre Père non plus ne vous remettra pas vos manquements.

Jeûner en secret.

¹⁶« Quand vous jeûnez, ne vous donnez pas un air sombre comme font les hypocrites : ils prennent une mine défaite, pour que les hommes voient bien qu'ils jeûnent. En vérité je vous le dis, ils tiennent déjà leur récompense. ¹⁷Pour toi, quand tu jeûnes, parfume ta tête et lave ton visage, ¹⁸pour que ton jeûne soit connu, non des hommes, mais de ton Père qui est là, dans le secret ; et ton Père, qui voit dans le secret, te le rendra.

Le vrai trésor. ‖ Lc 12 33-34.

¹⁹« Ne vous amassez point de trésors sur la terre, où la mite et le ver consument, où les voleurs percent et cambriolent. ²⁰Mais

amassez-vous des trésors dans le ciel : là, point de mite ni de ver qui consument, point de voleurs qui perforent et cambriolent. [21]Car où est ton trésor, là sera aussi ton cœur.

L'œil lampe du corps. || Lc 11 34-35.

[22]« La lampe du corps, c'est l'œil. Si donc ton œil est sain, ton corps tout entier sera lumineux. [23]Mais si ton œil est malade, ton corps tout entier sera ténébreux. Si donc la lumière qui est en toi est ténèbres, quelles ténèbres !

Dieu et l'argent. || Lc 16 13.

[24]« Nul ne peut servir deux maîtres : ou il haïra l'un et aimera l'autre, ou il s'attachera à l'un et méprisera l'autre. Vous ne pouvez servir Dieu et l'Argent.

S'abandonner à la Providence. || Lc 12 22-31.

[25]« Voilà pourquoi je vous dis : Ne vous inquiétez pas pour votre vie de ce que vous mangerez, ni pour votre corps de quoi vous le vêtirez. La vie n'est-elle pas plus que la nourriture, et le corps plus que le vêtement ? [26]Regardez les oiseaux du ciel : ils ne sèment ni ne moissonnent ni ne recueillent en des greniers, et votre Père céleste les nourrit ! Ne valez-vous pas plus qu'eux ? [27]Qui d'entre vous d'ailleurs peut, en s'en inquiétant, ajouter une seule coudée à la longueur de sa vie ? [28]Et du vêtement, pourquoi vous inquiéter ? Observez les lis des champs, comme ils poussent : ils ne peinent ni ne filent. [29]Or je vous dis que Salomon lui-même, dans toute sa gloire, n'a pas été vêtu comme l'un d'eux. [30]Que si Dieu habille de la sorte l'herbe des champs, qui est aujourd'hui et demain sera jetée au four, ne serat-il pas bien plus pour vous, gens de peu de foi ! [31]Ne vous inquiétez donc pas en disant : Qu'allonsnous manger ? Qu'allons-nous boire ? De quoi allons-nous nous vêtir ? [32]Ce sont là toutes choses dont les païens sont en quête. Or votre Père céleste sait que vous avez besoin de tout cela. [33]Cherchez d'abord son Royaume et sa justice, et tout cela vous sera donné par surcroît. [34]Ne vous inquiétez donc pas du lendemain : demain s'inquiétera de lui-même. À chaque jour suffit sa peine.

Ne pas juger. || Lc 6 37-42. Cf. Rm 2 1-2. 1 Co 4 5. || Mc 4 24.

7 [1]« Ne jugez pas, afin de n'être pas jugés ; [2]car, du jugement dont vous jugez on vous jugera, et de la mesure dont vous mesurez on mesurera pour vous. [3]Qu'as-tu à regarder la paille qui est dans l'œil de ton frère ? Et la poutre qui est dans ton œil à toi, tu ne la remarques pas ! [4]Ou bien comment vas-tu dire à ton frère : "Laisse-moi ôter la paille de ton œil", et voilà que la poutre est dans ton œil ! [5]Hypocrite, ôte d'abord la poutre de ton œil, et alors tu verras clair pour ôter la paille de l'œil de ton frère.

Ne pas profaner les choses saintes.

[6]« Ne donnez pas aux chiens ce qui est sacré, ne jetez pas vos perles devant les porcs, de crainte qu'ils ne les piétinent, puis se retournent contre vous pour vous déchirer.

Efficacité de la prière. || Lc 11 9-13.

⁷« Demandez et l'on vous donnera ; cherchez et vous trouverez ; frappez et l'on vous ouvrira. ⁸Car quiconque demande reçoit ; qui cherche trouve ; et à qui frappe on ouvrira. ⁹Quel est d'entre vous l'homme auquel son fils demandera du pain, et qui lui remettra une pierre ? ¹⁰Ou encore, s'il lui demande un poisson, lui remettra-t-il un serpent ? ¹¹Si donc vous, qui êtes mauvais, vous savez donner de bonnes choses à vos enfants, combien plus votre Père qui est dans les cieux en donnera-t-il de bonnes à ceux qui l'en prient !

La Règle d'or. || Lc 6 31.

¹²« Ainsi, tout ce que vous voulez que les hommes fassent pour vous, faites-le vous-mêmes pour eux : voilà la Loi et les Prophètes.

Les deux voies. || Lc 13 24. Cf. Dt 30 15. Ps 1 1.

¹³« Entrez par la porte étroite. Large, en effet, et spacieux est le chemin qui mène à la perdition, et il en est beaucoup qui s'y engagent ; ¹⁴mais étroite est la porte et resserré le chemin qui mène à la Vie, et il en est peu qui le trouvent.

Les faux prophètes. Cf. Ap 13 11 ; 19 20. 2 P 2 1-3. || Lc 6 43-44. = Mt 12 33.

¹⁵« Méfiez-vous des faux prophètes, qui viennent sous déguisés en brebis, mais au-dedans sont des loups rapaces. ¹⁶C'est à leurs fruits que vous les reconnaîtrez. Cueille-t-on des raisins sur des épines ? Ou des figues sur des chardons ? ¹⁷Ainsi tout arbre bon produit de bons fruits, tandis que l'arbre gâté produit de mauvais fruits. ¹⁸Un bon arbre ne peut porter de mauvais fruits, ni un arbre gâté porter de bons fruits. ¹⁹Tout arbre qui ne donne pas un bon fruit, on le coupe et on le jette au feu. ²⁰Ainsi donc, c'est à leurs fruits que vous les reconnaîtrez.

Les vrais disciples. || Lc 6 46.

²¹« Ce n'est pas en me disant : "Seigneur, Seigneur", qu'on entrera dans le Royaume des Cieux, mais c'est en faisant la volonté de mon Père qui est dans les cieux. ²²Beaucoup me diront en ce jour-là : "Seigneur, Seigneur, n'est-ce pas en ton nom que nous avons prophétisé ? En ton nom que nous avons chassé les démons ? En ton nom que nous avons fait bien des miracles ?" ²³Alors je leur dirai en face : "Jamais je ne vous ai connus ; *écartez-vous de moi, vous qui commettez l'iniquité.*"

|| Lc 6 47-49.

²⁴« Ainsi, quiconque écoute ces paroles que je viens de dire et les met en pratique, peut se comparer à un homme avisé qui a bâti sa maison sur le roc. ²⁵La pluie est tombée, les torrents sont venus, les vents ont soufflé et se sont déchaînés contre cette maison, et elle n'a pas croulé : c'est qu'elle avait été fondée sur le roc. ²⁶Et quiconque entend ces paroles que je viens de dire et ne les met pas en pratique, peut se comparer à un homme insensé qui a bâti sa maison sur le sable. ²⁷La pluie est tombée, les torrents sont venus, les vents ont soufflé et se sont rués sur cette maison, et elle s'est écroulée. Et grande a été sa ruine ! »

Étonnement de la foule. ‖ Lc 4 32 ; 7 1. ‖ Mc 1 22.

²⁸Et il advint, quand Jésus eut achevé ces discours, que les foules étaient frappées de son enseignement : ²⁹car il les enseignait en homme qui a autorité, et non pas comme leurs scribes.

2. La prédication du Royaume des Cieux

I. DIX MIRACLES

Guérison d'un lépreux. ‖ Mc 1 40-45. ‖ Lc 5 12-16.

8 ¹Quand il fut descendu de la montagne, des foules nombreuses se mirent à le suivre. ²Or voici qu'un lépreux s'approcha et se prosterna devant lui en disant : « Seigneur, si tu le veux, tu peux me purifier. » ³Il étendit la main et le toucha, en disant : « Je le veux, sois purifié. » Et aussitôt sa lèpre fut purifiée. ⁴Et Jésus lui dit : « Garde-toi d'en parler à personne, mais va te montrer au prêtre et offre le don qu'a prescrit Moïse : ce leur sera une attestation. »

Guérison de l'enfant d'un centurion. ‖ Lc 7 1-10. ‖ Jn 4 46-53.

⁵Comme il était entré dans Capharnaüm, un centurion s'approcha de lui en le suppliant : ⁶« Seigneur, dit-il, mon enfant gît dans ma maison, atteint de paralysie et souffrant atrocement. » ⁷Il lui dit : « Je vais aller le guérir. » – ⁸« Seigneur, reprit le centurion, je ne mérite pas que tu entres sous mon toit ; mais dis seulement un mot et mon enfant sera guéri. ⁹Car moi, qui ne suis qu'un subalterne, j'ai sous moi des soldats, et je dis à l'un : Va ! et il va, et à un autre : Viens ! et il vient, et à mon serviteur : Fais ceci ! et il le fait. » ¹⁰Entendant cela, Jésus fut dans l'admiration et dit à ceux qui le suivaient : « En vérité, je vous le dis, chez personne je n'ai trouvé une telle foi en Israël.

‖ Lc 13 28-29.

¹¹Eh bien ! je vous dis que beaucoup viendront du levant et du couchant prendre place au festin avec Abraham, Isaac et Jacob dans le Royaume des Cieux, ¹²tandis que les fils du Royaume seront jetés dans les ténèbres extérieures : là seront les pleurs et les grincements de dents. » ¹³Puis il dit au centurion : « Va ! Qu'il t'advienne selon ta foi ! » Et l'enfant fut guéri sur l'heure.

Guérison de la belle-mère de Pierre. ‖ Mc 1 29-31. ‖ Lc 4 38-39.

¹⁴Étant venu dans la maison de Pierre, Jésus vit sa belle-mère alitée, avec la fièvre. ¹⁵Il lui toucha la main, la fièvre la quitta, elle se leva et elle le servait.

Guérisons multiples. ‖ Mc 1 32-34. ‖ Lc 4 40-41.

¹⁶Le soir venu, on lui présenta beaucoup de démoniaques ; il

chassa les esprits d'un mot, et il guérit tous les malades, 17afin que s'accomplît l'oracle d'Isaïe le prophète :

Il a pris nos infirmités et s'est chargé de nos maladies.

Exigences de la vocation apostolique. || Lc 9 57-60.

18Se voyant entouré de foules nombreuses, Jésus donna l'ordre de s'en aller sur l'autre rive. 19Et un scribe s'approchant lui dit : « Maître, je te suivrai où que tu ailles. » 20Jésus lui dit : « Les renards ont des tanières et les oiseaux du ciel ont des nids ; le Fils de l'homme, lui, n'a pas où reposer la tête. »

21Un autre des disciples lui dit : « Seigneur, permets-moi de m'en aller d'abord enterrer mon père. » 22Mais Jésus lui dit : « Suis-moi, et laisse les morts enterrer leurs morts. »

La tempête apaisée. || Mc 4 35-41. || Lc 8 22-25.

23Puis il monta dans la barque, suivi de ses disciples. 24Et voici qu'une grande agitation se fit dans la mer, au point que la barque était couverte par les vagues. Lui cependant dormait. 25S'étant approchés, ils le réveillèrent en disant : « Au secours, Seigneur, nous périssons ! » 26Il leur dit : « Pourquoi avez-vous peur, gens de peu de foi ? » Alors, s'étant levé, il menaça les vents et la mer, et il se fit un grand calme. 27Saisis d'étonnement, les hommes se dirent alors : « Quel est celui-ci, que même les vents et la mer lui obéissent ? »

Les démoniaques gadaréniens. || Mc 5 1-20. || Lc 8 26-39.

28Quand il fut arrivé sur l'autre rive, au pays des Gadaréniens, deux démoniaques, sortant des tombeaux, vinrent à sa rencontre, des êtres si sauvages que nul ne se sentait de force à passer par ce chemin. 29Les voilà qui se mirent à crier : « Que nous veux-tu, Fils de Dieu ? Es-tu venu ici pour nous tourmenter avant le temps ? » 30Or il y avait, à une certaine distance, un gros troupeau de porcs en train de paître. 31Et les démons suppliaient Jésus : « Si tu nous expulses, envoie-nous dans ce troupeau de porcs. » — 32« Allez », leur dit-il. Sortant alors, ils s'en allèrent dans les porcs, et voilà que tout le troupeau se précipita du haut de l'escarpement dans la mer et périt dans les eaux. 33Les gardiens prirent la fuite et s'en furent à la ville tout rapporter, avec l'affaire des démoniaques. 34Et voilà que toute la ville sortit au-devant de Jésus ; et, dès qu'ils le virent, ils le prièrent de quitter leur territoire.

Guérison d'un paralytique. || Mc 2 1-12. || Lc 5 17-26.

9 1S'étant embarqué, il traversa et vint dans sa ville. 2Et voici qu'on lui apportait un paralytique étendu sur un lit. Jésus, voyant leur foi, dit au paralytique : « Aie confiance, mon enfant, tes péchés sont remis. » 3Et voici que quelques scribes se dirent par-devers eux : « Celui-là blasphème. » 4Et Jésus, connaissant leurs sentiments, dit : « Pourquoi ces mauvais sentiments dans vos cœurs ? 5Quel est donc le plus facile, de dire : Tes péchés sont remis, ou de dire : Lève-toi et marche ? [6]Eh bien ! pour que vous sachiez que le Fils de l'homme a le pouvoir sur la terre de remettre les péchés, lève-toi, dit-il alors au paralytique, prends ton lit et va-t'en chez toi. » [7]Et se levant, il s'en alla chez lui. [8]À cette vue, les foules furent saisies de crainte et glorifièrent Dieu d'avoir donné un tel pouvoir aux hommes.

Appel de Matthieu. || Mc 2 13-14. || Lc 5 27-28.

[9]Étant sorti, Jésus vit, en passant, un homme assis au bureau de la douane, appelé Matthieu, et il lui dit : « Suis-moi ! » Et, se levant, il le suivit.

Repas avec des pécheurs. || Mc 2 15-17. || Lc 5 29-32.

[10]Comme il était à table dans la maison, voici que beaucoup de publicains et de pécheurs vinrent se mettre à table avec Jésus et ses disciples. [11]Ce qu'ayant vu, les Pharisiens disaient à ses disciples : « Pourquoi votre maître mange-t-il avec les publicains et les pécheurs ? » [12]Mais lui, qui avait entendu, dit : « Ce ne sont pas les gens bien portants qui ont besoin de médecin, mais les malades. [13]Allez donc apprendre ce que signifie : *C'est la miséricorde que je veux, et non le sacrifice.* En effet, je ne suis pas venu appeler les justes, mais les pécheurs. »

Discussion sur le jeûne. || Mc 2 18-22. || Lc 5 33-39.

[14]Alors les disciples de Jean s'approchent de lui en disant : « Pourquoi nous et les Pharisiens jeûnons-nous, et tes disciples ne jeûnent-ils pas ? » [15]Et Jésus leur dit : « Les compagnons de l'époux peuvent-ils mener le deuil tant que l'époux est avec eux ? Mais viendront des jours où l'époux leur sera enlevé ; et alors ils jeûneront. [16]Personne ne rajoute une pièce de drap non foulé à un vieux vêtement ; car le morceau rapporté tire sur le vêtement et la déchirure s'aggrave. [17]On ne met pas non plus du vin nouveau dans des outres vieilles ; autrement, les outres éclatent, le vin se répand et les outres sont perdues. Mais on met du vin nouveau dans des outres neuves, et l'un et l'autre se conservent. »

Guérison d'une hémorroïsse et résurrection de la fille d'un chef. || Mc 5 21-43. || Lc 8 40-56.

[18]Tandis qu'il leur parlait, voici qu'un chef s'approche, et il se prosternait devant lui en disant : « Ma fille est morte à l'instant ; mais viens lui imposer ta main et elle vivra. » [19]Et, se levant, Jésus le suivait ainsi que ses disciples. [20]Or voici qu'une femme, hémorroïsse depuis douze années, s'approcha par derrière et toucha la frange de son manteau. [21]Car elle se disait en elle-même : « Si seulement je touche son manteau, je serai sauvée. » [22]Jésus se retournant la vit et lui dit : « Aie confiance, ma fille, ta foi t'a sauvée. » Et de ce moment la femme fut sauvée. [23]Arrivé à la maison du chef et voyant les joueurs de flûte et la foule en tumulte, Jésus dit : [24]« Retirez-vous ; car elle n'est pas morte, la fillette, mais elle dort. » Et ils se moquaient de lui. [25]Mais, quand on eut mis la foule dehors, il entra, prit

la main de la fillette et celle-ci se dressa. ²⁶Le bruit s'en répandit dans toute cette contrée.

Guérison de deux aveugles.
20 29-34.

²⁷Comme Jésus s'en allait de là, deux aveugles le suivirent, qui criaient et disaient : « Aie pitié de nous, Fils de David ! » ²⁸Étant arrivé à la maison, les aveugles s'approchèrent de lui et Jésus leur dit : « Croyez-vous que je puis faire cela » –« Oui, Seigneur », lui disentils. ²⁹Alors il leur toucha les yeux en disant : « Qu'il vous advienne selon votre foi. » ³⁰Et leurs yeux s'ouvrirent. Jésus alors les rudoya : « Prenez garde ! dit-il. Que personne ne le sache ! » ³¹Mais eux, étant sortis, répandirent sa renommée dans toute cette contrée.

Guérison d'un démoniaque muet.
= 12 22-24. || Lc 11 14-15.

³²Comme ils sortaient, voilà qu'on lui présenta un démoniaque muet. ³³Le démon fut expulsé et le muet parla. Les foules émerveillées disaient : « Jamais pareille chose n'a paru en Israël ! » ³⁴Mais les Pharisiens disaient : « C'est par le Prince des démons qu'il expulse les démons. »

Misère des foules.
= 4 23.

³⁵Jésus parcourait toutes les villes et les villages, enseignant dans leurs synagogues, proclamant la Bonne Nouvelle du Royaume et guérissant toute maladie et toute langueur.

|| Mc 6 34.

³⁶À la vue des foules il en eut pitié, car ces gens étaient las et prostrés comme des brebis qui n'ont pas de berger. ³⁷Alors il dit à ses disciples : « La moisson est abondante, mais les ouvriers peu nombreux ; ³⁸priez donc le Maître de la moisson d'envoyer des ouvriers à sa moisson. »

II. DISCOURS MISSIONNAIRE

Mission des Douze.
|| Mc 3 14-15 ; 6 7. || Lc 9 1.

10 ¹Ayant appelé à lui ses douze disciples, Jésus leur donna pouvoir sur les esprits impurs, de façon à les expulser et à guérir toute maladie et toute langueur.

|| Mc 3 16-19. || Lc 6 13-16. || Ac 1 13.

²Les noms des douze apôtres sont les suivants : le premier, Simon appelé Pierre, et André son frère ; puis Jacques, le fils de Zébédée, et Jean son frère ; ³Philippe et Barthélemy ; Thomas et Matthieu le publicain ; Jacques, le fils d'Alphée, et Thaddée ; ⁴Simon le Zélé et Judas l'Iscariote, celui-là même qui l'a livré. ⁵Ces douze, Jésus les envoya en mission avec les prescriptions suivantes :

« Ne prenez pas le chemin des païens et n'entrez pas dans une ville de Samaritains ; ⁶allez plutôt vers les brebis perdues de la maison d'Israël. ⁷Chemin faisant, proclamez que le Royaume des Cieux est tout proche. ⁸Guérissez les malades, ressuscitez les morts, purifiez les lépreux, expulsez les démons. Vous avez reçu gratuitement, donnez gratuitement. ⁹Ne vous procurez ni or, ni argent, ni menue monnaie pour vos ceintures, ¹⁰ni besace pour la route, ni deux tuniques, ni sandales, ni bâton : car l'ouvrier mérite sa nourriture.

|| Mc **6** 10-11. || Lc **9** 4-5 ; **10** 5-12.

¹¹« En quelque ville ou village que vous entriez, faites-vous indiquer quelqu'un d'honorable et demeurez-y jusqu'à ce que vous partiez. ¹²En entrant dans la maison, saluez-la : ¹³si cette maison en est digne, que votre paix vienne sur elle ; si elle ne l'est pas, que votre paix vous soit retournée. ¹⁴Et si quelqu'un ne vous accueille pas et n'écoute pas vos paroles, sortez de cette maison ou de cette ville et secouez la poussière de vos pieds. ¹⁵En vérité je vous le dis : au Jour du Jugement, il y aura moins de rigueur pour le pays de Sodome et de Gomorrhe que pour cette ville-là.

|| Lc **10** 3.

¹⁶Voici que je vous envoie comme des brebis au milieu des loups ; montrez-vous donc prudents comme les serpents et candides comme les colombes.

Les missionnaires seront persécutés. || Mc **13** 9-13. || Lc **21** 12-19.

¹⁷« Méfiez-vous des hommes : ils vous livreront aux sanhédrins et vous flagelleront dans leurs synagogues ; ¹⁸vous serez traduits devant des gouverneurs et des rois, à cause de moi, pour rendre témoignage en face d'eux et des païens. ¹⁹Mais, lorsqu'on vous livrera, ne cherchez pas avec inquiétude comment parler ou que dire : ce que vous aurez à dire vous sera donné sur le moment, ²⁰car ce n'est pas vous qui parlerez, mais l'Esprit de votre Père qui parlera en vous.

²¹« Le frère livrera son frère à la mort, et le père son enfant ; les enfants se dresseront contre leurs parents et les feront mourir. ²²Et vous serez haïs de tous à cause de mon nom, mais celui qui aura tenu bon jusqu'au bout, celui-là sera sauvé.

²³« Si l'on vous pourchasse dans telle ville, fuyez dans telle autre, et si l'on vous pourchasse dans celle-là, fuyez dans une troisième ; en vérité je vous le dis, vous n'achèverez pas le tour des villes d'Israël avant que ne vienne le Fils de l'homme.

²⁴« Le disciple n'est pas au-dessus du maître, ni le serviteur au-dessus de son patron. ²⁵Il suffit pour le disciple qu'il devienne comme son maître, et le serviteur comme son patron. Du moment qu'ils ont traité de Béelzéboul le maître de maison, que ne diront-ils pas de sa maisonnée !

Parler ouvertement et sans crainte. || Lc **12** 2-7. || Mc **4** 22. || Lc **8** 17.

²⁶« N'allez donc pas les craindre ! Rien, en effet, n'est voilé qui ne sera révélé, rien de caché qui ne sera connu. ²⁷Ce que je vous dis dans les ténèbres, dites-le au grand jour ; et ce que vous entendez dans le creux de l'oreille, proclamez-le sur les toits.

²⁸« Ne craignez rien de ceux

qui tuent le corps, mais ne peuvent tuer l'âme ; craignez plutôt Celui qui peut perdre dans la géhenne à la fois l'âme et le corps. [29]Ne vend-on pas deux passereaux pour un as ? Et pas un d'entre eux ne tombera au sol à l'insu de votre Père ! [30]Et vous donc ! vos cheveux même sont tous comptés ! [31]Soyez donc sans crainte ; vous valez mieux, vous, qu'une multitude de passereaux.

|| Lc 12 8-9. || Mc 8 38. || Lc 9 26.

[32]« Quiconque se déclarera pour moi devant les hommes, moi aussi je me déclarerai pour lui devant mon Père qui est dans les cieux ; [33]mais celui qui m'aura renié devant les hommes, à mon tour je le renierai devant mon Père qui est dans les cieux.

Jésus cause de dissensions. || Lc 12 51-53.

[34]« N'allez pas croire que je sois venu apporter la paix sur la terre ; je ne suis pas venu apporter la paix, mais le glaive. [35]Car je suis venu opposer *l'homme à son père, la fille à sa mère et la bru à sa belle-mère :* [36]on aura pour ennemis les gens de sa famille.

Se renoncer pour suivre Jésus.
|| Lc 14 26-27. = Mt 16 24-25. || Mc 8 34-35. || Lc 9 23-24. || Lc 17 33. || Jn 12 25.

[37]« Qui aime son père ou sa mère plus que moi n'est pas digne de moi. Qui aime son fils ou sa fille plus que moi n'est pas digne de moi. [38]Qui ne prend pas sa croix et ne suit pas derrière moi n'est pas digne de moi. [39]Qui aura trouvé sa vie la perdra et qui aura perdu sa vie à cause de moi la trouvera.

Conclusion du discours apostolique. = 18 5. || Mc 9 37. || Lc 9 48. || Lc 10 16. Cf. Jn 13 20.

[40]« Qui vous accueille m'accueille, et qui m'accueille accueille Celui qui m'a envoyé. [41]« Qui accueille un prophète au nom d'un prophète recevra une récompense de prophète, et qui accueille un juste au nom d'un juste recevra une récompense de juste.

|| Mc 9 41.

[42]« Quiconque donnera à boire à l'un de ces petits rien qu'un verre d'eau fraîche, au nom d'un disciple, en vérité je vous le dis, il ne perdra pas sa récompense. »

3. Le mystère du Royaume des Cieux

I. JÉSUS REJETÉ
PAR « CETTE GÉNÉRATION »

11 [1]Et il advint, quand Jésus eut achevé de donner ces consignes à ses douze disciples, qu'il partit de là pour enseigner et prêcher dans leurs villes.

Question de Jean-Baptiste et témoignage que lui rend Jésus.
|| Lc **7** 18-28.

²Or Jean, dans sa prison, avait entendu parler des œuvres du Christ. Il lui envoya de ses disciples pour lui dire : ³« Es-tu celui qui doit venir ou devons-nous en attendre un autre ? » ⁴Jésus leur répondit : « Allez rapporter à Jean ce que vous entendez et voyez : ⁵les aveugles voient et les boiteux marchent, les lépreux sont purifiés et les sourds entendent, les morts ressuscitent et la Bonne Nouvelle est annoncée aux pauvres ; ⁶et heureux celui qui ne trébuchera pas à cause de moi ! »

⁷Tandis que ceux-là s'en allaient, Jésus se mit à dire aux foules au sujet de Jean : « Qu'êtes-vous allés contempler au désert ? Un roseau agité par le vent ? ⁸Alors qu'êtes-vous allés voir ? Un homme vêtu de façon délicate ? Mais ceux qui portent des habits délicats se trouvent dans les demeures des rois. ⁹Alors qu'êtes-vous allés faire ? Voir un prophète ? Oui, je vous le dis, et plus qu'un prophète. ¹⁰C'est celui dont il est écrit :

|| Mc **1** 2. ↗ Ac **13** 24-25.

Voici que moi j'envoie mon messager en avant de toi
pour préparer ta route devant toi.

|| Lc **16** 16.

¹¹« En vérité je vous le dis, parmi les enfants des femmes, il n'en a pas surgi de plus grand que Jean le Baptiste ; et cependant le plus petit dans le Royaume des Cieux est plus grand que lui. ¹²Depuis les jours de Jean le Baptiste jusqu'à présent le Royaume des Cieux souffre violence, et des violents s'en emparent. ¹³Tous les prophètes en effet, ainsi que la Loi, ont mené leurs prophéties jusqu'à Jean. ¹⁴Et lui, si vous voulez m'en croire, il est cet Élie qui doit revenir. ¹⁵Que celui qui a des oreilles entende !

Jugement de Jésus sur sa génération. || Lc **7** 31-35.

¹⁶« Mais à qui vais-je comparer cette génération ? Elle ressemble à des gamins qui, assis sur les places, en interpellent d'autres, ¹⁷en disant :

“Nous vous avons joué de la flûte,
et vous n'avez pas dansé !
Nous avons entonné un chant funèbre,
et vous ne vous êtes pas frappé la poitrine !”

¹⁸Jean vient en effet, ne mangeant ni ne buvant, et l'on dit : “Il est possédé !” ¹⁹Vient le Fils de l'homme, mangeant et buvant, et l'on dit : “Voilà un glouton et un ivrogne, un ami des publicains et des pécheurs !” Et justice a été rendue à la Sagesse par ses œuvres. »

Malheur aux villes des bords du lac. || Lc **10** 13-15.

²⁰Alors il se mit à invectiver contre les villes qui avaient vu ses plus nombreux miracles mais n'avaient pas fait pénitence.

²¹« Malheur à toi, Chorazeïn ! Malheur à toi, Bethsaïde ! Car si les miracles qui ont eu lieu chez vous avaient eu lieu à Tyr et à Sidon, il y a longtemps que, sous le sac et dans la cendre, elles se seraient repenties. ²²Aussi bien, je

vous le dis, pour Tyr et Sidon, au Jour du Jugement, il y aura moins de rigueur que pour vous. ²³Et toi, Capharnaüm, crois-tu que tu seras élevée jusqu'au ciel ? *Jusqu'à l'Hadès tu descendras.* Car si les miracles qui ont eu lieu chez toi avaient eu lieu à Sodome, elle subsisterait encore aujourd'hui. ²⁴Aussi bien, je vous le dis, pour le pays de Sodome il y aura moins de rigueur, au Jour du Jugement, que pour toi. »

L'Évangile révélé aux simples. Le Père et le Fils. ‖ Lc 10 21-22.

²⁵En ce temps-là Jésus prit la parole et dit : « Je te bénis, Père, Seigneur du ciel et de la terre, d'avoir caché cela à des sages et à des intelligents et de l'avoir révélé à des tout-petits. ²⁶Oui, Père, car tel a été ton bon plaisir. ²⁷Tout m'a été remis par mon Père, et nul ne connaît le Fils si ce n'est le Père, et nul ne connaît le Père si ce n'est le Fils, et celui à qui le Fils veut bien le révéler.

Jésus maître au fardeau léger.

²⁸« Venez à moi, vous tous qui peinez et ployez sous le fardeau, et moi je vous soulagerai. ²⁹Chargez-vous de mon joug et mettez-vous à mon école, car je suis doux et humble de cœur, *et vous trouverez soulagement pour vos âmes.* ³⁰Oui, mon joug est aisé et mon fardeau léger. »

Les épis arrachés. ‖ Mc 2 23-28. ‖ Lc 6 1-5.

12 ¹En ce temps-là Jésus vint à passer, un jour de sabbat, à travers les moissons. Ses disciples eurent faim et se mirent à arracher

des épis et à les manger. ²Ce que voyant, les Pharisiens lui dirent : « Voilà tes disciples qui font ce qu'il n'est pas permis de faire pendant le sabbat ! » ³Mais il leur dit : « N'avez-vous pas lu ce que fit David lorsqu'il eut faim, lui et ses compagnons ? ⁴Comment il entra dans la demeure de Dieu et comment ils mangèrent les pains d'oblation, qu'il ne lui était pas permis de manger, ni à ses compagnons, mais aux prêtres seuls ? ⁵Ou n'avez-vous pas lu dans la Loi que, le jour du sabbat, les prêtres dans le Temple violent le sabbat sans être en faute ? ⁶Or, je vous le dis, il y a ici plus grand que le Temple. ⁷Et si vous aviez compris ce que signifie : *C'est la miséricorde que je veux, et non le sacrifice,* vous n'auriez pas condamné des gens qui sont sans faute. ⁸Car le Fils de l'homme est maître du sabbat. »

Guérison d'un homme à la main sèche. ‖ Mc 3 1-6. ‖ Lc 6 6-11.

⁹Parti de là, il vint dans leur synagogue. ¹⁰Et voici un homme qui avait une main sèche, et ils lui posèrent cette question : « Est-il permis de guérir, le jour du sabbat ? » afin de l'accuser. ¹¹Mais il leur dit :

‖ Lc 14 5.

« Quel sera d'entre vous l'homme qui aura une seule brebis, et si elle tombe dans un trou, le jour du sabbat, n'ira la prendre et la relever ? ¹²Or, combien un homme vaut plus qu'une brebis ! Par conséquent il est permis de faire une bonne action le jour du sabbat. » ¹³Alors il dit à l'homme : « Étends ta main. » Il l'étendit et elle fut remise en état, saine comme l'autre. ¹⁴Étant sortis, les Pharisiens tinrent conseil contre lui, en vue de le perdre.

Jésus est le « Serviteur de Yahvé ». ‖ Mc 3 7, 12.

¹⁵L'ayant su, Jésus se retira de là. Beaucoup le suivirent et il les guérit tous ¹⁶et il leur enjoignit de ne pas le faire connaître, ¹⁷pour que s'accomplît l'oracle d'Isaïe le prophète :

¹⁸*Voici mon Serviteur que j'ai choisi,*
  mon Bien-Aimé qui a toute ma faveur.
Je placerai sur lui mon Esprit
  et il annoncera le Droit aux nations.
¹⁹*Il ne fera point de querelles ni de cris*
  et nul n'entendra sa voix sur les grands chemins.
²⁰*Le roseau froissé, il ne le brisera pas,*
  et la mèche fumante, il ne l'éteindra pas,
  jusqu'à ce qu'il ait mené le Droit au triomphe :
²¹*en son nom les nations mettront leur espérance.*

Jésus et Béelzéboul. ‖ Lc 11 14-15. = Mt 9 32-34.

²²Alors on lui présenta un démoniaque aveugle et muet ; et il le guérit, si bien que le muet pouvait parler et voir. ²³Frappées de stupeur, toutes les foules disaient : « Celui-là n'est-il pas le Fils de David ? » ²⁴Mais les Pharisiens, entendant cela, dirent : « Celui-là n'expulse les démons que par Béelzéboul, le prince des démons. »

‖ Mc 3 23-30. ‖ Lc 11 17-23.

²⁵Connaissant leurs sentiments, il leur dit : « Tout royaume divisé contre lui-même court à la ruine ; et nulle ville, nulle maison, divisée contre elle-même, ne saurait se maintenir. ²⁶Or, si Satan expulse Satan, il s'est divisé contre lui-même : dès lors, comment son royaume se maintiendra-t-il ? ²⁷Et si moi, c'est par Béelzéboul que j'expulse les démons, par qui vos adeptes les expulsent-ils ? Aussi seront-ils eux-mêmes vos juges. ²⁸Mais si c'est par l'Esprit de Dieu que j'expulse les démons, c'est donc que le Royaume de Dieu est arrivé jusqu'à vous.

²⁹« Ou encore, comment quelqu'un peut-il pénétrer dans la maison d'un homme fort et s'emparer de ses affaires, s'il n'a d'abord ligoté cet homme fort ? Et alors il pillera sa maison.

³⁰« Qui n'est pas avec moi est contre moi, et qui n'amasse pas avec moi dissipe.

‖ Lc 12 10.

³¹Aussi je vous le dis, tout péché et blasphème sera remis aux hommes, mais le blasphème contre l'Esprit ne sera pas remis. ³²Et quiconque aura dit une parole contre le Fils de l'homme, cela lui sera remis ; mais quiconque aura parlé contre l'Esprit Saint, cela ne lui sera remis ni en cet âge ni en l'autre.

Les paroles font juger du cœur. = 7 16-20. ‖ Lc 6 43-45.

³³« Prenez un arbre bon : son fruit sera bon ; prenez un arbre gâté : son fruit sera gâté. Car c'est au fruit qu'on reconnaît l'arbre.

³⁴Engeance de vipères, comment pourriez-vous tenir un bon langage, alors que vous êtes mauvais ? Car c'est du trop-plein du cœur que la bouche parle. ³⁵L'homme bon, de son bon trésor tire de bonnes choses ; et l'homme mauvais, de son mauvais trésor en tire de mauvaises. ³⁶Or je vous le dis : de toute parole sans fondement que les hommes auront proférée, ils rendront compte au Jour du Jugement. ³⁷Car c'est d'après tes paroles que tu seras justifié et c'est d'après tes paroles que tu seras condamné. »

Le signe de Jonas. ‖ Lc 11 29-32. ‖ Mc 8 11-12. = Mt 16 1-4.

³⁸Alors quelques-uns des scribes et des Pharisiens prirent la parole et lui dirent : « Maître, nous désirons que tu nous fasses voir un signe. » ³⁹Il leur répondit : « Génération mauvaise et adultère ! elle réclame un signe, et de signe, il ne lui sera donné que le signe du prophète Jonas. ⁴⁰De même, en effet, que Jonas *fut dans le ventre du monstre marin durant trois jours et trois nuits,* de même le Fils de l'homme sera dans le sein de la terre durant trois jours et trois nuits. ⁴¹Les hommes de Ninive se dresseront lors du Jugement avec cette génération et ils la condamneront, car ils se repentirent à la proclamation de Jonas, et il y a ici plus que Jonas ! ⁴²La reine du Midi se lèvera lors du Ju-

gement avec cette génération et elle la condamnera, car elle vint des extrémités de la terre pour écouter la sagesse de Salomon, et il y a ici plus que Salomon !

Retour offensif de l'esprit impur. ‖ Lc 11 24-26.

⁴³Lorsque l'esprit impur est sorti de l'homme, il erre par des lieux arides en quête de repos, et il n'en trouve pas. ⁴⁴Alors il dit : "Je vais retourner dans ma demeure, d'où je suis sorti." Étant venu, il la trouve libre, balayée, bien en ordre. ⁴⁵Alors il s'en va prendre avec lui sept autres esprits plus mauvais que lui ; ils reviennent et y habitent. Et l'état final de cet homme devient pire que le premier. Ainsi en sera-t-il également de cette génération mauvaise. »

La vraie parenté de Jésus. ‖ Mc 3 31-35. ‖ Lc 8 19-21.

⁴⁶Comme il parlait encore aux foules, voici que sa mère et ses frères se tenaient dehors, cherchant à lui parler. ⁴⁷Quelqu'un lui dit : « Voici ta mère et tes frères qui se tiennent dehors et cherchent à te parler. » ⁴⁸À celui qui l'en informait Jésus répondit : « Qui est ma mère et qui sont mes frères ? » ⁴⁹Et tendant sa main vers ses disciples, il dit : « Voici ma mère et mes frères. ⁵⁰Car quiconque fait la volonté de mon Père qui est aux cieux, celui-là m'est un frère et une sœur et une mère. »

II. SEPT PARABOLES SUR LE ROYAUME

Introduction. ‖ Mc **4** 1-2. ‖ Lc **8** 4.

13 ¹En ce jour-là, Jésus sortit de la maison et s'assit au bord de la mer. ²Et des foules nombreuses s'assemblèrent auprès de lui, si bien qu'il monta dans une barque et s'assit ; et toute la foule se tenait sur le rivage. ³Et il leur parla de beaucoup de choses en paraboles.

Parabole du semeur. ‖ Mc **4** 3-9. ‖ Lc **8** 5-8.

Il disait : « Voici que le semeur est sorti pour semer. ⁴Et comme il semait, des grains sont tombés au bord du chemin, et les oiseaux sont venus tout manger. ⁵D'autres sont tombés sur les endroits rocheux où ils n'avaient pas beaucoup de terre, et aussitôt ils ont levé, parce qu'ils n'avaient pas de profondeur de terre ; ⁶mais une fois le soleil levé, ils ont été brûlés et, faute de racine, se sont desséchés. ⁷D'autres sont tombés sur les épines, et les épines ont monté et les ont étouffés. ⁸D'autres sont tombés sur la bonne terre et ont donné du fruit, l'un cent, l'autre soixante, l'autre trente. ⁹Entende qui a des oreilles ! »

Pourquoi Jésus parle en paraboles. ‖ Mc **4** 10-12, 25. ‖ Lc **8** 9-10, 18.

¹⁰Les disciples s'approchant lui dirent : « Pourquoi leur parles-tu en paraboles ? » — ¹¹« C'est que, répondit-il, à vous il a été donné de connaître les mystères du Royaume des Cieux, tandis qu'à ces gens-là cela n'a pas été donné. ¹²Car celui qui a, on lui donnera et il aura du surplus, mais celui qui n'a pas, même ce qu'il a lui sera enlevé. ¹³C'est pour cela que je leur parle en paraboles : parce qu'ils voient sans voir et entendent sans entendre ni comprendre. ¹⁴Ainsi s'accomplit pour eux la prophétie d'Isaïe qui disait :

Vous aurez beau entendre, vous ne comprendrez pas ;

vous aurez beau regarder, vous ne verrez pas.

¹⁵*C'est que l'esprit de ce peuple s'est épaissi :*

ils se sont bouché les oreilles, ils ont fermé les yeux,

de peur que leurs yeux ne voient,

que leurs oreilles n'entendent,

que leur esprit ne comprenne,

qu'ils ne se convertissent,

et que je ne les guérisse.

‖ Lc **10** 23-24.

¹⁶« Quant à vous, heureux vos yeux parce qu'ils voient ; heureuses vos oreilles parce qu'elles entendent. ¹⁷En vérité je vous le dis, beaucoup de prophètes et de justes ont souhaité voir ce que vous voyez et ne l'ont pas vu, entendre ce que vous entendez et ne l'ont pas entendu !

Explication de la parabole du semeur. ‖ Mc **4** 13-20. ‖ Lc **8** 11-15.

¹⁸« Écoutez donc, vous, la parabole du semeur. ¹⁹Quelqu'un entend-il la Parole du Royaume sans la comprendre, arrive le Mauvais qui s'empare de ce qui a été semé dans le cœur de cet homme : tel est celui qui a été semé

au bord du chemin. ²⁰Celui qui a été semé sur les endroits rocheux, c'est l'homme qui, entendant la Parole, l'accueille aussitôt avec joie ; ²¹mais il n'a pas de racine en lui-même, il est l'homme d'un moment : survienne une tribulation ou une persécution à cause de la Parole, aussitôt il succombe. ²²Celui qui a été semé dans les épines, c'est celui qui entend la Parole, mais le souci du monde et la séduction de la richesse étouffent cette Parole, qui demeure sans fruit. ²³Et celui qui a été semé dans la bonne terre, c'est celui qui entend la Parole et la comprend : celui-là porte du fruit et produit tantôt cent, tantôt soixante, tantôt trente. »

Parabole de l'ivraie.

²⁴Il leur proposa une autre parabole : « Il en va du Royaume des Cieux comme d'un homme qui a semé du bon grain dans son champ. ²⁵Or, pendant que les gens dormaient, son ennemi est venu, il a semé à son tour de l'ivraie, au beau milieu du blé, et il s'en est allé. ²⁶Quand le blé est monté en herbe, puis en épis, alors l'ivraie est apparue aussi. ²⁷S'approchant, les serviteurs du propriétaire lui dirent : "Maître, n'est-ce pas du bon grain que tu as semé dans ton champ ? D'où vient donc qu'il s'y trouve de l'ivraie ?" ²⁸Il leur dit : "C'est quelque ennemi qui a fait cela." Les serviteurs lui disent : "Veux-tu donc que nous allions la ramasser ?" ²⁹"Non, dit-il, vous risqueriez, en ramassant l'ivraie, d'arracher en même temps le blé. ³⁰Laissez l'un et l'autre croître ensemble jusqu'à la moisson ; et au moment de la moisson je dirai aux moissonneurs : Ramassez d'abord l'ivraie et liez-la en bottes que l'on fera brûler ; quant au blé, recueillez-le dans mon grenier". »

Parabole du grain de sénevé.
|| Mc **4** 30-32. || Lc **13** 18-19.

³¹Il leur proposa une autre parabole : « Le Royaume des Cieux est semblable à un grain de sénevé qu'un homme a pris et semé dans son champ. ³²C'est bien la plus petite de toutes les graines, mais, quand il a poussé, c'est la plus grande des plantes potagères, qui devient même un arbre, au point que les oiseaux du ciel viennent s'abriter dans ses branches. »

Parabole du levain. || Lc **13** 20-21.

³³Il leur dit une autre parabole : « Le Royaume des Cieux est semblable à du levain qu'une femme a pris et enfoui dans trois mesures de farine, jusqu'à ce que le tout ait levé. »

Les foules n'entendent que des paraboles. || Mc **4** 33-34.

³⁴Tout cela, Jésus le dit aux foules en paraboles, et il ne leur disait rien sans parabole ; ³⁵pour que s'accomplît l'oracle du prophète :

J'ouvrirai la bouche pour dire des paraboles,

je clamerai des choses cachées depuis la fondation du monde.

Explication de la parabole de l'ivraie.

³⁶Alors, laissant les foules, il vint à la maison ; et ses disciples s'approchant lui dirent : « Expli-

que-nous la parabole de l'ivraie dans le champ. » [37]En réponse il leur dit : « Celui qui sème le bon grain, c'est le Fils de l'homme ; [38]le champ, c'est le monde ; le bon grain, ce sont les sujets du Royaume ; l'ivraie, ce sont les sujets du Mauvais ; [39]l'ennemi qui la sème, c'est le Diable ; la moisson, c'est la fin de l'âge ; et les moissonneurs, ce sont les anges. [40]De même donc qu'on enlève l'ivraie et qu'on la consume au feu, de même en sera-t-il à la fin de l'âge : [41]le Fils de l'homme enverra ses anges, qui ramasseront de son Royaume tous les scandales et tous les fauteurs d'iniquité, [42]et les jetteront dans la fournaise ardente : là seront les pleurs et les grincements de dents. [43]Alors les justes resplendiront comme le soleil dans le Royaume de leur Père. Entende, qui a des oreilles !

Paraboles du trésor et de la perle.

[44]« Le Royaume des Cieux est semblable à un trésor qui était caché dans un champ et qu'un homme vient à trouver : il le recache, s'en va ravi de joie vendre tout ce qu'il possède, et achète ce champ.

[45]« Le Royaume des Cieux est encore semblable à un négociant en quête de perles fines : [46]en ayant trouvé une de grand prix, il s'en est allé vendre tout ce qu'il possédait et il l'a achetée.

Parabole du filet.

[47]« Le Royaume des Cieux est encore semblable à un filet qu'on jette en mer et qui ramène toutes sortes de choses. [48]Quand il est plein, les pêcheurs le tirent sur le rivage, puis ils s'asseyent, recueillent dans des paniers ce qu'il y a de bon, et rejettent ce qui ne vaut rien. [49]Ainsi en sera-t-il à la fin de l'âge : les anges se présenteront et sépareront les méchants d'entre les justes [50]pour les jeter dans la fournaise ardente : là seront les pleurs et les grincements de dents.

Conclusion.

[51]« Avez-vous compris tout cela ? » – « Oui », lui disent-ils. [52]Et il leur dit : « Ainsi donc tout scribe devenu disciple du Royaume des Cieux est semblable à un propriétaire qui tire de son trésor du neuf et du vieux. »

4. L'Église, prémices du Royaume des Cieux

I. JÉSUS RECONNU PAR LES DISCIPLES

Visite à Nazareth. ‖ Mc 6 1-6. ‖ Lc 4 16-24.

[53]Et il advint, quand Jésus eut achevé ces paraboles, qu'il partit de là ; [54]et s'étant rendu dans sa patrie, il enseignait les gens dans leur synagogue, de telle façon qu'ils étaient frappés et disaient : « D'où lui viennent cette sagesse et ces miracles ? [55]Celui-là n'est-il pas le fils du charpentier ? N'a-

t-il pas pour mère la nommée Marie, et pour frères Jacques, Joseph, Simon et Jude ? [56]Et ses sœurs ne sont-elles pas toutes chez nous ? D'où lui vient donc tout cela ? » [57]Et ils étaient choqués à son sujet. Mais Jésus leur dit : « Un prophète n'est méprisé que dans sa patrie et dans sa maison. » [58]Et il ne fit pas là beaucoup de miracles, à cause de leur manque de foi.

Hérode et Jésus. ‖ Mc **6** 14-16. ‖ Lc **9** 7-9.

14 [1]En ce temps-là, la renommée de Jésus parvint aux oreilles d'Hérode le tétrarque, [2]qui dit à ses serviteurs : « Celui-là est Jean le Baptiste ! Le voilà ressuscité des morts : d'où les pouvoirs miraculeux qui se déploient en sa personne ! »

Exécution de Jean le Baptiste. ‖ Mc **6** 17-29. Cf. Lc **3** 19-20.

[3]C'est qu'en effet Hérode avait fait arrêter, enchaîner et emprisonner Jean, à cause d'Hérodiade, la femme de Philippe son frère. [4]Car Jean lui disait : « Il ne t'est pas permis de l'avoir. » [5]Il avait même voulu le tuer, mais avait craint la foule, parce qu'on le tenait pour un prophète. [6]Or, comme Hérode célébrait son anniversaire de naissance, la fille d'Hérodiade dansa en public et plut à Hérode [7]au point qu'il s'engagea par serment à lui donner ce qu'elle demanderait. [8]Endoctrinée par sa mère, elle lui dit : « Donne-moi ici, sur un plat, la tête de Jean le Baptiste. » [9]Le roi fut contristé, mais, à cause de ses serments et des convives, il comman-

da de la lui donner [10]et envoya décapiter Jean dans la prison. [11]Sa tête fut apportée sur un plat et donnée à la jeune fille, qui la porta à sa mère. [12]Les disciples de Jean vinrent prendre le cadavre et l'enterrèrent ; puis ils allèrent informer Jésus.

Première multiplication des pains. ‖ Mc **6** 31-44. ‖ Lc **9** 10-17. ‖ Jn **6** 1-13.

[13]L'ayant appris, Jésus se retira en barque dans un lieu désert, à l'écart ; ce qu'apprenant, les foules partirent à sa suite, venant à pied des villes. [14]En débarquant, il vit une foule nombreuse et il en eut pitié ; et il guérit leurs infirmes.

[15]Le soir venu, les disciples s'approchèrent et lui dirent : « L'endroit est désert et l'heure est déjà passée ; renvoie donc les foules afin qu'elles aillent dans les villages s'acheter de la nourriture. » [16]Mais Jésus leur dit : « Il n'est pas besoin qu'elles y aillent ; donnez-leur vous-mêmes à manger » – [17]« Mais, lui disent-ils, nous n'avons ici que cinq pains et deux poissons. » Il dit : [18]« Apportez-les moi ici. » [19]Et, ayant donné l'ordre de faire étendre les foules sur l'herbe, il prit les cinq pains et les deux poissons, leva les yeux au ciel, bénit, puis, rompant les pains, il les donna aux disciples, qui les donnèrent aux foules. [20]Tous mangèrent et furent rassasiés, et l'on emporta le reste des morceaux : douze pleins couffins ! [21]Or ceux qui mangèrent étaient environ cinq mille hommes, sans compter les femmes et les enfants.

Jésus marche sur les eaux, et Pierre avec lui. ‖ Mc 6 45-52. ‖ Jn 6 16-21.

²²Et aussitôt il obligea les disciples à monter dans la barque et à le devancer sur l'autre rive, pendant qu'il renverrait les foules. ²³Et quand il eut renvoyé les foules, il gravit la montagne, à l'écart, pour prier. Le soir venu, il était là, seul. ²⁴La barque, elle, se trouvait déjà éloignée de la terre de plusieurs stades, harcelée par les vagues, car le vent était contraire. ²⁵À la quatrième veille de la nuit, il vint vers eux en marchant sur la mer. ²⁶Les disciples, le voyant marcher sur la mer, furent troublés : « C'est un fantôme », disaient-ils, et pris de peur ils se mirent à crier. ²⁷Mais aussitôt Jésus leur parla en disant : « Ayez confiance, c'est moi, soyez sans crainte. » ²⁸Sur quoi, Pierre lui répondit : « Seigneur, si c'est bien toi, donne-moi l'ordre de venir à toi sur les eaux. » — ²⁹« Viens », dit Jésus. Et Pierre, descendant de la barque, se mit à marcher sur les eaux et vint vers Jésus. ³⁰Mais, voyant le vent, il prit peur et, commençant à couler, il s'écria : « Seigneur, sauve-moi ! » ³¹Aussitôt Jésus tendit la main et le saisit, en lui disant : « Homme de peu de foi, pourquoi as-tu douté ? » ³²Et quand ils furent montés dans la barque, le vent tomba. ³³Ceux qui étaient dans la barque se prosternèrent devant lui, en disant : « Vraiment, tu es Fils de Dieu ! »

Guérisons au pays de Gennésaret. ‖ Mc 6 53-56.

³⁴Ayant achevé la traversée, ils touchèrent terre à Gennésaret. ³⁵Les gens de l'endroit, l'ayant reconnu, mandèrent la nouvelle à tout le voisinage, et on lui présenta tous les malades : ³⁶on le priait de les laisser simplement toucher la frange de son manteau, et tous ceux qui touchèrent furent sauvés.

Discussion sur les traditions anciennes. ‖ Mc 7 1-13.

15 ¹Alors des Pharisiens et des scribes de Jérusalem s'approchent de Jésus et lui disent : ²« Pourquoi tes disciples transgressent-ils la tradition des anciens ? En effet, ils ne se lavent pas les mains au moment de prendre leur repas. » — ³« Et vous, répliqua-t-il, pourquoi transgressez-vous le commandement de Dieu au nom de votre tradition ? ⁴En effet, Dieu a dit : *Honore ton père et ta mère,* et *Que celui qui maudit son père ou sa mère soit puni de mort.* ⁵Mais vous, vous dites : Quiconque dira à son père ou à sa mère : "Les biens dont j'aurais pu t'assister, je les consacre", ⁶celui-là sera quitte de ses devoirs envers son père ou sa mère. Et vous avez annulé la parole de Dieu au nom de votre tradition. ⁷Hypocrites ! Isaïe a bien prophétisé de vous, quand il a dit :

⁸*Ce peuple m'honore des lèvres, mais leur cœur est loin de moi.*
⁹*Vain est le culte qu'ils me rendent :*
   les doctrines qu'ils enseignent ne sont que préceptes humains. »

Enseignement sur le pur et l'impur. ‖ Mc 7 14-23.

¹⁰Et ayant appelé la foule près de lui, il leur dit : « Écoutez et comprenez ! ¹¹Ce n'est pas ce qui

entre dans la bouche qui souille l'homme ; mais ce qui sort de sa bouche, voilà ce qui souille l'homme. »

¹²Alors s'approchant, les disciples lui disent : « Sais-tu que les Pharisiens se sont choqués de t'entendre parler ainsi ? » ¹³Il répondit : « Tout plant que n'a point planté mon Père céleste sera arraché. ¹⁴Laissez-les : ce sont des aveugles qui guident des aveugles ! Or si un aveugle guide un aveugle, tous les deux tomberont dans un trou. »

¹⁵Pierre, prenant la parole, lui dit : « Explique-nous la parabole. » ¹⁶Il dit : « Vous aussi, maintenant encore, vous êtes sans intelligence ? ¹⁷Ne comprenez-vous pas que tout ce qui pénètre dans la bouche passe dans le ventre, puis s'évacue aux lieux d'aisance, ¹⁸tandis que ce qui sort de la bouche procède du cœur, et c'est cela qui souille l'homme ? ¹⁹Du cœur en effet procèdent mauvais desseins, meurtres, adultères, débauches, vols, faux témoignages, diffamations. ²⁰Voilà les choses qui souillent l'homme ; mais manger sans s'être lavé les mains, cela ne souille pas l'homme. »

Guérison de la fille d'une Cananéenne. ‖ Mc 7 24-30.

²¹En sortant de là, Jésus se retira dans la région de Tyr et de Sidon. ²²Et voici qu'une femme cananéenne, étant sortie de ce territoire, criait en disant : « Aie pitié de moi, Seigneur, fils de David : ma fille est fort malmenée par un démon. » ²³Mais il ne lui répondit pas un mot. Ses disciples, s'approchant, le priaient :

« Fais-lui grâce, car elle nous poursuit de ses cris. » ²⁴À quoi il répondit : « Je n'ai été envoyé qu'aux brebis perdues de la maison d'Israël. » ²⁵Mais la femme était arrivée et se tenait prosternée devant lui en disant : « Seigneur, viens à mon secours ! » ²⁶Il lui répondit : « Il ne sied pas de prendre le pain des enfants et de le jeter aux petits chiens. » – ²⁷« Oui, Seigneur ! dit-elle, et justement les petits chiens mangent des miettes qui tombent de la table de leurs maîtres ! » ²⁸Alors Jésus lui répondit : « Ô femme, grande est ta foi ! Qu'il t'advienne selon ton désir ! » Et de ce moment sa fille fut guérie.

Nombreuses guérisons près du lac.

²⁹Étant parti de là, Jésus vint au bord de la mer de Galilée. Il gravit la montagne, et là il s'assit. ³⁰Et des foules nombreuses s'approchèrent de lui, ayant avec elles des boiteux, des estropiés, des aveugles, des muets et bien d'autres encore, qu'ils déposèrent à ses pieds ; et il les guérit. ³¹Et les foules de s'émerveiller en voyant ces muets qui parlaient, ces estropiés qui redevenaient valides, ces boiteux qui marchaient et ces aveugles qui recouvraient la vue ; et ils rendirent gloire au Dieu d'Israël.

Seconde multiplication des pains. ‖ Mc 8 1-10. Cf. Mt 14 13-21 p.

³²Jésus, cependant, appela à lui ses disciples et leur dit : « J'ai pitié de la foule, car voilà déjà trois jours qu'ils restent auprès de moi et ils n'ont pas de quoi manger.

Les renvoyer à jeun, je ne le veux pas : ils pourraient défaillir en route. » [33]Les disciples lui disent : « Où prendrons-nous, dans un désert, assez de pains pour rassasier une telle foule ? » [34]Jésus leur dit : « Combien de pains avez-vous » – « Sept, dirent-ils, et quelques petits poissons. » [35]Alors il ordonna à la foule de s'étendre à terre ; [36]puis il prit les sept pains et les poissons, rendit grâces, les rompit et il les donnait à ses disciples, qui les donnaient à la foule. [37]Tous mangèrent et furent rassasiés, et des morceaux qui restaient on ramassa sept pleines corbeilles ! [38]Or ceux qui mangèrent étaient quatre mille hommes, sans compter les femmes et les enfants. [39]Après avoir renvoyé les foules, Jésus monta dans la barque et s'en vint dans le territoire de Magadan.

On demande à Jésus un signe dans le ciel. ‖ Mc **8** 11-13. ‖ Lc **11** 16, 29. = Mt **12** 38-39. ‖ Lc **12** 54-56.

16 [1]Les Pharisiens et les Sadducéens s'approchèrent alors et lui demandèrent, pour le mettre à l'épreuve, de leur faire voir un signe venant du ciel. [2]Il leur répondit : « Au crépuscule vous dites : Il va faire beau temps, car le ciel est rouge feu ; [3]et à l'aurore : Mauvais temps aujourd'hui, car le ciel est d'un rouge sombre. Ainsi, le visage du ciel vous savez l'interpréter, et pour les signes des temps vous n'en êtes pas capables ! [4]Génération mauvaise et adultère ! elle réclame un signe, et de signe, il ne lui sera donné que le signe de Jonas. » Et les laissant, il s'en alla.

Le levain des Pharisiens et des Sadducéens. ‖ Mc **8** 14-21. ‖ Lc **12** l.

[5]Comme ils passaient sur l'autre rive, les disciples avaient oublié de prendre des pains. [6]Or Jésus leur dit : « Ouvrez l'œil et méfiez-vous du levain des Pharisiens et des Sadducéens ! » [7]Et eux de faire en eux-mêmes cette réflexion : « C'est que nous n'avons pas pris de pains. » [8]Le sachant, Jésus dit : « Gens de peu de foi, pourquoi faire en vous-mêmes cette réflexion, que vous n'avez pas de pains ? [9]Vous ne comprenez pas encore ? Vous ne vous rappelez pas les cinq pains pour les cinq mille hommes, et le nombre de couffins que vous en avez retirés ? [10]Ni les sept pains pour les quatre mille hommes, et le nombre de corbeilles que vous en avez retirées ? [11]Comment ne comprenez-vous pas que ma parole ne visait pas des pains ? Méfiez-vous, dis-je, du levain des Pharisiens et des Sadducéens ! » [12]Alors ils comprirent qu'il avait dit de se méfier, non du levain dont on fait le pain, mais de l'enseignement des Pharisiens et des Sadducéens.

Profession de foi et primauté de Pierre. ‖ Mc **8** 27-30. ‖ Lc **9** 18-21.

[13]Arrivé dans la région de Césarée de Philippe, Jésus posa à ses disciples cette question : « Au dire des gens, qu'est le Fils de l'homme ? » [14]Ils dirent : « Pour les uns, Jean le Baptiste ; pour d'autres, Élie ; pour d'autres encore, Jérémie ou quelqu'un des prophètes. » – [15]« Mais pour vous, leur dit-il, qui suis-je ? »

¹⁶Simon-Pierre répondit : « Tu es le Christ, le Fils du Dieu vivant. » ¹⁷En réponse, Jésus lui dit : « Tu es heureux, Simon fils de Jonas, car cette révélation t'est venue, non de la chair et du sang, mais de mon Père qui est dans les cieux. ¹⁸Eh bien ! moi je te dis : Tu es Pierre, et sur cette pierre je bâtirai mon Église, et les Portes de l'Hadès ne tiendront pas contre elle. ¹⁹Je te donnerai les clefs du Royaume des Cieux : quoi que tu lies sur la terre, ce sera tenu dans les cieux pour lié, et quoi que tu délies sur la terre, ce sera tenu dans les cieux pour délié. » ²⁰Alors il ordonna aux disciples de ne dire à personne qu'il était le Christ.

Première annonce de la Passion.
|| Mc **8** 31-33. || Lc **9** 22.

²¹À dater de ce jour, Jésus commença de montrer à ses disciples qu'il lui fallait s'en aller à Jérusalem, y souffrir beaucoup de la part des anciens, des grands prêtres et des scribes, être tué et, le troisième jour, ressusciter. ²²Pierre, le tirant à lui, se mit à le morigéner en disant : « Dieu t'en préserve, Seigneur ! Non, cela ne t'arrivera point ! » ²³Mais lui, se retournant, dit à Pierre : « Passe derrière moi, Satan ! tu me fais obstacle, car tes pensées ne sont pas celles de Dieu, mais celles des hommes ! »

Conditions pour suivre Jésus.
|| Mc **8** 34 – **9** 1. || Lc **9** 23-27.

²⁴Alors Jésus dit à ses disciples : « Si quelqu'un veut venir à ma suite, qu'il se renie lui-même, qu'il se charge de sa croix, et qu'il me suive.

= **10** 38-39. || Lc **14** 27 ; **17** 33. || Jn **12** 25-26.

²⁵Qui veut en effet sauver sa vie la perdra, mais qui perdra sa vie à cause de moi la trouvera. ²⁶Que servira-t-il donc à l'homme de gagner le monde entier, s'il ruine sa propre vie ? Ou que pourra donner l'homme en échange de sa propre vie ? ²⁷« C'est qu'en effet le Fils de l'homme doit venir dans la gloire de son Père, avec ses anges, et alors il rendra à chacun selon sa conduite. ²⁸En vérité je vous le dis : il en est d'ici présents qui ne goûteront pas la mort avant d'avoir vu le Fils de l'homme venant avec son Royaume.

La Transfiguration. || Mc **9** 2-8.
|| Lc **9** 28-36. Cf. 2 P **1** 16-18.

17 ¹Six jours après, Jésus prend avec lui Pierre, Jacques, et Jean son frère, et les emmène, à l'écart, sur une haute montagne. ²Et il fut transfiguré devant eux : son visage resplendit comme le soleil, et ses vêtements devinrent blancs comme la lumière. ³Et voici que leur apparurent Moïse et Élie, qui s'entretenaient avec lui. ⁴Pierre alors, prenant la parole, dit à Jésus : « Seigneur, il est heureux que nous soyons ici ; si tu le veux, je vais faire ici trois tentes, une pour toi, une pour Moïse et une pour Élie. » ⁵Comme il parlait encore, voici qu'une nuée lumineuse les prit sous son ombre, et voici qu'une voix disait de la nuée : « Celui-ci est mon Fils bien-aimé, qui a toute ma faveur, écoutez-le. » ⁶À cette voix, les disciples tombèrent sur leurs faces, tout effrayés. [7]Mais Jésus, s'approchant, les toucha et leur dit : « Relevez-vous, et n'ayez pas peur. » [8]Et eux, levant les yeux, ne virent plus personne que lui, Jésus, seul.

Question au sujet d'Élie. || Mc 9 9-13.

[9]Comme ils descendaient de la montagne, Jésus leur donna cet ordre : « Ne parlez à personne de cette vision, avant que le Fils de l'homme ne ressuscite d'entre les morts. » [10]Et les disciples lui posèrent cette question : « Que disent donc les scribes, qu'Élie doit venir d'abord ? » [11]Il répondit : « Oui, Élie doit venir et tout remettre en ordre ; [12]or, je vous le dis, Élie est déjà venu, et ils ne l'ont pas reconnu, mais l'ont traité à leur guise. De même le Fils de l'homme aura lui aussi à souffrir d'eux. » [13]Alors les disciples comprirent que ses paroles visaient Jean le Baptiste.

Le démoniaque épileptique. || Mc 9 14-29. || Lc 9 37-42.

[14]Comme ils rejoignaient la foule, un homme s'approcha de lui et, s'agenouillant, lui dit : [15]« Seigneur, aie pitié de mon fils, qui est lunatique et va très mal : souvent il tombe dans le feu, et souvent dans l'eau. [16]Je l'ai présenté à tes disciples, et ils n'ont pas pu le guérir. » — [17]« Engeance incrédule et pervertie, répondit Jésus, jusques à quand serai-je avec vous ? Jusques à quand ai-je à vous supporter ? Apportez-le-moi ici. » [18]Et Jésus le menaça, et le démon sortit de l'enfant qui, de ce moment, fut guéri. [19]Alors les disciples, s'approchant de Jésus, dans le privé, lui demandèrent : « Pourquoi nous autres, n'avons-nous pu l'expulser ? » — [20]« Parce que vous avez peu de foi, leur dit-il.

|| Lc 17 6. || Mc 11 22-23. = Mt 21 21.

Car, je vous le dis en vérité, si vous avez de la foi gros comme un grain de sénevé, vous direz à cette montagne : Déplace-toi d'ici à là, et elle se déplacera, et rien ne vous sera impossible. » [[21]]

Deuxième annonce de la Passion. || Mc 9 30-32. || Lc 9 44-45.

[22]Comme ils se trouvaient réunis en Galilée, Jésus leur dit : « Le Fils de l'homme va être livré aux mains des hommes, [23]et ils le tueront, et, le troisième jour, il ressuscitera. » Et ils en furent tout consternés.

La redevance du Temple acquittée par Jésus et Pierre.

[24]Comme ils étaient venus à Capharnaüm, les collecteurs du didrachme s'approchèrent de Pierre et lui dirent : « Est-ce que votre maître ne paie pas le didrachme ? » — [25]« Mais si », dit-il. Quand il fut arrivé à la maison, Jésus devança ses paroles en lui disant : « Qu'en penses-tu, Simon ? Les rois de la terre, de qui perçoivent-ils taxes ou impôts ? De leurs fils ou des étrangers ? » [26]Et comme il répondait : « Des étrangers », Jésus lui dit : « Par conséquent, les fils sont exempts. [27]Cependant, pour ne pas les scandaliser, va à la mer, jette l'hameçon, saisis le premier poisson qui montera, et ouvre-lui la bouche : tu y trouveras un statère ; prends-le et donne-le leur, pour moi et pour toi. »

II. LE DISCOURS
SUR LA VIE DANS L'ÉGLISE

Qui est le plus grand ? ‖ Mc 9 33-36.
‖ Lc 9 46-47.

18 ¹À ce moment les disciples s'approchèrent de Jésus et dirent : « Qui donc est le plus grand dans le Royaume des Cieux ? » ²Il appela à lui un petit enfant, le plaça au milieu d'eux ³et dit :

‖ Mc **10** 15. ‖ Lc **18** 17.

« En vérité je vous le dis, si vous ne retournez à l'état des enfants, vous n'entrerez pas dans le Royaume des Cieux. ⁴Qui donc se fera petit comme ce petit enfant-là, celui-là est le plus grand dans le Royaume des Cieux.

Le scandale. ‖ Mc 9 37. ‖ Lc 9 48.
= Mt **10** 40. ‖ Mc 9 42. ‖ Lc 17 1-2.

⁵« Quiconque accueille un petit enfant tel que lui à cause de mon nom, c'est moi qu'il accueille. ⁶Mais si quelqu'un doit scandaliser l'un de ces petits qui croient en moi, il serait préférable pour lui de se voir suspendre autour du cou une de ces meules que tournent les ânes et d'être englouti en pleine mer. ⁷Malheur au monde à cause des scandales ! Il est fatal, certes, qu'il arrive des scandales, mais malheur à l'homme par qui le scandale arrive !

‖ Mc 9 43-47. = Mt **5** 29-30.

⁸« Si ta main ou ton pied sont pour toi une occasion de péché, coupe-les et jette-les loin de toi : mieux vaut pour toi entrer dans la Vie manchot ou estropié que d'être jeté avec tes deux mains ou tes deux pieds dans le feu éternel. ⁹Et si ton œil est pour toi une occasion de péché, arrache-le et jette-le loin de toi : mieux vaut pour toi entrer borgne dans la Vie que d'être jeté avec tes deux yeux dans la géhenne de feu.

¹⁰« Gardez-vous de mépriser aucun de ces petits : car, je vous le dis, leurs anges aux cieux voient constamment la face de mon Père qui est aux cieux [¹¹].

La brebis égarée. ‖ Lc 15 3-7.

¹²« À votre avis, si un homme possède cent brebis et qu'une d'elles vienne à s'égarer, ne va-t-il pas laisser les quatre-vingt-dix-neuf autres sur les montagnes pour s'en aller à la recherche de l'égarée ? ¹³Et s'il parvient à la retrouver, en vérité je vous le dis, il tire plus de joie d'elle que des quatre-vingt-dix-neuf qui ne se sont pas égarées. ¹⁴Ainsi on ne veut pas, chez votre Père qui est aux cieux, qu'un seul de ces petits se perde.

Correction fraternelle. ‖ Lc 17 3.

¹⁵« Si ton frère vient à pécher, va le trouver et reprends-le, seul à seul. S'il t'écoute, tu auras gagné ton frère. ¹⁶S'il n'écoute pas, prends encore avec toi un ou deux autres, pour que *toute affaire soit décidée sur la parole de deux ou trois témoins.* ¹⁷Que s'il refuse de les écouter, dis-le à la communauté. Et s'il refuse d'écouter même la communauté, qu'il soit pour toi comme le païen et le publicain.

¹⁸« En vérité je vous le dis : tout ce que vous lierez sur la terre sera tenu au ciel pour lié, et tout ce que vous délierez sur la terre sera tenu au ciel pour délié.

Prière en commun.

¹⁹« De même, je vous le dis en vérité, si deux d'entre vous, sur la terre, unissent leurs voix pour demander quoi que ce soit, cela leur sera accordé par mon Père qui est aux cieux. ²⁰Que deux ou trois, en effet, soient réunis en mon nom, je suis là au milieu d'eux. »

Pardon des offenses. ‖ Lc 17 4.

²¹Alors Pierre, s'avançant, lui dit : « Seigneur, combien de fois mon frère pourra-t-il pécher contre moi et devrai-je lui pardonner ? Irai-je jusqu'à sept fois ? » ²²Jésus lui dit : « Je ne te dis pas jusqu'à sept fois, mais jusqu'à soixante-dix-sept fois.

Parabole du débiteur impitoyable.

²³« À ce propos, il en va du Royaume des Cieux comme d'un roi qui voulut régler ses comptes avec ses serviteurs. ²⁴L'opération commencée, on lui en amena un qui devait dix mille talents. ²⁵Cet homme n'ayant pas de quoi rendre, le maître donna l'ordre de le vendre, avec sa femme, ses enfants et tous ses biens, et d'éteindre ainsi la dette. ²⁶Le serviteur alors se jeta à ses pieds et il s'y tenait prosterné en disant : "Consens-moi un délai, et je te rendrai tout." ²⁷Apitoyé, le maître de ce serviteur le relâcha et lui fit remise de sa dette. ²⁸En sortant, ce serviteur rencontra un de ses compagnons, qui lui devait cent deniers ; il le prit à la gorge et le serrait à l'étrangler, en lui disant : "Rends tout ce que tu dois." ²⁹Son compagnon alors se jeta à ses pieds et il le suppliait en disant : "Consens-moi un délai, et je te rendrai." ³⁰Mais l'autre n'y consentit pas ; au contraire, il s'en alla le faire jeter en prison, en attendant qu'il eût remboursé son dû. ³¹Voyant ce qui s'était passé, ses compagnons en furent navrés, et ils allèrent raconter toute l'affaire à leur maître. ³²Alors celui-ci le fit venir et lui dit : "Serviteur méchant, toute cette somme que tu me devais, je t'en ai fait remise, parce que tu m'as supplié ; ³³ne devais-tu pas, toi aussi, avoir pitié de ton compagnon comme moi j'ai eu pitié de toi ?" ³⁴Et dans son courroux son maître le livra aux tortionnaires, jusqu'à ce qu'il eût remboursé tout son dû. ³⁵C'est ainsi que vous traitera aussi mon Père céleste, si chacun de vous ne pardonne pas à son frère du fond du cœur. »

5. L'avènement du Royaume des Cieux

I. L'AUTORITÉ DE JÉSUS
DERNIÈRE INVITATION

Question sur le divorce. ‖ Mc 10 1-12.

19 ¹Et il advint, quand Jésus eut achevé ces discours, qu'il quitta la Galilée et vint dans le territoire de la Judée au-delà du Jourdain. ²Des foules nombreuses le suivirent, et là il les guérit. ³Des Pharisiens s'approchèrent de lui et lui dirent, pour le mettre à l'épreuve : « Est-il permis de répudier sa femme pour n'importe quel motif ? » ⁴Il répondit : « N'avez-vous pas lu que le Créateur, dès l'origine, *les fit homme et femme,* ⁵et qu'il a dit : *Ainsi donc l'homme quittera son père et sa mère pour s'attacher à sa femme, et les deux ne feront qu'une seule chair* ? ⁶Ainsi ils ne sont plus deux, mais une seule chair. Eh bien ! ce que Dieu a uni, l'homme ne doit point le séparer. » – ⁷« Pourquoi donc, lui disent-ils, Moïse a-t-il prescrit de donner un acte de divorce quand on répudie ? » – ⁸« C'est, leur dit-il, en raison de votre dureté de cœur que Moïse vous a permis de répudier vos femmes ; mais dès l'origine il n'en fut pas ainsi. ⁹Or je vous le dis : quiconque répudie sa femme – pas pour "prostitution" – et en épouse une autre, commet un adultère. »

La continence volontaire.

¹⁰Les disciples lui disent : « Si telle est la condition de l'homme envers la femme, il n'est pas expédient de se marier. » ¹¹Il leur dit : « Tous ne comprennent pas ce langage, mais ceux-là à qui c'est donné. ¹²Il y a, en effet, des eunuques qui sont nés ainsi du sein de leur mère, il y a des eunuques qui le sont devenus par l'action des hommes, et il y a des eunuques qui se sont eux-mêmes rendus tels à cause du Royaume des Cieux. Qui peut comprendre, qu'il comprenne ! »

Jésus et les petits enfants. ‖ Mc 10 13-16. ‖ Lc 18 15-17.

¹³Alors des petits enfants lui furent présentés, pour qu'il leur imposât les mains en priant ; mais les disciples les rabrouèrent. ¹⁴Jésus dit alors : « Laissez les petits enfants et ne les empêchez pas de venir à moi ; car c'est à leurs pareils qu'appartient le Royaume des Cieux. » ¹⁵Puis il leur imposa les mains et poursuivit sa route.

Le jeune homme riche. ‖ Mc 10 17-22. ‖ Lc 18 18-23.

¹⁶Et voici qu'un homme s'approcha et lui dit : « Maître, que dois-je faire de bon pour obtenir la vie éternelle ? » ¹⁷Il lui dit : « Qu'as-tu à m'interroger sur ce qui est bon ? Un seul est le Bon. Que si tu veux entrer dans la vie, observe les commandements. » – ¹⁸« Lesquels ? » lui dit-il. Jésus reprit : « *Tu ne tueras pas, tu ne*

commettras pas d'adultère, tu ne voleras pas, tu ne porteras pas de faux témoignage, [19]*honore ton père et ta mère, et tu aimeras ton prochain comme toi-même.* » – [20]« Tout cela, lui dit le jeune homme, je l'ai observé ; que me manque-t-il encore ? » – [21]Jésus lui déclara : « Si tu veux être parfait, va, vends ce que tu possèdes et donne-le aux pauvres, et tu auras un trésor dans les cieux ; puis viens, suis-moi. » [22]Entendant cette parole, le jeune homme s'en alla contristé, car il avait de grands biens.

Le danger des richesses. || Mc 10
23-27. || Lc 18 24-27.

[23]Jésus dit alors à ses disciples : « En vérité, je vous le dis, il sera difficile à un riche d'entrer dans le Royaume des Cieux. [24]Oui, je vous le répète, il est plus facile à un chameau de passer par un trou d'aiguille qu'à un riche d'entrer dans le Royaume des Cieux. » [25]Entendant cela, les disciples restèrent tout interdits : « Qui donc peut être sauvé ? » disaient-ils. [26]Fixant son regard, Jésus leur dit : « Pour les hommes c'est impossible, mais pour Dieu tout est possible. »

Récompense promise au détachement. || Mc 10 28-31. || Lc 18 28-30.

[27]Alors, prenant la parole, Pierre lui dit : « Voici que nous, nous avons tout laissé et nous t'avons suivi, quelle sera donc notre part ? » [28]Jésus leur dit : « En vérité je vous le dis, à vous qui m'avez suivi : dans la régénération, quand le Fils de l'homme siégera sur son trône de gloire, vous siégerez vous aussi sur douze trônes, pour juger les douze tribus d'Israël. [29]Et quiconque aura laissé maisons, frères, sœurs, père, mère, enfants ou champs, à cause de mon nom, recevra bien davantage et aura en héritage la vie éternelle.

|| Lc 13 30.

[30]« Beaucoup de premiers seront derniers, et de derniers seront premiers. »

Parabole des ouvriers envoyés à la vigne.

20 [1]« Car il en va du Royaume des Cieux comme d'un propriétaire qui sortit au point du jour afin d'embaucher des ouvriers pour sa vigne. [2]Il convint avec les ouvriers d'un denier pour la journée et les envoya à sa vigne. [3]Sorti vers la troisième heure, il en vit d'autres qui se tenaient, désœuvrés, sur la place, [4]et à ceux-là il dit : "Allez, vous aussi, à la vigne, et je vous donnerai un salaire équitable." [5]Et ils y allèrent. Sorti de nouveau vers la sixième heure, puis vers la neuvième heure, il fit de même. [6]Vers la onzième heure, il sortit encore, en trouva d'autres qui se tenaient là et leur dit : "Pourquoi restez-vous ici tout le jour sans travailler ?" – [7]"C'est que, lui disent-ils, personne ne nous a embauchés." Il leur dit : "Allez, vous aussi, à la vigne." [8]Le soir venu, le maître de la vigne dit à son intendant : "Appelle les ouvriers et remets à chacun son salaire, en remontant des derniers aux premiers." [9]Ceux de la onzième heure vinrent donc et touchèrent un denier chacun. [10]Les premiers, venant à leur tour, pensèrent qu'ils allaient toucher davantage ; mais c'est un denier chacun qu'ils touchèrent, eux aussi. [11]Tout en le recevant, ils murmuraient contre le propriétaire : [12]"Ces derniers venus n'ont fait qu'une heure, et tu les as traités comme nous, qui avons porté le fardeau de la journée, avec sa chaleur." [13]Alors il répliqua en disant à l'un d'eux : "Mon ami, je ne te lèse en rien : n'est-ce pas d'un denier que nous sommes convenus ? [14]Prends ce qui te revient et va-t'en. Il me plaît de donner à ce dernier venu autant qu'à toi : [15]n'ai-je pas le droit de disposer de mes biens comme il me plaît ? Ou faut-il que tu sois jaloux parce que je suis bon ?" [16]Voilà comment les derniers seront premiers, et les premiers seront derniers. »

Troisième annonce de la Passion. || Mc 10 32-34. || Lc 18 31-33. Cf. Mt 16 21 ; 17 12, 22-23.

[17]Devant monter à Jérusalem, Jésus prit avec lui les Douze en particulier et leur dit pendant la route : [18]« Voici que nous montons à Jérusalem, et le Fils de l'homme sera livré aux grands prêtres et aux scribes ; ils le condamneront à mort [19]et le livreront aux païens pour être bafoué, flagellé et mis en croix ; et le troisième jour, il ressuscitera. »

Demande de la mère des fils de Zébédée. || Mc 10 35-40.

[20]Alors la mère des fils de Zébédée s'approcha de lui, avec ses fils, et se prosterna pour lui demander quelque chose. [21]« Que veux-tu ? » lui dit-il. Elle lui dit : « Ordonne que mes deux fils que

voici siègent, l'un à ta droite et l'autre à ta gauche, dans ton Royaume. » [22]Jésus répondit : « Vous ne savez pas ce que vous demandez. Pouvez-vous boire la coupe que je vais boire ? » Ils lui disent : « Nous le pouvons. » – [23]« Soit, leur dit-il, vous boirez ma coupe ; quant à siéger à ma droite et à ma gauche, il ne m'appartient pas d'accorder cela, mais c'est pour ceux à qui mon Père l'a destiné. »

Les chefs doivent servir. || Mc 10 41-45. || Lc 22 24-27.

[24]Les dix autres, qui avaient entendu, s'indignèrent contre les deux frères. [25]Les ayant appelés près de lui, Jésus dit : « Vous savez que les chefs des nations dominent sur elles en maîtres et que les grands leur font sentir leur pouvoir. [26]Il n'en doit pas être ainsi parmi vous : au contraire, celui qui voudra devenir grand parmi vous, sera votre serviteur, [27]et celui qui voudra être le premier d'entre vous, sera votre esclave. [28]C'est ainsi que le Fils de l'homme n'est pas venu pour être servi, mais pour servir et donner sa vie en rançon pour une multitude. »

Les deux aveugles de Jéricho. || Mc 10 46-52. || Lc 18 35-43.

[29]Comme ils sortaient de Jéricho, une foule nombreuse le suivit. [30]Et voici que deux aveugles étaient assis au bord du chemin ; quand ils apprirent que Jésus passait, ils s'écrièrent : « Seigneur ! aie pitié de nous, fils de David ! » [31]La foule les rabroua pour leur imposer silence ; mais ils redoublèrent leurs cris : « Seigneur ! aie

pitié de nous, fils de David ! » [32]Jésus, s'arrêtant, les appela et dit : « Que voulez-vous que je fasse pour vous ? » Ils lui disent : [33]« Seigneur, que nos yeux s'ouvrent ! » [34]Pris de pitié, Jésus leur toucha les yeux et aussitôt ils recouvrèrent la vue. Et ils se mirent à sa suite.

Entrée messianique à Jérusalem. ‖ Mc **11** 1-11. ‖ Lc **19** 28-38. ‖ Jn **12** 12-16.

21 [1]Quand ils approchèrent de Jérusalem et arrivèrent en vue de Bethphagé, au mont des Oliviers, alors Jésus envoya deux disciples [2]en leur disant : « Rendez-vous au village qui est en face de vous ; et aussitôt vous trouverez, à l'attache, une ânesse avec son ânon près d'elle ; détachez-la et amenez-les-moi. [3]Et si quelqu'un vous dit quelque chose, vous direz : "Le Seigneur en a besoin, mais aussitôt il les renverra". » [4]Ceci advint pour que s'accomplît l'oracle du prophète :

[5]*Dites à la fille de Sion :*
Voici que ton Roi vient à toi ;
modeste, il monte une ânesse,
et un ânon, petit d'une bête de somme.

[6]Les disciples allèrent donc et, faisant comme leur avait ordonné Jésus, [7]ils amenèrent l'ânesse et l'ânon. Puis ils disposèrent sur eux leurs manteaux et Jésus s'assit dessus. [8]Alors les gens, en très nombreuse foule, étendirent leurs manteaux sur le chemin ; d'autres coupaient des branches aux arbres et en jonchaient le chemin. [9]Les foules qui marchaient devant lui et celles qui suivaient criaient :

« Hosanna au fils de David !
Béni soit celui qui vient au nom du Seigneur !
Hosanna au plus haut des cieux ! »

[10]Quand il entra dans Jérusalem, toute la ville fut agitée. « Qui est-ce ? » disait-on, [11]et les foules disaient : « C'est le prophète Jésus, de Nazareth en Galilée. »

Les vendeurs chassés du Temple. ‖ Mc **11** 11, 15-17. ‖ Lc **19** 45-46. ‖ Jn **2** 14-16.

[12]Puis Jésus entra dans le Temple et chassa tous les vendeurs et acheteurs qui s'y trouvaient : il culbuta les tables des changeurs, ainsi que les sièges des marchands de colombes. [13]Et il leur dit : « Il est écrit *Ma maison sera appelée une maison de prière.* Mais vous, vous en faites *un repaire de brigands !* » [14]Il y eut aussi des aveugles et des boiteux qui s'approchèrent de lui dans le Temple, et il les guérit. [15]Voyant les prodiges qu'il venait d'accomplir et ces enfants qui criaient dans le Temple : « Hosanna au fils de David ! », les grands prêtres et les scribes furent indignés [16]et ils lui dirent : « Tu entends ce qu'ils disent, ceux-là ? » – « Parfaitement, leur dit Jésus ; n'avez-vous jamais lu ce texte :

De la bouche des tout-petits et des nourrissons,
tu t'es ménagé une louange » ?

[17]Et les laissant, il sortit de la ville pour aller à Béthanie, où il passa la nuit.

Le figuier stérile et desséché. Foi et prière. ‖ Mc **11** 12-14, 20-24.

[18]Comme il rentrait en ville de bon matin, il eut faim. [19]Voyant

un figuier près du chemin, il s'en approcha, mais n'y trouva rien que des feuilles. Il lui dit alors : « Jamais plus tu ne porteras de fruit ! » Et à l'instant même le figuier devint sec. ²⁰À cette vue, les disciples dirent tout étonnés : « Comment, en un instant, le figuier est-il devenu sec ? » ²¹Jésus leur répondit : « En vérité je vous le dis, si vous avez une foi qui n'hésite point, non seulement vous ferez ce que je viens de faire au figuier, mais même si vous dites à cette montagne : "Soulève-toi et jette-toi dans la mer", cela se fera. ²²Et tout ce que vous demanderez dans une prière pleine de foi, vous l'obtiendrez. »

Question des Juifs sur l'autorité de Jésus. ‖ Mc **11** 27-33. ‖ Lc **20** 1-8.

²³Il était entré dans le Temple et il enseignait, quand les grands prêtres et les anciens du peuple s'approchèrent et lui dirent : « Par quelle autorité fais-tu cela ? Et qui t'a donné cette autorité ? » ²⁴Jésus leur répondit : « De mon côté, je vais vous poser une question, une seule ; si vous m'y répondez, moi aussi je vous dirai par quelle autorité je fais cela. ²⁵Le baptême de Jean, d'où était-il ? Du Ciel ou des hommes ? » Mais ils se faisaient en eux-mêmes ce raisonnement : « Si nous disons : "Du Ciel", il nous dira : "Pourquoi donc n'avez-vous pas cru en lui ?" ²⁶Et si nous disons : "Des hommes", nous avons à craindre la foule, car tous tiennent Jean pour un prophète. » ²⁷Et ils firent à Jésus cette réponse : « Nous ne savons pas. » De son côté il ré-

pliqua : « Moi non plus, je ne vous dis pas par quelle autorité je fais cela. »

Parabole des deux enfants.

²⁸« Mais dites-moi votre avis. Un homme avait deux enfants. S'adressant au premier, il dit : "Mon enfant, va-t'en aujourd'hui travailler à la vigne." – ²⁹"Je ne veux pas", répondit-il ; ensuite pris de remords, il y alla. ³⁰S'adressant au second, il dit la même chose ; l'autre répondit : "Entendu, Seigneur", et il n'y alla point. ³¹Lequel des deux a fait la volonté du père ? » – « Le premier », disent-ils. Jésus leur dit : « En vérité je vous le dis, les publicains et les prostituées arrivent avant vous au Royaume de Dieu.

‖ Lc **7** 29-30.

³²En effet, Jean est venu à vous dans la voie de la justice, et vous n'avez pas cru en lui ; les publicains, eux, et les prostituées ont cru en lui ; et vous, devant cet exemple, vous n'avez même pas eu un remords tardif qui vous fît croire en lui. »

Parabole des vignerons homicides. ‖ Mc **12** 1-12. ‖ Lc **20** 9-19.

³³« Écoutez une autre parabole. Un homme était propriétaire, et il planta une vigne ; il l'entoura d'une clôture, y creusa un pressoir et y bâtit une tour ; puis il la loua à des vignerons et partit en voyage. ³⁴Quand approcha le moment des fruits, il envoya ses serviteurs aux vignerons pour en recevoir les fruits. ³⁵Mais les vignerons se saisirent de ses serviteurs, battirent l'un, tuèrent

l'autre, en lapidèrent un troisiè-me. ³⁶De nouveau il envoya d'autres serviteurs, plus nombreux que les premiers, et ils les traitèrent de même. ³⁷Finalement il leur envoya son fils, en se disant : "Ils respecteront mon fils." ³⁸Mais les vignerons, en voyant le fils, se dirent par-devers eux : "Celui-ci est l'héritier : venez ! tuons-le, que nous ayons son héritage." ³⁹Et, le saisissant, ils le jetèrent hors de la vigne et le tuèrent. ⁴⁰Lors donc que viendra le maître de la vigne, que fera-t-il à ces vignerons-là ? » ⁴¹Ils lui disent : « Il fera misérablement périr ces misérables, et il louera la vigne à d'autres vignerons, qui lui en livreront les fruits en leur temps. » ⁴²Jésus leur dit : « N'avez-vous jamais lu dans les Écritures :

La pierre qu'avaient rejetée les bâtisseurs

c'est elle qui est devenue pierre de faîte ;

c'est là l'œuvre du Seigneur

et elle est admirable à nos yeux ?

⁴³Aussi, je vous le dis : le Royaume de Dieu vous sera retiré pour être confié à un peuple qui lui fera produire ses fruits. » ⁴⁴Celui qui tombera sur cette pierre s'y fracassera et celui sur qui elle tombera, elle l'écrasera.

⁴⁵Les grands prêtres et les Pharisiens, en entendant ses paraboles, comprirent bien qu'il les visait. ⁴⁶Mais, tout en cherchant à l'arrêter, ils eurent peur des foules, car elles le tenaient pour un prophète.

Parabole du festin nuptial. ‖ Lc 14 16-24.

22 ¹Et Jésus se remit à leur parler en paraboles : ²« Il en va du Royaume des Cieux comme d'un roi qui fit un festin de noces pour son fils. ³Il envoya ses serviteurs convier les invités aux noces, mais eux ne voulaient pas venir. ⁴De nouveau il envoya d'autres serviteurs avec ces mots : « Dites aux invités : "Voici, j'ai apprêté mon banquet, mes taureaux et mes bêtes grasses ont été égorgés, tout est prêt, venez aux noces." ⁵Mais eux, n'en ayant cure, s'en allèrent, qui à son champ, qui à son commerce ; ⁶et les autres, s'emparant des serviteurs, les maltraitèrent et les tuèrent. ⁷Le roi fut pris de colère et envoya ses troupes qui firent périr ces meurtriers et incendièrent leur ville. ⁸Alors il dit à ses serviteurs : "La noce est prête, mais les invités n'en étaient pas dignes. ⁹Allez donc aux départs des chemins, et conviez aux noces tous ceux que vous pourrez trouver." ¹⁰Ces serviteurs s'en allèrent par les chemins, ramassèrent tous ceux qu'ils trouvèrent, les mauvais comme les bons, et la salle de noces fut remplie de convives.

¹¹« Le roi entra alors pour examiner les convives, et il aperçut là un homme qui ne portait pas la tenue de noces. ¹²"Mon ami, lui dit-il, comment es-tu entré ici sans avoir une tenue de noces ?" L'autre resta muet. ¹³Alors le roi dit aux valets : "Jetez-le, pieds et poings liés, dehors, dans les ténèbres : là seront les pleurs et les grincements de dents." ¹⁴Car beaucoup sont appelés, mais peu sont élus.

L'impôt dû à César. ‖ Mc 12 13-17. ‖ Lc 20 20-26.

¹⁵Alors les Pharisiens allèrent se concerter en vue de le surprendre en parole ; ¹⁶et ils lui envoient leurs disciples, accompagnés des Hérodiens, pour lui dire : « Maître, nous savons que tu es véridique et que tu enseignes la voie de Dieu en vérité sans te préoccuper de qui que ce soit, car tu ne regardes pas au rang des personnes. ¹⁷Dis-nous donc ton avis : Est-il permis ou non de payer l'impôt à César ? » ¹⁸Mais Jésus, connaissant leur perversité, riposta : « Hypocrites ! pourquoi me tendez-vous un piège ? ¹⁹Faites-moi voir l'argent de l'impôt. » Ils lui présentèrent un denier ²⁰et il leur dit : « De qui est l'effigie que voici ? Et l'inscription ? » Ils disent : ²¹« De César. » Alors il leur dit : « Rendez donc à César ce qui est à César, et à Dieu ce qui est à Dieu. » ²²À ces mots ils furent tout surpris et, le laissant, ils s'en allèrent.

La résurrection des morts. ‖ Mc 12 18-27. ‖ Lc 20 27-40.

²³Ce jour-là, des Sadducéens, gens qui disent qu'il n'y a pas de résurrection, s'approchèrent de lui et l'interrogèrent en disant : ²⁴« Maître, Moïse a dit : Si quelqu'un meurt sans avoir d'enfants, son frère épousera la femme, sa belle-sœur, et suscitera une postérité à son frère. ²⁵Or il y avait chez nous sept frères. Le premier se maria, puis mourut sans postérité, laissant sa femme à son frère. ²⁶Pareillement le deuxième, puis le troisième, jusqu'au septième. ²⁷Finalement, après eux tous, la femme mourut. ²⁸À la résurrec-

tion, duquel des sept sera-t-elle donc la femme ? Car tous l'auront eue. » ²⁹Jésus leur répondit : « Vous êtes dans l'erreur, en ne connaissant ni les Écritures ni la puissance de Dieu. ³⁰À la résurrection, en effet, on ne prend ni femme ni mari, mais on est comme des anges dans le ciel. ³¹Quant à ce qui est de la résurrection des morts, n'avez-vous pas lu l'oracle dans lequel Dieu vous dit : ³²*Je suis le Dieu d'Abraham, le Dieu d'Isaac et le Dieu de Jacob ?* Ce n'est pas de morts mais de vivants qu'il est le Dieu ! » ³³Et les foules, qui avaient entendu, étaient frappées de son enseignement.

Le plus grand commandement. ‖ Mc 12 28-31. ‖ Lc 10 25-28. Cf. Jn 13 34-35.

³⁴Apprenant qu'il avait fermé la bouche aux Sadducéens, les Pharisiens se réunirent en groupe, ³⁵et l'un d'eux lui demanda pour l'embarrasser : ³⁶« Maître, quel est le plus grand commandement de la Loi ? » ³⁷Jésus lui dit : « *Tu aimeras le Seigneur ton Dieu de tout ton cœur, de toute ton âme et de tout ton esprit* : ³⁸voilà le plus grand et le premier commandement. ³⁹Le second lui est semblable : *Tu aimeras ton prochain comme toi-même.* ⁴⁰À ces deux commandements se rattache toute la Loi, ainsi que les Prophètes. »

Le Christ, fils et Seigneur de David. ‖ Mc 12 35-37. ‖ Lc 20 41-44.

⁴¹Comme les Pharisiens se trouvaient réunis, Jésus leur posa cette question : ⁴²« Quelle est votre opinion au sujet du Christ ? De

qui est-il fils ? » Ils lui disent : « De David. » – [43]« Comment donc, dit-il, David parlant sous l'inspiration l'appelle-t-il Seigneur quand il dit :

[44]*Le Seigneur a dit à mon Seigneur :*

Siège à ma droite,

jusqu'à ce que j'aie mis tes ennemis

dessous tes pieds ?

[45]Si donc David l'appelle Seigneur, comment est-il son fils ? » [46]Nul ne fut capable de lui répondre un mot. Et à partir de ce jour personne n'osa plus l'interroger.

II. LES DERNIERS DISCOURS

Reproches aux scribes et aux Pharisiens.

23 [1]Alors Jésus s'adressa aux foules et à ses disciples en disant : [2]« Sur la chaire de Moïse se sont assis les scribes et les Pharisiens : [3]faites donc et observez tout ce qu'ils pourront vous dire, mais ne vous réglez pas sur leurs actes : car ils disent et ne font pas. [4]Ils lient de pesants fardeaux et les imposent aux épaules des gens, mais eux-mêmes se refusent à les remuer du doigt. [5]En tout ils agissent pour se faire remarquer des hommes. C'est ainsi qu'ils font bien larges leurs phylactères et bien longues leurs franges. [6]Ils aiment à occuper le premier divan dans les festins et les premiers sièges dans les synagogues, [7]à recevoir les salutations sur les places publiques et à s'entendre appeler "Rabbi" par les gens.

[8]« Pour vous, ne vous faites pas appeler "Rabbi" : car vous n'avez qu'un Maître, et tous vous êtes des frères. [9]N'appelez personne votre "Père" sur la terre : car vous n'en avez qu'un, le Père céleste. [10]Ne vous faites pas non plus appeler "Directeurs" : car vous n'avez qu'un Directeur, le Christ. [11]Le plus grand parmi vous sera votre serviteur.

‖ Lc **14** 11 ; **18** 14.

[12]Quiconque s'élèvera sera abaissé, et quiconque s'abaissera sera élevé.

Sept malédictions aux scribes et aux Pharisiens. ‖ Lc **11** 39-48, 52.

[13]« Malheur à vous, scribes et Pharisiens hypocrites, qui fermez aux hommes le Royaume des Cieux ! Vous n'entrez certes pas vous-mêmes, et vous ne laissez même pas entrer ceux qui le voudraient ! [14]

[15]Malheur à vous, scribes et Pharisiens hypocrites, qui parcourez mers et continents pour gagner un prosélyte, et, quand vous l'avez gagné, vous le rendez digne de la géhenne deux fois plus que vous !

[16]« Malheur à vous, guides aveugles, qui dites : "Si l'on jure par le sanctuaire, cela ne compte pas ; mais si l'on jure par l'or du sanctuaire, on est tenu." [17]Insensés et aveugles ! quel est donc le plus digne, l'or ou le sanctuaire qui a rendu cet or sacré ? [18]Vous

dites encore : "Si l'on jure par l'autel, cela ne compte pas ; mais si l'on jure par l'offrande qui est dessus, on est tenu." [19]Aveugles ! quel est donc le plus digne, l'offrande ou l'autel qui rend cette offrande sacrée ? [20]Aussi bien, jurer par l'autel, c'est jurer par lui et par tout ce qui est dessus ; [21]jurer par le sanctuaire, c'est jurer par lui et par Celui qui l'habite ; [22]jurer par le ciel, c'est jurer par le trône de Dieu et par Celui qui y siège.

[23]« Malheur à vous, scribes et Pharisiens hypocrites, qui acquittez la dîme de la menthe, du fenouil et du cumin, après avoir négligé les points les plus graves de la Loi, la justice, la miséricorde et la bonne foi ; c'est ceci qu'il fallait pratiquer, sans négliger cela. [24]Guides aveugles, qui arrêtez au filtre le moustique et engloutissez le chameau.

[25]« Malheur à vous, scribes et Pharisiens hypocrites, qui purifiez l'extérieur de la coupe et de l'écuelle, quand l'intérieur en est rempli par rapine et intempérance ! [26]Pharisien aveugle ! purifie d'abord l'intérieur de la coupe et de l'écuelle, afin que l'extérieur aussi devienne pur.

[27]« Malheur à vous, scribes et Pharisiens hypocrites, qui ressemblez à des sépulcres blanchis : au-dehors ils ont belle apparence, mais au-dedans ils sont pleins d'ossements de morts et de toute pourriture ; [28]vous de même, au-dehors vous offrez aux yeux des hommes l'apparence de justes, mais au-dedans vous êtes pleins d'hypocrisie et d'iniquité.

[29]« Malheur à vous, scribes et Pharisiens hypocrites, qui bâtissez les sépulcres des prophètes et décorez les tombeaux des justes, [30]tout en disant : "Si nous avions vécu du temps de nos pères, nous ne nous serions pas joints à eux pour verser le sang des prophètes." [31]Ainsi, vous en témoignez contre vous-mêmes, vous êtes les fils de ceux qui ont assassiné les prophètes ! [32]Eh bien ! vous, comblez la mesure de vos pères !

Crimes et châtiments prochains. ‖ Lc 11 49-51.

[33]« Serpents, engeance de vipères ! comment pourrez-vous échapper à la condamnation de la géhenne ? [34]C'est pourquoi, voici que j'envoie vers vous des prophètes, des sages et des scribes : vous en tuerez et mettrez en croix, vous en flagellerez dans vos synagogues et pourchasserez de ville en ville, [35]pour que retombe sur vous tout le sang innocent répandu sur la terre, depuis le sang de l'innocent Abel jusqu'au sang de Zacharie, fils de Barachie, que vous avez assassiné entre le sanctuaire et l'autel ! [36]En vérité, je vous le dis, tout cela va retomber sur cette génération !

Apostrophe à Jérusalem. ‖ Lc 13 34-35.

[37]« Jérusalem, Jérusalem, toi qui tues les prophètes et lapides ceux qui te sont envoyés, combien de fois ai-je voulu rassembler tes enfants à la manière dont une poule rassemble ses poussins sous ses ailes... et vous n'avez pas voulu ! [38]Voici que votre maison va vous être laissée déserte. [39]Je vous le dis, en effet, désormais

vous ne me verrez plus, jusqu'à ce que vous disiez :

Béni soit celui qui vient au nom du Seigneur ! »

La destruction du Temple. ‖ Mc 13 1-4. ‖ Lc 21 5-7.

24 ¹Comme Jésus sortait du Temple et s'en allait, ses disciples s'approchèrent pour lui faire voir les constructions du Temple. ²Mais il leur répondit : « Vous voyez tout cela, n'est-ce pas ? En vérité je vous le dis, il ne restera pas ici pierre sur pierre qui ne soit jetée bas. » ³Et, comme il était assis sur le mont des Oliviers, les disciples s'approchèrent de lui, en particulier, et demandèrent : « Dis-nous quand cela aura lieu, et quel sera le signe de ton avènement et de la fin de l'âge. »

Le commencement des douleurs. ‖ Mc 13 5-13. ‖ Lc 21 8-19.

⁴Et Jésus leur répondit : « Prenez garde qu'on ne vous abuse. ⁵Car il en viendra beaucoup sous mon nom, qui diront : "C'est moi le Christ", et ils abuseront bien des gens. ⁶Vous aurez aussi à entendre parler de guerres et de rumeurs de guerres ; voyez, ne vous alarmez pas : car il faut que cela arrive, mais ce n'est pas encore la fin. ⁷On se dressera, en effet, nation contre nation et royaume contre royaume. Il y aura par endroits des famines et des tremblements de terre. ⁸Et tout cela ne fera que commencer les douleurs de l'enfantement.

⁹« Alors on vous livrera aux tourments et on vous tuera ; vous serez haïs de toutes les nations à cause de mon nom. ¹⁰Et alors beaucoup succomberont ; ce seront des trahisons et des haines intestines. ¹¹Des faux prophètes surgiront nombreux et abuseront bien des gens. ¹²Par suite de l'iniquité croissante, l'amour se refroidira chez le grand nombre. ¹³Mais celui qui aura tenu bon jusqu'au bout, celui-là sera sauvé.

¹⁴« Cette Bonne Nouvelle du Royaume sera proclamée dans le monde entier, en témoignage à la face de toutes les nations. Et alors viendra la fin.

La grande tribulation de Jérusalem. ‖ Mc 13 14-23. ‖ Lc 21 20-24.

¹⁵« Lors donc que vous verrez *l'abomination de la désolation,* dont a parlé le prophète Daniel, installée dans le saint lieu (que le lecteur comprenne !), ¹⁶alors que ceux qui seront en Judée s'enfuient dans les montagnes, ¹⁷que celui qui sera sur la terrasse ne descende pas dans sa maison pour prendre ses affaires, ¹⁸et que celui qui sera aux champs ne retourne pas en arrière pour prendre son manteau ! ¹⁹Malheur à celles qui seront enceintes et à celles qui allaiteront en ces jours-là ! ²⁰Priez pour que votre fuite ne tombe pas en hiver, ni un sabbat. ²¹Car il y aura alors une grande *tribulation, telle qu'il n'y en a pas eu depuis* le commencement du monde *jusqu'à ce jour,* et qu'il n'y en aura jamais plus. ²²Et si ces jours-là n'avaient été abrégés, nul n'aurait eu la vie sauve ; mais à cause des élus, ils seront abrégés, ces jours-là.

²³« Alors si quelqu'un vous dit : "Voici : le Christ est ici !" ou bien : "Il est là !", n'en croyez rien. ²⁴Il surgira, en effet, des faux

Christs et des faux prophètes, qui produiront de grands signes et des prodiges, au point d'abuser, s'il était possible, même les élus. [25]Voici que je vous ai prévenus.

L'avènement du Fils de l'homme sera manifeste. ‖ Lc **17** 23-24, 37.

[26]« Si donc on vous dit : "Le voici au désert", n'y allez pas ; "Le voici dans les retraites", n'en croyez rien. [27]Comme l'éclair, en effet, part du levant et brille jusqu'au couchant, ainsi en sera-t-il de l'avènement du Fils de l'homme. [28]Où que soit le cadavre, là se rassembleront les vautours.

Ampleur cosmique de cet avènement. ‖ Mc **13** 24-27. ‖ Lc **21** 25-27.

[29]« Aussitôt après la tribulation de ces jours-là, le soleil s'obscurcira, la lune ne donnera plus sa lumière, les étoiles tomberont du ciel, et les puissances des cieux seront ébranlées. [30]Et alors apparaîtra dans le ciel le signe du Fils de l'homme ; et alors toutes les races de la terre se frapperont la poitrine ; et l'on verra le Fils de l'homme venant sur les nuées du ciel avec puissance et grande gloire. [31]Et il enverra ses anges avec une trompette sonore, pour rassembler ses élus des quatre vents, des extrémités des cieux à leurs extrémités.

Parabole du figuier. ‖ Mc **13** 28-32. ‖ Lc **21** 29-33.

[32]« Du figuier apprenez cette parabole. Dès que sa ramure devient flexible et que ses feuilles poussent, vous comprenez que l'été est proche. [33]Ainsi vous, lorsque vous verrez tout cela, comprenez qu'Il est proche, aux portes. [34]En vérité je vous le dis, cette génération ne passera pas que tout cela ne soit arrivé. [35]Le ciel et la terre passeront, mais mes paroles ne passeront point. [36]Quant à la date de ce jour, et à l'heure, personne ne les connaît, ni les anges des cieux, ni le Fils, personne que le Père, seul.

Veiller pour ne pas être surpris. ‖ Lc **17** 26-27, 34-35.

[37]« Comme les jours de Noé, ainsi sera l'avènement du Fils de l'homme. [38]En ces jours qui précédèrent le déluge, on mangeait et on buvait, on prenait femme et mari, jusqu'au jour où Noé entra dans l'arche, [39]et les gens ne se doutèrent de rien jusqu'à l'arrivée du déluge, qui les emporta tous. Tel sera aussi l'avènement du Fils de l'homme. [40]Alors deux hommes seront aux champs : l'un est pris, l'autre laissé ; [41]deux femmes en train de moudre : l'une est prise, l'autre laissée.

‖ Lc **12** 39-40.

[42]« Veillez donc, parce que vous ne savez pas quel jour va venir votre Maître. [43]Comprenez-le bien : si le maître de maison avait su à quelle heure de la nuit le voleur devait venir, il aurait veillé et n'aurait pas permis qu'on perçât le mur de sa demeure. [44]Ainsi donc, vous aussi, tenez-vous prêts, car c'est à l'heure que vous ne pensez pas que le Fils de l'homme va venir.

Parabole du majordome. ‖ Lc **12** 42-46.

[45]« Quel est donc le serviteur fidèle et avisé que le maître a établi sur les gens de sa maison pour

leur donner la nourriture en temps voulu ? ⁴⁶Heureux ce serviteur que son maître en arrivant trouvera occupé de la sorte ! ⁴⁷En vérité je vous le dis, il l'établira sur tous ses biens. ⁴⁸Mais si ce mauvais serviteur dit en son cœur : "Mon maître tarde." ⁴⁹Et qu'il se mette à frapper ses compagnons, à manger et à boire en compagnie des ivrognes, ⁵⁰le maître de ce serviteur arrivera au jour qu'il n'attend pas et à l'heure qu'il ne connaît pas ; ⁵¹il le retranchera et lui assignera sa part parmi les hypocrites : là seront les pleurs et les grincements de dents.

Parabole des dix vierges. Cf. Lc **12** 35-38.

25 ¹« Alors il en sera du Royaume des Cieux comme de dix vierges qui s'en allèrent, munies de leurs lampes, à la rencontre de l'époux. ²Or cinq d'entre elles étaient sottes et cinq étaient sensées. ³Les sottes, en effet, prirent leurs lampes, mais sans se munir d'huile ; ⁴tandis que les sensées, en même temps que leurs lampes, prirent de l'huile dans les fioles. ⁵Comme l'époux se faisait attendre, elles s'assoupirent toutes et s'endormirent. ⁶Mais à minuit un cri retentit : "Voici l'époux ! sortez à sa rencontre !" ⁷Alors toutes ces vierges se réveillèrent et apprêtèrent leurs lampes. ⁸Et les sottes de dire aux sensées : "Donnez-nous de votre huile, car nos lampes s'éteignent." ⁹Mais celles-ci leur répondirent : "Il n'y en aurait sans doute pas assez pour nous et pour vous ; allez plutôt chez les marchands et achetez-en pour vous." ¹⁰Elles étaient parties en acheter

quand arriva l'époux : celles qui étaient prêtes entrèrent avec lui dans la salle des noces, et la porte se referma. ¹¹Finalement les autres vierges arrivèrent aussi et dirent : "Seigneur, Seigneur, ouvre-nous !" ¹²Mais il répondit : "En vérité je vous le dis, je ne vous connais pas !" ¹³Veillez donc, car vous ne savez ni le jour ni l'heure.

Parabole des talents. Cf. Lc **19** 12-27.

¹⁴« C'est comme un homme qui, partant en voyage, appela ses serviteurs et leur remit sa fortune. ¹⁵À l'un il donna cinq talents, deux à un autre, un seul à un troisième, à chacun selon ses capacités, et puis il partit. Aussitôt ¹⁶celui qui avait reçu les cinq talents alla les faire produire et en gagna cinq autres. ¹⁷De même celui qui en avait reçu deux en gagna deux autres. ¹⁸Mais celui qui n'en avait reçu qu'un s'en alla faire un trou en terre et enfouit l'argent de son maître. ¹⁹Après un long temps, le maître de ces serviteurs arrive et il règle ses comptes avec eux. ²⁰Celui qui avait reçu les cinq talents s'avança et présenta cinq autres talents : "Seigneur, dit-il, tu m'as remis cinq talents : voici cinq autres talents que j'ai gagnés." – ²¹"C'est bien, serviteur bon et fidèle, lui dit son maître, en peu de choses tu as été fidèle, sur beaucoup je t'établirai ; entre dans la joie de ton seigneur". ²²Vint ensuite celui qui avait reçu deux talents : "Seigneur, dit-il, tu m'as remis deux talents : voici deux autres talents que j'ai gagnés." – ²³"C'est bien, serviteur bon et fidèle, lui dit son maître, en peu de choses tu as été fidèle, sur beaucoup je t'établirai ; entre dans la joie de ton sei-

gneur". ²⁴Vint enfin celui qui détenait un seul talent : "Seigneur, dit-il, j'ai appris à te connaître pour un homme âpre au gain : tu moissonnes où tu n'as point semé, et tu ramasses où tu n'as rien répandu. ²⁵Aussi, pris de peur, je suis allé enfouir ton talent dans la terre : le voici, tu as ton bien." ²⁶Mais son maître lui répondit : "Serviteur mauvais et paresseux ! tu savais que je moissonne où je n'ai pas semé, et que je ramasse où je n'ai rien répandu ? ²⁷Eh bien ! tu aurais dû placer mon argent chez les banquiers, et à mon retour j'aurais recouvré mon bien avec un intérêt. ²⁸Enlevez-lui donc son talent et donnez-le à celui qui a les dix talents. ²⁹Car à tout homme qui a, l'on donnera et il aura du surplus ; mais à celui qui n'a pas, on enlèvera ce qu'il a. ³⁰Et ce propre-à-rien de serviteur, jetez-le dehors, dans les ténèbres : là seront les pleurs et les grincements de dents."

Le Jugement dernier.

³¹« Quand le Fils de l'homme viendra dans sa gloire, escorté de tous les anges, alors il prendra place sur son trône de gloire. ³²Devant lui seront rassemblées toutes les nations, et il séparera les gens les uns des autres, tout comme le berger sépare les brebis des boucs. ³³Il placera les brebis à sa droite, et les boucs à sa gauche. ³⁴Alors le Roi dira à ceux de droite : "Venez, les bénis de mon Père, recevez en héritage le Royaume qui vous a été préparé depuis la fondation du monde. ³⁵Car j'ai

eu faim et vous m'avez donné à manger, j'ai eu soif et vous m'avez donné à boire, j'étais un étranger et vous m'avez accueilli, ³⁶nu et vous m'avez vêtu, malade et vous m'avez visité, prisonnier et vous êtes venus me voir." ³⁷Alors les justes lui répondront : "Seigneur, quand nous est-il arrivé de te voir affamé et de te nourrir, assoiffé et de te désaltérer, ³⁸étranger et de t'accueillir, nu et de te vêtir, ³⁹malade ou prisonnier et de venir te voir ?" ⁴⁰Et le Roi leur fera cette réponse : "En vérité je vous le dis, dans la mesure où vous l'avez fait à l'un de ces plus petits de mes frères, c'est à moi que vous l'avez fait." ⁴¹Alors il dira encore à ceux de gauche : "Allez loin de moi, maudits, dans le feu éternel qui a été préparé pour le diable et ses anges. ⁴²Car j'ai eu faim et vous ne m'avez pas donné à manger, j'ai eu soif et vous ne m'avez pas donné à boire, ⁴³j'étais un étranger et vous ne m'avez pas accueilli, nu et vous ne m'avez pas vêtu, malade et prisonnier et vous ne m'avez pas visité." ⁴⁴Alors ceux-ci lui demanderont à leur tour : "Seigneur, quand nous est-il arrivé de te voir affamé ou assoiffé, étranger ou nu, malade ou prisonnier, et de ne te point secourir ?" ⁴⁵Alors il leur répondra : "En vérité je vous le dis, dans la mesure où vous ne l'avez pas fait à l'un de ces plus petits, à moi non plus vous ne l'avez pas fait." ⁴⁶Et ils s'en iront, ceux-ci à une peine éternelle, et les justes à une vie éternelle. »

III. LA PASSION ET LA RÉSURRECTION DE JÉSUS

Complot contre Jésus. ‖ Mc 14 1-2. ‖ Lc 22 1-2.

26 ¹Et il advint, quand Jésus eut achevé tous ces discours, qu'il dit à ses disciples : ²« La Pâque, vous le savez, tombe dans deux jours, et le Fils de l'homme va être livré pour être crucifié. » ³Alors les grands prêtres et les anciens du peuple s'assemblèrent dans le palais du Grand Prêtre, qui s'appelait Caïphe, ⁴et se concertèrent en vue d'arrêter Jésus par ruse et de le tuer. ⁵Ils disaient toutefois : « Pas en pleine fête ; il faut éviter un tumulte parmi le peuple. »

L'onction à Béthanie. ‖ Mc 14 3-9. ‖ Jn 12 1-8.

⁶Comme Jésus se trouvait à Béthanie, chez Simon le lépreux, ⁷une femme s'approcha de lui, avec un flacon d'albâtre contenant un parfum très précieux, et elle le versa sur sa tête, tandis qu'il était à table. ⁸À cette vue les disciples furent indignés : « À quoi bon ce gaspillage ? dirent-ils ; ⁹cela pouvait être vendu bien cher et donné à des pauvres. » ¹⁰Jésus s'en aperçut et leur dit : « Pourquoi tracassez-vous cette femme ? C'est vraiment une "bonne œuvre" qu'elle a accomplie pour moi. ¹¹Les pauvres, en effet, vous les aurez toujours avec vous, mais moi, vous ne m'aurez pas toujours. ¹²Si elle a répandu ce parfum sur mon corps, c'est pour m'ensevelir qu'elle l'a fait. ¹³En vérité je vous le dis, partout où sera proclamé cet Évangile, dans le monde entier, on redira aussi, à sa mémoire, ce qu'elle vient de faire. »

La trahison de Judas. ‖ Mc 14 10-11. ‖ Lc 22 3-6.

¹⁴Alors l'un des Douze, appelé Judas Iscariote, se rendit auprès des grands prêtres ¹⁵et leur dit : « Que voulez-vous me donner, et moi je vous le livrerai ? » Ceux-ci lui versèrent trente pièces d'argent. ¹⁶Et de ce moment il cherchait une occasion favorable pour le livrer.

Préparatifs du repas pascal. ‖ Mc 14 12-16. ‖ Lc 22 7-13.

¹⁷Le premier jour des Azymes, les disciples s'approchèrent de Jésus et lui dirent : « Où veux-tu que nous te préparions de quoi manger la Pâque ? » ¹⁸Il dit : « Allez à la ville, chez un tel, et dites-lui : "Le Maître te fait dire : Mon temps est proche, c'est chez toi que je vais faire la Pâque avec mes disciples". » ¹⁹Les disciples firent comme Jésus leur avait ordonné et préparèrent la Pâque.

Annonce de la trahison de Judas. ‖ Mc 14 17-21. ‖ Lc 22 14, 21-23. ‖ Jn 13 21-30.

²⁰Le soir venu, il était à table avec les Douze. ²¹Et tandis qu'ils mangeaient, il dit : « En vérité je vous le dis, l'un de vous me livrera. » ²²Fort attristés, ils se mirent chacun à lui dire : « Serait-ce moi, Seigneur ? » ²³Il répondit : « Quelqu'un qui a plongé avec

moi la main dans le plat, voilà celui qui va me livrer ! ²⁴Le Fils de l'homme s'en va selon qu'il est écrit de lui ; mais malheur à cet homme-là par qui le Fils de l'homme est livré ! Mieux eût valu pour cet homme-là de ne pas naître ! » ²⁵À son tour, Judas, celui qui allait le livrer, lui demanda : « Serait-ce moi, Rabbi ? » — « Tu l'as dit », répond Jésus.

Institution de l'Eucharistie.
|| Mc 14 22-25. || Lc 22 19-20. || 1 Co 11 23-25.

²⁶Or, tandis qu'ils mangeaient, Jésus prit du pain, le bénit, le rompit et le donna aux disciples en disant : « Prenez, mangez, ceci est mon corps. » ²⁷Puis, prenant une coupe, il rendit grâces et la leur donna en disant : « Buvez-en tous ; ²⁸car ceci est mon sang, le sang de l'alliance, qui va être répandu pour une multitude en rémission des péchés. ²⁹Je vous le dis, je ne boirai plus désormais de ce produit de la vigne jusqu'au jour où je le boirai avec vous, nouveau, dans le Royaume de mon Père. »

Prédiction du reniement de Pierre.
|| Mc 14 26-31. || Lc 22 39, 31-34. || Jn 13 36-38 ; 16 32.

³⁰Après le chant des psaumes, ils partirent pour le mont des Oliviers. ³¹Alors Jésus leur dit : « Vous tous, vous allez succomber à cause de moi, cette nuit même. Il est écrit en effet : *Je frapperai le pasteur, et les brebis du troupeau seront dispersées.* ³²Mais après ma résurrection je vous précéderai en Galilée. » ³³Prenant la parole, Pierre lui dit : « Si tous succombent à cause de toi, moi je ne succomberai jamais. » ³⁴Jésus lui répliqua : « En vérité je te le dis : cette nuit même, avant que le coq chante, tu m'auras renié trois fois. » ³⁵Pierre lui dit : « Dussé-je mourir avec toi, non, je ne te renierai pas. » Et tous les disciples en dirent autant.

À Gethsémani.
|| Mc 14 32-42. || Lc 22 40-46, || Jn 18 1.

³⁶Alors Jésus parvient avec eux à un domaine appelé Gethsémani, et il dit aux disciples : « Restez ici, tandis que je m'en irai prier là-bas. » ³⁷Et prenant avec lui Pierre et les deux fils de Zébédée, il commença à ressentir tristesse et angoisse. ³⁸Alors il leur dit : « Mon âme est triste à en mourir, demeurez ici et veillez avec moi. » ³⁹Étant allé un peu plus loin, il tomba face contre terre en faisant cette prière : « Mon Père, s'il est possible, que cette coupe passe loin de moi ! Cependant, non pas comme je veux, mais comme tu veux. » ⁴⁰Il vient vers les disciples et les trouve en train de dormir ; et il dit à Pierre : « Ainsi, vous n'avez pas eu la force de veiller une heure avec moi ! ⁴¹Veillez et priez pour ne pas entrer en tentation : l'esprit est ardent, mais la chair est faible. » ⁴²À nouveau, pour la deuxième fois, il s'en alla prier : « Mon Père, dit-il, si cette coupe ne peut passer sans que je la boive, que ta volonté soit faite ! » ⁴³Puis il vint et les trouva à nouveau en train de dormir ; car leurs yeux étaient appesantis. ⁴⁴Il les laissa et s'en alla de nouveau prier une troisième fois, répétant les mêmes paroles. ⁴⁵Alors il vient vers les disciples et leur dit : « Désormais vous pouvez dormir et

vous reposer : voici toute proche l'heure où le Fils de l'homme va être livré aux mains des pécheurs. [46]Levez-vous ! Allons ! Voici tout proche celui qui me livre. »

L'arrestation de Jésus. ‖ Mc 14 43-52. ‖ Lc 22 47-53. ‖ Jn 18 2-11.

[47]Comme il parlait encore, voici Judas, l'un des Douze, et avec lui une bande nombreuse armée de glaives et de bâtons, envoyée par les grands prêtres et les anciens du peuple. [48]Or le traître leur avait donné ce signe : « Celui à qui je donnerai un baiser, c'est lui ; arrêtez-le. » [49]Et aussitôt il s'approcha de Jésus en disant : « Salut, Rabbi ! », et il lui donna un baiser. [50]Mais Jésus lui dit : « Ami, fais ta besogne. » Alors, s'avançant, ils mirent la main sur Jésus et l'arrêtèrent. [51]Et voilà qu'un des compagnons de Jésus, portant la main à son glaive, le dégaina, frappa le serviteur du Grand Prêtre et lui enleva l'oreille. [52]Alors Jésus lui dit : « Rengaine ton glaive ; car tous ceux qui prennent le glaive périront par le glaive. [53]Penses-tu donc que je ne puisse faire appel à mon Père, qui me fournirait sur-le-champ plus de douze légions d'anges ? [54]Comment alors s'accompliraient les Écritures d'après lesquelles il doit en être ainsi ? » [55]À ce moment-là Jésus dit aux foules : « Suis-je un brigand, que vous vous soyez mis en campagne avec des glaives et des bâtons pour me saisir ? Chaque jour j'étais assis dans le Temple, à enseigner, et vous ne m'avez pas arrêté. » [56]Or tout ceci advint pour que s'accomplissent les Écritures des prophè-

tes. Alors les disciples l'abandonnèrent tous et prirent la fuite.

Jésus devant le Sanhédrin. ‖ Mc 14 53-65. ‖ Lc 22 54-55, 66-71. ‖ Jn 18 24, 15-16, 18.

[57]Ceux qui avaient arrêté Jésus l'emmenèrent chez Caïphe le Grand Prêtre, où se réunirent les scribes et les anciens. [58]Quant à Pierre, il le suivait de loin, jusqu'au palais du Grand Prêtre ; il pénétra à l'intérieur et s'assit avec les valets, pour voir le dénouement. [59]Or, les grands prêtres et le Sanhédrin tout entier cherchaient un faux témoignage contre Jésus, en vue de le faire mourir ; [60]et ils n'en trouvèrent pas, bien que des faux témoins se fussent présentés en grand nombre. Finalement il s'en présenta deux, [61]qui déclarèrent : « Cet homme a dit : Je puis détruire le Sanctuaire de Dieu et le rebâtir en trois jours. » [62]Se levant alors, le Grand Prêtre lui dit : « Tu ne réponds rien ? Qu'est-ce que ces gens attestent contre toi ? » [63]Mais Jésus se taisait. Le Grand Prêtre lui dit : « Je t'adjure par le Dieu Vivant de nous dire si tu es le Christ, le Fils de Dieu. » – [64]« Tu l'as dit, lui dit Jésus. D'ailleurs je vous le déclare dorénavant, vous verrez *le Fils de l'homme siégeant à droite de la Puissance et venant sur les nuées du ciel.* » [65]Alors le Grand Prêtre déchira ses vêtements en disant : « Il a blasphémé ! qu'avons-nous encore besoin de témoins ? Là, vous venez d'entendre le blasphème ! [66]Qu'en pensez-vous ? » Ils répondirent : « Il est passible de mort. »

[67]Alors ils lui crachèrent au visage et le giflèrent ; d'autres lui

donnèrent des coups [68]en disant : « Fais le prophète, Christ, dis-nous qui t'a frappé. »

Reniements de Pierre. ‖ Mc 14 66-72. ‖ Lc 22 55-62. ‖ Jn 18 17, 25-27.

[69]Cependant Pierre était assis dehors, dans la cour. Une servante s'approcha de lui en disant : « Toi aussi, tu étais avec Jésus le Galiléen. » [70]Mais lui nia devant tout le monde en disant : « Je ne sais pas ce que tu dis. » [71]Comme il s'était retiré vers le porche, une autre le vit et dit à ceux qui étaient là : « Celui-là était avec Jésus le Nazôréen. » [72]Et de nouveau il nia avec serment : « Je ne connais pas cet homme. » [73]Peu après, ceux qui se tenaient là s'approchèrent et dirent à Pierre : « Sûrement, toi aussi, tu en es : et d'ailleurs ton langage te trahit. » [74]Alors il se mit à jurer avec force imprécations : « Je ne connais pas cet homme. » Et aussitôt un coq chanta. [75]Et Pierre se souvint de la parole que Jésus avait dite : « Avant que le coq chante, tu m'auras renié trois fois. » Et, sortant dehors, il pleura amèrement.

Jésus conduit devant Pilate. ‖ Mc 15 1. ‖ Lc 22 66 ; 23 1.

27 [1]Le matin étant arrivé, tous les grands prêtres et les anciens du peuple tinrent un conseil contre Jésus, en sorte de le faire mourir. [2]Et, après l'avoir ligoté, ils l'emmenèrent et le livrèrent à Pilate le gouverneur.

Mort de Judas. Cf. Ac 1 18-19.

[3]Alors Judas, qui l'avait livré, voyant qu'il avait été condamné, fut pris de remords et rapporta les trente pièces d'argent aux grands prêtres et aux anciens : [4]« J'ai péché, dit-il, en livrant un sang innocent. » Mais ils lui dirent : « Que nous importe ? À toi de voir. » [5]Jetant alors les pièces dans le sanctuaire, il se retira et s'en alla se pendre. [6]Ayant ramassé l'argent, les grands prêtres dirent : « Il n'est pas permis de le verser au trésor, puisque c'est le prix du sang. » [7]Après délibération, ils achetèrent avec cet argent le « champ du potier » comme lieu de sépulture pour les étrangers. [8]Voilà pourquoi ce champ-là s'est appelé jusqu'à ce jour le « Champ du Sang ». [9]Alors s'accomplit l'oracle de Jérémie le prophète : *Et ils prirent les trente pièces d'argent, le prix du Précieux qu'ont apprécié des fils d'Israël,* [10]*et ils les donnèrent pour le champ du potier, ainsi que me l'a ordonné le Seigneur.*

Jésus devant Pilate. ‖ Mc 15 2-15. ‖ Lc 23 2-5, 13-25. ‖ Jn 18 28 – 19 1 ; 19 4-16.

[11]Jésus fut amené en présence du gouverneur et le gouverneur l'interrogea en disant : « Tu es le Roi des Juifs ? » Jésus répliqua : « Tu le dis. » [12]Puis, tandis qu'il était accusé par les grands prêtres et les anciens, il ne répondit rien. [13]Alors Pilate lui dit : « N'entends-tu pas tout ce qu'ils attestent contre toi ? » [14]Et il ne lui répondit sur aucun point, si bien que le gouverneur était fort étonné.

[15]À chaque Fête, le gouverneur avait coutume de relâcher à la foule un prisonnier, celui qu'elle voulait. [16]On avait alors un prisonnier fameux, nommé Barabbas. [17]Pilate dit donc aux gens qui se trouvaient

rassemblés : « Lequel voulez-vous que je vous relâche, Barabbas, ou Jésus que l'on appelle Christ ? » ¹⁸Il savait bien que c'était par jalousie qu'on l'avait livré.

¹⁹Or, tandis qu'il siégeait au tribunal, sa femme lui fit dire : « Ne te mêle point de l'affaire de ce juste ; car aujourd'hui j'ai été très affectée dans un songe à cause de lui. »

²⁰Cependant, les grands prêtres et les anciens persuadèrent aux foules de réclamer Barabbas et de perdre Jésus. ²¹Prenant la parole, le gouverneur leur dit : « Lequel des deux voulez-vous que je vous relâche ? » Ils dirent : « Barabbas. » ²²Pilate leur dit : « Que ferai-je donc de Jésus que l'on appelle Christ ? » Ils disent tous : « Qu'il soit crucifié ! » ²³Il reprit : « Quel mal a-t-il donc fait ? » Mais ils criaient plus fort : « Qu'il soit crucifié ! » ²⁴Voyant alors qu'il n'aboutissait à rien, mais qu'il s'ensuivait plutôt du tumulte, Pilate prit de l'eau et se lava les mains en présence de la foule, en disant : « Je ne suis pas responsable de ce sang ; à vous de voir ! » ²⁵Et tout le peuple répondit : « Que son sang soit sur nous et sur nos enfants ! » ²⁶Alors il leur relâcha Barabbas ; quant à Jésus, après l'avoir fait flageller, il le livra pour être crucifié.

Le couronnement d'épines.
|| Mc **15** 16-20. || Jn **19** 2-3.

²⁷Alors les soldats du gouverneur prirent avec eux Jésus dans le Prétoire et ameutèrent sur lui toute la cohorte. ²⁸L'ayant dévêtu, ils lui mirent une chlamyde écarlate, ²⁹puis, ayant tressé une couronne avec des épines, ils la placèrent sur sa tête, avec un roseau dans sa main droite. Et, s'agenouillant devant lui, ils se moquèrent de lui en disant : « Salut, roi des Juifs ! » ³⁰et, crachant sur lui, ils prenaient le roseau et en frappaient sa tête. ³¹Puis, quand ils se furent moqués de lui, ils lui ôtèrent la chlamyde, lui remirent ses vêtements et l'emmenèrent pour le crucifier.

Le crucifiement.
|| Mc **15** 21-27. || Lc **23** 26-34, 38. || Jn **19** 17-24.

³²En sortant, ils trouvèrent un homme de Cyrène, nommé Simon, et le requirent pour porter sa croix. ³³Arrivés à un lieu dit Golgotha, c'est-à-dire lieu dit du Crâne, ³⁴ils lui donnèrent à boire du vin mêlé de fiel ; il en goûta et n'en voulut point boire. ³⁵Quand ils l'eurent crucifié, ils se partagèrent ses vêtements en tirant au sort. ³⁶Puis, s'étant assis, ils restaient là à le garder.

³⁷Ils placèrent aussi au-dessus de sa tête le motif de sa condamnation ainsi libellé : « Celui-ci est Jésus, le roi des Juifs. » ³⁸Alors sont crucifiés avec lui deux brigands, l'un à droite et l'autre à gauche.

Jésus en croix raillé et outragé.
|| Mc **15** 29-32. || Lc **23** 35-37.

³⁹Les passants l'injuriaient en hochant la tête ⁴⁰et disant : « Toi qui détruis le Sanctuaire et en trois jours le rebâtis, sauve-toi toi-même, si tu es fils de Dieu, et descends de la croix ! » ⁴¹Pareillement les grands prêtres se gaussaient et disaient avec les scribes et les anciens : ⁴²« Il en a sauvé d'autres et il ne peut se sauver lui-même ! Il

est roi d'Israël : qu'il descende maintenant de la croix et nous croirons en lui ! [43]Il a compté sur Dieu ; que Dieu le délivre maintenant, s'il s'intéresse à lui ! Il a bien dit : Je suis fils de Dieu ! » [44]Même les brigands crucifiés avec lui l'outrageaient de la sorte.

La mort de Jésus. || Mc **15** 33-41. || Lc **23** 44-49.

[45]À partir de la sixième heure, l'obscurité se fit sur toute la terre, jusqu'à la neuvième heure. [46]Et vers la neuvième heure, Jésus clama en un grand cri : « *Éli, Éli, lema sabachtani ?* », c'est-à-dire : « *Mon Dieu, mon Dieu, pourquoi m'as-tu abandonné ?* » [47]Certains de ceux qui se tenaient là disaient en l'entendant : « Il appelle Élie, celui-ci ! »

|| Lc **23** 36. || Jn **19** 29.

[48]Et aussitôt l'un d'eux courut prendre une éponge qu'il imbiba de vinaigre et, l'ayant mise au bout d'un roseau, il lui donnait à boire. [49]Mais les autres lui dirent : « Laisse ! que nous voyions si Élie va venir le sauver ! » [50]Or Jésus, poussant de nouveau un grand cri, rendit l'esprit.

[51]Et voilà que le voile du Sanctuaire se déchira en deux, du haut en bas ; la terre trembla, les rochers se fendirent, [52]les tombeaux s'ouvrirent et de nombreux corps de saints trépassés ressuscitèrent ; [53]ils sortirent des tombeaux après sa résurrection, entrèrent dans la Ville sainte et se firent voir à bien des gens. [54]Quant au centurion et aux hommes qui avec lui gardaient Jésus, à la vue du séisme et de ce qui se passait, ils furent saisis d'une grande frayeur et dirent : « Vraiment celui-ci était fils de Dieu ! »

[55]Il y avait là de nombreuses femmes qui regardaient à distance, celles-là même qui avaient suivi Jésus depuis la Galilée et le servaient, [56]entre autres Marie de Magdala, Marie, mère de Jacques et de Joseph, et la mère des fils de Zébédée.

L'ensevelissement. || Mc **15** 42-47. || Lc **23** 50-55. || Jn **19** 38-42.

[57]Le soir venu, il vint un homme riche d'Arimathie, du nom de Joseph, qui s'était fait, lui aussi, disciple de Jésus. [58]Il alla trouver Pilate et réclama le corps de Jésus. Alors Pilate ordonna qu'on le lui remît. [59]Joseph prit donc le corps, le roula dans un linceul propre [60]et le mit dans le tombeau neuf qu'il s'était fait tailler dans le roc ; puis il roula une grande pierre à l'entrée du tombeau et s'en alla. [61]Or il y avait là Marie de Magdala et l'autre Marie, assises en face du sépulcre.

La garde du tombeau.

[62]Le lendemain, c'est-à-dire après la Préparation, les grands prêtres et les Pharisiens se rendirent en corps chez Pilate [63]et lui dirent : « Seigneur, nous nous sommes souvenus que cet imposteur a dit, de son vivant : "Après trois jours je ressusciterai !" [64]Commande donc que le sépulcre soit tenu en sûreté jusqu'au troisième jour, pour éviter que ses disciples ne viennent le dérober et ne disent au peuple : "Il est ressuscité des morts !" Cette dernière imposture serait pire que la première. » [65]Pilate leur répondit : « Vous avez une

garde ; allez et prenez vos sûretés comme vous l'entendez. » [66]Ils allèrent donc et s'assurèrent du sépulcre, en scellant la pierre et en postant une garde.

Le tombeau vide. Message de l'Ange. || Mc 16 1-8. || Lc 24 1-10.

28 [1]Après le jour du sabbat, comme le premier jour de la semaine commençait à poindre, Marie de Magdala et l'autre Marie vinrent visiter le sépulcre. [2]Et voilà qu'il se fit un grand tremblement de terre : l'Ange du Seigneur descendit du ciel et vint rouler la pierre, sur laquelle il s'assit. [3]Il avait l'aspect de l'éclair, et sa robe était blanche comme neige. [4]À sa vue, les gardes tressaillirent d'effroi et devinrent comme morts. [5]Mais l'ange prit la parole et dit aux femmes : « Ne craignez point, vous : je sais bien que vous cherchez Jésus, le Crucifié. [6]Il n'est pas ici, car il est ressuscité comme il l'avait dit. Venez voir le lieu où il gisait, [7]et vite allez dire à ses disciples : "Il est ressuscité d'entre les morts, et voilà qu'il vous précède en Galilée ; c'est là que vous le verrez." Voilà, je vous l'ai dit. » [8]Quittant vite le tombeau, tout émues et pleines de joie, elles coururent porter la nouvelle à ses disciples.

L'apparition aux saintes femmes.

[9]Et voici que Jésus vint à leur rencontre : « Je vous salue », dit-il. Et elles de s'approcher et d'étreindre ses pieds en se prosternant devant lui. [10]Alors Jésus leur dit : « Ne craignez point ; allez annoncer à mes frères qu'ils doivent partir pour la Galilée, et là ils me verront. »

Supercherie des chefs juifs.

[11]Tandis qu'elles s'en allaient, voici que quelques hommes de la garde vinrent en ville rapporter aux grands prêtres tout ce qui s'était passé. [12]Ceux-ci tinrent une réunion avec les anciens et, après avoir délibéré, ils donnèrent aux soldats une forte somme d'argent, [13]avec cette consigne : « Vous direz ceci : "Ses disciples sont venus de nuit et l'ont dérobé tandis que nous dormions." [14]Que si l'affaire vient aux oreilles du gouverneur, nous nous chargeons de l'amadouer et de vous épargner tout ennui. » [15]Les soldats, ayant pris l'argent, exécutèrent la consigne, et cette histoire s'est colportée parmi les Juifs jusqu'à ce jour.

Apparition en Galilée et mission universelle.

[16]Quant aux onze disciples, ils se rendirent en Galilée, à la montagne où Jésus leur avait donné rendez-vous. [17]Et quand ils le virent, ils se prosternèrent ; d'aucuns cependant doutèrent. [18]S'avançant, Jésus leur dit ces paroles : « Tout pouvoir m'a été donné au ciel et sur la terre. [19]Allez donc, de toutes les nations faites des disciples, les baptisant au nom du Père et du Fils et du Saint-Esprit, [20]et leur apprenant à observer tout ce que je vous ai prescrit. Et voici que je suis avec vous pour toujours jusqu'à la fin de l'âge. »

L'Évangile
selon saint Marc

Voir l'introduction, p. 1635.

1. La préparation du ministère de Jésus

Prédication de Jean-Baptiste.
|| Mt 3 1-12. || Lc 3 3-18.

1 ¹Commencement de l'Évangile de Jésus, Christ, fils de Dieu. ²Selon qu'il est écrit dans Isaïe le prophète :

*Voici que j'envoie mon messager en avant de toi
pour préparer ta route.*
³*Voix de celui qui crie dans le désert :
Préparez le chemin du Seigneur,
rendez droits ses sentiers,*

⁴Jean le Baptiste fut dans le désert, proclamant un baptême de repentir pour la rémission des péchés. ⁵Et s'en allaient vers lui tout le pays de Judée et tous les habitants de Jérusalem, et ils se faisaient baptiser par lui dans les eaux du Jourdain, en confessant leurs péchés.

⁶Jean était vêtu d'une peau de chameau et mangeait des sauterelles et du miel sauvage. ⁷Et il proclamait : « Vient derrière moi celui qui est plus fort que moi, dont je ne suis pas digne, en me courbant, de délier la courroie de ses sandales. ⁸Moi, je vous ai baptisés avec de l'eau, mais lui vous baptisera avec l'Esprit Saint. »

Baptême de Jésus. || Mt 3 13-17. || Lc 3 21-22.

⁹Et il advint qu'en ces jours-là Jésus vint de Nazareth de Galilée, et il fut baptisé dans le Jourdain par Jean. ¹⁰Et aussitôt, remontant de l'eau, il vit les cieux se déchirer et l'Esprit comme une colombe descendre vers lui, ¹¹et une voix vint des cieux : « Tu es mon Fils bien-aimé, tu as toute ma faveur. »

Tentation au désert. || Mt 4 1-11. || Lc 4 1-13.

¹²Et aussitôt, l'Esprit le pousse au désert. ¹³Et il était dans le désert durant quarante jours, tenté par Satan. Et il était avec les bêtes sauvages, et les anges le servaient.

2. Le ministère de Jésus en Galilée

Jésus inaugure sa prédication.
|| Mt 4 12-17. || Lc 4 14-15.

¹⁴Après que Jean eut été livré, Jésus vint en Galilée, proclamant l'Évangile de Dieu et disant : ¹⁵« Le temps est accompli et le Royaume de Dieu est tout proche : repentez-vous et croyez à l'Évangile. »

Appel des quatre premiers disciples. || Mt 4 18-22. || Lc 5 1-11.

¹⁶Comme il passait sur le bord de la mer de Galilée, il vit Simon et André, le frère de Simon, qui jetaient l'épervier dans la mer ; car c'étaient des pêcheurs. ¹⁷Et Jésus leur dit : « Venez à ma suite et je vous ferai devenir pêcheurs d'hommes. » ¹⁸Et aussitôt, laissant les filets, ils le suivirent.

¹⁹Et avançant un peu, il vit Jacques, fils de Zébédée, et Jean son frère, eux aussi dans leur barque en train d'arranger les filets ; ²⁰et aussitôt il les appela. Et laissant leur père Zébédée dans la barque avec ses employés, ils partirent à sa suite.

Jésus enseigne à Capharnaüm et guérit un démoniaque. || Lc 4 31-37.

²¹Ils pénètrent à Capharnaüm. Et aussitôt, le jour du sabbat, étant entré dans la synagogue, il enseignait. ²²Et ils étaient frappés de son enseignement, car il les enseignait comme ayant autorité, et non pas comme les scribes.

²³Et aussitôt il y avait dans leur synagogue un homme possédé d'un esprit impur, qui cria ²⁴en di-

sant : « Que nous veux-tu, Jésus le Nazarénien ? Es-tu venu pour nous perdre ? Je sais qui tu es : le Saint de Dieu. » ²⁵Et Jésus le menaça en disant : « Tais-toi et sors de lui. » ²⁶Et le secouant violemment, l'esprit impur cria d'une voix forte et sortit de lui. ²⁷Et ils furent tous effrayés, de sorte qu'ils se demandaient entre eux : « Qu'est cela ? Un enseignement nouveau, donné d'autorité ! Même aux esprits impurs, il commande et ils lui obéissent ! » ²⁸Et sa renommée se répandit aussitôt partout, dans toute la région de Galilée.

Guérison de la belle-mère de Simon. || Mt 8 14-15. || Lc 4 38-39.

²⁹Et aussitôt, sortant de la synagogue, il vint dans la maison de Simon et d'André, avec Jacques et Jean. ³⁰Or la belle-mère de Simon était au lit avec la fièvre, et aussitôt ils lui parlent à son sujet. ³¹S'approchant, il la fit se lever en la prenant par la main. Et la fièvre la quitta, et elle les servait.

Guérisons multiples. || Mt 8 16. || Lc 4 40-41.

³²Le soir venu, quand fut couché le soleil, on lui apportait tous les malades et les démoniaques, ³³et la ville entière était rassemblée devant la porte. ³⁴Et il guérit beaucoup de malades atteints de divers maux, et il chassa beaucoup de démons. Et il ne laissait pas parler les démons, parce qu'ils savaient qui il était.

Jésus quitte secrètement Capharnaüm et parcourt la Galilée. ‖ Lc 4 42-44.

³⁵Le matin, bien avant le jour, il se leva, sortit et s'en alla dans un lieu désert, et là il priait. ³⁶Simon et ses compagnons le poursuivirent ³⁷et, l'ayant trouvé, ils lui disent : « Tout le monde te cherche. » ³⁸Il leur dit : « Allons ailleurs, dans les bourgs voisins, afin que j'y prêche aussi, car c'est pour cela que je suis sorti. » ³⁹Et il s'en alla à travers toute la Galilée, prêchant dans leurs synagogues et chassant les démons.

Guérison d'un lépreux. ‖ Mt 8 2-4. ‖ Lc 5 12-16.

⁴⁰Un lépreux vient à lui, le supplie et, s'agenouillant, lui dit : « Si tu le veux, tu peux me purifier. » ⁴¹En colère, il étendit la main, le toucha et lui dit : « Je le veux, sois purifié. » ⁴²Et aussitôt la lèpre le quitta et il fut purifié. ⁴³Et le rudoyant, il le chassa aussitôt, ⁴⁴et lui dit : « Garde-toi de rien dire à personne ; mais va te montrer au prêtre et offre pour ta purification ce qu'a prescrit Moïse : ce leur sera une attestation. » ⁴⁵Mais lui, une fois parti, se mit à proclamer hautement et à divulguer la nouvelle, de sorte que Jésus ne pouvait plus entrer ouvertement dans une ville, mais il se tenait dehors, dans des lieux déserts ; et l'on venait à lui de toutes parts.

Guérison d'un paralytique. ‖ Mt 9 1-8. ‖ Lc 5 17-26.

2 ¹Comme il était entré de nouveau à Capharnaüm, après quelque temps on apprit qu'il était à la maison. ²Et beaucoup se rassemblèrent, en sorte qu'il n'y avait plus de place, même devant la porte, et il leur annonçait la Parole. ³On vient lui apporter un paralytique, soulevé par quatre hommes. ⁴Et comme ils ne pouvaient pas le lui présenter à cause de la foule, ils découvrirent la terrasse au-dessus de l'endroit où il se trouvait et, ayant creusé un trou, ils font descendre le grabat où gisait le paralytique. ⁵Jésus, voyant leur foi, dit au paralytique : « Mon enfant, tes péchés sont remis. » ⁶Or, il y avait là, dans l'assistance, quelques scribes qui pensaient dans leur cœur : ⁷« Comment celui-là parle-t-il ainsi ? Il blasphème ! Qui peut remettre les péchés, sinon Dieu seul ? » ⁸Et aussitôt, percevant par son esprit qu'ils pensaient ainsi en eux-mêmes, Jésus leur dit : « Pourquoi de telles pensées dans vos cœurs ? ⁹Quel est le plus facile, de dire au paralytique : Tes péchés sont remis, ou de dire : Lève-toi, prends ton grabat et marche ? ¹⁰Eh bien ! pour que vous sachiez que le Fils de l'homme a le pouvoir de remettre les péchés sur la terre, ¹¹je te l'ordonne, dit-il au paralytique, lève-toi, prends ton grabat et va-t'en chez toi. » ¹²Il se leva et aussitôt, prenant son grabat, il sortit devant tout le monde, de sorte que tous étaient stupéfaits et glorifiaient Dieu en disant : « Jamais nous n'avons rien vu de pareil. »

Appel de Lévi. ‖ Mt 9 9. ‖ Lc 5 27-28.

¹³Il sortit de nouveau au bord de la mer, et toute la foule venait à lui et il les enseignait. ¹⁴En passant, il vit Lévi, le fils d'Alphée, assis au bureau de la douane, et il

lui dit : « Suis-moi. » Et, se levant, il le suivit.

Repas avec les pécheurs. ‖ Mt 9 10-13. ‖ Lc 5 29-32.

¹⁵Alors qu'il était à table dans sa maison, beaucoup de publicains et de pécheurs se trouvaient à table avec Jésus et ses disciples : car il y en avait beaucoup qui le suivaient. ¹⁶Les scribes des Pharisiens, le voyant manger avec les pécheurs et les publicains, disaient à ses disciples : « Quoi ? Il mange avec les publicains et les pécheurs ? » ¹⁷Jésus, qui avait entendu, leur dit : « Ce ne sont pas les gens bien portants qui ont besoin de médecin, mais les malades. Je ne suis pas venu appeler les justes, mais les pécheurs. »

Discussion sur le jeûne. ‖ Mt 9 14-17. ‖ Lc 5 33-39.

¹⁸Les disciples de Jean et les Pharisiens étaient en train de jeûner, et on vient lui dire : « Pourquoi les disciples de Jean et les disciples des Pharisiens jeûnent-ils, et tes disciples ne jeûnent-ils pas ? » ¹⁹Jésus leur dit : « Les compagnons de l'époux peuvent-ils jeûner pendant que l'époux est avec eux ? Tant qu'ils ont l'époux avec eux, ils ne peuvent pas jeûner. ²⁰Mais viendront des jours où l'époux leur sera enlevé ; et alors ils jeûneront en ce jour-là. ²¹Personne ne coud une pièce de drap non foulé à un vieux vêtement ; autrement, la pièce neuve tire sur le vieux vêtement, et la déchirure s'aggrave. ²²Personne non plus ne met du vin nouveau dans des outres vieilles ; autrement, le vin fera éclater les outres, et le vin est

perdu aussi bien que les outres. Mais du vin nouveau dans des outres neuves ! »

Les épis arrachés. ‖ Mt 12 1-8. ‖ Lc 6 1-5.

²³Et il advint qu'un jour de sabbat il passait à travers les moissons et ses disciples se mirent à se frayer un chemin en arrachant les épis. ²⁴Et les Pharisiens lui disaient : « Vois ! Pourquoi font-ils le jour du sabbat ce qui n'est pas permis ? » ²⁵Il leur dit : « N'avez-vous jamais lu ce que fit David, lorsqu'il fut dans le besoin et qu'il eut faim, lui et ses compagnons, ²⁶comment il entra dans la demeure de Dieu, au temps du grand prêtre Abiathar, et mangea les pains d'oblation qu'il n'est permis de manger qu'aux prêtres, et en donna aussi à ses compagnons ? » ²⁷Et il leur disait : « Le sabbat a été fait pour l'homme, et non l'homme pour le sabbat ; ²⁸en sorte que le Fils de l'homme est maître même du sabbat. »

Guérison d'un homme à la main sèche. ‖ Mt 12 9-14. ‖ Lc 6 6-11.

3 ¹Il entra de nouveau dans une synagogue, et il y avait là un homme qui avait la main desséchée. ²Et ils l'épiaient pour voir s'il allait le guérir, le jour du sabbat, afin de l'accuser. ³Il dit à l'homme qui avait la main sèche : « Lève-toi, là, au milieu. » ⁴Et il leur dit : « Est-il permis, le jour du sabbat, de faire du bien plutôt que de faire du mal, de sauver une vie plutôt que de la tuer ? » Mais eux se taisaient. ⁵Promenant alors sur eux un regard de colère, navré de l'endurcissement de leur cœur, il dit à l'homme : « Étends la main. » Il l'étendit et sa main fut remise en état. ⁶Étant sortis, les Pharisiens tenaient aussitôt conseil avec les Hérodiens contre lui, en vue de le perdre.

Les foules à la suite de Jésus.
‖ Mt **12** 15-16. ‖ Lc **6** 17-19.

⁷Jésus avec ses disciples se retira vers la mer et une grande multitude le suivit de la Galilée ; et de la Judée, ⁸de Jérusalem, de l'Idumée, de la Transjordane, des environs de Tyr et de Sidon, une grande multitude, ayant entendu tout ce qu'il faisait, vint à lui. ⁹Et il dit à ses disciples qu'une petite barque fût tenue à sa disposition, à cause de la foule, pour qu'ils ne l'écrasent pas. ¹⁰Car il en guérit beaucoup, si bien que tous ceux qui avaient des infirmités se jetaient sur lui pour le toucher. ¹¹Et les esprits impurs, lorsqu'ils le voyaient, se jetaient à ses pieds et criaient en disant : « Tu es le Fils de Dieu ! » ¹²Et il leur enjoignait avec force de ne pas le faire connaître.

Institution des Douze. ‖ Mt **10** 1-4.
‖ Lc **6** 12-16.

¹³Puis il gravit la montagne et il appelle à lui ceux qu'il voulait. Ils vinrent à lui, ¹⁴et il en institua Douze pour être ses compagnons et pour les envoyer prêcher, ¹⁵avec pouvoir de chasser les démons. ¹⁶Il institua donc les Douze, et il donna à Simon le nom de Pierre, ¹⁷puis Jacques, le fils de Zébédée, et Jean, le frère de Jacques, auxquels il donna le nom de Boanergès, c'est-à-dire fils du tonnerre, ¹⁸puis André, Philippe, Barthélemy, Matthieu, Thomas, Jacques, le fils

d'Alphée, Thaddée, Simon le Zélé, ¹⁹et Judas Iscarioth, celui-là même qui le livra.

Démarche des parents de Jésus.

²⁰Il vient à la maison et de nouveau la foule se rassemble, au point qu'ils ne pouvaient pas même manger de pain. ²¹Et les siens, l'ayant appris, partirent pour se saisir de lui, car ils disaient : « Il a perdu le sens. »

Calomnies des scribes. ‖ Mt **12**
24-32. ‖ Lc **11** 15-23 ; **12** 10.

²²Et les scribes qui étaient descendus de Jérusalem disaient : « Il est possédé de Béelzéboul », et encore : « C'est par le prince des démons qu'il expulse les démons. » ²³Les ayant appelés près de lui, il leur disait en paraboles : « Comment Satan peut-il expulser Satan ? ²⁴Si un royaume est divisé contre lui-même, ce royaume-là ne peut subsister. ²⁵Et si une maison est divisée contre elle-même, cette maison-là ne pourra se maintenir. ²⁶Or, si Satan s'est dressé contre lui-même et s'est divisé, il ne peut pas tenir, il est fini. ²⁷Mais nul ne peut pénétrer dans la maison d'un homme fort et piller ses affaires s'il n'a d'abord ligoté cet homme fort, et alors il pillera sa maison.

²⁸« En vérité, je vous le dis, tout sera remis aux enfants des hommes, les péchés et les blasphèmes tant qu'ils en auront proféré ; ²⁹mais quiconque aura blasphémé contre l'Esprit Saint n'aura jamais de rémission : il est coupable d'une faute éternelle. » ³⁰C'est qu'ils disaient : « Il est possédé d'un esprit impur. »

La vraie parenté de Jésus. ‖ Mt 12 46-50. ‖ Lc 8 19-21.

³¹Sa mère et ses frères arrivent et, se tenant dehors, ils le firent appeler. ³²Il y avait une foule assise autour de lui et on lui dit : « Voilà que ta mère et tes frères et tes sœurs sont là dehors qui te cherchent. » ³³Il leur répond : « Qui est ma mère ? Et mes frères ? » ³⁴Et, promenant son regard sur ceux qui étaient assis en rond autour de lui, il dit : « Voici ma mère et mes frères. ³⁵Quiconque fait la volonté de Dieu, celui-là m'est un frère et une sœur et une mère. »

Parabole du semeur. ‖ Mt 13 1-9. ‖ Lc 8 4-8.

4 ¹Il se mit de nouveau à enseigner au bord de la mer et une foule très nombreuse s'assemble auprès de lui, si bien qu'il monte dans une barque et s'y assied, en mer ; et toute la foule était à terre, près de la mer. ²Il leur enseignait beaucoup de choses en paraboles et il leur disait dans son enseignement : ³« Écoutez ! Voici que le semeur est sorti pour semer. ⁴Et il advint, comme il semait, qu'une partie du grain est tombée au bord du chemin, et les oiseaux sont venus et ont tout mangé. ⁵Une autre est tombée sur le terrain rocheux où elle n'avait pas beaucoup de terre, et aussitôt elle a levé, parce qu'elle n'avait pas de profondeur de terre ; ⁶et lorsque le soleil s'est levé, elle a été brûlée et, faute de racine, s'est desséchée. ⁷Une autre est tombée dans les épines, et les épines ont monté et l'ont étouffée, et elle n'a pas donné de fruit. ⁸D'autres sont tombés dans la bon-

ne terre, et ils ont donné du fruit en montant et en se développant, et ils ont produit l'un trente, l'autre soixante, l'autre cent. ⁹Et il disait : « Entende, qui a des oreilles pour entendre ! »

Pourquoi Jésus parle en paraboles. ‖ Mt 13 10-15. ‖ Lc 8 9-10.

¹⁰Quand il fut à l'écart, ceux de son entourage avec les Douze l'interrogeaient sur les paraboles. ¹¹Et il leur disait : « À vous le mystère du Royaume de Dieu a été donné ; mais à ceux-là qui sont dehors tout arrive en paraboles, ¹²afin qu'*ils aient beau regarder et ils ne voient pas, qu'ils aient beau entendre et ils ne comprennent pas, de peur qu'ils ne se convertissent et qu'il ne leur soit pardonné.* »

Explication de la parabole du semeur. ‖ Mt 13 18-23. ‖ Lc 8 11-15.

¹³Et il leur dit : « Vous ne saisissez pas cette parabole ? Et comment comprendrez-vous toutes les paraboles ? ¹⁴Le semeur, c'est la Parole qu'il sème. ¹⁵Ceux qui sont au bord du chemin où la Parole est semée, sont ceux qui l'ont pas plus tôt entendue que Satan arrive et enlève la Parole semée en eux. ¹⁶Et de même ceux qui sont semés sur les endroits rocheux, sont ceux qui, quand ils ont entendu la Parole, l'accueillent aussitôt avec joie, ¹⁷mais ils n'ont pas de racine en eux-mêmes et sont les hommes d'un moment : survienne ensuite une tribulation ou une persécution à cause de la Parole, aussitôt ils succombent. ¹⁸Et il y en a d'autres qui sont semés dans les épines : ce sont ceux qui ont entendu la Parole, ¹⁹mais

les soucis du monde, la séduction de la richesse et les autres convoitises les pénètrent et étouffent la Parole, qui demeure sans fruit. ²⁰Et il y a ceux qui ont été semés dans la bonne terre : ceux-là écoutent la Parole, l'accueillent et portent du fruit, l'un trente, l'autre soixante, l'autre cent. »

Comment recevoir et transmettre l'enseignement de Jésus.
|| Lc **8** 16-17. || Mt **5** 15 ; **10** 26.

²¹Et il leur disait : « Est-ce que la lampe vient pour qu'on la mette sous le boisseau ou sous le lit ? N'est-ce pas pour qu'on la mette sur le lampadaire ? ²²Car il n'y a rien de caché qui ne doive être manifesté et rien n'est demeuré secret que pour venir au grand jour. ²³Si quelqu'un a des oreilles pour entendre, qu'il entende ! »

|| Mt **7** 2 ; **25** 29. || Lc **8** 18 ; **6** 38.

²⁴Et il leur disait : « Prenez garde à ce que vous entendez ! De la mesure dont vous mesurez, on mesurera pour vous, et on vous donnera encore plus. ²⁵Car celui qui a, on lui donnera, et celui qui n'a pas, même ce qu'il a lui sera enlevé. »

Parabole du grain qui pousse tout seul.

²⁶Et il disait : « Il en est du Royaume de Dieu comme d'un homme qui aurait jeté du grain en terre : ²⁷qu'il dorme et qu'il se lève, nuit et jour, la semence germe et pousse, il ne sait comment. ²⁸D'elle-même, la terre produit d'abord l'herbe, puis l'épi, puis plein de blé dans l'épi. ²⁹Et quand le fruit s'y prête, aussitôt il y met la faucille, parce que la moisson est à point. »

Parabole du grain de sénevé.
|| Mt **13** 31-32. || Lc **13** 18-19.

³⁰Et il disait : « Comment allons-nous comparer le Royaume de Dieu ? ou par quelle parabole allons-nous le figurer ? ³¹C'est comme un grain de sénevé qui, lorsqu'on le sème sur la terre, est la plus petite de toutes les graines qui sont sur la terre ; ³²mais une fois semé, il monte et devient la plus grande de toutes les plantes potagères, et il pousse de grandes branches, au point que les oiseaux du ciel peuvent s'abriter sous son ombre. »

Conclusion sur les paraboles.
|| Mt **13** 34-35.

³³C'est par un grand nombre de paraboles de ce genre qu'il leur annonçait la Parole selon qu'ils pouvaient l'entendre ; ³⁴et il ne leur parlait pas sans parabole, mais, en particulier, il expliquait tout à ses disciples.

La tempête apaisée. || Mt **8** 18, 23-27.
|| Lc **8** 22-25.

³⁵Ce jour-là, le soir venu, il leur dit : « Passons sur l'autre rive. » ³⁶Et laissant la foule, ils l'emmènent, comme il était, dans la barque ; et il y avait d'autres barques avec lui. ³⁷Survient alors une forte bourrasque, et les vagues se jetaient dans la barque, de sorte que déjà elle se remplissait. ³⁸Et lui était à la poupe, dormant sur le coussin. Ils le réveillent et lui disent : « Maître, tu ne te soucies pas de ce que nous périssons ? » ³⁹S'étant réveillé, il menaça le vent et dit à la mer : « Silence ! Tais-toi ! » Et le vent tomba et il se fit un grand calme. ⁴⁰Puis il leur

dit : « Pourquoi avez-vous peur ainsi ? Comment n'avez-vous pas de foi ? » [41]Alors ils furent saisis d'une grande crainte et ils se disaient les uns aux autres : « Qui est-il donc celui-là, que même le vent et la mer lui obéissent ? »

Le démoniaque gérasénien. ‖ Mt 8 28-34. ‖ Lc 8 26-39.

5 [1]Ils arrivèrent sur l'autre rive de la mer, au pays des Géraséniens. [2]Et aussitôt que Jésus eut débarqué, vint à sa rencontre, des tombeaux, un homme possédé d'un esprit impur : [3]il avait sa demeure dans les tombes et personne ne pouvait plus le lier, même avec une chaîne, [4]car souvent on l'avait lié avec des entraves et avec des chaînes, mais il avait rompu les chaînes et brisé les entraves, et personne ne parvenait à le dompter. [5]Et sans cesse, nuit et jour, il était dans les tombes et dans les montagnes, poussant des cris et se tailladant avec des pierres. [6]Voyant Jésus de loin, il accourut, se prosterna devant lui [7]et cria d'une voix forte : « Que me veux-tu, Jésus, fils du Dieu Très-Haut ? Je t'adjure par Dieu, ne me tourmente pas ! » [8]Il lui disait en effet : « Sors de cet homme, esprit impur ! » [9]Et il l'interrogeait : « Quel est ton nom ? » Il dit : « Légion est mon nom, car nous sommes beaucoup. » [10]Et il le suppliait instamment de ne pas les expulser hors du pays. [11]Or il y avait là, sur la montagne, un grand troupeau de porcs en train de paître. [12]Et les esprits impurs supplièrent Jésus en disant : « Envoie-nous vers les porcs, que nous y entrions. » [13]Et il le leur permit. Sortant alors, les esprits impurs entrèrent dans les porcs et le troupeau se précipita du haut de l'escarpement dans la mer, au nombre d'environ deux mille, et ils se noyaient dans la mer. [14]Leurs gardiens prirent la fuite et rapportèrent la nouvelle à la ville et dans les fermes ; et les gens vinrent pour voir qu'est-ce qui s'était passé. [15]Ils arrivent auprès de Jésus et ils le voient le démoniaque assis, vêtu et dans son bon sens, lui qui avait eu la Légion, et ils furent pris de peur. [16]Les témoins leur racontèrent comment cela s'était passé pour le possédé et ce qui était arrivé aux porcs. [17]Alors ils se mirent à prier Jésus de s'éloigner de leur territoire.

[18]Comme il montait dans la barque, l'homme qui avait été possédé le priait pour rester en sa compagnie. [19]Il ne le lui accorda pas, mais il lui dit : « Va chez toi, auprès des tiens, et rapporte-leur tout ce que le Seigneur a fait pour toi dans sa miséricorde. » [20]Il s'en alla donc et se mit à proclamer dans la Décapole tout ce que Jésus avait fait pour lui, et tout le monde était dans l'étonnement.

Guérison d'une hémorroïsse et résurrection de la fille de Jaïre. ‖ Mt 9 18-26. ‖ Lc 8 40-56.

[21]Lorsque Jésus eut traversé à nouveau en barque vers l'autre rive, une foule nombreuse se rassembla autour de lui, et il se tenait au bord de la mer. [22]Arrive alors un des chefs de synagogue, nommé Jaïre, qui, le voyant, tombe à ses pieds [23]et le prie avec instance : « Ma petite fille est à toute extrémité, viens lui imposer les mains pour qu'elle soit sauvée et qu'elle vive. » [24]Il partit avec lui,

et une foule nombreuse le suivait, qui le pressait de tous côtés.

²⁵Or, une femme atteinte d'un flux de sang depuis douze années, ²⁶qui avait beaucoup souffert du fait de nombreux médecins et avait dépensé tout son avoir sans aucun profit, mais allait plutôt de mal en pis, ²⁷avait entendu parler de Jésus ; venant par derrière dans la foule, elle toucha son manteau. ²⁸Car elle se disait : « Si je touche au moins ses vêtements, je serai sauvée. » ²⁹Et aussitôt la source d'où elle perdait le sang fut tarie, et elle sentit dans son corps qu'elle était guérie de son infirmité. ³⁰Et aussitôt Jésus eut conscience de la force qui était sortie de lui, et s'étant retourné dans la foule, il disait : « Qui a touché mes vêtements ? » ³¹Ses disciples lui disaient : « Tu vois la foule qui te presse de tous côtés, et tu dis : Qui m'a touché ? » ³²Et il regardait autour de lui pour voir celle qui avait fait cela. ³³Alors la femme, craintive et tremblante, sachant bien ce qui lui était arrivé, vint se jeter à ses pieds et lui dit toute la vérité. ³⁴Et il lui dit : « Ma fille, ta foi t'a sauvée ; va en paix et sois guérie de ton infirmité. »

³⁵Tandis qu'il parlait encore, arrivent de chez le chef de synagogue des gens qui disent : « Ta fille est morte ; pourquoi déranges-tu encore le Maître ? » ³⁶Mais Jésus, qui avait surpris la parole qu'on venait de prononcer, dit au chef de synagogue : « Sois sans crainte ; aie seulement la foi. » ³⁷Et il ne laissa personne l'accompagner, si ce n'est Pierre, Jacques et Jean, le frère de Jacques. ³⁸Ils arrivent à la maison du chef de synagogue et il aperçoit du tumulte, des gens qui pleuraient et poussaient de grandes clameurs. ³⁹Étant entré, il leur dit : « Pourquoi ce tumulte et ces pleurs ? L'enfant n'est pas morte, mais elle dort. » ⁴⁰Et ils se moquaient de lui. Mais les ayant tous mis dehors, il prend avec lui le père et la mère de l'enfant, ainsi que ceux qui l'accompagnaient, et il pénètre là où était l'enfant. ⁴¹Et prenant la main de l'enfant, il lui dit : « Talitha koum », ce qui se traduit : « Fillette, je te le dis, lève-toi ! » ⁴²Aussitôt la fillette se leva et elle marchait, car elle avait douze ans. Et ils furent saisis aussitôt d'une grande stupeur. ⁴³Et il leur recommanda vivement que personne ne le sût et il dit de lui donner à manger.

Visite à Nazareth. ‖ Mt 13 53-58. ‖ Lc 4 16-30.

6 ¹Étant sorti de là, il se rend dans sa patrie, et ses disciples le suivent. ²Le sabbat venu, il se mit à enseigner dans la synagogue, et le grand nombre en l'entendant étaient frappés et disaient : « D'où cela lui vient-il ? Et qu'est-ce que cette sagesse qui lui a été donnée et ces grands miracles qui se font par ses mains ? ³Celui-là n'est-il pas le charpentier, le fils de Marie, le frère de Jacques, de Joset, de Jude et de Simon ? Et ses sœurs ne sont-elles pas ici chez nous ? » Et ils étaient choqués à son sujet. ⁴Et Jésus leur disait : « Un prophète n'est méprisé que dans sa patrie, dans sa parenté et dans sa maison. » ⁵Et il ne pouvait faire là aucun miracle, si ce n'est qu'il guérit quelques infirmes en leur imposant les mains. [6]Et il s'étonna de leur manque de foi.

Mission des Douze. || Mt 10 1, 9-14. || Lc 9 1-6.

Il parcourait les villages à la ronde en enseignant. [7]Il appelle à lui les Douze et il se mit à les envoyer en mission deux à deux, en leur donnant pouvoir sur les esprits impurs. [8]Et il leur prescrivit de ne rien prendre pour la route qu'un bâton seulement, ni pain, ni besace, ni menue monnaie pour la ceinture, [9]mais : « Allez chaussés de sandales et ne mettez pas deux tuniques. » [10]Et il leur disait : « Où que vous entriez dans une maison, demeurez-y jusqu'à ce que vous partiez de là. [11]Et si un endroit ne vous accueille pas et qu'on ne vous écoute pas, sortez de là et secouez la poussière qui est sous vos pieds, en témoignage contre eux. » [12]Étant partis, ils prêchèrent qu'on se repentît ; [13]et ils chassaient beaucoup de démons et faisaient des onctions d'huile à de nombreux infirmes et les guérissaient.

Hérode et Jésus. || Mt 14 1-2. || Lc 9 7-9.

[14]Le roi Hérode entendit parler de lui, car son nom était devenu célèbre, et l'on disait : Jean le Baptiste est ressuscité d'entre les morts ; d'où les pouvoirs miraculeux qui se déploient en sa personne. » [15]D'autres disaient : « C'est Élie. » Et d'autres disaient : « C'est un prophète comme les autres prophètes. » [16]Hérode donc, en ayant entendu parler, disait : « C'est Jean que j'ai fait décapiter, qui est ressuscité ! »

Exécution de Jean-Baptiste. || Mt 14 3-12. Cf. Lc 3 19-20.

[17]En effet, c'était lui, Hérode, qui avait envoyé arrêter Jean et l'enchaîner en prison, à cause d'Hérodiade, la femme de Philippe son frère qu'il avait épousée. [18]Car Jean disait à Hérode : « Il ne t'est pas permis d'avoir la femme de ton frère. » [19]Quant à Hérodiade, elle était acharnée contre lui et voulait le tuer, mais elle ne le pouvait pas, [20]parce que Hérode craignait Jean, sachant que c'était un homme juste et saint, et il le protégeait ; quand il l'avait entendu, il était fort perplexe, et c'était avec plaisir qu'il l'écoutait. [21]Or vint un jour propice, quand Hérode, à l'anniversaire de sa naissance, fit un banquet pour les grands de sa cour, les officiers et les principaux personnages de la Galilée : [22]la fille de ladite Hérodiade entra et dansa, et elle plut à Hérode et aux convives. Alors le roi dit à la jeune fille : « Demande-moi ce que tu voudras, je te le donnerai. » [23]Et il lui fit un serment : « Tout ce que tu me demanderas, je te le donnerai, jusqu'à la moitié de mon royaume ! » [24]Elle sortit et dit à sa mère : « Que vais-je demander ? » – « La tête de Jean le Baptiste », dit celle-ci. [25]Rentrant aussitôt en hâte auprès du roi, elle lui fit cette demande : « Je veux que tout de suite tu me donnes sur un plat la tête de Jean le Baptiste. » [26]Le roi fut très contristé, mais à cause de ses serments et des convives, il ne voulut pas lui manquer de parole. [27]Et aussitôt le roi envoya un garde en lui ordonnant d'apporter la

tête de Jean. [28]Le garde s'en alla et le décapita dans la prison ; puis il apporta sa tête sur un plat et la donna à la jeune fille, et la jeune fille la donna à sa mère. [29]Les disciples de Jean, l'ayant appris, vinrent prendre son cadavre et le mirent dans un tombeau.

Première multiplication des pains. ‖ Mt **14** 13-21. ‖ Lc **9** 10-17. ‖ Jn **6** 1-13.

[30]Les apôtres se réunissent auprès de Jésus, et ils lui rapportèrent tout ce qu'ils avaient fait et tout ce qu'ils avaient enseigné. [31]Et il leur dit : « Venez vous-mêmes à l'écart, dans un lieu désert, et reposez-vous un peu. » De fait, les arrivants et les partants étaient si nombreux que les apôtres n'avaient pas même le temps de manger. [32]Ils partirent donc dans la barque vers un lieu désert, à l'écart. [33]Les voyant s'éloigner, beaucoup comprirent, et de toutes les villes on accourut là-bas, à pied, et on les devança. [34]En débarquant, il vit une foule très nombreuse et il en eut pitié, parce qu'ils étaient comme des brebis qui n'ont pas de berger, et il se mit à les enseigner longuement. [35]L'heure étant déjà très avancée, ses disciples s'approchèrent et lui dirent : « L'endroit est désert et l'heure est déjà très avancée ; [36]renvoie-les afin qu'ils aillent dans les fermes et les villages d'alentour s'acheter de quoi manger. » [37]Il leur répondit : « Donnez-leur vous-mêmes à manger. » Ils lui disent : « Faudra-t-il que nous allions acheter des pains pour deux cents deniers, afin de leur donner à manger ? » [38]Il leur dit : « Combien de pains avez-vous ? Allez voir. » S'en étant informés, ils disent : « Cinq, et deux poissons. » [39]Alors il leur ordonna de les faire tous s'étendre par groupes de convives sur l'herbe verte. [40]Et ils s'allongèrent à terre par carrés de cent et de cinquante. [41]Prenant alors les cinq pains et les deux poissons, il leva les yeux au ciel, il bénit et rompit les pains, et il les donnait à ses disciples pour les leur servir. Il partagea aussi les deux poissons entre tous. [42]Tous mangèrent et furent rassasiés ; [43]et l'on emporta les morceaux, plein douze couffins avec les restes des poissons. [44]Et ceux qui avaient mangé les pains étaient cinq mille hommes.

Jésus marche sur les eaux. ‖ Mt **14** 22-33. ‖ Jn **6** 16-21.

[45]Et aussitôt il obligea ses disciples à monter dans la barque et à le devancer sur l'autre rive vers Bethsaïde, pendant que lui-même renverrait la foule. [46]Et quand il les eut congédiés, il s'en alla dans la montagne pour prier. [47]Le soir venu, la barque était au milieu de la mer, et lui, seul, à terre. [48]Les voyant s'épuiser à ramer, car le vent leur était contraire, vers la quatrième veille de la nuit il vint vers eux en marchant sur la mer, et il allait les dépasser. [49]Ceux-ci, le voyant marcher sur la mer, crurent que c'était un fantôme et poussèrent des cris ; [50]car tous le virent et furent troublés. Mais lui aussitôt leur parla et leur dit : « Ayez confiance, c'est moi, soyez sans crainte. » [51]Puis il monta auprès d'eux dans la barque et le vent tomba. Et ils étaient

intérieurement au comble de la stupeur, ⁵²car ils n'avaient pas compris le miracle des pains, mais leur esprit était bouché.

Guérisons au pays de Gennésaret. ‖ Mt **14** 34-36.

⁵³Ayant achevé la traversée, ils touchèrent terre à Gennésaret et accostèrent. ⁵⁴Quand ils furent sortis de la barque, aussitôt des gens qui l'avaient reconnu ⁵⁵parcoururent toute cette région et se mirent à transporter les malades sur leurs grabats, là où l'on apprenait qu'il était. ⁵⁶Et en tout lieu où il pénétrait, villages, villes ou fermes, on mettait les malades sur les places et on le priait de les laisser toucher ne fût-ce que la frange de son manteau, et tous ceux qui le touchaient étaient sauvés.

Discussion sur les traditions pharisaïques. ‖ Mt **15** 1-9.

7 ¹Les Pharisiens et quelques scribes venus de Jérusalem se rassemblent auprès de lui, ²et voyant quelques-uns de ses disciples prendre leur repas avec des mains impures, c'est-à-dire non lavées – ³les Pharisiens, en effet, et tous les Juifs ne mangent pas sans s'être lavé les bras jusqu'au coude, conformément à la tradition des anciens, ⁴et ils ne mangent pas au retour de la place publique avant de s'être aspergés d'eau, et il y a beaucoup d'autres pratiques qu'ils observent par tradition : lavages de coupes, de cruches et de plats d'airain –, ⁵donc les Pharisiens et les scribes l'interrogent : « Pourquoi tes disciples ne se comportent-ils pas suivant la tradition des anciens, mais prennent-ils leur repas avec des mains impures ? » ⁶Il leur dit : « Isaïe a bien prophétisé de vous, hypocrites, ainsi qu'il est écrit :

Ce peuple m'honore des lèvres ;
mais leur cœur est loin de moi.
⁷*Vain est le culte qu'ils me rendent,*
les doctrines qu'ils enseignent
ne sont que préceptes humains.

⁸Vous mettez de côté le commandement de Dieu pour vous attacher à la tradition des hommes. » ⁹Et il leur disait : « Vous annulez bel et bien le commandement de Dieu pour observer votre tradition. ¹⁰En effet, Moïse a dit : *Honore ton père et ta mère,* et : *Que celui qui maudit son père ou sa mère soit puni de mort.* ¹¹Mais vous, vous dites : Si un homme dit à son père ou à sa mère : Je déclare korbân (c'est-à-dire offrande sacrée) les biens dont j'aurais pu t'assister, ¹²vous ne le laissez plus rien faire pour son père ou pour sa mère ¹³et vous annulez ainsi la parole de Dieu par la tradition que vous vous êtes transmise. Et vous faites bien d'autres choses du même genre. »

Enseignement sur le pur et l'impur. ‖ Mt **15** 10-20.

¹⁴Et ayant appelé de nouveau la foule près de lui, il leur disait : « Écoutez-moi tous et comprenez ! ¹⁵Il n'est rien d'extérieur à l'homme qui, pénétrant en lui, puisse le souiller, mais ce qui sort de l'homme, voilà ce qui souille l'homme. ¹⁶Si quelqu'un a des oreilles pour entendre, qu'il entende ! »

¹⁷Quand il fut entré dans la

maison, à l'écart de la foule, ses disciples l'interrogeaient sur la parabole. [18]Et il leur dit : « Vous aussi, vous êtes à ce point sans intelligence ? Ne comprenez-vous pas que rien de ce qui pénètre du dehors dans l'homme ne peut le souiller, [19]parce que cela ne pénètre pas dans le cœur, mais dans le ventre, puis s'en va aux lieux d'aisance » (ainsi il déclarait purs tous les aliments). [20]Il disait : « Ce qui sort de l'homme, voilà ce qui souille l'homme. [21]Car c'est du dedans, du cœur des hommes, que sortent les desseins pervers : débauches, vols, meurtres, [22]adultères, cupidités, méchancetés, ruse, impudicité, envie, diffamation, orgueil, déraison. [23]Toutes ces mauvaises choses sortent du dedans et souillent l'homme. »

3. Voyages de Jésus hors de Galilée

Guérison de la fille d'une Syrophénicienne. ‖ Mt 15 21-28.

[24]Partant de là, il s'en alla dans le territoire de Tyr. Étant entré dans une maison, il ne voulait pas que personne le sût, mais il ne put rester ignoré. [25]Car aussitôt une femme, dont la petite fille avait un esprit impur, entendit parler de lui et vint se jeter à ses pieds. [26]Cette femme était grecque, syrophénicienne de naissance, et elle le priait d'expulser le démon hors de sa fille. [27]Et il lui disait : « Laisse d'abord les enfants se rassasier, car il ne sied pas de prendre le pain des enfants et de le jeter aux petits chiens. » [28]Mais elle de répliquer et de lui dire : « Oui, Seigneur ! et les petits chiens sous la table mangent les miettes des enfants ! » [29]Alors il lui dit : « À cause de cette parole, va, le démon est sorti de ta fille. » [30]Elle retourna dans sa maison et trouva l'enfant étendue sur son lit et le démon parti.

Guérison d'un sourd-bègue.

[31]S'en retournant du territoire de Tyr, il vint par Sidon vers la mer de Galilée, à travers le territoire de la Décapole. [32]Et on lui amène un sourd, qui de plus parlait difficilement, et on le prie de lui imposer la main. [33]Le prenant hors de la foule, à part, il lui mit ses doigts dans les oreilles et avec sa salive lui toucha la langue. [34]Puis, levant les yeux au ciel, il poussa un gémissement et lui dit : « *Ephphatha* », c'est-à-dire : « Ouvre-toi ! » [35]Et ses oreilles s'ouvrirent et aussitôt le lien de sa langue se dénoua et il parlait correctement. [36]Et Jésus leur recommanda de ne dire la chose à personne ; mais plus il le leur recommandait, de plus belle ils la proclamaient. [37]Ils étaient frappés au-delà de toute mesure et disaient : « Il a bien fait toutes choses : il fait entendre les sourds et parler les muets. »

Seconde multiplication des pains. ‖ Mt 15 32-39.

8 ¹En ces jours-là, comme il y avait de nouveau une foule nombreuse et qu'ils n'avaient pas de quoi manger, il appela à lui ses disciples et leur dit : ²« J'ai pitié de la foule, car voilà déjà trois jours qu'ils restent auprès de moi et ils n'ont pas de quoi manger. ³Si je les renvoie à jeun chez eux, ils vont défaillir en route, et il y en a parmi eux qui sont venus de loin. » ⁴Ses disciples lui répondirent : « Où prendre de quoi rassasier de pains ces gens, ici, dans un désert ? » ⁵Et il leur demandait : « Combien avez-vous de pains ? » – « Sept », dirent-ils. ⁶Et il ordonne à la foule de s'étendre à terre ; et, prenant les sept pains, il rendit grâces, les rompit et il les donnait à ses disciples pour les servir, et ils les servirent à la foule. ⁷Ils avaient encore quelques petits poissons ; après les avoir bénis, il dit de les servir aussi. ⁸Ils mangèrent et furent rassasiés, et l'on emporta les restes des morceaux : sept corbeilles ! ⁹Or ils étaient environ quatre mille. Et il les renvoya ; ¹⁰et aussitôt, montant dans la barque avec ses disciples, il vint dans la région de Dalmanoutha.

Les Pharisiens demandent un signe dans le ciel. ‖ Mt 16 1-4.

¹¹Les Pharisiens sortirent et se mirent à discuter avec lui ; ils demandaient de lui un signe venant du ciel, pour le mettre à l'épreuve. ¹²Gémissant en son esprit, il dit : « Qu'a cette génération à demander un signe ? En vérité, je vous le dis, il ne sera pas donné de signe à cette génération. » ¹³Et les laissant là, il s'embarqua de nouveau et partit pour l'autre rive.

Le levain des Pharisiens et d'Hérode. ‖ Mt 16 5-12.

¹⁴Ils avaient oublié de prendre des pains et ils n'avaient qu'un pain avec eux dans la barque. ¹⁵Or il leur faisait cette recommandation : « Ouvrez l'œil et gardez-vous du levain des Pharisiens et du levain d'Hérode. » ¹⁶Et eux de faire entre eux cette réflexion, qu'ils n'ont pas de pains. ¹⁷Le sachant, il leur dit : « Pourquoi faire cette réflexion, que vous n'avez pas de pains ? Vous ne comprenez pas encore et vous ne saisissez pas ? Avez-vous donc l'esprit bouché, ¹⁸*des yeux pour ne point voir et des oreilles pour ne point entendre* ? Et ne vous rappelez-vous pas, ¹⁹quand j'ai rompu les cinq pains pour les cinq mille hommes, combien de couffins pleins de morceaux vous avez emportés ? » Ils lui disent : « Douze. » – ²⁰« Et lors des sept pour les quatre mille hommes, combien de corbeilles pleines de morceaux avez-vous emportées ? » Et ils disent : « Sept. » ²¹Alors il leur dit : « Ne comprenez-vous pas encore ? »

Guérison d'un aveugle à Bethsaïde.

²²Ils arrivent à Bethsaïde et on lui amène un aveugle, en le priant de le toucher. ²³Prenant l'aveugle par la main, il le fit sortir hors du village. Après lui avoir mis de la salive sur les yeux et lui avoir imposé les mains, il lui demandait : « Aperçois-tu quelque chose ? » ²⁴Et l'autre, qui commençait à voir,

de répondre : « J'aperçois les gens, je les vois marcher comme si c'étaient des arbres. » ²⁵Après cela, il mit de nouveau ses mains sur les yeux de l'aveugle, et celui-ci vit clair et fut rétabli, et il voyait tout nettement, de loin. ²⁶Et Jésus le renvoya chez lui, en lui disant : « N'entre même pas dans le village. »

Profession de foi de Pierre.
‖ Mt **16** 13-20. ‖ Lc **9** 18-21.

²⁷Jésus s'en alla avec ses disciples vers les villages de Césarée de Philippe, et en chemin il posait à ses disciples cette question : « Qui suis-je, au dire des gens ? » ²⁸Ils lui dirent : « Jean le Baptiste ; pour d'autres, Élie ; pour d'autres, un des prophètes. » – ²⁹« Mais pour vous, leur demandait-il, qui suis-je ? » Pierre lui répond : « Tu es le Christ. » ³⁰Alors il leur enjoignit de ne parler de lui à personne.

Première annonce de la Passion.
‖ Mt **16** 21-23. ‖ Lc **9** 22.

³¹Et il commença de leur enseigner : « Le Fils de l'homme doit beaucoup souffrir, être rejeté par les anciens, les grands prêtres et les scribes, être tué et, après trois jours, ressusciter » ; ³²et c'est ouvertement qu'il disait ces choses. Pierre, le tirant à lui, se mit à le morigéner. ³³Mais lui, se retournant et voyant ses disciples, admonesta Pierre et dit : « Passe derrière moi, Satan ! car tes pensées ne sont pas celles de Dieu, mais celles des hommes ! »

Conditions pour suivre Jésus.
‖ Mt **16** 24-28. ‖ Lc **9** 23-27.

³⁴Appelant à lui la foule en même temps que ses disciples, il leur dit : « Si quelqu'un veut venir à ma suite, qu'il se renie lui-même, qu'il se charge de sa croix, et qu'il me suive. ³⁵Qui veut en effet sauver sa vie la perdra, mais qui perdra sa vie à cause de moi et de l'Évangile la sauvera. ³⁶Que sert donc à l'homme de gagner le monde entier, s'il ruine sa propre vie ? ³⁷Et que peut donner l'homme en échange de sa propre vie ? ³⁸Car celui qui aura rougi de moi et de mes paroles dans cette génération adultère et pécheresse, le Fils de l'homme aussi rougira de lui, quand il viendra dans la gloire de son Père avec les saints anges. »

9 ¹Et il leur disait : « En vérité je vous le dis, il en est d'ici présents qui ne goûteront pas la mort avant d'avoir vu le Royaume de Dieu venu avec puissance. »

La Transfiguration.
‖ Mt **17** 1-8. ‖ Lc **9** 28-36.

²Six jours après, Jésus prend avec lui Pierre, Jacques et Jean et les emmène seuls, à l'écart, sur une haute montagne. Et il fut transfiguré devant eux ³et ses vêtements devinrent resplendissants, d'une telle blancheur qu'aucun foulon sur terre ne peut blanchir de la sorte. ⁴Élie leur apparut avec Moïse et ils s'entretenaient avec Jésus. ⁵Alors Pierre, prenant la parole, dit à Jésus : « Rabbi, il est heureux que nous soyons ici ; faisons donc trois tentes, une pour toi, une pour Moïse et une pour Élie. » ⁶C'est qu'il ne savait que répondre, car ils étaient saisis de frayeur. ⁷Et une nuée survint qui les prit sous son ombre, et une voix partit de la nuée : « Celui-ci est mon Fils bien-aimé ; écoutez-le. » ⁸Soudain, regardant

autour d'eux, ils ne virent plus personne, que Jésus seul avec eux.

Question au sujet d'Élie. ‖ Mt 17 9-13.

[9]Comme ils descendaient de la montagne, il leur ordonna de ne raconter à personne ce qu'ils avaient vu, si ce n'est quand le Fils de l'homme serait ressuscité d'entre les morts. [10]Ils gardèrent la recommandation, tout en se demandant entre eux ce que signifiait « ressusciter d'entre les morts. » [11]Et ils lui posaient cette question : « Pourquoi les scribes disent-ils qu'Élie doit venir d'abord ? » [12]Il leur dit : « Oui, Élie doit venir d'abord et tout remettre en ordre. Et comment est-il écrit du Fils de l'homme qu'il doit beaucoup souffrir et être méprisé ? [13]Mais je vous le dis : Élie est bien déjà venu et ils l'ont traité à leur guise, comme il est écrit de lui. »

Le démoniaque épileptique. ‖ Mt 17 14-21. ‖ Lc **9** 37-42.

[14]En rejoignant les disciples, ils virent une foule nombreuse qui les entourait et des scribes qui discutaient avec eux. [15]Et aussitôt qu'elle l'aperçut, toute la foule fut très surprise et ils accoururent pour le saluer. [16]Et il leur demanda : « De quoi disputez-vous avec eux ? » [17]Quelqu'un de la foule lui dit : « Maître, je t'ai apporté mon fils qui a un esprit muet. [18]Quand il le saisit, il le jette à terre, et il l'écume, grince des dents et devient raide. Et j'ai dit à tes disciples de l'expulser et ils n'en ont pas été capables » – [19]« Engeance incrédule, leur répond-il, jusques à quand serai-je auprès de vous ? Jusques à

quand vous supporterai-je ? Apportez-le-moi. » [20]Et ils le lui apportèrent. Sitôt qu'il vit Jésus, l'esprit secoua violemment l'enfant qui tomba à terre et il s'y roulait en écumant. [21]Et Jésus demanda au père : « Combien de temps y a-t-il que cela lui arrive ? » – « Depuis son enfance, dit-il, [22]et souvent il l'a jeté soit dans le feu soit dans l'eau pour le faire périr. Mais si tu peux quelque chose, viens à notre aide, par pitié pour nous. » – [23]« Si tu peux !... reprit Jésus ; tout est possible à celui qui croit. » [24]Aussitôt le père de l'enfant de s'écrier : « Je crois ! Viens en aide à mon peu de foi ! » [25]Jésus, voyant qu'une foule affluait, menaça l'esprit impur en lui disant : « Esprit muet et sourd, je te l'ordonne, sors de lui et n'y rentre plus. » [26]Après avoir crié et l'avoir violemment secoué, il sortit, et l'enfant devint comme mort, si bien que la plupart disaient : « Il a trépassé ! » [27]Mais Jésus, le prenant par la main, le releva et il se tint debout. [28]Quand il fut rentré à la maison, ses disciples lui demandaient dans le privé : « Pourquoi nous autres, n'avons-nous pu l'expulser ? » [29]Il leur dit : « Cette espèce-là ne peut sortir que par la prière. »

Deuxième annonce de la Passion. ‖ Mt 17 22-23. ‖ Lc **9** 43-45.

[30]Étant partis de là, ils faisaient route à travers la Galilée et il ne voulait pas qu'on le sût. [31]Car il instruisait ses disciples et il leur disait : « Le Fils de l'homme est livré aux mains des hommes et ils le tueront, et quand il aura été tué, après trois jours il ressuscitera. » [32]Mais ils ne comprenaient pas

cette parole et ils craignaient de l'interroger.

Qui est le plus grand ? || Mt 18 1-5. || Lc 9 46-48.

³³Ils vinrent à Capharnaüm ; et, une fois à la maison, il leur demandait : « De quoi discutiez-vous en chemin ? » ³⁴Eux se taisaient, car en chemin ils avaient discuté entre eux qui était le plus grand. ³⁵Alors, s'étant assis, il appela les Douze et leur dit : « Si quelqu'un veut être le premier, il sera le dernier de tous et le serviteur de tous. » ³⁶Puis, prenant un petit enfant, il le plaça au milieu d'eux et, l'ayant embrassé, il leur dit : ³⁷« Quiconque accueille un petit enfant comme celui-ci à cause de mon nom, c'est moi qu'il accueille ; et quiconque m'accueille, ce n'est pas moi qu'il accueille, mais Celui qui m'a envoyé. »

Usage du nom de Jésus. || Lc 9 49-50.

³⁸Jean lui dit : « Maître, nous avons vu quelqu'un expulser des démons en ton nom, quelqu'un qui ne nous suit pas, et nous voulions l'empêcher, parce qu'il ne nous suivait pas. » ³⁹Mais Jésus dit : « Ne l'en empêchez pas, car il n'est personne qui puisse faire un miracle en invoquant mon nom et sitôt après parler mal de moi. ⁴⁰Qui n'est pas contre nous est pour nous. »

Charité envers les disciples. || Mt 10 42.

⁴¹« Quiconque vous donnera à boire un verre d'eau pour ce motif que vous êtes au Christ, en vérité, je vous le dis, il ne perdra pas sa récompense.

Le scandale. || Mt 18 6-9. || Lc 17 1-2.

⁴²« Mais si quelqu'un doit scandaliser l'un de ces petits qui croient, il serait mieux pour lui de se voir passer autour du cou une de ces meules que tournent les ânes et d'être jeté à la mer. ⁴³Et si ta main est pour toi une occasion de péché, coupe-la : mieux vaut pour toi entrer manchot dans la Vie que de t'en aller avec tes deux mains dans la géhenne, dans le feu qui ne s'éteint pas [⁴⁴]. ⁴⁵Et si ton pied est pour toi une occasion de péché, coupe-le : mieux vaut pour toi entrer estropié dans la Vie que d'être jeté avec tes deux pieds dans la géhenne [⁴⁶]. ⁴⁷Et si ton œil est pour toi une occasion de péché, arrache-le : mieux vaut pour toi entrer borgne dans le Royaume de Dieu que d'être jeté avec tes deux yeux dans la géhenne ⁴⁸où *leur ver ne meurt point* et où *le feu ne s'éteint point.* ⁴⁹Car tous seront salés par le feu.

|| Mt 5 13. || Lc 14 34.

⁵⁰C'est une bonne chose que le sel ; mais si le sel devient insipide, avec quoi l'assaisonnerez-vous ? Ayez du sel en vous-mêmes et vivez en paix les uns avec les autres. »

Question sur le divorce. || Mt 19 1-9.

10 ¹Partant de là, il vient dans le territoire de la Judée et au-delà du Jourdain, et de nouveau les foules se rassemblent auprès de lui et, selon sa coutume, de nouveau il les enseignait. ²S'approchant, des Pharisiens lui demandaient : « Est-il permis à un mari de répudier sa femme ? » C'était pour le mettre à l'épreuve. ³Il leur répondit :

« Qu'est-ce que Moïse vous a prescrit ? » – ⁴« Moïse, dirent-ils, a permis de rédiger un acte de divorce et de répudier. » ⁵Alors Jésus leur dit : « C'est en raison de votre dureté de cœur qu'il a écrit pour vous cette prescription. ⁶Mais dès l'origine de la création *Il les fit homme et femme.* ⁷*Ainsi donc l'homme quittera son père et sa mère,* ⁸*et les deux ne feront qu'une seule chair.* Ainsi ils ne sont plus deux, mais une seule chair. ⁹Eh bien ! ce que Dieu a uni, l'homme ne doit point le séparer. » ¹⁰Rentrés à la maison, les disciples l'interrogeaient de nouveau sur ce point. ¹¹Et il leur dit : « Quiconque répudie sa femme et en épouse une autre, commet un adultère à son égard ; ¹²et si une femme répudie son mari et en épouse un autre, elle commet un adultère. »

Jésus et les petits enfants. ‖ Mt 19 13-15. ‖ Lc **18** 15-17.

¹³On lui présentait des petits enfants pour qu'il les touchât, mais les disciples les rabrouèrent. ¹⁴Ce que voyant, Jésus se fâcha et leur dit : « Laissez les petits enfants venir à moi ; ne les empêchez pas, car c'est à leurs pareils qu'appartient le Royaume de Dieu. ¹⁵En vérité je vous le dis : quiconque n'accueille pas le Royaume de Dieu en petit enfant n'y entrera pas. » ¹⁶Puis il les embrassa et les bénit en leur imposant les mains.

L'homme riche. ‖ Mt **19** 16-22. ‖ Lc **18** 18-23.

¹⁷Il se mettait en route quand un homme accourut et, s'agenouillant devant lui, il l'interrogeait : « Bon maître, que dois-je faire pour avoir en héritage la vie éternelle ? » ¹⁸Jésus lui dit : « Pourquoi m'appelles-tu bon ? Nul n'est bon que Dieu seul. ¹⁹Tu connais les commandements : *Ne tue pas, ne commets pas d'adultère, ne vole pas, ne porte pas de faux témoignage, ne fais pas de tort, honore ton père et ta mère.* » ²⁰– « Maître, lui dit-il, tout cela, je l'ai observé dès ma jeunesse. » ²¹Alors Jésus fixa sur lui son regard et l'aima. Et il lui dit : « Une seule chose te manque : va, ce que tu as, vends-le et donne-le aux pauvres, et tu auras un trésor dans le ciel ; puis, viens, suis-moi. » ²²Mais lui, à ces mots, s'assombrit et il s'en alla contristé, car il avait de grands biens.

Le danger des richesses. ‖ Mt 19 23-26. ‖ Lc **18** 24-27.

²³Alors Jésus, regardant autour de lui, dit à ses disciples : « Comme il sera difficile à ceux qui ont des richesses d'entrer dans le Royaume de Dieu ! » ²⁴Les disciples étaient stupéfaits de ces paroles. Mais Jésus reprit et leur dit : « Mes enfants, comme il est difficile d'entrer dans le Royaume de Dieu ! ²⁵Il est plus facile à un chameau de passer par le trou de l'aiguille qu'à un riche d'entrer dans le Royaume de Dieu ! » ²⁶Ils restèrent interdits à l'excès et se disaient les uns aux autres : « Et qui peut être sauvé ? » ²⁷Fixant sur eux son regard, Jésus dit : « Pour les hommes, impossible, mais non pour Dieu : car tout est possible pour Dieu. »

Récompense promise au détachement. ‖ Mt **19** 27-30. ‖ Lc **18** 28-30.

²⁸Pierre se mit à lui dire : « Voici que nous, nous avons tout laissé et nous t'avons suivi. » ²⁹Jésus déclara : « En vérité, je vous le dis, nul n'aura laissé maison, frères, sœurs, mère, père, enfants ou champs à cause de moi et à cause de l'Évangile, ³⁰qui ne reçoive le centuple dès maintenant, au temps présent, en maisons, frères, sœurs, mères, enfants et champs, avec des persécutions, et, dans le monde à venir, la vie éternelle. ³¹Beaucoup de premiers seront derniers et les derniers seront premiers. »

Troisième annonce de la Passion. ‖ Mt **20** 17-19. ‖ Lc **18** 31-33.

³²Ils étaient en route, montant à Jérusalem ; et Jésus marchait devant eux, et ils étaient dans la stupeur, et ceux qui suivaient étaient effrayés. Prenant de nouveau les Douze avec lui, il se mit à leur dire ce qui allait lui arriver : ³³« Voici que nous montons à Jérusalem, et le Fils de l'homme sera livré aux grands prêtres et aux scribes ; ils le condamneront à mort et le livreront aux païens, ³⁴ils le bafoueront, cracheront sur lui, le flagelleront et le tueront, et après trois jours il ressuscitera. »

La demande des fils de Zébédée. ‖ Mt **20** 20-23.

³⁵Jacques et Jean, les fils de Zébédée, avancent vers lui et lui disent : « Maître, nous voulons que tu fasses pour nous ce que nous allons te demander. » ³⁶Il leur dit : « Que voulez-vous que je fasse pour vous ? » – ³⁷« Accorde-nous, lui dirent-ils, de siéger, l'un à ta droite et l'autre à ta gauche, dans ta gloire. » ³⁸Jésus leur dit : « Vous ne savez pas ce que vous demandez. Pouvez-vous boire la coupe que je vais boire et être baptisés du baptême dont je vais être baptisé ? » ³⁹Ils lui dirent : « Nous le pouvons. » Jésus leur dit : « La coupe que je vais boire, vous la boirez, et le baptême dont je vais être baptisé, vous en serez baptisés ; ⁴⁰quant à siéger à ma droite ou à ma gauche, il ne m'appartient pas de l'accorder, mais c'est pour ceux à qui cela a été destiné. »

Les chefs doivent servir. ‖ Mt **20** 24-28. ‖ Lc **22** 24-27.

⁴¹Les dix autres, qui avaient entendu, se mirent à s'indigner contre Jacques et Jean. ⁴²Les ayant appelés près de lui, Jésus leur dit : « Vous savez que ceux qu'on regarde comme les chefs des nations dominent sur elles en maîtres et que les grands leur font sentir leur pouvoir. ⁴³Il ne doit pas en être ainsi parmi vous : au contraire, celui qui voudra devenir grand parmi vous, sera votre serviteur, ⁴⁴et celui qui voudra être le premier parmi vous, sera l'esclave de tous. ⁴⁵Aussi bien, le Fils de l'homme lui-même n'est pas venu pour être servi, mais pour servir et donner sa vie en rançon pour une multitude. »

L'aveugle de la sortie de Jéricho. ‖ Mt **20** 29-34. ‖ Lc **18** 35-43.

⁴⁶Ils arrivent à Jéricho. Et comme il sortait de Jéricho avec ses disciples et une foule considéra-

ble, le fils de Timée (Bartimée), un mendiant aveugle, était assis au bord du chemin. ⁴⁷Quand il apprit que c'était Jésus le Nazarénien, il se mit à crier : « Fils de David, Jésus, aie pitié de moi ! » ⁴⁸Et beaucoup le rabrouaient pour lui imposer silence, mais lui criait de plus belle : « Fils de David, aie pitié de moi ! » ⁴⁹Jésus s'arrêta et dit : « Appelez-le. » On appelle l'aveugle en lui disant : « Aie confiance ! lève-toi, il t'appelle. » ⁵⁰Et lui, rejetant son manteau, bondit et vint à Jésus. ⁵¹Alors Jésus lui adressa la parole : « Que veux-tu que je fasse pour toi ? » L'aveugle lui répondit : « Rabbouni, que je recouvre la vue ! » ⁵²Jésus lui dit : « Va, ta foi t'a sauvé. » Et aussitôt il recouvra la vue et il cheminait à sa suite.

4. Le ministère de Jésus à Jérusalem

Entrée messianique à Jérusalem. ‖ Mt 21 1-11. ‖ Lc 19 28-38. ‖ Jn 12 12-16.

11 ¹Quand ils approchent de Jérusalem, en vue de Bethphagé et de Béthanie, près du mont des Oliviers, il envoie deux de ses disciples, ²en leur disant : « Allez au village qui est en face de vous, et aussitôt, en y pénétrant, vous trouverez, à l'attache, un ânon que personne au monde n'a encore monté. Détachez-le et amenez-le. ³Et si quelqu'un vous dit : "Que faites-vous là ?" Dites : "Le Seigneur en a besoin et aussitôt il va le renvoyer ici." » ⁴Ils partirent et trouvèrent un ânon à l'attache près d'une porte, dehors, sur la rue, et ils le détachent. ⁵Quelques-uns de ceux qui se tenaient là leur dirent : « Qu'avez-vous à détacher cet ânon ? » ⁶Ils dirent comme Jésus leur avait dit, et on les laissa faire. ⁷Ils amènent l'ânon à Jésus et ils mettent sur lui leurs manteaux et il s'assit dessus. ⁸Et beaucoup de gens étendirent leurs manteaux sur le chemin ; d'autres, des jonchées de verdure qu'ils coupaient dans les champs. ⁹Et ceux qui marchaient devant et ceux qui suivaient criaient :

« *Hosanna ! Béni soit celui qui vient au nom du Seigneur !* ¹⁰Béni soit le Royaume qui vient, de notre père David ! *Hosanna* au plus haut des cieux ! » ¹¹Il entra à Jérusalem dans le Temple et, après avoir tout regardé autour de lui, comme il était déjà tard, il sortit pour aller à Béthanie avec les Douze.

Le figuier stérile. ‖ Mt 21 18-19.

¹²Le lendemain, comme ils étaient sortis de Béthanie, il eut faim. ¹³Voyant de loin un figuier qui avait des feuilles, il alla voir s'il y trouverait quelque fruit, mais s'en étant approché, il ne trouva rien que des feuilles : car ce n'était pas la saison des figues. ¹⁴S'adressant au figuier, il lui dit : « Que jamais plus personne ne mange de tes fruits ! » Et ses disciples l'entendaient.

Les vendeurs chassés du Temple.
‖ Mt **21** 12-13, 17. ‖ Lc **19** 45-48. ‖ Jn **2** 14-16.

¹⁵Ils arrivent à Jérusalem. Étant entré dans le Temple, il se mit à chasser les vendeurs et les acheteurs qui s'y trouvaient : il culbuta les tables des changeurs et les sièges des marchands de colombes, ¹⁶et il ne laissait personne transporter d'objet à travers le Temple. ¹⁷Et il les enseignait et leur disait : « N'est-il pas écrit : *Ma maison sera appelée une maison de prière pour toutes les nations* ? Mais vous, vous en avez fait *un repaire de brigands !* » ¹⁸Cela vint aux oreilles des grands prêtres et des scribes et ils cherchaient comment le faire périr ; car ils le craignaient, parce que tout le peuple était ravi de son enseignement. ¹⁹Le soir venu, il s'en allait hors de la ville.

Le figuier desséché. Foi et prière.
‖ Mt **21** 20-22.

²⁰Passant au matin, ils virent le figuier desséché jusqu'aux racines. ²¹Et Pierre, se ressouvenant, lui dit : « Rabbi, regarde : le figuier que tu as maudit est desséché. » ²²En réponse, Jésus lui dit : « Ayez foi en Dieu. ²³En vérité je vous le dis, si quelqu'un dit à cette montagne : "Soulève-toi et jette-toi dans la mer", et s'il n'hésite pas dans son cœur, mais croit que ce qu'il dit va arriver, cela lui sera accordé. ²⁴C'est pourquoi je vous dis : tout ce que vous demandez en priant, croyez que vous l'avez déjà reçu, et cela vous sera accordé. ²⁵Et quand vous êtes debout en prière, si vous avez quelque chose contre quelqu'un, re-

mettez-lui, afin que votre Père qui est aux cieux vous remette aussi vos offenses [²⁶].

Question des Juifs sur l'autorité de Jésus. ‖ Mt **21** 23-27. ‖ Lc **20** 1-8.

²⁷Ils viennent de nouveau à Jérusalem. Et tandis qu'il circule dans le Temple, les grands prêtres, les scribes et les anciens viennent à lui ²⁸et ils lui disaient : « Par quelle autorité fais-tu cela ? ou qui t'a donné cette autorité pour le faire ? » ²⁹Jésus leur dit : « Je vous poserai une seule question. Répondez-moi et je vous dirai par quelle autorité je fais cela. ³⁰Le baptême de Jean était-il du Ciel ou des hommes ? Répondez-moi. » ³¹Or ils se faisaient par-devers eux ce raisonnement : « Si nous disons : "Du Ciel", il dira : "Pourquoi donc n'avez-vous pas cru en lui ?" ³²Mais allons-nous dire : "Des hommes" ? » Ils craignaient la foule car tous tenaient que Jean avait été réellement un prophète. ³³Et ils font à Jésus cette réponse : « Nous ne savons pas. » Et Jésus leur dit : « Moi non plus, je ne vous dis pas par quelle autorité je fais cela. »

Parabole des vignerons homicides. ‖ Mt **21** 33-46. ‖ Lc **20** 9-19.

12 ¹Il se mit à leur parler en paraboles : « Un homme planta une vigne, l'entoura d'une clôture, y creusa un pressoir et y bâtit une tour ; puis il la loua à des vignerons et partit en voyage. ²Il envoya un serviteur aux vignerons, le moment venu, pour recevoir d'eux une part des fruits de la vigne. ³Mais ils se saisirent de lui, le battirent et le renvoyèrent les mains

Discours eschatologique. Introduction. || Mt 24 1-3. || Lc 21 5-7.

13 ¹Comme il s'en allait hors du Temple, un de ses disciples lui dit : « Maître, regarde, quelles pierres ! quelles constructions ! » ²Et Jésus lui dit : « Tu vois ces grandes constructions ? Il n'en restera pas pierre sur pierre qui ne soit jetée bas. »

³Et comme il était assis sur le mont des Oliviers en face du Temple, Pierre, Jacques, Jean et André l'interrogeaient en particulier : ⁴« Dis-nous quand cela aura lieu et quel sera le signe que tout cela va finir ? »

Le commencement des douleurs. || Mt 24 4-14. || Lc 21 8-19.

⁵Alors Jésus se mit à leur dire : « Prenez garde qu'on ne vous abuse. ⁶Il en viendra beaucoup sous mon nom, qui diront : "C'est moi", et ils abuseront bien des gens. ⁷Lorsque vous entendrez parler de guerres et de rumeurs de guerres, ne vous alarmez pas : il faut que cela arrive, mais ce ne sera pas encore la fin. ⁸On se dressera, en effet, nation contre nation et royaume contre royaume. Il y aura par endroits des tremblements de terre, il y aura des famines. Ce sera le commencement des douleurs de l'enfantement.

|| Mt 10 17-22.

⁹« Soyez sur vos gardes. On vous livrera aux sanhédrins, vous serez battus de verges dans les synagogues et vous comparaîtrez devant des gouverneurs et des rois, à cause de moi, pour rendre témoignage en face d'eux. ¹⁰Il faut d'abord que l'Évangile soit proclamé à toutes les nations.

¹¹« Et quand on vous emmènera pour vous livrer, ne vous préoccupez pas de ce que vous direz, mais dites ce qui vous sera donné sur le moment : car ce n'est pas vous qui parlerez, mais l'Esprit Saint. ¹²Le frère livrera son frère à la mort, et le père son enfant ; les enfants se dresseront contre leurs parents et les feront mourir. ¹³Et vous serez haïs de tous à cause de mon nom, mais celui qui aura tenu bon jusqu'au bout, celui-là sera sauvé.

La grande tribulation de Jérusalem. || Mt 24 15-25. || Lc 21 20-24.

¹⁴« Lorsque vous verrez *l'abomination de la désolation* installée là où elle ne doit pas être (que le lecteur comprenne !), alors que ceux qui seront en Judée s'enfuient dans les montagnes, ¹⁵que celui qui sera sur la terrasse ne descende pas pour rentrer dans sa maison et prendre ses affaires ; ¹⁶et que celui qui sera aux champs ne retourne pas en arrière pour prendre son manteau ! ¹⁷Malheur à celles qui seront enceintes et à celles qui allaiteront en ces jours-là ! ¹⁸Priez pour que cela ne tombe pas en hiver. ¹⁹Car en ces jours-là il y aura *une tribulation telle qu'il n'y en a pas eu* de pareille depuis le commencement de la création qu'a créée Dieu *jusqu'à ce jour*, et qu'il n'y en aura jamais plus. ²⁰Et si le Seigneur n'avait abrégé ces jours, nul n'aurait eu la vie sauve ; mais à cause des élus qu'il a choisis, il a abrégé ces jours. ²¹Alors si quelqu'un vous dit : "Voici : le Christ est ici !", "Voici : il est là !", n'en croyez rien. ²²Il surgira, en effet,

des faux Christs et des faux prophètes qui opéreront des signes et des prodiges pour abuser, s'il était possible, les élus. [23]Pour vous, soyez en garde : je vous ai prévenus de tout.

Manifestation glorieuse du Fils de l'homme. ‖ Mt **24** 29-31. ‖ Lc **21** 25-27.

[24]« Mais en ces jours-là, après cette tribulation, le soleil s'obscurcira, la lune ne donnera plus sa lumière, [25]les étoiles se mettront à tomber du ciel et les puissances qui sont dans les cieux seront ébranlées. [26]Et alors on verra le Fils de l'homme venant dans des nuées avec grande puissance et gloire. [27]Et alors il enverra les anges pour rassembler ses élus, des quatre vents, de l'extrémité de la terre à l'extrémité du ciel.

Parabole du figuier. ‖ Mt **24** 32-36. ‖ Lc **21** 29-33.

[28]« Du figuier apprenez cette parabole. Dès que sa ramure devient flexible et que ses feuilles poussent, vous comprenez que l'été est proche. [29]Ainsi vous, lorsque vous verrez cela arriver, comprenez qu'Il est proche, aux portes. [30]En vérité je vous le dis, cette génération ne passera pas que tout cela ne soit arrivé. [31]Le ciel et la terre passeront, mais mes paroles ne passeront point.

[32]« Quant à la date de ce jour, ou à l'heure, personne ne les connaît, ni les anges dans le ciel, ni le Fils, personne que le Père.

Veiller pour ne pas être surpris. ‖ Mt **24** 42 ; **25** 13-15. ‖ Lc **19** 12-13 ; **12** 38, 40.

[33]« Soyez sur vos gardes, veillez, car vous ne savez pas quand ce sera le moment. [34]Il en sera comme d'un homme parti en voyage : il a quitté sa maison, donné pouvoir à ses serviteurs, à chacun sa tâche, et au portier il a recommandé de veiller. [35]Veillez donc, car vous ne savez pas quand le maître de la maison va venir, le soir, à minuit, au chant du coq ou le matin, [36]de peur que, venant à l'improviste, il ne vous trouve endormis. [37]Et ce que je vous dis à vous, je le dis à tous : veillez ! »

5. *La passion et la résurrection de Jésus*

Complot contre Jésus. ‖ Mt **26** 2-5. ‖ Lc **22** 1-2.

14 [1]La Pâque et les Azymes allaient avoir lieu dans deux jours, et les grands prêtres et les scribes cherchaient comment arrêter Jésus par ruse pour le tuer. [2]Car ils se disaient : « Pas en pleine fête, de peur qu'il n'y ait du tumulte parmi le peuple. »

L'onction à Béthanie. ‖ Mt **26** 6-13. ‖ Jn **12** 1-8.

[3]Comme il se trouvait à Béthanie, chez Simon le lépreux, alors qu'il était à table, une femme vint, avec un flacon d'albâtre contenant un nard pur de grand prix. Brisant le flacon, elle le lui versa sur la tête. [4]Or il y en eut qui s'indignèrent entre eux : « À quoi bon ce

gaspillage de parfum ? ⁵Ce parfum pouvait être vendu de trois cents deniers et donné aux pauvres. » Et ils la rudoyaient. ⁶Mais Jésus dit : « Laissez-la ; pourquoi la tracassez-vous ? C'est une bonne œuvre qu'elle a accomplie sur moi. ⁷Les pauvres, en effet, vous les aurez toujours avec vous et, quand vous le voudrez, vous pourrez leur faire du bien, mais moi, vous ne m'aurez pas toujours. ⁸Elle a fait ce qui était en son pouvoir : d'avance elle a parfumé mon corps pour l'ensevelissement. ⁹En vérité, je vous le dis, partout où sera proclamé l'Évangile, au monde entier, on redira aussi, à sa mémoire, ce qu'elle vient de faire. »

La trahison de Judas. || Mt 26 14-16. || Lc 22 3-6.

¹⁰Judas Iscarioth, l'un des Douze, s'en alla auprès des grands prêtres pour le leur livrer. ¹¹À cette nouvelle ils se réjouirent et ils promirent de lui donner de l'argent. Et il cherchait une occasion favorable pour le livrer.

Préparatifs du repas pascal. || Mt 26 17-19. || Lc 22 7-13.

¹²Le premier jour des Azymes, où l'on immolait la Pâque, ses disciples lui disent : « Où veux-tu que nous allions faire les préparatifs pour que tu manges la Pâque ? » ¹³Il envoie alors deux de ses disciples, en leur disant : « Allez à la ville ; vous rencontrerez un homme portant une cruche d'eau. Suivez-le, ¹⁴et là où il entrera, dites au propriétaire : "Le Maître te fait dire : Où est ma salle, où je pourrai manger la Pâque avec mes disciples ?" ¹⁵Et il vous montrera, à l'étage, une grande pièce garnie de coussins, toute prête ; faites-y pour nous les préparatifs. » ¹⁶Les disciples partirent et vinrent à la ville, et ils trouvèrent comme il leur avait dit, et ils préparèrent la Pâque.

Annonce de la trahison de Judas. || Mt 26 20-25. || Lc 22 14, 21-23. || Jn 13 21-30.

¹⁷Le soir venu, il arrive avec les Douze. ¹⁸Et tandis qu'ils étaient à table et qu'ils mangeaient, Jésus dit : « En vérité, je vous le dis, l'un de vous me livrera, un *qui mange avec moi.* » ¹⁹Ils devinrent tout tristes et se mirent à lui dire l'un après l'autre : « Serait-ce moi ? » ²⁰Il leur dit : « C'est l'un des Douze, qui plonge avec moi la main dans le même plat. ²¹Oui, le Fils de l'homme s'en va selon qu'il est écrit de lui ; mais malheur à cet homme-là par qui le Fils de l'homme est livré ! Mieux eût valu pour cet homme-là de ne pas naître ! »

Institution de l'Eucharistie. || Mt 26 26-29. || Lc 22 15-20. || 1 Co 11 23-25.

²²Et tandis qu'ils mangeaient, il prit du pain, le bénit, le rompit et le leur donna en disant : « Prenez, ceci est mon corps. » ²³Puis, prenant une coupe, il rendit grâces et la leur donna, et ils en burent tous. ²⁴Et il leur dit : « Ceci est mon sang, le sang de l'alliance, qui va être répandu pour une multitude. ²⁵En vérité, je vous le dis, je ne boirai plus du produit de la vigne jusqu'au jour où je boirai le vin nouveau dans le Royaume de Dieu. »

Prédiction du reniement de Pierre. ‖ Mt 26 30-35. ‖ Lc 22 39, 31-34. ‖ Jn 13 36-38.

²⁶Après le chant des psaumes, ils partirent pour le mont des Oliviers. ²⁷Et Jésus leur dit : « Tous vous allez succomber, car il est écrit : *Je frapperai le pasteur et les brebis seront dispersées.* ²⁸Mais après ma résurrection, je vous précéderai en Galilée. » ²⁹Pierre lui dit : « Même si tous succombent, du moins pas moi ! » ³⁰Jésus lui dit : « En vérité, je te le dis : toi, aujourd'hui, cette nuit même, avant que le coq chante deux fois, tu m'auras renié trois fois. » ³¹Mais lui reprenait de plus belle : « Dussé-je mourir avec toi, non, je ne te renierai pas. » Et tous disaient de même.

À Gethsémani. ‖ Mt 26 36-46. ‖ Lc 22 40-46.

³²Ils parviennent à un domaine du nom de Gethsémani, et il dit à ses disciples : « Restez ici tandis que je prierai. » ³³Puis il prend avec lui Pierre, Jacques et Jean, et il commença à ressentir effroi et angoisse. ³⁴Et il leur dit : « Mon âme est triste à en mourir ; demeurez ici et veillez. » ³⁵Étant allé un peu plus loin, il tombait à terre, et il priait pour que, s'il était possible, cette heure passât loin de lui. ³⁶Et il disait : « Abba (Père) ! tout t'est possible : éloigne de moi cette coupe ; pourtant, pas ce que je veux, mais ce que tu veux ! » ³⁷Il vient et les trouve en train de dormir ; et il dit à Pierre : « Simon, tu dors ? Tu n'as pas eu la force de veiller une heure ? ³⁸Veillez et priez pour ne pas entrer en tentation : l'esprit est ardent, mais la chair est faible. » ³⁹Puis il s'en alla de nouveau et pria, en disant les mêmes paroles. ⁴⁰De nouveau il vint et les trouva endormis, car leurs yeux étaient alourdis ; et ils ne savaient que lui répondre. ⁴¹Une troisième fois il vient et leur dit : « Désormais vous pouvez dormir et vous reposer. C'en est fait. L'heure est venue : voici que le Fils de l'homme va être livré aux mains des pécheurs. ⁴²Levez-vous ! Allons ! Voici que celui qui me livre est tout proche. »

L'arrestation de Jésus. ‖ Mt 26 47-56. ‖ Lc 22 47-53. ‖ Jn 18 2-11.

⁴³Et aussitôt, comme il parlait encore, survient Judas, l'un des Douze, et avec lui une bande armée de glaives et de bâtons, venant de la part des grands prêtres, des scribes et des anciens. ⁴⁴Or, le traître leur avait donné ce signe convenu : « Celui à qui je donnerai un baiser, c'est lui ; arrêtez-le et emmenez-le sous bonne garde. » ⁴⁵Et aussitôt arrivé, il s'approcha de lui en disant : « Rabbi », et il lui donna un baiser. ⁴⁶Les autres mirent la main sur lui et l'arrêtèrent. ⁴⁷Alors l'un des assistants, dégainant son glaive, frappa le serviteur du Grand Prêtre et lui enleva l'oreille. ⁴⁸S'adressant à eux, Jésus leur dit : « Suis-je un brigand, que vous vous soyez mis en campagne avec des glaives et des bâtons pour me saisir ! ⁴⁹Chaque jour j'étais auprès de vous dans le Temple, à enseigner, et vous ne m'avez pas arrêté. Mais c'est pour que les Écritures s'accomplissent. » ⁵⁰Et, l'abandonnant, ils prirent tous la fuite. ⁵¹Un jeune

homme le suivait, n'ayant pour tout vêtement qu'un drap, et on le saisit ; [52]mais lui, lâchant le drap, s'enfuit tout nu.

Jésus devant le Sanhédrin. || Mt 26 57-68. || Lc 22 54, 63-71. || Jn 18 15-16, 18.

[53]Ils emmenèrent Jésus chez le Grand Prêtre, et tous les grands prêtres, les anciens et les scribes se rassemblent. [54]Pierre l'avait suivi de loin jusqu'à l'intérieur du palais du Grand Prêtre et, assis avec les valets, il se chauffait à la flambée. [55]Or, les grands prêtres et tout le Sanhédrin cherchaient un témoignage contre Jésus pour le faire mourir et ils n'en trouvaient pas. [56]Car plusieurs déposaient faussement contre lui et leurs témoignages ne concordaient pas. [57]Quelques-uns se levèrent pour porter contre lui ce faux témoignage : [58]« Nous l'avons entendu qui disait : Je détruirai ce Sanctuaire fait de main d'homme et en trois jours j'en rebâtirai un autre qui ne sera pas fait de main d'homme. » [59]Et sur cela même leurs dépositions n'étaient pas d'accord. [60]Se levant alors au milieu, le Grand Prêtre interrogea Jésus : « Tu ne réponds rien ? Qu'est-ce que ces gens attestent contre toi ? » [61]Mais lui se taisait et ne répondit rien. De nouveau le Grand Prêtre l'interrogeait, et il lui dit : « Tu es le Christ, le Fils du Béni ? »—[62]« Je le suis, dit Jésus, et vous verrez *le Fils de l'homme siégeant à la droite de la Puissance et venant avec les nuées du ciel.* » [63]Alors le Grand Prêtre déchira ses tuniques et dit : « Qu'avons-nous encore besoin de témoins ? [64]Vous avez entendu le blasphème ; que vous en

semble ? » Tous prononcèrent qu'il était passible de mort.

[65]Et quelques-uns se mirent à lui cracher au visage, à le gifler et à lui dire : « Fais le prophète ! » Et les valets le bourrèrent de coups.

Reniements de Pierre. || Mt 26 69-75. || Lc 22 55-62. || Jn 18 15-18, 25-27.

[66]Comme Pierre était en bas dans la cour, arrive une des servantes du Grand Prêtre. [67]Voyant Pierre qui se chauffait, elle le dévisagea et dit : « Toi aussi, tu étais avec le Nazarénien Jésus. » [68]Mais lui nia en disant : « Je ne sais pas, je ne comprends pas ce que tu dis. » Puis il se retira dehors vers le vestibule et un coq chanta. [69]La servante, l'ayant vu, recommença à dire aux assistants : « Celui-là en est ! » [70]Mais de nouveau il niait. Peu après, à leur tour, les assistants disaient à Pierre : « Vraiment tu en es ; et d'ailleurs tu es Galiléen. » [71]Mais il se mit à jurer avec force imprécations : « Je ne connais pas cet homme dont vous parlez. » [72]Et aussitôt, pour la seconde fois, un coq chanta. Et Pierre se ressouvint de la parole que Jésus lui avait dite : « Avant que le coq chante deux fois, tu m'auras renié trois fois. » Et il éclata en sanglots.

Jésus devant Pilate. || Mt 27 1-2, 11-26. || Lc 22 66 ; 23 1-5, 13-25. || Jn 18 28 – 19 1 ; 19 4-16.

15 [1]Et aussitôt, le matin, les grands prêtres préparèrent un conseil avec les anciens, les scribes, et tout le Sanhédrin ; puis, après avoir ligoté Jésus, ils l'emmenèrent et le livrèrent à Pilate.

[2]Pilate l'interrogea : « Tu es le roi des Juifs ? » Jésus lui répond :

« Tu le dis. » ³Et les grands prêtres multipliaient contre lui les accusations. ⁴Et Pilate de l'interroger à nouveau : « Tu ne réponds rien ? Vois tout ce dont ils t'accusent ! » ⁵Mais Jésus ne répondit plus rien, si bien que Pilate était étonné.

⁶À chaque Fête, il leur relâchait un prisonnier, celui qu'ils demandaient. ⁷Or, il y avait en prison le nommé Barabbas, arrêté avec les émeutiers qui avaient commis un meurtre dans la sédition. ⁸La foule, étant montée, se mit à demander la grâce accoutumée. ⁹Pilate leur répondit : « Voulez-vous que je vous relâche le roi des Juifs ? » ¹⁰Il se rendait bien compte que c'était par jalousie que les grands prêtres l'avaient livré. ¹¹Cependant, les grands prêtres excitèrent la foule à demander qu'il leur relâchât plutôt Barabbas. ¹²Pilate, prenant de nouveau la parole, leur disait : « Que ferai-je donc de celui que vous appelez le roi des Juifs ? » ¹³Mais eux crièrent de nouveau : « Crucifie-le ! » ¹⁴Et Pilate de leur dire : « Qu'a-t-il donc fait de mal ? » Mais ils n'en crièrent que plus fort : « Crucifie-le ! » ¹⁵Pilate alors, voulant contenter la foule, leur relâcha Barabbas et, après avoir fait flageller Jésus, il le livra pour être crucifié.

Le couronnement d'épines. || Mt 27 27-31. || Jn 19 1-3.

¹⁶Les soldats l'emmenèrent à l'intérieur du palais, qui est le Prétoire, et ils convoquent toute la cohorte. ¹⁷Ils le revêtent de pourpre, puis, ayant tressé une couronne d'épines, ils la lui mettent. ¹⁸Et ils se mirent à le saluer : « Salut, roi des Juifs ! » ¹⁹Et ils lui frappaient la tête avec un roseau et ils lui crachaient dessus, et ils ployaient le genou devant lui pour lui rendre hommage. ²⁰Puis, quand ils se furent moqués de lui, ils lui ôtèrent la pourpre et lui remirent ses vêtements.

Le chemin de croix. || Mt 27 32-33. || Lc 23 26. || Jn 19 17.

Ils le mènent dehors afin de le crucifier. ²¹Et ils requièrent, pour porter sa croix, Simon de Cyrène, le père d'Alexandre et de Rufus, qui passait par là, revenant des champs. ²²Et ils amènent Jésus au lieu dit Golgotha, ce qui se traduit lieu du Crâne.

Le crucifiement. || Mt 27 34-38. || Lc 23 33-34. || Jn 19 18-24.

²³Et ils lui donnaient du vin parfumé de myrrhe, mais il n'en prit pas. ²⁴Puis ils le crucifient et se partagent ses vêtements en tirant au sort ce qui reviendrait à chacun. ²⁵C'était la troisième heure quand ils le crucifièrent. ²⁶L'inscription qui indiquait le motif de sa condamnation était libellée : « Le roi des Juifs. » ²⁷Et avec lui ils crucifient deux brigands, l'un à sa droite, l'autre à sa gauche [²⁸].

Jésus en croix raillé et outragé. || Mt 27 39-44. || Lc 23 35-37.

²⁹Les passants l'injuriaient en hochant la tête et disant : « Hé ! toi qui détruis le Sanctuaire et le rebâtis en trois jours, ³⁰sauve-toi toi-même en descendant de la croix ! » ³¹Pareillement les grands prêtres se gaussaient entre eux avec les scribes et disaient : « Il en a sauvé d'autres et il ne peut se

L'Évangile
selon saint Luc

Voir l'introduction, p. 1636.

Prologue.

1 ¹Puisque beaucoup ont entrepris de composer un récit des événements qui se sont accomplis parmi nous, ²d'après ce que nous ont transmis ceux qui furent dès le début témoins oculaires et serviteurs de la Parole, ³j'ai décidé, moi aussi, après m'être informé exactement de tout depuis les origines d'en écrire pour toi l'exposé suivi, excellent Théophile, ⁴pour que tu te rendes bien compte de la sûreté des enseignements que tu as reçus.

1. Naissance et vie cachée de Jean-Baptiste et de Jésus

Annonce de la naissance de Jean-Baptiste.

⁵Il y eut aux jours d'Hérode, roi de Judée, un prêtre du nom de Zacharie, de la classe d'Abia, et il avait pour femme une descendante d'Aaron, dont le nom était Élisabeth. ⁶Tous deux étaient justes devant Dieu, et ils suivaient, irréprochables, tous les commandements et observances du Seigneur. ⁷Mais ils n'avaient pas d'enfant, parce qu'Élisabeth était stérile et que tous deux étaient avancés en âge.

⁸Or il advint, comme il remplissait devant Dieu les fonctions sacerdotales au tour de sa classe, ⁹qu'il fut, suivant la coutume sacerdotale, désigné par le sort pour entrer dans le sanctuaire du Seigneur et y brûler l'encens. ¹⁰Et toute la multitude du peuple était en prière, dehors, à l'heure de l'encens.

¹¹Alors lui apparut l'Ange du Seigneur, debout à droite de l'autel de l'encens. ¹²À cette vue, Zacharie fut troublé et la crainte fondit sur lui. ¹³Mais l'ange lui dit : « Sois sans crainte, Zacharie, car ta supplication a été exaucée ; ta femme Élisabeth t'enfantera un fils, et tu l'appelleras du nom de Jean. ¹⁴Tu auras joie et allégresse, et beaucoup se réjouiront de sa naissance. ¹⁵Car il sera grand devant le Seigneur ; il ne boira ni vin ni boisson forte ; il sera rempli d'Esprit Saint dès le sein de sa mère ¹⁶et il ramènera de nombreux fils d'Israël au Seigneur, leur Dieu. ¹⁷Il marchera devant lui avec l'esprit et la puissance d'Élie, *pour ramener le cœur des pères vers les enfants* et les re-

belles à la prudence des justes, préparant au Seigneur un peuple bien disposé. » ¹⁸Zacharie dit à l'ange : « *A quoi connaîtrai-je cela ?* Car moi je suis un vieillard et ma femme est avancée en âge. » ¹⁹Et l'ange lui répondit : « Moi je suis Gabriel, qui me tiens devant Dieu, et j'ai été envoyé pour te parler et t'annoncer cette bonne nouvelle. ²⁰Et voici que tu vas être réduit au silence et sans pouvoir parler jusqu'au jour où ces choses arriveront, parce que tu n'as pas cru à mes paroles, lesquelles s'accompliront en leur temps. » ²¹Le peuple cependant attendait Zacharie et s'étonnait qu'il s'attardât dans le sanctuaire. ²²Mais quand il sortit, il ne pouvait leur parler, et ils comprirent qu'il avait eu une vision dans le sanctuaire. Pour lui, il leur faisait des signes et demeurait muet.

²³Et il advint, quand ses jours de service furent accomplis, qu'il s'en retourna chez lui. ²⁴Quelque temps après, sa femme Élisabeth conçut, et elle se tenait cachée cinq mois durant. ²⁵« Voilà donc, disait-elle, ce qu'a fait pour moi le Seigneur, au temps où il lui a plu d'enlever mon opprobre parmi les hommes ! »

L'Annonciation.

²⁶Le sixième mois, l'ange Gabriel fut envoyé par Dieu dans une ville de Galilée, du nom de Nazareth, ²⁷à une vierge fiancée à un homme du nom de Joseph, de la maison de David ; et le nom de la vierge était Marie. ²⁸Il entra et lui dit : « Réjouis-toi, comblée de grâce, le Seigneur est avec toi. » ²⁹À cette parole elle fut toute troublée, et elle se demandait ce que signi-

fiait cette salutation. ³⁰Et l'ange lui dit : « Sois sans crainte, Marie ; car tu as trouvé grâce auprès de Dieu. ³¹Voici que tu concevras dans ton sein et enfanteras un fils, et tu l'appelleras du nom de Jésus. ³²Il sera grand, et sera appelé Fils du Très-Haut. Le Seigneur Dieu lui donnera le trône de David, son père ; ³³il régnera sur la maison de Jacob pour les siècles et son règne n'aura pas de fin. » ³⁴Mais Marie dit à l'ange : « Comment cela sera-t-il, puisque je ne connais pas d'homme ? » ³⁵L'ange lui répondit : « L'Esprit Saint viendra sur toi, et la puissance du Très-Haut te prendra sous son ombre ; c'est pourquoi l'être saint qui naîtra sera appelé Fils de Dieu. ³⁶Et voici qu'Élisabeth, ta parente, vient, elle aussi, de concevoir un fils dans sa vieillesse, et elle en est à son sixième mois, elle qu'on appelait la stérile ; ³⁷*car rien n'est impossible à Dieu.* » ³⁸Marie dit alors : « Je suis la servante du Seigneur ; qu'il m'advienne selon ta parole ! » Et l'ange la quitta.

La Visitation.

³⁹En ces jours-là, Marie partit et se rendit en hâte vers la région montagneuse, dans une ville de Juda. ⁴⁰Elle entra chez Zacharie et salua Élisabeth. ⁴¹Et il advint, dès qu'Élisabeth eut entendu la salutation de Marie, que l'enfant tressaillit dans son sein et Élisabeth fut remplie d'Esprit Saint. ⁴²Alors elle poussa un grand cri et dit : « Bénie es-tu entre les femmes, et béni le fruit de ton sein ! ⁴³Et comment m'est-il donné que vienne à moi la mère de mon Seigneur ? ⁴⁴Car, vois-tu, dès l'instant où ta salutation a frappé mes oreilles, l'enfant a tressailli

d'allégresse en mon sein. ⁴⁵Oui, bienheureuse celle qui a cru en l'accomplissement de ce qui lui a été dit de la part du Seigneur ! »

Le cantique de Marie.

⁴⁶Marie dit alors :
« Mon âme exalte le Seigneur,
⁴⁷et mon esprit *tressaille de joie en Dieu mon Sauveur,*
⁴⁸parce qu'*il a jeté les yeux sur l'abaissement de sa servante.*

Oui, désormais toutes les générations me diront bienheureuse,
⁴⁹car le Tout-Puissant a fait pour moi de grandes choses.
Saint est son nom,
⁵⁰et sa *miséricorde s'étend d'âge en âge sur ceux qui le craignent.*
⁵¹Il a déployé la force de son bras, il a dispersé les hommes au cœur superbe.
⁵²*Il a renversé les potentats* de leurs trônes *et élevé les humbles,*
⁵³*Il a comblé de biens les affamés* et renvoyé les riches les mains vides.
⁵⁴*Il est venu en aide à Israël,* son *serviteur,*
se souvenant de sa miséricorde,
⁵⁵ – selon qu'il l'avait annoncé à nos pères –
en faveur d'Abraham et de sa postérité à jamais ! »
⁵⁶Marie demeura avec elle environ trois mois, puis elle s'en retourna chez elle.

Naissance de Jean-Baptiste et visite des voisins.

⁵⁷Quant à Élisabeth, le temps fut accompli où elle devait enfanter, et elle mit au monde un fils. ⁵⁸Ses voisins et ses proches apprirent que le Seigneur avait fait éclater sa miséricorde à son égard, et ils s'en réjouissaient avec elle.

Circoncision de Jean-Baptiste.

⁵⁹Et il advint, le huitième jour, qu'ils vinrent pour circoncire l'enfant. On voulait l'appeler Zacharie, du nom de son père ; ⁶⁰mais, prenant la parole, sa mère dit : « Non, il s'appellera Jean. » ⁶¹Et on lui dit : « Il n'y a personne de ta parenté qui porte ce nom ! » ⁶²Et l'on demandait par signes au père comment il voulait qu'on l'appelât. ⁶³Celui-ci demanda une tablette et écrivit : « Jean est son nom » ; et ils en furent tous étonnés. ⁶⁴À l'instant même, sa bouche s'ouvrit et sa langue se délia, et il parlait et bénissait Dieu. ⁶⁵La crainte s'empara de tous leurs voisins, et dans la montagne de Judée tout entière on racontait toutes ces choses. ⁶⁶Tous ceux qui en entendirent parler les mirent dans leur cœur, en disant : « Que sera donc cet enfant ? » Et, de fait, la main du Seigneur était avec lui.

Le cantique de Zacharie.

⁶⁷Et Zacharie, son père, fut rempli d'Esprit Saint et se mit à prophétiser :
⁶⁸« *Béni soit le Seigneur, le Dieu d'Israël,*
de ce qu'il a visité et *délivré son peuple,*
⁶⁹et nous a suscité une puissance de salut
dans la maison de David, son serviteur,
⁷⁰selon qu'il l'avait annoncé
par la bouche de ses saints prophètes des temps anciens,
⁷¹pour nous sauver de nos *ennemis*

et *de la main de* tous *ceux qui nous haïssent.*

⁷²Ainsi fait-il *miséricorde* à *nos pères,*

ainsi *se souvient-il de son alliance* sainte,

⁷³du serment qu'il a juré
à Abraham, notre père,
de nous accorder ⁷⁴que, sans crainte,
délivrés de la main de nos ennemis,
nous le servions ⁷⁵en sainteté et justice
devant lui, tout au long de nos jours.

⁷⁶Or toi aussi, petit enfant,
tu seras appelé prophète du Très-Haut ;
car tu marcheras devant *le Seigneur,*
pour lui *préparer les voies,*
⁷⁷pour donner à son peuple la connaissance du salut
par la rémission de ses péchés ;
⁷⁸grâce aux sentiments de miséricorde de notre Dieu,
dans lesquels nous a visités l'Astre d'en haut,
⁷⁹pour illuminer *ceux qui demeurent*
dans les ténèbres et l'ombre de la mort,
afin de guider nos pas
dans le *chemin de la paix.* »

Vie cachée de Jean-Baptiste.

⁸⁰Cependant l'enfant grandissait, et son esprit se fortifiait. Et il demeurait dans les déserts jusqu'au jour de sa manifestation à Israël ;

Naissance de Jésus et visite des bergers.

2 ¹Or, il advint, en ces jours-là, que parut un édit de César Auguste, ordonnant le recensement de tout le monde habité. ²Ce recensement, le premier, eut lieu pendant que Quirinius était gouverneur de Syrie. ³Et tous allaient se faire recenser, chacun dans sa ville. ⁴Joseph aussi monta de Galilée, de la ville de Nazareth, en Judée, à la ville de David, qui s'appelle Bethléem, – parce qu'il était de la maison et de la lignée de David – ⁵afin de se faire recenser avec Marie, sa fiancée, qui était enceinte. ⁶Or il advint, comme ils étaient là, que les jours furent accomplis où elle devait enfanter. ⁷Elle enfanta son fils premier-né, l'enveloppa de langes et le coucha dans une crèche, parce qu'ils manquaient de place dans la salle.

⁸Il y avait dans la même région des bergers qui vivaient aux champs et gardaient leurs troupeaux durant les veilles de la nuit. ⁹L'Ange du Seigneur se tint près d'eux et la gloire du Seigneur les enveloppa de sa clarté ; et ils furent saisis d'une grande crainte. ¹⁰Mais l'ange leur dit : « Soyez sans crainte, car voici que je vous annonce une grande joie, qui sera celle de tout le peuple : ¹¹aujourd'hui vous est né un Sauveur, qui est le Christ Seigneur, dans la ville de David. ¹²Et ceci vous servira de signe : vous trouverez un nouveau-né enveloppé de langes et couché dans une crèche. » ¹³Et soudain se joignit à l'ange une troupe nombreuse de l'armée céleste, qui louait Dieu, en disant :

¹⁴« Gloire à Dieu au plus haut des cieux
et sur la terre paix aux hommes objets de sa complaisance ! »

¹⁵Et il advint, quand les anges

les eurent quittés pour le ciel, que les bergers se dirent entre eux : « Allons jusqu'à Bethléem et voyons ce qui est arrivé et que le Seigneur nous a fait connaître. » [16]Ils vinrent donc en hâte et trouvèrent Marie, Joseph et le nouveau-né couché dans la crèche. [17]Ayant vu, ils firent connaître ce qui leur avait été dit de cet enfant ; [18]et tous ceux qui les entendirent furent étonnés de ce que leur disaient les bergers. [19]Quant à Marie, elle conservait avec soin toutes ces choses, les méditant en son cœur. [20]Puis les bergers s'en retournèrent, glorifiant et louant Dieu pour tout ce qu'ils avaient entendu et vu, suivant ce qui leur avait été annoncé.

Circoncision de Jésus.

[21]Et lorsque furent accomplis les huit jours pour sa circoncision, il fut appelé du nom de Jésus, nom indiqué par l'ange avant sa conception.

Présentation de Jésus au Temple.

[22]Et lorsque furent accomplis les jours pour leur purification, selon la loi de Moïse, ils l'emmenèrent à Jérusalem pour le présenter au Seigneur, [23]selon qu'il est écrit dans la Loi du Seigneur : *Tout garçon premier-né sera consacré au Seigneur*, [24]et pour offrir en sacrifice, suivant ce qui est dit dans la Loi du Seigneur, *un couple de tourterelles ou deux jeunes colombes*. [25]Et voici qu'il y avait à Jérusalem un homme du nom de Syméon. Cet homme était juste et pieux ; il attendait la consolation d'Israël et l'Esprit Saint reposait sur lui. [26]Et il avait été divinement averti par l'Esprit Saint qu'il ne verrait pas la mort avant d'avoir vu le Christ du Seigneur. [27]Il vint donc au Temple, poussé par l'Esprit, et quand les parents apportèrent le petit enfant Jésus pour accomplir les prescriptions de la Loi à son égard, [28]il le reçut dans ses bras, bénit Dieu et dit :

Le cantique de Syméon.

[29]« Maintenant, Souverain Maître, tu peux, selon ta parole,
laisser ton serviteur s'en aller en paix ;
[30]car mes yeux ont vu ton salut,
[31]que tu as préparé à la face de tous les peuples,
[32]lumière pour éclairer les nations et gloire de ton peuple Israël. »

Prophétie de Syméon.

[33]Son père et sa mère étaient dans l'étonnement de ce qui se disait de lui. [34]Syméon les bénit et dit à Marie, sa mère : « Vois ! cet enfant doit amener la chute et le relèvement d'un grand nombre en Israël ; il doit être un signe en butte à la contradiction, – [35]et toi-même, une épée te transpercera l'âme ! – afin que se révèlent les pensées intimes de bien des cœurs. »

Prophétie d'Anne.

[36]Il y avait aussi une prophétesse, Anne, fille de Phanouel, de la tribu d'Aser. Elle était fort avancée en âge. Après avoir, depuis sa virginité, vécu sept ans avec son mari, [37]elle était restée veuve ; parvenue à l'âge de 84 ans, elle ne quittait pas le Temple, servant Dieu nuit et jour dans le jeûne et la prière. [38]Survenant à cette heure même,

elle louait Dieu et parlait de l'enfant à tous ceux qui attendaient la délivrance de Jérusalem.

Vie cachée de Jésus à Nazareth.

³⁹Et quand ils eurent accompli tout ce qui était conforme à la Loi du Seigneur, ils retournèrent en Galilée, à Nazareth, leur ville. ⁴⁰Cependant l'enfant grandissait, se fortifiait et se remplissait de sagesse. Et la grâce de Dieu était sur lui.

Jésus parmi les docteurs.

⁴¹Ses parents se rendaient chaque année à Jérusalem pour la fête de la Pâque. ⁴²Et lorsqu'il eut douze ans, ils y montèrent, comme c'était la coutume pour la fête. ⁴³Une fois les jours écoulés, alors qu'ils s'en retournaient, l'enfant Jésus resta à Jérusalem à l'insu de ses parents. ⁴⁴Le croyant dans la caravane, ils firent une journée de chemin, puis ils se mirent à le rechercher parmi leurs parents et connaissances. ⁴⁵Ne l'ayant pas trouvé, ils revinrent, toujours à sa recherche, à Jérusalem.

⁴⁶Et il advint, au bout de trois jours, qu'ils le trouvèrent dans le Temple, assis au milieu des docteurs, les écoutant et les interrogeant ; ⁴⁷et tous ceux qui l'entendaient étaient stupéfaits de son intelligence et de ses réponses. ⁴⁸À sa vue, ils furent saisis d'émotion, et sa mère lui dit : « Mon enfant, pourquoi nous as-tu fait cela ? Vois ! ton père et moi, nous te cherchons, angoissés. » ⁴⁹Et il leur dit : « Pourquoi donc me cherchiez-vous ? Ne saviez-vous pas que je dois être dans la maison de mon Père ? » ⁵⁰Mais eux ne comprirent pas la parole qu'il venait de leur dire.

Encore la vie cachée à Nazareth.

⁵¹Il redescendit alors avec eux et revint à Nazareth ; et il leur était soumis. Et sa mère gardait fidèlement toutes ces choses en son cœur. ⁵²Quant à Jésus, il croissait en sagesse, en taille et en grâce devant Dieu et devant les hommes.

2. Préparation du ministère de Jésus

Prédication de Jean-Baptiste.
‖ Mt 3 1-12. ‖ Mc 1 1-8.

3 ¹L'an quinze du principat de Tibère César, Ponce Pilate étant gouverneur de Judée, Hérode tétrarque de Galilée, Philippe son frère tétrarque du pays d'Iturée et de Trachonitide, Lysanias tétrarque d'Abilène, ²sous le pontificat d'Anne et Caïphe, la parole de Dieu fut adressée à Jean, fils de Zacharie, dans le désert. ³Et il vint dans toute la région du Jourdain, proclamant un baptême de repentir pour la rémission des péchés, ⁴comme il est écrit au livre des paroles d'Isaïe le prophète :

Voix de celui qui crie dans le désert :

Préparez le chemin du Seigneur,

rendez droits ses sentiers ;

⁵tout ravin sera comblé,
et toute montagne ou colline se-
ra abaissée ;
les passages tortueux devien-
dront droits
et les chemins raboteux seront
nivelés.
⁶Et toute chair verra le salut de
Dieu.

⁷Il disait donc aux foules qui s'en venaient se faire baptiser par lui : « Engeance de vipères, qui vous a suggéré d'échapper à la Colère prochaine ? ⁸Produisez donc des fruits dignes du repentir, et n'allez pas dire en vous-mêmes : "Nous avons pour père Abraham." Car je vous dis que Dieu peut, des pierres que voici, faire surgir des enfants à Abraham. ⁹Déjà même la cognée se trouve à la racine des arbres ; tout arbre donc qui ne produit pas de bon fruit va être coupé et jeté au feu. »

¹⁰Et les foules l'interrogeaient, en disant : « Que nous faut-il donc faire ? » ¹¹Il leur répondait : « Que celui qui a deux tuniques partage avec celui qui n'en a pas, et que celui qui a de quoi manger fasse de même. » ¹²Des publicains aussi vinrent se faire baptiser et lui dirent « Maître, que nous faut-il faire ? » ¹³Il leur dit : « N'exigez rien au-delà de ce qui vous est prescrit. » ¹⁴Des soldats aussi l'interrogeaient, en disant : « Et nous, que nous faut-il faire ? » Il leur dit : « Ne molestez personne, n'extorquez rien, et contentez-vous de votre solde. »

¹⁵Comme le peuple était dans l'attente et que tous se demandaient en leur cœur, au sujet de Jean, s'il n'était pas le Christ,

¹⁶Jean prit la parole et leur dit à tous : « Pour moi, je vous baptise avec de l'eau, mais vient le plus fort que moi, et je ne suis pas digne de délier la courroie de ses sandales ; lui vous baptisera dans l'Esprit Saint et le feu. ¹⁷Il tient en sa main la pelle à vanner pour nettoyer son aire et recueillir le blé dans son grenier ; quant aux bales, il les consumera au feu qui ne s'éteint pas. » ¹⁸Et par bien d'autres exhortations encore il annonçait au peuple la Bonne Nouvelle.

Emprisonnement de Jean-Baptiste. ‖ Mt 14 3-12. ‖ Mc 6 17-29.

¹⁹Cependant Hérode le tétrarque, qu'il reprenait au sujet d'Hérodiade, la femme de son frère, et pour tous les méfaits qu'il avait commis, ²⁰ajouta encore celui-ci à tous les autres : il fit enfermer Jean en prison.

Baptême de Jésus. ‖ Mt 3 13-17. ‖ Mc 1 9-11.

²¹Or il advint, une fois que tout le peuple eut été baptisé et au moment où Jésus, baptisé lui aussi, se trouvait en prière, que le ciel s'ouvrit, ²²et l'Esprit Saint descendit sur lui sous une forme corporelle, comme une colombe. Et une voix partit du ciel : *« Tu es mon fils ; moi, aujourd'hui, je t'ai engendré. »*

Généalogie de Jésus. ‖ Mt 1 1-17.

²³Et Jésus, lors de ses débuts, avait environ trente ans, et il était, à ce qu'on croyait, fils de Joseph, fils d'Héli, ²⁴fils de Matthat, fils de Lévi, fils de Melchi, fils de Jannaï, fils de Joseph, ²⁵fils de Mattathias, fils d'Amos, fils de Naoum, fils

d'Esli, fils de Naggaï, ²⁶fils de Maath, fils de Mattathias, fils de Séméin, fils de Josech, fils de Joda, ²⁷fils de Joanan, fils de Résa, fils de Zorobabel, fils de Salathiel,

fils de Néri, ²⁸fils de Melchi, fils d'Addi, fils de Kosam, fils d'Elmadam, fils d'Er, ²⁹fils de Jésus, fils d'Éliézer, fils de Jorim, fils de Matthat, fils de Lévi, ³⁰fils de Syméon, fils de Juda, fils de Joseph, fils de Jonam, fils d'Éliakim, ³¹fils de Méléa, fils de Menna, fils de Mattatha, fils de Nathan, fils de David,

³²fils de Jessé, fils de Jobed, fils de Booz, fils de Sala, fils de Naasson, ³³fils d'Aminadab, fils d'Admin, fils d'Arni, fils de Hesron, fils de Pharès, fils de Juda, ³⁴fils de Jacob, fils d'Isaac, fils d'Abraham,

fils de Thara, fils de Nachor, ³⁵fils de Sérouch, fils de Ragau, fils de Phalec, fils d'Éber, fils de Sala, ³⁶fils de Kaïnam, fils d'Arphaxad, fils de Sem, fils de Noé, fils de Lamech, ³⁷fils de Mathousala, fils de Hénoch, fils de Iaret, fils de Maleléel, fils de Kaïnam, ³⁸fils d'Énos, fils de Seth, fils d'Adam, fils de Dieu.

Tentation au désert. ‖ Mt 4 1-11. ‖ Mc 1 12-13.

4 ¹Jésus, rempli d'Esprit Saint, revint du Jourdain et il était mené par l'Esprit à travers le désert ²durant quarante jours, tenté par le diable. Il ne mangea rien en ces jours-là et, quand ils furent écoulés, il eut faim. ³Le diable lui dit : « Si tu es Fils de Dieu, dis à cette pierre qu'elle devienne du pain. » ⁴Et Jésus lui répondit : « Il est écrit :

Ce n'est pas de pain seul que vivra l'homme. »

⁵L'emmenant plus haut, le diable lui montra en un instant tous les royaumes de l'univers ⁶et lui dit : « Je te donnerai tout ce pouvoir et la gloire de ces royaumes, car elle m'a été livrée, et je la donne à qui je veux. ⁷Toi donc, si tu te prosternes devant moi, elle t'appartiendra tout entière. » ⁸Et Jésus lui dit : « Il est écrit :

Tu adoreras le Seigneur ton Dieu, et à lui seul tu rendras un culte. »

⁹Puis il le mena à Jérusalem, le plaça sur le pinacle du Temple et lui dit : « Si tu es Fils de Dieu, jette-toi d'ici en bas ; ¹⁰car il est écrit :

Il donnera pour toi des ordres à ses anges,
afin qu'ils te gardent.

¹¹Et encore :

Sur leurs mains, ils te porteront,
de peur que tu ne heurtes du pied quelque pierre. »

¹²Mais Jésus lui répondit : « Il est dit :

Tu ne tenteras pas le Seigneur, ton Dieu. »

¹³Ayant ainsi épuisé toute tentation, le diable s'éloigna de lui jusqu'au moment favorable.

3. *Ministère de Jésus en Galilée*

Jésus inaugure sa prédication.
|| Mt **4** 12-17, 23. || Mc **1** 14-15, 39. = Lc **4** 44.

¹⁴Jésus retourna en Galilée, avec la puissance de l'Esprit, et une rumeur se répandit par toute la région à son sujet. ¹⁵Il enseignait dans leurs synagogues, glorifié par tous.

Jésus à Nazareth. || Mt **13** 53-58.
|| Mc **6** 1-6.

¹⁶Il vint à Nazara où il avait été élevé, entra, selon sa coutume le jour du sabbat, dans la synagogue, et se leva pour faire la lecture. ¹⁷On lui remit le livre du prophète Isaïe et, déroulant le livre, il trouva le passage où il était écrit :

¹⁸*L'Esprit du Seigneur est sur moi,*

parce qu'il m'a consacré par l'onction,

pour porter la bonne nouvelle aux pauvres.

Il m'a envoyé annoncer aux captifs la délivrance

et aux aveugles le retour à la vue,

renvoyer en liberté les opprimés,

¹⁹*proclamer une année de grâce du Seigneur.*

²⁰Il replia le livre, le rendit au servant et s'assit. Tous dans la synagogue tenaient les yeux fixés sur lui. ²¹Alors il se mit à leur dire : « Aujourd'hui s'accomplit à vos oreilles ce passage de l'Écriture. » ²²Et tous lui rendaient témoignage et étaient en admiration devant les paroles pleines de grâce qui sortaient de sa bouche.

Et ils disaient : « N'est-il pas le fils de Joseph, celui-là ? » ²³Et il leur dit : « À coup sûr, vous allez me citer ce dicton : Médecin, guéris-toi toi-même. Tout ce qu'on nous a dit être arrivé à Capharnaüm, fais-le de même ici dans ta patrie. » ²⁴Et il dit : « En vérité, je vous le dis, aucun prophète n'est bien reçu dans sa patrie.

²⁵« Assurément, je vous le dis, il y avait beaucoup de veuves en Israël aux jours d'Élie, lorsque le ciel fut fermé pour trois ans et six mois, quand survint une grande famine sur tout le pays ; ²⁶et ce n'est à aucune d'elles que fut envoyé Élie, mais bien *à une veuve de Sarepta, au pays de Sidon.* ²⁷Il y avait aussi beaucoup de lépreux en Israël au temps du prophète Élisée ; et aucun d'eux ne fut purifié ; mais bien Naaman, le Syrien. »

²⁸Entendant cela, tous dans la synagogue furent remplis de fureur. ²⁹Et, se levant, ils le poussèrent hors de la ville et le menèrent jusqu'à un escarpement de la colline sur laquelle leur ville était bâtie, pour l'en précipiter. ³⁰Mais lui, passant au milieu d'eux, allait son chemin...

Jésus enseigne à Capharnaüm et guérit un démoniaque. || Mc **1** 21-28. || Mt **7** 28-29.

³¹Il descendit à Capharnaüm, ville de Galilée, et il les enseignait le jour du sabbat. ³²Et ils étaient

frappés de son enseignement, car il parlait avec autorité.

[33]Dans la synagogue il y avait un homme ayant un esprit de démon impur, et il cria d'une voix forte : [34]« Ah ! que nous veux-tu, Jésus le Nazarénien ? Es-tu venu pour nous perdre ? Je sais qui tu es : le Saint de Dieu. » [35]Et Jésus le menaça en disant : « Tais-toi, et sors de lui. » Et le précipitant au milieu, le démon sortit de lui sans lui faire aucun mal. [36]La frayeur les saisit tous, et ils se disaient les uns aux autres : « Quelle est cette parole ? Il commande avec autorité et puissance aux esprits impurs et ils sortent ! » [37]Et un bruit se propageait à son sujet en tout lieu de la région.

Guérison de la belle-mère de Simon. ‖ Mt 8 14-15. ‖ Mc 1 29-31.

[38]Partant de la synagogue, il entra dans la maison de Simon. La belle-mère de Simon était en proie à une forte fièvre, et ils le prièrent à son sujet. [39]Se penchant sur elle, il menaça la fièvre, et elle la quitta ; à l'instant même, se levant elle les servait.

Guérisons multiples. ‖ Mt 8 16-17. ‖ Mc 1 32-34.

[40]Au coucher du soleil, tous ceux qui avaient des malades atteints de maux divers les lui amenèrent, et lui, imposant les mains à chacun d'eux, il les guérissait. [41]D'un grand nombre aussi sortaient des démons, qui vociféraient en disant : « Tu es le Fils de Dieu ! » Mais, les menaçant, il ne leur permettait pas de parler, parce qu'ils savaient qu'il était le Christ.

Jésus quitte secrètement Capharnaüm et parcourt la Judée. ‖ Mc 1 35-39.

[42]Le jour venu, il sortit et se rendit dans un lieu désert. Les foules le cherchaient et, l'ayant rejoint, elles voulaient le retenir et l'empêcher de les quitter. [43]Mais il leur dit : « Aux autres villes aussi il me faut annoncer la Bonne Nouvelle du Royaume de Dieu, car c'est pour cela que j'ai été envoyé. » [44]Et il prêchait dans les synagogues de la Judée.

Appel des quatre premiers disciples. ‖ Mt 4 18-22. ‖ Mc 1 16-20.

5 [1]Or il advint, comme la foule le serrait de près et écoutait la parole de Dieu, tandis que lui se tenait sur le bord du lac de Gennésaret, [2]qu'il vit deux petites barques arrêtées sur le bord du lac ; les pêcheurs en étaient descendus et lavaient leurs filets. [3]Il monta dans l'une des barques, qui était à Simon, et pria celui-ci de s'éloigner un peu de la terre ; puis, s'étant assis, de la barque il enseignait les foules.

[4]Quand il eut cessé de parler, il dit à Simon : « Avance en eau profonde, et lâchez vos filets pour la pêche. » [5]Simon répondit : « Maître, nous avons peiné toute une nuit sans rien prendre, mais sur ta parole je vais lâcher les filets. » [6]Et l'ayant fait, ils capturèrent une grande multitude de poissons, et leurs filets se rompaient. [7]Ils firent signe alors à leurs associés qui étaient dans l'autre barque de venir à leur aide. Ils vinrent, et l'on remplit les deux barques, au point qu'elles enfonçaient.

⁸À cette vue, Simon-Pierre se jeta aux genoux de Jésus, en disant : « Éloigne-toi de moi, Seigneur, car je suis un homme pécheur ! » ⁹La frayeur en effet l'avait envahi, lui et tous ceux qui étaient avec lui, à cause du coup de filet qu'ils venaient de faire ; ¹⁰pareillement Jacques et Jean, fils de Zébédée, les compagnons de Simon. Mais Jésus dit à Simon : « Sois sans crainte ; désormais ce sont des hommes que tu prendras. » ¹¹Et ramenant les barques à terre, laissant tout, ils le suivirent.

Guérison d'un lépreux. ‖ Mt 8 1-4. ‖ Mc 1 40-45.

¹²Et il advint, comme il était dans une ville, qu'il y avait un homme plein de lèpre. À la vue de Jésus, il tomba sur la face et le pria en disant : « Seigneur, si tu le veux, tu peux me purifier. » ¹³Il étendit la main et le toucha, en disant : « Je le veux, sois purifié. » Et aussitôt la lèpre le quitta. ¹⁴Et il lui enjoignit de n'en parler à personne : « Mais va-t-en te montrer au prêtre, et offre pour ta purification selon ce qu'a prescrit Moïse : ce leur sera une attestation. »

¹⁵Or, la nouvelle se répandait de plus en plus à son sujet, et des foules nombreuses s'assemblaient pour l'entendre et se faire guérir de leurs maladies. ¹⁶Mais lui se tenait retiré dans les déserts et priait.

Guérison d'un paralytique. ‖ Mt 9 1-8. ‖ Mc 2 1-12.

¹⁷Et il advint, un jour qu'il était en train d'enseigner, qu'il y avait, assis, des Pharisiens et des docteurs de la Loi venus de tous les villages de Galilée, de Judée, et de Jérusalem ; et la puissance du Seigneur lui faisait opérer des guérisons. ¹⁸Et voici des gens portant sur un lit un homme qui était paralysé, et ils cherchaient à l'introduire et à le placer devant lui. ¹⁹Et comme ils ne savaient par où l'introduire à cause de la foule, ils montèrent sur le toit et, à travers les tuiles, ils le descendirent avec sa civière, au milieu, devant Jésus. ²⁰Voyant leur foi, il dit : « Homme, tes péchés te sont remis. »

²¹Les scribes et les Pharisiens se mirent à penser : « Qui est-il celui-là, qui profère des blasphèmes ? Qui peut remettre les péchés, sinon Dieu seul ? » ²²Mais, percevant leurs pensées, Jésus prit la parole et leur dit : « Pourquoi ces pensées dans vos cœurs ? ²³Quel est le plus facile, de dire : Tes péchés te sont remis, ou de dire : Lève-toi et marche ? ²⁴Eh bien ! pour que vous sachiez que le Fils de l'homme a le pouvoir sur la terre de remettre les péchés, je te l'ordonne, dit-il au paralysé, lève-toi et, prenant ta civière, va chez toi. » ²⁵Et, à l'instant même, se levant devant eux, et prenant ce sur quoi il gisait, il s'en alla chez lui en glorifiant Dieu.

²⁶Tous furent alors saisis de stupeur et ils glorifiaient Dieu. Ils furent remplis de crainte et ils disaient : « Nous avons vu d'étranges choses aujourd'hui ! »

Appel de Lévi. ‖ Mt 9 9. ‖ Mc 2 13-14.

²⁷Après cela il sortit, remarqua un publicain du nom de Lévi assis au bureau de la douane, et il lui dit : « Suis-moi. » ²⁸Et, quittant tout et se levant, il le suivait.

Repas avec les pécheurs chez Lévi. ‖ Mt **9** 10-12. ‖ Mc **2** 15-17.

²⁹Lévi lui fit un grand festin dans sa maison, et il y avait une foule nombreuse de publicains et d'autres gens qui se trouvaient à table avec eux. ³⁰Les Pharisiens et leurs scribes murmuraient et disaient à ses disciples : « Pourquoi mangez-vous et buvez-vous avec les publicains et les pécheurs ? » ³¹Et, prenant la parole, Jésus leur dit : « Ce ne sont pas les gens en bonne santé qui ont besoin de médecin, mais les malades ; ³²je ne suis pas venu appeler les justes, mais les pécheurs, au repentir. »

Discussion sur le jeûne. ‖ Mt **9** 14-17. ‖ Mc **2** 18-22.

³³Mais eux lui dirent : « Les disciples de Jean jeûnent fréquemment et font des prières, ceux des Pharisiens pareillement, et les tiens mangent et boivent ! » ³⁴Jésus leur dit : « Pouvez-vous faire jeûner les compagnons de l'époux pendant que l'époux est avec eux ? ³⁵Mais viendront des jours... et quand l'époux leur aura été enlevé, alors ils jeûneront en ces jours-là. »

³⁶Il leur disait encore une parabole : « Personne ne déchire une pièce d'un vêtement neuf pour la rajouter à un vieux vêtement ; autrement, on aura déchiré le neuf, et la pièce prise au neuf jurera avec le vieux.

³⁷« Personne non plus ne met du vin nouveau dans des outres vieilles ; autrement, le vin nouveau fera éclater les outres, et il se répandra et les outres seront perdues. ³⁸Mais du vin nouveau, il le faut mettre en des outres neuves. ³⁹Et personne, après avoir bu du vin vieux, n'en veut du nouveau. On dit en effet : C'est le vieux qui est bon. »

Les épis arrachés. ‖ Mt **12** 1-8. ‖ Mc **2** 23-28.

6 ¹Or il advint, un sabbat, qu'il traversait des moissons, et ses disciples arrachaient et mangeaient des épis en les froissant de leurs mains. ²Mais quelques Pharisiens dirent : « Pourquoi faites-vous ce qui n'est pas permis le jour du sabbat ? » ³Jésus leur répondit : « Vous n'avez donc pas lu ce que fit David, lorsqu'il eut faim, lui et ses compagnons, ⁴comment il entra dans la demeure de Dieu, prit les pains d'oblation, en mangea et en donna à ses compagnons, ces pains qu'il n'est permis de manger qu'aux seuls prêtres ? » ⁵Et il leur disait : « Le Fils de l'homme est maître du sabbat. »

Guérison d'un homme à la main sèche. ‖ Mt **12** 9-14. ‖ Mc **3** 1-6.

⁶Or il advint, un autre sabbat, qu'il entra dans la synagogue, et il enseignait. Il y avait là un homme dont la main droite était sèche. ⁷Les scribes et les Pharisiens l'épiaient pour voir s'il allait guérir, le sabbat, afin de trouver à l'accuser. ⁸Mais lui connaissait leurs pensées. Il dit donc à l'homme qui avait la main sèche : « Lève-toi et tiens-toi debout au milieu. » Il se leva et se tint debout. ⁹Puis Jésus leur dit : « Je vous le demande : est-il permis, le sabbat, de faire le bien plutôt que de faire le mal, de sauver une vie plutôt que de la perdre ? » ¹⁰Promenant alors son re-

gard sur eux tous, il lui dit : « Étends ta main. » L'autre le fit, et sa main fut remise en état. ¹¹Mais eux furent remplis de rage, et ils se concertaient sur ce qu'ils pourraient bien faire à Jésus.

Le choix des Douze. ‖ Mt **10** 1-4. ‖ Mc **3** 13-19.

¹²Or il advint, en ces jours-là, qu'il s'en alla dans la montagne pour prier, et il passait toute la nuit à prier Dieu. ¹³Lorsqu'il fit jour, il appela ses disciples et il en choisit douze, qu'il nomma apôtres : ¹⁴Simon, qu'il nomma Pierre, André son frère, Jacques, Jean, Philippe, Barthélemy, ¹⁵Matthieu, Thomas, Jacques fils d'Alphée, Simon appelé le Zélote, ¹⁶Judas fils de Jacques, et Judas Iscarioth, qui devint un traître.

Les foules à la suite de Jésus. ‖ Mt **4** 24-25. ‖ Mc **3** 7-12.

¹⁷Descendant alors avec eux, il se tint sur un plateau. Il y avait là une foule nombreuse de ses disciples et une grande multitude de gens qui, de toute la Judée et de Jérusalem et du littoral de Tyr et de Sidon, ¹⁸étaient venus pour l'entendre et se faire guérir de leurs maladies. Ceux que tourmentaient des esprits impurs étaient guéris, ¹⁹et toute la foule cherchait à le toucher, parce qu'une force sortait de lui et les guérissait tous.

Discours inaugural. Les Béatitudes. ‖ Mt **5** 1, 3, 6, 5, 11-12.

²⁰Et lui, levant les yeux sur ses disciples, disait :

« Heureux, vous les pauvres, car le Royaume de Dieu est à vous.

²¹Heureux, vous qui avez faim maintenant, car vous serez rassasiés.

Heureux, vous qui pleurez maintenant, car vous rirez.

²²Heureux êtes-vous, quand les hommes vous haïront, quand ils vous frapperont d'exclusion et qu'ils insulteront et proscriront votre nom comme infâme, à cause du Fils de l'homme. ²³Réjouissez-vous ce jour-là et tressaillez d'allégresse, car voici que votre récompense sera grande dans le ciel. C'est de cette manière, en effet, que leurs pères traitaient les prophètes. »

²⁴« Mais malheureux êtes-vous, les riches ! car vous avez votre consolation.

²⁵Malheureux êtes-vous, qui êtes repus maintenant ! car vous aurez faim.

Malheureux, vous qui riez maintenant ! car vous connaîtrez le deuil et les larmes.

²⁶Malheureux, lorsque tous les hommes diront du bien de vous ! C'est de cette manière, en effet, que leurs pères traitaient les faux prophètes. »

L'amour des ennemis. ‖ Mt **5** 44, 39-40, 42 ; **7** 12 ; **5** 46, 45.

²⁷« Mais je vous le dis, à vous qui m'écoutez : Aimez vos ennemis, faites du bien à ceux qui vous haïssent, ²⁸bénissez ceux qui vous maudissent, priez pour ceux qui vous diffament. ²⁹À qui te frappe sur une joue, présente encore l'autre ; à qui t'enlève ton manteau, ne refuse pas ta tunique. ³⁰À quiconque te demande, donne, et à

qui t'enlève ton bien ne le réclame pas. [31]Ce que vous voulez que les hommes fassent pour vous, faites-le pour eux pareillement. [32]Que si vous aimez ceux qui vous aiment, quel gré vous en saura-t-on ? Car même les pécheurs aiment ceux qui les aiment. [33]Et si vous faites du bien à ceux qui vous en font, quel gré vous en saura-t-on ? Même les pécheurs en font autant. [34]Et si vous prêtez à ceux dont vous espérez recevoir, quel gré vous en saura-t-on ? Même des pécheurs prêtent à des pécheurs afin de recevoir l'équivalent. [35]Au contraire, aimez vos ennemis, faites du bien et prêtez sans rien attendre en retour. Votre récompense alors sera grande, et vous serez les fils du Très-Haut, car il est bon, Lui, pour les ingrats et les méchants.

Miséricorde et bienfaisance.
|| Mt 7 1-2. || Mc 4 24.

[36]« Montrez-vous compatissants, comme votre Père est compatissant. [37]Ne jugez pas, et vous ne serez pas jugés ; ne condamnez pas, et vous ne serez pas condamnés ; remettez, et il vous sera remis. [38]Donnez, et on vous donnera ; c'est une bonne mesure, tassée, secouée, débordante, qu'on versera dans votre sein ; car de la mesure dont vous mesurez on mesurera pour vous en retour. »

Conditions du zèle. || Mt 15 14 ; 10
24-25. || Jn 13 16 ; 15 20.

[39]Il leur dit encore une parabole : « Un aveugle peut-il guider un aveugle ? Ne tomberont-ils pas tous les deux dans un trou ? [40]Le disciple n'est pas au-dessus du maître ; tout disciple accompli sera comme son maître. [41]Qu'as-tu à regarder la paille qui est dans l'œil de ton frère ? Et la poutre qui est dans ton œil à toi, tu ne la remarques pas ! [42]Comment peux-tu dire à ton frère : "Frère, laisse-moi ôter la paille qui est dans ton œil", qui ne vois pas la poutre qui est dans ton œil ? Hypocrite, ôte d'abord la poutre de ton œil ; et alors tu verras clair pour ôter la paille qui est dans l'œil de ton frère.

[43]« Il n'y a pas de bon arbre qui produise un fruit gâté, ni inversement d'arbre gâté qui produise un bon fruit. [44]Chaque arbre en effet se reconnaît à son propre fruit ; on ne cueille pas de figues sur des épines, on ne vendange pas non plus de raisin sur des ronces. [45]L'homme bon, du bon trésor de son cœur, tire ce qui est bon, et celui qui est mauvais, de son mauvais fond, tire ce qui est mauvais ; car c'est du trop-plein du cœur que parle sa bouche. »

Nécessité de la pratique. | Mt 7 21,
24-27.

[46]« Pourquoi m'appelez-vous "Seigneur, Seigneur", et ne faites-vous pas ce que je dis ?

[47]« Quiconque vient à moi, écoute mes paroles et les met en pratique, je vais vous montrer à qui il est comparable. [48]Il est comparable à un homme qui, bâtissant une maison, a creusé, creusé profond et posé les fondations sur le roc. La crue survenant, le torrent s'est rué sur cette maison, mais il n'a pu l'ébranler, parce qu'elle était bien bâtie. [49]Mais celui au contraire qui a écouté et n'a pas mis en pratique est comparable à un homme qui au-

rait bâti sa maison à même le sol, sans fondations. Le torrent s'est rué sur elle, et aussitôt elle s'est écroulée ; et le désastre survenu à cette maison a été grand ! »

Guérison du serviteur d'un centurion. ‖ Mt 8 5-10, 13. ‖ Jn 4 46-54.

7 ¹Après qu'il eut fini de faire entendre au peuple toutes ses paroles, il entra dans Capharnaüm. ²Or un centurion avait, malade et sur le point de mourir, un esclave qui lui était cher. ³Ayant entendu parler de Jésus, il envoya vers lui quelques-uns des anciens des Juifs, pour le prier de venir sauver son esclave.

⁴Arrivés auprès de Jésus, ils le suppliaient instamment : « Il est digne, disaient-ils, que tu lui accordes cela ; ⁵il aime en effet notre nation, et c'est lui qui nous a bâti la synagogue. » ⁶Jésus faisait route avec eux, et déjà il n'était plus loin de la maison, quand le centurion envoya des amis pour lui dire : « Seigneur, ne te dérange pas davantage, car je ne mérite pas que tu entres sous mon toit ; ⁷aussi bien ne me suis-je pas jugé digne de venir te trouver. Mais dis un mot et que mon enfant soit guéri. ⁸Car moi, qui n'ai rang que de subalterne, j'ai sous moi des soldats, et je dis à l'un : Va ! et il va, et à un autre : Viens ! et il vient, et à mon esclave : Fais ceci ! et il le fait. » ⁹En entendant ces paroles, Jésus l'admira et, se retournant, il dit à la foule qui le suivait : « Je vous le dis : pas même en Israël je n'ai trouvé une telle foi. » ¹⁰Et, de retour à la maison, les envoyés trouvèrent l'esclave en parfaite santé.

Résurrection du fils de la veuve de Naïn.

¹¹Et il advint ensuite qu'il se rendit dans une ville appelée Naïn. Ses disciples et une foule nombreuse faisaient route avec lui. ¹²Quand il fut près de la porte de la ville, voilà qu'on portait en terre un mort, un fils unique dont la mère était veuve ; et il y avait avec elle une foule considérable de la ville. ¹³En la voyant, le Seigneur eut pitié d'elle et lui dit : « Ne pleure pas. » ¹⁴Puis, s'approchant, il toucha le cercueil, et les porteurs s'arrêtèrent. Et il dit : « Jeune homme, je te le dis, lève-toi. » ¹⁵Et le mort se dressa sur son séant et se mit à parler. Et il *le remit à sa mère.* ¹⁶Tous furent saisis de crainte, et ils glorifiaient Dieu en disant : « Un grand prophète s'est levé parmi nous et Dieu a visité son peuple. » ¹⁷Et ce propos se répandit à son sujet dans la Judée entière et tout le pays d'alentour.

Question de Jean-Baptiste et témoignage que lui rend Jésus. ‖ Mt 11 2-15.

¹⁸Les disciples de Jean l'informèrent de tout cela. Appelant à lui deux de ses disciples, Jean ¹⁹les envoya dire au Seigneur : « Es-tu celui qui doit venir ou devons-nous en attendre un autre ? » ²⁰Arrivés auprès de lui, ces hommes dirent : « Jean le Baptiste nous envoie te dire : Es-tu celui qui doit venir ou devons-nous en attendre un autre ? »

²¹À cette heure-là, il guérit beaucoup de gens affligés de maladies, d'infirmités, d'esprits mauvais, et rendit la vue à beaucoup d'aveugles. ²²Puis il répon-

dit aux envoyés : « Allez rapporter à Jean ce que vous avez vu et entendu : les aveugles voient, les boiteux marchent, les lépreux sont purifiés et les sourds entendent, les morts ressuscitent, la Bonne Nouvelle est annoncée aux pauvres ; ²³et heureux celui qui ne trébuchera pas à cause de moi ! »

²⁴Quand les envoyés de Jean furent partis, il se mit à dire aux foules au sujet de Jean : « Qu'êtes-vous allés contempler au désert ? Un roseau agité par le vent ? ²⁵Alors qu'êtes-vous allés voir ? Un homme vêtu d'habits délicats ? Mais ceux qui ont des habits magnifiques et vivent dans les délices sont dans les palais royaux. ²⁶Alors qu'êtes-vous allés voir ? Un prophète ? Oui, je vous le dis, et plus qu'un prophète. ²⁷C'est celui dont il est écrit :

Voici que j'envoie mon messager en avant de toi pour préparer ta route devant toi.

²⁸« Je vous le dis : de plus grand que Jean parmi les enfants des femmes, il n'y en a pas ; et cependant le plus petit dans le Royaume de Dieu est plus grand que lui. ²⁹Tout le peuple qui a écouté, et même les publicains, ont justifié Dieu en se faisant baptiser du baptême de Jean ; ³⁰mais les Pharisiens et les légistes ont annulé pour eux le dessein de Dieu en ne se faisant pas baptiser par lui.

Jugement de Jésus sur sa génération. ‖ Mt 11 16-19.

³¹« À qui donc vais-je comparer les hommes de cette génération ? À qui ressemblent-ils ? ³²Ils ressemblent à ces gamins qui sont assis sur une place et s'interpellent les uns les autres, en disant :

"Nous vous avons joué de la flûte,
    et vous n'avez pas dansé !
Nous avons entonné un chant funèbre,
    et vous n'avez pas pleuré !"

³³« Jean le Baptiste est venu en effet, ne mangeant pas de pain ni ne buvant de vin, et vous dites : "Il est possédé !" ³⁴Le Fils de l'homme est venu, mangeant et buvant, et vous dites : "Voilà un glouton et un ivrogne, un ami des publicains et des pécheurs !" ³⁵Et la Sagesse a été justifiée par tous ses enfants. »

Le repas chez Simon.

³⁶Un Pharisien l'invita à manger avec lui ; il entra dans la maison du Pharisien et se mit à table. ³⁷Et voici une femme, qui dans la ville était une pécheresse. Ayant appris qu'il était à table dans la maison du Pharisien, elle avait apporté un vase de parfum. ³⁸Et se plaçant par-derrière, à ses pieds, tout en pleurs, elle se mit à lui arroser les pieds de ses larmes ; et elle les essuyait avec ses cheveux, les couvrait de baisers, les oignait de parfum. ³⁹À cette vue, le Pharisien qui l'avait convié se dit en lui-même : « Si cet homme était prophète, il saurait qui est cette femme qui le touche, et ce qu'elle est : une pécheresse ! » ⁴⁰Mais, prenant la parole, Jésus lui dit : « Simon, j'ai quelque chose à te dire » — « Parle, maître », répond-il. — ⁴¹« Un créancier avait deux débiteurs ; l'un devait cinq cents deniers,

l'autre cinquante. ⁴²Comme ils n'avaient pas de quoi rembourser, il fit grâce à tous deux. Lequel des deux l'en aimera le plus ? » ⁴³Simon répondit : « Celui-là, je pense, auquel il a fait grâce de plus. » Il lui dit : « Tu as bien jugé. »

⁴⁴Et, se tournant vers la femme : « Tu vois cette femme ? dit-il à Simon. Je suis entré dans ta maison, et tu ne m'as pas versé d'eau sur les pieds ; elle, au contraire, m'a arrosé les pieds de ses larmes et les a essuyés avec ses cheveux. ⁴⁵Tu ne m'as pas donné de baiser ; elle, au contraire, depuis que je suis entré, n'a cessé de me couvrir les pieds de baisers. ⁴⁶Tu n'as pas répandu d'huile sur ma tête ; elle, au contraire, a répandu du parfum sur mes pieds. ⁴⁷A cause de cela, je te le dis, ses péchés, ses nombreux péchés, lui sont remis parce qu'elle a montré beaucoup d'amour. Mais celui à qui on remet peu montre peu d'amour. » ⁴⁸Puis il dit à la femme : « Tes péchés sont remis. » ⁴⁹Et ceux qui étaient à table avec lui se mirent à dire en eux-mêmes : « Qui est-il celui-là qui va jusqu'à remettre les péchés ? » ⁵⁰Mais il dit à la femme : « Ta foi t'a sauvée ; va en paix. »

L'entourage féminin de Jésus. ‖ Mc **4** 23 ; **9** 35. ‖ Mc **1** 39. Cf. Lc **4** 43-44.

8 ¹Et il advint ensuite qu'il cheminait à travers villes et villages, prêchant et annonçant la Bonne Nouvelle du Royaume de Dieu. Les Douze étaient avec lui, ²ainsi que quelques femmes qui avaient été guéries d'esprits mauvais et de maladies : Marie, appelée la Magdaléenne, de laquelle étaient sortis sept démons, ³Jeanne, femme de Chouza, intendant d'Hérode, Suzanne et plusieurs autres, qui les assistaient de leurs biens.

Parabole du semeur. ‖ Mt **13** 1-9. ‖ Mc **4** 1-9.

⁴Comme une foule nombreuse se rassemblait et que de toutes les villes on s'acheminait vers lui, il dit par parabole :

⁵« Le semeur est sorti pour semer sa semence. Et comme il semait, une partie du grain est tombée au bord du chemin ; elle a été foulée aux pieds et les oiseaux du ciel ont tout mangé. ⁶Une autre est tombée sur le roc et, après avoir poussé, elle s'est desséchée faute d'humidité. ⁷Une autre est tombée au milieu des épines et, poussant avec elle, les épines l'ont étouffée. ⁸Une autre est tombée dans la bonne terre, a poussé et produit du fruit au centuple. » Et, ce disant, il s'écriait : « Entende, qui a des oreilles pour entendre ! »

Pourquoi Jésus parle en paraboles. ‖ Mt **13** 10-11, 13. ‖ Mc **4** 10-12.

⁹Ses disciples lui demandaient ce que pouvait bien signifier cette parabole. ¹⁰Il dit : « A vous il a été donné de connaître les mystères du Royaume de Dieu ; mais pour les autres, c'est en paraboles, afin qu'

ils voient sans voir
et entendent sans comprendre.

Explication de la parabole du semeur. ‖ Mt **13** 18-23. ‖ Mc **4** 14-20.

¹¹« Voici donc ce que signifie la parabole : La semence, c'est la parole de Dieu. ¹²Ceux qui sont au bord du chemin sont ceux qui ont

entendu, puis vient le diable qui enlève la Parole de leur cœur, de peur qu'ils ne croient et soient sauvés. [13] Ceux qui sont sur le roc sont ceux qui accueillent la Parole avec joie quand ils l'ont entendue, mais ceux-là n'ont pas de racine, ils ne croient que pour un moment, et au moment de l'épreuve ils font défection. [14] Ce qui est tombé dans les épines, ce sont ceux qui ont entendu, mais en cours de route les soucis, la richesse et les plaisirs de la vie les étouffent, et ils n'arrivent pas à maturité. [15] Et ce qui est dans la bonne terre, ce sont ceux qui, ayant entendu la Parole avec un cœur noble et généreux, la retiennent et portent du fruit par leur constance.

Comment recevoir et transmettre l'enseignement de Jésus.
|| Mc 4 21-22. || Mt 5 15. = Lc 11 33. || Mt 10 26. = Lc 12 2.

[16] « Personne, après avoir allumé une lampe, ne la recouvre d'un vase ou ne la met sous un lit ; on la met au contraire sur un lampadaire, pour que ceux qui pénètrent voient la lumière. [17] Car rien n'est caché qui ne deviendra manifeste, rien non plus n'est secret qui ne doive être connu et venir au grand jour.

|| Mc 4 24-25. || Mt 13 12 ; 25 29. || Lc 19 26.

[18] Prenez donc garde à la manière dont vous écoutez ! Car celui qui a, on lui donnera, et celui qui n'a pas, même ce qu'il croit avoir lui sera enlevé. »

La vraie parenté de Jésus. || Mt 12 46-50. || Mc 3 31-35.

[19] Sa mère et ses frères vinrent alors le trouver, mais ils ne pouvaient l'aborder à cause de la foule. [20] On l'en informa : « Ta mère et tes frères se tiennent dehors et veulent te voir. » [21] Mais il leur répondit : « Ma mère et mes frères, ce sont ceux qui écoutent la parole de Dieu et la mettent en pratique. »

La tempête apaisée. || Mt 8 18, 23-27. || Mc 4 35-41.

[22] Or il advint, un jour, qu'il monta en barque ainsi que ses disciples, et il leur dit : « Passons sur l'autre rive du lac. » Et ils gagnèrent le large. [23] Tandis qu'ils naviguaient, il s'endormit. Et une bourrasque s'abattit sur le lac ; ils faisaient eau et se trouvaient en danger. [24] S'étant donc approchés, ils le réveillèrent en disant « Maître, maître, nous périssons ! » Et lui, s'étant réveillé, menaça le vent et le tumulte des flots. Ils s'apaisèrent et le calme se fit. [25] Puis il leur dit : « Où est votre foi ? » Ils furent saisis de crainte et d'étonnement, et ils se disaient les uns aux autres : « Qui est-il donc celui-là, qu'il commande même aux vents et aux flots, et ils lui obéissent ? »

Le démoniaque gérasénien. || Mt 8 28-34. || Mc 5 1-20.

[26] Ils abordèrent au pays des Géraséniens, lequel fait face à la Galilée. [27] Comme il mettait pied à terre, vint à sa rencontre un homme de la ville, possédé de démons. Depuis un temps considérable il n'avait pas mis de vêtement ; et il ne demeurait pas dans une maison, mais dans les tombes. [28] Voyant Jésus, il poussa des cris, se jeta à ses pieds et, d'une voix forte, il dit : « Que me veux-tu, Jésus, fils du Dieu Très-Haut ?

Je t'en prie, ne me tourmente pas. » ²⁹Il prescrivait en effet à l'esprit impur de sortir de cet homme. Car, à maintes reprises, l'esprit s'était emparé de lui ; on le liait alors, pour le garder, avec des chaînes et des entraves, mais il brisait ses liens et le démon l'entraînait vers les déserts. ³⁰Jésus l'interrogea : « Quel est ton nom ? » Il dit : « Légion », car beaucoup de démons étaient entrés en lui. ³¹Et ils le suppliaient de ne pas leur commander de s'en aller dans l'abîme.

³²Or il y avait là un troupeau considérable de porcs en train de paître dans la montagne. Les démons supplièrent Jésus de leur permettre d'entrer dans les porcs. Et il le leur permit. ³³Sortant alors de l'homme, les démons entrèrent dans les porcs et le troupeau se précipita du haut de l'escarpement dans le lac et se noya.

³⁴Voyant ce qui s'était passé, les gardiens prirent la fuite et rapportèrent la nouvelle à la ville et dans les fermes. ³⁵Les gens sortirent donc pour voir ce qui s'était passé. Ils arrivèrent auprès de Jésus et trouvèrent l'homme dont étaient sortis les démons, assis, vêtu et dans son bon sens, aux pieds de Jésus ; et ils furent pris de peur. ³⁶Les témoins leur rapportèrent comment avait été sauvé celui qui était démoniaque. ³⁷Et toute la population de la région des Géraséniens pria Jésus de s'éloigner d'eux, car ils étaient en proie à une grande peur. Et lui, étant monté en barque, s'en retourna.

³⁸L'homme dont les démons étaient sortis le priait de le garder avec lui, mais il le renvoya, en disant : ³⁹« Retourne chez toi, et ra- conte tout ce que Dieu a fait pour toi. » Il s'en alla donc, proclamant par la ville entière tout ce que Jésus avait fait pour lui.

Guérison d'une hémorroïsse et résurrection de la fille de Jaïre.

|| Mt **9** 18-26. || Mc **5** 21-43.

⁴⁰À son retour, Jésus fut accueilli par la foule, car tous étaient à l'attendre. ⁴¹Et voici qu'arriva un homme du nom de Jaïre, qui était chef de la synagogue. Tombant aux pieds de Jésus, il le priait de venir chez lui, ⁴²parce qu'il avait une fille unique, âgée d'environ douze ans, qui se mourait. Et comme il s'y rendait, les foules le serraient à l'étouffer.

⁴³Or une femme, atteinte d'un flux de sang depuis douze années, et que nul n'avait pu guérir, ⁴⁴s'approcha parderrière et toucha la frange de son manteau ; et à l'instant même son flux de sang s'arrêta. ⁴⁵Mais Jésus dit : « Qui est-ce qui m'a touché ? » Comme tous s'en défendaient, Pierre dit : « Maître, ce sont les foules qui te serrent et te pressent. » ⁴⁶Mais Jésus dit : « Quelqu'un m'a touché ; car j'ai senti qu'une force était sortie de moi. » ⁴⁷Se voyant alors découverte, la femme vint toute tremblante et, se jetant à ses pieds, raconta devant tout le peuple pour quel motif elle l'avait touché, et comment elle avait été guérie à l'instant même. ⁴⁸Et il lui dit : « Ma fille, ta foi t'a sauvée ; va en paix. »

⁴⁹Tandis qu'il parlait encore, arrive de chez le chef de synagogue quelqu'un qui dit : « Ta fille est morte à présent ; ne dérange plus le Maître. » ⁵⁰Mais Jésus, qui avait entendu, lui répondit : « Sois sans

crainte, crois seulement, et elle sera sauvée. » ⁵¹Arrivé à la maison, il ne laissa personne entrer avec lui, si ce n'est Pierre, Jean et Jacques, ainsi que le père et la mère de l'enfant. ⁵²Tous pleuraient et se frappaient la poitrine à cause d'elle. Mais il dit : « Ne pleurez pas, elle n'est pas morte, mais elle dort. » ⁵³Et ils se moquaient de lui, sachant bien qu'elle était morte. ⁵⁴Mais lui, prenant sa main, l'appela en disant : « Enfant, lève-toi. » ⁵⁵Son esprit revint, et elle se leva à l'instant même. Et il ordonna de lui donner à manger. ⁵⁶Ses parents furent saisis de stupeur, mais il leur prescrivit de ne dire à personne ce qui s'était passé.

Mission des Douze. ‖ Mt 10 1, 5, 8, 9-14. ‖ Mc 6 7-13.

9 ¹Ayant convoqué les Douze, il leur donna puissance et pouvoir sur tous les démons, et sur les maladies pour les guérir. ²Et il les envoya proclamer le Royaume de Dieu et faire des guérisons. ³Il leur dit : « Ne prenez rien pour la route, ni bâton, ni besace, ni pain, ni argent ; n'ayez pas non plus chacun deux tuniques. ⁴En quelque maison que vous entriez, demeurez-y, et partez de là. ⁵Quant à ceux qui ne vous accueilleront pas, sortez de cette ville et secouez la poussière de vos pieds, en témoignage contre eux. » ⁶Étant partis, ils passaient de village en village, annonçant la Bonne Nouvelle et faisant partout des guérisons.

Hérode et Jésus. ‖ Mt 14 1-2. ‖ Mc 6 14-16.

⁷Hérode, le tétrarque, apprit tout ce qui se passait, et il était fort per-

plexe, car certains disaient : « C'est Jean qui est ressuscité d'entre les morts » ; ⁸certains : « C'est Élie qui est reparu » ; d'autres : « C'est un des anciens prophètes qui est ressuscité. » ⁹Mais Hérode dit : « Jean ! moi je l'ai fait décapiter. Quel est-il donc, celui dont j'entends dire de telles choses ? » Et il cherchait à le voir.

Retour des apôtres et multiplication des pains. ‖ Mt 14 13-21. ‖ Mc 6 30-44. ‖ Jn 6 1-13.

¹⁰À leur retour, les apôtres lui racontèrent tout ce qu'ils avaient fait. Les prenant alors avec lui, il se retira à l'écart, vers une ville appelée Bethsaïde. ¹¹Mais les foules, ayant compris, partirent à sa suite. Il leur fit bon accueil, leur parla du Royaume de Dieu et rendit la santé à ceux qui avaient besoin de guérison.

¹²Le jour commença à baisser. S'approchant, les Douze lui dirent : « Renvoie la foule, afin qu'ils aillent dans les villages et fermes d'alentour pour y trouver logis et provisions, car nous sommes ici dans un endroit désert. » ¹³Mais il leur dit : « Donnez-leur vous-mêmes à manger. » Ils dirent : « Nous n'avons pas plus de cinq pains et de deux poissons. À moins peut-être d'aller nous-mêmes acheter de la nourriture pour tout ce peuple. » ¹⁴Car il y avait bien cinq mille hommes. Mais il dit à ses disciples : « Faites-les s'étendre par groupes d'une cinquantaine. » ¹⁵Ils agirent ainsi et les firent tous s'étendre. ¹⁶Prenant alors les cinq pains et les deux poissons, il leva les yeux au ciel, les bénit, les rompit et il les don-

nait aux disciples pour les servir à la foule. [17]Ils mangèrent et furent tous rassasiés, et ce qu'ils avaient eu de reste fut emporté : douze couffins de morceaux !

Profession de foi de Pierre.
|| Mt **16** 13-20. || Mc **8** 27-30.

[18]Et il advint, comme il était à prier, seul, n'ayant avec lui que les disciples, qu'il les interrogea en disant : « Qui suis-je, au dire des foules ? » [19]Ils répondirent : « Jean le Baptiste ; pour d'autres, Élie ; pour d'autres, un des anciens prophètes est ressuscité » – [20]« Mais pour vous, leur dit-il, qui suis-je ? » Pierre répondit : « Le Christ de Dieu. » [21]Mais lui leur enjoignit et prescrivit de ne le dire à personne.

Première annonce de la Passion.
|| Mt **16** 21. || Mc **8** 31.

[22]« Le Fils de l'homme, dit-il, doit souffrir beaucoup, être rejeté par les anciens, les grands prêtres et les scribes, être tué et, le troisième jour, ressusciter. »

Conditions pour suivre Jésus.
|| Mt **16** 24-27. || Mc **8** 34-38. || Mt **10** 38. = Lc **14** 27. Cf. Jn **12** 26.

[23]Et il disait à tous : « Si quelqu'un veut venir à ma suite, qu'il se renie lui-même, qu'il se charge de sa croix chaque jour, et qu'il me suive.

|| Mt **10** 39. = Lc **17** 33. || Jn **12** 25.

[24]Qui veut en effet sauver sa vie la perdra, mais qui perdra sa vie à cause de moi, celui-là la sauvera. [25]Que sert donc à l'homme de gagner le monde entier, s'il se perd ou se ruine lui-même ?

|| Mt **10** 33. = Lc **12** 9.

[26]Car celui qui aura rougi de moi et de mes paroles, de celui-là le Fils de l'homme rougira, lorsqu'il viendra dans sa gloire et dans celle du Père et des saints anges.

La venue prochaine du Royaume.
|| Mt **16** 28. || Mc **9** 1.

[27]« Je vous le dis vraiment, il en est de présents ici même qui ne goûteront pas la mort, avant d'avoir vu le Royaume de Dieu. »

La Transfiguration.
|| Mt **17** 1-9. || Mc **9** 2-10.

[28]Or il advint, environ huit jours après ces paroles, que, prenant avec lui Pierre, Jean et Jacques, il gravit la montagne pour prier. [29]Et il advint, comme il priait, que l'aspect de son visage devint autre, et son vêtement, d'une blancheur fulgurante. [30]Et voici que deux hommes s'entretenaient avec lui : c'étaient Moïse et Élie [31]qui, apparus en gloire, parlaient de son départ, qu'il allait accomplir à Jérusalem. [32]Pierre et ses compagnons étaient accablés de sommeil. S'étant bien réveillés, ils virent sa gloire et les deux hommes qui se tenaient avec lui. [33]Et il advint, comme ceux-ci se séparaient de lui, que Pierre dit à Jésus : « Maître, il est heureux que nous soyons ici ; faisons donc trois tentes, une pour toi, une pour Moïse et une pour Élie » : il ne savait ce qu'il disait. [34]Et pendant qu'il disait cela, survint une nuée qui les prenait sous son ombre et ils furent saisis de peur en entrant dans la nuée. [35]Et une voix partit de la nuée, qui disait : « Celui-ci

est mon Fils, l'Élu, écoutez-le. » [36]Et quand la voix eut retenti, Jésus se trouva seul. Pour eux, ils gardèrent le silence et ne rapportèrent rien à personne, en ces jours-là, de ce qu'ils avaient vu.

Le démoniaque épileptique.
|| Mt 17 14-18. || Mc 9 14-27.

[37]Or il advint, le jour suivant, à leur descente de la montagne, qu'une foule nombreuse vint au-devant de lui. [38]Et voici qu'un homme de la foule s'écria : « Maître, je te prie de jeter les yeux sur mon fils, car c'est mon unique enfant. [39]Et voilà qu'un esprit s'en empare, et soudain il crie, le secoue avec violence et le fait écumer ; et ce n'est qu'à grand-peine qu'il s'en éloigne, le laissant tout brisé. [40]J'ai prié tes disciples de l'expulser, mais ils ne l'ont pu. » – [41]« Engeance incrédule et pervertie, répondit Jésus, jusques à quand serai-je auprès de vous et vous supporterai-je ? Amène ici ton fils. » [42]Celui-ci ne faisait qu'approcher, quand le démon le jeta à terre et le secoua violemment. Mais Jésus menaça l'esprit impur, guérit l'enfant et le remit à son père. [43]Et tous étaient frappés de la grandeur de Dieu.

Deuxième annonce de la Passion. || Mt 17 22. || Mc 9 30-32.

Comme tous étaient étonnés de tout ce qu'il faisait, il dit à ses disciples : [44]« Vous, mettez-vous bien dans les oreilles les paroles que voici : le Fils de l'homme va être livré aux mains des hommes. » [45]Mais ils ne comprenaient pas cette parole ; elle leur demeurait voilée pour qu'ils n'en saisissent pas le sens, et ils craignaient de l'interroger sur cette parole.

Qui est le plus grand. || Mt 18 1-5. || Mc 9 33-37. = Lc 22 24.

[46]Une pensée leur vint à l'esprit : qui pouvait bien être le plus grand d'entre eux ? [47]Mais Jésus, sachant ce qui se discutait dans leur cœur, prit un petit enfant, le plaça près de lui, [48]et leur dit :

|| Mt 10 40. = Lc 10 16. || Jn 13 20.

« Quiconque accueille ce petit enfant à cause de mon nom, c'est moi qu'il accueille, et quiconque m'accueille accueille Celui qui m'a envoyé ; car celui qui est le plus petit parmi vous tous, c'est celui-là qui est grand. »

Usage du nom de Jésus. || Mc 9 38-40.

[49]Jean prit la parole et dit : « Maître, nous avons vu quelqu'un expulser des démons en ton nom, et nous voulions l'empêcher, parce qu'il ne te suit pas avec nous. » [50]Mais Jésus lui dit : « Ne l'en empêchez pas ; car qui n'est pas contre vous est pour vous. »

4. La montée vers Jérusalem

Mauvais accueil d'un bourg de Samarie.

⁵¹Or il advint, comme s'accomplissait le temps où il devait être enlevé, qu'il prit résolument le chemin de Jérusalem ⁵²et envoya des messagers en avant de lui. S'étant mis en route, ils entrèrent dans un village samaritain pour tout lui préparer. ⁵³Mais on ne le reçut pas, parce qu'il faisait route vers Jérusalem. ⁵⁴Ce que voyant, les disciples Jacques et Jean dirent « Seigneur, veux-tu que nous ordonnions au feu de descendre du ciel et de les consumer ? » ⁵⁵Mais, se retournant, il les réprimanda. ⁵⁶Et ils se mirent en route pour un autre village.

Exigences de la vocation apostolique. ‖ Mt **8** 18-22.

⁵⁷Et tandis qu'ils faisaient route, quelqu'un lui dit en chemin : « Je te suivrai où que tu ailles. » ⁵⁸Jésus lui dit : « Les renards ont des tanières et les oiseaux du ciel ont des nids ; le Fils de l'homme, lui, n'a pas où reposer la tête. » ⁵⁹Il dit à un autre : « Suis-moi. » Celui-ci dit : « Permets-moi de m'en aller d'abord enterrer mon père. » ⁶⁰Mais il lui dit : « Laisse les morts enterrer leurs morts ; pour toi, va-t-en annoncer le Royaume de Dieu. » ⁶¹Un autre encore dit : « Je te suivrai, Seigneur, mais d'abord permets-moi de prendre congé des miens. » ⁶²Mais Jésus lui dit : « Quiconque a mis la main à la charrue et regarde en arrière est impropre au Royaume de Dieu. »

Mission des soixante-douze disciples.

10 ¹Après cela, le Seigneur désigna soixante-douze autres et les envoya deux par deux en avant de lui dans toute ville et tout endroit où lui-même devait aller. ²Et il leur disait :

‖ Mt **9** 37-38 ; **10** 16, 7-15. ‖ Mc **6** 8-11. = Lc **9** 3-5.

« La moisson est abondante, mais les ouvriers peu nombreux ; priez donc le Maître de la moisson d'envoyer des ouvriers à sa moisson. ³Allez ! Voici que je vous envoie comme des agneaux au milieu de loups. ⁴N'emportez pas de bourse, pas de besace, pas de sandales, et ne saluez personne en chemin. ⁵En quelque maison que vous entriez, dites d'abord : "Paix à cette maison !" ⁶Et s'il y a là un fils de paix, votre paix ira reposer sur lui ; sinon, elle vous reviendra. ⁷Demeurez dans cette maison-là, mangeant et buvant ce qu'il y aura chez eux ; car l'ouvrier mérite son salaire. Ne passez pas de maison en maison. ⁸Et en toute ville où vous entrez et où l'on vous accueille, mangez ce qu'on vous sert ; ⁹guérissez ses malades et dites aux gens : "Le Royaume de Dieu est tout proche de vous." ¹⁰Mais en quelque ville que vous entriez, si l'on ne vous accueille pas, sortez sur ses places et dites : ¹¹"Même la poussière de votre ville qui s'est collée à nos pieds, nous l'essuyons pour vous la laisser. Pourtant, sachez-le, le Royaume de Dieu est tout proche." ¹²Je vous dis que pour Sodome, en ce Jour-là, il y aura moins de rigueur que pour cette ville-là.

|| Mt **11** 21-24.

¹³« Malheur à toi, Chorazeïn ! Malheur à toi, Bethsaïde ! Car, si les miracles qui ont eu lieu chez vous avaient eu lieu à Tyr et à Sidon, il y a longtemps que, sous le sac et assises dans la cendre, elles se seraient repenties. ¹⁴Aussi bien, pour Tyr et Sidon il y aura moins de rigueur, lors du Jugement, que pour vous. ¹⁵Et toi, Capharnaüm, crois-tu que *tu seras élevée jusqu'au ciel ? Jusqu'à l'Hadès tu descendras* !

|| Mt **10** 40. || Mc **9** 37. = Lc **9** 48. || Jn **13** 20.

¹⁶« Qui vous écoute m'écoute, qui vous rejette me rejette, et qui me rejette rejette Celui qui m'a envoyé. »

Ce dont les apôtres doivent se réjouir.

¹⁷Les soixante-douze revinrent tout joyeux, disant : « Seigneur, même les démons nous sont soumis en ton nom ! » ¹⁸Il leur dit : « Je voyais Satan tomber du ciel comme l'éclair ! ¹⁹Voici que je vous ai donné le pouvoir de fouler aux pieds serpents, scorpions, et toute la puissance de l'Ennemi, et rien ne pourra vous nuire. ²⁰Cependant ne vous réjouissez pas de ce que les esprits vous sont soumis ; mais réjouissez-vous de ce que vos noms se trouvent inscrits dans les cieux. »

L'Évangile révélé aux simples. Le Père et le Fils. || Mt **11** 25-27.

²¹À cette heure même, il tressaillit de joie sous l'action de l'Esprit Saint et il dit : « Je te bénis, Père, Seigneur du ciel et de la terre, d'avoir caché cela à des sages et à des intelligents et de l'avoir révélé à des tout-petits. Oui, Père, car tel a été ton bon plaisir. ²²Tout m'a été remis par mon Père, et nul ne sait qui est le Fils si ce n'est le Père, ni qui est le Père si ce n'est le Fils, et celui à qui le Fils veut bien le révéler. »

Le privilège des disciples. || Mt **13** 16-17.

²³Puis, se tournant vers ses disciples, il leur dit en particulier : « Heureux les yeux qui voient ce que vous voyez ! ²⁴Car je vous dis que beaucoup de prophètes et de rois ont voulu voir ce que vous voyez et ne l'ont pas vu, entendre ce que vous entendez et ne l'ont pas entendu ! »

Le grand commandement. || Mt **22** 34-40. || Mc **12** 28-31.

²⁵Et voici qu'un légiste se leva, et lui dit pour l'éprouver : « Maître, que dois-je faire pour avoir en héritage la vie éternelle ? » ²⁶Il lui dit : « Dans la Loi, qu'y a-t-il d'écrit ? Comment lis-tu ? » ²⁷Celui-ci répondit : « *Tu aimeras le Seigneur, ton Dieu, de tout ton cœur, de toute ton âme, de toute ta force* et de tout ton esprit ; *et ton prochain comme toi-même.* » – ²⁸« Tu as bien répondu, lui dit Jésus ; fais cela et tu vivras. »

Parabole du bon Samaritain.

²⁹Mais lui, voulant se justifier, dit à Jésus : « Et qui est mon prochain ? » ³⁰Jésus reprit : « Un homme descendait de Jérusalem à Jéricho, et il tomba au milieu de

brigands qui, après l'avoir dépouillé et roué de coups, s'en allèrent, le laissant à demi mort. ³¹Un prêtre vint à descendre par ce chemin-là ; il le vit et passa outre. ³²Pareillement un lévite, survenant en ce lieu, le vit et passa outre. ³³Mais un Samaritain, qui était en voyage, arriva près de lui, le vit et fut pris de pitié. ³⁴Il s'approcha, banda ses plaies, y versant de l'huile et du vin, puis le chargea sur sa propre monture, le mena à l'hôtellerie et prit soin de lui. ³⁵Le lendemain, il tira deux deniers et les donna à l'hôtelier, en disant : "Prends soin de lui, et ce que tu auras dépensé en plus, je te le rembourserai, moi, à mon retour." ³⁶Lequel de ces trois, à ton avis, s'est montré le prochain de l'homme tombé aux mains des brigands ? » ³⁷Il dit : « Celui-là qui a exercé la miséricorde envers lui. » Et Jésus lui dit : « Va, et toi aussi, fais de même. »

Marthe et Marie.

³⁸Comme ils faisaient route, il entra dans un village, et une femme, nommée Marthe, le reçut dans sa maison. ³⁹Celle-ci avait une sœur appelée Marie, qui, s'étant assise aux pieds du Seigneur, écoutait sa parole. ⁴⁰Marthe, elle, était absorbée par les multiples soins du service. Intervenant, elle dit : « Seigneur, cela ne te fait rien que ma sœur me laisse servir toute seule ? Dis-lui donc de m'aider. » ⁴¹Mais le Seigneur lui répondit : « Marthe, Marthe, tu te soucies et t'agites pour beaucoup de choses ; ⁴²pourtant il en faut peu, une seule même. C'est Marie qui a choisi la meilleure part ; elle ne lui sera pas enlevée. »

Le « Notre Père ».

11 ¹Et il advint, comme il était quelque part à prier, quand il eut cessé, qu'un de ses disciples lui dit : « Seigneur, apprends-nous à prier, comme Jean l'a appris à ses disciples. » ²Il leur dit : « Lorsque vous priez, dites :

‖ Mt **6** 9-13.

Père, que ton Nom soit sanctifié ;
  que ton règne vienne ;
³donne-nous chaque jour notre pain quotidien ;
⁴et remets-nous nos péchés,
  car nous-mêmes remettons à quiconque nous doit ;
  et ne nous laisse pas entrer en tentation. »

L'ami importun. Cf. **18** 1-8.

⁵Il leur dit encore : « Si l'un de vous, ayant un ami, s'en va le trouver au milieu de la nuit, pour lui dire : "Mon ami, prête-moi trois pains, ⁶parce qu'un de mes amis m'est arrivé de voyage et je n'ai rien à lui servir", ⁷et que de l'intérieur l'autre réponde : "Ne me cause pas de tracas ; maintenant la porte est fermée, et mes enfants et moi sommes au lit ; je ne puis me lever pour t'en donner" ; ⁸je vous le dis, même s'il ne se lève pas pour les lui donner en qualité d'ami, il se lèvera du moins à cause de son impudence et lui donnera tout ce dont il a besoin.

Efficacité de la prière. ‖ Mt **7** 7-11. Cf. Jn **14** 13-14.

⁹« Et moi, je vous dis : demandez et l'on vous donnera ; cherchez et vous trouverez ; frappez et

l'on vous ouvrira. ¹⁰Car quiconque demande reçoit ; qui cherche trouve ; et à qui frappe on ouvrira. ¹¹Quel est d'entre vous le père auquel son fils demandera un poisson, et qui, à la place du poisson, lui remettra un serpent ? ¹²Ou encore s'il demande un œuf, lui remettra-t-il un scorpion ? ¹³Si donc vous, qui êtes mauvais, vous savez donner de bonnes choses à vos enfants, combien plus le Père du ciel donnera-t-il l'Esprit Saint à ceux qui l'en prient ! »

Jésus et Béelzéboul. ‖ Mt 12 22-29. ‖ Mc 3 22-27. ‖ Mt 16 1. ‖ Mc 8 11. = Lc 11 29.

¹⁴Il expulsait un démon, qui était muet. Or il advint que, le démon étant sorti, le muet parla, et les foules furent dans l'admiration. ¹⁵Mais certains d'entre eux dirent : « C'est par Béelzéboul, le prince des démons, qu'il expulse les démons. » ¹⁶D'autres, pour le mettre à l'épreuve, réclamaient de lui un signe venant du ciel. ¹⁷Mais lui, connaissant leurs pensées, leur dit : « Tout royaume divisé contre lui-même est dévasté, et maison sur maison s'écroule. ¹⁸Si donc Satan s'est, lui aussi, divisé contre lui-même, comment son royaume se maintiendra-t-il ?... puisque vous dites que c'est par Béelzéboul que j'expulse les démons. ¹⁹Mais si, moi, c'est par Béelzéboul que j'expulse les démons, vos fils, par qui les expulsent-ils ? Aussi seront-ils eux-mêmes vos juges. ²⁰Mais si c'est par le doigt de Dieu que j'expulse les démons, c'est donc que le Royaume de Dieu est arrivé jusqu'à vous. ²¹Lorsqu'un homme fort et bien armé garde son palais, ses biens sont en sûreté ; ²²mais qu'un plus fort que lui survienne et le batte, il lui enlève l'armure en laquelle il se confiait et il distribue ses dépouilles.

Intransigeance de Jésus. ‖ Mt 12 30.

²³« Qui n'est pas avec moi est contre moi, et qui n'amasse pas avec moi dissipe.

Retour offensif de l'esprit impur. ‖ Mt 12 43-45.

²⁴« Lorsque l'esprit impur est sorti de l'homme, il erre par des lieux arides en quête de repos. N'en trouvant pas, il dit : "Je vais retourner dans ma demeure, d'où je suis sorti." ²⁵Étant venu, il la trouve balayée, bien en ordre. ²⁶Alors il s'en va prendre sept autres esprits plus mauvais que lui ; ils reviennent et habitent. Et l'état final de cet homme devient pire que le premier. »

La vraie béatitude. Cf. 8 21.

²⁷Or il advint, comme il parlait ainsi, qu'une femme éleva la voix du milieu de la foule et lui dit : « Heureuses les entrailles qui t'ont porté et les seins que tu as sucés ! » ²⁸Mais il dit : « Heureux plutôt ceux qui écoutent la parole de Dieu et l'observent ! »

Le signe de Jonas. ‖ Mt 12 38-42.

²⁹Comme les foules se pressaient en masse, il se mit à dire : « Cette génération est une génération mauvaise ; elle demande un signe, et de signe, il ne lui sera donné que le signe de Jonas. ³⁰Car, tout comme Jonas devint un signe pour les Ninivites, de même le Fils de l'homme en sera un pour cette gé-

nération. ³¹La reine du Midi se lèvera lors du Jugement avec les hommes de cette génération et elle les condamnera, car elle vint des extrémités de la terre pour écouter la sagesse de Salomon, et il y a ici plus que Salomon ! ³²Les hommes de Ninive se dresseront lors du Jugement avec cette génération et ils la condamneront, car ils se repentirent à la proclamation de Jonas, et il y a ici plus que Jonas !

Deux logia sur la lampe. ‖ Mt **5** 15.
‖ Mc **4** 21. = Lc **8** 16. ‖ Mt **6** 22-23.

³³« Personne, après avoir allumé une lampe, ne la met en quelque endroit caché ou sous le boisseau, mais bien sur le lampadaire, pour que ceux qui pénètrent voient la clarté.

³⁴« La lampe du corps, c'est ton œil. Lorsque ton œil est sain, ton corps tout entier aussi est lumineux ; mais dès qu'il est malade, ton corps aussi est ténébreux. ³⁵Vois donc si la lumière qui est en toi n'est pas ténèbres ! ³⁶Si donc ton corps tout entier est lumineux, sans aucune partie ténébreuse, il sera lumineux tout entier, comme lorsque la lampe t'illumine de son éclat. »

Contre les Pharisiens et les légistes.

³⁷Tandis qu'il parlait, un Pharisien l'invite à déjeuner chez lui. Il entra et se mit à table. ³⁸Ce que voyant, le Pharisien s'étonna de ce qu'il n'eût pas fait d'abord les ablutions avant le déjeuner.

‖ Mt **23** 25-26.

³⁹Mais le Seigneur lui dit : « Vous voilà bien, vous, les Pharisiens ! L'extérieur de la coupe et du plat, vous le purifiez, alors que votre intérieur à vous est plein de rapine et de méchanceté ! ⁴⁰Insensés ! Celui qui a fait l'extérieur n'a-t-il pas fait aussi l'intérieur ? ⁴¹Donnez plutôt en aumône ce que vous avez, et alors tout sera pur pour vous.

‖ Mt **23** 23.

⁴²Mais malheur à vous, les Pharisiens, qui acquittez la dîme de la menthe, de la rue et de toute plante potagère, et qui délaissez la justice et l'amour de Dieu ! Il fallait pratiquer ceci, sans omettre cela.

‖ Mt **23** 6-7. ‖ Mc **12** 38-39. = Lc **20** 46. ‖ Mt **23** 27.

⁴³Malheur à vous, les Pharisiens, qui aimez le premier siège dans les synagogues et les salutations sur les places publiques ! ⁴⁴Malheur à vous, qui êtes comme les tombeaux que rien ne signale et sur lesquels on marche sans le savoir ! »

‖ Mt **23** 4.

⁴⁵Prenant alors la parole, un des légistes lui dit : « Maître, en parlant ainsi, tu nous outrages, nous aussi ! » ⁴⁶Alors il dit : « À vous aussi, les légistes, malheur, parce que vous chargez les gens de fardeaux impossibles à porter et vous-mêmes ne touchez pas à ces fardeaux d'un seul de vos doigts !

‖ Mt **23** 29-31.

⁴⁷« Malheur à vous, parce que vous bâtissez les tombeaux des prophètes, et ce sont vos pères qui les ont tués ! ⁴⁸Vous êtes donc des témoins et vous approuvez les ac-

tes de vos pères ; eux ont tué, et vous, vous bâtissez !

|| Mt **23** 34-36.

⁴⁹« Et voilà pourquoi la Sagesse de Dieu a dit : Je leur enverrai des prophètes et des apôtres ; ils en tueront et pourchasseront, ⁵⁰afin qu'il soit demandé compte à cette génération du sang de tous les prophètes qui a été répandu depuis la fondation du monde, ⁵¹depuis le sang d'Abel jusqu'au sang de Zacharie, qui périt entre l'autel et le Temple. Oui, je vous le dis, il en sera demandé compte à cette génération.

|| Mt **23** 13.

⁵²« Malheur à vous, les légistes, parce que vous avez enlevé la clef de la science ! Vous-mêmes n'êtes pas entrés, et ceux qui voulaient entrer, vous les en avez empêchés ! »

⁵³Quand il fut sorti de là, les scribes et les Pharisiens se mirent à lui en vouloir terriblement et à le faire parler sur une foule de choses, ⁵⁴lui tendant des pièges pour surprendre de sa bouche quelque parole.

Parler ouvertement et sans crainte.

12 ¹Sur ces entrefaites, la foule s'étant rassemblée par milliers, au point qu'on s'écrasait les uns les autres, il se mit à dire, et d'abord à ses disciples :

|| Mt **16** 6-12. || Mc **8** 15. || Mt **10** 26-27. || Mc **4** 22. = Lc **8** 17.

« Méfiez-vous du levain – c'est-à-dire de l'hypocrisie – des Pharisiens. ²Rien, en effet, n'est voilé qui ne sera révélé, rien de caché qui ne sera connu. ³C'est pourquoi tout

ce que vous aurez dit dans les ténèbres sera entendu au grand jour, et ce que vous aurez dit à l'oreille dans les pièces les plus retirées sera proclamé sur les toits.

|| Mt **10** 28-31.

⁴« Je vous le dis à vous, mes amis : Ne craignez rien de ceux qui tuent le corps et après cela ne peuvent rien faire de plus. ⁵Je vais vous montrer qui vous devez craindre : craignez Celui qui, après avoir tué, a le pouvoir de jeter dans la géhenne ; oui, je vous le dis, Celui-là, craignez-le. ⁶Ne vend-on pas cinq passereaux pour deux as ? Et pas un d'entre eux n'est en oubli devant Dieu ! ⁷Bien plus, vos cheveux même sont tous comptés. Soyez sans crainte ; vous valez mieux qu'une multitude de passereaux.

|| Mt **10** 32-33. || Mc **8** 38. = Lc **9** 26.

⁸« Je vous le dis, quiconque se sera déclaré pour moi devant les hommes, le Fils de l'homme aussi se déclarera pour lui devant les anges de Dieu ; ⁹mais celui qui m'aura renié à la face des hommes sera renié à la face des anges de Dieu.

|| Mt **12** 32. || Mc **3** 29.

¹⁰« Et quiconque dira une parole contre le Fils de l'homme, cela lui sera remis, mais à qui aura blasphémé contre le Saint Esprit, cela ne sera pas remis.

|| Mt **10** 17-20. || Mc **13** 11. = Lc **21** 12-15.

¹¹« Lorsqu'on vous conduira devant les synagogues, les magistrats et les autorités, ne cherchez pas avec inquiétude comment vous défendre ou que dire, ¹²car le Saint

Esprit vous enseignera à cette heure même ce qu'il faut dire. »

Ne pas thésauriser.

[13]Quelqu'un de la foule lui dit : « Maître, dis à mon frère de partager avec moi notre héritage. » [14]Il lui dit : « Homme, qui m'a établi pour être votre juge ou régler vos partages ? » [15]Puis il leur dit : « Attention ! gardez-vous de toute cupidité, car, au sein même de l'abondance, la vie d'un homme n'est pas assurée par ses biens. »

[16]Il leur dit alors une parabole : « Il y avait un homme riche dont les terres avaient beaucoup rapporté. [17]Et il se demandait en lui-même : "Que vais-je faire ? Car je n'ai pas où recueillir ma récolte." [18]Puis il se dit : "Voici ce que je vais faire : j'abattrai mes greniers, j'en construirai de plus grands, j'y recueillerai tout mon blé et mes biens, [19]et je dirai à mon âme : Mon âme, tu as quantité de biens en réserve pour de nombreuses années ; repose-toi, mange, bois, fais la fête." [20]Mais Dieu lui dit : "Insensé, cette nuit même, on va te redemander ton âme. Et ce que tu as amassé, qui l'aura ?" [21]Ainsi en est-il de celui qui thésaurise pour lui-même, au lieu de s'enrichir en vue de Dieu. »

S'abandonner à la Providence.
|| Mt **6** 25-34.

[22]Puis il dit à ses disciples : « Voilà pourquoi je vous dis : Ne vous inquiétez pas pour votre vie de ce que vous mangerez, ni pour votre corps de quoi vous le vêtirez. [23]Car la vie est plus que la nourriture, et le corps plus que le vêtement. [24]Considérez les corbeaux : ils ne sèment ni ne moissonnent, ils n'ont ni cellier ni grenier, et Dieu les nourrit. Combien plus valez-vous que les oiseaux ! [25]Qui d'entre vous d'ailleurs peut, en s'en inquiétant, ajouter une coudée à la longueur de sa vie ? [26]Si donc la plus petite chose même passe votre pouvoir, pourquoi vous inquiéter des autres ? [27]Considérez les lis, comme ils ne filent ni ne tissent. Or, je vous le dis, Salomon lui-même, dans toute sa gloire, n'a pas été vêtu comme l'un d'eux. [28]Que si, dans les champs, Dieu habille de la sorte l'herbe qui est aujourd'hui, et demain sera jetée au four, combien plus le fera-t-il pour vous, gens de peu de foi ! [29]Vous non plus, ne cherchez pas ce que vous mangerez et ce que vous boirez ; ne vous tourmentez pas. [30]Car ce sont là toutes choses dont les païens de ce monde sont en quête ; mais votre Père sait que vous en avez besoin. [31]Aussi bien, cherchez son Royaume, et cela vous sera donné par surcroît.

[32]« Sois sans crainte, petit troupeau, car votre Père s'est complu à vous donner le Royaume.

Vendre ses biens et faire l'aumône. || Mt **6** 20-21.

[33]« Vendez vos biens, et donnez-les en aumône. Faites-vous des bourses qui ne s'usent pas, un trésor inépuisable dans les cieux, où ni voleur n'approche ni mite ne détruit. [34]Car où est votre trésor, là aussi sera votre cœur.

Se tenir prêt pour le retour du Maître. || Mc **13** 35. || Mt **24** 43-44.

[35]« Que vos reins soient ceints et vos lampes allumées. [36]Soyez semblables, vous, à des gens qui attendent leur maître à son retour

de noces, pour lui ouvrir dès qu'il viendra et frappera. ³⁷Heureux ces serviteurs que le maître en arrivant trouvera en train de veiller ! En vérité, je vous le dis, il se ceindra, les fera mettre à table et, passant de l'un à l'autre, il les servira. ³⁸Qu'il vienne à la deuxième ou à la troisième veille, s'il trouve les choses ainsi, heureux seront-ils ! ³⁹Comprenez bien ceci : si le maître de maison avait su à quelle heure le voleur devait venir, il n'aurait pas laissé percer le mur de sa maison. ⁴⁰Vous aussi, tenez-vous prêts, car c'est à l'heure que vous ne pensez pas que le Fils de l'homme va venir. »

|| Mt **24** 45-51.

⁴¹Pierre dit alors : « Seigneur, est-ce pour nous que tu dis cette parabole, ou bien pour tout le monde ? » ⁴²Et le Seigneur dit : « Quel est donc l'intendant fidèle, avisé, que le maître établira sur ses gens pour leur donner en temps voulu leur ration de blé ? ⁴³Heureux ce serviteur, que son maître en arrivant trouvera occupé de la sorte ! ⁴⁴Vraiment, je vous le dis, il l'établira sur tous ses biens. ⁴⁵Mais si ce serviteur dit en son cœur : "Mon maître tarde à venir", et qu'il se mette à frapper les serviteurs et les servantes, à manger, boire et s'enivrer, ⁴⁶le maître de ce serviteur arrivera au jour qu'il n'attend pas et à l'heure qu'il ne connaît pas ; il le retranchera et lui assignera sa part parmi les infidèles.

⁴⁷« Le serviteur qui, connaissant la volonté de son maître, n'aura rien préparé ou fait selon sa volonté, recevra un grand nom-

bre de coups. ⁴⁸Quant à celui qui, sans la connaître, aura par sa conduite mérité des coups, il n'en recevra qu'un petit nombre. À qui on aura donné beaucoup il sera beaucoup demandé, et à qui on aura confié beaucoup on réclamera davantage.

Jésus devant sa Passion.

⁴⁹« Je suis venu jeter un feu sur la terre, et comme je voudrais que déjà il fût allumé ! ⁵⁰Je dois être baptisé d'un baptême, et quelle n'est pas mon angoisse jusqu'à ce qu'il soit consommé !

Jésus cause de dissension. || Mt **10** 34-36.

⁵¹« Pensez-vous que je sois apparu pour établir la paix sur la terre ? Non, je vous le dis, mais bien la division. ⁵²Désormais en effet, dans une maison de cinq personnes, on sera divisé, trois contre deux et deux contre trois : ⁵³on sera divisé, père contre fils et fils contre père, mère contre sa fille et fille contre sa mère, belle-mère contre sa bru et bru contre sa belle-mère. »

Savoir interpréter les signes des temps. || Mt **16** 2-3.

⁵⁴Il disait encore aux foules : « Lorsque vous voyez un nuage se lever au couchant, aussitôt vous dites que la pluie vient, et ainsi arrive-t-il. ⁵⁵Et lorsque c'est le vent du midi qui souffle, vous dites qu'il va faire chaud, et c'est ce qui arrive. ⁵⁶Hypocrites, vous savez discerner le visage de la terre et du ciel ; et ce temps-ci alors, comment ne le discernez-vous pas ?

|| Mt **5** 25-26.

⁵⁷« Mais pourquoi ne jugez-vous pas par vous-mêmes de ce qui est juste ? ⁵⁸Ainsi, quand tu vas avec ton adversaire devant le magistrat, tâche, en chemin, d'en finir avec lui, de peur qu'il ne te traîne devant le juge, que le juge ne te livre à l'exécuteur, et que l'exécuteur ne te jette en prison. ⁵⁹Je te le dis, tu ne sortiras pas de là que tu n'aies rendu même jusqu'au dernier sou. »

Invitations providentielles à la pénitence.

13 ¹En ce même temps survinrent des gens qui lui rapportèrent ce qui était arrivé aux Galiléens, dont Pilate avait mêlé le sang à celui de leurs victimes. ²Prenant la parole, il leur dit : « Pensez-vous que, pour avoir subi pareil sort, ces Galiléens fussent de plus grands pécheurs que tous les autres Galiléens ? ³Non, je vous le dis, mais si vous ne vous repentez pas, vous périrez tous pareillement. ⁴Ou ces dix-huit personnes que la tour de Siloé a tuées dans sa chute, pensez-vous que leur dette fût plus grande que celle de tous les hommes qui habitent Jérusalem ? ⁵Non, je vous le dis ; mais si vous ne voulez pas vous repentir, vous périrez tous de même. »

Parabole du figuier stérile.

⁶Il disait encore la parabole que voici : « Un homme avait un figuier planté dans sa vigne. Il vint y chercher des fruits et n'en trouva pas. ⁷Il dit alors au vigneron : "Voilà trois ans que je viens chercher des fruits sur ce figuier, et je n'en trouve pas. Coupe-le ; pourquoi donc use-t-il la terre pour rien ?" ⁸L'autre lui répondit : "Maître, laisse-le cette année encore, le temps que je creuse tout autour et que je mette du fumier. ⁹Peut-être donnera-t-il des fruits à l'avenir... Sinon tu le couperas". »

Guérison de la femme courbée, un jour de sabbat. Cf. **6** 6-11 ; **14** 1-6.

¹⁰Or il enseignait dans une synagogue le jour du sabbat. ¹¹Et voici qu'il y avait là une femme ayant depuis dix-huit ans un esprit qui la rendait infirme ; elle était toute courbée et ne pouvait absolument pas se redresser. ¹²La voyant, Jésus l'interpella et lui dit : « Femme, te voilà délivrée de ton infirmité » ; ¹³puis il lui imposa les mains. Et, à l'instant même, elle se redressa, et elle glorifiait Dieu.

¹⁴Mais le chef de la synagogue, indigné de ce que Jésus eût fait une guérison le sabbat, prit la parole et dit à la foule : « Il y a six jours pendant lesquels on doit travailler ; venez donc ces jours-là vous faire guérir, et non le jour du sabbat ! »

Cf. Mt **12** 11. Lc **14** 5.

¹⁵Mais le Seigneur lui répondit : « Hypocrites ! chacun de vous, le sabbat, ne délie-t-il pas de la crèche son bœuf ou son âne pour le mener boire ? ¹⁶Et cette fille d'Abraham, que Satan a liée voici dix-huit ans, il n'eût pas fallu la délier de ce lien le jour du sabbat ! » ¹⁷Comme il disait cela, tous ses adversaires étaient remplis de confusion, tandis que toute

la foule était dans la joie de toutes les choses magnifiques qui arrivaient par lui.

Parabole du grain de sénevé.
|| Mt **13** 31-32. || Mc **4** 30-32.

¹⁸Il disait donc : « À quoi le Royaume de Dieu est-il semblable et à quoi vais-je le comparer ? ¹⁹Il est semblable à un grain de sénevé qu'un homme a pris et jeté dans son jardin ; il croît et devient un arbre, et les oiseaux du ciel s'abritent dans ses branches. »

Parabole du levain. || Mt **13** 33.

²⁰Il dit encore : « À quoi vais-je comparer le Royaume de Dieu ? ²¹Il est semblable à du levain qu'une femme a pris et enfoui dans trois mesures de farine, jusqu'à ce que le tout ait levé. »

La porte étroite et l'entrée dans le Royaume. || Mt **7** 13-14.

²²Et il cheminait par villes et villages, enseignant et faisant route vers Jérusalem. ²³Quelqu'un lui dit : « Seigneur, est-ce le petit nombre qui sera sauvé ? » Il leur dit : ²⁴« Luttez pour entrer par la porte étroite, car beaucoup, je vous le dis, chercheront à entrer et ne pourront pas.

|| Mt **25** 10-12 ; **7** 22-23.

²⁵« Dès que le maître de maison se sera levé et aura fermé la porte, et que, restés dehors, vous vous serez mis à frapper à la porte en disant : "Seigneur, ouvre-nous", il vous répondra : "Je ne sais d'où vous êtes." ²⁶Alors vous vous mettrez à dire : "Nous avons mangé et bu devant toi, tu as enseigné sur nos places." ²⁷Mais il vous répon-

dra : "Je ne sais d'où vous êtes ; *éloignez-vous de moi, vous tous qui commettez l'injustice.*"

|| Mt **8** 11-12.

²⁸« Là seront les pleurs et les grincements de dents, lorsque vous verrez Abraham, Isaac, Jacob et tous les prophètes dans le Royaume de Dieu, et vous, jetés dehors. ²⁹Et l'on viendra du levant et du couchant, du nord et du midi, prendre place au festin dans le Royaume de Dieu.

|| Mt **19** 30 ; **20** 16. || Mc **10** 31.

³⁰« Oui, il y a des derniers qui seront premiers, et il y a des premiers qui seront derniers. »

Le renard Hérode.

³¹À cette heure même s'approchèrent quelques Pharisiens, qui lui dirent : « Pars et va-t-en d'ici ; car Hérode veut te tuer. » ³²Il leur dit : « Allez dire à ce renard : Voici que je chasse des démons et accomplis des guérisons aujourd'hui et demain, et le troisième jour je suis consommé ! ³³Mais aujourd'hui, demain et le jour suivant, je dois poursuivre ma route, car il ne convient pas qu'un prophète périsse hors de Jérusalem.

Apostrophe à Jérusalem. || Mt **23** 37-39.

³⁴« Jérusalem, Jérusalem, toi qui tues les prophètes et lapides ceux qui te sont envoyés, combien de fois j'ai voulu rassembler tes enfants à la manière dont une poule rassemble sa couvée sous ses ailes... et vous n'avez pas voulu ! ³⁵Voici que votre maison va vous être laissée. Oui, je vous le dis,

vous ne me verrez plus, jusqu'à ce qu'arrive le jour où vous direz :

Béni soit celui qui vient au nom du Seigneur ! »

Guérison d'un hydropique un jour de sabbat.

14 ¹Et il advint, comme il était venu un sabbat chez l'un des chefs des Pharisiens pour prendre un repas, qu'eux étaient à l'observer. ²Et voici qu'un hydropique se trouvait devant lui. ³Prenant la parole, Jésus dit aux légistes et aux Pharisiens : « Est-il permis, le sabbat, de guérir, ou non ? » ⁴Et eux se tinrent cois. Prenant alors le malade, il le guérit et le renvoya.

|| Mt **12** 11. Cf. Lc **13** 15.

⁵Puis il leur dit : « Lequel d'entre vous, si son fils ou son bœuf vient à tomber dans un puits, ne l'en tirera aussitôt, le jour du sabbat ? » ⁶Et ils ne purent rien répondre à cela.

Sur le choix des places.

⁷Il disait ensuite une parabole à l'adresse des invités, remarquant comment ils choisissaient les premiers divans ; il leur disait : ⁸« Lorsque quelqu'un t'invite à un repas de noces, ne va pas t'étendre sur le premier divan, de peur qu'un plus digne que toi n'ait été invité par ton hôte, ⁹et que celui qui vous a invités, toi et lui, ne vienne te dire : "Cède-lui la place." Et alors tu devrais, plein de confusion, aller occuper la dernière place. ¹⁰Au contraire, lorsque tu es invité, va te mettre à la dernière place, de façon qu'à son arrivée celui qui t'a invité te dise : "Mon ami, monte

plus haut." Alors il y aura pour toi de l'honneur devant tous les autres convives.

|| Mt **23** 12. = Lc **18** 14.

¹¹Car quiconque s'élève sera abaissé, et celui qui s'abaisse sera élevé. »

Sur le choix des invités.

¹²Puis il disait à celui qui l'avait invité : « Lorsque tu donnes un déjeuner ou un dîner, ne convie ni tes amis, ni tes frères, ni tes parents, ni de riches voisins, de peur qu'eux aussi ne t'invitent à leur tour et qu'on ne te rende la pareille. ¹³Mais lorsque tu donnes un festin, invite des pauvres, des estropiés, des boiteux, des aveugles ; ¹⁴heureux seras-tu alors de ce qu'ils n'ont pas de quoi te le rendre ! Car cela te sera rendu lors de la résurrection des justes. »

Sur les invités qui se dérobent.

|| Mt **22** 2-10.

¹⁵À ces mots, l'un des convives lui dit : « Heureux celui qui prendra son repas dans le Royaume de Dieu ! » ¹⁶Il lui dit : « Un homme faisait un grand dîner, auquel il invita beaucoup de monde. ¹⁷À l'heure du dîner, il envoya son serviteur dire aux invités : "Venez ; maintenant tout est prêt." ¹⁸Et tous, comme de concert, se mirent à s'excuser. Le premier lui dit : "J'ai acheté un champ et il me faut aller le voir ; je t'en prie, tiens-moi pour excusé." ¹⁹Un autre dit : "J'ai acheté cinq paires de bœufs et je pars les essayer ; je t'en prie, tiens-moi pour excusé." ²⁰Un autre dit : "Je viens de me marier, et c'est pourquoi je ne puis venir."

²¹« À son retour, le serviteur rapporta cela à son maître. Alors, pris de colère, le maître de maison dit à son serviteur : "Va-t'en vite par les places et les rues de la ville, et introduis ici les pauvres, les estropiés, les aveugles et les boiteux." – ²²"Maître, dit le serviteur, tes ordres sont exécutés, et il y a encore de la place." ²³Et le maître dit au serviteur : "Va-t'en par les chemins et le long des clôtures et fais entrer les gens de force, afin que ma maison se remplisse. ²⁴Car, je vous le dis, aucun de ces hommes qui avaient été invités ne goûtera de mon dîner." »

Renoncer à tout ce qu'on a de cher.

²⁵Des foules nombreuses faisaient route avec lui, et se retournant il leur dit :

|| Mt **10** 38 ; **16** 24. || Mc **8** 34. = Lc **9** 23.

²⁶« Si quelqu'un vient à moi sans haïr son père, sa mère, sa femme, ses enfants, ses frères, ses sœurs, et jusqu'à sa propre vie, il ne peut être mon disciple. ²⁷Quiconque ne porte pas sa croix et ne vient pas derrière moi ne peut être mon disciple.

Renoncer en particulier à tous ses biens.

²⁸« Qui de vous en effet, s'il veut bâtir une tour, ne commence par s'asseoir pour calculer la dépense et voir s'il a de quoi aller jusqu'au bout ? ²⁹De peur que, s'il pose les fondations et ne peut achever, tous ceux qui le verront ne se mettent à se moquer de lui, en disant : ³⁰"Voilà un homme qui a commencé de bâtir et il n'a pu

achever !" ³¹Ou encore quel est le roi qui, partant faire la guerre à un autre roi, ne commencera par s'asseoir pour examiner s'il est capable, avec dix mille hommes, de se porter à la rencontre de celui qui marche contre lui avec vingt mille ? ³²Sinon, alors que l'autre est encore loin, il lui envoie une ambassade pour demander la paix. ³³Ainsi donc, quiconque parmi vous ne renonce pas à tous ses biens ne peut être mon disciple.

Ne pas s'affadir. || Mt **5** 13. || Mc **9** 50.

³⁴« C'est donc une bonne chose que le sel. Mais si même le sel vient à s'affadir, avec quoi l'assaisonnera-t-on ? ³⁵Il n'est bon ni pour la terre ni pour le fumier : on le jette dehors. Celui qui a des oreilles pour entendre, qu'il entende ! »

Les trois paraboles de la miséricorde.

15 ¹Cependant tous les publicains et les pécheurs s'approchaient de lui pour l'entendre. ²Et les Pharisiens et les scribes de murmurer : « Cet homme, disaient-ils, fait bon accueil aux pécheurs et mange avec eux ! » ³Il leur dit alors cette parabole :

La brebis perdue. || Mt **18** 12-14.

⁴« Lequel d'entre vous, s'il a cent brebis et vient à en perdre une, n'abandonne les quatre-vingt-dix-neuf autres dans le désert pour s'en aller après celle qui est perdue, jusqu'à ce qu'il l'ait retrouvée ? ⁵Et, quand il l'a retrouvée, il la met, tout joyeux, sur ses épaules ⁶et, de retour chez lui, il assemble amis et voisins et leur

dit : "Réjouissez-vous avec moi, car je l'ai retrouvée, ma brebis qui était perdue !" [7]C'est ainsi, je vous le dis, qu'il y aura plus de joie dans le ciel pour un seul pécheur qui se repent que pour quatre-vingt-dix-neuf justes, qui n'ont pas besoin de repentir.

La drachme perdue.

[8]« Ou bien, quelle est la femme qui, si elle a dix drachmes et vient à en perdre une, n'allume une lampe, ne balaie la maison et ne cherche avec soin, jusqu'à ce qu'elle l'ait retrouvée ? [9]Et, quand elle l'a retrouvée, elle assemble amies et voisines et leur dit : "Réjouissez-vous avec moi, car je l'ai retrouvée, la drachme que j'avais perdue !" [10]C'est ainsi, je vous le dis, qu'il naît de la joie devant les anges de Dieu pour un seul pécheur qui se repent. »

Le fils perdu et le fils fidèle : « l'enfant prodigue ».

[11]Il dit encore : « Un homme avait deux fils. [12]Le plus jeune dit à son père : "Père, donne-moi la part de fortune qui me revient." Et le père leur partagea son bien. [13]Peu de jours après, rassemblant tout son avoir, le plus jeune fils partit pour un pays lointain et y dissipa son bien en vivant dans l'inconduite.

[14]« Quand il eut tout dépensé, une famine sévère survint en cette contrée et il commença à sentir la privation. [15]Il alla se mettre au service d'un des habitants de cette contrée, qui l'envoya dans ses champs garder les cochons. [16]Il aurait bien voulu se remplir le ventre des caroubes que man-geaient les cochons, mais personne ne lui en donnait. [17]Rentrant alors en lui-même, il se dit : "Combien de mercenaires de mon père ont du pain en surabondance, et moi je suis ici à périr de faim ! [18]Je veux partir, aller vers mon père et lui dire : Père, j'ai péché contre le Ciel et envers toi ; [19]je ne mérite plus d'être appelé ton fils, traite-moi comme l'un de tes mercenaires." [20]Il partit donc et s'en alla vers son père.

« Tandis qu'il était encore loin, son père l'aperçut et fut pris de pitié ; il courut se jeter à son cou et l'embrassa tendrement. [21]Le fils alors lui dit : "Père, j'ai péché contre le Ciel et envers toi, je ne mérite plus d'être appelé ton fils." [22]Mais le père dit à ses serviteurs : "Vite, apportez la plus belle robe et l'en revêtez, mettez-lui un anneau au doigt et des chaussures aux pieds. [23]Amenez le veau gras, tuez-le, mangeons et festoyons, [24]car mon fils que voilà était mort et il est revenu à la vie ; il était perdu et il est retrouvé !" Et ils se mirent à festoyer.

[25]« Son fils aîné était aux champs. Quand, à son retour, il fut près de la maison, il entendit de la musique et des danses. [26]Appelant un des serviteurs, il s'enquérait de ce que cela pouvait bien être. [27]Celui-ci lui dit : "C'est ton frère qui est arrivé, et ton père a tué le veau gras, parce qu'il l'a recouvré en bonne santé." [28]Il se mit alors en colère, et il refusait d'entrer. Son père sortit l'en prier. [29]Mais il répondit à son père : "Voilà tant d'années que je te sers, sans avoir jamais transgressé un seul de tes ordres, et jamais tu

ne m'as donné un chevreau, à moi, pour festoyer avec mes amis ; [30]et puis ton fils que voici revient-il, après avoir dévoré ton bien avec des prostituées, tu fais tuer pour lui le veau gras !"

[31]« Mais le père lui dit : "Toi, mon enfant, tu es toujours avec moi, et tout ce qui est à moi est à toi. [32]Mais il fallait bien festoyer et se réjouir, puisque ton frère que voilà était mort et il est revenu à la vie ; il était perdu et il est retrouvé !" »

L'intendant avisé.

16 [1]Il disait encore à ses disciples : « Il était un homme riche qui avait un intendant, et celui-ci lui fut dénoncé comme dilapidant ses biens. [2]Il le fit appeler et lui dit : "Qu'est-ce que j'entends dire de toi ? Rends compte de ta gestion, car tu ne peux plus gérer mes biens désormais." [3]L'intendant se dit en lui-même : "Que vais-je faire, puisque mon maître me retire la gérance ? Piocher ? Je n'en ai pas la force ; mendier ? J'aurai honte... [4]Ah ! je sais ce que je vais faire, pour qu'une fois relevé de ma gérance, il y en ait qui m'accueillent chez eux."

[5]« Et, faisant venir un à un les débiteurs de son maître, il dit au premier : "Combien dois-tu à mon maître ?" – [6]"Cent barils d'huile", lui dit-il. Il lui dit : "Prends ton billet, assieds-toi et écris vite cinquante." [7]Puis il dit à un autre : "Et toi, combien dois-tu ?" – "Cent mesures de blé", dit-il. Il lui dit : "Prends ton billet, et écris quatre-vingts."

[8]« Et le maître loua cet intendant malhonnête d'avoir agi de fa-çon avisée. Car les fils de ce monde-ci sont plus avisés envers leurs propres congénères que les fils de la lumière.

Le bon emploi de l'argent. ‖ Mt 25 21. ‖ Lc **19** 17.

[9]« Eh bien ! moi je vous dis : faites-vous des amis avec le malhonnête Argent, afin qu'au jour où il viendra à manquer, ceux-ci vous accueillent dans les tentes éternelles. [10]Qui est fidèle en très peu de chose est fidèle aussi en beaucoup, et qui est malhonnête en très peu est malhonnête aussi en beaucoup. [11]Si donc vous ne vous êtes pas montrés fidèles pour le malhonnête Argent, qui vous confiera le vrai bien ? [12]Et si vous ne vous êtes pas montrés fidèles pour le bien étranger, qui vous donnera le vôtre ?

‖ Mt **6** 24.

[13]« Nul serviteur ne peut servir deux maîtres : ou il haïra l'un et aimera l'autre, ou il s'attachera à l'un et méprisera l'autre. Vous ne pouvez servir Dieu et l'Argent. »

Controverse avec des Pharisiens.

[14]Les Pharisiens, qui sont amis de l'argent, entendaient tout cela et ils se moquaient de lui. [15]Il leur dit : « Vous êtes, vous, ceux qui se donnent pour justes devant les hommes, mais Dieu connaît vos cœurs ; car ce qui est élevé pour les hommes est objet de dégoût devant Dieu.

À l'assaut du Royaume. ‖ Mt 11 12-13.

[16]« Jusqu'à Jean ce furent la Loi et les Prophètes ; depuis lors

le Royaume de Dieu est annoncé, et tous s'efforcent d'y entrer par violence.

Pérennité de la Loi. ‖ Mt 5 18.

[17]« Il est plus facile que le ciel et la terre passent que ne tombe un seul menu trait de la Loi.

Indissolubilité du mariage. ‖ Mt 5 32 ; 19 9.

[18]« Tout homme qui répudie sa femme et en épouse une autre commet un adultère, et celui qui épouse une femme répudiée par son mari commet un adultère.

Le mauvais riche et le pauvre Lazare.

[19]« Il y avait un homme riche qui se revêtait de pourpre et de lin fin et faisait chaque jour brillante chère. [20]Et un pauvre, nommé Lazare, gisait près de son portail, tout couvert d'ulcères. [21]Il aurait bien voulu se rassasier de ce qui tombait de la table du riche... Bien plus, les chiens eux-mêmes venaient lécher ses ulcères. [22]Or il advint que le pauvre mourut et fut emporté par les anges dans le sein d'Abraham. Le riche aussi mourut, et on l'ensevelit.

[23]« Dans l'Hadès, en proie à des tortures, il lève les yeux et voit de loin Abraham, et Lazare en son sein. [24]Alors il s'écria : "Père Abraham, aie pitié de moi et envoie Lazare tremper dans l'eau le bout de son doigt pour me rafraîchir la langue, car je suis tourmenté dans cette flamme." [25]Mais Abraham dit : "Mon enfant, souviens-toi que tu as reçu tes biens pendant ta vie, et Lazare pareillement ses maux ; main-

tenant ici il est consolé, et toi, tu es tourmenté. [26]Ce n'est pas tout : entre nous et vous un grand abîme a été fixé, afin que ceux qui voudraient passer d'ici chez vous ne le puissent, et qu'on ne traverse pas non plus de là-bas chez nous."

[27]« Il dit alors : "Je te prie donc, père, d'envoyer Lazare dans la maison de mon père, [28]car j'ai cinq frères ; qu'il leur porte son témoignage, de peur qu'ils ne viennent, eux aussi, dans ce lieu de la torture." [29]Et Abraham de dire : "Ils ont Moïse et les Prophètes ; qu'ils les écoutent." – [30]"Non, père Abraham, dit-il, mais si quelqu'un de chez les morts va les trouver, ils se repentiront." [31]Mais il lui dit : "Du moment qu'ils n'écoutent pas Moïse et les Prophètes, même si quelqu'un ressuscite d'entre les morts, ils ne seront pas convaincus." »

Le scandale. ‖ Mt 18 6-7. ‖ Mc 9 42.

17 [1]Puis il dit à ses disciples : « Il est impossible que les scandales n'arrivent pas, mais malheur à celui par qui ils arrivent ! [2]Mieux vaudrait pour lui se voir passer autour du cou une pierre à moudre et être jeté à la mer que de scandaliser un seul de ces petits. [3]Prenez garde à vous !

Correction fraternelle. ‖ Mt 18 21-22.

« Si ton frère vient à pécher, réprimande-le et, s'il se repent, remets-lui. [4]Et si sept fois le jour il pèche contre toi et que sept fois il revienne à toi, en disant : "Je me repens", tu lui remettras. »

La foi du serviteur. || Mt 17 20 ; 21 21.
|| Mc 11 23.

⁵Les apôtres dirent au Seigneur :
« Augmente en nous la foi. » ⁶Le
Seigneur dit : « Avec la foi que
vous avez, gros comme un grain de
sénevé, si vous disiez à ce mûrier :
"Déracine-toi et va te planter dans
la mer", il vous obéirait !

Servir avec humilité.

⁷« Qui d'entre vous, s'il a un
serviteur qui laboure ou garde les
bêtes, lui dira à son retour des
champs : "Vite, viens te mettre à
table" ? ⁸Ne lui dira-t-il pas au
contraire : "Prépare-moi de quoi
dîner, ceins-toi pour me servir,
jusqu'à ce que j'aie mangé et bu ;
après quoi, tu mangeras et boiras
à ton tour" ? ⁹Sait-il gré à ce serviteur d'avoir fait ce qui lui a été
prescrit ? ¹⁰Ainsi de vous ; lorsque vous aurez fait tout ce qui
vous a été prescrit, dites : Nous
sommes de simples serviteurs ;
nous avons fait ce que nous devions faire. »

Les dix lépreux.

¹¹Et il advint, comme il faisait
route vers Jérusalem, qu'il passa
aux confins de la Samarie et de la
Galilée. ¹²À son entrée dans un
village, dix lépreux vinrent à sa
rencontre et s'arrêtèrent à distance ; ¹³ils élevèrent la voix et dirent : « Jésus, Maître, aie pitié de
nous. » ¹⁴À cette vue, il leur dit :
« Allez vous montrer aux prêtres. » Et il advint, comme ils y
allaient, qu'ils furent purifiés.
¹⁵L'un d'entre eux, voyant qu'il
avait été purifié, revint sur ses pas
en glorifiant Dieu à haute voix

¹⁶et se prosterna aux pieds de Jésus, en le remerciant. Et c'était un
Samaritain. ¹⁷Prenant la parole,
Jésus dit : « Est-ce que les dix
n'ont pas été purifiés ? Les neuf
autres, où sont-ils ? ¹⁸Il ne s'est
trouvé, pour revenir rendre gloire
à Dieu, que cet étranger ! » ¹⁹Et il
lui dit : « Relève-toi, va ; ta foi t'a
sauvé. »

La venue du Royaume de Dieu.

²⁰Les Pharisiens lui ayant demandé quand viendrait le Royaume de Dieu, il leur répondit : « La
venue du Royaume de Dieu ne se
laisse pas observer, ²¹et l'on ne dira pas : "Voici : il est ici ! ou bien :
il est là !" Car voici que le Royaume de Dieu est au milieu de
vous. »

Le Jour du Fils de l'homme.
|| Mt 24 23, 26-27. || Mc 13 21.

²²Il dit encore aux disciples :
« Viendront des jours où vous dé-
sirerez voir un seul des jours du
Fils de l'homme, et vous ne le
verrez pas. ²³On vous dira : "Le
voilà !" "Le voici !" N'y allez pas,
n'y courez pas. ²⁴Comme l'éclair
en effet, jaillissant d'un point du
ciel, resplendit jusqu'à l'autre,
ainsi en sera-t-il du Fils de l'homme lors de son Jour. ²⁵Mais il faut
d'abord qu'il souffre beaucoup et
qu'il soit rejeté par cette génération.

|| Mt 24 37-39.

²⁶« Et comme il advint aux
jours de Noé, ainsi en sera-t-il encore aux jours du Fils de l'homme. ²⁷On mangeait, on buvait, on
prenait femme ou mari, jusqu'au
jour où Noé entra dans l'arche ;

et vint le déluge, qui les fit tous périr. [28]De même, comme il advint aux jours de Lot : on mangeait, on buvait, on achetait, on vendait, on plantait, on bâtissait ; [29]mais le jour où Lot sortit de Sodome, Dieu fit pleuvoir du ciel du feu et du soufre, et il les fit tous périr. [30]De même en sera-t-il, le Jour où le Fils de l'homme doit se révéler.

|| Mt 24 17-18. || Mc 13 15-16.

[31]« En ce Jour-là, que celui qui sera sur la terrasse et aura ses affaires dans la maison, ne descende pas les prendre et, pareillement, que celui qui sera aux champs ne retourne pas en arrière. [32]Rappelez-vous la femme de Lot.

|| Mt 10 39. || Jn 12 25.

[33]Qui cherchera à épargner sa vie la perdra, et qui la perdra la sauvegardera.

|| Mt 24 40-41.

[34]Je vous le dis : en cette nuit-là, deux seront sur un même lit l'un sera pris et l'autre laissé ; [35]deux femmes seront à moudre ensemble : l'une sera prise et l'autre laissée. [[36]][37]Prenant alors la parole, ils lui disent : « Où, Seigneur ? » Il leur dit :

|| Mt 24 28.

« Où sera le corps, là aussi les vautours se rassembleront. »

Le juge inique et la veuve importune.

18 [1]Et il leur disait une parabole sur ce qu'il leur fallait prier sans cesse et ne pas se décourager. [2]« Il y avait dans une ville un juge qui ne craignait pas Dieu et n'avait de considération pour personne. [3]Il y avait aussi dans cette ville une veuve qui venait le trouver, en disant : "Rends-moi justice contre mon adversaire !" [4]Il s'y refusa longtemps. Après quoi il se dit : "J'ai beau ne pas craindre Dieu et n'avoir de considération pour personne, [5]néanmoins, comme cette veuve m'importune, je vais lui rendre justice, pour qu'elle ne vienne pas sans fin me rompre la tête". »

[6]Et le Seigneur dit : « Écoutez ce que dit ce juge inique. [7]Et Dieu ne ferait pas justice à ses élus qui crient vers lui jour et nuit, tandis qu'il patiente à leur sujet ! [8]Je vous dis qu'il leur fera prompte justice. Mais le Fils de l'homme, quand il viendra, trouvera-t-il la foi sur la terre ? »

Le Pharisien et le publicain.

[9]Il dit encore, à l'adresse de certains qui se flattaient d'être des justes et n'avaient que mépris pour les autres, la parabole que voici : [10]« Deux hommes montèrent au Temple pour prier ; l'un était Pharisien et l'autre publicain. [11]Le Pharisien, debout, priait ainsi en lui-même : "Mon Dieu, je te rends grâces de ce que je ne suis pas comme le reste des hommes, qui sont rapaces, injustes, adultères, ou bien encore comme ce publicain ; [12]je jeûne deux fois la semaine, je donne la dîme de tout ce que j'acquiers." [13]Le publicain, se tenant à distance, n'osait même pas lever les yeux au ciel, mais il se frappait la poitrine, en disant : "Mon Dieu, aie pitié du pécheur que je suis !" [14]Je vous le dis : ce dernier descendit chez lui justifié, l'autre non.

‖ Mt **23** 12. = Lc **14** 11.

Car tout homme qui s'élève sera abaissé, mais celui qui s'abaisse sera élevé. »

Jésus et les petits enfants. ‖ Mt **19** 13-15. ‖ Mc **10** 13-16. Cf. Lc **9** 47.

¹⁵On lui présentait aussi les tout-petits pour qu'il les touchât ; ce que voyant, les disciples les rabrouaient. ¹⁶Mais Jésus appela à lui ces enfants, en disant : « Laissez les petits enfants venir à moi, ne les empêchez pas ; car c'est à leurs pareils qu'appartient le Royaume de Dieu. ¹⁷En vérité je vous le dis : quiconque n'accueille pas le Royaume de Dieu en petit enfant n'y entrera pas. »

Le riche notable. ‖ Mt **19** 16-22. ‖ Mc **10** 17-22.

¹⁸Un notable l'interrogea en disant : « Bon maître, que me faut-il faire pour avoir en héritage la vie éternelle ? » ¹⁹Jésus lui dit : « Pourquoi m'appelles-tu bon ? Nul n'est bon que Dieu seul. ²⁰Tu connais les commandements : *Ne commets pas d'adultère, ne tue pas, ne vole pas, ne porte pas de faux témoignage ; honore ton père et ta mère.* » — ²¹« Tout cela, dit-il, je l'ai observé dès ma jeunesse. » ²²Entendant cela, Jésus lui dit : « Une chose encore te fait défaut : Tout ce que tu as, vends-le et distribue-le aux pauvres, et tu auras un trésor dans les cieux ; puis viens, suis-moi. » ²³Mais lui, entendant cela, devint tout triste, car il était fort riche.

Le danger des richesses. ‖ Mt **19** 23-26. ‖ Mc **10** 23-27.

²⁴En le voyant, Jésus dit : « Comme il est difficile à ceux qui ont des richesses de pénétrer dans le Royaume de Dieu ! ²⁵Oui, il est plus facile à un chameau de passer par un trou d'aiguille qu'à un riche d'entrer dans le Royaume de Dieu ! » ²⁶Ceux qui entendaient dirent : « Et qui peut être sauvé ? » ²⁷Il dit : « Ce qui est impossible pour les hommes est possible pour Dieu. »

Récompense promise au détachement. ‖ Mt **19** 27-29. ‖ Mc **10** 28-30.

²⁸Pierre dit alors : « Voici que nous, laissant nos biens, nous t'avons suivi ! » ²⁹Il leur dit : « En vérité, je vous le dis : nul n'aura laissé maison, femme, frères, parents ou enfants, à cause du Royaume de Dieu, ³⁰qui ne reçoive bien davantage en ce temps-ci, et dans le monde à venir la vie éternelle. »

Troisième annonce de la Passion. ‖ Mt **20** 17-19. ‖ Mc **10** 32-34.

³¹Prenant avec lui les Douze, il leur dit : « Voici que nous montons à Jérusalem et que s'accomplira tout ce qui a été écrit par les Prophètes pour le Fils de l'homme. ³²Il sera en effet livré aux païens, bafoué, outragé, couvert de crachats ; ³³après l'avoir flagellé, ils le tueront et, le troisième jour, il ressuscitera. » ³⁴Et eux ne saisirent rien de tout cela ; cette parole leur demeurait cachée, et ils ne comprenaient pas ce qu'il disait.

L'aveugle de l'entrée de Jéricho. ‖ Mt 20 29-34. ‖ Mc 10 46-52.

³⁵Or il advint, comme il approchait de Jéricho, qu'un aveugle était assis au bord du chemin et mendiait. ³⁶Entendant une foule marcher, il s'enquérait de ce que cela pouvait être. ³⁷On lui annonça que c'était Jésus le Nazôréen qui passait. ³⁸Alors il s'écria : « Jésus, Fils de David, aie pitié de moi ! » ³⁹Ceux qui marchaient en tête le rabrouaient pour le faire taire, mais lui criait de plus belle : « Fils de David, aie pitié de moi ! » ⁴⁰Jésus s'arrêta et ordonna de le lui amener. Quand il fut près, il lui demanda : ⁴¹« Que veux-tu que je fasse pour toi ? » – « Seigneur, dit-il, que je recouvre la vue ! » ⁴²Jésus lui dit : « Recouvre la vue ; ta foi t'a sauvé. » ⁴³Et à l'instant même il recouvra la vue, et il le suivait en glorifiant Dieu. Et tout le peuple, voyant cela, célébra les louanges de Dieu.

Zachée.

19 ¹Entré dans Jéricho, il traversait la ville. ²Et voici un homme appelé du nom de Zachée ; c'était un chef de publicains, et qui était riche. ³Et il cherchait à voir qui était Jésus, mais il ne le pouvait à cause de la foule, car il était petit de taille. ⁴Il courut donc en avant et monta sur un sycomore pour voir Jésus, qui devait passer par là. ⁵Arrivé en cet endroit, Jésus leva les yeux et lui dit : « Zachée, descends vite, car il me faut aujourd'hui demeurer chez toi. » ⁶Et vite il descendit et le reçut avec joie. ⁷Ce que voyant, tous murmuraient et disaient : « Il est allé loger chez un homme pécheur ! » ⁸Mais Zachée, debout, dit au Seigneur : « Voici, Seigneur, je vais donner la moitié de mes biens aux pauvres, et si j'ai extorqué quelque chose à quelqu'un, je lui rends le quadruple. » ⁹Et Jésus lui dit : « Aujourd'hui le salut est arrivé pour cette maison, parce que lui aussi est un fils d'Abraham. ¹⁰Car le Fils de l'homme est venu chercher et sauver ce qui était perdu. »

Parabole des mines. ‖ Mt 25 14-30.

¹¹Comme les gens écoutaient cela, il dit encore une parabole, parce qu'il était près de Jérusalem, et qu'on pensait que le Royaume de Dieu allait apparaître à l'instant même. ¹²Il dit donc : « Un homme de haute naissance se rendit dans un pays lointain pour recevoir la dignité royale et revenir ensuite. ¹³Appelant dix de ses serviteurs, il leur remit dix mines et leur dit : "Faites-les valoir jusqu'à ce que je vienne." ¹⁴Mais ses concitoyens le haïssaient et ils dépêchèrent à sa suite une ambassade chargée de dire : "Nous ne voulons pas que celui-là règne sur nous."

¹⁵« Et il advint qu'une fois de retour, après avoir reçu la dignité royale, il fit appeler ces serviteurs auxquels il avait remis l'argent, pour savoir ce que chacun lui avait fait produire. ¹⁶Le premier se présenta et dit : "Seigneur, ta mine a rapporté dix mines." – ¹⁷"C'est bien, bon serviteur, lui dit-il ; puisque tu t'es montré fidèle en très peu de chose, reçois autorité sur dix villes." ¹⁸Le second vint et dit : "Ta mine, Seigneur, a produit cinq mines." ¹⁹À

celui-là encore il dit : "Toi aussi, sois à la tête de cinq villes."

²⁰« L'autre aussi vint et dit : "Seigneur, voici ta mine, que je gardais déposée dans un linge. ²¹Car j'avais peur de toi, qui es un homme sévère, qui prends ce que tu n'as pas mis en dépôt et moissonnes ce que tu n'as pas semé." – ²²"Je te juge, lui dit-il, sur tes propres paroles, mauvais serviteur. Tu savais que je suis un homme sévère, prenant ce que je n'ai pas mis en dépôt et moissonnant ce que je n'ai pas semé.

²³Pourquoi donc n'as-tu pas confié mon argent à la banque ? À mon retour, je l'aurais retiré avec un intérêt." ²⁴Et il dit à ceux qui se tenaient là : "Enlevez-lui sa mine, et donnez-la à celui qui a les dix mines." – ²⁵"Seigneur, lui dirent-ils, il a dix mines !"... – ²⁶"Je vous le dis : à tout homme qui a l'on donnera ; mais à qui n'a pas on enlèvera même ce qu'il a."

²⁷« "Quant à mes ennemis, ceux qui n'ont pas voulu que je règne sur eux, amenez-les ici, et égorgez-les en ma présence." »

5. *Ministère de Jésus à Jérusalem*

Entrée messianique à Jérusalem.
‖ Mt 21 1-11. ‖ Mc 11 1-11. ‖ Jn 12 12-16.

²⁸Ayant dit cela, il partait en tête, montant à Jérusalem. ²⁹Et il advint qu'en approchant de Bethphagé et de Béthanie, près du mont des Oliviers, il envoya deux des disciples, en disant : ³⁰« Allez au village qui est en face et, en y pénétrant, vous trouverez, à l'attache, un ânon que personne au monde n'a jamais monté ; détachez-le et amenez-le. ³¹Et si quelqu'un vous demande : "Pourquoi le détachez-vous ?" Vous direz ceci : "C'est que le Seigneur en a besoin." » ³²Étant donc partis, les envoyés trouvèrent les choses comme il leur avait dit. ³³Et tandis qu'ils détachaient l'ânon, ses maîtres leur dirent : « Pourquoi détachez-vous cet ânon ? » ³⁴Ils dirent : « C'est que le Seigneur en a besoin. »

³⁵Ils l'amenèrent donc à Jésus et, jetant leurs manteaux sur l'ânon, ils firent monter Jésus. ³⁶Et, tandis qu'il avançait, les gens étendaient leurs manteaux sur le chemin. ³⁷Déjà il approchait de la descente du mont des Oliviers quand, dans sa joie, toute la multitude des disciples se mit à louer Dieu d'une voix forte pour tous les miracles qu'ils avaient vus. ³⁸Ils disaient :

« Béni soit celui qui vient,
le Roi, *au nom du Seigneur !*
Paix dans le ciel
et gloire au plus haut des cieux ! »

Jésus approuve les acclamations de ses disciples.

³⁹Quelques Pharisiens de la foule lui dirent : « Maître, réprimande tes disciples. » ⁴⁰Mais il répondit : « Je vous le dis, si eux se taisent, les pierres crieront. »

Lamentation sur Jérusalem.

⁴¹Quand il fut proche, à la vue de la ville, il pleura sur elle, ⁴²en disant : « Ah ! si en ce jour tu avais compris, toi aussi, le message de paix ! Mais non, il est demeuré caché à tes yeux. ⁴³Oui, des jours viendront sur toi, où tes ennemis t'environneront de retranchements, t'investiront, te presseront de toute part. ⁴⁴Ils t'écraseront sur le sol, toi et tes enfants au milieu de toi, et ils ne laisseront pas en toi pierre sur pierre, parce que tu n'as pas reconnu le temps où tu fus visitée ! »

Les vendeurs chassés du Temple.
|| Mt **21** 12-13. || Mc **11** 15-17. || Jn **2** 14-16.

⁴⁵Puis, entré dans le Temple, il se mit à chasser les vendeurs, ⁴⁶en leur disant : « Il est écrit : *Ma maison sera une maison de prière.* Mais vous, vous en avez fait *un repaire de brigands !* »

Enseignement dans le Temple.
|| Mc **11** 18.

⁴⁷Il était journellement à enseigner dans le Temple, et les grands prêtres et les scribes cherchaient à le faire périr, les notables du peuple aussi. ⁴⁸Mais ils ne trouvaient pas ce qu'ils pourraient faire, car tout le peuple l'écoutait, suspendu à ses lèvres.

Question des Juifs sur l'autorité de Jésus. || Mt **21** 23-27. || Mc **11** 27-33.

20 ¹Et il advint, un jour qu'il enseignait le peuple dans le Temple, et annonçait la Bonne Nouvelle, que les grands prêtres et les scribes survinrent avec les anciens, ²et lui parlèrent en ces termes : « Dis-nous par quelle autorité tu fais cela, ou quel est celui qui t'a donné cette autorité ? » ³Il leur répondit : « Moi aussi, je vais vous poser une question. Dites-moi donc : ⁴le baptême de Jean était-il du Ciel ou des hommes ? » ⁵Mais ils firent par-devers eux ce calcul : « Si nous disons : "Du Ciel", il dira : "Pourquoi n'avez-vous pas cru en lui ?" ⁶Et si nous disons : "Des hommes", tout le peuple nous lapidera, car il est persuadé que Jean est un prophète. » ⁷Et ils répondirent ne pas savoir d'où il était. ⁸Et Jésus leur dit : « Moi non plus, je ne vous dis pas par quelle autorité je fais cela. »

Parabole des vignerons homicides. || Mt **21** 33-46. || Mc **12** 1-12.

⁹Il se mit alors à dire au peuple la parabole que voici : « Un homme planta une vigne, puis il la loua à des vignerons et partit en voyage pour un temps assez long. ¹⁰« Le moment venu, il envoya un serviteur aux vignerons pour qu'ils lui donnent une part du fruit de la vigne ; mais les vignerons le renvoyèrent les mains vides, après l'avoir battu. ¹¹Il recommença, envoyant un autre serviteur ; et celui-là aussi, ils le battirent, le couvrirent d'outrages et le renvoyèrent les mains vides. ¹²Il recommença, envoyant un troisième ; et celui-là aussi, ils le blessèrent et le jetèrent dehors. ¹³Le maître de la vigne se dit alors : "Que faire ? Je vais envoyer mon fils bien-aimé ; peut-être respecteront-ils celui-là." ¹⁴Mais, à sa vue, les vignerons faisaient entre eux ce raisonnement : "Celui-ci est l'héritier ; tuons-le,

pour que l'héritage soit à nous." ¹⁵Et, le jetant hors de la vigne, ils le tuèrent.

« Que leur fera donc le maître de la vigne ? ¹⁶Il viendra, fera périr ces vignerons et donnera la vigne à d'autres. »

À ces mots, ils dirent : « À Dieu ne plaise ! » ¹⁷Mais, fixant sur eux son regard, il dit : « Que signifie donc ceci qui est écrit :

La pierre qu'avaient rejetée les bâtisseurs,
c'est elle qui est devenue pierre de faîte ?

¹⁸Quiconque tombera sur cette pierre s'y fracassera, et celui sur qui elle tombera, elle l'écrasera. »

¹⁹Les scribes et les grands prêtres cherchèrent à porter les mains sur lui à cette heure même, mais ils eurent bien peur du peuple. Ils avaient bien compris, en effet, que c'était pour eux qu'il avait dit cette parabole.

Le tribut dû à César. ∥ Mt 22 15-22. ∥ Mc 12 13-17.

²⁰Ils se mirent alors aux aguets et lui envoyèrent des espions, qui jouèrent les justes pour le prendre en défaut sur quelque parole, de manière à le livrer à l'autorité et au pouvoir du gouverneur. ²¹Ils l'interrogèrent donc en disant : « Maître, nous savons que tu parles et enseignes avec droiture et que tu ne tiens pas compte des personnes, mais que tu enseignes en toute vérité la voie de Dieu. ²²Nous est-il permis ou non de payer le tribut à César ? » ²³Mais, pénétrant leur astuce, il leur dit : ²⁴« Montrez-moi un denier. De qui porte-t-il l'effigie et l'inscription ? » Ils dirent : « De César. »

²⁵Alors il leur dit : « Eh bien ! rendez à César ce qui est à César, et à Dieu ce qui est à Dieu. »

²⁶Et ils ne purent le prendre en défaut sur quelque propos devant le peuple et, tout étonnés de sa réponse, ils gardèrent le silence.

La résurrection des morts. ∥ Mt 22 23-33. ∥ Mc 12 18-27.

²⁷S'approchant alors, quelques Sadducéens – ceux qui nient qu'il y ait une résurrection – l'interrogèrent ²⁸en disant : « Maître, Moïse a écrit pour nous : Si quelqu'un a un frère marié qui meurt sans avoir d'enfant, que son frère prenne la femme et suscite une postérité à son frère. ²⁹Il y avait donc sept frères. Le premier, ayant pris femme, mourut sans enfant. ³⁰Le second aussi, ³¹puis le troisième prirent la femme. Et les sept moururent de même, sans laisser d'enfant après eux. ³²Finalement, la femme aussi mourut. ³³Eh bien ! cette femme, à la résurrection, duquel d'entre eux va-t-elle devenir la femme ? Car les sept l'auront eue pour femme. »

³⁴Et Jésus leur dit : « Les fils de ce monde-ci prennent femme ou mari ; ³⁵mais ceux qui auront été jugés dignes d'avoir part à ce monde-là et à la résurrection d'entre les morts ne prennent ni femme ni mari ; ³⁶aussi bien ne peuvent-ils plus mourir, car ils sont pareils aux anges, et ils sont fils de Dieu, étant fils de la résurrection. ³⁷Et que les morts ressuscitent, Moïse aussi l'a donné à entendre dans le passage du Buisson quand il appelle le Seigneur *le Dieu d'Abraham, le Dieu d'Isaac et le Dieu de Jacob.*

³⁸Or il n'est pas un Dieu de morts, mais de vivants ; tous en effet vivent pour lui. »

|| Mt **22** 46. || Mc **12** 34.

³⁹Prenant alors la parole, quelques scribes dirent : « Maître, tu as bien parlé. » ⁴⁰Car ils n'osaient plus l'interroger sur rien.

Le Christ, fils et Seigneur de David. || Mt **22** 41-45. || Mc **12** 35-37.

⁴¹Il leur dit : « Comment peut-on dire que le Christ est fils de David ? ⁴²C'est David lui-même en effet qui dit, au livre des Psaumes :

Le Seigneur a dit à mon Seigneur :
Siège à ma droite,
⁴³*jusqu'à ce que j'aie fait de tes ennemis*
un escabeau pour tes pieds.

⁴⁴David donc l'appelle Seigneur ; comment alors est-il son fils ? »

Les scribes jugés par Jésus. || Mt **23** 6-7. || Mc **12** 38-40. = Lc **11** 43.

⁴⁵Comme tout le peuple écoutait, il dit aux disciples : ⁴⁶« Méfiez-vous des scribes qui se plaisent à circuler en longues robes, qui aiment les salutations sur les places publiques, et les premiers sièges dans les synagogues et les premiers divans dans les festins, ⁴⁷qui dévorent les biens des veuves, et affectent de faire de longues prières. Ils subiront, ceux-là, une condamnation plus sévère ! »

L'obole de la veuve. || Mc **12** 41-44.

21 ¹Levant les yeux, il vit les riches qui mettaient leurs offrandes dans le Trésor. ²Il vit aussi une veuve indigente qui y mettait deux piécettes, ³et il dit : « Vraiment, je vous le dis, cette veuve qui est pauvre a mis plus qu'eux tous. ⁴Car tous ceux-là ont mis de leur superflu dans les offrandes, mais elle, de son dénuement, a mis tout ce qu'elle avait pour vivre. »

Discours sur la ruine de Jérusalem. Introduction. || Mt **24** 1-3. || Mc **13** 1-4.

⁵Comme certains disaient du Temple qu'il était orné de belles pierres et d'offrandes votives, il dit : ⁶« De ce que vous contemplez, viendront des jours où il ne restera pas pierre sur pierre : tout sera jeté bas. » ⁷Ils l'interrogèrent alors en disant : « Maître, quand donc cela aura-t-il lieu, et quel sera le signe que cela est sur le point d'arriver ? »

Les signes précurseurs. || Mt **24** 4-14. || Mc **13** 5-13.

⁸Il dit : « Prenez garde de vous laisser abuser, car il en viendra beaucoup sous mon nom, qui diront : "C'est moi !" et "Le temps est tout proche". N'allez pas à leur suite. ⁹Lorsque vous entendrez parler de guerres et de désordres, ne vous effrayez pas ; car il faut que cela arrive d'abord, mais ce ne sera pas de sitôt la fin. » ¹⁰Alors il leur disait : « On se dressera nation contre nation et royaume contre royaume. ¹¹Il y aura de grands tremblements de terre et, par endroits, des pestes et des famines ; il y aura aussi des phénomènes terribles et, venant du ciel, de grands signes.

|| Mt **10** 17-22.

¹²« Mais, avant tout cela, on portera les mains sur vous, on vous persécutera, on vous livrera aux synagogues et aux prisons, on vous traduira devant des rois et des gouverneurs à cause de mon Nom, ¹³et cela aboutira pour vous au témoignage. ¹⁴Mettez-vous donc bien dans l'esprit que vous n'avez pas à préparer d'avance votre défense : ¹⁵car moi je vous donnerai un langage et une sagesse, à quoi nul de vos adversaires ne pourra résister ni contredire. ¹⁶Vous serez livrés même par vos père et mère, vos frères, vos proches et vos amis ; on fera mourir plusieurs d'entre vous, ¹⁷et vous serez haïs de tous à cause de mon nom. ¹⁸Mais pas un cheveu de votre tête ne se perdra. ¹⁹C'est par votre constance que vous sauverez vos vies !

L'investissement. || Mt **24** 15-20. || Mc **13** 14-18.

²⁰« Mais lorsque vous verrez Jérusalem investie par des armées, alors comprenez que sa dévastation est toute proche. ²¹Alors, que ceux qui seront en Judée s'enfuient dans les montagnes, que ceux qui seront à l'intérieur de la ville s'en éloignent, et que ceux qui seront dans les campagnes n'y entrent pas ; ²²car ce seront des jours de vengeance, où devra s'accomplir tout ce qui a été écrit. ²³Malheur à celles qui seront enceintes et à celles qui allaiteront en ces jours-là !

La catastrophe et les temps des païens. || Mt **24** 21. || Mc **13** 19.

« Car il y aura grande détresse sur la terre et colère contre ce peuple. ²⁴Ils tomberont sous le tranchant du glaive et ils seront emmenés captifs dans toutes les nations, et *Jérusalem* sera *foulée aux pieds par des païens* jusqu'à ce que soient accomplis les temps des païens.

Les catastrophes cosmiques et la Manifestation glorieuse du Fils de l'homme. || Mt **24** 29-30. || Mc **13** 24-26.

²⁵« Et il y aura des signes dans le soleil, la lune et les étoiles. Sur la terre, les nations seront dans l'angoisse, inquiètes du fracas de la mer et des flots ; ²⁶des hommes défailliront de frayeur, dans l'attente de ce qui menace le monde habité, car les puissances des cieux seront ébranlées. ²⁷Et alors on verra le Fils de l'homme venant dans une nuée avec puissance et grande gloire. ²⁸Quand cela commencera d'arriver, redressez-vous et relevez la tête, parce que votre délivrance est proche. »

Parabole du figuier. || Mt **24** 32-35. || Mc **13** 28-31.

²⁹Et il leur dit une parabole : « Voyez le figuier et les autres arbres. ³⁰Dès qu'ils bourgeonnent, vous comprenez de vous-mêmes, en les regardant, que désormais l'été est proche. ³¹Ainsi vous, lorsque vous verrez cela arriver, comprenez que le Royaume de Dieu est proche. ³²En vérité, je vous le dis, cette génération ne passera pas que tout ne soit arrivé. ³³Le ciel et la terre passeront, mais mes paroles ne passeront point.

Veiller pour ne pas être surpris.

[34]« Tenez-vous sur vos gardes, de peur que vos cœurs ne s'appesantissent dans la débauche, l'ivrognerie, les soucis de la vie, et que ce Jour-là ne fonde soudain sur vous [35]comme un filet ; car il s'abattra sur tous ceux qui habitent la surface de toute la terre. [36]Veillez donc et priez en tout temps, afin d'avoir la force d'échapper à tout ce qui doit arriver, et de vous tenir debout devant le Fils de l'homme. »

Les dernières journées de Jésus.

[37]Pendant le jour, il était dans le Temple à enseigner ; mais la nuit, il s'en allait la passer en plein air sur le mont dit des Oliviers. [38]Et, dès l'aurore, tout le peuple venait à lui dans le Temple pour l'écouter.

6. La passion

Complot contre Jésus et trahison de Judas. ‖ Mt **26** 2-5. ‖ Mc **14** 1-2. ‖ Jn **11** 47-53.

22 [1]La fête des Azymes, appelée la Pâque, approchait. [2]Et les grands prêtres et les scribes cherchaient comment le tuer, car ils avaient peur du peuple.

‖ Mt **26** 14-16. ‖ Mc **14** 10-11.

[3]Or Satan entra dans Judas, appelé Iscariote, qui était du nombre des Douze. [4]Il s'en alla conférer avec les grands prêtres et les chefs des gardes sur le moyen de le leur livrer. [5]Ils se réjouirent et convinrent de lui donner de l'argent. [6]Il acquiesça, et il cherchait une occasion favorable pour le leur livrer à l'insu de la foule.

Préparatifs du repas pascal. ‖ Mt **26** 17-19. ‖ Mc **14** 12-16.

[7]Vint le jour des Azymes, où devait être immolée la pâque, [8]et il envoya Pierre et Jean en disant : « Allez nous préparer la pâque, que nous la mangions. » [9]Ils lui dirent : « Où veux-tu que nous préparions ? » [10]Il leur dit : « Voici qu'en entrant dans la ville, vous rencontrerez un homme portant une cruche d'eau. Suivez-le dans la maison où il pénétrera, [11]et vous direz au propriétaire de la maison : "Le Maître te fait dire : Où est la salle où je pourrai manger la pâque avec mes disciples ?" [12]Et celui-ci vous montrera, à l'étage, une grande pièce garnie de coussins ; faites-y les préparatifs. » [13]S'en étant donc allés, ils trouvèrent comme il leur avait dit, et ils préparèrent la pâque.

Le repas pascal.

[14]Lorsque l'heure fut venue, il se mit à table, et les apôtres avec lui. [15]Et il leur dit : « J'ai ardemment désiré manger cette pâque avec vous avant de souffrir ; [16]car je vous le dis, jamais plus je ne la mangerai jusqu'à ce qu'elle s'accomplisse dans le Royaume de Dieu. »

[17]Puis, ayant reçu une coupe, il rendit grâces et dit : « Prenez ceci et partagez entre vous ; [18]car je

vous le dis, je ne boirai plus désormais du produit de la vigne jusqu'à ce que le Royaume de Dieu soit venu. »

Institution de l'Eucharistie. ‖ Mt 26 26-28. ‖ Mc 14 22-24. ‖ 1 Co 11 23-25.

¹⁹Puis, prenant du pain, il rendit grâces, le rompit et le leur donna, en disant : « Ceci est mon corps, donné pour vous ; faites cela en mémoire de moi. » ²⁰Il fit de même pour la coupe après le repas, disant : « Cette coupe est la nouvelle Alliance en mon sang, versé pour vous.

Annonce de la trahison de Judas. ‖ Mt 26 20-25. ‖ Mc 14 17-21. ‖ Jn 13 21-30.

²¹« Cependant, voici que la main de celui qui me livre est avec moi sur la table. ²²Le Fils de l'homme, certes, va son chemin selon ce qui a été arrêté, mais malheur à cet homme-là par qui il est livré ! » ²³Et eux se mirent à se demander entre eux quel était donc parmi eux celui qui allait faire cela.

Qui est le plus grand ? = 9 46. ‖ Mt 20 25-27. ‖ Mc 10 42-45.

²⁴Il s'éleva aussi entre eux une contestation : lequel d'entre eux pouvait être tenu pour le plus grand ? ²⁵Il leur dit : « Les rois des nations dominent sur elles, et ceux qui exercent le pouvoir sur elles se font appeler Bienfaiteurs. ²⁶Mais pour vous, il n'en va pas ainsi. Au contraire, que le plus grand parmi vous se comporte comme le plus jeune, et celui qui gouverne comme celui qui sert. ²⁷Quel est en effet le plus grand, celui qui est à table ou celui qui sert ? N'est-ce pas celui qui est à table ? Et moi, je suis au milieu de vous comme celui qui sert !

Récompense promise aux apôtres. ‖ Mt 19 28.

²⁸« Vous êtes, vous, ceux qui sont demeurés constamment avec moi dans mes épreuves ; ²⁹et moi je dispose pour vous du Royaume, comme mon Père en a disposé pour moi : ³⁰vous mangerez et boirez à ma table en mon Royaume, et vous siégerez sur des trônes pour juger les douze tribus d'Israël.

Annonce du retour et du reniement de Pierre. ‖ Mt 26 31-35. ‖ Mc 14 27-31. ‖ Jn 13 36-38.

³¹« Simon, Simon, voici que Satan vous a réclamés pour vous cribler comme le froment ; ³²mais moi j'ai prié pour toi, afin que ta foi ne défaille pas. Toi donc, quand tu seras revenu, affermis tes frères. » ³³Celui-ci lui dit : « Seigneur, je suis prêt à aller avec toi et en prison et à la mort. » ³⁴Mais il dit : « Je te le dis, Pierre, le coq ne chantera pas aujourd'hui que tu n'aies, par trois fois, nié me connaître. »

L'heure du combat décisif.

³⁵Puis il leur dit : « Quand je vous ai envoyés sans bourse, ni besace, ni sandales, avez-vous manqué de quelque chose ? » – « De rien », dirent-ils. ³⁶Et il leur dit : « Mais maintenant, que celui qui a une bourse la prenne, de même celui qui a une besace, et que celui qui n'en a pas vende son manteau pour acheter un glaive. ³⁷Car, je vous le dis, il faut que s'accomplisse en moi ceci qui est écrit : *Il a été compté parmi les*

scélérats. Aussi bien, ce qui me concerne touche à sa fin. » – [38]« Seigneur, dirent-ils, il y a justement ici deux glaives. » Il leur répondit : « C'est bien assez ! »

Au mont des Oliviers. ‖ Mt 26 30, 36-46. ‖ Mc 14 26, 32-42.

[39]Il sortit et se rendit, comme de coutume, au mont des Oliviers, et les disciples aussi le suivirent. [40]Parvenu en ce lieu, il leur dit : « Priez, pour ne pas entrer en tentation. » [41]Puis il s'éloigna d'eux d'environ un jet de pierre et, fléchissant les genoux, il priait en disant : [42]« Père, si tu veux, éloigne de moi cette coupe ! Cependant, que ce ne soit pas ma volonté, mais la tienne qui se fasse ! » [43]Alors lui apparut, venant du ciel, un ange qui le réconfortait. [44]Entré en agonie, il priait de façon plus instante, et sa sueur devint comme de grosses gouttes de sang qui tombaient à terre.

[45]Se relevant de sa prière, il vint vers les disciples qu'il trouva endormis de tristesse, [46]et il leur dit : « Qu'avez-vous à dormir ? Relevez-vous et priez, pour ne pas entrer en tentation. »

L'arrestation de Jésus. ‖ Mt 26 47-56. ‖ Mc 14 43-52. ‖ Jn 18 3-11.

[47]Tandis qu'il parlait encore, voici une foule, et à sa tête marchait le nommé Judas, l'un des Douze, qui s'approcha de Jésus pour lui donner un baiser. [48]Mais Jésus lui dit : « Judas, c'est par un baiser que tu livres le Fils de l'homme ! » [49]Voyant ce qui allait arriver, ses compagnons lui dirent « Seigneur, faut-il frapper du glaive ? » [50]Et l'un d'eux frappa le serviteur du grand prêtre et lui enleva l'oreille droite. [51]Mais Jésus prit la parole et dit : « Restez-en là. » Et, lui touchant l'oreille, il le guérit.

[52]Puis Jésus dit à ceux qui s'étaient portés contre lui, grands prêtres, chefs des gardes du Temple et anciens : « Suis-je un brigand, que vous vous soyez mis en campagne avec des glaives et des bâtons ? [53]Alors que chaque jour j'étais avec vous dans le Temple, vous n'avez pas porté les mains sur moi. Mais c'est votre heure et le pouvoir des Ténèbres. »

Reniements de Pierre. ‖ Mt 26 69-75. ‖ Mc 14 66-72. ‖ Jn 18 15-18, 25-27.

[54]L'ayant donc saisi, ils l'emmenèrent et l'introduisirent dans la maison du grand prêtre. Quant à Pierre, il suivait de loin. [55]Comme ils avaient allumé du feu au milieu de la cour et s'étaient assis autour, Pierre s'assit au milieu d'eux. [56]Une servante le vit assis près de la flambée et, fixant les yeux sur lui, elle dit : « Celui-là aussi était avec lui ! » [57]Mais lui nia en disant : « Femme, je ne le connais pas. » [58]Peu après, un autre, l'ayant vu, déclara : « Toi aussi, tu en es ! » Mais Pierre riposta : « Homme, je n'en suis pas. » [59]Environ une heure plus tard, un autre soutenait avec insistance : « Sûrement, celui-là aussi était avec lui, et d'ailleurs il est galiléen ! » Mais Pierre dit : [60]« Homme, je ne sais ce que tu dis. » Et à l'instant même, comme il parlait encore, un coq chanta, [61]et le Seigneur, se retournant, fixa son regard sur Pierre. Et Pierre se ressouvint de la parole du Seigneur, qui lui avait dit :

« Avant que le coq ait chanté aujourd'hui, tu m'auras renié trois fois. » ⁶²Et, sortant dehors, il pleura amèrement.

Premiers outrages. ‖ Mt 26 67-68. ‖ Mc 14 65.

⁶³Les hommes qui le gardaient le bafouaient et le battaient ; ⁶⁴ils lui voilaient le visage et l'interrogeaient en disant : « Fais le prophète ! Qui est-ce qui t'a frappé ? » ⁶⁵Et ils proféraient contre lui beaucoup d'autres injures.

Jésus devant le Sanhédrin. ‖ Mt 26 57-66 ; 27 2. ‖ Mc 14 53-64 ; 15 1.

⁶⁶Et quand il fit jour, le conseil des Anciens du peuple s'assembla, grands prêtres et scribes. Ils l'amenèrent dans leur Sanhédrin ⁶⁷et dirent : « Si tu es le Christ, dis-le-nous. » Il leur dit : « Si je vous le dis, vous ne croirez pas, ⁶⁸et si je vous interroge, vous ne répondrez pas. ⁶⁹Mais désormais le Fils de l'homme *siégera à la droite de la Puissance de Dieu* ! » ⁷⁰Tous dirent alors : « Tu es donc le Fils de Dieu ! » Il leur déclara : « Vous le dites : je le suis. » Et ils dirent : « Qu'avons-nous encore besoin de témoignage ? Car nous-mêmes l'avons entendu de sa bouche ! »

23 ¹Puis toute l'assemblée se leva, et ils l'amenèrent devant Pilate.

Jésus devant Pilate ‖ Mt 27 11-14. ‖ Mc 15 2-5. ‖ Jn 18 29-38a.

²Ils se mirent alors à l'accuser, en disant : « Nous avons trouvé cet homme mettant le trouble dans notre nation, empêchant de payer les impôts à César et se disant Christ Roi. » ³Pilate l'interrogea en disant : « Tu es le roi des Juifs ? » – « Tu le dis », lui répondit-il. ⁴Pilate dit alors aux grands prêtres et aux foules : « Je ne trouve en cet homme aucun motif de condamnation. » ⁵Mais eux d'insister en disant : « Il soulève le peuple, enseignant par toute la Judée, depuis la Galilée, où il a commencé, jusqu'ici. » ⁶À ces mots, Pilate demanda si l'homme était galiléen. ⁷Et s'étant assuré qu'il était de la juridiction d'Hérode, il le renvoya à Hérode qui se trouvait, lui aussi, à Jérusalem en ces jours-là.

Jésus devant Hérode.

⁸Hérode, en voyant Jésus, fut tout joyeux ; car depuis assez longtemps il désirait le voir, pour ce qu'il entendait dire de lui ; et il espérait lui voir faire quelque miracle. ⁹Il l'interrogea donc avec force paroles, mais il ne lui répondit rien. ¹⁰Cependant les grands prêtres et les scribes se tenaient là, l'accusant avec véhémence. ¹¹Après l'avoir, ainsi que ses gardes, traité avec mépris et bafoué, Hérode le revêtit d'un habit splendide et le renvoya à Pilate. ¹²Et, ce même jour, Hérode et Pilate devinrent deux amis, d'ennemis qu'ils étaient auparavant.

Jésus à nouveau devant Pilate. ‖ Mt 27 15-26. ‖ Mc 15 6-15. ‖ Jn 18 38b–19 16.

¹³Ayant convoqué les grands prêtres, les chefs et le peuple, Pilate ¹⁴leur dit : « Vous m'avez présenté cet homme comme détournant le peuple, et voici que moi je l'ai interrogé devant vous, et je n'ai trouvé en cet homme aucun motif de condamnation pour ce dont vous l'accusez. ¹⁵Hérode non plus

d'ailleurs, puisqu'il l'a renvoyé devant nous. Vous le voyez ; cet homme n'a rien fait qui mérite la mort. ¹⁶Je le relâcherai donc, après l'avoir châtié. » [¹⁷]¹⁸ Mais eux se mirent à pousser des cris tous ensemble : « À mort cet homme ! Et relâche-nous Barabbas. » ¹⁹Ce dernier avait été jeté en prison pour une sédition survenue dans la ville et pour meurtre.

²⁰De nouveau Pilate, qui voulait relâcher Jésus, leur adressa la parole. ²¹Mais eux répondaient en criant : « Crucifie-le ! crucifie-le ! » ²²Pour la troisième fois, il leur dit : « Quel mal a donc fait cet homme ? Je n'ai trouvé en lui aucun motif de condamnation à mort ; je le relâcherai donc, après l'avoir châtié. » ²³Mais eux insistaient à grands cris, demandant qu'il fût crucifié ; et leurs clameurs gagnaient en violence.

²⁴Et Pilate prononça qu'il fût fait droit à leur demande. ²⁵Il relâcha celui qui avait été jeté en prison pour sédition et meurtre, celui qu'ils réclamaient. Quant à Jésus, il le livra à leur bon plaisir.

Sur le chemin du Calvaire.
‖ Mt **27** 31b-32. ‖ Mc **15** 20b-22. ‖ Jn **19** 17.

²⁶Quand ils l'emmenèrent, ils mirent la main sur un certain Simon de Cyrène qui revenait des champs, et le chargèrent de la croix pour la porter derrière Jésus. ²⁷Une grande masse du peuple le suivait, ainsi que des femmes qui se frappaient la poitrine et se lamentaient sur lui. ²⁸Mais, se retournant vers elles, Jésus dit : « Filles de Jérusalem, ne pleurez pas sur moi ! pleurez plutôt sur vous-mêmes et sur vos enfants ! ²⁹Car voici venir des jours où l'on dira : Heureuses les femmes stériles, les entrailles qui n'ont pas enfanté, et les seins qui n'ont pas nourri ! ³⁰Alors on se mettra à *dire aux montagnes : Tombez sur nous ! et aux collines : Couvrez-nous !* ³¹Car si l'on traite ainsi le bois vert, qu'adviendra-t-il du sec ? » ³²On emmenait encore deux malfaiteurs pour être exécutés avec lui.

Le crucifiement.　‖ Mt **27** 35-38.
‖ Mc **15** 24-28. ‖ Jn **19** 17-24.

³³Lorsqu'ils furent arrivés au lieu appelé Crâne, ils l'y crucifièrent ainsi que les malfaiteurs, l'un à droite et l'autre à gauche. ³⁴Et Jésus disait : « Père, pardonne-leur : ils ne savent ce qu'ils font. » Puis, se partageant ses vêtements, ils tirèrent au sort.

Jésus en croix raillé et outragé.
‖ Mt **27** 39-43. ‖ Mc **15** 29-32a.

³⁵Le peuple se tenait là, à regarder. Les chefs, eux, se moquaient : « Il en a sauvé d'autres, disaient-ils ; qu'il se sauve lui-même, s'il est le Christ de Dieu, l'Élu ! » ³⁶Les soldats aussi se gaussèrent de lui : s'approchant pour lui présenter du vinaigre, ³⁷ils disaient : « Si tu es le roi des Juifs, sauve-toi toi-même ! » ³⁸Il y avait aussi une inscription au-dessus de lui :

« Celui-ci est le roi des Juifs. »

Le « bon larron ».

³⁹L'un des malfaiteurs suspendus à la croix l'injuriait : « N'es-tu pas le Christ ? Sauve-toi toi-même, et nous aussi. » ⁴⁰Mais l'autre, le reprenant, déclara : « Tu n'as même pas crainte de

Dieu, alors que tu subis la même peine ! [41]Pour nous, c'est justice, nous payons nos actes ; mais lui n'a rien fait de mal. » [42]Et il disait : « Jésus, souviens-toi de moi, lorsque tu viendras avec ton royaume. » [43]Et il lui dit : « En vérité, je te le dis, aujourd'hui tu seras avec moi dans le Paradis. »

La mort de Jésus. || Mt 27 45-50.
|| Mc 15 33-37. || Jn 19 25-30.

[44]C'était déjà environ la sixième heure quand, le soleil s'éclipsant, l'obscurité se fit sur la terre entière, jusqu'à la neuvième heure. [45]Le voile du Sanctuaire se déchira par le milieu, [46]et, jetant un grand cri, Jésus dit : « Père, *en tes mains je remets mon esprit.* » Ayant dit cela, il expira.

Après la mort de Jésus. || Mt 27 51-56. || Mc 15 38-41. || Jn 19 31-37.

[47]Voyant ce qui était arrivé, le centenier glorifiait Dieu, en disant : « Sûrement, cet homme était un juste ! » [48]Et toutes les foules qui s'étaient rassemblées pour ce spectacle, voyant ce qui était arrivé, s'en retournaient en se frappant la poitrine.

[49]Tous ses amis se tenaient à distance, ainsi que les femmes qui l'accompagnaient depuis la Galilée, et qui regardaient cela.

L'ensevelissement. || Mt 27 57-61.
|| Mc 15 42-47. || Jn 19 38-42.

[50]Et voici un homme nommé Joseph, membre du Conseil, homme droit et juste. [51]Celui-là n'avait pas donné son assentiment au dessein ni à l'acte des autres. Il était d'Arimathie, ville juive, et il attendait le Royaume de Dieu. [52]Il alla trouver Pilate et réclama le corps de Jésus. [53]Il le descendit, le roula dans un linceul et le mit dans une tombe taillée dans le roc, où personne encore n'avait été placé. [54]C'était le jour de la Préparation, et le sabbat commençait à poindre.

[55]Cependant les femmes qui étaient venues avec lui de Galilée avaient suivi Joseph ; elles regardèrent le tombeau et comment son corps avait été mis. [56]Puis elles s'en retournèrent et préparèrent aromates et parfums. Et le sabbat, elles se tinrent en repos, selon le précepte.

7. Après la résurrection

Le tombeau vide. Message des anges. || Mt 28 1-8. || Mc 16 1-8. || Jn 20 1-2.

24 [1]Le premier jour de la semaine, à la pointe de l'aurore, elles allèrent à la tombe, portant les aromates qu'elles avaient préparés. [2]Elles trouvèrent la pierre roulée de devant le tombeau, [3]mais, étant entrées, elles ne trou-

vèrent pas le corps du Seigneur Jésus. [4]Et il advint, comme elles en demeuraient perplexes, que deux hommes se tinrent devant elles, en habit éblouissant. [5]Et tandis que, saisies d'effroi, elles tenaient leur visage incliné vers le sol, ils leur dirent : « Pourquoi cherchez-vous le Vivant parmi les morts ? ⁶Il n'est pas ici ; mais il est ressuscité. Rappelez-vous comment il vous a parlé, quand il était encore en Galilée : ⁷Il faut, disait-il, que le Fils de l'homme soit livré aux mains des pécheurs, qu'il soit crucifié, et qu'il ressuscite le troisième jour. » ⁸Et elles se rappelèrent ses paroles.

Les apôtres refusent d'ajouter foi aux dires des femmes. ‖ Mt 28 10, 17. ‖ Mc **16** 10-11, 14. ‖ Jn **20** 18, 25, 29.

⁹À leur retour du tombeau, elles rapportèrent tout cela aux Onze et à tous les autres. ¹⁰C'étaient Marie la Magdaléenne, Jeanne et Marie, mère de Jacques. Les autres femmes qui étaient avec elles le dirent aussi aux apôtres ; ¹¹mais ces propos leur semblèrent du radotage, et ils ne les crurent pas.

Pierre au tombeau. ‖ Jn **20** 3-10.

¹²Pierre cependant partit et courut au tombeau. Mais, se penchant, il ne voit que les linges. Et il s'en alla chez lui, tout surpris de ce qui était arrivé.

Les deux disciples d'Emmaüs. ‖ Mc **16** 12-13.

¹³Et voici que, ce même jour, deux d'entre eux faisaient route vers un village du nom d'Emmaüs, distant de Jérusalem de soixante stades, ¹⁴et ils conversaient entre eux de tout ce qui était arrivé. ¹⁵Et il advint, comme ils conversaient et discutaient ensemble, que Jésus en personne s'approcha, et il faisait route avec eux ; ¹⁶mais leurs yeux étaient empêchés de le reconnaître. ¹⁷Il leur dit : « Quels sont donc ces propos que vous échangez en mar-chant ? » Et ils s'arrêtèrent, le visage sombre.

¹⁸Prenant la parole, l'un d'eux, nommé Cléophas, lui dit : « Tu es bien le seul habitant de Jérusalem à ignorer ce qui y est arrivé ces jours-ci ! » – ¹⁹« Quoi donc ? » leur dit-il. Ils lui dirent : « Ce qui concerne Jésus le Nazarénien, qui s'est montré un prophète puissant en œuvres et en paroles devant Dieu et devant tout le peuple, ²⁰comment nos grands prêtres et nos chefs l'ont livré pour être condamné à mort et l'ont crucifié. ²¹Nous espérions, nous, que c'était lui qui allait délivrer Israël ; mais avec tout cela, voilà le troisième jour depuis que ces choses sont arrivées ! ²²Quelques femmes qui sont des nôtres nous ont, il est vrai, stupéfiés. S'étant rendues de grand matin au tombeau ²³et n'ayant pas trouvé son corps, elles sont revenues nous dire qu'elles ont même eu la vision d'anges qui le disent vivant. ²⁴Quelques-uns des nôtres sont allés au tombeau et ont trouvé les choses tout comme les femmes avaient dit ; mais lui, ils ne l'ont pas vu ! »

²⁵Alors il leur dit : « Ô cœurs sans intelligence, lents à croire à tout ce qu'ont annoncé les Prophètes ! ²⁶Ne fallait-il pas que le Christ endurât ces souffrances pour entrer dans sa gloire ? » ²⁷Et, commençant par Moïse et parcourant tous les Prophètes, il leur interpréta dans toutes les Écritures ce qui le concernait.

²⁸Quand ils furent près du village où ils se rendaient, il fit semblant d'aller plus loin. ²⁹Mais ils le pressèrent en disant : « Reste

avec nous, car le soir tombe et le jour déjà touche à son terme. » Il entra donc pour rester avec eux. [30]Et il advint, comme il était à table avec eux, qu'il prit le pain, dit la bénédiction, puis le rompit et le leur donna. [31]Leurs yeux s'ouvrirent et ils le reconnurent... mais il avait disparu de devant eux. [32]Et ils se dirent l'un à l'autre : « Notre cœur n'était-il pas tout brûlant au-dedans de nous, quand il nous parlait en chemin, quand il nous expliquait les Écritures ? »

[33]À cette heure même, ils partirent et s'en retournèrent à Jérusalem. Ils trouvèrent réunis les Onze et leurs compagnons, [34]qui dirent : « C'est bien vrai ! le Seigneur est ressuscité et il est apparu à Simon ! » [35]Et eux de raconter ce qui s'était passé en chemin, et comment ils l'avaient reconnu à la fraction du pain.

Jésus apparaît aux apôtres.
Cf. Jn **20** 19-23.

[36]Tandis qu'ils disaient cela, lui se tint au milieu d'eux et leur dit : « Paix à vous ! » [37]Saisis de frayeur et de crainte, ils pensaient voir un esprit. [38]Mais il leur dit : « Pourquoi tout ce trouble, et pourquoi des doutes montent-ils en votre cœur ? [39]Voyez mes mains et mes pieds ; c'est bien moi ! Palpez-moi et rendez-vous compte qu'un esprit n'a ni chair ni os, comme vous voyez que j'en ai. » [40]Ayant dit cela, il leur montra ses mains et ses pieds. [41]Et comme, dans leur joie, ils ne croyaient pas encore et demeu-

raient saisis d'étonnement, il leur dit : « Avez-vous ici quelque chose à manger ? » [42]Ils lui présentèrent un morceau de poisson grillé. [43]Il le prit et le mangea devant eux.

Dernières instructions aux apôtres.

[44]Puis il leur dit : « Telles sont bien les paroles que je vous ai dites quand j'étais encore avec vous : il faut que s'accomplisse tout ce qui est écrit de moi dans la Loi de Moïse, les Prophètes et les Psaumes. » [45]Alors il leur ouvrit l'esprit à l'intelligence des Écritures, [46]et il leur dit : « Ainsi est-il écrit que le Christ souffrirait et ressusciterait d'entre les morts le troisième jour, [47]et qu'en son Nom le repentir en vue de la rémission des péchés serait proclamé à toutes les nations, à commencer par Jérusalem. [48]De cela vous êtes témoins.

|| Ac **1** 4, 8.

[49]« Et voici que moi, je vais envoyer sur vous ce que mon Père a promis. Vous donc, demeurez dans la ville jusqu'à ce que vous soyez revêtus de la force d'en-haut. »

L'Ascension. || Mc **16** 19. || Ac **1** 9, 12.

[50]Puis il les emmena jusque vers Béthanie et, levant les mains, il les bénit. [51]Et il advint, comme il les bénissait, qu'il se sépara d'eux et fut emporté au ciel. [52]Pour eux, s'étant prosternés devant lui, ils retournèrent à Jérusalem en grande joie, [53]et ils étaient constamment dans le Temple à bénir Dieu.

L'Évangile selon saint Jean et les épîtres johanniques

Introduction

L'évangile

L'évangile de Jean se présente comme les évangiles synoptiques : il commence par montrer le témoignage du Baptiste sur Jésus, il donne ensuite un certain nombre d'épisodes concernant la vie du Christ, dont plusieurs recoupent ceux de la tradition synoptique ; il se termine par les récits de la passion et de la résurrection. Il se distingue toutefois des autres évangiles par de nombreux traits : miracles qu'ils ignorent (l'eau changée en vin ; la résurrection de Lazare), longs discours, comme celui qui suit la multiplication des pains, christologie insistant en particulier sur la divinité du Christ.

La conviction que la promesse de Dieu d'envoyer à son peuple un prophète semblable à Moïse s'est réalisée en Jésus de Nazareth soustend tout l'évangile de Jean et en commande presque tous les thèmes majeurs. Pour le souligner, l'évangéliste met sur les lèvres de Jésus des paroles qui concernaient Moïse dans l'AT. Jésus remplace Moïse et les Juifs doivent maintenant choisir entre l'ancien et le nouveau Moïse. Jésus, comme Moïse, transmet aux hommes les paroles que Dieu lui a données pour eux, et le message est : « Aimez-vous les uns les autres comme je vous ai aimés », 13 34-35. Ce commandement résume toute la Loi ancienne, les dix « paroles » que jadis Moïse avait transmises de la part de Dieu. De même que Moïse avait reçu et transmis aux hommes la révélation du Nom divin « Je suis », Jésus révèle aux hommes le nom divin de « Père » qui fait des hommes des fils qui obéissent par amour. De même que, si le peuple hébreu veut vivre, il doit obéir aux commandements de Dieu, écouter sa voix, les disciples du Christ doivent écouter et « garder » les paroles du Christ qui sont « vie éternelle ». Comme Moïse, « envoyé » par Dieu pour sauver et guider son peuple, le Christ est « envoyé » par Dieu pour donner la vie aux hommes et, comme Moïse, il accomplit des « signes » – ses miracles –, preuve de sa mission divine. Et le « signe » par excellence, le septième, sera la résurrection. Pour croire en Jésus, toutefois, il ne faut pas donner trop d'importance aux « signes », car c'est sa parole, le message qu'il nous transmet de la part de Dieu, qui doit nous attacher à lui.

Au thème de Jésus, nouveau Moïse, est étroitement lié celui de Jésus, roi messianique. C'est acclamé par la foule comme « roi d'Israël » que Jésus fera son entrée solennelle à Jérusalem. C'est comme « roi des Juifs » qu'il sera condamné à mort et cloué à la croix. Comment expliquer ce renversement de situation ? C'est que Satan, le Diable, est le « Prince de ce monde ». Derrière les opposants à Jésus, c'est lui qui se cache et agit. L'évangile de Jean se présente alors comme un drame. Mais, situation paradoxale, au moment même où Jésus est « élevé » sur la croix prend fin la domination du Prince de ce monde : c'est l'Heure de l'intronisation royale de Jésus qui est bien roi, mais sa royauté n'est pas de ce monde.

Jésus est le prophète, le nouveau Moïse annoncé, mais il est plus que Moïse. D'une façon beaucoup plus radicale, il est la Parole de Dieu incarnée, l'« Unique-Engendré », engendré de Dieu, il est lui-même Dieu ; c'est Dieu qui, en Jésus, est venu habiter parmi nous. Après que le Christ sera retourné au Père, les disciples bénéficieront de la venue de l'Esprit, qui continuera son œuvre auprès d'eux.

Tel que nous le possédons maintenant, l'évangile de Jean présente nombre de difficultés : certains textes sont inconciliables, des fragments sont hors de contexte, le chapitre 21 vient après une conclusion de l'évangile, les doublets sont nombreux, il y a trop de tentatives de faire arrêter Jésus au cours d'une même fête... On a cherché à expliquer ces anomalies en supposant que l'évangile actuel serait le résultat d'une lente élaboration, comportant des éléments d'époques différentes, des retouches, des additions, des rédactions diverses, d'un même enseignement, le tout ayant été définitivement publié, non par Jean lui-même, mais, après sa mort, par ses disciples ; ainsi, dans la trame primitive de l'évangile, ceux-ci auraient inséré des fragments johanniques qu'ils ne voulaient pas laisser perdre et dont la place n'était pas rigoureusement déterminée. Des commentateurs s'efforcent de reconstituer un « écrit fondamental » réutilisé par l'évangéliste. Il est possible que cet écrit ait été connu aussi de Luc, ce qui expliquerait la parenté, notée depuis longtemps, entre traditions johanniques et lucaniennes, spécialement en ce qui concerne les récits de la passion et de la résurrection.

Quels sont les auteurs du quatrième évangile puisque cet évangile s'est probablement formé par étapes successives ? Il est difficile de répondre. Il est possible que l'apôtre Jean, ou « le disciple que Jésus aimait », soit l'initiateur de ce long processus rédactionnel. Mais c'est là un point d'histoire dont la solution ne change rien à la valeur du message religieux contenu dans le livre en son état actuel. Quelles que soient les étapes de sa rédaction, c'est le texte final, l'évangile tel que nous l'avons, qui est parole de Dieu pour l'Église qui reçoit ce témoignage.

A quelle date fut-il composé ? Son plus ancien témoin est un fragment de papyrus écrit vers 125, qui donne Jn **18** 31-34 et 37-38 sous la forme que nous connaissons aujourd'hui. Un autre papyrus, qui lui est de très peu postérieur, en cite plusieurs passages. Ces deux documents ont été trouvés en Égypte. Il faut en conclure que le quatrième évangile aurait été publié, à Éphèse ou à Antioche, au plus tard dans les dernières années du Ier siècle. En outre, s'il est vrai que des textes tels que Jn **9** 22 ; **12** 42 ; **16** 2, font allusion à une décision des autorités juives prise à Jamnia, la composition du quatrième évangile, sous sa forme quasi définitive, ne pourrait pas être antérieure aux années 80. Mais cette rédaction, qui suppose une évolution assez complexe des traditions « johanniques », oblige à faire remonter la composition du document le plus ancien à une date beaucoup plus haute. Un texte tel que Jn **14** 2-3, proche de 1 Th **4** 13s, suppose que l'on attendait encore le retour du Christ dans un avenir assez proche. Il est possible alors que le document johannique le plus ancien, d'origine palestinienne, puisse être daté des environs de l'an 50, et il est clair que cette rédaction se fait l'écho de traditions indépendantes de la tradition synoptique d'un intérêt primordial pour reconstituer la vie et l'enseignement du Christ. À propos de la construction du Temple, le quatrième évangile contient une des données chronologiques les plus précises des évangiles (**2** 20 ; cf. Lc **3** 1). La topographie johannique est également beaucoup plus riche que celle des Synoptiques. Tout l'évangile est rempli de détails concrets prouvant que son auteur était au courant des coutumes religieuses juives, de même que de la mentalité ou de la casuistique en usage chez les Docteurs de la Loi. En ce qui concerne le déroulement de la vie de Jésus, sur bien des points le quatrième évangile précise les données synoptiques ; ainsi la durée réelle de son ministère et de la chronologie de la passion, plus exacte, semble-t-il, que celle des Synoptiques.

Mais que l'on ne s'y trompe pas, la conception de l'histoire que suppose le quatrième évangile diffère profondément de l'idée que s'en fait l'historien moderne. Ce qui importe avant tout à l'évangéliste, c'est de mettre en lumière le sens d'une histoire, qui est divine autant qu'humaine ; histoire mais aussi théologie, qui se déroule dans le temps mais plonge dans l'éternité ; il veut raconter fidèlement et proposer à la foi des hommes l'événement spirituel qui s'est accompli dans le monde par la venue de Jésus Christ : l'Incarnation du Verbe pour le salut des hommes. Pour cela, l'évangéliste a fait un choix, et il a retenu spécialement les faits qui pouvaient présenter à ses yeux une valeur symbolique, leur donnant par là une profondeur et des résonances nouvelles. Les miracles racontés sont des « signes » qui révèlent la gloire du Christ et symbolisent les dons qu'il apporte au monde (purification nouvelle, pain vivant, lumière, vie). L'auteur a le don de saisir la signification spirituelle des faits et d'y découvrir des mystères divins : Jésus est la lumière qui vient dans le monde, son combat est celui de la lumière contre les ténèbres ; sa mort est le jugement du monde ; toute sa vie est en définitive l'accomplissement des grandes figures messianiques de l'Ancien Testament : il est l'Agneau de Dieu, le temple nouveau, le serpent sauveur élevé dans le désert, le pain de vie qui remplace la manne, le bon Pasteur, le vrai cep, etc. Ce portrait, à la fois hiératique et plein de vérité humaine, donne à la figure historique du Christ toute sa dimension de Sauveur du monde.

Les épîtres

En plus de l'évangile, trois épîtres nous ont été conservées par la tradition sous le nom de Jean. Elles offrent avec l'évangile – sous sa forme actuelle – une telle parenté littéraire et doctrinale qu'il est difficile de ne pas les attribuer au même auteur.

La troisième épître est vraisemblablement la première en date ; elle tend à régler un conflit d'autorité qui avait surgi dans une des Églises relevant de l'autorité de Jean.

La deuxième épître met en garde une autre Église particulière contre la propagande de faux docteurs niant la réalité de l'Incarnation.

Quant à la première épître, de beaucoup la plus importante, elle se présente plutôt comme une lettre encyclique destinée aux communautés d'Asie, menacées de déchirements. Partant de thèmes parallèles successifs (lumière, justice, amour, vérité), 1 Jn veut montrer le lien intime qui existe entre notre état d'enfants de Dieu et la rectitude de notre vie morale, considérée comme fidélité au double commandement de la foi en Jésus et de l'amour fraternel. Face à des dissidents tentés par la gnose, pour qui seul le message du Fils de Dieu compte, l'épître rappelle que le Sauveur du monde était aussi un homme de chair et de sang, avec un nom bien humain, Jésus, et que le disciple doit suivre son exemple. Cette épître contient une des affirmations les plus bouleversantes de toute la Bible : « Dieu est Amour. »

L'Évangile
selon saint Jean

Voir l'introduction, p. 1775.

Prologue

1 ¹Au commencement était le
Verbe
et le Verbe était auprès de Dieu
    et le Verbe était Dieu.
²Il était au commencement auprès de Dieu.
³Tout fut par lui,
    et sans lui rien ne fut.
⁴Ce qui fut en lui était la vie,
    et la vie était la lumière des hom-
mes,
⁵et la lumière luit dans les ténèbres
    et les ténèbres ne l'ont pas saisie.

⁶Il y eut un homme envoyé de
Dieu ;
    son nom était Jean.
⁷Il vint pour témoigner,
    pour rendre témoignage à la lu-
mière,
    afin que tous crussent par lui.
⁸Celui-là n'était pas la lumière,
    mais il avait à rendre témoigna-
ge à la lumière.

⁹Il était la lumière véritable,
    qui éclaire tout homme,
    venant dans le monde.
¹⁰Il était dans le monde,
    et le monde fut par lui,
    et le monde ne l'a pas reconnu.
¹¹Il est venu chez lui,
    et les siens ne l'ont pas accueilli.

¹²Mais à tous ceux qui l'ont accueilli,
    il a donné pouvoir de devenir en-
fants de Dieu,
    à ceux qui croient en son nom,
¹³eux qui ne furent engendrés ni
du sang,
    ni d'un vouloir de chair,
    ni d'un vouloir d'homme,
    mais de Dieu.
¹⁴Et le Verbe s'est fait chair
    et il a campé parmi nous,
    et nous avons contemplé sa
gloire,
    gloire qu'il tient du Père comme
Unique-Engendré,
    plein de grâce et de vérité.

¹⁵Jean lui rend témoignage et
s'écrie :
    « C'est de lui que j'ai dit :
    Celui qui vient derrière moi,
    le voilà passé devant moi,
    parce qu'avant moi il était. »

¹⁶Oui, de sa plénitude nous
avons tous reçu,
    et grâce pour grâce.
¹⁷Car la Loi fut donnée par l'entremise de Moïse,
    la grâce et la vérité advinrent par
l'entremise de Jésus Christ.
¹⁸Nul n'a jamais vu Dieu ;
    le Fils Unique-Engendré,
    qui est dans le sein du Père,
    lui, l'a fait connaître.

Le ministère de Jésus

I. L'ANNONCE DE LA NOUVELLE ÉCONOMIE

A. LA SEMAINE INAUGURALE

Le témoignage de Jean.

[19]Et voici quel fut le témoignage de Jean, quand les Juifs lui envoyèrent de Jérusalem des prêtres et des lévites pour lui demander : « Qui es-tu ? » [20]Il confessa, il ne nia pas, il confessa : « Je ne suis pas le Christ. » – [21]« Qu'es-tu donc ? lui demandèrent-ils. Es-tu Élie ? » Il dit : « Je ne le suis pas. » – « Es-tu le prophète ? » Il répondit : « Non. » [22]Ils lui dirent alors : « Qui es-tu, que nous donnions réponse à ceux qui nous ont envoyés ? Que dis-tu de toi-même ? » – [23]Il déclara : « Moi ?

la voix de celui qui crie dans le désert :

Rendez droit le chemin du Seigneur,

comme a dit Isaïe, le prophète. » [24]On avait envoyé des Pharisiens. [25]Ils lui demandèrent : « Pourquoi donc baptises-tu, si tu n'es ni le Christ, ni Élie, ni le prophète ? » [26]Jean leur répondit : « Moi, je baptise dans l'eau. Au milieu de vous se tient quelqu'un que vous ne connaissez pas, [27]celui qui vient derrière moi, dont je ne suis pas digne de dénouer la courroie de sandale. » [28]Cela se passait à Béthabara au-delà du Jourdain, où Jean baptisait.

[29]Le lendemain, il voit Jésus venir vers lui et il dit : « Voici l'agneau de Dieu, qui enlève le péché du monde. [30]C'est de lui que j'ai dit :

Derrière moi vient un homme
qui est passé devant moi
parce qu'avant moi il était.

[31]Et moi, je ne le connaissais pas ; mais c'est pour qu'il fût manifesté à Israël que je suis venu baptisant dans l'eau. » [32]Et Jean rendit témoignage en disant : « J'ai vu l'Esprit descendre, telle une colombe venant du ciel, et demeurer sur lui. [33]Et moi, je ne le connaissais pas, mais celui qui m'a envoyé baptiser dans l'eau, celui-là m'avait dit : "Celui sur qui tu verras l'Esprit descendre et demeurer, c'est lui qui baptise dans l'Esprit Saint." [34]Et moi, j'ai vu et je témoigne que celui-ci est l'Élu de Dieu. »

Les premiers disciples.

[35]Le lendemain, Jean se tenait là, de nouveau, avec deux de ses disciples. [36]Regardant Jésus qui passait, il dit : « Voici l'agneau de Dieu. » [37]Les deux disciples entendirent ses paroles et suivirent Jésus. [38]Jésus se retourna et, voyant qu'ils le suivaient, leur dit : « Que cherchez-vous ? » Ils lui dirent : « Rabbi – ce qui veut dire Maître –, où demeures-tu ? » [39]Il leur dit : « Venez et voyez. »

Ils vinrent donc et virent où il demeurait, et ils demeurèrent auprès de lui ce jour-là. C'était environ la dixième heure.

⁴⁰André, le frère de Simon-Pierre, était l'un des deux qui avaient entendu les paroles de Jean et suivi Jésus. ⁴¹Il trouve d'abord son propre frère, Simon, et lui dit : « Nous l'avons trouvé, le Messie » – ce qui veut dire Christ. ⁴²Il l'amena à Jésus. Jésus le regarda et dit : « Tu es Simon, le fils de Jean ; tu t'appelleras Céphas » – ce qui veut dire Pierre.

⁴³Le lendemain, il résolut de partir pour la Galilée, et il trouve Philippe et lui dit : « Suis-moi ! » ⁴⁴Philippe était de Bethsaïde, la ville d'André et de Pierre.

⁴⁵Philippe trouve Nathanaël et lui dit : « Celui dont Moïse a écrit dans la Loi, ainsi que les prophètes, nous l'avons trouvé ! C'est Jésus, le fils de Joseph, de Nazareth. » ⁴⁶Nathanaël lui dit : « De Nazareth, peut-il sortir quelque chose de bon ? » Philippe lui dit : « Viens et vois. » ⁴⁷Jésus vit Nathanaël venir vers lui et il dit de lui : « Voici vraiment un Israélite sans détour. » ⁴⁸Nathanaël lui dit : « D'où me connais-tu ? » Jésus lui répondit : « Avant que Philippe t'appelât, quand tu étais sous le figuier, je t'ai vu. » ⁴⁹Nathanaël reprit : « Rabbi, tu es le Fils de Dieu, tu es le roi d'Israël. » ⁵⁰Jésus lui répondit : « Parce que je t'ai dit : "Je t'ai vu sous le figuier", tu crois ! Tu verras mieux encore. » ⁵¹Et il lui dit : « En vérité, en vérité, je vous le dis, vous verrez le ciel ouvert et les anges de Dieu monter et descendre au-dessus du Fils de l'homme. »

Les noces de Cana.

2 ¹Le troisième jour, il y eut des noces à Cana de Galilée, et la mère de Jésus y était. ²Jésus aussi fut invité à ces noces, ainsi que ses disciples. ³Et ils n'avaient pas de vin, car le vin des noces était épuisé. La mère de Jésus lui dit : « Ils n'ont pas de vin. » ⁴Jésus lui dit : « Que me veux-tu, femme ? Mon heure n'est pas encore arrivée. » ⁵Sa mère dit aux servants : « *Tout ce qu'il vous dira, faites-le.* »

⁶Or il y avait là six jarres de pierre, destinées aux purifications des Juifs, et contenant chacune deux ou trois mesures. ⁷Jésus leur dit : « Remplissez d'eau ces jarres. » Ils les remplirent jusqu'au bord. ⁸Il leur dit : « Puisez maintenant et portez-en au maître du repas. » Ils lui en portèrent. ⁹Lorsque le maître du repas eut goûté l'eau devenue vin – et il ne savait pas d'où il venait, tandis que les servants le savaient, eux qui avaient puisé l'eau – le maître du repas appelle le marié ¹⁰et lui dit : « Tout homme sert d'abord le bon vin et, quand les gens sont ivres, le moins bon. Toi, tu as gardé le bon vin jusqu'à présent ! » ¹¹Cela, Jésus en fit le commencement des signes à Cana de Galilée et il manifesta sa gloire et ses disciples crurent en lui. ¹²Après quoi, il descendit à Capharnaüm, lui, ainsi que sa mère et ses frères et ses disciples, et ils n'y demeurèrent que peu de jours.

B. LA PREMIÈRE PÂQUE

La purification du Temple. ‖ Mt 21 12-13. ‖ Mc 11 11, 15-17. ‖ Lc 19 45-46.

¹³La Pâque des Juifs était proche et Jésus monta à Jérusalem. ¹⁴Il trouva dans le Temple les vendeurs de bœufs, de brebis et de colombes et les changeurs assis. ¹⁵Se faisant un fouet de cordes, il les chassa tous du Temple, et les brebis et les bœufs ; il répandit la monnaie des changeurs et renversa leurs tables, ¹⁶et aux vendeurs de colombes il dit : « Enlevez cela d'ici. Ne faites pas de la maison de mon Père une maison de commerce. » ¹⁷Ses disciples se rappelèrent qu'il est écrit :

« Le zèle pour ta maison me dévorera. »

¹⁸Alors les Juifs prirent la parole et lui dirent : « Quel signe nous montres-tu pour agir ainsi ? » ¹⁹Jésus leur répondit : « Détruisez ce sanctuaire et en trois jours je le relèverai. » ²⁰Les Juifs lui dirent alors : « Il a fallu quarante-six ans pour bâtir ce sanctuaire, et toi, en trois jours tu le relèveras ? » ²¹Mais lui parlait du sanctuaire de son corps. ²²Aussi, quand il fut relevé d'entre les morts, ses disciples se rappelèrent qu'il avait dit cela, et ils crurent à l'Écriture et à la parole qu'il avait dite.

Séjour à Jérusalem.

²³Comme il était à Jérusalem durant la fête de la Pâque, beaucoup crurent en son nom, à la vue des signes qu'il faisait. ²⁴Mais Jésus, lui, ne se fiait pas à eux, parce qu'il les connaissait tous ²⁵et qu'il n'avait pas besoin d'un témoignage sur l'homme : car lui-même connaissait ce qu'il y avait dans l'homme.

L'entretien avec Nicodème.

3 ¹Or il y avait parmi les Pharisiens un homme du nom de Nicodème, un notable des Juifs. ²Il vint de nuit trouver Jésus et lui dit : « Rabbi, nous le savons, tu viens de la part de Dieu comme un Maître : personne ne peut faire les signes que tu fais, si Dieu n'est pas avec lui. » ³Jésus lui répondit :

« En vérité, en vérité, je te le dis, à moins de naître de nouveau, nul ne peut voir le Royaume de Dieu. »

⁴Nicodème lui dit : « Comment un homme peut-il naître, étant vieux ? Peut-il une seconde fois entrer dans le sein de sa mère et naître ? » ⁵Jésus répondit :

« En vérité, en vérité, je te le dis, à moins de naître d'eau et d'Esprit,
nul ne peut entrer dans le Royaume de Dieu.
⁶Ce qui est né de la chair est chair,
ce qui est né de l'Esprit est esprit.
⁷Ne t'étonne pas, si je t'ai dit :
Il vous faut naître d'en haut.
⁸Le vent souffle où il veut
et tu entends sa voix,
mais tu ne sais pas d'où il vient
ni où il va.
Ainsi en est-il de quiconque est né de l'Esprit. »

⁹Nicodème lui répondit : « Comment cela peut-il se faire ? » ¹⁰Jésus lui répondit : « Tu es Maître en Israël, et ces choses-là, tu ne les saisis pas ?

¹¹En vérité, en vérité, je te le dis,
nous parlons de ce que nous savons
et nous attestons ce que nous avons vu ;
mais vous n'accueillez pas notre témoignage.
¹²Si vous ne croyez pas
quand je vous dis les choses de la terre,
comment croirez-vous
quand je vous dirai les choses du ciel ?
¹³Nul n'est monté au ciel,
hormis celui qui est descendu du ciel,
le Fils de l'homme.
¹⁴Comme Moïse éleva le serpent dans le désert,
ainsi faut-il que soit élevé le Fils de l'homme,
¹⁵afin que quiconque croit
ait en lui la vie éternelle.
¹⁶Car Dieu a tant aimé le monde
qu'il a donné son Fils, l'Unique-Engendré,
afin que quiconque croit en lui ne se perde pas,
mais ait la vie éternelle.
¹⁷Car Dieu n'a pas envoyé le Fils dans le monde
pour juger le monde,
mais pour que le monde soit sauvé par son entremise.
¹⁸Qui croit en lui n'est pas jugé ;
qui ne croit pas est déjà jugé,
parce qu'il n'a pas cru
au nom du Fils Unique-Engendré de Dieu.
¹⁹Et tel est le jugement :

la lumière est venue dans le monde
et les hommes ont mieux aimé
les ténèbres que la lumière,
car leurs œuvres étaient mauvaises.
²⁰Quiconque, en effet, commet le mal
hait la lumière et ne vient pas à la lumière,
de peur que ses œuvres ne soient démontrées coupables,
²¹mais celui qui fait la vérité
vient à la lumière,
afin qu'il soit manifesté
que ses œuvres sont faites en Dieu. »

Ministère de Jésus en Judée. Ultime témoignage de Jean.

²²Après cela, Jésus vint avec ses disciples au pays de Judée et il y séjourna avec eux, et il baptisait. ²³Jean aussi baptisait, à Aenon, près de Salim, car les eaux y abondaient, et les gens se présentaient et se faisaient baptiser. ²⁴Jean, en effet, n'avait pas encore été jeté en prison. ²⁵Il s'éleva alors une discussion entre les disciples de Jean et un Juif à propos de purification : ²⁶ils vinrent trouver Jean et lui dirent : « Rabbi, celui qui était avec toi de l'autre côté du Jourdain, celui à qui tu as rendu témoignage, le voilà qui baptise et tous viennent à lui ! » ²⁷Jean répondit :

« Un homme ne peut rien recevoir,
si cela ne lui a été donné du ciel.
²⁸Vous-mêmes, vous m'êtes témoins que j'ai dit : "Je ne suis pas le Christ, mais je suis envoyé devant lui."

²⁹Qui a l'épouse est l'époux ;
mais l'ami de l'époux
qui se tient là et qui l'entend,
est ravi de joie à la voix de
l'époux.
Telle est ma joie, et elle est
complète.
³⁰Il faut que lui grandisse
et que moi je décroisse.
³¹Celui qui vient d'en haut
est au-dessus de tous ;
celui qui est de la terre
est terrestre et parle en terrestre.
Celui qui vient du ciel
³²témoigne de ce qu'il a vu et
entendu,
et son témoignage, nul ne l'accueille.
³³Qui accueille son témoignage
certifie que Dieu est véridique ;
³⁴en effet, celui que Dieu a envoyé
prononce les paroles de Dieu,
car il ne mesure pas le don de
l'Esprit.
³⁵Le Père aime le Fils
et il a tout remis dans sa main.
³⁶Qui croit au Fils a la vie éternelle ;
qui résiste au Fils ne verra pas
la vie ;
mais la colère de Dieu demeure
sur lui. »

Jésus chez les Samaritains.

4 ¹Quand Jésus apprit que les
Pharisiens avaient entendu
dire qu'il faisait plus de disciples
et en baptisait plus que Jean –
²bien qu'à vrai dire Jésus lui-même ne baptisât pas, mais ses disciples –, ³il quitta la Judée et s'en
retourna en Galilée. ⁴Or il lui fallait traverser la Samarie. ⁵Il arrive
donc à une ville de Samarie appelée Sychar, près de la terre que

Jacob avait donnée à son fils Joseph. ⁶Là se trouvait la source de
Jacob. Jésus, fatigué par la marche, se tenait donc assis tout contre la source. C'était environ la
sixième heure.

⁷Une femme de Samarie vient
pour puiser de l'eau. Jésus lui dit :
« Donne-moi à boire. » ⁸Ses disciples en effet s'en étaient allés à
la ville pour acheter de quoi manger. ⁹La femme samaritaine lui
dit : « Comment ! toi qui es Juif,
tu me demandes à boire à moi qui
suis une femme samaritaine ? »
(Les Juifs en effet n'ont pas de
relations avec les Samaritains.)
¹⁰Jésus lui répondit :

« Si tu savais le don de Dieu
et qui est celui qui te dit :
Donne-moi à boire,
c'est toi qui l'aurais prié
et il t'aurait donné de l'eau
vive. »

¹¹Elle lui dit : « Seigneur, tu
n'as rien pour puiser, et le puits
est profond. D'où l'as-tu donc,
l'eau vive ? ¹²Serais-tu plus grand
que notre père Jacob, qui nous a
donné ce puits et y a bu lui-même,
ainsi que ses fils et ses bêtes ? »
¹³Jésus lui répondit :

« Quiconque boit de cette eau
aura soif à nouveau ;
¹⁴mais qui boira de l'eau que je
lui donnerai
n'aura plus jamais soif ;
l'eau que je lui donnerai
deviendra en lui source
d'eau jaillissant en vie éternelle. »

¹⁵La femme lui dit : « Seigneur,
donne-moi cette eau, afin que je
n'aie plus soif et ne vienne plus

ici pour puiser. » ¹⁶Il lui dit : « Va, appelle ton mari et reviens ici. » ¹⁷La femme lui répondit : « Je n'ai pas de mari. » Jésus lui dit : « Tu as bien fait de dire : "Je n'ai pas de mari", ¹⁸car tu as eu cinq maris et celui que tu as maintenant n'est pas ton mari ; en cela tu dis vrai. » ¹⁹La femme lui dit : « Seigneur, je vois que tu es un prophète... ²⁰Nos pères ont adoré sur cette montagne et vous, vous dites : C'est à Jérusalem qu'est le lieu où il faut adorer. » ²¹Jésus lui dit :

« Crois-moi, femme, l'heure vient
où ce n'est ni sur cette montagne ni à Jérusalem
que vous adorerez le Père.
²²Vous, vous adorez ce que vous ne connaissez pas ;
nous, nous adorons ce que nous connaissons,
car le salut vient des Juifs.
²³Mais l'heure vient – et c'est maintenant –
où les véritables adorateurs adoreront le Père en esprit et en vérité,
car tels sont les adorateurs que cherche le Père.
²⁴Dieu est esprit,
et ceux qui adorent,
c'est en esprit et en vérité qu'ils doivent adorer. »

²⁵La femme lui dit : « Je sais que le Messie doit venir, celui qu'on appelle Christ. Quand il viendra, il nous dévoilera tout. » ²⁶Jésus lui dit : « C'est Moi, celui qui te parle. »

²⁷Là-dessus arrivèrent ses disciples, et ils s'étonnaient qu'il parlât à une femme. Pourtant pas un ne dit : « Que cherches-tu ? » ou :

« De quoi lui parles-tu ? » ²⁸La femme alors laissa là sa cruche, courut à la ville et dit aux gens : ²⁹« Venez voir un homme qui m'a dit tout ce que j'ai fait. Ne serait-il pas le Christ ? » ³⁰Ils sortirent de la ville et ils allaient vers lui.

³¹Entre-temps, les disciples le priaient, en disant : « Rabbi, mange. » ³²Mais il leur dit : « J'ai à manger un aliment que vous ne connaissez pas. » ³³Les disciples se disaient entre eux : « Quelqu'un lui aurait-il apporté à manger ? » ³⁴Jésus leur dit :

« Ma nourriture
est de faire la volonté de celui qui m'a envoyé
et de mener son œuvre à bonne fin.
³⁵Ne dites-vous pas :
Encore quatre mois et vient la moisson ?
Eh bien ! je vous dis :
Levez les yeux et regardez les champs,
ils sont blancs pour la moisson.
Déjà ³⁶le moissonneur reçoit son salaire
et récolte du fruit pour la vie éternelle,
en sorte que le semeur se réjouit avec le moissonneur.
³⁷Car ici se vérifie le dicton :
autre est le semeur, autre le moissonneur ;
³⁸je vous ai envoyés moissonner là où vous ne vous êtes pas fatigués ;
d'autres se sont fatigués
et vous, vous héritez de leurs fatigues. »

³⁹De cette ville, nombre de Samaritains crurent en lui à cause de la parole de la femme, qui attestait :

« Il m'a dit tout ce que j'ai fait. » ⁴⁰Quand donc ils furent arrivés près de lui, les Samaritains le prièrent de demeurer chez eux. Il y demeura deux jours ⁴¹et ils furent bien plus nombreux à croire, à cause de sa parole, ⁴²et ils disaient à la femme : « Ce n'est plus sur tes dires que nous croyons ; nous l'avons nous-mêmes entendu et nous savons que c'est vraiment lui le sauveur du monde. »

Jésus en Galilée.

⁴³Après ces deux jours, il partit de là pour la Galilée. ⁴⁴Jésus avait en effet témoigné lui-même qu'un prophète n'est pas honoré dans sa propre patrie. ⁴⁵Quand donc il vint en Galilée, les Galiléens l'accueillirent, ayant vu tout ce qu'il avait fait à Jérusalem lors de la fête ; car eux aussi étaient venus à la fête.

Second signe à Cana : guérison du fils d'un fonctionnaire royal.
‖ Mt **8** 5-13. ‖ Lc **7** 1-10.

⁴⁶Il retourna alors à Cana de Galilée, où il avait changé l'eau en vin. Et il y avait un fonctionnaire royal, dont le fils était malade à Capharnaüm. ⁴⁷Apprenant que Jésus était arrivé de Judée en Galilée, il s'en vint le trouver et il le priait de descendre guérir son fils, car il allait mourir. ⁴⁸Jésus lui dit : « Si vous ne voyez des signes et des prodiges, vous ne croirez pas ! » ⁴⁹Le fonctionnaire royal lui dit : « Seigneur, descends avant que ne meure mon petit enfant. » ⁵⁰Jésus lui dit : « Va, ton fils vit. » L'homme crut à la parole que Jésus lui avait dite et il se mit en route. ⁵¹Déjà il descendait, quand ses serviteurs, venant à sa rencontre, lui dirent que son enfant était vivant. ⁵²Il s'informa auprès d'eux de l'heure à laquelle il s'était trouvé mieux. Ils lui dirent : « C'est hier, à la septième heure, que la fièvre l'a quitté. » ⁵³Le père reconnut que c'était l'heure où Jésus lui avait dit : « Ton fils vit », et il crut, lui avec sa maison tout entière.

⁵⁴Tel fut, à nouveau, le deuxième signe que fit Jésus à son retour de Judée en Galilée.

II. DEUXIÈME FÊTE À JÉRUSALEM (PREMIÈRE OPPOSITION À LA RÉVÉLATION)

Guérison d'un infirme à la piscine de Bethzatha.

5 ¹Après cela, il y eut une fête des Juifs et Jésus monta à Jérusalem. ²Or il existe à Jérusalem une piscine Probatique, qui se dit en hébreu Bethzata et qui a cinq portiques. ³Sous ces portiques gisaient une multitude d'infirmes, aveugles, boiteux, impotents, qui attendaient le bouillonnement de l'eau. ⁴Car l'ange du Seigneur se lavait par moments dans la piscine et agitait l'eau ; le premier alors à y entrer, après que l'eau avait été agitée, recouvrait la santé, quel que fût son mal. ⁵Il y avait là un homme qui était infirme depuis trente-huit ans. ⁶Jésus, le voyant étendu et apprenant qu'il était dans cet état depuis long-temps déjà, lui dit : « Veux-tu recouvrer la santé ? » [7]L'infirme lui répondit : « Seigneur, je n'ai personne pour me jeter dans la piscine, quand l'eau vient à être agitée ; et, le temps que j'y aille, un autre descend avant moi. » [8]Jésus lui dit : « Lève-toi, prends ton grabat et marche. » [9]Et aussitôt l'homme recouvra la santé ; il prit son grabat et il marchait.

Or c'était le sabbat, ce jour-là. [10]Les Juifs dirent donc à celui qui venait d'être guéri : « C'est le sabbat. Il ne t'est pas permis de porter ton grabat. » [11]Il leur répondit : « Celui qui m'a rendu la santé m'a dit : Prends ton grabat et marche. » [12]Ils lui demandèrent : « Quel est l'homme qui t'a dit : Prends ton grabat et marche ? » [13]Mais celui qui avait été guéri ne savait pas qui c'était ; Jésus en effet avait disparu, car il y avait foule en ce lieu. [14]Après cela, Jésus le rencontre dans le Temple et lui dit : « Voilà tu as recouvré la santé ; ne pèche plus, de peur qu'il ne t'arrive pire encore. » [15]L'homme s'en fut révéler aux Juifs que c'était Jésus qui lui avait rendu la santé. [16]C'est pourquoi les Juifs persécutaient Jésus : parce qu'il faisait ces choses-là le jour du sabbat. [17]Mais il leur répondit : « Mon Père est à l'œuvre jusqu'à présent et j'œuvre moi aussi. » [18]Ainsi les Juifs n'en cherchaient que davantage à le tuer, puisque, non content de violer le sabbat, il appelait encore Dieu son propre Père, se faisant égal à Dieu.

Discours sur l'œuvre du Fils.

[19]Jésus reprit donc la parole et leur dit :

« En vérité, en vérité, je vous le dis,
le Fils ne peut rien faire de lui-même,
qu'il ne le voie faire au Père ;
ce que fait celui-ci,
le Fils le fait pareillement.
[20]Car le Père aime le Fils,
et lui montre tout ce qu'il fait ;
et il lui montrera des œuvres plus grandes que celles-ci,
à vous en stupéfier.
[21]Comme le Père en effet ressuscite les morts
et leur redonne vie,
ainsi le Fils donne vie à qui il veut.
[22]Car le Père ne juge personne ;
il a donné au Fils le jugement tout entier,
[23]afin que tous honorent le Fils comme ils honorent le Père.
Qui n'honore pas le Fils
n'honore pas le Père qui l'a envoyé.
[24]En vérité, en vérité, je vous le dis,
celui qui écoute ma parole
et croit à celui qui m'a envoyé
a la vie éternelle
et ne vient pas en jugement,
mais il est passé de la mort à la vie.
[25]En vérité, en vérité, je vous le dis,
l'heure vient – et c'est maintenant –
où les morts entendront la voix du Fils de Dieu,
et ceux qui l'auront entendue vivront.
[26]Comme le Père en effet a la vie en lui-même,
de même a-t-il donné au Fils d'avoir aussi la vie en lui-même

²⁷et il lui a donné pouvoir d'exercer le jugement
parce qu'il est Fils d'homme.
²⁸N'en soyez pas étonnés,
car elle vient l'heure
où tous ceux qui sont dans les tombeaux
entendront sa voix,
²⁹et sortiront :
ceux qui auront fait le bien,
pour une résurrection de vie,
ceux qui auront fait le mal,
pour une résurrection de jugement.
³⁰Je ne puis rien faire de moi-même.
Je juge selon ce que j'entends :
et mon jugement est juste,
parce que je ne cherche pas ma volonté,
mais la volonté de celui qui m'a envoyé.
³¹Si je me rends témoignage à moi-même,
mon témoignage n'est pas valable.
³²Un autre témoigne de moi,
et je sais qu'il est valable
le témoignage qu'il me rend.
³³Vous avez envoyé trouver Jean
et il a rendu témoignage à la vérité.
³⁴Quant à moi, ce n'est pas d'un homme que je reçois le témoignage ;
mais je dis cela pour que vous, vous soyez sauvés.
³⁵Celui-là était la lampe qui brûle et qui luit,
et vous avez voulu vous réjouir une heure à sa lumière.
³⁶Mais j'ai plus grand que le témoignage de Jean :
en effet, les œuvres que le Père m'a donné

à mener à bonne fin,
les œuvres mêmes que je fais
témoignent à mon sujet que le Père m'a envoyé.
³⁷Et le Père qui m'a envoyé,
lui, m'a rendu témoignage.
Vous n'avez jamais entendu sa voix,
vous n'avez jamais vu sa face,
³⁸et sa parole, vous ne l'avez pas à demeure en vous,
puisque vous ne croyez pas celui qu'il a envoyé.

³⁹Vous scrutez les Écritures
parce que vous pensez avoir en elles la vie éternelle,
et ce sont elles qui me rendent témoignage,
⁴⁰et vous ne voulez pas venir à moi
pour avoir la vie !
⁴¹De la gloire, je n'en reçois pas qui vienne des hommes ;
⁴²mais je vous connais :
vous n'avez pas en vous l'amour de Dieu ;
⁴³je suis venu au nom de mon Père
et vous ne m'accueillez pas ;
qu'un autre vienne en son propre nom,
celui-là, vous l'accueillerez.
⁴⁴Comment pouvez-vous croire,
vous qui recevez votre gloire les uns des autres,
et ne cherchez pas
la gloire qui vient du Dieu unique.
⁴⁵Ne pensez pas que je vous accuserai auprès du Père.
Votre accusateur, c'est Moïse,
en qui vous avez mis votre espoir.
⁴⁶Car si vous croyiez Moïse,
vous me croiriez aussi,
car c'est de moi qu'il a écrit.

⁴⁷Mais si vous ne croyez pas à ses écrits, comment croirez-vous à mes paroles ? »

III. LA PÂQUE DU PAIN DE VIE (NOUVELLE OPPOSITION À LA RÉVÉLATION)

La multiplication des pains. ‖ Mt 14 13-21. ‖ Mc 6 32-44. ‖ Lc 9 10-17.

6 ¹Après cela, Jésus s'en alla de l'autre côté de la mer de Galilée ou de Tibériade. ²Une grande foule le suivait, à la vue des signes qu'il opérait sur les malades. ³Jésus gravit la montagne et là, il s'assit avec ses disciples. ⁴Or la Pâque, la fête des Juifs, était proche.

⁵Levant alors les yeux et voyant qu'une grande foule venait à lui, Jésus dit à Philippe : « D'où nous procurerons-nous des pains pour que mangent ces gens ? » ⁶Il disait cela pour le mettre à l'épreuve, car lui-même savait ce qu'il allait faire. ⁷Philippe lui répondit : « Deux cents deniers de pain ne suffisent pas pour que chacun en reçoive un petit morceau. » ⁸Un de ses disciples, André, le frère de Simon-Pierre, lui dit : ⁹« Il y a ici un enfant, qui a cinq pains d'orge et deux poissons ; mais qu'est-ce que cela pour tant de monde ? » ¹⁰Jésus leur dit : « Faites s'étendre les gens. » Il y avait beaucoup d'herbe en ce lieu. Ils s'étendirent donc, au nombre d'environ cinq mille hommes. ¹¹Alors Jésus prit les pains et, ayant rendu grâces, il les distribua aux convives, de même aussi pour les poissons, autant qu'ils en voulaient. ¹²Quand ils furent repus, il dit à ses disciples : « Rassemblez les morceaux en surplus, afin que rien ne soit perdu. » ¹³Ils les rassemblèrent donc et remplirent douze couffins avec les morceaux des cinq pains d'orge restés en surplus à ceux qui avaient mangé. ¹⁴À la vue du signe qu'il venait de faire, les gens disaient : « C'est vraiment lui le prophète qui doit venir dans le monde. » ¹⁵Alors Jésus, sachant qu'ils allaient venir s'emparer de lui pour le faire roi, s'enfuit à nouveau dans la montagne, tout seul.

Jésus vient vers ses disciples en marchant sur la mer. ‖ Mt 14 22-23. ‖ Mc 6 45-52.

¹⁶Quand le soir fut venu, ses disciples descendirent à la mer, ¹⁷et, montant en bateau, ils se rendaient de l'autre côté de la mer, à Capharnaüm. Il faisait déjà nuit, Jésus n'était pas encore venu les rejoindre ; ¹⁸et la mer, comme soufflait un grand vent, se soulevait. ¹⁹Ils avaient ramé environ vingt-cinq ou trente stades, quand ils voient Jésus marcher sur la mer et s'approcher du bateau. Ils eurent peur. ²⁰Mais il leur dit : « C'est moi. N'ayez pas peur. » ²¹Ils étaient disposés à le prendre dans le bateau, mais aussitôt le bateau toucha terre là où ils se rendaient.

Discours dans la synagogue de Capharnaüm.

²²Le lendemain, la foule qui se tenait de l'autre côté de la mer vit qu'il n'y avait eu là qu'une barque et que Jésus n'était pas monté dans le bateau avec ses disciples, mais que seuls ses disciples s'en étaient allés. ²³Cependant, de Tibériade des bateaux vinrent près du lieu où l'on avait mangé le pain. ²⁴Quand donc la foule vit que Jésus n'était pas là, ni ses disciples non plus, les gens s'embarquèrent et vinrent à Capharnaüm à la recherche de Jésus. ²⁵L'ayant trouvé de l'autre côté de la mer, ils lui dirent : « Rabbi, quand es-tu arrivé ici ? » ²⁶Jésus leur répondit :

« En vérité, en vérité, je vous le dis,
vous me cherchez,
non pas parce que vous avez vu des signes,
mais parce que vous avez mangé du pain et avez été rassasiés.
²⁷Travaillez non pour la nourriture qui se perd,
mais pour la nourriture qui demeure en vie éternelle,
celle que vous donnera le Fils de l'homme,
car c'est lui que le Père, Dieu, a marqué de son sceau. »

²⁸Ils lui dirent alors : « Que devons-nous faire pour travailler aux œuvres de Dieu ? » ²⁹Jésus leur répondit : « L'œuvre de Dieu, c'est que vous croyiez en celui qu'il a envoyé. » ³⁰Ils lui dirent alors : « Quel signe fais-tu donc, pour qu'à sa vue nous te croyions ? Quelle œuvre accomplis-tu ? » ³¹Nos pères ont mangé la manne dans le désert, selon ce qui est écrit :

Il leur a donné à manger du pain venu du ciel. »

³²Jésus leur répondit :

« En vérité, en vérité, je vous le dis,
non, ce n'est pas Moïse qui vous a donné le pain qui vient du ciel ;
mais c'est mon Père qui vous donne le pain qui vient du ciel, le vrai ;
³³car le pain de Dieu,
c'est celui qui descend du ciel
et donne la vie au monde. »

³⁴Ils lui dirent alors : « Seigneur, donne-nous toujours ce pain-là. » ³⁵Jésus leur dit :

« Moi, je suis le pain de vie.
Qui vient à moi n'aura jamais faim ;
qui croit en moi n'aura jamais soif.
³⁶Mais je vous l'ai dit :
vous me voyez et vous ne croyez pas.
³⁷Tout ce que me donne le Père viendra à moi,
et celui qui vient à moi,
je ne le jetterai pas dehors ;
³⁸car je suis descendu du ciel
pour faire non pas ma volonté,
mais la volonté de celui qui m'a envoyé.
³⁹Or c'est la volonté de celui qui m'a envoyé
que je ne perde rien
de tout ce qu'il m'a donné,
mais que je le ressuscite au dernier jour.
⁴⁰Oui, telle est la volonté de mon Père,

que quiconque voit le Fils et croit en lui

ait la vie éternelle,

et je le ressusciterai au dernier jour. »

⁴¹Les Juifs alors se mirent à murmurer à son sujet, parce qu'il avait dit : « Moi, je suis le pain descendu du ciel. » ⁴²Ils disaient : « Celui-là n'est-il pas Jésus, le fils de Joseph, dont nous connaissons le père et la mère ? Comment peut-il dire maintenant : Je suis descendu du ciel ? » ⁴³Jésus leur répondit :

« Ne murmurez pas entre vous.

⁴⁴Nul ne peut venir à moi

si le Père qui m'a envoyé ne l'attire ;

et moi, je le ressusciterai au dernier jour.

⁴⁵Il est écrit dans les prophètes :

Ils seront tous enseignés par Dieu.

Quiconque s'est mis à l'écoute du Père

et à son école

vient à moi.

⁴⁶Non que personne ait vu le Père,

sinon celui qui vient d'auprès de Dieu :

celui-là a vu le Père.

⁴⁷En vérité, en vérité, je vous le dis,

celui qui croit a la vie éternelle.

⁴⁸Moi, je suis le pain de vie.

⁴⁹Vos pères, dans le désert, ont mangé la manne et sont morts ;

⁵⁰ce pain est celui qui descend du ciel pour qu'on le mange et ne meure pas.

⁵¹Moi, je suis le pain vivant, descendu du ciel.

Si quelqu'un mange de ce pain, il vivra pour toujours.

Et le pain que je donnerai,

c'est ma chair pour la vie du monde. »

⁵²Les Juifs alors se mirent à discuter fort entre eux ; ils disaient : « Comment celui-là peut-il nous donner sa chair à manger ? » ⁵³Alors Jésus leur dit :

« En vérité, en vérité, je vous le dis,

si vous ne mangez la chair du Fils de l'homme et ne buvez son sang,

vous n'aurez pas la vie en vous.

⁵⁴Qui mange ma chair et boit mon sang

a la vie éternelle

et je le ressusciterai au dernier jour.

⁵⁵Car ma chair est vraiment une nourriture

et mon sang vraiment une boisson.

⁵⁶Qui mange ma chair et boit mon sang

demeure en moi

et moi en lui.

⁵⁷De même que le Père, qui est vivant, m'a envoyé

et que je vis par le Père,

de même celui qui me mange,

lui aussi vivra par moi.

⁵⁸Voici le pain descendu du ciel ;

il n'est pas comme celui qu'ont mangé les pères

et ils sont morts ;

qui mange ce pain vivra pour toujours. »

⁵⁹Tel fut l'enseignement qu'il donna en synagogue à Capharnaüm.

⁶⁰Après l'avoir entendu, beaucoup de ses disciples dirent : « Elle est dure, cette parole ! Qui peut

l'écouter ? » ⁶¹Mais, sachant en lui-même que ses disciples murmuraient à ce propos, Jésus leur dit : « Cela vous scandalise ? ⁶²Et quand vous verrez le Fils de l'homme monter là où il était auparavant ? ...

⁶³C'est l'esprit qui vivifie,
la chair ne sert de rien.
Les paroles que je vous ai dites
sont esprit
et elles sont vie.

⁶⁴Mais il en est parmi vous qui ne croient pas. » Jésus savait en effet dès le commencement qui étaient ceux qui ne croyaient pas et qui était celui qui le livrerait. ⁶⁵Et il disait : « Voilà pourquoi je vous ai dit que nul ne peut venir à moi, si cela ne lui est donné par le Père. » ⁶⁶Dès lors, beaucoup de ses disciples se retirèrent, et ils n'allaient plus avec lui.

La confession de Pierre. ‖ Mt 16 16-23.

⁶⁷Jésus dit alors aux Douze : « Voulez-vous partir, vous aussi ? » ⁶⁸Simon-Pierre lui répondit : « Seigneur, à qui irons-nous ? Tu as les paroles de la vie éternelle. ⁶⁹Nous, nous croyons, et nous avons reconnu que tu es le Saint de Dieu. » ⁷⁰Jésus leur répondit : « N'est-ce pas moi qui vous ai choisis, vous, les Douze ? Et l'un d'entre vous est un diable. » ⁷¹Il parlait de Judas, fils de Simon Iscariote ; c'est lui en effet qui devait le livrer, lui, l'un des Douze.

IV. LA FÊTE DES TENTES
(LA GRANDE RÉVÉLATION MESSIANIQUE. LE GRAND REFUS)

Jésus monte à Jérusalem pour la fête et enseigne.

7 ¹Après cela, Jésus parcourait la Galilée ; il n'avait pas pouvoir de circuler en Judée, parce que les Juifs cherchaient à le tuer. ²Or la fête juive des Tentes était proche. ³Ses frères lui dirent donc : « Passe d'ici en Judée, que tes disciples aussi voient les œuvres que tu fais : ⁴on n'agit pas en secret, quand on veut être en vue. Puisque tu fais ces choses-là, manifeste-toi au monde. » ⁵Pas même ses frères en effet ne croyaient en lui. ⁶Jésus leur dit alors : « Mon temps n'est pas encore venu, tandis que le vôtre est toujours prêt. ⁷Le monde ne peut pas vous haïr ; mais moi, il me hait, parce que je témoigne que ses œuvres sont mauvaises. ⁸Vous, montez à la fête ; moi, je ne monte pas à cette fête, parce que mon temps n'est pas encore accompli. » ⁹Cela dit, il resta en Galilée. ¹⁰Mais quand ses frères furent montés à la fête, alors il monta lui aussi, pas au grand jour, mais en secret. ¹¹Les Juifs le cherchaient donc pendant la fête et disaient : « Où est-il ? » ¹²On chuchotait beaucoup sur son compte dans les foules. Les uns disaient : « C'est un homme de bien. » D'autres disaient : « Non, il égare la foule. »

¹³Pourtant personne ne s'exprimait ouvertement à son sujet par peur des Juifs.

¹⁴On était déjà au milieu de la fête, lorsque Jésus monta au Temple et se mit à enseigner. ¹⁵Les Juifs, étonnés, disaient : « Comment connaît-il les lettres sans avoir étudié ? » ¹⁶Jésus leur répondit :

« Ma doctrine n'est pas de moi, mais de celui qui m'a envoyé.

¹⁷Si quelqu'un veut faire sa volonté,

il reconnaîtra si ma doctrine est de Dieu

ou si je parle de moi-même.

¹⁸Celui qui parle de lui-même cherche sa propre gloire ;

mais celui qui cherche la gloire de celui qui l'a envoyé,

celui-là est véridique et il n'y a pas en lui d'imposture.

¹⁹Moïse ne vous a-t-il pas donné la Loi ?

Et aucun de vous ne la pratique, la Loi !

Pourquoi cherchez-vous à me tuer ? » ²⁰La foule répondit : « Tu as un démon. Qui cherche à te tuer ? » ²¹Jésus leur répondit : « Pour une seule œuvre que j'ai faite, vous voilà tous étonnés. ²²Moïse vous a donné la circoncision – non qu'elle vienne de Moïse mais des patriarches – et, le jour du sabbat, vous la pratiquez sur un homme. ²³Alors, un homme reçoit la circoncision, le jour du sabbat, pour que ne soit pas enfreinte la Loi de Moïse, et vous vous indignez contre moi parce que j'ai rendu la pleine santé à un homme le jour du sabbat ? ²⁴Cessez de juger sur l'apparence ; jugez selon la justice. »

Discussions du peuple sur l'origine du Christ.

²⁵Certains, des gens de Jérusalem, disaient : « N'est-ce pas lui qu'ils cherchent à tuer ? ²⁶Et le voilà qui parle ouvertement sans qu'ils lui disent rien ! Est-ce que vraiment les autorités auraient reconnu qu'il est le Christ ? ²⁷Mais lui, nous savons d'où il est, tandis que le Christ, à sa venue, personne ne saura d'où il est. » ²⁸Alors Jésus, enseignant dans le Temple, s'écria :

« Vous me connaissez

et vous savez d'où je suis ;

et pourtant ce n'est pas de moi-même que je suis venu,

mais celui qui m'a envoyé est véridique.

Vous, vous ne le connaissez pas.

²⁹Moi, je le connais,

parce que je viens d'auprès de lui

et c'est lui qui m'a envoyé. »

³⁰Ils cherchaient alors à le saisir, mais personne ne porta la main sur lui, parce que son heure n'était pas encore venue.

Jésus annonce son prochain départ.

³¹Dans la foule, beaucoup crurent en lui et disaient : « Le Christ, quand il viendra, fera-t-il plus de signes que n'en a fait celui-ci ? » ³²Ces rumeurs de la foule à son sujet parvinrent aux oreilles des Pharisiens. Ils envoyèrent des gardes pour le saisir. ³³Jésus dit alors :

« Pour un peu de temps encore
je suis avec vous,
et je m'en vais vers celui qui
m'a envoyé.

³⁴ Vous me chercherez, et ne me
trouverez pas ;
et où je suis,
vous ne pouvez pas venir. »

³⁵ Les Juifs se dirent entre eux :
« Où va-t-il aller, que nous ne le
trouverons pas ? Va-t-il rejoindre
ceux qui sont dispersés chez les
Grecs et enseigner les Grecs ?
³⁶ Que signifie cette parole qu'il a
dite :

"Vous me chercherez et ne me
trouverez pas ;
et où je suis,
vous ne pouvez pas venir" ? »

La promesse de l'eau vive.

³⁷ Le dernier jour de la fête, le
grand jour, Jésus, debout, s'écria :
« Si quelqu'un a soif, qu'il
vienne à moi,
et il boira, ³⁸ celui qui croit en
moi !
selon le mot de l'Écriture :
De son sein couleront des fleuves d'eau vive.

³⁹ Il parlait de l'Esprit que de-
vaient recevoir ceux qui avaient
cru en lui ; car il n'y avait pas encore d'Esprit, parce que Jésus
n'avait pas encore été glorifié.

**Nouvelles discussions sur l'ori-
gine du Christ.**

⁴⁰ Dans la foule, plusieurs, qui
avaient entendu ces paroles, disaient : « C'est vraiment lui le
prophète ! » ⁴¹ D'autres disaient :
« C'est le Christ ! » Mais d'autres
disaient : « Est-ce de la Galilée
que le Christ doit venir ? ⁴² L'Écri-

ture n'a-t-elle pas dit que c'est la
descendance de David et de
Bethléem, le village où était David, que doit venir le Christ ? »
⁴³ Une scission se produisit donc
dans la foule, à cause de lui.
⁴⁴ Certains d'entre eux voulaient le
saisir, mais personne ne porta sur
lui les mains.

⁴⁵ Les gardes revinrent donc
trouver les grands prêtres et les
Pharisiens. Ceux-ci leur dirent :
« Pourquoi ne l'avez-vous pas
amené ? » ⁴⁶ Les gardes répondirent : « Jamais homme n'a parlé
comme cela ! » ⁴⁷ Les Pharisiens
répliquèrent : « Vous aussi, vous
êtes-vous laissé égarer ? ⁴⁸ Est-il
un des notables qui ait cru en lui ?
ou un des Pharisiens ? ⁴⁹ Mais cette
foule qui ne connaît pas la Loi, ce
sont des maudits ! » ⁵⁰ Nicodème,
l'un d'entre eux, celui qui était venu trouver Jésus précédemment,
leur dit : ⁵¹ « Notre Loi juge-t-elle
un homme sans d'abord l'entendre
et savoir ce qu'il fait ? » ⁵² Ils lui
répondirent : « Es-tu de la Galilée,
toi aussi ? Étudie ! Tu verras que
ce n'est pas de la Galilée que surgit
le prophète. »

La femme adultère.

⁵³ Et ils s'en allèrent chacun
chez soi.

8 ¹ Quant à Jésus, il alla au
mont des Oliviers.
² Mais, dès l'aurore, de nouveau
il fut là dans le Temple, et tout le
peuple venait à lui, et s'étant assis
il les enseignait. ³ Or les scribes et
les Pharisiens amènent une fem-
me surprise en adultère et, la pla-
çant au milieu, ⁴ ils disent à Jésus :
« Maître, cette femme a été sur-
prise en flagrant délit d'adultère.

⁵Or, dans la Loi, Moïse nous a prescrit de lapider ces femmes-là. Toi donc, que dis-tu ? » ⁶Ils disaient cela pour le mettre à l'épreuve, afin d'avoir matière à l'accuser. Mais Jésus, se baissant, se mit à écrire avec son doigt sur le sol. ⁷Comme ils persistaient à l'interroger, il se redressa et leur dit : « Que celui d'entre vous qui est sans péché lui jette le premier une pierre ! » ⁸Et se baissant de nouveau, il écrivait sur le sol. ⁹Mais eux, entendant cela, s'en allèrent un à un, à commencer par les plus vieux ; et il fut laissé seul, avec la femme toujours là au milieu. ¹⁰Alors, se redressant, Jésus lui dit : « Femme, où sont-ils ? Personne ne t'a condamnée ? » ¹¹Elle dit : « Personne, Seigneur. » Alors Jésus dit : « Moi non plus, je ne te condamne pas. Va, désormais ne pèche plus. »

Jésus lumière du monde.

¹²De nouveau Jésus leur adressa la parole et dit :

« Moi, je suis la lumière du monde.

Qui me suit ne marchera pas dans les ténèbres,

mais aura la lumière de la vie. »

Discussion du témoignage de Jésus sur lui-même.

¹³Les Pharisiens lui dirent alors : « Tu te rends témoignage à toi-même ; ton témoignage n'est pas valable. » ¹⁴Jésus leur répondit :

« Bien que je me rende témoignage à moi-même,

mon témoignage est valable,

parce que je sais

d'où je suis venu et où je vais ;

mais vous, vous ne savez pas d'où je viens ni où je vais.

¹⁵Vous, vous jugez selon la chair ;

moi, je ne juge personne ;

¹⁶et s'il m'arrive de juger, moi, mon jugement est selon la vérité,

parce que je ne suis pas seul ;

mais il y a moi et celui qui m'a envoyé ;

¹⁷et il est écrit dans votre Loi que le témoignage de deux personnes est valable.

¹⁸Moi, je suis mon propre témoin.

Témoigne aussi à mon sujet le Père qui m'a envoyé. »

¹⁹Ils lui disaient donc : « Où est ton Père ? » Jésus répondit :

« Vous ne connaissez ni moi ni mon Père ;

si vous me connaissiez, vous connaîtriez aussi mon Père. »

²⁰Il prononça ces paroles au Trésor, alors qu'il enseignait dans le Temple. Personne ne se saisit de lui, parce que son heure n'était pas encore venue.

²¹Jésus leur dit encore :

« Je m'en vais et vous me chercherez et vous mourrez dans votre péché.

Où je vais,

vous ne pouvez venir. »

²²Les Juifs disaient donc : « Va-t-il se donner la mort, qu'il dise : "Où je vais, vous ne pouvez venir" ? » ²³Et il leur disait :

« Vous, c'est d'en bas que vous êtes

moi, c'est d'en haut que je suis.

Vous, c'est de ce monde que vous êtes ;

moi, je ne suis pas de ce monde. ²⁴Je vous ai donc dit que vous mourrez dans vos péchés.

Car si vous ne croyez pas que Moi, Je Suis,

vous mourrez dans vos péchés. »

²⁵Ils lui disaient donc : « Qui es-tu ? » Jésus leur dit :

« Dès le commencement ce que je vous dis.

²⁶J'ai sur vous beaucoup à dire et à juger ;

mais celui qui m'a envoyé est véridique

et je dis au monde ce que j'ai entendu de lui. »

²⁷Ils ne comprirent pas qu'il leur parlait du Père. ²⁸Jésus leur dit donc :

« Quand vous aurez élevé le Fils de l'homme,

alors vous saurez que Moi, Je Suis

et que je ne fais rien de moi-même,

mais je dis ce que le Père m'a enseigné,

²⁹et celui qui m'a envoyé est avec moi ;

il ne m'a pas laissé seul,

parce que je fais toujours ce qui lui plaît. »

³⁰Comme il disait cela, beaucoup crurent en lui.

Jésus et Abraham.

³¹Jésus dit alors aux Juifs qui l'avaient cru :

« Si vous demeurez dans ma parole,

vous êtes vraiment mes disciples,

³²et vous connaîtrez la vérité et la vérité vous libérera. »

³³Ils lui répondirent : « Nous sommes la descendance d'Abraham et jamais nous n'avons été esclaves de personne. Comment peux-tu dire : Vous deviendrez libres ? » ³⁴Jésus leur répondit :

« En vérité, en vérité, je vous le dis,

quiconque commet le péché est esclave.

³⁵Or l'esclave ne demeure pas à jamais dans la maison,

le fils y demeure à jamais.

³⁶Si donc le Fils vous libère, vous serez réellement libres.

³⁷Je sais, vous êtes la descendance d'Abraham ;

mais vous cherchez à me tuer,

parce que ma parole ne pénètre pas en vous.

³⁸Je dis

ce que j'ai vu chez mon Père ;

et vous, vous faites

ce que vous avez entendu auprès de votre père. »

³⁹Ils lui répondirent : « Notre père, c'est Abraham. » Jésus leur dit :

« Si vous étiez enfants d'Abraham,

vous feriez les œuvres d'Abraham.

⁴⁰Or maintenant vous cherchez à me tuer,

moi, un homme qui vous ai dit la vérité,

que j'ai entendue de Dieu.

Cela, Abraham ne l'a pas fait !

⁴¹Vous faites les œuvres de votre père. »

Ils lui dirent : « Nous ne sommes pas nés de la prostitution ; nous n'avons qu'un seul Père : Dieu. » ⁴²Jésus leur dit :

« Si Dieu était votre Père, vous m'aimeriez,
car c'est de Dieu que je suis sorti et que je viens ;
je ne viens pas de moi-même ;
mais lui m'a envoyé.
⁴³Pourquoi ne reconnaissez-vous pas mon langage ?

C'est que vous ne pouvez pas entendre ma parole.
⁴⁴Vous êtes du diable, votre père,
et ce sont les désirs de votre père que vous voulez accomplir.

Il était homicide dès le commencement
et n'était pas établi dans la vérité,
parce qu'il n'y a pas de vérité en lui :
quand il profère le mensonge,
il parle de son propre fonds,
parce qu'il est menteur et père du mensonge.
⁴⁵Mais parce que je dis la vérité,
vous ne me croyez pas.
⁴⁶Qui d'entre vous me convaincra de péché ?

Si je dis la vérité,
pourquoi ne me croyez-vous pas ?
⁴⁷Qui est de Dieu
entend les paroles de Dieu ;
si vous n'entendez pas,
c'est que vous n'êtes pas de Dieu. »

⁴⁸Les Juifs lui répondirent : « N'avons-nous pas raison de dire que tu es un Samaritain et que tu as un démon ? » ⁴⁹Jésus répondit :

« Je n'ai pas de démon
mais j'honore mon Père,
et vous cherchez à me déshonorer.

⁵⁰Je ne cherche pas ma gloire ;
il est quelqu'un qui la cherche et qui juge.
⁵¹En vérité, en vérité, je vous le dis,
si quelqu'un garde ma parole,
il ne verra jamais la mort. »

⁵²Les Juifs lui dirent : « Maintenant nous savons que tu as un démon. Abraham est mort, les prophètes aussi, et tu dis :
"Si quelqu'un garde ma parole,
il ne goûtera jamais de la mort."
⁵³Es-tu donc plus grand qu'Abraham, notre père, qui est mort ? Les prophètes aussi sont morts. Qui prétends-tu être ? »
⁵⁴Jésus répondit :

« Si je me glorifie moi-même,
ma gloire n'est rien ;
c'est mon Père qui me glorifie,
lui dont vous dites : "Il est notre Dieu",
⁵⁵et vous ne le connaissez pas ;
mais moi, je le connais ;
et si je disais : "Je ne le connais pas",
je serais semblable à vous, un menteur.

Mais je le connais et je garde sa parole.
⁵⁶Abraham, votre père, exulta
à la pensée qu'il verrait mon Jour.

Il l'a vu et fut dans la joie. »

⁵⁷Les Juifs lui dirent alors : « Tu n'as pas cinquante ans et tu as vu Abraham ! » ⁵⁸Jésus leur dit :

« En vérité, en vérité, je vous le dis, avant qu'Abraham existât, Je Suis. »

⁵⁹Ils ramassèrent alors des pierres pour les lui jeter ; mais Jésus se déroba et sortit du Temple.

Guérison d'un aveugle-né.

9 ¹En passant, il vit un homme aveugle de naissance. ²Ses disciples lui demandèrent : « Rabbi, qui a péché, lui ou ses parents, pour qu'il soit né aveugle ? » ³Jésus répondit : « Ni lui ni ses parents n'ont péché, mais c'est afin que soient manifestées en lui les œuvres de Dieu.

⁴Tant qu'il fait jour,
il nous faut travailler aux œuvres de celui qui m'a envoyé ;
la nuit vient,
où nul ne peut travailler.
⁵Tant que je suis dans le monde,
je suis la lumière du monde. »

⁶Ayant dit cela, il cracha à terre, fit de la boue avec sa salive, enduisit avec cette boue les yeux de l'aveugle ⁷et lui dit : « Va te laver à la piscine de Siloé » – ce qui veut dire : Envoyé. L'aveugle s'en alla donc, il se lava et revint en voyant clair.

⁸Les voisins et ceux qui étaient habitués à le voir auparavant, car c'était un mendiant, dirent alors : « N'est-ce pas celui qui se tenait assis à mendier ? » ⁹Les uns disaient : « C'est lui. » D'autres disaient : « Non, mais il lui ressemble. » Lui disait : « C'est moi. » ¹⁰Ils lui dirent alors : « Comment donc tes yeux se sont-ils ouverts ? » ¹¹Il répondit : « L'homme qu'on appelle Jésus a fait de la boue, il m'en a enduit les yeux et m'a dit : "Va-t'en à Siloé et lave-toi." Alors je suis parti, je me suis lavé et j'ai recouvré la vue. »

¹²Ils lui dirent : « Où est-il ? » Il dit : « Je ne sais pas. »

¹³On le conduit aux Pharisiens, l'ancien aveugle. ¹⁴Or c'était sabbat, le jour où Jésus avait fait de la boue, et lui avait ouvert les yeux. ¹⁵À leur tour les Pharisiens lui demandèrent comment il avait recouvré la vue. Il leur dit : « Il m'a appliqué de la boue sur les yeux, je me suis lavé et je vois. » ¹⁶Certains des Pharisiens disaient : « Il ne vient pas de Dieu, cet homme-là, puisqu'il n'observe pas le sabbat » ; d'autres disaient : « Comment un homme pécheur peut-il faire de tels signes ? » Et il y eut scission parmi eux. ¹⁷Alors ils dirent encore à l'aveugle : «Toi, que dis-tu de lui, de ce qu'il t'a ouvert les yeux ? » Il dit : « C'est un prophète. »

¹⁸Les Juifs ne crurent pas qu'il eût été aveugle tant qu'ils n'eurent pas appelé les parents de celui qui avait recouvré la vue. ¹⁹Ils leur demandèrent : « Celui-ci est-il votre fils dont vous dites qu'il est né aveugle ? Comment donc y voit-il à présent ? » ²⁰Ses parents répondirent : « Nous savons que c'est notre fils et qu'il est né aveugle. ²¹Mais comment il y voit maintenant, nous ne le savons pas ; ou bien qui lui a ouvert les yeux, nous, nous ne le savons pas. Interrogez-le, il a l'âge ; lui-même s'expliquera sur son propre compte. » ²²Ses parents dirent cela parce qu'ils avaient peur des Juifs ; car déjà les Juifs étaient convenus que, si quelqu'un reconnaissait Jésus pour le Christ, il serait exclu de la synagogue. ²³C'est pour cela que ses parents dirent : « Il a l'âge ; interrogez-le. »

²⁴Ils appelèrent donc une seconde fois l'homme qui avait été aveugle et lui dirent : « Rends gloire à Dieu ! Nous savons, nous, que cet homme est un pécheur. » ²⁵Lui, répondit : « Si c'est un pécheur, je ne sais pas ; je ne sais qu'une chose : j'étais aveugle et à présent j'y vois. » ²⁶Ils lui dirent alors : « Que t'a-t-il fait ? Comment t'a-t-il ouvert les yeux ? » ²⁷Il leur répondit : « Je vous l'ai déjà dit et vous n'avez pas écouté. Pourquoi voulez-vous l'entendre à nouveau ? Est-ce que, vous aussi, vous voudriez devenir ses disciples ? » ²⁸Ils l'injurièrent et lui dirent : « C'est toi qui es son disciple ; mais nous, c'est de Moïse que nous sommes disciples. ²⁹Nous savons, nous, que Dieu a parlé à Moïse ; mais celui-là, nous ne savons pas d'où il est. » ³⁰L'homme leur répondit : « C'est bien là l'étonnant : que vous ne sachiez pas d'où il est, et qu'il m'ait ouvert les yeux. ³¹Nous savons que Dieu n'écoute pas les pécheurs, mais si quelqu'un est religieux et fait sa volonté, celui-là il l'écoute. ³²Jamais on n'a ouï dire que quelqu'un ait ouvert les yeux d'un aveugle-né. ³³Si cet homme ne venait pas de Dieu, il ne pourrait rien faire. » ³⁴Ils lui répondirent : « De naissance tu n'es que péché et tu nous fais la leçon ! » Et ils le jetèrent dehors.

³⁵Jésus apprit qu'ils l'avaient jeté dehors. Le rencontrant, il lui dit : « Crois-tu au Fils de l'homme ? » ³⁶Il répondit : « Et qui est-il, Seigneur, que je croie en lui ? » ³⁷Jésus lui dit : « Tu le vois ; celui qui te parle, c'est lui. » ³⁸Alors il déclara : « Je crois, Seigneur », et il se prosterna devant lui.

³⁹Jésus dit alors :

« C'est pour un discernement que je suis venu en ce monde : pour que ceux qui ne voient pas voient
et que ceux qui voient deviennent aveugles. »

⁴⁰Des Pharisiens, qui se trouvaient avec lui, entendirent ces paroles et lui dirent : « Est-ce que nous aussi, nous sommes aveugles ? » ⁴¹Jésus leur dit :

« Si vous étiez aveugles,
vous n'auriez pas de péché ;
mais vous dites : Nous voyons !
Votre péché demeure. »

Le bon Pasteur. || Ez 34 1-31. || Jr 23 1-3.

10 ¹« En vérité, en vérité, je vous le dis, celui qui n'entre pas par la porte dans l'enclos des brebis, mais en fait l'escalade par une autre voie, celui-là est un voleur et un brigand ; ²celui qui entre par la porte est le pasteur des brebis. ³Le portier lui ouvre et les brebis écoutent sa voix, et ses brebis à lui, il les appelle une à une et il les mène dehors. ⁴Quand il a fait sortir toutes celles qui sont à lui, il marche devant elles et les brebis le suivent, parce qu'elles connaissent sa voix. ⁵Elles ne suivront pas un étranger ; elles le fuiront au contraire, parce qu'elles ne connaissent pas la voix des étrangers. » ⁶Jésus leur tint ce discours mystérieux mais eux ne comprirent pas ce dont il leur parlait.

⁷Alors Jésus dit à nouveau :

« En vérité, en vérité, je vous le dis,

Moi, je suis la porte des brebis.
⁸Tous ceux qui sont venus avant moi
sont des voleurs et des brigands ;
mais les brebis ne les ont pas écoutés.
⁹Moi, je suis la porte.
Si quelqu'un entre par moi, il sera sauvé ;
il entrera et sortira,
et trouvera un pâturage.
¹⁰Le voleur ne vient
que pour voler, égorger et faire périr.
Moi, je suis venu
pour qu'on ait la vie
et qu'on l'ait surabondante.
¹¹Moi, je suis le bon pasteur ;
le bon pasteur dépose sa vie pour ses brebis.
¹²Le mercenaire, qui n'est pas le pasteur
et à qui n'appartiennent pas les brebis,
voit-il venir le loup,
il laisse les brebis et s'enfuit,
et le loup s'en empare et les disperse.
¹³C'est qu'il est mercenaire
et ne se soucie pas des brebis.
¹⁴Moi, je suis le bon pasteur ;
je connais mes brebis

et mes brebis me connaissent,
¹⁵comme le Père me connaît
et que je connais le Père,
et je dépose ma vie pour mes brebis.
¹⁶J'ai encore d'autres brebis
qui ne sont pas de cet enclos ;
celles-là aussi, il faut que je les mène ;
elles écouteront ma voix ;
et il y aura un seul troupeau,
un seul pasteur ;
¹⁷c'est pour cela que le Père m'aime,
parce que je dépose ma vie,
pour la reprendre.
¹⁸Personne ne me l'enlève ;
mais je la dépose de moi-même.
J'ai pouvoir de la déposer
et j'ai pouvoir de la reprendre ;
tel est le commandement que j'ai reçu de mon Père. »

¹⁹Il y eut de nouveau scission parmi les Juifs à cause de ces paroles. ²⁰Beaucoup d'entre eux disaient : « Il a un démon ; il délire. Pourquoi l'écoutez-vous ? » ²¹D'autres disaient : « Ces paroles ne sont pas d'un démoniaque. Est-ce qu'un démon peut *ouvrir les yeux des aveugles* ? »

V. LA FÊTE DE LA DÉDICACE
(LA DÉCISION DE TUER JÉSUS)

La véritable identité de Jésus.

²²Il y eut alors la fête de la Dédicace à Jérusalem. C'était l'hiver. ²³Jésus allait et venait dans le Temple sous le portique de Salomon. ²⁴Les Juifs firent cercle autour de lui et lui dirent : « Jusqu'à quand vas-tu nous tenir en haleine ? Si tu es le Christ, dis-le-nous ouvertement. » ²⁵Jésus leur répondit :

« Je vous l'ai dit, et vous ne croyez pas.
Les œuvres que je fais au nom de mon Père

témoignent de moi ;

²⁶mais vous ne croyez pas,

parce que vous n'êtes pas de
mes brebis.

²⁷Mes brebis écoutent ma voix,
je les connais et elles me suivent ;

²⁸je leur donne la vie éternelle ;

elles ne périront jamais

et nul ne les arrachera de ma
main.

²⁹Mon Père, quant à ce qu'il
m'a donné, est plus grand que
tous.

Nul ne peut rien arracher de la
main du Père.

³⁰Moi et le Père nous sommes
un. »

³¹Les Juifs apportèrent de nouveau des pierres pour le lapider.
³²Jésus leur dit alors : « Je vous
ai montré quantité de bonnes
œuvres, venant du Père ; pour laquelle de ces œuvres me lapi-
dez-vous ? » ³³Les Juifs lui répondirent : « Ce n'est pas pour une
bonne œuvre que nous te lapi-
dons, mais pour un blasphème et
parce que toi, n'étant qu'un homme, tu te fais Dieu. » ³⁴Jésus leur
répondit :

« N'est-il pas écrit dans votre
Loi :

J'ai dit : Vous êtes des dieux ?

³⁵Alors qu'elle a appelé dieux
ceux à qui la parole de Dieu fut
adressée

– et l'Écriture ne peut être ré-
cusée –

³⁶à celui que le Père a consacré
et envoyé dans le monde

vous dites : "Tu blasphèmes",
parce que j'ai dit : "Je suis Fils
de Dieu" !

³⁷Si je ne fais pas les œuvres de
mon Père,

ne me croyez pas ;

³⁸mais si je les fais,

quand bien même vous ne me
croiriez pas,

croyez en ces œuvres,

afin de reconnaître une bonne
fois

que le Père est en moi et moi
dans le Père. »

³⁹Ils cherchaient donc de nouveau à le saisir, mais il leur échappa des mains.

Jésus se retire au-delà du Jour-
dain.

⁴⁰De nouveau il s'en alla au-
delà du Jourdain, au lieu où Jean
avait d'abord baptisé, et il y demeura. ⁴¹Beaucoup vinrent à lui et
disaient : « Jean n'a fait aucun signe ; mais tout ce que Jean a dit
de celui-ci était vrai. » ⁴²Et là,
beaucoup crurent en lui.

Résurrection de Lazare.

11 ¹Il y avait un malade, Lazare,
de Béthanie, le village de Marie et de sa sœur Marthe. ²Marie
était celle qui oignit le Seigneur de
parfum et lui essuya les pieds avec
ses cheveux ; c'était son frère Lazare qui était malade. ³Les deux
sœurs envoyèrent donc dire à Jésus : « Seigneur, celui que tu aimes
est malade. » ⁴A cette nouvelle, Jésus dit : « Cette maladie ne mène
pas à la mort, elle est pour la gloire
de Dieu : afin que le Fils de Dieu
soit glorifié par elle. »

⁵Or Jésus aimait Marthe et sa
sœur et Lazare.

⁶Quand il apprit que celui-ci
était malade, il demeura deux jours

encore dans le lieu où il se trouvait ; [7]alors seulement, il dit aux disciples : « Allons de nouveau en Judée. » [8]Ses disciples lui dirent : « Rabbi, tout récemment les Juifs cherchaient à te lapider, et tu retournes là-bas ! » [9]Jésus répondit :

« N'y a-t-il pas douze heures de jour ?

Si quelqu'un marche le jour, il ne bute pas,

parce qu'il voit la lumière de ce monde ;

[10]mais s'il marche la nuit, il bute,

parce que la lumière n'est pas en lui. »

[11]Il dit cela, et ensuite : « Notre ami Lazare repose, leur dit-il ; mais je vais aller le réveiller. » [12]Les disciples lui dirent : « Seigneur, s'il repose, il sera sauvé. » [13]Jésus avait parlé de sa mort, mais eux pensèrent qu'il parlait du repos du sommeil. [14]Alors Jésus leur dit ouvertement : « Lazare est mort, [15]et je me réjouis pour vous de n'avoir pas été là-bas, afin que vous croyiez. Mais allons auprès de lui ! » [16]Alors Thomas, appelé Didyme, dit aux condisciples : « Allons, nous aussi, pour mourir avec lui ! »

[17]À son arrivée, Jésus trouva Lazare dans le tombeau depuis quatre jours déjà. [18]Béthanie était près de Jérusalem, distant d'environ quinze stades, [19]et beaucoup d'entre les Juifs étaient venus auprès de Marthe et de Marie pour les consoler au sujet de leur frère. [20]Quand Marthe apprit que Jésus arrivait, elle alla à sa rencontre, tandis que Marie restait assise à la maison. [21]Marthe dit à Jésus : « Seigneur, si tu avais été ici, mon frère ne serait pas mort. [22]Mais maintenant encore, je sais que tout ce que tu demanderas à Dieu, Dieu te l'accordera. » [23]Jésus lui dit : « Ton frère ressuscitera. » – [24]« Je sais, dit Marthe, qu'il ressuscitera à la résurrection, au dernier jour. » [25]Jésus lui dit :

« Moi, je suis la résurrection.

Qui croit en moi, même s'il meurt, vivra ;

[26]et quiconque vit et croit en moi ne mourra jamais.

Le crois-tu ? »

[27]Elle lui dit : « Oui, Seigneur, je crois que tu es le Christ, le Fils de Dieu, celui qui vient dans le monde. »

[28]Ayant dit cela, elle s'en alla appeler sa sœur Marie, lui disant en secret : « Le Maître est là et il t'appelle. » [29]Celle-ci, à cette nouvelle, se leva bien vite et alla vers lui. [30]Jésus n'était pas encore arrivé au village, mais il se trouvait toujours à l'endroit où Marthe était venue à sa rencontre. [31]Quand les Juifs qui étaient avec Marie dans la maison et la consolaient la virent se lever bien vite et sortir, ils la suivirent, pensant qu'elle allait au tombeau pour y pleurer.

[32]Arrivée là où était Jésus, Marie, en le voyant, tomba à ses pieds et lui dit : « Seigneur, si tu avais été ici, mon frère ne serait pas mort ! » [33]Lorsqu'il la vit pleurer, et pleurer aussi les Juifs qui l'avaient accompagnée, Jésus frémit en son esprit et se troubla. [34]Il dit : « Où l'avez-vous mis ? » Ils lui dirent : « Seigneur, viens et vois. » [35]Jésus versa des larmes. [36]Les Juifs dirent alors : « Voyez comme il l'aimait ! » [37]Mais quelques-uns d'entre eux dirent : « Ne pouvait-il pas, lui qui

a ouvert les yeux de l'aveugle, faire aussi que celui-ci ne mourût pas ? » ³⁸Alors Jésus, frémissant à nouveau en lui-même, se rend au tombeau. C'était une grotte, avec une pierre placée par-dessus. ³⁹Jésus dit : « Enlevez la pierre ! » Marthe, la sœur du mort, lui dit : « Seigneur, il sent déjà : c'est le quatrième jour. » ⁴⁰Jésus lui dit : « Ne t'ai-je pas dit que si tu crois, tu verras la gloire de Dieu ? » ⁴¹On enleva donc la pierre. Jésus leva les yeux et dit :

« Père, je te rends grâces de m'avoir écouté.

⁴²Je savais que tu m'écoutes toujours ;

mais c'est à cause de la foule qui m'entoure

que j'ai parlé,

afin qu'ils croient que tu m'as envoyé. »

⁴³Cela dit, il s'écria d'une voix forte : « Lazare, viens dehors ! » ⁴⁴Le mort sortit, les pieds et les mains liés de bandelettes, et son visage était enveloppé d'un suaire. Jésus leur dit : « Déliez-le et laissez-le aller. »

Les chefs juifs décident la mort de Jésus.

⁴⁵Beaucoup d'entre les Juifs qui étaient venus auprès de Ma-rie et avaient vu ce qu'il avait fait, crurent en lui. ⁴⁶Mais certains s'en furent trouver les Pharisiens et leur dirent ce qu'avait fait Jésus. ⁴⁷Les grands prêtres et les Pharisiens réunirent alors un conseil : « Que faisons-nous ? disaient-ils, cet homme fait beaucoup de signes. ⁴⁸Si nous le laissons ainsi, tous croiront en lui, et les Romains viendront et ils supprimeront notre Lieu Saint et notre nation. » ⁴⁹Mais l'un d'entre eux, Caïphe, étant grand prêtre cette année-là, leur dit : « Vous n'y entendez rien. ⁵⁰Vous ne songez même pas qu'il est de votre intérêt qu'un seul homme meure pour le peuple et que la nation ne périsse pas tout entière. » ⁵¹Or cela, il ne le dit pas de lui-même ; mais, étant grand prêtre cette année-là, il prophétisa que Jésus allait mourir pour la nation – ⁵²et non pas pour la nation seulement, mais encore afin de rassembler dans l'unité les enfants de Dieu dispersés. ⁵³Dès ce jour-là donc, ils résolurent de le tuer. ⁵⁴Aussi Jésus cessa de circuler en public parmi les Juifs ; il se retira dans la région voisine du désert, dans une ville appelée Éphraïm, et il y séjournait avec ses disciples.

VI. FIN DU MINISTÈRE PUBLIC ET PRÉLIMINAIRES DE LA DERNIÈRE PÂQUE

L'approche de la Pâque.

⁵⁵Or la Pâque des Juifs était proche et beaucoup de gens montèrent de la campagne à Jérusalem, avant la Pâque, pour se purifier. ⁵⁶Ils cherchaient Jésus et se disaient les uns aux autres, en se tenant dans le Temple : « Qu'en pensez-vous ? qu'il ne viendra pas à la fête ? » ⁵⁷Les grands prêtres et les Pharisiens avaient donné des ordres : si

quelqu'un savait où il était, il devait l'indiquer, afin qu'on le saisît.

L'onction de Béthanie. ‖ Mt 26 6-13. ‖ Mc 14 3-9.

12 ¹Six jours avant la Pâque, Jésus vint à Béthanie, où était Lazare, que Jésus avait ressuscité d'entre les morts. ²On lui fit là un repas. Marthe servait. Lazare était l'un des convives. ³Alors Marie, prenant une livre d'un parfum de nard pur, de grand prix, oignit les pieds de Jésus et les essuya avec ses cheveux ; et la maison s'emplit de la senteur du parfum. ⁴Mais Judas l'Iscariote, l'un de ses disciples, celui qui allait le livrer, dit : ⁵« Pourquoi ce parfum n'a-t-il pas été vendu trois cents deniers qu'on aurait donnés à des pauvres ? » ⁶Mais il dit cela non par souci des pauvres, mais parce qu'il était voleur et que, tenant la bourse, il dérobait ce qu'on y mettait. ⁷Jésus dit alors : « Laisse-la : c'est pour le jour de ma sépulture qu'elle devait garder ce parfum. ⁸Les pauvres, en effet, vous les aurez toujours avec vous ; mais moi, vous ne m'aurez pas toujours. »

⁹La grande foule des Juifs apprit qu'il était là et ils vinrent, pas seulement pour Jésus, mais aussi pour voir Lazare, qu'il avait ressuscité d'entre les morts. ¹⁰Les grands prêtres décidèrent de tuer aussi Lazare, ¹¹parce que beaucoup de Juifs, à cause de lui, s'en allaient et croyaient en Jésus.

Entrée messianique de Jésus à Jérusalem. ‖ Mt 21 1-9. ‖ Mc 11 1-10. ‖ Lc 19 28-38.

¹²Le lendemain, la foule nombreuse venue pour la fête apprit que Jésus venait à Jérusalem ; ¹³ils prirent les rameaux des palmiers et sortirent à sa rencontre et ils criaient :

« *Hosanna !*
Béni soit celui qui vient au nom du Seigneur
et le roi d'Israël ! »

¹⁴Jésus, trouvant un petit âne, s'assit dessus selon qu'il est écrit :

¹⁵*Sois sans crainte, fille de Sion :*
voici que ton roi vient,
monté sur un petit d'ânesse.

¹⁶Cela, ses disciples ne le comprirent pas tout d'abord ; mais quand Jésus eut été glorifié, alors ils se souvinrent que cela était écrit de lui et que c'était ce qu'on lui avait fait. ¹⁷La foule qui était avec lui, quand il avait appelé Lazare hors du tombeau et l'avait ressuscité d'entre les morts, rendait témoignage. ¹⁸C'est aussi pourquoi la foule vint à sa rencontre : parce qu'ils avaient entendu dire qu'il avait fait ce signe. ¹⁹Alors les Pharisiens se dirent entre eux : « Vous voyez que vous ne gagnez rien ; voilà le monde parti après lui ! »

Jésus annonce sa glorification par sa mort.

²⁰Il y avait là quelques Grecs, de ceux qui montaient pour adorer pendant la fête. ²¹Ils s'avancèrent vers Philippe, qui était de Bethsaïde en Galilée, et ils lui firent cette demande : « Seigneur, nous voulons voir Jésus. » ²²Philippe vient le dire à André ; André et Philippe viennent le dire à Jésus. ²³Jésus leur répond :

« Voici venue l'heure
où doit être glorifié le Fils de
l'homme.
²⁴En vérité, en vérité, je vous le
dis,
si le grain de blé tombé en terre
ne meurt pas,
il demeure seul ;
mais s'il meurt,
il porte beaucoup de fruit.
²⁵Qui aime sa vie la perd ;
et qui hait sa vie en ce monde
la conservera en vie éternelle.
²⁶Si quelqu'un me sert, qu'il
me suive,
et où je suis, là aussi sera mon
serviteur.
Si quelqu'un me sert, mon Père
l'honorera.
²⁷Maintenant mon âme est troublée.
Et que dire ?
Père, sauve-moi de cette heure !
Mais c'est pour cela que je suis
venu à cette heure.
²⁸Père, glorifie ton Nom ! »

Du ciel vint alors une voix :

« Je l'ai glorifié et de nouveau
je le glorifierai. »
²⁹La foule qui se tenait là et
qui avait entendu, disait qu'il y
avait eu un coup de tonnerre ;
d'autres disaient : « Un ange lui a
parlé. » ³⁰Jésus reprit : « Ce n'est
pas pour moi qu'il y a eu cette
voix, mais pour vous.

³¹C'est maintenant le jugement
de ce monde ;
maintenant le Prince de ce
monde va être jeté bas ;
³²et moi, une fois élevé de terre,
je les attirerai tous à moi. »

³³Il signifiait par là de quelle
mort il allait mourir.

³⁴La foule alors lui répondit :
« Nous avons appris de la Loi que
le Christ demeure à jamais. Comment peux-tu dire : "Il faut que
soit élevé le Fils de l'homme" ?
Qui est ce Fils de l'homme ? »
³⁵Jésus leur dit :

« Pour peu de temps encore la
lumière est parmi vous.
Marchez tant que vous avez la
lumière,
de peur que les ténèbres ne
vous saisissent :
celui qui marche dans les ténèbres ne sait pas où il va.
³⁶Tant que vous avez la lumière,
croyez en la lumière,
afin de devenir des fils de lumière. »

Ainsi parla Jésus, et s'en allant
il se cacha loin d'eux.

Conclusion : croire en la parole.

³⁷Bien qu'il eût fait tant de signes devant eux, ils ne croyaient
pas en lui, ³⁸afin que s'accomplît
la parole dite par Isaïe le prophète :

*Seigneur, qui a cru à notre pa-
role ?*
*Et le bras du Seigneur, à qui
a-t-il été révélé ?*

³⁹Aussi bien ne pouvaient-ils
croire, car Isaïe a dit encore :
⁴⁰*Il a aveuglé leurs yeux*
et il a endurci leur cœur,
*pour que leurs yeux ne voient
pas,*
*que leur cœur ne comprenne
pas,*
qu'ils ne se convertissent pas

et que je ne les guérisse pas.

⁴¹Isaïe a dit cela, parce qu'il eut la vision de sa gloire et qu'il parla de lui.

⁴²Toutefois, il est vrai, même parmi les notables, un bon nombre crurent en lui, mais à cause des Pharisiens ils ne se déclaraient pas, de peur d'être exclus de la synagogue, ⁴³car ils aimèrent la gloire des hommes plus que la gloire de Dieu.

⁴⁴Jésus s'écria et dit :

« Qui croit en moi,
ce n'est pas en moi qu'il croit,
mais en celui qui m'a envoyé,
⁴⁵et qui me voit
voit celui qui m'a envoyé.
⁴⁶Moi, lumière, je suis venu dans le monde,
pour que quiconque croit en moi
ne demeure pas dans les ténèbres.

⁴⁷Si quelqu'un entend mes paroles et ne les garde pas,
je ne le juge pas,
car je ne suis pas venu pour juger le monde,
mais pour sauver le monde.
⁴⁸Qui me rejette et n'accueille pas mes paroles
a son juge :
la parole que j'ai fait entendre,
c'est elle qui le jugera au dernier jour ;
⁴⁹car ce n'est pas de moi-même que j'ai parlé,
mais le Père qui m'a envoyé
m'a lui-même commandé
que dire et de quoi parler ;
⁵⁰et je sais que son commandement est vie éternelle.
Ainsi donc ce dont je parle,
tel que le Père me l'a dit
j'en parle. »

L'Heure de Jésus
La Pâque de l'agneau de Dieu

I. LE DERNIER REPAS DE JÉSUS AVEC SES DISCIPLES

Le lavement des pieds.

13 ¹Avant la fête de la Pâque, Jésus, sachant que son heure était venue de passer de ce monde vers le Père, ayant aimé les siens qui étaient dans le monde, les aima jusqu'à la fin.

²Au cours d'un repas, alors que déjà le diable avait mis au cœur de Judas Iscariote, fils de Simon, le dessein de le livrer, ³sachant

que le Père lui avait tout remis entre les mains et qu'il était venu de Dieu et qu'il s'en allait vers Dieu, ⁴il se lève de table, dépose ses vêtements, et prenant un linge, il s'en ceignit. ⁵Puis il met de l'eau dans un bassin et il commença à laver les pieds des disciples et à les essuyer avec le linge dont il était ceint.

⁶Il vient donc à Simon-Pierre,

qui lui dit : « Seigneur, toi, me laver les pieds ? » [7]Jésus lui répondit : « Ce que je fais, tu ne le sais pas à présent ; par la suite tu comprendras. » [8]Pierre lui dit : « Non, tu ne me laveras pas les pieds, jamais ! » Jésus lui répondit : « Si je ne te lave pas, tu n'as pas de part avec moi. » [9]Simon-Pierre lui dit : « Seigneur, pas seulement les pieds, mais aussi les mains et la tête ! » [10]Jésus lui dit : « Qui s'est baigné n'a pas besoin de se laver ; il est pur tout entier. Vous aussi, vous êtes purs ; mais pas tous. » [11]Il connaissait en effet celui qui le livrait ; voilà pourquoi il dit : « Vous n'êtes pas tous purs. »

[12]Quand donc il leur eut lavé les pieds, qu'il eut repris ses vêtements et se fut remis à table, il leur dit : « Comprenez-vous ce que je vous ai fait ? [13]Vous m'appelez Maître et Seigneur, et vous dites bien, car je le suis. [14]Si donc je vous ai lavé les pieds, moi le Seigneur et le Maître, vous aussi vous devez vous laver les pieds les uns aux autres. [15]Car c'est un exemple que je vous ai donné, pour que vous fassiez, vous aussi, comme moi j'ai fait pour vous.

[16]En vérité, en vérité, je vous le dis,

le serviteur n'est pas plus grand que son maître,

ni l'envoyé plus grand que celui qui l'a envoyé.

[17]Sachant cela, heureux êtes-vous, si vous le faites. [18]Ce n'est pas de vous tous que je parle ; je connais ceux que j'ai choisis ; mais il faut que l'Écriture s'accomplisse :

Celui qui mange mon pain a levé contre moi son talon.

[19]Je vous le dis, dès à présent, avant que la chose n'arrive, pour qu'une fois celle-ci arrivée, vous croyiez que Moi, Je Suis.

[20]En vérité, en vérité, je vous le dis,

qui accueille celui que j'aurai envoyé m'accueille ;

et qui m'accueille, accueille celui qui m'a envoyé. »

L'annonce de la trahison de Judas. ‖ Mt 26 21-25. ‖ Mc 14 18-21. ‖ Lc 22 21-23.

[21]Ayant dit cela, Jésus fut troublé en son esprit et il attesta :

« En vérité, en vérité, je vous le dis, l'un de vous me livrera. »

[22]Les disciples se regardaient les uns les autres, ne sachant de qui il parlait. [23]Un de ses disciples était installé tout contre Jésus : celui qu'aimait Jésus. [24]Simon-Pierre lui fait signe et lui dit : « Demande quel est celui dont il parle. » [25]Celui-ci, se penchant alors vers la poitrine de Jésus, lui dit : « Seigneur, qui est-ce ? » [26]Jésus répond : « C'est celui à qui je donnerai la bouchée que je vais tremper. » Trempant alors la bouchée, il la prend et la donne à Judas, fils de Simon Iscariote. [27]Après la bouchée, alors Satan entra en lui. Jésus lui dit donc : « Ce que tu fais, fais-le vite. » [28]Mais cela, aucun parmi les convives ne comprit pourquoi il le lui disait. [29]Comme Judas tenait la bourse, certains pensaient que Jésus voulait lui dire : « Achète ce dont nous avons besoin pour la fê-

te », ou qu'il donnât quelque chose aux pauvres. [30]Aussitôt la bouchée prise, il sortit ; c'était la nuit.

Les adieux.

[31]Quand donc il fut sorti, Jésus
dit :

« Maintenant le Fils de l'homme a été glorifié
et Dieu a été glorifié en lui.
[32]Si Dieu a été glorifié en lui,
Dieu aussi le glorifiera en lui-
même
et c'est aussitôt qu'il le glorifiera.

[33]Petits enfants,
c'est pour peu de temps que je
suis encore avec vous.
Vous me chercherez,
et comme je l'ai dit aux Juifs :
où je vais,
vous ne pouvez venir,
à vous aussi je le dis à présent.
[34]Je vous donne un commandement nouveau :
vous aimer les uns les autres ;
comme je vous ai aimés,
aimez-vous les uns les autres.
[35]À ceci tous reconnaîtront que
vous êtes mes disciples :
si vous avez de l'amour les uns
pour les autres. »

[36]Simon-Pierre lui dit : « Seigneur, où vas-tu ? » Jésus lui répondit : « Où je vais, tu ne peux
pas me suivre maintenant ; mais
tu me suivras plus tard. » [37]Pierre
lui dit : « Pourquoi ne puis-je pas
te suivre à présent ? Je déposerai
ma vie pour toi. » [38]Jésus répond :
« Tu déposeras ta vie pour moi ?
En vérité, en vérité, je te le dis, le
coq ne chantera pas que tu ne
m'aies renié trois fois.

14 [1]« Que votre cœur cesse de
se troubler !
Croyez en Dieu, croyez aussi
en moi.
[2]Dans la maison de mon Père,
il y a de nombreuses demeures ;
sinon, je vous l'aurais dit ;
je vais vous préparer une place.
[3]Et quand je serai allé et que je
vous aurai préparé une place,
à nouveau je viendrai et je vous
prendrai près de moi,
afin que, là où je suis,
vous aussi, vous soyez.
[4]Et du lieu où je vais, vous savez le chemin. »
[5]Thomas lui dit : « Seigneur,
nous ne savons pas où tu vas.
Comment saurions-nous le chemin ? »
[6]Jésus lui dit :
« Moi, je suis le Chemin, la Vérité et la Vie.
Nul ne vient au Père sinon par
moi.
[7]Si vous me connaissez, vous
connaîtrez aussi mon Père ;
dès à présent vous le connaissez et vous l'avez vu. »
[8]Philippe lui dit : « Seigneur,
montre-nous le Père et cela nous
suffit. »
[9]Jésus lui dit : « Voilà si longtemps que je suis avec vous, et tu
ne me connais pas, Philippe ?
Qui m'a vu a vu le Père.
Comment peux-tu dire : "Montre-nous le Père !" ?
[10]Ne crois-tu pas
que je suis dans le Père et que
le Père est en moi ?
Les paroles que je vous dis, je
ne les dis pas de moi-même :
mais le Père demeurant en moi
fait ses œuvres.
[11]Croyez-m'en !

je suis dans le Père et le Père est en moi.

Croyez du moins à cause des œuvres mêmes.

¹²En vérité, en vérité, je vous le dis,

celui qui croit en moi

fera, lui aussi, les œuvres que je fais ;

et il en fera même de plus grandes,

parce que je vais vers le Père.

¹³Et tout ce que vous demanderez en mon nom,

je le ferai,

afin que le Père soit glorifié dans le Fils.

¹⁴Si vous me demandez quelque chose en mon nom,

je le ferai.

¹⁵Si vous m'aimez, vous garderez mes commandements ;

¹⁶et je prierai le Père

et il vous donnera un autre Paraclet,

pour qu'il soit avec vous à jamais,

¹⁷l'Esprit de Vérité,

que le monde ne peut pas recevoir,

parce qu'il ne le voit pas ni ne le reconnaît.

Vous, vous le connaissez,

parce qu'il demeure auprès de vous ; et en vous il sera.

¹⁸Je ne vous laisserai pas orphelins.

Je viendrai vers vous.

¹⁹Encore un peu de temps et le monde ne me verra plus.

Mais vous, vous verrez que je vis

et vous aussi, vous vivrez.

²⁰Ce jour-là,

vous reconnaîtrez que je suis en mon Père

et vous en moi et moi en vous.

²¹Celui qui a mes commandements et qui les garde,

c'est celui-là qui m'aime ;

or celui qui m'aime sera aimé de mon Père ;

et je l'aimerai et je me manifesterai à lui. »

²²Judas – pas l'Iscariote – lui dit : « Seigneur, comment se fait-il que tu doives te manifester à nous et non pas au monde ? » ²³Jésus lui répondit :

« Si quelqu'un m'aime,

il gardera ma parole,

et mon Père l'aimera

et nous viendrons vers lui

et nous nous ferons une demeure chez lui.

²⁴Celui qui ne m'aime pas ne garde pas mes paroles ;

et ma parole n'est pas de moi,

mais du Père qui m'a envoyé.

²⁵Je vous ai dit cela

tandis que je demeurais près de vous.

²⁶Mais le Paraclet, l'Esprit Saint,

que le Père enverra en mon nom,

lui, vous enseignera tout

et vous rappellera tout ce que je vous ai dit.

²⁷Je vous laisse la paix ;

c'est ma paix que je vous donne ;

je ne vous la donne pas comme le monde la donne.

Que votre cœur ne se trouble ni ne s'effraie.

²⁸Vous avez entendu que je vous ai dit :

Je m'en vais et je reviendrai vers vous.

Si vous m'aimiez, vous vous réjouiriez

de ce que je vais vers le Père,
parce que le Père est plus grand
que moi.

²⁹Je vous le dis maintenant
avant que cela n'arrive,
pour qu'au moment où cela arrivera,
vous croyiez.

³⁰Je ne m'entretiendrai plus
beaucoup avec vous,
car il vient, le Prince de ce
monde ;
sur moi il n'a aucun pouvoir,

³¹mais il faut que le monde re-
connaisse que j'aime le Père
et que je fais comme le Père
m'a commandé.
Levez-vous ! Partons d'ici !

La vigne véritable.

15 ¹« Moi, je suis la vigne véritable
et mon Père est le vigneron.

²Tout sarment en moi qui ne
porte pas de fruit,
il l'enlève,
et tout sarment qui porte du
fruit,
il l'émonde,
pour qu'il porte encore plus de
fruit.

³Déjà vous êtes purs
grâce à la parole que je vous ai
dite.

⁴Demeurez en moi, comme moi
en vous.
De même que le sarment ne
peut de lui-même porter du fruit
s'il ne demeure pas sur la vigne,
ainsi vous non plus, si vous ne
demeurez pas en moi.

⁵Moi, je suis la vigne ;
vous, les sarments.
Celui qui demeure en moi, et
moi en lui,

celui-là porte beaucoup de
fruit ;
car hors de moi vous ne pouvez
rien faire.

⁶Si quelqu'un ne demeure pas
en moi,
il est jeté dehors comme le sarment
et il se dessèche ;
on les ramasse et on les jette au
feu
et ils brûlent.

⁷Si vous demeurez en moi
et que mes paroles demeurent
en vous,
demandez ce que vous voudrez,
et vous l'aurez.

⁸C'est la gloire de mon Père
que vous portiez beaucoup de
fruit
et deveniez mes disciples.

⁹Comme le Père m'a aimé,
moi aussi je vous ai aimés.
Demeurez en mon amour.

¹⁰Si vous gardez mes comman-
dements,
vous demeurerez en mon
amour, comme moi j'ai gardé
les commandements de mon Père
et je demeure en son amour.

¹¹Je vous dis cela
pour que ma joie soit en vous
et que votre joie soit complète.

¹²Voici quel est mon comman-
dement :
vous aimer les uns les autres
comme je vous ai aimés.

¹³Nul n'a plus grand amour que
celui-ci :
déposer sa vie pour ses amis.

¹⁴Vous êtes mes amis,
si vous faites ce que je vous
commande.

¹⁵Je ne vous appelle plus servi-
teurs,
car le serviteur ne sait pas

ce que fait son maître ;
mais je vous appelle amis,
parce que tout ce que j'ai entendu de mon Père,
je vous l'ai fait connaître.
¹⁶Ce n'est pas vous qui m'avez
choisi ;
mais c'est moi qui vous ai choisis
et vous ai établis
pour que vous alliez et portiez
du fruit
et que votre fruit demeure,
afin que tout ce que vous demanderez au Père en mon nom,
il vous le donne.
¹⁷Ce que je vous commande,
c'est de vous aimer les uns les
autres.

Les disciples et le monde.

¹⁸« Si le monde vous hait,
sachez que moi, il m'a pris en
haine avant vous.
¹⁹Si vous étiez du monde,
le monde aimerait son bien ;
mais parce que vous n'êtes pas
du monde,
puisque mon choix vous a tirés
du monde,
pour cette raison, le monde
vous hait.
²⁰Rappelez-vous la parole que
je vous ai dite :
Le serviteur n'est pas plus
grand que son maître.
S'ils m'ont persécuté,
vous aussi ils vous persécute-
ront ;
s'ils ont gardé ma parole,
la vôtre aussi ils la garderont.
²¹Mais tout cela, ils le feront
contre vous à cause de mon nom,
parce qu'ils ne connaissent pas
celui qui m'a envoyé.
²²Si je n'étais pas venu

et ne leur avais pas parlé,
ils n'auraient pas de péché ;
mais maintenant ils n'ont pas
d'excuse à leur péché.
²³Qui me hait, hait aussi mon
Père.
²⁴Si je n'avais pas fait parmi
eux les œuvres
que nul autre n'a faites,
ils n'auraient pas de péché ;
mais maintenant ils ont vu et ils
nous haïssent,
et moi et mon Père.
²⁵Mais c'est pour que s'accom-
plisse la parole écrite dans leur
Loi :
Ils m'ont haï sans raison.
²⁶Lorsque viendra le Paraclet,
que je vous enverrai d'auprès
du Père,
l'Esprit de vérité, qui vient du
Père,
il me rendra témoignage.
²⁷Mais vous aussi, vous témoi-
gnerez,
parce que vous êtes avec moi
depuis le commencement.
16 ¹« Je vous ai dit cela
pour vous éviter le scandale.
²On vous exclura des synago-
gues.
Bien plus, l'heure vient
où quiconque vous tuera pensera rendre un culte à Dieu.
³Et cela, ils le feront
pour n'avoir reconnu ni le Père
ni moi.
⁴Mais je vous ai dit cela,
pour qu'une fois leur heure venue,
vous vous rappeliez que je vous
l'ai dit.

La venue du Paraclet.

« Je ne vous ai pas dit cela dès
le commencement,

parce que j'étais avec vous.

⁵Mais maintenant je m'en vais
vers celui qui m'a envoyé
et aucun de vous ne me demande : "Où vas-tu ?"

⁶Mais parce que je vous ai dit
cela,
la tristesse remplit vos cœurs.

⁷Cependant je vous dis la vérité :
c'est votre intérêt que je parte ;
car si je ne pars pas,
le Paraclet ne viendra pas vers
vous ;
mais si je pars,
je vous l'enverrai.

⁸Et lui, une fois venu,
il établira la culpabilité du
monde
en fait de péché,
en fait de justice
et en fait de jugement :

⁹de péché,
parce qu'ils ne croient pas en
moi ;

¹⁰de justice,
parce que je vais vers le Père
et que vous ne me verrez plus ;

¹¹de jugement,
parce que le Prince de ce monde est jugé.

¹²J'ai encore beaucoup à vous
dire,
mais vous ne pouvez pas le porter à présent.

¹³Mais quand il viendra, lui,
l'Esprit de vérité,
il vous guidera dans la vérité
tout entière ;
car il ne parlera pas de lui-
même,
mais ce qu'il entendra, il le dira
et il vous expliquera les choses
à venir.

¹⁴Lui me glorifiera,

car c'est de mon bien qu'il recevra
et il vous l'expliquera.

¹⁵Tout ce qu'a le Père est à moi.
Voilà pourquoi j'ai dit
que c'est de mon bien qu'il reçoit
et qu'il vous expliquera.

L'annonce d'un prompt retour.

¹⁶« Encore un peu et vous ne
me verrez plus et puis un peu encore et vous me verrez. »

¹⁷Quelques-uns de ses disciples
se dirent entre eux : « Qu'est-ce
qu'il nous dit là : "Encore un peu
et vous ne me verrez plus et puis
un peu encore et vous me verrez",
et : "Je vais vers le Père" ? » ¹⁸Ils
disaient : « Qu'est-ce que ce : "un
peu" ? Nous ne savons pas ce
qu'il veut dire. » ¹⁹Jésus comprit
qu'ils voulaient le questionner et
il leur dit : « Vous vous interrogez
entre vous sur ce que j'ai dit :
"Encore un peu et vous ne me
verrez plus
et puis un peu encore et vous
me verrez."

²⁰En vérité, en vérité, je vous le
dis,
vous pleurerez et vous vous lamenterez,
et le monde se réjouira ;
vous serez tristes,
mais votre tristesse se changera
en joie.

²¹La femme, sur le point d'accoucher, s'attriste
parce que son heure est venue ;
mais lorsqu'elle a donné le jour
à l'enfant, elle ne se souvient plus
des douleurs,
dans la joie qu'un homme soit
venu au monde.

²²Vous aussi, maintenant vous voilà tristes ;

mais je vous verrai de nouveau et votre cœur sera dans la joie,

et votre joie, nul ne vous l'enlèvera.

²³Ce jour-là,

vous ne me poserez aucune question.

En vérité, en vérité, je vous le dis,

ce que vous demanderez au Père,

il vous le donnera en mon nom.

²⁴Jusqu'à présent vous n'avez rien demandé en mon nom ;

demandez et vous recevrez,

pour que votre joie soit complète.

²⁵Tout cela, je vous l'ai dit en figures.

L'heure vient

où je ne vous parlerai plus en figures,

mais je vous entretiendrai du Père en toute clarté.

²⁶Ce jour-là,

vous demanderez en mon nom

et je ne vous dis pas que j'interviendrai pour vous auprès du Père,

²⁷car le Père lui-même vous aime,

parce que vous m'aimez

et que vous croyez que je suis sorti d'auprès de Dieu.

²⁸Je suis sorti d'auprès du Père et venu dans le monde.

À présent je quitte le monde et je vais vers le Père. »

²⁹Ses disciples lui disent : « Voilà que maintenant tu parles en clair et sans figures ! ³⁰Nous savons maintenant que tu sais tout et n'as pas besoin qu'on te questionne.

À cela nous croyons que tu es sorti de Dieu. » ³¹Jésus leur répondit :

« Vous croyez à présent ?

³²Voici venir l'heure – et elle est venue –

où vous serez dispersés chacun de votre côté

et me laisserez seul.

Mais je ne suis pas seul :

le Père est avec moi.

³³Je vous ai dit ces choses,

pour que vous ayez la paix en moi.

Dans le monde vous aurez à souffrir.

Mais gardez courage !

Moi, j'ai bel et bien vaincu le monde. »

La prière de Jésus.

17 ¹Ainsi parla Jésus, et levant les yeux au ciel, il dit :

« Père, l'heure est venue :

glorifie ton Fils,

afin que ton Fils te glorifie

²et que, selon le pouvoir que tu lui as donné sur toute chair,

il donne la vie éternelle à tous ceux que tu lui as donnés !

³Or, la vie éternelle,

c'est qu'ils te connaissent,

toi, le seul véritable Dieu,

et celui que tu as envoyé, Jésus-Christ.

⁴Je t'ai glorifié sur la terre,

en menant à bonne fin l'œuvre que tu m'as donné de faire.

⁵Et maintenant, Père, glorifie-moi auprès de toi

de la gloire que j'avais auprès de toi,

avant que fût le monde.

⁶J'ai manifesté ton Nom aux hommes,

que tu as tirés du monde pour me les donner.

Ils étaient à toi et tu me les as
donnés
    et ils ont gardé ta parole.
[7]Maintenant ils ont reconnu
    que tout ce que tu m'as donné
vient de toi ;
[8]car les paroles que tu m'as
données,
    je les leur ai données,
    et ils les ont accueillies
    et ils ont vraiment reconnu que
je suis sorti d'auprès de toi,
    et ils ont cru que tu m'as en-
voyé.
[9]C'est pour eux que je prie ;
    je ne prie pas pour le monde,
    mais pour ceux que tu m'as
donnés,
    car ils sont à toi,
[10]et tout ce qui est à moi est à
toi,
    et tout ce qui est à toi est à moi,
    et je suis glorifié en eux.
[11]Je ne suis plus dans le monde ;
    eux sont dans le monde,
    et moi, je viens vers toi.
Père saint,
    garde-les dans ton Nom que tu
m'as donné,
    pour qu'ils soient un comme
nous.
[12]Quand j'étais avec eux,
    je les gardais dans ton Nom que
tu m'as donné.
    J'ai veillé et aucun d'eux ne
s'est perdu,
    sauf le fils de perdition,
    afin que l'Écriture fût accom-
plie.
[13]Mais maintenant je viens vers
toi
    et je parle ainsi dans le monde,
    afin qu'ils aient en eux-mêmes
ma joie complète.
[14]Je leur ai donné ta parole
    et le monde les a haïs,
    parce qu'ils ne sont pas du
monde,
    comme moi je ne suis pas du
monde.
[15]Je ne te prie pas de les enlever
du monde,
    mais de les garder du Mauvais.
[16]Ils ne sont pas du monde,
    comme moi je ne suis pas du
monde.
[17]Sanctifie-les dans la vérité :
    ta parole est vérité.
[18]Comme tu m'as envoyé dans
le monde,
    moi aussi, je les ai envoyés
dans le monde.
[19]Pour eux je me sanctifie moi-
même,
    afin qu'ils soient, eux aussi,
sanctifiés dans la vérité.
[20]Je ne prie pas pour eux seulement,
    mais aussi pour ceux qui, grâce
à leur parole, croiront en moi,
[21]afin que tous soient un.
    Comme toi, Père, tu es en moi
et moi en toi,
    qu'eux aussi soient en nous,
    afin que le monde croie que tu
m'as envoyé.
[22]Je leur ai donné la gloire que
tu m'as donnée,
    pour qu'ils soient un comme
nous sommes un :
[23]moi en eux et toi en moi,
    afin qu'ils soient parfaits dans
l'unité,
    et que le monde reconnaisse
que tu m'as envoyé
    et que tu les as aimés comme
tu m'as aimé.
[24]Père,
    ceux que tu m'as donnés,
    je veux que là où je suis,
    eux aussi soient avec moi,

afin qu'ils contemplent ma gloire,
que tu m'as donnée
parce que tu m'as aimé
avant la fondation du monde.
²⁵Père juste,
le monde ne t'a pas connu,
mais moi je t'ai connu

et ceux-ci ont reconnu
que tu m'as envoyé.
²⁶Je leur ai fait connaître ton nom
et je le leur ferai connaître,
pour que l'amour dont tu m'as aimé soit en eux
et moi en eux. »

II. LA PASSION

L'arrestation de Jésus. ‖ Mt 26 30, 36. ‖ Mc 14 26, 32. ‖ Lc 22 39.

18 ¹Ayant dit cela, Jésus s'en alla avec ses disciples de l'autre côté du torrent du Cédron. Il y avait là un jardin dans lequel il entra, ainsi que ses disciples. ²Or Judas, qui le livrait, connaissait aussi ce lieu, parce que bien des fois Jésus et ses disciples s'y étaient réunis.

‖ Mt 26 47-56. ‖ Mc 14 43-52. ‖ Lc 22 47-53.

³Judas donc, menant la cohorte et des gardes détachés par les grands prêtres et les Pharisiens, vient là avec des lanternes, des torches et des armes. ⁴Alors Jésus, sachant tout ce qui allait lui advenir, sortit et leur dit : « Qui cherchez-vous ? » ⁵Ils lui répondirent : « Jésus le Nazôréen. » Il leur dit : « C'est moi. » Or Judas, qui le livrait, se tenait là, lui aussi, avec eux. ⁶Quand Jésus leur eut dit : « C'est moi », ils reculèrent et tombèrent à terre. ⁷De nouveau il leur demanda : « Qui cherchez-vous ? » Ils dirent : « Jésus le Nazôréen. » ⁸Jésus répondit : « Je vous ai dit que c'est moi. Si donc c'est moi que vous cherchez, lais-

sez ceux-là s'en aller », ⁹afin que s'accomplît la parole qu'il avait dite :
« Ceux que tu m'as donnés, je n'en ai pas perdu un seul. »
¹⁰Alors Simon-Pierre, qui portait un glaive, le tira, frappa le serviteur du grand prêtre et lui trancha l'oreille droite. Ce serviteur avait nom Malchus. ¹¹Jésus dit à Pierre : « Rentre le glaive dans le fourreau. La coupe que m'a donnée le Père, ne la boirai-je pas ? »

Jésus devant Anne et Caïphe. Reniements de Pierre.

¹²Alors la cohorte, le tribun et les gardes des Juifs saisirent Jésus et le lièrent. ¹³Ils le menèrent d'abord chez Anne ; c'était en effet le beau-père de Caïphe, qui était grand prêtre cette année-là. ¹⁴Or Caïphe était celui qui avait donné ce conseil aux Juifs : « Il y a intérêt à ce qu'un seul homme meure pour le peuple. »

‖ Mt 26 58, 69-75. ‖ Mc 14 54, 66-72. ‖ Lc 22 54-62.

¹⁵Or Simon-Pierre suivait Jésus, ainsi qu'un autre disciple. Ce disciple était connu du grand prêtre et entra avec Jésus dans la cour du grand prêtre, ¹⁶tandis que Pierre se

tenait près de la porte, dehors. L'autre disciple, celui qui était connu du grand prêtre, sortit donc et dit un mot à la portière et il fit entrer Pierre. ¹⁷La servante, celle qui gardait la porte, dit alors à Pierre : « N'es-tu pas, toi aussi, des disciples de cet homme ? » Lui dit : « Je n'en suis pas. » ¹⁸Les serviteurs et les gardes, qui avaient fait un feu de braise, parce que le temps était froid, se tenaient là et se chauffaient. Pierre aussi se tenait là avec eux et se chauffait. ¹⁹Le grand prêtre interrogea Jésus sur ses disciples et sur sa doctrine. ²⁰Jésus lui répondit : « C'est au grand jour que j'ai parlé au monde, j'ai toujours enseigné en synagogue et dans le Temple où tous les Juifs s'assemblent et je n'ai rien dit en secret. ²¹Pourquoi m'interroges-tu ? Demande à ceux qui ont entendu ce que je leur ai enseigné ; eux, ils savent ce que j'ai dit. » ²²À ces mots, l'un des gardes, qui se tenait là, donna une gifle à Jésus en disant : « C'est ainsi que tu réponds au grand prêtre ? » ²³Jésus lui répondit :

« Si j'ai mal parlé, témoigne de ce qui est mal ; mais si j'ai bien parlé, pourquoi me frappes-tu ? » ²⁴Anne l'envoya alors, toujours lié, au grand prêtre, Caïphe.

²⁵Or Simon-Pierre se tenait là et se chauffait. Ils lui dirent : « N'es-tu pas, toi aussi, de ses disciples ? » Lui le nia et dit : « Je n'en suis pas. » ²⁶Un des serviteurs du grand prêtre, un parent de celui à qui Pierre avait tranché l'oreille, dit : « Ne t'ai-je pas vu dans le jardin avec lui ? » ²⁷De nouveau Pierre nia, et aussitôt un coq chanta.

Jésus devant Pilate. ‖ Mt 27 2, 11-26. ‖ Mc 15 1-15. ‖ Lc 23 1-7, 13-25.

²⁸Alors ils mènent Jésus de chez Caïphe au prétoire. C'était le matin. Eux-mêmes n'entrèrent pas dans la prétoire, pour ne pas se souiller, mais pour pouvoir manger la Pâque. ²⁹Pilate sortit donc au-dehors, vers eux, et il dit : « Quelle accusation portez-vous contre cet homme ? » ³⁰Ils lui répondirent : « Si ce n'était pas un malfaiteur, nous ne te l'aurions pas livré. » ³¹Pilate leur dit : « Prenez-le, vous, et jugez-le selon votre Loi. » Les Juifs lui dirent : « Il ne nous est pas permis de mettre quelqu'un à mort », ³²afin que s'accomplît la parole qu'avait dite Jésus, signifiant de quelle mort il devait mourir.

³³Alors Pilate entra de nouveau dans le prétoire ; il appela Jésus et dit : « Tu es le roi des Juifs ? » ³⁴Jésus répondit : « Dis-tu cela de toi-même ou d'autres te l'ont-ils dit de moi ? » ³⁵Pilate répondit : « Est-ce que je suis Juif, moi ? Ta nation et les grands prêtres t'ont livré à moi. Qu'as-tu fait ? » ³⁶Jésus répondit :

« Mon royaume n'est pas de ce monde.

Si mon royaume était de ce monde,

mes gens auraient combattu

pour que je ne sois pas livré aux Juifs.

Mais mon royaume n'est pas d'ici. »

³⁷Pilate lui dit : « Donc tu es roi ? » Jésus répondit : « Tu le dis : je suis roi.

Je ne suis né,

et je ne suis venu dans le monde,

que pour rendre témoignage à la vérité.

Quiconque est de la vérité écoute ma voix. »

³⁸Pilate lui dit : « Qu'est-ce que la vérité ? » Et, sur ce mot, il sortit de nouveau et alla vers les Juifs. Et il leur dit : « Je ne trouve en lui aucun motif de condamnation. ³⁹Mais c'est pour vous une coutume que je vous relâche quelqu'un à la Pâque. Voulez-vous que je vous relâche le roi des Juifs ? » ⁴⁰Alors ils vociférèrent de nouveau, disant : « Pas lui, mais Barabbas ! » Or Barabbas était un brigand.

|| Mt **27** 26-31. || Mc **15** 15-20.

19 ¹Pilate prit alors Jésus et le fit flageller. ²Les soldats, tressant une couronne avec des épines, la lui posèrent sur la tête, et ils le revêtirent d'un manteau de pourpre ; ³et ils s'avançaient vers lui et disaient : « Salut, roi des Juifs ! » Et ils lui donnaient des coups.

⁴De nouveau, Pilate sortit dehors et leur dit : « Voyez, je vous l'amène dehors, pour que vous sachiez que je ne trouve en lui aucun motif de condamnation. » ⁵Jésus sortit donc dehors, portant la couronne d'épines et le manteau de pourpre ; et Pilate leur dit : « Voici l'homme ! » ⁶Lorsqu'ils le virent, les grands prêtres et les gardes vociférèrent, disant : « Crucifie-le ! Crucifie-le ! » Pilate leur dit : « Prenez-le, vous, et crucifiez-le ; car moi, je ne trouve pas en lui de motif de condamnation. » ⁷Les Juifs lui répliquèrent : « Nous avons une Loi et d'après cette Loi il doit mourir, parce qu'il s'est fait Fils de Dieu. »

⁸Lorsque Pilate entendit cette parole, il fut encore plus effrayé. ⁹Il entra de nouveau dans le prétoire et dit à Jésus : « D'où es-tu ? » Mais Jésus ne lui donna pas de réponse. ¹⁰Pilate lui dit donc : « Tu ne me parles pas ? Ne sais-tu pas que j'ai pouvoir de te relâcher et que j'ai pouvoir de te crucifier ? » ¹¹Jésus lui répondit : « Tu n'aurais aucun pouvoir sur moi, si cela ne t'avait été donné d'en haut ; c'est pourquoi celui qui m'a livré à toi a un plus grand péché. »

La condamnation à mort.

¹²Dès lors Pilate cherchait à le relâcher. Mais les Juifs vociféraient, disant : « Si tu le relâches, tu n'es pas ami de César ; quiconque se fait roi, s'oppose à César. » ¹³Pilate, entendant ces paroles, amena Jésus dehors et alla siéger au tribunal, en un lieu dit le Dallage, en hébreu Gabbatha. ¹⁴Or c'était la Préparation de la Pâque ; c'était la sixième heure. Il dit aux Juifs : « Voici votre roi. » ¹⁵Eux vociférèrent : « À mort ! À mort ! Crucifie-le ! » Pilate leur dit : « Crucifierai-je votre roi ? » Les grands prêtres répondirent : « Nous n'avons de roi que César ! »

¹⁶Alors il le leur livra pour être crucifié.

Le crucifiement. || Mt **27** 31, 33, 37-38. || Mc **15** 20, 22, 25-27. || Lc **23** 33, 38.

Ils prirent donc Jésus. ¹⁷Et il sortit, portant sa croix, et vint au lieu dit du Crâne – ce qui se dit en hébreu Golgotha – ¹⁸où ils le crucifièrent et avec lui deux autres : un de chaque côté et, au milieu, Jésus. ¹⁹Pilate rédigea aussi un écriteau et le fit placer sur la croix. Il y était écrit : « Jésus le Nazôréen, le roi des Juifs. » [20]Cet écriteau, beaucoup de Juifs le lurent, car le lieu où Jésus fut mis en croix était proche de la ville, et c'était écrit en hébreu, en latin et en grec. [21]Les grands prêtres des Juifs dirent à Pilate : « N'écris pas : "Le roi des Juifs", mais : "Cet homme a dit : Je suis le roi des Juifs." » [22]Pilate répondit : « Ce que j'ai écrit, je l'ai écrit. »

Le partage des vêtements. ‖ Mt 27 35. ‖ Mc 15 24. ‖ Lc 23 34.

[23]Lorsque les soldats eurent crucifié Jésus, ils prirent ses vêtements et firent quatre parts, une part pour chaque soldat, et la tunique. Or la tunique était sans couture, tissée d'une pièce à partir du haut ; [24]ils se dirent donc entre eux : « Ne la déchirons pas, mais tirons au sort qui l'aura » : afin que l'Écriture fût accomplie :

Ils se sont partagé mes habits, et mon vêtement, ils l'ont tiré au sort.

Voilà donc ce que firent les soldats.

Jésus et sa mère. ‖ Mt 27 55-56. ‖ Mc 15 40-41. ‖ Lc 23 49.

[25]Or près de la croix de Jésus se tenaient sa mère et la sœur de sa mère, Marie, femme de Clopas, et Marie de Magdala. [26]Jésus donc voyant sa mère et, se tenant près d'elle, le disciple qu'il aimait, dit à sa mère : « Femme, voici ton fils. » [27]Puis il dit au disciple : « Voici ta mère. » Dès cette heure-là, le disciple l'accueillit chez lui.

La mort de Jésus. ‖ Mt 27 48-50. ‖ Mc 15 36-37. ‖ Lc 23 46.

[28]Après quoi, sachant que désormais tout était achevé pour que l'Écriture fût parfaitement accomplie, Jésus dit :

« J'ai soif. »

[29]Un vase était là, rempli de vinaigre. On mit autour d'une branche d'hysope une éponge imbibée de vinaigre et on l'approcha de sa bouche. [30]Quand il eut pris le vinaigre, Jésus dit : « C'est achevé » et, inclinant la tête, il rendit l'esprit.

Le coup de lance.

[31]Comme c'était la Préparation, les Juifs, pour éviter que les corps restent sur la croix durant le sabbat – car ce sabbat était un grand jour –, demandèrent à Pilate qu'on leur brisât les jambes et qu'on les enlevât. [32]Les soldats vinrent donc et brisèrent les jambes du premier, puis de l'autre qui avait été crucifié avec lui. [33]Venus à Jésus, quand ils virent qu'il était déjà mort, ils ne lui brisèrent pas les jambes, [34]mais l'un des soldats, de sa lance, lui perça le côté et il sortit aussitôt du sang et de l'eau. [35]Celui qui a vu rend témoignage – son témoignage est véritable, et celui-là sait qu'il dit vrai – pour que vous aussi vous croyiez. [36]Car cela est arrivé afin que l'Écriture fût accomplie :

Pas un os ne lui sera brisé.

[37]Et une autre Écriture dit encore :

Ils regarderont celui qu'ils ont transpercé.

L'ensevelissement. ‖ Mt **27** 57-60. ‖ Mc **15** 42-46. ‖ Lc **23** 50-54.

³⁸Après ces événements, Joseph d'Arimathie, qui était disciple de Jésus, mais en secret par peur des Juifs, demanda à Pilate de pouvoir enlever le corps de Jésus. Pilate le permit. Ils vinrent donc et enlevèrent son corps. ³⁹Nicodème – celui qui précédemment était venu, de nuit, trouver Jésus – vint aussi, apportant un mélange de myrrhe et d'aloès, d'environ cent livres. ⁴⁰Ils prirent donc le corps de Jésus et le lièrent de linges, avec les aromates, selon le mode de sépulture en usage chez les Juifs. ⁴¹Or il y avait un jardin au lieu où il avait été crucifié, et, dans ce jardin, un tombeau neuf, dans lequel personne n'avait encore été mis. ⁴²À cause de la Préparation des Juifs, comme le tombeau était proche, c'est là qu'ils déposèrent Jésus.

III. LE JOUR DE LA RÉSURRECTION

Le tombeau trouvé vide. ‖ Mt **28** 1-8. ‖ Mc **16** 1-8. ‖ Lc **24** 1-11.

20 ¹Le premier jour de la semaine, Marie de Magdala vient de bonne heure au tombeau, comme il faisait encore sombre, et elle aperçoit la pierre enlevée du tombeau. ²Elle court alors et vient trouver Simon-Pierre, ainsi que l'autre disciple, celui que Jésus aimait, et elle leur dit : « On a enlevé le Seigneur du tombeau et nous ne savons pas où on l'a mis. » ³Pierre sortit donc, ainsi que l'autre disciple, et ils se rendirent au tombeau. ⁴Ils couraient tous les deux ensemble. L'autre disciple, plus rapide que Pierre, le devança à la course et arriva le premier au tombeau. ⁵Se penchant, il aperçoit les linges, gisant à terre ; pourtant il n'entra pas. ⁶Alors arrive aussi Simon-Pierre, qui le suivait ; il entra dans le tombeau ; et il voit les linges, gisant à terre, ⁷ainsi que le suaire qui avait recouvert sa tête ; non pas avec les linges, mais roulé à part dans un endroit. ⁸Alors entra aussi l'autre disciple, arrivé le premier au tombeau. Il vit et crut. ⁹En effet, ils ne savaient pas encore que, d'après l'Écriture, il devait ressusciter d'entre les morts. ¹⁰Les disciples s'en retournèrent alors chez eux.

L'apparition à Marie de Magdala. ‖ Mt **28** 9-10. ‖ Mc **16** 9-11.

¹¹Marie se tenait près du tombeau, au-dehors, tout en pleurs. Or, tout en pleurant, elle se pencha vers l'intérieur du tombeau ¹²et elle voit deux anges, en vêtements blancs, assis là où avait reposé le corps de Jésus, l'un à la tête et l'autre aux pieds. ¹³Ceux-ci lui disent : « Femme, pourquoi pleures-tu ? » Elle leur dit : « Parce qu'on a enlevé mon Seigneur, et je ne sais pas où on l'a mis. » ¹⁴Ayant dit cela, elle se retourna, et elle voit Jésus qui se tenait là, mais elle ne savait pas que c'était Jésus. ¹⁵Jésus lui dit : « Femme, pourquoi pleures-tu ? Qui cherches-tu ? » Le prenant pour le jar-

dinier, elle lui dit : « Seigneur, si c'est toi qui l'as emporté, dis-moi où tu l'as mis, et je l'enlèverai. » ¹⁶Jésus lui dit : « Marie ! » Se retournant, elle lui dit en hébreu : « Rabbouni ! » – ce qui veut dire : « Maître. » ¹⁷Jésus lui dit : « Ne me touche pas, car je ne suis pas encore monté vers le Père. Mais va trouver mes frères et dis-leur : je monte vers mon Père et votre Père, vers mon Dieu et votre Dieu. » ¹⁸Marie de Magdala vient annoncer aux disciples : « J'ai vu le Seigneur » et qu'il lui a dit cela.

Apparitions aux disciples. || Mc 16 14-18. || Lc 24 36-49.

¹⁹Le soir, ce même jour, le premier de la semaine, et les portes étant closes, là où se trouvaient les disciples, par peur des Juifs, Jésus vint et se tint au milieu et il leur dit : « Paix à vous ! » ²⁰Ayant dit cela, il leur montra ses mains et son côté. Les disciples furent remplis de joie à la vue du Seigneur. ²¹Il leur dit alors, de nouveau : « Paix à vous !

Comme le Père m'a envoyé, moi aussi je vous envoie. »

²²Ayant dit cela, il souffla et leur dit :

« Recevez l'Esprit Saint.

²³Ceux à qui vous remettrez les péchés,

ils leur seront remis ;

ceux à qui vous les retiendrez,

ils leur seront retenus. »

²⁴Or Thomas, l'un des Douze, appelé Didyme, n'était pas avec eux, lorsque vint Jésus. ²⁵Les autres disciples lui dirent donc : « Nous avons vu le Seigneur ! » Mais il leur dit : « Si je ne vois pas dans ses mains la marque des clous, si je ne mets pas mon doigt dans la marque des clous, et si je ne mets pas ma main dans son côté, je ne croirai pas. » ²⁶Huit jours après, ses disciples étaient de nouveau à l'intérieur et Thomas avec eux. Jésus vient, les portes étant closes, et il se tint au milieu et dit : « Paix à vous. » ²⁷Puis il dit à Thomas : « Porte ton doigt ici : voici mes mains ; avance ta main et mets-la dans mon côté, et ne sois plus incrédule, mais croyant. » ²⁸Thomas lui répondit : « Mon Seigneur et mon Dieu ! » ²⁹Jésus lui dit :

« Parce que tu me vois, tu crois.

Heureux ceux qui n'ont pas vu et qui ont cru. »

IV. PREMIÈRE CONCLUSION

³⁰Jésus a fait sous les yeux de ses disciples encore beaucoup d'autres signes, qui ne sont pas écrits dans ce livre. ³¹Ceux-là ont été mis par écrit, pour que vous croyiez que Jésus est le Christ, le Fils de Dieu, et pour qu'en croyant vous ayez la vie en son nom.

Épilogue

Apparition au bord du lac de Tibériade.

21 ¹Après cela, Jésus se manifesta de nouveau aux disciples sur le bord de la mer de Tibériade. Il se manifesta ainsi. ²Simon-Pierre, Thomas, appelé Didyme, Nathanaël, de Cana en Galilée, les fils de Zébédée et deux autres de ses disciples se trouvaient ensemble. ³Simon-Pierre leur dit : « Je m'en vais pêcher. » Ils lui dirent : « Nous venons nous aussi avec toi. » Ils sortirent, montèrent dans le bateau et, cette nuit-là, ils ne prirent rien.

⁴Or, le matin déjà venu, Jésus se tint sur le rivage ; pourtant les disciples ne savaient pas que c'était Jésus. ⁵Jésus leur dit : « Mes enfants, n'auriez vous rien à manger ? » Ils lui répondirent : « Non ! » ⁶Il leur dit : « Jetez le filet à droite du bateau et vous trouverez. » Ils le jetèrent donc et ils n'avaient plus la force de le tirer, tant il était plein de poissons. ⁷Le disciple que Jésus aimait dit alors à Pierre : « C'est le Seigneur ! » À ces mots : « C'est le Seigneur ! » Simon-Pierre mit son vêtement – car il était nu – et il se jeta à l'eau. ⁸Les autres disciples, qui n'étaient pas loin de la terre, mais à environ deux cents coudées, vinrent avec la barque, traînant le filet de poissons.

⁹Une fois descendus à terre, ils aperçoivent, disposé là, un feu de braise, avec du poisson dessus, et du pain. ¹⁰Jésus leur dit : « Apportez de ces poissons que vous venez de prendre. » ¹¹Alors Simon-Pierre monta dans le bateau et tira à terre le filet, plein de gros poissons : cent cinquante-trois ; et quoiqu'il y en eût tant, le filet ne se déchira pas. ¹²Jésus leur dit : « Venez déjeuner. » Aucun des disciples n'osait lui demander : « Qui es-tu ? » sachant que c'était le Seigneur. ¹³Jésus vient, il prend le pain et il le leur donne ; et de même le poisson. ¹⁴Ce fut là la troisième fois que Jésus se manifesta aux disciples, une fois ressuscité d'entre les morts.

¹⁵Quand ils eurent déjeuné, Jésus dit à Simon-Pierre : « Simon, fils de Jean, m'aimes-tu plus que ceux-ci ? » Il lui répondit : « Oui, Seigneur, tu sais que je t'aime. » Jésus lui dit : « Fais paître mes agneaux. » ¹⁶Il lui dit à nouveau, une deuxième fois : « Simon, fils de Jean, m'aimes-tu ? » – « Oui, Seigneur, lui dit-il, tu sais que je t'aime. » Jésus lui dit : « Sois le pasteur de mes brebis. » ¹⁷Il lui dit pour la troisième fois : « Simon, fils de Jean, m'aimes-tu ? » Pierre fut peiné de ce qu'il lui eût dit pour la troisième fois : « M'aimes-tu ? », et il lui dit : « Seigneur, tu sais tout, tu sais bien que je t'aime. » Jésus lui dit : « Fais paître mes brebis.

¹⁸En vérité, en vérité, je te le dis,
quand tu étais jeune,
tu mettais toi-même ta ceinture,
et tu allais où tu voulais ;
quand tu auras vieilli,
tu étendras les mains,

et un autre te ceindra
et te mènera où tu ne voudrais
pas. »

[19] Il signifiait, en parlant ainsi,
le genre de mort par lequel Pierre
devait glorifier Dieu. Ayant dit
cela, il lui dit : « Suis-moi. »
[20] Se retournant, Pierre aperçoit,
marchant à leur suite, le disciple
que Jésus aimait, celui-là même
qui, durant le repas, s'était penché
sur sa poitrine et avait dit : « Seigneur, qui est-ce qui te livre ? »
[21] Le voyant donc, Pierre dit à Jésus : « Seigneur, et lui ? » [22] Jésus
lui dit : « Si je veux qu'il demeure
jusqu'à ce que je vienne, que t'importe ? Toi, suis-moi. » [23] Le bruit

se répandit alors chez les frères
que ce disciple ne mourrait pas.
Or Jésus n'avait pas dit à Pierre :
« Il ne mourra pas », mais : « Si
je veux qu'il demeure jusqu'à ce
que je vienne. »

Conclusion.

[24] C'est ce disciple qui témoigne de ces faits et qui les a écrits,
et nous savons que son témoignage est véridique.
[25] Il y a encore bien d'autres
choses qu'a faites Jésus. Si on les
mettait par écrit une à une, je pense que le monde lui-même ne suffirait pas à contenir les livres
qu'on en écrirait.

Les Actes des Apôtres

Introduction

Le troisième évangile et le livre des Actes étaient primitivement les deux parties d'un seul ouvrage, que nous intitulerions aujourd'hui une « Histoire des origines chrétiennes ». L'auteur doit en être un chrétien de la génération apostolique, Juif très hellénisé ou Grec d'origine païenne, de bonne éducation (médecin) connaissant à fond les choses juives et la Bible grecque. La tradition a reconnu en lui Luc, le compagnon de Paul, qui est à ses côtés durant sa captivité. Le livre se termine sur la captivité romaine de Paul, probablement en 61-63, et la composition du livre de Luc, postérieure à celle du troisième évangile, doit être située vers 70, au plus tard 80, à Antioche ou à Rome.

L'auteur des Actes déclare qu'il « s'est informé soigneusement de tout depuis les origines » du côté de ceux qui avaient déjà « entrepris de composer un récit des événements qui se sont accomplis parmi nous ». Ce qui fait supposer qu'il a cherché des renseignements et qu'il a repris des récits déjà existants.

Les douze premiers chapitres du livre des Actes racontent la vie de la première communauté, rassemblée autour de Pierre après l'Ascension, et les débuts de son expansion. La foi s'implante d'abord solidement à Jérusalem, puis après le martyre d'Étienne et l'expulsion des convertis du judaïsme hellénistique, la Samarie est atteinte ainsi que la plaine côtière jusqu'à Césarée où, pour la première fois, des païens entrent dans l'Église, cependant que la conversion de Paul nous apprend qu'il y a déjà des chrétiens à Damas et présage l'évangélisation de la Cilicie. Ensuite, c'est Antioche qui reçoit le message de Jésus et qui va devenir un centre de rayonnement, non sans garder avec Jérusalem des relations où l'on se concerte sur les principaux problèmes missionnaires. Après la conversion de Corneille et l'incarcération à Jérusalem, Pierre est parti pour une destination inconnue. Et c'est Paul qui va désormais, dans le récit de Luc, être en vedette. Après un premier voyage avec Barnabé à Chypre et en Asie Mineure avant le concile de Jérusalem, deux autres voyages mèneront Paul jusqu'en Macédoine, en Grèce et à Éphèse. Mais toujours il revient à Jérusalem ; il est arrêté dans cette ville, retenu prisonnier à Césarée, puis conduit, prisonnier mais toujours missionnaire, jusqu'à Rome où, dans les chaînes, il annonce le Christ. Vue de Jérusalem, cette capitale de l'empire représente bien « les confins de la terre » et Luc peut arrêter là son livre. On regrettera peut-être qu'il n'ait rien dit de l'activité des autres apôtres, ni de la fondation de certaines Églises comme celle d'Alexandrie, ou même celle de Rome où la foi chrétienne fut certainement implantée avant l'arrivée de l'Apôtre. Même de l'apostolat de Pierre hors de la Palestine il ne dit rien. Plus qu'une histoire matériellement complète, c'est un exposé de la force d'expansion spirituelle du christianisme que Luc a voulu donner.

Pour la deuxième partie des Actes l'auteur aurait utilisé des récits de la conversion de Paul, de ses voyages missionnaires, et de son voyage par mer vers Rome comme prisonnier. Luc semble avoir disposé des lettres pauliniennes et il a pu se renseigner auprès de Paul lui-même. D'autres personnes (Silas ou Timothée ?) auraient pu lui fournir des informations circonstanciées concernant tel ou tel épisode. On trouve aussi les traces d'un Journal de voyage (passages rédigés en style « nous »), vraisemblablement dû à un compagnon de Paul et utilisé par l'auteur des Actes.

La valeur historique des Actes des Apôtres n'est pas égale. D'une part les sources dont Luc disposait n'étaient pas homogènes ; d'autre part, pour manier ses sources, Luc jouissait d'une liberté assez large selon l'esprit de l'historiographie ancienne, et Luc a subordonné les données historiques dont il disposait à son dessein littéraire et surtout à ses intérêts théologiques. Luc met un certain parallélisme entre les miracles de Pierre et ceux de Paul. Quelques-uns de ces récits miraculeux ont leurs parallèles dans les évangiles. Il est aussi évident que les dernières paroles d'Étienne ressemblent à celles de Jésus. Le discours de Paul à Antioche de Pisidie n'est pas sans analogies avec les discours de Pierre à Jérusalem, d'Étienne, et encore de Pierre à Césarée. Il est donc raisonnable de supposer que Luc n'a pas reçu ces discours tels quels, mais qu'il les a composés en utilisant quelques thèmes essentiels de la prédication primitive appuyés d'arguments devenus traditionnels et coulés dans des formules mémorisées : florilèges de textes scripturaires pour les Juifs, réflexions de philosophie commune pour les Grecs, et pour tous l'annonce essentielle (kérygme) du Christ mort et ressuscité, avec l'appel à la conversion et au baptême.

On a souvent signalé des discordances entre le livre des Actes et les lettres pauliniennes, que Luc semble avoir utilisées mais sans minutie. Il ne s'est pas soucié d'harmoniser les cinq visites de Paul à Jérusalem dans les Actes avec les données de la lettre aux Galates. Sur un autre plan, on constate un certain contraste entre le portrait qu'il donne de Paul et l'autoportrait que Paul fait dans sa correspondance. En général, Luc attribue à l'apôtre une attitude plus conciliante que celle qui ressort des épîtres, mais les deux auteurs s'inspirent d'intérêts assez différents. Paul est un plaideur qui sait être intransigeant, tandis que Luc veut démontrer l'unité profonde qui liait les premiers disciples entre eux.

L'apport doctrinal du second livre de Luc est multiple : la foi au Christ, base du kérygme apostolique, y est exposée. Nous connaissons, par les discours, les principaux textes scripturaires qui servirent à la formulation de la christologie et à l'argumentation auprès des Juifs ; on remarque particulièrement les thèmes du Serviteur et de

Jésus, nouveau Moïse. La résurrection est prouvée par le Ps **16** 8-11. L'histoire du peuple élu doit mettre les Juifs en garde contre la résistance à la grâce. Pour les païens, on invoque des arguments d'une théodicée plus générale. Mais les apôtres sont surtout des « témoins » et Luc nous résume leur « kérygme », **2** 22, comme il nous raconte leurs « signes » thaumaturgiques.

Le problème crucial de l'Église naissante devait être l'accès des païens au salut, et le livre des Actes nous apporte sur ce point des lumières, même s'il ne nous révèle pas toute l'étendue des difficultés et des controverses occasionnées par cette question dans l'Église et même entre ses dirigeants : les frères de Jérusalem, groupés autour de Jacques, restent fidèles à la Loi juive, mais les « hellénistes », dont Étienne est le porte-parole, sentent le besoin de rompre avec le culte du Temple ; et Pierre, puis surtout Paul, font triompher au concile de Jérusalem le principe du salut par la foi au Christ, qui dispense les païens de la circoncision et des observances mosaïques. Il n'en reste pas moins vrai que Luc nous montre Paul commençant toujours par s'adresser aux Juifs, pour se tourner ensuite vers les païens quand il est rejeté par ses frères de race. Sur la vie des communautés chrétiennes, il esquisse un tableau qui est sans doute idéalisé, voire utopique, mais qui est inspiré des souvenirs des premières années aussi bien que des réalités ecclésiales d'une époque plus tardive : vie de prière et partage des biens dans la jeune Église de Jérusalem ; administration du baptême de l'eau et du baptême d'Esprit ; célébration de l'Eucharistie ; ébauches d'organisation ecclésiastique avec les « prophètes », les « docteurs » et les « presbytres » qui président à l'Église de Jérusalem, et que Paul établit dans les Églises qu'il fonde. Le tout baigné, dirigé, emporté par un souffle invincible de l'Esprit Saint. Cet Esprit, sur lequel Luc avait déjà insisté dans son évangile, il le montre sans cesse à l'œuvre dans l'expansion de l'Église. C'est ce qui donne à son ouvrage ce parfum d'allégresse spirituelle et de merveilleux surnaturel qui le caractérise. Ajoutons à toutes ces richesses théologiques le précieux apport de tant de détails concrets, et l'on goûtera les portraits d'une fine psychologie où Luc excelle, les morceaux piquants et habiles comme le discours devant Agrippa, les pages émouvantes comme l'adieu aux anciens d'Éphèse, les récits vifs et réalistes comme l'émeute des orfèvres.

Le texte des Actes nous est parvenu selon deux traditions textuelles qui semblent être des rédactions successives du livre des Actes. La traduction qui suit est faite le plus souvent sur le texte alexandrin, mais de nombreuses variantes du texte occidental ont été adoptées.

Les Actes des Apôtres

Prologue.

1 ¹J'ai consacré mon premier livre, ô Théophile, à tout ce que Jésus a fait et enseigné, depuis le commencement ²jusqu'au jour où, après avoir donné ses instructions aux apôtres qu'il avait choisis sous l'action de l'Esprit Saint, il fut enlevé au ciel. ³C'est encore à eux qu'avec de nombreuses preuves il s'était présenté vivant après sa passion ; pendant quarante jours, il leur était apparu et les avait entretenus du Royaume de Dieu. ⁴Alors, au cours d'un repas qu'il partageait avec eux, il leur enjoignit de ne pas s'éloigner de Jérusalem, mais d'y attendre ce que le Père avait promis, « ce que, dit-il, vous avez entendu de ma bouche ; ⁵Jean, lui, a baptisé avec de l'eau, mais vous, c'est dans l'Esprit Saint que vous serez baptisés sous peu de jours. »

L'Ascension. || Lc 24 47-51.

⁶Étant donc réunis, ils l'interrogeaient ainsi : « Seigneur, est-ce maintenant, le temps où tu vas restaurer la royauté en Israël ? » ⁷Il leur répondit : « Il ne vous appartient pas de connaître les temps et moments que le Père a fixés de sa seule autorité. ⁸Mais vous allez recevoir une force, celle de l'Esprit Saint qui descendra sur vous. Vous serez alors mes témoins à Jérusalem, dans toute la Judée et la Samarie, et jusqu'aux extrémités de la terre. »

⁹À ces mots, sous leurs regards, il s'éleva, et une nuée le déroba à leurs yeux. ¹⁰Et comme ils étaient là, les yeux fixés au ciel pendant qu'il s'en allait, voici que deux hommes vêtus de blanc se trouvèrent à leurs côtés ; ¹¹ils leur dirent : « Hommes de Galilée, pourquoi restez-vous ainsi à regarder le ciel ? Ce Jésus qui, d'auprès de vous, a été enlevé au ciel viendra comme cela, de la même manière que vous l'avez vu s'en aller vers le ciel. »

1. L'Église de Jérusalem

Le groupe des apôtres.

¹²Alors, du mont des Oliviers, ils s'en retournèrent à Jérusalem ; la distance n'est pas grande : celle d'un chemin de sabbat. ¹³Rentrés en ville, ils montèrent à la chambre haute où ils se tenaient habituellement. C'étaient Pierre, Jean, Jacques, André, Philippe et Thomas, Barthélemy et Matthieu, Jacques fils d'Alphée et Simon le Zélote, et Jude fils de Jacques. ¹⁴Tous, d'un même cœur, étaient assidus à la prière avec quelques femmes, dont Marie mère de Jésus, et avec ses frères.

Le remplacement de Judas.

¹⁵En ces jours-là, Pierre se leva au milieu des frères, – ils étaient réunis au nombre d'environ cent vingt personnes, – et il dit : ¹⁶« Frères, il fallait que s'accomplît l'Écriture où, par la bouche de David, l'Esprit Saint avait parlé d'avance de Judas, qui s'est fait le guide de ceux qui ont arrêté Jésus. ¹⁷Il avait rang parmi nous et s'était vu attribuer une part dans notre ministère. ¹⁸Et voilà que, s'étant acquis un domaine avec le salaire de son forfait, cet homme est tombé la tête la première et a éclaté par le milieu, et toutes ses entrailles se sont répandues. ¹⁹La chose fut si connue de tous les habitants de Jérusalem que ce domaine fut appelé dans leur langue Hakeldama, c'est-à-dire "Domaine du sang". ²⁰Or il est écrit au Livre des Psaumes :

Que son enclos devienne désert
et qu'il ne se trouve personne
pour y habiter.

« Et encore :

Qu'un autre reçoive sa charge.
²¹« Il faut donc que, de ces hommes qui nous ont accompagnés tout le temps que le Seigneur Jésus a vécu au milieu de nous, ²²en commençant au baptême de Jean jusqu'au jour où il nous fut enlevé, il y en ait un qui devienne avec nous témoin de sa résurrection. »

²³On en présenta deux, Joseph dit Barsabbas, surnommé Justus, et Matthias. ²⁴Alors ils firent cette prière : « Toi, Seigneur, qui connais le cœur de tous les hommes, montre-nous lequel de ces deux tu as choisi ²⁵pour occuper, dans le ministère de l'apostolat, la place qu'a délaissée Judas pour s'en aller à sa place à lui. » ²⁶Alors on tira au sort et le sort tomba sur Matthias, qui fut mis au nombre des douze apôtres.

La Pentecôte.

2 ¹Le jour de la Pentecôte étant arrivé, ils se trouvaient tous ensemble dans un même lieu, ²quand, tout à coup, vint du ciel un bruit tel que celui d'un violent coup de vent, qui remplit toute la maison où ils se tenaient. ³Ils virent apparaître des langues qu'on eût dites de feu ; elles se partageaient, et il s'en posa une sur chacun d'eux. ⁴Tous furent alors remplis de l'Esprit Saint et commencèrent à parler en d'autres langues, selon que l'Esprit leur donnait de s'exprimer.

⁵Or il y avait, demeurant à Jérusalem, des hommes dévots de toutes les nations qui sont sous le ciel. ⁶Au bruit qui se produisit, la multitude se rassembla et fut confondue : chacun les entendait parler en son propre idiome. ⁷Ils étaient stupéfaits, et, tout étonnés, ils disaient : « Ces hommes qui parlent, ne sont-ils pas tous Galiléens ? ⁸Comment se fait-il alors que chacun de nous les entende dans son propre idiome maternel ? ⁹Parthes, Mèdes et Élamites, habitants de Mésopotamie, de Judée et de Cappadoce, du Pont et d'Asie, ¹⁰de Phrygie et de Pamphylie, d'Égypte et de cette partie de la Libye qui est proche de Cyrène, Romains en résidence, ¹¹tant Juifs que prosélytes, Crétois et Arabes, nous les entendons publier dans notre langue les merveilles de Dieu ! » ¹²Tous étaient

stupéfaits et se disaient, perplexes, l'un à l'autre : « Que peut bien être cela ? » ¹³D'autres encore disaient en se moquant : « Ils sont pleins de vin doux ! »

Discours de Pierre à la foule.

¹⁴Pierre alors, debout avec les Onze, éleva la voix et leur adressa ces mots : « Hommes de Judée et vous tous qui résidez à Jérusalem, apprenez ceci, prêtez l'oreille à mes paroles. ¹⁵Non, ces gens ne sont pas ivres, comme vous le supposez ; ce n'est d'ailleurs que la troisième heure du jour. ¹⁶Mais c'est bien ce qu'a dit le prophète :

¹⁷*Il se fera* dans les derniers jours, dit Dieu,
que je répandrai de mon Esprit sur toute chair.
Alors vos fils et vos filles prophétiseront,
vos jeunes gens auront des visions
et vos vieillards des songes.
¹⁸*Et moi, sur mes serviteurs et sur mes servantes*
je répandrai de mon Esprit.
¹⁹*Et je ferai paraître des prodiges* là-haut *dans le ciel*
et des signes ici-bas *sur la terre.*
²⁰*Le soleil se changera en ténèbres et la lune en sang,*
avant que vienne le Jour du Seigneur, ce grand Jour.
²¹*Et quiconque alors invoquera le nom du Seigneur sera sauvé.*

²²« Hommes d'Israël, écoutez ces paroles. Jésus le Nazôréen, cet homme que Dieu a accrédité auprès de vous par les miracles, prodiges et signes qu'il a opérés par lui au milieu de vous, ainsi que vous le savez vous-mêmes, ²³cet homme qui avait été livré selon le dessein bien arrêté et la prescience de Dieu, vous l'avez pris et fait mourir en le clouant à la croix par la main des impies, ²⁴mais Dieu l'a ressuscité, le délivrant des affres de l'Hadès. Aussi bien n'était-il pas possible qu'il fût retenu en son pouvoir ; ²⁵car David dit à son sujet :

Je voyais sans cesse le Seigneur devant moi,
car il est à ma droite, pour que je ne vacille pas.
²⁶*Aussi mon cœur s'est-il réjoui et ma langue a-t-elle jubilé ;*
ma chair elle-même reposera dans l'espérance
²⁷*que tu n'abandonneras pas mon âme à l'Hadès*
et ne laisseras pas ton Saint voir la corruption.
²⁸*Tu m'as fait connaître des chemins de vie,*
tu me rempliras de joie en ta présence.

²⁹« Frères, il est permis de vous le dire en toute assurance : le patriarche David est mort et a été enseveli, et son tombeau est encore aujourd'hui parmi nous. ³⁰Mais comme il était prophète et savait que Dieu *lui avait juré* par serment *de faire asseoir sur son trône un descendant de son sang,* ³¹il a vu d'avance et annoncé la résurrection du Christ qui, en effet, *n'a pas été abandonné à l'Hadès,* et dont la chair *n'a pas vu la corruption* : ³²Dieu l'a ressuscité, ce Jésus ; nous en sommes tous témoins. ³³Et maintenant, exalté par la droite de Dieu, il a reçu du Père l'Esprit Saint, objet de la promesse, et l'a répandu. C'est là ce que vous voyez et entendez.

³⁴Car David, lui, n'est pas monté aux cieux ; or il dit lui-même :

Le Seigneur a dit à mon Seigneur :
   Siège à ma droite,
   ³⁵*jusqu'à ce que j'aie fait de tes ennemis*
   un escabeau pour tes pieds.

³⁶« Que toute la maison d'Israël le sache donc avec certitude : Dieu l'a fait Seigneur et Christ, ce Jésus que vous, vous avez crucifié. »

Les premières conversions.

³⁷D'entendre cela, ils eurent le cœur transpercé, et ils dirent à Pierre et aux apôtres : « Frères, que devons-nous faire ? » ³⁸Pierre leur répondit : « Repentez-vous, et que chacun de vous se fasse baptiser au nom de Jésus Christ pour la rémission de ses péchés, et vous recevrez alors le don du Saint Esprit. ³⁹Car c'est pour vous qu'est la promesse, ainsi que pour vos enfants et *pour* tous *ceux qui sont au loin, en aussi grand nombre que le Seigneur* notre Dieu *les appellera.* » ⁴⁰Par beaucoup d'autres paroles encore, il les adjurait et les exhortait : « Sauvez-vous, disait-il, de cette génération dévoyée. » ⁴¹Eux donc, accueillant sa parole, se firent baptiser. Il s'adjoignit ce jour-là environ trois mille âmes.

La première communauté chrétienne. 4 32-35 ; 5 12-16.

⁴²Ils se montraient assidus à l'enseignement des apôtres, fidèles à la communion fraternelle, à la fraction du pain et aux prières. ⁴³La crainte s'emparait de tous les esprits : nombreux étaient les prodiges et signes accomplis par les apôtres.

⁴⁴Tous les croyants ensemble mettaient tout en commun ; ⁴⁵ils vendaient leurs propriétés et leurs biens et en partageaient le prix entre tous selon les besoins de chacun.

⁴⁶Jour après jour, d'un seul cœur, ils fréquentaient assidûment le Temple et rompaient le pain dans leurs maisons, prenant leur nourriture avec allégresse et simplicité de cœur. ⁴⁷Ils louaient Dieu et avaient la faveur de tout le peuple. Et chaque jour, le Seigneur adjoignait à la communauté ceux qui seraient sauvés.

La guérison d'un impotent. 14 8-10.

3 ¹Pierre et Jean montaient au Temple pour la prière de la neuvième heure. ²Or on apportait un impotent de naissance qu'on déposait tous les jours à la porte du Temple appelée la Belle, pour demander l'aumône à ceux qui y entraient. ³Voyant Pierre et Jean sur le point de pénétrer dans le Temple, il leur demanda l'aumône. ⁴Alors Pierre fixa les yeux sur lui, ainsi que Jean, et dit : « Regarde-nous. » ⁵Il tenait son regard attaché sur eux, s'attendant à en recevoir quelque chose. ⁶Mais Pierre dit : « De l'argent et de l'or, je n'en ai pas, mais ce que j'ai, je te le donne : au nom de Jésus Christ le Nazôréen, marche ! » ⁷Et le saisissant par la main droite, il le releva. À l'instant ses pieds et ses chevilles s'affermirent ; ⁸d'un bond il fut debout, et le voilà qui marchait. Il entra avec eux dans le Temple, marchant, gambadant et louant Dieu. [9]Tout le peuple le vit marcher et louer Dieu ; [10]on le reconnaissait : c'était bien lui qui demandait l'aumône, assis à la Belle Porte du Temple. Et l'on fut rempli d'effroi et de stupeur au sujet de ce qui lui était arrivé.

Discours de Pierre au peuple.

[11]Comme il ne lâchait pas Pierre et Jean, tous, hors d'eux-mêmes, accoururent vers eux au portique dit de Salomon. [12]À cette vue, Pierre s'adressa au peuple : « Hommes d'Israël, pourquoi vous étonner de cela ? Qu'avez-vous à nous regarder, comme si c'était par notre propre puissance ou grâce à notre piété que nous avons fait marcher cet homme ? [13]*Le Dieu d'Abraham, d'Isaac et de Jacob, le Dieu de nos pères a glorifié son serviteur* Jésus que vous, vous avez livré et que vous avez renié devant Pilate, alors qu'il était décidé à le relâcher. [14]Mais vous, vous avez chargé le Saint et le Juste ; vous avez réclamé la grâce d'un assassin, [15]tandis que vous faisiez mourir le prince de la vie. Dieu l'a ressuscité des morts : nous en sommes témoins. [16]Et par la foi en son nom, à cet homme que vous voyez et connaissez, ce nom même a rendu la force, et c'est la foi en lui qui, devant vous tous, l'a rétabli en pleine santé.

[17]« Cependant, frères, je sais que c'est par ignorance que vous avez agi, ainsi d'ailleurs que vos chefs. [18]Dieu, lui, a ainsi accompli ce qu'il avait annoncé d'avance par la bouche de tous les prophètes, que son Christ souffrirait. [19]Repentez-vous donc et convertissez-vous, afin que vos péchés soient effacés, [20]et qu'ainsi le Seigneur

fasse venir le temps du répit. Il enverra alors le Christ qui vous a été destiné, Jésus, [21]celui que le ciel doit garder jusqu'aux temps de la restauration universelle dont Dieu a parlé par la bouche de ses saints prophètes. [22]Moïse, d'abord, a dit : *Le Seigneur Dieu vous suscitera d'entre vos frères un prophète semblable à moi ; vous l'écouterez en tout ce qu'il vous dira.* [23]*Quiconque n'écoutera pas ce prophète sera exterminé du sein du peuple.* [24]Tous les prophètes, ensuite, qui ont parlé depuis Samuel et ses successeurs, ont pareillement annoncé ces jours-ci.

[25]« Vous êtes, vous, les fils des prophètes et de l'alliance que Dieu a conclue avec nos pères quand il a dit à Abraham : *Et en ta postérité seront bénies toutes les familles de la terre.* [26]C'est pour vous d'abord que Dieu a ressuscité son Serviteur et l'a envoyé vous bénir, du moment que chacun de vous se détourne de ses perversités. »

Pierre et Jean devant le Sanhédrin.

4 [1]Ils parlaient encore au peuple quand survinrent les prêtres, le commandant du Temple et les Sadducéens, [2]contrariés de les voir enseigner le peuple et annoncer en la personne de Jésus la résurrection des morts. [3]Ils mirent la main sur eux et les emprisonnèrent jusqu'au lendemain, car déjà le soir tombait. [4]Cependant beaucoup de ceux qui avaient entendu la parole devinrent croyants et, à ne compter que les hommes, le nombre atteignit environ cinq mille.

⁵Le lendemain les chefs des Juifs, les anciens et les scribes se rassemblèrent à Jérusalem. ⁶Il y avait là Anne le grand prêtre, Caïphe, Jonathan, Alexandre et tous les membres des familles pontificales. ⁷Ils firent comparaître les apôtres et se mirent à les questionner : « Par quel pouvoir ou par quel nom avez-vous fait cela, vous autres ? » ⁸Alors Pierre, rempli de l'Esprit Saint, leur dit : « Chefs du peuple et anciens, ⁹puisque aujourd'hui nous avons à répondre en justice du bien fait à un infirme et du moyen par lequel il a été guéri, ¹⁰sachez-le bien, vous tous, ainsi que tout le peuple d'Israël : c'est par le nom de Jésus Christ le Nazôréen, celui que vous, vous avez crucifié, et que Dieu a ressuscité des morts, c'est par son nom et par nul autre que cet homme se présente guéri devant vous. ¹¹C'est lui *la pierre que* vous, *les bâtisseurs,* avez *méprisée, et qui est devenue la pierre d'angle.* ¹²Car il n'y a pas sous le ciel d'autre nom donné aux hommes, par lequel nous devions être sauvés. »

¹³Considérant l'assurance de Pierre et de Jean et se rendant compte que c'étaient des gens sans instruction ni culture, les sanhédrites étaient dans l'étonnement. Ils reconnaissaient bien en eux ceux qui étaient avec Jésus ; ¹⁴en même temps ils voyaient, debout auprès d'eux, l'homme qui avait été guéri ; aussi n'avaient-ils rien à répliquer. ¹⁵Ils les firent alors sortir du Sanhédrin et se mirent à délibérer entre eux. ¹⁶Ils disaient : « Qu'allons-nous faire à ces gens-là ? Qu'un signe notoire ait été opéré par eux, c'est trop clair pour tous les habitants de Jérusalem, et nous ne pouvons le nier. ¹⁷Mais pour que cela ne se répande pas davantage dans le peuple, empêchons-les par des menaces de parler désormais à qui que ce soit en ce nom-là. »

¹⁸Ils les rappelèrent donc et leur défendirent de souffler mot et d'enseigner au nom de Jésus. ¹⁹Mais Pierre et Jean de leur rétorquer : « S'il est juste aux yeux de Dieu de vous obéir plutôt qu'à Dieu, à vous d'en juger. ²⁰Nous ne pouvons pas, quant à nous, ne pas publier ce que nous avons vu et entendu. » ²¹Cependant, après de nouvelles menaces, ils les relâchèrent, ne voyant pas comment les punir, à cause du peuple : car tout le monde glorifiait Dieu de ce qui s'était passé. ²²L'homme guéri miraculeusement avait en effet plus de quarante ans.

Prière des apôtres dans la persécution.

²³Une fois relâchés, ils se rendirent auprès des leurs et rapportèrent tout ce que les grands prêtres et les anciens leur avaient dit. ²⁴À ce récit, d'un seul élan, ils élevèrent la voix vers Dieu et dirent : « Maître, c'est toi qui as fait le ciel, la terre, la mer et tout ce qui s'y trouve ; ²⁵c'est toi qui as dit par l'Esprit Saint et par la bouche de notre père David, ton serviteur :

Pourquoi cette arrogance chez les nations,

ces vains projets chez les peuples ?

²⁶*Les rois de la terre se sont mis en campagne*

et les magistrats se sont rassemblés de concert
  contre le Seigneur et contre son Oint.
²⁷Oui vraiment, ils *se sont rassemblés* dans cette ville contre ton saint serviteur Jésus, que tu as *oint,* Hérode et Ponce Pilate avec *les nations* païennes et *les peuples* d'Israël, ²⁸pour accomplir tout ce que, dans ta puissance et ta sagesse, tu avais déterminé par avance. ²⁹À présent donc, Seigneur, considère leurs menaces et, afin de permettre à tes serviteurs d'annoncer ta parole en toute assurance, ³⁰étends la main pour opérer des guérisons, signes et prodiges par le nom de ton saint serviteur Jésus. » ³¹Tandis qu'ils priaient, l'endroit où ils se trouvaient réunis trembla ; tous furent alors remplis du Saint Esprit et se mirent à annoncer la parole de Dieu avec assurance.

La première communauté chrétienne. 2 42-47 ; 5 12-16.

³²La multitude des croyants n'avait qu'un cœur et qu'une âme. Nul ne disait sien ce qui lui appartenait, mais entre eux tout était commun.
³³Avec beaucoup de puissance, les apôtres rendaient témoignage à la résurrection du Seigneur Jésus, et ils jouissaient tous d'une grande faveur.
³⁴Aussi parmi eux nul n'était dans le besoin ; car tous ceux qui possédaient des terres ou des maisons les vendaient, apportaient le prix de la vente ³⁵et le déposaient aux pieds des apôtres. On distribuait alors à chacun suivant ses besoins.

La générosité de Barnabé.

³⁶Joseph, surnommé par les apôtres Barnabé (ce qui veut dire fils d'encouragement), lévite originaire de Chypre, ³⁷possédait un champ ; il le vendit, apporta l'argent et le déposa aux pieds des apôtres.

La fraude d'Ananie et de Saphire.

5 ¹Un certain Ananie, d'accord avec Saphire sa femme, vendit une propriété ; ²il détourna une partie du prix, de connivence avec sa femme, et apportant le reste, il le déposa aux pieds des apôtres. ³« Ananie, lui dit alors Pierre, pourquoi Satan a-t-il rempli ton cœur, que tu mentes à l'Esprit Saint et détournes une partie du prix du champ ? ⁴Quand tu avais ton bien, n'étais-tu pas libre de le garder, et quand tu l'as vendu, ne pouvais-tu disposer du prix à ton gré ? Comment donc cette décision a-t-elle pu naître dans ton cœur ? Ce n'est pas à des hommes que tu as menti, mais à Dieu. » ⁵En entendant ces paroles, Ananie tomba et expira. Une grande crainte s'empara alors de tous ceux qui l'apprirent. ⁶Les jeunes gens vinrent envelopper le corps et l'emportèrent pour l'enterrer.
⁷Au bout d'un intervalle d'environ trois heures, sa femme, qui ne savait pas ce qui était arrivé, entra. ⁸Pierre l'interpella : « Dis-moi, le champ que vous avez vendu, c'était tant ? » Elle dit : « Oui, tant. » ⁹Alors Pierre : « Comment donc avez-vous pu vous concerter pour mettre l'Esprit du Seigneur à l'épreuve ? Eh bien ! voici à la

porte les pas de ceux qui ont enterré ton mari : ils vont aussi t'emporter. » ¹⁰À l'instant même elle tomba à ses pieds et expira. Les jeunes gens qui entraient la trouvèrent morte ; ils l'emportèrent et l'enterrèrent auprès de son mari. ¹¹Une grande crainte s'empara alors de l'Église entière et de tous ceux qui apprirent ces choses.

Tableau d'ensemble. 2 42-47 ; 4 32-35.

¹²Par les mains des apôtres il se faisait de nombreux signes et prodiges parmi le peuple...

Ils se tenaient tous d'un commun accord sous le portique de Salomon, ¹³et personne d'autre n'osait se joindre à eux, mais le peuple célébrait leurs louanges. ¹⁴Des croyants de plus en plus nombreux s'adjoignaient au Seigneur, une multitude d'hommes et de femmes...

¹⁵ ... à tel point qu'on allait jusqu'à transporter les malades dans les rues et les déposer là sur des lits et des grabats, afin que tout au moins l'ombre de Pierre, à son passage, couvrît l'un d'eux. ¹⁶La multitude accourait même des villes voisines de Jérusalem, apportant des malades et des gens possédés par des esprits impurs, et tous étaient guéris.

Arrestation et délivrance miraculeuse des apôtres.

¹⁷Alors intervint le grand prêtre, avec tous ceux de son entourage, le parti des Sadducéens. Pleins d'animosité, ¹⁸ils mirent la main sur les apôtres et les jetèrent dans la prison publique. ¹⁹Mais pendant la nuit l'Ange du Seigneur ouvrit les portes de la prison et, après les avoir conduits dehors, leur dit : ²⁰« Allez annoncer hardiment au peuple dans le Temple tout ce qui concerne cette Vie-là. » ²¹Dociles à ces paroles, ils entrèrent au Temple dès le point du jour et se mirent à enseigner.

Comparution devant le Sanhédrin.

Cependant le grand prêtre arriva avec ceux de son entourage. On convoqua le Sanhédrin et tout le Sénat des Israélites et on fit chercher les apôtres à la prison. ²²Mais les satellites, rendus sur place, ne les trouvèrent pas dans la prison. Ils revinrent donc annoncer : ²³« Nous avons trouvé la prison soigneusement fermée et les gardes en faction aux portes. Mais quand nous avons ouvert, nous n'avons trouvé personne à l'intérieur. » ²⁴À cette nouvelle, le commandant du Temple et les grands prêtres, tout perplexes à leur sujet, se demandaient ce que cela pouvait bien signifier. ²⁵Survint alors quelqu'un qui leur annonça : « Les hommes que vous avez mis en prison, les voilà qui se tiennent dans le Temple et enseignent le peuple. » ²⁶Alors le commandant du Temple partit avec ses hommes et ramena les apôtres, mais sans violence, car ils craignaient le peuple, qui aurait pu les lapider.

²⁷Les ayant donc amenés, ils les firent comparaître devant le Sanhédrin. Le grand prêtre les interrogea : ²⁸« Nous vous avions formellement interdit d'enseigner en ce nom-là. Or voici que vous avez rempli Jérusalem de votre doctri-

ne ! Vous voulez ainsi faire retomber sur nous le sang de cet homme-là ! » ²⁹Pierre répondit alors, avec les apôtres : « Il faut obéir à Dieu plutôt qu'aux hommes. ³⁰Le Dieu de nos pères a ressuscité ce Jésus que vous, vous aviez fait mourir en le suspendant au gibet. ³¹C'est lui que Dieu a exalté par sa droite, le faisant Chef et Sauveur, afin d'accorder par lui à Israël la repentance et la rémission des péchés. ³²Nous sommes témoins de ces choses, nous et l'Esprit Saint que Dieu a donné à ceux qui lui obéissent. » ³³En entendant cela, ils frémissaient de rage et projetaient de les faire mourir.

L'intervention de Gamaliel.

³⁴Alors un Pharisien nommé Gamaliel se leva au milieu du Sanhédrin ; c'était un docteur de la Loi respecté de tout le peuple. Il donna l'ordre de faire sortir ces hommes un instant. ³⁵Puis il dit aux sanhédrites : « Hommes d'Israël, prenez bien garde à ce que vous allez faire à l'égard de ces gens-là. ³⁶Il y a quelque temps déjà se leva Theu-

das, qui se disait quelqu'un et qui rallia environ quatre cents hommes. Il fut tué, et tous ceux qui l'avaient suivi se débandèrent, et il n'en resta rien. ³⁷Après lui, à l'époque du recensement, se leva Judas le Galiléen, qui entraîna du monde à sa suite ; il périt, lui aussi, et ceux qui l'avaient suivi furent dispersés. ³⁸À présent donc, je vous le dis, ne vous occupez pas de ces gens-là, laissez-les. Car si leur entreprise ou leur œuvre vient des hommes, elle se détruira d'elle-même ; ³⁹mais si vraiment elles viennent de Dieu, vous n'arriverez pas à les détruire. Ne risquez pas de vous trouver en guerre contre Dieu. » On adopta son avis.

⁴⁰Ils rappelèrent alors les apôtres. Après les avoir fait battre de verges, ils leur interdirent de parler au nom de Jésus, puis les relâchèrent. ⁴¹Pour eux, ils s'en allèrent du Sanhédrin, tout joyeux d'avoir été jugés dignes de subir des outrages pour le Nom. ⁴²Et chaque jour, au Temple et dans les maisons, ils ne cessaient d'enseigner et d'annoncer la Bonne Nouvelle du Christ Jésus.

2. Les premières missions

L'institution des Sept.

6 ¹En ces jours-là, comme le nombre des disciples augmentait, il y eut des murmures chez les Hellénistes contre les Hébreux. Dans le service quotidien, disaient-ils, on négligeait leurs veuves. ²Les Douze convoquèrent alors l'assemblée des disciples et leur di-

rent : « Il ne sied pas que nous délaissions la parole de Dieu pour servir aux tables. ³Cherchez plutôt parmi vous, frères, sept hommes de bonne réputation, remplis de l'Esprit et de sagesse, et nous les préposerons à cet office ; ⁴quant à nous, nous resterons assidus à la prière et au service de la parole. » ⁵La proposition plut à toute l'assemblée, et l'on choisit Étienne, homme rempli de foi et de l'Esprit Saint, Philippe, Prochore, Nicanor, Timon, Parménas et Nicolas, prosélyte d'Antioche. ⁶On les présenta aux apôtres et, après avoir prié, ils leur imposèrent les mains.

⁷Et la parole de Dieu croissait ; le nombre des disciples augmentait considérablement à Jérusalem, et une multitude de prêtres obéissaient à la foi.

L'arrestation d'Étienne.

⁸Étienne, rempli de grâce et de puissance, opérait de grands prodiges et signes parmi le peuple. ⁹Alors intervinrent des gens de la synagogue dite des Affranchis, des Cyrénéens, des Alexandrins et d'autres de Cilicie et d'Asie. Ils se mirent à discuter avec Étienne, ¹⁰mais ils n'étaient pas de force à tenir tête à la sagesse et à l'Esprit qui le faisaient parler. ¹¹Ils soudoyèrent alors des hommes pour dire : « Nous l'avons entendu prononcer des paroles blasphématoires contre Moïse et contre Dieu. » ¹²Ils ameutèrent ainsi le peuple, les anciens et les scribes, puis, survenant à l'improviste, ils s'emparèrent de lui et l'emmenèrent devant le Sanhédrin. ¹³Là ils produisirent des faux témoins qui déclarèrent : « Cet individu ne cesse pas de tenir des propos contre ce saint Lieu et contre la Loi. ¹⁴Nous l'avons entendu dire que Jésus, ce Nazôréen, détruira ce Lieu-ci et changera les usages que Moïse nous a légués. » ¹⁵Or, tous ceux qui siégeaient au Sanhédrin avaient les yeux fixés sur lui, et son visage leur apparut semblable à celui d'un ange.

Le discours d'Étienne.

7 ¹Le grand prêtre demanda : « En est-il bien ainsi ? » ²Il répondit :

« Frères et pères, écoutez. Le Dieu de la gloire apparut à notre père Abraham, encore en Mésopotamie avant de s'établir à Harân, ³*et lui dit : Quitte ton pays et ta parenté, et va dans le pays que je te montrerai.* ⁴Il quitta alors le pays des Chaldéens pour s'établir à Harân. C'est de là, après la mort de son père, que Dieu le fit passer dans ce pays dans lequel vous-même habitez maintenant. ⁵Il ne lui donna aucune propriété dans ce pays, pas même de quoi poser le pied, mais il promit de *lui en donner la possession, ainsi qu'à sa postérité après lui* quoiqu'il n'eût *pas d'enfant.* ⁶Et Dieu lui déclara que *sa postérité séjournerait en terre étrangère, qu'on la réduirait en servitude et qu'on la maltraiterait durant quatre cents ans. –* ⁷*Mais la nation dont ils auront été les esclaves, je la jugerai, moi,* dit Dieu. *Après quoi, ils s'en iront et me rendront leur culte en ce lieu même.* ⁸Il lui donna ensuite *l'alliance de la circoncision* ; c'est ainsi qu'étant devenu père d'Isaac, *Abraham le circoncit le huitième jour.* Et Isaac fit de même pour Jacob, et Jacob pour les douze patriarches.

⁹« Les patriarches, *jaloux de Joseph, le vendirent pour être emmené en Égypte. Mais Dieu était avec lui* : ¹⁰il le tira de toutes ses tribulations et *lui donna grâce* et sagesse devant Pharaon, roi d'Égypte, qui *l'établit gouverneur de l'Égypte et de toute sa maison.* ¹¹*Survin-*

rent alors dans toute l'Égypte et en Canaan *famine* et grande détresse ; nos pères ne trouvaient rien à manger. [12]*Apprenant qu'il y avait des vivres en Égypte,* Jacob y envoya nos pères une première fois ; [13]la deuxième fois, *Joseph se fit reconnaître de ses frères,* et son origine fut révélée à Pharaon. [14]Joseph envoya chercher alors son père Jacob et toute sa parenté, qui comptait *soixante-quinze personnes.* [15]Jacob descendit donc en Égypte, et il y mourut, ainsi que nos pères. [16]Leurs corps furent transportés à Sichem et déposés dans le tombeau qu'Abraham avait acheté à prix d'argent aux fils d'Emmor, père de Sichem.

[17]« Comme approchait le temps où devait s'accomplir la promesse que Dieu avait faite solennellement à Abraham, le peuple *s'accrut et se multiplia* en Égypte, [18]jusqu'à *l'avènement d'un nouveau roi qui ne* se souvint *pas de Joseph.* [19]*Usant d'astuce* envers notre race, ce roi *maltraita* nos pères, jusqu'à leur faire exposer leurs nouveau-nés *pour qu'ils ne puissent pas vivre.* [20]C'est à ce moment que naquit Moïse, *qui était beau* devant Dieu. Il fut nourri *trois mois* dans la maison de son père ; [21]puis, comme il avait été exposé, *la fille de Pharaon le recueillit* et l'éleva *comme son propre fils.* [22]Ainsi Moïse fut-il instruit dans toute la sagesse des Égyptiens, et il était puissant en paroles et en œuvres.

[23]« Comme il atteignait la quarantaine, la pensée lui vint de visiter *ses frères, les Israélites.* [24]Voyant maltraiter l'un d'eux, il prit sa défense et vengea l'oppri-mé *en tuant l'Égyptien.* [25]Ses frères, supposait-il, comprendraient que c'était Dieu qui, par sa main, leur apportait le salut ; mais ils ne le comprirent pas. [26]Le lendemain, il parut au milieu d'eux comme ils se battaient, et il tentait de les remettre en paix. "Mes amis, leur dit-il, vous êtes frères : pourquoi vous maltraiter l'un l'autre ?" [27]Alors *celui qui maltraitait son compagnon* le repoussa en disant : "*Qui t'a établi chef et juge sur nous ?* [28]*Voudrais-tu me tuer comme hier tu as tué l'Égyptien ?"* [29]À ces mots, Moïse s'enfuit et *alla se réfugier au pays de Madian,* où il eut deux fils.

[30]« Au bout de quarante ans, *un ange lui apparut au désert du mont* Sinaï, *dans la flamme d'un buisson* en feu. [31]Moïse était étonné à la vue de cette apparition. *Comme il s'avançait pour mieux voir, la voix du Seigneur se fit entendre :* "Je suis le Dieu de tes pères, le Dieu d'Abraham, d'Isaac et de Jacob." Tout tremblant, Moïse *n'osait regarder.* [33]Alors le Seigneur lui dit : *"Ôte les sandales de tes pieds, car l'endroit où tu te tiens est une terre sainte.* [34]*Oui, j'ai vu l'affliction de mon peuple en Égypte, j'ai entendu son gémissement et je suis descendu pour le délivrer. Viens donc, que je t'envoie en Égypte."*

[35]« Ce Moïse qu'ils avaient renié en disant : *Qui t'a établi chef et juge ?* Voici que Dieu le leur envoyait comme chef et rédempteur, par l'entremise de l'ange qui lui était apparu dans le buisson. [36]C'est lui qui les fit sortir, en opérant *prodiges et signes au pays d'Égypte,* à la mer Rouge et *au*

désert pendant quarante ans.
[37]C'est lui, Moïse, qui dit aux Israélites : *Dieu vous suscitera d'entre vos frères un prophète comme moi.* [38]C'est lui qui, lors de *l'assemblée* au désert, était avec l'ange qui lui parlait sur le mont Sinaï, tout en restant avec nos pères, lui qui reçut les paroles de vie pour nous les donner. [39]Voilà celui à qui nos pères refusèrent d'obéir. Bien plus, ils le repoussèrent et, *retournant* de cœur *en Égypte,* [40]ils dirent à Aaron : *"Fais-nous des dieux qui marchent devant nous ; car ce Moïse qui nous a fait sortir du pays d'Égypte, nous ne savons ce qui lui est arrivé."* [41]Ils fabriquèrent un veau en ces jours-là et offrirent un sacrifice à l'idole, et ils célébraient joyeusement l'œuvre de leurs mains. [42]Alors Dieu se détourna d'eux et les livra au culte de l'armée du ciel, ainsi qu'il est écrit au livre des Prophètes :

M'avez-vous donc offert victimes et sacrifices,
    pendant quarante ans au désert, maison d'Israël ?
[43]*Mais vous avez porté la tente de Moloch*
    et l'étoile du dieu Rephân,
    les figures que vous aviez faites
pour les adorer ;
    aussi vous déporterai-je par-delà Babylone.

[44]« Nos pères au désert avaient la Tente du Témoignage, ainsi que l'avait prescrit Celui qui parlait à Moïse, lui enjoignant de *la faire suivant le modèle* qu'il avait vu. [45]Après l'avoir reçue, nos pères l'introduisirent, sous la conduite de Josué, dans le pays conquis sur les nations que Dieu chassa devant eux ; ainsi en fut-il jusqu'aux jours de David. [46]Celui-ci trouva grâce devant Dieu et sollicita la faveur de *trouver une résidence pour* la maison *de Jacob.* [47]Ce fut *Salomon* toutefois qui *lui bâtit une maison.* [48]Mais le Très-Haut n'habite pas dans des demeures faites de main d'homme ; ainsi le dit le prophète :

[49]*Le ciel est mon trône*
    et la terre l'escabeau de mes pieds :
    quelle maison me bâtirez-vous, dit le Seigneur,
    et quel sera le lieu de mon repos ?
[50]*N'est-ce pas ma main qui a fait tout cela ?*

[51]« Nuques raides, oreilles et cœurs incirconcis, toujours vous résistez à l'Esprit Saint ! Tels furent vos pères, tels vous êtes ! [52]Lequel des prophètes vos pères n'ont-ils point persécuté ? Ils ont tué ceux qui prédisaient la venue du Juste, celui-là même que maintenant vous venez de trahir et d'assassiner, [53]vous qui avez reçu la Loi par le ministère des anges et ne l'avez pas observée. » [54]À ces mots, leurs cœurs frémissaient de rage, et ils grinçaient des dents contre Étienne.

Lapidation d'Étienne. Saul persécuteur.

[55]Tout rempli de l'Esprit Saint, il fixa son regard vers le ciel ; il vit alors la gloire de Dieu et Jésus debout à la droite de Dieu. [56]« Ah ! dit-il, je vois les cieux ouverts et le Fils de l'homme debout à la droite de Dieu. » [57]Jetant alors de

grands cris, ils se bouchèrent les oreilles et, comme un seul homme, se précipitèrent sur lui, [58]le poussèrent hors de la ville et se mirent à le lapider. Les témoins avaient déposé leurs vêtements aux pieds d'un jeune homme appelé Saul. [59]Et tandis qu'on le lapidait, Étienne faisait cette invocation : « Seigneur Jésus, reçois mon esprit. » [60]Puis il fléchit les genoux et dit, dans un grand cri : « Seigneur, ne leur impute pas ce péché. » Et en disant cela, il s'endormit.

8 [1]Saul, lui, approuvait ce meurtre.

En ce jour-là, une violente persécution se déchaîna contre l'Église de Jérusalem. Tous, à l'exception des apôtres, se dispersèrent dans les campagnes de Judée et de Samarie. [2]Cependant des hommes dévots ensevelirent Étienne et firent sur lui de grandes lamentations. [3]Quant à Saul, il ravageait l'Église ; allant de maison en maison, il en arrachait hommes et femmes et les jetait en prison.

Philippe en Samarie.

[4]Ceux-là donc qui avaient été dispersés s'en allèrent de lieu en lieu en annonçant la parole de la Bonne Nouvelle. [5]C'est ainsi que Philippe, qui était descendu dans une ville de la Samarie, y proclamait le Christ. [6]Les foules unanimes s'attachaient à ses enseignements, car tous entendaient parler des signes qu'il opérait, ou les voyaient. [7]De beaucoup de possédés, en effet, les esprits impurs sortaient en poussant de grands cris. Nombre de paralytiques et d'impotents furent égale-

ment guéris. [8]Et la joie fut vive en cette ville.

Simon le magicien.

[9]Or il y avait déjà auparavant dans la ville un homme appelé Simon, qui exerçait la magie et jetait le peuple de Samarie dans l'émerveillement. Il se disait quelqu'un de grand, [10]et tous, du plus petit au plus grand, s'attachaient à lui. « Cet homme, disait-on, est la Puissance de Dieu, celle qu'on appelle la Grande. » [11]Ils s'attachaient donc à lui, parce qu'il y avait longtemps qu'il les tenait émerveillés par ses sortilèges. [12]Mais quand ils eurent cru à Philippe qui leur annonçait la Bonne Nouvelle du Royaume de Dieu et du nom de Jésus Christ, ils se firent baptiser, hommes et femmes. [13]Simon lui-même crut à son tour ; ayant reçu le baptême, il ne lâchait plus Philippe, et il était dans l'émerveillement à la vue des signes et des grands miracles qui s'opéraient sous ses yeux.

[14]Apprenant que la Samarie avait accueilli la parole de Dieu, les apôtres qui étaient à Jérusalem y envoyèrent Pierre et Jean. [15]Ceux-ci descendirent donc chez les Samaritains et prièrent pour eux, afin que l'Esprit Saint leur fût donné. [16]Car il n'était encore tombé sur aucun d'eux ; ils avaient seulement été baptisés au nom du Seigneur Jésus. [17]Alors Pierre et Jean se mirent à leur imposer les mains, et ils recevaient l'Esprit Saint.

[18]Mais quand Simon vit que l'Esprit Saint était donné par l'imposition des mains des apôtres, il leur offrit de l'argent. [19]« Donnez-moi, dit-il, ce pouvoir à moi

aussi : que celui à qui j'imposerai les mains reçoive l'Esprit Saint. » [20]Mais Pierre lui répliqua : « Périsse ton argent, et toi avec lui, puisque tu as cru acheter le don de Dieu à prix d'argent ! [21]Dans cette affaire il n'y a pour toi ni part ni héritage, car ton cœur n'est pas droit devant Dieu. [22]Repens-toi donc de ton mauvais dessein et prie le Seigneur : peut-être cette pensée de ton cœur te sera-t-elle pardonnée ; [23]car tu es, je le vois, dans l'amertume du fiel et les liens de l'iniquité. » [24]Simon répondit : « Intercédez vous-mêmes pour moi auprès du Seigneur, afin que rien ne m'arrive de ce que vous venez de dire. »

[25]Pour eux, après avoir rendu témoignage et annoncé la parole du Seigneur, ils retournèrent à Jérusalem en évangélisant de nombreux villages samaritains.

Philippe baptise un eunuque.

[26]L'Ange du Seigneur s'adressa à Philippe et lui dit : « Pars et va-t'en, à l'heure de midi, sur la route qui descend de Jérusalem à Gaza ; elle est déserte. » [27]Il partit donc et s'y rendit. Justement un Éthiopien, un eunuque, haut fonctionnaire de Candace, reine d'Éthiopie, et surintendant de tous ses trésors, qui était venu en pèlerinage à Jérusalem, [28]s'en retournait, assis sur son char, en lisant le prophète Isaïe. [29]L'Esprit dit à Philippe : « Avance et rattrape ce char. » [30]Philippe y courut, et il entendit que l'eunuque lisait le prophète Isaïe. Il lui demanda : « Comprends-tu donc ce que tu lis ? » – [31]« Et comment le pourrais-je, dit-il, si personne ne me

guide ? » Et il invita Philippe à monter et à s'asseoir près de lui. [32]Le passage de l'Écriture qu'il lisait était le suivant :

Comme une brebis il a été conduit à la boucherie ;
comme un agneau muet devant celui qui le tond,
    ainsi il n'ouvre pas la bouche.
[33]*Dans son abaissement la justice lui a été déniée.*
Sa postérité, qui la racontera ?
Car sa vie est retranchée de la terre.

[34]S'adressant à Philippe, l'eunuque lui dit : « Je t'en prie, de qui le prophète dit-il cela ? De lui-même ou de quelqu'un d'autre ? » [35]Philippe prit alors la parole et, partant de ce texte de l'Écriture, lui annonça la Bonne Nouvelle de Jésus.

[36]Chemin faisant, ils arrivèrent à un point d'eau, et l'eunuque dit : « Voici de l'eau. Qu'est-ce qui empêche que je sois baptisé ? » [38]Et il fit arrêter le char. Ils descendirent tous deux dans l'eau, Philippe avec l'eunuque, et il le baptisa. [39]Mais, quand ils furent remontés de l'eau, l'Esprit du Seigneur enleva Philippe, et l'eunuque ne le vit plus. Et il poursuivit son chemin tout joyeux. [40]Quant à Philippe, il se trouva à Azot ; continuant sa route, il annonçait la Bonne Nouvelle dans toutes les villes qu'il traversait, jusqu'à ce qu'il arrivât à Césarée.

La vocation de Saul. = 22 5-16. = 26 9-18. Cf. Ga **1** 12-17.

9 [1]Cependant Saul, ne respirant toujours que menaces et carnage à l'égard des disciples du Seigneur, alla trouver le grand prêtre

[2] et lui demanda des lettres pour les synagogues de Damas, afin que, s'il y trouvait quelques adeptes de la Voie, hommes ou femmes, il les amenât enchaînés à Jérusalem.

[3] Il faisait route et approchait de Damas, quand soudain une lumière venue du ciel l'enveloppa de sa clarté. [4] Tombant à terre, il entendit une voix qui lui disait : « Saoul, Saoul, pourquoi me persécutes-tu ? » – [5] « Qui es-tu, Seigneur ? » demanda-t-il. Et lui : « Je suis Jésus que tu persécutes. [6] Mais relève-toi, entre dans la ville, et l'on te dira ce que tu dois faire. » [7] Ses compagnons de route s'étaient arrêtés, muets de stupeur : ils entendaient bien la voix, mais sans voir personne. [8] Saul se releva de terre, mais, quoiqu'il eût les yeux ouverts, il ne voyait rien. On le conduisit par la main pour le faire entrer à Damas. [9] Trois jours durant, il resta sans voir, ne mangeant et ne buvant rien.

[10] Il y avait à Damas un disciple du nom d'Ananie. Le Seigneur l'appela dans une vision : « Ananie » – « Me voici, Seigneur », répondit-il. – [11] « Pars, reprit le Seigneur, va dans la rue Droite et demande, dans la maison de Judas, un nommé Saul de Tarse. Car le voilà qui prie [12] et qui a vu un homme du nom d'Ananie entrer et lui imposer les mains pour lui rendre la vue. » [13] Ananie répondit : « Seigneur, j'ai entendu beaucoup de monde parler de cet homme et dire tout le mal qu'il a fait à tes saints à Jérusalem. [14] Et il est ici avec pleins pouvoirs des grands prêtres pour enchaîner tous ceux qui invoquent ton nom. » [15] Mais le Seigneur lui dit : « Va, car cet homme m'est un instrument de choix pour porter mon nom devant les nations païennes, les rois et les Israélites. [16] Moi-même, en effet, je lui montrerai tout ce qu'il lui faudra souffrir pour mon nom. » [17] Alors Ananie partit, entra dans la maison, imposa les mains à Saul et lui dit : « Saoul, mon frère, celui qui m'envoie, c'est le Seigneur, ce Jésus qui t'est apparu sur le chemin par où tu venais ; et c'est afin que tu recouvres la vue et sois rempli de l'Esprit Saint. » [18] Aussitôt il lui tomba des yeux comme des écailles, et il recouvra la vue. Sur-le-champ il fut baptisé ; [19] puis il prit de la nourriture, et les forces lui revinrent.

Prédication de Saul à Damas.

Cf. Ga 1 16-17.

Il passa quelques jours avec les disciples à Damas, [20] et aussitôt il se mit à prêcher Jésus dans les synagogues, proclamant qu'il est le Fils de Dieu. [21] Tous ceux qui l'entendaient étaient stupéfaits et disaient : « N'est-ce pas là celui qui, à Jérusalem, s'acharnait sur ceux qui invoquent ce nom, et n'est-il pas venu ici tout exprès pour les amener enchaînés aux grands prêtres ? » [22] Mais Saul gagnait toujours en force et confondait les Juifs de Damas en démontrant que Jésus est bien le Christ.

[23] Au bout d'un certain temps, les Juifs se concertèrent pour le faire périr. [24] Mais Saul eut vent de leur complot. On gardait même les portes de la ville jour et nuit, afin de le faire périr. [25] Alors les disciples le prirent de nuit et le descendirent dans une corbeille le long de la muraille.

Visite de Saul à Jérusalem. Ga 1 18-19.

²⁶Arrivé à Jérusalem, il essayait de se joindre aux disciples, mais tous en avaient peur, ne croyant pas qu'il fût vraiment disciple. ²⁷Alors Barnabé le prit avec lui, l'amena aux apôtres et leur raconta comment, sur le chemin, Saul avait vu le Seigneur, qui lui avait parlé, et avec quelle assurance il avait prêché à Damas au nom de Jésus. ²⁸Dès lors il allait et venait avec eux dans Jérusalem, prêchant avec assurance au nom du Seigneur. ²⁹Il s'adressait aussi aux Hellénistes et discutait avec eux ; mais ceux-ci machinaient sa perte. ³⁰L'ayant su, les frères le ramenèrent à Césarée, d'où ils le firent partir pour Tarse.

Période de tranquillité.

³¹Cependant les Églises jouissaient de la paix dans toute la Judée, la Galilée et la Samarie ; elles s'édifiaient et vivaient dans la crainte du Seigneur, et elles étaient comblées de la consolation du Saint Esprit.

Pierre guérit un paralytique à Lydda.

³²Pierre, qui passait partout, descendit également chez les saints qui habitaient Lydda. ³³Il y trouva un homme du nom d'Énée, qui gisait sur un grabat depuis huit ans ; c'était un paralytique. ³⁴Pierre lui dit : « Énée, Jésus Christ te guérit. Lève-toi et fais toi-même ton lit. » Et il se leva aussitôt. ³⁵Tous les habitants de Lydda et de la plaine de Saron le virent, et ils se convertirent au Seigneur.

Pierre ressuscite une femme à Joppé.

³⁶Il y avait à Joppé parmi les disciples une femme du nom de Tabitha, en grec Dorcas. Elle était riche des bonnes œuvres et des aumônes qu'elle faisait. ³⁷Or il se fit qu'elle tomba malade en ces jours-là et mourut. Après l'avoir lavée, on la déposa dans la chambre haute. ³⁸Comme Lydda n'est pas loin de Joppé, les disciples, apprenant que Pierre s'y trouvait, lui dépêchèrent deux hommes pour lui adresser cette prière : « Viens chez nous sans tarder. » ³⁹Pierre partit tout de suite avec eux. Aussitôt arrivé, on le fit monter à la chambre haute, où toutes les veuves en pleurs s'empressèrent autour de lui, lui montrant les tuniques et les manteaux que faisait Dorcas lorsqu'elle était avec elles. ⁴⁰Pierre mit tout le monde dehors, puis, à genoux, pria. Se tournant ensuite vers le corps, il dit : « Tabitha, lève-toi. » Elle ouvrit les yeux et, voyant Pierre, se mit sur son séant. ⁴¹Lui donnant la main, Pierre la fit lever. Appelant alors les saints et les veuves, il la leur présenta vivante. ⁴²Tout Joppé sut la chose, et beaucoup crurent au Seigneur. ⁴³Pierre demeura un certain temps à Joppé chez un corroyeur appelé Simon.

Pierre se rend chez un centurion romain.

10 ¹Il y avait à Césarée un homme du nom de Corneille, centurion de la cohorte Italique. ²Pieux et craignant Dieu, ainsi que toute sa maison, il faisait de larges aumônes au peuple juif et priait Dieu sans cesse.

³Il eut une vision. Vers la neuvième heure du jour, l'Ange de Dieu – il le voyait clairement – entrait chez lui et l'appelait : « Corneille ! » ⁴Il le regarda et fut pris de frayeur. « Qu'y a-t-il, Seigneur ? » demanda-t-il. – « Tes prières et tes aumônes, lui répondit l'ange, sont montées devant Dieu, et il s'est souvenu de toi. ⁵Maintenant donc, envoie des hommes à Joppé et fais venir Simon, surnommé Pierre. ⁶Il loge chez un certain Simon, un corroyeur, dont la maison se trouve au bord de la mer. » ⁷Quand l'ange qui lui parlait fut parti, Corneille appela deux de ses domestiques ainsi qu'un soldat pieux, de ceux qui lui étaient attachés, ⁸et après leur avoir tout expliqué, il les envoya à Joppé.

⁹Le lendemain, tandis qu'ils faisaient route et approchaient de la ville, Pierre monta sur la terrasse, vers la sixième heure, pour prier. ¹⁰Il sentit la faim et voulut prendre quelque chose. Or, pendant qu'on lui préparait à manger, il tomba en extase. ¹¹Il voit le ciel ouvert et un objet, semblable à une grande nappe nouée aux quatre coins, en descendre vers la terre. ¹²Et dedans il y avait tous les quadrupèdes et les reptiles, et tous les oiseaux du ciel. ¹³Une voix lui dit alors : « Allons, Pierre, immole et mange. » ¹⁴Mais Pierre répondit : « Oh non ! Seigneur, car je n'ai jamais rien mangé de souillé ni d'impur ! » ¹⁵De nouveau, une seconde fois, la voix lui parle : « Ce que Dieu a purifié, toi, ne le dis pas souillé. » ¹⁶Cela se répéta par trois fois, et aussitôt l'objet fut remporté au ciel.

¹⁷Tout perplexe, Pierre était à se demander en lui-même ce que pouvait bien signifier la vision qu'il venait d'avoir, quand justement les hommes envoyés par Corneille, s'étant enquis de la maison de Simon, se présentèrent au portail. ¹⁸Ils appelèrent et s'informèrent si c'était bien là que logeait Simon surnommé Pierre. ¹⁹Comme Pierre était toujours à réfléchir sur sa vision, l'Esprit lui dit : « Voilà des hommes qui te cherchent. ²⁰Va donc, descends et pars avec eux sans hésiter, car c'est moi qui les ai envoyés. » ²¹Pierre descendit auprès de ces hommes et leur dit : « Me voici. Je suis celui que vous cherchez. Quel est le motif qui vous amène ? » ²²Ils répondirent : « Le centurion Corneille, homme juste et craignant Dieu, à qui toute la nation juive rend bon témoignage, a reçu d'un ange saint l'avis de te faire venir chez lui et d'entendre les paroles que tu as à dire. » ²³Pierre les fit alors entrer et leur donna l'hospitalité.

Le lendemain, il se mit en route et partit avec eux ; quelques-uns des frères de Joppé l'accompagnèrent. ²⁴Il entra dans Césarée le jour suivant. Corneille les attendait et avait réuni ses parents et ses amis intimes. ²⁵Au moment où Pierre entrait, Corneille vint à sa rencontre et, tombant à ses pieds, se prosterna. ²⁶Mais Pierre le releva en disant : « Relève-toi. Je ne suis qu'un homme, moi aussi. » ²⁷Et tout en s'entretenant avec lui, il entra. Il trouve alors les gens qui s'étaient réunis en grand nombre, ²⁸et il leur dit : « Vous le savez, il est absolument interdit à un Juif de frayer avec un étranger ou d'entrer chez lui. Mais Dieu vient de me montrer, à moi, qu'il ne faut appeler aucun homme souillé ou impur. ²⁹Aussi n'ai-je fait aucune difficulté pour me rendre à votre appel. Je vous le demande donc, pour quelle raison m'avez-vous fait venir ? » ³⁰Corneille répondit : « Il y a maintenant trois jours, j'étais en prière chez moi à la neuvième heure et voici qu'un homme surgit devant moi, en vêtements resplendissants. ³¹Il me dit : "Corneille, ta prière a été exaucée, et de tes aumônes on s'est souvenu auprès de Dieu. ³²Envoie donc quérir à Joppé Simon, surnommé Pierre. Il loge dans la maison du corroyeur Simon, au bord de la mer." ³³Aussitôt je t'ai donc fait chercher, et toi, tu as bien fait de venir. Nous voici donc tous devant toi pour entendre ce qui t'a été prescrit par Dieu. »

Discours de Pierre chez Corneille.

³⁴Alors Pierre prit la parole et dit : « Je constate en vérité que Dieu ne fait pas acception des personnes, ³⁵mais qu'en toute nation celui qui le craint et pratique la justice lui est agréable. ³⁶Telle est la parole qu'il a envoyée aux Israélites, leur *annonçant la bonne nouvelle de la paix* par Jésus Christ : c'est lui le Seigneur de tous. ³⁷Vous savez ce qui s'est passé dans toute la Judée : Jésus de Nazareth, ses débuts en Galilée,

après le baptême proclamé par Jean ; ³⁸comment *Dieu l'a oint de l'Esprit Saint* et de puissance, lui qui a passé en faisant le bien et en guérissant tous ceux qui étaient tombés au pouvoir du diable ; car Dieu était avec lui. ³⁹Et nous, nous sommes témoins de tout ce qu'il a fait dans le pays des Juifs et à Jérusalem. Lui qu'ils sont allés jusqu'à faire mourir en le suspendant au gibet, ⁴⁰Dieu l'a ressuscité le troisième jour et lui a donné de se manifester, ⁴¹non à tout le peuple, mais aux témoins que Dieu avait choisis d'avance, à nous qui avons mangé et bu avec lui après sa résurrection d'entre les morts ; ⁴²et il nous a enjoint de proclamer au Peuple et d'attester qu'il est, lui, le juge établi par Dieu pour les vivants et les morts. ⁴³C'est de lui que tous les prophètes rendent ce témoignage que quiconque croit en lui recevra, par son nom, la rémission de ses péchés. »

Le baptême des premiers païens.

⁴⁴Pierre parlait encore quand l'Esprit Saint tomba sur tous ceux qui écoutaient la parole. ⁴⁵Et tous les croyants circoncis qui étaient venus avec Pierre furent stupéfaits de voir que le don du Saint Esprit avait été répandu aussi sur les païens. ⁴⁶Ils les entendaient en effet parler en langues et magnifier Dieu. Alors Pierre déclara : ⁴⁷« Peut-on refuser l'eau du baptême à ceux qui ont reçu l'Esprit Saint aussi bien que nous ? » ⁴⁸Et il ordonna de les baptiser au nom de Jésus

Christ. Alors ils le prièrent de rester quelques jours avec eux.

À Jérusalem, Pierre justifie sa conduite.

11 ¹Cependant les apôtres et les frères de Judée apprirent que les païens, eux aussi, avaient accueilli la parole de Dieu. ²Quand donc Pierre monta à Jérusalem, les circoncis le prirent à partie : ³« Pourquoi, lui demandèrent-ils, es-tu entré chez des incirconcis et as-tu mangé avec eux ? » ⁴Pierre alors se mit à leur exposer toute l'affaire point par point : ⁵« J'étais, dit-il, en prière dans la ville de Joppé quand, en extase, j'eus une vision : du ciel un objet descendait, semblable à une grande nappe qui s'abaissait, tenue aux quatre coins, et elle vint jusqu'à moi. ⁶Je regardais, ne la quittant pas des yeux, et j'y vis les quadrupèdes de la terre, les bêtes sauvages, les reptiles ainsi que les oiseaux du ciel. ⁷J'entendis alors une voix me dire : "Allons, Pierre, immole et mange." ⁸Je répondis : "Oh non ! Seigneur, car rien de souillé ni d'impur n'entra jamais dans ma bouche !" ⁹Une seconde fois, la voix reprit du ciel : "Ce que Dieu a purifié, toi, ne le dis pas souillé." ¹⁰Cela se répéta par trois fois, puis tout fut de nouveau retiré dans le ciel.

¹¹« Juste au même moment, trois hommes se présentèrent devant la maison où nous étions ; ils m'étaient envoyés de Césarée. ¹²L'Esprit me dit de les accompagner sans scrupule. Les six frères que voici vinrent également avec moi et nous entrâmes chez l'homme en question. ¹³Il nous raconta comment il avait vu un ange se présenter chez lui et lui dire : "Envoie quérir à Joppé Simon, surnommé Pierre. ¹⁴Il te dira des paroles qui t'apporteront le salut, à toi et à toute ta famille."

¹⁵« Or, à peine avais-je commencé à parler que l'Esprit Saint tomba sur eux, tout comme sur nous au début. ¹⁶Je me suis alors rappelé cette parole du Seigneur : *Jean*, disait-il, *a baptisé avec de l'eau, mais vous, vous serez baptisés dans l'Esprit Saint.* ¹⁷Si donc Dieu leur a accordé le même don qu'à nous, pour avoir cru au Seigneur Jésus Christ, qui étais-je, moi, pour faire obstacle à Dieu ? »

¹⁸Ces paroles les apaisèrent, et ils glorifièrent Dieu en disant : « Ainsi donc aux païens aussi Dieu a donné la repentance qui conduit à la vie ! »

Fondation de l'Église d'Antioche.

¹⁹Ceux-là donc qui avaient été dispersés lors de la tribulation survenue à l'occasion d'Étienne poussèrent jusqu'en Phénicie, à Chypre et à Antioche, mais sans prêcher la parole à d'autres qu'aux Juifs. ²⁰Il y avait toutefois parmi eux quelques Chypriotes et Cyrénéens qui, venus à Antioche, s'adressaient aussi aux Grecs, leur annonçant la Bonne Nouvelle du Seigneur Jésus. ²¹La main du Seigneur les secondait, et grand fut le nombre de ceux qui devinrent croyants et se convertirent au Seigneur.

²²La nouvelle en vint aux oreilles de l'Église de Jérusalem, et l'on envoya Barnabé à Antioche. ²³Lorsqu'il arriva et qu'il vit la

grâce accordée par Dieu, il s'en réjouit et les encouragea tous à demeurer, d'un cœur ferme, fidèles au Seigneur ; ²⁴car c'était un homme de bien, rempli de l'Esprit Saint et de foi. Une foule considérable s'adjoignit ainsi au Seigneur.

²⁵Barnabé partit alors chercher Saul à Tarse. ²⁶L'ayant trouvé, il l'amena à Antioche. Toute une année durant ils vécurent ensemble dans l'Église et y instruisirent une foule considérable. C'est à Antioche que, pour la première fois, les disciples reçurent le nom de « chrétiens ».

Barnabé et Saul délégués à Jérusalem.

²⁷En ces jours-là, des prophètes descendirent de Jérusalem à Antioche. ²⁸L'un d'eux nommé Agabus, se leva et, sous l'action de l'Esprit, se mit à annoncer qu'il y aurait une grande famine dans tout l'univers. C'est celle qui se produisit sous Claude. ²⁹Les disciples décidèrent alors d'envoyer, chacun selon ses moyens, des secours aux frères de Judée ; ³⁰ce qu'ils firent, en les envoyant aux anciens par l'entremise de Barnabé et de Saul.

L'arrestation de Pierre et sa délivrance miraculeuse.

12 ¹Vers ce temps-là, le roi Hérode mit la main sur quelques membres de l'Église pour les maltraiter. ²Il fit périr par le glaive Jacques, frère de Jean. ³Voyant que c'était agréable aux Juifs, il fit encore arrêter Pierre. C'étaient les jours des Azymes. ⁴Il le fit saisir et jeter en prison, le donnant à garder à quatre escouades de quatre soldats ; il voulait le faire comparaître devant le peuple après la Pâque. ⁵Tandis que Pierre était ainsi gardé en prison, la prière de l'Église s'élevait pour lui vers Dieu ardemment.

⁶Or, la nuit même avant le jour où Hérode devait le faire comparaître, Pierre était endormi entre deux soldats ; deux chaînes le liaient et, devant la porte, des sentinelles gardaient la prison. ⁷Soudain, l'ange du Seigneur survint, et le cachot fut inondé de lumière. L'ange frappa Pierre au côté et le fit lever : « Debout ! Vite ! » dit-il. Et les chaînes lui tombèrent des mains. ⁸L'ange lui dit alors : « Mets ta ceinture et chausse tes sandales » ; ce qu'il fit. Il lui dit encore : « Jette ton manteau sur tes épaules et suis-moi. » ⁹Pierre sortit, et il le suivait ; il ne se rendait pas compte que ce fût vrai, ce qui se faisait par l'ange, mais il se figurait avoir une vision. ¹⁰Ils franchirent ainsi un premier poste de garde, puis un second, et parvinrent à la porte de fer qui donne sur la ville. D'elle-même, elle s'ouvrit devant eux. Ils sortirent, allèrent jusqu'au bout d'une rue, puis brusquement l'ange le quitta. ¹¹Alors Pierre, revenant à lui, dit : « Maintenant je sais réellement que le Seigneur a envoyé son Ange et m'a arraché aux mains d'Hérode et à tout ce qu'attendait le peuple des Juifs. »

¹²Et s'étant reconnu, il se rendit à la maison de Marie, mère de Jean, surnommé Marc, où une assemblée assez nombreuse s'était réunie et priait. ¹³Il heurta le battant du portail, et une servante, nommée Rhodé, vint aux

écoutes. ¹⁴Elle reconnut la voix de Pierre et, dans sa joie, au lieu d'ouvrir la porte, elle courut à l'intérieur annoncer que Pierre était là, devant le portail. ¹⁵On lui dit : « Tu es folle ! » mais elle soutenait qu'il en était bien ainsi. « C'est son ange ! » dirent-ils alors. ¹⁶Pierre cependant continuait à frapper. Quand ils eurent ouvert, ils virent que c'était bien lui et furent saisis de stupeur. ¹⁷Mais il leur fit de la main signe de se taire et leur raconta comment le Seigneur l'avait tiré de la prison. Il ajouta : « Annoncez-le à Jacques et aux frères. » Puis il sortit et s'en alla dans un autre endroit.

¹⁸Au lever du jour, ce fut grand émoi chez les soldats : qu'était donc devenu Pierre ? ¹⁹Hérode l'ayant envoyé chercher sans qu'on le trouvât, ordonna, après interrogatoire des gardes, de les exécuter. Puis de Judée il descendit à Césarée, où il demeura.

La mort du persécuteur.

²⁰Hérode était en conflit aigu avec les gens de Tyr et de Sidon. D'un commun accord ceux-ci se présentèrent devant lui et, après avoir gagné Blastus, le chambellan du roi, ils sollicitaient la paix. Leur pays, en effet, tirait sa subsistance de celui du roi. ²¹Au jour fixé, Hérode, vêtu de ses habits royaux, prit place sur la tribune et, tandis qu'il les haranguait, ²²le peuple se mit à crier : « C'est un dieu qui parle, ce n'est pas un homme ! » ²³Mais à l'instant même, l'Ange du Seigneur le frappa, parce qu'il n'avait pas rendu gloire à Dieu ; et rongé de vers, il rendit l'âme.

Barnabé et Saul rentrent à Antioche.

²⁴Cependant la parole de Dieu croissait et se multipliait.

²⁵Quant à Barnabé et Saul, après avoir accompli leur ministère à Jérusalem, ils revinrent, ramenant avec eux Jean, surnommé Marc.

3. La mission de Barnabé et de Paul. Le concile de Jérusalem

L'envoi en mission.

13 ¹Il y avait dans l'Église établie à Antioche des prophètes et des docteurs : Barnabé, Syméon appelé Niger, Lucius de Cyrène, Manaën, ami d'enfance d'Hérode le tétrarque, et Saul. ²Or un jour, tandis qu'ils célébraient le culte du Seigneur et jeûnaient, l'Esprit Saint dit : « Mettez-moi donc à part Barnabé et Saul en vue de l'œuvre à laquelle je les ai appelés. » ³Alors, après avoir jeûné et prié, ils leur imposèrent les mains et les laissèrent à leur mission.

À Chypre. Le magicien Élymas.

⁴Eux donc, envoyés en mission par le Saint Esprit, descendirent à Séleucie, d'où ils firent voile pour Chypre. ⁵Arrivés à Salamine, ils se mirent à annoncer la parole de

Dieu dans les synagogues des Juifs. Ils avaient avec eux Jean comme auxiliaire.

⁶Ayant traversé toute l'île jusqu'à Paphos, ils trouvèrent là un magicien, faux prophète juif, nommé Bar-Jésus, ⁷qui était de l'entourage du proconsul Sergius Paulus, homme avisé. Ce dernier fit appeler Barnabé et Saul, désireux d'entendre la parole de Dieu. ⁸Mais Élymas le magicien – ainsi se traduit son nom – leur faisait opposition, cherchant à détourner le proconsul de la foi. ⁹Alors Saul – appelé aussi Paul –, rempli de l'Esprit Saint, le fixa du regard ¹⁰et lui dit : « Être rempli de toutes les astuces et de toutes les scélératesses, fils du diable, ennemi de toute justice, ne cesseras-tu donc pas de rendre tortueuses les voies du Seigneur qui sont droites ? ¹¹Voici à présent que la main du Seigneur est sur toi. Tu vas devenir aveugle, et pour un temps tu ne verras plus le soleil. » À l'instant même, obscurité et ténèbres s'abattirent sur lui, et il tournait de deux côtés, cherchant quelqu'un pour le conduire. ¹²Alors, voyant ce qui s'était passé, le proconsul embrassa la foi, vivement frappé par la doctrine du Seigneur.

Arrivée à Antioche de Pisidie.

¹³De Paphos, où ils s'embarquèrent, Paul et ses compagnons gagnèrent Pergé, en Pamphylie. Mais Jean les quitta pour retourner à Jérusalem. ¹⁴Quant à eux, poussant au-delà de Pergé, ils arrivèrent à Antioche de Pisidie. Le jour du sabbat, ils entrèrent à la synagogue et s'assirent. ¹⁵Après la lecture de la Loi et des Prophètes, les chefs de la synagogue leur envoyèrent dire : « Frères, si vous avez quelque parole d'encouragement à dire au peuple, parlez. » ¹⁶Paul alors se leva, fit signe de la main et dit :

La prédication de Paul devant les Juifs.

« Hommes d'Israël, et vous qui craignez Dieu, écoutez. ¹⁷Le Dieu de ce peuple, le Dieu d'Israël élut nos pères et fit grandir ce peuple durant son exil en terre d'Égypte. Puis, en déployant la force de son bras, il les en fit sortir ¹⁸et, durant quarante ans environ, *il les entoura de soins au désert.* ¹⁹Ensuite, *après avoir exterminé sept nations dans la terre de Canaan, il les mit en possession* de leur pays : ²⁰quatre cent cinquante ans environ. Après quoi, il leur donna des juges, jusqu'au prophète Samuel. ²¹Par la suite, ils demandèrent un roi, et Dieu leur donna Saül, fils de Cis, de la tribu de Benjamin : quarante ans. ²²Après l'avoir écarté, Dieu suscita pour eux David comme roi. C'est à lui qu'il a rendu ce témoignage : *J'ai trouvé David,* fils de Jessé, *un homme selon mon cœur, qui accomplira toutes mes volontés.* ²³C'est de sa descendance que, suivant sa promesse, Dieu a suscité pour Israël Jésus comme Sauveur. ²⁴Jean, le précurseur, avait préparé son arrivée en proclamant à l'adresse de tout le peuple d'Israël un baptême de repentance. ²⁵Au moment de terminer sa course, Jean disait : "Celui que vous croyez que je suis, je ne le suis pas ; mais voici venir après moi celui dont je ne suis pas digne de délier la sandale."

²⁶« Frères, vous les enfants de la race d'Abraham et vous ici présents qui craignez Dieu, c'est à vous que ce message de salut a été envoyé. ²⁷En effet, les habitants de Jérusalem et leurs chefs ont accompli sans le savoir les paroles des prophètes qu'on lit chaque sabbat. ²⁸Sans trouver en lui aucun motif de mort, ils l'ont condamné et ont demandé à Pilate de le faire périr. ²⁹Et lorsqu'ils eurent accompli tout ce qui était écrit de lui, ils le descendirent du gibet et le mirent au tombeau. ³⁰Mais Dieu l'a ressuscité ; ³¹pendant de nombreux jours, il est apparu à ceux qui étaient montés avec lui de Galilée à Jérusalem, ceux-là mêmes qui sont maintenant ses témoins auprès du peuple.

³²« Et nous, nous vous annonçons la Bonne Nouvelle : la promesse faite à nos pères, ³³Dieu l'a accomplie en notre faveur à nous, leurs enfants : il a ressuscité Jésus. Ainsi est-il écrit dans les psaumes : *Tu es mon fils, moi-même aujourd'hui je t'ai engendré.* ³⁴Que Dieu l'ait ressuscité des morts et qu'il ne doive plus retourner à la corruption, c'est bien ce qu'il avait déclaré : *Je vous donnerai les choses saintes de David, celles qui sont dignes de foi.* ³⁵C'est pourquoi il dit ailleurs encore : *Tu ne laisseras pas ton Saint voir la corruption.* ³⁶Or David, après avoir en son temps servi les desseins de Dieu, est mort, a été réuni à ses pères et a *vu la corruption.* ³⁷Celui que Dieu a ressuscité, lui, *n'a pas vu la corruption.*

³⁸« Sachez-le donc, frères, c'est par lui que la rémission des péchés vous est annoncée. L'entière justification que vous n'avez pu obtenir par la Loi de Moïse, ³⁹c'est par lui que quiconque croit l'obtient.

⁴⁰« Prenez donc garde que n'arrive ce qui est dit dans les Prophètes :

⁴¹*Regardez, contempteurs,*
soyez dans la stupeur et disparaissez !

Parce que de vos jours je vais accomplir une œuvre
que vous ne croiriez pas si on vous la racontait. »

⁴²Et, à leur sortie, on les invitait à parler encore du même sujet le sabbat suivant. ⁴³Après que l'assemblée se fut séparée, nombre de Juifs et de prosélytes adorant Dieu suivirent Paul et Barnabé, et ceux-ci, dans leurs entretiens, les engageaient à rester fidèles à la grâce de Dieu.

Paul et Barnabé s'adressent aux païens.

⁴⁴Le sabbat suivant, presque toute la ville s'assembla pour entendre la parole de Dieu. ⁴⁵À la vue de cette foule, les Juifs furent remplis de jalousie, et ils répliquaient par des blasphèmes aux paroles de Paul. ⁴⁶S'enhardissant alors, Paul et Barnabé déclarèrent : « C'était à vous d'abord qu'il fallait annoncer la parole de Dieu. Puisque vous la repoussez et ne vous jugez pas dignes de la vie éternelle, eh bien ! nous nous tournons vers les païens. ⁴⁷Car ainsi nous l'a ordonné le Seigneur :

Je t'ai établi lumière des nations,

pour faire de toi le salut jus-qu'aux extrémités de la terre. »

⁴⁸Tout joyeux à ces mots, les païens se mirent à glorifier la parole du Seigneur, et tous ceux-là embrassèrent la foi, qui étaient destinés à la vie éternelle. ⁴⁹Ainsi la parole du Seigneur se répandait dans toute la région.

⁵⁰Mais les Juifs montèrent la tête aux dames de condition qui adoraient Dieu ainsi qu'aux notables de la ville ; ils suscitèrent de la sorte une persécution contre Paul et Barnabé et les chassèrent de leur territoire. ⁵¹Ceux-ci, secouant contre eux la poussière de leurs pieds, se rendirent à Iconium. ⁵²Quant aux disciples, ils étaient remplis de joie et de l'Esprit Saint.

Évangélisation d'Iconium.

14 ¹À Iconium, ils entrèrent de même dans la synagogue des Juifs et parlèrent de telle façon qu'une grande foule de Juifs et de Grecs embrassèrent la foi.
²Mais les Juifs restés incrédules excitèrent les païens et les indisposèrent contre les frères. ³Paul et Barnabé prolongèrent donc leur séjour assez longtemps, pleins d'assurance dans le Seigneur, qui rendait témoignage à la prédication de sa grâce en opérant signes et prodiges par leurs mains. ⁴La population de la ville se partagea. Les uns étaient pour les Juifs, les autres pour les apôtres. ⁵Chez les païens et les Juifs, leurs chefs en tête, on se préparait à les maltraiter et à les lapider. ⁶Mais s'en étant rendu compte, ils allèrent chercher refuge dans les villes de la Lycaonie, Lystres, Derbé et la région d'alentour. ⁷Là aussi, ils annonçaient la Bonne Nouvelle.

Guérison d'un impotent. 3 1-10.

⁸À Lystres se tenait assis un homme perclus des pieds ; impotent de naissance, il n'avait jamais marché. ⁹Il écouta Paul discourir. Celui-ci, arrêtant sur lui son regard et voyant qu'il avait la foi pour être guéri, ¹⁰dit d'une voix forte : « Lève-toi, tiens-toi droit sur tes pieds ! » Il se dressa d'un bond : il marchait.

¹¹À la vue de ce que Paul venait de faire, la foule s'écria, en lycaonien : « Les dieux, sous forme humaine, sont descendus parmi nous ! » ¹²Ils appelaient Barnabé Zeus et Paul Hermès, puisque c'était lui qui avait la parole. ¹³Les prêtres du Zeus-de-devant-la-ville amenèrent au portail des taureaux ornés de guirlandes, et ils se disposaient, de concert avec la foule, à offrir un sacrifice. ¹⁴Informés de la chose, les apôtres Barnabé et Paul déchirèrent leurs vêtements et se précipitèrent vers la foule en criant : ¹⁵« Amis, que faites-vous là ? Nous aussi, nous sommes des hommes, soumis au même sort que vous, des hommes qui vous annoncent d'abandonner toutes ces vaines idoles pour vous tourner vers le Dieu vivant qui a fait le ciel, la terre, la mer et tout ce qui s'y trouve. ¹⁶Dans les générations passées, il a laissé toutes les nations suivre leurs voies ; ¹⁷il n'a pas manqué pour autant de se rendre témoignage par ses bienfaits, vous dispensant du ciel pluies et saisons fertiles, rassasiant vos

cœurs de nourriture et de félicité... » ¹⁸C'est à peine s'ils réussirent par ces paroles à empêcher la foule de leur offrir un sacrifice.

Fin de la mission.

¹⁹Survinrent alors d'Antioche et d'Iconium des Juifs qui gagnèrent les foules. On lapida Paul et on le traîna hors de la ville, le croyant mort. ²⁰Mais, comme les disciples faisaient cercle autour de lui, il se releva et rentra dans la ville. Et le lendemain, avec Barnabé, il partit pour Derbé.

²¹Après avoir évangélisé cette ville et y avoir fait bon nombre de disciples, ils retournèrent à Lystres, Iconium et Antioche. ²²Ils affermissaient le cœur des disciples, les encourageant à persévérer dans la foi, « car, disaient-ils, il nous faut passer par bien des tribulations pour entrer dans le Royaume de Dieu. » ²³Ils leur désignèrent des anciens dans chaque Église, et, après avoir fait des prières accompagnées de jeûne, ils les confièrent au Seigneur en qui ils avaient mis leur foi.

²⁴Traversant alors la Pisidie, ils gagnèrent la Pamphylie. ²⁵Puis, après avoir annoncé la parole à Pergé, ils descendirent à Attalie ; ²⁶de là ils firent voile vers Antioche, d'où ils étaient partis, recommandés à la grâce de Dieu pour l'œuvre qu'ils venaient d'accomplir.

²⁷À leur arrivée, ils réunirent l'Église et se mirent à rapporter tout ce que Dieu avait fait avec eux, et comment il avait ouvert aux païens la porte de la foi. ²⁸Ils demeurèrent ensuite assez longtemps avec les disciples.

Controverse à Antioche. Ga 2 11-14.

15 ¹Cependant certaines gens descendaient de Judée enseignaient aux frères : « Si vous ne vous faites pas circoncire suivant l'usage qui vient de Moïse, vous ne pouvez être sauvés. » ²Après bien de l'agitation et une discussion assez vive engagée avec eux par Paul et Barnabé, il fut décidé que Paul, Barnabé et quelques autres des leurs monteraient à Jérusalem auprès des apôtres et des anciens pour traiter de ce litige.

³Eux donc, après avoir été escortés par l'Église, traversèrent la Phénicie et la Samarie, racontant la conversion des païens, et ils causaient une grande joie à tous les frères. ⁴Arrivés à Jérusalem, ils furent accueillis par l'Église, les apôtres et les anciens, et ils rapportèrent tout ce que Dieu avait fait avec eux.

Controverse à Jérusalem. Ga 2 1-9.

⁵Mais certaines gens du parti des Pharisiens qui étaient devenus croyants intervinrent pour déclarer qu'il fallait circoncire les païens et leur enjoindre d'observer la Loi de Moïse. ⁶Alors les apôtres et les anciens se réunirent pour examiner cette question. ⁷Après une longue discussion, Pierre se leva et dit :

Le discours de Pierre. 10 1 – 11 18.

« Frères, vous le savez : dès les premiers jours, Dieu m'a choisi parmi vous pour que les païens entendent de ma bouche la parole de la Bonne Nouvelle et embrassent la foi. ⁸Et Dieu, qui connaît les cœurs, a témoigné en leur faveur, en leur donnant l'Esprit Saint tout comme à nous. [9]Et il n'a fait aucune distinction entre eux et nous, puisqu'il a purifié leur cœur par la foi. [10]Pourquoi donc maintenant tentez-vous Dieu en voulant imposer aux disciples un joug que ni nos pères ni nous-mêmes n'avons eu la force de porter ? [11]D'ailleurs, c'est par la grâce du Seigneur Jésus que nous croyons être sauvés, exactement comme eux. »

[12]Alors toute l'assemblée fit silence. On écoutait Barnabé et Paul exposer tout ce que Dieu avait accompli par eux de signes et de prodiges parmi les païens.

Le discours de Jacques.

[13]Quand ils eurent cessé de parler, Jacques prit la parole et dit : « Frères, écoutez-moi. [14]Syméon a exposé comment, dès le début, Dieu a pris soin de tirer d'entre les païens un peuple réservé à son Nom. [15]Ce qui concorde avec les paroles des Prophètes, puisqu'il est écrit :

[16]*Après cela je reviendrai*
et je relèverai la tente de David
qui était tombée ;
　　je relèverai ses ruines
　　et je la redresserai,
[17]*afin que le reste des hommes*
cherchent le Seigneur,
　　ainsi que toutes les nations
　　qui ont été consacrées à mon
Nom,
　　dit le Seigneur qui fait [18]*connaî-*
tre ces choses depuis des siècles.

[19]« C'est pourquoi je juge, moi, qu'il ne faut pas tracasser ceux des païens qui se convertissent à Dieu. [20]Qu'on leur mande seule-ment de s'abstenir de ce qui a été souillé par les idoles, des unions illégitimes, des chairs étouffées et du sang. [21]Car depuis les temps anciens Moïse a dans chaque ville ses prédicateurs, qui le lisent dans les synagogues tous les jours de sabbat. »

La lettre apostolique.

[22]Alors les apôtres et les anciens, d'accord avec l'Église tout entière, décidèrent de choisir quelques-uns d'entre eux et de les envoyer à Antioche avec Paul et Barnabé. Ce furent Jude, surnommé Barsabbas, et Silas, hommes considérés parmi les frères. [23]Ils leur remirent la lettre suivante :

« Les apôtres et les anciens, vos frères, aux frères de la gentilité qui sont à Antioche, en Syrie et en Cilicie, salut ! [24]Ayant appris que, sans mandat de notre part, certaines gens venus de chez nous ont, par leurs propos, jeté le trouble parmi vous et bouleversé vos esprits, [25]nous avons décidé d'un commun accord de choisir des délégués et de vous les envoyer avec nos bien-aimés Barnabé et Paul, [26]ces hommes qui ont voué leur vie au nom de notre Seigneur Jésus Christ. [27]Nous vous avons donc envoyé Jude et Silas, qui vous transmettront de vive voix le même message. [28]L'Esprit Saint et nous-mêmes avons décidé de ne pas vous imposer d'autres charges que celles-ci, qui sont indispensables : [29]vous abstenir des viandes immolées aux idoles, du sang, des chairs étouffées et des unions illégitimes. Vous ferez bien de vous en garder. Adieu. »

Les délégués à Antioche.

[30]Prenant congé donc, les délégués descendirent à Antioche, où ils réunirent l'assemblée et remirent la lettre. [31]Lecture en fut faite, et l'on se réjouit de l'encouragement qu'elle apportait. [32]Jude et Silas, qui étaient eux-mêmes prophètes, exhortèrent les frères et les affermirent par un long discours. [33]Au bout de quelque temps, les frères les renvoyèrent avec des souhaits de paix vers ceux qui les avaient envoyés. [35]Paul et Barnabé toutefois demeurèrent à Antioche où, avec beaucoup d'autres, ils enseignaient et annonçaient la Bonne Nouvelle, la parole du Seigneur.

4. Les missions de Paul

Paul se sépare de Barnabé et s'adjoint Silas.

[36]Quelque temps après, Paul dit à Barnabé : « Retournons donc visiter les frères dans toutes les villes où nous avons annoncé la parole du Seigneur, pour voir où ils en sont. » [37]Mais Barnabé voulait emmener aussi Jean, surnommé Marc ; [38]Paul, lui, n'était pas d'avis d'emmener celui qui les avait abandonnés en Pamphylie et n'avait pas été à l'œuvre avec eux. [39]L'irritation devint telle qu'ils se séparèrent l'un de l'autre. Barnabé prit Marc avec lui et s'embarqua pour Chypre. [40]De son côté, Paul fit choix de Silas et partit, après avoir été confié par les frères à la grâce de Dieu.

En Lycaonie. Paul s'adjoint Timothée.

[41]Il traversa la Syrie et la Cilicie, où il affermit les Églises.

16 [1]Il gagna ensuite Derbé, puis Lystres. Il y avait là un disciple nommé Timothée, fils d'une juive devenue croyante, mais d'un père grec. [2]Les frères de Lystres et d'Iconium lui rendaient un bon témoignage. [3]Paul décida de l'emmener avec lui. Il le prit donc et le circoncit, à cause des Juifs qui se trouvaient dans ces parages, car tout le monde savait que son père était grec. [4]Dans les villes où ils passaient, ils transmettaient, en recommandant de les observer, les décrets portés par les apôtres et les anciens de Jérusalem. [5]Ainsi les Églises s'affermissaient dans la foi et croissaient en nombre de jour en jour.

Traversée de l'Asie Mineure.
Ga **4** 13-15.

[6]Ils parcoururent la Phrygie et la région galate, le Saint Esprit les ayant empêchés d'annoncer la parole en Asie. [7]Parvenus aux confins de la Mysie, ils tentèrent d'entrer en Bithynie, mais l'Esprit de Jésus ne le leur permit pas. [8]Ils traversèrent donc la Mysie et descendirent à Troas. [9]Or, pendant la nuit, Paul eut une vision : un Macédonien était là, debout, qui lui adressait cette prière : « Passe en Macédoine, viens à notre secours ! » [10]Aussitôt après

cette vision, nous cherchâmes à partir pour la Macédoine, persuadés que Dieu nous appelait à y porter la Bonne Nouvelle.

L'arrivée à Philippes.

[11]De Troas, gagnant le large nous cinglâmes droit sur Samothrace, et le lendemain sur Néapolis, [12]d'où nous gagnâmes Philippes, cité de premier rang de ce district de Macédoine et colonie. Nous passâmes quelques jours dans cette ville, [13]puis, le jour du sabbat, nous nous rendîmes en dehors de la porte, sur les bords de la rivière, où nous pensions qu'il y avait un lieu de prière. Nous étant assis, nous adressâmes la parole aux femmes qui s'étaient réunies. [14]L'une d'elles, nommée Lydie, nous écoutait ; c'était une négociante en pourpre, de la ville de Thyatire ; elle adorait Dieu. Le Seigneur lui ouvrit le cœur, de sorte qu'elle s'attacha aux paroles de Paul. [15]Après avoir été baptisée ainsi que les siens, elle nous fit cette prière : « Si vous me tenez pour une fidèle du Seigneur, venez demeurer dans ma maison. » Et elle nous y contraignit.

Emprisonnement de Paul et de Silas.

[16]Un jour que nous nous rendions au lieu de prière, nous rencontrâmes une servante qui avait un esprit divinateur ; elle faisait gagner beaucoup d'argent à ses maîtres en rendant des oracles. [17]Elle se mit à nous suivre, Paul et nous, en criant : « Ces gens-là sont des serviteurs du Dieu Très-Haut ; ils vous annoncent la voie du salut. » [18]Elle fit ainsi pendant bien des jours. À la fin Paul, excédé, se retourna et dit à l'esprit : « Je t'ordonne au nom de Jésus Christ de sortir de cette femme. » Et l'esprit sortit à l'instant même.

[19]Mais ses maîtres, voyant disparaître leurs espoirs de gain, se saisirent de Paul et de Silas, les traînèrent sur l'agora devant les magistrats [20]et dirent, en les présentant aux stratèges : « Ces gens-là jettent le trouble dans notre ville. Ce sont des Juifs, [21]et ils prêchent des usages qu'il ne nous est permis, à nous Romains, ni d'accepter ni de suivre. » [22]La foule s'ameuta contre eux, et les stratèges, après avoir fait arracher leurs vêtements, ordonnèrent de les battre de verges. [23]Quand ils les eurent bien roués de coups, ils les jetèrent en prison, en recommandant au geôlier de les garder avec soin. [24]Ayant reçu pareille consigne, celui-ci les jeta dans le cachot intérieur et leur fixa les pieds dans des ceps.

Délivrance merveilleuse des missionnaires.

[25]Vers minuit, Paul et Silas, en prière, chantaient les louanges de Dieu ; les prisonniers les écoutaient. [26]Tout à coup, il se produisit un si violent tremblement de terre que les fondements de la prison en furent ébranlés. À l'instant, toutes les portes s'ouvrirent, et les liens de tous les prisonniers se détachèrent. [27]Tiré de son sommeil et voyant ouvertes les portes de la prison, le geôlier sortit son glaive ; il allait se tuer, à l'idée que les prisonniers s'étaient évadés. [28]Mais Paul cria d'une voix forte : « Ne te fais aucun mal, car nous sommes tous ici. »

²⁹Le geôlier demanda de la lumière, accourut et, tout tremblant, se jeta aux pieds de Paul et de Silas. ³⁰Puis il les fit sortir et dit : « Seigneurs, que me faut-il faire pour être sauvé ? » ³¹Ils répondirent : « Crois au Seigneur Jésus, et tu seras sauvé, toi et les tiens. » ³²Et ils lui annoncèrent la parole du Seigneur, ainsi qu'à tous ceux qui étaient dans sa maison. ³³Le geôlier les prit avec lui à l'heure même, en pleine nuit, lava leurs plaies et sur-le-champ reçut le baptême, lui et tous les siens. ³⁴Il les fit alors monter dans sa maison, dressa la table, et il se réjouit avec tous les siens d'avoir cru en Dieu.

³⁵Lorsqu'il fit jour, les stratèges envoyèrent les licteurs dire au geôlier : « Relâche ces gens-là. » ³⁶Celui-ci rapporta ces paroles à Paul : « Les stratèges ont envoyé dire de vous relâcher. Sortez donc et allez-vous-en. » ³⁷Mais Paul dit aux licteurs : « Ils nous ont fait battre en public et sans jugement, nous, des citoyens romains, et ils nous ont jetés en prison. Et maintenant, c'est à la dérobée qu'ils nous font sortir ! Eh bien, non ! Qu'ils viennent eux-mêmes nous libérer. »

³⁸Les licteurs rapportèrent ces paroles aux stratèges. Effrayés en apprenant qu'ils étaient citoyens romains, ³⁹ceux-ci vinrent les presser de quitter la ville. ⁴⁰Au sortir de la prison, Paul et Silas se rendirent chez Lydie, revirent les frères et les exhortèrent, puis ils partirent.

À Thessalonique. Difficultés avec les Juifs.

17 ¹Après avoir traversé Amphipolis et Apollonie, ils arrivèrent à Thessalonique, où les Juifs avaient une synagogue. ²Suivant son habitude, Paul alla les y trouver. Trois sabbats de suite, il discuta avec eux d'après les Écritures. ³Il les leur expliquait, établissant que le Christ devait souffrir et ressusciter des morts, « et le Christ, disait-il, c'est ce Jésus que je vous annonce. » ⁴Quelques-uns d'entre eux se laissèrent convaincre et furent gagnés à Paul et à Silas, ainsi qu'une multitude d'adorateurs de Dieu et de Grecs et bon nombre de dames de qualité.

⁵Mais les Juifs, pris de jalousie, ramassèrent sur la place quelques mauvais sujets, provoquèrent des attroupements et répandirent le tumulte dans la ville. Ils se présentèrent alors à la maison de Jason, cherchant Paul et Silas pour les produire devant l'assemblée du peuple. ⁶Ne les ayant pas trouvés, ils traînèrent Jason et quelques frères devant les politarques en criant : « Ces gens qui ont révolutionné le monde entier, les voilà maintenant ici, ⁷et Jason les reçoit chez lui. Tous ces gens-là contreviennent aux édits de César en affirmant qu'il y a un autre roi, Jésus. » ⁸Par ces clameurs, ils mirent en émoi la foule et les politarques, ⁹qui exigèrent une caution de la part de Jason et des autres avant de les relâcher.

Nouvelles difficultés à Bérée.

¹⁰Les frères firent aussitôt partir de nuit Paul et Silas pour Bérée. Arrivés là, ils se rendirent à la synagogue des Juifs. ¹¹Or ceux-ci avaient l'âme plus noble que ceux de Thessalonique. Ils accueillirent la parole avec le plus grand empressement. Chaque jour, ils exa-

minaient les Écritures pour voir si tout était exact. ¹²Beaucoup d'entre eux devinrent ainsi croyants de même que, parmi les Grecs, des dames de qualité et bon nombre d'hommes.

¹³Mais quand les Juifs de Thessalonique surent que Paul avait annoncé aussi à Bérée la parole de Dieu, ils vinrent là encore semer dans la foule l'agitation et le trouble. ¹⁴Alors les frères firent tout de suite partir Paul en direction de la mer ; quant à Silas et Timothée, ils restèrent là. ¹⁵Ceux qui escortaient Paul le conduisirent jusqu'à Athènes et s'en retournèrent ensuite avec l'ordre pour Silas et Timothée de le rejoindre au plus vite.

Paul à Athènes.

¹⁶Tandis que Paul les attendait à Athènes, son esprit s'échauffait en lui au spectacle de cette ville remplie d'idoles. ¹⁷Il s'entretenait donc à la synagogue avec des Juifs et ceux qui adoraient Dieu, et sur l'agora, tous les jours, avec les passants. ¹⁸Il y avait même des philosophes épicuriens et stoïciens qui l'abordaient. Les uns disaient : « Que peut bien vouloir dire ce perroquet ? » D'autres : « On dirait un prêcheur de divinités étrangères », parce qu'il annonçait Jésus et la résurrection. ¹⁹Ils le prirent alors avec eux et le menèrent devant l'Aréopage en disant : « Pourrions-nous savoir quelle est cette nouvelle doctrine que tu enseignes ? ²⁰Car ce sont d'étranges propos que tu nous fais entendre. Nous voudrions donc savoir ce que cela veut dire. » ²¹Tous les Athéniens en effet et les étrangers qui résidaient parmi eux n'avaient d'autre passe-temps que de dire ou écouter les dernières nouveautés.

²²Debout au milieu de l'Aréopage, Paul dit alors :

Discours de Paul devant l'Aréopage.

« Athéniens, à tous égards vous êtes, je le vois, les plus religieux des hommes. ²³Parcourant en effet votre ville et considérant vos monuments sacrés, j'ai trouvé jusqu'à un autel avec l'inscription : "Au dieu inconnu". Eh bien ! ce que vous adorez sans le connaître, je viens, moi, vous l'annoncer.

²⁴« Le Dieu qui a fait le monde et tout ce qui s'y trouve, lui, le Seigneur du ciel et de la terre, n'habite pas dans des temples faits de main d'homme. ²⁵Il n'est pas non plus servi par des mains humaines, comme s'il avait besoin de quoi que ce soit, lui qui donne à tous vie, souffle et toutes choses. ²⁶Si d'un principe unique il a fait tout le genre humain pour qu'il habite sur toute la face de la terre ; s'il a fixé des temps déterminés et les limites de l'habitat des hommes, ²⁷c'était afin qu'ils cherchent la divinité pour l'atteindre, si possible, comme à tâtons et la trouver ; aussi bien n'est-elle pas loin de chacun de nous. ²⁸C'est en elle en effet que nous avons la vie, le mouvement et l'être. Ainsi d'ailleurs l'ont dit certains des vôtres :

"Car nous sommes aussi de sa race."

²⁹« Que si nous sommes de la race de Dieu, nous ne devons pas penser que la divinité soit semblable à de l'or, de l'argent ou de la

pierre, travaillés par l'art et le génie de l'homme.

³⁰« Or voici que, fermant les yeux sur les temps de l'ignorance, Dieu fait maintenant savoir aux hommes d'avoir tous et partout à se repentir, ³¹parce qu'il a fixé un jour pour juger l'univers avec justice, par un homme qu'il y a destiné, offrant à tous une garantie en le ressuscitant des morts. »

³²À ces mots de résurrection des morts, les uns se moquaient, les autres disaient : « Nous t'entendrons là-dessus une autre fois. » ³³C'est ainsi que Paul se retira du milieu d'eux. ³⁴Quelques hommes cependant s'attachèrent à lui et devinrent croyants. Denys l'Aréopagite fut du nombre. Il y eut aussi une femme nommée Damaris, et d'autres avec eux.

Fondation de l'Église de Corinthe.

18 ¹Après cela, Paul s'éloigna d'Athènes et gagna Corinthe. ²Il y trouva un Juif nommé Aquilas, originaire du Pont, qui venait d'arriver d'Italie avec Priscille, sa femme, à la suite d'un édit de Claude qui ordonnait à tous les Juifs de s'éloigner de Rome. Il se lia avec eux, ³et, comme ils étaient du même métier, il demeura chez eux et y travailla. Ils étaient de leur état fabricants de tentes. ⁴Chaque sabbat, il discourait à la synagogue et s'efforçait de persuader Juifs et Grecs.

⁵Quand Silas et Timothée furent arrivés de Macédoine, Paul se consacra tout entier à la parole, attestant aux Juifs que Jésus est le Christ. ⁶Mais devant leur opposition et leurs paroles blas-phématoires, il secoua ses vêtements et leur dit : « Que votre sang retombe sur votre tête ! Pour moi, je suis pur, et désormais c'est aux païens que j'irai. » ⁷Alors, se retirant de là, Paul se rendit chez un certain Justus, homme adorant Dieu, dont la maison était contiguë à la synagogue. ⁸Crispus, le chef de synagogue, crut au Seigneur avec tous les siens. Beaucoup de Corinthiens, en entendant Paul devenaient croyants et se faisaient baptiser. ⁹Une nuit, dans une vision, le Seigneur dit à Paul : « Sois sans crainte. Continue de parler, ne te tais pas. ¹⁰Car je suis avec toi, et personne ne mettra sur toi la main pour te faire du mal, parce que j'ai à moi un peuple nombreux dans cette ville. » ¹¹Il résida là un an et six mois, enseignant aux gens la parole de Dieu.

Paul traduit en justice.

¹²Alors que Gallion était proconsul d'Achaïe, les Juifs se soulevèrent d'un commun accord contre Paul et l'amenèrent devant le tribunal ¹³en disant : « Cet individu cherche à persuader les gens d'adorer Dieu d'une manière contraire à la Loi. » ¹⁴Paul allait ouvrir la bouche, quand Gallion dit aux Juifs : « S'il était question de quelque délit ou méfait, j'accueillerais, Juifs, votre plainte, comme de raison. ¹⁵Mais puisqu'il s'agit de contestations sur des mots et des noms et sur votre propre Loi, à vous de voir ! Être juge, moi, en ces matières, je m'y refuse. » ¹⁶Et il les renvoya du tribunal. ¹⁷Tous alors se saisirent de

Sosthène, le chef de synagogue, et, devant le tribunal, se mirent à le battre. Et de tout cela Gallion n'avait cure.

Retour à Antioche et départ pour le troisième voyage.

[18] Paul resta encore un certain temps à Corinthe, puis il prit congé des frères et s'embarqua pour la Syrie. Priscille et Aquila l'accompagnaient. Il s'était fait tondre la tête à Cenchrées, à cause d'un vœu qu'il avait fait. [19] Ils arrivèrent à Éphèse, où il se sépara de ses compagnons. Il se rendit à la synagogue et s'y entretint avec les Juifs. [20] Ceux-ci lui demandèrent de prolonger son séjour. Il n'y consentit pas, [21] mais, en prenant congé d'eux, il leur dit : « Je reviendrai chez vous une autre fois, s'il plaît à Dieu. » Et d'Éphèse il gagna le large. [22] Débarqué à Césarée, il monta saluer l'Église, puis descendit à Antioche ; [23] après y avoir passé quelque temps, il repartit et parcourut successivement la région galate et la Phrygie en affermissant tous les disciples.

Apollos.

[24] Un Juif nommé Apollos, originaire d'Alexandrie, était arrivé à Éphèse. C'était un homme éloquent, versé dans les Écritures. [25] Il avait été instruit de la Voie du Seigneur, et, dans la ferveur de son âme, il prêchait et enseignait avec exactitude ce qui concerne Jésus, bien qu'il connût seulement le baptême de Jean. [26] Il se mit donc à parler avec assurance dans la synagogue. Priscille et Aquila, qui l'avaient entendu, le prirent avec eux et lui exposèrent plus exactement la Voie. [27] Comme il voulait partir pour l'Achaïe, les frères l'y encouragèrent et écrivirent aux disciples de lui faire bon accueil. Arrivé là, il fut, par l'effet de la grâce, d'un grand secours aux croyants : [28] car il réfutait vigoureusement les Juifs en public, démontrant par les Écritures que Jésus est le Christ.

Des disciples de Jésus à Éphèse.

[19] [1] Tandis qu'Apollos était à Corinthe, Paul, après avoir traversé le haut-pays, arriva à Éphèse. Il y trouva quelques disciples [2] et leur dit : « Avez-vous reçu l'Esprit Saint quand vous êtes devenus croyants ? » Ils lui répondirent : « Mais nous n'avons même pas entendu dire qu'il y a un Esprit Saint. » [3] Et lui : « Quel baptême avez-vous donc reçu ? » – « Le baptême de Jean », répondirent-ils. [4] Paul dit alors : « Jean a baptisé d'un baptême de repentance, en disant au peuple de croire en celui qui viendrait après lui, c'est-à-dire en Jésus. » [5] À ces mots, ils se firent baptiser au nom du Seigneur Jésus ; [6] et quand Paul leur eut imposé les mains, l'Esprit Saint vint sur eux, et ils se mirent à parler en langues et à prophétiser. [7] Ces hommes étaient en tout une douzaine.

Fondation de l'Église d'Éphèse.

[8] Paul se rendit à la synagogue et, pendant trois mois, y parla avec assurance. Il discourait et cherchait à persuader ses auditeurs au sujet du Royaume de Dieu. [9] Certains cependant, endurcis et incrédules, décriaient la

Voie devant l'assistance. Il rompit alors avec eux et prit à part les disciples. Chaque jour, il les entretenait dans l'école de Tyrannos. [10]Il en fut ainsi deux années durant, en sorte que tous les habitants de l'Asie, Juifs et Grecs, purent entendre la parole du Seigneur.

Les exorcistes juifs.

[11]Dieu opérait par les mains de Paul des miracles peu banals, [12]à tel point qu'il suffisait d'appliquer sur les malades des mouchoirs ou des linges qui avaient touché son corps : alors les maladies les quittaient et les esprits mauvais s'en allaient.

[13]Or quelques exorcistes juifs ambulants s'essayèrent à prononcer, eux aussi, le nom du Seigneur Jésus sur ceux qui avaient des esprits mauvais. Ils disaient : « Je vous adjure par ce Jésus que Paul proclame. » [14]Il y avait sept fils de Scéva, un grand prêtre juif, qui agissaient de la sorte. [15]Mais l'esprit mauvais leur répliqua : « Jésus, je le connais, et Paul, je sais qui c'est. Mais vous autres, qui êtes-vous ? » [16]Et se jetant sur eux, l'homme possédé de l'esprit mauvais les maîtrisa les uns et les autres et les malmena si bien que c'est nus et couverts de blessures qu'ils s'échappèrent de cette maison. [17]Tous les habitants d'Éphèse, Juifs et Grecs, surent la chose. La crainte alors s'empara de tous et le nom du Seigneur Jésus fut magnifié.

[18]Beaucoup de ceux qui étaient devenus croyants venaient faire leurs aveux et dévoiler leurs pratiques. [19]Bon nombre de ceux qui s'étaient adonnés à la magie apportaient leurs livres et les brûlaient en présence de tous. On en estima la valeur : cela faisait cinquante mille pièces d'argent.

[20]Ainsi la parole du Seigneur croissait et s'affermissait puissamment.

5. La fin des missions.
Le prisonnier du Christ

Les projets de Paul. 1 Co 16 1-8. Rm 15 22-32.

[21]Après ces événements, Paul forma le projet de traverser la Macédoine et l'Achaïe pour gagner Jérusalem. « Après avoir été là, disait-il, il me faut voir également Rome. » [22]Il envoya alors en Macédoine deux de ses auxiliaires, Timothée et Éraste ; pour lui, il resta quelque temps encore en Asie.

À Éphèse. L'émeute des orfèvres.

[23]Vers ce temps-là, un tumulte assez grave se produisit à propos de la Voie. [24]Un certain Démétrius, qui était orfèvre et fabriquait des temples d'Artémis en argent, procurait ainsi aux artisans beaucoup de travail. [25]Il les réunit, ainsi que les ouvriers des métiers similaires, et leur dit : « Mes amis, c'est à cette industrie, vous le sa-

vez, que nous devons notre bien-être. ²⁶Or, vous le voyez et l'entendez dire, non seulement à Éphèse, mais dans presque toute l'Asie, ce Paul, par ses raisons, a entraîné à sa suite une foule considérable, en affirmant qu'ils ne sont pas dieux, ceux qui sont sortis de la main des hommes. ²⁷Cela risque non seulement de jeter le discrédit sur notre profession, mais encore de faire compter pour rien le sanctuaire même de la grande déesse Artémis, pour finir par dépouiller de son prestige celle que révèrent toute l'Asie et le monde entier. » ²⁸À ces mots, remplis de colère, ils se mirent à crier : « Grande est l'Artémis des Éphésiens ! » ²⁹Le désordre gagna la ville entière. On se précipita en masse au théâtre, y entraînant les Macédoniens Gaïus et Aristarque, compagnons de voyage de Paul. ³⁰Paul, lui, voulait se présenter devant l'assemblée du peuple, mais les disciples l'en empêchèrent. ³¹Quelques asiarques même, qui l'avaient en amitié, le firent instamment prier de ne pas s'exposer en allant au théâtre.

³²Les uns criaient une chose, les autres une autre. L'assemblée était en pleine confusion, et la plupart ne savaient même pas pourquoi on s'était réuni. ³³Des gens de la foule persuadèrent Alexandre, que les Juifs poussaient en avant. Alexandre, ayant fait signe de la main, voulait s'expliquer devant le peuple. ³⁴Mais quand on eut reconnu que c'était un Juif, tous se mirent à crier d'une seule voix, pendant près de deux heures : « Grande est l'Artémis des Éphésiens ! » ³⁵Enfin le chance-lier calma la foule et dit : « Éphésiens, quel homme au monde ignore que la ville d'Éphèse est la gardienne du temple de la grande Artémis et de sa statue tombée du ciel ? ³⁶Cela étant donc sans conteste, il faut vous tenir tranquilles et ne rien faire d'inconsidéré. ³⁷Vous avez amené ces hommes : ils ne sont coupables ni de sacrilège ni de blasphème envers notre déesse. ³⁸Que si Démétrius et les artisans qui sont avec lui ont des griefs contre quelqu'un, il y a des audiences, il y a des proconsuls : qu'ils portent plainte. ³⁹Et si vous avez quelque autre affaire à débattre, on la résoudra dans l'assemblée régulière. ⁴⁰Aussi bien risquons-nous d'être accusés de sédition pour ce qui s'est passé aujourd'hui, vu qu'il n'existe aucun motif qui nous permette de justifier cet attroupement. » Et sur ces mots, il congédia l'assemblée.

Paul quitte Éphèse.

20 ¹Après que le tumulte eut pris fin, Paul convoqua les disciples, leur adressa une exhortation et, après avoir fait ses adieux, partit pour la Macédoine. ²Il traversa cette contrée, y exhorta longuement les fidèles et parvint en Grèce, ³où il resta trois mois. Un complot fomenté par les Juifs contre lui au moment où il allait s'embarquer pour la Syrie le décida à s'en retourner par la Macédoine. ⁴Il avait pour compagnons Sopatros, fils de Pyrrhus, de Bérée ; Aristarque et Secundus, de Thessalonique ; Gaïus, de Dobérès, et Timothée, ainsi que les Asiates Tychique et Trophime. ⁵Ceux-ci prirent les devants et nous attendirent à Troas. **6**Nous-mêmes, nous quittâmes Philippes par mer après les jours des Azymes et, au bout de cinq jours, les rejoignîmes à Troas, où nous passâmes sept jours.

À Troas. Paul ressuscite un mort.

7Le premier jour de la semaine, nous étions réunis pour rompre le pain ; Paul, qui devait partir le lendemain, s'entretenait avec eux. Il prolongea son discours jusqu'au milieu de la nuit. **8**Il y avait bon nombre de lampes dans la chambre haute où nous étions réunis. **9**Un adolescent, du nom d'Eutyque, qui était assis sur le bord de la fenêtre, se laissa gagner par un profond sommeil, pendant que Paul discourait toujours. Entraîné par le sommeil, il tomba du troisième étage en bas. On le releva mort. **10**Paul descendit, se pencha sur lui, le prit dans ses bras et dit : « Ne vous agitez donc pas : son âme est en lui. » **11**Puis il remonta, rompit le pain et mangea ; longtemps encore il parla, jusqu'au point du jour. C'est alors qu'il partit. **12**Quant au jeune garçon, on le ramena vivant, et ce ne fut pas une petite consolation.

De Troas à Milet.

13Pour nous, prenant les devants par mer, nous gagnâmes le large vers Assos, où nous devions prendre Paul : ainsi en avait-il disposé. Lui-même viendrait par la route. **14**Lorsqu'il nous eut rejoints à Assos, nous le prîmes à bord et gagnâmes Mitylène. **15**De là, nous repartîmes le lendemain et parvînmes devant Chio. Le jour suivant, nous touchions à Samos, et, après nous être arrêtés à Trogyllion, nous arrivions le jour d'après à Milet. **16**Paul avait en effet décidé de passer au large d'Éphèse, pour ne pas avoir à s'attarder en Asie. Il se hâtait afin d'être, si possible, le jour de la Pentecôte à Jérusalem.

Adieux aux anciens d'Éphèse.

17De Milet, il envoya chercher à Éphèse les anciens de cette Église. **18**Quand ils furent arrivés auprès de lui, il leur dit : « Vous savez vous-mêmes de quelle façon, depuis le premier jour où j'ai mis le pied en Asie, je n'ai cessé de me comporter avec vous, **19**servant le Seigneur en toute humilité, dans les larmes et au milieu des épreuves que m'ont occasionnées les machinations des Juifs. **20**Vous savez comment, en rien de ce qui vous était avantageux, je ne me suis dérobé quand il fallait vous prêcher et vous instruire, en public et en privé, **21**adjurant Juifs et Grecs de se repentir envers Dieu et de croire en Jésus, notre Seigneur.

22« Et maintenant voici qu'enchaîné par l'Esprit je me rends à Jérusalem, sans savoir ce qui m'adviendra, **23**sinon que, de ville en ville, l'Esprit Saint m'avertit que chaînes et tribulations m'attendent. **24**Mais je n'attache aucun prix à ma propre vie, pourvu que je mène à bonne fin ma course et le ministère que j'ai reçu du Seigneur Jésus : rendre témoignage à l'Évangile de la grâce de Dieu.

25« Et maintenant voici que, je le sais, vous ne reverrez plus mon visage, vous tous au milieu de qui j'ai passé en proclamant le Royaume. [26]C'est pourquoi je l'atteste aujourd'hui devant vous : je suis pur du sang de tous. [27]Car je ne me suis pas dérobé quand il fallait vous annoncer en son entier le dessein de Dieu.

[28]« Soyez attentifs à vous-mêmes, et à tout le troupeau dont l'Esprit Saint vous a établis gardiens pour paître l'Église de Dieu, qu'il s'est acquise par le sang de son propre fils.

[29]« Je sais, moi, qu'après mon départ il s'introduira parmi vous des loups redoutables qui n'épargneront pas le troupeau, [30]et que du milieu même de vous se lèveront des hommes tenant des discours pervers dans le but d'entraîner les disciples à leur suite. [31]C'est pourquoi soyez vigilants, vous souvenant que, trois années durant, nuit et jour, je n'ai cessé d'admonester avec larmes chacun d'entre vous.

[32]« Et à présent je vous confie à Dieu et à la parole de sa grâce, qui a le pouvoir de bâtir l'édifice et de procurer l'héritage parmi tous les sanctifiés.

[33]« Argent, or, vêtements, je n'en ai convoité de personne : [34]vous savez vous-mêmes qu'à mes besoins et à ceux de mes compagnons ont pourvu les mains que voilà. [35]De toutes manières je vous l'ai montré : c'est en peinant ainsi qu'il faut venir en aide aux faibles et se souvenir des paroles du Seigneur Jésus, qui a dit lui-même : Il y a plus de bonheur à donner qu'à recevoir. »

[36]À ces mots, se mettant à genoux, avec eux tous il pria. [37]Tous alors éclatèrent en sanglots, et, se jetant au cou de Paul, ils l'embrassaient, [38]affligés surtout de la parole qu'il avait dite : qu'ils ne devaient plus revoir son visage. Puis ils l'accompagnèrent jusqu'au bateau.

La montée à Jérusalem.

21 [1]Lorsque, nous étant arrachés à eux, nous eûmes gagné le large, nous cinglâmes droit sur Cos ; le lendemain nous atteignîmes Rhodes, et de là Patara. [2]Ayant trouvé un navire en partance pour la Phénicie, nous y montâmes et partîmes. [3]Arrivés en vue de Chypre, nous la laissâmes à gauche pour voguer vers la Syrie, et nous abordâmes à Tyr, car c'est là que le bateau devait décharger sa cargaison. [4]Ayant découvert les disciples, nous restâmes là sept jours. Poussés par l'Esprit, ils disaient à Paul de ne pas monter à Jérusalem. [5]Mais, notre séjour achevé, nous partîmes. Nous marchions, escortés de tous, y compris femmes et enfants. Hors de la ville, nous nous mîmes à genoux sur la grève pour prier. [6]Puis, ayant fait nos adieux, nous montâmes sur le navire. Ces gens s'en retournèrent alors chez eux.

[7]Et nous, achevant la traversée, nous nous rendîmes de Tyr à Ptolémaïs. Après avoir salué les frères et être restés un jour avec eux, [8]nous repartîmes le lendemain pour gagner Césarée. Descendus chez Philippe l'évangéliste, qui était un des Sept, nous demeurâmes chez lui. [9]Il avait quatre filles vierges qui prophétisaient. [10]Comme nous passions là plusieurs jours, un prophète du nom d'Agabus descendit de Judée. [11]Il

vint nous trouver et, prenant la ceinture de Paul, il s'en lia les pieds et les mains en disant : « Voici ce que dit l'Esprit Saint : L'homme auquel appartient cette ceinture, les Juifs le lieront comme ceci à Jérusalem, et ils le livreront aux mains des païens. » [12]À ces paroles, nous nous mîmes, avec ceux de l'endroit, à supplier Paul de ne pas monter à Jérusalem. [13]Alors il répondit : « Qu'avez-vous à pleurer et à me briser le cœur ? Je suis prêt, moi, non seulement à me laisser lier, mais encore à mourir à Jérusalem pour le nom du Seigneur Jésus. » [14]Comme il n'y avait pas moyen de le persuader, nous cessâmes nos instances, disant : « Que la volonté du Seigneur se fasse ! »

Arrivée de Paul à Jérusalem.

[15]Après ces quelques jours, ayant achevé nos préparatifs, nous montâmes à Jérusalem. [16]Des disciples de Césarée nous accompagnèrent et nous menèrent loger chez un certain Mnason, de Chypre, disciple des premiers jours.

[17]À notre arrivée à Jérusalem, les frères nous reçurent avec joie. [18]Le jour suivant, Paul se rendit avec nous chez Jacques, où tous les anciens se réunirent. [19]Après les avoir salués, il se mit à exposer par le détail ce que Dieu avait fait chez les païens par son ministère. [20]Et ils glorifiaient Dieu de ce qu'ils entendaient. Ils lui dirent alors : « Tu vois, frère, combien de milliers de Juifs sont devenus croyants et tous se trouvent être de zélés partisans de la Loi. [21]Or à ton sujet ils ont entendu dire que, dans ton enseignement, tu

pousses les Juifs qui vivent au milieu des païens à la défection vis-à-vis de Moïse, leur disant de ne plus circoncire leurs enfants et de ne plus suivre les coutumes. [22]Que faire donc ? Assurément la multitude ne manquera pas de se rassembler, car on apprendra ton arrivée. [23]Fais donc ce que nous allons te dire. Nous avons ici quatre hommes qui sont tenus par un vœu. [24]Emmène-les, joins-toi à eux pour la purification et charge-toi des frais pour qu'ils puissent se faire raser la tête. Ainsi tout le monde saura qu'il n'y a rien de vrai dans ce qu'ils ont entendu dire à ton sujet, mais que tu te conduis, toi aussi, en observateur de la Loi. [25]Quant aux païens qui ont embrassé la foi, nous leur avons mandé nos décisions : se garder des viandes immolées aux idoles, du sang, des chairs étouffées et des unions illégitimes. »

[26]Le jour suivant, Paul emmena donc ces hommes et, après s'être joint à eux pour la purification, entra dans le Temple, où il annonça le délai dans lequel, les jours de purification terminés, on devrait présenter l'oblation pour chacun d'entre eux.

L'arrestation de Paul.

[27]Les sept jours touchaient à leur fin, quand les Juifs d'Asie, l'ayant aperçu dans le Temple, ameutèrent la foule et mirent la main sur lui, [28]en criant : « Hommes d'Israël, au secours ! Le voici, l'individu qui prêche à tous et partout contre notre peuple, contre la Loi et contre ce Lieu ! Et voilà encore qu'il a introduit des Grecs dans le Temple et profané

ce saint Lieu. » [29]Précédemment en effet ils avaient vu l'Éphésien Trophime avec lui dans la ville, et ils pensaient que Paul l'avait introduit dans le Temple.

[30]La ville entière fut en effervescence, et le peuple accourut de toutes parts. On s'empara de Paul, on se mit à le traîner hors du Temple, dont les portes furent aussitôt fermées. [31]On cherchait à le mettre à mort, quand cet avis parvint au tribun de la cohorte : « Tout Jérusalem est sens dessus dessous ! » [32]Aussitôt, prenant avec lui des soldats et des centurions, il se précipita sur les manifestants. Ceux-ci, à la vue du tribun et des soldats, cessèrent de frapper Paul. [33]Alors le tribun s'approcha, se saisit de lui et ordonna de le lier de deux chaînes ; puis il demanda qui il était et ce qu'il avait fait. [34]Mais dans la foule les uns criaient ceci, les autres cela. Ne pouvant, dans ce tapage, obtenir aucun renseignement précis, il donna l'ordre de conduire Paul dans la forteresse. [35]Quand il eut atteint les degrés, il dut être porté par les soldats, en raison de la violence de la foule. [36]Car le peuple suivait en masse, aux cris de : « À mort ! »

[37]Sur le point d'être introduit dans la forteresse, Paul dit au tribun : « Me serait-il permis de te dire un mot ? » — « Tu sais le grec ? demanda celui-ci. [38]Tu n'es donc pas l'Égyptien qui, ces temps derniers, a soulevé quatre bandits et les a entraînés au désert ? » — [39]« Moi, reprit Paul, je suis Juif, de Tarse en Cilicie, citoyen d'une ville qui n'est pas sans renom. Je t'en prie, permets-moi de parler au peuple. » [40]La permission accordée, Paul, debout sur les degrés, fit de la main signe au peuple. Il se fit un grand silence. Alors il leur adressa la parole en langue hébraïque.

Harangue de Paul aux Juifs de Jérusalem. = 9 1-18. = 26 9-18.

22 [1]« Frères et pères, écoutez ce que j'ai maintenant à vous dire pour ma défense. » [2]Quand ils entendirent qu'il s'adressait à eux en langue hébraïque, leur silence se fit plus profond. Il poursuivit : [3]« Je suis Juif. Né à Tarse en Cilicie, j'ai cependant été élevé ici dans cette ville, et c'est aux pieds de Gamaliel que j'ai été formé à l'exacte observance de la Loi de nos pères, et j'étais rempli du zèle de Dieu, comme vous l'êtes tous aujourd'hui. [4]J'ai persécuté à mort cette Voie, chargeant de chaînes et jetant en prison hommes et femmes, [5]comme le grand prêtre m'en est témoin, ainsi que tout le collège des anciens. J'avais même reçu d'eux des lettres pour les frères de Damas, et je m'y rendais en vue d'amener ceux de là-bas enchaînés à Jérusalem pour y être châtiés.

[6]« Je faisais route et j'approchais de Damas, quand tout à coup, vers midi, une grande lumière venue du ciel m'enveloppa de son éclat. [7]Je tombai sur le sol et j'entendis une voix qui me disait : "Saoul, Saoul, pourquoi me persécutes-tu ?" [8]Je répondis : "Qui es-tu, Seigneur ?" Il me dit alors : "Je suis Jésus le Nazôréen, que tu persécutes." [9]Ceux qui étaient avec moi virent bien la lumière, mais ils n'entendirent pas la voix de celui qui me parlait.

[10]Je repris : "Que dois-je faire, Seigneur ?" Le Seigneur me dit : "Relève-toi. Va à Damas. Là on te dira tout ce qu'il t'est prescrit de faire." [11]Mais comme je n'y voyais plus à cause de l'éclat de cette lumière, c'est conduit par la main de mes compagnons que j'arrivai à Damas.

[12]« Il y avait là un certain Ananie, homme dévot selon la Loi et jouissant du bon témoignage de tous les Juifs de la ville ; [13]il vint me trouver et, une fois près de moi, me dit : "Saoul, mon frère, recouvre la vue." Et moi, au même instant, je pus le voir. [14]Il dit alors : "Le Dieu de nos pères t'a prédestiné à connaître sa volonté, à voir le Juste et à entendre la voix sortie de sa bouche ; [15]car pour lui tu dois être témoin devant tous les hommes de ce que tu as vu et entendu. [16]Pourquoi tarder encore ? Allons ! Reçois le baptême et purifie-toi de tes péchés en invoquant son nom."

[17]« De retour à Jérusalem, il m'est arrivé, un jour que je priais dans le Temple, de tomber en extase. [18]Je vis le Seigneur, qui me dit : "Hâte-toi, sors vite de Jérusalem, car ils n'accueilleront pas ton témoignage à mon sujet." – [19]"Seigneur, répondis-je, ils savent pourtant bien que, de synagogue en synagogue, je faisais jeter en prison et battre de verges ceux qui croient en toi ; [20]et quand on répandait le sang d'Étienne, ton témoin, j'étais là, moi aussi, d'accord avec ceux qui le tuaient, et je gardais leurs vêtements." [21]Il me dit alors : "Va ; c'est au loin, vers les païens, que moi, je veux t'envoyer". »

Paul, citoyen romain.

[22]Jusque-là on l'écoutait. Mais à ces mots, on se mit à crier : « Ôtez de la terre un pareil individu ! Il ne convient pas qu'il vive. » [23]On vociférait, on jetait ses vêtements, on lançait de la poussière en l'air. [24]Le tribun le fit alors introduire dans la forteresse et ordonna de lui donner la question par le fouet, afin de savoir pour quel motif on criait ainsi contre lui.

[25]Quand on l'eut étendu avec les courroies, Paul dit au centurion de service : « Un citoyen romain, et qui n'a même pas été jugé, vous est-il permis de lui appliquer le fouet ? » [26]A ces mots, le centurion alla trouver le tribun pour le prévenir : « Que vas-tu faire ? Cet homme est citoyen romain. » [27]Le tribun vint donc demander à Paul : « Dis-moi, tu es citoyen romain ? » – « Oui », répondit-il. [28]Le tribun reprit : « Moi, il m'a fallu une forte somme pour acheter ce droit de cité. » – « Et moi, dit Paul, je l'ai de naissance. » [29]Aussitôt donc, ceux qui allaient le mettre à la question s'écartèrent de lui et le tribun lui-même eut peur, sachant que c'était un citoyen romain qu'il avait chargé de chaînes.

Comparution devant le Sanhédrin.

[30]Le lendemain, voulant savoir de quoi les Juifs l'accusaient au juste, il le fit détacher et ordonna aux grands prêtres ainsi qu'à tout le Sanhédrin de se réunir ; puis il amena Paul et le fit comparaître devant eux.

23 ¹Fixant du regard le Sanhédrin, Paul dit : « Frères, c'est tout à fait en bonne conscience que je me suis conduit devant Dieu jusqu'à ce jour. » ²Mais le grand prêtre Ananie ordonna à ses assistants de le frapper sur la bouche. ³Alors Paul lui dit : « C'est Dieu qui te frappera, toi, muraille blanchie ! Eh quoi ! Tu sièges pour me juger d'après la Loi, et, au mépris de la Loi, tu ordonnes de me frapper ! » ⁴Les assistants lui dirent : « C'est le grand prêtre de Dieu que tu insultes ? » ⁵Paul répondit : « Je ne savais pas, frères, que ce fût le grand prêtre. Car il est écrit : *Tu ne maudiras pas le chef de ton peuple.* »

⁶Paul savait qu'il y avait là d'un côté le parti des Sadducéens, de l'autre celui des Pharisiens. Il s'écria donc dans le Sanhédrin : « Frères, je suis, moi, Pharisien, fils de Pharisiens. C'est pour notre espérance, la résurrection des morts, que je suis mis en jugement. » ⁷À peine eut-il dit cela qu'un conflit se produisit entre Pharisiens et Sadducéens, et l'assemblée se divisa. ⁸Les Sadducéens disent en effet qu'il n'y a pas de résurrection, ni ange, ni esprit, tandis que les Pharisiens professent l'un et l'autre. ⁹Il se fit donc une grande clameur. Quelques scribes du parti des Pharisiens se levèrent et protestèrent énergiquement : « Nous ne trouvons rien de mal en cet homme. Et si un esprit lui avait parlé ? Ou un ange ? » ¹⁰La dispute devenait de plus en plus vive. Le tribun, craignant qu'ils ne missent Paul en pièces, fit descendre la troupe pour l'enlever du milieu d'eux et le ramener à la forteresse.

¹¹La nuit suivante, le Seigneur vint le trouver et lui dit : « Courage ! De même que tu as rendu témoignage de moi à Jérusalem, ainsi faut-il encore que tu témoignes à Rome. »

Complot contre Paul.

¹²Lorsqu'il fit jour, les Juifs tinrent un conciliabule, où ils s'engagèrent par anathème à ne pas manger ni boire avant d'avoir tué Paul. ¹³Ils étaient plus de quarante à avoir fait cette conjuration. ¹⁴Ils allèrent trouver les grands prêtres et les anciens, et leur dirent : « Nous nous sommes engagés par anathème à ne rien prendre avant d'avoir tué Paul. ¹⁵Vous donc maintenant, d'accord avec le Sanhédrin, expliquez au tribun qu'il doit vous l'amener, sous prétexte d'examiner plus à fond son affaire. De notre côté, nous sommes prêts à le tuer avant qu'il n'arrive. »

¹⁶Mais le fils de la sœur de Paul eut connaissance du guet-apens. Il se rendit à la forteresse, entra et prévint Paul. ¹⁷Appelant des centurions, Paul lui dit : « Conduis ce jeune homme au tribun ; il a quelque chose à lui communiquer. » ¹⁸Le centurion le prit donc et l'amena au tribun. « Le prisonnier Paul, dit-il, m'a appelé et m'a prié de t'amener ce jeune homme, qui a quelque chose à te dire. » ¹⁹Le tribun prit le jeune homme par la main, se retira à l'écart et lui demanda : « Qu'as-tu à me communiquer ? » — ²⁰« Les Juifs, répondit-il, se sont concertés pour prier d'amener Paul demain au Sanhédrin, sous prétexte d'enquêter plus à fond sur son cas. ²¹Ne va pas les croire. Plus de quarante

d'entre eux le guettent, qui se sont engagés par anathème à ne pas manger ni boire avant de l'avoir tué. Et maintenant, ils sont tout prêts, escomptant ton accord. » [22] Le tribun congédia le jeune homme avec cette recommandation : « Ne raconte à personne que tu m'as révélé ces choses. »

Transfert de Paul à Césarée.

[23] Puis il appela deux des centurions et leur dit : « Tenez prêts à partir pour Césarée, dès la troisième heure de la nuit, deux cents soldats, soixante-dix cavaliers et deux cents hommes d'armes. [24] Qu'on ait aussi des chevaux pour faire monter Paul et le conduire sain et sauf au gouverneur Félix. » [25] Et il écrivit une lettre ainsi conçue : [26] « Claudius Lysias au très excellent gouverneur Félix, salut ! [27] L'homme que voici avait été pris par les Juifs, et ils allaient le tuer, quand j'arrivai avec la troupe et le leur arrachai, ayant appris qu'il était citoyen romain. [28] J'ai voulu savoir au juste pourquoi ils l'accusaient et je l'ai amené dans leur Sanhédrin. [29] J'ai constaté que l'accusation se rapportait à des points contestés de leur Loi, mais qu'il n'y avait aucune charge qui entraînât la mort ou les chaînes. [30] Avisé qu'un complot se préparait contre cet homme, je te l'ai aussitôt envoyé, et j'ai informé ses accusateurs qu'ils avaient à porter devant toi leur plainte contre lui. »

[31] Conformément aux ordres reçus, les soldats prirent Paul et le conduisirent de nuit à Antipatris. [32] Le lendemain, ils laissèrent les cavaliers s'en aller avec lui et rentrèrent à la forteresse. [33] Arrivés à Césarée, les cavaliers remirent la lettre au gouverneur et lui présentèrent Paul. [34] Après avoir lu la lettre, le gouverneur s'informa de quelle province il était. Apprenant qu'il était de Cilicie : [35] « Je t'entendrai, dit-il, quand tes accusateurs seront arrivés, eux aussi. » Et il le fit garder dans le prétoire d'Hérode.

Le procès devant Félix.

24 [1] Cinq jours plus tard, le grand prêtre Ananie descendit avec quelques anciens et un avocat, un certain Tertullus, et, devant le gouverneur, ils se constituèrent accusateurs de Paul. [2] Celui-ci fut appelé, et Tertullus entama l'accusation en ces termes : « La paix profonde dont nous jouissons grâce à toi et les réformes dont cette nation est redevable à ta providence, [3] en tout et partout nous les accueillons, très excellent Félix, avec toutes sortes d'actions de grâces. [4] Mais pour ne pas t'importuner davantage, je te prie de nous écouter un instant avec la bienveillance qui te caractérise. [5] Cet homme, nous l'avons constaté, est une peste : il suscite des désordres chez tous les Juifs du monde entier, et c'est un meneur du parti des Nazôréens. [6] Il a même tenté de profaner le Temple, et nous l'avons alors arrêté. [8] C'est par lui que tu pourras toi-même, en l'interrogeant, t'assurer du bien-fondé de toutes nos accusations contre lui. » [9] Les Juifs l'appuyèrent, assurant qu'il en était bien ainsi.

[10] Alors, le gouverneur lui ayant fait signe de parler, Paul répondit :

Discours de Paul devant le gouverneur romain.

« Voilà, je le sais, de nombreuses années que tu assures la justice à cette nation ; aussi est-ce avec confiance que je plaiderai ma cause. [11]Tu peux t'en assurer : il n'y a pas plus de douze jours que je suis monté en pèlerinage à Jérusalem, [12]et, ni dans le Temple, ni dans les synagogues, ni par la ville, on ne m'a trouvé en discussion avec quelqu'un ou en train d'ameuter la foule. [13]Ils ne peuvent pas davantage te prouver ce dont ils m'accusent maintenant.

[14]« Je t'avoue pourtant ceci : c'est suivant la Voie, qualifiée par eux de parti, que je sers le Dieu de mes pères, gardant ma foi à tout ce qu'il y a dans la Loi et à ce qui est écrit dans les Prophètes, [15]ayant en Dieu l'espérance, comme ceux-ci l'ont eux-mêmes, qu'il y aura une résurrection des justes et des injustes. [16]C'est pourquoi, moi aussi, je m'applique à avoir sans cesse une conscience irréprochable devant Dieu et devant les hommes.

[17]« Au bout de bien des années, je suis venu apporter des aumônes à ma nation et présenter des offrandes : [18]c'est ainsi qu'ils m'ont trouvé dans le Temple ; je m'étais purifié et ne provoquais ni attroupement ni tumulte. [19]Mais quelques Juifs d'Asie... – c'est eux qui auraient dû se présenter devant toi et m'accuser, s'ils avaient quelque chose contre moi ! [20]Que ceux-ci du moins disent, eux, de quel délit ils m'ont trouvé coupable lorsque j'ai comparu devant le Sanhédrin ! [21]À moins qu'il ne s'agisse de cette seule parole que j'ai criée, debout au milieu d'eux : C'est à cause de la résurrection des morts que je suis mis aujourd'hui en jugement devant vous. »

La captivité de Paul à Césarée.

[22]Félix, qui était fort exactement informé de ce qui concerne la Voie, les ajourna en disant : « Dès que le tribun Lysias sera descendu, je statuerai sur votre affaire. » [23]Il prescrivit au centurion de garder Paul prisonnier, mais de lui laisser quelques facilités et de n'empêcher aucun des siens de lui rendre service.

[24]Quelques jours plus tard, Félix vint avec sa femme Drusille, qui était juive. Il envoya chercher Paul et l'écouta parler de la foi au Christ Jésus. [25]Mais comme il se mettait à discourir sur la justice, la continence, le jugement à venir, Félix prit peur et répondit : « Pour le moment, tu peux aller. Je te rappellerai à la première occasion. » [26]Il espérait par ailleurs que Paul lui donnerait de l'argent ; aussi l'envoyait-il assez souvent chercher pour converser avec lui.

[27]Après deux années révolues, Félix reçut pour successeur Porcius Festus. Voulant faire plaisir aux Juifs, Félix laissa Paul en captivité.

Paul en appelle à César.

25 [1]Trois jours après son arrivée dans la province, Festus monta de Césarée à Jérusalem. [2]Les grands prêtres et les notables juifs se constituèrent devant lui accusateurs de Paul. Lui présentant leur requête [3]contre celui-ci, ils sollicitaient comme une faveur qu'il fût transféré à Jérusalem ; ils préparaient un guet-apens pour le tuer en chemin. [4]Mais Festus répondit que Paul devait rester en prison à Césarée, que lui-même d'ailleurs allait partir tout de suite. [5]« Que ceux donc d'entre vous qui ont qualité, dit-il, descendent avec moi et, si cet homme est coupable en quelque manière, qu'ils le mettent en accusation. »

[6]Après avoir passé chez eux huit à dix jours au plus, il descendit à Césarée et, siégeant au tribunal le lendemain, il fit amener Paul. [7]Quand celui-ci fut arrivé, les Juifs descendus de Jérusalem l'entourèrent, portant contre lui des accusations multiples et graves, qu'ils n'étaient pas capables de prouver. [8]Paul se défendait : « Je n'ai, disait-il, commis aucune faute contre la Loi des Juifs, ni contre le Temple, ni contre César. » [9]Voulant faire plaisir aux Juifs, Festus répondit à Paul : « Veux-tu monter à Jérusalem pour y être jugé là-dessus en ma présence ? » [10]Mais Paul répliqua : « Je suis devant le tribunal de César ; c'est là que je dois être jugé. Je n'ai fait aucun tort aux Juifs, tu le sais très bien toi-même. [11]Mais si je suis réellement coupable, si j'ai commis quelque crime qui mérite la mort, je ne refuse pas de mourir. Si, par contre, il n'y a rien de fondé dans les accusations de ces gens-là contre moi, nul n'a le droit de me céder à eux. J'en appelle à César ! » [12]Alors Festus, après en avoir conféré avec son conseil, répondit : « Tu en appelles à César, tu iras devant César. »

Paul comparaît devant le roi Agrippa.

[13]Quelques jours plus tard, le roi Agrippa et Bérénice arrivèrent à Césarée et vinrent saluer Festus. [14]Comme leur séjour se prolongeait, Festus exposa au roi l'affaire de Paul : « Il y a ici, dit-il, un homme que Félix a laissé en captivité. [15]Pendant que j'étais à Jérusalem, les grands prêtres et les anciens des Juifs ont porté plainte à son sujet, demandant sa condamnation. [16]Je leur ai répondu que les Romains n'ont pas la coutume de céder un homme avant que, ayant été accusé, il ait eu ses accusateurs en face de lui et qu'on lui ait donné la possibilité de se défendre contre l'inculpation. [17]Ils sont donc venus ici avec moi, et, sans y apporter aucun délai, dès le lendemain, j'ai siégé à mon tribunal et fait amener l'homme. [18]Mis en sa présence, les accusateurs n'ont soulevé aucun grief concernant des forfaits que, pour ma part, j'aurais soupçonnés. [19]Ils avaient seulement avec lui je ne sais quelles contestations touchant leur religion à eux et touchant un certain Jésus, qui est mort, et que Paul affirme être en vie. [20]Pour moi, embarrassé devant un débat de ce genre, je lui ai demandé s'il voulait aller à Jérusalem pour y être jugé là-dessus. [21]Mais Paul ayant interjeté appel pour que son cas fût réservé au jugement de l'auguste empereur, j'ai ordonné de le garder jusqu'à ce que je l'envoie à César. » [22]Agrippa dit à Festus : « Je voudrais, moi aussi, entendre cet homme. » – « Demain, dit-il, tu l'entendras. »

[23]Le lendemain donc, Agrippa et Bérénice vinrent en grande pompe et se rendirent à la salle d'audience, entourés des tribuns et des notabilités de la ville. Sur l'ordre de

Festus, on amena Paul. ²⁴Festus dit alors : « Roi Agrippa et vous tous ici présents avec nous, vous voyez cet homme au sujet duquel la communauté juive tout entière est intervenue auprès de moi, tant à Jérusalem qu'ici, protestant à grands cris qu'il ne fallait pas le laisser vivre davantage. ²⁵Pour moi, j'ai reconnu qu'il n'a rien fait qui mérite la mort ; cependant, comme il en a lui-même appelé à l'auguste empereur, j'ai décidé de le lui envoyer. ²⁶Je n'ai rien de bien précis à écrire au Seigneur sur son compte ; c'est pourquoi je l'ai fait comparaître devant vous, devant toi surtout, roi Agrippa, afin qu'après cet interrogatoire j'aie quelque chose à écrire. ²⁷Il me paraît absurde, en effet, d'envoyer un prisonnier sans signifier en même temps les charges qui pèsent sur lui. »

26 ¹Agrippa dit à Paul : « Tu es autorisé à plaider ta cause. » Alors, étendant la main, Paul présenta sa défense :

Discours de Paul devant le roi Agrippa.

²« De tout ce dont me chargent les Juifs, je m'estime heureux, roi Agrippa, d'avoir aujourd'hui à me disculper devant toi, ³d'autant plus que tu es au courant de toutes les coutumes et controverses des Juifs. Aussi, je te prie de m'écouter avec patience.

⁴« Ce qu'a été ma vie depuis ma jeunesse, comment depuis le début j'ai vécu au sein de ma nation, à Jérusalem même, tous les Juifs le savent. ⁵Ils me connaissent de longue date et peuvent, s'ils le veulent, témoigner que j'ai vécu suivant le parti le plus strict de notre religion, en Pharisien. ⁶Maintenant encore, si je suis mis en jugement, c'est à cause de mon espérance en la promesse faite par Dieu à nos pères ⁷et dont nos douze tribus, dans le culte qu'elles rendent à Dieu avec ardeur, nuit et jour, espèrent atteindre l'accomplissement. C'est pour cette espérance, ô roi, que je suis mis en accusation par les Juifs. ⁸Pourquoi juge-t-on incroyable parmi vous que Dieu ressuscite les morts ?

= **9** 1-18. = **22** 4-16.

⁹« Pour moi donc, j'avais estimé devoir employer tous les moyens pour combattre le nom de Jésus le Nazôréen. ¹⁰Et c'est ce que j'ai fait à Jérusalem ; j'ai moi-même jeté en prison un grand nombre de saints, ayant reçu ce pouvoir des grands prêtres, et quand on les mettait à mort, j'apportais mon suffrage. ¹¹Souvent aussi, parcourant toutes les synagogues, je voulais, par mes sévices, les forcer à blasphémer et, dans l'excès de ma fureur contre eux, je les poursuivais jusque dans les villes étrangères.

¹²« C'est ainsi que je me rendis à Damas avec pleins pouvoirs et mission des grands prêtres. ¹³En chemin, vers midi, je vis, ô roi, venant du ciel et plus éclatante que le soleil, une lumière qui resplendit autour de moi et de ceux qui m'accompagnaient. ¹⁴Tous nous tombâmes à terre, et j'entendis une voix qui me disait en langue hébraïque : "Saoul, Saoul, pourquoi me persécutes-tu ? Il est dur pour toi de regimber contre l'aiguillon." ¹⁵Je répondis : "Qui es-tu, Seigneur ?" Le Seigneur dit : "Je suis

Jésus, que tu persécutes. [16]Mais relève-toi et tiens-toi debout. Car voici pourquoi je te suis apparu : pour t'établir serviteur et témoin de la vision dans laquelle tu viens de me voir et de celles où je me montrerai encore à toi. [17]C'est pour cela que *je te délivrerai* du peuple et *des nations païennes, vers lesquelles je t'envoie,* moi, [18]*pour leur ouvrir les yeux,* afin qu'elles reviennent *des ténèbres à la lumière* et de l'empire de Satan à Dieu, et qu'elles obtiennent, par la foi en moi, la rémission de leurs péchés et une part d'héritage avec les sanctifiés."

[19]« Dès lors, roi Agrippa, je n'ai pas été rebelle à la vision céleste. [20]Bien au contraire, aux habitants de Damas d'abord, à Jérusalem et dans tout le pays de Judée, puis aux païens, j'ai prêché qu'il fallait se repentir et revenir à Dieu en faisant des œuvres qui conviennent au repentir. [21]Voilà pourquoi les Juifs, s'étant saisis de moi dans le Temple, essayaient de me tuer. [22]Soutenu par la protection de Dieu, j'ai continué jusqu'à ce jour à rendre mon témoignage devant petits et grands, sans jamais rien dire en dehors de ce que les Prophètes et Moïse avaient déclaré devoir arriver : [23]que le Christ souffrirait et que, ressuscité le premier d'entre les morts, il annoncerait la lumière au peuple et aux nations païennes. »

Réactions de l'auditoire.

[24]Il en était là de sa défense, quand Festus dit à haute voix : « Tu es fou, Paul ; ton grand savoir te fait perdre la tête. » [25]Sur quoi Paul de dire : « Je ne suis pas fou, très excellent Festus, mais je parle un langage de vérité et de bon sens. [26]Car il est instruit de ces choses, le roi, auquel je m'adresse en toute assurance, persuadé que rien ne lui en est étranger. Car ce n'est pas dans un coin que cela s'est passé ! [27]Crois-tu aux prophètes, roi Agrippa ? Je sais que tu y crois. » [28]Et le roi Agrippa de répondre à Paul : « Encore un peu et, par tes raisons, tu vas faire de moi un chrétien ! » [29]Et Paul : « Qu'il s'en faille de peu ou de beaucoup, puisse Dieu faire que non seulement toi, mais tous ceux qui m'écoutent aujourd'hui, vous deveniez tels que je suis moi-même, à l'exception des chaînes que voici. »

[30]Là-dessus le roi se leva, ainsi que le gouverneur, Bérénice et ceux qui étaient assis avec eux. [31]En se retirant, ils parlaient entre eux : « Cet homme, disaient-ils, n'a rien fait qui mérite la mort ni les chaînes. » [32]Agrippa, lui, dit à Festus : « On aurait pu relâcher cet homme s'il n'en avait appelé à César. »

Le départ pour Rome.

27 [1]Quand notre embarquement pour l'Italie eut été décidé, on remit Paul et quelques autres prisonniers à un centurion de la cohorte Augusta, nommé Julius. [2]Nous montâmes à bord d'un vaisseau d'Adramyttium qui allait partir pour les côtes d'Asie, et nous prîmes la mer. Il y avait avec nous Aristarque, un Macédonien de Thessalonique. [3]Le lendemain, nous touchâmes à Sidon. Julius fit preuve d'humanité à l'égard de Paul en lui permettant d'aller trouver ses amis et de recevoir leurs bons offices. [4]Partis de là, nous longeâmes la côte de Chypre, parce que les vents étaient contraires. [5]Traversant ensuite les mers de Cilicie et de Pamphylie, nous arrivâmes au bout de quinze jours à Myre en Lycie. [6]Là, le centurion trouva un navire alexandrin en partance pour l'Italie et nous fit monter à bord.

[7]Pendant plusieurs jours la navigation fut lente, et nous arrivâmes à grand-peine à la hauteur de Cnide. Le vent ne nous permit pas d'aborder, nous longeâmes alors la Crète vers le cap Salmoné, [8]et après l'avoir côtoyée péniblement, nous arrivâmes à un endroit appelé Bons-Ports, près duquel se trouve la ville de Lasaïa.

La tempête et le naufrage.

[9]Il s'était écoulé pas mal de temps, et la navigation était désormais périlleuse, car même le Jeûne était déjà passé. Paul les en avertissait : [10]« Mes amis, leur disait-il, je vois que la navigation n'ira pas sans péril et sans grave dommage non seulement pour la cargaison et le navire, mais même pour nos personnes. » [11]Le centurion se fiait au capitaine et à l'armateur plutôt qu'aux dires de Paul ; [12]le port se prêtait d'ailleurs mal à l'hivernage. La plupart furent donc d'avis de partir et de gagner, si possible, pour y passer l'hiver, Phénix, un port de Crète tourné vers le sud-ouest et le nord-ouest.

[13]Un léger vent du sud s'étant levé, ils se crurent en mesure d'exécuter leur projet. Ils levèrent l'ancre et se mirent à côtoyer de près la Crète. [14]Mais bientôt, venant de l'île, se déchaîna un vent d'ouragan nommé Euraquilon. [15]Le navire fut entraîné et ne put tenir tête au vent ; nous nous abandonnâmes donc à la dérive. [16]Filant sous une petite île appelée Cauda, nous réussîmes à grand-peine à nous rendre maîtres de la chaloupe. [17]Après l'avoir hissée, on fit usage des engins de secours : on ceintura le navire ; puis, par crainte d'aller échouer sur la Syrte, on laissa glisser l'ancre flottante. On allait ainsi à la dérive. [18]Le lendemain, comme nous étions furieusement battus de la tempête, on se mit à délester le navire [19]et, le troisième jour, de leurs propres mains, les matelots jetèrent les agrès à la mer. [20]Ni soleil ni étoiles n'avaient brillé depuis plusieurs jours, et la tempête gardait toujours la même violence ; aussi tout espoir de salut était-il désormais perdu pour nous.

[21]Il y avait longtemps qu'on n'avait plus mangé : alors Paul, debout au milieu des autres, leur dit : « Il fallait m'écouter, mes amis, et ne pas quitter la Crète ; on se serait épargné ce péril et ce dommage. [22]Quoi qu'il en soit, je vous invite à avoir bon courage, car aucun de vous n'y laissera la vie, le navire seul sera perdu. [23]Cette nuit en effet m'est apparu un ange du Dieu auquel j'appartiens et que je sers, [24]et il m'a dit : "Sois sans crainte, Paul. Il faut que tu comparaisses devant César, et voici que Dieu t'accorde la vie de tous ceux qui naviguent avec toi." [25]Courage donc, mes amis ! Je me fie à Dieu de ce qu'il en sera comme il m'a été dit. [26]Mais nous devons échouer sur une île. »

²⁷C'était la quatorzième nuit et nous étions ballottés sur l'Adriatique, quand, vers minuit, les matelots pressentirent l'approche d'une terre. ²⁸Ils lancèrent la sonde et trouvèrent vingt brasses ; un peu plus loin, ils la lancèrent encore et trouvèrent quinze brasses. ²⁹Craignant donc que nous n'allions échouer quelque part sur des écueils, ils jetèrent quatre ancres à la poupe ; et ils appelaient de leurs vœux la venue du jour. ³⁰Mais les matelots cherchaient à s'enfuir du navire. Ils mirent la chaloupe à la mer, sous prétexte d'aller élonger les ancres de la proue. ³¹Paul dit alors au centurion et aux soldats : « Si ces gens-là ne restent pas sur le navire, vous ne pouvez être sauvés. » ³²Sur ce les soldats coupèrent les cordes de la chaloupe et la laissèrent tomber.

³³En attendant que parût le jour, Paul engageait tout le monde à prendre de la nourriture. « Voici aujourd'hui quatorze jours, disait-il, que, dans l'attente, vous restez à jeun, sans rien prendre. ³⁴Je vous engage donc à prendre de la nourriture, car c'est votre propre salut qui est ici en jeu. Nul d'entre vous ne perdra un cheveu de sa tête. » ³⁵Cela dit, il prit du pain, rendit grâces à Dieu devant tous, le rompit et se mit à manger. ³⁶Alors, retrouvant leur courage, eux aussi prirent tous de la nourriture. ³⁷Nous étions en tout sur le navire deux cent soixante-seize personnes. ³⁸Une fois rassasiés, on se mit à alléger le navire en jetant le blé à la mer.

³⁹Quand le jour parut, les marins ne reconnurent pas la terre ; ils distinguaient seulement une baie avec une plage, et ils se proposaient, si possible, d'y pousser le navire. ⁴⁰Ils détachèrent les ancres, qu'ils abandonnèrent à la mer ; ils relâchèrent en même temps les amarres des gouvernails. Puis, hissant au vent la voile d'artimon, ils se laissèrent porter vers la plage. ⁴¹Mais ayant touché un haut-fond entre deux courants, ils y firent échouer le navire. La proue, fortement engagée, restait immobile, tandis que la poupe, violemment secouée, se disloquait.

⁴²Les soldats résolurent alors de tuer les prisonniers, de peur qu'il ne s'en échappât quelqu'un à la nage. ⁴³Mais le centurion, qui voulait sauver Paul, s'opposa à leur dessein. Il donna l'ordre à ceux qui savaient nager de se jeter à l'eau les premiers et de gagner la terre ; ⁴⁴quant aux autres, ils la gagneraient, qui sur des planches, qui sur les épaves du navire. Et c'est ainsi que tous parvinrent sains et saufs à terre.

Séjour à Malte.

28 ¹Une fois sauvés, nous apprîmes que l'île s'appelait Malte. ²Les indigènes nous traitèrent avec une humanité peu banale. Ils nous accueillirent tous auprès d'un grand feu qu'ils avaient allumé à cause de la pluie qui était survenue et du froid. ³Comme Paul ramassait une brassée de bois sec et la jetait dans le feu, une vipère, que la chaleur en fit sortir, s'accrocha à sa main. ⁴Quand les indigènes virent la bête suspendue à sa main, ils se dirent entre eux : « Pour sûr, c'est un assassin que cet homme : il vient d'échapper à la mer, et la vengeance divine ne lui permet pas de vivre. » ⁵Mais lui secoua la bête dans le feu et n'en ressentit aucun mal. ⁶Ils s'attendaient à le voir enfler ou tomber raide mort. Après avoir attendu longtemps, voyant qu'il ne lui arrivait rien d'anormal, ils changèrent d'avis et se mirent à dire que c'était un dieu.

⁷Il y avait à proximité de cet endroit un domaine appartenant au Premier de l'île, nommé Publius. Celui-ci nous reçut et nous hébergea complaisamment pendant trois jours. ⁸Justement le père de Publius, en proie aux fièvres et à la dysenterie, était alité. Paul alla le voir, pria, lui imposa les mains et le guérit. ⁹Sur quoi, les autres malades de l'île vinrent aussi le trouver et furent guéris. ¹⁰Aussi nous comblèrent-ils de toutes sortes de prévenances et, à notre départ, nous pourvurent-ils du nécessaire.

De Malte à Rome.

¹¹Au bout de trois mois, nous prîmes la mer sur un navire qui avait hiverné dans l'île ; c'était un bateau alexandrin, à l'enseigne des Dioscures. ¹²Nous abordâmes à Syracuse et y demeurâmes trois jours. ¹³De là, en longeant la côte, nous allâmes à Rhegium. Le jour suivant, le vent du Sud se leva, et nous parvenions le surlendemain à Puteoli. ¹⁴Y trouvant des frères, nous eûmes la consolation de rester sept jours avec eux. Et c'est ainsi que nous arrivâmes à Rome. ¹⁵Les frères de cette ville, informés de notre arrivée, vinrent à notre rencontre jusqu'au Forum d'Appius et aux Trois-Tavernes.

En les voyant, Paul rendit grâces à Dieu et reprit courage. ¹⁶Quand nous fûmes entrés dans Rome, on permit à Paul de loger en son particulier avec le soldat qui le gardait.

Prise de contact avec les Juifs de Rome.

¹⁷Trois jours après, il convoqua les notables juifs. Lorsqu'ils furent réunis, il leur dit : « Frères, alors que je n'avais rien fait contre notre peuple ni contre les coutumes des pères, j'ai été arrêté à Jérusalem et livré aux mains des Romains. ¹⁸Enquête faite, ceux-ci voulaient me relâcher, parce qu'il n'y avait rien en moi qui méritât la mort. ¹⁹Mais comme les Juifs s'y opposaient, j'ai été contraint d'en appeler à César, sans pourtant vouloir accuser en rien ma nation. ²⁰Voilà pourquoi j'ai demandé à vous voir et à vous parler ; car c'est à cause de l'espérance d'Israël que je porte les chaînes que voici. »

²¹Ils lui répondirent : « Pour notre compte, nous n'avons reçu à ton sujet aucune lettre de Judée, et aucun des frères arrivés ici ne nous a rien communiqué ni appris de fâcheux sur ton compte. ²²Mais nous voudrions entendre de ta bouche ce que tu penses ; car pour ce qui est de ce parti-là, nous savons qu'il rencontre partout la contradiction. »

Déclaration de Paul aux Juifs de Rome.

²³Ils prirent donc jour avec lui et vinrent en plus grand nombre le trouver en son logis. Dans l'exposé qu'il leur fit, il rendait témoignage du Royaume de Dieu et

cherchait à les persuader au sujet de Jésus, en partant de la Loi de Moïse et des Prophètes. Cela dura depuis le matin jusqu'au soir. [24]Les uns se laissaient persuader par ses paroles, les autres restaient incrédules. [25]Ils prenaient congé sans être d'accord entre eux, quand Paul dit ce simple mot : « Elles sont bien vraies les paroles que l'Esprit Saint a dites à vos pères par la bouche du prophète Isaïe :

[26]*Va trouver ce peuple et dis-lui :*

vous aurez beau écouter, vous ne comprendrez pas ;

vous aurez beau regarder, vous ne verrez pas.

[27]*C'est que le cœur de ce peuple s'est épaissi :*

ils se sont bouché les oreilles,
ils ont fermé les yeux,
    de peur que leurs yeux ne voient,
    que leurs oreilles n'entendent,
    que leur cœur ne comprenne,
    qu'ils ne se convertissent.
Et je les aurais guéris !

[28]« Sachez-le donc : c'est aux païens qu'a été envoyé ce salut de Dieu. Eux du moins, ils écouteront. »

Épilogue.

[30]Paul demeura deux années entières dans le logis qu'il avait loué. Il recevait tous ceux qui venaient le trouver, [31]proclamant le Royaume de Dieu et enseignant ce qui concerne le Seigneur Jésus Christ avec pleine assurance et sans obstacle.

Les épîtres de saint Paul

Introduction

Saint Paul nous est connu par ses Épîtres et par les Actes des Apôtres, deux sources indépendantes qui se complètent, malgré quelques divergences de détail. Des synchronismes avec des événements connus de l'histoire – surtout le proconsulat de Gallion à Corinthe – permettent en outre de fixer certaines dates et ainsi d'établir une chronologie relativement précise de la vie de l'Apôtre.

Né à Tarse de Cilicie, vers le début de notre ère, d'une famille juive, citoyen romain, Saul (son nom juif) reçut dès sa jeunesse à Jérusalem, de Gamaliel, une forte éducation religieuse selon les doctrines pharisiennes. D'abord persécuteur acharné de la jeune Église chrétienne, il fut brusquement retourné, sur le chemin de Damas, par l'apparition de Jésus ressuscité qui, en lui manifestant la vérité de la foi chrétienne, lui signifia sa mission spéciale d'Apôtre des païens. À partir de ce moment (vers l'an 33) il voue toute sa vie au service du Christ qui l'a « saisi ». Après un séjour en Arabie et un retour à Damas, où déjà il prêche, il monte à Jérusalem vers l'an 37, puis se retire en Syrie-Cilicie, d'où il est ramené à Antioche par Barnabé avec qui il enseigne.

Une première mission apostolique, au début des années 40, lui fait annoncer l'Évangile en Chypre, Pamphylie, Pisidie et Lycaonie ; c'est alors, selon saint Luc, qu'il se met à porter son nom romain, Paul, de préférence à son nom juif, Saul, et aussi qu'il prend le pas sur Barnabé. Son deuxième voyage missionnaire, entre 47 et 51, l'amène en Europe. Il rencontre Gallion à Corinthe durant l'été 51, après quoi il monte à Jérusalem pour participer au concile apostolique où l'on admet, en partie sous son influence, que la Loi juive n'oblige pas les chrétiens convertis du paganisme ; en même temps, sa mission d'Apôtre des païens est officiellement reconnue et il repart pour un troisième voyage apostolique.

En 58, il est arrêté à Jérusalem et tenu prisonnier à Césarée de Palestine jusqu'en 60. En automne 60, le procurateur Festus l'envoie sous escorte à Rome où Paul demeure deux ans, de 61 à 63.

Là se borne notre connaissance certaine de la vie de Paul. Des traditions anciennes affirment que, deux ans plus tard, le procès fut annulé, faute de preuves et que Paul put de nouveau voyager vers l'Est – ou qu'il a peut-être accompli son projet de voyage en Espagne. Un nouvel emprisonnement à Rome se serait terminé par le martyre de Paul, entre 64 et 68.

Les Épîtres et les Actes tracent un portrait saisissant de la personnalité de l'Apôtre. Paul est un passionné qui se dévoue sans compter à un idéal. Pour lui, Dieu est tout, et il le sert avec une loyauté absolue et un zèle inconditionné qui se traduisent dans une vie d'abnégation totale au service de Celui qu'il aime et dont rien ne peut le séparer. Le sentiment de sa singulière élection lui donne des ambitions immenses mais il n'attribue qu'à la grâce de Dieu les grandes choses qui se font par lui. Il respecte toujours l'autorité des apôtres tout en revendiquant un titre égal à être un témoin du Christ. S'il lui arrive de résister, même à Pierre, il sait aussi se montrer conciliant et apporte le plus grand soin à la collecte en faveur des pauvres de Jérusalem où il voit le meilleur gage de l'union entre les chrétiens de la gentilité et ceux de l'Église mère.

Sa prédication est avant tout le « kérygme » apostolique, proclamation du Christ crucifié et ressuscité conformément aux Écritures. « Son » évangile ne lui est pas propre, il est celui de la foi commune, avec seulement une application spéciale à la conversion des païens. Paul est solidaire des traditions apostoliques, qu'il cite à l'occasion ; il est aussi un témoin direct : il a « vu » le Christ, il a bénéficié de révélations et d'extases.

À un cœur ardent s'unit chez lui une intelligence lucide, logique, exigeante, soucieuse d'exposer la foi selon les besoins de ses auditeurs. Sans doute cette logique n'est-elle pas la nôtre. Paul argumente parfois en rabbin, selon les méthodes exégétiques reçues de son milieu et de son éducation, mais son génie fait éclater les limites de cet héritage traditionnel. Paul a aussi une bonne culture grecque dont cette influence se reflète dans sa manière de penser comme dans sa langue et dans son style. Il manie couramment le grec de son temps, et avec peu de sémitismes. Sauf à de rares exceptions, il dicte, à la manière accoutumée des anciens, se contentant d'écrire la salutation finale ; et si plus d'un morceau semble le fruit d'une rédaction longuement méditée, beaucoup d'autres donnent l'impression d'un premier jet spontané et sans retouches. Malgré ces défauts, ou peut-être à cause d'eux, ce style fougueux est d'une densité extraordinaire. Une pensée si élevée, exprimée d'une façon si brûlante, prépare au lecteur plus d'une difficulté, mais elle lui offre en même temps des textes dont la puissance religieuse et même littéraire reste peut-être sans égale dans l'histoire des lettres humaines.

On ne doit jamais oublier que ses épîtres sont des écrits occasionnels, non pas des traités de théologie, mais des réponses à des situations concrètes. Ni des « lettres » purement privées ni des « épîtres » purement littéraires, mais des exposés que Paul destine à des lecteurs concrets, et au-delà d'eux à tous les fidèles du Christ. Il ne faut donc pas y chercher un énoncé systématique et complet, mais au hasard d'occasions et d'auditoires différents, se découvre une même doctrine fondamentale, centrée autour du Christ mort et ressuscité. La théologie de saint Paul s'est développée et a évolué. Nous reconnaîtrons les étapes de cette évolution en parcourant ses différentes épîtres selon leur ordre chronologique, qui n'est pas celui du Canon du NT, où elles ont été rangées d'après leur longueur décroissante.

Les premières en date sont adressées aux **Thessaloniciens**, que Paul a évangélisés au cours du deuxième voyage de l'automne 49 au printemps 50. C'est sans doute de Corinthe, durant l'été 50, qu'il écrivit 1 Th, puis 2 Th quelques mois plus tard. Outre leur intérêt de présenter déjà en germe bien des thèmes que reprendront les épîtres ultérieures, ces épîtres sont importantes surtout par leur doctrine sur l'eschatologie. Paul décrit la venue glorieuse du Christ selon les traditions de l'apocalyptique juive et du christianisme primitif. Tantôt il insiste sur l'imminence imprévisible de cette venue qui requiert la vigilance, au point de donner l'impression que lui et eux la verront de leur vivant, tantôt il calme ses fidèles agités par cette perspective, en leur rappelant que le Jour n'est pas encore arrivé.

Tandis qu'il écrivait ces épîtres, Paul évangélisait Corinthe – du printemps 50 à la fin de l'été 51. Il voulait implanter la foi au Christ dans ce port fameux très peuplé, d'où elle rayonnerait dans toute l'Achaïe. De fait, il réussit à y établir, surtout dans les couches modestes de la population, une forte communauté. Mais cette grande ville était un foyer de culture grecque, où s'affrontaient des courants de pensée et de religion fort divers.

Une première lettre de Paul aux **Corinthiens** ne nous est pas parvenue. Durant le séjour qu'il fit à Éphèse au cours du troisième voyage, des questions apportées par une délégation de Corinthiens poussèrent Paul à écrire une nouvelle lettre, qui est notre **1 Co**, aux environs de Pâques 54. Peu après, une crise dut se produire à Corinthe qui l'obligea à y faire une visite rapide et pénible, au cours de laquelle il promit de revenir bientôt. En fait, il ne revint pas et remplaça cette visite par une lettre sévère et écrite « parmi bien des larmes », qui produisit un effet salutaire. C'est en Macédoine, après avoir quitté Éphèse à la suite de crises très graves mal connues de nous, que Paul apprit de Tite cet heureux résultat ; et c'est alors qu'il écrivit les deux parties de **2 Co**, pendant le printemps et l'été de 55.

Si ces épîtres apportent sur l'âme de Paul et sur ses relations avec ses convertis des lumières d'un extrême intérêt, leur importance doctrinale n'est pas moindre. Nous trouvons, surtout dans 1 Co, des informations et des décisions sur bien des problèmes cruciaux du christianisme primitif, aussi bien dans sa vie intérieure : pureté des mœurs, mariage et virginité, tenue des assemblées religieuses et célébration de l'eucharistie, usage des charismes, que dans ses rapports avec le monde païen : appel aux tribunaux, viandes offertes aux idoles. Ce qui aurait pu n'être que cas de conscience ou règlements de liturgie devient, grâce au génie de Paul, occasion de vues profondes sur la vraie liberté de la vie chrétienne, la sanctification du corps, le primat de la charité, l'union au Christ. La défense de son apostolat lui inspire des pages splendides sur la grandeur du ministère apostolique ; et le sujet très concret de la collecte est illuminé par l'idéal de l'union entre les Églises. L'horizon eschatologique est toujours présent et sous-tend tout l'exposé sur la résurrection de la chair. Mais les descriptions apocalyptiques de 1 Th et 2 Th font place à une discussion plus rationnelle qui justifie cette espérance, difficile pour des esprits grecs. Aux Corinthiens divisés, Paul rappelle qu'il n'y a qu'un seul maître, le Christ, un seul message, le salut par sa croix, et que là est la seule et vraie Sagesse. Ainsi, par la force des choses et sans renier les perspectives eschatologiques, il est amené à insister davantage sur la vie chrétienne présente, comme union au Christ dans la vraie connaissance qui est celle de la foi.

Les épîtres aux **Galates** et aux **Romains** doivent être traitées ensemble, car elles s'attaquent au même problème, l'une comme la première réaction que provoque une situation concrète, l'autre comme un exposé plus calme et plus complet qui met en ordre les idées suscitées par la polémique. L'épître aux Galates a pu être écrite entre 54 et 55. L'épître aux Romains a dû la suivre de près. Paul est à Corinthe (hiver 55-56), sur le point de partir pour Jérusalem d'où il espère se rendre à Rome et de là en Espagne. Mais il n'a pas fondé l'Église de Rome, aussi juge-t-il à propos, pour préparer sa venue, d'envoyer une lettre où il expose sa solution du problème judaïsme et christianisme, telle qu'elle vient de mûrir sous le coup de la crise galate. Autant Ga représente un cri jailli du cœur où l'apologie personnelle se juxtapose à l'argumentation doctrinale et aux avertissements véhéments, autant Rm offre un développement continu où quelques grandes sections s'enchaînent harmonieusement à l'aide de thèmes d'abord annoncés et ensuite repris.

Tandis que les épîtres aux Corinthiens opposaient le Christ, Sagesse de Dieu, à la vaine sagesse du monde, les épîtres aux Galates et aux Romains opposent le Christ, Justice de Dieu, à la justice que les hommes prétendraient mériter par leurs propres efforts. Là, le danger venait de l'esprit grec avec sa confiance orgueilleuse dans la raison ; ici, il vient de l'esprit juif, avec sa confiance orgueilleuse en la Loi. Des judaïsants sont venus dire aux fidèles de Galatie qu'ils ne pouvaient être sauvés s'ils ne pratiquaient la circoncision. Paul ne nie pas la valeur de la Loi, mais il la considère comme une étape provisoire. La Loi de Moïse, de soi bonne et sainte, a fait connaître à l'homme la volonté de Dieu, mais sans lui donner la force intérieure de l'accomplir ; aussi n'a-t-elle abouti qu'à lui faire prendre conscience de son péché et du besoin qu'il a du secours de Dieu. Ce secours de pure grâce, promis jadis à Abraham avant le don de la Loi, vient d'être accordé en Jésus Christ : sa mort et sa résurrection ont opéré la destruction de l'humanité ancienne, viciée par le péché d'Adam, et la recréation d'une humanité nouvelle. Rattaché au Christ par la foi et animé de son Esprit, l'homme reçoit désormais gratuitement la vraie justice et peut vivre selon la volonté divine. Sa foi doit s'épanouir dans des œuvres bonnes accomplies par la force de l'Esprit, accessibles à tous ceux qui croient, fussent-ils venus du paganisme. L'économie mosaïque, qui a eu sa valeur d'étape préparatoire, est donc désormais révolue. Les Juifs qui prétendent s'y maintenir se mettent en dehors du vrai salut. Dieu a permis leur aveuglement pour assurer l'accès des païens. Ils ne sauraient cependant déchoir pour toujours de leur élection première, car Dieu est fidèle : quelques-uns d'entre eux, le « petit reste » annoncé par les prophètes, ont cru ; les autres se convertiront un jour. Dès maintenant les fidèles du Christ, qu'ils soient d'origine juive ou païenne, doivent ne plus faire qu'un dans la charité et le support mutuel.

Philippes, ville importante de Macédoine et colonie romaine, avait été évangélisée par Paul lors de son deuxième voyage, entre l'automne 48 et l'été 49. Il y repassa à deux reprises au cours du troisième voyage, en hiver 54-55 et à Pâques 56. Les fidèles qu'il y gagna au Christ témoignèrent d'une affection touchante pour leur apôtre en lui envoyant des secours à Thessalonique puis à Corinthe. Quand Paul leur écrit, c'est précisément pour les remercier des subsides qu'il vient de recevoir. L'épître aux **Philippiens**, qui peut avoir été écrite d'Éphèse entre 52 et 54, est un écrit peu doctrinal. C'est une effusion du cœur, un échange de nouvelles, une mise en garde contre les « mauvais ouvriers » qui ravagent ailleurs les travaux de l'Apôtre, un appel à l'unité dans l'humilité qui nous vaut l'admirable passage sur les souffrances du Christ, **2** 6-11. Que cette hymne soit citée par saint Paul ou qu'elle soit de lui, elle apporte un témoignage de première valeur sur la foi primitive. L'authenticité paulinienne de Ph ne fait pas de doute, mais Ph pourrait être le résultat du regroupement de trois lettres.

Les épîtres aux **Éphésiens** et aux **Colossiens** forment un groupe homogène quant au style et à la doctrine. Depuis le milieu du XIXe siècle, l'authenticité paulinienne de ces deux épîtres a été contestée : autre style et nette évolution de la doctrine. Si l'on respecte la tradition qui attribue Ep et Col à Paul, la situation est la suivante : Paul est prisonnier, probablement à Rome (de 61 à 63), lorsque survient une crise à Colosses. Des spéculations fondamentalement juives sur les puissances célestes ou cosmiques auxquelles on accordait le pouvoir de contrôler le mouvement du Cosmos tendaient à compromettre la suprématie du Christ. L'auteur de l'épître ne met pas en doute l'activité de ces Puissances, il les assimile même aux Anges de la tradition juive. Mais c'est pour les remettre à leur juste place dans le grand plan du salut. En instaurant l'ordre nouveau, le Christ Seigneur a pris en main le gouvernement du monde. Son exaltation céleste l'a placé au-dessus des Puissances cosmiques dont le rôle est terminé. Fils Image du Père, le Christ assume en lui toute la plénitude de l'Être, de Dieu et du monde en Dieu. Unis, par le baptême, au Christ mort et ressuscité, les chrétiens sont membres de son Corps et reçoivent de lui leur vie nouvelle comme leur tête vivifiante. Le thème du « Corps du Christ », esquissé naguère, 1 Co **12** 12, s'épanouit avec une insistance nouvelle sur le Christ comme Tête, considéré dans son triomphe céleste, tandis que l'Église dans son unité collective se construit vers lui : l'accent est mis sur l'eschatologie déjà réalisée.

Ces perspectives sont reprises dans l'épître aux Éphésiens. Mais le regard se dirige davantage sur l'Église, Corps du Christ dilaté aux dimensions de l'univers nouveau. L'auteur reprend des thèmes anciens pour les ordonner dans la synthèse plus vaste à laquelle il est parvenu. Il repense particulièrement les problèmes de l'épître aux Romains : le passé pécheur de l'humanité, la gratuité du salut par le Christ. Le problème des Juifs et des païens qui angoissait Paul naguère apparaît sous la lumière apaisée de l'eschatologie réalisée dans le Christ céleste : les deux peuples unis, réconciliés en une seule humanité nouvelle, marchent de concert vers le Père. Cet accès des païens au salut d'Israël dans le Christ est le grand « mystère », dont la contemplation lui inspire des accents inimitables : sur l'infinie sagesse divine qu'il y voit déployée, sur la charité insondable du Christ qui s'y manifeste, sur l'élection toute gratuite qui l'a choisi pour en être le ministre. Ce plan du salut s'est déroulé par étapes selon les desseins éternels de Dieu, et son terme est le mariage du Christ avec l'humanité sauvée qui est l'Église.

La courte lettre autographe de Paul à **Philémon** jette un jour précieux sur le cœur délicat de Paul ; il a aussi l'intérêt de nous confirmer sa solution du problème de l'esclavage : même s'ils gardent leurs relations sociales d'antan, le maître et l'esclave chrétiens doivent vivre désormais comme deux frères au service du même Maître.

Les lettres à **Timothée** et à **Tite** sont adressées à deux des plus fidèles disciples de Paul. Elles donnent des directives pour l'organisation et la conduite des communautés qui leur ont été confiées. C'est pourquoi l'on a coutume, depuis le XVIIIe siècle, de les appeler « pastorales ». Leur authenticité paulinienne est discutée : divergences significatives de vocabulaire, de style, de façon d'aborder les problèmes. Les Pastorales pourraient avoir été composées par un disciple de Paul, à la fin du Ier siècle pour résoudre les problèmes d'une Église très différente.

Si l'on accepte l'authenticité de 2 Tm, le caractère hétérogène de 1 Tm et de Tt dans le corpus paulinien devient encore plus évident. En particulier, la vision de ministère qui y est développée contraste vivement avec la dynamique missionnaire qui est de règle chez Paul.

Épître aux Romains

Voir l'introduction, p. 1878.

Adresse.

1 ¹Paul, serviteur du Christ Jésus, apôtre par vocation, mis à part pour annoncer l'Évangile de Dieu,
²que d'avance il avait promis par ses prophètes dans les saintes Écritures,
³concernant son Fils, issu de la lignée de David selon la chair,
⁴établi Fils de Dieu avec puissance selon l'Esprit de sainteté, par sa résurrection des morts,
Jésus Christ notre Seigneur,
⁵par qui nous avons reçu grâce et apostolat
pour prêcher, à l'honneur de son nom, l'obéissance de la foi
parmi toutes les nations,
⁶dont vous faites partie, vous aussi, appelés de Jésus Christ,
⁷à tous les bien-aimés de Dieu qui sont à Rome,
aux saints par vocation,
à vous grâce et paix
de par Dieu notre Père et le Seigneur Jésus Christ.

Action de grâces et prière.

⁸Et d'abord je remercie mon Dieu par Jésus Christ à votre sujet à tous, de ce qu'on publie votre foi dans le monde entier. ⁹Car Dieu m'est témoin, à qui je rends un culte spirituel en annonçant l'Évangile de son Fils, avec quelle continuité je fais mémoire de vous ¹⁰et demande constamment dans mes prières d'avoir enfin une occasion favorable, si Dieu le veut, d'aller jusqu'à vous. ¹¹Car j'ai un vif désir de vous voir, afin de vous communiquer quelque don spirituel, pour vous affermir, ¹²ou plutôt éprouver le réconfort parmi vous de notre foi commune à vous et à moi. ¹³Je ne veux pas vous laisser ignorer, frères, que j'ai souvent projeté de me rendre chez vous – mais j'en fus empêché jusqu'ici – afin de recueillir aussi quelque fruit parmi vous comme parmi les autres nations. ¹⁴Je me dois aux Grecs comme aux barbares, aux savants comme aux ignorants : ¹⁵de là mon empressement à vous porter l'Évangile à vous aussi, habitants de Rome.

La thèse de l'épître.

¹⁶Car je ne rougis pas de l'Évangile : il est force de Dieu pour le salut de tout croyant, du Juif d'abord, puis du Grec. ¹⁷Car en lui la justice de Dieu se révèle de la foi à la foi, comme il est écrit : *Le juste vivra de la foi.*

Le salut par la foi

I. COMMENT L'HOMME EST-IL JUSTIFIÉ ?

A. TOUS LES HOMMES SANS EXCEPTION
SOUS LE JUGEMENT DE DIEU

Le jugement déjà effectué.

[18]En effet, la colère de Dieu se révèle du haut du ciel contre toute impiété et toute injustice des hommes qui tiennent la vérité captive dans l'injustice ; [19]car ce qu'on peut connaître de Dieu est pour eux manifeste : Dieu en effet le leur a manifesté. [20]Ce qu'il a d'invisible depuis la création du monde se laisse voir à l'intelligence à travers ses œuvres son éternelle puissance et sa divinité, en sorte qu'ils sont inexcusables ; [21]puisque, ayant connu Dieu, ils ne lui ont pas rendu comme à un Dieu gloire ou actions de grâces, mais ils ont perdu le sens dans leurs raisonnements et leur cœur inintelligent s'est enténébré : [22]dans leur prétention à la sagesse, ils sont devenus fous [23]et *ils ont changé la gloire* du Dieu incorruptible *contre une représentation,* simple image d'hommes corruptibles, d'oiseaux, de quadrupèdes, de reptiles.

[24]Aussi Dieu les a-t-il livrés selon les convoitises de leur cœur à une impureté où ils avilissent eux-mêmes leurs propres corps ; [25]eux qui ont échangé la vérité de Dieu contre le mensonge, adoré et servi la créature de préférence au Créateur, qui est béni éternellement ! Amen.

[26]Aussi Dieu les a-t-il livrés à des passions avilissantes : car leurs femmes ont échangé les rapports naturels pour des rapports contre nature ; [27]pareillement les hommes, délaissant l'usage naturel de la femme, ont brûlé de désir les uns pour les autres, perpétrant l'infamie d'homme à homme et recevant en leurs personnes l'inévitable salaire de leur égarement.

[28]Et comme ils n'ont pas jugé bon de garder la vraie connaissance de Dieu, Dieu les a livrés à leur esprit sans jugement, pour faire ce qui ne convient pas : [29]remplis de toute injustice, de perversité, de cupidité, de malice ; ne respirant qu'envie, meurtre, dispute, fourberie, malignité ; diffamateurs, [30]détracteurs, ennemis de Dieu, insulteurs, orgueilleux, fanfarons, ingénieux au mal, rebelles à leurs parents, [31]insensés, déloyaux, sans cœur, sans pitié ; [32]connaissant bien pourtant le verdict de Dieu qui déclare dignes de mort les auteurs de pareilles actions, non seulement ils les font, mais ils approuvent encore ceux qui les commettent.

La colère à venir, pour tous.

2 [1]Aussi es-tu sans excuse, qui que tu sois, toi qui juges. Car en jugeant autrui, tu juges contre toi-même : puisque tu agis de même, toi qui juges, [2]et nous savons que le jugement de Dieu s'exerce selon la vérité sur les auteurs de pareilles actions. [3]Et tu comptes,

toi qui juges ceux qui les commettent et qui les fais toi-même, que tu échapperas au jugement de Dieu ? ⁴Ou bien méprises-tu ses richesses de bonté, de patience, de longanimité, sans reconnaître que cette bonté de Dieu te pousse au repentir ? ⁵Par ton endurcissement et l'impénitence de ton cœur, tu amasses contre toi un trésor de colère, au jour de la colère où se révélera le juste jugement de Dieu, ⁶qui *rendra à chacun selon ses œuvres :* ⁷à ceux qui par la constance dans le bien recherchent gloire, honneur et incorruptibilité : la vie éternelle ; ⁸aux autres, âmes rebelles, indociles à la vérité et dociles à l'injustice : la colère et l'indignation. ⁹Tribulation et angoisse à toute âme humaine qui s'adonne au mal, au Juif d'abord, puis au Grec ; ¹⁰gloire, honneur et paix à quiconque fait le bien, au Juif d'abord, puis au Grec ; ¹¹car *Dieu ne fait pas acception des personnes.*

¹²En effet, quiconque aura péché sans la Loi, périra aussi sans la Loi ; et quiconque aura péché sous la Loi, par la Loi sera jugé ; ¹³ce ne sont pas les auditeurs de la Loi qui sont justes devant Dieu, mais les observateurs de la Loi qui seront justifiés. ¹⁴En effet, quand des païens privés de la Loi accomplissent naturellement les prescriptions de la Loi, ces hommes, sans posséder de Loi, se tiennent à eux-mêmes lieu de Loi ; ¹⁵ils montrent la réalité de cette loi inscrite en leur cœur, à preuve le témoignage de leur conscience, ainsi que les jugements intérieurs de blâme ou d'éloge qu'ils portent les uns sur les autres... ¹⁶au jour où Dieu jugera les pensées secrè-tes des hommes, selon mon Évangile, par le Christ Jésus.

Apostrophe au juif inobservant.

¹⁷Mais si toi, qui arbores le nom de Juif, qui te reposes sur la Loi, qui te glorifies en Dieu, ¹⁸qui connais sa volonté, qui discernes le meilleur, instruit par la Loi, ¹⁹et ainsi te flattes d'être toi-même le guide des aveugles, la lumière de qui marche dans les ténèbres, ²⁰l'éducateur des ignorants, le maître des simples, parce que tu possèdes dans la Loi l'expression même de la science et de la vérité... ²¹eh bien ! l'homme qui enseigne autrui, tu ne t'enseignes pas toi-même ! tu prêches de ne pas dérober et tu dérobes ! ²²tu interdis l'adultère et tu commets l'adultère ! tu abhorres les idoles, et tu pilles leurs temples ! ²³Toi qui te glorifies dans la Loi, en transgressant cette Loi, c'est Dieu que tu déshonores, ²⁴car *le nom de Dieu, à cause de vous, est blasphémé parmi les païens,* dit l'Écriture.

²⁵La circoncision, en effet, te sert si tu pratiques la Loi ; mais si tu transgresses la Loi, avec ta circoncision, tu n'es plus qu'un incirconcis. ²⁶Si donc l'incirconcis garde les prescriptions de la Loi, son incirconcision ne vaudra-t-elle pas une circoncision ? ²⁷Et celui qui physiquement incirconcis accomplit la Loi te jugera, toi qui avec la lettre et avec la circoncision es transgresseur de la Loi. ²⁸Car le Juif n'est pas celui qui l'est au-dehors, et la circoncision n'est pas au-dehors dans la chair, ²⁹le vrai Juif l'est au-dedans et la circoncision dans le cœur, selon l'esprit et non pas selon la lettre : voilà celui

qui tient sa louange non des hommes, mais de Dieu.

Dieu n'est-il plus juste ?

3 ¹Quelle est donc la supériorité du Juif ? Quelle est l'utilité de la circoncision ? ²Grande à tous égards. D'abord c'est à eux que furent confiés les oracles de Dieu. ³Quoi donc si d'aucuns furent infidèles ? Leur infidélité va-t-elle annuler la fidélité de Dieu ? ⁴Certes non ! Il faut que Dieu soit véridique et *tout homme menteur*, comme dit l'Écriture : *Afin que tu sois justifié dans tes paroles, et triomphes si l'on te met en jugement.* ⁵Mais si notre injustice met en relief la justice de Dieu, que dire ? Dieu serait-il injuste en nous frappant de sa colère ? Je parle en homme. ⁶Certes non ! Sinon, comment Dieu jugera-t-il le monde ? ⁷Mais si mon mensonge a rehaussé la vérité de Dieu pour sa gloire, de quel droit suis-je jugé moi aussi comme un pécheur ? ⁸Ou bien, comme certains nous accusent outrageusement de le dire, devrions-nous faire le mal pour qu'en sorte le bien ? Ceux-là méritent leur condamnation.

Tous sont passibles du jugement.

⁹Quoi donc ? Sommes-nous défaits ? Pas du tout. Car nous avons établi que Juifs et Grecs, tous sont soumis au péché, ¹⁰comme il est écrit :

Il n'est pas de juste, pas un seul,
¹¹*il n'en est pas de sensé,*
pas un qui recherche Dieu.
¹²*Tous ils sont dévoyés, ensemble pervertis ;*
il n'en est pas qui fasse le bien,
non, pas un seul.
¹³*Leur gosier est un sépulcre béant,*
leur langue trame la ruse.
Un venin d'aspic est sous leurs lèvres,
¹⁴*la malédiction et l'aigreur emplissent leur bouche.*
¹⁵*Agiles sont leurs pieds à verser le sang ;*
¹⁶*ruine et misère sont sur leurs chemins.*
¹⁷*Le chemin de la paix, ils ne l'ont pas connu,*
¹⁸*nulle crainte de Dieu devant leurs yeux.*

¹⁹Or, nous le savons, tout ce que dit la Loi, elle le dit pour ceux qui sont sous la Loi, afin que toute bouche soit fermée, et le monde entier reconnu coupable devant Dieu, ²⁰puisque *personne ne sera justifié devant lui* par la pratique de la Loi : la Loi ne fait que donner la connaissance du péché.

B. LA JUSTICE DE DIEU PAR LA FOI SEULE

Révélation de la justice de Dieu.

²¹Mais maintenant, sans la Loi, la justice de Dieu s'est manifestée, attestée par la Loi et les Prophètes, ²²justice de Dieu par la foi en Jésus Christ, à l'adresse de tous ceux qui croient – car il n'y a pas

de différence : [23]tous ont péché et sont privés de la gloire de Dieu – [24]et ils sont justifiés par la faveur de sa grâce en vertu de la rédemption accomplie dans le Christ Jésus : [25]Dieu l'a exposé, instrument de propitiation par son propre sang moyennant la foi ; il voulait montrer sa justice, du fait qu'il avait passé condamnation sur les péchés commis jadis [26]au temps de la patience de Dieu ; il voulait montrer sa justice au temps présent, afin d'être juste et de justifier celui qui se réclame de la foi en Jésus.

[27]Où donc est le droit de se glorifier ? Il est exclu. Par quel genre de loi ? Celle des œuvres ? Non, par une loi de foi. [28]Car nous estimons que l'homme est justifié par la foi sans la pratique de la Loi. [29]Ou alors Dieu est-il le Dieu des Juifs seulement, et non point des nations ? Certes, également des nations ; [30]puisqu'il n'y a qu'un seul Dieu, qui justifiera les circoncis en vertu de la foi comme les incirconcis par le moyen de cette foi. [31]Alors, par la foi nous privons la Loi de sa valeur ? Certes non ! Nous la lui conférons.

Preuve par l'Écriture.

4 [1]Que dirons-nous donc d'Abraham, notre ancêtre selon la chair ? [2]Si Abraham tint sa justice des œuvres, il a de quoi se glorifier. Mais non au regard de Dieu ! [3]Que dit en effet l'Écriture ? *Abraham crut à Dieu, et ce lui fut compté comme justice.* [4]À qui fournit un travail on ne compte pas le salaire à titre gracieux : c'est un dû ; [5]mais à qui, au lieu de travailler, croit en celui qui justifie l'impie, on compte sa foi comme justice. [6]Exactement comme David proclame heureux l'homme à qui Dieu attribue la justice indépendamment des œuvres :

[7]*Heureux ceux dont les offenses ont été remises,*
    et les péchés couverts.
  [8]*Heureux l'homme à qui le Seigneur n'impute aucun péché.*

[9]Cette déclaration de bonheur s'adresse-t-elle donc aux circoncis ou bien également aux incirconcis ? Nous disons, en effet, que *la foi d'Abraham lui fut comptée comme justice.* [10]Comment donc fut-elle comptée ? Quand il était circoncis ou avant qu'il le fût ? Non pas après, mais avant ; [11]et il reçut *le signe de la circoncision* comme sceau de la justice de la foi qu'il possédait quand il était incirconcis ; ainsi devint-il à la fois le père de tous ceux qui croiraient sans avoir la circoncision, pour que la justice leur fût également comptée, [12]et le père des circoncis, qui ne se contentent pas d'être circoncis, mais marchent sur les traces de la foi qu'avant la circoncision eut notre père Abraham.

[13]De fait ce n'est point par l'intermédiaire d'une loi qu'agit la promesse faite à Abraham ou à sa descendance de recevoir le monde en héritage, mais par le moyen de la justice de la foi. [14]Car si l'héritage appartient à ceux qui relèvent de la Loi, la foi est sans objet, et la promesse sans valeur ; [15]la Loi en effet produit la colère, tandis qu'en l'absence de loi il n'y a pas non plus de transgression. [16]Aussi dépend-il de la foi, afin

d'être don gracieux, et qu'ainsi la promesse soit assurée à toute la descendance, qui se réclame non de la Loi seulement, mais encore de la foi d'Abraham, notre père à tous, ¹⁷comme il est écrit : *Je t'ai établi père d'une multitude de nations* – notre père devant Celui auquel il a cru, le Dieu qui donne la vie aux morts et appelle le néant à l'existence. ¹⁸Espérant contre toute espérance, il crut et devint ainsi *père d'une multitude de peuples,* selon qu'il fut dit : *Telle sera ta descendance.*

¹⁹C'est d'une foi sans défaillance qu'il considéra son corps déjà mort – il avait quelque cent ans –

et le sein de Sara, mort également ; ²⁰appuyé sur la promesse de Dieu, sans hésitation ni incrédulité, mais avec une foi puissante, il rendit gloire à Dieu, ²¹certain que tout ce que Dieu a promis, il est assez puissant ensuite pour l'accomplir. ²²Voilà pourquoi *ce lui fut compté comme justice.*

²³Or quand l'Écriture dit que sa foi *lui fut comptée,* ce n'est point pour lui seul ; elle nous visait également, ²⁴nous à qui la foi doit être comptée, nous qui croyons en celui qui ressuscita d'entre les morts Jésus notre Seigneur, ²⁵*livré pour nos fautes* et ressuscité pour notre justification.

II. L'HOMME JUSTIFIÉ EN MARCHE VERS LE SALUT

La justification gage du salut.

5 ¹Ayant donc reçu notre justification de la foi, nous sommes en paix avec Dieu par notre Seigneur Jésus Christ, ²lui qui nous a donné d'avoir accès par la foi à cette grâce en laquelle nous sommes établis et nous nous glorifions dans l'espérance de la gloire de Dieu. ³Que dis-je ? Nous nous glorifions encore des tribulations, sachant bien que la tribulation produit la constance, ⁴la constance une vertu éprouvée, la vertu éprouvée l'espérance. ⁵Et l'espérance ne déçoit point, parce que l'amour de Dieu a été répandu dans nos cœurs par le Saint Esprit qui nous fut donné. ⁶C'est en effet alors que nous étions sans force, c'est alors, au temps fixé, que le Christ est mort pour des impies ; – ⁷à peine en effet voudrait-on mourir pour un hom-

me juste ; pour un homme de bien, oui, peut-être osera-t-on mourir ; – ⁸mais la preuve que Dieu nous aime, c'est que le Christ, alors que nous étions encore pécheurs, est mort pour nous. ⁹Combien plus, maintenant justifiés dans son sang, serons-nous par lui sauvés de la colère. ¹⁰Si, étant ennemis, nous fûmes réconciliés à Dieu par la mort de son Fils, combien plus, une fois réconciliés, serons-nous sauvés par sa vie, ¹¹et pas seulement cela, mais nous nous glorifions en Dieu par notre Seigneur Jésus Christ par qui dès à présent nous avons obtenu la réconciliation.

Adam et Jésus Christ.

¹²Voilà pourquoi, de même que par un seul homme le péché *est entré dans le monde,* et par le péché la mort, et qu'ainsi la mort a

la mort n'exerce plus de pouvoir sur lui. ¹⁰Sa mort fut une mort au péché, une fois pour toutes ; mais sa vie est une vie à Dieu. ¹¹Et vous de même, considérez que vous êtes morts au péché et vivants à Dieu dans le Christ Jésus. ¹²Que le péché ne règne donc plus dans votre corps mortel de manière à vous plier à ses convoitises. ¹³Ne faites plus de vos membres des armes d'injustice au service du péché ; mais offrez-vous à Dieu comme des vivants revenus de la mort et faites de vos membres des armes de justice au service de Dieu. ¹⁴Car le péché ne dominera pas sur vous : vous n'êtes pas sous la Loi, mais sous la grâce.

Le croyant au service de la justice.

¹⁵Quoi donc ? Allons-nous pécher parce que nous ne sommes pas sous la Loi, mais sous la grâce ? Certes non ! ¹⁶Ne savez-vous pas qu'en vous offrant à quelqu'un comme esclaves pour obéir, vous devenez les esclaves du maître à qui vous obéissez, soit du péché pour la mort, soit de l'obéissance pour la justice ? ¹⁷Mais grâces soient rendues à Dieu ; jadis esclaves du péché, vous vous êtes soumis cordialement à la règle de doctrine à laquelle vous avez été confiés, ¹⁸et, affranchis du péché, vous avez été asservis à la justice. — ¹⁹J'emploie une comparaison humaine en raison de votre faiblesse naturelle. – Car si vous avez jadis offert vos membres comme esclaves à l'impureté et au désordre de manière à vous désordonner, offrez-les de même aujourd'hui à la justice pour vous sanctifier.

²⁰Quand vous étiez esclaves du péché, vous étiez libres à l'égard de la justice. ²¹Quel fruit recueilliez-vous alors d'actions dont aujourd'hui vous rougissez ? Car leur aboutissement, c'est la mort. ²²Mais aujourd'hui, libérés du péché et asservis à Dieu, vous fructifiez pour la sainteté, et l'aboutissement, c'est la vie éternelle. ²³Car le salaire du péché, c'est la mort ; mais le don gratuit de Dieu, c'est la vie éternelle dans le Christ Jésus notre Seigneur.

7 Ou bien ignorez-vous, frères — je parle à des experts en fait de loi — que la loi ne s'impose à l'homme que durant sa vie ? ²C'est ainsi que la femme mariée est liée par la loi au mari tant qu'il est vivant ; mais si l'homme meurt, elle se trouve dégagée de la loi du mari. ³C'est donc du vivant de son mari qu'elle portera le nom d'adultère, si elle devient la femme d'un autre ; mais en cas de mort du mari, elle est si bien affranchie de la loi qu'elle n'est pas adultère en devenant la femme d'un autre. ⁴Ainsi, mes frères, vous de même vous avez été mis à mort à l'égard de la Loi par le corps du Christ pour appartenir à un autre, à Celui qui est ressuscité d'entre les morts, afin que nous fructifiions pour Dieu. ⁵De fait, quand nous étions dans la chair, les passions pécheresses qui se servent de la Loi opéraient en nos membres afin que nous fructifiions pour la mort. ⁶Mais à présent nous avons été dégagés de la Loi, étant morts à ce qui nous tenait prisonniers, de manière à servir dans la nouveauté de l'esprit et non plus dans la vétusté de la lettre.

B. L'HOMME SANS CHRIST SOUS LE PÉCHÉ

Le rôle passé de la Loi.

[7] Qu'est-ce à dire ? Que la Loi est péché ? Certes non ! Seulement je n'ai connu le péché que par la Loi. Et, de fait, j'aurais ignoré la convoitise si la Loi n'avait dit : *Tu ne convoiteras pas !* [8] Mais, saisissant l'occasion, le péché par le moyen du précepte produisit en moi toute espèce de convoitise : car sans la Loi le péché n'est qu'un mort.

[9] Ah ! je vivais jadis sans la Loi ; mais quand le précepte est survenu, le péché a pris vie [10] tandis que moi je suis mort, et il s'est trouvé que le précepte fait pour la vie me conduisit à la mort. [11] Car le péché saisit l'occasion et, utilisant le précepte, me *séduisit* et par son moyen me tua.

[12] La Loi, elle, est donc sainte, et saint le précepte, et juste et bon. [13] Une chose bonne serait-elle donc devenue mort pour moi ? Certes non ! Mais c'est le péché, lui, qui, afin de paraître péché, se servit d'une chose bonne pour me procurer la mort, afin que le péché exerçât toute sa puissance de péché par le moyen du précepte.

L'homme livré au péché.

[14] En effet, nous savons que la Loi est spirituelle ; mais moi je suis un être de chair, vendu au pouvoir du péché. [15] Vraiment ce que je fais je ne le comprends pas : car je ne fais pas ce que je veux, mais je fais ce que je hais. [16] Or si je fais ce que je ne veux pas, je reconnais, d'accord avec la Loi, qu'elle est bonne ; [17] en réalité ce n'est plus moi qui accomplis l'action, mais le péché qui habite en moi. [18] Car je sais que nul bien n'habite en moi, je veux dire dans ma chair ; en effet, vouloir le bien est à ma portée, mais non pas l'accomplir : [19] puisque je ne fais pas le bien que je veux et commets le mal que je ne veux pas. [20] Or si je fais ce que je ne veux pas, ce n'est plus moi qui accomplis l'action, mais le péché qui habite en moi.

[21] Je trouve donc une loi s'imposant à moi, quand je veux faire le bien : le mal seul se présente à moi. [22] Car je me complais dans la loi de Dieu du point de vue de l'homme intérieur ; [23] mais j'aperçois une autre loi dans mes membres qui lutte contre la loi de ma raison et m'enchaîne à la loi du péché qui est dans mes membres.

[24] Malheureux homme que je suis ! Qui me délivrera de ce corps qui me voue à la mort ? [25] Grâces soient à Dieu par Jésus Christ notre Seigneur ! C'est donc bien moi qui par la raison sers une loi de Dieu et par la chair une loi de péché.

C. LA VIE DU CROYANT DANS L'ESPRIT

La vie de l'Esprit.

8 [1] Il n'y a donc plus maintenant de condamnation pour ceux qui sont dans le Christ Jésus. [2] La loi de l'Esprit qui donne la vie dans le Christ Jésus t'a affranchi de la loi du péché et de la mort. [3] De fait, chose impossible à la Loi, impuissante du fait de la chair, Dieu, en envoyant son propre Fils avec une chair semblable à celle du péché et en vue du péché, a condamné le péché dans la chair, ⁴afin que le précepte de la Loi fût accompli en nous dont la conduite n'obéit pas à la chair mais à l'esprit.

⁵En effet, ceux qui vivent selon la chair désirent ce qui est charnel ; ceux qui vivent selon l'esprit, ce qui est spirituel. ⁶Car le désir de la chair, c'est la mort, tandis que le désir de l'esprit, c'est la vie et la paix, ⁷puisque le désir de la chair est inimitié contre Dieu : il ne se soumet pas à la loi de Dieu, il ne le peut même pas, ⁸et ceux qui sont dans la chair ne peuvent plaire à Dieu. ⁹Vous, vous n'êtes pas dans la chair mais dans l'esprit, puisque l'Esprit de Dieu habite en vous. Qui n'a pas l'Esprit du Christ ne lui appartient pas, ¹⁰mais si le Christ est en vous, bien que le corps soit mort déjà en raison du péché, l'Esprit est vie en raison de la justice. ¹¹Et si l'Esprit de Celui qui a ressuscité Jésus d'entre les morts habite en vous, Celui qui a ressuscité le Christ Jésus d'entre les morts donnera aussi la vie à vos corps mortels par son Esprit qui habite en vous.

¹²Ainsi donc, mes frères, nous sommes débiteurs, mais non point envers la chair pour devoir vivre selon la chair. ¹³Car si vous vivez selon la chair, vous mourrez. Mais si par l'Esprit vous faites mourir les œuvres du corps, vous vivrez.

Enfants de Dieu grâce à l'Esprit. Ga 4 4-7.

¹⁴En effet, tous ceux qu'anime l'Esprit de Dieu sont fils de Dieu.

¹⁵Aussi bien n'avez-vous pas reçu un esprit d'esclaves pour retomber dans la crainte ; vous avez reçu un esprit de fils adoptifs qui nous fait écrier : Abba ! Père ! ¹⁶L'Esprit en personne se joint à notre esprit pour attester que nous sommes enfants de Dieu. ¹⁷Enfants, et donc héritiers ; héritiers de Dieu, et cohéritiers du Christ, puisque nous souffrons avec lui pour être aussi glorifiés avec lui.

Destinés à la gloire.

¹⁸J'estime en effet que les souffrances du temps présent ne sont pas à comparer à la gloire qui doit se révéler en nous. ¹⁹Car la création en attente aspire à la révélation des fils de Dieu : ²⁰si elle fut assujettie à la vanité, – non qu'elle l'eût voulu, mais à cause de celui qui l'y a soumise, – c'est avec l'espérance ²¹d'être elle aussi libérée de la servitude de la corruption pour entrer dans la liberté de la gloire des enfants de Dieu. ²²Nous le savons en effet, toute la création jusqu'à ce jour gémit en travail d'enfantement. ²³Et non pas elle seule : nous-mêmes qui possédons les prémices de l'Esprit, nous gémissons nous aussi intérieurement dans l'attente de la rédemption de notre corps. ²⁴Car notre salut est objet d'espérance ; et voir ce qu'on espère, ce n'est plus l'espérer : ce qu'on voit, comment pourrait-on l'espérer encore ? ²⁵Mais espérer ce que nous ne voyons pas, c'est l'attendre avec constance.

²⁶Pareillement l'Esprit vient au secours de notre faiblesse ; car nous ne savons que demander pour prier comme il faut ; mais l'Esprit lui-même intercède pour nous en

des gémissements ineffables, ²⁷et Celui qui sonde les cœurs sait quel est le désir de l'Esprit et que son intercession pour les saints correspond aux vues de Dieu.

Le plan du salut. Ep 1 4-14.

²⁸Et nous savons qu'avec ceux qui l'aiment, Dieu collabore en tout pour leur bien, avec ceux qu'il a appelés selon son dessein. ²⁹Car ceux que d'avance il a discernés, il les a aussi prédestinés à reproduire l'image de son Fils, afin qu'il soit l'aîné d'une multitude de frères ; ³⁰et ceux qu'il a prédestinés, il les a aussi appelés ; ceux qu'il a appelés, il les a aussi justifiés ; ceux qu'il a justifiés, il les a aussi glorifiés.

Hymne à l'amour de Dieu.

³¹Que dire après cela ? Si Dieu est pour nous, qui sera contre nous ? ³²Lui qui n'a pas épargné son propre Fils mais l'a livré pour nous tous, comment avec lui ne nous accordera-t-il pas toute faveur ? ³³Qui se fera l'accusateur de ceux que Dieu a élus ? *C'est Dieu qui justifie.* ³⁴*Qui donc condamnera ?* Le Christ Jésus, celui qui est mort, que dis-je ? ressuscité, qui est à la droite de Dieu, qui intercède pour nous ?

³⁵Qui nous séparera de l'amour du Christ ? La tribulation, l'angoisse, la persécution, la faim, la nudité, les périls, le glaive ? ³⁶selon le mot de l'Écriture : *À cause de toi, l'on nous met à mort tout le long du jour ; nous avons passé pour des brebis d'abattoir.* ³⁷Mais en tout cela nous sommes les grands vainqueurs par celui qui nous a aimés.

³⁸Oui, j'en ai l'assurance, ni mort ni vie, ni anges ni principautés, ni présent ni avenir, ni puissances, ³⁹ni hauteur ni profondeur, ni aucune autre créature ne pourra nous séparer de l'amour de Dieu manifesté dans le Christ Jésus notre Seigneur.

Situation et salut d'Israël

9 ¹Je dis la vérité dans le Christ, je ne mens point – ma conscience m'en rend témoignage dans l'Esprit Saint –, ²j'éprouve une grande tristesse et une douleur incessante en mon cœur. ³Car je souhaiterais d'être moi-même anathème, séparé du Christ, pour mes frères, ceux de ma race selon la chair, ⁴eux qui sont Israélites, à qui appartiennent l'adoption filiale, la gloire, les alliances, la législation, le culte, les promesses ⁵et aussi les patriarches, et de qui le Christ est issu selon la chair, lequel est au-dessus de tout, Dieu béni éternellement ! Amen.

I. LA PAROLE DE DIEU N'A PAS FAILLI

[6]Non certes que la parole de Dieu ait failli. Car tous les descendants d'Israël ne sont pas Israël. [7]De même que, pour être postérité d'Abraham, tous ne sont pas ses enfants ; mais *c'est par Isaac qu'une descendance portera ton nom,* [8]ce qui signifie : ce ne sont pas les enfants de la chair qui sont enfants de Dieu, seuls comptent comme postérité les enfants de la promesse. [9]Voici en effet les termes de la promesse : *Vers cette époque je viendrai et Sara aura un fils.* [10]Mieux encore, Rébecca avait conçu d'un seul homme, Isaac notre père : [11]or, avant la naissance des enfants, quand ils n'avaient fait ni bien ni mal, pour que s'affirmât la liberté de l'élection divine, [12]qui dépend de celui qui appelle et non des œuvres, il lui fut dit : *L'aîné servira le cadet,* [13]selon qu'il est écrit : *J'ai aimé Jacob et j'ai haï Ésaü.*

Dieu n'est pas injuste.

[14]Qu'est-ce à dire ? Dieu serait-il injuste ? Certes non ! [15]Car il dit à Moïse : *Je fais miséricorde à qui je fais miséricorde et j'ai pitié de qui j'ai pitié.* [16]Il n'est donc pas question de l'homme qui veut ou qui court, mais de Dieu qui fait miséricorde. [17]Car l'Écriture dit au Pharaon : *Je t'ai suscité à dessein pour montrer en toi ma puissance et pour qu'on célèbre mon nom par toute la terre.* [18]Ainsi donc il fait miséricorde à qui il veut, et il endurcit qui il veut. [19]Tu vas donc me dire : Qu'a-

t-il encore à blâmer ? Qui résiste en effet à sa volonté ? [20]Ô homme ! vraiment, qui es-tu pour disputer avec Dieu ? *L'œuvre va-t-elle dire à celui qui l'a modelée : Pourquoi m'as-tu faite ainsi ?* [21]Le potier n'est-il pas maître de son argile pour fabriquer de la même pâte un vase de luxe ou un vase ordinaire ? [22]Eh bien ! si Dieu, voulant manifester sa colère et faire connaître sa puissance, a supporté avec beaucoup de longanimité des vases de colère devenus dignes de perdition, [23]dans le dessein de manifester la richesse de sa gloire envers des vases de miséricorde qu'il a d'avance préparés pour la gloire, [24]envers nous qu'il a appelés non seulement d'entre les Juifs mais encore d'entre les nations...

La miséricorde de Dieu.

[25]C'est bien ce qu'il dit en Osée : *J'appellerai mon peuple celui qui n'était pas mon peuple, et bien-aimée celle qui n'était pas la bien-aimée.* [26]*Et au lieu même où on leur avait dit : « Vous n'êtes pas mon peuple », on les appellera fils du Dieu vivant.* [27]Et Isaïe s'écrie en faveur d'Israël : *Quand le nombre des fils d'Israël serait comme le sable de la mer, le reste sera sauvé :* [28]*car sans retard ni reprise le Seigneur accomplira sa parole sur la terre.* [29]Et comme l'avait prédit Isaïe : *Si le Seigneur Sabaot ne nous avait laissé un germe, nous serions devenus comme Sodome, assimilés à Gomorrhe.*

II. LES RAISONS DE LA SITUATION D'ISRAËL

³⁰Que dirons-nous donc ? Que des païens qui ne poursuivaient pas de justice ont atteint une justice, la justice de la foi, ³¹tandis qu'Israël qui poursuivait une loi de justice, n'a pas atteint la Loi. ³²Pourquoi ? Parce qu'au lieu de recourir à la foi ils comptaient sur les œuvres. Ils ont buté *contre la pierre d'achoppement,* ³³comme il est écrit : *Voici que je pose en Sion une pierre d'achoppement et un rocher qui fait tomber ; mais qui croit en lui ne sera pas confondu.*

10 ¹Frères, certes l'élan de mon cœur et ma prière à Dieu pour eux, c'est qu'ils soient sauvés. ²Car je leur rends témoignage qu'ils ont du zèle pour Dieu ; mais c'est un zèle mal éclairé. ³Méconnaissant la justice de Dieu et cherchant à établir la leur propre, ils ont refusé de se soumettre à la justice de Dieu. ⁴Car la fin de la Loi, c'est le Christ pour la justification de tout croyant.

⁵Moïse écrit en effet de la justice née de la Loi qu'*en l'accomplissant l'homme vivra par elle,* ⁶tandis que la justice née de la foi, elle, parle ainsi : *Ne dis pas* dans ton cœur : *Qui montera au ciel ?* entends : pour en faire descendre le Christ ; ⁷ou bien : *Qui descendra dans l'abîme ?* Entends : pour faire remonter le Christ de chez les morts. ⁸Que dit-elle donc ? *La parole est tout près de toi, sur tes lèvres et dans ton cœur,* entends : la parole de la foi que nous proclamons. ⁹En effet, si tes lèvres confessent que Jésus est Seigneur et si ton cœur croit que Dieu l'a ressuscité des morts, tu seras sauvé. ¹⁰Car

la foi du cœur obtient la justice, et la confession des lèvres, le salut. ¹¹L'Écriture ne dit-elle pas : *Quiconque croit en lui ne sera pas confondu ?* ¹²Aussi bien n'y a-t-il pas de distinction entre Juif et Grec : tous ont le même Seigneur, riche envers tous ceux qui l'invoquent. ¹³En effet, *quiconque invoquera le nom du Seigneur sera sauvé.*

¹⁴Mais comment l'invoquer sans d'abord croire en lui ? Et comment croire sans d'abord l'entendre ? Et comment entendre sans quelqu'un qui proclame ? ¹⁵Et comment proclamer sans être d'abord envoyé ? selon le mot de l'Écriture : *Qu'ils sont beaux les pieds des messagers de bonnes nouvelles !* ¹⁶Mais tous n'ont pas obéi à la Bonne Nouvelle. Car Isaïe l'a dit : *Seigneur, qui a cru à ce que nous entendions dire ?* ¹⁷Ainsi la foi naît de ce qu'on entend dire et ce qu'on entend dire vient de la parole du Christ.

¹⁸Or je demande : n'auraient-ils pas entendu ? Et pourtant *leur voix a retenti par toute la terre et leurs paroles jusqu'aux extrémités du monde.* ¹⁹Mais je demande : Israël n'aurait-il pas compris ? Déjà Moïse dit : *Je vous rendrai jaloux de ce qui n'est pas une nation, contre une nation sans intelligence j'exciterai votre dépit.* ²⁰Et Isaïe ose ajouter : *J'ai été trouvé par ceux qui ne me cherchaient pas, je me suis manifesté à ceux qui ne m'interrogeaient pas,* ²¹tandis qu'il dit à l'adresse d'Israël : *Tout le jour j'ai tendu les mains vers un peuple désobéissant et rebelle.*

III. DIEU N'A PAS REJETÉ SON PEUPLE ET LE SAUVERA

Le reste d'Israël en est déjà une preuve.

11 ¹Je demande donc : *Dieu aurait-il rejeté son peuple* ? Certes non ! Ne suis-je pas moi-même Israélite, de la race d'Abraham, de la tribu de Benjamin ? ²Dieu n'a pas rejeté le peuple que d'avance il a discerné. Ou bien ignorez-vous ce que dit l'Écriture à propos d'Élie, quand il s'entretient avec Dieu pour accuser Israël : ³*Seigneur, ils ont tué tes prophètes, rasé tes autels, et moi je suis resté seul et ils en veulent à ma vie* ? ⁴Eh bien, que lui répond l'oracle divin ? *Je me suis réservé sept mille hommes qui n'ont pas fléchi le genou devant Baal.* ⁵Ainsi pareillement aujourd'hui il subsiste un reste, élu par grâce. ⁶Mais si c'est par grâce, ce n'est plus en raison des œuvres ; autrement la grâce n'est plus grâce.

⁷Que conclure ? Ce que recherche Israël, il ne l'a pas atteint ; mais ceux-là l'ont atteint qui ont été élus. Les autres, ils ont été endurcis, ⁸selon le mot de l'Écriture : *Dieu leur a donné un esprit de torpeur : ils n'ont pas d'yeux pour voir, d'oreilles pour entendre jusqu'à ce jour.* ⁹David dit aussi : *Que leur table soit un piège,* un lacet, *une cause de chute, et leur serve de salaire !* ¹⁰*Que leurs yeux s'enténèbrent pour ne point voir et fais-leur sans arrêt courber le dos !*

¹¹Je demande donc : serait-ce pour une vraie chute qu'ils ont bronché ? Certes non ! mais leur faux pas a procuré le salut aux païens, afin que leur propre jalousie en fût excitée. ¹²Et si leur faux pas a fait la richesse du monde et leur diminution la richesse des païens, que ne fera pas leur totalité ! ¹³Or je vous le dis à vous, les nations, je suis bien l'apôtre des nations et j'honore mon ministère, ¹⁴mais c'est avec l'espoir d'exciter la jalousie de ceux de mon sang et d'en sauver quelques-uns. ¹⁵Car si leur mise à l'écart fut une réconciliation pour le monde, que sera leur admission, sinon une résurrection d'entre les morts ?

L'olivier sauvage et l'olivier franc.

¹⁶Or si les prémices sont saintes, toute la pâte aussi ; et si la racine est sainte, les branches aussi. ¹⁷Mais si quelques-unes des branches ont été coupées tandis que toi, sauvageon d'olivier tu as été greffé parmi elles pour bénéficier avec elles de la sève de l'olivier, ¹⁸ne va pas te glorifier aux dépens des branches. Ou si tu veux te glorifier, ce n'est pas toi qui portes la racine, c'est la racine qui te porte. ¹⁹Tu diras : On a coupé des branches, pour que, moi, je fusse greffé. ²⁰Fort bien. Elles ont été coupées pour leur incrédulité, et c'est la foi qui te fait tenir. Ne t'enorgueillis pas ; crains plutôt. ²¹Car si Dieu n'a pas épargné les branches naturelles, prends garde qu'il ne t'épargne pas davantage. ²²Consi-

dère donc la bonté et la sévérité de Dieu : sévérité envers ceux qui sont tombés, et envers toi bonté, pourvu que tu demeures en cette bonté ; autrement tu seras retranché toi aussi. ²³Et eux, s'ils ne demeurent pas dans l'incrédulité, ils seront greffés : Dieu est bien assez puissant pour les greffer à nouveau. ²⁴En effet, si toi tu as été retranché de l'olivier sauvage auquel tu appartenais par nature, et greffé, contre nature, sur un olivier franc, combien plus eux, les branches naturelles, seront-ils greffés sur leur propre olivier !

Salut de tout Israël.

²⁵Car je ne veux pas, frères, vous laisser ignorer ce mystère, de peur que *vous ne vous complaisiez en votre sagesse* : une partie d'Israël s'est endurcie jusqu'à ce que soit entrée la totalité des nations, ²⁶et ainsi tout Israël sera sauvé, comme il est écrit : *De Sion viendra le Libérateur, il ôtera les impiétés du milieu de Jacob.* ²⁷*Et voici quelle sera mon alliance avec eux lorsque j'enlèverai leurs péchés.* ²⁸Ennemis, il est vrai, selon l'Évangile, à cause de vous, ils sont, selon l'Élection, chéris à cause de leurs pères. ²⁹Car les dons et l'appel de Dieu sont sans repentance.

³⁰En effet, de même que jadis vous avez désobéi à Dieu et qu'au temps présent vous avez obtenu miséricorde grâce à leur désobéissance, ³¹eux de même au temps présent ont désobéi grâce à la miséricorde exercée envers vous, afin qu'eux aussi ils obtiennent au temps présent miséricorde. ³²Car Dieu a enfermé tous les hommes dans la désobéissance pour faire à tous miséricorde.

Conclusion hymnique.

³³Ô abîme de la richesse, de la sagesse et de la science de Dieu ! Que ses décrets sont insondables et ses voies incompréhensibles ! ³⁴*Qui en effet a jamais connu la pensée du Seigneur ? Qui en fut jamais le conseiller ?* ³⁵*Ou bien qui l'a prévenu de ses dons pour devoir être payé de retour ?* ³⁶Car tout est de lui et par lui et pour lui. À lui soit la gloire éternellement ! Amen.

La réponse des croyants

Le culte spirituel.

12 ¹Je vous exhorte donc, frères, par la miséricorde de Dieu, à vous offrir vous-mêmes en sacrifice vivant, saint, agréable à Dieu : c'est là le culte spirituel que vous avez à rendre. ²Et ne vous modelez pas sur le monde présent, mais que le renouvellement de votre jugement vous transforme et vous fasse discerner quelle est la volonté de Dieu, ce qui est bon, ce qui lui plaît, ce qui est parfait.

Humilité et charité dans la communauté.

³Au nom de la grâce qui m'a été donnée, je le dis à tous et à

chacun : ne vous surestimez pas plus qu'il ne faut vous estimer, mais gardez de vous une sage estime, chacun selon le degré de foi que Dieu lui a départi. [4]Car, de même que notre corps en son unité possède plus d'un membre et que ces membres n'ont pas tous la même fonction, [5]ainsi nous, à plusieurs, nous ne formons qu'un seul corps dans le Christ, étant, chacun pour sa part, membres les uns des autres. [6]Mais, pourvus de dons différents selon la grâce qui nous a été donnée, si c'est le don de prophétie, exerçons-le en proportion de notre foi ; [7]si c'est le service, en servant ; l'enseignement, en enseignant ; [8]l'exhortation, en exhortant. Que celui qui donne le fasse sans calcul ; celui qui préside, avec diligence ; celui qui exerce la miséricorde, en rayonnant de joie.

[9]Que votre charité soit sans feinte, détestant le mal, solidement attachés au bien ; [10]que l'amour fraternel vous lie d'affection entre vous, chacun regardant les autres comme plus méritants, [11]d'un zèle sans nonchalance, dans la ferveur de l'esprit, au service du Seigneur, [12]avec la joie de l'espérance, constants dans la tribulation, assidus à la prière, [13]prenant part aux besoins des saints, avides de donner l'hospitalité.

Charité envers tous les hommes, même les ennemis.

[14]Bénissez ceux qui vous persécutent ; bénissez, ne maudissez pas. [15]Réjouissez-vous avec qui est dans la joie, pleurez avec qui pleure. [16]Pleins d'une égale complaisance pour tous, sans vous complaire dans l'orgueil, attirés plutôt par ce qui est humble, *ne vous complaisez pas dans votre propre sagesse.* [17]Sans rendre à personne le mal pour le mal, *ayant à cœur ce qui est bien devant tous les hommes,* [18]en paix avec tous si possible, autant qu'il dépend de vous, [19]sans vous faire justice à vous-mêmes, mes bien-aimés, laissez agir la colère ; car il est écrit : *C'est moi qui ferai justice, moi qui rétribuerai,* dit le Seigneur. [20]Bien plutôt, *si ton ennemi a faim, donne-lui à manger ; s'il a soif, donne-lui à boire ; ce faisant, tu amasseras des charbons ardents sur sa tête.* [21]Ne te laisse pas vaincre par le mal, sois vainqueur du mal par le bien.

Soumission aux pouvoirs civils.
Mt **22** 16-21p. 1 Tm **2** 1-2. Tt **3** 1. 1 P **2** 13-15.

13 [1]Que chacun se soumette aux autorités en charge. Car il n'y a point d'autorité qui ne vienne de Dieu, et celles qui existent sont constituées par Dieu. [2]Si bien que celui qui résiste à l'autorité se rebelle contre l'ordre établi par Dieu. Et les rebelles se feront eux-mêmes condamner. [3]En effet, les magistrats ne sont pas à craindre quand on fait le bien, mais quand on fait le mal. Veux-tu n'avoir pas à craindre l'autorité ? Fais le bien et tu en recevras des éloges ; [4]car elle est un instrument de Dieu pour te conduire au bien. Mais crains, si tu fais le mal ; car ce n'est pas pour rien qu'elle porte le glaive : elle est un instrument de Dieu pour faire justice et châtier qui fait le mal. [5]Aussi doit-on se soumettre non seulement par crainte du châtiment, mais par motif de conscience. [6]N'est-ce pas pour cela même que vous payez les impôts ? Car il s'agit de fonctionnaires qui s'appliquent de par Dieu à cet office. [7]Rendez à chacun ce qui lui est dû : à qui l'impôt, l'impôt ; à qui les taxes, les taxes ; à qui la crainte, la crainte ; à qui l'honneur, l'honneur.

La charité, résumé de la Loi.
Mt 22 34-40. Jn 13 34. Ga 5 14.

[8]N'ayez de dettes envers personne, sinon celle de l'amour mutuel. Car celui qui aime autrui a de ce fait accompli la loi. [9]En effet, le précepte : *Tu ne commettras pas d'adultère, tu ne tueras pas, tu ne voleras pas, tu ne convoiteras pas,* et tous les autres se résument en cette formule : *Tu aimeras ton prochain comme toi-même.* [10]La charité ne fait point de tort au prochain. La charité est donc la Loi dans sa plénitude.

Le chrétien est enfant de lumière.
1 Th 5 4-8. 1 Co 7 26, 29-31. Col 4 5. Ep 5 8-16.

[11]D'autant que vous savez en quel moment nous vivons. C'est l'heure désormais de vous arracher au sommeil ; le salut est maintenant plus près de nous qu'au temps où nous avons cru. [12]La nuit est avancée. Le jour est arrivé. Laissons là les œuvres de ténèbres et revêtons les armes de lumière. [13]Comme il sied en plein jour, conduisons-nous avec dignité : point de ripailles ni d'orgies, pas de luxure ni de débauche, pas de querelles ni de jalousies. [14]Mais revêtez-vous du Seigneur Jésus Christ et ne vous souciez pas de la chair pour en satisfaire les convoitises.

Charité envers les « faibles ».
1 Co 8 ; 10 14-33.

14 [1]À celui qui est faible dans la foi, soyez accueillants sans vouloir discuter des opinions. [2]Tel croit pouvoir manger de tout, tandis que le faible ne mange que des légumes : [3]que celui qui mange ne méprise pas l'abstinent et que l'abstinent ne juge pas celui qui mange ; Dieu l'a bien accueilli. [4]Toi, qui es-tu pour juger un serviteur d'autrui ? Qu'il reste debout ou qu'il tombe, cela ne concerne que son maître ; d'ailleurs il restera debout, car le Seigneur a la force de le soutenir. [5]Celui-ci préfère un jour à un autre ; celui-là les estime tous pareils : que chacun s'en tienne à son jugement. [6]Celui qui tient compte des jours le fait pour le Seigneur ; et celui qui mange le fait pour le Seigneur, puisqu'il rend grâce à Dieu. Et celui qui s'abstient le fait pour le Seigneur, et il rend grâce à Dieu. [7]En effet, nul d'entre nous ne vit pour soi-même, comme nul ne meurt pour soi-même ; [8]si nous vivons, nous vivons pour le Seigneur, et si nous mourons, nous mourons pour le Seigneur. Donc, dans la vie comme dans la mort, nous appartenons au Seigneur. [9]Car le Christ est mort et revenu à la vie pour être le Seigneur des morts et des vivants. [10]Mais toi, pourquoi juger ton frère ? et toi, pourquoi mépriser ton frère ? Tous, en effet, nous comparaîtrons au tribunal de Dieu, [11]car il est écrit : *Par ma vie,* dit le Seigneur, *tout genou de-*

vant moi fléchira, et toute langue rendra gloire à Dieu. ¹²C'est donc que chacun de nous rendra compte à Dieu pour soi-même.

¹³Finissons-en donc avec ces jugements les uns sur les autres : jugez plutôt qu'il ne faut rien mettre devant votre frère qui le fasse buter ou tomber. – ¹⁴Je le sais, j'en suis certain dans le Seigneur Jésus, rien n'est impur en soi, mais seulement pour celui qui estime un aliment impur ; en ce cas il l'est pour lui. – ¹⁵En effet, si pour un aliment ton frère est contristé, tu ne te conduis plus selon la charité. Ne va pas avec ton aliment faire périr celui-là pour qui le Christ est mort !

¹⁶N'exposez donc pas votre privilège à l'outrage. ¹⁷Car le règne de Dieu n'est pas affaire de nourriture ou de boisson, il est justice, paix et joie dans l'Esprit Saint. ¹⁸Celui en effet qui sert le Christ de la sorte est agréable à Dieu et approuvé des hommes. ¹⁹Poursuivons donc ce qui favorise la paix et l'édification mutuelle. ²⁰Ne va pas pour un aliment détruire l'œuvre de Dieu. Tout est pur assurément, mais devient un mal pour l'homme qui mange en donnant du scandale. ²¹Ce qui est bien, c'est de s'abstenir de viande et de vin et de tout ce qui fait buter ou tomber ou faiblir ton frère.

²²Cette foi que tu as, garde-la pour toi devant Dieu. Heureux qui ne se juge pas coupable au moment même où il se décide. ²³Mais celui qui mange malgré ses doutes est condamné, parce qu'il agit sans bonne foi et que tout ce qui ne procède pas de la bonne foi est péché.

15 ¹Mais c'est un devoir pour nous, les forts, de porter les faiblesses de ceux qui n'ont pas cette force et de ne point rechercher ce qui nous plaît. ²Que chacun d'entre nous plaise à son prochain pour le bien, en vue d'édifier. ³Car le Christ n'a pas recherché ce qui lui plaisait ; mais comme il est écrit : *Les insultes de tes insulteurs sont tombées sur moi.* ⁴En effet, tout ce qui a été écrit dans le passé le fut pour notre instruction, afin que la constance et la consolation que donnent les Écritures nous procurent l'espérance.

⁵Que le Dieu de la constance et de la consolation vous accorde d'avoir les uns pour les autres la même aspiration à l'exemple du Christ Jésus, ⁶afin que d'un même cœur et d'une même bouche vous glorifiiez le Dieu et Père de notre Seigneur Jésus Christ.

⁷Aussi soyez accueillants les uns pour les autres, comme le Christ le fut pour vous à la gloire de Dieu. ⁸Je l'affirme en effet, le Christ s'est fait ministre des circoncis à l'honneur de la véracité divine, pour accomplir les promesses faites aux patriarches, ⁹et les nations glorifient Dieu pour sa miséricorde, selon le mot de l'Écriture : *C'est pourquoi je te louerai parmi les nations et je chanterai à la gloire de ton nom* ; ¹⁰et cet autre : *Nations, exultez avec son peuple* ; ¹¹ou encore : *Toutes les nations, louez le Seigneur, et que tous les peuples le célèbrent.* ¹²Et Isaïe dit à son tour : *Il paraîtra, le rejeton de Jessé, celui qui se dresse pour commander aux nations. En lui les nations mettront leur espérance.*

¹³Que le Dieu de l'espérance vous donne en plénitude dans votre acte de foi la joie et la paix, afin que l'espérance surabonde en vous par la vertu de l'Esprit Saint.

Épilogue

Le ministère de Paul.

¹⁴Je suis personnellement bien persuadé, mes frères, à votre sujet, que vous êtes par vous-mêmes remplis de bons sentiments, en pleine possession du don de science, capables aussi de vous avertir mutuellement. ¹⁵Je vous ai cependant écrit assez hardiment par endroits, comme pour raviver vos souvenirs, en vertu de la grâce que Dieu m'a faite ¹⁶d'être un officiant du Christ Jésus auprès des nations, ministre de l'Évangile de Dieu, afin que les nations deviennent une offrande agréable, sanctifiée dans l'Esprit Saint.

¹⁷Je puis donc me glorifier dans le Christ Jésus en ce qui concerne l'œuvre de Dieu. ¹⁸Car je n'oserais parler de ce que le Christ n'aurait pas fait par moi pour obtenir l'obéissance des nations, en parole et en œuvre, ¹⁹par la vertu des signes et des prodiges, par la vertu de l'Esprit de Dieu : ainsi, depuis Jérusalem en rayonnant jusqu'à l'Illyrie, j'ai procuré l'accomplissement de l'Évangile du Christ, ²⁰tenant de la sorte à honneur de limiter cet apostolat aux régions où l'on n'avait pas invoqué le nom du Christ, pour ne point bâtir sur des fondations posées par autrui ²¹et me conformer à ce qui est écrit : *Ceux à qui on ne l'avait pas annoncé le verront* *et ceux qui n'en avaient pas entendu parler comprendront.*

Projets de voyage.

²²C'est bien là ce qui chaque fois m'empêchait d'aller chez vous. ²³Mais à présent, comme je n'ai plus d'occupation dans ces contrées et que depuis des années j'ai un vif désir d'aller chez vous, ²⁴quand je me rendrai en Espagne... Car j'espère vous voir en cours de route et être mis par vous sur le chemin de ce pays, une fois que j'aurai un peu savouré la joie de votre présence. ²⁵Mais maintenant je me rends à Jérusalem pour le service des saints : ²⁶car la Macédoine et l'Achaïe ont bien voulu prendre quelque part aux besoins des saints de Jérusalem qui sont dans la pauvreté. ²⁷Oui, elles l'ont bien voulu, et elles le leur devaient : si les nations, en effet, ont participé à leurs biens spirituels, elles doivent à leur tour les servir de leurs biens temporels. ²⁸Quand donc j'aurai terminé cette affaire et leur aurai remis officiellement cette récolte, je partirai pour l'Espagne en passant par chez vous. ²⁹Et je sais qu'en arrivant chez vous je viendrai avec la plénitude des bénédictions du Christ.

³⁰Mais je vous le demande, frères, par notre Seigneur Jésus Christ et la charité de l'Esprit, luttez avec moi dans les prières que

vous adressez à Dieu pour moi, [31]afin que j'échappe aux incrédules de Judée et que le secours que je porte à Jérusalem soit agréé des saints, [32]et qu'ainsi, venant à vous dans la joie, Dieu veuille me faire goûter avec vous quelque repos.

[33]Que le Dieu de la paix soit avec vous tous ! Amen.

Recommandations et salutations.

16 [1]Je vous recommande Phébée, notre sœur, diaconesse de l'Église de Cenchrées : [2]offrez-lui dans le Seigneur un accueil digne des saints, et assistez-la en toute affaire où elle aurait besoin de vous ; aussi bien fut-elle une protectrice pour nombre de chrétiens et pour moi-même. [3]Saluez Prisca et Aquilas, mes coopérateurs dans le Christ Jésus ; [4]pour me sauver la vie ils ont risqué leur tête, et je ne suis pas seul à leur devoir de la gratitude : c'est le cas de toutes les Églises de la gentilité ; [5]saluez aussi l'Église qui se réunit chez eux.

Saluez mon cher Épénète, les prémices que l'Asie a offertes au Christ. [6]Saluez Marie, qui s'est bien fatiguée pour vous. [7]Saluez Andronicus et Junias, mes parents et mes compagnons de captivité : ce sont des apôtres marquants qui m'ont précédé dans le Christ. [8]Saluez Ampliatus qui m'est cher dans le Seigneur. [9]Saluez Urbain, notre coopérateur dans le Christ, et mon cher Stachys. [10]Saluez Apelle, qui a fait ses preuves dans le Christ. Saluez les membres de la maison d'Aristobule. [11]Saluez Hérodion, mon parent ; saluez les membres de la maison de Narcis-

se dans le Seigneur. [12]Saluez Tryphène et Tryphose, qui se fatiguent dans le Seigneur ; saluez ma chère Persis, qui s'est beaucoup fatiguée dans le Seigneur. [13]Saluez Rufus, cet élu dans le Seigneur, et sa mère qui est aussi la mienne. [14]Saluez Asyncrite, Phlégon, Hermès, Patrobas, Hermas, et les frères qui sont avec eux. [15]Saluez Philologue et Julie, Nérée et sa sœur, et Olympas et tous les saints qui sont avec eux. [16]Saluez-vous mutuellement d'un saint baiser. Toutes les Églises du Christ vous saluent.

Avertissement. Premier post-scriptum.

[17]Je vous en prie, frères, gardez-vous de ces fauteurs de dissensions et de scandales contre l'enseignement que vous avez reçu ; évitez-les. [18]Car ces sortes de gens ne servent pas notre Seigneur le Christ, mais leur ventre, et par des discours doucereux et flatteurs séduisent les cœurs simples. [19]En effet, le renom de votre obéissance s'est répandu partout et vous faites ma joie ; mais je veux que vous soyez avisés pour le bien et malhabiles pour le mal. [20]Le Dieu de la paix écrasera bien vite Satan sous vos pieds. Que la grâce de notre Seigneur Jésus Christ soit avec vous !

Dernières salutations. Second post-scriptum.

[21]Timothée, mon coopérateur, vous salue, ainsi que Lucius, Jason et Sosipatros, mes parents. [22]Je vous salue dans le Seigneur, moi Tertius, qui ai écrit cette lettre. [23]Gaïus vous salue, qui est

mon hôte et celui de l'Église entière. Éraste, le trésorier de la ville, vous salue, ainsi que Quartus, notre frère.

Doxologie.

[25]À Celui qui a le pouvoir de vous affermir

conformément à mon Évangile et à la proclamation de Jésus Christ,

révélation d'un mystère

enveloppé de silence aux siècles éternels,

[26]mais aujourd'hui manifesté,

et par des Écritures qui le prédisent

selon l'ordre du Dieu éternel,

porté à la connaissance de toutes les nations

pour les amener à l'obéissance de la foi ;

[27]à Dieu qui seul est sage,

par Jésus Christ,

à lui soit la gloire aux siècles des siècles ! Amen.

Première épître
aux Corinthiens

Voir l'introduction, p. 1877.

Préambule

Adresse et salutation. Action de grâces.

1 ¹Paul, appelé à être apôtre du Christ Jésus par la volonté de Dieu, et Sosthène, le frère, ²à l'Église de Dieu établie à Corinthe, à ceux qui ont été sanctifiés dans le Christ Jésus, appelés à être saints avec tous ceux qui en tout lieu invoquent le nom de Jésus Christ, notre Seigneur, le leur et le nôtre ; ³à vous grâce et paix de par Dieu, notre Père, et le Seigneur Jésus Christ !

⁴Je rends grâces à Dieu sans cesse à votre sujet pour la grâce de Dieu qui vous a été accordée dans le Christ Jésus ; ⁵car vous avez été comblés en lui de toutes les richesses, toutes celles de la parole et toutes celles de la science, ⁶à raison même de la fermeté qu'a prise en vous le témoignage du Christ. ⁷Aussi ne manquez-vous d'aucun don de la grâce, dans l'attente où vous êtes de la Révélation de notre Seigneur Jésus Christ. ⁸C'est lui qui vous affermira jusqu'au bout, pour que vous soyez irréprochables au Jour de notre Seigneur Jésus Christ. ⁹Il est fidèle, le Dieu par qui vous avez été appelés à la communion de son Fils, Jésus Christ notre Seigneur.

1. Divisions et scandales

I. LES PARTIS DANS L'ÉGLISE DE CORINTHE

Les divisions entre fidèles.

¹⁰Je vous en prie, frères, par le nom de notre Seigneur Jésus Christ, ayez tous même langage ; qu'il n'y ait point parmi vous de divisions ; soyez étroitement unis dans le même esprit et dans la même pensée. ¹¹En effet, mes frères, il m'a été signalé à votre sujet par les gens de Chloé qu'il y a parmi vous des discordes. ¹²J'entends par là que chacun de vous dit : « Moi, je suis à Paul. » – « Et moi, à Apollos. » – « Et moi, à Céphas. » – « Et moi, au Christ. » ¹³Le Christ n'est-il pas ainsi divisé ? Serait-ce Paul qui a été crucifié pour vous ? Ou bien serait-ce au nom de Paul

que vous avez été baptisés ? ¹⁴Je rends grâces de n'avoir baptisé aucun de vous, si ce n'est Crispus et Caïus, ¹⁵de sorte que nul ne peut dire que vous avez été baptisés en mon nom. ¹⁶Ah si ! j'ai baptisé encore la famille de Stéphanas. Pour le reste, je ne sache pas avoir baptisé quelqu'un d'autre.

Sagesse du monde et sagesse chrétienne.

¹⁷Car le Christ ne m'a pas envoyé baptiser, mais annoncer l'Évangile, et cela sans la sagesse du langage, pour que ne soit pas réduite à néant la croix du Christ. ¹⁸Le langage de la croix, en effet, est folie pour ceux qui se perdent, mais pour ceux qui se sauvent, pour nous, il est puissance de Dieu. ¹⁹Car il est écrit : *Je détruirai la sagesse des sages, et l'intelligence des intelligents je la rejetterai.* ²⁰*Où est-il, le sage ? Où est-il, l'homme cultivé ?* Où est-il, le raisonneur de ce siècle ? Dieu n'a-t-il pas frappé de folie la sagesse du monde ? ²¹Puisqu'en effet le monde, par le moyen de la sagesse, n'a pas reconnu Dieu dans la sagesse de Dieu, c'est par la folie du message qu'il a plu à Dieu de sauver les croyants. ²²Alors que les Juifs demandent des signes et que les Grecs sont en quête de sagesse, ²³nous proclamons, nous, un Christ crucifié, scandale pour les Juifs et folie pour les païens, ²⁴mais pour ceux qui sont appelés, Juifs et Grecs, c'est le Christ, puissance de Dieu et sagesse de Dieu. ²⁵Car ce qui est folie de Dieu est plus sage que les hommes, et ce qui est faiblesse de Dieu est plus fort que les hommes.

²⁶Aussi bien, frères, considérez votre appel : il n'y a pas beaucoup de sages selon la chair, pas beaucoup de puissants, pas beaucoup de gens bien nés. ²⁷Mais ce qu'il y a de fou dans le monde, voilà ce que Dieu a choisi pour confondre les sages ; ce qu'il y a de faible dans le monde, voilà ce que Dieu a choisi pour confondre ce qui est fort ; ²⁸ce qui dans le monde est sans naissance et ce que l'on méprise, voilà ce que Dieu a choisi ; ce qui n'est pas, pour réduire à rien ce qui est, ²⁹afin qu'aucune chair n'aille se glorifier devant Dieu. ³⁰Car c'est par Lui que vous êtes dans le Christ Jésus qui est devenu pour nous sagesse venant de Dieu, justice, sanctification et rédemption, ³¹afin que, comme il est écrit, *celui qui se glorifie, qu'il se glorifie dans le Seigneur.*

2 ¹Pour moi, quand je suis venu chez vous, frères, je ne suis pas venu vous annoncer le mystère de Dieu avec le prestige de la parole ou de la sagesse. ²Non, je n'ai rien voulu savoir parmi vous, sinon Jésus Christ, et Jésus Christ crucifié. ³Moi-même, je me suis présenté à vous faible, craintif et tout tremblant, ⁴et ma parole et mon message n'avaient rien des discours persuasifs de la sagesse ; c'était une démonstration d'Esprit et de puissance, ⁵pour que votre foi reposât, non sur la sagesse des hommes, mais sur la puissance de Dieu.

⁶Pourtant, c'est bien de sagesse que nous parlons parmi les parfaits, mais non d'une sagesse de ce monde ni des princes de ce monde, voués à la destruction.

[7] Ce dont nous parlons, au contraire, c'est d'une sagesse de Dieu, mystérieuse, demeurée cachée, celle que, dès avant les siècles, Dieu a par avance destinée pour notre gloire, [8] celle qu'aucun des princes de ce monde n'a connue – s'ils l'avaient connue, en effet, ils n'auraient pas crucifié le Seigneur de la Gloire – [9] mais, selon qu'il est écrit, nous annonçons *ce que l'œil n'a pas vu, ce que l'oreille n'a pas entendu, ce qui n'est pas monté au cœur de l'homme, tout ce que Dieu a préparé pour ceux qui l'aiment.*

[10] Car c'est à nous que Dieu l'a révélé par l'Esprit ; l'Esprit en effet sonde tout, jusqu'aux profondeurs de Dieu. [11] Qui donc entre les hommes sait ce qui concerne l'homme, sinon l'esprit de l'homme qui est en lui ? De même, nul ne connaît ce qui concerne Dieu, sinon l'Esprit de Dieu. [12] Or, nous n'avons pas reçu, nous, l'esprit du monde, mais l'Esprit qui vient de Dieu, pour connaître les dons gracieux que Dieu nous a faits. [13] Et nous en parlons non pas avec des discours enseignés par l'humaine sagesse, mais avec ceux qu'enseigne l'Esprit, exprimant en termes spirituels des réalités spirituelles. [14] L'homme psychique n'accueille pas ce qui est de l'Esprit de Dieu : c'est folie pour lui et il ne peut le connaître, car c'est spirituellement qu'on en juge. [15] L'homme spirituel, au contraire, juge de tout, et lui-même n'est jugé par personne. [16] *Qui en effet a connu la pensée du Seigneur, pour pouvoir l'instruire ?* Et nous l'avons, nous, la pensée du Christ.

3 [1] Pour moi, frères, je n'ai pu vous parler comme à des hommes spirituels, mais comme à des êtres de chair, comme à de petits enfants dans le Christ. [2] C'est du lait que je vous ai donné à boire, non une nourriture solide ; vous ne pouviez encore la supporter. Mais vous ne le pouvez pas davantage maintenant, [3] car vous êtes encore charnels. Du moment qu'il y a parmi vous jalousie et dispute, n'êtes-vous pas charnels et votre conduite n'est-elle pas tout humaine ? [4] Lorsque l'un dit : « Moi, je suis à Paul », et l'autre : « Moi, à Apollos », n'est-ce pas là bien humain ?

Le vrai rôle des prédicateurs.

[5] Qu'est-ce donc qu'Apollos ? Et qu'est-ce que Paul ? Des serviteurs par qui vous avez embrassé la foi, et chacun d'eux selon ce que le Seigneur lui a donné. [6] Moi, j'ai planté, Apollos a arrosé ; mais c'est Dieu qui donnait la croissance. [7] Ainsi donc, ni celui qui plante n'est quelque chose, ni celui qui arrose, mais celui qui donne la croissance : Dieu. [8] Celui qui plante et celui qui arrose ne font qu'un, mais chacun recevra son propre salaire selon son propre labeur. [9] Car nous sommes les coopérateurs de Dieu ; vous êtes le champ de Dieu, l'édifice de Dieu.

[10] Selon la grâce de Dieu qui m'a été accordée, tel un bon architecte, j'ai posé le fondement. Un autre bâtit dessus. Mais que chacun prenne garde à la manière dont il y bâtit. [11] De fondement, en effet, nul n'en peut poser d'autre que celui qui s'y trouve, c'est-à-dire Jésus Christ. [12] Que si sur ce fonde-

ment on bâtit avec de l'or, de l'argent, des pierres précieuses, du bois, du foin, de la paille, [13]l'œuvre de chacun deviendra manifeste ; le Jour, en effet, la fera connaître, car il doit se révéler dans le feu, et c'est ce feu qui éprouvera la qualité de l'œuvre de chacun. [14]Si l'œuvre bâtie sur le fondement subsiste, l'ouvrier recevra une récompense ; [15]si son œuvre est consumée, il en subira la perte ; quant à lui, il sera sauvé, mais comme à travers le feu.

[16]Ne savez-vous pas que vous êtes un temple de Dieu, et que l'Esprit de Dieu habite en vous ? [17]Si quelqu'un détruit le temple de Dieu, celui-là, Dieu le détruira. Car le temple de Dieu est sacré, et ce temple, c'est vous.

Conclusions.

[18]Que nul ne se dupe lui-même ! Si quelqu'un parmi vous croit être sage à la façon de ce monde, qu'il se fasse fou pour devenir sage ; [19]car la sagesse de ce monde est folie auprès de Dieu. Il est écrit en effet : *Celui qui prend les sages à leur propre astuce ;* [20]et encore : *Le Seigneur connaît les pensées des sages ; il sait qu'elles sont vaines.* [21]Ainsi donc, que nul ne se glorifie dans les hommes ; car tout est à vous, [22]soit Paul, soit Apollos, soit Céphas, soit le monde, soit la vie, soit la mort, soit le présent, soit l'avenir. Tout est à vous ; [23]mais vous êtes au Christ, et le Christ est à Dieu.

4 [1]Qu'on nous regarde donc comme des serviteurs du Christ et des intendants des mystères de Dieu. [2]Or, ce qu'en fin de compte on demande à des intendants, c'est que chacun soit trouvé fidèle. [3]Pour moi, il m'importe fort peu d'être jugé par vous ou par un tribunal humain. Bien plus, je ne me juge pas moi-même. [4]Ma conscience, il est vrai, ne me reproche rien, mais je n'en suis pas justifié pour autant ; mon juge, c'est le Seigneur. [5]Ainsi donc, ne portez pas de jugement prématuré. Laissez venir le Seigneur ; c'est lui qui éclairera les secrets des ténèbres et rendra manifestes les desseins des cœurs. Et alors chacun recevra de Dieu la louange qui lui revient.

[6]En tout cela, frères, je me suis pris comme exemple avec Apollos à cause de vous, pour que vous appreniez, en nos personnes, à ne pas (le « ne pas » est écrit au-dessus du texte) vous enfler d'orgueil en prenant le parti de l'un contre l'autre. [7]Qui donc en effet te distingue ? Qu'as-tu que tu n'aies reçu ? Et si tu l'as reçu, pourquoi te glorifier comme si tu ne l'avais pas reçu ? [8]Déjà, vous êtes rassasiés ! déjà vous vous êtes enrichis ! sans nous, vous êtes devenus rois ! Ah ! que ne l'êtes-vous donc, rois, pour que nous partagions, nous aussi, votre royauté ! [9]Car Dieu, ce me semble, nous a, nous les apôtres, exhibés au dernier rang, comme des condamnés à mort ; oui, nous avons été livrés en spectacle au monde, aux anges et aux hommes. [10]Nous sommes fous, nous, à cause du Christ, mais vous, vous êtes prudents dans le Christ ; nous sommes faibles, mais vous, vous êtes forts ; vous êtes à l'honneur, mais nous dans le mépris. [11]Jusqu'à l'heure présente, nous avons faim, nous avons soif, nous sommes nus,

maltraités et errants ; ¹²nous nous épuisons à travailler de nos mains. On nous insulte et nous bénissons ; on nous persécute et nous l'endurons ; ¹³on nous calomnie et nous consolons. Nous sommes devenus comme l'ordure du monde, jusqu'à présent l'universel rebut.

Admonestations.

¹⁴Ce n'est pas pour vous confondre que j'écris cela ; c'est pour vous avertir comme mes enfants bien-aimés. ¹⁵Auriez-vous en effet des milliers de pédagogues dans le Christ, que vous n'avez pas plusieurs pères ; car c'est moi qui, par l'Évangile, vous ai engendrés dans le Christ Jésus. ¹⁶Je vous en prie donc, montrez-vous mes imita-teurs. ¹⁷C'est pour cela même que je vous ai envoyé Timothée, qui est mon enfant bien-aimé et fidèle dans le Seigneur ; il vous rappellera mes règles de conduite dans le Christ Jésus, telles que je les enseigne partout dans toutes les Églises.

¹⁸Dans la pensée que je ne viendrais pas chez vous, certains se sont gonflés d'orgueil. ¹⁹Mais je viendrai bientôt chez vous, s'il plaît au Seigneur, et je jugerai alors non des paroles de ces gonflés d'orgueil, mais de leur puissance ; ²⁰car le Royaume de Dieu ne consiste pas en parole, mais en puissance. ²¹Que préférez-vous ? Que je vienne chez vous avec des verges, ou bien avec charité et en esprit de douceur ?

II. UN CAS D'UNION ILLÉGITIME

5 ¹On n'entend parler que d'inconduite parmi vous, et d'une inconduite telle qu'il n'en existe pas même chez les païens ; c'est à ce point que l'un de vous vit avec la femme de son père ! ²Et vous êtes gonflés d'orgueil ! Et vous n'avez pas plutôt pris le deuil, pour qu'on enlevât du milieu de vous celui qui a commis cet acte ! ³Eh bien ! moi, absent de corps, mais présent d'esprit, j'ai déjà jugé, comme si j'étais présent, celui qui a perpétré une telle action au nom du Seigneur Jésus. ⁴Vous et mon esprit nous étant assemblés avec la puissance de notre Seigneur Jésus, ⁵il faut que nous livrions cet individu à Satan pour la perte de sa chair, afin que l'esprit soit sauvé au Jour du Seigneur.

⁶Il n'y a pas de quoi vous glorifier ! Ne savez-vous pas qu'un peu de levain fait lever toute la pâte ? ⁷Purifiez-vous du vieux levain pour être une pâte nouvelle, puisque vous êtes des azymes. Car notre pâque, le Christ, a été immolée. ⁸Ainsi donc, célébrons la fête, non pas avec du vieux levain, ni un levain de malice et de méchanceté, mais avec des azymes de pureté et de vérité.

⁹En vous écrivant, dans ma lettre, de n'avoir pas de relations avec des débauchés, ¹⁰je n'entendais nullement les débauchés de ce monde, ou bien les cupides et les rapaces, ou les idolâtres ; car il vous faudrait alors sortir du monde. ¹¹Non, je vous ai écrit de n'avoir pas de rapports avec celui

qui, tout en portant le nom de frère, serait débauché, cupide, idolâtre, insulteur, ivrogne ou rapace, et même, avec un tel homme, de ne point prendre de repas. ¹²Qu'ai-je à faire en effet de juger ceux du dehors ? N'est-ce pas ceux du dedans que vous jugez, vous ? ¹³Ceux du dehors, c'est Dieu qui les jugera.

Enlevez le mauvais du milieu de vous.

III. L'APPEL AUX TRIBUNAUX PAÏENS

6 ¹Quand l'un de vous a un différend avec un autre, ose-t-il bien aller en justice devant les injustes, et non devant les saints ? ²Ou bien ne savez-vous pas que les saints jugeront le monde ? Et si c'est par vous que le monde doit être jugé, êtes-vous indignes de prononcer sur des riens ? ³Ne savez-vous pas que nous jugerons les anges ? À plus forte raison les choses de cette vie ! ⁴Et quand vous avez là-dessus des litiges, vous allez prendre pour juges des gens que l'Église méprise ! ⁵Je le dis à votre honte ; ainsi, il n'y a parmi vous aucun homme sage, qui puisse servir d'arbitre entre ses frères ! ⁶Mais on va en justice frère contre frère, et cela devant des infidèles ! ⁷De toute façon, certes, c'est déjà pour vous une défaite que d'avoir des procès entre vous. Pourquoi ne pas souffrir plutôt l'injustice ? Pourquoi ne pas vous laisser plutôt dépouiller ? ⁸Mais non, c'est vous qui commettez l'injustice et dépouillez les autres ; et ce sont des frères !

⁹Ne savez-vous pas que les injustes n'hériteront pas du Royaume de Dieu ? Ne vous y trompez pas ! Ni impudiques, ni idolâtres, ni adultères, ni dépravés, ni gens de mœurs infâmes, ¹⁰ni voleurs, ni cupides, pas plus qu'ivrognes, insulteurs ou rapaces, n'hériteront du Royaume de Dieu. ¹¹Et cela, vous l'étiez bien, quelques-uns. Mais vous vous êtes lavés, mais vous avez été sanctifiés, mais vous avez été justifiés par le nom du Seigneur Jésus Christ et par l'Esprit de notre Dieu.

IV. LA FORNICATION

¹²« Tout m'est permis » ; mais tout n'est pas profitable. « Tout m'est permis » ; mais je ne me laisserai, moi, dominer par rien. ¹³« Les aliments sont pour le ventre et le ventre pour les aliments, et Dieu détruira ceux-ci comme celui-là. » Mais le corps n'est pas pour la fornication ; il est pour le Seigneur, et le Seigneur pour le corps. ¹⁴Et Dieu, qui a ressuscité le Seigneur, nous ressuscitera, nous aussi, par sa puissance.

¹⁵Ne savez-vous pas que vos corps sont des membres du Christ ? Et j'irais prendre les membres du Christ pour en faire des membres de prostituée ! Ja-

mais de la vie ! [16]Ou bien ne savez-vous pas que celui qui s'unit à la prostituée n'est avec elle qu'un seul corps ? Car il est dit : *Les deux ne seront qu'une seule chair.* [17]Celui qui s'unit au Seigneur, au contraire, n'est avec lui qu'un seul esprit.

[18]Fuyez la fornication ! « Tout péché que l'homme peut commettre est extérieur à son corps » ; celui qui fornique, lui, pèche contre son propre corps. [19]Ou bien ne savez-vous pas que votre corps est un temple du Saint Esprit, qui est en vous et que vous tenez de Dieu ? Et que vous ne vous appartenez pas ? [20]Vous avez été bel et bien achetés ! Glorifiez donc Dieu dans votre corps.

2. Solution de divers problèmes

I. MARIAGE ET VIRGINITÉ

7 [1]J'en viens maintenant à ce que vous m'avez écrit à savoir, « il est bon pour l'homme de s'abstenir de la femme ». [2]Toutefois, à cause des débauches, que chaque homme ait sa femme et chaque femme son mari. [3]Que le mari s'acquitte de son devoir envers sa femme, et pareillement la femme envers son mari. [4]La femme ne dispose pas de son corps, mais le mari. Pareillement, le mari ne dispose pas de son corps, mais la femme. [5]Ne vous refusez pas l'un à l'autre, si ce n'est d'un commun accord, pour un temps, afin de vaquer à la prière ; et de nouveau soyez ensemble, de peur que Satan ne profite, pour vous tenter, de votre incontinence. [6]Ce que je dis là est une concession, non un ordre. [7]Je voudrais que tous les hommes fussent comme moi ; mais chacun reçoit de Dieu son don particulier, celui-ci d'une manière, celui-là de l'autre.

[8]Je dis toutefois aux célibataires et aux veuves qu'il leur est bon de demeurer comme moi. [9]Mais s'ils ne peuvent se contenir, qu'ils se marient : mieux vaut se marier que de brûler.

[10]Quant aux personnes mariées, voici ce que je prescris, non pas moi, mais le Seigneur : que la femme ne soit pas séparée de son mari – [11]au cas où elle en aurait été séparée, qu'elle ne se remarie pas ou qu'elle se réconcilie avec son mari – et que le mari ne répudie pas sa femme.

[12]Quant aux autres, c'est moi qui leur dis, non le Seigneur : si un frère a une femme non croyante qui consente à cohabiter avec lui, qu'il ne la répudie pas. [13]Une femme a-t-elle un mari non croyant qui consente à cohabiter avec elle, qu'elle ne répudie pas son mari. [14]En effet le mari non croyant se trouve sanctifié par sa femme, et la femme non croyante se trouve sanctifiée par le mari croyant. Car autrement, vos enfants seraient impurs, alors qu'ils sont saints ! [15]Mais si la partie non

croyante veut se séparer, qu'elle se sépare ; en pareil cas, le frère ou la sœur ne sont pas liés : Dieu vous a appelés à vivre en paix. [16]Et que sais-tu, femme, si tu sauveras ton mari ? Et que sais-tu, mari, si tu sauveras ta femme ?

[17]Par ailleurs, que chacun continue de vivre dans la condition que lui a départie le Seigneur, tel que l'a trouvé l'appel de Dieu. C'est la règle que j'établis dans toutes les Églises. [18]Quelqu'un était-il circoncis lors de son appel ? qu'il ne se fasse pas de prépuce. L'appel l'a-t-il trouvé incirconcis ? qu'il ne se fasse pas circoncire. [19]La circoncision n'est rien, et l'incirconcision n'est rien ; ce qui compte, c'est de garder les commandements de Dieu. [20]Que chacun demeure dans l'état où l'a trouvé l'appel de Dieu. [21]Étais-tu esclave, lors de ton appel ? Ne t'en soucie pas. Et même si tu peux devenir libre, mets plutôt à profit ta condition d'esclave. [22]Car celui qui était esclave lors de son appel dans le Seigneur est un affranchi du Seigneur ; pareillement celui qui était libre lors de son appel est un esclave du Christ. [23]Vous avez été bel et bien achetés ! Ne vous rendez pas esclaves des hommes. [24]Que chacun, frères, demeure devant Dieu dans l'état où l'a trouvé son appel.

[25]Pour ce qui est des vierges, je n'ai pas d'ordre du Seigneur, mais je donne un avis en homme qui, par la miséricorde du Seigneur, est digne de confiance. [26]Je pense donc que c'est une bonne chose, en raison de la détresse présente, que c'est une bonne chose pour l'homme d'être ainsi. [27]Es-tu lié à une femme ? ne cherche pas à rompre. N'es-tu pas lié à une femme ? ne cherche pas de femme. [28]Si cependant tu te maries, tu ne pèches pas ; et si la jeune fille se marie, elle ne pèche pas. Mais ceux-là connaîtront la tribulation dans leur chair, et moi, je voudrais vous l'épargner.

[29]Je vous le dis, frères : le temps se fait court. Que désormais ceux qui ont femme vivent comme s'ils n'en avaient pas ; [30]ceux qui pleurent, comme s'ils ne pleuraient pas ; ceux qui sont dans la joie, comme s'ils n'étaient pas dans la joie ; ceux qui achètent, comme s'ils ne possédaient pas ; [31]ceux qui usent de ce monde, comme s'ils n'en usaient pas vraiment. Car elle passe, la figure de ce monde.

[32]Je voudrais vous voir exempts de soucis. L'homme qui n'est pas marié a souci des affaires du Seigneur, des moyens de plaire au Seigneur. [33]Celui qui s'est marié a souci des affaires du monde, des moyens de plaire à sa femme ; [34]et le voilà partagé. De même la femme sans mari, comme la jeune fille, a souci des affaires du Seigneur ; elle cherche à être sainte de corps et d'esprit. Celle qui s'est mariée a souci des affaires du monde, des moyens de plaire à son mari. [35]Je dis cela dans votre propre intérêt, non pour vous tendre un piège, mais pour vous porter à ce qui est digne et qui attache sans partage au Seigneur.

[36]Si quelqu'un pense, étant en pleine ardeur juvénile, qu'il risque de mal se conduire vis-à-vis de sa fiancée, et que les choses doivent suivre leur cours, qu'il fasse ce qu'il veut : il ne pèche pas, qu'ils

se marient ! ³⁷Mais celui qui a pris dans son cœur une ferme résolution, en dehors de toute contrainte, en gardant le plein contrôle de sa volonté, et a ainsi décidé en lui-même de respecter sa fiancée, celui-là fait bien. ³⁸Ainsi celui qui se marie avec sa fiancée fait bien, mais celui qui ne se marie pas fait mieux encore.

³⁹La femme demeure liée à son mari aussi longtemps qu'il vit ; mais si le mari meurt, elle est libre d'épouser qui elle veut, dans le Seigneur seulement. ⁴⁰Elle sera pourtant plus heureuse, à mon sens, si elle reste comme elle est. Et je pense bien, moi aussi, avoir l'Esprit de Dieu.

II. LES IDOLOTHYTES

L'aspect théorique.

8 ¹Pour ce qui est des viandes immolées aux idoles, « nous avons tous la science », c'est entendu. Mais la science enfle ; c'est la charité qui édifie. ²Si quelqu'un s'imagine connaître quelque chose, il ne connaît pas encore comme il faut connaître ; ³mais si quelqu'un aime Dieu, celui-là est connu de lui. ⁴Donc, pour ce qui est de manger des viandes immolées aux idoles, nous savons qu'« une idole n'est rien dans le monde » et qu'« il n'est de Dieu que le Dieu unique ». ⁵Car, bien qu'il y ait, soit au ciel, soit sur la terre, de prétendus dieux – et de fait il y a quantité de dieux et quantité de seigneurs –, ⁶pour nous en tout cas, il n'y a qu'un seul Dieu, le Père, de qui viennent toutes choses et vers qui nous allons, et un seul Seigneur, Jésus Christ, par qui viennent toutes choses et par qui nous allons.

Le point de vue de la charité.
Rm 14 ; 15 1-2, 7. 1 Th 5 14.

⁷Mais tous n'ont pas la science. Certains, par suite de leur fré-

quentation encore récente des idoles, mangent les viandes immolées comme telles, et leur conscience, qui est faible, s'en trouve souillée. ⁸Ce n'est pas un aliment qui nous fera comparaître en jugement devant Dieu. Si nous n'en mangeons pas, nous n'avons rien de plus ; et si nous en mangeons, nous n'avons rien de moins. ⁹Mais prenez garde que cette liberté dont vous usez ne devienne pour les faibles occasion de chute. ¹⁰Si en effet quelqu'un te voit, toi qui as la science, attablé dans un temple d'idoles, sa conscience à lui qui est faible ne va-t-elle pas se croire autorisée à manger des viandes immolées aux idoles ? ¹¹Et ta science alors va faire périr le faible, ce frère pour qui le Christ est mort ! ¹²En péchant ainsi contre vos frères, en blessant leur conscience, qui est faible, c'est contre le Christ que vous péchez. ¹³C'est pourquoi, si un aliment doit causer la chute de mon frère, je me passerai de viande à tout jamais, afin de ne pas causer la chute de mon frère.

L'exemple de Paul.

9 ¹Ne suis-je pas libre ? Ne suis-je pas apôtre ? N'ai-je donc pas vu Jésus, notre Seigneur ? N'êtes-vous pas mon œuvre dans le Seigneur ? ²Si pour d'autres je ne suis pas apôtre, pour vous du moins je le suis ; car c'est vous qui, dans le Seigneur, êtes le sceau de mon apostolat. ³Ma défense contre ceux qui m'accusent, la voici : ⁴N'avons-nous pas le droit de manger et de boire ? ⁵N'avons-nous pas le droit d'emmener avec nous une épouse croyante, comme les autres apôtres, et les frères du Seigneur, et Céphas ? ⁶Ou bien, est-ce que moi seul et Barnabé, nous n'avons pas le droit de ne pas travailler ? ⁷Qui fait jamais campagne à ses propres frais ? Qui plante une vigne et n'en mange pas le fruit ? Qui fait paître un troupeau et ne se nourrit pas du lait du troupeau ?

⁸N'y a-t-il là que propos humains ? Ou bien la Loi ne le dit-elle pas aussi ? ⁹C'est bien dans la Loi de Moïse qu'il est écrit : *Tu ne musselleras pas le bœuf qui foule le grain.* Dieu se mettrait-il en peine des bœufs ? ¹⁰N'est-ce pas évidemment pour nous qu'il parle ? Oui, c'est pour nous que cela a été écrit : celui qui laboure doit labourer dans l'espérance, et celui qui foule le grain, dans l'espérance d'en avoir sa part. ¹¹Si nous avons semé en vous les biens spirituels, est-ce chose extraordinaire que nous récoltions vos biens temporels ? ¹²Si d'autres ont ce droit sur vous, ne l'avons-nous pas davantage ? Cependant nous n'avons pas usé de ce droit. Nous supportons tout au contraire pour ne pas créer d'obstacle à l'Évangile du Christ. ¹³Ne savez-vous pas que les ministres du temple vivent du temple, que ceux qui servent à l'autel partagent avec l'autel ? ¹⁴De même, le Seigneur a prescrit à ceux qui annoncent l'Évangile de vivre de l'Évangile.

¹⁵Mais je n'ai usé, moi, d'aucun de ces droits, et je n'écris pas cela pour qu'il en soit ainsi à mon égard ; plutôt mourir que de... Mon titre de gloire, personne ne le réduira à néant. ¹⁶Annoncer l'Évangile en effet n'est pas pour moi un titre de gloire ; c'est une nécessité qui m'incombe. Oui, malheur à moi si je n'annonçais pas l'Évangile ! ¹⁷Si j'avais l'initiative de cette tâche, j'aurais droit à une récompense ; si je ne l'ai pas, c'est une charge qui m'est confiée. ¹⁸Quelle est donc ma récompense ? C'est qu'en annonçant l'Évangile, j'offre gratuitement l'Évangile, sans pleinement user du droit que me confère l'Évangile.

¹⁹Oui, libre à l'égard de tous, je me suis fait l'esclave de tous, afin de gagner le plus grand nombre. ²⁰Je me suis fait Juif avec les Juifs, afin de gagner les Juifs ; sujet de la Loi avec les sujets de la Loi – moi, qui ne suis pas sujet de la Loi – afin de gagner les sujets de la Loi. ²¹Je me suis fait un sans-loi avec les sans-loi – moi qui ne suis pas sans une loi de Dieu, étant sous la loi du Christ – afin de gagner les sans-loi. ²²Je me suis fait faible avec les faibles, afin de gagner les faibles. Je me suis fait tout à tous, afin d'en sauver à tout prix quelques-uns.

²³Et tout cela, je le fais à cause de l'Évangile, afin d'en avoir ma part.

²⁴Ne savez-vous pas que, dans les courses du stade, tous courent, mais un seul obtient le prix ? Courez donc de manière à le remporter. ²⁵Tout athlète se prive de tout ; mais eux, c'est pour obtenir une couronne périssable, nous une impérissable. ²⁶Et c'est bien ainsi que je cours, moi, non à l'aventure ; c'est ainsi que je fais du pugilat, sans frapper dans le vide. ²⁷Je meurtris mon corps au contraire et le traîne en esclavage, de peur qu'après avoir servi de héraut pour les autres, je ne sois moi-même disqualifié.

Le point de vue de la prudence et les leçons du passé d'Israël.

10 ¹Car je ne veux pas que vous l'ignoriez, frères : nos pères ont tous été sous la nuée, tous ont passé à travers la mer, ²tous ont été baptisés en Moïse dans la nuée et dans la mer, ³tous ont mangé le même aliment spirituel ⁴et tous ont bu le même breuvage spirituel – ils buvaient en effet à un rocher spirituel qui les accompagnait, et ce rocher c'était le Christ. ⁵Cependant, ce n'est pas le plus grand nombre d'entre eux qui plut à Dieu, puisque leurs corps *jonchèrent le désert*.

⁶Ces faits se sont produits pour nous servir d'exemples, pour que nous n'ayons pas de convoitises mauvaises, comme ils en eurent eux-mêmes. ⁷Ne devenez pas idolâtres comme certains d'entre eux, dont il est écrit : *Le peuple s'assit pour manger et boire, puis ils se levèrent pour s'amuser.* ⁸Et ne forniquons pas, comme le firent certains d'entre eux ; et il en tomba vingt-trois milliers en un seul jour. ⁹Ne tentons pas non plus le Seigneur, comme le firent certains d'entre eux ; et ils périrent par les serpents. ¹⁰Et ne murmurez pas, comme le firent certains d'entre eux ; et ils périrent par l'Exterminateur.

¹¹Cela leur arrivait pour servir d'exemple, et a été écrit pour notre instruction à nous qui touchons à la fin des temps. ¹²Ainsi donc, que celui qui se flatte d'être debout prenne garde de tomber. ¹³Aucune tentation ne vous est survenue, qui passât la mesure humaine. Dieu est fidèle ; il ne permettra pas que vous soyez tentés au-delà de vos forces ; mais avec la tentation, il vous donnera le moyen d'en sortir et la force de la supporter.

Les repas sacrés. Ne point pactiser avec l'idolâtrie.

¹⁴C'est pourquoi, mes bien-aimés, fuyez l'idolâtrie. ¹⁵Je vous parle comme à des gens sensés ; jugez vous-mêmes de ce que je dis. ¹⁶La coupe de bénédiction que nous bénissons, n'est-elle pas communion au sang du Christ ? Le pain que nous rompons, n'est-il pas communion au corps du Christ ? ¹⁷Parce qu'il n'y a qu'un pain, à plusieurs nous ne sommes qu'un corps, car tous nous participons à ce pain unique. ¹⁸Considérez l'Israël selon la chair. Ceux qui mangent les victimes ne sont-ils pas en communion avec l'autel ? ¹⁹Qu'est-ce à dire ? Que la viande immolée aux idoles soit quelque chose ? Ou que l'idole soit quelque chose ? ... ²⁰Mais ce qu'on immole, *c'est à des démons*

et à ce qui n'est pas Dieu qu'on l'immole. Or, je ne veux pas que vous entriez en communion avec les démons. ²¹Vous ne pouvez boire la coupe du Seigneur et la coupe des démons ; vous ne pouvez participer à la table du Seigneur et à la table des démons. ²²Ou bien voudrions-nous provoquer la jalousie du Seigneur ? Serions-nous plus forts que lui ?

Les idolothytes. Solutions pratiques.

²³« Tout est permis » ; mais tout n'est pas profitable. « Tout est permis » ; mais tout n'édifie pas. ²⁴Que personne ne cherche son propre intérêt, mais celui d'autrui. ²⁵Tout ce qui se vend au marché, mangez-le sans poser de question par motif de conscience ; ²⁶car *la terre est au Seigneur, et tout ce qui la remplit.* ²⁷Si quelque infidèle vous invite et que vous acceptiez d'y aller, mangez tout ce qu'on vous sert, sans poser de question par motif de conscien-

ce. ²⁸Mais si quelqu'un vous dit : « Ceci a été immolé en sacrifice », n'en mangez pas, à cause de celui qui vous a prévenus, et par motif de conscience. ²⁹Par conscience j'entends non la vôtre, mais celle d'autrui ; car pourquoi ma liberté relèverait-elle du jugement d'une conscience étrangère ? ³⁰Si je prends quelque chose en rendant grâce, pourquoi serais-je blâmé pour ce dont je rends grâce ?

Conclusion.

³¹Soit donc que vous mangiez, soit que vous buviez, et quoi que vous fassiez, faites tout pour la gloire de Dieu. ³²Ne donnez scandale ni aux Juifs, ni aux Grecs, ni à l'Église de Dieu, ³³tout comme moi je m'efforce de plaire en tout à tous, ne recherchant pas mon propre intérêt, mais celui du plus grand nombre, afin qu'ils soient sauvés.

11 ¹Montrez-vous mes imitateurs, comme je le suis moi-même du Christ.

III. LE BON ORDRE DANS LES ASSEMBLÉES

La tenue des hommes et des femmes.

²Je vous félicite de ce qu'en toutes choses vous vous souvenez de moi et gardez les traditions comme je vous les ai transmises. ³Je veux cependant que vous le sachiez : l'origine de tout homme, c'est le Christ ; l'origine de la femme, c'est l'homme ; et l'origine du Christ, c'est Dieu. ⁴Tout homme qui prie ou prophétise ayant des cheveux longs fait affront à sa tête.

⁵Toute femme qui prie ou prophétise le chef découvert fait affront à sa tête ; c'est exactement comme si elle était tondue. ⁶Si donc une femme ne se couvre pas, alors, qu'elle se coupe les cheveux ! Mais si c'est une honte pour une femme d'avoir les cheveux coupés ou tondus, qu'elle se couvre.

⁷L'homme, lui, ne doit pas se couvrir la tête, parce qu'il est l'image et la gloire de Dieu ; quant à la femme, elle est la gloire

de l'homme. ⁸Ce n'est pas l'homme en effet qui a été tiré de la femme, mais la femme de l'homme ; ⁹et ce n'est pas l'homme, bien sûr, qui a été créé pour la femme, mais la femme pour l'homme. ¹⁰Voilà pourquoi la femme doit discipliner sa chevelure, à cause des anges. ¹¹Aussi bien, dans le Seigneur, la femme n'est pas autre que l'homme, et l'homme n'est pas autre que la femme ; ¹²car, de même que la femme a été tirée de l'homme, ainsi l'homme naît par la femme, et tout vient de Dieu.

¹³Jugez-en par vous-mêmes. Est-il convenable que la femme prie Dieu la tête découverte ? ¹⁴La nature elle-même ne vous enseigne-t-elle pas que c'est une honte pour l'homme de porter les cheveux longs, ¹⁵tandis que c'est une gloire pour la femme de les porter ainsi ? Car la chevelure lui a été donnée comme couvre-chef. ¹⁶Au reste, si quelqu'un se plaît à ergoter, tel n'est pas notre usage, ni celui des Églises de Dieu.

Le « Repas du Seigneur ».

¹⁷Et puisque j'en suis aux recommandations, je n'ai pas à vous louer de ce que vos réunions tournent non pas à votre bien, mais à votre détriment. ¹⁸Car j'apprends tout d'abord que, lorsque vous vous réunissez en assemblée, il se produit parmi vous des divisions, et je le crois en partie. ¹⁹Il faut bien qu'il y ait aussi des scissions parmi vous, pour permettre aux hommes éprouvés de se manifester parmi vous. ²⁰Lors donc que vous vous réunissez en commun, ce n'est pas le Repas du Seigneur

que vous prenez. ²¹Dès qu'on est à table en effet, chacun prend d'abord son propre repas, et l'un a faim, tandis que l'autre est ivre. ²²Vous n'avez donc pas de maisons pour manger et boire ? Ou bien méprisez-vous l'Église de Dieu, et voulez-vous faire honte à ceux qui n'ont rien ? Que vous dire ? Vous louer ? Sur ce point, je ne vous loue pas.

‖ Mt **26** 26-29. ‖ Mc **14** 22-25. ‖ Lc **22** 14-20.

²³Pour moi, en effet, j'ai reçu du Seigneur ce qu'à mon tour je vous ai transmis : le Seigneur Jésus, la nuit où il était livré, prit du pain ²⁴et, après avoir rendu grâce, le rompit et dit : « Ceci est mon corps, qui est pour vous ; faites ceci en mémoire de moi. » ²⁵De même, après le repas, il prit la coupe, en disant : « Cette coupe est la nouvelle Alliance en mon sang ; chaque fois que vous en boirez, faites-le en mémoire de moi. » ²⁶Chaque fois en effet que vous mangez ce pain et que vous buvez cette coupe, vous annoncez la mort du Seigneur, jusqu'à ce qu'il vienne. ²⁷Ainsi donc, quiconque mange le pain ou boit la coupe du Seigneur indignement aura à répondre du corps et du sang du Seigneur.

²⁸Que chacun donc s'éprouve soi-même, et qu'ainsi il mange de ce pain et boive de cette coupe ; ²⁹car celui qui mange et boit, mange et boit sa propre condamnation, s'il ne discerne le Corps. ³⁰Voilà pourquoi il y a parmi vous beaucoup de malades et d'infirmes, et que bon nombre sont morts. ³¹Si nous nous examinions

nous-mêmes, nous ne serions pas jugés. [32]Mais par ses jugements le Seigneur nous corrige, pour que nous ne soyons point condamnés avec le monde.

[33]Ainsi donc, mes frères, quand vous vous réunissez pour le Repas, attendez-vous les uns les autres. [34]Si quelqu'un a faim, qu'il mange chez lui, afin de ne pas vous réunir pour votre condamnation. Quant au reste, je le réglerai lors de ma venue.

Les dons spirituels ou « charismes ».

12 [1]Pour ce qui est des dons spirituels, frères, je ne veux pas vous voir dans l'ignorance. [2]Quand vous étiez païens, vous le savez, vous étiez entraînés irrésistiblement vers les idoles muettes. [3]C'est pourquoi, je vous le déclare : personne, parlant avec l'Esprit de Dieu, ne dit : « Anathème à Jésus », et nul ne peut dire : « Jésus est Seigneur », s'il n'est avec l'Esprit Saint.

Diversité et unité des charismes.

[4]Il y a, certes, diversité de dons spirituels, mais c'est le même Esprit ; [5]diversité de ministères, mais c'est le même Seigneur ; [6]diversité d'opérations, mais c'est le même Dieu qui opère tout en tous. [7]À chacun la manifestation de l'Esprit est donnée en vue du bien commun. [8]À l'un, c'est un discours de sagesse qui est donné par l'Esprit ; à tel autre un discours de science, selon le même Esprit ; [9]à un autre la foi, dans le même Esprit ; à tel autre les dons de guérisons, dans l'unique Esprit ; [10]à tel autre la puissance d'opérer des miracles ; à tel autre la prophétie ; à tel autre le discernement des esprits ; à un autre les diversités de langues, à tel autre le don de les interpréter. [11]Mais tout cela, c'est l'unique et même Esprit qui l'opère, distribuant ses dons à chacun en particulier comme il l'entend.

Comparaison du corps.

[12]De même, en effet, que le corps est un, tout en ayant plusieurs membres, et que tous les membres du corps, en dépit de leur pluralité, ne forment qu'un seul corps, ainsi en est-il du Christ. [13]Aussi bien est-ce en un seul Esprit que nous tous avons été baptisés en un seul corps, Juifs ou Grecs, esclaves ou hommes libres, et tous nous avons été abreuvés d'un seul Esprit.

[14]Aussi bien le corps n'est-il pas un seul membre, mais plusieurs. [15]Si le pied disait : « Parce que je ne suis pas la main, je ne suis pas du corps », il n'en serait pas moins du corps pour cela. [16]Et si l'oreille disait : « Parce que je ne suis pas l'œil, je ne suis pas du corps », elle n'en serait pas moins du corps pour cela. [17]Si tout le corps était œil, où serait l'ouïe ? Si tout était oreille, où serait l'odorat ?

[18]Mais, de fait, Dieu a placé les membres, et chacun d'eux dans le corps, selon qu'il a voulu. [19]Si le tout était un seul membre, où serait le corps ? [20]Mais, de fait, il y a plusieurs membres, et cependant un seul corps. [21]L'œil ne peut donc dire à la main : « Je n'ai pas besoin de toi », ni la tête à son tour dire aux pieds : « Je n'ai pas besoin de vous. »

²²Bien plus, les membres du corps qui sont tenus pour plus faibles sont nécessaires ; ²³et ceux que nous tenons pour les moins honorables du corps sont ceux-là mêmes que nous entourons de plus d'honneur, et ce que nous avons d'indécent, on le traite avec le plus de décence ; ²⁴ce que nous avons de décent n'en a pas besoin. Mais Dieu a disposé le corps de manière à donner davantage d'honneur à ce qui en manque, ²⁵pour qu'il n'y ait point de division dans le corps, mais qu'au contraire les membres se témoignent une mutuelle sollicitude. ²⁶Un membre souffre-t-il ? tous les membres souffrent avec lui. Un membre est-il à l'honneur ? tous les membres se réjouissent avec lui.

²⁷Or vous êtes, vous, le corps du Christ, et membres chacun pour sa part. ²⁸Et ceux que Dieu a établis dans l'Église sont premièrement les apôtres, deuxièmement les prophètes, troisièmement les docteurs... Puis il y a les miracles, puis les dons de guérisons, d'assistance, de gouvernement, les diversités de langues. ²⁹Tous sont-ils apôtres ? Tous prophètes ? Tous docteurs ? Tous font-ils des miracles ? ³⁰Tous ont-ils des dons de guérisons ? Tous parlent-ils en langues ? Tous interprètent-ils ?

La hiérarchie des charismes. Hymne à la charité.

³¹Aspirez aux dons supérieurs. Et je vais encore vous montrer une voie qui les dépasse toutes.

13 ¹Quand je parlerais les langues des hommes et des anges, si je n'ai pas la charité, je ne suis plus qu'airain qui sonne ou cymbale qui retentit. ²Quand j'aurais le don de prophétie et que je connaîtrais tous les mystères et toute la science, quand j'aurais la plénitude de la foi, une foi à transporter des montagnes, si je n'ai pas la charité, je ne suis rien. ³Quand je distribuerais tous mes biens en aumônes, quand je livrerais mon corps aux flammes, si je n'ai pas la charité, cela ne me sert de rien.

⁴La charité est longanime ; la charité est serviable ; elle n'est pas envieuse ; la charité ne fanfaronne pas, ne se gonfle pas ; ⁵elle ne fait rien d'inconvenant, ne cherche pas son intérêt, ne s'irrite pas, ne tient pas compte du mal ; ⁶elle ne se réjouit pas de l'injustice, mais elle met sa joie dans la vérité. ⁷Elle excuse tout, croit tout, espère tout, supporte tout.

⁸La charité ne passe jamais. Les prophéties ? elles disparaîtront. Les langues ? elles se tairont. La science ? elle disparaîtra. ⁹Car partielle est notre science, partielle aussi notre prophétie. ¹⁰Mais quand viendra ce qui est parfait, ce qui est partiel disparaîtra. ¹¹Lorsque j'étais enfant, je parlais en enfant, je pensais en enfant, je raisonnais en enfant ; une fois devenu homme, j'ai fait disparaître ce qui était de l'enfant. ¹²Car nous voyons, à présent, dans un miroir, en énigme, mais alors ce sera face à face. À présent, je connais d'une manière partielle ; mais alors je connaîtrai comme je suis connu.

¹³Maintenant donc demeurent foi, espérance, charité, ces trois choses, mais la plus grande d'entre elles, c'est la charité.

Hiérarchie des charismes en vue de l'utilité commune.

14 ¹Recherchez la charité ; aspirez aussi aux dons spirituels, surtout à celui de prophétie. ²Car celui qui parle en langue ne parle pas aux hommes, mais à Dieu ; personne en effet ne comprend : il dit en esprit des choses mystérieuses. ³Celui qui prophétise, au contraire, parle aux hommes ; il édifie, exhorte, réconforte. ⁴Celui qui parle en langue s'édifie lui-même, celui qui prophétise édifie l'assemblée. ⁵Je voudrais, certes, que vous parliez tous en langues, mais plus encore que vous prophétisiez ; car celui qui prophétise l'emporte sur celui qui parle en langues, à moins que ce dernier n'interprète, pour que l'assemblée en tire édification.

⁶Et maintenant, frères, supposons que je vienne chez vous et vous parle en langues, en quoi vous serai-je utile, si ma parole ne vous apporte ni révélation, ni science, ni prophétie, ni enseignement ? ⁷Ainsi en est-il des instruments de musique, flûte ou cithare ; s'ils ne donnent pas distinctement les notes, comment saura-t-on ce que joue la flûte ou la cithare ? ⁸Et si la trompette n'émet qu'un son confus, qui se préparera au combat ? ⁹Ainsi de vous : si votre langue n'émet pas de parole intelligible, comment saura-t-on ce que vous dites ? Vous parlerez en l'air. ¹⁰Il y a, de par le monde, je ne sais combien d'espèces de langages, et rien n'est sans langage. ¹¹Si donc j'ignore la valeur du langage, je ferai l'effet d'un Barbare à celui qui parle, et celui qui parle me fera, à moi, l'effet d'un Barbare. ¹²Ainsi de vous : puisque vous aspirez aux dons spirituels, cherchez à les avoir en abondance pour l'édification de l'assemblée.

¹³C'est pourquoi celui qui parle en langue doit prier pour pouvoir interpréter. ¹⁴Car, si je prie en langue, mon esprit est en prière, mais mon intelligence n'en retire aucun fruit. ¹⁵Que faire donc ? Je prierai avec l'esprit, mais je prierai aussi avec l'intelligence. Je dirai un hymne avec l'esprit, mais je le dirai aussi avec l'intelligence. ¹⁶Autrement, si tu ne bénis qu'en esprit, comment celui qui a rang de non-initié répondra-t-il « Amen ! » à ton action de grâces, puisqu'il ne sait pas ce que tu dis ? ¹⁷Ton action de grâces est belle, certes, mais l'autre n'en est pas édifié. ¹⁸Je rends grâces à Dieu de ce que je parle en langues plus que vous tous ; ¹⁹mais dans l'assemblée, j'aime mieux dire cinq paroles avec mon intelligence, pour instruire aussi les autres, que dix mille en langue.

²⁰Frères, ne soyez pas des enfants pour le jugement ; des petits enfants pour la malice, soit, mais pour le jugement soyez des hommes faits. ²¹Il est écrit dans la Loi : *C'est par des hommes d'une autre langue et par des lèvres d'étrangers que je parlerai à ce peuple, et même ainsi ils ne m'écouteront pas,* dit le Seigneur. ²²Ainsi donc, les langues servent de signe non pour les croyants, mais pour les infidèles : la prophétie, elle, n'est pas pour les infidèles mais pour les croyants. ²³Si donc l'Église entière se réunit ensemble et que

tous parlent en langues, et qu'il entre des non-initiés ou des infidèles, ne diront-ils pas que vous êtes fous ? ²⁴Mais si tous prophétisent et qu'il entre un infidèle ou un non-initié, le voilà repris par tous, jugé par tous ; ²⁵les secrets de son cœur sont dévoilés, et ainsi, tombant sur la face, il adorera Dieu, en déclarant que *Dieu est réellement parmi vous.*

Les charismes. Règles pratiques.

²⁶Que conclure, frères ? Lorsque vous vous assemblez, chacun peut avoir un cantique, un enseignement, une révélation, un discours en langue, une interprétation. Que tout se passe de manière à édifier. ²⁷Parle-t-on en langue ? Que ce soit le fait de deux ou de trois tout au plus, et à tour de rôle ; et qu'il y ait un interprète. ²⁸S'il n'y a pas d'interprète, qu'on se taise dans l'assemblée ; qu'on se parle à soi-même et à Dieu. ²⁹Pour les prophètes, qu'il y en ait deux ou trois à parler, et que les autres jugent. ³⁰Si un autre qui est assis à une révélation, que le premier se taise. ³¹Car vous pouvez tous prophéti-

ser à tour de rôle, pour que tous soient instruits et tous exhortés. ³²Les esprits des prophètes sont soumis aux prophètes ; ³³car Dieu n'est pas un Dieu de désordre, mais de paix, comme dans toutes les Églises des saints.

³⁴Que les femmes se taisent dans les assemblées, car il ne leur est pas permis de prendre la parole ; qu'elles se tiennent dans la soumission, selon que la Loi même le dit. ³⁵Si elles veulent s'instruire sur quelque point, qu'elles interrogent leur mari à la maison ; car il est inconvenant pour une femme de parler dans une assemblée. ³⁶Est-ce de chez vous qu'est sortie la parole de Dieu ? Ou bien, est-ce à vous seuls qu'elle est parvenue ? ³⁷Si quelqu'un croit être prophète ou inspiré par l'Esprit, qu'il reconnaisse en ce que je vous écris un commandement du Seigneur. ³⁸S'il l'ignore, c'est qu'il est ignoré.

³⁹Ainsi donc, mes frères, aspirez au don de prophétie, et n'empêchez pas de parler en langues. ⁴⁰Mais que tout se passe dignement et dans l'ordre.

3. La résurrection des morts

Le fait de la résurrection.

15 ¹Je vous rappelle, frères, l'Évangile que je vous ai annoncé, que vous avez reçu et dans lequel vous demeurez fermes, ²par lequel aussi vous vous sauvez, si vous le gardez tel que je vous l'ai annoncé ; sinon, vous auriez cru en vain.

³Je vous ai donc transmis en premier lieu ce que j'avais moi-même reçu, à savoir que le Christ est mort pour nos péchés selon les Écritures, ⁴qu'il a été mis au tombeau, qu'il est ressuscité le troisième jour selon les Écritures, ⁵qu'il est apparu à Céphas, puis aux Douze. ⁶Ensuite, il est apparu à plus de cinq cents frères à la fois

– la plupart d'entre eux demeurent jusqu'à présent et quelques-uns se sont endormis – ⁷ensuite il est apparu à Jacques, puis à tous les apôtres. ⁸Et, en tout dernier lieu, il m'est apparu à moi aussi, comme à l'avorton.

⁹Car je suis le moindre des apôtres ; je ne mérite pas d'être appelé apôtre, parce que j'ai persécuté l'Église de Dieu. ¹⁰C'est par la grâce de Dieu que je suis ce que je suis, et sa grâce à mon égard n'a pas été stérile. Loin de là, j'ai travaillé plus qu'eux tous : oh ! non pas moi, mais la grâce de Dieu qui est avec moi.

¹¹Bref, eux ou moi, voilà ce que nous proclamons. Et voilà ce que vous avez cru.

¹²Or, si l'on prêche que le Christ est ressuscité des morts, comment certains parmi vous peuvent-ils dire qu'il n'y a pas de résurrection des morts ? ¹³S'il n'y a pas de résurrection des morts, le Christ non plus n'est pas ressuscité. ¹⁴Mais si le Christ n'est pas ressuscité, vide alors est notre message, vide aussi votre foi. ¹⁵Il se trouve même que nous sommes des faux témoins de Dieu, puisque nous avons attesté contre Dieu qu'il a ressuscité le Christ, alors qu'il ne l'a pas ressuscité, s'il est vrai que les morts ne ressuscitent pas. ¹⁶Car si les morts ne ressuscitent pas, le Christ non plus n'est pas ressuscité. ¹⁷Et si le Christ n'est pas ressuscité, vaine est votre foi ; vous êtes encore dans vos péchés. ¹⁸Alors aussi ceux qui se sont endormis dans le Christ ont péri. ¹⁹Si nous qui sommes dans le Christ n'avons d'espoir que cette vie, nous sommes les plus à plaindre de tous les hommes.

²⁰Mais non ; le Christ est ressuscité d'entre les morts, prémices de ceux qui se sont endormis. ²¹Car, la mort étant venue par un homme, c'est par un homme aussi que vient la résurrection des morts. ²²De même en effet que tous meurent en Adam, ainsi tous revivront dans le Christ. ²³Mais chacun à son rang : comme prémices, le Christ, ensuite ceux qui seront au Christ, lors de son Avènement. ²⁴Puis ce sera la fin, lorsqu'il remettra la royauté à Dieu le Père, après avoir détruit toute Principauté, Domination et Puissance. ²⁵Car il faut qu'il règne *jusqu'à ce qu'il ait placé tous ses ennemis sous ses pieds.* ²⁶Le dernier ennemi détruit, c'est la Mort ; ²⁷car *il a tout mis sous ses pieds.* Mais lorsqu'il dira : « Tout est soumis désormais », c'est évidemment à l'exclusion de Celui qui lui a soumis toutes choses. ²⁸Et lorsque toutes choses lui auront été soumises, alors le Fils lui-même se soumettra à Celui qui lui a tout soumis, afin que Dieu soit tout en tous.

²⁹Autrement, que feront « ceux qui se seront épuisés pour des morts » ? Si ceux qui sont réellement morts ne ressuscitent pas, pourquoi s'épuiser pour eux ? ³⁰Et nous-mêmes, pourquoi à toute heure nous exposer au péril ? ³¹Chaque jour je suis à la mort, aussi vrai, frères, que vous êtes pour moi un titre de gloire dans le Christ Jésus, notre Seigneur. ³²Si c'est dans des vues humaines que j'ai livré combat contre les bêtes à Éphèse, que m'en revient-il ? Si les morts ne ressuscitent pas, *mangeons et buvons, car demain nous mourrons.* ³³Ne vous y trompez pas : « Les mauvaises compagnies

corrompent les bonnes mœurs. » ³⁴Dégrisez-vous, comme il sied, et ne péchez pas ; car il en est parmi vous qui ignorent tout de Dieu. Je le dis à votre honte.

Le mode de la résurrection.

³⁵Mais, dira-t-on, comment les morts ressuscitent-ils ? Avec quel corps reviennent-ils ? ³⁶Insensé ! Ce que tu sèmes, toi, ne reprend vie s'il ne meurt. ³⁷Et ce que tu sèmes, ce n'est pas le corps à venir, mais un simple grain, soit de blé, soit de quelque autre plante ; ³⁸et Dieu lui donne un corps à son gré, à chaque semence un corps particulier.

³⁹Toutes les chairs ne sont pas les mêmes, mais autre est la chair des hommes, autre la chair des bêtes, autre la chair des oiseaux, autre celle des poissons. ⁴⁰Il y a aussi des corps célestes et des corps terrestres, mais autre est l'éclat des célestes, autre celui des terrestres. ⁴¹Autre l'éclat du soleil, autre l'éclat de la lune, autre l'éclat des étoiles. Une étoile même diffère en éclat d'une étoile. ⁴²Ainsi en va-t-il de la résurrection des morts : on est semé dans la corruption, on ressuscite dans l'incorruptibilité ; ⁴³on est semé dans l'ignominie, on ressuscite dans la gloire ; on est semé dans la faiblesse, on ressuscite dans la force ; ⁴⁴on est semé corps psychique, on ressuscite corps spirituel.

S'il y a un corps psychique, il y a aussi un corps spirituel. ⁴⁵C'est ainsi qu'il est écrit : Le premier *homme, Adam, a été fait âme vivante* ; le dernier Adam, esprit vivifiant. ⁴⁶Mais ce n'est pas le spirituel qui paraît d'abord ; c'est le psychique, puis le spirituel. ⁴⁷Le premier homme, issu du sol, est terrestre, le second, lui, vient du ciel. ⁴⁸Tel a été le terrestre, tels seront aussi les terrestres ; tel le céleste, tels seront aussi les célestes. ⁴⁹Et de même que nous avons porté l'image du terrestre, nous porterons aussi l'image du céleste.

⁵⁰Je l'affirme, frères : la chair et le sang ne peuvent hériter du Royaume de Dieu, ni la corruption hériter de l'incorruptibilité. ⁵¹Oui, je vais vous dire un mystère : nous ne mourrons pas tous, mais tous nous serons transformés. ⁵²En un instant, en un clin d'œil, au son de la trompette finale, car elle sonnera, la trompette, et les morts ressusciteront incorruptibles, et nous, nous serons transformés. ⁵³Il faut, en effet, que cet être corruptible revête l'incorruptibilité, que cet être mortel revête l'immortalité.

Hymne triomphal et conclusion.

⁵⁴Quand donc cet être corruptible aura revêtu l'incorruptibilité et que cet être mortel aura revêtu l'immortalité, alors s'accomplira la parole qui est écrite : *La mort a été engloutie dans la victoire.* ⁵⁵*Où est-elle, ô mort, ta* victoire ? *Où est-il, ô mort, ton aiguillon ?* ⁵⁶L'aiguillon de la mort, c'est le péché, et la force du péché, c'est la Loi. ⁵⁷Mais grâces soient à Dieu, qui nous donne la victoire par notre Seigneur Jésus Christ !

⁵⁸Ainsi donc, mes frères bien-aimés, montrez-vous fermes, inébranlables, toujours en progrès dans l'œuvre du Seigneur, sachant que votre labeur n'est pas vain dans le Seigneur.

Conclusion

Recommandations. Salutations. Souhait final.

16 ¹Quant à la collecte en faveur des saints, suivez, vous aussi, les instructions que j'ai données aux Églises de la Galatie. ²Que le premier jour de la semaine, chacun de vous mette de côté chez lui ce qu'il aura pu épargner, en sorte qu'on n'attende pas que je vienne pour recueillir les dons. ³Et une fois près de vous, j'enverrai, munis de lettres, ceux que vous aurez jugés aptes, porter vos libéralités à Jérusalem ; ⁴et s'il vaut la peine que j'y aille aussi, ils feront le voyage avec moi.

⁵J'irai chez vous, après avoir traversé la Macédoine ; car je passerai par la Macédoine. ⁶Peut-être séjournerai-je chez vous ou même y passerai-je l'hiver, afin que ce soit vous qui m'acheminiez vers l'endroit où j'irai. ⁷Car je ne veux pas vous voir juste en passant ; j'espère bien rester quelque temps chez vous, si le Seigneur le permet. ⁸Toutefois je resterai à Éphèse jusqu'à la Pentecôte ; ⁹car une porte y est ouverte toute grande à mon activité, et les adversaires sont nombreux.

¹⁰Si Timothée arrive, veillez à ce qu'il soit sans crainte au milieu de vous ; car il travaille comme moi à l'œuvre du Seigneur. ¹¹Que personne donc ne le méprise. Acheminez-le en paix, pour qu'il vienne me rejoindre : je l'attends avec les frères. ¹²Quant à notre frère Apollos, je l'ai vivement exhorté à aller chez vous avec les frères, mais il ne veut absolument pas y aller maintenant ; il ira lorsqu'il en trouvera l'occasion.

¹³Veillez, demeurez fermes dans la foi, soyez des hommes, soyez forts. ¹⁴Que tout se passe chez vous dans la charité.

¹⁵Encore une recommandation, frères. Vous savez que Stéphanas et les siens sont les prémices de l'Achaïe, et qu'ils se sont rangés d'eux-mêmes au service des saints. ¹⁶À votre tour, rangez-vous sous de tels hommes, et sous quiconque travaille et peine avec eux. ¹⁷Je suis heureux de la visite de Stéphanas, de Fortunatus et d'Achaïcus, qui ont suppléé à votre absence ; ¹⁸ils ont en effet tranquillisé mon esprit et le vôtre. Sachez donc apprécier de tels hommes.

¹⁹Les Églises d'Asie vous saluent. Aquilas et Prisca vous saluent bien dans le Seigneur, ainsi que l'assemblée qui se réunit chez eux. ²⁰Tous les frères vous saluent. Saluez-vous les uns les autres par un saint baiser.

²¹La salutation est de ma main, à moi, Paul.

²²Si quelqu'un n'aime pas le Seigneur, qu'il soit anathème !

Maran atha.

²³La grâce du Seigneur Jésus soit avec vous !

²⁴Je vous aime tous dans le Christ Jésus.

Deuxième épître
aux Corinthiens

Voir l'introduction, p. 1877.

Préambule

Adresse et salutation. Action de grâces.

1 ¹Paul, apôtre du Christ Jésus par la volonté de Dieu, et Timothée, le frère, à l'Église de Dieu établie à Corinthe, ainsi qu'à tous les saints qui sont dans l'Achaïe entière ; ²à vous grâce et paix de par Dieu, notre Père, et le Seigneur Jésus Christ !

³Béni soit le Dieu et Père de notre Seigneur Jésus Christ, le Père des miséricordes et le Dieu de toute consolation, ⁴qui nous console dans toute notre tribulation, afin que, par la consolation que nous-mêmes recevons de Dieu, nous puissions consoler les autres en quelque tribulation que ce soit. ⁵De même en effet que les souffrances du Christ abondent pour nous, ainsi, par le Christ, abonde aussi notre consolation. ⁶Sommes-nous dans la tribulation ? C'est pour votre consolation et salut. Sommes-nous consolés ? C'est pour votre consolation, qui vous donne de supporter avec constance les mêmes souffrances que nous endurons, nous aussi. ⁷Et notre espoir à votre égard est ferme : nous savons que, partageant nos souffrances, vous partagerez aussi notre consolation.

⁸Car nous ne voulons pas que vous l'ignoriez, frères : la tribulation qui nous est survenue en Asie nous a accablés à l'excès, au-delà de nos forces, à tel point que nous désespérions même de conserver la vie. ⁹Vraiment, nous avons porté en nous-mêmes notre arrêt de mort, afin d'apprendre à ne pas mettre notre confiance en nous-mêmes mais en Dieu, qui ressuscite les morts. ¹⁰C'est lui qui nous a délivrés d'une telle mort et nous en délivrera ; en lui nous avons cette espérance qu'il nous en délivrera encore. ¹¹Vous-mêmes nous aiderez par la prière, afin que ce bienfait, qu'un grand nombre de personnes nous auront obtenu, soit pour un grand nombre un motif d'action de grâces à notre sujet.

1. Retour sur les incidents passés

Pourquoi Paul a modifié son plan de voyage.

¹²Ce qui fait notre fierté, c'est ce témoignage de notre conscience que nous nous sommes comportés dans le monde, et plus particulièrement à votre égard, avec la simplicité et la pureté qui viennent de Dieu, non pas avec une sagesse charnelle, mais bien avec la grâce de Dieu. ¹³En effet, il n'y a rien dans nos lettres que ce que vous y lisez et comprenez. Et j'espère que vous comprendrez pleinement – ¹⁴ainsi que vous nous avez compris en partie – que nous sommes pour vous un titre de gloire, comme vous le serez pour nous, au Jour de notre Seigneur Jésus.

¹⁵C'est dans cette assurance que je voulais venir chez vous tout d'abord pour vous procurer une seconde grâce ; ¹⁶puis de chez vous passer en Macédoine et de Macédoine revenir chez vous ; et vous m'auriez acheminé vers la Judée. ¹⁷En formant ce projet, aurais-je donc fait preuve de légèreté ? Ou bien mes projets s'inspirent-ils de la chair, en sorte qu'il y ait en moi le oui, oui, et le non, non ? ¹⁸Aussi vrai que Dieu est fidèle, notre langage avec vous n'est pas oui et non. ¹⁹Car le Fils de Dieu, le Christ Jésus, que nous avons proclamé parmi vous, Silvain, Timothée et moi, n'a pas été oui et non ; il n'y a eu que oui en lui. ²⁰Toutes les promesses de Dieu ont en effet leur oui en lui ; aussi bien est-ce par lui que nous disons l'« Amen » à Dieu pour sa gloire. ²¹Et Celui qui nous affermit avec vous dans le Christ et qui nous a donné l'onction, c'est Dieu, ²²Lui qui nous a aussi marqués d'un sceau et a mis dans nos cœurs les arrhes de l'Esprit.

²³Pour moi, j'en prends Dieu à témoin sur mon âme, c'est par ménagement pour vous que je ne suis plus venu à Corinthe. ²⁴Ce n'est pas que nous entendions régenter votre foi. Non, nous contribuons à votre joie ; car, pour la foi, vous tenez bon.

2 ¹Je décidai donc en moi-même de ne pas revenir chez vous dans la tristesse. ²Car si c'est moi qui vous attriste, qui peut alors me donner de la joie sinon celui que j'aurai attristé ? ³Et si j'ai écrit ce que vous savez, c'était pour ne pas éprouver de tristesse, en venant, du fait de ceux qui devraient me donner de la joie, persuadé à l'égard de vous tous que ma joie est aussi la vôtre, à vous tous. ⁴Oui, c'est dans une grande tribulation et angoisse de cœur que je vous ai écrit, parmi bien des larmes, non pour que vous soyez attristés, mais pour que vous sachiez l'extrême affection que je vous porte.

⁵Que si quelqu'un a causé de la tristesse, ce n'est pas à moi qu'il en a causé ; c'est, dans une certaine mesure (n'exagérons rien), à vous tous. ⁶C'est assez pour cet homme-là du châtiment infligé par la majorité, ⁷en sorte qu'il vaut mieux au contraire lui pardonner et l'encourager, de peur que cet homme-là ne vienne à sombrer dans une tristesse

excessive. [8]C'est pourquoi je vous exhorte à faire prévaloir envers lui la charité. [9]Aussi bien, en écrivant, je me me proposais que de vous mettre à l'épreuve et de voir si vous êtes en tous points obéissants. [10]Mais à qui vous pardonnez, je pardonne aussi ; car, si j'ai pardonné – pour autant que j'ai eu à pardonner – c'est à cause de vous, en présence du Christ. [11]Il ne s'agit pas d'être dupes de Satan, car nous n'ignorons pas ses desseins.

De Troas en Macédoine. Digression : le ministère apostolique.

[12]J'arrivai donc à Troas pour l'Évangile du Christ, et, bien qu'une porte me fût ouverte dans le Seigneur, [13]mon esprit n'eut point de repos, parce que je ne trouvai pas Tite, mon frère. Je pris donc congé d'eux et partis pour la Macédoine.

[14]Grâces soient à Dieu qui, dans le Christ, nous emmène sans cesse dans son triomphe et qui, par nous, répand en tous lieux le parfum de sa connaissance. [15]Car nous sommes bien, pour Dieu, la bonne odeur du Christ parmi ceux qui se sauvent et parmi ceux qui se perdent ; [16]pour les uns, une odeur qui de la mort conduit à la mort ; pour les autres, une odeur qui de la vie conduit à la vie. Et de cela qui est capable ? [17]Nous ne sommes pas, en effet, comme la plupart, qui frelatent la parole de Dieu ; non, c'est en toute pureté, c'est en envoyés de Dieu que, devant Dieu, nous parlons dans le Christ.

3 [1]Recommençons-nous à nous recommander nous-mêmes ? Ou bien aurions-nous besoin, comme certains, de lettres de recommandation pour vous ou de vous ? [2]Notre lettre, c'est vous, une lettre écrite en vos cœurs, connue et lue par tous les hommes. [3]Vous êtes manifestement une lettre du Christ remise à nos soins, écrite non avec de l'encre, mais avec l'Esprit du Dieu vivant, non sur des tables de pierre, mais sur des tables de chair, sur les cœurs.

[4]Telle est la conviction que nous avons par le Christ auprès de Dieu. [5]Ce n'est pas que de nous-mêmes nous soyons capables de revendiquer quoi que ce soit comme venant de nous ; non, notre capacité vient de Dieu, [6]qui nous a rendus capables d'être ministres d'une nouvelle alliance, non de la lettre, mais de l'Esprit ; car la lettre tue, l'Esprit vivifie. [7]Or, si le ministère de la mort, gravé en lettres sur des pierres, a été entouré d'une telle gloire que les fils d'Israël ne pouvaient fixer les yeux sur le visage de Moïse à cause de la gloire de son visage, pourtant passagère, [8]comment le ministère de l'Esprit n'en aurait-il pas davantage ? [9]Si en effet le ministère de la condamnation fut glorieux, combien plus le ministère de justice l'emporte-t-il en gloire ! [10]Non, si de ce point de vue, on la compare à cette gloire suréminente, la gloire de ce premier ministère n'en fut pas une. [11]Car, si ce qui était passager s'est manifesté dans la gloire, combien plus ce qui demeure sera-t-il glorieux !

[12]En possession d'une telle espérance, nous nous comportons avec beaucoup d'assurance, [13]et non comme Moïse, qui mettait un voile sur son visage pour empêcher les fils d'Israël de voir la fin

de ce qui était passager... [14]Mais leur entendement s'est obscurci. Jusqu'à ce jour en effet, lorsqu'on lit l'Ancien Testament, ce même voile demeure. Il n'est point retiré ; car c'est le Christ qui le fait disparaître. [15]Oui, jusqu'à ce jour, toutes les fois qu'on lit Moïse, un voile est posé sur leur cœur. [16]C'est quand on se convertit au Seigneur que le voile est enlevé. [17]Car le Seigneur, c'est l'Esprit, et où est l'Esprit du Seigneur, là est la liberté. [18]Et nous tous qui, le visage découvert, contemplons comme en un miroir la gloire du Seigneur, nous sommes transformés en cette même image, allant de gloire en gloire, comme de par le Seigneur, qui est Esprit.

4 [1]Voilà pourquoi, miséricordieusement investis de ce ministère, nous ne faiblissons pas, [2]mais nous avons répudié les dissimulations de la honte, ne nous conduisant pas avec astuce et ne falsifiant pas la parole de Dieu. Au contraire, par la manifestation de la vérité, nous nous recommandons à toute conscience humaine devant Dieu. [3]Que si notre Évangile demeure voilé, c'est pour ceux qui se perdent qu'il est voilé, [4]pour les incrédules, dont le dieu de ce monde a aveuglé l'entendement afin qu'ils ne voient pas briller l'Évangile de la gloire du Christ, qui est l'image de Dieu. [5]Car ce n'est pas nous que nous proclamons, mais le Christ Jésus, Seigneur ; nous ne sommes, nous, que vos serviteurs, à cause de Jésus. [6]En effet le Dieu qui a dit : *Que des ténèbres resplendisse la lumière,* est Celui qui a resplendi dans nos cœurs, pour faire briller

la connaissance de la gloire de Dieu, qui est sur la face du Christ.

Tribulations et espérances du ministère.

[7]Mais ce trésor, nous le portons en des vases d'argile, pour que cet excès de puissance soit de Dieu et ne vienne pas de nous. [8]Nous sommes aux prises, mais non pas écrasés ; ne sachant qu'espérer, mais non désespérés ; [9]harcelés, mais non abandonnés ; terrassés, mais non vaincus. [10]Nous portons partout et toujours en notre corps les souffrances de mort de Jésus, pour que la vie de Jésus soit, elle aussi, manifestée dans notre corps. [11]Quoique vivants en effet, nous sommes continuellement livrés à la mort à cause de Jésus, pour que la vie de Jésus soit, elle aussi, manifestée dans notre chair mortelle. [12]Ainsi donc, la mort fait son œuvre en nous, et la vie en vous.

[13]Mais, possédant ce même esprit de foi, selon ce qui est écrit : *J'ai cru, c'est pourquoi j'ai parlé,* nous aussi, nous croyons, et c'est pourquoi nous parlons, [14]sachant que Celui qui a ressuscité le Seigneur Jésus nous ressuscitera nous aussi avec Jésus, et nous placera près de lui avec vous. [15]Car tout cela arrive à cause de vous, pour que la grâce, se multipliant, fasse abonder l'action de grâces chez un plus grand nombre, à la gloire de Dieu.

[16]C'est pourquoi nous ne faiblissons pas. Au contraire, même si notre homme extérieur s'en va en ruine, notre homme intérieur se renouvelle de jour en jour. [17]Car la légère tribulation d'un instant nous prépare, jusqu'à l'excès, une

masse éternelle de gloire, [18]à nous qui ne regardons pas aux choses visibles, mais aux invisibles ; les choses visibles en effet n'ont qu'un temps, les invisibles sont éternelles.

5 [1]Nous savons en effet que si cette tente – notre maison terrestre – vient à être détruite, nous avons un édifice qui est l'œuvre de Dieu, une maison éternelle qui n'est pas faite de main d'homme, dans les cieux. [2]Aussi gémissons-nous dans cet état, ardemment désireux de revêtir par-dessus l'autre notre habitation céleste, [3]si toutefois nous devons être trouvés vêtus, et non pas nus. [4]Oui, nous qui sommes dans cette tente, nous gémissons, accablés ; nous ne voudrions pas en effet nous dévêtir, mais nous revêtir par-dessus, afin que ce qui est mortel soit englouti par la vie. [5]Et Celui qui nous a faits pour cela même, c'est Dieu, qui nous a donné les arrhes de l'Esprit.

[6]Ainsi donc, toujours pleins de hardiesse, et sachant que demeurer dans ce corps, c'est vivre en exil loin du Seigneur, [7]car nous cheminons dans la foi, non dans la claire vision... [8]Nous sommes donc pleins de hardiesse et préférons quitter ce corps pour aller demeurer auprès du Seigneur. [9]Aussi bien, que nous demeurions en ce corps ou que nous le quittions, avons-nous à cœur de lui plaire. [10]Car il faut que tous nous soyons mis à découvert devant le tribunal du Christ, pour que chacun recouvre ce qu'il aura fait pendant qu'il était dans son corps, soit en bien, soit en mal.

L'exercice du ministère apostolique.

[11]Connaissant donc la crainte du Seigneur, nous cherchons à persuader les hommes. Quant à Dieu, nous sommes à découvert devant lui, et j'espère que, dans vos consciences aussi, nous sommes à découvert. [12]Nous ne recommençons pas à nous recommander nous-mêmes devant vous ; nous vous donnons seulement occasion de vous glorifier à notre sujet, pour que vous puissiez répondre à ceux qui se glorifient de ce qui se voit et non de ce qui est dans le cœur. [13]En effet, si nous avons été hors de sens, c'était pour Dieu ; si nous sommes raisonnables, c'est pour vous. [14]Car l'amour du Christ nous presse, à la pensée que, si un seul est mort pour tous, alors tous sont morts. [15]Et il est mort pour tous, afin que les vivants ne vivent plus pour eux-mêmes, mais pour celui qui est mort et ressuscité pour eux.

[16]Ainsi donc, désormais nous ne connaissons personne selon la chair. Même si nous avons connu le Christ selon la chair, maintenant ce n'est plus ainsi que nous le connaissons. [17]Si donc quelqu'un est dans le Christ, c'est une création nouvelle : l'être ancien a disparu, un être nouveau est là. [18]Et le tout vient de Dieu, qui nous a réconciliés avec Lui par le Christ et nous a confié le ministère de la réconciliation. [19]Car c'était Dieu qui dans le Christ se réconciliait le monde, ne tenant plus compte des fautes des hommes, et mettant en nous la parole de la réconciliation. [20]Nous sommes donc en ambassade pour le Christ ; c'est comme si Dieu ex-

hortait par nous. Nous vous en supplions au nom du Christ : laissez-vous réconcilier avec Dieu. ²¹Celui qui n'avait pas connu le péché, Il l'a fait péché pour nous, afin qu'en lui nous devenions justice de Dieu.

6 ¹Et puisque nous sommes ses coopérateurs, nous vous exhortons encore à ne pas recevoir en vain la grâce de Dieu. ²Il dit en effet : *Au moment favorable, je t'ai exaucé ; au jour du salut, je t'ai secouru.* Le voici maintenant le moment favorable, le voici maintenant le jour du salut. ³Nous ne donnons à personne aucun sujet de scandale, pour que le ministère ne soit pas décrié. ⁴Au contraire, nous nous recommandons en tout comme des ministres de Dieu : par une grande constance dans les tribulations, dans les détresses, dans les angoisses, ⁵sous les coups, dans les prisons, dans les désordres, dans les fatigues, dans les veilles, dans les jeûnes ; ⁶par la pureté, par la science, par la patience, par la bonté, par un esprit saint, par une charité sans feinte, ⁷par la parole de vérité, par la puissance de Dieu ; par les armes offensives et défensives de la justice ; ⁸dans l'honneur et l'ignominie, dans la mauvaise et la bonne réputation ; tenus pour imposteurs et pourtant véridiques ; ⁹pour gens obscurs, nous pourtant si connus ; pour gens qui vont mourir, et nous voilà vivants ; pour gens qu'on châtie, mais sans les mettre à mort ; ¹⁰pour tristes, nous qui sommes toujours joyeux ; pour pauvres, nous qui faisons tant de riches ; pour gens qui n'ont rien, nous qui possédons tout.

Épanchements et avertissements.

¹¹Nous vous avons parlé en toute liberté, Corinthiens ; notre cœur s'est grand ouvert. ¹²Vous n'êtes pas à l'étroit chez nous ; c'est dans vos cœurs que vous êtes à l'étroit. ¹³Payez-nous donc de retour ; je vous parle comme à mes enfants, ouvrez tout grand votre cœur, vous aussi.

¹⁴Ne formez pas d'attelage disparate avec des infidèles. Quel rapport en effet entre la justice et l'impiété ? Quelle union entre la lumière et les ténèbres ? ¹⁵Quelle entente entre le Christ et Béliar ? Quelle association entre le fidèle et l'infidèle ? ¹⁶Quel accord entre le temple de Dieu et les idoles ? Or c'est nous qui sommes le temple du Dieu vivant, ainsi que Dieu l'a dit : *J'habiterai au milieu d'eux et j'y marcherai ; je serai leur Dieu et ils seront mon peuple.* ¹⁷*Sortez donc du milieu de ces gens-là et tenez-vous à l'écart, dit le Seigneur. Ne touchez rien d'impur, et moi, je vous accueillerai.* ¹⁸*Je serai pour vous un père, et vous serez pour moi des fils et des filles, dit le Seigneur tout-puissant.*

7 ¹En possession de telles promesses, bien-aimés, purifions-nous de toute souillure de la chair et de l'esprit, achevant de nous sanctifier dans la crainte de Dieu.

²Faites-nous place en vos cœurs. Nous n'avons fait tort à personne, nous n'avons ruiné personne, nous n'avons exploité personne. ³Je ne dis pas cela pour vous condamner. Je vous l'ai déjà dit : vous êtes dans nos cœurs à

la vie et à la mort. [4]J'ai grande confiance en vous, je suis très fier de vous. Je suis comblé de consolation ; je surabonde de joie dans toute notre tribulation.

Paul en Macédoine, où Tite l'a rejoint.

[5]De fait, à notre arrivée en Macédoine, notre chair ne connut pas de repos. Partout des tribulations : au-dehors, des luttes ; au-dedans, des craintes. [6]Mais Celui qui console les humiliés, Dieu, nous a consolés par l'arrivée de Tite, [7]et non seulement par son arrivée, mais encore par la consolation que vous-mêmes lui aviez donnée. Il nous a fait part de votre ardent désir, de votre désolation, de votre zèle pour moi, si bien qu'en moi la joie a prévalu.

[8]Vraiment, si je vous ai attristés par ma lettre, je ne le regrette pas. Et si je l'ai regretté – je vois bien que cette lettre vous a, ne fût-ce qu'un moment, attristés – [9]je m'en réjouis maintenant, non de ce que vous avez été attristés, mais de ce que cette tristesse vous a portés au repentir. Car vous avez été attristés selon Dieu, en sorte que vous n'avez, de notre part, subi aucun dommage. [10]La tristesse selon Dieu produit en effet un repentir salutaire qu'on ne regrette pas ; la tristesse du monde, elle, produit la mort. [11]Voyez plutôt ce qu'elle a produit chez vous, cette tristesse selon Dieu. Quel empressement ! Que dis-je ? Quelles excuses ! Quelle indignation ! Quelle crainte ! Quel ardent désir ! Quel zèle ! Quelle punition ! Vous avez montré de toutes manières que vous étiez innocents en cette affaire. [12]Aussi bien, si je vous ai écrit, ce n'est ni à cause de l'offenseur ni à cause de l'offensé. C'était pour faire éclater chez vous devant Dieu l'empressement que vous avez à notre égard. [13]Voilà ce qui nous a consolés.

À cette consolation personnelle s'est ajoutée une joie bien plus grande encore, celle de voir la joie de Tite, dont l'esprit a reçu apaisement de vous tous. [14]Que si devant lui je me suis quelque peu glorifié à votre sujet, je n'ai pas eu à en rougir. Au contraire, de même qu'en toutes choses nous vous avons dit la vérité, ainsi ce dont nous nous sommes glorifiés auprès de Tite s'est trouvé être la vérité. [15]Et son affection pour vous redouble, quand il se rappelle votre obéissance à tous, comment vous l'avez accueilli avec crainte et tremblement. [16]Je me réjouis de pouvoir en tout compter sur vous.

2. Organisation de la collecte

Motifs de générosité.

8 [1]Nous vous faisons connaître, frères, la grâce de Dieu qui a été accordée aux Églises de Macédoine. [2]Parmi les nombreuses tribulations qui les ont éprouvées, leur joie surabondante et leur profonde pauvreté ont débordé chez eux en trésors de générosité.

[3]Selon leurs moyens, je l'atteste, et au-delà de leurs moyens, spontanément, [4]ils nous ont demandé avec beaucoup d'insistance la faveur de participer à ce service en faveur des saints. [5]Dépassant même nos espérances, ils se sont donnés eux-mêmes, d'abord au Seigneur, puis à nous, par la volonté de Dieu. [6]Aussi avons-nous prié Tite de mener encore à bonne fin chez vous cette libéralité, comme il avait commencé.

[7]Mais, de même que vous excellez en tout, foi, parole, science, empressement de toute nature, charité que nous vous avons communiquée, il vous faut aussi exceller en cette libéralité. [8]Ce n'est pas un ordre que je donne ; je veux seulement, par l'empressement des autres, éprouver la sincérité de votre charité. [9]Vous connaissez, en effet, la libéralité de notre Seigneur Jésus Christ, qui pour vous s'est fait pauvre, de riche qu'il était, afin de vous enrichir par sa pauvreté. [10]C'est un avis que je donne là-dessus ; et c'est ce qui vous convient, à vous qui, dès l'an dernier, avez été les premiers non seulement à entreprendre mais encore à vouloir. [11]Maintenant donc achevez votre œuvre, afin que l'achèvement réponde à l'ardeur du vouloir, selon vos moyens. [12]Lorsque l'ardeur y est, on est agréé pour ce qu'on a, il n'est pas question de ce qu'on n'a pas. [13]Il ne s'agit point, pour soulager les autres, de vous réduire à la gêne ; ce qu'il faut, c'est l'égalité. [14]Dans le cas présent, votre superflu pourvoit à leur dénuement, pour que leur superflu pourvoie aussi à votre dénuement.

Ainsi se fera l'égalité, [15]selon qu'il est écrit : *Celui qui avait beaucoup recueilli n'eut rien de trop, et celui qui avait peu recueilli ne manqua de rien.*

Recommandation des délégués.

[16]Grâces soient à Dieu, qui met au cœur de Tite le même empressement pour vous : [17]il a répondu à notre appel. Plus empressé même que jamais, c'est spontanément qu'il se rend chez vous. [18]Nous envoyons avec lui le frère dont toutes les Églises font l'éloge au sujet de l'Évangile. [19]Ce n'est pas tout ; il a encore été désigné par le suffrage des Églises comme notre compagnon de voyage dans cette libéralité, dont le service est assuré par nous pour la gloire du Seigneur lui-même et notre propre satisfaction. [20]Par là nous voulons éviter qu'on n'aille nous décrier pour cette forte somme dont le service est assuré par nous ; [21]car *nous avons à cœur ce qui est bien,* non seulement *devant le Seigneur,* mais *encore* devant *les hommes.* [22]Avec eux nous envoyons aussi celui de nos frères dont nous avons éprouvé l'empressement de maintes manières et en maintes circonstances, et qui maintenant est beaucoup plus empressé, en raison de la grande confiance qu'il a en vous. [23]Pour ce qui est de Tite, c'est mon associé et coopérateur auprès de vous ; quant à nos frères, ce sont les envoyés des Églises, la gloire du Christ. [24]Donnez-leur donc, à la face des Églises, la preuve de votre charité et du bien-fondé de notre fierté à votre égard.

9 ¹Quant à ce service en faveur des saints, il est superflu pour moi de vous en écrire. ²Je sais en effet votre ardeur, dont je suis fier pour vous auprès des Macédoniens : « L'Achaïe, leur dis-je, est prête depuis l'an passé. » Et votre zèle a été un stimulant pour le plus grand nombre. ³Toutefois je vous envoie les frères, pour que la fierté que nous tirons de vous ne soit pas réduite à néant sur ce point, et que vous soyez prêts, ainsi que je l'ai dit. ⁴Autrement, si des Macédoniens venaient avec moi et ne vous trouvaient pas prêts, notre belle assurance tournerait à notre confusion, pour ne pas dire à la vôtre. ⁵J'ai donc jugé nécessaire d'inviter les frères à nous précéder chez vous, et à organiser d'avance votre largesse déjà annoncée, afin qu'elle soit prête comme une largesse et non comme une lésinerie.

Bienfaits qui résulteront de la collecte.

⁶Songez-y : qui sème chichement moissonnera aussi chichement ; qui sème largement moissonnera aussi largement. ⁷Que chacun donne selon ce qu'il a décidé dans son cœur, non d'une manière chagrine ou contrainte ; car *Dieu* aime *celui qui donne avec joie.* ⁸Dieu d'ailleurs est assez puissant pour vous combler de toutes sortes de libéralités afin que, possédant toujours et en toute chose tout ce qu'il vous faut, il vous reste du superflu pour toute bonne œuvre, ⁹selon qu'il est écrit : *Il a fait des largesses, il a donné aux pauvres ; sa justice demeure à jamais.*

¹⁰Celui qui fournit *au laboureur la semence et le pain qui le nourrit* vous fournira la semence à vous aussi, et en abondance, et il fera croître *les fruits de votre justice.* ¹¹Enrichis de toutes manières, vous pourrez pratiquer toutes les générosités, lesquelles, par notre entremise, feront monter vers Dieu l'action de grâces. ¹²Car le service de cette offrande ne pourvoit pas seulement aux besoins des saints ; il est encore une source abondante de nombreuses actions de grâces envers Dieu. ¹³Ce service leur prouvant ce que vous êtes, ils glorifient Dieu pour votre obéissance dans la profession de l'Évangile du Christ et pour la générosité de votre communion avec eux et avec tous. ¹⁴Et leur prière pour vous manifeste la tendresse qu'ils vous portent, en raison de la grâce surabondante que Dieu a répandue sur vous. ¹⁵Grâces soient à Dieu pour son ineffable don !

3. *Apologie de Paul*

Réponse à l'accusation de faiblesse.

10 ¹C'est moi, Paul en personne, qui vous en prie, par la douceur et l'indulgence du Christ, moi si humble avec vous face à face, mais, absent, si hardi à votre égard. ²Je vous en prie : que je n'aie pas, une fois chez vous, à user hardiment de cette assurance dont j'entends avoir l'audace contre certaines gens qui pensent que notre conduite s'inspire de la chair. [3]Nous vivons dans la chair, évidemment, mais nous ne combattons pas selon la chair. [4]Non, les armes de notre combat ne sont point charnelles, mais elles ont, au service de Dieu, la puissance de renverser les forteresses. Nous renversons les sophismes [5]et toute puissance altière qui se dresse contre la connaissance de Dieu, et nous faisons toute pensée captive pour l'amener à obéir au Christ. [6]Et nous sommes prêts à châtier toute désobéissance, dès que votre obéissance sera parfaite.

[7]Rendez-vous à l'évidence. Si quelqu'un se flatte d'être au Christ, qu'il se le dise une bonne fois : de même qu'il est au Christ, nous le sommes aussi. [8]Et dussé-je me glorifier un peu trop de notre pouvoir, que le Seigneur nous a donné pour votre édification et non pour votre ruine, je n'en rougirais pas. [9]Car je ne veux pas paraître vouloir vous effrayer par mes lettres. [10]« Les lettres, dit-on, sont énergiques et sévères ; mais, quand il est là, c'est un corps chétif, et sa parole est nulle. » [11]Qu'il se le dise bien, celui-là : tel nous sommes en paroles dans nos lettres quand nous sommes absent, tel aussi, une fois présent, nous serons dans nos actes.

Réponse à l'accusation d'ambition.

[12]Certes, nous n'avons pas l'audace de nous égaler ni de nous comparer à de certaines gens qui se recommandent eux-mêmes. En se mesurant eux-mêmes à leur mesure et en se comparant à eux-mêmes, ils manquent d'intelligence. [13]Pour nous, nous n'irons pas nous glorifier hors de mesure, mais nous prendrons comme mesure la règle même que Dieu nous a assignée pour mesure : celle d'être arrivés jusqu'à vous. [14]Car nous ne nous étendons pas indûment, comme ce serait le cas si nous n'étions pas arrivés jusqu'à vous ; nous sommes bel et bien parvenus jusqu'à vous avec l'Évangile du Christ. [15]Nous ne nous glorifions pas hors de mesure, au moyen des labeurs d'autrui ; et nous avons l'espoir, avec les progrès en vous de votre foi, de nous agrandir de plus en plus selon notre règle à nous, [16]en portant l'Évangile au-delà de chez vous, au lieu d'empiéter sur le domaine d'autrui et de nous glorifier de travaux tout préparés. [17]*Celui donc qui se glorifie, qu'il se glorifie dans le Seigneur.* [18]Ce n'est pas celui qui se recommande lui-même qui est un homme éprouvé ; c'est celui que le Seigneur recommande.

Paul se voit contraint de faire son propre éloge.

11 [1]Oh ! si vous pouviez supporter que je fasse un peu l'insensé ! Mais, bien sûr, vous me supportez. [2]J'éprouve à votre égard en effet une jalousie divine ; car je vous ai fiancés à un époux unique, comme une vierge pure à présenter au Christ. [3]Mais j'ai bien peur qu'à l'exemple d'Ève, que le serpent a dupée par son astuce, vos pensées ne se corrompent en s'écartant de la simplicité envers le Christ. [4]Si le premier venu en effet proclame un autre Jésus que celui que nous avons proclamé, s'il s'agit de recevoir un Esprit différent de celui que vous avez reçu, ou un Évangile différent de celui que vous avez accueilli, vous le supportez fort bien. ⁵J'estime pourtant ne le céder en rien à ces « archiapôtres ». ⁶Si je ne suis qu'un profane pour la parole, pour la science, c'est autre chose ; en tout et devant tous, nous vous l'avons montré.

⁷Ou bien, aurais-je commis une faute en vous annonçant gratuitement l'Évangile de Dieu, m'abaissant moi-même pour vous élever, vous ? ⁸J'ai dépouillé d'autres Églises, recevant d'elles un salaire pour vous servir. ⁹Et quand, une fois chez vous, je me suis vu dans le besoin, je n'ai été à charge à personne : ce sont les frères venus de Macédoine qui ont pourvu à ce qui me manquait. De toutes manières je me suis gardé de vous être à charge, et je m'en garderai. ¹⁰Aussi sûrement que la vérité du Christ est en moi, ce titre de gloire ne me sera pas enlevé dans les régions de l'Achaïe. ¹¹Pourquoi ? Parce que je ne vous aime pas ? Dieu le sait.

¹²Et ce que je fais, je le ferai encore, afin d'ôter tout prétexte à ceux qui en voudraient un, pour être trouvés nos pareils sur le point où ils se glorifient. ¹³Car ces gens-là sont de faux apôtres, des ouvriers trompeurs, qui se déguisent en apôtres du Christ. ¹⁴Et rien d'étonnant : Satan lui-même se déguise bien en ange de lumière. ¹⁵Rien donc de surprenant si ses ministres aussi se déguisent en ministres de justice. Mais leur fin sera conforme à leurs œuvres.

¹⁶Je le répète, qu'on ne me prenne pas pour un insensé ; ou bien alors, acceptez-moi au moins comme tel, que je puisse à mon tour me glorifier un peu. ¹⁷Ce que je vais dire, je ne le dirai pas selon le Seigneur, mais comme un insensé, dans l'assurance d'avoir de quoi me glorifier. ¹⁸Puisque tant d'autres se glorifient selon la chair, je vais, moi aussi, me glorifier. ¹⁹Vous supportez si volontiers les insensés, vous qui êtes sensés ! ²⁰Oui, vous supportez qu'on vous asservisse, qu'on vous dévore, qu'on vous pille, qu'on vous traite avec arrogance, qu'on vous frappe au visage. ²¹Je le dis à votre honte ; c'est à croire que nous nous sommes montré faible...

Mais ce dont on se prévaut – c'est en insensé que je parle –, je puis m'en prévaloir, moi aussi. ²²Ils sont Hébreux ? Moi aussi. Ils sont Israélites ? Moi aussi. Ils sont postérité d'Abraham ? Moi aussi. ²³Ils sont ministres du Christ ? (Je vais dire une folie !) Moi, plus qu'eux. Bien plus par les travaux, bien plus par les emprisonnements, infiniment plus par les coups. Souvent j'ai été à la mort. ²⁴Cinq fois j'ai reçu des Juifs les trente-neuf coups de fouet ; ²⁵trois fois j'ai été battu de verges ; une fois lapidé ; trois fois j'ai fait naufrage. Il m'est arrivé de passer un jour et une nuit dans l'abîme ! ²⁶Voyages sans nombre, dangers des rivières, dangers des brigands, dangers de mes compatriotes, dangers des païens, dangers de la ville, dangers du désert, dangers de la mer, dangers des faux frères ! ²⁷Labeur et fatigue, veilles fréquentes, faim et soif, jeûnes répétés, froid et nudité ! [28]Et sans parler du reste, mon obsession quotidienne, le souci de toutes les Églises ! [29]Qui est faible, que je ne sois faible ? Qui vient à tomber, qu'un feu ne me brûle ?

[30]S'il faut se glorifier, c'est de mes faiblesses que je me glorifierai. [31]Le Dieu et Père du Seigneur Jésus, qui est béni éternellement, sait que je ne mens pas. [32]À Damas, l'ethnarque du roi Arétas faisait garder la ville des Damascéniens pour m'appréhender, [33]et c'est par une fenêtre, dans un panier, qu'on me laissa glisser le long de la muraille, et ainsi j'échappai à ses mains.

12 [1]Il faut se glorifier ? (cela ne vaut rien pourtant) eh bien ! j'en viendrai aux visions et révélations du Seigneur. [2]Je connais un homme dans le Christ qui, voici quatorze ans – était-ce en son corps ? Je ne sais ; était-ce hors de son corps ? Je ne sais ; Dieu le sait – ... cet homme-là fut ravi jusqu'au troisième ciel. [3]Et cet homme-là – était-ce en son corps ? était-ce sans son corps ? je ne sais, Dieu le sait –, je sais [4]qu'il fut ravi jusqu'au paradis et qu'il entendit des paroles ineffables, qu'il n'est pas permis à un homme de redire. [5]Pour cet homme-là je me glorifierai ; mais pour moi, je ne me glorifierai que de mes faiblesses. [6]Oh ! si je voulais me glorifier, je ne serais pas insensé ; je dirais la vérité. Mais je m'abstiens, de peur qu'on ne se fasse de moi une idée supérieure à ce qu'on voit en moi ou à ce qu'on m'entend dire.

[7]Et pour que l'excellence même de ces révélations ne m'enor-gueillisse pas, il m'a été mis une écharde en la chair, un ange de Satan chargé de me souffleter – pour que je ne m'enorgueillisse pas ! [8]À ce sujet, par trois fois, j'ai prié le Seigneur pour qu'il s'éloigne de moi. [9]Mais il m'a déclaré : « Ma grâce te suffit : car la puissance se déploie dans la faiblesse. » C'est donc de grand cœur que je me glorifierai surtout de mes faiblesses, afin que repose sur moi la puissance du Christ. [10]C'est pourquoi je me complais dans les faiblesses, dans les outrages, dans les détresses, dans les persécutions et les angoisses endurées pour le Christ ; car, lorsque je suis faible, c'est alors que je suis fort.

[11]Me voilà devenu insensé ! C'est vous qui m'y avez contraint. C'était à vous de me recommander. Car je n'ai été en rien inférieur à ces « archiapôtres », bien que je ne sois rien. [12]Les traits distinctifs de l'apôtre ont été réalisés chez vous ; parfaite constance, signes, prodiges et miracles. [13]Qu'avez-vous eu de moins que les autres Églises, sinon que personnellement je ne vous ai pas été à charge ? Pardonnez-moi cette injustice. [14]Voici que, pour la troisième fois, je suis prêt à me rendre chez vous, et je ne vous serai pas à charge ; car ce que je recherche, ce ne sont pas vos biens, mais vous. Ce ne sont pas en effet les enfants qui doivent thésauriser pour les parents, mais les parents pour les enfants. [15]Pour moi, je dépenserai très volontiers et me dépenserai moi-même tout entier pour vos âmes. Faut-il que, vous aimant davantage, je sois moins aimé ?

[16]Soit, dira-t-on ; personnellement je ne vous ai pas grevés. Mais, en fourbe que je suis, je vous ai pris par la ruse. [17]Vous aurais-je donc exploités par l'un quelconque de ceux que je vous ai envoyés ? [18]J'ai insisté auprès de Tite, et j'ai envoyé avec lui le frère. Tite vous aurait-il exploités ? N'avons-nous pas marché dans le même esprit ? suivi les mêmes traces ?

Appréhensions et inquiétudes de Paul.

[19]Depuis longtemps, vous vous imaginez que nous nous défendons devant vous. C'est devant Dieu, dans le Christ, que nous parlons. Et tout cela, bien-aimés, pour votre édification. [20]Je crains, en effet, qu'à mon arrivée je ne vous trouve pas tels que je voudrais, et que vous me trouviez tel que vous ne voudriez pas ; qu'il n'y ait discorde, jalousie, animosités, disputes, calomnies, commérages, insolences, désordres. [21]Je crains qu'à ma prochaine visite mon Dieu ne m'humilie à votre sujet, et que je n'aie à mener le deuil sur plusieurs de ceux qui ont péché précédemment et ne se sont pas repentis pour leurs actes d'impureté, de fornication et de débauche.

13 [1]C'est la troisième fois que je vais me rendre chez vous. *Toute affaire se décidera sur la parole de deux témoins ou de trois.* [2]Je l'ai déjà dit à ceux qui ont péché précédemment et à tous les autres, et je le redis

d'avance aujourd'hui que je suis absent, comme lors de mon second séjour : si je reviens, je serai sans ménagement, [3]puisque vous cherchez une preuve que le Christ parle en moi, lui qui n'est pas faible à votre égard, mais qui est puissant parmi vous. [4]Certes, il a été crucifié en raison de sa faiblesse, mais il est vivant par la puissance de Dieu. Et nous aussi, nous sommes faibles en lui, bien sûr, mais nous vivrons avec lui, par la puissance de Dieu à votre égard.

[5]Examinez-vous vous-mêmes pour voir si vous êtes dans la foi. Éprouvez-vous vous-mêmes. Ne reconnaissez-vous pas que Jésus Christ est en vous ? À moins peut-être que l'épreuve ne tourne contre vous. [6]Vous reconnaîtrez, je l'espère, qu'elle ne tourne pas contre nous. [7]Nous prions Dieu que vous ne fassiez aucun mal ; notre désir n'est pas de paraître l'emporter dans l'épreuve, mais de vous voir faire le bien, et de succomber ainsi dans l'épreuve. [8]Car nous n'avons aucun pouvoir contre la vérité ; nous n'en avons que pour la vérité. [9]Oui, nous nous réjouissons, quand nous sommes faibles et que vous êtes forts. Ce que nous demandons dans nos prières, c'est votre affermissement. [10]Voilà pourquoi je vous écris cela, étant absent, afin de n'avoir pas, une fois présent, à user de sévérité selon le pouvoir que le Seigneur m'a donné pour édifier, et non pour détruire.

Épître aux Galates

Voir l'introduction, p. 1878.

Adresse.

1 ¹Paul, apôtre, non de la part des hommes ni par l'intermédiaire d'un homme, mais par Jésus Christ et Dieu le Père qui l'a ressuscité des morts, ²et tous les frères qui sont avec moi, aux Églises de Galatie. ³À vous grâce et paix de par Dieu notre Père et le Seigneur Jésus Christ, ⁴qui s'est livré pour nos péchés afin de nous arracher à ce monde actuel et mauvais, selon la volonté de Dieu notre Père, ⁵à qui soit la gloire dans les siècles des siècles ! Amen.

Admonition.

⁶Je m'étonne que si vite vous abandonniez Celui qui vous a appelés par la grâce du Christ, pour passer à un évangile différent, ⁷qui n'est rien d'autre que ceci : il y a des gens en train de jeter le trouble parmi vous et qui veulent bouleverser l'Évangile du Christ. ⁸Eh bien ! si nous-même, si un ange venu du ciel vous annonçait un évangile différent de celui que nous avons prêché, qu'il soit anathème ! ⁹Nous l'avons déjà dit, et aujourd'hui je le répète : si quelqu'un vous annonce un évangile différent de celui que vous avez reçu, qu'il soit anathème ! ¹⁰En tout cas, maintenant est-ce la faveur des hommes, ou celle de Dieu que je veux gagner ! Est-ce que je cherche à plaire à des hommes ? Si je voulais encore plaire à des hommes, je ne serais plus le serviteur du Christ.

1. Preuve par les faits

L'appel de Dieu.

¹¹Sachez-le, en effet, mes frères, l'Évangile que j'ai annoncé n'est pas à mesure humaine : ¹²ce n'est pas non plus d'un homme que je l'ai reçu ou appris, mais par une révélation de Jésus Christ. ¹³Vous avez certes entendu parler de ma conduite jadis dans le judaïsme, de la persécution effrénée que je menais contre l'Église de Dieu et des ravages que je lui causais, ¹⁴et de mes progrès dans le judaïsme, où je surpassais bien des compatriotes de mon âge, en partisan acharné des traditions de mes pères.

¹⁵Mais quand Celui qui *dès le sein maternel* m'a mis à part et *appelé* par sa grâce daigna ¹⁶révéler en moi son Fils pour que je l'annonce parmi les païens, aussitôt, sans consulter la chair et le sang, ¹⁷sans monter à Jérusalem trouver les apôtres mes prédécesseurs, je m'en allai en Arabie, puis

Conclusion

**Recommandations. Salutations.
Souhait final.**

¹¹Au demeurant, frères, soyez
joyeux ; affermissez-vous ; exhor-
tez-vous. Ayez même sentiment ;
vivez en paix, et le Dieu de la charité et de la paix sera avec vous.

¹²Saluez-vous mutuellement
d'un saint baiser. Tous les saints
vous saluent.

¹³La grâce du Seigneur Jésus
Christ, l'amour de Dieu et la communion du Saint Esprit soient
avec vous tous !

je revins encore à Damas. [18]Ensuite, après trois ans, je montai à Jérusalem rendre visite à Céphas et demeurai auprès de lui quinze jours : [19]je n'ai pas vu d'autre apôtre, mais seulement Jacques, le frère du Seigneur : [20]et quand je vous écris cela, j'atteste devant Dieu que je ne mens point. [21]Ensuite je suis allé en Syrie et en Cilicie, [22]mais j'étais personnellement inconnu des Églises de Judée qui sont dans le Christ ; [23]on y entendait seulement dire que le persécuteur de naguère annonçait maintenant la foi qu'alors il voulait détruire ; [24]et elles glorifiaient Dieu à mon sujet.

L'assemblée de Jérusalem.
Cf. Ac 11 30 ; 15 1.

2 [1]Ensuite, au bout de quatorze ans, je montai de nouveau à Jérusalem avec Barnabé et Tite que je pris avec moi. [2]J'y montai à la suite d'une révélation ; et je leur exposai l'Évangile que je proclame parmi les païens – mais séparément aux notables, de peur de courir ou d'avoir couru pour rien. [3]Eh bien ! de Tite lui-même, mon compagnon qui était grec, on n'exigea pas qu'il se fît circoncire. [4]Mais à cause des intrus, ces faux frères qui se sont glissés pour espionner la liberté que nous avons dans le Christ Jésus, afin de nous réduire en servitude, [5]gens auxquels nous refusâmes de céder, fût-ce un moment, par déférence, afin que la vérité de l'Évangile demeurât parmi vous... [6]Et de la part de ceux qu'on tenait pour des notables – peu m'importe ce qu'alors ils pouvaient être ; *Dieu ne fait point acception des per-*

sonnes –, à mon Évangile, en tout cas, les notables n'ont rien ajouté. [7]Au contraire, voyant que l'évangélisation des incirconcis m'était confiée comme à Pierre celle des circoncis – [8]car Celui qui avait agi en Pierre pour faire de lui un apôtre des circoncis, avait pareillement agi en moi en faveur des païens – [9]et reconnaissant la grâce qui m'avait été départie, Jacques, Céphas et Jean, ces notables, ces colonnes, nous tendirent la main, à moi et à Barnabé, en signe de communion : nous irions, nous aux païens, eux à la Circoncision ; [10]nous devions seulement songer aux pauvres, ce que précisément j'ai eu à cœur de faire.

Pierre et Paul à Antioche.
Cf. Ac 15 1.

[11]Mais quand Céphas vint à Antioche, je lui résistai en face, parce qu'il s'était donné tort. [12]En effet, avant l'arrivée de certaines gens de l'entourage de Jacques, il prenait ses repas avec les païens ; mais quand ces gens arrivèrent, on le vit se dérober et se tenir à l'écart, par peur des circoncis. [13]Et les autres Juifs l'imitèrent dans sa dissimulation, au point d'entraîner Barnabé lui-même à dissimuler avec eux. [14]Mais quand je vis qu'ils ne marchaient pas droit selon la vérité de l'Évangile, je dis à Céphas devant tout le monde : « Si toi qui es Juif, tu vis comme les païens, et non à la juive, comment peux-tu contraindre les païens à judaïser ? »

L'Évangile de Paul.

[15]« Nous sommes, nous, des Juifs de naissance et non de ces

pécheurs de païens ; ¹⁶et cependant, sachant que l'homme n'est pas justifié par la pratique de la Loi, mais seulement par la foi en Jésus Christ, nous avons cru, nous aussi, au Christ Jésus, afin d'obtenir la justification par la foi au Christ et non par la pratique de la Loi, puisque par la pratique de la Loi *personne ne sera justifié.* ¹⁷Or si, recherchant notre justification dans le Christ, il s'est trouvé que nous sommes des pécheurs comme les autres, serait-ce que le Christ est au service du péché ? Certes non ! ¹⁸Car en relevant ce que j'ai abattu, je me convaincs moi-même de transgression. ¹⁹En effet, par la Loi je suis mort à la Loi afin de vivre à Dieu : je suis crucifié avec le Christ ; ²⁰et ce n'est plus moi qui vis, mais le Christ qui vit en moi. Ma vie présente dans la chair, je la vis dans la foi au Fils de Dieu qui m'a aimé et s'est livré pour moi. ²¹Je n'annule pas le don de Dieu : car si la justice vient de la Loi, c'est donc que le Christ est mort pour rien. »

2. *Argumentation doctrinale*

L'expérience chrétienne.

3 ¹Ô Galates sans intelligence, qui vous a ensorcelés ? À vos yeux pourtant ont été dépeints les traits de Jésus Christ en croix. ²Je ne veux savoir de vous qu'une chose : est-ce pour avoir pratiqué la Loi que vous avez reçu l'Esprit, ou pour avoir cru à la prédication ? ³Êtes-vous à ce point dépourvus d'intelligence, que de commencer par l'esprit pour finir maintenant dans la chair ? ⁴Est-ce en vain que vous avez éprouvé tant de faveurs ? Et ce serait bel et bien en vain. ⁵Celui donc qui vous prodigue l'Esprit et opère parmi vous des miracles, le fait-il parce que vous pratiquez la Loi ou parce que vous croyez à la prédication ?

La thèse de Paul.

⁶Ainsi Abraham *crut-il en Dieu, et ce lui fut compté comme justice.* ⁷Comprenez-le donc : ceux qui se réclament de la foi, ce sont eux les fils d'Abraham.

Preuve par l'Écriture.

⁸Et l'Écriture, prévoyant que Dieu justifierait les païens par la foi, annonça d'avance à Abraham cette bonne nouvelle : *En toi seront bénies toutes les nations.* ⁹Si bien que ceux qui se réclament de la foi sont bénis avec Abraham le croyant.

¹⁰Tous ceux qui se réclament de la pratique de la Loi encourent une malédiction. Car il est écrit : *Maudit soit quiconque ne s'attache pas à tous les préceptes écrits dans le livre de la Loi pour les pratiquer.* — ¹¹Que d'ailleurs la Loi ne puisse justifier personne devant Dieu, c'est l'évidence, puisque *le juste vivra par la foi* ; ¹²or la Loi, elle, ne procède pas de la foi : mais *c'est en pratiquant ces préceptes que l'homme vivra par eux.* — ¹³Le

Christ nous a rachetés de cette malédiction de la Loi, devenu lui-même malédiction pour nous, car il est écrit : *Maudit quiconque pend au gibet,* [14]afin qu'aux païens passe dans le Christ Jésus la bénédiction d'Abraham et que par la foi nous recevions l'Esprit de la promesse.

La Loi n'a pas annulé la promesse.

[15]Frères, partons du plan humain : un testament, dûment ratifié, qui n'est pourtant que de l'homme, ne s'annule pas ni ne reçoit de modifications. [16]Or c'est à Abraham que les promesses furent adressées *et à sa descendance.* L'Écriture ne dit pas : « et aux descendants », comme s'il s'agissait de plusieurs ; elle n'en désigne qu'un : *et à ta descendance,* c'est-à-dire le Christ. [17]Or voici ma pensée : un testament déjà établi par Dieu en bonne et due forme, la Loi venue après quatre cent trente ans ne va pas l'infirmer, et ainsi rendre vaine la promesse. [18]Car si on hérite en vertu de la Loi, ce n'est plus en vertu de la promesse : or c'est par une promesse que Dieu accorda sa faveur à Abraham.

Rôle de la Loi.

[19]Alors pourquoi la Loi ? Elle fut ajoutée pour que se manifestent les transgressions, jusqu'à la venue de la descendance à qui était destinée la promesse, édictée par le ministère des anges et l'entremise d'un médiateur. [20]Or il n'y a pas de médiateur, quand on est seul, et Dieu est seul. [21]La Loi s'opposerait donc aux promesses de Dieu ? Certes non ! En effet, si nous avait été donnée une loi capable de communiquer la vie, alors vraiment la justice procéderait de la Loi. [22]Mais en fait l'Écriture a tout enfermé sous le péché, afin que la promesse, par la foi en Jésus Christ, fût accordée à ceux qui croient.

Avènement de la foi.

[23]Avant la venue de la foi, nous étions enfermés sous la garde de la Loi, réservés à la foi qui devait se révéler. [24]Ainsi la Loi nous servit-elle de pédagogue jusqu'au Christ, pour que nous obtenions de la foi notre justification. [25]Mais la foi venue, nous ne sommes plus sous un pédagogue. [26]Car vous êtes tous fils de Dieu, par la foi, dans Christ Jésus. [27]Vous tous en effet, baptisés dans le Christ, vous avez revêtu le Christ : [28]il n'y a ni Juif ni Grec, il n'y a ni esclave ni homme libre, il n'y a ni homme ni femme ; car tous vous ne faites qu'un dans le Christ Jésus. [29]Mais si vous appartenez au Christ, vous êtes donc la descendance d'Abraham, héritiers selon la promesse.

Filiation divine.

4 [1]Or je dis : aussi longtemps qu'il est un enfant, l'héritier, quoique propriétaire de tous les biens, ne diffère en rien d'un esclave. [2]Il est sous le régime des tuteurs et des intendants jusqu'à la date fixée par son père. [3]Nous aussi, durant notre enfance, nous étions asservis aux éléments du monde. [4]Mais quand vint la plénitude du temps, Dieu envoya son Fils, né d'une femme, né sujet de la Loi, [5]afin de racheter les sujets de la Loi, afin de nous conférer l'adoption filiale. [6]Et la preuve que vous êtes des fils, c'est que Dieu a envoyé dans nos cœurs l'Esprit de son Fils qui crie : Abba, Père ! [7]Aussi n'es-tu plus esclave mais fils ; fils, et donc héritier de par Dieu.

[8]Jadis, dans votre ignorance de Dieu, vous fûtes asservis à des dieux qui au vrai n'en sont pas ; [9]mais maintenant que vous avez connu Dieu ou plutôt qu'il vous a connus, comment retourner encore à ces éléments sans force ni valeur, auxquels à nouveau, comme jadis, vous voulez vous asservir ? [10]Observer des jours, des mois, des saisons, des années ! [11]Vous me faites craindre de m'être inutilement fatigué pour vous.

Pourquoi les Galates ont-ils changé ?

[12]Devenez semblables à moi, puisque je me suis fait semblable à vous, frères, je vous en supplie. Vous ne m'avez nullement offensé. [13]Mais vous le savez, ce fut une maladie qui me donna l'occasion de vous évangéliser la première fois, [14]et, malgré l'épreuve que vous était ce corps infirme, vous n'avez marqué ni mépris ni dégoût ; mais vous m'avez accueilli comme un ange de Dieu, comme le Christ Jésus. [15]Que sont donc devenues les félicitations que vous vous adressiez ? Car je vous rends ce témoignage : s'il avait été possible, vous vous seriez arraché les yeux pour me les donner. [16]Alors, suis-je devenu votre ennemi en vous disant la vérité ? [17]Leur attachement pour vous n'est pas bon ; ils veulent

vous séparer de moi, pour vous attacher à eux. [18]Il est bien de s'attacher les autres pour le bien, pour toujours, et non pas seulement quand je suis près de vous, [19]mes petits enfants, vous que j'enfante à nouveau dans la douleur jusqu'à ce que le Christ soit formé en vous. [20]Que ne suis-je près de vous en cet instant pour adapter mon langage, car je ne sais comment m'y prendre avec vous.

Les deux alliances : Agar et Sara.

[21]Dites-moi, vous qui voulez vous soumettre à la Loi, n'entendez-vous pas la Loi ? [22]Il est écrit en effet qu'Abraham eut deux fils, l'un de la servante, l'autre de la femme libre ; [23]mais celui de la servante est né selon la chair, celui de la femme libre en vertu de la promesse. [24]Il y a là une allégorie : ces femmes représentent deux alliances ; la première se rattache au Sinaï et enfante pour la servitude : c'est Agar [25](car le Sinaï est en Arabie) et elle correspond à la Jérusalem actuelle, qui de fait est esclave avec ses enfants. [26]Mais la Jérusalem d'en haut est libre, et elle est notre mère ; [27]car il est écrit : *Réjouis-toi, stérile qui n'enfantais pas, éclate en cris de joie, toi qui n'as pas connu les douleurs ; car nombreux sont les enfants de l'abandonnée, plus que les fils de l'épouse.* [28]Or vous, mes frères, à la manière d'Isaac, vous êtes enfants de la promesse. [29]Mais, comme alors l'enfant de la chair persécutait l'enfant de l'esprit, il en est encore ainsi maintenant. [30]Eh bien, que dit l'Écriture : *Chasse la servante et son fils, car*

il ne faut pas que le fils de la servante hérite avec le fils de la femme libre. [31]Aussi, mes frères, ne sommes-nous pas enfants d'une servante mais de la femme libre.

Conclusion : la liberté chrétienne.

5 [1]C'est pour que nous restions libres que le Christ nous a libérés. Donc tenez bon et ne vous remettez pas sous le joug de l'esclavage. [2]C'est moi, Paul, qui vous le dis : si vous vous faites circoncire, le Christ ne vous servira de rien. [3]De nouveau je l'atteste à tout homme qui se fait circoncire : il est tenu à l'observance intégrale de la Loi. [4]Vous avez rompu avec le Christ, vous qui cherchez la justice dans la Loi ; vous êtes déchus de la grâce. [5]Car pour nous, c'est l'Esprit qui nous fait attendre de la foi les biens qu'espère la justice. [6]En effet, dans le Christ Jésus ni circoncision ni incirconcision ne comptent, mais seulement la foi opérant par la charité. [7]Votre course partait bien ; qui a entravé votre élan de soumission à la vérité ? [8]Cette suggestion ne vient pas de Celui qui vous appelle. [9]Un peu de levain fait lever toute la pâte. [10]Pour moi, j'ai confiance qu'unis dans le Seigneur vous n'aurez pas d'autre sentiment ; mais qui vous trouble subira sa condamnation, quel qu'il soit. [11]Quant à moi, frères, si je prêche encore la circoncision, pourquoi suis-je encore persécuté ? C'en est donc fini du scandale de la croix ! [12]Qu'ils aillent jusqu'à la mutilation, ceux qui bouleversent vos âmes !

3. Exhortations éthiques.
La vraie liberté des croyants

Liberté et charité.

[13]Vous en effet, mes frères, vous avez été appelés à la liberté ; seulement, que cette liberté ne se tourne pas en prétexte pour la chair ; mais par la charité mettez-vous au service les uns des autres. [14]Car une seule formule contient toute la Loi en sa plénitude : *Tu aimeras ton prochain comme toi-même.* [15]Mais si vous vous mordez et vous dévorez les uns les autres, prenez garde que vous allez vous entre-détruire.

[16]Or je dis : laissez-vous mener par l'Esprit et vous ne risquerez pas de satisfaire la convoitise charnelle. [17]Car la chair convoite contre l'esprit et l'esprit contre la chair ; il y a entre eux antagonisme, si bien que vous ne faites pas ce que vous voudriez. [18]Mais si l'Esprit vous anime, vous n'êtes pas sous la Loi. [19]Or on sait bien tout ce que produit la chair : fornication, impureté, débauche, [20]idolâtrie, magie, haines, discorde, jalousie, emportements, disputes, dissensions, scissions, [21]sentiments d'envie, orgies, ripailles et choses semblables – et je vous préviens, comme je l'ai déjà fait, que ceux qui commettent ces fautes-là n'hériteront pas du Royau-

me de Dieu. ²²Mais le fruit de l'Esprit est charité, joie, paix, longanimité, serviabilité, bonté, confiance dans les autres, ²³douceur, maîtrise de soi : contre de telles choses il n'y a pas de loi. ²⁴Or ceux qui appartiennent au Christ Jésus ont crucifié la chair avec ses passions et ses convoitises.

²⁵Puisque l'Esprit est notre vie, que l'Esprit nous fasse aussi agir. ²⁶Ne cherchons pas la vaine gloire, en nous provoquant les uns les autres, en nous enviant mutuellement.

Préceptes variés autour de la charité et du zèle.

6 ¹Frères, même dans le cas où quelqu'un serait pris en faute, vous les spirituels, rétablissez-le en esprit de douceur, te surveillant toi-même, car tu pourrais bien toi aussi être tenté. ²Portez les fardeaux les uns des autres et accomplissez ainsi la Loi du Christ. ³Car si quelqu'un estime être quelque chose alors qu'il n'est rien, il se fait illusion. ⁴Que chacun examine sa propre conduite et alors il trouvera en soi seul et non dans les autres l'occasion de se glorifier ; ⁵car tout homme devra porter sa charge personnelle.

⁶Que le disciple fasse part de toute sorte de biens à celui qui lui enseigne la parole.

⁷Ne vous y trompez pas ; on ne se moque pas de Dieu. Car ce que l'on sème, on le récolte : ⁸qui sème dans sa chair, récoltera de la chair la corruption ; qui sème dans l'esprit, récoltera de l'esprit la vie éternelle. ⁹Ne nous lassons pas de faire le bien ; en son temps viendra la récolte, si nous ne nous relâchons pas. ¹⁰Ainsi donc, tant que nous en avons l'occasion, pratiquons le bien à l'égard de tous et surtout de nos frères dans la foi.

Épilogue.

¹¹Voyez quels gros caractères ma main trace à votre intention. ¹²Des gens désireux de faire bonne figure dans la chair, voilà ceux qui vous imposent la circoncision, à seule fin d'éviter la persécution pour la croix du Christ. ¹³Car ceux qui se font circoncire n'observent pas eux-mêmes la loi ; ils veulent seulement que vous soyez circoncis, pour se glorifier dans votre chair. ¹⁴Pour moi, que jamais je ne me glorifie sinon dans la croix de notre Seigneur Jésus Christ, qui a fait du monde un crucifié pour moi et de moi un crucifié pour le monde. ¹⁵Car la circoncision n'est rien, ni l'incirconcision ; il s'agit d'être une créature nouvelle. ¹⁶Et à tous ceux qui suivront cette règle, paix et miséricorde, ainsi qu'à l'Israël de Dieu.

¹⁷Dorénavant que personne ne me suscite d'ennuis : je porte dans mon corps les marques de Jésus. ¹⁸Frères, la grâce de notre Seigneur Jésus Christ soit avec votre esprit ! Amen.

Épître aux Éphésiens

Voir l'introduction, p. 1879.

Adresse.

1 ¹Paul, apôtre du Christ Jésus, par la volonté de Dieu, aux saints et fidèles dans le Christ Jésus. ²À vous grâce et paix de par Dieu notre Père et le Seigneur Jésus Christ.

1. Le mystère du salut et de l'Église

Le plan divin du salut.

³Béni soit le Dieu et Père de notre Seigneur Jésus Christ,

qui nous a bénis par toutes sortes de bénédictions spirituelles, aux cieux, dans le Christ.

⁴C'est ainsi qu'Il nous a élus en lui, dès avant la fondation du monde,

pour être saints et immaculés en sa présence, dans l'amour,

⁵déterminant d'avance que nous serions pour Lui des fils adoptifs par Jésus Christ.

Tel fut le bon plaisir de sa volonté,

⁶à la louange de gloire de sa grâce,

dont Il nous a gratifiés dans le Bien-aimé.

⁷En lui nous trouvons la rédemption, par son sang,

la rémission des fautes,

selon la richesse de sa grâce,

⁸qu'Il nous a prodiguée,

en toute sagesse et intelligence :

⁹Il nous a fait connaître le mystère de sa volonté,

ce dessein bienveillant

qu'Il avait formé en lui par avance,

¹⁰pour le réaliser quand les temps seraient accomplis :

ramener toutes choses sous un seul Chef, le Christ,

les êtres célestes comme les terrestres.

¹¹C'est en lui encore que nous avons été mis à part, désignés d'avance,

selon le plan préétabli de Celui qui mène toutes choses

au gré de sa volonté,

¹²pour être,

à la louange de sa gloire,

ceux qui ont par avance espéré dans le Christ.

¹³C'est en lui que vous aussi,

après avoir entendu la Parole de vérité, l'Évangile de votre salut,

et y avoir cru,

vous avez été marqués d'un sceau par l'Esprit de la Promesse, cet Esprit Saint

¹⁴qui constitue les arrhes de notre héritage,

et prépare la rédemption du Peuple que Dieu s'est acquis,

pour la louange de sa gloire.

Triomphe et suprématie du Christ.

[15]C'est pourquoi moi-même, ayant appris votre foi dans le Seigneur Jésus et votre charité à l'égard de tous les saints, [16]je ne cesse de rendre grâces à votre sujet et de faire mémoire de vous dans mes prières. [17]Daigne le Dieu de notre Seigneur Jésus Christ, le Père de la gloire, vous donner un esprit de sagesse et de révélation, qui vous le fasse vraiment connaître ! [18]Puisse-t-il illuminer les yeux de votre cœur pour vous faire voir quelle espérance vous ouvre son appel, quels trésors de gloire renferme son héritage parmi les saints, [19]et quelle extraordinaire grandeur sa puissance revêt pour nous, les croyants, selon la vigueur de sa force, [20]qu'il a déployée en la personne du Christ, le ressuscitant d'entre les morts et le faisant siéger à sa droite, dans les cieux, [21]bien au-dessus de toute Principauté, Puissance, Vertu, Seigneurie, et de tout autre nom qui se pourra nommer, non seulement dans ce siècle-ci, mais encore dans le siècle à venir. [22]*Il a tout mis sous ses pieds*, et l'a constitué, au sommet de tout, Tête pour l'Église, [23]laquelle est son Corps, la Plénitude de Celui qui est rempli, tout en tout.

Gratuité du salut dans le Christ.

2 [1]Et vous qui étiez morts par suite des fautes et des péchés [2]dans lesquels vous avez vécu jadis, selon le cours de ce monde, selon le Prince de l'empire de l'air, cet Esprit qui poursuit son œuvre en ceux qui résistent... [3]Nous tous d'ailleurs, nous fûmes jadis de ceux-là, vivant selon nos convoitises charnelles, servant les caprices de la chair et des pensées coupables, si bien que nous étions par nature voués à la colère tout comme les autres... [4]Mais Dieu, qui est riche en miséricorde, à cause du grand amour dont Il nous a aimés, [5]alors que nous étions morts par suite de nos fautes, nous a fait revivre avec le Christ – c'est par grâce que vous êtes sauvés ! –, [6]avec lui Il nous a ressuscités et fait asseoir aux cieux, dans le Christ Jésus.

[7]Il a voulu par là démontrer dans les siècles à venir l'extraordinaire richesse de sa grâce, par sa bonté pour nous dans le Christ Jésus. [8]Car c'est bien par la grâce que vous êtes sauvés, moyennant la foi. Ce salut ne vient pas de vous, il est un don de Dieu ; [9]il ne vient pas des œuvres, car nul ne doit pouvoir se glorifier. [10]Nous sommes en effet son ouvrage, créés dans le Christ Jésus en vue des bonnes œuvres que Dieu a préparées d'avance pour que nous les pratiquions.

Réconciliation des Juifs et des païens entre eux et avec Dieu.

[11]Rappelez-vous donc qu'autrefois, vous les païens – qui étiez tels dans la chair, vous qui étiez appelés « prépuce » par ceux qui s'appellent « circoncision », ... d'une opération pratiquée dans la chair ! – [12]rappelez-vous qu'en ce temps-là vous étiez sans Christ, exclus de la cité d'Israël, étrangers aux alliances de la Promesse, n'ayant ni espérance ni Dieu en ce monde ! [13]Or voici qu'à présent, dans le Christ Jésus, vous qui jadis

étiez loin, vous êtes devenus proches, grâce au sang du Christ.

[14]Car c'est lui qui est notre paix, lui qui de deux réalités n'a fait qu'une, détruisant la barrière qui les séparait, supprimant en sa chair la haine, [15]cette Loi des préceptes avec ses ordonnances, pour créer en sa personne les deux en un seul Homme Nouveau, faire la paix, [16]et les réconcilier avec Dieu, tous deux en un seul Corps, par la Croix : en sa personne il a tué la Haine. [17]Alors il est venu proclamer la paix, *paix pour vous qui étiez loin et paix pour ceux qui étaient proches* : [18]par lui nous avons en effet, tous deux en un seul Esprit, libre accès auprès du Père.

[19]Ainsi donc, vous n'êtes plus des étrangers ni des hôtes ; vous êtes concitoyens des saints, vous êtes de la maison de Dieu. [20]Car la construction que vous êtes a pour fondations les apôtres et prophètes, et pour pierre d'angle le Christ Jésus lui-même. [21]En lui toute construction s'ajuste et grandit en un temple saint, dans le Seigneur ; [22]en lui, vous aussi, vous êtes intégrés à la construction pour devenir une demeure de Dieu, dans l'Esprit.

Paul ministre du Mystère du Christ. ‖ Col 1 24-29.

3 [1]C'est pourquoi moi, Paul, prisonnier du Christ à cause de vous, païens... [2]Car vous avez appris, je pense, comment Dieu m'a dispensé la grâce qu'il m'a confiée pour vous, [3]m'accordant par révélation la connaissance du Mystère, tel que je viens de l'exposer en peu de mots : [4]à me lire, vous pouvez vous rendre compte

de l'intelligence que j'ai du Mystère du Christ. [5]Ce Mystère n'avait pas été communiqué aux hommes des temps passés comme il vient d'être révélé maintenant à ses saints apôtres et prophètes, dans l'Esprit : [6]les païens sont admis au même héritage, membres du même Corps, bénéficiaires de la même Promesse, dans le Christ Jésus, par le moyen de l'Évangile. [7]Et de cet Évangile je suis devenu ministre par le don de la grâce que Dieu m'a confiée en y déployant sa puissance : [8]à moi, le moindre de tous les saints, a été confiée cette grâce-là, d'annoncer aux païens l'insondable richesse du Christ [9]et de mettre en pleine lumière la dispensation du Mystère : il a été tenu caché depuis les siècles en Dieu, le Créateur de toutes choses, [10]pour que les Principautés et les Puissances célestes aient maintenant connaissance, par le moyen de l'Église, de la sagesse infinie en ressources déployée par Dieu [11]en ce dessein éternel qu'il a conçu dans le Christ Jésus notre Seigneur, [12]et qui nous donne d'oser nous approcher en toute confiance par le chemin de la foi au Christ. [13]Ainsi, je vous en prie, ne vous laissez pas abattre par les épreuves que j'endure pour vous ; elles sont votre gloire !

Prière de Paul.

[14]C'est pourquoi je fléchis les genoux en présence du Père [15]de qui toute paternité, au ciel et sur la terre, tire son nom. [16]Qu'Il daigne, selon la richesse de sa gloire, vous armer de puissance par son Esprit pour que se fortifie en vous

l'homme intérieur, [17]que le Christ habite en vos cœurs par la foi, et que vous soyez enracinés, fondés dans l'amour. [18]Ainsi vous recevrez la force de comprendre, avec tous les saints, ce qu'est la Largeur, la Longueur, la Hauteur et la Profondeur, [19]vous connaîtrez l'amour du Christ qui surpasse toute connaissance, et vous entrerez par votre plénitude dans toute la Plénitude de Dieu.

[20]À Celui dont la puissance agissant en nous est capable de faire bien au-delà, infiniment au-delà de tout ce que nous pouvons demander ou concevoir, [21]à Lui la gloire, dans l'Église et le Christ Jésus, pour tous les âges et tous les siècles ! Amen.

2. Parénèse

Appel à l'unité.

4 [1]Je vous exhorte donc, moi le prisonnier dans le Seigneur, à mener une vie digne de l'appel que vous avez reçu : [2]en toute humilité, douceur et patience, supportez-vous les uns les autres avec charité ; [3]appliquez-vous à conserver l'unité de l'Esprit par ce lien qu'est la paix. [4]Il n'y a qu'un Corps et qu'un Esprit, comme il n'y a qu'une espérance au terme de l'appel que vous avez reçu ; [5]un seul Seigneur, une seule foi, un seul baptême ; [6]un seul Dieu et Père de tous, qui est au-dessus de tous, par tous et en tous.

[7]Cependant chacun de nous a reçu sa part de la faveur divine selon que le Christ a mesuré ses dons. [8]C'est pourquoi l'on dit :

Montant dans les hauteurs il a emmené des captifs,
il a donné des dons aux hommes.

[9]« Il est monté », qu'est-ce à dire, sinon qu'il est aussi descendu, dans les régions inférieures de la terre ? [10]Et celui qui est descendu, c'est le même qui est aussi monté au-dessus de tous les cieux, afin de remplir toutes choses. [11]C'est lui encore qui « a donné » aux uns d'être apôtres, à d'autres d'être prophètes, ou encore évangélistes, ou bien pasteurs et docteurs, [12]organisant ainsi les saints pour l'œuvre du ministère, en vue de la construction du Corps du Christ, [13]au terme de laquelle nous devons parvenir, tous ensemble, à ne faire plus qu'un dans la foi et la connaissance du Fils de Dieu, et à constituer cet Homme parfait, dans la force de l'âge, qui réalise la plénitude du Christ.

[14]Ainsi nous ne serons plus des enfants, nous ne nous laisserons plus ballotter et emporter à tout vent de la doctrine, au gré de l'imposture des hommes et de leur astuce à fourvoyer dans l'erreur. [15]Mais, vivant selon la vérité et dans la charité, nous grandirons de toutes manières vers Celui qui est la Tête, le Christ, [16]dont le Corps tout entier reçoit concorde et cohésion par toutes sortes de jointures qui le nourrissent et l'actionnent selon le rôle de chaque partie, opérant ainsi sa

croissance et se construisant lui-même, dans la charité.

La vie nouvelle dans le Christ.

[17]Je vous dis donc et vous adjure dans le Seigneur de ne plus vous conduire comme le font les païens, avec leur vain jugement [18]et leurs pensées enténébrées : ils sont devenus étrangers à la vie de Dieu à cause de l'ignorance qu'a entraînée chez eux l'endurcissement du cœur, [19]et, leur sens moral une fois émoussé, ils se sont livrés à la débauche au point de perpétrer avec frénésie toute sorte d'impureté. [20]Mais vous, ce n'est pas ainsi que vous avez appris le Christ, [21]si du moins vous l'avez reçu dans une prédication et un enseignement conformes à la vérité qui est en Jésus, [22]à savoir qu'il vous faut abandonner votre premier genre de vie et dépouiller le vieil homme, qui va se corrompant au fil des convoitises décevantes, [23]pour vous renouveler par une transformation spirituelle de votre jugement [24]et revêtir l'Homme Nouveau, qui a été créé selon Dieu, dans la justice et la sainteté de la vérité.

[25]Dès lors, plus de mensonge : *que chacun dise la vérité à son prochain* ; ne sommes-nous pas membres les uns des autres ? [26]*Emportez-vous, mais ne commettez pas le péché* : que le soleil ne se couche pas sur votre colère ; [27]il ne faut pas donner prise au diable. [28]Que celui qui volait ne vole plus ; qu'il prenne plutôt la peine de travailler de ses mains, au point de pouvoir faire le bien en secourant les nécessiteux. [29]De votre bouche ne doit sortir aucun mauvais propos, mais plutôt toute bonne parole capable d'édifier, quand il le faut, et de faire du bien à ceux qui l'entendent. [30]Ne contristez pas l'Esprit Saint de Dieu, qui vous a marqués de son sceau pour le jour de la rédemption. [31]Aigreur, emportement, colère, clameurs, outrages, tout cela doit être extirpé de chez vous, avec la malice sous toutes ses formes. [32]Montrez-vous au contraire bons et compatissants les uns pour les autres, vous pardonnant mutuellement, comme Dieu vous a pardonnés dans le Christ.

5 [1]Oui, cherchez à imiter Dieu, comme des enfants bien-aimés, [2]et suivez la voie de l'amour, à l'exemple du Christ qui nous a aimés et s'est livré pour nous, *s'offrant à Dieu en sacrifice d'agréable odeur.* [3]Quant à la fornication, à l'impureté sous toutes ses formes, ou encore à la cupidité, que leurs noms ne soient même pas prononcés parmi vous : c'est ce qui sied à des saints. [4]De même pour les grossièretés, les inepties, les facéties : tout cela ne convient guère ; faites entendre plutôt des actions de grâces. [5]Car, sachez-le bien, ni le fornicateur, ni le débauché, ni le cupide – qui est un idolâtre – n'ont droit à l'héritage dans le Royaume du Christ et de Dieu. [6]Que nul ne vous abuse par de vaines raisons : ce sont bien de tels désordres qui attirent la colère de Dieu sur ceux qui lui résistent. [7]N'ayez donc rien de commun avec eux. [8]Jadis vous étiez ténèbres, mais à présent vous êtes lumière dans le Seigneur ; conduisez-vous en enfants de lumière ; [9]car le fruit de la lumière consiste en toute bonté, justice et vérité.

¹⁰Discernez ce qui plaît au Seigneur, ¹¹et ne prenez aucune part aux œuvres stériles des ténèbres ; dénoncez-les plutôt. ¹²Certes, ce que ces gens-là font en cachette, on a honte même de le dire ; ¹³mais quand tout cela est dénoncé, c'est dans la lumière qu'on le voit apparaître ; ¹⁴tout ce qui apparaît, en effet, est lumière. C'est pourquoi l'on dit :

> Éveille-toi, toi qui dors,
> lève-toi d'entre les morts,
> et sur toi luira le Christ.

¹⁵Ainsi prenez bien garde à votre conduite ; qu'elle soit celle non d'insensés mais de sages, ¹⁶qui tirent bon parti de la période présente ; car nos temps sont mauvais ; ¹⁷ne vous montrez donc pas inconsidérés, mais sachez voir quelle est la volonté du Seigneur. ¹⁸*Ne vous enivrez pas de vin* : on n'y trouve que libertinage ; mais cherchez dans l'Esprit votre plénitude. ¹⁹Récitez entre vous des psaumes, des hymnes et des cantiques inspirés ; chantez et célébrez le Seigneur de tout votre cœur. ²⁰En tout temps et à tout propos, rendez grâces à Dieu le Père, au nom de notre Seigneur Jésus Christ.

Morale domestique. ‖ Col 3 18– 4 1.

²¹Soyez soumis les uns aux autres dans la crainte du Christ. ²²Que les femmes le soient à leurs maris comme au Seigneur : ²³en effet, le mari est chef de sa femme, comme le Christ est chef de l'Église, lui le sauveur du Corps ; ²⁴or l'Église se soumet au Christ ; les femmes doivent donc, et de la même manière, se soumettre en tout à leurs maris.

²⁵Maris, aimez vos femmes comme le Christ a aimé l'Église : il s'est livré pour elle, ²⁶afin de la sanctifier en la purifiant par le bain d'eau qu'une parole accompagne ; ²⁷car il voulait se la présenter à lui-même toute resplendissante, sans tache ni ride ni rien de tel, mais sainte et immaculée. ²⁸De la même façon les maris doivent aimer leurs femmes comme leurs propres corps. Aimer sa femme, c'est s'aimer soi-même. ²⁹Car nul n'a jamais haï sa propre chair ; on la nourrit au contraire et on en prend bien soin. C'est justement ce que le Christ fait pour l'Église : ³⁰ne sommes-nous pas les membres de son Corps ? ³¹*Voici donc que l'homme quittera son père et sa mère pour s'attacher à sa femme, et les deux ne feront qu'une seule chair* : ³²ce mystère est de grande portée ; je veux dire qu'il s'applique au Christ et à l'Église. ³³Bref, en ce qui vous concerne, que chacun aime sa femme comme soi-même, et que la femme révère son mari.

6 ¹Enfants, obéissez à vos parents, dans le Seigneur : cela est juste. ²*Honore ton père et ta mère*, tel est le premier commandement auquel soit attachée une promesse : ³*pour que tu t'en trouves bien et jouisses d'une longue vie sur la terre.* ⁴Et vous, parents, n'exaspérez pas vos enfants, mais usez, en les éduquant, de corrections et de semonces qui s'inspirent du Seigneur.

⁵Esclaves, obéissez à vos maîtres d'ici-bas avec crainte et tremblement, en simplicité de cœur, comme au Christ ; ⁶non d'une obéissance tout extérieure qui

cherche à plaire aux hommes, mais comme des esclaves du Christ, qui font avec âme la volonté de Dieu. ⁷Que votre service empressé s'adresse au Seigneur et non aux hommes, ⁸dans l'assurance que chacun sera payé par le Seigneur selon ce qu'il aura fait de bien, qu'il soit esclave ou qu'il soit libre. ⁹Et vous, maîtres, agissez de même à leur égard ; laissez de côté les menaces, et dites-vous bien que, pour eux comme pour vous, le Maître est dans les cieux, et qu'il ne fait point acception des personnes.

Le combat spirituel.

¹⁰En définitive, rendez-vous puissants dans le Seigneur et dans la vigueur de sa force. ¹¹Revêtez l'armure de Dieu, pour pouvoir résister aux manœuvres du diable. ¹²Car ce n'est pas contre des adversaires de sang et de chair que nous avons à lutter, mais contre les Principautés, contre les Puissances, contre les Régisseurs de ce monde de ténèbres, contre les esprits du mal qui habitent les espaces célestes. ¹³C'est pour cela qu'il vous faut endosser l'armure de Dieu, afin qu'au jour mauvais vous puissiez résister et, après avoir tout mis en œuvre, rester fermes.

¹⁴Tenez-vous donc debout, avec la *Vérité pour ceinture, la Justice pour cuirasse*, ¹⁵et pour chaussures *le Zèle à propager l'Évangile de la paix* ; ¹⁶ayez toujours en main le bouclier de la Foi, grâce auquel vous pourrez éteindre tous les traits enflammés du Mauvais ; ¹⁷enfin recevez *le casque du Salut* et le glaive de l'Esprit, c'est-à-dire la Parole de Dieu.

¹⁸Vivez dans la prière et les supplications ; priez en tout temps, dans l'Esprit ; apportez-y une vigilance inlassable et intercédez pour tous les saints. ¹⁹Priez aussi pour moi, afin qu'il me soit donné d'ouvrir la bouche pour parler et d'annoncer hardiment le mystère de l'Évangile, ²⁰dont je suis l'ambassadeur dans mes chaînes ; obtenez-moi la hardiesse d'en parler comme je le dois.

Nouvelles personnelles et salut final.

²¹Je désire que vous sachiez, vous aussi, où j'en suis et ce que je deviens ; vous serez informés de tout par Tychique, ce frère bien-aimé qui m'est un fidèle assistant dans le Seigneur. ²²Je vous l'envoie tout exprès pour vous donner de nos nouvelles et réconforter vos cœurs. ²³Que Dieu le Père et le Seigneur Jésus Christ accordent paix aux frères, ainsi que charité et foi. ²⁴La grâce soit avec tous ceux qui aiment notre Seigneur Jésus Christ, dans la vie incorruptible !

Épître aux Philippiens

Voir l'introduction, p. 1879.

Adresse.

1 ¹Paul et Timothée, serviteurs du Christ Jésus, à tous les saints dans le Christ Jésus qui sont à Philippes, avec leurs épiscopes et leurs diacres. ²À vous grâce et paix de par Dieu notre Père et le Seigneur Jésus Christ !

Action de grâces et prière.

³Je rends grâces à mon Dieu chaque fois que je fais mémoire de vous, ⁴en tout temps dans toutes mes prières pour vous tous, prières que je fais avec joie ; ⁵car je me rappelle la part que vous avez prise à l'Évangile depuis le premier jour jusqu'à maintenant ; ⁶j'en suis bien sûr d'ailleurs, Celui qui a commencé en vous cette œuvre excellente en poursuivra l'accomplissement jusqu'au Jour du Christ Jésus. ⁷Il n'est que juste pour moi d'avoir ces sentiments à l'égard de vous tous, car je vous porte en mon cœur, vous qui, dans mes chaînes comme dans la défense et l'affermissement de l'Évangile, vous associez tous à ma grâce. ⁸Oui, Dieu m'est témoin que je vous aime tous tendrement dans le cœur du Christ Jésus ! ⁹Et voici ma prière : que votre charité croissant toujours de plus en plus s'épanche en cette vraie science et ce tact affiné ¹⁰qui vous donneront de discerner ce qui est important et de vous rendre purs et sans reproche pour le Jour du Christ, ¹¹dans la pleine maturité de ce fruit de justice que nous portons par Jésus Christ, pour la gloire et la louange de Dieu.

Situation personnelle de Paul.

¹²Je désire que vous le sachiez, frères, mon affaire a tourné plutôt au profit de l'Évangile : ¹³en effet, dans tout le Prétoire et partout ailleurs, mes chaînes ont acquis, dans le Christ, une vraie notoriété, ¹⁴et la plupart des frères, enhardis dans le Seigneur du fait même de ces chaînes, redoublent d'une belle audace à proclamer sans crainte la Parole. ¹⁵Certains, il est vrai, le font par envie, en esprit de rivalité, mais pour les autres, c'est vraiment dans de bons sentiments qu'ils proclament le Christ. ¹⁶Ces derniers agissent par charité, sachant bien que je suis voué à défendre ainsi l'Évangile ; ¹⁷quant aux premiers, c'est par esprit d'intrigue qu'ils annoncent le Christ ; leurs intentions ne sont pas pures : ils s'imaginent ainsi aggraver le poids de mes chaînes. ¹⁸Mais qu'importe ? Après tout, d'une manière comme de l'autre, hypocrite ou sincère, le Christ est annoncé, et je m'en réjouis. Je persisterai même à m'en réjouir, ¹⁹car je sais que *cela servira à mon salut*, grâce à vos prières et au secours de l'Esprit de Jésus Christ qui me sera fourni ; ²⁰telle est l'attente de mon ardent espoir :

rien ne me confondra, je garderai au contraire toute mon assurance et, cette fois-ci comme toujours, le Christ sera glorifié dans mon corps, soit que je vive soit que je meure. ²¹Pour moi, certes, la Vie c'est le Christ et mourir représente un gain. ²²Cependant, si la vie dans cette chair doit me permettre encore un fructueux travail, j'hésite à faire un choix... ²³Je me sens pris dans cette alternative : d'une part, j'ai le désir de m'en aller et d'être avec le Christ, ce qui serait, et de beaucoup, bien préférable ; ²⁴mais de l'autre, demeurer dans la chair est plus urgent pour votre bien. ²⁵Au fait, ceci me persuade : je sais que je vais rester et demeurer près de vous tous pour votre avancement et la joie de votre foi, ²⁶afin que mon retour et ma présence parmi vous soient pour vous un nouveau sujet de fierté dans le Christ Jésus.

Lutter pour la foi.

²⁷Menez seulement une vie digne de l'Évangile du Christ, afin que je constate, si je viens chez vous, ou que j'entende dire, si je reste absent, que vous tenez ferme dans un même esprit, luttant de concert et d'un cœur unanime pour la foi de l'Évangile, ²⁸et nullement effrayés par vos adversaires : c'est là un présage certain, pour eux de la ruine et pour vous du salut. Et cela vient de Dieu : ²⁹car c'est par sa faveur qu'il vous a été donné, non pas seulement de croire au Christ, mais encore de souffrir pour lui. ³⁰Par là vous menez le même combat que vous m'avez vu soutenir et que, vous le savez, je soutiens encore.

Garder l'unité dans l'humilité.

2 ¹Aussi je vous en conjure par tout ce qu'il peut y avoir d'appel pressant dans le Christ, de persuasion dans l'amour, de communion dans l'Esprit, de tendresse compatissante, ²mettez le comble à ma joie par l'accord de vos sentiments : ayez le même amour, une seule âme, un seul sentiment ; ³n'accordez rien à l'esprit de parti, rien à la vaine gloire, mais que chacun par l'humilité estime les autres supérieurs à soi ; ⁴ne recherchez pas chacun vos propres intérêts, mais plutôt que chacun songe à ceux des autres. ⁵Ayez entre vous les mêmes sentiments qui sont dans le Christ Jésus :

⁶Lui qui est de condition divine
    n'a pas revendiqué son droit
    d'être traité comme l'égal de Dieu
⁷mais il s'est dépouillé
    prenant la condition d'esclave.

Devenant semblable aux hommes
    et reconnu à son aspect comme un homme
⁸il s'est abaissé
    devenant obéissant jusqu'à la mort
    à la mort sur une croix.

⁹C'est pourquoi Dieu l'a souverainement élevé
    et lui a conféré le nom qui est au-dessus de tout nom
¹⁰afin qu'au nom de Jésus tout genou fléchisse
    dans les cieux, sur la terre et sous la terre
¹¹et que toute langue proclame
    que le Seigneur c'est Jésus Christ
    à la gloire de Dieu le Père.

Travailler au salut.

¹²Ainsi donc, mes bien-aimés, avec cette obéissance dont vous avez toujours fait preuve, et qui doit paraître, non seulement quand je suis là, mais bien plus encore maintenant que je suis absent, travaillez avec crainte et tremblement à accomplir votre salut : ¹³aussi bien, Dieu est là qui opère en vous à la fois le vouloir et l'opération même, au profit de ses bienveillants desseins. ¹⁴Agissez en tout sans murmures ni contestations, ¹⁵afin de vous rendre irréprochables et purs, *enfants de Dieu sans tache au sein d'une génération dévoyée et pervertie*, d'un monde où vous brillez comme des foyers de lumière, ¹⁶en lui présentant la Parole de vie. Vous me préparez ainsi un sujet de fierté pour le Jour du Christ, car ma course et ma peine n'auront pas été vaines. ¹⁷Au fait, si mon sang même doit se répandre en libation sur le sacrifice et l'oblation de votre foi, j'en suis heureux et m'en réjouis avec vous tous, ¹⁸comme vous devez, de votre côté, en être heureux et vous en réjouir avec moi.

Missions de Timothée et d'Épaphrodite.

¹⁹J'espère du moins, dans le Seigneur Jésus, vous envoyer bientôt Timothée, afin d'être soulagé moi-même en obtenant de vos nouvelles. ²⁰Je n'ai vraiment personne qui partage mes sentiments, pour s'intéresser sincèrement à votre situation : ²¹tous recherchent leurs propres intérêts, non ceux de Jésus Christ. ²²Mais lui, vous savez qu'il a fait ses preuves : c'est comme un fils auprès de son père qu'il a servi avec moi la cause de l'Évangile. ²³C'est donc lui que je compte vous envoyer, dès que j'aurai vu clair dans mes affaires. ²⁴J'ai d'ailleurs bon espoir dans le Seigneur de venir bientôt moi-même.

²⁵Mais je crois nécessaire de vous renvoyer Épaphrodite, ce frère qui m'est un compagnon de travail et de combat, et que vous avez délégué pour assister mon indigence. ²⁶Car il languit après vous tous, et ne tient plus en place du fait que vous avez appris sa maladie. ²⁷C'est vrai qu'il a été malade, et bien près de la mort ; mais Dieu a eu pitié de lui, et pas seulement de lui, mais aussi bien de moi, m'épargnant d'avoir chagrin sur chagrin. ²⁸Aussi je m'empresse de vous le renvoyer, afin que sa vue vous remette en joie, et que j'aie moi-même moins de peine. ²⁹Accueillez-le donc dans le Seigneur en toute joie, et tenez en grande estime des gens tels que lui : ³⁰c'est pour l'œuvre du Christ qu'il a failli mourir, ayant risqué sa vie pour vous suppléer dans le service que vous ne pouviez me rendre vous-mêmes.

La vraie voie du salut chrétien.

3 ¹Enfin, mes frères, réjouissez-vous dans le Seigneur... Vous adresser les mêmes avis ne m'est pas à charge, et pour vous c'est une sûreté : ²Prenez garde aux chiens ! Prenez garde aux mauvais ouvriers ! Prenez garde aux faux circoncis ! ³Car c'est nous qui sommes les circoncis, nous qui offrons le culte selon l'Esprit de Dieu et tirons notre gloire du Christ Jésus, au lieu de placer notre confiance dans la chair. [4]J'aurais pourtant sujet, moi, d'avoir confiance même dans la chair ; si quelque autre croit avoir des raisons de se confier dans la chair, j'en ai bien davantage : [5]circoncis dès le huitième jour, de la race d'Israël, de la tribu de Benjamin, Hébreu fils d'Hébreux ; quant à la Loi, un Pharisien ; [6]quant au zèle, un persécuteur de l'Église ; quant à la justice que peut donner la Loi, un homme irréprochable. [7]Mais tous ces avantages dont j'étais pourvu, je les ai considérés comme un désavantage, à cause du Christ. [8]Bien plus, désormais je considère tout comme désavantageux à cause de la supériorité de la connaissance du Christ Jésus mon Seigneur. À cause de lui j'ai accepté de tout perdre, je considère tout comme déchets, afin de gagner le Christ, [9]et d'être trouvé en lui, n'ayant pas comme justice à moi celle qui vient de la Loi, mais celle par la foi au Christ, celle qui vient de Dieu et s'appuie sur la foi ; [10]le connaître, lui, avec la puissance de sa résurrection et la communion à ses souffrances, lui devenir conforme dans sa mort, [11]afin de parvenir si possible à ressusciter d'entre les morts. [12]Non que je sois déjà au but, ni déjà devenu parfait ; mais je poursuis ma course pour tâcher de saisir, ayant été saisi moi-même par le Christ Jésus. [13]Non, frères, je ne me flatte point d'avoir déjà saisi ; je dis seulement ceci : oubliant le chemin parcouru, je vais droit de l'avant, tendu de tout mon être, [14]et je cours vers le but, en vue du prix que Dieu nous appelle à recevoir là-haut, dans le Christ Jésus. [15]Nous tous qui sommes des « parfaits », c'est ainsi qu'il nous faut penser ; et si, sur quelque point, vous pensez autrement, là encore Dieu vous éclairera. [16]En attendant, quel que soit le point déjà atteint, marchons toujours dans la même ligne.

[17]Devenez à l'envi mes imitateurs, frères, et fixez vos regards sur ceux qui se conduisent comme vous en avez en nous un exemple. [18]Car il en est beaucoup, je vous l'ai dit souvent et je le redis aujourd'hui avec larmes, qui se conduisent en ennemis de la croix du Christ : [19]leur fin sera la perdition ; ils ont pour dieu leur ventre et mettent leur gloire dans leur honte ; ils n'apprécient que les choses de la terre. [20]Pour nous, notre cité se trouve dans les cieux, d'où nous attendons ardemment, comme sauveur, le Seigneur Jésus Christ, [21]qui transfigurera notre corps de misère pour le conformer à son corps de gloire, avec cette force qu'il a de pouvoir même se soumettre toutes choses.

4 [1]Ainsi donc, mes frères bien-aimés et tant désirés, ma joie et ma couronne, tenez bon de la sorte, dans le Seigneur, mes bien-aimés.

Derniers conseils.

[2]J'exhorte Évodie comme j'exhorte Syntychè à vivre en bonne intelligence dans le Seigneur. [3]Et toi de ton côté, Syzyge, vrai « compagnon », je te demande de leur venir en aide : car elles m'ont assisté dans la lutte pour l'Évangile, en même temps que Clément et

mes autres collaborateurs, dont les noms sont écrits au livre de vie.

[4]Réjouissez-vous sans cesse dans le Seigneur, je le dis encore, réjouissez-vous. [5]Que votre modération soit connue de tous les hommes. Le Seigneur est proche. [6]N'entretenez aucun souci ; mais en tout besoin recourez à l'oraison et à la prière, pénétrées d'action de grâces, pour présenter vos requêtes à Dieu. [7]Alors la paix de Dieu, qui surpasse toute intelligence, prendra sous sa garde vos cœurs et vos pensées, dans le Christ Jésus.

[8]Enfin, frères, tout ce qu'il y a de vrai, de noble, de juste, de pur, d'aimable, d'honorable, tout ce qu'il peut y avoir de bon dans la vertu et la louange humaines, voilà ce qui doit vous préoccuper. [9]Ce que vous avez appris, reçu, entendu de moi et constaté en moi, voilà ce que vous devez pratiquer. Alors le Dieu de la paix sera avec vous.

Remerciements pour les secours envoyés.

[10]J'ai eu grande joie dans le Seigneur à voir enfin refleurir votre intérêt pour moi ; il était bien toujours vivant, mais vous ne trouviez pas d'occasion. [11]Ce n'est pas mon dénuement qui m'inspire ces paroles ; j'ai appris en effet à me suffire en toute occasion. [12]Je sais me priver comme je sais être à l'aise. En tout temps et de toutes manières, je me suis initié à la satiété comme à la faim, à l'abondance comme au dénuement. [13]Je puis tout en Celui qui me rend fort. [14]Cependant vous avez bien fait de prendre part à mon épreuve. [15]Vous le savez vous-mêmes, Philippiens : dans les débuts de l'Évangile, quand je quittai la Macédoine, aucune Église ne m'assista par mode de contributions pécuniaires ; vous fûtes les seuls, [16]vous qui, dès mon séjour à Thessalonique, m'avez envoyé, et par deux fois, ce dont j'avais besoin. [17]Ce n'est pas que je recherche les dons ; ce que je recherche, c'est le bénéfice qui s'augmente à votre actif. [18]Pour le moment j'ai tout ce qu'il faut, et même plus qu'il ne faut, je suis comblé, depuis qu'Épaphrodite m'a remis votre offrande, *parfum de bonne odeur*, sacrifice que Dieu reçoit et trouve agréable. [19]En retour mon Dieu comblera tous vos besoins, selon sa richesse, avec magnificence, dans le Christ Jésus. [20]Gloire à ce Dieu, notre Père, dans les siècles des siècles ! Amen.

Salutations et souhait final.

[21]Saluez chacun des saints dans le Christ Jésus. Les frères qui sont avec moi vous saluent. [22]Tous les saints vous saluent, surtout ceux de la Maison de César.

[23]La grâce du Seigneur Jésus Christ soit avec votre esprit !

Épître aux Colossiens

Voir l'introduction, p. 1879.

Préambule

Adresse.

1 ¹Paul, apôtre du Christ Jésus par la volonté de Dieu, et le frère Timothée, ²aux saints de Colosses, frères fidèles dans le Christ. À vous grâce et paix de par Dieu notre Père !

Action de grâces et prière. ‖ Ep 1
15-16, 13, 6-7.

³Nous ne cessons de rendre grâces au Dieu et Père de notre Seigneur Jésus Christ, en pensant à vous dans nos prières, ⁴depuis que nous avons appris votre foi dans le Christ Jésus et la charité que vous avez à l'égard de tous les saints, ⁵en raison de l'espérance qui vous est réservée dans les cieux. Cette espérance, vous en avez naguère entendu l'annonce dans la Parole de vérité, l'Évangile, ⁶qui est parvenu chez vous de même que dans le monde entier il fructifie et se développe ; chez vous il fait de même depuis le jour où vous avez appris et compris dans sa vérité la grâce de Dieu. ⁷C'est Épaphras, notre cher compagnon de service, qui vous en a instruits ; il nous supplée fidèlement comme ministre du Christ, ⁸et c'est lui-même qui nous a fait connaître votre dilection dans l'Esprit.

⁹C'est pourquoi nous aussi, depuis le jour où nous avons reçu ces nouvelles, nous ne cessons de prier pour vous et de demander à Dieu qu'Il vous fasse parvenir à la pleine connaissance de sa volonté, en toute sagesse et intelligence spirituelle. ¹⁰Vous pourrez ainsi mener une vie digne du Seigneur et qui Lui plaise en tout : vous produirez toutes sortes de bonnes œuvres et grandirez dans la connaissance de Dieu ; ¹¹animés d'une puissante énergie par la vigueur de sa gloire, vous acquerrez une parfaite constance et endurance ; avec joie ¹²vous remercierez le Père qui vous a mis en mesure de partager le sort des saints dans la lumière.

¹³Il nous a en effet arrachés à l'empire des ténèbres et nous a transférés dans le Royaume de son Fils bien-aimé, ¹⁴en qui nous avons la rédemption, la rémission des péchés.

1. Partie dogmatique

Primauté du Christ.

¹⁵Il est l'Image du Dieu invisible,
Premier-Né de toute créature,
¹⁶car c'est en lui qu'ont été
créées toutes choses,

dans les cieux et sur la terre,
les visibles et les invisibles,
Trônes, Seigneuries, Principautés, Puissances ;
tout a été créé par lui et pour
lui.
¹⁷Il est avant toutes choses et
tout subsiste en lui.
¹⁸Et il est aussi la Tête du
Corps, c'est-à-dire de l'Église :

Il est le Principe,
Premier-Né d'entre les morts,
il fallait qu'il obtînt en tout la
primauté,
¹⁹car Dieu s'est plu à faire habiter en lui toute la Plénitude
²⁰et par lui à réconcilier tous les
êtres pour lui,

aussi bien sur la terre que dans
les cieux,
en faisant la paix par le sang de
sa croix.

Participation des Colossiens au salut. ‖ Ep 4 18-19.

²¹Vous-mêmes, qui étiez devenus jadis des étrangers et des ennemis, par vos pensées et vos œuvres mauvaises, ²²voici qu'à présent Il vous a réconciliés dans son corps de chair, le livrant à la mort, pour vous faire paraître devant Lui saints, sans tache et sans reproche. ²³Il faut seulement que vous persévériez dans la foi, affermis sur des bases solides, sans vous laisser détourner de l'espérance promise par l'Évangile que vous avez entendu, qui a été prêché à toute créature sous le ciel, et dont moi, Paul, je suis devenu le ministre.

Labeurs de Paul au service des païens. ‖ Ep 3 1-13.

²⁴En ce moment je trouve ma joie dans les souffrances que j'endure pour vous, et je complète ce qui manque aux tribulations du Christ en ma chair pour son Corps, qui est l'Église. ²⁵Car je suis devenu ministre de l'Église, en vertu de la charge que Dieu m'a confiée, de réaliser chez vous l'avènement de la Parole de Dieu, ²⁶ce mystère resté caché depuis les siècles et les générations et qui maintenant vient d'être manifesté à ses saints : ²⁷Dieu a bien voulu leur faire connaître de quelle gloire est riche ce mystère chez les païens : c'est le Christ parmi vous ! l'espérance de la gloire ! ²⁸Ce Christ, nous l'annonçons, avertissant tout homme et instruisant tout homme en toute sagesse, afin de rendre tout homme parfait dans le Christ. ²⁹Et c'est bien pour cette cause que je me fatigue à lutter, avec son énergie qui agit en moi avec puissance.

Souci de Paul pour la foi des Colossiens.

2 ¹Oui, je désire que vous sachiez quelle dure bataille je dois livrer pour vous, pour ceux de Laodicée, et pour tant d'autres qui ne m'ont jamais vu de leurs yeux ; ²afin que leurs cœurs en soient stimulés et que, étroitement rapprochés dans l'amour, ils parviennent au plein épanouissement de l'intelligence qui leur fera pénétrer le mystère de Dieu, ³dans lequel se trouvent, cachés, tous les trésors de la sagesse et de la connaissance !

⁴Je dis cela pour que nul ne vous abuse par des discours spécieux. ⁵Sans doute, je suis absent de corps ; mais en esprit je suis parmi vous, heureux de voir le bel ordre qui règne chez vous et la solidité de votre foi au Christ.

2. Mise en garde contre les erreurs

Vivre selon la vraie foi au Christ, non selon de vaines doctrines.

⁶Le Christ tel que vous l'avez reçu, Jésus le Seigneur, c'est en lui qu'il vous faut marcher, ⁷enracinés et édifiés en lui, appuyés sur la foi telle qu'on vous l'a enseignée, et débordant d'action de grâces.

⁸Prenez garde qu'il ne se trouve quelqu'un pour vous réduire en esclavage par le vain leurre de la « philosophie », selon une tradition toute humaine, selon les éléments du monde, et non selon le Christ.

Le Christ seul vrai chef des hommes et des anges.

⁹Car en lui habite corporellement toute la Plénitude de la Divinité, ¹⁰et vous vous trouvez en lui associés à sa plénitude, lui qui est la Tête de toute Principauté et de toute Puissance.

¹¹C'est en lui que vous avez été circoncis d'une circoncision qui n'est pas de main d'homme, par l'entier dépouillement de votre corps charnel ; telle est la circoncision du Christ : ¹²ensevelis avec lui lors du baptême, vous en êtes aussi ressuscités avec lui, parce que vous avez cru en la force de Dieu qui l'a ressuscité des morts. ¹³Vous qui étiez morts du fait de vos fautes et de votre chair incirconcise, Il vous a fait revivre avec lui ! Il nous a pardonné toutes nos fautes !

¹⁴Il a effacé, au détriment des ordonnances légales, la cédule de notre dette, qui nous était contraire ; il l'a supprimée en la clouant à la croix. ¹⁵Il a dépouillé les Principautés et les Puissances et les a données en spectacle à la face du monde, en les traînant dans son cortège triomphal.

Contre la fausse ascèse, selon les « éléments du monde ».

¹⁶Dès lors, que nul ne s'avise de vous critiquer sur des questions de nourriture et de boisson, ou en matière de fêtes annuelles, de nouvelles lunes ou de sabbats. ¹⁷Tout cela n'est que l'ombre des choses à venir, mais la réalité, c'est le corps du Christ. ¹⁸Que personne n'aille vous en frustrer, en se complaisant dans d'humbles pratiques, dans un culte des anges : celui-là donne toute son attention aux choses qu'il a vues, bouffi qu'il est d'un vain orgueil

par sa pensée charnelle, [19]et il ne s'attache pas à la Tête, dont le Corps tout entier reçoit nourriture et cohésion, par les jointures et ligaments, pour réaliser sa croissance en Dieu.

[20]Du moment que vous êtes morts avec le Christ aux éléments du monde, pourquoi vous plier à des ordonnances comme si vous étiez de ce monde ? [21]« Ne prends pas, ne goûte pas, ne touche pas », [22]tout cela pour des choses vouées à périr par leur usage même ! Voilà bien les *prescriptions et doctrines des hommes* ! [23]Ces sortes de règles peuvent faire figure de sagesse par leur affectation de religiosité et d'humilité qui ne ména-

ge pas le corps ; en fait elles n'ont aucune valeur pour l'insolence de la chair.

L'union au Christ céleste, principe de la vie nouvelle.

3 [1]Du moment donc que vous êtes ressuscités avec le Christ, recherchez les choses d'en haut, là où se trouve le Christ, assis à la droite de Dieu. [2]Songez aux choses d'en haut, non à celles de la terre. [3]Car vous êtes morts, et votre vie est désormais cachée avec le Christ en Dieu : [4]quand le Christ sera manifesté, lui qui est votre vie, alors vous aussi vous serez manifestés avec lui pleins de gloire.

3. *Exhortation*

Préceptes généraux de vie chrétienne.

[5]Mortifiez donc vos membres terrestres : fornication, impureté, passion coupable, mauvais désirs, et la cupidité, qui est une idolâtrie ; [6]voilà ce qui attire la colère divine sur ceux qui résistent. [7]Vous-mêmes, vous vous conduisiez naguère de la sorte, quand vous viviez parmi eux. [8]Eh bien ! à présent, vous aussi, rejetez tout cela : colère, emportement, malice, outrages, vilains propos doivent quitter vos lèvres ; [9]ne vous mentez plus les uns aux autres.

|| Ep **4** 22-24.

Vous vous êtes dépouillés du vieil homme avec ses agissements, [10]et vous avez revêtu le nouveau, celui qui s'achemine

vers la vraie connaissance en se renouvelant à l'image de son Créateur. [11]Là, il n'est plus question de Grec ou de Juif, de circoncision ou d'incirconcision, de Barbare, de Scythe, d'esclave, d'homme libre ; il n'y a que le Christ, qui est tout et en tout.

|| Ep **4** 1-2, 32.

[12]Vous donc, les élus de Dieu, ses saints et ses bien-aimés, revêtez des sentiments de tendre compassion, de bienveillance, d'humilité, de douceur, de patience ; [13]supportez-vous les uns les autres et pardonnez-vous mutuellement, si l'un a contre l'autre quelque sujet de plainte ; le Seigneur vous a pardonné, faites de même à votre tour. [14]Et puis, par-dessus tout, la charité, en laquelle se noue

la perfection. [15]Avec cela, que la paix du Christ règne dans vos cœurs : tel est bien le terme de l'appel qui vous a rassemblés en un même Corps. Enfin vivez dans l'action de grâces !

[16]Que la Parole du Christ réside chez vous en abondance : instruisez-vous en toute sagesse par des admonitions réciproques. Chantez à Dieu de tout votre cœur avec reconnaissance, par des psaumes, des hymnes et des cantiques inspirés. [17]Et quoi que vous puissiez dire ou faire, que ce soit toujours au nom du Seigneur Jésus, rendant par lui grâces au Dieu Père !

Préceptes particuliers de morale domestique. || Ep 5 21 – 6 9.

[18]Femmes, soyez soumises à vos maris, comme il se doit dans le Seigneur. [19]Maris, aimez vos femmes, et ne leur montrez point d'humeur. [20]Enfants, obéissez en tout à vos parents, c'est cela qui est beau dans le Seigneur. [21]Parents, n'exaspérez pas vos enfants, de peur qu'ils ne se découragent.

[22]Esclaves, obéissez en tout à vos maîtres d'ici-bas, non d'une obéissance tout extérieure qui cherche à plaire aux hommes, mais en simplicité de cœur, dans la crainte du Maître. [23]Quel que soit votre travail, faites-le avec âme, comme pour le Seigneur et non pour des hommes, [24]sachant que le Seigneur vous récompensera en vous faisant ses héritiers. C'est le Seigneur Christ que vous servez : [25]qui se montre injuste sera certes payé de son injustice, sans qu'il soit fait acception des personnes.

4 [1]Maîtres, accordez à vos esclaves le juste et l'équitable, sachant que, vous aussi, vous avez un Maître au ciel.

Esprit apostolique. || Ep 6 18-20.

[2]Soyez assidus à la prière ; qu'elle vous tienne vigilants, dans l'action de grâces. [3]Priez pour nous en particulier, afin que Dieu ouvre un champ libre à notre prédication et que nous puissions annoncer le mystère du Christ ; c'est à cause de lui que je suis dans les fers ; [4]obtenez-moi de le publier en parlant comme je le dois.

[5]Conduisez-vous avec sagesse envers ceux du dehors ; sachez tirer parti de la période présente. [6]Que votre langage soit toujours aimable, plein d'à-propos, avec l'art de répondre à chacun comme il faut.

Nouvelles personnelles.

[7]Pour tout ce qui me concerne, Tychique vous informera, ce frère bien-aimé qui m'est un fidèle assistant et compagnon de service dans le Seigneur. [8]Je vous l'envoie tout exprès pour vous donner de nos nouvelles et réconforter vos cœurs. [9]Je lui adjoins Onésime, le fidèle et bien-aimé frère, qui est de chez vous. Ils vous apprendront tout ce qui se passe ici.

Salutations et souhait final.

[10]Aristarque, mon compagnon de captivité, vous salue, ainsi que Marc, le cousin de Barnabé, au sujet duquel vous avez reçu des instructions : s'il vient chez vous, faites-lui bon accueil. [11]Jésus surnommé Justus vous salue également. De ceux qui nous sont ve-

nus de la Circoncision, ce sont les seuls qui travaillent avec moi pour le Royaume de Dieu ; ils m'ont été une consolation. [12]Épaphras, votre compatriote, vous salue ; ce serviteur du Christ Jésus ne cesse de lutter pour vous dans ses prières, afin que vous teniez ferme, parfaits et bien établis dans tous les vouloirs divins. [13]Oui, je lui rends ce témoignage qu'il prend beaucoup de peine pour vous, ainsi que pour ceux de Laodicée et pour ceux de Hiérapolis. [14]Vous avez les salutations de Luc, le cher médecin, et de Démas.

[15]Saluez les frères qui sont à Laodicée, avec Nymphas et l'Église qui s'assemble dans sa maison. [16]Quand cette lettre aura été lue chez vous, faites qu'on la lise aussi dans l'Église des Laodicéens, et procurez-vous celle de Laodicée, pour la lire à votre tour. [17]Dites à Archippe : « Prends garde au ministère que tu as reçu dans le Seigneur, et tâche de bien l'accomplir. »

[18]Voici le salut de ma main, à moi, Paul. Souvenez-vous de mes chaînes ! La grâce soit avec vous !

Première épître
aux Thessaloniciens

Voir l'introduction, p. 1877.

Adresse.

1 ¹Paul, Silvain et Timothée, à l'Église des Thessaloniciens qui est en Dieu le Père et dans le Seigneur Jésus Christ. À vous grâce et paix.

Action de grâces et félicitations.

²Nous rendons grâces à Dieu à tout moment pour vous tous, en faisant mention de vous sans cesse dans nos prières. ³Nous nous rappelons en présence de notre Dieu et Père l'activité de votre foi, le labeur de votre charité, la constance de votre espérance, qui sont dus à notre Seigneur Jésus Christ. ⁴Nous le savons, frères aimés de Dieu, vous avez été choisis. ⁵Car notre Évangile ne s'est pas présenté à vous en paroles seulement, mais en puissance, dans l'action de l'Esprit Saint, en surabondance. De fait, vous savez comment nous nous sommes comportés au milieu de vous pour votre service. ⁶Et vous vous êtes mis à nous imiter, nous et le Seigneur, en accueillant la Parole, parmi bien des tribulations, avec la joie de l'Esprit Saint : ⁷vous êtes ainsi devenus un modèle pour tous les croyants de Macédoine et d'Achaïe. ⁸De chez vous, en effet, la Parole du Seigneur a retenti, et pas seulement en Macédoine et en Achaïe, mais de tous côtés votre foi en Dieu s'est répandue, si bien que nous n'avons plus besoin d'en rien dire. ⁹On raconte là-bas comment nous sommes venus chez vous, et comment vous vous êtes tournés vers Dieu, abandonnant les idoles pour servir le Dieu vivant et véritable, ¹⁰dans l'attente de son Fils qui viendra des cieux, qu'il a ressuscité des morts, Jésus, qui nous délivre de la colère qui vient.

L'attitude de Paul pendant son séjour à Thessalonique.

2 ¹Vous-mêmes savez, frères, comment nous sommes venus chez vous, que ce ne fut pas en vain. ²Nous avions, vous le savez, enduré à Philippes des souffrances et des insultes, mais notre Dieu nous a accordé de prêcher en toute hardiesse devant vous l'Évangile de Dieu, au milieu d'une lutte pénible. ³En vous exhortant, nous ne nous inspirons ni de l'erreur ni de l'impureté, et nous ne tentons pas de ruser avec vous. ⁴Seulement, Dieu nous ayant confié l'Évangile après nous avoir éprouvés, nous prêchons en conséquence, cherchant à plaire non pas aux hommes mais à Dieu *qui éprouve nos cœurs.* ⁵Jamais non plus nous n'avons eu un mot de flatterie, vous le savez, ni une arrière-pensée de cupidité, Dieu en est témoin ; [6]ni recherché la gloire humaine, pas plus chez vous que chez d'autres, [7]alors que nous pouvions, étant apôtres du Christ, vous faire sentir tout notre poids.

Au contraire, nous nous sommes faits tout aimables au milieu de vous. Comme une mère nourrit ses enfants et les entoure de soins, [8]telle était notre tendresse pour vous que nous aurions voulu vous livrer, en même temps que l'Évangile de Dieu, notre propre vie, tant vous nous étiez devenus chers. [9]Vous vous souvenez, frères, de nos labeurs et fatigues : de nuit comme de jour, nous travaillions, pour n'être à la charge d'aucun de vous, tandis que nous vous annoncions l'Évangile de Dieu ! [10]Vous êtes témoins, et Dieu l'est aussi, combien notre attitude envers vous, les croyants, a été sainte, juste, sans reproche. [11]Comme un père pour ses enfants, vous le savez, nous vous avons, chacun de vous, [12]exhortés, encouragés, adjurés de mener une vie digne de Dieu qui vous appelle à son Royaume et à sa gloire.

La foi et la patience des Thessaloniciens.

[13]Voilà pourquoi, de notre côté, nous ne cessons de rendre grâces à Dieu de ce que, une fois reçue la Parole de Dieu que nous vous faisions entendre, vous l'avez accueillie, non comme une parole d'hommes, mais comme ce qu'elle est réellement, la Parole de Dieu. Et cette parole reste active en vous, les croyants. [14]Car vous vous êtes mis, frères, à imiter les Églises de Dieu dans le Christ Jésus qui sont en Judée : vous avez souffert de la part de vos compatriotes les mêmes traitements qu'ils ont soufferts de la part des Juifs : [15]ces gens-là ont mis à mort Jésus le Seigneur et les prophètes, ils nous ont persécutés, ils ne plaisent pas à Dieu, ils sont ennemis de tous les hommes [16]quand ils nous empêchent de prêcher aux païens pour leur salut, *mettant ainsi en tout temps le comble à leur péché* ; et elle est tombée sur eux, la colère, pour en finir.

L'inquiétude de l'Apôtre.

[17]Et nous, frères, privés de votre compagnie pour un moment, de visage mais non de cœur, nous nous sommes sentis extrêmement pressés de revoir votre visage, tant notre désir était vif. [18]Nous avons donc voulu venir jusqu'à vous – moi-même, Paul, à plusieurs reprises –, mais Satan nous en a empêchés. [19]Quelle est en effet notre espérance, notre joie, la *couronne* dont nous serons *fiers*, si ce n'est vous, en présence de notre Seigneur Jésus lors de son Avènement ? [20]Oui, c'est bien vous qui êtes notre gloire et notre joie.

L'envoi de Timothée à Thessalonique.

3 [1]Aussi, n'y tenant plus, nous avons pris le parti de demeurer seuls à Athènes, [2]et nous avons envoyé Timothée, notre frère et le collaborateur de Dieu dans l'Évangile du Christ, pour vous affermir et réconforter dans votre foi, [3]afin que personne ne se laisse ébranler par ces tribulations. Car vous savez bien que c'est là notre partage : [4]quand nous étions près de vous, nous vous prédisions que nous aurions à subir des tribulations, et c'est ce qui est arrivé, vous le savez. ⁵C'est pour cela que, n'y tenant plus, je l'ai envoyé s'informer de votre foi. Pourvu que déjà le Tentateur ne vous ait pas tentés et que notre labeur n'ait pas été rendu vain !

Action de grâces pour les nouvelles reçues.

⁶Maintenant Timothée vient de nous revenir de chez vous et il nous a donné de bonnes nouvelles de votre foi et de votre charité : il dit que vous conservez toujours de nous un bon souvenir, que vous aspirez à nous revoir autant que nous à vous revoir. ⁷Nous avons trouvé là, frères, en raison de votre foi, un réconfort au milieu de toutes nos angoisses et tribulations. ⁸Maintenant nous revivons, puisque vous tenez bon dans le Seigneur. ⁹Comment pourrions-nous remercier Dieu suffisamment à votre sujet, pour toute la joie dont vous nous réjouissez devant notre Dieu ? ¹⁰Nuit et jour nous lui demandons, avec une extrême instance, de revoir votre visage et de pouvoir compléter ce qui manque encore à votre foi.

¹¹Que Dieu lui-même, notre Père, et notre Seigneur Jésus aplanissent notre chemin jusqu'à vous. ¹²Et vous, que le Seigneur vous fasse croître et abonder dans l'amour que vous avez les uns envers les autres et envers tous, comme nous-mêmes envers vous : ¹³qu'il affermisse ainsi vos cœurs irréprochables en sainteté devant Dieu, notre Père, lors de l'Avènement de notre Seigneur Jésus *avec tous ses saints*.

Recommandations : sainteté de vie et charité.

4 ¹Enfin, frères, nous vous le demandons et vous y engageons dans le Seigneur Jésus : vous avez reçu notre enseignement sur la manière de vivre qui plaît à Dieu, et déjà c'est ainsi que vous vivez ; faites-y des progrès encore. ²Vous savez bien quelles prescriptions nous vous avons données de par le Seigneur Jésus.

³Et voici quelle est la volonté de Dieu : c'est votre sanctification ; c'est que vous vous absteniez d'impudicité, ⁴que chacun de vous sache user du corps qui lui appartient avec sainteté et respect, ⁵sans se laisser emporter par la passion comme font *les païens qui ne connaissent pas Dieu* ; ⁶que personne en cette matière ne supplante ou ne dupe son frère. Le Seigneur *tire vengeance* de tout cela, nous vous l'avons déjà dit et attesté. ⁷Car Dieu ne nous a pas appelés à l'impureté mais à la sanctification. ⁸Dès lors, qui rejette cela, ce n'est pas un homme qu'il rejette, c'est Dieu, lui *qui vous a fait le don de son Esprit* Saint.

⁹Sur l'amour fraternel, vous n'avez pas besoin qu'on vous écrive, car vous avez personnellement appris de Dieu à vous aimer les uns les autres, ¹⁰et vous le faites bien envers tous les frères de la Macédoine entière. Mais nous vous engageons, frères, à faire encore des progrès ¹¹en mettant votre honneur à vivre calmes, à vous occuper chacun de vos affaires, à travailler de vos mains, comme nous vous

l'avons ordonné. [12] Ainsi vous mènerez une vie honorable au regard de ceux du dehors et vous n'aurez besoin de personne.

Les morts et les vivants lors de la Venue du Seigneur.

[13] Nous ne voulons pas, frères, que vous soyez ignorants au sujet des morts ; il ne faut pas que vous vous désoliez comme les autres, qui n'ont pas d'espérance. [14] Puisque nous croyons que Jésus est mort et qu'il est ressuscité, de même, ceux qui se sont endormis en Jésus, Dieu les emmènera avec lui. [15] Voici en effet ce que nous avons à vous dire, sur la parole du Seigneur. Nous, les vivants, nous qui serons encore là pour l'Avènement du Seigneur, nous ne devancerons pas ceux qui seront endormis. [16] Car lui-même, le Seigneur, au signal donné par la voix de l'archange et la trompette de Dieu, descendra du ciel, et les morts qui sont dans le Christ ressusciteront en premier lieu ; [17] après quoi nous, les vivants, nous qui serons encore là, nous serons réunis à eux et emportés sur des nuées pour rencontrer le Seigneur dans les airs. Ainsi nous serons avec le Seigneur toujours. [18] Réconfortez-vous donc les uns les autres de ces pensées.

La vigilance en attendant la Venue du Seigneur.

5 [1] Quant aux temps et aux moments, vous n'avez pas besoin, frères, qu'on vous en écrive. [2] Vous savez vous-mêmes parfaitement que le Jour du Seigneur arrive comme un voleur en pleine nuit. [3] Quand les hommes se diront : Paix et sécurité ! c'est alors que tout d'un coup fondra sur eux la perdition, comme les douleurs sur la femme enceinte, et ils ne pourront y échapper.

[4] Mais vous, frères, vous n'êtes pas dans les ténèbres, de telle sorte que ce jour vous surprenne comme un voleur : [5] tous vous êtes des fils de la lumière, des fils du jour. Nous ne sommes pas de la nuit, des ténèbres. [6] Alors ne nous endormons pas, comme font les autres, mais restons éveillés et sobres. [7] Ceux qui dorment dorment la nuit, ceux qui s'enivrent s'enivrent la nuit. [8] Nous, au contraire, nous qui sommes du jour, soyons sobres ; *revêtons la cuirasse* de la foi et de la charité, avec *le casque* de l'espérance *du salut.* [9] Dieu ne nous a pas réservés pour sa colère, mais pour entrer en possession du salut par notre Seigneur Jésus Christ, [10] qui est mort pour nous afin que, éveillés ou endormis, nous vivions unis à lui. [11] C'est pourquoi il faut vous réconforter mutuellement et vous édifier l'un l'autre, comme déjà vous le faites.

Quelques exigences de la vie de communauté.

[12] Nous vous demandons, frères, d'avoir de la considération pour ceux qui se donnent de la peine au milieu de vous, qui veillent sur vous dans le Seigneur et qui vous reprennent. [13] Estimez-les avec une extrême charité, en raison de leur travail. Soyez en paix entre vous.

[14] Nous vous y engageons, frères, reprenez les désordonnés, encouragez les craintifs, soutenez

les faibles, ayez de la patience envers tous. [15]Veillez à ce que personne ne rende le mal pour le mal, mais poursuivez toujours le bien, soit entre vous soit envers tous.

[16]Restez toujours joyeux. [17]Priez sans cesse. [18]En toute condition soyez dans l'action de grâces. C'est la volonté de Dieu sur vous dans le Christ Jésus.

[19]N'éteignez pas l'Esprit, [20]ne dépréciez pas les dons de prophétie ; [21]mais vérifiez tout : ce qui est bon, retenez-le ; [22]*gardez-vous de toute* espèce de *mal.*

Dernière prière et adieu.

[23]Que le Dieu de la paix lui-même vous sanctifie totalement, et que votre être entier, l'esprit, l'âme et le corps, soit gardé sans reproche à l'Avènement de notre Seigneur Jésus Christ. [24]Il est fidèle, celui qui vous appelle : c'est encore lui qui fera cela.

[25]Frères, priez vous aussi pour nous. [26]Saluez tous les frères par un saint baiser. [27]Je vous en adjure par le Seigneur, que cette lettre soit lue à tous les frères.

[28]Que la grâce de notre Seigneur Jésus Christ soit avec vous.

Deuxième épître
aux Thessaloniciens

Voir l'introduction, p. 1877.

Adresse.

1 ¹Paul, Silvain et Timothée, à l'Église des Thessaloniciens qui est en Dieu notre Père et dans le Seigneur Jésus Christ. ²Que Dieu le Père et le Seigneur Jésus Christ vous accordent grâce et paix.

Action de grâces et encouragements. La rétribution dernière.

³Nous devons rendre grâce à Dieu à tout moment à votre sujet, frères, et ce n'est que juste, parce que votre foi est en grand progrès et que l'amour de chacun pour les autres s'accroît parmi vous tous, ⁴au point que nous-mêmes sommes fiers de vous parmi les Églises de Dieu, de votre constance et de votre foi dans toutes les persécutions et tribulations que vous supportez. ⁵Par là se manifeste le juste jugement de Dieu, où vous serez trouvés dignes du Royaume de Dieu pour lequel vous souffrez vous aussi.

⁶Car ce sera bien l'effet de la justice de Dieu de rendre la tribulation à ceux qui vous l'infligent, ⁷et à vous, qui la subissez, le repos avec nous, quand le Seigneur Jésus se révélera du haut du ciel, avec les anges de sa puissance, ⁸au milieu *d'une flamme brûlante*, et qu'il *tirera vengeance* de ceux qui *ne con-*naissent pas *Dieu* et de ceux qui *n'obéissent pas* à l'Évangile de notre Seigneur Jésus. ⁹Ceux-là seront châtiés d'une perte éternelle, *éloignés de la face du Seigneur et de la gloire de sa force*, ¹⁰quand il viendra pour *être glorifié dans ses saints* et *admiré* en tous ceux qui auront cru – et vous, vous avez cru notre témoignage. Ainsi en sera-t-il *en ce jour-là*.

¹¹Dans cette pensée, nous prions nous aussi à tout moment pour vous, afin que notre Dieu vous rende dignes de son appel, qu'il mène à bonne fin par sa puissance toute intention de faire le bien et toute activité de votre foi ; ¹²de la sorte, *le nom* de notre *Seigneur* Jésus *sera glorifié* en vous, et vous en lui, conformément à la grâce de notre Dieu et du Seigneur Jésus Christ.

La Venue du Seigneur et ce qui la précédera.

2 ¹Nous vous le demandons, frères, à propos de la Venue de notre Seigneur Jésus Christ et de notre rassemblement auprès de lui, ²ne vous laissez pas trop vite mettre hors de sens ni alarmer par des manifestations de l'Esprit, des paroles ou des lettres données comme venant de nous, et qui vous feraient penser que le Jour du Seigneur est déjà là. ³Que per-

Première épître
à Timothée

Voir l'introduction, p. 1880.

Adresse.

1 ¹Paul, apôtre du Christ Jésus selon l'ordre de Dieu notre Sauveur et du Christ Jésus, notre espérance, ²à Timothée, mon véritable enfant dans la foi : grâce, miséricorde, paix, de par Dieu le Père et le Christ Jésus notre Seigneur.

La menace des faux docteurs.

³Ainsi donc, en partant pour la Macédoine, je t'ai prié de demeurer à Éphèse, pour enjoindre à certains de cesser d'enseigner des doctrines étrangères ⁴et de s'attacher à des fables et à des généalogies sans fin, plus propres à soulever de vains problèmes qu'à servir le dessein de Dieu fondé sur la foi. ⁵Cette injonction ne vise qu'à promouvoir la charité qui procède d'un cœur pur, d'une bonne conscience et d'une foi sans détours. ⁶Pour avoir dévié de cette ligne, certains se sont fourvoyés en un creux verbiage ; ⁷ils ont la prétention d'être des docteurs de la Loi, alors qu'ils ne savent ni ce qu'ils disent, ni de quoi ils se font les champions.

Le vrai rôle de la Loi.

⁸Certes, nous le savons, la Loi est bonne, si on en fait un usage légitime, ⁹en sachant bien qu'elle n'a pas été instituée pour le juste, mais pour les insoumis et les rebelles, les impies et les pécheurs, les sacrilèges et les profanateurs, les parricides et les matricides, les assassins, ¹⁰les impudiques, les homosexuels, les trafiquants d'hommes, les menteurs, les parjures, et pour tout ce qui s'oppose à la saine doctrine, ¹¹celle qui est conforme à l'Évangile de la gloire du Dieu bienheureux, qui m'a été confié.

Paul en face de sa vocation.

¹²Je rends grâce à celui qui m'a donné la force, le Christ Jésus, notre Seigneur, qui m'a jugé assez fidèle pour m'appeler à son service, ¹³moi, naguère un blasphémateur, un persécuteur, un insulteur. Mais il m'a été fait miséricorde parce que j'agissais par ignorance, étranger à la foi ; ¹⁴et la grâce de notre Seigneur a surabondé avec la foi et la charité qui est dans le Christ Jésus. ¹⁵Elle est sûre cette parole et digne d'une entière créance : le Christ Jésus est venu dans le monde pour sauver les pécheurs, dont je suis, moi, le premier. ¹⁶Et s'il m'a été fait miséricorde, c'est pour qu'en moi, le premier, Jésus Christ manifestât toute sa patience, faisant de moi un exemple pour ceux qui doivent croire en lui en vue de la vie éternelle. ¹⁷Au Roi des siècles, Dieu incorruptible, invisible, unique,

honneur et gloire dans les siècles des siècles ! Amen.

Timothée en face de ses responsabilités.

[18]Tel est l'avertissement que je t'adresse, Timothée, mon enfant, en accord avec les prophéties jadis prononcées sur toi, afin que, pénétré de celles-ci, tu combattes le bon combat, [19]possédant foi et bonne conscience ; pour s'en être affranchis, certains ont fait naufrage dans la foi ; [20]entre autres, Hyménée et Alexandre, que j'ai livrés à Satan pour leur apprendre à ne plus blasphémer.

La prière liturgique.

2 [1]Je recommande donc, avant tout, qu'on fasse des demandes, des prières, des supplications, des actions de grâces pour tous les hommes, [2]pour les rois et tous les dépositaires de l'autorité, afin que nous puissions mener une vie calme et paisible en toute piété et dignité. [3]Voilà ce qui est bon et ce qui plaît à Dieu notre Sauveur, [4]lui qui veut que tous les hommes soient sauvés et parviennent à la connaissance de la vérité. [5]Car Dieu est unique, unique aussi le médiateur entre Dieu et les hommes, le Christ Jésus, homme lui-même, [6]qui s'est livré en rançon pour tous. Tel est le témoignage rendu aux temps marqués [7]et dont j'ai été établi, moi, héraut et apôtre – je dis vrai, je ne mens pas –, docteur des païens, dans la foi et la vérité. [8]Ainsi donc je veux que les hommes prient en tout lieu, élevant vers le ciel des mains pieuses, sans colère ni dispute.

Tenue des femmes.

[9]Que les femmes, de même, aient une tenue décente ; que leur parure, modeste et réservée, ne soit pas faite de cheveux tressés, d'or, de pierreries, de somptueuses toilettes, [10]mais bien plutôt de bonnes œuvres, ainsi qu'il convient à des femmes qui font profession de piété. [11]Pendant l'instruction, la femme doit garder le silence, en toute soumission. [12]Je ne permets pas à la femme d'enseigner ni de faire la loi à l'homme. Qu'elle garde le silence. [13]C'est Adam en effet qui fut formé le premier, Ève ensuite. [14]Et ce n'est pas Adam qui se laissa séduire, mais la femme qui, séduite, se rendit coupable de transgression. [15]Néanmoins elle sera sauvée en devenant mère, à condition de persévérer avec modestie dans la foi, la charité et la sainteté.

L'épiscope.

3 [1]Elle est sûre cette parole : celui qui aspire à la charge d'épiscope désire une belle œuvre. [2]Aussi faut-il que l'épiscope soit irréprochable, mari d'une seule femme, qu'il soit sobre, pondéré, courtois, hospitalier, apte à l'enseignement, [3]ni buveur ni batailleur, mais bienveillant, ennemi des chicanes, détaché de l'argent, [4]sachant bien gouverner sa propre maison et tenir ses enfants dans la soumission d'une manière parfaitement digne. [5]Car celui qui ne sait pas gouverner sa propre maison, comment pourrait-il prendre soin de l'Église de Dieu ? [6]Que ce ne soit pas un converti de fraîche date, de peur que, l'orgueil lui tournant la tête, il ne

vienne à encourir la même condamnation que le diable. ⁷Il faut en outre que ceux du dehors rendent de lui un bon témoignage, de peur qu'il ne tombe dans l'opprobre et dans les filets du diable.

Les diacres.

⁸Les diacres, eux aussi, seront des hommes dignes, n'ayant qu'une parole, modérés dans l'usage du vin, fuyant les profits déshonnêtes. ⁹Qu'ils gardent le mystère de la foi dans une conscience pure. ¹⁰On commencera par les mettre à l'épreuve, et ensuite, si on n'a rien à leur reprocher, on les admettra aux fonctions de diacres. ¹¹Que pareillement les femmes soient dignes, point médisantes, sobres, fidèles en tout. ¹²Les diacres doivent être maris d'une seule femme, savoir bien gouverner leurs enfants et leur propre maison. ¹³Ceux qui remplissent bien leurs fonctions s'acquièrent un rang honorable et une ferme assurance dans la foi au Christ Jésus.

L'Église et le mystère de la piété.

¹⁴En t'écrivant cela, j'espère te rejoindre bientôt. ¹⁵Si toutefois je tardais, il faut que tu saches comment te comporter dans la maison de Dieu – je veux dire l'Église du Dieu vivant – : colonne et support de la vérité. ¹⁶Oui, c'est incontestablement un grand mystère que celui de la piété :

Il a été manifesté dans la chair,
justifié dans l'Esprit,
apparu aux anges,
proclamé aux nations,
cru dans le monde,
enlevé dans la gloire.

Les faux docteurs.

4 ¹L'Esprit dit expressément que, dans les derniers temps, certains renieront la foi pour s'attacher à des esprits trompeurs et à des doctrines diaboliques, ²séduits par des menteurs hypocrites marqués au fer rouge dans leur conscience : ³ces gens-là interdisent le mariage et l'usage d'aliments que Dieu a créés pour être pris avec action de grâces par les croyants et ceux qui ont la connaissance de la vérité. ⁴Car tout ce que Dieu a créé est bon et aucun aliment n'est à proscrire, si on le prend avec action de grâces ⁵la parole de Dieu et la prière le sanctifient. ⁶Si tu exposes cela aux frères, tu seras un bon serviteur du Christ Jésus, nourri des enseignements de la foi et de la bonne doctrine dont tu t'es toujours montré le disciple fidèle. ⁷Quant aux fables profanes, racontars de vieilles femmes, rejette-les. Exerce-toi à la piété. ⁸Les exercices corporels, eux, ne servent pas à grand-chose : la piété au contraire est utile à tout, car elle a la promesse de la vie, de la vie présente comme de la vie future. ⁹Elle est sûre cette parole et digne d'une entière créance. ¹⁰Si en effet nous peinons et combattons, c'est que nous avons mis notre espérance dans le Dieu vivant, le Sauveur de tous les hommes, des croyants surtout. ¹¹Tel doit être l'objet de tes prescriptions et de ton enseignement.

¹²Que personne ne méprise ton jeune âge. Au contraire, montre-toi un modèle pour les croyants, par la parole, la conduite, la charité, la foi, la pureté. ¹³En attendant que je vienne, consacre-toi à

la lecture, à l'exhortation, à l'enseignement. ¹⁴Ne néglige pas le don spirituel qui est en toi, qui t'a été conféré par une intervention prophétique accompagnée de l'imposition des mains du collège des presbytres. ¹⁵Prends cela à cœur. Sois-y tout entier, afin que tes progrès soient manifestes à tous. ¹⁶Veille sur ta personne et sur ton enseignement ; persévère en ces dispositions. Agissant ainsi, tu te sauveras, toi et ceux qui t'écoutent.

Les fidèles en général.

5 ¹Ne rudoie pas un vieillard ; au contraire, exhorte-le comme un père, les jeunes gens comme des frères, ²les femmes âgées comme des mères, les jeunes comme des sœurs, en toute pureté.

Les veuves.

³Honore les veuves – j'entends les vraies veuves. ⁴Si une veuve a des enfants ou des petits-enfants, il faut avant tout leur apprendre à pratiquer la piété envers leur propre famille et à payer leurs parents de retour. Voilà ce qui plaît à Dieu. ⁵Mais la vraie veuve, celle qui reste absolument seule, s'en remet à Dieu et consacre ses jours et ses nuits à la prière et à l'oraison. ⁶Quant à celle qui ne pense qu'au plaisir, quoique vivante, elle est morte. ⁷Cela aussi tu le rappelleras, afin qu'elles soient irréprochables. ⁸Si quelqu'un ne prend pas soin des siens, surtout de ceux qui vivent avec lui, il a renié la foi : il est pire qu'un infidèle.

⁹Ne peut être inscrite au groupe des veuves qu'une femme d'au moins soixante ans, ayant été la femme d'un seul mari. ¹⁰Il faut qu'elle soit comme pour ses belles œuvres : avoir élevé des enfants, exercé l'hospitalité, lavé les pieds des saints, secouru les affligés, pratiqué toutes les formes de la bienfaisance. ¹¹Les jeunes veuves, écarte-les. Dès que des désirs indignes du Christ les assaillent, elles veulent se remarier, ¹²méritant ainsi d'être condamnées pour avoir manqué à leur premier engagement. ¹³Avec cela, n'ayant rien à faire, elles apprennent à courir les maisons ; si encore c'était pour ne rien faire, mais c'est pour bavarder, s'occuper de ce qui ne les regarde pas, parler à tort et à travers. ¹⁴Je veux donc que les jeunes veuves se remarient, qu'elles aient des enfants, gouvernent leur maison et ne donnent à l'adversaire aucune occasion d'insulte. ¹⁵Il en est déjà qui se sont fourvoyées à la suite de Satan. ¹⁶Si une croyante a des veuves dans sa parenté, qu'elle les assiste, afin que l'Église n'en supporte pas la charge, et puisse ainsi secourir les vraies veuves.

Les presbytres.

¹⁷Les presbytres qui exercent bien la présidence méritent une double rémunération, surtout ceux qui peinent à la parole et à l'enseignement. ¹⁸L'Écriture dit en effet : *Tu ne musselleras pas le bœuf qui foule le grain* ; et encore : *L'ouvrier mérite son salaire.* ¹⁹N'accueille d'accusation contre un presbytre que *sur déposition de deux ou trois témoins.* ²⁰Les coupables, reprends-les devant tous, afin que les autres en éprouvent de la crainte. ²¹Je t'en conjure de-

vant Dieu, le Christ Jésus et les anges élus, observe ces règles avec impartialité, sans rien faire par favoritisme. ²²Ne te hâte pas d'imposer les mains à qui que ce soit. Ne te fais pas complice des péchés d'autrui. Garde-toi pur.

²³Cesse de ne boire que de l'eau. Prends un peu de vin à cause de ton estomac et de tes fréquents malaises.

²⁴Il est des hommes dont les fautes apparaissent avant même tout jugement ; d'autres au contraire chez qui elles ne se découvrent qu'après ; ²⁵les belles œuvres, elles aussi, se voient : même celles dont ce n'est pas le cas ne sauraient demeurer cachées.

Les esclaves.

6 ¹Tous ceux qui sont sous le joug de l'esclavage doivent considérer leurs maîtres comme dignes d'un entier respect, afin que le nom de Dieu et la doctrine ne soient pas blasphémés. ²Quant à ceux qui ont pour maîtres des croyants, qu'ils n'aillent pas les mépriser sous prétexte que ce sont des frères ; qu'au contraire ils les servent d'autant mieux que ce sont des croyants et des amis de Dieu qui bénéficient de leurs services.

Portrait du vrai et du faux docteur.

Voilà ce que tu dois enseigner et recommander. ³Si quelqu'un enseigne autre chose et ne reste pas attaché à de saines paroles, celles de notre Seigneur Jésus Christ, et à la doctrine conforme à la piété, ⁴c'est un être aveuglé par l'orgueil, un ignorant en mal de questions oiseuses et de que-

relles de mots ; de là viennent l'envie, la discorde, les outrages, les soupçons malveillants, ⁵les disputes interminables de gens à l'esprit corrompu, privés de la vérité, aux yeux de qui la piété est une source de profits. ⁶Profitable, oui, la piété l'est grandement pour qui se contente de ce qu'il a. ⁷Car nous n'avons rien apporté dans le monde et de même nous n'en pouvons rien emporter. ⁸Lors donc que nous avons nourriture et vêtement, sachons être satisfaits. ⁹Quant à ceux qui veulent amasser des richesses, ils tombent dans la tentation, dans le piège, dans une foule de convoitises insensées et funestes, qui plongent les hommes dans la ruine et la perdition. ¹⁰Car la racine de tous les maux, c'est l'amour de l'argent. Pour s'y être livrés, certains se sont égarés loin de la foi et se sont transpercé l'âme de tourments sans nombre.

Adjuration solennelle à Timothée.

¹¹Pour toi, homme de Dieu, fuis tout cela. Poursuis la justice, la piété, la foi, la charité, la constance, la douceur. ¹²Combats le bon combat de la foi, conquiers la vie éternelle à laquelle tu as été appelé et en vue de laquelle tu as fait ta belle profession de foi en présence de nombreux témoins. ¹³Je t'en prie devant Dieu qui donne la vie à toutes choses et devant le Christ Jésus qui, sous Ponce Pilate, a rendu son beau témoignage, ¹⁴garde le commandement sans tache et sans reproche, jusqu'à l'Apparition de notre Seigneur Jésus Christ, ¹⁵que fera paraître aux temps marqués

le Bienheureux et unique Souverain,

le Roi des rois et Seigneur des seigneurs,

[16]le seul qui possède l'immortalité,

qui habite une lumière inaccessible,

que nul d'entre les hommes n'a vu ni ne peut voir.

À lui appartiennent honneur et puissance à jamais ! Amen.

Portrait du riche chrétien.

[17]Aux riches de ce monde, recommande de ne pas juger de haut, de ne pas placer leur confiance en des richesses précaires, mais en Dieu qui nous pourvoit largement de tout, afin que nous en jouissions. [18]Qu'ils fassent le bien, s'enrichissent de belles œuvres, donnent de bon cœur, sachent partager ; [19]de cette manière, ils s'amassent pour l'avenir un solide capital, avec lequel ils pourront acquérir la vie véritable.

Adjuration finale et salutation.

[20]Ô Timothée, garde le dépôt. Évite les discours creux et impies, les objections d'une pseudo-science. [21]Pour l'avoir professée, certains se sont écartés de la foi. La grâce soit avec vous !

Deuxième épître
à Timothée

Voir l'introduction, p. 1880.

Adresse et action de grâces.

1 ¹Paul, apôtre du Christ Jésus par la volonté de Dieu, pour annoncer la promesse de la vie qui est dans le Christ Jésus, ²à Timothée mon enfant bien-aimé, grâce, miséricorde, paix de par Dieu le Père et le Christ Jésus notre Seigneur.

³Je rends grâce à Dieu que je sers, à la suite de mes ancêtres, avec une conscience pure, lorsque, sans cesse, nuit et jour, je fais mémoire de toi dans mes prières. ⁴En me rappelant tes larmes, je brûle du désir de te revoir, afin d'être rempli de joie. ⁵J'évoque le souvenir de la foi sans détour qui est en toi, foi qui, d'abord, résida dans le cœur de ta grand-mère Loïs et de ta mère Eunice et qui, j'en suis convaincu, réside également en toi.

Les grâces reçues par Timothée.

⁶C'est pourquoi je t'invite à raviver le don spirituel que Dieu a déposé en toi par l'imposition de mes mains. ⁷Car ce n'est pas un esprit de crainte que Dieu nous a donné, mais un esprit de force, d'amour et de maîtrise de soi. ⁸Ne rougis donc pas du témoignage à rendre à notre Seigneur, ni de moi son prisonnier, mais souffre plutôt avec moi pour l'Évangile, soutenu par la force de Dieu, ⁹qui nous a sauvés et nous a appelés d'un saint appel, non en considération de nos œuvres, mais conformément à son propre dessein et à sa grâce. À nous donnée avant tous les siècles dans le Christ Jésus, ¹⁰cette grâce a été maintenant manifestée par l'Apparition de notre Sauveur le Christ Jésus, qui a détruit la mort et fait resplendir la vie et l'immortalité par le moyen de l'Évangile, ¹¹au service duquel j'ai été établi, moi, héraut, apôtre et docteur.

¹²C'est à cause de cela que je connais cette nouvelle épreuve, mais je n'en rougis pas, car je sais en qui j'ai mis ma foi et j'ai la conviction qu'il est capable de garder mon dépôt jusqu'à ce Jour-là.

¹³Prends pour norme les saines paroles que tu as entendues de moi, dans la foi et l'amour du Christ Jésus. ¹⁴Garde le bon dépôt avec l'aide de l'Esprit Saint qui habite en nous.

¹⁵Tu le sais, tous ceux d'Asie, parmi lesquels Phygèle et Hermogène, se sont détournés de moi. ¹⁶Que le Seigneur fasse miséricorde à la famille d'Onésiphore, car souvent il m'a réconforté, et il n'a pas rougi de mes chaînes ; ¹⁷au contraire, à son arrivée à Rome, il m'a recherché activement et m'a découvert. ¹⁸Que le Seigneur lui donne d'obtenir miséricorde au-

près du Seigneur en ce Jour-là. Quant aux services qu'il m'a rendus, à Éphèse, tu les connais mieux que personne.

Le sens des souffrances de l'apôtre chrétien.

2 ¹Toi donc, mon enfant, fortifie-toi dans la grâce du Christ Jésus. ²Ce que tu as appris de moi sur l'attestation de nombreux témoins, confie-le à des hommes sûrs, capables à leur tour d'en instruire d'autres.

³Prends ta part de souffrances, en bon soldat du Christ Jésus. ⁴Dans le métier des armes, personne ne s'encombre des affaires de la vie civile, s'il veut donner satisfaction à qui l'a engagé. ⁵De même l'athlète ne reçoit la couronne que s'il a lutté selon les règles. ⁶C'est au cultivateur qui travaille dur, que doivent revenir, en premier lieu, les fruits de la récolte. ⁷Comprends ce que je veux dire. D'ailleurs le Seigneur te fera tout comprendre.

⁸Souviens-toi de Jésus Christ, ressuscité d'entre les morts, issu de la race de David, selon mon Évangile. ⁹Pour lui je souffre jusqu'à porter des chaînes comme un malfaiteur. Mais la parole de Dieu n'est pas enchaînée. ¹⁰C'est pourquoi j'endure tout pour les élus, afin qu'eux aussi obtiennent le salut qui est dans le Christ Jésus avec la gloire éternelle.

¹¹Elle est sûre cette parole :

Si nous sommes morts avec lui, avec lui nous vivrons.

¹²Si nous tenons ferme, avec lui nous régnerons.

Si nous le renions, lui aussi nous reniera.

¹³Si nous sommes infidèles, lui reste fidèle,

car il ne peut se renier lui-même.

Lutte contre le péril actuel des faux docteurs.

¹⁴Tout cela, rappelle-le, attestant devant Dieu qu'il faut éviter les querelles de mots, bonnes seulement à perdre ceux qui les écoutent. ¹⁵Efforce-toi de te présenter à Dieu comme un homme éprouvé, un ouvrier qui n'a pas à rougir, un fidèle dispensateur de la parole de vérité. ¹⁶Quant aux discours creux et impies, évite-les. Leurs auteurs feront toujours plus de progrès dans la voie de l'impiété, ¹⁷et leur parole étendra ses ravages comme la gangrène. Hyménée et Philète sont de ceux-là ; ¹⁸ils se sont écartés de la vérité, en prétendant que la résurrection a déjà eu lieu, renversant ainsi la foi de plusieurs.

¹⁹Cependant les solides fondations posées par Dieu tiennent bon, marquées du sceau de ces paroles : *Le Seigneur connaît les siens,* et : Qu'il évite l'iniquité, celui qui *prononce le nom du Seigneur.*

²⁰Dans une grande maison, il n'y a pas seulement des vases d'or et d'argent ; il en est aussi de bois et d'argile. Les uns sont réservés aux usages nobles, les autres aux usages vulgaires. ²¹Si donc quelqu'un se préserve des fautes dont je parle, il sera un vase noble, sanctifié, utile au Maître, propre à toute œuvre bonne.

²²Fuis les passions de la jeunesse. Recherche la justice, la foi, la charité, la paix, en union avec ceux qui d'un cœur pur invoquent

le Seigneur. ²³Mais les folles et stupides recherches, évite-les : tu sais qu'elles engendrent des querelles. ²⁴Or, le serviteur du Seigneur ne doit pas être querelleur, mais accueillant à tous, capable d'instruire, patient dans l'épreuve ; ²⁵c'est avec douceur qu'il doit reprendre les opposants, en songeant que Dieu, peut-être, leur donnera de se convertir, de connaître la vérité ²⁶et de revenir à la raison, une fois dégagés des filets du diable, qui les retient captifs, asservis à sa volonté.

Mise en garde contre les périls des derniers temps.

3 ¹Sache bien, par ailleurs, que dans les derniers jours surviendront des moments difficiles. ²Les hommes en effet seront égoïstes, cupides, vantards, orgueilleux, diffamateurs, rebelles à leurs parents, ingrats, sacrilèges, ³sans cœur, sans pitié, médisants, intempérants, intraitables, ennemis du bien, ⁴délateurs, effrontés, aveuglés par l'orgueil, plus amis de la volupté que de Dieu, ⁵ayant les apparences de la piété mais reniant ce qui en est la force. Ceux-là aussi, évite-les.

⁶Ils sont bien du nombre, ceux qui s'introduisent dans les maisons et envoûtent des femmelettes chargées de péchés, entraînées par toutes sortes de passions et qui, ⁷toujours à s'instruire, ne sont jamais capables de parvenir à la connaissance de la vérité. ⁸À l'exemple de Jannès et de Jambrès qui se dressèrent contre Moïse, ils se dressent, eux aussi, contre la vérité, hommes à l'esprit corrompu, sans garantie en matiè-

re de foi. ⁹Mais ils n'iront pas plus loin, car leur folie sera démasquée aux yeux de tous, comme le fut celle des deux autres.

¹⁰Pour toi, tu m'as suivi dans mon enseignement, ma conduite, mes projets, ma foi, ma patience, ma charité, ma constance ¹¹dans les persécutions et les souffrances qui me sont survenues à Antioche, à Iconium, à Lystres. Quelles persécutions n'ai-je pas eu à subir ! Et de toutes le Seigneur m'a délivré. ¹²Oui, tous ceux qui veulent vivre dans le Christ avec piété seront persécutés. ¹³Quant aux pécheurs et aux charlatans, ils feront toujours plus de progrès dans le mal, à la fois trompeurs et trompés. ¹⁴Pour toi, tiens-toi à ce que tu as appris et dont tu as acquis la certitude. Tu sais de quels maîtres tu le tiens ; ¹⁵et c'est depuis ton plus jeune âge que tu connais les saintes Lettres. Elles sont à même de te procurer la sagesse qui conduit au salut par la foi dans le Christ Jésus. ¹⁶Toute Écriture est inspirée de Dieu et utile pour enseigner, réfuter, redresser, former à la justice : ¹⁷ainsi l'homme de Dieu se trouve-t-il accompli, équipé pour toute œuvre bonne.

Adjuration solennelle.

4 ¹Je t'adjure devant Dieu et devant le Christ Jésus, qui doit juger les vivants et les morts, au nom de son Apparition et de son Règne : ²proclame la parole, insiste à temps et à contretemps, réfute, menace, exhorte, avec une patience inlassable et le souci d'instruire. ³Car un temps viendra où les hommes ne supporteront plus la saine doctrine, mais au contraire, au gré de leurs passions et l'oreille les démangeant, ils se donneront des maîtres en quantité [4]et détourneront l'oreille de la vérité pour se tourner vers les fables. [5]Pour toi, sois prudent en tout, supporte l'épreuve, fais œuvre de prédicateur de l'Évangile, acquitte-toi à la perfection de ton ministère. [6]Quant à moi, je suis déjà répandu en libation et le moment de mon départ est venu. [7]J'ai combattu jusqu'au bout le bon combat, j'ai achevé ma course, j'ai gardé la foi. [8]Et maintenant, voici qu'est préparée pour moi la couronne de justice, qu'en retour le Seigneur me donnera en ce Jour-là, lui, le juste Juge, et non seulement à moi mais à tous ceux qui auront attendu avec amour son Apparition.

Recommandations suprêmes.

[9]Hâte-toi de venir me rejoindre au plus vite, [10]car Démas m'a abandonné par amour du monde présent. Il est parti pour Thessalonique, Crescens pour la Galatie, Tite pour la Dalmatie. [11]Seul Luc est avec moi. Prends Marc et amène-le avec toi, car il m'est précieux pour le ministère. [12]J'ai envoyé Tychique à Éphèse. [13]En venant, apporte le manteau que j'ai laissé à Troas chez Carpos, ainsi que les livres, surtout les parchemins. [14]Alexandre le fondeur m'a fait beaucoup de mal. *Le Seigneur lui rendra selon ses œuvres.* [15]Toi aussi, méfie-toi de lui, car il a été un adversaire acharné de notre prédication.

[16]La première fois que j'ai eu à présenter ma défense, personne ne m'a soutenu. Tous m'ont abandonné ! Qu'il ne leur en soit pas tenu rigueur ! [17]Le Seigneur, lui, m'a assisté et m'a rempli de force afin que, par moi, le message fût proclamé et qu'il parvînt aux oreilles de tous les païens. Et j'ai été *délivré de la gueule du lion.* [18]Le Seigneur me délivrera de toute entreprise perverse et me sauvera en me gardant pour son Royaume céleste. À lui la gloire dans tous les siècles ! Amen !

Salutations et souhait final.

[19]Salue Prisca et Aquilas, ainsi que la famille d'Onésiphore. [20]Éraste est resté à Corinthe. J'ai laissé Trophime malade à Milet. [21]Hâte-toi de venir avant l'hiver.

Tu as le salut d'Eubule, de Pudens, de Lin, de Claudia et de tous les frères.

[22]Le Seigneur soit avec ton esprit ! La grâce soit avec vous !

Épître à Tite

Voir l'introduction, p. 1880.

Adresse et salutation.

1 ¹Paul, serviteur de Dieu, apôtre de Jésus Christ pour amener les élus de Dieu à la foi et à la connaissance de la vérité ordonnée à la piété, ²dans l'espérance de la vie éternelle promise avant tous les siècles par le Dieu qui ne ment pas ³et qui, aux temps marqués, a manifesté sa parole par une proclamation dont un ordre de Dieu notre Sauveur m'a confié la charge, ⁴à Tite mon véritable enfant en notre foi commune, grâce et paix de par Dieu le Père et le Christ Jésus notre Sauveur.

Établissement des presbytres.

⁵Si je t'ai laissé en Crète, c'est pour y achever l'organisation et pour établir dans chaque ville des presbytres, conformément à mes instructions. ⁶Chaque candidat doit être irréprochable, mari d'une seule femme, avoir des enfants croyants, qui ne puissent être accusés d'inconduite et ne soient pas insoumis. ⁷L'épiscope, en effet, en sa qualité d'intendant de Dieu, doit être irréprochable : ni arrogant, ni coléreux, ni buveur, ni batailleur, ni avide de gains déshonnêtes, ⁸mais au contraire hospitalier, ami du bien, pondéré, juste, pieux, maître de soi, ⁹attaché à l'enseignement sûr, conforme à la doctrine ; ne doit-il pas être capable, à la fois, d'exhorter dans la saine doctrine et de confondre les contradicteurs ?

Lutte contre les faux docteurs.

¹⁰Nombreux sont en effet les esprits rebelles, les vains discoureurs, les séducteurs, surtout chez les circoncis. ¹¹Il faut leur fermer la bouche ; ces gens-là bouleversent des familles entières, enseignant pour de scandaleux profits ce qui ne se doit pas. ¹²L'un d'entre eux, leur propre prophète, a dit : « Crétois perpétuels menteurs, mauvaises bêtes, ventres paresseux. » ¹³Ce témoignage est vrai ; aussi reprends-les vertement, pour qu'ils conservent une foi saine, ¹⁴sans prêter attention à des fables juives et aux prescriptions de gens qui tournent le dos à la vérité.

¹⁵Tout est pur pour les purs. Mais pour ceux qui sont souillés et qui n'ont pas la foi, rien n'est pur. Leur esprit même et leur conscience sont souillés. ¹⁶Ils font profession de connaître Dieu, mais, par leur conduite, ils le renient : êtres abominables, rebelles, inaptes à toute œuvre bonne.

Devoirs particuliers à certains fidèles.

2 ¹Pour toi, enseigne ce qui est conforme à la saine doctrine. ²Que les vieillards soient sobres, dignes, pondérés, robustes dans la foi, la charité, la constance. ³Que pareillement les femmes âgées aient le comportement qui sied à des saintes : ni médisantes, ni adonnées au vin, mais de bon conseil ; [4]ainsi elles apprendront aux jeunes femmes à aimer leur mari et leurs enfants, [5]à être réservées, chastes, femmes d'intérieur, bonnes, soumises à leur mari, en sorte que la parole de Dieu ne soit pas blasphémée. [6]Exhorte également les jeunes gens à garder en tout la pondération, [7]offrant en ta personne un modèle de belles œuvres : pureté de doctrine, dignité, [8]enseignement sain, irréprochable, afin que l'adversaire, ne pouvant dire aucun mal de nous, soit rempli de confusion. [9]Que les esclaves soient soumis en tout à leurs maîtres, cherchant à leur donner satisfaction, évitant de les contredire, [10]ne commettant aucune indélicatesse, se montrant au contraire d'une parfaite fidélité : ainsi feront-ils honneur en tout à la doctrine de Dieu notre Sauveur.

Fondement dogmatique de ces exigences.

[11]Car la grâce de Dieu, source de salut pour tous les hommes, s'est manifestée, [12]nous enseignant à renoncer à l'impiété et aux convoitises de ce monde, pour vivre en ce siècle présent dans la réserve, la justice et la piété, [13]attendant la bienheureuse espérance et l'Apparition de la gloire de notre grand Dieu et Sauveur, le Christ Jésus [14]qui s'est livré pour nous afin de nous *racheter de toute iniquité et de purifier un peuple qui lui appartienne en propre,* zélé pour les belles œuvres. [15]C'est ainsi que tu dois parler,

exhorter, reprendre avec une autorité entière. Que personne ne te méprise.

Devoirs généraux des fidèles.

3 [1]Rappelle à tous qu'il faut être soumis aux magistrats et aux autorités, pratiquer l'obéissance, être prêt à toute bonne œuvre, [2]n'outrager personne, éviter les disputes, se montrer bienveillant, témoigner à tous les hommes une parfaite douceur. [3]Car nous aussi, nous étions naguère des insensés, des rebelles, des égarés, esclaves d'une foule de convoitises et de plaisirs, vivant dans la malice et l'envie, odieux et nous haïssant les uns les autres.

[4]Mais le jour où apparurent la bonté de Dieu notre Sauveur et son amour pour les hommes, [5]il ne s'est pas occupé des œuvres de justice que nous avions pu accomplir, mais, poussé par sa seule miséricorde, il nous a sauvés par le bain de la régénération et de la rénovation en l'Esprit Saint. [6]Et cet Esprit, il l'a répandu sur nous à profusion, par Jésus Christ notre Sauveur, [7]afin que, justifiés par la grâce du Christ, nous obtenions en espérance l'héritage de la vie éternelle.

Conseils particuliers à Tite.

[8]Elle est sûre cette parole et je tiens à ce que, sur ce point, tu sois catégorique, afin que ceux qui ont placé leur foi en Dieu aient à cœur d'exceller dans les belles œuvres. Voilà qui est bon et utile aux hommes. [9]Mais les folles recherches, les généalogies, les disputes, les polémiques au sujet de la Loi,

évite-les. Elles sont sans utilité et sans profit. ¹⁰Quant à l'homme de parti, après un premier et un second avertissement, romps avec lui. ¹¹Un tel individu, tu le sais, est un dévoyé et un pécheur qui se condamne lui-même.

Recommandations pratiques. Salutations et souhait final.

¹²Lorsque je t'aurai envoyé Artémas ou Tychique, hâte-toi de me rejoindre à Nicopolis. C'est là que j'ai décidé de passer l'hiver. ¹³Prends toutes dispositions pour le voyage du juriste Zénas et d'Apollos, afin qu'ils ne manquent de rien. ¹⁴Les nôtres aussi doivent apprendre à exceller dans les belles œuvres pour faire face aux nécessités pressantes. Ainsi ne seront-ils pas sans fruits.

¹⁵Tu as le salut de tous ceux qui sont avec moi. Salue ceux qui nous aiment dans la foi. La grâce soit avec vous tous !

Épître à Philémon

Voir l'introduction, p. 1880.

Adresse.

¹Paul, prisonnier du Christ Jésus, et le frère Timothée, à Philémon, notre cher collaborateur, ²avec Apphia notre sœur, Archippe notre frère d'armes, et l'Église qui s'assemble dans ta maison. ³À vous grâce et paix de par Dieu notre Père et le Seigneur Jésus Christ !

Action de grâces et prière.

⁴Je rends sans cesse grâces à mon Dieu en faisant mémoire de toi dans mes prières, ⁵car j'entends louer ta charité et la foi qui t'anime, tant à l'égard du Seigneur Jésus qu'au bénéfice de tous les saints. ⁶Puisse cette foi rendre agissant son esprit d'entraide en t'éclairant pleinement sur tout le bien qu'il est en notre pouvoir d'accomplir pour le Christ. ⁷De fait, j'ai eu grande joie et consolation en apprenant ta charité : on me dit, frère, que tu as soulagé le cœur des saints !

Requête en faveur d'Onésime.

⁸C'est pourquoi, bien que j'aie dans le Christ tout le franc-parler nécessaire pour te prescrire ton devoir, ⁹je préfère invoquer la charité et te présenter une requête. Celui qui va parler, c'est Paul, le vieux Paul et, qui plus est, maintenant le prisonnier du Christ Jésus. ¹⁰La requête est pour mon enfant, que j'ai engendré dans les chaînes, cet Onésime, ¹¹qui jadis ne te fut guère utile, mais qui désormais te sera bien utile, comme il l'est devenu pour moi. ¹²Je te le renvoie, et lui, c'est comme mon propre cœur. ¹³Je désirais le retenir près de moi, pour qu'il me servît en ton nom dans ces chaînes que me vaut l'Évangile ; ¹⁴cependant je n'ai rien voulu faire sans ton assentiment, pour que ce bienfait ne parût pas t'être imposé, mais qu'il vînt de ton bon gré. ¹⁵Peut-être aussi Onésime ne t'a-t-il été retiré pour un temps qu'afin de t'être rendu pour l'éternité, ¹⁶non plus comme un esclave, mais bien mieux qu'un esclave, comme un frère très cher : il l'est grandement pour moi, combien plus va-t-il l'être pour toi, et selon le monde et selon le Seigneur ! ¹⁷Si donc tu as égard aux liens qui nous unissent, reçois-le comme si c'était moi. ¹⁸Et s'il t'a fait du tort ou te doit quelque chose, mets cela sur mon compte. ¹⁹Moi, Paul, je m'y engage de ma propre écriture : c'est moi qui réglerai... Pour ne rien dire de la dette qui t'oblige toujours à mon endroit, et qui est toi-même ! ²⁰Allons, frère, j'attends de toi ce service dans le Seigneur ; soulage mon cœur dans le Christ. ²¹Je t'écris avec pleine confiance en ta

docilité : je sais bien que tu feras plus encore que je ne demande.

Recommandations. Salutations.

[22]Avec cela, prépare-moi un gîte ; j'espère en effet que, grâce à vos prières, je vais vous être rendu.

[23]Tu as les salutations d'Épaphras, mon compagnon de captivité dans le Christ Jésus, [24]ainsi que de Marc, Aristarque, Démas et Luc, mes collaborateurs.

[25]Que la grâce du Seigneur Jésus Christ soit avec votre esprit !

Épître aux Hébreux

Introduction

L'épître aux Hébreux a vu son attribution à Paul mise en question
dès l'Antiquité. En effet, sa langue, son style, sa manière de citer et
d'utiliser l'AT ne sont pas ceux de saint Paul. Le rédacteur de cet écrit
doit être un Juif de culture hellénistique, attentif à une interprétation
ponctuelle des passages de l'AT qu'il utilise, souvent d'après la version
des LXX, pour appuyer ses arguments. Cet écrit a pu être envoyé depuis
l'Italie et a été rédigé avant la destruction du Temple de Jérusalem (70).

L'écrivain met en garde contre le danger d'apostasie et veut con-
forter ceux qui semblent regretter la splendeur du culte mosaïque et
le côté rassurant d'une religion officielle. On peut donc penser que
les destinataires étaient des Hébreux convertis en milieu hellénistique
ou bien des gentils fascinés par la culture hébraïque – familiarisés
avec un certain jargon technique issu de la lecture des LXX ainsi
qu'avec certaines interprétations traditionnelles. En ce qui concerne
le Temple, si les descriptions de lieux et de rites sont abondantes,
elles ne sont pas toujours précises.

Le genre littéraire de He est discuté : lettre, discours, traité sous
forme épistolaire ? Il est possible de reconnaître deux parcours argu-
mentaires. Le premier est spécifiquement consacré au sacerdoce du
Christ. Le second, qui développe le thème de la foi, concentre les
traits les plus marqués d'inspiration paulinienne. Vraisemblablement,
deux homélies, écrites pour être prononcées, ont été fusionnées.

Le premier auteur conçoit la révélation biblique comme un « con-
tinuum » en quatre temps : le temps des Patriarches et des promesses ;
le temps de la Loi ; la relance des promesses à travers David et les
Prophètes ; et enfin l'ère eschatologique, l'« aujourd'hui » qui nous
englobe, inauguré par le Christ. L'auteur ébauche les traits de ce temps
à partir d'une conception de l'univers constitué en deux plans, les
« éons » : l'univers immanent (que nous ne voyons pas encore soumis
au Christ) et l'univers divin (fondement de la réalité selon la mentalité
hellénistique et certains courants de l'apocalyptique juive) dans lequel
Jésus est entré en tant que roi et prêtre après avoir été libéré du pouvoir de la mort.

Une réédition postérieure, qui insère les chap. **8-9**, présente l'action
sacerdotale éternelle que le Christ exerce en continuité avec l'offre
de soi-même accompli pendant sa vie. Cela permet au croyant de
s'approcher de Dieu en pleine confiance, sans médiation humaine. La
vie du fidèle doit être considérée comme un exode continu vers une
patrie promise. L'existence terrestre, vécue dans l'obéissance au
Christ précurseur et guide du salut, est elle-même une liturgie.

Épître aux Hébreux

Prologue

Grandeur du Fils de Dieu incarné.

1 ¹Après avoir, à maintes reprises et sous maintes formes, parlé jadis aux Pères par les prophètes, Dieu, ²en ces jours qui sont les derniers, nous a parlé par un Fils, qu'il a établi héritier de toutes choses, par qui aussi il a fait les mondes. ³Resplendissement de sa gloire, effigie de sa substance, lui qui soutient l'univers par sa parole puissante, ayant accompli la purification des péchés, s'est assis à la droite de la Majesté dans les hauteurs, ⁴devenu d'autant supérieur aux anges que le nom qu'il a reçu en héritage est incomparable au leur.

Le Fils

⁵Auquel des anges, en effet, Dieu a-t-il jamais dit : *Tu es mon Fils, moi, aujourd'hui, je t'ai engendré ?* Et encore : *Je serai pour lui un père, et lui sera pour moi un fils.* ⁶Et de nouveau, lorsqu'il introduit le Premier-né dans le monde à venir, il dit : *Que tous les anges de Dieu l'adorent.* ⁷Tandis qu'il s'exprime ainsi en s'adressant aux anges : *Il fait de ses anges des vents, de ses serviteurs une flamme ardente,* ⁸il dit à son Fils : *Ton trône, ô Dieu, subsiste dans les siècles des siècles,* et : *le sceptre de droiture est le sceptre de ta royauté.* ⁹*Tu as aimé la justice et tu as haï l'impiété. C'est pourquoi, Dieu, ton Dieu t'a oint d'une huile d'allégresse de préférence à tes compagnons.* ¹⁰Et encore : *C'est toi, Seigneur, qui aux origines fondas la terre, et les cieux sont l'ouvrage de tes mains.* ¹¹*Eux périront, mais toi tu demeures, et tous ils vieilliront comme un vêtement.* ¹²*Comme un manteau tu les rouleras, comme un vêtement, et ils seront changés. Mais toi, tu es le même et tes années ne s'achèveront point.* ¹³Et auquel des anges a-t-il jamais dit : *Assieds-toi à ma droite jusqu'à ce que je place tes ennemis comme un escabeau sous tes pieds ?* ¹⁴Est-ce que tous ne sont pas des esprits chargés d'un ministère, envoyés en service pour ceux qui doivent hériter du salut ?

Exhortation.

2 ¹C'est pourquoi nous devons nous attacher avec plus d'attention aux enseignements que nous avons entendus, de peur d'être entraînés à la dérive. ²Si déjà la parole promulguée par des anges s'est trouvée garantie et si toute transgression et désobéissance a reçu une juste rétribution,

³comment nous-mêmes échapperons-nous, si nous négligeons pareil salut ? Celui-ci, inauguré par la prédication du Seigneur, nous a été garanti par ceux qui l'ont entendu, ⁴Dieu appuyant leur témoignage par des signes, des prodiges, des miracles de toutes sortes, ainsi que par des communications d'Esprit Saint qu'il distribue à son gré.

Le sacerdoce du Christ

**Base scripturaire :
exégèse du Ps 8.**

⁵En effet, ce n'est pas à des anges qu'il a soumis le monde à venir dont nous parlons. ⁶Quelqu'un a fait quelque part cette attestation : *Qu'est-ce que l'homme pour que tu te souviennes de lui, ou le fils de l'homme pour que tu le prennes en considération ?* ⁷*Tu l'as un moment abaissé au-dessous des anges. Tu l'as couronné de gloire et d'honneur.* ⁸*Tu as tout mis sous ses pieds.* Par le fait qu'*il lui a tout soumis*, il n'a rien laissé qui lui demeure insoumis. Actuellement, il est vrai, nous ne voyons pas encore que *tout lui soit soumis.* ⁹Mais celui qui *a été abaissé un moment au-dessous des anges*, Jésus, nous le voyons *couronné de gloire et d'honneur*, parce qu'il a souffert la mort : il fallait que, par la grâce de Dieu, au bénéfice de tout homme, il goûtât la mort.

¹⁰Il convenait, en effet, que, voulant conduire à la gloire un grand nombre de fils, Celui pour qui et par qui sont toutes choses rendît

parfait par des souffrances le chef qui devait les guider vers leur salut. ¹¹Car le sanctificateur et les sanctifiés ont tous même origine. C'est pourquoi il ne rougit pas de les nommer *frères*, ¹²quand il dit : *J'annoncerai ton nom à mes frères. Je te chanterai au milieu de l'assemblée.* Et encore : ¹³*Pour moi j'aurai confiance en lui.* Et encore : *Nous voici, moi et les enfants que Dieu m'a donnés.*

¹⁴Puis donc que les *enfants* avaient en commun le sang et la chair, lui aussi y participa pareillement afin de réduire à l'impuissance, par sa mort, celui qui a la puissance de la mort, c'est-à-dire le diable, ¹⁵et d'affranchir tous ceux qui, leur vie entière, étaient tenus en esclavage par la crainte de la mort. ¹⁶Car ce n'est certes pas des anges qu'il se charge, mais c'est de *la descendance d'Abraham* qu'il *se charge.* ¹⁷En conséquence, il a dû devenir en tout semblable à ses *frères*, afin de devenir dans leurs rapports avec Dieu un grand prêtre miséricordieux et fidèle, pour expier les

péchés du peuple. ¹⁸Car du fait qu'il a lui-même souffert par l'é-preuve, il est capable de venir en aide à ceux qui sont éprouvés.

La foi : voie vers le repos divin

Le Christ supérieur à Moïse.

3 ¹En conséquence, frères saints, vous qui avez en partage une vocation céleste, considérez l'apôtre et grand prêtre de notre profession de foi, Jésus ; ²il est *fidèle* à celui qui l'a institué, comme *Moïse* le fut aussi *dans toute sa maison*. ³Car il a été jugé digne d'une gloire supérieure à celle de Moïse, dans la mesure même où la dignité du constructeur d'une maison est plus grande que celle de la maison elle-même. ⁴Toute maison, en effet, est construite par quelqu'un, et celui qui a tout construit, c'est Dieu. ⁵Moïse, à la vérité, a été *fidèle dans toute sa maison, en qualité de serviteur*, pour témoigner de ce qui devait être dit ; ⁶tandis que le Christ, lui, l'a été en qualité de fils, à la tête de sa maison. Et sa maison, c'est nous, pourvu que nous gardions l'assurance et la joyeuse fierté de l'espérance.

La foi introduit dans le repos de Dieu.

⁷C'est pourquoi, comme le dit l'Esprit Saint : *Aujourd'hui, si vous entendez sa voix,* ⁸*n'endurcissez pas vos cœurs comme cela s'est produit dans la Querelle, au jour de la Tentation dans le désert,* ⁹*où vos Pères me tentèrent, me mettant à l'épreuve, alors qu'ils avaient vu mes œuvres* ¹⁰*pendant quarante ans.* C'est pourquoi *j'ai été irrité contre cette génération et j'ai dit : Toujours leur cœur se fourvoie, ils n'ont pas connu mes voies ;* ¹¹*aussi ai-je juré dans ma colère : Non, ils n'entreront pas dans mon repos.* ¹²Prenez garde, frères, qu'il n'y ait peut-être en quelqu'un d'entre vous un cœur mauvais, assez incrédule pour se détacher du Dieu vivant. ¹³Mais encouragez-vous mutuellement chaque jour, tant que vaut cet *aujourd'hui,* afin qu'aucun de vous ne *s'endurcisse* par la séduction du péché. ¹⁴Car nous sommes devenus participants du Christ, si toutefois nous retenons inébranlablement jusqu'à la fin, dans toute sa solidité, notre confiance initiale. ¹⁵Dans cette parole : *Aujourd'hui, si vous entendez sa voix, n'endurcissez pas vos cœurs comme cela s'est produit dans la Querelle,* ¹⁶quels sont donc ceux qui, après avoir *entendu,* ont *querellé* ? Mais n'étaient-ce pas tous ceux qui sont sortis d'Égypte grâce à Moïse ? ¹⁷Et contre qui *s'irrita*-t-il *pendant quarante ans* ? N'est-ce pas contre ceux qui avaient péché et dont les cadavres tombèrent dans le désert ? ¹⁸Et à qui *jura*-t-il *qu'ils n'entreraient pas dans son repos,* sinon à ceux qui avaient désobéi ? ¹⁹Et nous voyons qu'ils ne purent entrer à cause de leur infidélité.

4 ¹Craignons donc que l'un de vous n'estime arriver trop tard, alors qu'en fait la promesse *d'entrer dans son repos* reste en vigueur. ²Car nous aussi nous avons reçu une bonne nouvelle absolument comme ceux-là. Mais la parole qu'ils avaient entendue ne leur servit de rien, parce qu'ils ne restèrent pas en communion par la foi avec ceux qui écoutèrent. ³Nous entrons en effet, nous les croyants, dans un repos, selon qu'il a dit : *Aussi ai-je juré dans ma colère : Non, ils n'entreront pas dans mon repos.* Les œuvres de Dieu certes étaient achevées dès la fondation du monde, ⁴puisqu'il a dit quelque part au sujet du septième jour : *Et Dieu se reposa le septième jour de toutes ses œuvres.* ⁵Et de nouveau en cet endroit : *Ils n'entreront pas dans mon repos.* ⁶Ainsi donc, puisqu'il est acquis que certains doivent y entrer, et que ceux qui avaient reçu d'abord la bonne nouvelle n'y entrèrent pas à cause de leur désobéissance, ⁷de nouveau Dieu fixe un jour, un *aujourd'hui*, disant en David, après si longtemps, comme il a été dit ci-dessus : *Aujourd'hui, si vous entendez sa voix, n'endurcissez pas vos cœurs...* ⁸Si Josué avait introduit les Israélites dans ce repos, Dieu n'aurait pas dans la suite parlé d'un autre jour. ⁹C'est donc qu'un repos, celui du septième jour, est réservé au peuple de Dieu. ¹⁰Car celui qui *est entré dans son repos* lui aussi *se repose de ses œuvres*, comme Dieu des siennes. ¹¹Efforçons-nous donc d'*entrer dans ce repos*, afin que nul ne succombe, en imitant cet exemple de désobéissance.

¹²Vivante, en effet, est la parole de Dieu, efficace et plus incisive qu'aucun glaive à deux tranchants, elle pénètre jusqu'au point de division de l'âme et de l'esprit, des articulations et des moelles, elle peut juger les sentiments et les pensées du cœur. ¹³Aussi n'y a-t-il pas de créature qui reste invisible devant elle, mais tout est nu et découvert aux yeux de Celui à qui nous devons rendre compte.

Reprise du thème sacerdotal.

¹⁴Ayant donc un grand prêtre souverain qui a traversé les cieux, Jésus, le Fils de Dieu, tenons ferme la profession de foi. ¹⁵Car nous n'avons pas un grand prêtre impuissant à compatir à nos faiblesses, lui qui a été éprouvé en tout, d'une manière semblable, à l'exception du péché. ¹⁶Avançons-nous donc avec assurance vers le trône de la grâce afin d'obtenir miséricorde et de trouver grâce, pour une aide opportune.

Le sacerdoce du Christ (suite)

Sacrifice terrestre : au jour de sa chair.

5 ¹Tout grand prêtre, en effet, pris d'entre les hommes, est établi pour intervenir en faveur des hommes dans leurs relations avec Dieu, afin d'offrir dons et sacrifices pour les péchés. ²Il peut ressentir de la commisération pour les ignorants et les égarés, puisqu'il est lui-même également enveloppé de faiblesse, [3]et qu'à cause d'elle, il doit offrir pour lui-même des sacrifices pour le péché, comme il le fait pour le peuple. [4]Nul ne s'arroge à soi-même cet honneur, on y est appelé par Dieu, absolument comme Aaron.

[5]De même ce n'est pas le Christ qui s'est attribué à soi-même la gloire de devenir grand prêtre, mais il l'a reçue de celui qui lui a dit : *Tu es mon fils, moi, aujourd'hui, je t'ai engendré* ; [6]comme il dit encore ailleurs : *Tu es prêtre pour le monde éternel, selon l'ordre de Melchisédech.* [7]C'est lui qui, aux jours de sa chair, ayant présenté, avec une violente clameur et des larmes, des implorations et des supplications à celui qui pouvait le sauver de la mort, et ayant été exaucé en raison de sa piété, [8]tout Fils qu'il était, apprit, de ce qu'il souffrit, l'obéissance ; [9]après avoir été rendu parfait, il est devenu pour tous ceux qui lui obéissent principe de salut éternel, [10]puisqu'il est salué par Dieu du titre de grand prêtre *selon l'ordre de Melchisédech.*

Rappel à l'attention

Vie chrétienne et théologie.

[11]Sur ce sujet, nous avons bien des choses à dire, et difficiles à exposer parce que vous êtes devenus lents à comprendre. [12]En effet, alors qu'avec le temps vous devriez être devenus des maîtres, vous avez de nouveau besoin qu'on vous enseigne les premiers rudiments des oracles de Dieu, et vous en êtes venus à avoir besoin de lait, non de nourriture solide. [13]Effectivement, quiconque en est encore au lait ne peut goûter la doctrine de justice, car c'est un tout petit enfant ; [14]les parfaits, eux, ont la nourriture solide, ceux qui, par l'habitude, ont le sens moral exercé au discernement du bien et du mal.

L'auteur expose son dessein.

6 [1]C'est pourquoi, laissant l'enseignement élémentaire sur le Christ, élevons-nous à l'enseignement parfait, sans revenir sur les articles fondamentaux du repentir des œuvres mortes et de la foi en Dieu, [2]de l'instruction sur les baptêmes et de l'imposition des mains, de la résurrection des morts et du jugement éternel. [3]Et c'est ainsi que nous allons faire, si Dieu le permet.

[4]Il est impossible, en effet, pour ceux qui une fois ont été illuminés, qui ont goûté au don céleste, qui sont devenus participants de l'Esprit Saint, [5]qui ont goûté la belle parole de Dieu et les forces du monde à venir, [6]et qui néanmoins sont tombés, de les rénover une seconde fois en les amenant à la pénitence, alors qu'ils crucifient pour leur compte le Fils de Dieu et le bafouent publiquement. [7]En effet, lorsqu'une terre a bu la pluie venue souvent sur elle, et qu'elle produit des plantes utiles à ceux-là mêmes pour qui elle est cultivée,

elle reçoit de Dieu une bénédiction. ⁸Mais celle qui porte *des épines et des ronces* est réprouvée et bien proche d'être *maudite*. Elle finira par être brûlée.

Paroles d'espérance et d'encouragement.

⁹Mais quant à vous, bien-aimés, tout en parlant ainsi, nous sommes persuadés que vous êtes dans une situation meilleure et favorable au salut. ¹⁰Car Dieu n'est point injuste, pour oublier ce que vous avez fait et la charité que vous avez montrée pour son nom, vous qui avez servi et qui servez les saints. ¹¹Nous désirons seulement que chacun de vous montre le même zèle pour le plein épanouissement de l'espérance jusqu'à la fin ; ¹²de telle sorte que vous ne deveniez pas nonchalants, mais que vous imitiez ceux qui, par la foi et la persévérance, héritent des promesses.

¹³En effet, lorsqu'il fit la promesse à Abraham, Dieu, ne pouvant jurer par un plus grand, *jura par lui-même*, ¹⁴en disant : *Certes, je te comblerai de bénédictions et je te multiplierai grandement*. ¹⁵C'est ainsi qu'Abraham, ayant persévéré, vit s'accomplir la promesse. ¹⁶Les hommes jurent par un plus grand, et, entre eux, la garantie du serment met un terme à toute contestation. ¹⁷Aussi Dieu, voulant bien davantage faire voir aux héritiers de la promesse l'immutabilité de son dessein, s'engagea-t-il par un serment, ¹⁸afin que, par deux réalités immuables, dans lesquelles il est impossible à un Dieu de mentir, nous soyons puissamment encouragés – nous qui avons trouvé un refuge – à saisir fortement l'espérance qui nous est offerte.

Reprise du thème sacerdotal.

¹⁹En elle, nous avons comme une ancre de notre âme, sûre autant que solide, et *pénétrant par-delà le voile*, ²⁰là où est entré pour nous, en précurseur, Jésus, devenu *pour le monde éternel* grand *prêtre selon l'ordre de Melchisédech*.

Le sacerdoce du Christ (suite)

Melchisédech.

7 ¹En effet, ce *Melchisédech, roi de Salem, prêtre du Dieu Très-Haut*, qui *se porta à la rencontre d'Abraham s'en retournant après la défaite des rois*, et qui *le bénit* ; ²à qui aussi Abraham attribua *la dîme de tout*, dont on interprète d'abord le nom comme « roi de justice » et qui est aussi *roi de Salem*, c'est-à-dire « roi de paix », ³qui est sans père, sans mère, sans généalogie, dont les jours n'ont pas de commencement et dont la vie n'a pas de fin, qui est assimilé au Fils de Dieu, ce Melchisédech demeure prêtre pour toujours.

Melchisédech a reçu la dîme d'Abraham.

⁴Considérez donc comme il est grand celui à qui *Abraham donna*

aussi la dîme du meilleur butin, lui le Patriarche. [5]Et à la vérité, ceux des fils de Lévi qui reçoivent la prêtrise ont un commandement, selon la Loi, à propos du prélèvement de la dîme sur le peuple, c'est-à-dire sur leurs frères qui sont pourtant eux aussi sortis des reins d'Abraham. [6]Mais celui qui n'était pas de leur lignée a levé la dîme sur Abraham, et il a béni le détenteur des promesses. [7]Or, sans aucun doute, c'est l'inférieur qui est béni par le supérieur. [8]De plus, ici ce sont des hommes mortels qui perçoivent les dîmes, mais là c'est celui dont on atteste qu'il vit. [9]Enfin c'est pour ainsi dire Lévi lui-même, lui qui perçoit la dîme, qui se trouve l'avoir payée en la personne d'Abraham ; [10]car il était encore dans les reins de son aïeul, lorsque *Melchisédech se porta à sa rencontre.*

Du sacerdoce lévitique au sacerdoce selon l'ordre de Melchisédech.

[11]Si donc une perfection était réalisée par le sacerdoce lévitique – car c'est sur lui que repose la Loi donnée au peuple –, quel besoin y avait-il encore que se présentât un autre prêtre *selon l'ordre de Melchisédech* et qu'il ne fût pas dit « selon l'ordre d'Aaron » ? – [12]En effet, changé le sacerdoce, nécessairement se produit aussi un changement de Loi. – [13]Car celui dont ces choses sont dites appartenait à une autre tribu, dont aucun membre ne s'est jamais occupé du service de l'autel. [14]Il est notoire, en effet, que notre Seigneur est issu de Juda, tribu dont Moïse n'a rien dit quand il traite des prêtres.

L'abrogation d'une prescription antérieure.

[15]Cela devient encore plus évident si, à la ressemblance de Melchisédech, se présente un autre prêtre, [16]qui ne l'est pas devenu selon la règle d'une prescription charnelle, mais bien selon la puissance d'une vie impérissable. [17]Ce témoignage, en effet, lui est rendu : *Tu es prêtre pour le monde éternel selon l'ordre de Melchisédech.* [18]Ainsi se trouve abrogée la prescription antérieure, en raison de sa faiblesse et de son inutilité – [19]car la Loi n'a rien amené à la perfection –, et introduite une espérance meilleure, par laquelle nous approchons de Dieu.

Immutabilité du sacerdoce du Christ.

[20]D'autant plus que cela ne s'est pas fait sans serment. Les autres, en effet, sont devenus prêtres sans serment ; [21]mais celui-ci l'a été avec serment, par Celui qui lui a dit : *le Seigneur a juré, et il ne s'en repentira pas : Tu es prêtre pour le monde éternel.* [22]Et par suite c'est d'une alliance meilleure que Jésus s'est devenu garant. [23]De plus, ceux-là sont devenus prêtres en grand nombre, parce que la mort les empêchait de durer ; [24]mais lui, du fait qu'il demeure *pour le monde éternel,* il a un sacerdoce immuable. [25]D'où il suit qu'il est capable de sauver de façon définitive ceux qui par lui s'avancent vers Dieu, étant toujours vivant pour intercéder en leur faveur.

Perfection du grand prêtre céleste.

²⁶Oui, tel est précisément le grand prêtre qu'il nous fallait, saint, innocent, immaculé, séparé désormais des pécheurs, élevé plus haut que les cieux, ²⁷qui ne soit pas journellement dans la nécessité, comme les grands prêtres, d'offrir des victimes d'abord pour ses propres péchés, ensuite pour ceux du peuple, car ceci il l'a fait une fois pour toutes en s'offrant lui-même. ²⁸La Loi, en effet, établit comme grands prêtres des hommes sujets à la faiblesse ; mais la parole du serment – postérieur à la Loi – établit le Fils rendu parfait *pour le monde éternel.*

Excursus : la supériorité du culte, du sanctuaire et de la médiation du Christ prêtre

Le nouveau sacerdoce et le nouveau sanctuaire.

8 ¹Un chapitre à ajouter à ces discours : nous avons un pareil grand prêtre qui *s'est assis à la droite* du trône de la Majesté dans les cieux, ²ministre du sanctuaire et *de la Tente,* la vraie, *celle que le Seigneur,* non un homme, *a dressée.* ³Tout grand prêtre, en effet, est établi pour offrir des dons et des sacrifices ; d'où la nécessité pour lui aussi d'avoir quelque chose à offrir. ⁴À la vérité, si Jésus était sur terre, il ne serait pas même prêtre, puisqu'il y en a qui offrent les dons, conformément à la Loi ; ⁵ceux-là assurent le service d'une copie et d'une ombre des réalités célestes, ainsi que Moïse, quand il eut à construire la Tente, en fut divinement averti : *Vois,* est-il dit en effet, *tu feras tout d'après le modèle qui t'a été montré sur la montagne.*

Le Christ médiateur d'une meilleure alliance.

⁶Mais à présent, le Christ a obtenu un ministère d'autant plus élevé que meilleure est l'alliance dont il est le médiateur, et fondée sur de meilleures promesses. ⁷Car si cette première alliance avait été irréprochable, il n'y aurait pas eu lieu de lui en substituer une seconde. ⁸C'est en effet en les blâmant que Dieu déclare :

Voici que des jours viennent, dit le Seigneur,
et j'accomplirai avec la maison d'Israël et la maison de Juda
une alliance nouvelle,
⁹*non pas comme l'alliance que je fis avec leurs pères,*
au jour où je pris leur main pour les tirer du pays d'Égypte.
Puisque eux-mêmes ne sont pas demeurés dans mon alliance,
moi aussi je les ai négligés, dit le Seigneur.
¹⁰*Voici l'alliance que je contracterai avec la maison d'Israël,*

après ces jours-là, dit le Sei-
gneur :
Je mettrai mes lois dans leur
pensée,
  je les graverai dans leur cœur,
  et je serai leur Dieu
  et ils seront mon peuple.
11Personne n'aura plus à ins-
truire son concitoyen,
  ni personne son frère, en disant :
« Connais le Seigneur »,
  puisque tous me connaîtront,
  du petit jusqu'au grand.
Car je pardonnerai leurs torts,
  et de leurs péchés je n'aurai
plus souvenance.

12En disant : alliance *nouvelle*,
il rend vieille la première. Or ce
qui est vieilli et vétuste est près
de disparaître.

Le Christ pénètre dans le sanc-
tuaire céleste.

9 1La première alliance, elle
aussi, avait donc des institutions cultuelles ainsi qu'un sanctuaire, celui de ce monde. 2Une
tente, en effet – la Tente antérieure – avait été dressée ; là se trouvaient le chandelier, la table, et
l'exposition des pains ; c'est celle
qui est appelée : le Saint. 3Puis,
derrière le second voile était une
tente appelée Saint des Saints,
4comportant un autel des parfums
en or et l'arche de l'alliance entièrement recouverte d'or, dans
laquelle se trouvaient une urne
d'or contenant la manne, le rameau d'Aaron qui avait poussé, et
les tables de l'alliance ; 5puis au-
dessus, les chérubins de gloire
couvrant d'ombre le propitiatoire.
Ce n'est pas le moment de parler
de tout cela en détail.

6Tout étant ainsi disposé, les
prêtres entrent en tout temps
dans la première Tente pour s'acquitter du service cultuel. 7Dans
la seconde, au contraire, seul le
grand prêtre pénètre, et une seule
fois par an, non sans s'être muni
de sang qu'il offre pour ses manquements et ceux du peuple.
8L'Esprit Saint montre ainsi que
la voie du sanctuaire n'est pas
ouverte, tant que la première
Tente subsiste. 9C'est là une figure pour la période actuelle ;
sous son régime on offre des
dons et des sacrifices, qui n'ont
pas le pouvoir de rendre parfait
l'adorateur en sa conscience ;
10ce sont des règles pour la chair,
ne concernant que les aliments,
les boissons, diverses ablutions,
et imposées seulement jusqu'au
temps de la réforme.

11Le Christ, lui, survenu comme grand prêtre des biens à venir,
traversant la Tente plus grande et
plus parfaite qui n'est pas faite de
main d'homme, c'est-à-dire qui
n'est pas de cette création, 12entra
une fois pour toutes dans le sanctuaire, non pas avec du sang de
boucs et de jeunes taureaux, mais
avec son propre sang, nous ayant
acquis une rédemption éternelle.
13Si en effet du sang de boucs et
de taureaux et de la cendre de génisse, dont on asperge ceux qui
sont souillés, les sanctifient en
leur procurant la pureté de la
chair, 14combien plus le sang du
Christ, qui par un Esprit éternel
s'est offert lui-même sans tache à
Dieu, purifiera-t-il notre conscience des œuvres mortes pour
que nous rendions un culte au
Dieu vivant.

Le Christ scelle la nouvelle alliance par son sang.

[15]Voilà pourquoi il est médiateur d'une nouvelle alliance, afin que, sa mort ayant eu lieu pour racheter les transgressions de la première alliance, ceux qui sont appelés reçoivent l'héritage éternel promis. [16]Car là où il y a testament, il est nécessaire que la mort du testateur soit constatée. [17]Un testament, en effet, n'est valide qu'à la suite du décès, puisqu'il n'entre jamais en vigueur tant que vit le testateur. [18]De là vient que même la première alliance n'a pas été inaugurée sans effusion de sang. [19]Effectivement, lorsque Moïse eut promulgué au peuple entier chaque prescription selon la teneur de la Loi, il prit le sang des jeunes taureaux et des boucs, avec de l'eau, de la laine écarlate et de l'hysope, et il aspergea le livre lui-même et tout le peuple [20]en disant : *Ceci est le sang de l'alliance que Dieu a prescrite pour vous.* [21]Puis, de la même manière, il aspergea de sang la Tente et tous les objets du culte. [22]D'ailleurs, selon la Loi, presque tout est purifié par le sang, et sans effusion de sang il n'y a point de rémission. [23]Il est donc nécessaire, d'une part que les copies des réalités célestes soient purifiées de cette manière, d'autre part que les réalités célestes elles-mêmes le soient aussi, mais par des sacrifices plus excellents que ceux d'ici-bas. [24]Ce n'est pas, en effet, dans un sanctuaire fait de main d'homme, dans une image de l'authentique, que le Christ est entré, mais dans le ciel lui-même, afin de paraître maintenant devant la face de Dieu en notre faveur. [25]Ce n'est pas non plus pour s'offrir lui-même à plusieurs reprises, comme fait le grand prêtre qui entre chaque année dans le sanctuaire avec un sang qui n'est pas le sien, [26]car alors il aurait dû souffrir plusieurs fois depuis la fondation du monde. Or c'est maintenant, une fois pour toutes, à la fin des siècles, qu'il s'est manifesté pour abolir le péché par son sacrifice. [27]Et comme les hommes ne meurent qu'une fois, après quoi il y a un jugement, [28]ainsi le Christ, après s'être offert une seule fois *pour enlever les péchés d'un grand nombre*, apparaîtra une seconde fois – hors du péché – à ceux qui l'attendent, pour leur donner le salut.

Le sacerdoce du Christ (finale)

Inefficacité des sacrifices anciens.

10 [1]N'ayant, en effet, que l'ombre des biens à venir, non l'image même des réalités, la Loi est absolument impuissante, avec ces sacrifices, toujours les mêmes, que l'on offre perpétuellement d'année en année, à rendre parfaits ceux qui s'approchent de Dieu. [2]Autrement, n'aurait-on pas cessé de les offrir puisque les officiants de ce culte, purifiés une fois pour toutes, n'auraient plus conscience d'aucun péché ? [3]Bien au contraire, par ces sacrifices eux-mêmes, on rappelle chaque année le souvenir des péchés. [4]En effet, du sang de taureaux et de boucs est impuissant à enlever des péchés. [5]C'est pourquoi, en entrant dans ce monde, le Christ dit :

Tu n'as voulu ni sacrifice ni oblation ; mais tu m'as façonné un corps.
[6]*Tu n'as agréé ni holocaustes ni sacrifices pour les péchés.*
[7]*Alors j'ai dit : Voici, je viens, car c'est de moi qu'il est question dans le rouleau du livre, pour faire, ô Dieu, ta volonté.*

[8]Il commence par dire : *Sacrifices, oblations, holocaustes, sacrifices pour les péchés, tu ne les as pas voulus ni agréés* – et cependant ils sont offerts d'après la Loi –, [9]*alors* il déclare : *Voici, je viens pour faire ta volonté.* Il abroge le premier régime pour fonder le second. [10]Et c'est en vertu de cette *volonté* que nous sommes sanctifiés par l'*oblation* du *corps* de Jésus Christ, une fois pour toutes.

Efficacité du sacrifice du Christ.

[11]Tandis que tout prêtre se tient debout chaque jour, officiant et offrant maintes fois les mêmes sacrifices, qui sont absolument impuissants à enlever des péchés, [12]lui au contraire, ayant offert pour les péchés un unique sacrifice, *il s'est assis pour toujours à la droite de Dieu*, [13]attendant désormais que *ses ennemis soient placés comme un escabeau sous ses pieds*. [14]Car par une oblation unique il a rendu parfaits pour toujours ceux qu'il sanctifie. [15]Or l'Esprit Saint lui aussi nous l'atteste ; car après avoir déclaré :

[16]*Telle est l'alliance que je contracterai avec eux*
après ces jours-là,
le Seigneur dit :
Je mettrai mes lois dans leur cœur
et je les graverai dans leur pensée.
[17]*Ni de leurs péchés,* ni de leurs offenses, *je ne me souviendrai plus.*

[18]Or là où les péchés sont remis, il n'y a plus d'oblation pour le péché.

Transition.

[19]Ayant donc, frères, l'assurance voulue pour l'accès au sanctuaire par le sang de Jésus, [20]par cette voie qu'il a inaugurée pour nous, nouvelle et vivante, à travers le voile – c'est-à-dire sa chair –, [21]et un *prêtre souverain* à la tête de *la maison de Dieu*, [22]approchons-nous avec un cœur sincère, dans la plénitude de la foi, les cœurs nettoyés de toutes les souillures d'une conscience mauvaise et le corps lavé d'une eau pure. [23]Gardons indéfectible la confession de l'espérance, car celui qui a promis est fidèle, [24]et faisons attention les uns aux autres pour nous stimuler dans la charité et les œuvres bonnes ; [25]ne désertez pas votre propre assemblée, comme quelques-uns ont coutume de le faire, mais encouragez-vous mutuellement, et d'autant plus que vous voyez approcher le Jour.

Danger de l'apostasie.

[26]Car si nous péchons volontairement, après avoir reçu la connaissance de la vérité, il n'y a plus de sacrifice pour les péchés. [27]Il y a,

au contraire, une perspective redoutable, celle du jugement et d'un *courroux de feu* qui doit *dévorer les rebelles.* ²⁸Quelqu'un rejette-t-il la Loi de Moïse ? Impitoyablement *il est mis à mort sur la déposition de deux ou trois témoins.* ²⁹D'un châtiment combien plus grave sera jugé digne, ne pensez-vous pas, celui qui aura foulé aux pieds le Fils de Dieu, tenu pour profane *le sang de l'alliance* dans lequel il a été sanctifié, et outragé l'Esprit de la grâce ! ³⁰Nous connaissons, en effet, celui qui a dit : *À moi la vengeance. C'est moi qui rétribuerai.* Et encore : *Le Seigneur jugera son peuple.* ³¹Oh ! chose effroyable que de tomber aux mains du Dieu vivant !

Motifs de persévérer.

³²Mais rappelez-vous ces premiers jours, où après avoir été illuminés, vous avez soutenu un grand assaut de souffrances, ³³tantôt exposés publiquement aux opprobres et aux tribulations, tantôt vous rendant solidaires de ceux qui étaient ainsi traités. ³⁴Et, en effet, vous avez pris part aux souffrances des prisonniers ; vous avez accepté avec joie la spoliation de vos biens, sachant que vous étiez en possession d'une richesse meilleure et stable. ³⁵Ne perdez donc pas votre assurance ; elle a une grande et juste récompense.

La foi persévérante

L'attente eschatologique.

³⁶Vous avez besoin de constance, pour que, après avoir accompli la volonté de Dieu, vous bénéficiiez de la promesse.

³⁷Car encore *un peu, bien peu de temps,*

Celui qui vient arrivera et il ne tardera pas.

³⁸*Or mon juste vivra par la foi ; et s'il se dérobe, mon âme ne se complaira pas en lui.*

³⁹Pour nous, nous ne sommes pas des hommes de *dérobade,* pour la perdition, mais des hommes de *foi* pour la sauvegarde de notre âme.

La foi exemplaire des ancêtres.

11 ¹Or la foi est la garantie des biens que l'on espère, la preuve des réalités qu'on ne voit

pas. ²C'est elle qui a valu aux anciens un bon témoignage.

³Par la foi, nous comprenons que les mondes ont été formés par une parole de Dieu, de sorte que ce que l'on voit provient de ce qui n'est pas apparent.

⁴Par la foi, Abel offrit à Dieu un sacrifice de plus grande valeur que celui de Caïn ; aussi fut-il proclamé juste, *Dieu* ayant rendu témoignage *à ses dons,* et par elle aussi, bien que mort, il parle encore.

⁵Par la foi, Hénoch fut enlevé, en sorte qu'il ne vit pas la mort, et *on ne le trouva plus, parce que Dieu l'avait enlevé.* Avant son enlèvement, en effet, il lui est rendu témoignage *qu'il avait plu à Dieu.*

⁶Or sans la foi il est impossible de lui plaire. Car celui qui s'approche de Dieu doit croire qu'il existe et

qu'il se fait le rémunérateur de ceux qui le cherchent.

⁷Par la foi, Noé, divinement averti de ce qui n'était pas encore visible, saisi d'une crainte religieuse, construisit une arche pour sauver sa famille. Par la foi, il condamna le monde et il devint héritier de la justice qui s'obtient par la foi.

⁸Par la foi, Abraham obéit à l'appel de *partir* vers un pays qu'il devait recevoir en héritage, et il *partit* ne sachant où il allait. ⁹Par la foi, il vint *séjourner* dans la Terre promise comme en un pays étranger, y vivant sous des tentes, ainsi qu'Isaac et Jacob, héritiers avec lui de la même promesse. ¹⁰C'est qu'il attendait la ville pourvue de fondations dont Dieu est l'architecte et le constructeur. ¹¹Par la foi, Sara, elle aussi, reçut la vertu de concevoir, et cela en dépit de son âge avancé, parce qu'elle estima fidèle celui qui avait promis. ¹²C'est bien pour cela que d'un seul homme, et déjà marqué par la mort, naquirent des descendants *comparables par leur nombre aux étoiles du ciel et aux grains de sable sur le rivage de la mer, innombrables...*

¹³C'est dans la foi qu'ils moururent tous sans avoir reçu l'objet des promesses, mais ils l'ont vu et salué de loin, et ils ont confessé qu'ils étaient *étrangers et voyageurs sur la terre.* ¹⁴Ceux qui parlent ainsi font voir clairement qu'ils sont à la recherche d'une patrie. ¹⁵Et s'ils avaient pensé à celle d'où ils étaient sortis, ils auraient eu le temps d'y retourner. ¹⁶Or, en fait, ils aspirent à une patrie meilleure, c'est-à-dire céleste. C'est pourquoi, Dieu n'a pas honte de s'appeler leur Dieu ; il leur a préparé, en effet, une ville...

¹⁷Par la foi, *Abraham, mis à l'épreuve, a offert Isaac,* et c'est *son fils unique* qu'il offrait en sacrifice, lui qui était le dépositaire des promesses, ¹⁸lui à qui il avait été dit : *C'est par Isaac que tu auras une postérité.* ¹⁹Dieu, pensait-il, est capable même de ressusciter les morts ; c'est pour cela qu'il recouvra son fils, et ce fut un signe.

²⁰Par la foi encore, Isaac donna à Jacob et à Ésaü des bénédictions assurant l'avenir. ²¹Par la foi, Jacob mourant bénit chacun des fils de Joseph et *il se prosterna appuyé sur l'extrémité de son bâton.* ²²Par la foi, Joseph, proche de sa fin, évoqua l'exode des fils d'Israël et donna des ordres au sujet de ses restes.

²³Par la foi, Moïse, à sa naissance *fut caché par ses parents pendant trois mois,* parce qu'ils *virent* que le petit enfant était *joli* et ils ne craignirent pas l'édit du roi. ²⁴Par la foi, *Moïse, devenu grand,* refusa d'être appelé fils d'une fille d'un Pharaon, ²⁵aimant mieux être maltraité avec le peuple de Dieu que de connaître la jouissance éphémère du péché, ²⁶estimant comme une richesse supérieure aux trésors de l'Égypte *l'opprobre du Christ.* Il avait, en effet, les yeux fixés sur la récompense. ²⁷Par la foi, il quitta l'Égypte sans craindre la fureur du roi : comme s'il voyait l'Invisible, il tint ferme. ²⁸Par la foi, il célébra la *Pâque* et fit l'aspersion du *sang,* afin que *l'Exterminateur* ne touchât point leurs premiers-nés. ²⁹Par la foi, ils traversèrent la mer Rouge comme

une terre sèche, tandis que les Égyptiens, ayant essayé le passage, furent engloutis.

³⁰Par la foi, les murs de Jéricho tombèrent, quand on en eut fait le tour pendant sept jours. ³¹Par la foi, Rahab la prostituée ne périt pas avec les incrédules, parce qu'elle avait accueilli pacifiquement les éclaireurs.

³²Et que dirai-je encore ? Car le temps me manquerait si je racontais ce qui concerne Gédéon, Baraq, Samson, Jephté, David, ainsi que Samuel et les Prophètes, ³³eux qui, grâce à la foi, soumirent des royaumes, exercèrent la justice, obtinrent l'accomplissement des promesses, fermèrent la gueule des lions, ³⁴éteignirent la violence du feu, échappèrent au tranchant du glaive, furent rendus vigoureux, de malades qu'ils étaient, montrèrent de la vaillance à la guerre, refoulèrent les invasions étrangères. ³⁵Des femmes ont recouvré leurs morts par la résurrection. Les uns se sont laissé torturer, refusant leur délivrance afin d'obtenir une meilleure résurrection. ³⁶D'autres subirent l'épreuve des dérisions et des fouets, et même celle des chaînes et de la prison. ³⁷Ils ont été lapidés, sciés, ils ont péri par le glaive, ils sont allés çà et là, sous des peaux de moutons et des toisons de chèvres, dénués, opprimés, maltraités, ³⁸eux dont ce monde était indigne, errant dans les déserts, les montagnes, les cavernes, les antres de la terre. ³⁹Et tous ceux-là, bien qu'ils aient reçu un bon témoignage à cause de leur foi, ne bénéficièrent pas de la promesse : ⁴⁰c'est que Dieu prévoyait pour nous un sort meilleur, et ils ne devaient pas parvenir sans nous à la perfection.

L'exemple de Jésus Christ.

12 ¹Voilà donc pourquoi nous aussi, enveloppés que nous sommes d'une si grande nuée de témoins, nous devons rejeter tout fardeau et le péché qui nous assiège et courir avec constance l'épreuve qui nous est proposée, ²fixant nos yeux sur le chef de notre foi, qui la mène à la perfection, Jésus qui, au lieu de la joie qui lui était proposée, endura une croix, dont il méprisa l'infamie, et qui est *assis désormais à la droite* du trône de Dieu. ³Songez à celui qui a enduré de la part des pécheurs une telle contradiction, afin de ne pas défaillir par lassitude de vos âmes. ⁴Vous n'avez pas encore résisté jusqu'au sang dans la lutte contre le péché.

L'éducation paternelle de Dieu.

⁵Avez-vous oublié l'exhortation qui s'adresse à vous comme à des fils : *Mon fils, ne méprise pas la correction du Seigneur, et ne te décourage pas quand il te reprend ?* ⁶*Car celui qu'aime le Seigneur, il le corrige, et il châtie tout fils qu'il agrée.* ⁷C'est pour votre *correction* que vous souffrez. C'est en *fils* que Dieu vous traite. Et quel est le *fils* que ne *corrige* son père ? ⁸Si vous êtes exempts de cette correction, dont tous ont eu leur part, c'est que vous êtes des bâtards et non des *fils*. ⁹D'ailleurs, nous avons eu pour nous corriger nos pères selon la chair, et nous les respections. Ne serons-nous pas soumis bien davantage au Père des

esprits pour avoir la vie ? ¹⁰Ceux-là, en effet, nous corrigeaient pendant peu de temps et au juger ; mais lui, c'est pour notre bien, afin de nous faire participer à sa sainteté. ¹¹Certes, toute correction ne paraît pas sur le moment être un sujet de joie, mais de tristesse. Plus tard cependant, elle rapporte à ceux qu'elle a exercés un fruit de paix et de justice. ¹²C'est pourquoi *redressez vos mains inertes et vos genoux fléchissants,* ¹³et *rendez droits pour vos pas les sentiers tortueux,* afin que le boiteux ne dévie point, mais plutôt qu'il guérisse.

Châtiment de l'infidélité.

¹⁴*Recherchez la paix* avec tous, et la sanctification sans laquelle personne ne verra le Seigneur ; ¹⁵veillant à ce que personne ne soit privé de la grâce de Dieu, à ce qu'*aucune racine amère ne pousse des rejetons et ne cause du trouble,* ce qui contaminerait toute la masse, ¹⁶à ce qu'enfin il n'y ait aucun impudique ni profanateur, comme Ésaü qui, pour un seul mets, *livra son droit d'aînesse.* ¹⁷Vous savez bien que, par la suite, quand il voulut obtenir la bénédiction, il fut rejeté ; car il ne put obtenir un changement de sentiment, bien qu'il l'eût recherché avec larmes.

Les deux alliances.

¹⁸Vous ne vous êtes pas approchés d'une réalité palpable : *feu ardent, obscurité, ténèbres, ouragan,* ¹⁹*bruit de trompette,* et *clameur de paroles* telle que ceux qui l'entendirent supplièrent qu'on ne leur parlât pas davantage. ²⁰Ils ne pouvaient en effet supporter cette prescription : *Quiconque touchera la montagne, même si c'est un animal, sera lapidé.* ²¹Si terrible était le spectacle que Moïse dit : *Je suis effrayé* et tout tremblant. ²²Mais vous vous êtes approchés de la montagne de Sion et de la cité du Dieu vivant, de la Jérusalem céleste, et de myriades d'anges, réunion de fête, ²³et de l'assemblée des premiers-nés qui sont inscrits dans les cieux, d'un Dieu Juge universel, et des esprits des justes qui ont été rendus parfaits, ²⁴de Jésus médiateur d'une alliance nouvelle, et d'un sang purificateur plus éloquent que celui d'Abel. ²⁵Prenez garde de ne pas refuser d'écouter Celui qui parle. Si ceux, en effet, qui ont refusé d'écouter celui qui promulguait des oracles sur cette terre n'ont pas échappé au châtiment, à combien plus forte raison n'y échapperons-nous pas, si nous nous détournons de Celui qui parle des cieux. ²⁶Celui dont la voix jadis ébranla la terre nous a fait maintenant cette promesse : *Encore une fois, moi j'ébranlerai* non seulement *la terre* mais aussi *le ciel.* ²⁷Cet *encore une fois* indique que les choses ébranlées seront changées, puisque ce sont des réalités créées, pour que subsistent celles qui sont inébranlables. ²⁸Ainsi, puisque nous recevons la possession d'un royaume inébranlable, retenons fermement la grâce, et par elle rendons à Dieu un culte qui lui soit agréable, avec religion et crainte. ²⁹En effet, notre *Dieu est un feu consumant.*

Appendice

Ultimes recommandations.

13 ¹Persévérez dans la dilection fraternelle. ²N'oubliez pas l'hospitalité, car c'est grâce à elle que quelques-uns, à leur insu, hébergèrent des anges. ³Souvenez-vous des prisonniers, comme si vous étiez emprisonnés avec eux, et de ceux qui sont maltraités, comme étant vous aussi dans un corps. ⁴Que le mariage soit honoré de tous et le lit nuptial sans souillure. Car Dieu jugera fornicateurs et adultères. ⁵Que votre conduite soit exempte d'avarice, vous contentant de ce que vous avez présentement ; car Dieu lui-même a dit : *Je ne te laisserai ni ne t'abandonnerai* ; ⁶de sorte que nous pouvons dire avec hardiesse : *Le Seigneur est mon secours ; je ne craindrai pas. Que peut me faire un homme ?*

Sur la fidélité.

⁷Souvenez-vous de vos chefs, eux qui vous ont fait entendre la parole de Dieu, et, considérant l'issue de leur carrière, imitez leur foi. ⁸Jésus Christ est le même hier et aujourd'hui et pour les siècles. ⁹Ne vous laissez pas égarer par des doctrines diverses et étrangères.

Récapitulation.

Il est bon en effet que le cœur soit affermi par la grâce, non par des aliments qui n'ont été d'aucun profit à ceux qui en usèrent. ¹⁰Nous avons un autel dont les desservants de la Tente n'ont pas le droit de se nourrir. ¹¹Ces animaux, en effet, dont le grand prê-

tre *porte le sang dans le sanctuaire pour l'expiation du péché,* leurs corps *sont brûlés en dehors du camp.* ¹²C'est pourquoi Jésus lui aussi, pour sanctifier le peuple par son propre sang, a souffert hors de la porte. ¹³Par conséquent, pour aller à lui sortons *en dehors du camp*, en portant son opprobre. ¹⁴Car nous n'avons pas ici-bas de cité permanente, mais nous recherchons celle de l'avenir. ¹⁵Par lui, *offrons à Dieu un sacrifice de louange* en tout temps, c'est-à-dire *le fruit de lèvres* qui confessent son nom. ¹⁶Quant à la bienfaisance et à la mise en commun des ressources, ne les oubliez pas, car c'est à de tels sacrifices que Dieu prend plaisir.

Obéissance aux guides spirituels.

¹⁷Obéissez à vos chefs et soyez-leur dociles, car ils veillent sur vos âmes, comme devant en rendre compte ; afin qu'ils le fassent avec joie et non en gémissant, ce qui vous serait dommageable. ¹⁸Priez pour nous, car nous croyons avoir une bonne conscience, résolus que nous sommes à nous bien conduire en toutes choses. ¹⁹Je vous exhorte plus instamment à le faire pour obtenir que je vous sois rendu plus vite.

Bénédiction finale et doxologie.

²⁰Que le Dieu de la paix, *qui a ramené* de chez les morts celui qui est devenu *par le sang d'une alliance éternelle le* grand *Pasteur des brebis*, notre Seigneur Jésus, ²¹vous rende aptes à accomplir sa

volonté en toute sorte de bien, produisant en nous ce qui lui est agréable par Jésus Christ, à qui soit la gloire pour les siècles des siècles ! Amen.

Billet d'envoi.

²²Je vous en prie, frères, faites bon accueil à ces paroles d'exhortation : aussi bien vous ai-je écrit brièvement. ²³Apprenez que notre frère Timothée a été détaché. S'il arrive assez tôt, c'est avec lui que je viendrai vous voir. ²⁴Saluez tous vos chefs et tous les saints.

Ceux d'Italie vous saluent. ²⁵La grâce soit avec vous tous !

Les épîtres catholiques

Introduction

Les sept épîtres du NT qui ne sont pas attribuées à saint Paul ont été groupées très tôt en une même collection, malgré leurs origines diverses : une de saint Jacques, une de saint Jude, deux de saint Pierre, trois de saint Jean. Leur titre très ancien de « catholiques » vient sans doute de ce que la plupart d'entre elles ne sont pas adressées à des communautés ou des personnes particulières, mais visent plutôt les chrétiens en général.

L'épître de **Jacques** ne fut reçue par l'ensemble des Églises d'Orient et d'Occident que vers la fin du IVᵉ siècle. Elle a été écrite directement en grec et on en place aujourd'hui la composition vers la fin du Iᵉʳ siècle ou au début du IIᵉ. Elle émanerait de milieux judéo-chrétiens, héritiers de la pensée de Jacques, le frère du Seigneur, et non directement de ce dernier (mort martyr en 62).

Cet écrit veut atteindre les chrétiens d'origine juive dispersés dans le monde gréco-romain. L'auteur repense de façon originale les maximes de la sagesse juive en fonction de l'accomplissement qu'elles ont trouvé dans la bouche de Jésus. On voit son point de vue chrétien surtout dans le cadre apocalyptique dans lequel il situe ses enseignements moraux. Une série d'exhortations morales se suivent de façon assez lâche, tantôt par groupement de sentences sur un même sujet, tantôt par assonances verbales. Ce sont des avis sur le support des épreuves, l'origine de la tentation, la maîtrise de la langue, l'importance de la bonne entente et de la miséricorde, l'efficacité de la prière, etc. Deux thèmes principaux sont développés. L'un exalte les pauvres et avertit sévèrement les riches. Ce souci des humbles se rattache à une ancienne tradition biblique et tout spécialement aux Béatitudes de l'Évangile. L'autre insiste sur l'accomplissement des bonnes œuvres et met en garde contre une foi stérile. Certains voient là une discussion polémique dirigée contre Paul. Mais ce thème de la foi et des œuvres a pu être un sujet traditionnel de discussion que les épîtres de Jacques et de Paul ont traité de façon indépendante.

L'épître de **Jude** était reçue dès l'an 200 par la plupart des Églises comme Écriture canonique. L'auteur montre une connaissance remarquable des sources juives (y compris apocryphes) ; il semble bien utiliser les épîtres de Paul. Le nom de Jude « frère de Jacques » est probablement un pseudonyme et l'épître doit plutôt être datée de la fin du Iᵉʳ siècle. Son propos est de stigmatiser les mauvais docteurs qui mettent en péril la foi chrétienne. Ces derniers sont menacés d'un châtiment divin illustré par des précédents de la tradition juive.

Deux épîtres catholiques se réclament de saint **Pierre**.

La première a été reçue sans contestation dès les débuts de l'Église. Elle est attribuée explicitement à saint Pierre à partir d'Irénée. L'apôtre aurait écrit de Rome, dans un grec simple mais correct, aux chrétiens « de la Diaspora » d'Asie Mineure convertis du paganisme. Silvain, le disciple-secrétaire, ancien compagnon de Paul, a pu l'assister dans sa rédaction et mettre au point cet écrit quelques années après la mort de Pierre (64 ou 67) – l'épître semble composite et combiner des fragments divers, parmi lesquels une homélie d'origine baptismale, **1** 13 - **4** 11.

Son propos, essentiellement pratique, est de soutenir la foi de ses destinataires au milieu des épreuves qui les assaillent. On y trouve un admirable résumé de la théologie chrétienne commune à l'époque apostolique, d'une chaleur émouvante dans sa simplicité. Une des idées maîtresses est celle du support courageux des épreuves, avec le Christ pour modèle : comme lui les chrétiens doivent souffrir avec patience, heureux si leurs tribulations viennent de leur foi et de leur sainte conduite, n'opposant au mal que le bien, la charité, l'obéissance aux pouvoirs publics, et la douceur à l'égard de tous.

La deuxième épître se donne comme étant aussi de Pierre. Mais une date et un auteur plus tardifs s'imposent. La langue est différente, le chap. **2** est une reprise de l'épître de Jude, le recueil des épîtres de Paul semble déjà formé. L'auteur a le souci d'établir une harmonie cohérente et une interprétation normative des traditions reçues (évangéliques, pauliniennes et apostoliques – « Jude »). Autant d'indices que l'épître date du milieu du IIᵉ siècle après Jésus Christ. Le problème central de l'épître est la théodicée, c'est-à-dire le jugement juste de Dieu, contre ceux qui disent qu'il n'y a pas de providence ni de jugement en Dieu, pas de vie de l'au-delà, pas de récompense ou de punition après la mort. Son dessein est double : mettre en garde contre des faux docteurs et répondre à l'inquiétude causée par le retard de la Parousie. L'épître s'adresse à des lecteurs de culture mixte, à la fois biblique et gréco-romaine. La lettre est un exemple intéressant de la fidélité radicale, dans une situation transformée, au message central de Jésus, la proche venue du Royaume de Dieu.

Les trois épîtres de saint Jean ont été traitées avec le Quatrième Évangile.

Épître de saint Jacques

Voir l'introduction, p. 2002.

Adresse et salutation.

1 ¹Jacques, serviteur de Dieu et du Seigneur Jésus Christ, aux douze tribus de la Dispersion, salut !

Le bienfait des épreuves.

²Tenez pour une joie suprême, mes frères, d'être en butte à toutes sortes d'épreuves. ³Vous le savez : bien éprouvée, votre foi produit la constance ; ⁴mais que la constance s'accompagne d'une œuvre parfaite, afin que vous soyez parfaits, irréprochables, ne laissant rien à désirer.

La demande confiante.

⁵Si l'un de vous manque de sagesse, qu'il la demande à Dieu – il donne à tous généreusement, sans récriminer – et elle lui sera donnée. ⁶Mais qu'il demande avec foi, sans hésitation, car celui qui hésite ressemble au flot de la mer que le vent soulève et agite. ⁷Qu'il ne s'imagine pas, cet homme-là, recevoir quoi que ce soit du Seigneur : ⁸homme à l'âme partagée, inconstant dans toutes ses voies !

Le sort du riche.

⁹Que le frère d'humble condition se glorifie de son exaltation ¹⁰et le riche de son humiliation, car il passera *comme fleur d'herbe*. ¹¹Le soleil brûlant s'est levé : il a *desséché l'herbe et sa fleur tombe*, sa belle apparence est détruite. Ainsi se flétrira le riche dans ses démarches !

L'épreuve.

¹²*Heureux* homme, *celui qui supporte* l'épreuve ! Sa valeur une fois reconnue, il recevra la couronne de vie que le Seigneur a promise à ceux qui l'aiment. ¹³Que nul, s'il est éprouvé, ne dise : « C'est Dieu qui m'éprouve. » Dieu en effet n'éprouve pas le mal, il n'éprouve non plus personne. ¹⁴Mais chacun est éprouvé par sa propre convoitise qui l'attire et le leurre. ¹⁵Puis la convoitise, ayant conçu, donne naissance au péché, et le péché, parvenu à son terme, enfante la mort.

Recevoir la Parole et la mettre en pratique.

¹⁶Ne vous égarez pas, mes frères bien-aimés : ¹⁷tout don excellent, toute donation parfaite vient d'en haut et descend du Père des lumières, chez qui n'existe aucun changement, ni l'ombre d'une variation. ¹⁸Il a voulu nous enfanter par une parole de vérité, pour que nous soyons comme les prémices de ses créatures.

¹⁹Sachez-le, mes frères bien-aimés : que chacun soit *prompt à écouter, lent* à parler, lent à la colère ; ²⁰car la colère de l'homme n'accomplit pas la justice de Dieu. ²¹Rejetez donc toute malpropreté,

tout reste de malice, et recevez avec docilité la Parole qui a été implantée en vous et qui peut sauver vos âmes. ²²Mettez la Parole en pratique. Ne soyez pas seulement des auditeurs qui s'abusent eux-mêmes ! ²³Qui écoute la Parole sans la mettre en pratique ressemble à un homme qui observe sa physionomie dans un miroir. ²⁴Il s'observe, part, et oublie comment il était. ²⁵Celui, au contraire, qui se penche sur la Loi parfaite de liberté et s'y tient attaché, non pas en auditeur oublieux, mais pour la mettre activement en pratique, celui-là trouve son bonheur en la pratiquant.

²⁶Si quelqu'un s'imagine être religieux sans mettre un frein à sa langue et trompe son propre cœur, sa religion est vaine. ²⁷La religion pure et sans tache devant Dieu notre Père consiste en ceci : visiter les orphelins et les veuves dans leurs épreuves, se garder de toute souillure du monde.

Le respect dû aux pauvres.

2 ¹Mes frères, ne mêlez pas à ·des considérations de personnes la foi en notre Seigneur Jésus Christ glorifié. ²Supposez qu'il entre dans votre assemblée un homme à bague d'or, en habit resplendissant, et qu'il entre aussi un pauvre en habit malpropre. ³Vous tournez vos regards vers celui qui porte l'habit resplendissant et vous lui dites : « Toi, assieds-toi ici à la place d'honneur. » Quant au pauvre, vous lui dites : « Toi, tiens-toi là debout », ou bien : « Assieds-toi au bas de mon escabeau. » ⁴Ne portez-vous

pas en vous-mêmes un jugement, ne devenez-vous pas des juges aux pensées perverses ?

⁵Écoutez, mes frères bien-aimés : Dieu n'a-t-il pas choisi les pauvres selon le monde comme riches dans la foi et héritiers du Royaume qu'il a promis à ceux qui l'aiment ? ⁶Mais vous, vous méprisez le pauvre ! N'est-ce pas les riches qui vous oppriment ? N'est-ce pas eux qui vous traînent devant les tribunaux ? ⁷N'est-ce pas eux qui blasphèment le beau Nom qu'on a invoqué sur vous ? ⁸Si donc vous accomplissez la Loi royale suivant l'Écriture : *Tu aimeras ton prochain comme toi-même*, vous faites bien ; ⁹mais si vous considérez les personnes, vous commettez un péché et la Loi vous condamne comme transgresseurs.

¹⁰Aurait-on observé la Loi tout entière, si l'on commet un écart sur un seul point, c'est du tout qu'on devient justiciable. ¹¹Car celui qui a dit : *Tu ne commettras pas d'adultère*, a dit aussi : *Tu ne commettras pas de meurtre*. Si donc tu évites l'adultère, mais que tu commettes un meurtre, te voilà devenu transgresseur de la Loi. ¹²Parlez et agissez comme des gens qui doivent être jugés par une loi de liberté. ¹³Car le jugement est sans miséricorde pour qui n'a pas fait miséricorde ; mais la miséricorde se rit du jugement.

La foi et les œuvres.

¹⁴À quoi cela sert-il, mes frères, que quelqu'un dise : « J'ai la foi », s'il n'a pas les œuvres ? La foi peut-elle le sauver ? ¹⁵Si un frère ou une sœur sont nus, s'ils

manquent de leur nourriture quotidienne, ¹⁶et que l'un d'entre vous leur dise : « Allez en paix, chauffez-vous, rassasiez-vous », sans leur donner ce qui est nécessaire à leur corps, à quoi cela sert-il ? ¹⁷Ainsi en est-il de la foi : si elle n'a pas les œuvres, elle est tout à fait morte.

¹⁸Au contraire, on dira : « Toi, tu as la foi, et moi, j'ai les œuvres ? Montre-moi ta foi sans les œuvres ; moi, c'est par les œuvres que je te montrerai ma foi. ¹⁹Toi, tu crois qu'il y a un seul Dieu ? Tu fais bien. Les démons le croient aussi, et ils tremblent. ²⁰Veux-tu savoir, homme insensé, que la foi sans les œuvres est stérile ? ²¹Abraham, notre père, ne fut-il pas justifié par les œuvres quand *il offrit Isaac, son fils, sur l'autel ?* ²²Tu le vois : la foi coopérait à ses œuvres et par les œuvres sa foi fut rendue parfaite. ²³Ainsi fut accomplie cette parole de l'Écriture : *Abraham crut à Dieu, cela lui fut compté comme justice* et il fut appelé ami de Dieu. »

²⁴Vous le voyez : c'est par les œuvres que l'homme est justifié et non par la foi seule. ²⁵De même, Rahab, la prostituée, n'est-ce pas par les œuvres qu'elle fut justifiée quand elle reçut les messagers et les fit partir par un autre chemin ? ²⁶Comme le corps sans l'âme est mort, de même la foi sans les œuvres est-elle morte.

Contre l'intempérance du langage.

3 ¹Ne soyez pas nombreux, mes frères, à devenir docteurs. Vous le savez, nous n'en recevrons qu'un jugement plus sévère, ²car à maintes reprises nous commettons des écarts, tous sans exception.

Si quelqu'un ne commet pas d'écart de paroles, c'est un homme parfait, il est capable de refréner tout son corps. ³Quand nous mettons aux chevaux un mors dans la bouche, pour nous en faire obéir, nous dirigeons tout leur corps. ⁴Voyez encore les vaisseaux : si grands qu'ils soient, même poussés par des vents violents, ils sont dirigés par un tout petit gouvernail, au gré du pilote. ⁵De même la langue est un membre minuscule et elle peut se glorifier de grandes choses ! Voyez quel petit feu embrase une immense forêt : ⁶la langue aussi est un feu. C'est le monde du mal, cette langue placée parmi nos membres : elle souille tout le corps ; elle enflamme le cycle de la création, enflammée qu'elle est par la Géhenne. ⁷Bêtes sauvages et oiseaux, reptiles et animaux marins de tout genre sont domptés et ont été domptés par l'homme. ⁸La langue, au contraire, personne ne peut la dompter : c'est un fléau sans repos. Elle est pleine d'un venin mortel. ⁹Par elle nous bénissons le Seigneur et Père, et par elle nous maudissons les hommes faits à l'image de Dieu. ¹⁰De la même bouche sortent la bénédiction et la malédiction. Il ne faut pas, mes frères, qu'il en soit ainsi. ¹¹La source fait-elle jaillir par la même ouverture le doux et l'amer ? ¹²Un figuier, mes frères, peut-il donner des olives, ou une vigne des figues ? L'eau de mer ne peut pas non plus donner de l'eau douce.

La vraie et la fausse sagesse.

¹³Est-il quelqu'un de sage et d'expérimenté parmi vous ? Qu'il fasse voir par une bonne conduite des actes empreints de douceur et de sagesse. ¹⁴Si vous avez au cœur, au contraire, une amère jalousie et un esprit de chicane, ne vous vantez pas, ne mentez pas contre la vérité. ¹⁵Pareille sagesse ne descend pas d'en haut : elle est terrestre, animale, démoniaque. ¹⁶Car, où il y a jalousie et chicane, il y a désordre et toutes sortes de mauvaises actions. ¹⁷Tandis que la sagesse d'en haut est tout d'abord pure, puis pacifique, indulgente, bienveillante, pleine de pitié et de bons fruits, sans partialité, sans hypocrisie. ¹⁸Un fruit de justice est semé dans la paix pour ceux qui produisent la paix.

Contre les discordes.

4 ¹D'où viennent les guerres, d'où viennent les batailles parmi vous ? N'est-ce pas précisément de vos passions, qui combattent dans vos membres ? ²Vous convoitez et ne possédez pas ? Alors vous tuez. Vous êtes jaloux et ne pouvez obtenir ? Alors vous bataillez et vous faites la guerre. Vous ne possédez pas parce que vous ne demandez pas. ³Vous demandez et ne recevez pas parce que vous demandez mal, afin de dépenser pour vos passions.

⁴Adultères, ne savez-vous pas que l'amitié pour le monde est inimitié contre Dieu ? Qui veut donc être ami du monde, se rend ennemi de Dieu. ⁵Penseriez-vous que l'Écriture dise en vain : Il désire avec jalousie, l'esprit qu'il a mis en nous ? ⁶Il donne d'ailleurs une plus grande grâce suivant la parole de l'Écriture : *Dieu résiste aux orgueilleux, mais il donne sa grâce aux humbles.* ⁷Soumettez-vous donc à Dieu ; résistez au diable et il fuira loin de vous. ⁸Approchez-vous de Dieu et il s'approchera de vous. Purifiez vos mains, pécheurs ; sanctifiez vos cœurs, gens à l'âme partagée. ⁹Voyez votre misère, prenez le deuil, pleurez. Que votre rire se change en deuil et votre joie en tristesse. ¹⁰Humiliez-vous devant le Seigneur et il vous élèvera.

¹¹Ne médisez pas les uns des autres, frères. Celui qui médit d'un frère ou qui juge son frère, médit de la Loi et juge la Loi. Or si tu juges la Loi, tu n'es pas l'observateur de la Loi, mais son juge. ¹²Il n'y a qu'un seul législateur et juge, celui qui peut sauver ou perdre. Et toi, qui es-tu pour juger le prochain ?

Avertissement aux riches.

¹³Eh bien, maintenant ! vous qui dites : « Aujourd'hui ou demain nous irons dans telle ville, nous y passerons l'année, nous ferons du commerce et nous gagnerons de l'argent ! » ¹⁴Vous qui ne savez pas ce que demain sera votre vie, car vous êtes une vapeur qui paraît un instant, puis disparaît. ¹⁵Que ne dites-vous au contraire : « Si le Seigneur le veut, nous vivrons et nous ferons ceci ou cela. » ¹⁶Mais voilà que vous vous glorifiez de votre forfanterie ! Toute gloriole de ce genre est mauvaise. ¹⁷Celui donc qui sait faire le bien et ne le fait pas, commet un péché.

5 ¹Eh bien, maintenant, les riches ! Pleurez, hurlez sur les malheurs qui vont vous arriver. ²Votre richesse est pourrie, vos vêtements sont rongés par les vers. ³Votre or et votre argent sont rouillés, et leur rouille témoignera contre vous : elle dévorera vos chairs ; c'est un feu que vous avez thésaurisé dans les derniers jours ! ⁴Voyez : le salaire dont vous avez frustré les ouvriers qui ont fauché vos champs, crie, et les clameurs des moissonneurs sont parvenues aux oreilles du Seigneur des Armées. ⁵Vous avez vécu sur terre dans la mollesse et le luxe, vous vous êtes repus au jour du carnage. ⁶Vous avez condamné, vous avez tué le juste : il ne vous résiste pas.

L'Avènement du Seigneur.

⁷Soyez donc patients, frères, jusqu'à l'Avènement du Seigneur. Voyez le laboureur : il attend patiemment le précieux fruit de la terre jusqu'aux pluies de la première et de l'arrière-saison. ⁸Soyez patients, vous aussi ; affermissez vos cœurs, car l'Avènement du Seigneur est proche. ⁹Ne vous plaignez pas les uns des autres, frères, afin de n'être pas jugés. Voyez : le Juge se tient aux portes ! ¹⁰Prenez, frères, pour modèles de souffrance et de patience les prophètes qui ont parlé au nom du Seigneur. ¹¹Voyez : nous proclamons bienheureux ceux qui ont de la constance. Vous avez entendu parler de la constance de Job

et vous avez vu le dessein du Seigneur ; car *le Seigneur est miséricordieux et compatissant.*

Exhortations finales.

¹²Mais avant tout, mes frères, ne jurez ni par le ciel, ni par la terre, n'usez d'aucun autre serment. Que votre oui soit oui, que votre non soit non, afin que vous ne tombiez pas sous le jugement.

¹³Quelqu'un parmi vous souffre-t-il ? Qu'il prie. Quelqu'un est-il joyeux ? Qu'il entonne un cantique. Quelqu'un parmi vous est-il malade ? ¹⁴Qu'il appelle les presbytres de l'Église et qu'ils prient sur lui après l'avoir oint d'huile au nom du Seigneur. ¹⁵La prière de la foi sauvera le patient et le Seigneur le relèvera. S'il a commis des péchés, ils lui seront remis. ¹⁶Confessez donc vos péchés les uns aux autres et priez les uns pour les autres, afin que vous soyez guéris.

La supplication fervente du juste a beaucoup de puissance. ¹⁷Élie était un homme semblable à nous : il pria instamment qu'il n'y eût pas de pluie, et il n'y eut pas de pluie sur la terre pendant trois ans et six mois. ¹⁸Puis il pria de nouveau : le ciel donna de la pluie et la terre produisit son fruit.

¹⁹Mes frères, si quelqu'un parmi vous s'égare loin de la vérité et qu'un autre l'y ramène, ²⁰qu'il le sache : celui qui ramène un pécheur de son égarement sauvera son âme de la mort et *couvrira une multitude de péchés.*

Première épître
de saint Pierre

Voir l'introduction, p. 2003.

Adresse et salutation.

1 ¹Pierre, apôtre de Jésus Christ, aux étrangers de la Dispersion : du Pont, de Galatie, de Cappadoce, d'Asie et de Bithynie, élus ²selon la prescience de Dieu le Père, dans la sanctification de l'Esprit, pour obéir et être aspergés du sang de Jésus Christ. À vous grâce et paix en abondance.

Introduction. L'héritage accordé par le Père.

³Béni soit le Dieu et Père de notre Seigneur Jésus Christ : dans sa grande miséricorde, il nous a engendrés de nouveau par la Résurrection de Jésus Christ d'entre les morts, pour une vivante espérance, ⁴pour un héritage exempt de corruption, de souillure, de flétrissure, et qui vous est réservé dans les cieux, à vous ⁵que, par la foi, la puissance de Dieu garde pour le salut prêt à se manifester au dernier moment.

Amour et fidélité à l'égard du Christ.

⁶Vous en tressaillez de joie, bien qu'il vous faille encore quelque temps être affligés par diverses épreuves, ⁷afin que, bien éprouvée, votre foi, plus précieuse que l'or périssable que l'on vérifie par le feu, devienne un sujet de louange, de gloire et d'honneur, lors de la Révélation de Jésus Christ. ⁸Sans l'avoir vu vous l'aimez ; sans le voir encore, mais en croyant, vous tressaillez d'une joie indicible et pleine de gloire, ⁹sûrs d'obtenir l'objet de votre foi : le salut des âmes.

La révélation prophétique de l'Esprit.

¹⁰Sur ce salut ont porté les investigations et les recherches des prophètes, qui ont prophétisé sur la grâce à vous destinée. ¹¹Ils ont cherché à découvrir quel temps et quelles circonstances avait en vue l'Esprit du Christ, qui était en eux, quand il attestait à l'avance les souffrances du Christ et les gloires qui les suivraient. ¹²Il leur fut révélé que ce n'était pas pour eux-mêmes, mais pour vous, qu'ils administraient ce message, que maintenant vous annoncent ceux qui vous prêchent l'Évangile, dans l'Esprit Saint envoyé du ciel, et sur lequel les anges se penchent avec convoitise.

Exigences de la vie nouvelle. Sainteté du néophyte.

¹³L'intelligence en éveil, soyez sobres et espérez pleinement en la grâce qui doit vous être apportée par la Révélation de Jésus Christ. ¹⁴En enfants obéissants, ne vous

laissez pas modeler par vos passions de jadis, du temps de votre ignorance. ¹⁵Mais, à l'exemple du Saint qui vous a appelés, devenez saints, vous aussi, dans toute votre conduite, ¹⁶selon qu'il est écrit : *Vous serez saints, parce que moi, je suis saint.*

¹⁷Et si vous appelez Père celui qui, sans acception de personnes, juge chacun selon ses œuvres, conduisez-vous avec crainte pendant le temps de votre exil. ¹⁸Sachez que ce n'est par rien de corruptible, *argent* ou or, que *vous avez été affranchis* de la vaine conduite héritée de vos pères, ¹⁹mais par un sang précieux, comme d'un agneau sans reproche et sans tache, le Christ, ²⁰discerné avant la fondation du monde et manifesté dans les derniers temps à cause de vous. ²¹Par lui vous croyez en Dieu, qui l'a fait ressusciter d'entre les morts et lui a donné la gloire, si bien que votre foi soit en Dieu comme votre espérance.

La régénération par la Parole.

²²En obéissant à la vérité, vous avez sanctifié vos âmes, pour vous aimer sincèrement comme des frères. D'un cœur pur, aimez-vous les uns les autres sans défaillance, ²³engendrés de nouveau d'une semence non point corruptible, mais incorruptible : la Parole de Dieu, vivante et permanente. ²⁴Car *toute chair est comme l'herbe et toute sa gloire comme fleur d'herbe ; l'herbe se dessèche et sa fleur tombe ; *²⁵mais la Parole du Seigneur demeure pour l'éternité.* C'est cette Parole dont la Bonne Nouvelle vous a été portée.

2 ¹Rejetez donc toute malice et toute fourberie, hypocrisies, jalousies et toute sorte de médisances. ²Comme des enfants nouveau-nés désirez le lait non frelaté de la parole, afin que, par lui, vous croissiez pour le salut, ³si du moins *vous avez goûté combien le Seigneur est excellent.*

Le sacerdoce nouveau.

⁴Approchez-vous de lui, la pierre vivante, rejetée par les hommes, mais choisie, précieuse auprès de Dieu. ⁵Vous-mêmes, comme pierres vivantes, prêtez-vous à l'édification d'un édifice spirituel, pour un sacerdoce saint, en vue d'offrir des sacrifices spirituels, agréables à Dieu par Jésus Christ. ⁶Car il y a dans l'Écriture : *Voici que je pose en Sion une pierre angulaire, choisie, précieuse, et celui qui se confie en elle ne sera pas confondu.*

⁷À vous donc, les croyants, l'honneur, mais pour les incrédules, *la pierre qu'ont rejetée les constructeurs, celle-là est devenue la tête de l'angle,*⁸*une pierre d'achoppement et un rocher qui fait tomber.* Ils s'y heurtent parce qu'ils ne croient pas à la Parole ; c'est bien à cela qu'ils ont été destinés.

⁹Mais vous, vous êtes *une race élue, un sacerdoce royal, une nation sainte, un peuple acquis,* pour proclamer les louanges de Celui qui vous a appelés des ténèbres à son admirable lumière, ¹⁰vous qui jadis n'étiez *pas un peuple* et qui êtes maintenant le Peuple de Dieu, qui *n'obteniez pas miséricorde* et qui maintenant *avez obtenu miséricorde.*

Obligations des chrétiens : parmi les païens.

[11]Très chers, je vous exhorte, comme *étrangers et voyageurs*, à vous abstenir des désirs charnels, qui font la guerre à l'âme. [12]Ayez au milieu des nations une belle conduite afin que, sur le point même où ils vous calomnient comme malfaiteurs, la vue de vos bonnes œuvres les amène à glorifier Dieu, au jour de sa Visite.

À l'égard des autorités.

[13]Soyez soumis, à cause du Seigneur, à toute institution humaine : soit au roi, comme souverain, [14]soit aux gouverneurs, comme envoyés par lui pour punir ceux qui font le mal et féliciter ceux qui font le bien. [15]Car c'est la volonté de Dieu qu'en faisant le bien vous fermiez la bouche à l'ignorance des insensés. [16]Agissez en hommes libres, non pas en hommes qui font de la liberté un voile sur leur malice, mais en serviteurs de Dieu. [17]Honorez tout le monde, aimez vos frères, craignez Dieu, honorez le roi.

À l'égard des maîtres exigeants.

[18]Vous les domestiques, soyez soumis à vos maîtres, avec une profonde crainte, non seulement aux bons et aux bienveillants, mais aussi aux difficiles. [19]Car c'est une grâce que de supporter, par égard pour Dieu, des peines que l'on souffre injustement. [20]Quelle gloire, en effet, à supporter les coups si vous avez commis une faute ? Mais si, faisant le bien, vous supportez la souffrance, c'est une grâce auprès de Dieu. [21]Or, c'est à cela que vous avez été appelés, car le Christ aussi a souffert pour vous, vous laissant un modèle afin que vous suiviez ses traces, [22]lui qui n'a pas commis de faute – *et il ne s'est pas trouvé de fourberie dans sa bouche* ; [23]lui qui insulté ne rendait pas l'insulte, souffrant ne menaçait pas, mais s'en remettait à Celui qui juge avec justice ; [24]*lui qui,* sur le bois, *a porté lui-même nos fautes* dans son corps, afin que, morts à nos fautes, nous vivions pour la justice ; lui *dont la meurtrissure vous a guéris.* [25]Car vous étiez *égarés comme des brebis,* mais à présent vous êtes retournés vers le pasteur et le gardien de vos âmes.

Dans le mariage.

3 [1]Pareillement, vous les femmes, soyez soumises à vos maris, afin que, même si quelques-uns refusent de croire à la Parole, ils soient, sans parole, gagnés par la conduite de leurs femmes, [2]en considérant votre vie chaste et pleine de respect. [3]Que votre parure ne soit pas extérieure, faite de cheveux tressés, de cercles d'or et de toilettes bien ajustées, [4]mais à l'intérieur de votre cœur dans l'incorruptibilité d'une âme douce et calme : voilà ce qui est précieux devant Dieu. [5]C'est ainsi qu'autrefois les saintes femmes qui espéraient en Dieu se paraient, soumises à leurs maris : [6]telle Sara obéissait à Abraham, en l'appelant son *Seigneur.* C'est d'elle que vous êtes devenues les enfants, si vous agissez bien, sans terreur et sans aucun trouble.

[7]Vous pareillement, les maris, menez la vie commune avec compréhension, comme auprès d'un

être plus fragile, la femme ; accordez-lui sa part d'honneur, comme cohéritière de la grâce de Vie. Ainsi vos prières ne seront pas entravées.

Entre frères.

⁸Enfin, vous tous, en esprit d'union, dans la compassion, l'amour fraternel, la miséricorde, l'esprit d'humilité, ⁹ne rendez pas mal pour mal, insulte pour insulte. Bénissez, au contraire, car c'est à cela que vous avez été appelés, afin d'hériter la bénédiction.
¹⁰*Qui veut, en effet, aimer la vie*
et voir des jours heureux
  doit garder sa langue du mal
  et ses lèvres des paroles fourbes,
¹¹*s'éloigner du mal et faire le*
bien,
  chercher la paix et la poursuivre.
¹²*Car le Seigneur a les yeux sur*
les justes
  et tend l'oreille à leur prière,
  mais le Seigneur tourne sa face
contre ceux qui font le mal.

Dans la persécution.

¹³Et qui vous ferait du mal, si vous devenez zélés pour le bien ? ¹⁴Heureux d'ailleurs quand vous souffririez pour la justice ! *N'ayez d'eux aucune crainte et ne soyez pas troublés.* ¹⁵Au contraire, *sanctifiez* dans vos cœurs *le Seigneur* Christ, toujours prêts à la défense contre quiconque vous demande raison de l'espérance qui est en vous. ¹⁶Mais que ce soit avec douceur et respect, en possession d'une bonne conscience, afin que, sur le point même où l'on vous calomnie, soient confondus ceux qui décrient votre bonne conduite dans le Christ. ¹⁷Car mieux vaudrait souffrir en faisant le bien, si telle était la volonté de Dieu, qu'en faisant le mal.

La résurrection et la descente aux Enfers.

¹⁸Le Christ lui-même est mort une fois pour les péchés, juste pour des injustes, afin de nous mener à Dieu. Mis à mort selon la chair, il a été vivifié selon l'esprit. ¹⁹C'est en lui qu'il s'en alla même prêcher aux esprits en prison, ²⁰à ceux qui jadis avaient refusé de croire lorsque se prolongeait la patience de Dieu, aux jours où Noé construisait l'Arche, dans laquelle un petit nombre, en tout huit personnes, furent sauvées à travers l'eau. ²¹Ce qui y correspond, c'est le baptême qui vous sauve à présent et qui n'est pas l'enlèvement d'une souillure charnelle, mais l'engagement à Dieu d'une bonne conscience par la résurrection de Jésus Christ, ²²lui qui, passé au ciel, est à la droite de Dieu, après s'être soumis les Anges, les Dominations et les Puissances.

Rupture avec le péché.

4 ¹Le Christ ayant donc souffert dans la chair, vous aussi armez-vous de cette même pensée, à savoir : celui qui a souffert dans la chair a rompu avec le péché, ²pour passer le temps qui reste à vivre dans la chair, non plus selon les passions humaines, mais selon le vouloir divin. ³Il suffit bien en effet d'avoir accompli dans le passé la volonté des païens, en se prêtant aux débauches, aux passions, aux saouleries, orgies, beuveries, au culte illicite des idoles. [4]À ce sujet, ils jugent étrange que vous ne couriez pas avec eux vers ce torrent de perdition, et ils se répandent en outrages. [5]Ils en rendront compte à celui qui est prêt à juger vivants et morts. [6]C'est pour cela, en effet, que même aux morts a été annoncée la Bonne Nouvelle, afin que, jugés selon les hommes dans la chair, ils vivent selon Dieu dans l'esprit.

Dans l'attente de la Parousie.

[7]La fin de toutes choses est proche. Soyez donc sages et sobres en vue de la prière. [8]Avant tout, conservez entre vous une grande charité, car *la charité couvre une multitude de péchés.* [9]Pratiquez l'hospitalité les uns envers les autres, sans murmurer. [10]Chacun selon la grâce reçue, mettez-vous au service les uns des autres, comme de bons intendants d'une multiple grâce de Dieu. [11]Si quelqu'un parle, que ce soit comme les paroles de Dieu ; si quelqu'un assure le service, que ce soit comme par un mandat reçu de Dieu, afin qu'en tout Dieu soit glorifié par Jésus Christ, à qui sont la gloire et la puissance pour les siècles des siècles. Amen.

Heureux ceux qui souffrent avec le Christ.

[12]Très chers, ne jugez pas étrange l'incendie qui sévit au milieu de vous pour vous éprouver, comme s'il vous survenait quelque chose d'étrange. [13]Mais, dans la mesure où vous participez aux souffrances du Christ, réjouissez-vous, afin que, lors de la révélation de sa gloi-

re, vous soyez aussi dans la joie et l'allégresse. [14]Heureux, si vous êtes outragés pour le nom du Christ, car l'Esprit de gloire, *l'Esprit de Dieu repose sur vous.* [15]Que nul de vous n'ait à souffrir comme meurtrier, ou voleur, ou malfaiteur, ou comme délateur, [16]mais si c'est comme chrétien, qu'il n'ait pas honte, qu'il glorifie Dieu de porter ce nom. [17]Car le moment est venu de commencer le jugement par la maison de Dieu. Or s'il débute par nous, quelle sera la fin de ceux qui refusent de croire à la Bonne Nouvelle de Dieu ? [18]*Si le juste est à peine sauvé, l'impie, le pécheur, où se montrera-t-il ?* [19]Ainsi, que ceux qui souffrent selon le vouloir divin remettent leurs âmes au Créateur fidèle, en faisant le bien.

Avertissements : aux anciens.

5 [1]Les anciens qui sont parmi nous, je les exhorte, moi, ancien comme eux, témoin des souffrances du Christ, et qui dois participer à la gloire qui va être révélée. [2]Paissez le troupeau de Dieu qui vous est confié, veillant sur lui, non par contrainte, mais de bon gré, selon Dieu ; non pour un gain sordide, mais avec l'élan du cœur ; [3]non pas en faisant les seigneurs à l'égard de ceux qui vous sont échus en partage, mais en devenant les modèles du troupeau. [4]Et quand paraîtra le Chef des pasteurs, vous recevrez la couronne de gloire qui ne se flétrit pas.

Aux fidèles.

[5]Pareillement, les jeunes, soyez soumis aux anciens : revêtez-vous tous d'humilité dans vos rapports

mutuels, *car Dieu résiste aux orgueilleux, mais c'est aux humbles qu'il donne sa grâce.* [6]Humiliez-vous donc sous la puissante main de Dieu, pour qu'il vous élève au bon moment ; [7]*de toute votre inquiétude, déchargez-vous* sur lui, car il a soin de vous. [8]Soyez sobres, veillez. Votre partie adverse, le Diable, comme *un lion rugissant,* rôde, cherchant qui dévorer. [9]Résistez-lui, fermes dans la foi, sachant que c'est le même genre de souffrance que la communauté des frères, répandue dans le monde, supporte. [10]Quand vous aurez un peu souffert, le Dieu de toute grâce, qui vous a appelés à sa gloire éternelle, dans le Christ, vous rétablira lui-même, vous affermira, vous fortifiera, vous rendra inébranlables. [11]À Lui la puissance pour les siècles des siècles ! Amen.

Dernier avis. Salutations.

[12]Je vous écris ces quelques mots par Silvain, que je tiens pour un frère fidèle, pour vous exhorter et attester que telle est la vraie grâce de Dieu : tenez-vous-y.

[13]Celle qui est à Babylone, élue comme vous, vous salue, ainsi que Marc, mon fils.

[14]Saluez-vous les uns les autres dans un baiser de charité.

Paix à vous tous qui êtes dans le Christ !

Deuxième épître
de saint Pierre

Voir l'introduction, p. 2003.

Adresse.

1 ¹Syméon Pierre, serviteur et apôtre de Jésus Christ, à ceux qui ont reçu par la justice de notre Dieu et Sauveur Jésus Christ une foi d'un aussi grand prix que la nôtre, ²à vous grâce et paix en abondance, par la connaissance de notre Seigneur !

La libéralité de Dieu.

³Car sa divine puissance nous a donné tout ce qui concerne la vie et la piété : elle nous a fait connaître Celui qui nous a appelés par sa propre gloire et vertu. ⁴Par elles, les précieuses, les plus grandes promesses nous ont été données, afin que vous deveniez ainsi participants de la divine nature, vous étant arrachés à la corruption qui est dans le monde, dans la convoitise. ⁵Pour cette même raison, apportez encore tout votre zèle à joindre à votre foi la vertu, à la vertu la connaissance, ⁶à la connaissance la tempérance, à la tempérance la constance, à la constance la piété, ⁷à la piété l'amour fraternel, à l'amour fraternel la charité. ⁸En effet, si ces choses vous appartiennent et qu'elles abondent, elles ne vous laisseront pas sans activité, ni sans fruit pour la connaissance de notre Seigneur Jésus Christ. ⁹Celui qui ne les possède pas, c'est un aveugle, un myope ; il oublie qu'il a été purifié de ses anciens péchés. ¹⁰Ayez donc d'autant plus de zèle, frères, pour affermir votre vocation et votre élection. Ce faisant, pas de danger que vous tombiez jamais. ¹¹Car c'est ainsi que vous sera largement accordée par surcroît l'entrée dans le Royaume éternel de notre Seigneur et Sauveur Jésus Christ.

Le témoignage apostolique.

¹²C'est pourquoi je vous rappellerai toujours ces choses, bien que vous les sachiez et soyez affermis dans la présente vérité. ¹³Je crois juste, tant que je suis dans cette tente, de vous tenir en éveil par mes rappels, ¹⁴sachant, comme d'ailleurs notre Seigneur Jésus Christ me l'a manifesté, que l'abandon de ma tente est proche. ¹⁵Mais j'emploierai mon zèle à ce qu'en toute occasion, après mon départ, vous puissiez vous remettre ces choses en mémoire.

¹⁶Car ce n'est pas en suivant des fables sophistiquées que nous vous avons fait connaître la puissance et l'Avènement de notre Seigneur Jésus Christ, mais après avoir été témoins oculaires de sa majesté. ¹⁷Il reçut en effet de Dieu le Père honneur et gloire, lorsque la Gloire pleine de majesté lui transmit une telle parole : « Ce-

lui-ci est mon Fils bien-aimé, qui a toute ma faveur. » [18]Cette voix, nous, nous l'avons entendue ; elle venait du Ciel, nous étions avec lui sur la montagne sainte.

La parole prophétique.

[19]Ainsi nous tenons plus ferme la parole prophétique : vous faites bien de la regarder, comme une lampe qui brille dans un lieu obscur, jusqu'à ce que le jour commence à poindre et que l'astre du matin se lève dans vos cœurs. [20]Avant tout, sachez-le : aucune prophétie d'Écriture n'est objet d'explication personnelle ; [21]ce n'est pas d'une volonté humaine qu'est jamais venue une prophétie, c'est poussés par l'Esprit Saint que des hommes ont parlé de la part de Dieu.

Les faux docteurs.

2 [1]Il y a eu de faux prophètes dans le peuple, comme il y aura aussi parmi vous de faux docteurs, qui introduiront des sectes pernicieuses et qui, reniant le Maître qui les a rachetés, attireront sur eux-mêmes une prompte perdition. [2]Beaucoup suivront leurs débauches, et la voie de la vérité sera blasphémée, à cause d'eux. [3]Par cupidité, au moyen de paroles trompeuses, ils trafiqueront de vous, eux dont le jugement depuis longtemps n'est pas inactif et dont la perdition ne sommeille pas.

Les leçons du passé.

[4]Car si Dieu n'a pas épargné les Anges qui avaient péché, mais les a mis dans le Tartare et livrés aux abîmes de ténèbres, où ils sont réservés pour le Jugement ; [5]s'il n'a

pas épargné l'ancien monde, tout en préservant huit personnes dont Noé, héraut de justice, tandis qu'il amenait le Déluge sur un monde d'impies ; [6]si, à titre d'exemple pour les impies à venir, il a mis en cendres et condamné à la destruction les villes de Sodome et de Gomorrhe, [7]s'il a délivré Lot, le juste, qu'affligeait la conduite débauchée de ces hommes criminels – [8]car ce juste qui habitait au milieu d'eux torturait jour après jour son âme de juste à cause des œuvres iniques qu'il voyait et entendait –, [9]c'est que le Seigneur sait délivrer de l'épreuve les hommes pieux et garder les hommes impies pour les châtier au jour du Jugement, [10]surtout ceux qui, par convoitise impure, suivent la chair et méprisent la Seigneurie.

Le châtiment à venir.

Audacieux, arrogants, ils ne craignent pas de blasphémer les Gloires, [11]alors que les Anges, quoique supérieurs en force et en puissance, ne portent pas contre elles devant le Seigneur de jugement calomnieux. [12]Mais eux sont comme des animaux sans raison, voués par nature à être pris et détruits ; blasphémant ce qu'ils ignorent, de la même destruction ils seront détruits eux aussi, [13]subissant l'injustice comme salaire de l'injustice. Ils estiment délices la volupté du jour, hommes souillés et flétris, ils mettent leur volupté à vous tromper, en faisant bonne chère avec vous. [14]Ils ont les yeux pleins d'adultère et insatiables de péché, ils allèchent les âmes mal affermies, ils ont le cœur exercé à la cupidité, êtres maudits ! [15]Après avoir quitté la voie droite, ils se sont égarés en suivant la voie de Balaam, fils de Bosor, qui chérit un salaire d'injustice [16]mais qui fut repris de son méfait. Une monture sans voix, avec une voix humaine, arrêta la démence du prophète.

[17]Ce sont des fontaines sans eau et des nuages poussés par un tourbillon ; l'obscurité des ténèbres leur est réservée. [18]Avec des discours gonflés de vide, ils allèchent, par les désirs charnels, par les débauches, ceux qui venaient à peine de fuir le gens qui passent leur vie dans l'égarement. [19]Ils leur promettent la liberté, mais ils sont eux-mêmes esclaves de la corruption, car on est esclave de ce qui vous domine. [20]En effet, si, après avoir fui les souillures du monde par la connaissance du Seigneur et Sauveur Jésus Christ, ils s'y engagent de nouveau et sont dominés, leur dernière condition est devenue pire que la première. [21]Car mieux valait pour eux n'avoir pas connu la voie de la justice, que de l'avoir connue pour se détourner du saint commandement qui leur avait été transmis. [22]Il leur est arrivé ce que dit le véridique proverbe : *Le chien est retourné à son propre vomissement*, et : « La truie à peine lavée se roule dans le bourbier. »

Le Jour du Seigneur : les Prophètes et les Apôtres.

3 [1]Voici déjà, très chers, la deuxième lettre que je vous écris ; dans les deux je fais appel à vos souvenirs pour éveiller en vous une saine intelligence. [2]Souvenez-vous des choses prédites par les saints prophètes et du commandement de vos apôtres, celui du Seigneur et Sauveur.

Les faux docteurs.

[3]Sachez tout d'abord qu'aux derniers jours, il viendra des railleurs pleins de raillerie, guidés par leurs passions. [4]Ils diront : « Où est la promesse de son avènement ? Depuis que les Pères sont morts, tout demeure comme au début de la création. » [5]Car ils ignorent volontairement qu'il y eut autrefois des cieux et une terre qui, du milieu de l'eau, par le moyen de l'eau, surgit à la parole de Dieu [6]et que, par ces mêmes causes, le monde d'alors périt inondé par l'eau. [7]Mais les cieux et la terre d'à présent, la même parole les a mis de côté et en réserve pour le feu, en vue du jour du Jugement et de la ruine des hommes impies.

[8]Mais voici un point, très chers, que vous ne devez pas ignorer : c'est que devant le Seigneur, un jour est comme mille ans et *mille ans comme un jour*. [9]Le Seigneur ne retarde pas l'accomplissement de ce qu'il a promis, comme certains l'accusent de retard, mais il use de patience envers vous, voulant que personne ne périsse, mais que tous arrivent au repentir. [10]Il viendra, le Jour du Seigneur, comme un voleur ; en ce jour, les cieux se dissiperont avec fracas, les éléments embrasés se dissoudront, la terre avec les œuvres qu'elle renferme sera consumée.

Nouvel appel à la sainteté. Doxologie.

[11]Puisque toutes ces choses se dissolvent ainsi, quels ne devez-

vous pas être par une sainte conduite et par les prières, [12]attendant et hâtant l'avènement du Jour de Dieu, où les cieux enflammés se dissoudront et où les éléments embrasés se fondront. [13]Ce sont de nouveaux cieux et une terre nouvelle que nous attendons selon sa promesse, où la justice habitera.

[14]C'est pourquoi, très chers, en attendant, mettez votre zèle à être sans tache et sans reproche, pour être trouvés en paix. [15]Tenez la longanimité de notre Seigneur pour salutaire, comme notre cher frère Paul vous l'a aussi écrit selon la sagesse qui lui a été donnée. [16]Il le

fait d'ailleurs dans toutes les lettres où il parle de ces questions. Il s'y rencontre des points obscurs, que les gens sans instruction et sans fermeté détournent de leur sens – comme d'ailleurs les autres Écritures – pour leur propre perdition.

[17]Vous donc, très chers, étant avertis, soyez sur vos gardes, de peur qu'entraînés par l'égarement des criminels, vous ne veniez à déchoir de votre fermeté. [18]Mais croissez dans la grâce et la connaissance de notre Seigneur et Sauveur Jésus Christ : à lui la gloire maintenant et jusqu'au jour de l'éternité ! Amen.

Première épître
de saint Jean

Voir l'introduction, p. 1778.

Introduction

Le Verbe incarné et la communion avec le Père et le Fils.

1 ¹Ce qui était dès le commencement,
ce que nous avons entendu,
ce que nous avons vu de nos yeux,
ce que nous avons contemplé,
ce que nos mains ont touché
du Verbe de vie ;
²– car la Vie s'est manifestée :
nous l'avons vue, nous en rendons témoignage
et nous vous annonçons cette Vie éternelle,
qui était tournée vers le Père et qui nous est apparue –
³ce que nous avons vu et entendu,
nous vous l'annonçons,
afin que vous aussi soyez en communion avec nous.
Quant à notre communion,
elle est avec le Père
et avec son Fils Jésus Christ.
⁴Tout ceci, nous vous l'écrivons
pour que notre joie soit complète.

1. Marcher dans la lumière

⁵Or voici le message que nous avons entendu de lui
et que nous vous annonçons :
Dieu est Lumière, en lui point de ténèbres.
⁶Si nous disons que nous sommes en communion avec lui
alors que nous marchons dans les ténèbres,
nous mentons, nous ne faisons pas la vérité.
⁷Mais si nous marchons dans la lumière
comme il est lui-même dans la lumière,
nous sommes en communion les uns avec les autres,
et le sang de Jésus, son Fils,
nous purifie de tout péché.

Première condition : rompre avec le péché.

⁸Si nous disons : « Nous n'avons pas de péché »,
nous nous abusons,
la vérité n'est pas en nous.

⁹Si nous confessons nos péchés,

lui, fidèle et juste,

pardonnera nos péchés

et nous purifiera de toute iniquité.

¹⁰Si nous disons : « Nous n'avons pas péché »,

nous faisons de lui un menteur,

et sa parole n'est pas en nous.

2 ¹Petits enfants,

je vous écris ceci pour que vous ne péchiez pas.

Mais si quelqu'un vient à pécher,

nous avons comme avocat auprès du Père

Jésus Christ, le Juste.

²C'est lui qui est victime de propitiation pour nos péchés,

non seulement pour les nôtres,

mais aussi pour ceux du monde entier.

Deuxième condition : observer les commandements, principalement celui de la charité.

³À ceci nous savons que nous le connaissons :

si nous gardons ses commandements.

⁴Qui dit : « Je le connais »,

alors qu'il ne garde pas ses commandements

est un menteur,

et la vérité n'est pas en lui.

⁵Mais celui qui garde sa parole,

c'est en lui vraiment que l'amour de Dieu

est accompli.

À cela nous savons que nous sommes en lui.

⁶Celui qui prétend demeurer en lui doit se conduire à son tour

comme celui-là s'est conduit.

⁷Bien-aimés,

ce n'est pas un commandement nouveau que je vous écris,

c'est un commandement ancien,

que vous avez reçu dès le début.

Ce commandement ancien

est la parole que vous avez entendue.

⁸Et néanmoins, encore une fois,

c'est un commandement nouveau que je vous écris

– ce qui est vrai pour vous comme pour lui –

puisque les ténèbres s'en vont

et que la véritable lumière brille déjà.

⁹Celui qui prétend être dans la lumière

tout en haïssant son frère

est encore dans les ténèbres.

¹⁰Celui qui aime son frère demeure dans la lumière

et il n'y a en lui aucune occasion de chute.

¹¹Mais celui qui hait son frère est dans les ténèbres,

il marche dans les ténèbres,

il ne sait où il va,

parce que les ténèbres ont aveuglé ses yeux.

Troisième condition : se garder du monde.

¹²Je vous écris, petits enfants,

parce que vos péchés vous sont remis

par la vertu de son nom.

¹³Je vous écris, pères,

parce que vous connaissez celui qui est dès le commencement.

Je vous écris, jeunes gens,

parce que vous avez vaincu le Mauvais.

¹⁴Je vous ai écrit, petits enfants,

parce que vous connaissez le Père.

Je vous ai écrit, pères,
parce que vous connaissez celui qui est dès le commencement.

Je vous ai écrit, jeunes gens,
parce que vous êtes forts,
que la parole de Dieu demeure en vous
et que vous avez vaincu le Mauvais.

¹⁵N'aimez ni le monde
ni ce qui est dans le monde.
Si quelqu'un aime le monde,
l'amour du Père n'est pas en lui.
¹⁶Car tout ce qui est dans le monde
– la convoitise de la chair,
la convoitise des yeux
et l'orgueil de la richesse –
vient non pas du Père,
mais du monde.
¹⁷Or le monde passe
avec ses convoitises ;
mais celui qui fait la volonté de Dieu
demeure éternellement.

Quatrième condition : se garder des antichrists.

¹⁸Petits enfants,
voici venue la dernière heure.
Vous avez ouï dire que l'Antichrist doit venir ;
et déjà maintenant beaucoup d'antichrists sont survenus :
à quoi nous reconnaissons que la dernière heure est là.
¹⁹Ils sont sortis de chez nous,
mais ils n'étaient pas des nôtres.
S'ils avaient été des nôtres,
ils seraient restés avec nous.
Mais il fallait que fût démontré que tous n'étaient pas des nôtres.
²⁰Quant à vous, vous avez reçu l'onction venant du Saint,

et tous vous possédez la science.
²¹Je vous ai écrit,
non que vous ignoriez la vérité,
mais parce que vous la connaissez
et qu'aucun mensonge
ne provient de la vérité.
²²Qui est le menteur,
sinon celui qui nie que Jésus soit le Christ ?
Le voilà l'Antichrist !
Il nie le Père et le Fils.
²³Quiconque nie le Fils
ne possède pas non plus le Père.
Qui confesse le Fils
possède aussi le Père.
²⁴Pour vous,
que ce que vous avez entendu dès le début
demeure en vous.
Si en vous demeure
ce que vous avez entendu dès le début,
vous aussi, vous demeurerez
dans le Fils et dans le Père.
²⁵Or telle est la promesse que lui-même vous a faite :
la vie éternelle.
²⁶Voilà ce que j'ai tenu à vous écrire
au sujet de ceux qui cherchent à vous égarer.
²⁷Quant à vous,
l'onction que vous avez reçue de lui
demeure en vous,
et vous n'avez pas besoin qu'on vous enseigne.
Mais puisque son onction vous instruit de tout,
qu'elle est véridique, non mensongère,
comme elle vous a instruits, demeurez en lui.
²⁸Oui, maintenant, demeurez en lui,

petits enfants,
pour que, s'il venait à paraître,
nous ayons pleine assurance,

et non point la honte
de nous trouver loin de lui
à son Avènement.

2. *Vivre en enfants de Dieu*

²⁹Si vous savez qu'il est juste,
reconnaissez que quiconque
pratique la justice
est né de lui.

3 ¹Voyez quelle manifestation
d'amour le Père nous a donnée
pour que nous soyons appelés
enfants de Dieu.
Et nous le sommes !
Si le monde ne nous connaît pas,
c'est qu'il ne l'a pas connu.

²Bien-aimés,
dès maintenant, nous sommes
enfants de Dieu,
et ce que nous serons n'a pas
encore été manifesté.
Nous savons que lors de cette
manifestation
nous lui serons semblables,
parce que nous le verrons tel
qu'il est.

**Première condition : rompre
avec le péché.**

³Quiconque a cette espérance
en lui
se rend pur comme celui-là est
pur.
⁴Quiconque commet le péché
commet aussi l'iniquité,
car le péché est l'iniquité.
⁵Or vous savez que celui-là
s'est manifesté
pour ôter les péchés
et qu'il n'y a pas de péché en
lui.

⁶Quiconque demeure en lui ne
pèche pas.
Quiconque pèche
ne l'a vu ni connu.
⁷Petits enfants,
que personne ne vous égare.
Celui qui pratique la justice est
juste
comme celui-là est juste.
⁸Celui qui commet le péché est
du diable,
car le diable est pécheur dès
l'origine.
C'est pour détruire les œuvres
du diable
que le Fils de Dieu est apparu.
⁹Quiconque est né de Dieu ne
commet pas le péché
parce que sa semence demeure
en lui ;
il ne peut pécher,
étant né de Dieu.
¹⁰À ceci sont reconnaissables
les enfants de Dieu et les enfants du diable :
quiconque ne pratique pas la
justice
n'est pas de Dieu,
ni celui qui n'aime pas son frère.

**Deuxième condition : garder les
commandements, surtout celui
de la charité.**

¹¹Car tel est le message
que vous avez entendu dès le
début :
nous devons nous aimer les uns
les autres,

[12]loin d'imiter Caïn,
qui, étant du Mauvais, égorgea
son frère.
Et pourquoi l'égorgea-t-il ?
Parce que ses œuvres étaient
mauvaises,
tandis que celles de son frère
étaient justes.
[13]Ne vous étonnez pas, frères,
si le monde vous hait.
[14]Nous savons, nous, que nous
sommes passés de la mort à la vie,
parce que nous aimons nos
frères.
Celui qui n'aime pas demeure
dans la mort.
[15]Quiconque hait son frère
est un homicide ;
or vous savez qu'aucun homicide
n'a la vie éternelle demeurant
en lui.
[16]À ceci nous avons connu
l'Amour :
celui-là a donné sa vie pour
nous.
Et nous devons, nous aussi,
donner notre vie pour nos frères.
[17]Si quelqu'un, jouissant des
biens de ce monde,
voit son frère dans la nécessité
et lui ferme ses entrailles,
comment l'amour de Dieu demeurerait-il en lui ?
[18]Petits enfants,
n'aimons ni de mots ni de langue,
mais en actes et en vérité.
[19]À cela nous saurons que nous
sommes de la vérité,
et devant lui nous apaiserons
notre cœur,
[20]si notre cœur venait à nous
condamner,
car Dieu est plus grand que notre cœur,

et il connaît tout.
[21]Bien-aimés,
si notre cœur ne nous condamne pas,
nous avons pleine assurance
devant Dieu :
[22]quoi que nous lui deman-
dions,
nous le recevons de lui,
parce que nous gardons ses
commandements
et que nous faisons ce qui lui
est agréable.
[23]Or voici son commandement :
croire au nom de son Fils Jésus
Christ
et nous aimer les uns les autres
comme il nous en a donné le
commandement.
[24]Et celui qui garde ses commandements
demeure en Dieu et Dieu en
lui ;
à ceci nous savons qu'il demeure en nous :
à l'Esprit qu'il nous a donné.

**Troisième condition : se garder
des antichrists et du monde.**

4 [1]Bien-aimés,
ne vous fiez pas à tout esprit,
mais éprouvez les esprits
pour voir s'ils viennent de
Dieu,
car beaucoup de faux prophètes
sont venus dans le monde.
[2]À ceci reconnaissez l'esprit de
Dieu :
tout esprit qui confesse Jésus
Christ venu dans la chair
est de Dieu ;
[3]et tout esprit qui ne confesse
pas Jésus
n'est pas de Dieu ;
c'est là l'esprit de l'Antichrist.

Vous avez entendu dire
qu'il allait venir ;
eh bien ! maintenant, il est déjà
dans le monde.
⁴Vous, petits enfants, vous êtes
de Dieu
et vous les avez vaincus.
Car Celui qui est en vous
est plus grand que celui qui est
dans le monde.
⁵Eux, ils sont du monde ;

c'est pourquoi ils parlent
d'après le monde
et le monde les écoute.
⁶Nous, nous sommes de Dieu.
Qui connaît Dieu nous écoute,
qui n'est pas de Dieu ne nous
écoute pas.
C'est à quoi nous reconnaissons
l'esprit de la vérité et l'esprit de
l'erreur.

3. Aux sources de la charité et de la foi

À la source de la charité.

⁷Bien-aimés,
aimons-nous les uns les autres,
puisque l'amour est de Dieu
et que quiconque aime
est né de Dieu et connaît Dieu.
⁸Celui qui n'aime pas n'a pas
connu Dieu,
car Dieu est Amour.
⁹En ceci s'est manifesté
l'amour de Dieu pour nous :
Dieu a envoyé son Fils unique
dans le monde
afin que nous vivions par lui.
¹⁰En ceci consiste l'amour :
ce n'est pas nous qui avons aimé Dieu,
mais c'est lui qui nous a aimés
et qui a envoyé son Fils
en victime de propitiation pour
nos péchés.
¹¹Bien-aimés,
si Dieu nous a ainsi aimés,
nous devons, nous aussi, nous
aimer les uns les autres.
¹²Dieu, personne ne l'a jamais
contemplé.
Si nous nous aimons les uns les
autres,

Dieu demeure en nous,
en nous son amour est accompli.
¹³À ceci nous connaissons
que nous demeurons en lui et
lui en nous :
il nous a donné de son Esprit.
¹⁴Et nous, nous avons contemplé
et nous attestons
que le Père a envoyé son Fils
comme Sauveur du monde.
¹⁵Celui qui confesse que Jésus
est le Fils de Dieu,
Dieu demeure en lui et lui en
Dieu.
¹⁶Et nous, nous avons reconnu
l'amour que Dieu a pour nous,
et nous y avons cru.
Dieu est Amour :
celui qui demeure dans l'amour
demeure en Dieu et Dieu demeure en lui.
¹⁷En ceci consiste la perfection
de l'amour en nous :
que nous ayons pleine assurance au jour du Jugement,
car tel est celui-là,
tels aussi nous sommes en ce
monde.

¹⁸Il n'y a pas de crainte dans l'amour ;

au contraire, le parfait amour bannit la crainte,

car la crainte implique un châtiment,

et celui qui craint

n'est point parvenu à la perfection de l'amour.

¹⁹Quant à nous, aimons,

puisque lui nous a aimés le premier.

²⁰Si quelqu'un dit : « J'aime Dieu »

et qu'il déteste son frère,

c'est un menteur :

celui qui n'aime pas son frère, qu'il voit,

ne saurait aimer le Dieu qu'il ne voit pas.

²¹Oui, voilà le commandement que nous avons reçu de lui :

que celui qui aime Dieu aime aussi son frère.

5 ¹Quiconque croit que Jésus est le Christ

est né de Dieu ;

et quiconque aime celui qui a engendré

aime celui qui est né de lui.

²Nous reconnaissons

que nous aimons les enfants de Dieu

à ce que nous aimons Dieu

et que nous pratiquons ses commandements.

³Car l'amour de Dieu consiste à garder ses commandements.

Et ses commandements ne sont pas pesants

⁴puisque tout ce qui est né de Dieu

est vainqueur du monde.

Et telle est la victoire

qui a triomphé du monde :

notre foi.

À la source de la foi.

⁵Quel est le vainqueur du monde, sinon celui qui croit que Jésus est le Fils de Dieu ?

⁶C'est lui qui est venu

par eau et par sang : Jésus Christ,

non avec l'eau seulement

mais avec l'eau et avec le sang.

Et c'est l'Esprit qui rend témoignage,

parce que l'Esprit est la Vérité.

⁷Il y en a ainsi trois à témoigner :

⁸l'Esprit, l'eau, le sang,

et ces trois tendent au même but.

⁹Si nous recevons le témoignage des hommes,

le témoignage de Dieu est plus grand.

Car c'est le témoignage de Dieu,

le témoignage que Dieu a rendu à son Fils.

¹⁰Celui qui croit au Fils de Dieu

a ce témoignage en lui.

Celui qui ne croit pas en Dieu fait de lui un menteur,

puisqu'il ne croit pas au témoignage

que Dieu a rendu à son Fils.

¹¹Et voici ce témoignage :

c'est que Dieu nous a donné la vie éternelle

et que cette vie est dans son Fils.

¹²Qui a le Fils a la vie ;

qui n'a pas le Fils n'a pas la vie.

¹³Je vous ai écrit ces choses,

à vous qui croyez au nom du Fils de Dieu,

pour que vous sachiez

que vous avez la vie éternelle.

Compléments

La prière pour les pécheurs.

¹⁴Nous avons en Dieu cette assurance
que, si nous demandons quelque chose
selon sa volonté,
il nous écoute.
¹⁵Et si nous savons qu'il nous
écoute
en tout ce que nous lui demandons,
nous savons que nous possédons
ce que nous lui avons demandé.
¹⁶Quelqu'un voit-il son frère
commettre un péché
ne conduisant pas à la mort,
qu'il prie
et Dieu donnera la vie à ce frère.
Il ne s'agit pas de ceux qui
commettent le péché
conduisant à la mort ;
car il y a un péché qui conduit
à la mort,
pour ce péché-là, je ne dis pas
qu'il faut prier.

¹⁷Toute iniquité est péché
mais il y a tel péché
qui ne conduit pas à la mort.

Résumé de l'épître.

¹⁸Nous savons que quiconque
est né de Dieu
ne pèche pas ;
l'Engendré de Dieu le garde
et le Mauvais n'a pas prise sur
lui.
¹⁹Nous savons que nous sommes de Dieu
et que le monde entier gît au
pouvoir du Mauvais.
²⁰Nous savons que le Fils de
Dieu est venu
et qu'il nous a donné l'intelligence
afin que nous connaissions le
Véritable.
Nous sommes dans le Véritable,
dans son Fils Jésus Christ.
Celui-ci est le Dieu véritable
et la Vie éternelle.
²¹Petits enfants,
gardez-vous des idoles...

Deuxième épître
de saint Jean

Voir l'introduction, p. 1778.

Salutation.

¹Moi, l'Ancien, à la Dame élue et à ses enfants, que j'aime en vérité non pas moi seulement, mais tous ceux qui ont connu la Vérité – ²en raison de la vérité qui demeure en nous et restera avec nous éternellement. ³Avec nous seront grâce, miséricorde, paix, de la part de Dieu le Père et de la part de Jésus Christ, le Fils du Père, en vérité et amour.

Le commandement de la charité.

⁴Je me suis beaucoup réjoui d'avoir rencontré de tes enfants qui vivent dans la vérité, selon le commandement que nous avons reçu du Père. ⁵Et maintenant, Dame, bien que ce ne soit pas un commandement nouveau que je t'écris mais celui que nous possédons depuis le début, je te le demande, aimons-nous les uns les autres. ⁶L'amour consiste à vivre selon ses commandements. Et le premier commandement, ainsi que vous l'avez appris dès le début, c'est que vous viviez dans l'amour.

Les antichrists.

⁷C'est que beaucoup de séducteurs se sont répandus dans le monde, qui ne confessent pas Jésus Christ venu dans la chair. Voilà bien le Séducteur, l'Antichrist. ⁸Ayez les yeux sur vous, pour ne pas perdre le fruit de nos travaux, mais recevoir au contraire une pleine récompense. ⁹Quiconque va plus avant et ne demeure pas dans la doctrine du Christ ne possède pas Dieu. Celui qui demeure dans la doctrine, c'est lui qui possède et le Père et le Fils. ¹⁰Si quelqu'un vient à vous sans apporter cette doctrine, ne le recevez pas chez vous et abstenez-vous de le saluer. ¹¹Celui qui le salue participe à ses œuvres mauvaises.

Conclusion.

¹²Ayant beaucoup de choses à vous écrire, j'ai préféré ne pas le faire avec du papier et de l'encre. Mais j'espère vous rejoindre et vous parler de vive voix, afin que notre joie soit parfaite.

¹³Les enfants de ta sœur Élue te saluent.

Troisième épître
de saint Jean

Voir l'introduction, p. 1778.

Salutation.

[1]Moi, l'Ancien, au très cher Gaïus, que j'aime en vérité. [2]Très cher, je souhaite que tu te portes bien sous tous les rapports et que ton corps soit en aussi bonne santé que ton âme.

Éloge de Gaïus.

[3]Je me suis beaucoup réjoui des frères qui sont venus et qui ont rendu témoignage à ta vérité, je veux dire à la façon dont tu vis dans la vérité. [4]Apprendre que mes enfants vivent dans la vérité, rien ne m'est un plus grand sujet de joie.

[5]Très cher, tu agis fidèlement en te dépensant pour les frères, bien que ce soient des étrangers. [6]Ils ont rendu témoignage à ta charité, devant l'Église. Tu feras une bonne action en pourvoyant à leur voyage, d'une manière digne de Dieu. [7]C'est pour le Nom qu'ils se sont mis en route, sans rien recevoir des païens. [8]Nous devons accueillir de tels hommes, afin de collaborer à leurs travaux pour la Vérité.

Conduite de Diotréphès.

[9]J'ai écrit un mot à l'Église. Mais Diotréphès, qui est avide d'y occuper la première place, ne nous reçoit pas. [10]C'est pourquoi je ne manquerai pas, si je viens, de rappeler sa conduite. Il se répand en mauvais propos contre nous. Non satisfait de cela, il refuse lui-même de recevoir les frères, et ceux qui voudraient les recevoir, il les en empêche et les expulse de l'Église. [11]Très cher, imite non le mal mais le bien. Qui fait le bien est de Dieu. Qui fait le mal n'a pas vu Dieu.

Témoignage rendu à Démétrius.

[12]Quant à Démétrius, tout le monde lui rend témoignage, y compris la Vérité elle-même. Nous aussi, nous lui rendons témoignage, et tu sais que notre témoignage est vrai.

Épilogue.

[13]J'aurais beaucoup de choses à te dire. Mais je ne veux pas le faire avec de l'encre et un calame.

[14]J'espère en effet te voir sous peu, et nous nous entretiendrons de vive voix. [15]Que la paix soit avec toi ! Tes amis te saluent. Salue les nôtres, chacun par son nom.

Épître de saint Jude

Voir l'introduction, p. 2002.

Adresse.

¹Jude, serviteur de Jésus Christ, frère de Jacques, aux appelés, aimés de Dieu le Père et gardés pour Jésus Christ. ²À vous miséricorde et paix et charité en abondance.

Occasion.

³Très chers, j'avais un grand désir de vous écrire au sujet de notre salut commun, et j'ai été contraint de le faire, afin de vous exhorter à combattre pour la foi transmise aux saints une fois pour toutes. ⁴Car il s'est glissé parmi vous certains hommes qui depuis longtemps ont été marqués d'avance pour cette sentence : ces impies travestissent en débauche la grâce de notre Dieu et renient notre seul Maître et Seigneur Jésus Christ.

Les faux docteurs. Le châtiment qui les menace.

⁵Je veux vous rappeler, à vous qui connaissez tout cela une fois pour toutes, que le Seigneur, après avoir sauvé le peuple de la terre d'Égypte, a fait périr ensuite les incrédules. ⁶Quant aux anges, qui n'ont pas conservé leur primauté, mais ont quitté leur propre demeure, c'est pour le jugement du grand Jour qu'il les a gardés dans des liens éternels, au fond des ténèbres. ⁷Ainsi Sodome, Gomorrhe et les villes voisines qui se sont prostituées de la même manière et ont couru après une chair différente, sont-elles proposées en exemple, subissant la peine d'un feu éternel.

Leurs blasphèmes.

⁸Pourtant, ceux-là aussi, en délire, souillent la chair, méprisent la Seigneurie, blasphèment les Gloires. ⁹Pourtant, l'archange Michel, lorsqu'il plaidait contre le diable et discutait au sujet du corps de Moïse, n'osa pas porter contre lui un jugement outrageant, mais dit : « *Que le Seigneur te réprime !* » ¹⁰Quant à eux, ils blasphèment ce qu'ils ignorent ; et ce qu'ils connaissent par nature, comme les bêtes sans raison, ne sert qu'à les perdre.

Leur perversité.

¹¹Malheur à eux ! car c'est dans la voie de Caïn qu'ils sont allés, c'est dans l'égarement de Balaam qu'ils se sont jetés pour un salaire, c'est par la révolte de Coré qu'ils ont péri. ¹²Ce sont eux les écueils de vos agapes. Ils font bonne chère sans vergogne, ils se repaissent : nuées sans eau que les vents emportent, arbres de fin de saison, sans fruits, deux fois morts, déracinés, ¹³houle sauvage de la mer écumant sa propre honte, astres errants auxquels les ténèbres épaisses sont gardées pour l'éternité. ¹⁴C'est aussi pour eux qu'a prophétisé en ces termes Hénoch, le septième patriarche depuis

Adam : « Voici : le Seigneur est venu avec ses saintes myriades, [15]afin d'exercer le jugement contre tous et de confondre tous les impies pour toutes les œuvres d'impiété qu'ils ont commises, pour toutes les paroles dures qu'ont proférées contre lui les pécheurs impies. » [16]Ce sont eux qui murmurent, se plaignent, marchent selon leurs convoitises, *leur bouche dit des choses orgueilleuses*, ils flattent par intérêt.

Exhortations aux fidèles. L'enseignement des apôtres.

[17]Mais vous, très chers, rappelez-vous ce qui a été prédit par les apôtres de notre Seigneur Jésus Christ. [18]Ils vous disaient : « À la fin du temps, il y aura des moqueurs, marchant selon leurs convoitises impies. » [19]Ce sont eux qui créent des divisions, ces animaux, ces êtres « psychiques » qui n'ont pas d'esprit.

Les devoirs de la charité.

[20]Mais vous, très chers, vous édifiant sur votre foi très sainte, priant dans l'Esprit Saint, [21]gardez-vous dans la charité de Dieu, prêts à recevoir la miséricorde de notre Seigneur Jésus Christ pour la vie éternelle. [22]Les uns, ceux qui hésitent, cherchez à les convaincre ; [23]les autres, sauvez-les en les arrachant au feu ; les autres enfin, portez-leur une pitié craintive, en haïssant jusqu'à la tunique contaminée par leur chair.

Doxologie.

[24]À celui qui peut vous garder de la chute et vous présenter devant sa gloire, sans reproche, dans l'allégresse, [25]à l'unique Dieu, notre Sauveur par Jésus Christ notre Seigneur, gloire, majesté, force et puissance avant tout temps, maintenant et dans tous les temps ! Amen.

L'Apocalypse

Introduction

Le mot « apocalypse » est la transcription d'un terme grec signifiant « révélation » (faite par Dieu aux hommes de choses cachées et connues de lui seul, en particulier l'avenir). Le genre apocalyptique s'épanouit dans l'œuvre de Daniel et dans de nombreux ouvrages écrits dans les milieux juifs aux alentours de l'ère chrétienne. Le Nouveau Testament n'a retenu dans son canon que l'Apocalypse de Jean. L'auteur n'en est probablement pas l'apôtre ni l'auteur du quatrième évangile, car l'Apocalypse se distingue des autres écrits johanniques par sa langue, son style et certaines vues théologiques (concernant la Parousie du Christ, notamment). Si elle a été écrite dans l'entourage immédiat de l'apôtre et est toute pénétrée de son enseignement, on admet assez communément aujourd'hui qu'elle aurait été composée sous le règne de Domitien, vers 95, certaines parties ayant pu être rédigées dès le temps de Néron, un peu avant 70.

L'Apocalypse de Jean est avant tout un écrit de circonstance, destiné à relever et à affirmer le moral des chrétiens qui subissent une persécution sanglante, déchaînée par Rome et l'Empire romain (la Bête). Jean reprend le thème du « Grand Jour » de Yahvé, celui du salut prochain de Dieu. Babylone (Rome) sera détruite, l'Adversaire anéanti, l'agneau (le Christ) victorieux. À la fin aura lieu la résurrection des morts et leur Jugement, puis l'établissement définitif du Royaume céleste, dans la joie parfaite, la mort elle-même étant anéantie. Au-delà de sa portée historique, le livre de l'Apocalypse met en jeu des valeurs éternelles sur lesquelles peut s'appuyer la foi des fidèles de tous les temps : ils n'ont rien à craindre des persécuteurs. Même s'ils doivent momentanément souffrir pour le nom du Christ, ils seront en définitive vainqueurs.

Le texte de l'Apocalypse présente un certain nombre de doublets, de ruptures dans la suite des visions, de passages apparemment hors de contexte. Parmi les explications possibles, nous proposons l'hypothèse suivante : la partie proprement prophétique, Ap **4-22**, serait composée de deux Apocalypses distinctes, écrites par le même auteur à des dates différentes, puis fondues en un seul texte par une autre main ; les lettres aux sept Églises, **1-3**, ont dû exister primitivement à l'état de texte séparé. Mais le lecteur peut se livrer à une lecture suivie de l'Apocalypse en se laissant conquérir par l'imagerie compliquée mais puissante dont l'auteur a revêtu son message de certitude et d'espoir. Il prendra garde toutefois que tout, ou presque tout, dans une apocalypse, a valeur symbolique. Il lui faut donc entrer dans le jeu et traduire les symboles sous peine de fausser le sens du message.

L'Apocalypse

Prologue.

1 ¹Révélation de Jésus Christ : Dieu la lui donna pour montrer à ses serviteurs *ce qui doit arriver* bientôt ; Il envoya son Ange pour la faire connaître à Jean son serviteur, ²lequel a attesté la Parole de Dieu et le témoignage de Jésus Christ : toutes ses visions. ³Heureux le lecteur et les auditeurs de ces paroles prophétiques s'ils en retiennent le contenu, car le Temps est proche !

1. Les lettres aux Églises d'Asie

Adresse.

⁴Jean, aux sept Églises d'Asie. Grâce et paix vous soient données par « Il est, Il était et Il vient », par les sept Esprits présents devant son trône, ⁵et par Jésus Christ, *le témoin fidèle, le Premier-né* d'entre les morts, *le Prince des rois de la terre*. Il nous aime et nous a lavés de nos péchés par son sang, ⁶il a fait de nous *une Royauté de Prêtres*, pour son Dieu et Père : à lui donc la gloire et la puissance pour les siècles des siècles. Amen. ⁷Voici, il *vient avec les nuées* ; chacun le verra, même *ceux qui l'ont transpercé*, et *sur lui se lamenteront toutes les races de la terre*. Oui, Amen !

⁸Je suis l'Alpha et l'Oméga, dit le Seigneur Dieu, « Il est, Il était et Il vient », le Maître-de-tout.

Vision préparatoire.

⁹Moi, Jean, votre frère et votre compagnon dans l'épreuve, la royauté et la constance, en Jésus. Je me trouvais dans l'île de Patmos, à cause de la Parole de Dieu et du témoignage de Jésus. ¹⁰Je tombai en extase, le jour du Seigneur, et j'entendis derrière moi une voix clamer, comme une trompette : ¹¹« Ce que tu vois, écris-le dans un livre pour l'envoyer aux sept Églises : à Éphèse, Smyrne, Pergame, Thyatire, Sardes, Philadelphie et Laodicée. » ¹²Je me retournai pour regarder la voix qui me parlait ; et m'étant retourné, je vis sept candélabres d'or, ¹³et, au milieu des candélabres, *comme un Fils d'homme* revêtu d'une longue robe serrée à la taille par une *ceinture en or*. ¹⁴*Sa tête, avec ses cheveux blancs, est comme de la laine blanche*, comme de la neige, *ses yeux comme* une flamme *ardente*, ¹⁵*ses pieds pareils à de l'airain* précieux que l'on aurait purifié au creuset, *sa voix comme la voix des grandes eaux*. ¹⁶Dans sa main droite il a sept étoiles, et de sa bouche sort une épée acérée, à double tranchant ; et son visage, c'est comme le soleil qui brille dans tout son éclat.

¹⁷À sa vue, je tombai à ses pieds, comme mort ; mais il posa sur moi sa main droite en disant : « Ne

crains pas, je suis *le Premier* et *le Dernier*, [18]le Vivant ; je fus mort, et me voici vivant pour les siècles des siècles, détenant la clef de la Mort et de l'Hadès. [19]Écris donc ce que tu as vu : le présent *et ce qui doit arriver plus tard*. [20]Quant au mystère des sept étoiles que tu as vues dans ma main droite et des sept candélabres d'or, le voici : les sept étoiles sont les Anges des sept Églises ; et les sept candélabres sont les sept Églises.

I. Éphèse.

2 [1]« À l'Ange de l'Église d'Éphèse, écris : Ainsi parle celui qui tient les sept étoiles en sa droite et qui marche au milieu des sept candélabres d'or. [2]Je connais ta conduite, tes labeurs et ta constance ; je le sais, tu ne peux souffrir les méchants : tu as mis à l'épreuve ceux qui usurpent le titre d'apôtres, et tu les as trouvés menteurs. [3]Tu as de la constance : n'as-tu pas souffert pour mon nom, sans te lasser ? [4]Mais j'ai contre toi que tu as perdu ton amour d'antan. [5]Allons ! rappelle-toi d'où tu es tombé, repens-toi, reprends ta conduite première. Sinon, je vais venir à toi pour changer ton candélabre de son rang, si tu ne te repens. [6]Il y a cependant pour toi que tu détestes la conduite des Nicolaïtes, que je déteste moi-même. [7]Celui qui a des oreilles, qu'il entende ce que l'Esprit dit aux Églises : au vainqueur, je ferai manger *de l'arbre de vie placé dans le Paradis* de Dieu.

II. Smyrne.

[8]« À l'Ange de l'Église de Smyrne, écris : Ainsi parle *le Pre-*mier et *le Dernier*, celui qui fut mort et qui a repris vie. [9]Je connais tes épreuves et ta pauvreté – tu es riche pourtant – et les diffamations de ceux qui usurpent le titre de Juifs – une synagogue de Satan plutôt ! – [10]Ne crains pas les souffrances qui t'attendent : voici, le Diable va jeter des vôtres en prison *pour vous tenter*, et vous aurez *dix jours d'épreuve*. *Reste fidèle jusqu'à la mort, et je te donnerai la couronne de vie*. [11]Celui qui a des oreilles, qu'il entende ce que l'Esprit dit aux Églises : le vainqueur n'a rien à craindre de la seconde mort.

III. Pergame.

[12]« À l'Ange de l'Église de Pergame, écris : Ainsi parle celui qui possède l'épée acérée à double tranchant. [13]Je sais où je demeures : là est le trône de Satan. Mais tu tiens ferme à mon nom et tu n'as pas renié ma foi, même aux jours d'Antipas, mon témoin fidèle, qui fut mis à mort chez vous, là où demeure Satan. [14]Mais j'ai contre toi quelque grief : tu en as là qui tiennent la doctrine de Balaam ; il incitait Balaq à tendre un piège aux fils d'Israël pour qu'ils mangent des viandes immolées aux idoles et se prostituent. [15]Ainsi, chez toi aussi, il en est qui tiennent la doctrine des Nicolaïtes. [16]Allons ! repens-toi, sinon je vais bientôt venir à toi pour combattre ces gens avec l'épée de ma bouche. [17]Celui qui a des oreilles, qu'il entende ce que l'Esprit dit aux Églises : au vainqueur, je donnerai de la manne cachée et je lui donnerai aussi un caillou blanc, un caillou portant gravé *un*

nom nouveau que nul ne connaît, hormis celui qui le reçoit.

IV. Thyatire.

¹⁸« À l'Ange de l'Église de Thyatire, écris : Ainsi parle le Fils de Dieu, dont les yeux sont comme une flamme ardente et les pieds pareils à de l'airain précieux. ¹⁹Je connais ta conduite : ton amour, ta foi, ton dévouement, ta constance ; tes œuvres vont sans cesse en se multipliant. ²⁰Mais j'ai contre toi que tu tolères Jézabel, cette femme qui se dit prophétesse ; elle égare mes serviteurs, les incitant à se prostituer en mangeant des viandes immolées aux idoles. ²¹Je lui ai laissé le temps de se repentir, mais elle refuse de se repentir de ses prostitutions. ²²Voici, je vais la jeter sur un lit de douleurs, et ses compagnons de prostitution dans une épreuve terrible, s'ils ne se repentent de leur conduite. ²³Et ses enfants, je vais les frapper de mort : ainsi, toutes les Églises sauront que c'est moi *qui sonde les reins et les cœurs* ; et je vous *paierai chacun selon vos œuvres*. ²⁴Quant à vous autres, à Thyatire, qui ne partagez pas cette doctrine, vous qui n'avez pas connu « les profondeurs de Satan », comme ils disent, je vous déclare que je ne vous impose pas d'autre fardeau ; ²⁵du moins, ce que vous avez, tenez-le ferme jusqu'à mon retour. ²⁶Le vainqueur, celui qui restera fidèle à mon service jusqu'à la fin, *je lui donnerai pouvoir sur les nations* : ²⁷*c'est avec un sceptre de fer qu'il les mènera comme on fracasse des vases d'argile !* ²⁸Ainsi moi-même j'ai reçu ce pouvoir de mon Père. Et je lui donnerai l'Étoile du matin. ²⁹Celui qui a des oreilles, qu'il entende ce que l'Esprit dit aux Églises.

V. Sardes.

3 ¹« À l'Ange de l'Église de Sardes, écris : Ainsi parle celui qui possède les sept Esprits de Dieu et les sept étoiles. Je connais ta conduite ; tu passes pour vivant, mais tu es mort. ²Réveille-toi, ranime ce qui te reste de vie défaillante ! Non, je n'ai pas trouvé ta vie bien pleine aux yeux de mon Dieu. ³Allons ! rappelle-toi comment tu accueillis la parole ; garde-la et repens-toi. Car si tu ne veilles pas, je viendrai comme un voleur sans que tu saches à quelle heure je te surprendrai. ⁴À Sardes, néanmoins, quelques-uns des tiens n'ont pas souillé leurs vêtements ; ils m'accompagneront, en blanc, car ils en sont dignes. ⁵Le vainqueur sera donc revêtu de blanc ; et son nom, je ne l'effacerai pas du livre de vie, mais j'en répondrai devant mon Père et devant ses Anges. ⁶Celui qui a des oreilles, qu'il entende ce que l'Esprit dit aux Églises.

VI. Philadelphie.

⁷« À l'Ange de l'Église de Philadelphie, écris : Ainsi parle le Saint, le Vrai, celui *qui détient la clef de David : s'il ouvre, nul ne fermera, et s'il ferme, nul n'ouvrira.* ⁸Je connais ta conduite : voici, j'ai ouvert devant toi une porte que nul ne peut fermer, et, disposant pourtant de peu de puissance, tu as gardé ma parole sans renier mon nom. ⁹Voici, je forcerai ceux de la synagogue de Satan

– ils usurpent la qualité de Juifs, les menteurs –, oui, je les forcerai *à venir se prosterner devant tes pieds,* à reconnaître *que je t'ai aimé.* [10]Puisque tu as gardé ma consigne de constance, à mon tour je te garderai de l'heure de l'épreuve qui va fondre sur le monde entier pour éprouver les habitants de la terre. [11]Mon retour est proche : tiens ferme ce que tu as, pour que nul ne ravisse ta couronne. [12]Le vainqueur, je le ferai colonne dans le temple de mon Dieu ; il n'en sortira plus jamais et je graverai sur lui le nom de mon Dieu, et *le nom de la Cité* de mon Dieu, la nouvelle Jérusalem qui descend du Ciel, de chez mon Dieu, et le *nom nouveau* que je porte. [13]Celui qui a des oreilles, qu'il entende ce que l'Esprit dit aux Églises.

VII. Laodicée.

[14]« À l'Ange de l'Église de Laodicée, écris : Ainsi parle l'Amen, le Témoin fidèle et vrai, le Principe de la création de Dieu. [15]Je connais ta conduite : tu n'es ni froid ni chaud – que n'es-tu l'un ou l'autre ! – [16]Ainsi, puisque te voilà tiède, ni chaud ni froid, je vais te vomir de ma bouche. [17]Tu t'imagines : me voilà riche, je me suis enrichi et je n'ai besoin de rien ; mais tu ne le vois donc pas : c'est toi qui es malheureux, pitoyable, pauvre, aveugle et nu ! [18]Aussi, suis donc mon conseil : achète chez moi de l'or purifié au feu pour t'enrichir ; des habits blancs pour t'en revêtir et cacher la honte de ta nudité ; un collyre enfin pour t'en oindre les yeux et recouvrer la vue. [19]*Ceux que j'aime, je les semonce et les corrige.* Allons! Un peu d'ardeur, et repens-toi ! [20]Voici, je me tiens à la porte et je frappe ; si quelqu'un entend ma voix et ouvre la porte, j'entrerai chez lui pour souper, moi près de lui et lui près de moi. [21]Le vainqueur, je lui donnerai de siéger avec moi sur mon trône, comme moi-même, après ma victoire, j'ai siégé avec mon Père sur son trône. [22]Celui qui a des oreilles, qu'il entende ce que l'Esprit dit aux Églises. »

2. Les visions prophétiques

I. LES PRÉLIMINAIRES DU « GRAND JOUR » DE DIEU

Dieu remet à l'Agneau les destinées du monde.

4 [1]J'eus ensuite une vision. Voici : une porte était ouverte au ciel, et la voix que j'avais naguère entendu me parler comme une trompette me dit : Monte ici, que je te montre *ce qui doit arriver* par la suite. [2]À l'instant, je tombai en extase. Voici, un trône était dressé dans le ciel, et, *siégeant sur le trône, Quelqu'un...* [3]Celui qui siège est comme une vision de jaspe et de cornaline ; un arc-en-ciel autour du trône est comme une vision d'émeraude. [4]Vingt-quatre sièges entourent le trône, sur lesquels sont assis vingt-quatre Vieillards vêtus de blanc, avec des couronnes d'or sur leurs têtes. ⁵Du trône partent des éclairs, des voix et des tonnerres, et sept lampes de feu brûlent devant lui, les sept Esprits de Dieu. ⁶Devant le trône, on dirait une mer, transparente autant que du cristal. *Au milieu* du trône et autour de lui, se tiennent *quatre Vivants, constellés d'yeux* par-devant et par-derrière. ⁷*Le premier* Vivant est comme *un lion ; le deuxième* Vivant est comme *un jeune taureau ; le troisième* Vivant a comme *un visage d'homme ; le quatrième* Vivant est comme *un aigle en plein vol.* ⁸Les quatre Vivants, portant *chacun six ailes,* sont *constellés d'yeux tout autour* et en dedans. Ils ne cessent de répéter jour et nuit :

« Saint, Saint, Saint,
Seigneur, Dieu Maître-de-tout,
"Il était, Il est et Il vient". »

⁹Et chaque fois que les Vivants offrent gloire, honneur et action de grâces à Celui qui siège sur le trône et *qui vit dans les siècles des siècles,* ¹⁰les vingt-quatre Vieillards se prosternent devant Celui qui siège sur le trône pour adorer Celui *qui vit dans les siècles des siècles ;* ils lancent leurs couronnes devant le trône en disant :

¹¹« Tu es digne, ô notre Seigneur et notre Dieu,
de recevoir la gloire, l'honneur et la puissance,
car c'est toi qui créas l'univers ;
par ta volonté, il n'était pas et fut créé. »

5 ¹Et je vis dans la main droite de Celui qui siège sur le trône un *livre roulé, écrit au recto et au verso,* et scellé de sept sceaux. ²Et je vis un Ange puissant proclamant à pleine voix : « Qui est digne d'ouvrir le livre et d'en briser les sceaux ? » ³Mais nul n'était capable, ni dans le ciel, ni sur la terre, ni sous la terre, d'ouvrir le livre et de le lire. ⁴Et je pleurais fort de ce que nul ne s'était trouvé digne d'ouvrir le livre et de le lire. ⁵L'un des Vieillards me dit alors : « Ne pleure pas. Voici : il a remporté la victoire, *le Lion* de la tribu *de Juda, le Rejeton* de David ; il ouvrira donc le livre aux sept sceaux. »

⁶Alors je vis, debout entre le trône aux quatre Vivants et les Vieillards, un Agneau, comme égorgé, portant sept cornes et *sept yeux,* qui sont les sept Esprits de Dieu *en mission par toute la terre.* ⁷Il s'en vint prendre le livre dans la main droite de Celui qui siège sur le trône. ⁸Quand il l'eut pris, les quatre Vivants et les vingt-quatre Vieillards se prosternèrent devant l'Agneau, tenant chacun une harpe et des coupes d'or pleines de parfums, les prières des saints ; ⁹ils chantaient un cantique nouveau :

« Tu es digne de prendre le livre
et d'en ouvrir les sceaux,
car tu fus égorgé et tu rachetas pour Dieu,
au prix de ton sang,
des hommes de toute race, langue, peuple et nation ;
¹⁰tu as fait d'eux pour notre Dieu
une Royauté de Prêtres régnant sur la terre. »

¹¹Et ma vision se poursuivit. J'entendis la voix d'une multitude

d'Anges rassemblés autour du trône, des Vivants et des Vieillards – ils se comptaient *par myriades de myriades et par milliers de milliers !* – [12]et criant à pleine voix :

« Digne est l'Agneau égorgé
de recevoir la puissance, la richesse, la sagesse,
la force, l'honneur, la gloire et la louange. »

[13]Et toute créature, dans le ciel, et sur la terre, et sous la terre, et sur la mer, l'univers entier, je l'entendis s'écrier :

« À Celui qui siège sur le trône, ainsi qu'à l'Agneau,
la louange, l'honneur, la gloire et la puissance
dans les siècles des siècles ! »

[14]Et les quatre Vivants disaient : « Amen ! » ; et les Vieillards se prosternèrent pour adorer.

L'Agneau brise les sept sceaux.

6 [1]Et ma vision se poursuivit. Lorsque l'Agneau ouvrit le premier des sept sceaux, j'entendis le premier des quatre Vivants crier comme d'une voix de tonnerre : « Viens ! » [2]Et voici qu'apparut à mes yeux un cheval blanc ; celui qui le montait tenait un arc ; on lui donna une couronne et il partit en vainqueur, et pour vaincre encore.

[3]Lorsqu'il ouvrit le deuxième sceau, j'entendis le deuxième Vivant crier : « Viens ! » [4]Alors surgit un autre cheval, rouge-feu ; celui qui le montait, on lui donna de bannir la paix hors de la terre, et de faire que l'on s'entr'égorgeât ; on lui donna une grande épée ;

[5]Lorsqu'il ouvrit le troisième sceau, j'entendis le troisième Vivant crier : « Viens ! » Et voici qu'apparut à mes yeux un cheval noir ; celui qui le montait tenait à la main une balance, [6]et j'entendis comme une voix, du milieu des quatre Vivants, qui disait : « Un litre de blé pour un denier, trois litres d'orge pour un denier ! Quant à l'huile et au vin, ne les gâche pas ! »

[7]Lorsqu'il ouvrit le quatrième sceau, j'entendis le cri du quatrième Vivant : « Viens ! » [8]Et voici qu'apparut à mes yeux un cheval verdâtre ; celui qui le montait, on le nomme : la Mort ; et l'Hadès le suivait.

Alors, on leur donna pouvoir sur le quart de la terre, *pour exterminer par l'épée, par la faim, par la peste, et par les fauves de la terre.*

[9]Lorsqu'il ouvrit le cinquième sceau, je vis sous l'autel les âmes de ceux qui furent égorgés pour la Parole de Dieu et le témoignage qu'ils avaient rendu. [10]Ils crièrent d'une voix puissante : « Jusques à quand, Maître saint et vrai, tarderas-tu à faire justice, à tirer vengeance de notre sang sur les habitants de la terre ? » [11]Alors on leur donna à chacun une robe blanche en leur disant de patienter encore un peu, le temps que fussent au complet leurs compagnons de service et leurs frères qui doivent être mis à mort comme eux.

[12]Et ma vision se poursuivit. Lorsqu'il ouvrit le sixième sceau, alors il se fit un violent tremblement de terre, et le soleil devint noir comme une étoffe de crin, et la lune devint tout entière comme du sang, [13]*et les astres du ciel s'abattirent* sur la terre *comme les*

figues avortées que projette un figuier tordu par la tempête, [14]et *le ciel disparut comme un livre qu'on roule,* et les monts et les îles s'arrachèrent de leur place ; [15]et les rois de la terre, et les hauts personnages, et les grands capitaines, et les gens enrichis, et les gens influents, et tous enfin, esclaves ou libres, *ils allèrent se terrer dans les cavernes et parmi les rochers* des montagnes, [16]*disant aux montagnes* et aux rochers : « *Croulez sur nous* et cachez-nous loin de Celui qui siège sur le trône et loin de la colère de l'Agneau. » [17]Car il est arrivé, *le grand Jour de sa colère, et qui donc peut tenir ?*

Les serviteurs de Dieu seront préservés.

7 [1]Après quoi je vis quatre Anges, debout aux *quatre coins de la terre,* retenant les quatre vents de la terre pour qu'il ne soufflât point de vent, ni sur la terre, ni sur la mer, ni sur aucun arbre. [2]Puis je vis un autre Ange monter de l'orient, portant le sceau du Dieu vivant ; il cria d'une voix puissante aux quatre Anges auxquels il fut donné de malmener la terre et la mer : [3]« Attendez, pour malmener la terre et la mer et les arbres, que nous ayons *marqué au front* les serviteurs de notre Dieu. » [4]Et j'appris combien furent alors marqués du sceau : cent quarante-quatre mille de toutes les tribus des fils d'Israël.

[5]De la tribu de Juda, douze mille furent marqués ; de la tribu de Ruben, douze mille ; de la tribu de Gad, douze mille ; [6]de la tribu d'Aser, douze mille ; de la tribu de Nephtali, douze mille ; de la tribu de Manassé, douze mille ; [7]de la tribu de Siméon, douze mille ; de la tribu de Lévi, douze mille ; de la tribu d'Issachar, douze mille ; [8]de la tribu de Zabulon, douze mille ; de la tribu de Joseph, douze mille ; de la tribu de Benjamin, douze mille furent marqués.

Le triomphe des élus au ciel. = 15 2-5.

[9]Après quoi, voici qu'apparut à mes yeux une foule immense, que nul ne pouvait dénombrer, de toute nation, race, peuple et langue ; debout devant le trône et devant l'Agneau, vêtus de robes blanches, des palmes à la main, [10]ils crient d'une voix puissante : « Le salut à notre Dieu, qui siège sur le trône, ainsi qu'à l'Agneau ! » [11]Et tous les Anges en cercle autour du trône, des Vieillards et des quatre Vivants, se prosternèrent devant le trône, la face contre terre, pour adorer Dieu ; [12]ils disaient :

« Amen ! Louange, gloire, sagesse,

action de grâces, honneur, puissance et force

à notre Dieu pour les siècles des siècles ! Amen ! »

= 21 3-4 ; 22 3-5.

[13]L'un des Vieillards prit alors la parole et me dit : « Ces gens vêtus de robes blanches, qui sont-ils et d'où viennent-ils ? » [14]Et moi de répondre : « Monseigneur, c'est toi qui le sais. » Il reprit : « Ce sont ceux qui viennent de la grande épreuve : ils ont lavé leurs robes et les ont blanchies dans le sang de l'Agneau. [15]C'est pourquoi ils sont devant le trône de

Dieu, le servant jour et nuit dans son temple ; et Celui qui siège sur le trône étendra sur eux sa tente. [16]*Jamais plus ils ne souffriront de la faim ni de la soif ; jamais plus ils ne seront accablés ni par le soleil, ni par aucun vent brûlant.* [17]*Car l'Agneau qui se tient au milieu du trône sera leur pasteur et les conduira aux sources des eaux de la vie. Et Dieu essuiera toute larme de leurs yeux. »*

Le septième sceau.

8 [1]Et lorsque l'Agneau ouvrit le septième sceau, il se fit un silence dans le ciel, environ une demi-heure...

Les prières des Saints hâtent l'avènement du grand Jour.

[2]Et je vis les sept Anges qui se tiennent devant Dieu ; on leur remit sept trompettes. [3]Un autre Ange vint alors se placer près de l'autel, muni d'une pelle en or. On lui donna beaucoup de parfums pour qu'il les offrît, avec les prières de tous les saints, sur l'autel d'or placé devant le trône. [4]Et, de la main de l'Ange, la fumée des parfums s'éleva devant Dieu, avec les prières des saints. [5]Puis l'Ange saisit la pelle *et l'emplit du feu* de l'autel *qu'il jeta* sur la terre. Ce furent alors des tonnerres, des voix et des éclairs, et tout trembla.

Les quatre premières trompettes. = 16 1-9.

[6]Les sept Anges aux sept trompettes s'apprêtèrent à sonner. [7]Et le premier sonna... Il y eut alors de la grêle et du feu mêlés de sang qui furent jetés sur la terre : et le tiers de la terre fut consumé, et le tiers

des arbres fut consumé, et toute herbe verte fut consumée. [8]Et le deuxième Ange sonna... Alors une énorme masse embrasée, comme une montagne, fut projetée dans la mer, et le tiers de la mer devint du sang : [9]il périt ainsi le tiers des créatures vivant dans la mer, et le tiers des navires fut détruit. [10]Et le troisième Ange sonna... Alors tomba du ciel un grand astre, brûlant comme une torche. Il tomba sur le tiers des fleuves et sur les sources ; [11]l'astre se nomme « Absinthe » : le tiers des eaux se changea en absinthe, et bien des gens moururent, de ces eaux devenues amères. [12]Et le quatrième Ange sonna... Alors furent frappés le tiers du soleil et le tiers de la lune et le tiers des étoiles : ils s'assombrirent d'un tiers, et le jour perdit le tiers de sa clarté, et la nuit de même.

[13]Et ma vision se poursuivit. J'entendis un aigle volant au zénith et criant d'une voix puissante : « Malheur, malheur, malheur aux habitants de la terre, à cause de la voix des dernières trompettes dont les trois Anges vont sonner. »

La cinquième trompette.

9 [1]Et le cinquième Ange sonna... Alors je vis un astre qui du ciel avait chu sur la terre. On lui remit la clef du puits de l'Abîme. [2]Il ouvrit le puits de l'Abîme et *il en monta une fumée, comme celle d'une* immense *fournaise* – le soleil et l'atmosphère en furent obscurcis – [3]et, de cette fumée, des sauterelles se répandirent sur la terre ; on leur donna un pouvoir pareil à celui des scorpions de la terre. [4]On leur dit d'épargner les prairies, toute verdure et tout arbre, et de s'en prendre seulement aux hommes qui ne porteraient pas sur le front le sceau de Dieu. [5]On leur donna, non de les tuer, mais de les tourmenter durant cinq mois. La douleur qu'elles provoquent ressemble à celle d'une piqûre de scorpion. [6]En ces jours-là, les hommes *rechercheront la mort sans la trouver,* ils souhaiteront mourir et la mort les fuira !

[7]Or ces sauterelles, à les voir, *font penser à des chevaux* équipés pour la guerre ; sur leur tête on dirait des couronnes d'or, sur leur face rappelle des faces humaines ; [8]leurs cheveux, des chevelures de femmes, *et leurs dents, des dents de lions* ; [9]leur thorax, des cuirasses de fer, et le bruit de leurs ailes, *le vacarme de chars* aux multiples chevaux *se ruant au combat* ; [10]elles ont une queue pareille à des scorpions, avec un dard ; et dans leur queue se trouve leur pouvoir de torturer les hommes durant cinq mois. [11]À leur tête, comme roi, elles ont l'Ange de l'Abîme ; il s'appelle en hébreu : « Abaddôn », et en grec : « Apollyôn. »

[12]Le premier « Malheur » a passé, voici encore deux « Malheurs » qui le suivent...

La sixième trompette.

[13]Et le sixième Ange sonna... Alors j'entendis une voix venant des quatre cornes de l'autel d'or placé devant Dieu ; [14]elle dit au sixième Ange portant trompette : « Relâche les quatre Anges enchaînés sur le grand fleuve Euphrate. » [15]Et l'on relâcha les quatre Anges qui se tenaient prêts pour l'heure et le jour et le mois et l'année, afin d'exterminer le tiers des hommes. [16]Leur armée comptait deux cents millions de cavaliers : on m'en précisa le nombre. [17]Tels m'apparurent en vision les chevaux et leurs cavaliers : ceux-ci portent des cuirasses de feu, d'hyacinthe et de soufre ; quant aux chevaux, leur tête est comme celle du lion, et leur bouche crache feu et fumée et soufre. [18]Alors le tiers des hommes fut exterminé par ces trois fléaux : le feu, la fumée et le soufre vomis de la bouche des chevaux. [19]Car la puissance des chevaux réside en leur bouche ; elle réside aussi dans leur queue : ces queues, en effet, ainsi que des serpents, sont munies de têtes dont elles se servent pour nuire. [20]Or les hommes échappés à l'hécatombe de ces fléaux ne renoncèrent même pas aux *œuvres de leurs mains* : ils ne cessèrent d'adorer les démons, ces *idoles d'or, d'argent, de bronze, de pierre et de bois, incapables* de voir, d'entendre ou de marcher. [21]Ils n'abandonnèrent ni leurs meurtres, ni leurs sorcelleries, ni leurs débauches, ni leurs rapines.

Imminence du châtiment final.

10 [1]Je vis ensuite un autre Ange, puissant, descendre du ciel enveloppé d'une nuée, un arc-en-ciel au-dessus de la tête, le visage comme le soleil et les jambes comme des colonnes de feu. [2]Il tenait en sa main un petit livre ouvert. Il posa le pied droit sur la mer, le gauche sur la terre, [3]et il poussa une puissante clameur *pareille au rugissement du lion.* Après quoi, les sept tonnerres firent retentir leurs voix. [4]Quand les sept tonnerres eurent parlé, j'allais écrire mais j'entendis une voix me dire : « Tiens secrètes les paroles des sept tonnerres et ne les écris pas. » [5]Alors l'Ange que j'avais vu, debout sur la mer et la terre, *leva la main droite au ciel* [6]et *jura par Celui qui vit dans les siècles* des siècles, *qui créa le ciel et tout ce qu'il contient, la terre* et tout ce qu'elle contient, *la mer* et tout ce qu'elle contient : « Plus de délai ! [7]Mais aux jours où l'on entendra le septième Ange, quand il sonnera de la trompette, alors sera consommé le mystère de Dieu, selon la bonne nouvelle qu'il en a donnée *à ses serviteurs les prophètes*. »

Le petit livre avalé.

[8]Puis la voix du ciel, que j'avais entendue, me parla de nouveau : « Va prendre le petit livre ouvert dans la main de l'Ange debout sur la mer et sur la terre. » [9]Je m'en fus alors prier l'Ange de me donner le petit livre ; et lui me dit : « Tiens, mange-le ; il te remplira les entrailles d'amertume, mais en ta bouche il aura la douceur du miel. » [10]Je pris le petit livre de la main de l'Ange et *l'avalai ; dans ma bouche, il avait la douceur du miel,* mais quand je l'eus mangé, il remplit mes entrailles d'amertume. [11]Alors on me dit : « Il te faut de nouveau prophétiser contre une foule de peuples, de nations, de langues et de rois. »

Les deux témoins.

11 [1]Puis on me donna un roseau, une sorte de baguette, en me disant : « Lève-toi pour mesurer le Temple de Dieu, l'autel et les adorateurs qui s'y trouvent ; [2]quant au parvis extérieur du Temple, laisse-le, ne le mesure pas, car on l'a donné aux païens : ils fouleront la Ville Sainte durant quarante-deux mois. [3]Mais je donnerai à mes deux témoins de prophétiser pendant mille deux cent soixante jours, revêtus de sacs. » [4]Ce sont *les deux oliviers* et les deux flambeaux *qui se tiennent devant le Maître de la terre.* [5]Si l'on s'avisait de les malmener, un feu jaillirait de leur bouche pour dévorer leurs ennemis ; oui, qui s'aviserait de les malmener, c'est ainsi qu'il lui faudrait périr. [6]Ils ont pouvoir de clore le ciel afin que nulle pluie ne tombe durant le temps de leur mission ; ils ont aussi pouvoir sur les eaux, de les changer en sang, et pouvoir de frapper la terre de mille fléaux, aussi souvent qu'ils le voudront. [7]Mais quand ils auront fini de rendre témoignage, la Bête qui surgit de l'Abîme *viendra guerroyer contre eux, les vaincre* et les tuer. [8]Et leurs cadavres, sur la place de la Grande Cité, Sodome ou Égypte comme on l'appelle symboliquement, là où leur Seigneur aussi fut crucifié, [9]leurs cadavres demeurent exposés aux regards des peuples, des races, des langues et des nations, durant trois jours et demi, sans qu'il soit permis de les mettre au tombeau. [10]Les habitants de la terre s'en réjouissent et s'en félicitent ; ils échangent des présents, car ces deux prophètes leur avaient causé bien des tourments. [11]Mais, passés les trois jours et demi, Dieu *leur infusa un souffle de vie qui les remit sur pieds,* au grand effroi de ceux qui les regardaient. [12]J'entendis alors une voix puissante leur crier du ciel : « Montez ici ! » Ils montèrent donc au ciel dans la nuée, aux yeux de leurs ennemis. [13]À cette heure-là, il se fit un violent tremblement de terre, et le dixième de la ville croula, et dans le cataclysme périrent sept mille personnes. Les survivants, saisis d'effroi, rendirent gloire au Dieu du ciel.

La septième trompette.

[14]Le deuxième « Malheur » a passé, voici que le troisième accourt !

[15]Et le septième Ange sonna... Alors, au ciel, des voix clamèrent : « La royauté du monde est acquise à notre Seigneur ainsi qu'à son Christ ; il régnera dans les siècles des siècles. » [16]Et les vingt-quatre Vieillards qui sont assis devant Dieu, sur leurs sièges, se prosternèrent pour adorer Dieu en disant : [17]« Nous te rendons grâce, Seigneur, Dieu Maître-de-tout, "Il est et Il était", parce que tu as pris en main ton immense puissance pour établir ton règne. [18]*Les nations s'étaient mises en fureur ;* mais voici ta fureur à toi, et le temps pour les morts d'être jugés ; le temps de récompenser *tes serviteurs les prophètes,* les saints, et *ceux qui craignent ton nom, petits et grands,* et de perdre ceux qui perdent la terre. »

[19]Alors s'ouvrit le temple de Dieu, dans le ciel, et son arche d'alliance apparut, dans le temple ; puis ce furent des éclairs et des voix et des tonnerres et un tremblement de terre, et la grêle tombait dru...

Vision de la Femme et du Dragon.

12 [1]Un signe grandiose apparut au ciel : une Femme ! le soleil l'enveloppe, la lune est sous ses pieds et douze étoiles couronnent sa tête ; [2]elle est enceinte et crie dans les douleurs et le travail de l'enfantement. [3]Puis un second signe apparut au ciel : un énorme Dragon rouge-feu, à sept têtes et dix cornes, chaque tête surmontée d'un diadème. [4]Sa queue balaie le tiers *des étoiles du ciel et les précipite sur la terre.* En arrêt devant la Femme en travail, le Dragon s'apprête à dévorer son enfant aussitôt né. [5]Or la Femme *mit au monde un enfant mâle,* celui qui doit *mener toutes les nations avec un sceptre de fer ;* [6]et son enfant fut enlevé jusqu'auprès de Dieu et de son trône, tandis que la Femme s'enfuyait au désert, où Dieu lui a ménagé un refuge pour qu'elle y soit nourrie mille deux cent soixante jours.

[7]Alors, il y eut une bataille dans le ciel : *Michel et ses Anges* combattirent le Dragon. Et le Dragon riposta, avec ses Anges, [8]mais ils eurent le dessous et furent chassés du ciel. [9]On le jeta donc, l'énorme Dragon, l'antique Serpent, le Diable ou le Satan, comme on l'appelle, le séducteur du monde entier, on le jeta sur la terre et ses Anges furent jetés avec lui. [10]Et j'entendis une voix clamer dans le ciel : « Désormais, la victoire, la puissance et la royauté sont acquises à notre Dieu, et la domination à son Christ, puisqu'on a jeté bas l'accusateur de nos frères, celui qui les accusait jour et nuit devant notre Dieu.

¹¹Mais eux l'ont vaincu par le sang de l'Agneau et par la parole dont ils ont témoigné, car ils ont méprisé leur vie jusqu'à mourir. ¹²Soyez donc dans la joie, vous, les cieux et leurs habitants. Malheur à vous, la terre et la mer, car le Diable est descendu chez vous, frémissant de colère et sachant que ses jours sont comptés. »

¹³Se voyant rejeté sur la terre, le Dragon se lança à la poursuite de la Femme, la mère de l'Enfant mâle. ¹⁴Mais elle reçut les deux ailes du grand aigle pour voler au désert jusqu'au refuge où, loin du Serpent, elle doit être nourrie *un temps et des temps et la moitié d'un temps.* ¹⁵Le Serpent vomit alors de sa gueule comme un fleuve derrière la Femme pour l'entraîner dans ses flots. ¹⁶Mais la terre vint au secours de la Femme : ouvrant la bouche, elle engloutit le fleuve vomi par la gueule du Dragon. ¹⁷Alors, furieux contre la Femme, le Dragon s'en alla guerroyer contre le reste de ses enfants, ceux qui gardent les commandements de Dieu et possèdent le témoignage de Jésus.

Le Dragon transmet son pouvoir à la Bête.

¹⁸Et je me tins sur la grève de la mer.

13 ¹Alors je vis *surgir de la mer une Bête* ayant sept têtes et dix cornes, sur ses cornes dix diadèmes, et sur ses têtes des titres blasphématoires. ²La Bête que je vis *ressemblait à une panthère,* avec les pattes comme celles *d'un ours* et la gueule comme une gueule *de lion* ; et le Dragon lui transmit sa puissance et son trône et un pouvoir immense. ³L'une de ses têtes paraissait blessée à mort, mais sa plaie mortelle fut guérie ; alors, émerveillée, la terre entière suivit la Bête. ⁴On se prosterna devant le Dragon, parce qu'il avait remis le pouvoir à la Bête ; et l'on se prosterna devant la Bête en disant : « Qui égale la Bête, et qui peut lutter contre elle ? » ⁵On lui donna *de proférer des paroles d'orgueil* et de blasphème ; on lui donna pouvoir d'agir durant quarante-deux mois ; ⁶alors elle se mit à proférer des blasphèmes contre Dieu, à blasphémer son nom et sa demeure, ceux qui demeurent au ciel. ⁷On lui donna *de mener campagne contre les saints et de les vaincre ; on lui donna pouvoir* sur toute race, peuple, langue ou nation. ⁸Et ils l'adoreront, tous les habitants de la terre dont le nom ne se trouve pas écrit, dès l'origine du monde, dans le livre de vie de l'Agneau égorgé. ⁹Celui qui a des oreilles, qu'il entende ! ¹⁰*Les chaînes pour qui doit être enchaîné ; la mort par le glaive pour qui doit périr par le glaive !* Voilà qui fonde l'endurance et la confiance des saints.

Le faux prophète au service de la Bête.

¹¹Je vis ensuite surgir de la terre une autre Bête ; elle avait deux cornes comme un agneau, mais parlait comme un dragon. ¹²Au service de la première Bête, elle en établit partout le pouvoir, amenant la terre et ses habitants à adorer cette première Bête dont la plaie mortelle fut guérie. ¹³Elle

accomplit des prodiges étonnants : jusqu'à faire descendre, aux yeux de tous, le feu du ciel sur la terre ; [14]et, par les prodiges qu'il lui a été donné d'accomplir au service de la Bête, elle fourvoie les habitants de la terre, leur disant de dresser une image en l'honneur de cette Bête qui, frappée du glaive, a repris vie. [15]On lui donna même d'animer l'image de la Bête pour la faire parler, et de faire en sorte que fussent mis à mort tous *ceux qui n'adoreraient pas l'image de la Bête.* [16]Par ses manœuvres, tous, petits et grands, riches ou pauvres, libres et esclaves, se feront marquer sur la main droite ou sur le front, [17]et nul ne pourra rien acheter ni vendre s'il n'est marqué au nom de la Bête ou au chiffre de son nom.

[18]C'est ici qu'il faut de la finesse ! Que l'homme doué d'esprit calcule le chiffre de la Bête, c'est un chiffre d'homme : son chiffre, c'est 666.

Les compagnons de l'Agneau.
= 7 1-8.

14 [1]Puis voici que l'Agneau apparut à mes yeux ; il se tenait sur le mont Sion, avec cent quarante-quatre milliers de gens portant inscrits sur le front son nom et le nom de son Père. [2]Et j'entendis un bruit venant du ciel, comme le mugissement des grandes eaux ou le grondement d'un orage violent, et ce bruit me faisait songer à des joueurs de harpe touchant de leurs instruments ; [3]ils chantent un cantique nouveau devant le trône et devant les quatre Vivants et les Vieillards. Et nul ne pouvait apprendre le cantique, hormis les cent quarante-quatre milliers, les rachetés à la terre. [4]Ceux-là, ils ne se sont pas souillés avec des femmes, ils sont vierges ; ceux-là *suivent* l'Agneau partout où il va ; ceux-là ont été rachetés d'entre les hommes comme *prémices pour Dieu* et pour l'Agneau. [5]Jamais *leur bouche ne connut le mensonge* : ils sont immaculés.

Des anges annoncent l'heure du Jugement.

[6]Puis je vis un autre Ange qui volait au zénith, ayant une bonne nouvelle éternelle à annoncer à ceux qui demeurent sur la terre, à toute nation, race, langue et peuple. [7]Il criait d'une voix puissante : « Craignez Dieu et glorifiez-le, car voici l'heure de son Jugement ; adorez donc *Celui qui a fait le ciel et la terre et la mer* et les sources. » [8]Un autre Ange, un deuxième, le suivit en criant : « *Elle est tombée, elle est tombée, Babylone la Grande,* elle qui a abreuvé toutes les nations *du vin de la colère.* » [9]Un autre Ange, un troisième, les suivit, criant d'une voix puissante : « Quiconque adore la Bête et son image, et se fait marquer sur le front ou sur la main, [10]lui aussi boira le vin de la fureur de Dieu, qui se trouve préparé, pur, dans la coupe de sa colère. Il subira le supplice *du feu et du soufre,* devant les saints Anges et devant l'Agneau. [11]*Et la fumée* de leur supplice *s'élève pour les siècles* des siècles ; non, point de repos, *ni le jour ni la nuit,* pour ceux qui adorent la Bête et son image, pour qui reçoit la marque de son nom. »

¹²Voilà qui fonde la constance des saints, ceux qui gardent les commandements de Dieu et la foi en Jésus. ¹³Puis j'entendis une voix me dire, du ciel : « Écris : Heureux les morts qui meurent dans le Seigneur ; dès maintenant – oui, dit l'Esprit – qu'ils se reposent de leurs fatigues, car leurs œuvres les accompagnent. »

La moisson et la vendange des nations. Jl 4 12-13.

¹⁴Et voici qu'apparut à mes yeux *une nuée* blanche et *sur la nuée* était assis *comme un Fils d'homme,* ayant sur la tête une couronne d'or et dans la main une faucille aiguisée. ¹⁵Puis un autre Ange sortit du temple et cria d'une voix puissante à celui qui était assis sur la nuée : « *Jette ta faucille* et moissonne, car c'est l'heure de moissonner, *la moisson de la terre est mûre.* » ¹⁶Alors celui qui était assis sur la nuée jeta sa faucille sur la terre, et la terre fut moissonnée.

¹⁷Puis un autre Ange sortit du temple, au ciel, tenant également une faucille aiguisée. ¹⁸Et un autre Ange sortit de l'autel – l'Ange préposé au feu – et cria d'une voix puissante à celui qui tenait la faucille : « Jette ta faucille aiguisée, vendange les grappes dans la vigne de la terre, car ses raisins sont mûrs. » ¹⁹L'Ange alors jeta sa faucille sur la terre, il en vendangea la vigne et versa le tout dans la cuve de la colère de Dieu, cuve immense ! ²⁰Puis on la foula hors de la ville, et il en coula du sang qui monta jusqu'au mors des chevaux sur une étendue de mille six cents stades.

Le cantique de Moïse et de l'Agneau.

15 ¹Puis je vis dans le ciel encore un signe, grand et merveilleux : sept Anges, portant sept fléaux, les derniers puisqu'ils doivent consommer la colère de Dieu. ²Et je vis comme une mer de cristal mêlée de feu, et ceux qui ont triomphé de la Bête, de son image et du chiffre de son nom, debout près de cette mer de cristal. S'accompagnant sur les harpes de Dieu, ³ils chantent le cantique de Moïse, le serviteur de Dieu, et le cantique de l'Agneau :

« Grandes et merveilleuses sont tes œuvres,

Seigneur, Dieu Maître-de-tout ;

justes et droites sont tes voies,

ô Roi des nations.

⁴*Qui ne craindrait,* Seigneur, et ne glorifierait ton nom ?

Car seul tu es saint ;

et tous les païens viendront se prosterner devant toi,

parce que tu as fait éclater tes vengeances. »

Les sept fléaux des sept coupes.

⁵Après quoi, ma vision se poursuivit. Au ciel s'ouvrit le temple, la Tente du Témoignage, ⁶d'où sortirent les sept Anges aux sept fléaux, vêtus de robes de lin pur, éblouissantes, serrées à la taille par des ceintures en or. ⁷Puis, l'un des quatre Vivants remit aux sept Anges sept coupes en or remplies de la colère du Dieu qui vit pour les siècles des siècles. ⁸*Et le temple se remplit d'une fumée produite par la gloire de Dieu* et par sa puissance, *en sorte que nul ne put y pénétrer*

jusqu'à la consommation des sept fléaux des sept Anges.

= **8** 6-12.

16 ¹Et j'entendis une voix qui, du temple, criait aux sept Anges : « Allez, répandez sur la terre les sept coupes de la colère de Dieu. » ²Et le premier s'en alla répandre sa coupe sur la terre ; alors, ce fut un ulcère mauvais et pernicieux sur les gens qui portaient la marque de la Bête et se prosternaient devant son image. ³Et le deuxième répandit sa coupe dans la mer ; alors, ce fut du sang – on aurait dit un meurtre ! – et tout être vivant mourut dans la mer. ⁴Et le troisième répandit sa coupe dans les fleuves et les sources ; alors, ce fut du sang. ⁵Et j'entendis l'Ange des eaux qui disait : « Tu es juste, "Il est et Il était", le Saint, d'avoir ainsi châtié ; ⁶c'est le sang des saints et des prophètes qu'ils ont versé, c'est donc du sang que tu leur as fait boire, ils le méritent ! » ⁷Et j'entendis l'autel dire : « Oui, Seigneur, Dieu Maître-de-tout, tes châtiments sont vrais et justes. » ⁸Et le quatrième répandit sa coupe sur le soleil ; alors, il lui fut donné de brûler les hommes par le feu, ⁹et les hommes furent brûlés par une chaleur torride. Mais, loin de se repentir en rendant gloire à Dieu, ils blasphémèrent le nom du Dieu qui détenait en son pouvoir de tels fléaux.

¹⁰Et le cinquième répandit sa coupe sur le trône de la Bête ; alors, son royaume devint ténèbres, et l'on se mordait la langue de douleur. ¹¹Mais, loin de se repentir de leurs agissements, les hommes blasphémèrent le Dieu du ciel sous le coup des douleurs et des plaies. ¹²Et le sixième répandit sa coupe sur le grand fleuve Euphrate ; alors, ses eaux tarirent, livrant passage aux rois de l'Orient. ¹³Puis, de la gueule du Dragon, et de la gueule de la Bête, et de la gueule du faux prophète, je vis surgir trois esprits impurs, comme des grenouilles – ¹⁴et de fait, ce sont des esprits démoniaques, des faiseurs de prodiges, qui s'en vont rassembler les rois du monde entier pour la guerre, pour le grand Jour du Dieu Maître-de-tout. – ¹⁵(Voici que je viens comme un voleur : heureux celui qui veille et garde ses vêtements pour ne pas aller nu et laisser voir sa honte.) ¹⁶Ils les rassemblèrent au lieu dit, en hébreu, Harmagedôn.

¹⁷Et le septième répandit sa coupe dans l'air ; alors, partant du temple, une voix clama : « C'en est fait ! » ¹⁸Et ce furent des éclairs et des voix et des tonnerres, avec un violent tremblement de terre ; non, *depuis qu'il y a* des hommes *sur la terre, jamais on n'avait vu pareil* tremblement de terre, aussi violent ! ¹⁹La Grande Cité se scinda en trois parties, et les cités des nations croulèrent ; et Babylone la grande, Dieu s'en souvint pour lui donner la coupe où bouillonne le vin de sa colère. ²⁰Alors, toute île prit la fuite, et les montagnes disparurent. ²¹Et des grêlons énormes – près de quatre-vingts livres ! – s'abattirent du ciel sur les hommes. Et les hommes blasphémèrent Dieu, à cause de cette grêle désastreuse ; oui, elle est bien cause d'un effrayant désastre.

II. LE CHÂTIMENT DE BABYLONE

La Prostituée fameuse.

17 ¹Alors l'un des sept Anges aux sept coupes s'en vint me dire : « Viens, que je te montre le jugement de la Prostituée fameuse, *assise au bord des grandes eaux* ; ²c'est avec elle qu'ont forniqué les rois de la terre, et les habitants de la terre se sont saoulés du vin de sa prostitution. » ³Il me transporta au désert, en esprit. Et je vis une femme, assise sur une Bête écarlate couverte de titres blasphématoires et portant sept têtes et dix cornes. ⁴La femme, vêtue de pourpre et d'écarlate, étincelait d'or, de pierres précieuses et de perles ; elle tenait à la main une coupe en or, remplie d'abominations et des souillures de sa prostitution. ⁵Sur son front, un nom était inscrit – un mystère ! – « Babylone la Grande, la mère des prostituées et des abominations de la terre. » ⁶Et mes yeux, la femme se saoulait du sang des saints et du sang des martyrs de Jésus. À sa vue, je fus bien stupéfait ; ⁷mais l'Ange me dit : « Pourquoi t'étonner ? Je vais te dire, moi, le mystère de la femme et de la Bête qui la porte, aux sept têtes et aux dix cornes.

Symbolisme de la Bête et de la Prostituée.

⁸« Cette Bête-là, elle était et elle n'est plus ; elle va remonter de l'Abîme, mais pour s'en aller à sa perte ; et les habitants de la terre, dont le nom ne fut pas inscrit dès l'origine du monde dans le livre de vie, s'émerveilleront au spectacle de la Bête, de ce qu'elle était, n'est plus, et reparaîtra. ⁹C'est ici qu'il faut un esprit doué de finesse ! Les sept têtes, ce sont sept collines sur lesquelles la femme est assise.

« Ce sont aussi sept rois, ¹⁰dont cinq ont passé, l'un vit, et le dernier n'est pas encore venu ; une fois là, il faut qu'il demeure un peu. ¹¹Quant à la Bête qui était et n'est plus, elle-même fait le huitième, l'un des sept cependant ; il s'en va à sa perte. ¹²*Et ces dix cornes-là, ce sont dix rois* ; ils n'ont pas encore reçu de royauté, ils recevront un pouvoir royal, pour une heure seulement, avec la Bête. ¹³Ils sont tous d'accord pour remettre à la Bête leur puissance et leur pouvoir. ¹⁴Ils mèneront campagne contre l'Agneau, et l'Agneau les vaincra, car il est *Seigneur des seigneurs* et *Roi des rois,* avec les siens : les appelés, les choisis, les fidèles.

¹⁵« Et ces eaux-là, poursuivit l'Ange, où la Prostituée est assise, ce sont des peuples, des foules, des nations et des langues. ¹⁶Mais ces dix cornes-là et la Bête, ils vont prendre en haine la Prostituée, *ils la dépouilleront de ses vêtements, toute nue,* ils en mangeront la chair, ils la consumeront par le feu ; ¹⁷car Dieu leur a inspiré la résolution de réaliser son propre dessein, de se mettre d'accord pour remettre leur pouvoir royal à la Bête, jusqu'à l'accomplissement des paroles de Dieu. ¹⁸Et cette femme-là, c'est la Grande Cité, celle qui règne sur les rois de la terre. »

Un ange annonce la chute de Babylone.

18 ¹Après quoi, je vis descendre du ciel un autre Ange, ayant un grand pouvoir, *et la terre fut illuminée de sa splendeur.* ²Il s'écria d'une voix puissante : « *Elle est tombée, elle est tombée, Babylone* la Grande ; elle s'est changée *en demeure de démons,* en repaire pour toutes sortes d'esprits impurs, en repaire pour toutes sortes d'oiseaux impurs et dégoûtants. ³Car au vin de ses prostitutions se sont abreuvées toutes les nations, et les rois de la terre ont forniqué avec elle, et les trafiquants de la terre se sont enrichis de son luxe effréné. »

Le peuple de Dieu doit s'enfuir.

⁴Puis j'entendis une autre voix qui disait, du ciel : « Sortez, ô mon peuple, quittez-la, de peur que, solidaires de ses fautes, vous n'ayez à pâtir de ses plaies ! ⁵Car ses péchés *se sont amoncelés jusqu'au ciel,* et Dieu s'est souvenu de ses iniquités. ⁶*Payez-la de sa propre monnaie !* Rendez-lui au double de ses forfaits ! Dans la coupe de ses mixtures, mélangez une double dose ! ⁷À la mesure de son faste et de son luxe, donnez-lui tourments et malheurs ! *Je trône en reine, se dit-elle, et je ne suis pas veuve,* et jamais je ne verrai le deuil... ⁸Voilà pourquoi, *en un seul jour,* des plaies vont fondre sur elle : peste, deuil et famine ; elle sera consumée par le feu. Car il est puissant le Seigneur Dieu qui l'a condamnée. »

Lamentations sur Babylone.

⁹Ils pleureront, ils se lamenteront sur elle, les rois de la terre, les compagnons de sa vie lascive et fastueuse, quand ils verront la fumée de ses flammes, ¹⁰retenus à distance par peur de son supplice :

« Hélas, hélas ! Immense cité,
ô Babylone, cité puissante,
car une heure a suffi pour que
tu sois jugée ! »

¹¹Ils pleurent et se désolent sur elle, les trafiquants de la terre ; les cargaisons de leurs navires, nul désormais ne les achète ! ¹²Cargaisons d'or et d'argent, de pierres précieuses et de perles, de lin et de pourpre, de soie et d'écarlate ; et les bois de thuya, et les objets d'ivoire, et les objets de bois précieux, de bronze, de fer ou de marbre ; ¹³le cinnamome, l'amome et les parfums, la myrrhe et l'encens, le vin et l'huile, la farine et le blé, les bestiaux et les moutons, les chevaux et les chars, les esclaves et la marchandise humaine...

¹⁴Et les fruits mûrs, que convoitait ton âme, s'en sont allés, loin de toi ; et tout le luxe et la splendeur, c'est à jamais fini pour toi, sans retour !

¹⁵Les trafiquants qu'elle enrichit de ce commerce se tiendront à distance, par peur de son supplice, pleurant et gémissant :

¹⁶« Hélas, hélas ! Immense cité,
vêtue de lin, de pourpre et
d'écarlate,
parée d'or, de pierres précieuses et de perles,
¹⁷car une heure a suffi pour ruiner
tout ce luxe ! »

Capitaines et gens qui font le cabotage, matelots et tous ceux qui vivent de la mer, se tinrent à distance ¹⁸et criaient, regardant la fumée de ses flammes : « Qui donc était semblable à l'immense cité ? » ¹⁹Et jetant de la poussière sur leur tête, ils s'écriaient, pleurant et gémissant :

« Hélas, hélas ! Immense cité,
dont la vie luxueuse enrichissait
tous les patrons des navires de mer,
car une heure a suffi pour consommer sa ruine ! »

²⁰Ô ciel, sois dans l'allégresse sur elle, et vous, saints, apôtres et prophètes, car Dieu, en la condamnant, a jugé votre cause.

²¹Un Ange puissant prit alors une pierre, comme une grosse meule, et la jeta dans la mer en disant : « Ainsi, d'un coup, on jettera Babylone, la grande cité, on ne la verra jamais plus... »

²²Le chant des harpistes et des trouvères
et des joueurs de flûte ou de trompette
chez toi ne s'entendra jamais plus ;
les artisans de tout métier
chez toi ne se verront jamais plus ;
et la voix de la meule
chez toi ne s'entendra jamais plus ;
²³*la lumière de la lampe*
chez toi ne brillera jamais plus ;
la voix du jeune époux et de l'épousée
chez toi ne s'entendra jamais plus.
Car tes marchands étaient les princes de la terre,

et tes sortilèges ont fourvoyé tous les peuples ;
²⁴et c'est en elle que l'on a vu le sang des prophètes et des saints, et de tous ceux qui furent égorgés sur la terre.

Chants de triomphe au ciel.

19 ¹Après quoi j'entendis comme un grand bruit de foule immense au ciel, qui clamait : « Alleluia ! Salut et gloire et puissance à notre Dieu, ²car ses jugements sont vrais et justes : il a jugé la Prostituée fameuse qui corrompait la terre par sa prostitution, et vengé sur elle le sang de ses serviteurs. » ³Puis ils reprirent : « Alleluia ! Oui, *sa fumée s'élève pour les siècles des siècles !* » ⁴Alors, les vingt-quatre Vieillards et les quatre Vivants se prosternèrent pour adorer Dieu, qui siège sur le trône, en disant : « Amen, alleluia ! »

⁵Puis une voix partit du trône : « Louez notre Dieu, vous tous qui le servez, et *vous qui le craignez, les petits et les grands.* » ⁶Alors j'entendis comme le bruit d'une foule immense, comme le mugissement des grandes eaux, comme le grondement de violents tonnerres ; on clamait : « Alleluia ! Car il a pris possession de son règne, le Seigneur, le Dieu Maître-de-tout. ⁷Soyons dans l'allégresse et dans la joie, rendons gloire à Dieu, car voici les noces de l'Agneau, et son épouse s'est faite belle : ⁸on lui a donné de se vêtir de lin d'une blancheur éclatante » – le lin, c'est en effet les bonnes actions des saints. ⁹Puis il me dit : « Écris : Heureux les gens invités au festin

de noce de l'Agneau. Ces paroles de Dieu, ajouta-t-il, sont vraies. » ¹⁰Alors je me prosternai à ses pieds pour l'adorer, mais lui me dit : « Non, attention, je suis un serviteur comme toi et comme tes frères qui possèdent le témoignage de Jésus. C'est Dieu que tu dois adorer. » Le témoignage de Jésus, c'est l'esprit de prophétie.

III. L'EXTERMINATION DES NATIONS PAÏENNES

Le premier combat eschatologique. = 20 7-10.

¹¹Alors je vis le ciel ouvert, et voici un cheval blanc ; celui qui le monte s'appelle « Fidèle » et « Vrai », *il juge* et fait la guerre *avec justice.* ¹²Ses yeux ? Une flamme ardente ; sur sa tête, plusieurs diadèmes ; inscrit sur lui, un nom qu'il est seul à connaître ; ¹³*le manteau qui l'enveloppe est trempé de sang* ; et son nom ? Le Verbe de Dieu. ¹⁴Les armées du ciel le suivaient sur des chevaux blancs, vêtues de lin d'une blancheur parfaite. ¹⁵De sa bouche sort une épée acérée pour en frapper les païens ; c'est lui qui *les mènera avec un sceptre de fer* ; c'est lui qui foule dans la cuve le vin de l'ardente colère de Dieu, le Maître-de-tout. ¹⁶Un nom est inscrit sur son manteau et sur sa cuisse : *Roi des rois* et *Seigneur des seigneurs.*

¹⁷Puis je vis un Ange, debout sur le soleil, *crier* d'une voix puissante à tous *les oiseaux qui volent* au zénith : « Venez, *ralliez* le grand *festin de* Dieu ! ¹⁸*Vous y avalerez chairs* de rois, et chairs de grands capitaines, et chairs de héros, et chairs de chevaux avec leurs cavaliers, et chairs de toutes gens, libres et esclaves, petits et grands ! »

¹⁹Je vis alors la Bête, avec les rois de la terre et leurs armées rassemblés pour engager le combat contre le Cavalier et son armée. ²⁰Mais la Bête fut capturée, avec le faux prophète – celui qui accomplit au service de la Bête des prodiges par lesquels il fourvoyait les gens ayant reçu la marque de la Bête et les adorateurs de son image –, on les jeta tous deux, vivants, dans l'étang de feu, de soufre embrasé. ²¹Tout le reste fut exterminé par l'épée du Cavalier, qui sort de sa bouche, et *tous les oiseaux se repurent de leurs chairs.*

Le règne de mille années.

20 ¹Puis je vis un Ange descendre du ciel, ayant en main la clef de l'Abîme, ainsi qu'une énorme chaîne. ²Il maîtrisa le Dragon, l'antique Serpent, – c'est le Diable, Satan –, et l'enchaîna pour mille années. ³Il le jeta dans l'Abîme, tira sur lui les verrous, apposa des scellés, afin qu'il cessât de fourvoyer les nations jusqu'à l'achèvement des mille années. Après quoi, il doit être relâché pour un peu de temps.

⁴Puis je vis des trônes sur lesquels ils s'assirent, *et on leur remit le jugement* ; et aussi les âmes de ceux qui furent décapités pour

le témoignage de Jésus et la Parole de Dieu, et tous ceux qui refusèrent d'adorer la Bête et son image, de se faire marquer sur le front ou sur la main ; ils reprirent vie et régnèrent avec le Christ mille années. ⁵Les autres morts ne purent reprendre vie avant l'achèvement des mille années. C'est la première résurrection. ⁶Heureux et saint celui qui participe à la première résurrection ! La seconde mort n'a pas pouvoir sur eux, mais ils seront prêtres de Dieu et du Christ avec qui ils régneront mille années.

Le second combat eschatologique. = 19 11-21.

⁷Les mille ans écoulés, Satan, relâché de sa prison, ⁸s'en ira séduire les nations des quatre coins de la terre, *Gog et Magog,* et les rassembler pour la guerre, aussi nombreux que le sable de la mer ; ⁹ils montèrent sur toute l'étendue du pays, puis ils investirent le camp des saints, la Cité bien-aimée. *Mais un feu descendit du ciel* et les dévora. ¹⁰Alors, le diable, leur séducteur, fut jeté dans l'étang de feu et de soufre, y rejoignant la Bête et le faux prophète, et leur supplice durera jour et nuit, pour les siècles des siècles.

Le Jugement des nations.

¹¹Puis je vis un trône blanc, très grand, et Celui qui siège dessus. Le ciel et la terre s'enfuirent de devant sa face sans laisser de traces. ¹²Et je vis les morts, grands et petits, debout devant le trône ; *on ouvrit des livres,* puis un autre livre, celui de la vie ; alors, les morts furent jugés d'après le contenu des livres, chacun selon ses œuvres.

¹³Et la mer rendit les morts qu'elle gardait, la Mort et l'Hadès rendirent les morts qu'ils gardaient, et chacun fut jugé selon ses œuvres. ¹⁴Alors la Mort et l'Hadès furent jetés dans l'étang de feu – c'est la seconde mort cet étang de feu. ¹⁵et celui qui ne se trouva pas inscrit dans le livre de vie, on le jeta dans l'étang de feu.

IV. LA JÉRUSALEM FUTURE

La Jérusalem céleste. = 7 15-17.

21 ¹Puis je vis *un ciel nouveau, une terre nouvelle* – car le premier ciel et la première terre ont disparu, et de mer, il n'y en a plus. ²Et je vis la Cité sainte, Jérusalem nouvelle, qui descendait du ciel, de chez Dieu ; elle s'est faite belle, comme une jeune mariée parée pour son époux. ³J'entendis alors une voix clamer, du trône : « Voici la demeure de Dieu avec les hommes. Il aura *sa demeure avec eux ; ils seront* son *peuple,* et lui, *Dieu-avec-eux,* sera leur Dieu. ⁴Il essuiera toute larme de leurs yeux* : de mort, il n'y en aura plus ; de pleur, de cri et de peine, il n'y en aura plus, car l'ancien monde s'en est allé. »

⁵Alors, Celui qui siège sur le trône déclara : « Voici, je fais l'univers nouveau. » Puis il ajouta : « Écris : Ces paroles sont cer-

taines et vraies. » [6]« C'en est fait, me dit-il encore, je suis l'Alpha et l'Oméga, le Principe et la Fin ; celui qui a soif, moi, je lui donnerai de la source de vie, gratuitement. [7]Telle sera la part du vainqueur ; *et je serai son* Dieu, *et lui sera mon fils.* [8]Mais les lâches, les renégats, les dépravés, les assassins, les impurs, les sorciers, les idolâtres, bref, tous les hommes de mensonge, leur lot se trouve dans l'étang brûlant de feu et de soufre : c'est la seconde mort. »

La Jérusalem messianique.

[9]Alors, l'un des sept Anges aux sept coupes remplies des sept derniers fléaux s'en vint me dire : « Viens, que je te montre la Fiancée, l'Épouse de l'Agneau. » [10]*Il me transporta donc en esprit sur une montagne de grande hauteur,* et me montra la Cité sainte, Jérusalem, qui descendait du ciel, de chez Dieu, [11]avec *en elle la gloire de Dieu.* Elle resplendit telle une pierre très précieuse, comme une pierre de jaspe cristallin. [12]Elle est munie d'un rempart de grande hauteur pourvu de douze portes près desquelles il y a douze Anges et des noms inscrits, *ceux des douze tribus des fils d'Israël ;* [13]*à l'orient, trois portes ; au nord, trois portes ; au midi, trois portes ; à l'occident, trois portes.* [14]Le rempart de la ville repose sur douze assises portant chacune le nom de l'un des douze Apôtres de l'Agneau.

[15]Celui qui me parlait tenait une mesure, un roseau d'or, pour mesurer la ville, ses portes et son rempart ; [16]cette ville dessine un carré : sa longueur égale sa lar-

geur. Il la mesura donc à l'aide du roseau, soit douze mille stades ; longueur, largeur et hauteur y sont égales. [17]Puis il en mesura le rempart, soit cent quarante-quatre coudées. — L'Ange mesurait d'après une mesure humaine. — [18]Ce rempart est construit en jaspe, et la ville est de l'or pur, comme du cristal bien pur. [19]Les assises de son rempart sont rehaussées de pierreries de toute sorte : la première assise est de jaspe, la deuxième de saphir, la troisième de calcédoine, la quatrième d'émeraude, [20]la cinquième de sardoine, la sixième de cornaline, la septième de chrysolite, la huitième de béryl, la neuvième de topaze, la dixième de chrysoprase, la onzième d'hyacinthe, la douzième d'améthyste. [21]Et les douze portes sont douze perles, chaque porte formée d'une seule perle ; et la place de la ville est de l'or pur, transparent comme du cristal. [22]De temple, je n'en vis point en elle ; c'est que le Seigneur, le Dieu Maître-de-tout, est son temple, ainsi que l'Agneau. [23]La ville peut se passer de l'éclat du soleil et de celui de la lune, car la gloire de Dieu l'a illuminée, et l'Agneau lui tient lieu de flambeau. [24]*Les nations marcheront à sa lumière,* et les rois de la terre viendront lui porter leurs trésors. [25]*Ses portes resteront ouvertes le jour* – car il n'y aura pas de nuit – [26]et *l'on viendra lui porter les trésors* et le faste *des nations.* [27]Rien de souillé n'y pourra pénétrer, ni ceux qui commettent l'abomination et le mal, mais seulement ceux qui sont inscrits dans le livre de vie de l'Agneau.

22 ¹Puis l'Ange me montra le fleuve de Vie, limpide comme du cristal, qui jaillissait du trône de Dieu et de l'Agneau. ²Au milieu de la place, *de part et d'autre du fleuve, il y a des arbres de Vie qui fructifient douze fois, une fois chaque mois ; et leurs feuilles peuvent guérir les païens.*

³*De malédiction, il n'y en aura plus* ; le trône de Dieu et de l'Agneau sera dressé dans la ville, et les serviteurs de Dieu l'adoreront ; ⁴ils verront sa face, et son nom sera sur leurs fronts. ⁵De nuit, il n'y en aura plus ; ils se passeront de lampe ou de soleil pour s'éclairer, car le Seigneur Dieu répandra sur eux sa lumière, et ils régneront pour les siècles des siècles.

⁶Puis il me dit : « Ces paroles sont certaines et vraies ; le Seigneur Dieu, qui inspire les prophètes, a envoyé son Ange pour montrer à ses serviteurs *ce qui doit arriver* bientôt. ⁷Voici que mon retour est proche ! Heureux celui qui garde les paroles prophétiques de ce livre. » ⁸C'est moi, Jean, qui voyais et entendais tout cela ; une fois les paroles et les visions achevées, je tombai aux pieds de l'Ange qui m'avait tout montré, pour l'adorer. ⁹Mais lui me dit : « Non, attention, je suis un serviteur comme toi et tes frères les prophètes et ceux qui gardent les paroles de ce livre ; c'est Dieu qu'il faut adorer. »

¹⁰Il me dit encore : « Ne tiens pas secrètes les paroles prophétiques de ce livre, car le Temps est proche. ¹¹Que le pécheur pèche encore, et que l'homme souillé se souille encore ; que l'homme de bien vive encore dans le bien, et que le saint se sanctifie encore. ¹²*Voici que mon retour est proche, et j'apporte* avec moi *le salaire que je vais payer à chacun, en proportion de son travail.* ¹³Je suis l'Alpha et l'Oméga, *le Premier et le Dernier,* le Principe et la Fin. ¹⁴Heureux ceux qui lavent leurs robes ; ils pourront disposer de l'arbre de Vie, et pénétrer dans la Cité, par les portes. ¹⁵Dehors les chiens, les sorciers, les impurs, les assassins, les idolâtres et tous ceux qui se plaisent à faire le mal ! »

Épilogue

¹⁶Moi, Jésus, j'ai envoyé mon Ange publier chez vous ces révélations concernant les Églises. Je suis le rejeton de la race de David, l'Étoile radieuse du matin.

¹⁷L'Esprit et l'Épouse disent : « Viens ! » Que celui qui entend dise : « Viens ! » Et que *l'homme assoiffé s'approche,* que l'homme de désir *reçoive l'eau* de la vie, *gratuitement.*

¹⁸Je déclare, moi, à quiconque écoute les paroles prophétiques de ce livre : « Qui oserait y faire des surcharges, Dieu le chargera de

tous les fléaux décrits dans ce livre ! [19]Et qui oserait retrancher aux paroles de ce livre prophétique, Dieu retranchera son lot de l'arbre de Vie et de la Cité sainte, décrits dans ce livre ! »

[20]Le garant de ces révélations l'affirme : « Oui, mon retour est proche ! » Amen, viens, Seigneur Jésus !

[21]Que la grâce du Seigneur Jésus soit avec tous ! Amen.

Épilogue

Tableau chronologique

Vers 1850 (?)	Migration d'ABRAHAM, de Mésopotamie vers le pays de Canaan.
Vers 1700 (?)	Installation en Égypte de groupes hébreux.
Vers 1250 (?)	MOÏSE. L'Exode.
Vers 1220 (?)	JOSUÉ. La conquête de la Palestine.
1200-1025	Les Juges.
Vers 1030	SAÜL. Institution de la Royauté. Le prophète SAMUEL.
Vers 1010	DAVID. Conquête de Jérusalem vers 1000. Le prophète NATÂN.
Vers 970-931	SALOMON. Construction du Temple.
931	Assemblée de Sichem. Le schisme. Les deux Royaumes : Israël (Nord) et Juda (Sud).
Vers 885-874	OMRI, roi d'Israël, fonde Samarie.
Vers 874-853	ACHAB, roi d'Israël. Les prophètes ÉLIE et ÉLISÉE.
Vers 750	Les prophètes AMOS et OSÉE.
740	Vocation d'ISAÏE. Le prophète MICHÉE.
722 ou 721	Prise de Samarie par Sargon II d'Assyrie. Fin du Royaume du Nord (Israël).
716-687	ÉZÉCHIAS, roi de Juda. Sennachérib envahit la judée. Le prophète ISAÏE.
687-642	MANASSÉ. Cultes païens dans le Temple.
640-609	JOSIAS, roi de Juda. Le prophète SOPHONIE.
627	Vocation du prophète JÉRÉMIE.
622	Découverte du « livre de la Loi » et réforme religieuse.
612	Ruine de Ninive, capitale de l'Assyrie. Le prophète NAHUM.
Vers 600	Révolte de JOIAQIM. Le prophète HABAQUQ.
598-597	JOIAKÎN. Siège de Jérusalem. Déportation à Babylone.
597-587	SÉDÉCIAS. Le prophète ÉZÉCHIEL prédit la ruine de Jérusalem.
587	Prise de Jérusalem par les Babyloniens. Exil à Babylone (587-538).

539	CYRUS, roi des Mèdes et des Perses, prend Babylone. Période perse (539-333).
538	Édit de Cyrus, libérant les déportés. Premiers retours.
520-515	ZOROBABEL. Dédicace du second Temple. Les prophètes AGGÉE et ZACHARIE.
445-432	Première mission de NÉHÉMIE. Le prophète MALACHIE
Vers 400	Mission d'ESDRAS.
332	La Palestine est conquise par les armées d'ALEXANDRE LE GRAND (336-323). Fin de l'époque perse et début de la période hellénistique (333-63). La Judée soumise aux Lagides d'Égypte (323-200).
Après 300	Début de la traduction grecque de la Bible : la Septante. Hellénisation de la Palestine.
200	Victoire de la Syrie sur l'Égypte. La Judée est soumise aux Séleucides de Syrie (200-142).
167	Persécution d'ANTIOCHUS IV ÉPIPHANE (175-164). Révolte du prêtre MATTATHIAS. Les frères MACCABÉES. En 164, le Temple est reconquis.
142-63	Indépendance des Juifs (dynastie des HASMONÉENS).
63	Prise de Jérusalem par POMPÉE, général romain. Il nomme HYRCAN II grand prêtre. Période romaine (63 av.-135 apr. J.-C.).
37	HÉRODE LE GRAND (37-4).
20	Début de la reconstruction du Temple.
Vers 6	Naissance de JÉSUS.
4	Mort d'HÉRODE LE GRAND, à qui succèdent ses fils ARCHELAÜS, HÉRODE ANTIPAS et PHILIPPE.
14	TIBÈRE, empereur romain (14-37).
26	PONCE-PILATE, procurateur (26-36).
27	Prédication de JEAN-BAPTISTE. Débuts du ministère de JÉSUS.

TABLEAU CHRONOLOGIQUE

30	Le vendredi 7 avril, mort de JÉSUS.
Vers 33 (36 ?)	Martyre d'ÉTIENNE. Conversion de PAUL.
40 (45-49 ?)	Première mission apostolique de PAUL.
44	Martyre de JACQUES le Majeur, frère de Jean.
47-51 (50-52 ?)	Deuxième voyage missionnaire de PAUL.
Vers 48	L'Assemblée de Jérusalem.
52 (53 ?)-57 (58 ?)	Troisième mission de PAUL.
62	JACQUES, frère du Seigneur, est lapidé à Jérusalem.
64 (ou 67)	Martyre de PIERRE à Rome.
66	Première révolte juive.
67	VESPASIEN reconquiert la Galilée.
70	TITUS investit Jérusalem. Incendie du Temple.
131-135	Seconde révolte juive, sous la conduite de SIMÉON BAR KOKÉBA. Prise de Jérusalem par les Romains en 134.

Composé, mis en page en mai 2007
Imprimé en mars 2011
par Normandie Roto Impression s.a.s.
à Lonrai (61250)

Composé, mis en page en mai 2007
imprimé en mars 2011
par Normandie Roto Impression s.a.s.
à Lonrai (61250)

N° d'édition : 14133
N° d'imprimeur : 110579

N° d'édition : 14133
N° d'impression : 110579

Dépôt légal : juin 2007

Dépôt légal : juin 2007